Medicina Ambulatorial

M489   Medicina ambulatorial : condutas de atenção primária baseadas em evidências / Organizadores, Bruce B. Duncan ... [et al.]. – 5. ed. – Porto Alegre : Artmed, 2022.
2 v. (xxxi, 973 p. ; xxxi, 2250 p.) : il. color. ; 28 cm.

ISBN 978-65-5882-042-0 (obra compl.). – ISBN 978-65-5882-044-4 (v. 1). – ISBN 978-65-5882-045-1 (v. 2)

1. Medicina. 2. Medicina de família e comunidade. 3. Saúde pública. 4. Atenção primária à saúde. I. Duncan, Bruce B. II. Schmidt, Maria Inês. III. Giugliani, Elsa R. J. IV. Duncan, Michael Schmidt. V. Giugliani, Camila.

CDU 614

Catalogação na publicação: Karin Lorien Menoncin – CRB 10/2147

Bruce B. Duncan
Maria Inês Schmidt
Elsa R. J. Giugliani
Michael Schmidt Duncan
Camila Giugliani

Medicina Ambulatorial

Condutas de Atenção Primária
Baseadas em Evidências

5ª EDIÇÃO

1

Porto Alegre
2022

© Grupo A Educação S.A., 2022.

Gerente editorial: *Letícia Bispo de Lima*

Colaboraram nesta edição:

Preparação de originais: *Caroline Castilhos Melo, Sandra da Câmara Godoy, Heloísa Stefan*

Leitura final: *Caroline Castilhos Melo, Sandra da Câmara Godoy, Giovana Roza*

Capa e projeto gráfico do miolo: *Paola Manica | Brand&Book*

Editoração: *Clic Editoração Eletrônica Ltda.*

Tradução: *André Garcia Islabão (Figura 44.5, Figura 101.1, Figura 173.2, Figura 183.7, Apêndice 2)*

Ilustrações: *Gilnei Cunha (Figura 82.1, Figuras 83.1 a 6, Figura 84.1, Figura 84.3, Figura 87.2, Figura 182.2, Figuras 183.3, 4, 6 e 7, Figuras 190.2-6 e 8-10, Figuras 189.1-3 e 5-15, Figuras 191.1, 3-5, 7, 8 e 10-12)*

Nota

A medicina é uma ciência em constante evolução. À medida que novas pesquisas e a experiência clínica ampliam o nosso conhecimento, são necessárias modificações no tratamento e na farmacoterapia. Os autores desta obra consultaram as fontes consideradas confiáveis, em um esforço para oferecer informações completas e, geralmente, de acordo com os padrões aceitos à época da publicação. Entretanto, tendo em vista a possibilidade de falha humana ou de alterações nas ciências médicas, os leitores devem confirmar estas informações com outras fontes. Por exemplo, e em particular, os leitores são aconselhados a conferir a bula de qualquer medicamento que pretendam administrar, para se certificar de que a informação contida neste livro está correta e de que não houve alteração na dose recomendada nem nas contraindicações para o seu uso. Essa recomendação é particularmente importante em relação a medicamentos novos ou raramente usados.

Reservados todos os direitos de publicação ao GRUPO A EDUCAÇÃO S.A.
(Artmed é um selo editorial do GRUPO A EDUCAÇÃO S.A.)
Rua Ernesto Alves, 150 – Bairro Floresta
90220-190 – Porto Alegre – RS
Fone: (51) 3027-7000

SAC 0800 703 3444 – www.grupoa.com.br

É proibida a duplicação ou reprodução deste volume, no todo ou em parte, sob quaisquer formas ou por quaisquer meios (eletrônico, mecânico, gravação, fotocópia, distribuição na Web e outros), sem permissão expressa da Editora.

IMPRESSO NO BRASIL
PRINTED IN BRAZIL

Autores e Coordenadores

Bruce B. Duncan Internista. Professor titular do Departamento de Medicina Social da Faculdade de Medicina da Universidade Federal do Rio Grande do Sul (FAMED/UFRGS). Docente permanente do Programa de Pós-graduação (PPG) em Epidemiologia da UFRGS. Especialista em Medicina Interna e Medicina Preventiva pela North Carolina Memorial Hospital. Master in Public Health (MPH) pela Johns Hopkins University School of Public Health. PhD (Clínica Médica) pela UFRGS.

Maria Inês Schmidt Endocrinologista. Professora titular do Departamento de Medicina Social da FAMED/UFRGS. Docente permanente do PPG em Epidemiologia da UFRGS. Especialista em Endocrinologia pela Irmandade da Santa Casa de Misericórdia de Porto Alegre (ISCMPA). MPH pela University of North Carolina. PhD pela University of North Carolina.

Elsa R. J. Giugliani Pediatra. Professora titular do Departamento de Pediatria da FAMED/UFRGS. Mestra e Doutora em Pediatria pela Faculdade de Medicina de Ribeirão Preto da Universidade de São Paulo (FMRP/USP).

Michael Schmidt Duncan Médico de família e comunidade. Assessor técnico da Superintendência de Atenção Primária da Secretaria Municipal de Saúde do Rio de Janeiro (SMS/RJ). Mestrado Profissional em Saúde da Família pelo ProfSaúde/Universidade do Estado do Rio de Janeiro (UERJ).

Camila Giugliani Médica de família e comunidade. Professora associada de Medicina Social da FAMED/UFRGS. Doutora em Epidemiologia pela UFRGS.

A. Carlile H. Lavor Médico sanitarista. Ex-professor da Universidade de Brasília (UnB). Coordenador da Fundação Oswaldo Cruz (FIOCRUZ) Ceará.

Adamastor Humberto Pereira Cirurgião vascular. Professor titular do Departamento de Cirurgia da UFRGS. Chefe do Serviço de Cirurgia Vascular do Hospital de Clínicas de Porto Alegre (HCPA). Especialista em Cirurgia Endovascular pela UFRGS. Mestre em Ciências em Gastroenterologia e Hepatologia pela UFRGS. Doutor em Medicina pela Universidade Federal de São Paulo (UNIFESP).

Adão Machado Pediatra. Coordenador da Comissão de Controle de Infecção do Hospital Padre Jeremias, Cachoeirinha. Especialista em Medicina Intensiva Pediátrica pelo HCPA/Associação Médica Brasileira (AMB). Mestre em Pediatria pela UFRGS.

Adelson Guaraci Jantsch Médico de família e comunidade. Mestre em Saúde Pública pela UERJ. Doutorado em Saúde Pública pela UERJ.

Adriana Oliveira Guilarde Infectologista. Professora associada da Universidade Federal de Goiás (UFG). Mestre em Epidemiologia pela UFG. Doutora em Medicina Tropical pela UFG.

Adriane Vienel Fagundes Cirurgiã dentista especialista em Saúde da Família e em Periodontia. Mestranda em Clínica Odontológica pela UFRGS.

Adriani Oliveira Galão Ginecologista e obstetra. Professora associada do Departamento de Ginecologia e Obstetrícia da FAMED/UFRGS. Diretora geral do Hospital Materno Infantil Presidente Vargas (HMIPV). Especialista em Gestão de Operações para a Saúde pela Engenharia de Produção da UFRGS. Mestre em Medicina e Ciências da Saúde pela Pontifícia Universidade Católica do Rio Grande do Sul (PUCRS). Doutora em Clínica Médica e Ciências da Saúde pela PUCRS.

Airton Tetelbom Stein Médico de família e comunidade. Professor titular de Saúde Coletiva da Universidade Federal de Ciências da Saúde de Porto Alegre (UFCSPA). Médico de família do Grupo Hospitalar Conceição (GHC). Especialista em Medicina de Família e Comunidade pela Secretaria de Saúde e do Meio Ambiente do Rio Grande do Sul (SSMA-RS). Mestre em Community Health for Developing Countries pela London School of Hygiene and Tropical Medicine. Doutor em Ciências Médicas pela UFRGS.

Alceu Migliavacca Cirurgião. Professor de Medicina da UFRGS. Especialista em Cirurgia Geral e Oncológica pela UFRGS.

Alessandra E. Dantas Fisioterapeuta. Pós-Graduação em Osteopatia pela Escola de Osteopatia de Madrid.

Alessandro Bersch Osvaldt Médico. Professor adjunto do Departamento de Cirurgia da FAMED/UFRGS. Especialista em Cirurgia do Aparelho Digestivo – Grupo de Pâncreas e Vias Biliares pelo Serviço de Cirurgia do Aparelho Digestivo do HCPA. Mestre e Doutor em Ciências Cirúrgicas pela UFRGS.

Alexandre Araujo Pereira Cirurgião vascular. Médico contratado do HCPA. Coordenador do Ambulatório de Doenças Arteriais do Hospital Moinhos de Vento (HMV). Especialista em Cirurgia Vascular e Endovascular pela Sociedade Brasileira de Angiologia e de Cirurgia Vascular (SBACV).

Alexandre de Araujo Gastroenterologista e hepatologista. Membro da Equipe de Hepatologia e Transplante Hepático do HCPA. Mestre e Doutor em Hepatologia pela UFRGS.

Alexandre Estevam Montenegro Diniz Estudante Medicina do 10º semestre.

Alfeu Roberto Rombaldi Cardiologista e clínico da Maternidade do Hospital Nossa Senhora da Conceição (HNSC)/GHC. Especialista em Cardiologia pelo HNSC/GHC.

Autores e Coordenadores

Alfredo de Oliveira Neto Médico de família e comunidade. Professor adjunto no Departamento de Medicina em Atenção Primária à Saúde da Faculdade de Medicina da Universidade Federal do Rio de Janeiro (UFRJ). Mestre em Saúde Coletiva pelo Instituto de Medicina Social Hésio Cordeiro (IMS)/UERJ. Doutor em Saúde Coletiva pelo IMS/UERJ.

Alice de M. Zelmanowicz Oncologista. Professora adjunta do Departamento de Saúde Coletiva da UFCSPA. Especialista em Oncologia Clínica pela PUCRS. Mestra em Ciências Médicas pela UFRGS. Doutora em Epidemiologia pela UFRGS.

Aline Camargo Fischer Dermatologista. Especialista em Pele, Cabelos e Unhas pelo HCPA.

Aloyzio Achutti Internista e cardiologista. Especialista em Medicina Interna e em Cardiologia pela FAMED/UFRGS.

Amanda Ramos da Cunha Cirurgiã-dentista. Especialista em Saúde Coletiva pelo GHC. Mestra em Saúde Coletiva pela UFRGS. Doutoranda em Saúde Bucal Coletiva na UFRGS.

Ana Cláudia Magnus Martins Médica. Especialista em Medicina de Família e Comunidade pelo GHC. Pós-Graduação em Dor e Cuidados Paliativos pelo HCPA. Pós-Graduação em Cuidados Paliativos pelo Instituto Cicely Saunders, King's College London. Mestra em Epidemiologia pela UFRGS.

Ana Elisa Kiszewski Bau Dermatologista. Professora associada de Dermatologia da UFCSPA. Especialista em Dermatologia Pediátrica pela Universidad Nacional Autónoma de México (UNAM). Mestra em Ciências Médicas pela UNAM e pela UFRGS. Doutora em Patologia pela UFCSPA.

Ana Laura Grossi de Oliveira Nutricionista com experiência em Vigilância Alimentar e Nutricional da Prefeitura Municipal de Coronel Fabriciano. Professora de graduação e pós-graduação em disciplinas da área de saúde. Especialista em Ciências Biológicas pela Universidade Federal de Ouro Preto. Mestra em Ciência de Alimentos pela Universidade Federal de Minas Gerais (UFMG). Doutoranda em Ciências da Saúde: Infectologia e Medicina Tropical pela UFMG.

Ana Lenise Favaretto Dermatologista. Médica da Clínica Ponzio. Especialista em Dermatologia pela ISCMPA. Mestra em Epidemiologia pela UFRGS. MBA Executivo em Gerenciamento de Projetos pela Fundação Getúlio Vargas.

Ana Luiza Maia Professora titular de Endocrinologia da UFRGS.

Ana Marli C. Sartori Infectologista. Professora associada do Departamento de Moléstias Infecciosas e Parasitárias da Faculdade de Medicina da Universidade de São Paulo (FMUSP). Especialista em Moléstias Infecciosas e Parasitárias pela FMUSP. Mestra e Doutora em Moléstias Infecciosas e Parasitárias pela FMUSP. Livre-docente em Moléstias Infeciosas e Parasitárias pela FMUSP.

Ana Paula Andreotti Amorim Médica de família e comunidade. Médica de Ensino e Pesquisa do Programa de Atenção Primária à Saúde da FMUSP.

Ana Paula Pfitscher Cavalheiro Internista e infectologista. Referência técnica em HIV, Tuberculose e Hepatites Virais pelo Médicos Sem Fronteiras, Londres. Mestra em Ciências em Saúde Global pela Karolinska Institutet, Estocolmo, Suécia.

Analuiza Camozzato Psiquiatra. Professora associada da UFCSPA. Especialista em Psiquiatria pela UFCSPA. Mestra e Doutora em Clínica Médica pela UFRGS.

Andre Avelino Costa Beber Dermatologista. Professor adjunto de Dermatologia da Universidade Federal de Santa Maria (UFSM). Mestre em Ciências Médicas pela UFRGS.

Andre Feldman Cardiologista/terapia intensiva. Professor pleno da Pós-Graduação de Cardiologia da USP/Instituto Dante Pazzanese de Cardiologia (IDPC). Coordenador da Regional SP da Cardiologia da Rede D'OR Hospital São Luiz. Doutor em Ciências Médicas pela USP/IDPC.

André Klafke Médico de família e comunidade. Preceptor do Programa de Residência Médica (PRM) em Medicina de Família e Comunidade e professor do PPG em Avaliação de Tecnologias para o SUS do GHC. Mestre e Doutor em Epidemiologia pela UFRGS.

André Luís Marques da Silveira Médico clínico do Serviço de Atenção Domiciliar, Programa Melhor em Casa, na Associação Hospitalar Vila Nova.

Andre T. Brunetto Oncologista. Coordenador de pesquisa. Especialista em Câncer de Próstata. Mestre em Oncologia Básica, Clínica e Radioterapia pela Universidade de Londres.

Andrew Haines General Practitioner. Professor of Environmental Change and Public Health and former Director, London School of Hygiene and Topical Medicine. Honorary Consultant in Public Health, Public Health England. MD in Epidemiology pela University of London.

Angela Jacob Reichelt Endocrinologista. Médica contratada do HCPA. Doutorado em Clínica Médica pela UFRGS.

Angela M. V. Tavares Educadora física. Professora universitária da Faculdade de Ciências da Saúde Moinhos de Vento. Especialista em Ciências do Esporte pela Escola de Educação Física, Fisioterapia e Dança (ESEFID)/UFRGS. Mestra em Fisiologia pelo Instituto de Ciências Básicas da Saúde (ICBS) da UFRGS. Doutora em Ciências Cardiovasculares pela FAMED/UFRGS.

Anibal Faúndes Médico. Pesquisador sênior. Especialista em Obstetrícia.

Anne Orgler Sordi Psiquiatra. Chefe da Unidade de Psiquiatria de Adição e preceptora do Programa de Residência em Psiquiatria e Psiquiatria da Adição do HCPA. Especialista em Psicoterapia de Orientação Analítica pelo Centro de Estudos Luís Guedes (CELG)/HCPA. Doutora pelo PPG em Psiquiatria e Ciências do Comportamento da UFRGS.

Antônio Carlos Pinto Oliveira Cirurgião plástico. Médico concursado do Serviço de Cirurgia Plástica. Responsável pela equipe de Cirurgia Estética do HCPA. Especialista em Cirurgia Plástica pela Sociedade Brasileira de Cirurgia Plástica (SBCP). Mestre em Cirurgia pela UFRGS. Membro titular da SBCP.

Antônio de Barros Lopes Gastroenterologista. Médico do Serviço de Gastroenterologia do HCPA. Mestre e Doutor em Ciências em Gastroenterologia e Hepatologia pela UFRGS.

Antonio Luiz Pinho Ribeiro Cardiologista. Professor titular do Departamento de Clínica Médica da Faculdade de Medicina da UFMG. Doutor em Medicina pela UFMG.

Ari Ojeda Ocampo Moré Médico especialista em Acupuntura e em Clínica Médica. Supervisor do PRM em Acupuntura do Hospital Universitário da Universidade Federal de Santa Catarina (UFSC). Mestre em Neurociências pela UFSC. Doutor em Saúde Coletiva pela UFSC.

Ari Timerman Cardiologista. Diretor da Divisão Clínica do IDPC/USP. Especialista em Emergências e Terapia Intensiva pelo IDPC/USP. Doutor em Cardiologia pela FMUSP.

Ariel Azambuja Gomes de Freitas Pediatra geral da UFRGS. Mestre em Pediatria pela UFRGS. Ex-professor assistente de Pediatria da UFRGS.

Aristides V. Cordioli Psiquiatra. Professor aposentado da FAMED/UFRGS. Especialista e Mestre em Psiquiatria pela UFRGS. Doutor em Ciências Médicas: Psiquiatria pela UFRGS.

Bárbara Stelzer Lupi Internista e médica de família e comunidade.

Beatriz Graeff Santos Seligman Internista. Professora associada do Departamento de Medicina Interna da FAMED/UFRGS. Chefe de equipe de Medicina Interna do HCPA. Especialista em Medicina Interna pelo HCPA e em Nefrologia pela UFRGS. Mestra em Clínica Médica pela UFRGS. Doutora em Cardiologia pela UFRGS.

Beatriz Stela Gomes de Souza Pitombeira Hematologista. Médica do Serviço de Transplante de Medula Óssea do Hospital Universitário Walter Cantídio (HUWC)/Universidade Federal do Ceará (UFC). Especialista em Transplante de Medula Óssea pelo HCPA. Mestra em Ciências Médicas pela UFRGS.

Beatriz Vailati Ginecologista e obstetra do HCPA. Mestra em Medicina do Programa de Clínica Médica pela UFRGS.

Berenice Dias Ramos Otorrinopediatra e foniatra. Preceptora da Residência Médica na Área de Otorrinolaringologia Pediátrica e Foniatria do Serviço de Otorrinolaringologia e Cirurgia de Cabeça e Pescoço do Hospital São Lucas (HSL)/PUCRS. Mestra em Otorrinolaringologia pela UNIFESP. *Fellow* em Foniatria pela DERDIC/PUCSP.

Betine Pinto Moehlecke Iser Pesquisadora e professora universitária. Professora do PPG em Ciências da Saúde da Universidade do Sul de Santa Catarina. Especialista em Saúde Bucal Coletiva pela Escola de Saúde Pública do RS. Mestra e Doutora em Epidemiologia pela UFRGS. Egressa do Programa de Treinamento em Epidemiologia Aplicada aos Serviços do SUS da Secretaria de Vigilância em Saúde (SVS)/MS.

Blanca Elena Rios Gomes Bica Professora associada de Reumatologia da Faculdade de Medicina da UFRJ. Chefe do Serviço de Reumatologia do Hospital Universitário Clementino Fraga Filho da UFRJ. Especialista em Reumatologia pela Sociedade Brasileira de Reumatologia (SBR) e AMB. Mestra em Pediatria pela UFRJ. Doutora em Química Biológica pela UFRJ. Ex-presidente da Sociedade de Reumatologia do Rio de Janeiro.

Boaventura Antonio dos Santos Pediatra. Professor associado de Pediatria (aposentado) da UFRGS. Especialista em Pediatria pela UFRGS. Doutor em Pediatria pela UFRGS.

Brasil Silva Neto Urologista. Professor associado do Departamento de Urologia da FAMED/UFRGS/ HCPA. Mestre e Doutor em Medicina: Ciências Cirúrgicas pela UFRGS. Research associate, Lahey Clinic Medical Center Boston, EUA.

Brendha Silva Givisiez Médica de família e comunidade do Serviço de Saúde Comunitária (SSC) do GHC. Especialista em Preceptoria em Medicina de Família e Comunidade pela UNA-SUS/UFSCPA.

Bruno Alves Brandão Médico de família e comunidade. Preceptor do Programa de Residência em Medicina de Família e Comunidade da SMS/RJ. Mestre em Saúde Pública pela Escola Nacional de Saúde Pública Sergio Arouca (ENSP)/FIOCRUZ.

Caio César Bezerra da Silva Médico de família e comunidade.

Camila Furtado de Souza Médica de família e comunidade. Professora do Curso de Medicina da Universidade do Vale do Taquari (UNIVATES). Mestra e Doutora em Ciências Médicas: Endocrinologia pela UFRGS.

Caren Serra Bavaresco Dentista do SSC do GHC. Professora do Curso de Odontologia da Universidade Luterana do Brasil (ULBRA), RS. Especialista em Saúde Pública pela e em Disfunção Temporomandibular pela Associação Brasileira de Odontologia (ABO-RS) e em Acupuntura pela Associação Brasileira de Acupuntura (ABA). Mestra e Doutora em Ciências Biológicas: Bioquímica pela UFRGS. Pós-doutorado em Ciências Médicas pela UFRGS. Pós-Doutoranda em Odontologia pela UFMG.

Carisi Anne Polanczyk Cardiologista. Professora associada de Medicina Interna da UFRGS. Chefe do Serviço de Cardiologia do HMV. Mestra e Doutora em Cardiologia pela UFRGS.

Carla Baumvol Berger Médica de família e comunidade na Unidade Básica de Saúde do GHC. Especialista em Gestão e Saúde Pública pela UFRGS. Mestra em Avaliação em Tecnologias para o SUS pelo GHC.

Carla da Cruz Teixeira Médica de família e comunidade.

Carla Di Giorgio Nefrologista e intensivista pediátrica. Nefrologista pediátrica do HCPA.

Carla Gottgtroy Médica. Especialista em Reumatologia pelo Hospital Federal dos Servidores do Estado do Rio de Janeiro.

Carla Maria De Martini Vanin Ginecologista e obstetra. Coordenadora da Comissão de Residência Médica da UFCSPA/ISCMPA. Professora de Ginecologia da UFCSPA. Chefe do Serviço de Ginecologia e Obstetrícia da ISCMPA. Mestra pela Universidade de Toronto, Canadá. Doutorado sanduíche pela Universidade de Toronto, Canadá, e UFRGS.

Carlo Henning Ortopedista e traumatologista. Médico contratado do HCPA. Especialista em Cirurgia de Tornozelo e Pé pelo HCPA. Mestre em Cirurgia pela UFRGS. Membro titular da Sociedade Brasileira de Ortopedia e Traumatologia. Membro titular da Associação Brasileira de Medicina e Cirurgia do Tornozelo e Pé.

Carlo Roberto Hackmann da Cunha Médico de família e comunidade. Mestre em Epidemiologia pela UFRGS.

Carlos Augusto Bastos de Souza Ginecologista e obstetra. Médico do HCPA. Mestre e Doutor em Ciências Médicas pela UFRGS. Pós-doutorado em Ginecologia Minimamente Invasiva e Endometriose.

Carlos Augusto Mello da Silva Médico pediatria. Médico do Centro de Informação Toxicológica do Centro Estadual de Vigilância em Saúde da Secretaria Estadual da Saúde de Porto Alegre, RS. Área de atuação em Toxicologia Médica. Especialização em Toxicologia Aplicada pela PUCRS. Presidente do Departamento Científico de Toxicologia e Saúde Ambiental da Sociedade Brasileira de Pediatria (SBP).

Carlos Graeff-Teixeira Médico especialista em Medicina Tropical. Professor titular da PUCRS. Especialista em Medicina Interna pela HCPA. Mestre em Doenças Infecciosas pela UFRJ. Doutor em Medicina Tropical pelo Instituto Oswaldo Cruz.

Carlos Magno C. B. Fortaleza Médico especialista em Infectologia pela Universidade Estadual de Campinas (UNICAMP). Doutor em Clínica Médica pela UNICAMP. Professor livre-docente da Faculdade de Medicina de Botucatu, Universidade Estadual Paulista (UNESP).

Carlos R. M. Rieder Neurologista. Professor adjunto Neurologia da UFCSPA. Especialista em Neurologia pelo HCPA. Mestre em Ciências Médicas pela UFRGS. Doutor em Clinical Neuroscience, Birmingham University, England.

Carmen Luiza C. Fernandes Médica de família e comunidade. Terapeuta de Família e Casal do Instituto da Família de Porto Alegre (INFAPA). Coordenadora do Programa de Residência em Medicina de Família e Comunidade do GHC. Mestra em Epidemiologia pela UFRGS.

Carmita H. N. Abdo Psiquiatra. Professora associada do Departamento de Psiquiatria da FMUSP. Coordenadora do Programa de Estudos em Sexualidade (ProSex) do Instituto de Psiquiatria do HCFMUSP. Doutora e livre-docente em Psiquiatria pela FMUSP.

Carolina Leão Oderich Ginecologista e obstetra. Professora adjunta do Curso de Medicina da Universidade Federal da Integração Latino-americana (UNILA). Preceptora da Residência Médica em

Ginecologia e Obstetrícia do Município de Foz do Iguaçu. Mestra e Doutora em Ciências Médicas pela UFRGS.

Carolina Machado Torres Neurologista. Contratada do HCPA. Especialista em Epileptologia pelo HSL da PUCRS. Mestra e Doutora em Ciências Médicas pela UFRGS.

Carolina Soares da Silva Gastroenterologista pediátrica. Médica do Serviço de Gastroenterologia Pediátrica do Hospital da Criança Santo Antônio da ISCMPA. Especialista em Pediatria e Gastroenterologia Pediátrica pela UFCSPA. Mestra em Pediatria pela UFCSPA.

Caroline Martins José dos Santos Cirurgiã-dentista. Analista técnica de Políticas Sociais da Secretaria de Atenção Primária à Saúde/Ministério da Saúde (MS). Especialista em Saúde da Família e Gestão da Atenção Básica pela ENSP/FIOCRUZ. Mestra em Saúde Coletiva pela UnB.

Cassia Kirsch Lanes Médica de família e comunidade. Professora da Faculdade de Medicina da UNESA. Especialista em Medicina de Família e Comunidade pelo HMV.

Charles Lubianca Kohem Médico reumatologista do HCPA. Professor adjunto de Medicina Interna da UFRGS. *Fellow* em Reumatologia pela UT Southwestern Medical School, EUA. Mestre e Doutor em Ciências Médicas pela UFRGS.

Christian Kieling Psiquiatra. Professor de Psiquiatria da Infância e da Adolescência da UFRGS. Especialista em Psiquiatria da Infância e da Adolescência pelo HCPA. Mestre e Doutor em Ciências Médicas: Psiquiatria pela UFRGS.

Cinthia Fonseca O'Keeffe Infectologista. Atua no Serviço de Controle de Infecção Hospitalar da Associação Educadora São Carlos (AESC) do Hospital Santa Luzia.

Ciro Paz Portinho Cirurgião plástico e craniomaxilofacial. Professor adjunto do Departamento de Cirurgia da FAMED/UFRGS. Mestre e Doutor em Ciências Cirúrgicas pela FAMED/UFRGS. Membro titular da SBCP e da Associação Brasileira de Cirurgia Crânio-Maxilo-Facial (ABCCMF).

Clarissa Giaretta Oleksinski Infectologista. Coordenadora do Serviço de Controle de Infecção do Hospital de Clínicas de Passo Fundo.

Claudia Regina Lindgren Alves Pediatra. Professora associada do Departamento de Pediatria da Faculdade de Medicina da UFMG. Doutora em Ciências da Saúde.

Claunara Schilling Mendonça Médica de Família e Comunidade do GHC. Professora da FAMED/UFRGS. Doutora em Epidemiologia pela UFRGS.

Cleber Dario Pinto Kruel Médico. Professor titular de Cirurgia Geral do Departamento de Cirurgia da FAMED/UFRGS. Pós-doutor pela Università degli Studi di Milano, IT. Doutor em Cirurgia Gastroenterológica pela Escola Paulista de Medicina (EPM)/UNIFESP.

Cleber Rosito Pinto Kruel Cirurgião do aparelho digestivo. Professor adjunto Departamento de Cirurgia da UFRGS. Mestre e Doutor em Cirurgia pela UFRGS.

Clécio Homrich da Silva Pediatra. Professor associado do Departamento de Pediatria da UFRGS. Especialista em Saúde Pública pela Escola de Saúde Pública do Rio Grande do Sul/FIOCRUZ. Mestre em Pediatria pela UFRGS. Doutor em Saúde da Criança e do Adolescente pela UFRGS. Pós-doutorado em Global Child Health no Sick Kids Hospital, Toronto Canadá.

Cor Jesus Fernandes Fontes Infectologista. Professor da Faculdade de Medicina da Universidade Federal de Mato Grosso (UFMT). Especialista em Clínica Médica, Infectologia e Medicina de Família e Comunidade pela UFMT. Mestre e Doutor em Medicina Tropical pela UFMG.

Cristiana M. Toscano Infectologista e epidemiologista. Professora associada de Saúde Coletiva do Instituto de Patologia Tropical e Saúde Pública da UFG. Especialista em Economia da Saúde e Epidemiologia de Campo pela Universidade de York, UK, e CDC, EUA. Mestra em Doenças Infecciosas e Parasitárias pela USP. Doutora em Epidemiologia pela UFRGS. Pós-doutorado em Avaliação de Tecnologias de Saúde pela UFRGS.

Cristine Kloeckner Kraemer Dermatologista. Especialista em Dermatologia pela Sociedade Brasileira de Dermatologia (SBD). Mestra em Medicina: Ciências Médicas pela UFRGS.

Daniel Almeida Gonçalves Médico de família e comunidade. Mestre em Psiquiatria pela UNIFESP. Doutor em Saúde Coletiva pela UNIFESP.

Daniel C. Damin Coloproctologista. Mestre e Doutor em Gastroenterologia pela UFRGS. Pós-doutorado pela Universidade de Miami, EUA.

Daniel Costi Simões Médico.

Daniela Riva Knauth Antropóloga. Professora titular do Departamento de Medicina Social da FAMED/UFRGS. Mestra em Antropologia Social pela UFRGS. Doutora em Etnologia e Antropologia pela Ecole des Hautes Etudes en Sciences Sociales, Paris.

Daniele Walter Duarte Cirurgiã plástica. Mestra em Epidemiologia pela UFRGS. Doutora em Ciências Cirúrgicas pela UFRGS.

Danilo Blank Pediatra. Professor titular de Pediatria da UFRGS. Especialista em Pediatria e Adolescência pela UFRGS. Doutor em Saúde da Criança e do Adolescente pela UFRGS.

Danilo C. Berton Pneumologista. Professor adjunto de Medicina Interna da FAMED/UFRGS. Mestre em Ciências Pneumológicas pela UFRGS. Doutor em Medicina: Pneumologia pela UNIFESP.

Danilo de Paula Santos Estudante de Medicina da UFRGS. Doutorando do PPG em Epidemiologia da UFRGS.

Danise Senna Oliveira Infectologista. Professora adjunta de Infectologia da Universidade Federal de Pelotas (UFPEL). Doutora em Doenças Infecciosas e Parasitárias pela USP.

Danyella da Silva Barreto Médica de família e comunidade. Professora adjunta do Departamento de Promoção à Saúde da Universidade Federal da Paraíba e Centro Universitário João Pessoa (UNIPÊ). Especialista em Terapia Familiar e de Casal pelo INFAPA. Mestra em Psicologia pela Universidade do Vale do Rio dos Sinos (UNISINOS).

Déa Suzana M. Gaio Ginecologista e obstetra. Especialista em Ginecologia e Obstetrícia pela UFRGS. Mestra em Clínica Médica pela UFRGS.

Denise Aerts Médica. Especialista em Medicina de Família e Comunidade pela SSMA-RS. Mestra e Doutora em Clínica Médica: Epidemiologia pela UFRGS.

Denise Rotta Ruttkay Pereira Otorrinolaringologista. Mestra em Pediatria pela UFRGS. Doutoranda em Pediatria pela UFRGS.

Denise Vieira de Oliveira Infectologista. Médica do Hospital Giselda Trigueiro (HGT). Especialista em Infectologia pelo HGT.

Diego Espinheira da Costa Bomfim Médico de família e comunidade. Professor auxiliar do Internato de Saúde Mental da Universidade Federal do Recôncavo da Bahia. Supervisor e preceptor da Residência de Medicina de Família e Comunidade da Secretaria Municipal de Saúde de Salvador. Mestre em History of Science Technology and Medicine pela University of Manchester.

Dinarte Ballester Psiquiatra. Professor adjunto de Psiquiatria da UFPEL. Mestre em Clínica Médica pela UFRGS. Doutor em Psiquiatria e Psicologia Médica pela UNIFESP.

Diogo Luis Scalco Médico de família e comunidade. Médico e preceptor da Residência de Medicina de Família e Comunidade da Secretaria Municipal de Saúde de Florianópolis. Mestre em Epidemiologia pela UFPEL.

Dolores Noronha Galdeano Médica.

Eberhart Portocarrero-Gross Médico de família e comunidade. Preceptor da Residência de Medicina de Família e Comunidade da SMS/RJ. Especialista em Medicina de Família e Comunidade pela ENSP/FIOCRUZ.

Eduardo de Araujo-Silva Clínico geral da UFRGS. Mestre em Saúde Coletiva: Epidemiologia pela UFMT. Doutorando em Epidemiologia pela UFRGS.

Eduardo de Oliveira Fernandes Internista. Supervisor da Residência de Medicina Interna do GHC. Especialista em Clínica Médica pela UFRGS e em Medicina Intensiva pela Associação de Medicina Intensiva Brasileira. Doutor em Ciências Pneumológicas pela UFRGS. *Fellow* do American College of Physicians.

Eduardo Henrique Portz Médico de família e comunidade. Preceptor de Medicina de Família e Comunidade da UNIVATES.

Eduardo I. Gus Cirurgião plástico e de queimados pediátrico da Divisão de Cirurgia Plástica e Reconstrutiva no The Hospital for Sick Children, Toronto, Canada. Professor assistente do Departamento de Cirurgia da Universidade de Toronto. Project Investigator, SickKids Research Institute.

Eduardo Macário Farmacêutico. Sanitarista do MS. Especialista em Medicina Preventiva e Social pelo Centro de Pesquisas Aggeu Magalhães (CPqAM)/FIOCRUZ, Pernambuco. Mestre em Saúde Pública pelo CPqAM/FIOCRUZ, Pernambuco. Doutor em Epidemiologia pela UFRGS. Egresso do Programa de Treinamento em Epidemiologia Aplicada aos Serviços do SUS (EpiSUS), do MS e do Centers for Disease Control and Prevention (CDC), EUA.

Eduardo Pandolfi Passos Ginecologista e obstetra. Professor titular de Ginecologia e Obstetrícia da UFRGS. Chefe do Setor de Reprodução Assistida do HCPA/UFRGS. Chefe do Serviço de Fertilidade e Reprodução Assistida do HMV. Doutor e livre-docente em Ginecologia pela UNIFESP.

Eliana de Andrade Trotta[†] Pediatra intensivista. Chefe da UTI Pediátrica do HCPA. Professora associada Doutora do Departamento de Pediatria da FAMED/UFRGS.

Eliana Lúcia Tomaz do Nascimento Infectologista. Professora associada do Departamento de Infectologia da Universidade Federal do Rio Grande do Norte (UFRN). Mestra em Bioquímica pela UFRN. Doutora em Ciências da Saúde pela UFRN.

Elisabeth Araujo Otorrinolaringologista. Especialista em Rinologia pela UFRGS. Mestra e Doutora em Medicina pela UFRGS.

Elisabeth Meyer Psicóloga. Terapeuta cognitivo-comportamental pelo Instituto Porto Alegre da Igreja Metodista (IPA). Mestra e Doutora em Psiquiatria pela UFRGS.

Elisabeth Susana Wartchow Médica de família e comunidade do SSC do GHC. Especialista em Terapia de Família. Especialista em Violência Doméstica pelo Centro de Estudos, Atendimento e Pesquisa da Infância e da Adolescência (CEAPIA) e Laboratório de Estudos da Criança (LACRI)/USP.

Elise Botteselle de Oliveira Médica de família e comunidade. Teleconsultora. Auditora do TelessaúdeRS/UFRGS. Mestra em Epidemiologia pela UFRGS.

Elvino Barros Nefrologista. Professor titular da FAMED/UFRGS. Especialista em Nefrologia pela Sociedade Brasileira de Nefrologia. Mestre em Nefrologia pela UFRGS. Doutor em Nefrologia pela UNIFESP.

Elza Daniel de Mello Pediatra. Professora associada de Pediatria da UFRGS. Especialista em Gastropediatra e Nutrologia pela SBP. Mestra em Medicina: Pediatria pela UFRGS. Doutora em Saúde da Criança e do Adolescente pela UFRGS.

Emilio Hideyuki Moriguchi Geriatra. Professor do Departamento de Medicina Interna da UFRGS. Doutor em Medicina: Geriatria pela Universidade de Tokai, Japão. Pós-doutorado em Metabolismo de Lipoproteínas e Doenças Ateroscleróticas pela Wake Forest University School of Medicine, EUA. Fellow in Geriatrics Medicine & Gerontology pela Wake Forest University School of Medicine, EUA.

Enrique Falceto de Barros Médico. Professor da Universidade de Caxias do Sul (UCS). Especialista em Medicina de Família e Comunidade pelo GHC. Mestre em Educação em Ciências pela UFRGS. Chair of the WONCA Working Party on the Environment.

Erno Harzheim Médico de família e comunidade. Professor associado da FAMED/UFRGS. Especialista em Medicina de Família e Comunidade pelo GHC. Doutor em Saúde Pública e Medicina Preventiva pela Universidad de Alicante, España.

Estefania Inez Wittke Cardiologista. Médica do Serviço de Cardiologia do HNSC. Professora do PPG do Mestrado Profissional do GHC. Preceptora da Residência em Clínica Médica do Hospital Ernesto Dornelles. Especialista em Medicina Interna e Cardiologia pelo HNSC. Mestra e Doutora em Cardiologia e Ciências Cardiovasculares pela UFRGS.

Ethel Leonor Noia Maciel Enfermeira. Professora associada do Departamento de Enfermagem do Centro de Ciências da Saúde (CCS) da Universidade Federal do Espírito Santo (UFES). Doutora em Saúde Coletiva pela UERJ.

Eugênio Vilaça Mendes Consultor em Saúde Pública. Especialista em Planejamento de Saúde pela ENSP/FIOCRUZ. Doutor em Odontologia pela Faculdade de Odontologia da UFMG.

Eunice Beatriz Martin Chaves Ginecologista e obstetra. Médica contratada do HCPA. Mestra e Doutora em Clínica Médica pela UFRGS.

Ewerton Cousin Epidemiologista. Mestre em Saúde Pública pela Universidade Federal do Rio Grande (FURG). Doutor em Epidemiologia pela UFRGS. Pós-doutorando no Institute for Health Metrics and Evaluation (IHME-UW).

Fabiana Bazanella de Oliveira Dermatologista. Atua em clínica privada. Mestra em Patologia pela UFCSPA. Doutoranda em Patologia pela UFCSPA.

Fábio Duarte Schwalm Médico de Família e Comunidade na cidade de Barão, RS. Professor de APS da UCS. Mestre em Tecnologias para o SUS pelo GHC.

Fábio Fernandes Dantas Filho Médico do trabalho. Chefe do Serviço de Medicina Ocupacional do HCPA. Professor de Medicina. Coordenador da Disciplina de Saúde do Trabalhador da UNISINOS. Professor dos Cursos de Especialização em Medicina do Trabalho da UFRGS e da UNIFOR. Especialista em Medicina do Trabalho pela UFRGS. Mestre e doutorando pela UFRGS. MBA em Gestão Estratégia de Pessoas pela FGV.

Fábio Morato de Castilho Cardiologista. Professor adjunto do Departamento de Clínica Médica da UFMG. Especialista em Cardiologia pelo Hospital das Clínicas da UFMG. Mestre e Doutor em Saúde do Adulto pela UFMG.

Fábio Silva Leal Oncologista clínico.

Felipe Gutiérrez Carvalho Psiquiatra. Especialista em Medicina do Sono pelo HCPA. Mestre pelo PPG em Ciências Médicas: Psiquiatria da UFRGS. Doutorando no PPG em Psiquiatria e Ciências do Comportamento da UFRGS.

Autores e Coordenadores

Felix Henrique Paim Kessler Psiquiatra. Professor adjunto do Departamento de Psiquiatria e Medicina Legal da UFRGS. Coordenador do Núcleo de Pesquisa Clínico-biológica do Centro de Pesquisa em Álcool e Drogas (CPAD) do HCPA/UFRGS. Doutor em Psiquiatria e Ciências do Comportamento pela UFRGS. Presidente do CELG/HCPA.

Fernanda Lucia Capitanio Baeza Psiquiatra contratada do HCPA. Especialista em Psicoterapia pelo CELG/HCPA. Doutora em Psiquiatria e Ciências do Comportamento pela UFRGS.

Fernando Suassuna Médico. Especialista em Infectologia e Alergologia. Especialista em Metodologia de Pesquisa na área de Saúde pela UFRN. Mestre em Medicina Tropical pela Universidade Federal de Pernambuco.

Fernando Herz Wolff Gastroenterologista. Professor do PPG em Gastroenterologia e Hepatologia da FAMED/UFRGS. Chefe do Serviço de Gastroenterologia do HMV. Especialista em Endoscopia Digestiva pela Sociedade Brasileira de Endoscopia Digestiva (SOBED). Doutor em Ciências Médicas pela UFRGS. Pós-Doutor em Epidemiologia e Pós-Doutor em Avaliação de Tecnologias em Saúde pela UFRGS.

Fernando Freitas Ginecologista e obstetra. Professor de Ginecologia e Obstetrícia (aposentado) da UFRGS. Especialista em Assistência Obstétrica, Ginecologia Endócrina e Infertilidade pela UFRGS. Mestre em Medicina pela UFRGS. Doutor em Ginecologia pela UNESP.

Fernando Procianoy Oftalmologista. Professor adjunto de Oftalmologia da FAMED/UFRGS. Coordenador *fellowship* Oculoplástica do HCPA. *Fellowship* em Oculoplástica: Cirurgia de Pálpebras, Órbita e Vias Lacrimais pelo HCFMRP/USP. Doutor em Ciências Médicas pela USP/RP.

Fernando S. Thomé Nefrologista. Professor adjunto de Medicina Interna da FAMED/UFRGS. Doutor em Nefrologia pela UFRGS.

Flavia Kessler Borges Médica. Professora assistente do Departamento de Medicina da McMaster University, Hamilton, Canada. Especialista em Medicina Interna. Especialista em Medicina Perioperatória pela McMaster University. Mestra em Ciências Médicas pela UFRGS. Doutora em Cardiologia pela UFRGS. Pós-doutorado pela McMaster University.

Flávio Danni Fuchs Cardiologista. Professor titular da UFRGS. Mestre e Doutor em Medicina: Cardiologia pela UFRGS.

Flávio Dias Silva Médico. Professor da Universidade Federal do Tocantins. Especialista em Psiquiatria pelo Instituto Abuchaim e em Medicina de Família e Comunidade pelo GHC. Mestre em Ensino de Ciências da Saúde pela UNIFESP.

Flavio Pechansky Psiquiatra. Professor titular de Psiquiatria do HCPA e da UFRGS. Chefe do Serviço de Psiquiatria de Adição do HCPA. Diretor do CPAD do HCPA/UFRGS. Especialista em Dependência Química pela UFRGS e Johns Hopkins School of Public Health. Mestre e Doutor em Clínica Médica pela UFRGS.

Francisco Arsego de Oliveira Médico de família e comunidade. Professor do Departamento de Medicina Social da UFRGS. Especialista em Medicina de Família e Comunidade pelo Centro de Saúde-Escola Murialdo. Mestre em Antropologia Social pela UFRGS.

Francisco de Souza Silva Médico de família e comunidade. Residente de Medicina Paliativa no GHC.

Frederico A. D. Kliemann[†] Neurologista. Professor adjunto de Neurologia (aposentado) do Departamento de Medicina Interna da FAMED/UFRGS. Especialista pelo Institute of Neurology, London University.

Gabriel Alves Ferreira Médico.

Gabriela de Moraes Costa Psiquiatra clínica e forense. Professora de Psiquiatria da Universidade Federal de Santa Maria (UFSM). Professora do Curso de Medicina da Universidade Franciscana (UFN). Mestra em Farmacologia pela UFSM. Doutoranda em Farmacologia pela UFSM.

Gabriela Wünsch Lopes Estudante de Medicina na UFRGS. Aluna de Doutorado do PPG em Epidemiologia da UFRGS.

Geisa Fregona Enfermeira do Serviço de Referência em Tuberculose do Estado do Espírito Santo no Hospital Universitário Cassiano Antonio Moraes (HUCAM) da UFES. Mestra e Doutora em Saúde Coletiva pela UFES.

Gerson Junqueira Júnior Cirurgião geral e do aparelho digestivo. Diretor clínico do Hospital Mãe de Deus. Mestre em Cirurgia pela UFRGS. Doutor em Pneumologia pela UFRGS. Ex-presidente da Sociedade de Cirurgia Geral do Rio Grande do Sul. Ex-mestre do Capítulo-RS do Colégio Brasileiro de Cirurgiões (CBC).

Gilberto Bueno Fischer Pneumopediatra. Professor titular de Pediatria da UFCSPA. Chefe do Serviço de Pneumopediatria do Hospital da Criança Santo Antonio. Especialista em Pneumopediatria pela UFCSPA. Doutor em Pneumologia pela UFRGS.

Gilberto Schwartsmann Oncologista. Professor titular da FAMED/UFRGS. Especialista em Oncologia pela Middlesex Hospital University College Royal Marsden Hospital.

Giovana Fontes Rosin Ginecologista e obstetra. Especialista em Patologia do Trato Genital Inferior pelo HCPA.

Giovanni Abrahão Salum Júnior Psiquiatra. Professor adjunto no Departamento de Psiquiatria e Medicina Legal da FAMED/UFRGS. Doutor e Pós-doutor em Psiquiatria e Ciências do Comportamento pela UFRGS com período sanduíche no National Institute of Mental Health (NIMH).

Gisele Gus Manfro Psiquiatra. Professora associada do Departamento de Psiquiatria e Medicina Legal da UFRGS. Coordenadora do Ambulatório de Ansiedade do HCPA. Doutorado em Ciências Biológicas: Bioquímica pela UFRGS.

Gisele Alsina Nader Bastos Médica. Professora associada do Departamento de Saúde Coletiva da UFCSPA. Superintendente assistencial da ISCMPA. Especialista em Medicina de Família e Comunidade pelo GHC. Mestre em Epidemiologia pela UFPEL. Doutora em Epidemiologia pela UFRGS. *Fellowship* na Universidade de Oxford. Green Belt em Value Based Health Care.

Gloria Jancowski Boff Toxicologista. Representante do Conselho Federal de Medicina Veterinária no Fórum dos Conselhos Federais das Áreas da Saúde. Especialista em Toxicologia Aplicada pela PUCRS. Doutora em Toxicologia pela Universidade de León, Espanha. Pós-doutorado em Toxicologia pela UFRGS.

Guilherme Behrend Silva Ribeiro Urologista. Teleconsultor em Urologia do Hospital Sírio-Libanês. Mestre em Medicina: Ciências Cirúrgicas pela UFRGS.

Guilherme Nabuco Machado Médico de família e comunidade. Preceptor da Residência da Secretaria de Estado de Saúde do Distrito Federal (SESDF). Mestre em Saúde da Família pela Fundação de Ensino e Pesquisa em Ciências da Saúde (FEPECS).

Guilherme S. Mazzini Cirurgião do aparelho digestivo. Especialista em Cirurgia Digestiva e Bariátrica pelo HCPA. Doutor em Cirurgia pela UFRGS. Pós-doutorado em Cirurgia Bariátrica e Metabólica pela Virginia Commonwealth University.

Gustavo Cartaxo de Lima Gössling Internista e oncologista. Médico do Núcleo Interno de Regulação do HNSC/GHC.

Gustavo Faulhaber Hematologista. Professor adjunto Departamento de Medicina Interna da UFRGS.

Helena Ayako Sueno Goldani Gastroenterologista pediátrica. Professora associada do Departamento de Pediatria da FAMED/UFRGS. Doutora em Pediatria pela FMRP/USP.

Helena Mocelin Pneumologista pediátrica. Professora adjunta de Pediatria da UFCSPA. Especialista em Pneumologia Pediátrica pela UFCSPA. Mestra em Pediatria pela UFRGS. Doutora em Medicina: Pneumologia pela UFRGS.

Helena Schmid Endocrinologista. Professora titular de Endocrinologia e Medicina Interna da UFCSPA/UFRGS. Especialista em Endocrinologia e Metabologia pelo HCPA/UFRGS. Mestra em Clínica Médica pela USP. Doutora em Medicina pela USP.

Helena von Eye Corleta Ginecologista e obstetra. Professora titular de Ginecologia e Obstetrícia da FAMED/UFRGS. Especialista em Reprodução Humana pela Universidade Ludwig Maximilian (LMU), Munique, Alemanha. Mestra em Tocoginecologia pela FMRP/USP. Doutora em Medicina: Reprodução Humana pela LMU, Munique, Alemanha.

Henrique Rasia Bosi Cirurgião geral e do aparelho digestivo. Preceptor da Residência Médica em Cirurgia Geral do Hospital Geral de Caxias do Sul (HGCS). Mestrando do PPG em Medicina: Ciências Cirúrgicas da UFRGS.

Hudson Pabst Médico de família e comunidade.

Humberto Antonio Ponzio Dermatologista. Professor associado de Dermatologia (aposentado) do Departamento de Medicina Interna da FAMED/UFRGS. Especialista em Dermatologia pela UFRGS/ISCMPA. Mestre em Ciências pela FAMED/UFRGS. Doutor em Ciências: Dermatologia pela USP.

Humberto Moreira Palma Ortopedista e traumatologista do Hospital Universitário de Santa Maria (HUSM). Chefe da Divisão Médica, diretor técnico e chefe do Serviço de Ortopedia e Traumatologia do HUSM. Especialista em Cirurgia do Joelho pelo HCPA. Mestre em Cirurgia pela UFRGS.

Iara Marques de Medeiros Infectologista. Professora associada do Departamento de Infectologia do Instituto de Medicina Tropical da UFRN. Especialista em Infectologia pela UFRN. Mestra e Doutora em Doenças Infecciosas pela UNIFESP.

Igor Thiago Queiroz Infectologista. Professor DNS III de Medicina da Universidade Potiguar (UnP). Especialista em Doenças Tropicais e Hepatites Virais pelo HGT. Doutor em Doenças Infecciosas e Parasitárias pela USP.

Ilóite M. Scheibel Reumatologista pediátrica. Preceptora em Reumatologia Pediátrica do Hospital Criança Conceição (HCC)/GHC. Especialista em Reumatologia Pediátrica pela UNIFESP. Mestra e Doutora em Ciências da Saúde: Pediatria pela UFRGS.

Inara Bernardi Bagesteiro Farmacêutica. Consultora técnica da nota DEZ Assessoria e Consultoria Farmacêutica. Especialista em Administração e Planejamento pela ULBRA.

Ingrid Hartmann Psiquiatra. Especialista em Dependência Química pela Unidade de Pesquisa em Álcool e Drogas (UNIAD)/UNIFESP. Doutora em Psiquiatria e Ciências do Comportamento pela UFRGS.

Isabel Cristina Amaral de Almeida Ginecologista e obstetra. Coordenadora do Serviço de Fertilidade e Reprodução Assistida do HMV.

Jacson Venancio de Barros Engenheiro eletrônico. Mestre em Medicina: Medicina Preventiva pela USP. Pós-graduando senso estrito (Doutorado) no Departamento de Informática Médica da FMUSP.

Janete Shatkoski Bandeira Acupunturiatra. Médica do Ambulatório de Dor e Acupuntura do Município de Porto Alegre. Certificado de Atuação na Dor pela AMB. Mestra em Ciências Médicas pela UFRGS.

Janete Vettorazzi Ginecologista e obstetra. Professora da Graduação e da Pós-graduação do Departamento de Ginecologia e Obstetrícia da FAMED/UFRGS. Especialista em Gestação de Alto Risco pelo HCPA. Mestra e Doutora pelo PPG em Medicina: Ciências Médicas da UFRGS. Pós-doutorado pelo PPG em Medicina: Ciências Médicas da UFRGS.

Janini Cristina Paiz Enfermeira de Estratégia de Saúde da Família. Enfermeira de saúde da família e comunidade do GHC. Especialista em Saúde Pública pela UFRGS. Mestra em Epidemiologia pela UFRGS. Doutoranda em Epidemiologia na UFRGS.

Jaqueline Neves Lubianca Ginecologista e obstetra. Professora associada de Ginecologia e Obstetrícia da FAMED/UFRGS. Professora do PPG em Ginecologia e Obstetrícia da UFRGS. *Fellowship* em Ginecologia Infanto-juvenil pelo Children's Hospital, Boston, MA. Mestra e Doutora em Ciências Médicas pela UFRGS. Membro da Comissão Nacional Especializada em Anticoncepção da Federação Brasileira das Associações de Ginecologia e Obstetrícia (FEBRASGO).

Jean Carlos de Matos Ginecologista e obstetra. Médico contratado do HCPA e do HMIPV. Especialista em Ginecologia e Obstetrícia pela UFRGS. Título de Especialista em Patologia do Trato Genital Inferior e Colposcopia pela Associação Brasileira de Patologia do Trato Genital Inferior e Colposcopia (ABPTGIC).

Jeferson K. de Oliveira Cirurgião do Serviço de Cirurgia Geral do HCPA. Formação em Cirurgia Onco-dermatológica. Especialista em Cirurgia Geral e do Aparelho Digestivo pelo HSL/PUCRS. Mestre em Medicina e Ciências de Saúde pela PUCRS. Membro do Grupo Brasileiro de Melanoma. Membro do CBC.

Jessé Reis Alves Médico do Núcleo de Medicina do Viajante do Instituto de Infectologia Emilio Ribas. Mestre em Doenças Infecciosas pela UNIFESP. Doutor em Medicina pela UNIFESP.

João Batista Torres Toxicologista e clínico geral. Especialista em Medicina do Trabalho pela UFRGS e em Toxicologia Clínica pela PUCRS.

João Eduardo Marten Teixeira Fisiatra e acupunturista. Supervisor do PRM R3 em Dor/Acupuntura no Hospital Universitário da UFSC/Rede Ebserh. Diretor de Ensino da MyomedBR.

João Henrique Godinho Kolling Médico de família e comunidade. Atuação profissional na UBS Santa Cecília/HCPA, Unidade Iguatemi/HMV e saúde suplementar da Kolling Clínica da Família. Especialista em Administração em Saúde pelo PRM em Medicina de Família e Comunidade do HCPA. Mestre em Epidemiologia pela UFRGS. Presidente da Associação Gaúcha de Medicina de Família e Comunidade (2019-2024).

João Victor Bohn de A. Alves Médico de família e comunidade. Coordenador técnico do Programa de Residência em Medicina de Família e Comunidade da SMS/RJ. Mestrando em Saúde Pública pela ENSP/FIOCRUZ, Rio de Janeiro.

João Werner Falk Médico de família e comunidade. Professor titular da FAMED/UFRGS. Especialista em Medicina de Família e Comunidade pelo Centro de Saúde-Escola Murialdo. Mestre em Clínica Médica pela UFRGS. Doutor em Ciências Médicas pela UFRGS. Ex-presidente da Sociedade Brasileira de Medicina de Família e Comunidade (SBMFC).

Joel Lavinsky Otorrinolaringologista. Professor do Pós-graduação em Cirurgia da UFRGS. Preceptor de Otologia e Neurotologia da UFCSPA/ISCMPA. Especialista em Otologia, Neurotologia e Cirurgia da Base do Crânio pela University of Southern California. Mestre e Doutor em Cirurgia pela UFRGS. Pós-doutorado no Keck School of Medicine.

Joelza Mesquita Andrade Pires Pediatra. Especialista em Pediatria pela SBP e AMB e Especialista em Violência Doméstica Contra Criança e Adolescente pela USP. Mestra em Ciências Médicas: Pediatria pela UFRGS. Doutor em Saúde da Criança e do Adolescente pela UFRGS. Ex-professora de Medicina da Ulbra.

Jorge Béria Médico psicoterapeuta. Professor titular de Epidemiologia (aposentado) da UFPEL. Especialista em Saúde Pública pela ENSP. Mestre em Saúde Comunitária pela Universidade de Londres. Doutor em Medicina: Clínica Médica pela UFRGS. Capacitação Docente em Medicina de Família pela Universidade Nacional Autônoma do México.

Jorge Esteves Oftalmologista. Professor ajunto IV da UFRGS. Mestre e Doutor em Medicina pela UFRGS. Atualmente atua em Clínica Médica Privada.

Jorge Pinto Ribeiro[†] Cardiologista da Universidade de Harvard. Professor associado da FAMED/UFRGS. Chefe da Unidade de Hemodinâmica do HCPA. Chefe do Serviço de Cardiologia do HMV. Doutor pela Universidade de Boston. Livre-docente da USP.

José Alberto Rodrigues Pedroso Nefrologista do HCPA e do Hospital de Pronto Socorro (HPS) de Porto Alegre. Ex-professor adjunto de Nefrologia, Semiologia e Clínica Médica da UFRJ e da Estácio de Sá, RJ. Especialista em Toxicologia Aplicada pela PUCRS. Mestre em Biologia Celular e Molecular pela PUCRS. Doutor em Transplante de Órgãos pela Università Cattolica del Sacro Cuore, Roma, Itália.

José Augusto Bragatti Neurologista e eletroencefalografista. Chefe da Unidade de Neurofisiologia Clínica do HCPA. Especialista em Neurologia pela Academia Brasileira de Neurologia e em Neurofisiologia Clínica pela Sociedade Brasileira de Neurofisiologia Clínica. Mestre e Doutor em Ciências Médicas pela UFRGS.

José Carlos Prado Junior Médico de família e comunidade. Gerente de Medicina de Família do Hospital Sírio Libanês. Médico de Família da PUCPR. Mestre em Saúde Pública: Epidemiologia pela UFSC. Doutor em Saúde Coletiva: Epidemiologia pela UFRJ.

José Faibes Lubianca Neto Otorrinolaringologista. Professor associado da Disciplina de Otorrinolaringologia do Departamento de Clínica Cirúrgica da UFCSPA. Chefe do Serviço de Otorrinolaringologia da ISCMPA. *Fellowship* em Otorrinolaringologia Pediátrica no Massachusetts Eye & Ear Infirmary pela Harvard Medical School, Boston, EUA. Mestre e Doutor em Medicina pelo PPG em Ciências Médicas da UFRGS.

José Geraldo Lopes Ramos Ginecologista e obstetra. Professor titular de Ginecologia e Obstetrícia do Departamento de Ginecologia e Obstetrícia da UFRGS e do HCPA. Especialista em Ginecologia e Obstetrícia pelo HCPA. Mestre em Clínica Médica: Nefrologia pela UFRGS. Doutor em Ciências Médicas pela UFRGS.

José Miguel Dora Endocrinologista. Professor adjunto da FAMED/UFRGS. Doutor em Endocrinologia pela UFRGS.

José Ricardo Guimarães Cirurgião geral. Mestre em Gastroenterologia pela UFRGS.

Juarez Cunha Pediatra. Médico da Vigilância em Saúde da Secretaria Municipal de Saúde de Porto Alegre. Especialista em Pediatria e em Intensivismo Pediátrico pela UFRGS/HCPA.

Juliana de Oliveira Pediatra. Professora auxiliar de Medicina da UNISINOS. Mestra em Epidemiologia pela UFRGS.

Juliana Dias Pereira dos Santos Médica de família e comunidade. Especialista em Saúde da Família e em Gestão Clínica pela UFMG. Mestra em Epidemiologia pela UFRGS.

Juliano Soares Rabello Moreira Médico de família e comunidade. Professor adjunto da UNIVATES. Especialista em Medicina de Família e Comunidade pelo GHC. Mestre em Endocrinologia pelo HCPA.

Julio Cesar Razera Médico clínico. Especialista em Gastroenterologia, Hepatologia e Endoscopia Digestiva pela UFCSPA/ISCMPA. Mestrando em Hepatologia pela UFCSPA.

Justino A. C. Noble Médico. Especialista em Medicina de Família e Comunidade pela AMB/SBMFC. Pós-graduação em Saúde da Família pela UFCSPA. Pós-graduação em Geriatria Clínica e Preventiva pela PUCRS.

Karen Gomes d'Ávila Médica do trabalho e médica de família e comunidade. Chefe da Unidade de Medicina do Trabalho do HCPA. Preceptora da Residência Médica em Medicina do Trabalho do HCPA. Pós-Graduação em Medicina do Trabalho pela UFRGS. Especialista pela Associação Nacional de Medicina do Trabalho (ANAMT). Mestranda em Pneumologia pela UFRGS.

Karen Oppermann Ginecologista. Professora titular de Ginecologia e Obstetrícia da Universidade de Passo Fundo (UPF). Mestra e Doutora em Medicina pela UFRGS.

Karine Margarites Lima[†] Médica de família e comunidade. Pesquisadora associada do Instituto de Avaliação de Tecnologia em Saúde (IATS) e do Telessaúde-RS. Mestra em Epidemiologia pela UFRGS.

Karla Simônia de Pádua Bióloga. Profissional de Pesquisa do Centro de Atenção Integral à Saúde da Mulher da UNICAMP. Pesquisadora do Centro de Pesquisas em Saúde Reprodutiva de Campinas. Mestra em Tocoginecologia pela Faculdade de Ciências Médicas da UNICAMP. Doutoranda em Ciências da Saúde pelo Departamento de Tocoginecologia da UNICAMP.

Kelin Cristine Martin Neurologista. Especialista em Neurofisiologia Clínica pelo HCPA.

Laureen Engel Médica de família e comunidade. Especialista em Medicina de Família e Comunidade pela HCPA.

Lavinia Schuler-Faccini Médica geneticista. Especialista em Genética Médica pela Sociedade Brasileira de Genética Médica.

Leandro Totti Cavazzola Cirurgião geral e do aparelho digestivo. Professor adjunto do Departamento de Cirurgia da UFRGS. Titular e Especialista em Cirurgia Geral e Cirurgia do Aparelho Digestivo pelo CBC e Colégio Brasileiro de Cirurgia Digestiva (CBCD). Mestre e Doutor em Cirurgia pela UFRGS. Pós-Doutorado em Cirurgia Minimamente Invasiva pela Case Western Reserve University, Cleveland, Ohio, EUA.

Lenildo de Moura Enfermeiro. Especialista em Doenças Crônicas Não Transmissíveis e Saúde Mental pela Organização Pan Americana de Saúde/Organização Mundial da Saúde. Egresso do EpiSUS, do MS e do CDC, EUA. Mestre e Doutor em Epidemiologia pela UFRGS.

Leonardo Botelho Anestesiologista. Especialista em Dor pelo HCPA. Doutor em Ciências Médicas pela UFRGS.

Leonardo Evangelista da Silveira Psiquiatra. Preceptor da Residência Médica da UFCSPA. *Clinical fellow* pela Mood Disorders Centre, University of British Columbia, Canada. Doutor em Psiquiatria pela UFRGS.

Leonardo Vieira Targa Médico de família e comunidade. Professor assistente de Atenção Primária à Saúde e do Internato Rural de Medicina de Família e Comunidade da UCS. Mestre em Antropologia Social pela UFRGS. Doutorando em Educação em Ciências pela UFRGS. Editor regional da Rural and Remote Health.

Letícia Brandeburski Loss Dermatologista.

Letícia Pargendler Peres Dermatologista. Mestra em Ciências Cirúrgicas pela UFRGS.

Letícia Renck Bimbi Médica de família e comunidade. Preceptora do Programa de Residência em Medicina de Família e Comunidade da SMS/RJ. Clínica da Família Maria do Socorro, Rocinha.

Letícia Schwerz Weinert Endocrinologista. Professora do Curso de Medicina da Universidade Católica de Pelotas (UCPEL). Endocrinologista do Hospital da Escola da UFPEL. Especialista em

Endocrinologia da Gestação pela UFRGS. Doutora em Endocrinologista pela UFRGS.

Lia Pinheiro Dantas Dermatologista. Preceptora do Ambulatório de Dermatologia do HCPA. Mestra em Ciências Médicas pela UFRGS.

Lilian Day Hagel Médica de adolescentes/hebiatra. Médica da Clínica para Adolescentes do Serviço de Pediatria do HCPA. Preceptora do PRM em Pediatria do HCC/GHC. Coordenadora do Serviço de Adolescentes do HNSC/GHC. Título de Especialista em Pediatria, com área de atuação em Adolescência. Mestra em Pediatria pela UFRGS.

Liliane Diefenthaeler Herter Ginecologista. Professora associada de Ginecologia da UFCSPA. Especialista em Ginecologista Infanto-juvenil pela Federação Internacional de Ginecologia Infanto-juvenil (FIGIJ). Mestra e Doutora em Ciências Médicas pela UFRGS. Membro da Comissão Nacional Especializada da FEBRASGO de Ginecologia Infanto-juvenil e da Associação Brasileira de Obstetrícia e Ginecologia da Infância e Adolescência (SOGIA-BR).

Lisia von Diemen Médica. Professora adjunta de Psiquiatria da UFRGS. Especialista em Psiquiatra pelo HCPA. Mestra em Psiquiatria pela UFRGS. Doutora em Psiquiatria e Ciências do Comportamento pela UFRGS.

Lucas Alexandre Pedebos Enfermeiro. Cientista de dados da Prefeitura Municipal de Florianópolis. Especialista em Informática em Saúde pela UNIFESP. Mestre em Saúde Coletiva pela UFSC.

Lucas Gurgel Tiso Médico de família e comunidade. Coordenador clínico na Amparo Saúde.

Lucas Samuel Perinazzo Pauvels Dermatologista.

Lucia Campos Pellanda Médica. Professora do Departamento de Saúde Coletiva e Reitora da UFCSPA. Especialista em Pediatria pela UFRGS e em Cardiologia Pediátrica pelo IC/FUC. Mestra e Doutora em Cardiologia pelo IC/FUC. MBA em Gestão da Atenção Primária à Saúde pela Cambridge Health Alliance/FELUMA.

Lúcia Miranda Monteiro dos Santos Anestesiologista. Atua com Clínica de Dor e Cuidados Paliativos no HCPA. Especialista em Tratamento de Dor e Cuidados Paliativos pelo HCPA. Mestra em Neurociências pela UFRGS.

Luciano Paludo Marcelino Cirurgião geral e do aparelho digestivo. Mestrando do PPG em Ciências Cirúrgicas da UFRGS.

Lucio Bakos Dermatologista. Professor titular de Dermatologia da UFRGS/HCPA. Especialista em Dermatologia pela SBD. Mestre e Doutor em Medicina: Dermatologia pela UFRJ. *Post* Graduate Student, Cambridge University, UK. Visiting Research Fellow, London School of Hygiene and Tropical Medicine.

Lúcio R. Requião-Moura Nefrologista. Professor adjunto da Disciplina de Nefrologia da UNIFESP. Nefrologista do Programa de Transplante do Hospital Israelita Albert Einstein. Mestre e Doutor em Nefrologia pela UNIFESP.

Luis Antonio Abreu de Moraes Neto Ginecologista, obstetra e mastologista. Oncomastologista do HMV. Especialista em Mastologia pela Sociedade Brasileira de Mastologia (SBM).

Luis E. Rohde Cardiologista. Professor associado de Medicina Interna da FAMED/UFRGS. Cardiologista do Programa de Insuficiência Cardíaca Avançada do Serviço de Cardiologia do HCPA. Professor do PPG em Cardiologia e Ciências Cardiovasculares da UFRGS.

Luís Fernando Tófoli Psiquiatra. Professor de Psiquiatria da FCM da UNICAMP. Especialista em Educação para as Profissões da Saúde pela UFC. Doutor em Medicina: Psiquiatria pela FMUSP.

Luisa Campos Caldeira Brant Cardiologista. Professora adjunta de Clínica Médica da Faculdade de Medicina da UFMG. Mestra e Doutora em Ciências Aplicadas à Saúde do Adulto pela UFMG.

Luiz Fernando Bopp Muller Dermatologista do HCPA. Professor da FAMED/UFRGS.

Luiz Fernando Chazan Psiquiatra e psicanalista. Professor adjunto de Saúde Mental e Psicologia Médica da FCM da UERJ. Especialista em Terapia de Grupo pela Sociedade Psicanalítica Gradiva (SPAG), RJ, e em Terapia de Família pela Núcleo-Pesquisa, RJ. Mestre em Medicina pela FCM da UERJ. Doutor em Ciências pela FCM da UERJ.

Luiz Lavinsky Otorrinolaringologista. Professor titular da FAMED/UFRGS. Especialista em Otorrinolaringologia pela Universidad del Salvador, Buenos Aires. Mestre em Otorrinolaringologia pela PUCRJ. Doutor em Otorrinolaringologia pela UNIFESP. Pós-doutorado pela UNIFESP.

Luíza Emília Bezerra de Medeiros Médica de família e comunidade. Médica teleconsultora do TelessaúdeRS/UFRGS.

Luíza Guazzelli Pezzali Ginecologista e obstetra. Cursando ano adicional de residência de Ginecologia e Obstetrícia, com enfoque em Ginecologia Endócrina.

Magda Blessmann Weber Dermatologista. Professora adjunta IV de Dermatologia da UFCSPA. Mestra e Doutora em Pediatria: Dermatologia pela UFRGS.

Magda Moura de Almeida Médica de família e comunidade. Professora do Departamento de Saúde Comunitária da UFC. Especialista em Educação para as Profissões da Saúde pela UFC. Mestra em Saúde Pública pela UFC. Doutora em Ciências pela UNICAMP.

Maicon Falavigna Internista. Mestre e Doutor em Epidemiologia pela UFRGS.

Maira Caleffi Mastologista. Chefe do Serviço de Mastologia do HMV. Presidente voluntária da Federação Brasileira de Instituições Filantrópicas de Apoio à Saúde da Mama (FEMAMA) e Instituto da Mama do Rio Grande do Sul (IMAMA). Líder do Comitê Executivo da City Cancer Challenge Foundation em Porto Alegre.

Manuella Edler Zandoná Neurologista. Especialista em Distúrbios do Movimento.

Mara Rúbia André Alves de Lima Pneumologista. Professora responsável pela Pneumologia do Departamento de Clínica Médica da UFCSPA. Especialista em Pneumologia pela UFCSPA-Pavilhão Pereira Filho/Sociedade Brasileira de Pneumologia e Tisiologia (SBPT). Especialista em Mídias na Educação pelo Centro Interdisciplinar de Novas Tecnologias na Educação (CINTED)/UFRGS, MEC. Mestra em Pneumologia pela UFRGS. Doutora em Pneumologia pela UFRGS/University of Toronto.

Marcel de Almeida Dornelles Médico clínico.

Marcelo Basso Gazzana Pneumologista, internista e intensivista. Chefe do Serviço de Pneumologia e Cirurgia Torácica do HMV. Médico e supervisor do PRM do Serviço de Pneumologia do HCPA. Professor do PPG em Ciências Pneumológicas da UFRGS. Mestre e Doutor pelo PPG em Ciências Pneumológicas da UFRGS.

Marcelo Demarzo Médico de família e comunidade. Professor livre-docente de Medicina Preventiva Clínica da EPM/UNIFESP. Especialista em *Mindfulness* e Promoção da Saúde pela Universidade de Zaragoza, Espanha. Doutor em Patologia pela FMRP/USP. *Senior fellow* do International Primary Care Research Leadership Programme, Department of Primary Care Health Sciences, University of Oxford.

Marcelo Garcia Kolling Médico de família e comunidade. Mestrado Profissional em Epidemiologia pela UFRGS.

Marcelo Pio de Almeida Fleck Psiquiatria. Professor titular do Departamento de Psiquiatria e Medicina Legal da UFRGS. Especialista em Psiquiatria pela UFRGS. Mestre e Doutor em Clínica Médica pela UFRGS. Pós-Doutorado na Universidade McGill, Canadá.

Marcelo Rodrigues Gonçalves Médico de família e comunidade. Professor adjunto do Departamento de Medicina Social da UFRGS. Chefe do Serviço de Atenção Primária à Saúde do HCPA. Vice-coordenador do TelessaúdeRS/UFRGS. Especialista em Medicina de Família e Comunidade pelo SSC do GHC. Mestre e Doutor em Epidemiologia pela UFRGS.

Marcelo Vieira de Lima Médico do trabalho. Assistente técnico em perícias médicas judiciais e palestrante de Saúde e Segurança no Trabalho. Professor de Pós-graduação em Direito Trabalhista, Previdenciário e Acidentário. Especialista em Medicina do Trabalho pela Faculdade de Medicina de São José do Rio Preto (FAMERP).

Marcia Kauer-Sant'Anna Psiquiatra. Supervisora do PRM em Psiquiatria do HCPA. Professora adjunta do Departamento de Psiquiatria e Medicina Legal e do PPG em Ciências Médicas: Psiquiatria da UFRGS. Doutora em Bioquímica. Pós-doutora em Transtornos do Humor.

Márcia Paczko Bozko Dermatologista.

Márcia Zampese Dermatologista. Preceptora da Residência Médica em Dermatologia do HCPA. Médica da FAMED/UFRGS. Dermatologista pela UNICAMP e SBD.

Marcos Adams Goldraich Médico de família e comunidade. Preceptor do Programa de Residência de Medicina de Família e Comunidade da SMS/RJ.

Marcos Paulo Veloso Correia Reumatologista. Especialista em Medicina de Família e Comunidade pela SBMFC e Área de Atuação em Dor pela SBR e AMB. Professor adjunto de Reumatologia da Universidade Estácio de Sá (UNESA), RJ. Coordenador do Grupo de Trabalho em Dor da SBMFC. Mestrado em Saúde da Família pela UERJ/PROFSAUDE. Membro da Comissão de Dor, Fibromialgia e Outras Síndromes de Partes Moles da SBR.

Marcos Vinícios Razera Pediatra e pneumologista infantil. Professor do Curso de Medicina da UCPEL. Membro do Comitê de Toxicologia e Saúde Ambiental da Sociedade de Pediatra do Rio Grande do Sul (SPRS).

Marcus Vinicius Martins Collares Cirurgião plástico craniomaxilofacial. Professor associado de Cirurgia da UFRGS. Doutor em Cirurgia pela Universidade de Barcelona.

Maria Aparecida de Faria Grossi Dermatologista. Professora de Dermatologia da Faculdade da Saúde e Ecologia Humana (FASEH). Professora de Dermatologia do Centro de Medicina Especializada, Pesquisa e Ensino (CEMEPE). Especialista e Mestra em Dermatologia pela UFMG. Doutora em Infectologia e Medicina Tropical pela UFMG.

Maria Aparecida Teixeira Lustosa Infectologista. Especialização em Medicina Tropical pela Universidade Federal do Triângulo Mineiro (UFTM). Mestra em Medicina Tropical pela UnB.

Maria Carolina Widholzer Rey Dermatologista. Especialista em Dermatologia pela SBD. Mestra em Patologia pela UFCSPA.

Maria Celeste Osorio Wender Ginecologista.

Maria Conceição Oliveira Costa Pediatra. Professora titular pleno da Universidade Estadual de Feira de Santana (UEFS). Coordenadora do Núcleo de Estudos e Pesquisa na Infância e Adolescência (NNEPA) da UEFS. Especialista em Pediatria e Medicina do Adolescente pela SBP. Mestra e Doutora em Medicina e Saúde pela EPM/UNIFESP. Pós-doutorado na Universidade de Quebec em Montreal (UQAM).

Maria Cristina Barcellos-Anselmi Ginecologista e mastologista. Médica do Serviço de Ginecologia da ISCMPA. Especialista em Ginecologia Oncológica pela UFCSPA. Qualificação em Colposcopia pela ABPTGIC. Atuação em Histeroscopia pela FEBRASGO. Mestra em Patologia pela UFCSPA.

Maria da Silva Pitombeira Hematologista. Professora emérita de Clínica Médica da UFC. Doutora em Ciências: Fisiologia pela USP.

Maria de Fátima M. P. Leite Cardiopediatria. Especialista em Cardiologia Pediátrica e Fetal pelo Instituto Fernandes Figueira (IFF) da FIOCRUZ. Mestra em Cardiologia pela FCM da UERJ. Doutorado em Ciências da Saúde pelo IC/FUC.

Maria Eugênia Bresolin Pinto Médica de família e comunidade. Professora adjunta de Medicina de Família e Comunidade da UFCSPA. Especialista em Medicina do Esporte pela UFRGS. Mestra e Doutora em Epidemiologia pela UFRGS.

Maria Helena da Silva Pitombeira Rigatto Infectologista. Professora da Escola de Medicina da PUCRS e do Pós-graduação em Ciências Médicas da UFRGS. Mestra e Doutora em Ciências Médicas pela UFRGS.

Maria Helena P. P. Oliveira Psiquiatra e psiquiatra da infância e adolescência. Preceptora do PRM em Medicina de Família e Comunidade da Secretaria de Saúde do Distrito Federal. Mestra em Saúde Mental na Atenção Primária pela Universidade NOVA de Lisboa.

Maria Idalice Silva Barbosa Psicóloga. Atuação profissional na Área da Saúde da Secretaria Municipal de Saúde de Caucaia, Ceará. Especialista em Educação Biocêntrica pela Universidade do Vale do Acaraú (UVA). Mestra em Educação pela UFC. Doutora em Saúde Coletiva pela UFC. Pós-doutoranda em Saúde da Família pela FIOCRUZ Ceará.

Maria José Timbó Sanitarista. Médica de família e comunidade da Secretaria Municipal de Saúde do Município de Eusébio, Ceará. Especialista em Epidemiologia pela UFC. Especialização em Medicina do Trabalho pela Faculdade de Medicina de Itajubá (FMIT). Mestra em Saúde Pública pela UFC.

Maria Laura da Costa Louzada Nutricionista. Professora da USP. Doutora em Nutrição em Saúde Pública pela USP.

Maria Lúcia da Rocha Oppermann Obstetra e ginecologista. Professora associada do Departamento de Ginecologia e Obstetrícia da UFRGS. Especialista em Ginecologista e Obstetrícia pelo HCPA. Mestra em Ciências da Saúde pela UFRGS. Doutora em Epidemiologia pela UFRGS.

Maria Lucrécia Scherer Zavaschi Psiquiatra. Professora aposentada da UFRGS. Especialista em Psiquiatria da Infância e da Adolescência pela UFRGS. Mestra e Doutora em Ciências Médicas: Psiquiatria pela UFRGS.

Maria Luisa Aronis Infectologista. Médica contratada do Serviço de Infectologia e preceptora da Residência de Infectologia do HNSC/GHC.

Maria Paz Hidalgo Psiquiatra. Professora do Departamento de Psiquiatria e Medicina Legal da UFRGS.

Maria Teresa Vieira Sanseverino Médica geneticista. Professora adjunta da Escola de Medicina da PUCRS. Médica do Serviço de Genética Médica do HCPA.

Mariana Vargas Furtado Cardiologista. Médica rotineira da Unidade de Tratamento Intensivo Cardiovascular do HCPA. Pesquisadora do IATS. Mestra e Doutora em Cardiologia pela UFRGS.

Mariane Marmontel Ginecologista e obstetra. Coordenadora do Grupo Multidisciplinar para Atendimento das Vítimas de Violência Sexual do HCPA. Médica da Emergência Ginecológica do HCPA.

Mariele Bressan Otorrinolaringologista. Mestranda em Ciências Cirúrgicas pela UFRGS.

Marina da Silva Netto Psiquiatra. Psiquiatria da Infância e Adolescência pelo HNSC.

Mário Sérgio Trindade Borges da Costa Cirurgião geral. Mestre em Gastroenterologia pela UFRGS. Membro titular do CBCD.

Marta Heloisa Lopes Infectologista. Professora associada do Departamento de Moléstias Infecciosas e Parasitárias da FMUSP. Mestra e Doutora em Doenças Infecciosas e Parasitárias pela FMUSP.

Martha Farias Collares Médica de família e comunidade, psiquiatra e terapeuta de família e casal. Médica do SSC do GHC.

Matheus Roriz Neurologista e geriatra do HCPA. Professor da FAMED/UFRGS. PhD/Doutor em Neuroscience pela Kyoto University Graduate School of Medicine, Japão. Pós-doutor em Neurodegenerative Diseases pela University of Toronto, Canadá. *Fellow* em Demências pela Harvard University. Presidente do Instituto Alzheimer e Parkinson (IAP).

Matheus Truccolo Michalczuk Gastroenterologista. Médico do Serviço de Gastroenterologia do HCPA. Mestre em Ciências Médicas: Gastroenterologia e Hepatologia pela UFRGS.

Maurício Pimentel Médico eletrofisiologista cardíaco. Professor do PPG em Ciências da Saúde: Cardiologia e Ciências Cardiovasculares da UFRGS. Doutor em Cardiologia pela UFRGS.

Maurício Schreiner Miura Otorrinolaringologista. Coordenador do Programa de Implante Coclear do Complexo Hospitalar da ISCMPA. Doutor em Ciências Médicas pela FAMED/UFRGS. Pós-doutorado em Otorrinopediatria pela SUNY Downstate Medical Center.

Mauro Soibelman Internista. Médico perito do Ministério Público do Trabalho. Especialista em Medicina Interna e em Medicina do Trabalho pela UFRGS. Mestre em Clínica Médica pela UFRGS.

Mayara Floss Médica de família e comunidade. Especialista em Medicina de Família e Comunidade pelo GHC.

Melina N. de Castro Psiquiatra contratada do Serviço de Psiquiatria de Adição do HCPA. Especialista em Psiquiatria da Infância e Adolescência e Terapia de Família pelo HCPA e INFAPA.

Melissa Mascheretti[†] Infectologista da Divisão de Zoonoses do Centro de Vigilância Epidemiológica Alexandre Vranjac da Secretaria de Estado da Saúde de São Paulo.

Michele Possamai Médica de família e comunidade.

Michelle Lavinsky Wolff Otorrinolaringologista. Professora adjunta de Otorrinolaringologia da FAMED/UFRGS. Mestra em Medicina: Ciências Cirúrgicas pela UFRGS. Doutora em Epidemiologia pela UFRGS.

Michelle Menon Miyake Otorrinolaringologista. Rhinology Research Fellow na Massachussets Eye and Ear Infirmary, Harvard Medical School.

Milton Humberto Schanes dos Santos Internista e geriatra. Médico clínico da Divisão de Promoção de Saúde do Departamento de Atenção à Saúde da UFRGS e da Emergência Adulto do HCPA. Especialização em Gestão da Atenção à Saúde da Pessoa Idosa pela ENSP/FIOCRUZ. Mestrado Profissional em Ensino na Saúde pela FAMED/UFRGS.

Mirela Jobim de Azevedo[†] Professora titular do Departamento de Medicina Interna da FAMED/UFRGS. Médica do Serviço de Endocrinologia do HCPA. Chefe do Serviço de Nutrologia do HCPA. Doutora em Clínica Médica pela UFRGS. Livre-docente em Endocrinologia da EPM/UNIFESP.

Míria Campos Lavor[†] Sanitarista. Graduada em Serviço Social pela UFC. Especialista em Saúde Pública pela FIOCRUZ Ceará.

Moacir Assein Arús[†] Professor adjunto de Medicina Legal e Deontologia Médica da FAMED/UFRGS.

Moacyr Saffer Professor da UFCSPA. Professor de Otorrinolaringologia da UFRGS. Membro titular da Academia Sul-Rio-Grandense de Medicina. Membro do Conselho e Representante da Associação Interamericana de Otorrinolaringologia Pediátrica (IAPO) do Brasil.

Moisés Vieira Nunes Médico de família e comunidade. Preceptor do PRM em Medicina de Família e Comunidade da SMS/RJ. Mestre em Saúde Pública pela UFRJ.

Mona Lúcia Dall'Agno Médica ginecologista e obstetra titulada pela FEBRASGO. Professora da Unidade de Ensino Tocoginecológica do Curso de Medicina da UCS. Pesquisadora do Grupo de Pesquisa Climatério e Menopausa do HCPA/UFRGS. Mestra em Ciências da Saúde: Ginecologia e Obstetrícia pela UFRGS.

Monica Aidar Menon Miyake Otorrinolaringologista e alergologista. Doutora em Ciências Médicas pelo Departamento de Otorrinolaringologia da FMUSP.

Murilo Foppa Cardiologista. Professor do PPG em Ciências Cardiovasculares da UFRGS. Doutor em Cardiologia pela UFRGS. Pós-doutor pela Harvard Medical School, Boston, EUA.

Naly Soares de Almeida Psiquiatra especialista pela UFRJ.

Natan Pereira Gosmann Psiquiatra. Pesquisador do Programa de Transtornos de Ansiedade (PROTAN) e da Seção de Afeto Negativo e Processos Sociais (SANPS) do HCPA. Doutorando do PPG em Psiquiatria da UFRGS.

Nelson Telichevesky Oftalmologista. Ex-instrutor de Ensino em Oftalmologia da ISCMPA. Pós-graduação em Saúde da Família pela Universidade La Salle. Pós-graduação em Auditoria Médica pelo Instituto de Administração Hospitalar e Ciências da Saúde (IACHS). Ex-auditor da UNIMED Porto Alegre. Ex-chefe de Plantão do HPS de Porto Alegre.

Ney Bragança Gyrão Médico de família e comunidade. Preceptor da Residência Médica em Medicina de Família e Comunidade do GHC.

Nicolino César Rosito Cirurgião pediátrico. Professor adjunto de Cirurgia Pediátrica da UFCSPA. Coordenador do Centro de Aperfeiçoamento em Urologia Pediátrica do HCPA/UFRGS. Especialista em Cirurgia Pediátrica pela Associação Brasileira de Cirurgia Pediátrica (CIPE). Mestre em Cirurgia Pediátrica pela UFRGS. Doutor em Medicina pela UFRGS. Pós-doutor em Cirurgia.

Nilma Lazara de Almeida Cruz Pediatra. Professora assistente de Pediatria da UEFS. Mestra em Saúde Coletiva pela UEFS. Doutora em Família na Sociedade Contemporânea pela Universidade Católica do Salvador (UCSAL).

Olga Garcia Falceto Psiquiatra de crianças e adolescentes. Docente convidada da FAMED/UFRGS. Coordenadora de Ensino do Instituto da Família. Especialista em Psiquiatria pelo Albert Einstein Medical Center, Philadelphia, EUA. Especialista em Psiquiatria da Infância e Adolescência e Terapia Familiar pela PCGC da Pennsylvania University, EUA. Mestra em Clínica Médica pela FAMED/UFRGS e em Terapia Familiar pela Accademia di Psicoterapia Familiar de Roma, Italia. Doutora em Clínica Médica pela FAMED/UFRGS.

Otávio Pereira D'Avila Cirurgião-dentista. Professor adjunto do Departamento de Odontologia Social e Preventiva pela Faculdade de Odontologia da UFPEL. Especialista em Saúde Pública pela UFPEL. Mestre e Doutor em Odontologia: Saúde Bucal Coletiva pela UFRGS.

Pablo de Lannoy Stürmer Médico de família e comunidade.

Paola Bell Felix de Oliveira Psiquiatra.

Patricia Constante Jaime Nutricionista sanitarista. Professora associada de Nutrição em Saúde Pública da Faculdade de Saúde Pública da USP. Especialista em Nutrição Hospitalar pelo HCFMUSP.

Mestra e Doutora em Saúde Pública pela Faculdade de Saúde Pública da USP.

Patricia Ferreira Abreu Nefrologista. Preceptora da Residência em Nefrologia da Disciplina de Nefrologia da UNIFESP. Mestra e Doutora em Nefrologia pela UNIFESP.

Patrícia Lichtenfels Internista e médica de família e comunidade. Médica da Unidade de Saúde Barão de Bagé do SSC e preceptora do PRM em Medicina de Família e Comunidade do GHC. Mestra e Doutora em Educação pela UFRGS.

Patricia Sampaio Chueiri Médica de família e comunidade. Professora e pesquisadora da Faculdade Israelita de Ciências da Saúde Albert Einstein. Hubert H. Humphrey Fellowship Program pela Emory University. Mestra e Doutora em Epidemiologia pela UFRGS.

Patrícia Telló Dürks Obstetra. Especialista em Medicina Fetal pelo HNSC/GHC. Pós-Graduanda em Fetal Medicine na Foundation Latin America (FMF-LA) e CETRUS. Membro titular em Ginecologia e Obstetrícia da FEBRASGO com habilitação em Medicina Fetal pela AMB e FEBRASGO.

Paulo de Tarso Roth Dalcin Pneumologista. Professor titular do Departamento de Medicina Interna da UFRGS. Especialista em Pneumologia pelo Serviço de Pneumologia do HCPA. Mestre e Doutor em Medicina: Pneumologia pela UFRGS.

Paulo H. F. Bertolucci Neurologista. Professor titular de Neurologia da EPM/UNIFESP. Mestre e Doutor em Neurologia pela UNIFESP. Pós-doutorado em Neuroquímica pela Universidade de Londres.

Paulo José Zimermann Teixeira Pneumologista. Professor associado do Departamento de Clínica Médica da UFCSPA. Doutor em Medicina: Pneumologia pela UFRGS.

Paulo Marostica Pneumologista pediátrico. Professor titular de Pediatria da FAMED/UFRGS. Chefe da Unidade de Pneumologia Infantil do HCPA. Especialista em Pneumologia Pediátrica pelo HCPA. Doutor em Medicina: Pneumologia pela UFRGS. Pós-doutor em Pneumologia Pediátrica pela Indiana University.

Paulo Naud Professor titular aposentado do Departamento de Ginecologia e Obstetrícia da Famed/UFRGS. Mestre e Doutor em Medicina: Ciências Médicas pela UFRGS.

Paulo Sandler† Cirurgião geral. Professor adjunto do Departamento de Cirurgia da UFRGS. Membro do Grupo de Cirurgia Geral do HCPA.

Pedro Beria Psiquiatra. Especialista em Terapia Cognitivo-comportamental pelo Beck Institute, EUA. Mestre em Psiquiatria e Ciências do Comportamento pela UFRGS. Professor da Faculdade de Medicina da Universidade FEEVALE.

Pedro Domingues Goi Psiquiatra. Médico e preceptor do PRM em Psiquiatria do HCPA/UFRGS. Preceptor do PRM em Psiquiatria do HMIPV. Docente do Mestrado Profissional em Saúde Mental e Transtornos Aditivos do HCPA. Mestre e Doutor em Psiquiatria e Ciências do Comportamento pela UFRGS.

Pedro Fernando da Costa Vasconcelos Médico. Professor do Departamento de Patologia da Universidade do Estado do Pará. *Fellow* Internacional da American Society of Tropical Medicine and Hygiene. Doutor em Medicina e Saúde pela UFBA. Pós-doutorado pela University of Texas Medical Branch, Galveston, EUA. Ex-diretor do Instituto Evandro Chagas. Membro titular da Academia Brasileira de Ciências.

Pedro Glusman Knijnik Médico. Residente de Cirurgia Geral do HCPA.

Pedro H. Braga Médico de família e comunidade. Professor e preceptor do Internato da Faculdade de Medicina da UNESA. Mestrando em Saúde Pública da FIOCRUZ.

Pedro Mario Pan Médico. Professor adjunto do Departamento de Psiquiatria da EPM/UNIFESP. Vice-coordenador da coorte Brazilian High Risk Cohort Study (BHRCS) do Instituto Nacional da Psiquiatria do Desenvolvimento (INPD). Mestre e Doutor em Psiquiatria e Psicologia Médica pelo Departamento de Psiquiatria da EPM/UNIFESP. Doutor em Psiquiatria Translacional do Desenvolvimento pelo Programa Tripartite de Pós-graduação em Psiquiatria do Desenvolvimento das Universidades UNIFESP/USP.

Pedro Marques da Rosa Médico.

Pedro Schestatsky Neurologista. Ex-professor da FAMED/UFRGS. Mestre e Doutor em Ciências Médicas da UFRGS. Pós-doutorado por Harvard.

Rafael Aguiar Maciel Infectologista. Mestre em Ciências Médicas pela UFRGS.

Rafael Mendonça da Silva Chakr Reumatologista. Médico do HCPA. Professor adjunto de Reumatologia da FAMED/UFRGS.

Rafael Selbach Scheffel Endocrinologista. Professor adjunto do Departamento de Farmacologia da UFRGS. Médico da Unidade de Tireoide do HCPA. Especialista em Endocrinologia e Metabologia pelo HCPA. Doutor em Endocrinologia pela UFRGS.

Raphael Lacerda Barbosa Médico de família e comunidade e paliativista. Especialista em Preceptoria pela UFCSPA. Médico do Serviço de Dor e Cuidados Paliativos do GHC.

Raphaella Migliavacca Otorrinolaringologista do HMV. Médica contratada e assistente da Residência Médica do HCPA. Especialista em Rinologia e Cirurgia Plástica Facial pelo HCPA. Mestra pelo PPG de Ciências Cirúrgicas da UFRGS. Doutoranda do PPG de Pneumologia da UFRGS.

Raquel Meira Franca Psicóloga. Referência técnica do Núcleo de Apoio à Saúde da Família da Prefeitura de Belo Horizonte. Especialista em Psicologia Clínica e em Neuropsicologia pela Faculdadade de Estudos Administrativos de Minas Gerais (FEAD-MG) e FCM de Minas Gerais.

Rebeca Mathias de Queiroz Ribeiro Médica. Especialista em Medicina de Família e Comunidade pela Secretaria de Saúde de São Bernardo do Campo.

Regina Elizabeth Müller Pediatra. Avaliadora médica internacional de Acreditação em Serviços de Saúde pela Joint Commission International (JCI). Especialista em Cardiologia Pediátrica pelo Instituto do Coração de Munique, Alemanha. Mestra e Doutora em Ciências da Saúde pela FIOCRUZ. Doutorado em Medicina pela Universidade de Ludwig-Maximilian, Munique, Alemanha.

Renan Rangel Bonamigo Médico. Professor associado da FAMED/UFRGS. Integrante do Serviço de Dermatologia do HCPA. Chefe do Serviço de Dermatologia da ISCMPA e do Ambulatório de Dermatologia Sanitária do Estado do Rio Grande do Sul. Mestre e Doutor em Ciências Médicas pela UFRGS. Titular da SBD.

Renata Carneiro Vieira Médica de família e comunidade. Especialista em Gestão em Saúde pela UERJ. Especialista em Atenção Domiciliar pela UFSC. Especialista em Sexologia Clínica pelo Hospital Pérola Byington. Especialista em Saúde da Família pela UNIFESP.

Renata Chaves Médica de família e comunidade. Médica da SMS/RJ. Professora da UNESA, RJ. Especialista em Medicina de Família e Comunidade pelo GHC.

Renata Rosa de Carvalho Médica de família e comunidade. Teleconsultora de Medicina do TelessaúdeRS/UFRGS.

Renata Ullmann de Brito Neves Pneumologista do HNSC/GHC e Prefeitura Municipal de Porto Alegre. Especialista em Clínica Médica/Pneumologia pela UFCSPA/ISCMPA.

Renato Cony Seródio Médico de família. Superintendente de Atenção Primária da SMS/RJ.

Renato De Ávila Kfouri Pediatra infectologista. Presidente do Departamento de Imunizações da SBP.

Renato George Eick Nefrologista do Serviço de Nefrologia do HMV. Chefe do Serviço de Nefrologia do IC/FUC. Preceptor da Residência Médica em Nefrologia do HMV.

Renato Gorga Bandeira de Mello Geriatra. Professor adjunto do Departamento de Medicina Interna da FAMED/UFRGS. Professor do PPG em Endocrinologia da UFRGS. Preceptor dos PRMs de Clínica Médica e de Geriatria da UFRGS/HCPA. Especialista em Geriatria pelo HSL/PUCRS. Doutor em Cardiologia e Ciências Cardiovasculares pela UFRGS. Diretor científico da Sociedade Brasileira de Geriatria e Gerontologia (SBGG) (2018-2020).

Renato M. Caminha Psicólogo. Diretor de ensino do InTCC – Ensino, Pesquisa e Atendimento Individual e Familiar, Brasil.

Renato Marchiori Bakos Dermatologista. Professor adjunto de Dermatologia da UFRGS. Chefe do Serviço de Dermatologia do HCPA. Mestre e Doutor em Ciências Médicas pela UFRGS. *Fellow* em Oncodermatologia pela Universidade Ludwig-Maximilian, Munique, Alemanha.

Ricardo A. Arnt Cirurgião plástico do HPS de Porto Alegre.

Ricardo André Vaz Reumatologista. Especialista em Clínica Médica pela UERJ. Especialista em Reumatologia pelo Hospital Federal dos Servidores.

Ricardo Becker Feijó Pediatra. Professor associado de Pediatria da FAMED/UFRGS. Chefe da Unidade de Adolescentes do HCPA. Especialista em Pediatria e Hebiatria pela UFRGS. Mestre e Doutor em Clínica Médica pela UFRGS.

Ricardo Francalacci Savaris Ginecologista e obstetra. Professor titular do Departamento de Ginecologia e Obstetrícia da FAMED/UFRGS. Especialista em Ginecologia e Obstetrícia pelo HSL/PUCRS. Mestre em Reproductive Biology pela Universidade de Edimburgo, UK. Doutor em Clínica Médica pela UFRGS. Pós-doutorado na UCSF (2008) e na UNC-Chapel Hill (2013).

Ricardo Kuchenbecker Internista. Mestre em Epidemiologia pela UFPEL. Doutor em Epidemiologia pela UFRGS.

Ricardo Moacir Silva Oncologista. Especialista em Oncologia pela ISCMPA.

Rinaldo de Angeli Pinto Cirurgião plástico. Professor adjunto do Departamento de Cirurgia da FAMED/UFRGS. Ex-chefe do Serviço de Cirurgia Plástica do HCPA. Membro titular da SBCP.

Rita Helena Borret Médica de família e comunidade. Médica da Estratégia Saúde da Família da SMS/RJ. Especialista em Gênero e Sexualidade pelo Centro Latino-Americano em Sexualidade e Direitos Humanos (CLAM)/IMS/UERJ. Mestra em Saúde Coletiva: Atenção Primária à Saúde pela UFRJ.

Roberta Rigo Dalla Corte Geriatra. Professora adjunta do Departamento de Medicina Interna da UFRGS. Especialista em Medicina Interna e Geriatria pela USP/SBGG. Mestra em Clínica Médica pela USP. Doutora em Medicina pela PUCRS. Área de atuação em Dor pela AMB.

Roberto Fábio Lehmkuhl Médico e analista junguiano (psicoterapeuta). Atua em consultório particular (clínica e psicoterapia), clínicas geriátricas e como consultor em gestão em saúde (UNIMED POA, SESI) pela UFSC. Especialista em Medicina de Família e Comunidade pelo GHC. Especialista em Psicologia Analítica pela Associação Junguiana do Brasil, International Association for Analytical Psychology.

Roberto Mário Issler Pediatra. Professor associado de Pediatria da FAMED/UFRGS. Título de Especialista pela SBP. Mestre e Doutor em Saúde da Criança e do Adolescente pela UFRGS. Consultor com Certificação Internacional em Lactação pelo IBCLC.

Roberto Nunes Umpierre Médico de família e comunidade. Professor adjunto de Medicina de Família e Comunidade da FAMED/UFRGS. Coordenador geral do TelessaúdeRS/UFRGS. Especialista em Saúde Pública pela UFRGS. Mestre em Epidemiologia pela UFRGS. Doutorando em Ciências Médicas pela UFRGS.

Rodolfo Souza da Silva Médico de família e comunidade. Especialista em Saúde da Família pela UFCSPA. Mestre em Epidemiologia pela UFRGS.

Rodrigo Caprio Leite de Castro Médico de família e comunidade. Professor adjunto do Departamento de Medicina Social da FAMED/UFRGS. Mestre e Doutor em Epidemiologia pela UFRGS.

Rodrigo Rizek Schultz Neurologista. Professor titular de Neurologia da Universidade Santo Amaro (UNISA). Especialista em Neurologia Cognitiva e do Envelhecimento pela UNIFESP. Mestre em Neurologia pela UNIFESP. Doutor em Medicina pela UNIFESP.

Roger dos Santos Rosa Médico. Professor associado do Departamento de Medicina Social da FAMED/UFRGS. Consultor da OPAS/OMS para o projeto UrbanHeart e Governança em Porto Alegre. Professor dos PPGs em Saúde Coletiva e em Ensino na Saúde da UFRGS. Especialista em Medicina Preventiva e Social pelo HCPA e em Saúde Pública pela ENSP. Mestre em Administração pela UFRGS. Doutor em Epidemiologia pela UFRGS.

Rogério Friedman Endocrinologista. Professor titular do Departamento de Medicina Interna da FAMED/UFRGS. Médico do Serviço de Endocrinologia do HCPA. Especialista em Endocrinologia e Metabologia pela Sociedade Brasileira de Endocrinologia e Metabologia (SBEM)/AMB. Mestre e Doutor em Medicina: Clínica Médica pela UFRGS. Senior Research Associate, Metabolic Medicine, Guy's Hospital, Reino Unido.

Rosane Brondani Neurologista. Especialista em Neurologia Vascular pelo HCPA. Mestra e Doutora em Ciências Médicas pela UFRGS.

Rosangela Amaral de Almeida Psiquiatra. Atua em consultório particular. Plantonista do Plantão de Emergência em Saúde Mental do Pronto Atendimento Cruzeiro do Sul da Secretaria Municipal de Saúde de Porto Alegre. Especialista em Psiquiatria e Saúde Mental Coletiva pela Associação Encarnacion Blaya/Clínica Pinel e Centro de Saúde-Escola Murialdo. Mestra em Educação pela UFRGS.

Sandra Fayet Lorenzon Psiquiatra de crianças, adolescentes e adultos. Especialista em Psiquiatria e em Psiquiatria da Infância e Adolescência pela AMB/ABP. Mestra em Clínica Médica pela UFRGS.

Sandra Fortes Psiquiatra. Professora associada de Saúde Mental e Psicologia Médica da FCM da UERJ. Especialista em Psiquiatra pelo IPUB/UFRJ. Mestra em Psiquiatria pelo IPUB/UFRJ. Doutora em Saúde Coletiva/Epidemiologia pelo IMS/UERJ.

Sandra Helena Machado Professora adjunta do Departamento de Pediatria da FAMED/UFRGS. Coordenadora da Residência Médica de Reumatologia Pediátrica do HCPA. Especialista em Reumatologia Pediátrica pela AMB. Doutora em Saúde da Criança e do Adolescente pela UFRGS.

Sandra Scalco Ginecologista, obstetra e sexóloga. Preceptora e coordenadora do Serviço de Atenção Integral em Saúde Sexual (SAISS) do HMIPV. Especialista em Ginecologia e Obstetrícia (TEGO) pelo HMIPV. Especialista em Sexologia pela Associação Brasileira de Estudos em Sexualidade Humana (SBRASH)/FEBRASGO. Mestra em Saúde Coletiva: Saúde Mental pela ULBRA. Doutora em Epidemiologia pela UFRGS.

Sergio Antonio Sirena Médico de família e comunidade. Coordenador de Pesquisa da Gerência de Ensino e Pesquisa do GHC. Professor do Curso de Medicina da UCS. Membro da Coordenação e do Corpo Docente do Mestrado Profissional em Avaliação de Tecnologias em Saúde do GHC. Especialista em Medicina de Família e Comunidade pelo SSC do GHC. Doutor em Medicina: Geriatria e Gerontologia pela PUCRS.

Sergio Gabriel Silva de Barros Professor titular da UFRGS. Mestre e Doutor em Medicina Interna e Gastroenterologia pela UFRGS.

Sergio Henrique Prezzi Internista, cardiologista, nefrologista e intensivista. Preceptor dos PRMs de Medicina Interna do GHC e do HCPA. Especialista em Nefrologia, Cardiologia e Terapia Intensiva pelo GHC e pelo HCPA.

Sérgio Ivan Torres Dornelles Dermatologista. Mestre em Ciências Médicas pela UFRGS.

Sérgio Martins-Costa Ginecologista e obstetra. Professor titular de Ginecologia e Obstetrícia da FAMED/UFRGS. Especialista em Ginecologia e Obstetrícia pela FEBRASGO e pela UFCSPA. Mestre em Nefrologia pela UFRGS. Doutor em Medicina: Gestação de Alto Risco pela UFRGS.

Sérgio Moreira Espinosa[†] Ginecologista e obstetra. Chefe do Setor de Gravidez de Alto Risco e Medicina Fetal do HNSC/GHC. Preceptor do PRM em Ginecologia e Obstetrícia do GHC. Médico ecografista do IC/FUC.

Sergio Roberto Canarim Danesi Ortopedista pediátrico do HCPA e médico traumatologista do Hospital Cristo Redentor. Especialista em Ortopedia Pediátrica pelo HCPA/UFRGS.

Sheila Ouriques Martins Neurologista. Professora da FAMED/UFRGS. Especialista em Neurologia pelo HCPA. Mestra em Ciências Médicas pela UFRGS. Doutora em Neurologia pela UNIFESP.

Sibele Klitzke Médica instrutora da Residência Médica em Ginecologia e Obstetrícia, vinculada à UFCSPA. Especialista em Ginecologia Oncológica e Endoscopia Ginecológica. Mestra em Ginecologia e Obstetrícia pela UFRGS.

Silvana Ferreira Bento Letras. Profissional de Pesquisa do Centro de Atenção Integral à Saúde da Mulher (CAISM) da UNICAMP. Pesquisadora do Centro de Pesquisas em Saúde Sexual e Reprodutiva (CEMICAMP). Mestra e Doutora em Ciências da Saúde pelo Programa de Pós-graduação em Tocoginecologia da Faculdade de Ciências Médicas da UNICAMP.

Silvia Bassani Schuch-Goi Psiquiatra. Chefe do Serviço de Psiquiatria do HMIPV. Especialista em Psicoterapia de Orientação Analítica pelo CELG/HCPA. Doutora em Psiquiatria e Ciências do Comportamento pela UFRGS.

Silvia Figueiredo Costa Professora associada do Departamento de Moléstias Infecciosas e Parasitárias da FMUSP. Coordenadora do Grupo de Infecção em Pacientes Imunodeprimidos do HCFMUSP.

Silvia Takeda Médica de família e comunidade. Especialista em Epidemiologia, Planejamento e Avaliação de Serviços de Atenção Primária à Saúde pelo SSC do GHC. Mestra em Ciências pela UFPEL.

Simone Hauck Psiquiatra. Professora adjunta do Departamento de Psiquiatria e Medicina Legal da UFRGS. Preceptora da Residência em Psiquiatria do HCPA. Presidente do CELG/HCPA. Especialista em Psicoterapia pelo CELG/HCPA. Mestra e Doutora em Psiquiatria pela UFRGS.

Solange Garcia Accetta Ginecologista e obstetra. Professora adjunta do Departamento de Ginecologia e Obstetrícia da FAMED/UFRGS. Coordenadora do Setor de Ginecologia Infantopuberal do HCPA. Especialista em Ginecologia Infantojuvenil pela Sociedad Argentina de Ginecología Infanto Juvenil. Mestra e Doutora em Medicina: Clínica Médica pela UFRGS.

Sonia Isoyama Venancio Pediatra. Pesquisadora do Instituto de Saúde da Secretaria de Estado da Saúde de São Paulo. Doutora em Saúde Pública.

Sotero Serrate Mengue Farmacêutico. Professor titular da UFRGS. Doutor em Ciências Farmacêuticas pela UFRGS.

Stefania Teche Psiquiatria. Contratada do Serviço de Psiquiatria do HCPA. Psicoterapeuta de Orientação Analítica da UFRGS. Mestra em Ciências do Comportamento e Psiquiatria pela UFRGS. Doutoranda do PPG em Psiquiatria e Ciências do Comportamento da UFRGS. Membro candidata da SPPA.

Suzana Arenhart Pessini Ginecologista. Área de atuação em Ginecologia Oncológica. Professora adjunta de Ginecologia da FAMED/UFRGS. Mestra em Ciências Médicas pela UFCSPA. Doutora em Patologia pela UFCSPA.

Tadeu Assis Guerra Médico. Residente do Serviço de Psiquiatria do HCPA.

Tainá de Freitas Calvette Médica acupunturiatra. Médica assistente de Clínica Privada. Especialista em Acupuntura Médica pelo Centro de Estudos de Acupuntura (CESAC) do Colégio Médico Brasileiro de Acupuntura (CMBA). Pós-Graduação em Dor pelo Hospital Israelita Albert Einstein (HIAE), SP. Especialização em Saúde da Família pela UERJ.

Tânia do Socorro Souza Chaves Docente da FAMED/UFPA. Docente do Curso de Medicina do Centro Universitário do Estado do Pará (CESUPA). Pesquisadora em Saúde Pública do Instituto Evandro Chagas. Vice-coordenadora e docente do PPG em Epidemiologia e Vigilância em Saúde do Instituto Evandro Chagas/SVS/MS. Especialista em Doenças Infecciosas e Parasitárias pelo Instituto de Infectologia Emílio Ribas. Mestre e Doutora em Ciências pelo Departamento de Doenças Infecciosas e Parasitárias da FMUSP.

Tania Ferreira Cestari Dermatologista. Professora titular do Departamento de Medicina Interna: Dermatologia da FAMED/UFRGS. Especialista em Dermatologia pela UFRGS. Mestra e Doutora em Dermatologia pela UFRJ.

Tania Weber Furlanetto Endocrinologista e internista. Professora permanente do PPG em Ciências Médicas da UFRGS. Especialista e Mestra em Endocrinologia pela PUCRJ. Doutora em Endocrinologia pela UNIFESP. Pós-doutorado no Center for Endocrinology, Metabolism and Molecular Medicine, Northwestern University, Chicago, Il, USA.

Thaís Leite Secchi Neurologista. *Fellow* em Neurologia Vascular pelo HCPA. Mestranda em Ciências Médicas da UFRGS.

Thaís Soares Ferreira Médica. Doutoranda do PPG em Epidemiologia da UFRGS.

Thaíse Bernardo da Silva Especialista em Saúde Pública pela UFRGS.

Themis Reverbel da Silveira Hepatologista pediátrica. Professora da UFCSPA. Especialista em Gastroenterologia pela UFCSPA/ISCMPA. Mestra em Gastroenterologia pela UFRGS. Doutora em Genética e Biologia Molecular pela UFRGS. Pós-doutorado em Hepatologia Pediátrica.

Thiago Campos Médico. Especialista em Medicina de Família e Comunidade pela Secretaria Municipal de Saúde de Florianópolis. Mestrando em Saúde Pública pela ENSP da Universidade NOVA de Lisboa.

Thiago Casarin Hartmann Psiquiatra. Contratado do Serviço de Psiquiatria da Adição do HCPA. Mestre em Ciências da Saúde pela UFCSPA.

Thiago Cherem Morelli Médico de família e comunidade.

Thiago Gomes da Trindade Médico de família e comunidade. Professor adjunto de Medicina de Família e Comunidade da UFRN e da UnP. Professor adjunto visitante da Universidade de Toronto. Especialista em Terapia Familiar e de Casal pela INFAPA. Mestre e Doutor em Epidemiologia pela UFRGS.

Tiago Selbach Garcia Ginecologista e obstetra. Médico contratado da Equipe de Ginecologia Oncológica e Patologia Cervical do HCPA. Especialista em Ginecologia Oncológica pelo HCPA. Mestre em Ciências Médicas pela UFRGS.

Valdério V. Dettoni Pneumologista. Professor adjunto do Departamento de Clínica Médica do CCS da UFES. Especialista em Pneumologia pelo Instituto Tisiologia e Pneumologia da UFRJ. Mestre em Doenças Infecciosas pelo Núcleo de Doenças Infecciosas da UFES.

Valentino Magno Ginecologista. Professor adjunto de Ginecologia da UFRGS. Especialista em Ginecologia Oncológica pelo HCPA. Mestre e Doutor em Medicina pela UFRGS.

Vanessa Santos Cunha Dermatologista. Atua em consultório privado. Preceptora da Residência Médica de Dermatologia da PUCRS. Mestra e Doutora em Ciências Médicas pela UFRGS.

Wanderson Kleber de Oliveira Enfermeiro epidemiologista. Especialista em Atividades Hospitalares pelo Hospital das Forças Armadas do Ministério da Defesa (HFA/MD). Especialização em Epidemiologia Aplicada aos Serviços do SUS (EpiSUS), do MS e CDC, EUA. Especialização em Geoprocessamento pela UnB. Especialização em Gestão em Saúde pela Johns Hopkins Bloomberg School of Public Health. Mestre e Doutor em Epidemiologia pela UFRGS.

William Brasil de Souza Médico.

William Jones Dartora Enfermeiro. Colaborador do HMV. Instrutor de ACLS da American Heart Association. Pesquisador no Projeto ELSA-Brasil. Mestre em Epidemiologia pela UFRGS. Doutorando em Epidemiologia pela UFRGS.

Wolnei Caumo Anestesiologia. Professor titular na área de Anestesiologia e Dor do Departamento de Cirurgia da FAMED/UFRGS. Título de área de atuação em Dor. Especialista em Anestesiologia pelo HCPA. Mestre e Doutor em Clínica Médica pela UFRGS.

Dedicatória e Agradecimentos

Esta 5ª edição, mais uma vez, é dedicada à atuação incansável dos profissionais da Atenção Primária à Saúde no Brasil. Seu trabalho atesta que, apesar das turbulências políticas que ameaçam o SUS, estão na direção certa, fortalecendo a crença de que saúde para todos é possível.

A 1ª edição deste livro foi dedicada aos nossos filhos, dentre eles Michael e Camila, que desde a 4ª edição compartilham conosco a organização do livro. Assim como esta obra, a família também cresceu. Dedicamos esta edição aos nossos netos e filhos: Benjamin e Rebecca (filhos de Michael e netos de Bruce e Maria Inês); Tomé, Franco e Romeo (filhos de Camila e netos de Elsa); e Maya e Gael (netos de Elsa).

Inicialmente, é preciso reconhecer a participação qualificada dos mais de 400 autores, engajados na meta de produzir recomendações práticas, atualizadas e exequíveis. Destacamos também o trabalho e a competência de todos os coordenadores de seção que atuaram desde o planejamento até a revisão, reformulação e conclusão dos capítulos envolvidos.

Esta 5ª edição conta com maior participação de médicos de família e comunidade, o que atesta seu engajamento com a produção de conhecimento clínico em uma especialidade crescente no País. Sua participação contribuiu para que os conteúdos apresentados fossem mais adequados à realidade e ao cotidiano do trabalho na rede de atenção primária. Dentre eles, alguns atuaram como novos coordenadores de seções: Elise Botteselle de Oliveira, Marcelo Rodrigues Gonçalves, Renata Rosa de Carvalho e Rodolfo Souza da Silva (todos da equipe do TelessaúdeRS); e Camila Furtado de Souza, Gisele Alsina Nader Bastos, Guilherme Nabuco Machado, João Victor Bohn Alves, Patricia Sampaio Chueiri, Pedro H. Braga e Renato Cony Seródio.

Cabe destacar também a incorporação de três novos coordenadores de outras especialidades que agregaram valor a esta edição. Muito obrigado a Marcos Paulo Veloso Correia, Maria Helena P.P. Oliveira e Silvia Figueiredo Costa.

Um destaque especial na preparação e revisão dos capítulos foi a atuação da equipe para avaliar as evidências que apoiam as milhares de condutas apresentadas: André Luis Marques da Silveira (o recordista em número de condutas avaliadas), Aline Baldigen, Bruna Cristine Chwal, Camila Furtado de Souza, Danilo de Paula Santos, Daissy Liliana Mora Cuervo, Eduardo de Araujo Silva, Elise Botteselle de Oliveira, Fabiana Bazanella de Oliveira, Fernando Galvão Junior, Gabriela Wunsch Lopes, George Mantese, Jerônimo De Conto Oliveira, Juliana Dias de Mello, Justino Afonso Cuadro Noble, Luiz Otávio Mezzomo Rovaris, Luíza Emília Bezerra de Medeiros, Mariana Soares Carlucci, Marcos Vinícius Ambrosini Mendonça, Maurício Godinho Kolling, Milena Rodrigues Agostinho Rech, Renata Rosa de Carvalho, Sergio Angelo Rojas Espinoza, Sofia Giustia Alves e Thaís Soares Ferreira. Foi ideia da Thaís o uso de ferramenta que agilizou a apresentação das evidências para as condutas em avaliação aos autores, tornando o processo mais ágil. A todos o nosso agradecimento – e em especial a Elise Botteselle de Oliveira, que juntou boa parte da equipe e supervisionou várias das avaliações efetuadas.

Contamos mais uma vez com o apoio de Luísia Alves na organização das referências bibliográficas, desta vez junto com Karin Lorien Menoncin, da Artmed. Contribuíram também nessa etapa Gabriela Feiden e Silvana Lima. Muito obrigado!

Queremos reconhecer ainda o papel da equipe Artmed/Grupo A desde a 1ª edição deste livro, com destaque nesta 5ª edição para Letícia Bispo e Michele Petró Kuhn, por sua habilidosa coordenação e para Caroline Castilhos Melo, Sandra da Câmara Godoy e Heloísa Stefan pela criteriosa revisão editorial. Há mais de 30 anos, o Sr. Henrique Kiperman abraçou a proposta do livro. Ao longo das cinco edições acompanhamos sua liderança e a de seus filhos, Celso e Adriane Kiperman, no crescimento da Artmed Editora, hoje Grupo A, parte da empresa +A Educação.

Por fim, queremos agradecer nossos colegas, amigos, alunos, residentes e familiares pela compreensão e apoio durante a preparação deste livro em plena pandemia de Covid-19, sem os quais não teria sido possível dedicar o tempo exigido para este projeto.

Bruce B. Duncan
Maria Inês Schmidt
Elsa R. J. Giugliani
Michael Schmidt Duncan
Camila Giugliani

Apresentação

A ciência, a solidariedade e a democracia são pilares essenciais para a promoção da saúde. Este livro fortalece o primeiro deles, trazendo uma contribuição importante para a medicina brasileira.

Reúne o rigor acadêmico da Pós-Graduação em Epidemiologia da Universidade Federal do Rio Grande do Sul (UFRGS) com a competência de centenas de profissionais dedicados à medicina ambulatorial, disseminados por todo o Brasil.

Na década de 1940, principalmente no Hospital dos Servidores do Estado, no Rio de Janeiro, e no Hospital das Clínicas da Faculdade de Medicina da Universidade de São Paulo (FMUSP), em São Paulo, iniciou-se a formação sistematizada dos especialistas necessários para o atendimento hospitalar. A partir daqueles centros, constituíram-se novos núcleos formadores por todas as regiões, alcançando-se um alto nível de desempenho profissional, que acompanhou o desenvolvimento científico e tecnológico internacional.

A formação de especialistas para o atendimento ambulatorial, especialmente para a Medicina de Família e Comunidade, anteriormente designada de Medicina Geral e Comunitária, não se desenvolveu do mesmo modo. Algumas experiências importantes nesta área, nas décadas de 1960 e 1970, foram frustradas, como a do Curso Experimental da FMUSP no Centro de Saúde do Butantã, a Unidade Integrada de Saúde de Sobradinho do Curso de Medicina da Universidade de Brasília, e o Instituto de Medicina Preventiva da Universidade Federal do Ceará.

As universidades brasileiras perderam um tempo precioso exatamente no momento em que a medicina ambulatorial e a promoção da saúde ganhavam um grande impulso nos serviços de assistência à saúde no mundo. Os resultados das pesquisas em epidemiologia das doenças do coração, realizadas em Framingham, e a evidência da relação entre o fumo e o câncer de pulmão, pelos médicos britânicos, são exemplos dos progressos daquela época.

A redemocratização e o nascimento do Sistema Único de Saúde (SUS) deram a oportunidade para a recuperação do tempo perdido.

A Medicina de Família e Comunidade cresceu rapidamente dentro das Equipes da Saúde da Família, iniciadas em 1994, estimuladas pelo Ministério da Saúde e pelas Secretarias Estaduais e Municipais de Saúde. A grande aceitação e a necessidade desse trabalho atraíram, nesses 27 anos, mais de 40 mil médicos para a nova atividade, criando um imenso desafio para sua qualificação.

A necessidade da especialização desses médicos se torna uma exigência, para que alcancem o nível de desempenho técnico e científico esperado. Uma das dificuldades é completar a sua formação quando já estão no exercício da sua profissão, espalhados nos mais de cinco mil municípios brasileiros, das áreas rurais mais remotas às grandes metrópoles. Outra dificuldade é a definição da abrangência da sua atuação, porquanto sua prática não nasceu nos centros universitários, mas nas mais diversas situações do território nacional.

Esta obra, desde a 1ª edição organizada pelos professores Bruce B. Duncan, Maria Inês Schmidt e Elsa R. J. Giugliani – e desde a 4ª edição, também pelos médicos de família Camila Giugliani e Michael Schmidt Duncan –, é uma das respostas mais importantes ao desafio colocado para as universidades, oferecendo, em um livro, o embasamento científico necessário para o fortalecimento e a evolução da atenção primária. Eles contam com três balizas para delimitação dos temas tratados: as doenças mais comuns da população brasileira, identificadas pela epidemiologia, as mais recentes conquistas das ciências da saúde para o enfrentamento dessas doenças e a experiência dos que vivem o dia a dia da clínica.

Aumentam os idosos, e também a demanda para o atendimento aos seus problemas de saúde. As doenças crônicas, próprias da idade, ganham mais importância, exigindo o diagnóstico e o tratamento de longo prazo. Ao mesmo tempo, multiplicam-se as possibilidades para o seu controle e para a sua prevenção, abrindo um largo campo para a promoção da saúde. Os problemas de saúde mental também crescem no ambulatório, apresentados sob a forma do sofrimento individual e familiar, da violência, do abuso das drogas e dos acidentes. Junto com a consolidação da carga das doenças crônicas, surge a Covid-19 como problema emergente que desafia o mundo, impondo rápida aceleração na produção de novos conhecimentos.

A experiência dos autores dos capítulos, que estão na linha de frente do atendimento ambulatorial, traz uma contribuição especial, no sentido de apontar a viabilidade das propostas apresentadas no livro. Muitos autores vêm de Programas de Residência em Medicina de Família e Comunidade, em que os gaúchos se destacam. Faz parte de sua atuação as visitas domiciliares e a abordagem comunitária, quando têm a chance de melhor analisar os fatores que desencadeiam as doenças, e os que podem ajudar na sua recuperação, a partir de uma perspectiva ampla, que permite o entendimento dos determinantes sociais da saúde.

Do equilíbrio entre as necessidades apontadas pela ciência e a realidade do contato com os pacientes e as suas famílias surge a riqueza das orientações apresentadas nos capítulos que se seguem. O acúmulo da experiência, continuamente enriquecida com os 30 anos das edições anteriores, eleva o padrão deste livro, destacando-o como um componente especial para a qualificação médica.

A experiência internacional nos mostra que não é possível chegarmos a um bom nível de assistência de saúde sem que as especialidades básicas assumam um papel destacado na medicina. A eficácia do hospital aumenta diariamente, e cobra o custo do investimento na alta tecnologia. Por outro lado, a medicina ambulatorial alarga o seu campo de ação no tratamento e, especialmente, no acompanhamento das doenças crônicas. O acúmulo de conhecimentos da patogenia facilita o diagnóstico precoce e o seu controle.

O longo seguimento do indivíduo pela Equipe da Saúde da Família facilita esse diagnóstico, reduzindo o seu custo, exigindo, porém, o seguro preparo clínico do profissional.

As ferramentas disponíveis neste livro, para os médicos que trabalham no SUS ou na medicina privada, trazem um alento para os que acreditam na construção de um sistema de saúde mais efetivo.

A. Carlile H. Lavor
Médico sanitarista
Ex-professor da Universidade de Brasília (UnB)
Coordenador da FIOCRUZ Ceará

Prefácio

Desde o lançamento da 1ª edição do *Medicina ambulatorial*, há cerca de 30 anos, a saúde da população brasileira mudou. A mortalidade infantil caiu mais de 70%, e a expectativa de vida ao nascer da população aumentou 8 anos. Mudanças no perfil demográfico, epidemiológico e nutricional da população brasileira desviaram a carga de morbidade e mortalidade das doenças infecciosas e dos problemas materno-infantis para as doenças crônicas não transmissíveis, hoje responsáveis por 84% da morbidade e 71% da carga total de doença. O serviço público de APS deixou de ser um lugar para atender mulheres em idade fértil e suas crianças, dispensar anti-hipertensivos e fornecer atestados médicos.

Medicina ambulatorial acompanhou essas mudanças. No lançamento da 1ª edição (1991), o SUS estava nascendo, e a Atenção Primária à Saúde (APS) era precária. Quem lutava para fazer dela um dos eixos básicos do SUS era, muitas vezes, acuado e desmoralizado. Preparar um livro para esta APS pouco definida e valorizada foi um desafio. Mas nos momentos de lançamento da 2ª (1996) e 3ª (2004) edições, o contexto já tinha mudado. Assistia-se à criação do Programa Saúde da Família (PSF) e depois a Estratégia Saúde da Família (ESF), com fortalecimento progressivo da APS no SUS. Na 4ª edição (2013), o livro já pôde ser direcionado para uma realidade concreta de uma APS estabelecida em um SUS maduro, com um modelo de cuidado mais abrangente e complexo.

Agora, no lançamento desta 5ª edição, o sucesso da ESF é reconhecido internacionalmente. Avaliações publicadas em revistas de alto impacto demonstram sua efetividade na promoção da saúde e no cuidado das pessoas. O modelo de APS brasileiro, inspirado nas obras de Barbara Starfield, coloca as equipes de atenção primária no centro do cuidado. Mais de 40.000 equipes de APS estão em ação no SUS. Em paralelo a seu crescimento, a APS ganhou apoios profissional e acadêmico. A Sociedade Brasileira de Medicina de Família e Comunidade fincou suas raízes, cresceu e é hoje uma das principais sociedades médicas do País. Setores e departamentos de Medicina de Família e Comunidade/Atenção Primária foram estabelecidos em faculdades de medicina nas diversas regiões do País. Programas de residência em Medicina de Família e Comunidade se multiplicaram, contribuindo para qualificar as equipes de APS. Programas consolidados e de excelência de nível internacional da pós-graduação brasileira criaram linhas de pesquisa voltadas para a APS. Grandes projetos de telessaúde e de educação a distância foram fomentados para apoiar os cuidados na APS do SUS.

Foi notória, também, a difusão dos fundamentos de epidemiologia clínica desde a 1ª edição deste livro, hoje compondo a grade curricular de cursos de graduação na saúde. O paradigma da medicina baseada em evidências vem apoiando largamente a ações clínicas no País. Assim, a decisão de fundamentar com evidências as condutas clínicas nas várias edições deste livro foi acertada e segue contribuindo para a construção da atual APS brasileira baseada em evidências.

A globalização de conhecimentos e as tecnologias de informação ampliaram a capacidade de buscar evidências para encontrar soluções criativas e lograr maior resolutividade e efetividade. Ferramentas para essa prática, como metanálises que sintetizam dados de vários estudos e diretrizes clínicas, estão amplamente disponíveis. Compêndios de sumários eletrônicos como DynaMed e UpToDate, que fornecem evidências atualizadas, são cada vez mais utilizados. Se na 1ª edição as fontes principais de informação médica eram livros especializados, frequentemente de edições antigas, hoje, com alguns cliques no computador ou celular, resumos de qualquer tópico podem ser acessados.

Esta 5ª edição insere-se nesse novo ecossistema de publicações: introduzimos ao longo do livro links (QR codes* na versão impressa) para acesso imediato a documentos, fotos, vídeos, calculadoras clínicas, questionários e escalas de utilidade clínica. Para aqueles que gostam da versão impressa, o livro está divido em dois volumes, facilitando o manuseio. E a versão digital, em epub, também estará disponível, para que o leitor possa escolher aquela que melhor se adapta ao seu dia a dia.

As mudanças nas condições de saúde da população brasileira e no SUS, salientadas acima, fizeram o livro crescer e se qualificar para a realidade brasileira atual. De um texto cuja 1ª edição circulava predominantemente no Rio Grande do Sul, a obra conquistou leitores em todo o Brasil. Na 3ª edição, 30.000 exemplares foram disponibilizados pelo Ministério da Saúde para as equipes do Programa de Saúde da Família. Das 495 páginas da 1ª edição, alcançou 2.000 páginas na 4ª edição, abrangendo novos tópicos como obesidade, doença renal crônica e demência, inimagináveis como

---

*Os links eletrônicos externos são responsabilidade dos respectivos proprietários quanto a permanecerem disponíveis.

relevantes para um serviço público de atenção primária em 1990. Também na 4ª edição, a abordagem "baseada em evidências" se fortaleceu, e o padrão do GRADE Working Group para informar a confiança sobre o potencial benefício das condutas apresentadas foi adotado.

Nesta 5ª edição mantivemos o uso da proposta GRADE para graduação de evidências, e tomamos a decisão de não explicitar graus de recomendações para as condutas considerando a diversidade de contextos no qual o livro é utilizado. Apresentamos, contudo – quando possível e relevante –, as bases para essas recomendações, notadamente sobre os potenciais benefícios de condutas (p.ex., número necessário tratar e tamanho do efeito). A definição das medidas utilizadas e o significado dos níveis de evidência são apresentados na segunda capa do livro. Um apêndice *online*, disponível no hotsite do livro (https://paginas.grupoa.com.br/medicina-ambulatorial5ed), descreve o processo utilizado na revisão das evidências, cujo objetivo principal foi garantir uma revisão ampla das condutas disponíveis para prevenção e tratamento das condições abordadas em cada capítulo.

Alguns avanços nesta 5ª edição merecem destaque, entre eles, a maior participação de médicos com formação específica em Medicina de Família e Comunidade. Dois especialistas em Medicina de Família e Comunidade, Michael Schmidt Duncan e Camila Giugliani, já parte do grupo de organizadores na 4ª edição, intensificaram sua participação nesta 5ª edição. Suas experiências, ideias e sugestões nortearam a elaboração do livro. Cresceu o número de médicos de família entre autores e coordenadores de seção.

Alguns capítulos novos foram inseridos e uma seção foi reestruturada, passando o livro de 195 para 198 capítulos. Destacamos aqui a adição de dois capítulos de grande atualidade – Doença pelo Coronavírus 2019 (Covid-19) e Saúde Planetária e o Imperativo da Ação Climática para Proteger a Saúde. A seção de Problemas Musculoesqueléticos ficou mais ampla, intitulando-se agora Dor e Cuidados Paliativos. Para tanto, foram inseridos novos capítulos baseados em quadro conceitual atual sobre a fisiopatologia da dor, em especial de dor crônica, um problema que cresce em importância na prática clínica. Todos os capítulos presentes na edição anterior foram atualizados e alguns foram reformulados.

Mantém-se como o original da 1ª edição o icônico capítulo *in memoriam* de Kurt Kloetzel, cujos conceitos, como a demora permitida, continuam relevantes.

Embora o foco deste livro hoje seja a realidade concreta no SUS, a 5ª edição mantém seu olhar para o clínico que pratica medicina ambulatorial fora da esfera governamental. Estima-se que, em 2021, mais de 45 milhões de brasileiros são usuários de planos privados de saúde, e milhões adicionais por planos de saúde de entidades públicas fora do SUS. Serviços estruturados de APS na saúde suplementar estão se expandindo, geralmente envolvendo médicos de família e comunidade, dada a efetividade dessa forma de prestação de serviços e a evidente redução de custos. Além disso, o livro será útil para médicos de diferentes especialidades que lidam no dia a dia com problemas clínicos comuns, mas fora do escopo do seu treinamento, e que assumem, muitas vezes, o papel de médico de linha de frente para seus pacientes.

Não podemos deixar de frisar que esta edição foi preparada, fundamentalmente, durante a epidemia de Covid-19. A todos, profissionais de saúde e de apoio, que acharam algum tempo para contribuir para a produção do livro, deixamos aqui o nosso mais profundo reconhecimento. Ficou a tristeza sobre as pessoas perdidas pela Covid-19, mas cresceu a esperança de que tenhamos aprendido sobre a vulnerabilidade de nossa saúde planetária.

Juntos à nossa equipe de apoio e às centenas de autores, expressamos nosso desejo sincero de que o livro facilite e qualifique o trabalho dos leitores. Para os três de nós que iniciaram o *Medicina ambulatorial* antes mesmo do SUS nascer, é uma satisfação ver a construção sólida atual da APS no Brasil, grande em extensão, equitativa na sua atuação e cada vez mais efetiva na promoção, prevenção e tratamento de doenças. Nosso engajamento no livro visando qualificar esta parte central do SUS trouxe um sentido especial a nossas vidas profissionais.

Bruce B. Duncan
Maria Inês Schmidt
Elsa R. J. Giugliani
Michael Schmidt Duncan
Camila Giugliani

Sumário

Apresentação
A. Carlile H. Lavor

Volume 1

Seção I Atenção Primária à Saúde no Brasil
Coordenadores: Bruce B. Duncan, Maria Inês Schmidt

1. Saúde da População Brasileira 2
   Bruce B. Duncan, Maria Inês Schmidt, Ewerton Cousin, Eduardo Macário, Wanderson Kleber de Oliveira
2. O Sistema de Saúde no Brasil 13
   João Werner Falk, Roger dos Santos Rosa
3. A Organização de Serviços de Atenção Primária à Saúde 21
   Silvia Takeda
4. Estratégia Saúde da Família 34
   Erno Harzheim, Claunara Schilling Mendonça, Caroline Martins José dos Santos, Otávio Pereira D'Avila
5. A Prática de Medicina Rural 44
   Leonardo Vieira Targa, Magda Moura de Almeida
6. Saúde Planetária e o Imperativo da Ação Climática para Proteger a Saúde 52
   Enrique Falceto de Barros, Mayara Floss, Andrew Haines

Seção II Ferramentas para a Prática Clínica na Atenção Primária à Saúde
Coordenador: Michael Schmidt Duncan

7. Prática da Medicina Ambulatorial Baseada em Evidências 58
   Bruce B. Duncan, Maria Inês Schmidt, Maicon Falavigna
8. Conceitos de Epidemiologia Clínica para a Tomada de Decisões Clínicas na Atenção Primária 67
   Maria Inês Schmidt, Ricardo Kuchenbecker, Bruce B. Duncan
9. Saúde Pública Baseada em Evidências 78
   Maria Inês Schmidt, Bruce B. Duncan
10. O Diagnóstico Clínico: Estratégia e Táticas 85
    Kurt Kloetzel[†]
11. Método Clínico Centrado na Pessoa 94
    Marcelo Garcia Kolling
12. Modelo de Consulta e Habilidades de Comunicação 102
    Eberhart Portocarrero-Gross
13. Agentes Comunitários de Saúde 112
    Camila Giugliani, A. Carlile H. Lavor, Míria Campos Lavor[†], Maria Idalice Silva Barbosa, Thaíse Bernardo da Silva
14. Prescrição de Medicamentos e Adesão aos Tratamentos 129
    Jorge Béria, Pedro Beria, Sotero Serrate Mengue
15. Registros Médicos, Certificados e Atestados 138
    Marcelo Vieira de Lima, Lucia Campos Pellanda, Moacir Assein Arús[†]
16. Informação, Prontuário Eletrônico e Telemedicina em APS 147
    Erno Harzheim, Lucas Alexandre Pedebos, Jacson Venancio de Barros
17. A Atenção às Condições Crônicas 156
    Eugênio Vilaça Mendes
18. Antropologia e Atenção Primária à Saúde 162
    Daniela Riva Knauth, Francisco Arsego de Oliveira, Rodrigo Caprio Leite de Castro
19. Atendimento ao Trabalhador na Atenção Primária 167
    Fábio Fernandes Dantas Filho, Karen Gomes d'Ávila
20. Abordagem Familiar 181
    Carmen Luiza C. Fernandes, Olga Garcia Falceto, Brendha Silva Givisiez, Elisabeth Susana Wartchow
21. Abordagem Integral da Sexualidade e Cuidados Específicos da População LGBTI+ 195
    Ana Paula Andreotti Amorim, Renata Carneiro Vieira, Rita Helena Borret, Thiago Campos, Thiago Cherem Morelli
22. Abordagem da Morte e do Luto 210
    Martha Farias Collares, Patrícia Lichtenfels, Milton Humberto Schanes dos Santos

Seção III Promoção da Saúde do Adulto e Prevenção de Doenças Crônicas
Coordenadores: Maria Inês Schmidt, Bruce B. Duncan

23. Estratégias Preventivas para as Doenças Crônicas Não Transmissíveis 224
    Betine Pinto Moehlecke Iser, Lenildo de Moura, Bruce B. Duncan, Maria Inês Schmidt
24. Abordagem para Mudança de Estilo de Vida 234
    Elisabeth Meyer, Pedro Marques da Rosa
25. Alimentação Saudável do Adulto 242
    Maria Laura da Costa Louzada, Patricia Constante Jaime
26. Promoção da Atividade Física 250
    Maria Eugênia Bresolin Pinto, Angela M. V. Tavares, Marcelo Demarzo
27. Tabagismo 265
    Juliana Dias Pereira dos Santos, Aloyzio Achutti, Thaís Soares Ferreira, Raquel Meira Franca
28. Problemas Relacionados ao Consumo de Álcool 276
    Mauro Soibelman, Paola Bell Felix de Oliveira, Lisia von Diemen
29. Obesidade: Prevenção e Tratamento 288
    Gabriela Wünsch Lopes, Michael Schmidt Duncan, Bruce B. Duncan, Maria Inês Schmidt
30. Prevenção do Diabetes Tipo 2 309
    Maria Inês Schmidt, Bruce B. Duncan
31. Prevenção Clínica das Doenças Cardiovasculares 315
    Bruce B. Duncan, Karine Margarites Lima[†], Carisi Anne Polanczyk
32. Hipertensão Arterial Sistêmica 331
    Flávio Danni Fuchs
33. Rastreamento de Adultos para Tratamento Preventivo 346
    Airton Tetelbom Stein, Daniel Costi Simões, Alice de M. Zelmanowicz, Maicon Falavigna

Seção IV Doenças Crônicas Não Transmissíveis
Coordenadores: Michael Schmidt Duncan, Marcelo Rodrigues Gonçalves, Patricia Sampaio Chueiri

34. Cuidados Longitudinais e Integrais a Pessoas com Condições Crônicas 358
    Michael Schmidt Duncan, Marcos Adams Goldraich, Patricia Sampaio Chueiri
35. Diabetes Melito: Diagnóstico, Classificação e Avaliação para Manejo Clínico 371
    Danilo de Paula Santos, Michael Schmidt Duncan, Bruce B. Duncan, Maria Inês Schmidt

36 Diabetes Melito: Cuidado Longitudinal **379**
Maria Inês Schmidt, Michael Schmidt Duncan, Bruce B. Duncan

37 Cardiopatia Isquêmica **408**
Carisi Anne Polanczyk, Mariana Vargas Furtado, Jorge Pinto Ribeiro†

38 Insuficiência Cardíaca **419**
Murilo Foppa, Luis E. Rohde, Michael Schmidt Duncan

39 Arritmias Cardíacas **435**
Maurício Pimentel, Carisi Anne Polanczyk, Luis E. Rohde

40 Doenças do Sistema Arterial Periférico **445**
Adamastor Humberto Pereira, Alexandre Araujo Pereira, Renata Rosa De Carvalho

41 Doenças Venosas dos Membros Inferiores **453**
Adamastor Humberto Pereira, Alexandre Araujo Pereira, Renata Rosa De Carvalho

42 Manejo Ambulatorial do Paciente Anticoagulado **460**
Marcelo Basso Gazzana

43 Doença Renal Crônica **480**
Patricia Ferreira Abreu, Maria Inês Schmidt, Bruce B. Duncan, Lúcio R. Requião-Moura

44 Asma **491**
Paulo de Tarso Roth Dalcin, Gilberto Bueno Fischer, Helena Mocelin

45 Doença Pulmonar Obstrutiva Crônica **516**
Mara Rúbia André Alves de Lima, Danilo C. Berton, José Carlos Prado Junior

46 Câncer **531**
Gustavo Cartaxo de Lima Gössling, Fábio Silva Leal, Andre T. Brunetto, Gilberto Schwartsmann

47 Doenças da Tireoide **554**
José Miguel Dora, Rafael Selbach Scheffel, Ana Luiza Maia

48 Epilepsia **566**
José Augusto Bragatti, Carolina Machado Torres, Kelin Cristine Martin, Frederico A. D. Kliemann†

Seção V Atenção à Saúde do Idoso
Coordenadores: Michael Schmidt Duncan, Bruce B. Duncan

49 O Cuidado do Paciente Idoso **580**
Milton Humberto Schanes dos Santos, Patrícia Lichtenfels, Michele Possamai, Eduardo de Oliveira Fernandes

50 Avaliação Multidimensional do Idoso **591**
Sergio Antonio Sirena, Roberta Rigo Dalla Corte, Renato Gorga Bandeira de Mello, Emilio Hideyuki Moriguchi

51 Osteoporose **600**
Juliano Soares Rabello Moreira, Eduardo Henrique Portz

52 Doença de Parkinson **609**
Manuella Edler Zandoná, Pedro Schestatsky, Carlos R. M. Rieder

53 Síndromes Demenciais e Comprometimento Cognitivo Leve **617**
Matheus Roriz, Rodrigo Rizek Schultz, Justino A. C. Noble, Paulo H. F. Bertolucci

54 Doenças Cerebrovasculares **639**
Rosane Brondani, Sheila Ouriques Martins, Matheus Roriz, Thaís Leite Secchi

Seção VI Sinais, Sintomas e Alterações Laboratoriais Comuns
Coordenadores: João Victor Bohn de A. Alves, Pedro H. Braga, Renato Cony Seródio

55 O Raciocínio Clínico na Atenção Primária à Saúde **656**
Moisés Vieira Nunes, Adelson Guaraci Jantsch

56 Alterações do Sono **665**
Gabriela de Moraes Costa, Leonardo Evangelista da Silveira, Felipe Gutiérrez Carvalho, Maria Paz Hidalgo, Analuiza Camozzato

57 Vertigens e Tonturas **680**
Joel Lavinsky, Michelle Lavinsky Wolff, Luiz Lavinsky, Diogo Luis Scalco, Mariele Bressan

58 Avaliação da Tosse Subaguda e Crônica **690**
Pablo de Lannoy Stürmer, Roberto Fábio Lehmkuhl, Cassia Kirsch Lanes

59 Dispneia **696**
Thiago Gomes da Trindade, André Luís Marques da Silveira, Marcelo Rodrigues Gonçalves

60 Dor Torácica **703**
Carisi Anne Polanczyk

61 Sopros Cardíacos **713**
Lucia Campos Pellanda, William Brasil de Souza, Aloyzio Achutti, Flavia Kessler Borges

62 Avaliação Inicial da Dor Abdominal Aguda **721**
Luciano Paludo Marcelino, Alessandro Bersch Osvaldt, Mário Sérgio Trindade Borges da Costa

63 Dispepsia e Refluxo **729**
Antônio de Barros Lopes, Enrique Falceto de Barros, Laureen Engel, Sergio Gabriel Silva de Barros

64 Náusea e Vômitos **741**
Tainá de Freitas Calvette, Cassia Kirsch Lanes, Carlo Roberto Hackmann da Cunha

65 Icterícia, Alteração de Transaminases e Outras Manifestações de Problemas Hepáticos Comuns **750**
Fernando Herz Wolff, Rodrigo Caprio Leite de Castro, Matheus Truccolo Michalczuk, Alexandre de Araujo

66 Problemas Digestivos Baixos **763**
Carla Baumvol Berger, Dolores Noronha Galdeano, Francisco de Souza Silva, Lucas Gurgel Tiso

67 Avaliação do Edema em Membros Inferiores **772**
Beatriz Graeff Santos Seligman

68 Febre em Adultos **776**
Flavia Kessler Borges, Gustavo Faulhaber, Tania Weber Furlanetto, Sergio Henrique Prezzi

69 Avaliação de Linfadenopatias **781**
Marcos Adams Goldraich, Renata Chaves, Hudson Pabst, Michael Schmidt Duncan

70 Cansaço ou Fadiga **790**
André Klafke, Danyella da Silva Barreto, Michael Schmidt Duncan

71 Perda de Peso Involuntária **796**
Rogério Friedman, Mirela Jobim de Azevedo†

72 Anemias no Adulto **800**
Marcelo Rodrigues Gonçalves, Maria da Silva Pitombeira, Beatriz Stela Gomes de Souza Pitombeira

Seção VII Problemas de Olho, Ouvido, Nariz, Boca e Garganta
Coordenadoras: Michelle Lavinsky Wolff, Camila Furtado de Souza

73 Olho Vermelho **818**
Jorge Esteves, Nelson Telichevesky, Eduardo de Araujo-Silva, Camila Furtado de Souza

74 Alteração da Visão **822**
Jorge Esteves, Nelson Telichevesky, Diogo Luis Scalco

75 Outras Patologias Oculares **826**
Fernando Procianoy

76 Epistaxe **830**
Elisabeth Araujo, Raphaella Migliavacca, Denise Rotta Ruttkay Pereira

77 Rinite **837**
Michelle Menon Miyake, Monica Aidar Menon Miyake, Elisabeth Araujo

78 Rinossinusite **847**
Michelle Menon Miyake, Elisabeth Araujo

79 Otite Média **855**
Boaventura Antonio dos Santos, Berenice Dias Ramos

80 Otite Externa **865**
José Faibes Lubianca Neto, Maurício Schreiner Miura, Moacyr Saffer

81 Dor de Garganta **872**
Boaventura Antonio dos Santos, Elsa R. J. Giugliani, Adão Machado

82 Problemas da Cavidade Oral **879**
Adriane Vienel Fagundes, Amanda Ramos da Cunha, Caren Serra Bavaresco, Diogo Luis Scalco

Seção VIII Problemas e Procedimentos Cirúrgicos
Coordenadores: Alessandro Bersch Osvaldt, Rodolfo Souza da Silva

83 Anestesia Regional **896**
Gerson Junqueira Júnior, Lúcia Miranda Monteiro dos Santos

84 Ferimentos Cutâneos **901**
Marcus Vinicius Martins Collares, Ciro Paz Portinho, Antônio Carlos Pinto Oliveira, Daniele Walter Duarte, Rinaldo de Angeli Pinto

85 Cirurgia da Unha **914**
Henrique Rasia Bosi, Guilherme S. Mazzini, Cleber Dario Pinto Kruel, Cleber Rosito Pinto Kruel

86 Infecções Não Traumáticas de Tecidos Moles **919**
Jeferson K. de Oliveira, Guilherme S. Mazzini, Paulo Sandler†, Leandro Totti Cavazzola

87 Pequenos Procedimentos em Atenção Primária 923
Roberto Nunes Umpierre
88 Queimaduras 927
Eduardo I. Gus, Ricardo A. Arnt
89 Hérnias da Parede Abdominal 937
Henrique Rasia Bosi, Leandro Totti Cavazzola, José Ricardo Guimarães, Alceu Migliavacca
90 Problemas Urológicos Comuns 942
Pedro Glusman Knijnik, Guilherme Behrend Silva Ribeiro, Brasil Silva Neto

91 Problemas Orificiais 959
Daniel C. Damin
92 Traumatismo Musculoesquelético 965
Carlo Henning, Humberto Moreira Palma

Apêndice 1 Eletrocardiograma: Interpretação, Principais Alterações e Uso na Prática Ambulatorial A1-1
Fábio Morato de Castilho, Luisa Campos Caldeira Brant, Antonio Luiz Pinho Ribeiro

Índice I-1

Volume 2

Seção IX Atenção à Saúde da Criança e do Adolescente
Coordenadores: Elsa R. J. Giugliani, André Klafke

93 Puericultura: Do Nascimento à Adolescência 976
Danilo Blank
94 Promoção do Desenvolvimento da Criança 994
Sonia Isoyama Venancio, Claudia Regina Lindgren Alves
95 Promoção da Saúde Mental na Primeira Infância 1008
Maria Lucrécia Scherer Zavaschi, Sandra Fayet Lorenzon, Marina da Silva Netto
96 Promoção da Segurança da Criança e do Adolescente 1022
Danilo Blank
97 Acompanhamento do Crescimento da Criança 1032
Denise Aerts, Elsa R. J. Giugliani
98 Práticas Alimentares Saudáveis na Infância 1041
Elsa R. J. Giugliani
99 Aleitamento Materno: Aspectos Gerais 1054
Elsa R. J. Giugliani
100 Aleitamento Materno: Principais Dificuldades e Seu Manejo 1075
Elsa R. J. Giugliani
101 Déficit de Crescimento 1088
Elsa R. J. Giugliani, Denise Aerts
102 Deficiência de Ferro e Anemia em Crianças 1097
Elsa R. J. Giugliani, Denise Aerts, André Klafke
103 Problemas Comuns nos Primeiros Meses de Vida 1107
Roberto Mário Issler, Ariel Azambuja Gomes de Freitas, Nicolino César Rosito
104 Excesso de Peso em Crianças 1123
Elza Daniel de Mello
105 Febre em Crianças 1129
Luíza Emília Bezerra de Medeiros, Danilo Blank, Eliana de Andrade Trotta†, Juliana de Oliveira
106 Acompanhamento de Saúde do Adolescente 1139
Carla Baumvol Berger, Bárbara Stelzer Lupi, Carla da Cruz Teixeira, Raphael Lacerda Barbosa
107 Problemas Comuns de Saúde na Adolescência 1148
Ricardo Becker Feijó, Maria Conceição Oliveira Costa, Lilian Day Hagel, Nilma Lazara de Almeida Cruz
108 Atendimento Ginecológico na Infância e Adolescência 1161
Solange Garcia Accetta, Liliane Diefenthaeler Herter
109 Atenção à Saúde da Criança e do Adolescente em Situação de Violência 1173
Joelza Mesquita Andrade Pires

Seção X Atenção à Saúde da Mulher
Coordenadoras: Camila Giugliani, Suzana Arenhart Pessini, Gisele Alsina Nader Bastos

110 Acompanhamento de Saúde da Mulher na Atenção Primária 1190
Suzana Arenhart Pessini, Adriani Oliveira Galão, Maria Cristina Barcellos-Anselmi, Carla Maria De Martini Vanin
111 Planejamento Reprodutivo 1201
Jaqueline Neves Lubianca, Karen Oppermann, Luíza Guazzelli Pezzali
112 Infertilidade 1219
Eduardo Pandolfi Passos, Fernando Freitas, Isabel Cristina Amaral de Almeida
113 Acompanhamento de Saúde da Gestante e da Puérpera 1223
Déa Suzana M. Gaio, Martha Farias Collares, Janini Cristina Paiz

114 Atenção à Gestante com Problema Crônico de Saúde 1246
Sérgio Moreira Espinosa†, Patrícia Telló Dürks, Estefania Inez Wittke, Alfeu Roberto Rombaldi
115 Hipertensão Arterial na Gestação 1260
José Geraldo Lopes Ramos, Sérgio Martins-Costa, Janete Vettorazzi
116 Diabetes na Gestação 1267
Maria Lúcia da Rocha Oppermann, Angela Jacob Reichelt, Letícia Schwerz Weinert, Maria Inês Schmidt
117 Infecções na Gestação 1277
Sérgio Martins-Costa, José Geraldo Lopes Ramos, Janete Vettorazzi, Beatriz Vailati
118 Infecção pelo HIV em Gestantes 1291
Eunice Beatriz Martin Chaves, Paulo Naud
119 Medicamentos e Outras Exposições na Gestação e na Lactação 1297
Lavinia Schuler-Faccini, Maria Teresa Vieira Sanseverino, Camila Giugliani
120 Abortamento 1304
Anibal Faúndes, Karla Simônia de Pádua, Silvana Ferreira Bento
121 Doenças da Mama 1314
Maira Caleffi, Luis Antonio Abreu de Moraes Neto
122 Amenorreia 1323
Helena von Eye Corleta, Helena Schmid
123 Sangramento Uterino Anormal 1330
Suzana Arenhart Pessini, Sibele Klitzke
124 Secreção Vaginal e Prurido Vulvar 1339
Paulo Naud, Jean Carlos de Matos, Valentino Magno
125 Dor Pélvica 1346
Paulo Naud, Valentino Magno, Jean Carlos de Matos, Carlos Augusto Bastos de Souza
126 Câncer Genital Feminino e Lesões Precursoras 1353
Suzana Arenhart Pessini, Valentino Magno
127 Climatério 1367
Maria Celeste Osorio Wender, Solange Garcia Accetta, Carolina Leão Oderich, Mona Lúcia Dall´Agno
128 Atenção à Saúde da Mulher em Situação de Violência 1378
Beatriz Vailati, Mariane Marmontel, Simone Hauck, Sandra Scalco, Stefania Teche

Seção XI Problemas de Pele
Coordenadores: Renan Rangel Bonamigo, Diogo Luis Scalco

129 O Exame da Pele 1392
Ana Elisa Kiszewski Bau, Renan Rangel Bonamigo
130 Abordagem Diagnóstica das Lesões de Pele 1398
Diogo Luis Scalco, Vanessa Santos Cunha
131 Fundamentos de Terapêutica Tópica 1402
Sérgio Ivan Torres Dornelles, Inara Bernardi Bagesteiro, Letícia Pargendler Peres, Marcel de Almeida Dornelles
132 Dermatoses Eritematoescamosas 1411
Humberto Antonio Ponzio, Ana Lenise Favaretto, Márcia Paczko Bozko
133 Eczemas e Reações Cutâneas Medicamentosas 1420
Magda Blessmann Weber, Renan Rangel Bonamigo, Fabiana Bazanella de Oliveira
134 Prurido e Lesões Papulosas e Nodulares 1433
Márcia Zampese, Lucas Samuel Perinazzo Pauvels, Andre Avelino Costa Beber
135 Ressecamento da Pele e Sudorese Excessiva 1453
Maria Carolina Widholzer Rey
136 Manchas 1459
Tania Ferreira Cestari, Aline Camargo Fischer, Lia Pinheiro Dantas

137 Reações Actínicas **1467**
Tania Ferreira Cestari, Cristine Kloeckner Kraemer, Lia Pinheiro Dantas

138 Tumores Benignos e Cistos Cutâneos **1472**
Renato Marchiori Bakos

139 Cânceres da Pele **1477**
Lucio Bakos, Renato Marchiori Bakos

140 Piodermites **1484**
Luiz Fernando Bopp Muller, Letícia Brandeburski Loss, Fabiana Bazanella de Oliveira

141 Infecções pelo Herpesvírus e pelo Vírus Varicela-Zóster **1489**
Márcia Paczko Bozko, Ana Lenise Favaretto, Humberto Antonio Ponzio

142 Micoses Superficiais **1495**
Ana Lenise Favaretto, Humberto Antonio Ponzio

143 Zoodermatoses **1500**
Lucio Bakos, Renato Marchiori Bakos, Elise Botteselle De Oliveira

Seção XII Problemas Infecciosos
Coordenadoras: Cristiana M. Toscano, Silvia Figueiredo Costa,
Elise Botteselle de Oliveira, Camila Giugliani

144 Doenças Transmissíveis: Condutas Preventivas na Comunidade **1508**
Cristiana M. Toscano, Maria Aparecida Teixeira Lustosa

145 Controle de Infecções Relacionadas à Assistência à Saúde **1525**
Carlos Magno C. B. Fortaleza

146 Imunizações **1535**
Juarez Cunha, Ricardo Becker Feijó

147 Doença Febril Exantemática **1553**
Cristiana M. Toscano, Renato de Ávila Kfouri

148 Diarreia Aguda na Criança **1569**
Helena Ayako Sueno Goldani, Clécio Homrich da Silva

149 Infecção Respiratória Aguda na Criança **1581**
Clécio Homrich da Silva, Paulo Marostica

150 Infecções de Trato Respiratório em Adultos **1597**
Paulo José Zimermann Teixeira, Renata Ullmann de Brito Neves

151 Tuberculose **1608**
Ethel Leonor Noia Maciel, Geisa Fregona, Valdério V. Dettoni

152 Doença pelo Coronavírus 2019 (Covid-19) **1632**
Ana Cláudia Magnus Martins, Elise Botteselle de Oliveira, Luíza Emília Bezerra de Medeiros

153 Febre Reumática e Prevenção de Endocardite Infecciosa **1662**
Aloyzio Achutti, Carisi Anne Polanczyk, Maria de Fátima M. P. Leite, Regina Elizabeth Müller

154 Infecção do Trato Urinário **1674**
Elvino Barros, Carla Di Giorgio, Renato George Eick, Fernando S. Thomé

155 Infecções Sexualmente Transmissíveis: Abordagem Sindrômica **1689**
Ricardo Francalacci Savaris, Valentino Magno, Giovana Fontes Rosin, Elise Botteselle de Oliveira, Tiago Selbach Garcia

156 Infecção pelo HIV em Adultos **1705**
Rafael Aguiar Maciel, Marcelo Rodrigues Gonçalves, Maria Helena da Silva Pitombeira Rigatto

157 Hepatites Virais **1718**
Themis Reverbel da Silveira, Carolina Soares da Silva

158 Parasitoses Intestinais **1736**
Iara Marques de Medeiros, Denise Vieira de Oliveira, Eliana Lúcia Tomaz do Nascimento

159 Parasitoses Teciduais **1749**
Iara Marques de Medeiros, Eliana Lúcia Tomaz do Nascimento, Denise Vieira de Oliveira

160 Leishmaniose **1762**
Ana Paula Pfitscher Cavalheiro, Maria Luisa Aronis

161 Doença de Chagas **1770**
Cinthia Fonseca O'Keeffe, Clarissa Giaretta Oleksinski, Carlos Graeff-Teixeira

162 Dengue, Zika e Chikungunya **1776**
Adriana Oliveira Guilarde, Maria José Timbó

163 Malária **1784**
Cor Jesus Fernandes Fontes

164 Febre Amarela **1798**
Pedro Fernando da Costa Vasconcelos, Marta Heloisa Lopes, Cristiana M. Toscano

165 Hanseníase **1809**
Ana Laura Grossi de Oliveira, Maria Aparecida de Faria Grossi

166 Leptospirose **1822**
Fernando Suassuna, Igor Thiago Queiroz, Alexandre Estevam Montenegro Diniz

167 Raiva **1831**
Danise Senna Oliveira, Ana Marli C. Sartori

168 Saúde do Viajante **1837**
Maria Helena da Silva Pitombeira Rigatto, Tânia do Socorro Souza Chaves, Jessé Reis Alves, Melissa Mascheretti†

Seção XIII Saúde Mental
Coordenadores: Maria Helena P. P. Oliveira, Guilherme Nabuco Machado

169 Avaliação de Problemas de Saúde Mental na Atenção Primária **1846**
Guilherme Nabuco Machado, Maria Helena P. P. Oliveira, Diego Espinheira da Costa Bomfim

170 Transtornos Relacionados à Ansiedade **1858**
Giovanni Abrahão Salum Júnior, Natan Pereira Gosmann, Aristides V. Cordioli, Gisele Gus Manfro

171 Depressão **1881**
Fernanda Lucia Capitanio Baeza, Tadeu Assis Guerra, Marcelo Pio de Almeida Fleck

172 Transtorno do Humor Bipolar **1895**
Pedro Domingues Goi, Silvia Bassani Schuch-Goi, Marcia Kauer-Sant'Anna

173 Psicoses **1908**
Maria Helena P. P. Oliveira, Guilherme Nabuco Machado

174 Abordando os Sintomas Físicos de Difícil Caracterização **1919**
Sandra Fortes, Daniel Almeida Gonçalves, Naly Soares de Almeida, Luís Fernando Tófoli, Luiz Fernando Chazan

175 Abordagem da Sexualidade e de suas Alterações **1931**
Carmita H. N. Abdo

176 Drogas: Uso, Uso Nocivo e Dependência **1948**
Ingrid Hartmann, Anne Orgler Sordi, Melina N. de Castro, Pedro Domingues Goi, Thiago Casarin Hartmann

177 Abordagem da Saúde Mental na Infância **1960**
Michael Schmidt Duncan, Guilherme Nabuco Machado, Maria Helena P. P. Oliveira, Flávio Dias Silva, Renato M. Caminha

178 Transtornos Relacionados a Dificuldades de Aprendizagem e Problemas Associados à Agressividade **1977**
Maria Helena P. P. Oliveira, Guilherme Nabuco Machado

179 Problemas de Saúde Mental em Adolescentes e Adultos Jovens **1990**
Christian Kieling, Pedro Mario Pan, Marcelo Rodrigues Gonçalves

180 Intervenções Psicossociais na Atenção Primária à Saúde **1997**
Daniel Almeida Gonçalves, Dinarte Ballester, Luiz Fernando Chazan, Naly Soares de Almeida, Sandra Fortes

Seção XIV Dor e Cuidados Paliativos
Coordenador: Marcos Paulo Veloso Correia

181 Abordagem Geral da Dor **2006**
Marcos Paulo Veloso Correia, Michael Schmidt Duncan

182 Dor Crônica e Sensibilização Central **2020**
Wolnei Caumo

183 Dor Miofascial e Outras Dores Mecânicas **2032**
Marcos Paulo Veloso Correia

184 Oligoartrites e Poliartrites **2044**
Blanca Elena Rios Gomes Bica, Carla Gottgtroy

185 Osteoartrite **2054**
Carla Gottgtroy, Ricardo André Vaz

186 Gota e Outras Monoartrites **2064**
João Henrique Godinho Kolling, Rafael Mendonça da Silva Chakr, Charles Lubianca Kohem

187 Cefaleia **2073**
Rodrigo Caprio Leite de Castro, Martha Farias Collares

188 Cervicalgia **2092**
Janete Shatkoski Bandeira, Leonardo Botelho

189 Lombalgia **2103**
Alessandra E. Dantas, Bruno Alves Brandão, Letícia Renck Bimbi, Marcos Paulo Veloso Correia

190 Dor em Ombro e Membro Superior **2123**
Ari Ojeda Ocampo Moré, João Eduardo Marten Teixeira

191 Dor em Membros Inferiores **2146**
Alfredo de Oliveira Neto, Caio César Bezerra da Silva, Marcos Paulo Veloso Correia, Rebeca Mathias de Queiroz Ribeiro

192 Problemas Musculoesqueléticos em Crianças e Adolescentes **2170**
Sandra Helena Machado, Ilóite M. Scheibel, Sergio Roberto Canarim Danesi

193 Cuidados Paliativos **2182**
Ricardo Moacir Silva, Patrícia Lichtenfels, Milton Humberto Schanes dos Santos, Gabriel Alves Ferreira, Ana Cláudia Magnus Martins

Seção XV Situações de Emergência
Coordenadora: Renata Rosa de Carvalho

194 Papel da Atenção Primária à Saúde em Urgências e Emergências **2200**
Fábio Duarte Schwalm, Rosangela Amaral de Almeida, Ney Bragança Gyrão

195 Acidentes por Animais Peçonhentos **2214**
João Batista Torres, José Alberto Rodrigues Pedroso, Gloria Jancowski Boff

196 Envenenamentos Agudos **2228**
José Alberto Rodrigues Pedroso, Julio Cesar Razera, João Batista Torres, Gloria Jancowski Boff

197 Ressuscitação Cardiopulmonar **2241**
Ari Timerman, Andre Feldman, William Jones Dartora

198 Antídotos e Antagonistas em Intoxicações Exógenas **2246**
Carlos Augusto Mello da Silva, Julio Cesar Razera, Marcos Vinícios Razera

Apêndice 2 Tabelas de Valores de Pressão Arterial em Crianças e Adolescentes **A2-1**

Apêndice 3 Uso de Medicamentos na Gestação e na Lactação **A3-1**
Maria Teresa Vieira Sanseverino, Lavinia Schuler-Faccini, Camila Giugliani

Índice **I-1**

SEÇÃO I

Coordenadores: *Bruce B. Duncan*
Maria Inês Schmidt

Atenção Primária à Saúde no Brasil

1. Saúde da População Brasileira 2
   Bruce B. Duncan, Maria Inês Schmidt, Ewerton Cousin,
   Eduardo Macário, Wanderson Kleber de Oliveira

2. O Sistema de Saúde no Brasil 13
   João Werner Falk, Roger dos Santos Rosa

3. A Organização de Serviços de Atenção Primária à Saúde 21
   Silvia Takeda

4. Estratégia Saúde da Família 34
   Erno Harzheim, Claunara Schilling Mendonça,
   Caroline Martins José dos Santos, Otávio Pereira D'Avila

5. A Prática de Medicina Rural 44
   Leonardo Vieira Targa, Magda Moura de Almeida

6. Saúde Planetária e o Imperativo da Ação Climática para Proteger a Saúde 52
   Enrique Falceto de Barros, Mayara Floss, Andrew Haines

Capítulo 1
SAÚDE DA POPULAÇÃO BRASILEIRA

Bruce B. Duncan
Maria Inês Schmidt
Ewerton Cousin
Eduardo Macário
Wanderson Kleber de Oliveira

As dimensões continentais do Brasil abrangem 8.516 milhões de km², distribuídos em cinco regiões geográficas muito diversas quanto a características climáticas e populacionais e quanto ao seu desenvolvimento histórico e socioeconômico. A população brasileira em agosto de 2019 era estimada em 210 milhões, sendo a 5ª maior no mundo, após a China, a Índia, os Estados Unidos e a Indonésia. No censo de 2010, 48% se autodeclararam de cor ou raça branca, 43% parda, 8% negra, 1% amarela e 0,4% indígena. Em 2015, o índice de desenvolvimento humano (IDH) no Brasil era de 0,755, conferindo a posição 75 entre 188 países avaliados. Sobre um indicador socioeconômico marcante – a taxa de analfabetismo –, cerca de 20% dos brasileiros com idade ≥ 15 anos podem ser considerados analfabetos funcionais (com < 4 anos formais de escola).[1] Além disso, o produto interno bruto (PIB) *per capita* era de R$ 32.747 em 2019.[2] As desigualdades distributivas são notórias: uma das piores do mundo, como abordado no final do capítulo.

Para conhecer a situação de saúde no Brasil, o Departamento de Análise de Saúde e Vigilância de Doenças Não Transmissíveis, da Secretaria de Vigilância em Saúde (SVS), do Ministério da Saúde (MS), produz, desde 2004, análises detalhadas, cujos volumes anuais estão disponíveis *on-line* (SAÚDE BRASIL).[3] As análises aproveitam os dados do Sistema de Informação sobre Mortalidade, do Sistema de Informações sobre Nascidos Vivos, do Sistema de Informação de Agravos de Notificação e de outras bases e inquéritos nacionais, como a Pesquisa Nacional de Saúde (PNS) e a Pesquisa de Orçamento Familiar e o Sistema de Vigilância de Fatores de Risco para Doenças Crônicas Não Transmissíveis (Vigitel).

Outra fonte de dados é a iniciativa Global Burden of Disease (GBD). Ela tem alcance global, realiza análises internacionais sobre a carga de doença para o embasamento de políticas públicas de saúde e, hoje, engloba 195 países e territórios.[4] Essa fonte é usada sempre que é relevante a padronização internacional de metodologias, indicadores e metas. Também são utilizados dados do Boletim Epidemiológico em sua edição especial de setembro de 2019.[5]

Este capítulo vai mostrar o panorama geral da saúde dos brasileiros, trazendo um quadro sucinto dos principais problemas, apontando sucessos e desafios e sinalizando perspectivas. Covid-19, que gerou enorme carga de doença em 2020-21, é abordado no Capítulo Doença pelo Coronavírus 2019 (Covid-19).

PANORAMA GERAL E EVOLUÇÃO NAS CAUSAS DE MORTALIDADE

O Brasil passou por transformações profundas nas últimas oito décadas: um reflexo de mudanças demográficas, epidemiológicas e nutricionais que ocorreram não apenas aqui, mas em todo o mundo.

Segundo o Instituto Brasileiro de Geografia e Estatística (IBGE), dados dos censos demográficos brasileiros realizados a cada 10 anos e das estimativas populacionais mostram um envelhecimento progressivo da população: o percentual de pessoas com idade ≥ 60 anos aumentou de 7% em 1980 para 13% em 2019; o percentual de pessoas com idade ≤ 14 anos diminuiu de 37% para 21%.[1] A taxa média de crescimento anual da população também está diminuindo: de 2,5% em 1980 para 0,8% em 2018.[6] Essas transformações foram acompanhadas de mudanças econômicas, sociais, urbanas e culturais. As mudanças no comportamento reprodutivo foram acentuadas pela maior disponibilização de métodos contraceptivos e pelo novo papel da mulher na sociedade. Isso diminuiu a taxa de fertilidade total, o principal motor da transição demográfica, de 5,8 em 1970 para 1,77 em 2018.[7] A taxa de mortalidade infantil (TMI) caiu de 146,6/1.000 nascidos vivos em 1940 para 12,8/1.000 nascidos vivos em 2018. Esse declínio ocorreu em todas as regiões, notadamente no Nordeste.

Esse conjunto de fatores levou a uma melhora impressionante da esperança de vida ao nascer – de 45,5 anos em 1940 para 76 anos em 2017.[8] O perfil de morbimortalidade deslocou-se do eixo de doenças infecciosas e problemas materno-infantis para o eixo das doenças crônicas não transmissíveis (DCNTs) e causas externas (FIGURA 1.1). De 1980 para 2019, a mortalidade proporcional por doenças maternas, infantis e infecciosas caiu de 40% para 12%; e a mortalidade proporcional por DCNTs aumentou de 49% para 76%.

A dimensão continental do País e as iniquidades em saúde exigem que se desagreguem os dados aqui apresentados para visualizar os contextos específicos, o que pode ser feito pelos *links* fornecidos nas referências.

A FIGURA 1.2 ilustra a mudança no ranqueamento das principais causas de mortalidade entre 1990 e 2019. Ficam evidentes a queda de doenças de várias causas maternas, infantis, infecciosas e nutricionais (em azul escuro) e o aumento de várias DCNTs (em azul claro).

Essas mudanças, referidas como transições demográficas e epidemiológicas, vêm sendo moldadas também pela chamada transição nutricional, em que a desnutrição reduz e a obesidade aumenta rápida e notadamente. O crescimento da industrialização e da mecanização da produção, o maior acesso aos alimentos em geral, incluindo os

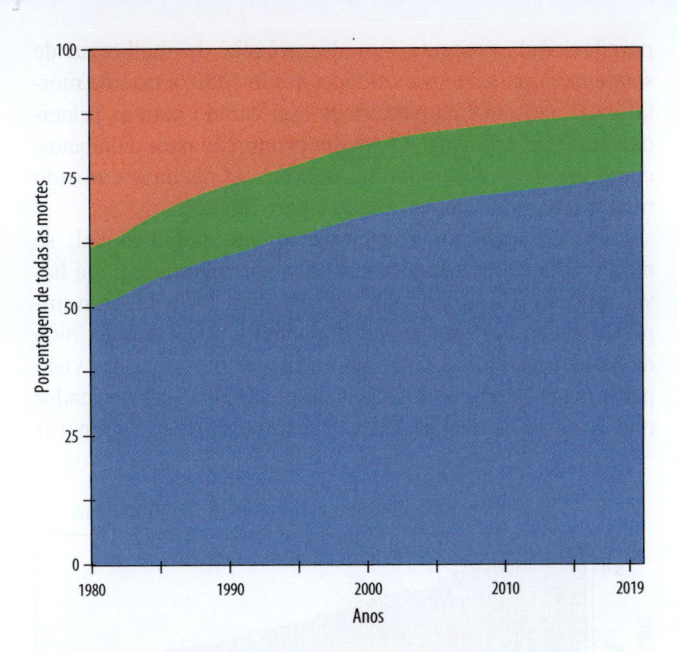

FIGURA 1.1 → Tendências na proporção dos óbitos devido a cada um dos grandes grupos, 1980-2019. Vermelho = doenças transmissíveis, maternas, neonatais e nutricionais. Azul = doenças crônicas não transmissíveis. Verde = causas externas.
Fonte: Institute for Health Metrics and Evaluation.[4]

FIGURA 1.2 → Mudanças no ranqueamento das principais causas de óbito no Brasil, 1990-2019. Vermelho = doenças transmissíveis, maternas, neonatais e nutricionais. Azul = doenças crônicas não transmissíveis. Verde = causas externas. Aids, síndrome da imunodeficiência adquirida; DCNTs, doenças crônicas não transmissíveis; DTNs, doenças tropicais negligenciadas; HIV, vírus da imunodeficiência humana; IST, infecção sexualmente transmissível.
Fonte: Institute for Health Metrics and Evaluation.[4]

ultraprocessados, entre outros fatores, por um lado, contribuíram para reduzir a desnutrição, mas, por outro, propiciaram ganho de peso e obesidade. Inquéritos populacionais realizados entre 1974 e 2013 mostram como a obesidade substituiu o baixo peso como a principal categoria de distúrbio nutricional em todos os grupos de sexo, categoria social e faixa etária no País (**FIGURA 1.3**).[9,10]

A CARGA GERAL DE DOENÇA

O padrão de mortalidade não é suficiente para expressar a carga das doenças na população. A metodologia adotada pelo GBD para analisar carga de doença, além da taxa de mortalidade, utiliza, ainda, três métricas principais: anos de vida perdidos (YLLs, do inglês *years of life lost*) por uma doença ou causa externa; anos vividos com incapacidade (sequela de doença ou causa externa) (YLDs, do inglês *years lived with disability*); e a soma das duas – anos de vida perdidos ajustados por incapacidade (DALYs, do inglês *disability-adjusted life years*).

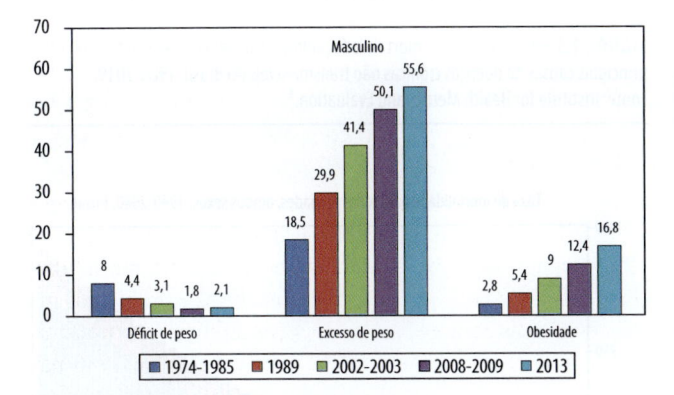

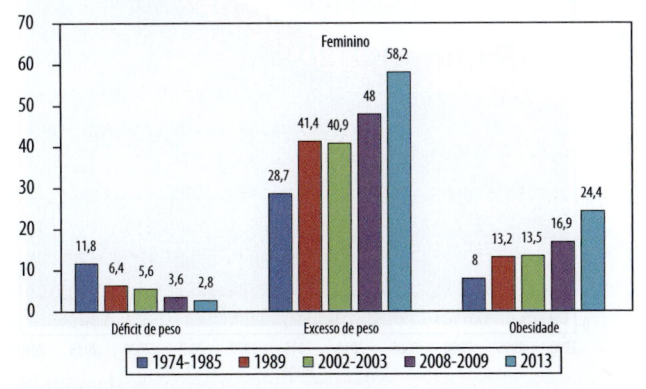

Como visto na **FIGURA 1.4**, em 2019, a carga de DCNTs (em azul) também predomina quando avaliada por YLLs (parte superior) e YLDs (parte inferior) para os três grandes grupos de doenças, como ilustrado pelas áreas proporcionais às cargas que cada grupo produz.

FIGURA 1.3 → Evolução da frequência dos diferentes estados nutricionais na população adulta (idade ≥ 20 anos), por sexo no Brasil, 1974-2013. Déficit de peso = índice de massa corporal (IMC) < 18,5 kg/m²; excesso de peso = IMC ≥ 25 kg/m²; obesidade = IMC ≥ 30 kg/m².
Fonte: IBGE.[9,10]

Carga das doenças crônicas não transmissíveis

Hoje, as DCNTs são consideradas a principal causa de carga de doença, não apenas no Brasil, mas globalmente. Ao padronizar para idade, a carga dessas doenças é maior nos países de baixa e média rendas, o que constitui uma ameaça à saúde e ao próprio desenvolvimento dessas nações.[11]

No Brasil, as DCNTs responderam por 76% dos óbitos e 63% da mortalidade prematura (YLLs) em 2019. Quatro grupos de doenças – as cardiovasculares, as neoplasias, as respiratórias crônicas e o diabetes – foram responsáveis por 48% dos YLLs. Em relação à morbidade, as DCNTs responderam por 84% dos YLDs, sendo que 53% foram devidos a quatro grupos de doenças: musculoesqueléticas (18%, principalmente dor lombar e dor cervical), mentais (19%, principalmente depressão e ansiedade), neurológicas (9%, principalmente enxaqueca) e sensoriais (7%, principalmente perdas auditivas e visuais).[4] Seguem, em importância, o diabetes e as doenças renais (6%), os problemas de pele (5%) e o uso de substâncias (5%) (FIGURA 1.4).

A taxa de mortalidade bruta por DCNTs no Brasil está aumentando muito pouco, apesar do envelhecimento populacional crescente, em decorrência de melhorias de saúde na população. Na verdade, desde 1980, a taxa de mortalidade padronizada para idade está caindo para as principais doenças crônicas, em menor proporção para o diabetes, como pode ser observado na FIGURA 1.5. O declínio tem sido menor em anos recentes, o que é preocupante.

Com o continuado envelhecimento populacional, se essa tendência de estabilização não for revertida, pode haver um aumento importante na carga das DCNTs, com implicações para a estabilidade financeira do Sistema Único de Saúde (SUS) e a economia do Brasil. Isso pode ser visto pelas taxas brutas de mortalidade por DCNT, um indicador real da carga de doença. Como ilustrada na FIGURA 1.6, a partir

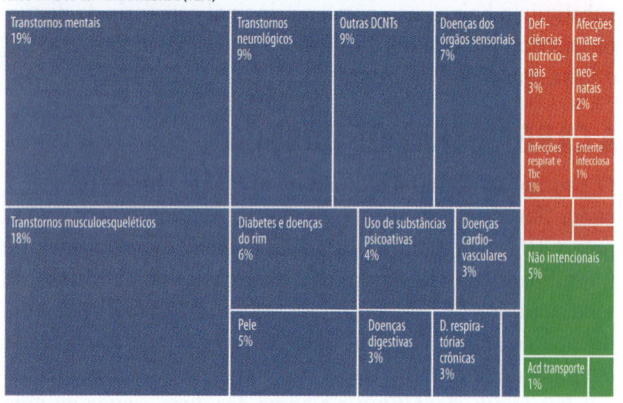

FIGURA 1.4 → Principais causas da carga de doença no Brasil, em 2019, devido à mortalidade, expressa pelos anos de vida perdidos (YLLs) por doença ou causa externa (parte superior), e à morbidade, expressa pelos anos vividos com incapacidade (YLDs) (parte inferior). Vermelho = doenças transmissíveis, maternas, neonatais e nutricionais. Azul = doenças crônicas não transmissíveis. Verde = causas externas. DCNTs, doenças crônicas não transmissíveis; ISTs, infecções sexualmente transmissíveis.
Fonte: Institute for Health Metrics and Evaluation.[4]

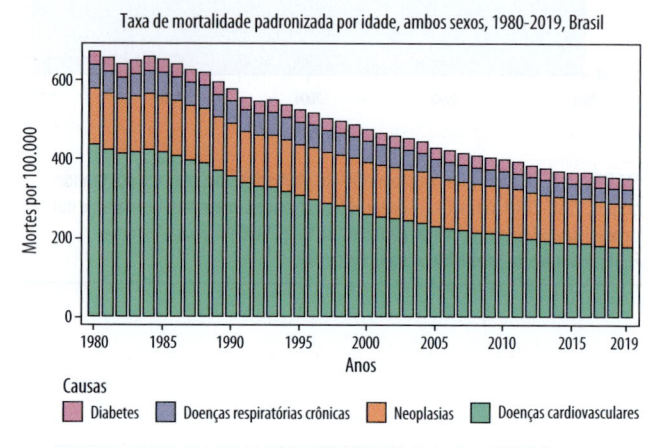

FIGURA 1.5 → Tendências na mortalidade padronizada para idade devido às quatro principais causas de doenças crônicas não transmissíveis no Brasil, 1980-2019.
Fonte: Institute for Health Metrics and Evaluation.[4]

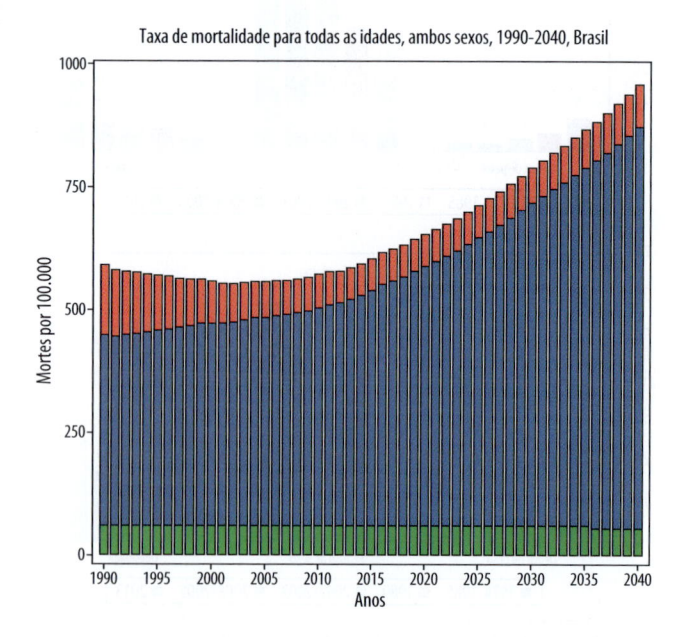

FIGURA 1.6 → Tendência e projeção da taxa de mortalidade causada pelos principais grupos de doenças no Brasil, 1990-2040. Vermelho = doenças transmissíveis, maternas, neonatais e nutricionais. Azul = doenças crônicas não transmissíveis. Verde = causas externas.
Fonte: Institute for Health Metrics and Evaluation.[12]

da segunda década deste século, pode ocorrer um aumento real e importante da mortalidade bruta por DCNTs, aqui projetadas até 2040.

Ao analisar as tendências na carga de doença por DCNTs, é importante considerar também as diferenças de mortalidade e morbidade. A mortalidade prematura (YLLs) estava diminuindo até recentemente, mas a morbidade (YLDs) está aumentando, o que pode refletir aumento nas demandas do serviço de saúde e piora na qualidade de vida dos brasileiros (FIGURA 1.7).

Carga das doenças transmissíveis, causas maternas e neonatais, e deficiências nutricionais

A carga associada às causas desse grupo de doenças, expressa como taxa anual de DALYs (FIGURA 1.8), caiu substancialmente nas últimas décadas. Os maiores declínios foram para enterites (89%), outras doenças infecciosas (78%), predominantemente as doenças imunopreveníveis, deficiências nutricionais (67%), principalmente de ferro, e infecções respiratórias e tuberculose (64%).

No entanto, como visto a seguir, a transição epidemiológica é incompleta no Brasil, as iniquidades em saúde são marcantes e o risco de novas epidemias está sempre presente.

Um relatório detalhado mostrando avanços e hiatos a serem trabalhados, com linhas de tempo indicando as políticas implementadas nos últimos anos, foi publicado em setembro de 2019 em um número especial do Boletim Epidemiológico, comemorativo aos 16 anos de ações da SVS.[5] Algumas questões de maior relevância são abordadas a seguir.

Carga das doenças transmissíveis

Os avanços na prevenção e no controle das doenças transmissíveis nas últimas décadas foram obtidos, notadamente, em relação ao controle das doenças imunopreveníveis,

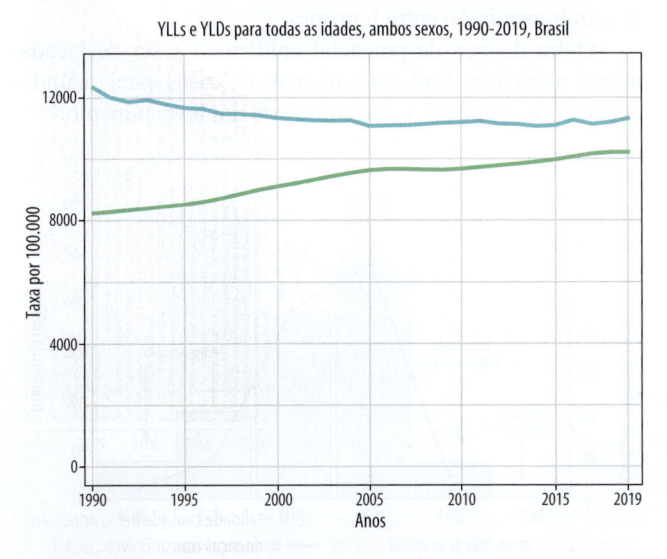

FIGURA 1.7 → Tendências opostas na mortalidade prematura (YLLs [em azul]) e na morbidade (YLDs [em verde]) devido às DCNTs na população brasileira, 1990-2019.
Fonte: Institute for Health Metrics and Evaluation.[4]

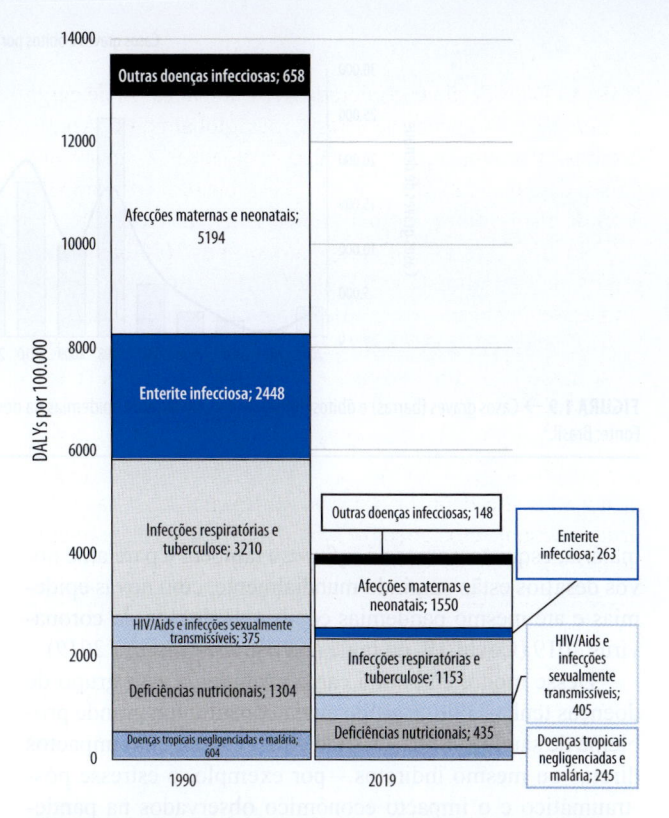

FIGURA 1.8 → Taxas da carga de doença ilustrando a distribuição proporcional dos DALYs (por 100.000) por doenças infecciosas, causas maternas, neonatais e nutricionais, e de suas tendências no Brasil, 1990-2019. Aids, síndrome da imunodeficiência adquirida; DALYs, anos de vida perdidos ajustados por incapacidade; HIV, vírus da imunodeficiência humana.
Fonte: Institute for Health Metrics and Evaluation.[4]

impactando diretamente na mortalidade materna e neonatal, e em relação ao controle de outras causas com elevada carga no passado, como diarreia, especialmente a cólera, e doença de Chagas. No entanto, a redução da cobertura de vacinação observada nos anos recentes é motivo de preocupação. Por exemplo, a recente epidemia de sarampo em vários países, incidindo em alguns estados brasileiros em 2018 e 2019, é um indício do possível retorno das epidemias de doenças imunopreveníveis.

A doença de Chagas, apesar da interrupção da transmissão vetorial reconhecida em 2006, está apresentando quadros agudos na Região Norte desde 2013, predominantemente por transmissão oral, mas 7,5% ainda por transmissão vetorial. Em 2017, a doença de Chagas era uma das quatro maiores causas de mortes por doenças infecciosas e parasitárias no País e a 13ª causa de óbito em Goiás.[13] Este é um exemplo emblemático de doença que ilustra a chamada "transição epidemiológica incompleta", resultado de baixo investimento em tecnologias para o controle de doenças tropicais.

O sucesso no controle de outras doenças transmissíveis como síndrome da imunodeficiência adquirida (Aids, do inglês *acquired immunodeficiency virus*) – causada pelo vírus da imunodeficiência humana (HIV, do inglês *human immunodeficiency virus*) –, hepatites B e C, hanseníase, tuberculose,

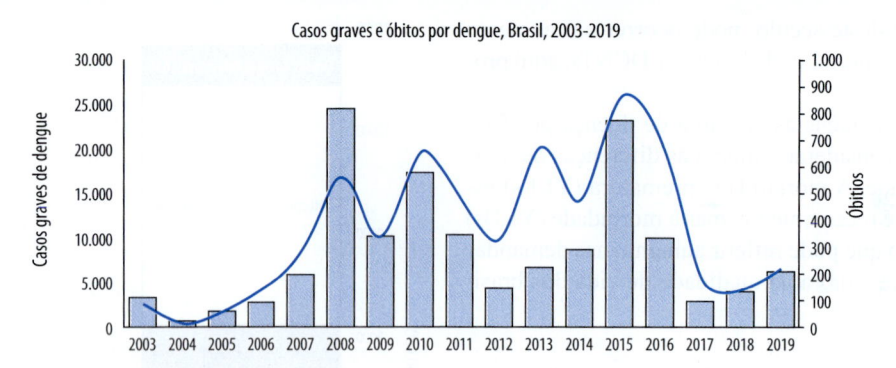

FIGURA 1.9 → Casos graves (barras) e óbitos (linha) de dengue durante epidemias da doença no Brasil, 2003-2019.
Fonte: Brasil.[5]

malária, esquistossomose e *influenza* também é parcial, e novos desafios estão surgindo mundialmente, com novas epidemias e até mesmo pandemias como a da doença do coronavírus 2019 (Covid-19, do inglês *coronavirus disease 2019*).

Desse modo, embora a carga atribuída a esse grupo de doenças tenha caído, o grupo ainda constitui um grande problema de saúde pública, criando emergências, com impactos diretos ou mesmo indiretos – por exemplo, o estresse pós-traumático e o impacto econômico observados na pandemia de Covid-19.

Doenças emergentes e reemergentes

O ano de 2020 será marcado pela ocorrência da maior pandemia dos últimos 100 anos, cujos impactos serão sentidos não só no campo da saúde, mas também na economia, nos hábitos e em todos os demais aspectos da vida das pessoas.

A Covid-19, bem como as epidemias de ebola, Zika, febre amarela e *influenza*, representam emergência ou reemergência de agentes etiológicos, incidindo em humanos com frequência crescente nas últimas décadas, ou ameaçando aumentar em um futuro próximo.[14] São novas doenças, doenças antigas em novos lugares, novas populações, aumento da virulência, reintrodução de doenças já eliminadas e resistência aos antibióticos, entre outros fatores. Seus processos causais são influenciados também por "efeitos colaterais" da vida moderna e da evolução tecnológica, com maior fluxo internacional de pessoas, bens e mercadorias, urbanização sem planejamento, migrações, mudanças climáticas, novas áreas de produção, turismo, desmatamento, etc.

Estima-se que 60 a 70% das doenças emergentes e reemergentes sejam zoonóticas, das quais > 70% são de origem silvestre/selvagem e 23% são transmitidas por vetores.[15] Em 2004, a Organização Mundial da Saúde (OMS), com a Organização das Nações Unidas para a Alimentação e a Agricultura (FAO) e Organização Mundial da Saúde Animal (OIE), definiu que doença zoonótica emergente é "[...] um patógeno recentemente reconhecido ou recentemente evoluído, ou que ocorreu anteriormente, mas mostra um aumento na incidência ou expansão na faixa geográfica, hospedeira ou vetorial".

As arboviroses representam um conjunto importante das doenças emergentes ou reemergentes que têm causado epidemias de repetição no Brasil nas últimas décadas. Entre elas, a carga de dengue é grande motivo de preocupação. Com a diminuição da carga de tuberculose e o aumento da carga atribuída à dengue, dados do GBD estimam que, em 2019, os DALYs devidos à dengue alcançaram 14% daqueles devidos à tuberculose.[4] A distribuição anual dos casos graves de dengue e dos óbitos associados desde 2003 no Brasil é ilustrada na **FIGURA 1.9**. Os casos são somados de vários períodos epidêmicos em regiões distintas.[5]

Outra arbovirose, com surgimento mais recente, é a causada pelo vírus Zika. A epidemia de Zika, iniciada em 2015-2016 no Brasil, causou grande preocupação no Brasil e no mundo, notadamente devido à microcefalia associada.[16] O vírus continua circulando no País, mas produzindo bem menos morbidade.[5]

Casos de Chikungunya surgiram no mesmo período (**FIGURA 1.10**).

Diferentemente das outras arboviroses, a febre amarela apresenta alta letalidade. Incomum fora da região amazônica por muitos anos, em 2015 começou a surgir fora dessa região, apresentando risco de epidemia urbana (**FIGURA 1.11**).[5] Até agora a transmissão mantém-se de forma silvestre, isto é, sem transmissão entre humanos.

Outra doença de potencial epidêmico a ser destacada aqui é a malária. Embora o número de casos esteja caindo desde 2006, em 2017 e 2018 mostrou um leve aumento.[5]

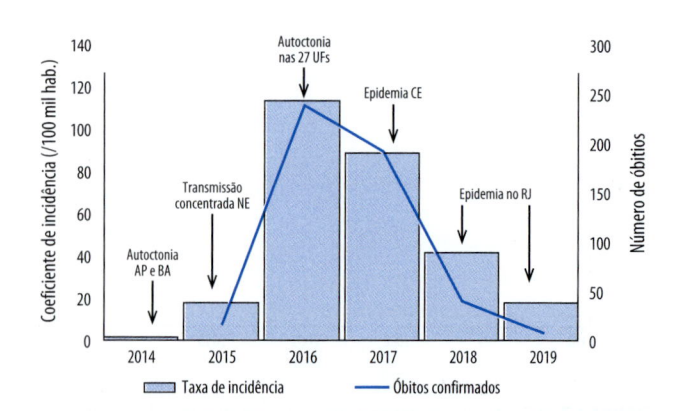

FIGURA 1.10 → Curso epidêmico de Chikungunya no Brasil desde 2016.
Fonte: Brasil.[5]

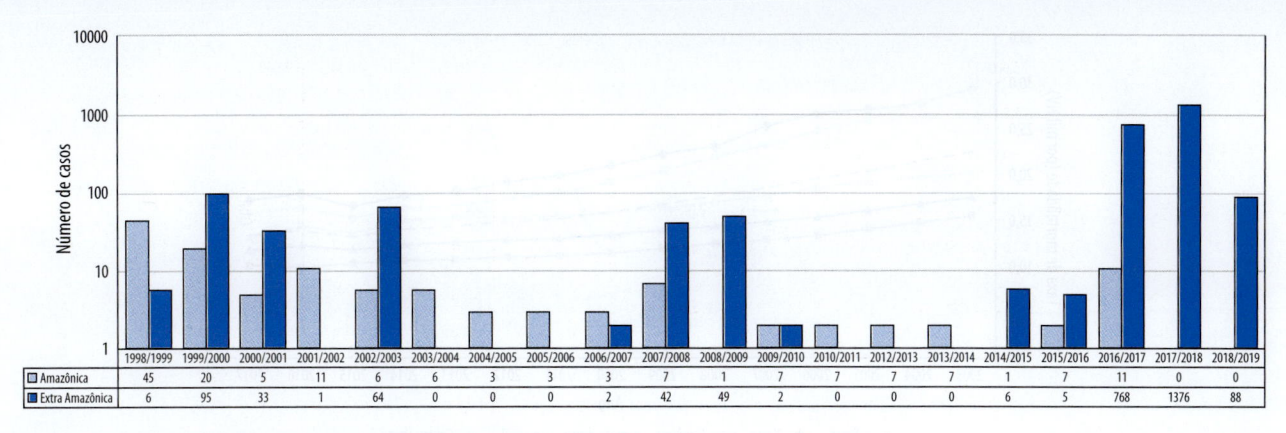

FIGURA 1.11 → Casos humanos de febre amarela no Brasil, 1999-2019.
Fonte: Brasil.⁵

	1998/1999	1999/2000	2000/2001	2001/2002	2002/2003	2003/2004	2004/2005	2005/2006	2006/2007	2007/2008	2008/2009	2009/2010	2010/2011	2012/2013	2013/2014	2014/2015	2015/2016	2016/2017	2017/2018	2018/2019
Amazônica	45	20	5	11	6	6	3	3	3	7	1	7	7	7	7	1	7	11	0	0
Extra Amazônica	6	95	33	1	64	0	0	0	2	42	49	2	0	0	0	6	5	768	1376	88

Doenças transmissíveis de curso crônico e infecções sexualmente transmissíveis

A epidemia de HIV/Aids, mesmo mostrando alguma diminuição, consistente com as políticas públicas para seu controle, ainda causa importante carga de doença no Brasil. Nota-se, contudo, que a coinfecção entre HIV/Aids e tuberculose representa cerca de 30% dos óbitos por Aids no Brasil.

O controle da tuberculose endêmica, mesmo que ainda mostrando alguns sinais de melhora, teve aumento na notificação de casos nos últimos anos. Junto com a hanseníase, com carga de doença bem menor, mantém-se estável e mostra o mesmo padrão. Essas doenças, somadas às hepatites, à sífilis e à gonorreia, apresentam um elevado componente de determinação social.

As hepatites, outro conjunto de doenças de carga importante, mostram padrões bastante variados desde o início do século – hepatite A com rápida diminuição, hepatite B com estabilidade e hepatite C, que agora é o principal tipo notificado no País, especialmente a partir de 2014.⁵ **(FIGURA 1.12)**.

Entre as infecções sexualmente transmissíveis (ISTs), cabe destacar o rápido aumento nos casos de sífilis, como pode ser visto na **FIGURA 1.13**.⁵ Em parte, esse aumento está relacionado às dificuldades para identificar e tratar os companheiros, mas o acesso a antibiótico, o desabastecimento e a falta de interesse da indústria no desenvolvimento de tecnologias mais modernas também contribuem. Pode-se afirmar que, nos próximos anos, uma das maiores ameaças serão as ISTs resistentes aos antibióticos com cepas resistentes de gonorreia, por exemplo.

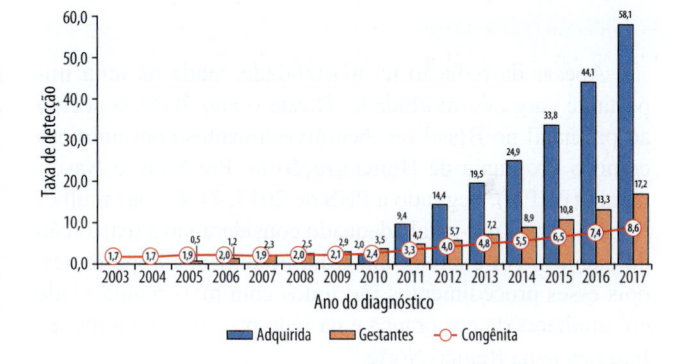

FIGURA 1.13 → Casos notificados de sífilis adquirida (a partir de 2010), em gestantes (a partir de 2005) e congênita (a partir de 2003) no Brasil, 2003-2017.
Fonte: Brasil.⁵

Carga de causas maternas e neonatais e de deficiências nutricionais

Mortalidade e desnutrição infantil

Nas últimas décadas, observou-se um avanço notável no controle da mortalidade infantil e da desnutrição infantil. O acesso à maioria das intervenções de saúde dirigidas às mães e às crianças foi ampliado substancialmente, quase atingindo coberturas universais e produzindo redução marcante das desigualdades regionais no acesso a essas intervenções.¹⁷

A **FIGURA 1.14** ilustra o declínio na TMI até 2017. A TMI estima o risco de morte de crianças com idade < 1 ano em relação ao número total de nascidos vivos. Em 2003, a TMI era de 22,5/1.000 nascidos vivos e, em 2017, havia caído para 13,4/1.000 nascidos vivos, um efeito observado em todas as regiões brasileiras, levando à redução das desigualdades regionais.⁵

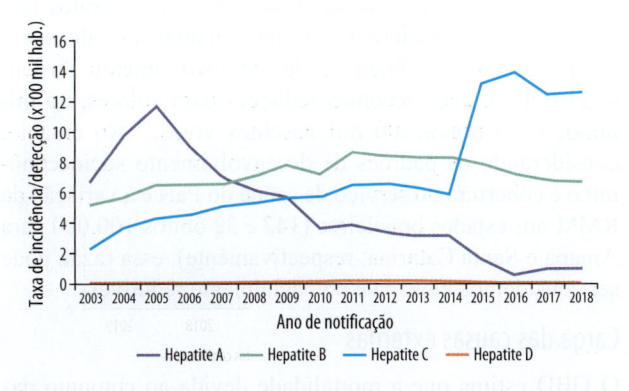

FIGURA 1.12 → Tendências na incidência/detecção de hepatites no Brasil, 2003-2018.
Fonte: Brasil.⁵

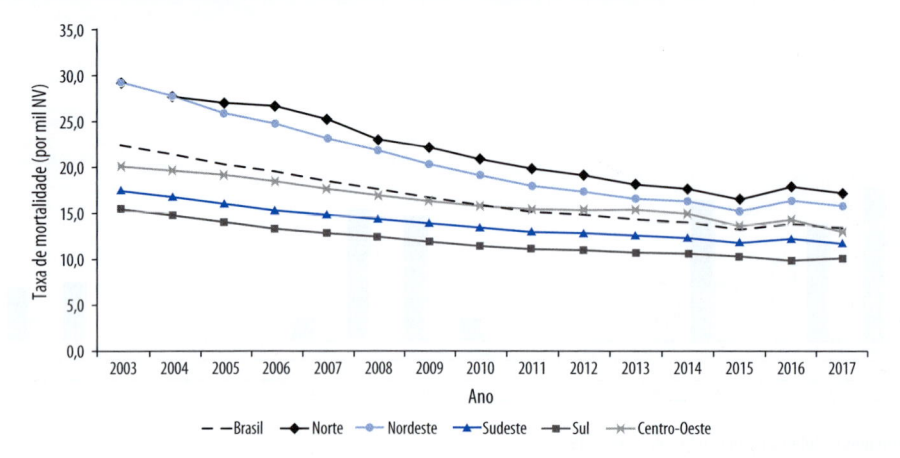

FIGURA 1.14 → Evolução da taxa de mortalidade infantil por regiões brasileiras, 2003-2017. NV, nascidos vivos.
Fonte: Brasil.[5]

Apesar da redução na mortalidade, ainda há uma importante carga de morbidade. Desde o ano 2000, o acesso ao pré-natal no Brasil recebeu investimentos com políticas como o Programa de Humanização no Pré-Natal e Nascimento (PHPN). Segundo a PNS de 2013, 71,4% das mulheres realizaram pré-natal adequado considerando a realização de exames. No entanto, ainda há iniquidades importantes, pois esses procedimentos são feitos com mais regularidade em mulheres de cor branca e na rede privada e com menos frequência na Região Norte.[18]

A síndrome congênita associada à infecção pelo vírus Zika e outras etiologias infecciosas trouxe nova preocupação para a saúde pública no Brasil. Entre as semanas epidemiológicas 45/2015 e 25/2020, foram notificados 19.072 casos suspeitos, dos quais 3.535 (18,5%) foram confirmados.[19] Essas crianças necessitarão de serviços especializados, acarretando mudanças nas vidas das famílias e elevado custo para poder oferecer estimulação precoce e oportunidades para melhorar sua qualidade de vida. Nesse sentido, a epidemia ilustra os aspectos da transição epidemiológica incompleta, em que doenças transmissíveis ainda podem constituir carga significativa para determinados estratos populacionais. Mais do que isso, ilustra como novas doenças transmissíveis podem ocorrer nesse cenário de aparente controle, trazendo novos desafios.

A **FIGURA 1.15** ilustra a marcante redução do déficit de altura em crianças de 5 a 9 anos entre a década de 1970 e a primeira década deste século. Os déficits de altura (definidos como altura para a idade abaixo de 2 escores Z dos padrões da OMS) diminuíram de 37%, em 1974-1975, para 7% em 2006-2007, e as diferenças regionais foram igualmente reduzidas. A prevalência de déficit de peso (peso para a idade abaixo de 2 escores Z dos padrões da OMS) reduziu de 5,6% em 1989 para 2,2% em 2006-2007. Infelizmente, essas melhorias foram acompanhadas de aumentos na obesidade infantil (peso para a altura superior a 2 escores Z dos padrões da OMS), que emergiu como grande problema de saúde em crianças e adultos. Em 2008-2009, 32% dos meninos e 35% das meninas de 5 a 9 anos tinham sobrepeso.[17]

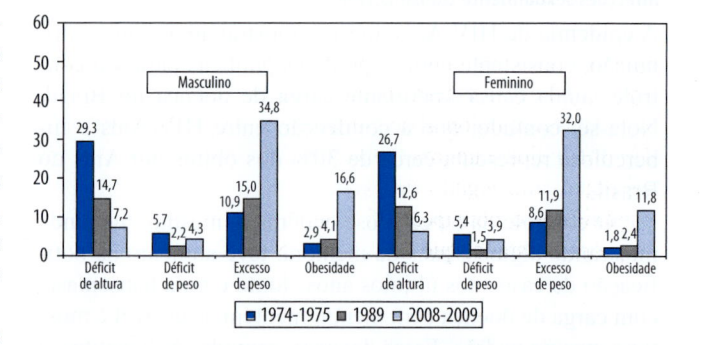

FIGURA 1.15 → Evolução da frequência dos diferentes estados nutricionais na população de 5 a 9 anos de idade, por sexo, no Brasil, períodos 1974-1975, 1989 e 2008-2009. Déficit de altura = altura para a idade abaixo de escores Z dos padrões da Organização Mundial da Saúde (OMS); déficit de peso = peso para a idade abaixo de 2 escores Z dos padrões da OMS; excesso de peso e obesidade = peso para a idade superior a 1 e 2 escores Z dos padrões da OMS, respectivamente.
Fonte: Victora e colaboradores.[17]

Mortalidade materna

A razão da mortalidade materna (RMM), o principal indicador de saúde materna, mostrou avanços importantes desde 1990, com menores declínios a partir de 2000, como ilustrado no Saúde Brasil 2018[3] (**FIGURA 1.16**).

Os valores mais recentes estão em 60 a 70 óbitos maternos/100 mil nascidos vivos, um patamar que alcança a meta mínima dos Objetivos de Desenvolvimento Sustentável (ODS), que preconiza reduções para valores, no mínimo, < 70 óbitos/100 mil nascidos vivos.[20] No entanto, considerando os padrões de desenvolvimento socioeconômico e cobertura do serviço de saúde do País e a variação da RMM nos estados brasileiros (142 e 32 óbitos/100.000 para Amapá e Santa Catarina, respectivamente), essa razão pode ser considerada elevada e potencialmente redutível.

Carga das causas externas

O GBD estima que a mortalidade devida ao conjunto das causas externas tenha caído 11% entre 1990 e 2019. Entre as causas externas específicas, o acidente de trânsito caiu 27%

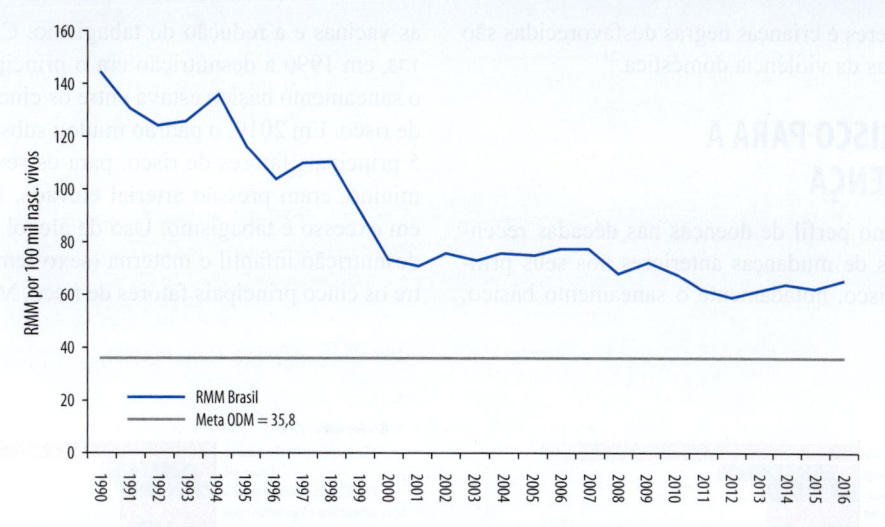

FIGURA 1.16 → Mortalidade materna (/100 mil nascidos vivos) no Brasil, 1990-2016. RMM, razão da mortalidade materna.
Fonte: Brasil.³

e o homicídio aumentou 13%, este último sendo atualmente a principal causa externa de mortalidade⁴ (FIGURA 1.17).

O passado colonial do Brasil, começando com a escravidão dos índios e negros, deixou cicatrizes que permanecem até hoje – um legado de exclusão, desigualdade, pobreza, impunidade e corrupção, frequentemente sob o comando do próprio Estado, que há séculos falha em garantir direitos básicos sociais e humanos. Essas violações são agravadas por valores culturais profundamente arraigados, que muitas vezes são usados para justificar expressões de violência nas relações subjetivas e interpessoais, acentuados em anos recentes pelo tráfico de drogas.[21] Estimativas do GBD mostram que a carga de violência no Brasil é o quádruplo do esperado pelo seu desenvolvimento socioeconômico.[22]

Desde a década de 1990, os homicídios são os grandes responsáveis pelo aumento da mortalidade relacionada à violência, e mostram tendências inconsistentes entre estados. Observaram-se quedas em São Paulo, Rio de Janeiro e Pernambuco, e aumentos no Pará e no Rio Grande do Norte. Os homens correm seis vezes mais risco de morrer por homicídio que as mulheres.[4] Os pardos e negros, que representam 50% da população brasileira, respondem por 63% das vítimas. Entre as vítimas de homicídio, 45% tinham entre 4 e 7 anos de escolaridade, e apenas 4% tinham escolaridade > 12 anos.[21] O consumo elevado de álcool e o uso de drogas ilícitas são causas importantes dessas violências. Em Curitiba, no Estado do Paraná, por exemplo, 76% das vítimas ou dos agressores acusados entre 1990 e 1995 estavam intoxicados na hora do crime.[23] De forma semelhante, uma análise toxicológica realizada na cidade de São Paulo encontrou cocaína em 14% das amostras de sangue colhidas em óbitos violentos.[24]

Como ilustrado no Saúde Brasil 2018, entre os óbitos e lesões relacionados ao trânsito, os pedestres (3,8/100.000), os ocupantes de carros (5,7/100.000) e, mais recentemente, os motociclistas (7,7/100.000) são as principais vítimas.³ O consumo de bebidas alcoólicas está associado a esses óbitos, que são mais comuns em homens e jovens.[25]

Cabe destacar ainda a violência doméstica – os maus-tratos a crianças e adolescentes por parte dos pais, a violência entre parceiros íntimos e a violência doméstica contra pessoas idosas. Mesmo não levando a tantos óbitos, a parcela de violência doméstica na morbidade total relacionada à violência é grande.

Homens jovens, negros e pobres são as principais vítimas e os principais agressores na violência como um todo,

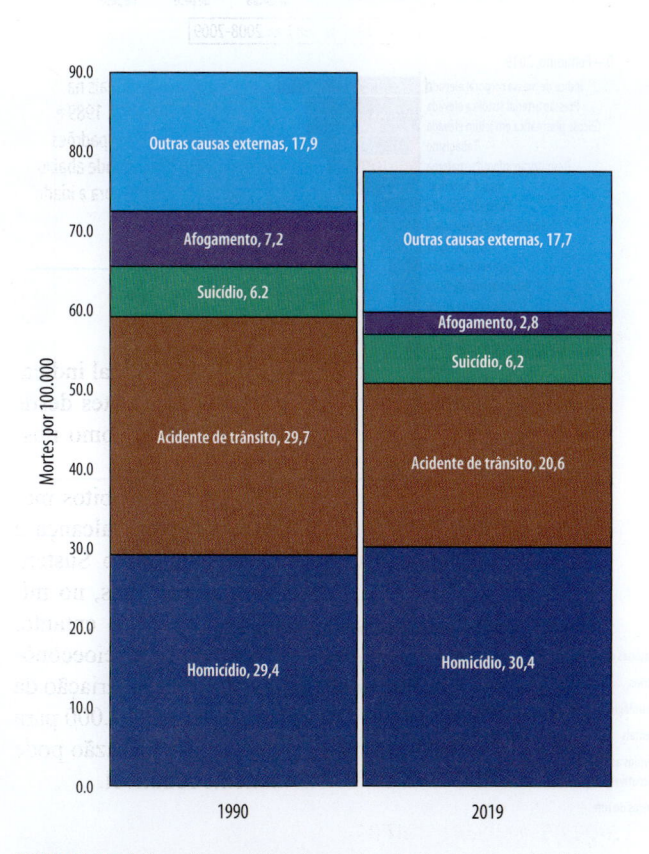

FIGURA 1.17 → Taxas de mortalidade ilustrando a distribuição proporcional dos óbitos por causas externas e sua tendência no Brasil, 1990-2019.
Fonte: Institute for Health Metrics and Evaluation.⁴

ao passo que mulheres e crianças negras desfavorecidas são as principais vítimas da violência doméstica.[21]

FATORES DE RISCO PARA A CARGA DE DOENÇA

Muitas mudanças no perfil de doenças nas décadas recentes são decorrentes de mudanças anteriores nos seus principais fatores de risco, notadamente o saneamento básico, as vacinas e a redução do tabagismo. Como visto na **FIGURA 1.18**, em 1990 a desnutrição era o principal fator de risco, e o saneamento básico estava entre os cinco principais fatores de risco. Em 2019, o padrão mudou substancialmente: 4 dos 5 principais fatores de risco, para os sexos masculino e feminino, eram pressão arterial elevada, hiperglicemia, peso em excesso e tabagismo. Uso de álcool (sexo masculino) e desnutrição infantil e materna (sexo feminino) estavam entre os cinco principais fatores de risco. Mudanças em alguns

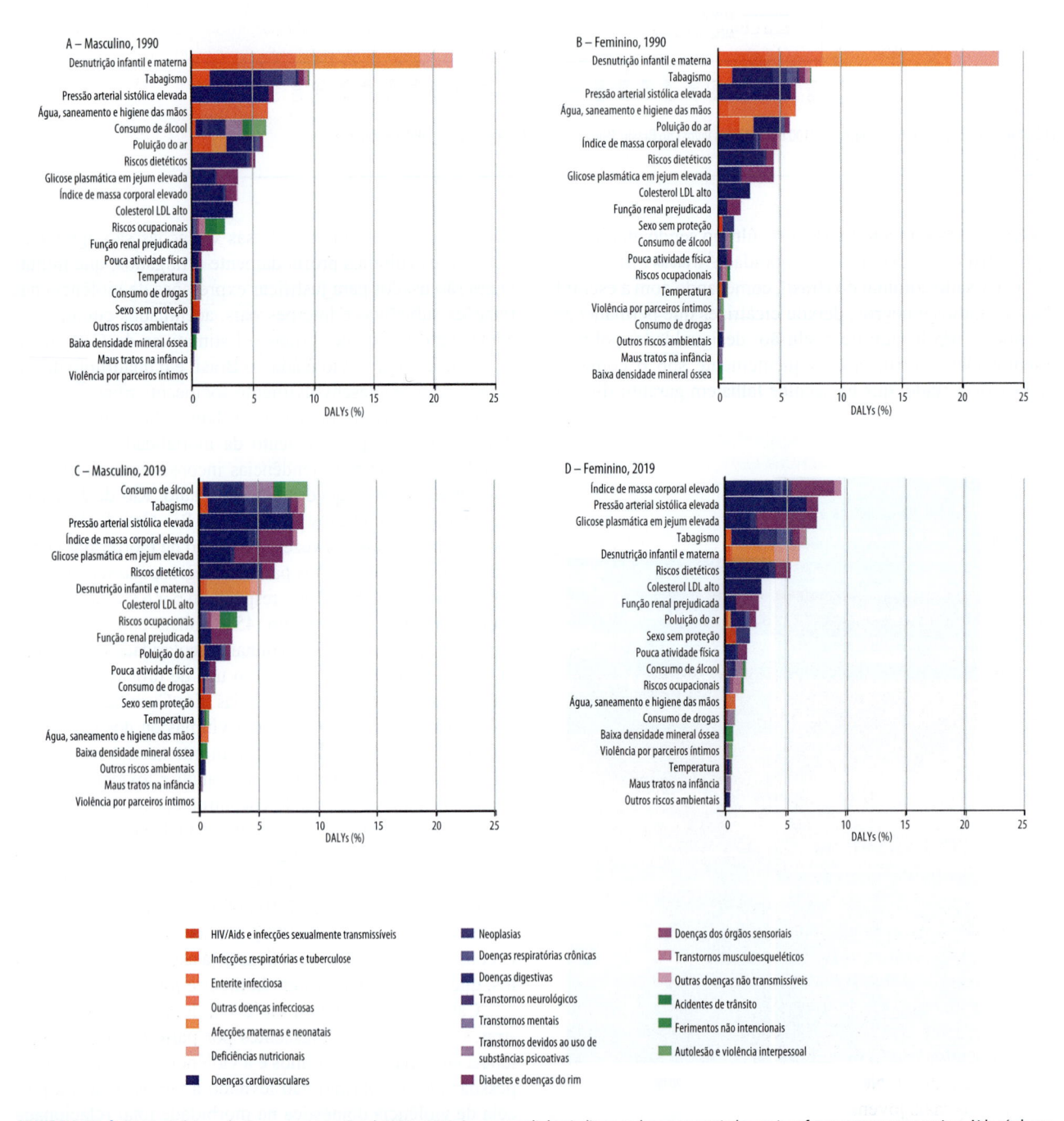

FIGURA 1.18 → Principais fatores de risco, por sexo, no Brasil, 1990 e 2019. As cores nas linhas indicam as doenças a partir das quais os fatores expressam seu risco. Aids, síndrome da imunodeficiência adquirida; HIV, vírus da imunodeficiência humana; LDL, lipoproteína de baixa densidade. DALYs, anos de vida perdidos ajustados por incapacidade.
Fonte: Institute for Health Metrics and Evaluation.[4]

fatores, como saneamento básico, podem ter efeitos imediatos na carga de doença. Em outros, como obesidade, os efeitos podem levar décadas. Isso é preocupante, pois as tendências da grande maioria de fatores de risco para as DCNTs e agravos estão piorando, com exceção do tabagismo, que continua caindo. Isso é resultado da organização da sociedade, o que permite que intervenções populacionais efetivas sejam implementadas, incluindo o aumento de impostos e a proibição de fumar em recintos fechados.

Dados do Vigitel – que desde 2006 está monitorando a frequência e a distribuição dos principais determinantes das DCNTs nas 26 capitais e no Distrito Federal, por meio de inquérito telefônico – mostram essas tendências em anos recentes, como descrito a seguir.

A prevalência de obesidade em adultos aumentou 72% nos últimos 14 anos (de 11,8% em 2006 para 20,3% em 2019), e a de excesso de peso passou de 42,6% em 2006 para 55,4% em 2019.[26] Fica claro que o Brasil não está alcançando o compromisso de deter o crescimento da obesidade na população adulta. Algumas políticas intersetoriais de saúde e segurança nutricional foram implementadas, apresentando como resultados iniciais redução do consumo de refrigerantes e sucos artificiais, aumento do consumo de frutas e hortaliças, aumento da prevalência de adultos ativos no lazer e uma tímida redução na prevalência de adultos inativos (referem não ter praticado atividade física mínima em qualquer das dimensões avaliadas), mas muito ainda precisa ser feito. A alta prevalência em 2019 de um padrão de consumo com múltiplos produtos ultraprocessados (18,2%), a baixa prevalência de adultos ativos (39%) e a ainda significativa proporção de adultos inativos (13,9%) ilustram que o desafio é grande, considerando a importância da qualidade da alimentação e da atividade física no desenvolvimento de obesidade e sobrepeso. Dois outros fatores de risco em que a obesidade e o sobrepeso (e seus determinantes principais: alimentação inadequada e sedentarismo) têm papel causal direto – diabetes tipo 2 e hipertensão – também estão aumentando. A prevalência de diabetes autorreferido passou de 5,5% em 2006 para 7,4% em 2019; a prevalência da hipertensão arterial passou de 22,6% em 2006 para 24,5% em 2019.

O consumo abusivo de álcool cresceu de 15,7% em 2006 para 18,8% em 2019, sendo maior entre os jovens e os indivíduos de maior escolaridade. Reduzir as prevalências do consumo nocivo de álcool é uma ação fundamental para reduzir boa parte da carga de DCNTs, além de acidentes e episódios violentos. Dados da Pesquisa Nacional de Saúde do Escolar (PeNSE) de 2015 mostraram que 55,5% dos adolescentes escolares do ensino médio já experimentaram bebidas alcoólicas alguma vez na vida, e 23,8% tinham bebido nos 30 dias anteriores à pesquisa.

O tabagismo mostrou uma redução em anos recentes, com o percentual de fumantes passando de 15,7% em 2006 para 9,8% em 2019. No entanto, a prevalência é maior nas faixas etárias mais jovens (18-24 anos), reforçando a importância de ações voltadas à iniciação do tabagismo em jovens e adolescentes, muitas vezes incentivada por novas formas de tabaco, como o cigarro eletrônico e os narguilés.

Um diagnóstico semelhante sobre os principais fatores de risco para as DCNTs pode ser feito a partir dos dados do GBD. Desde 2010, ano-base do Plano de Enfrentamento das DCNTs, a prevalência ponderada de tabagismo está caindo (26% até 2019), mas, em contraposição, as prevalências ponderadas para quase todos os outros principais fatores de risco aumentaram. O peso excessivo aumentou 17%; a hiperglicemia, 17%; o colesterol LDL (do inglês *low-density lipoprotein* [lipoproteína de baixa densidade]), 5%; e a hipertensão, 7%. O consumo de álcool aumentou 10,1% e o baixo nível de atividade física ficou estável. A poluição ambiental, um fator de risco para DCNTs que apenas recentemente recebeu mais destaque, mostrou aumento de 11% em sua prevalência desde 1990, mas redução de 15% desde 2010. Com esse conjunto de tendências, não surpreende que o declínio na mortalidade prematura por DCNTs tenha se neutralizado, como apresentado anteriormente.

DESAFIOS E PERSPECTIVAS

Por ser um país historicamente desigual em renda, escolaridade e todos os tipos de privilégios e oportunidades, o grande desafio no Brasil ainda é a redução de suas iniquidades em saúde. As iniquidades são observadas também entre suas regiões geográficas. A Estratégia Saúde da Família (ESF), por ter sido implantada prioritariamente em municípios e áreas com IDH menor, tem contribuído para a redução de iniquidades em saúde, notadamente em relação à mortalidade infantil. Em municípios com baixa cobertura da ESF, a mortalidade infantil naqueles do quintil de menor renda é mais do que 100% maior do que naqueles do quintil de maior renda, ao passo que, em municípios com boa cobertura de ESF, é apenas 50% maior.[10] Uma ilustração desses progressos é evidenciada na FIGURA 1.19. Melhorias em saúde

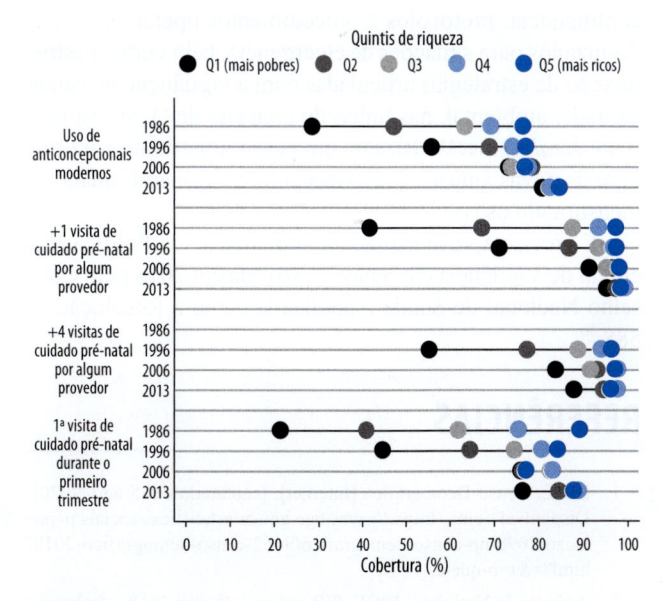

FIGURA 1.19 → Melhorias em iniquidades para aspectos de saúde materno-infantil no Brasil, 1986-2013.
Fonte: França e colaboradores.[27]

FIGURA 1.20 → Diagrama ilustrando a integração de ações sistêmicas na promoção de "Uma Saúde" e da sustentabilidade planetária.

materno-infantil foram observadas de 1986 para 2013, com grandes reduções das iniquidades.[27]

Para um país de média renda como o Brasil, com as transições epidemiológica e nutricional ainda em curso, e com a população envelhecendo ano a ano, o caminho para conter a carga das DCNTs envolve também lidar com a dupla carga imposta pelos problemas ainda não resolvidos, como a desnutrição e o controle parcial de algumas doenças transmissíveis. Para vencer esse desafio, estratégias sinérgicas são muitas vezes necessárias, como exemplificado pelo combate simultâneo da obesidade, do consumo nocivo do álcool, da desnutrição e da poluição ambiental.[28]

Por fim, para que os países estejam preparados para responder às emergências do século XXI, seja de origem epidemiológica, sanitária, em decorrência de produtos, serviços ou desastres, será fundamental que ocorram mudanças na cultura institucional, seja no setor público ou no setor privado, como previsto no Decreto nº 7.616, de 17 de novembro de 2011. A elaboração de planos de emergência, contingência, protocolos e procedimentos operacionais padronizados para situações de emergência, bem como a estruturação de estratégias articuladas com a vigilância em saúde animal e ambiental, nas linhas do conceito de "Uma Saúde" (*One Health*) (FIGURA 1.20), será um passo importante para mitigar as novas ameaças, reconhecendo as vulnerabilidades e mensurando os riscos.[29]

É preciso aprofundar-se na implantação da Política Nacional de Vigilância em Saúde, aprovada em 2018 pelo Conselho Nacional de Saúde e publicada como a Resolução nº 588.[30]

REFERÊNCIAS

1. IBGE. Censo Demográfico [Internet]. [capturado em 5 ago. 2020]. Disponível em: https://www.ibge.gov.br/estatisticas/sociais/populacao/2098-np-censo-demografico/9662-censo-demografico-2010.html?=&t=o-que-e.
2. Agência de Notícias – IBGE. PIB cresce 1,1% em 2018 e fecha ano em R$ 6,8 trilhões. [Internet]. Rio de Janeiro: IBGE; 2019 [capturado em 5 ago. 2020]. Disponível em: https://agenciadenoticias.ibge.gov.br/agencia-sala-de-imprensa/2013-agencia-de-noticias/releases/23886-pib-cresce-1-1-em-2018-e-fecha-ano-em-r-6-8-trilhoes.
3. Brasil. Saúde Brasil – Publicações do Departamento de Análise de Saúde e Vigilância de Doenças Não Transmissíveis. Brasília: DANTPS, SVS/MS; c2020 [Internet]. [capturado em 5 ago. 2020]. Disponível em: http://svs.aids.gov.br/dantps/centrais-de-conteudos/publicacoes/saude-brasil/.
4. Institute for Health Metrics and Evaluation. GBD Compare [Internet]. Seattle: IHME; 2019 [capturado em 31 ago. 2021]. Disponível em: https://vizhub.healthdata.org/gbd-compare/.
5. Brasil. Ministério da Saúde. Vigilância em Saúde no Brasil 2003-2019: da criação da Secretaria de Vigilância em Saúde aos dias atuais. Bol Epidemiol [Internet]. 2019 [capturado em 5 ago. 2020]; 50(n. esp.):1-154. Disponível em: https://portalarquivos2.saude.gov.br/images/pdf/2019/setembro/25/boletim-especial-21ago19-web.pdf.
6. Oliveira N. População brasileira ultrapassa 208 milhões de pessoas, revela IBGE. Agência Brasil. [Internet]. 2018 [capturado em 5 ago. 2020]. Disponível em: https://agenciabrasil.ebc.com.br/geral/noticia/2018-08/populacao-brasileira-passa-de-2084-milhoes-de-pessoas-mostra-ibge#:~:text=Popula%C3%A7%C3%A3o%20brasileira%20passa%20de%20208%2C4%20milh%C3%B5es%20de%20pessoas%2C%20mostra%20IBGE,-Houve%20crescimento%20populacional.
7. Agência de Notícias – IBGE. Projeção da população 2018: número de habitantes do país deve parar de crescer em 2047 [Internet]. Rio de Janeiro: IBGE; 2019 [capturado em 5 ago. 2020]. Disponível em: https://agenciadenoticias.ibge.gov.br/agencia-sala-de-imprensa/2013-agencia-de-noticias/releases/21837-projecao-da-populacao-2018-numero-de-habitantes-do-pais-deve-parar-de-crescer-em-2047.
8. Paradella R. Expectativa de vida do brasileiro sobe para 76 anos; mortalidade infantil cai [Internet]. Rio de Janeiro: Agência de Notícias IBGE; 2018 [capturado em 5 ago. 2020]. Disponível em: https://agenciadenoticias.ibge.gov.br/agencia-noticias/2012-agencia-de-noticias/noticias/23206-expectativa-de-vida-do-brasileiro-sobe-para-76-anos-mortalidade-infantil-cai.
9. IBGE. POF 2008-2009: desnutrição cai e peso das crianças brasileiras ultrapassa padrão internacional [Internet]. Rio de Janeiro: IBGE; 2010 [capturado em 5 ago. 2020]. Disponível em: https://censo2010.ibge.gov.br/noticias-censo?busca=1&id=1&idnoticia=1699&t=pof-20082009-desnutricao-cai-peso-criancas-brasileiras-ultrapassa-padrao-internacional&view=noticia.
10. IBGE. Pesquisa nacional de saúde 2013: ciclos de vida: Brasil e grandes regiões [Internet]. Rio de Janeiro: IBGE; 2015 [capturado em 5 ago. 2020]. Disponível em: https://biblioteca.ibge.gov.br/visualizacao/livros/liv94522.pdf.
11. United Nations. Chronic illnesses: UN stands up to stop 41 million avoidable deaths per year [Internet]. New York: UN News; 2018 [capturado em 5 ago. 2020]. Disponível em: https://news.un.org/en/story/2018/09/1021132
12. Institute for Health Metrics and Evaluation. GBD Foresight [Internet]. Seattle: IHME; 2016 [capturado em 5 ago. 2020]. Disponível em: http://vizhub.healthdata.org/gbd-foresight/forecasting.
13. Brasil. Panorama da doença de Chagas no Brasil. Bol Epidemiol [Internet]. 2019 [capturado em 5 ago. 2020]; 50(36):1-14. Disponível em: https://www.saude.gov.br/images/pdf/2019/novembro/29/Boletim-epidemiologico-SVS-36-interativo.pdf.
14. Luna EJA. A emergência das doenças emergentes e as doenças infecciosas emergentes e reemergentes no Brasil. Revi Bras de Epidemiol. 2002;5(3):229–43.
15. Cutler SJ, Fooks AR, van der Poel WHM. Public health threat of new, reemerging, and neglected zoonoses in the industrialized world. Emerging Infect Dis. 2010;16(1):1–7.

16. de Oliveira WK, de França GVA, Carmo EH, Duncan BB, de Souza Kuchenbecker R, Schmidt MI. Infection-related microcephaly after the 2015 and 2016 Zika virus outbreaks in Brazil: a surveillance-based analysis. Lancet. 2017;390(10097):861–70.

17. Victora CG, Aquino EML, do Carmo Leal M, Monteiro CA, Barros FC, Szwarcwald CL. Maternal and child health in Brazil: progress and challenges. Lancet. 2011;377(9780):1863–76.

18. Mario DN, Rigo L, Boclin KLS, Malvestio LMM, Anziliero D, Horta BL, et al. Qualidade do pré-natal no Brasil: Pesquisa Nacional de Saúde 2013. Ciênc. saúde coletiva. 2019;24(3):1223–32.

19. Brasil. Situação epidemiológica da síndrome congênita associada à infecção pelo vírus Zika em 2020: até a SE 25. Bol Epidemiol [Internet]. 2020 [capturado em 5 ago. 2020];51(28):23–8. Disponível em: https://www.saude.gov.br/images/pdf/2020/April/24/Boletim-epidemiologico-SVS-17-.pdf.

20. Rosa W, editor. Transforming our world: the 2030 Agenda for sustainable development. In: Rosa W. A new era in global health: nursing and the United Nations 2030 Agenda for sustainable. New York: Springer; 2017. p. 529–67.

21. Reichenheim ME, de Souza ER, Moraes CL, de Mello Jorge MHP, da Silva CMFP, de Souza Minayo MC. Violence and injuries in Brazil: the effect, progress made, and challenges ahead. Lancet. 2011;377(9781):1962–75.

22. GBD 2016 DALYs, HALE Collaborators. Global, regional, and national disability-adjusted life-years (DALYs) for 333 diseases and injuries and healthy life expectancy (HALE) for 195 countries and territories, 1990-2016: a systematic analysis for the Global Burden of Disease Study 2016. Lancet. 2017;390(10100):1260–344.

23. Duarte AV. Álcool e violência: um estudo dos processos de homicídio julgados nos Tribunais do Júri de Curitiba – PR entre 1995 e 1998. [Tese]. São Paulo: Universidade de São Paulo; 2000.

24. Toledo FCP de. Verificação do uso de cocaína por indivíduos vítimas de morte violenta na Região Bragantina-SP. [Tese]. São Paulo: Universidade de São Paulo; 2004.

25. Morais Neto OL, Andrade AL, Guimarães RA, Mandacarú PMP, Tobias GC. Regional disparities in road traffic injuries and their determinants in Brazil, 2013. Int J Equity Health. 2016;15(1):142.

26. Brasil. Ministério da Saúde. Vigitel Brasil 2019: vigilância de fatores de risco e proteção para doenças crônicas por inquérito telefônico: estimativas sobre frequência e distribuição sociodemográfica de fatores de risco e proteção para doenças crônicas nas capitais dos 26 estados brasileiros e no Distrito Federal em 2019 [Internet]. Brasília: MS; 2020 [capturado em 5 ago. 2020]. Disponível em: www.saude.gov.br/images/pdf/2020/April/27/vigitel-brasil-2019-vigilancia-fatores-risco.pdf.

27. França GVA, Restrepo-Méndez MC, Maia MFS, Victora CG, Barros AJD. Coverage and equity in reproductive and maternal health interventions in Brazil: impressive progress following the implementation of the Unified Health System. Int J Equity Health. 2016;15(1):149.

28. Swinburn BA, Kraak VI, Allender S, Atkins VJ, Baker PI, Bogard JR, et al. The Global Syndemic of Obesity, Undernutrition, and Climate Change: The Lancet Commission report. Lancet. 2019;393(10173):791–846.

29. U.S. Department of Health & Human Services. Centers for Disease Control and Prevention, National Center for Emerging and Zoonotic Infectious Diseases. History One Health CDC [Internet]. 2016 [capturado em 6 ago. 2020]. Disponível em: https://www.cdc.gov/one-health/basics/history/index.html.

30. Brasil. Conselho Nacional de Saúde. Resolução nº 588, de 12 de julho de 2018. [Internet]. Brasília: CNS; 2018 [capturado em 5 ago. 2020]. Disponível em: http://conselho.saude.gov.br/resolucoes/2018/Reso588.pdf.

Capítulo 2
O SISTEMA DE SAÚDE NO BRASIL

João Werner Falk
Roger dos Santos Rosa

ASPECTOS HISTÓRICO-CONCEITUAIS

A análise da história sanitária brasileira não pode se prender somente à diacronia de fatos marcantes em cada período: seguindo os ensinamentos do grande historiador da saúde pública George Rosen, é preciso conhecer mais do que as técnicas específicas para a solução de problemas de saúde de cada época. Segundo esse autor, é imprescindível saber também as condições políticas, econômicas e sociais, assim como os conhecimentos disponíveis e as concepções de saúde e doença nela prevalentes.[1] Além dessa visão teórica, devem-se levar em consideração os diferentes papéis exercidos pela cidadania brasileira na relação Estado-sociedade e seu envolvimento na modelagem das políticas e instituições no campo da saúde.

Para compreender o atual sistema de saúde no Brasil, é preciso construir um olhar histórico retrospectivo que remonta à chegada dos portugueses. Nos primórdios da história brasileira, ocorreram dois desastres sanitários vivenciados pela maior parte de sua população como grandes tragédias humanas.

O primeiro dizimou 90% da população indígena indefesa contra as doenças trazidas pelos europeus, principalmente febre amarela, malária e ancilostomíase.[2] O segundo foi a escravidão a partir de 1550, com o início do tráfico negreiro para o Brasil. As condições desumanas de vida do povo negro no Brasil engendraram uma miserabilidade quase absoluta, propiciando a proliferação de doenças como filariose, tracoma, dracunculose, dengue, desnutrição e muitas outras ligadas à vida indigna completamente insalubre e a privações de toda ordem.

O que há de comum nesses dois fatos é a ausência de interesse institucional pelo destino trágico dessas pessoas. As iniciativas em favor da saúde da população eram seletivas, como no caso da primeira Santa Casa aberta em Santos, no ano de 1543, que não atendia negros, mas somente brancos e índios catequizados,[3] e, mesmo para estes, fornecia um atendimento precário, pois para o cargo de cirurgião-mor, criado no mesmo século, apenas seis médicos foram nomeados até o ano de 1746 para todo o território brasileiro.[4]

A chegada de Dom João VI ao Brasil inaugura a política de formação médica e a criação das Juntas de Higiene Pública e da Inspetoria de Saúde dos Portos. Essas medidas foram pouco eficazes para enfrentar grandes epidemias de febre amarela e cólera, mas tiveram algum sucesso contra a varíola, na medida em que os médicos conseguiram convencer as autoridades da Corte sobre a conveniência de vacinar a população.[4]

Com a República, os problemas continuaram, porém mudou o enfoque de enfrentamento. Com as novidades científicas vindas da Europa, novos conceitos de bacteriologia e fisiologia embasaram a criação de vários institutos de pesquisa vinculados aos serviços sanitários, fatos que corroboraram a hegemonia dos médicos higienistas organizados em algumas ligas sobre os tradicionalistas identificados com as teorias miasmáticas. O interesse era melhorar as condições sanitárias das cidades e dos portos de maior importância econômica, sem qualquer atenção ao meio rural, onde vivia o maior contingente populacional. Como o enfoque das ações sanitárias não era baseado nas necessidades das pessoas, era comum o conflito entre as autoridades de saúde e a população. O evento mais marcante é conhecido como Revolta da Vacina, ocorrido no Rio de Janeiro em 1904.[5]

Com a Lei Eloy Chaves, de 1923, foi criada a primeira Caixa de Aposentadorias e Pensões (CAP), destinada aos ferroviários de São Paulo, inaugurando o sistema previdenciário brasileiro, sem modificar muito o modelo do sanitarismo campanhista que mantinha ordem e melhora das condições de saúde das cidades e portos, garantindo as condições de exportação da economia agrícola, predominante até a metade do século passado. A transição para uma economia industrial urbana provocou a expansão das CAPs para outras categorias profissionais e, no início da década de 1930, a migração das CAPs para os Institutos de Aposentadoria e Pensões (IAPs), com crescente necessidade de mais serviços de medicina previdenciária para uma grande massa de trabalhadores. Em 1960, a legislação de todos os IAPs foi unificada pela Lei Orgânica da Previdência Social.

Em 1966, foi criado o Instituto Nacional de Previdência Social (INPS) e, em 1977, o Instituto Nacional de Assistência Médica da Previdência Social (Inamps). Influenciado pelo golpe militar de 1964, o sistema médico previdenciário foi moldado pela centralização político-administrativa, e suas características eram a tomada de decisões a cargo da tecnoburocracia, com exclusão da cidadania, o modelo assistencial dividido entre ações curativas e preventivas, o acesso não universal e o financiamento privilegiado para a expansão de serviços privados.[1] Esse modelo ficou conhecido como médico-assistencial privatista e foi hegemônico até o fim dos anos 1970, quando entrou em profunda crise fiscal, junto com a crise do estado autoritário, que progressivamente foi perdendo legitimidade.

Nesse momento, já se iniciava o avanço das lutas democráticas no País, as quais, no campo da saúde, tiveram importantes desdobramentos, como a criação do Centro Brasileiro de Estudos de Saúde (Cebes), em 1976, e da Associação Brasileira de Pós-Graduação em Saúde Coletiva (Abrasco), em 1979, graças à organização dos profissionais da área nas universidades e de sua participação no movimento popular pela Reforma Sanitária.

A necessidade de mudança verificada no fim da década de 1970 se acelera na década de 1980, embalada pelo aprofundamento da crise econômica e pela instalação definitiva do processo de redemocratização. A implantação de novos planos (Programa Nacional de Serviços Básicos de Saúde [PREV-Saúde], Conselho Consultivo da Administração de Saúde Previdenciária [Conasp] e Ações Integradas de Saúde [AIS]) foi limitada, mas algumas experiências localizadas tiveram o mérito de mostrar que um novo modelo assistencial era viável, em especial pela possibilidade de contar com o apoio e a participação da sociedade.

Enquanto isso, e ao longo das duas décadas subsequentes, a prática privada de medicina, com sua visão mais biológica e maior ênfase em diagnóstico de doença e intervenções curativas, cresceu e se qualificou, criando uma grande rede de hospitais, clínicas, sociedades médicas e planos privados de saúde.

O SISTEMA ÚNICO DE SAÚDE

Marcos importantes no desenvolvimento do Sistema Único de Saúde (SUS) estão destacados na FIGURA 2.1. Com a 8ª Conferência Nacional de Saúde em 1986 e a elaboração da nova Constituição, na qual o movimento sanitário e o governo reencontram-se com os movimentos sociais populares, inaugurou-se uma nova fase de participação social nas políticas públicas de saúde. Em 1987, foi lançado o Programa de Desenvolvimento dos Sistemas Unificados e Descentralizados de Saúde nos Estados (SUDS), corrigindo algumas distorções das AIS. Com a promulgação da nova Constituição, em 1988, e sua regulamentação com a Lei nº 8.080/1990 (Lei Orgânica da Saúde)[6] e a Lei nº 8.142,[7] ambas em 1990, as Normas Operacionais Básicas do SUS (NOB-SUS) de 1993 e de 1996, as Normas Operacionais de Assistência à Saúde do SUS (NOAS-SUS) de 2001 e 2002, a Política Nacional de Atenção Básica (PNAB) de 2006 e suas reedições em 2011 e 2017, o Pacto pela Saúde em 2006, o Decreto nº 7.508/2011[8] e a Portaria nº 4.279/2018[9] do Ministério da Saúde sobre as Redes de Atenção à Saúde e as Portarias de Consolidação das normas do SUS em 2017, constituiu-se um arcabouço jurídico bastante avançado, contemplando e ajudando a colocar em prática os princípios e as diretrizes do SUS. As Conferências Nacionais de Saúde seguintes à 8ª concentraram sua atenção na implementação e na consolidação do SUS.

A Lei Orgânica da Saúde[6] dispõs sobre as condições para promoção, proteção e recuperação de saúde, organização e funcionamento dos serviços, reafirmando os princípios doutrinários (universalidade, equidade, integralidade) e as diretrizes organizacionais (regionalização, hierarquização, descentralização e participação social) (FIGURA 2.2).

O Decreto nº 7.508/2011[8] regulamentou a Lei nº 8.080/1990, contribuindo para que o SUS avançasse em seu processo organizativo ao definir o que são as regiões de saúde, as portas de entrada do sistema, a constituição de redes integradas de serviços de saúde, em que a atenção primária à saúde (APS) tem o papel ordenador, e o novo marco organizacional por meio dos Contratos Organizativos de Ação

1986	8ª Conferência Nacional de Saúde
1988	Reconhecimento, na Constituição Federal, do direito de acesso universal à saúde e aprovação do SUS
1990	Criação do SUS (Lei nº 8.080, "Lei Orgânica da Saúde")
1990	Definição da participação da comunidade na gestão do SUS e transferências intergovernamentais (Lei nº 8.142)
1991	Programa de Agentes Comunitários de Saúde (PACS)
1993	Descentralização e municipalização da Saúde, e extinção do Instituto Nacional de Assistência Médica da Previdência Social (INAMPS)
1994	Programa Saúde da Família (PSF)
1996	Piso de Atenção Básica Fixo e Variável, que redefiniu a forma de financiamento da Atenção Básica e Programação e Pactuação Integrada, que pactua responsabilidades, indicadores e metas entre os três entes federativos (Norma Operacional Básica 01/96 – NOB 01/96)
1999	Política Nacional de Medicamentos Genéricos
2000	Agência Nacional de Saúde Suplementar (ANS), que regulamenta atividades do setor privado de saúde
2001	Regionalização da gestão em saúde e definição de responsabilidades entre os três entes federativos (Norma Operacional da Assistência à Saúde – NOAS-SUS 2001)
2002	Maior definição da regionalização e ampliação da lista mínima de ações da Atenção Básica (Norma Operacional da Assistência à Saúde – NOAS-SUS 2002)
2004	Inserção da odontologia na equipe da Estratégia Saúde da Família (ESF) (Brasil Sorridente)
2006	Definição da Saúde da Família como estratégia que sistematiza a atenção básica no Brasil com base nos atributos da APS (Política Nacional de Atenção Básica – PNAB)
2010	Política de Redes de Atenção à Saúde (Portaria nº 4.279)
2011	Definição das portas de entrada do SUS e constituição de redes integradas de serviços de saúde com papel ordenador para atenção primária (Decreto nº 7.508) Alteração na PNAB
2012	Regulamentação da Emenda Constitucional nº 29 (Lei Complementar nº 141)
2015	Ampliação da permissão para a participação direta ou indireta, inclusive controle, de empresas ou de capital estrangeiro na assistência à saúde e Emenda Constitucional nº 86
2016	Emenda Constitucional nº 95 (Novo Regime Fiscal)
2017	Nova alteração na PNAB; Portarias de Consolidação das normas do SUS

FIGURA 2.1 → Marcos importantes no desenvolvimento do Sistema Único de Saúde (SUS), com ênfase na elaboração de políticas e práticas de atenção primária à saúde (APS).

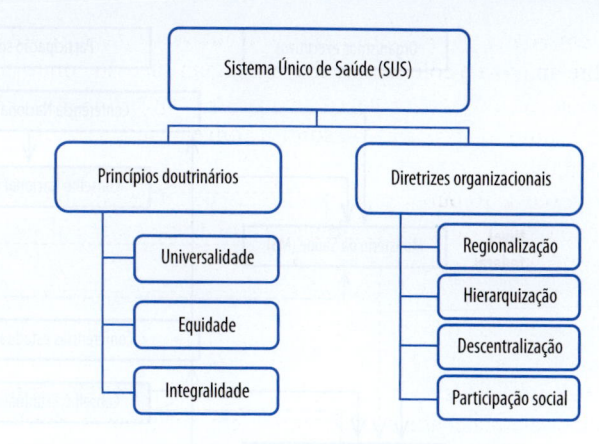

FIGURA 2.2 → Princípios e diretrizes do Sistema Único de Saúde (SUS).

que permitiu, ao longo desses mais de 30 anos do SUS, a organização de um sistema ainda em construção.[10–13]

Marcos para o desenvolvimento do SUS e seu eixo central para promover a extensão de cobertura de acesso às ações em saúde foram a criação, em 1991, do Programa de Agentes Comunitários de Saúde (PACS) e, em 1994, do Programa Saúde da Família (PSF), depois transformado em Estratégia Saúde da Família (ESF).[10] A grande extensão de cobertura da ESF impactou vários aspectos da saúde da população brasileira (ver Capítulo Estratégia Saúde da Família).

Os Pactos pela Vida, em Defesa do SUS e de Gestão foram resultado de um grande acordo entre o Ministério da Saúde, o Conselho Nacional de Secretários de Saúde (Conass) e o Conselho Nacional de Secretarias Municipais de Saúde (Conasems), definindo também as instâncias das Comissões Intergestores Tripartite em nível nacional e Bipartite para as Unidades Federativas como fórum privilegiado dos novos mecanismos de gestão para as competências concorrentes nas três esferas de governo. A **FIGURA 2.3** mostra a estrutura atual de tomada de decisão e de participação social no SUS.

As modificações trouxeram vantagens burocráticas, porém, mais importante do que isso, consolidaram a ESF como estruturante de todo o sistema de saúde, invertendo uma lógica histórica que privilegiava um planejamento descendente que incorporava novas tecnologias e serviços com base em racionalidades técnico-econômicas com baixo compromisso com as necessidades da população e do sistema de saúde.

O SUS é financiado com recursos das três esferas de governo, mas o percentual dos orçamentos para a saúde vem sendo menor do que o necessário. Três emendas constitucionais (nº 29/2000; nº 86/2015 e nº 95/2016) alteraram profundamente diversos aspectos do financiamento das ações e serviços públicos de saúde. Foram estabelecidas regras para a União diferentes daquelas para Estados, Distrito Federal e municípios. Na modificação da Emenda Constitucional nº 95/2016, o valor da aplicação mínima em ações e serviços públicos de saúde pela União de 2018 até 2036 será corrigido pela variação do Índice Nacional de Preços ao Consumidor Amplo (IPCA) para os 12 meses encerrados em junho

Pública (COAPs), que devem reger a relação entre os três entes federativos, definindo responsabilidades, indicadores, critérios e metas para avaliação por desempenho, assim como aspectos financeiros a fim de garantir a implementação de ações e serviços integrados. Essa regulamentação da Lei nº 8.080 só foi possível graças aos avanços acumulados historicamente pelo conjunto legal referido anteriormente,

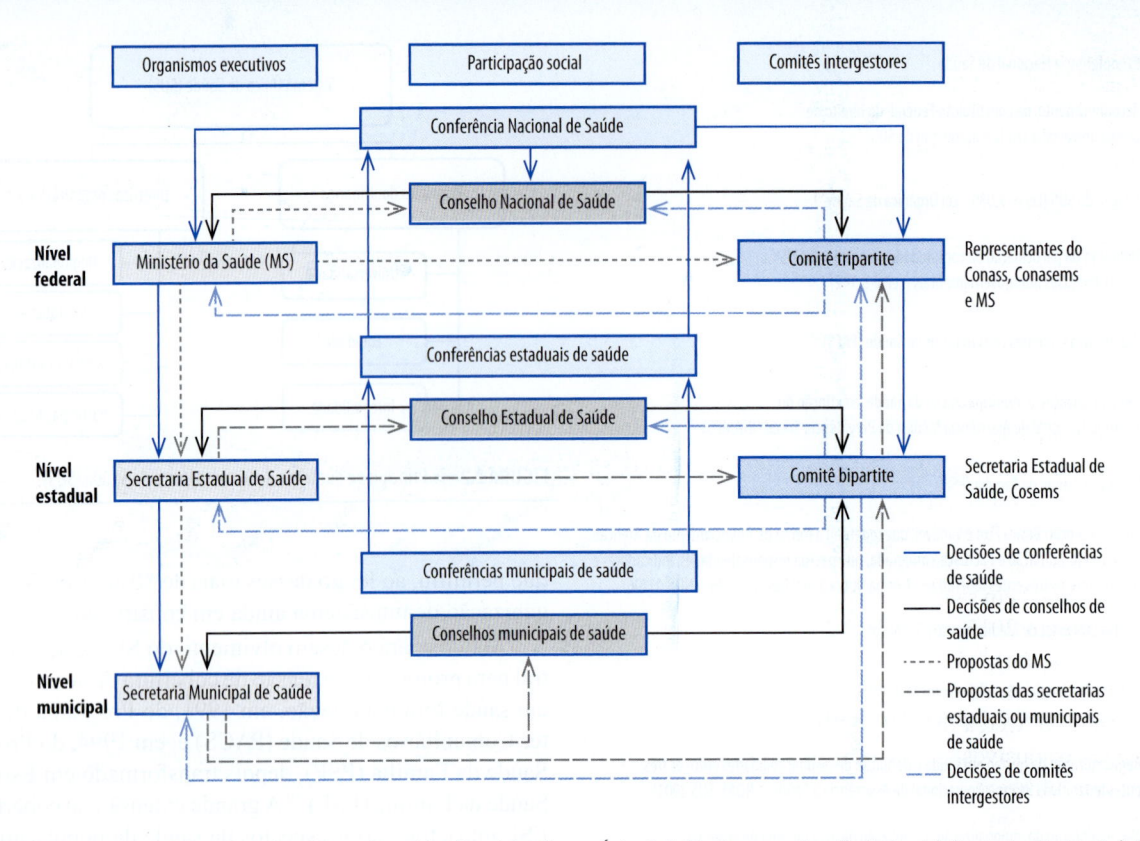

FIGURA 2.3 → Estrutura atual de formulação de políticas e de participação social no Sistema Único de Saúde. Conasems, Conselho Nacional de Secretarias Municipais de Saúde; Conass, Conselho Nacional de Secretários de Saúde; Cosems, Conselhos das Secretarias Municipais de Saúde (nas Unidades da Federação).
Fonte: Paim e colaboradores.[10]

do exercício anterior a que se refere a lei orçamentária. Para alguns autores, as medidas de austeridade que vêm sendo implantadas no País têm configurado o que se denomina "austeridade seletiva" por afetarem proporcionalmente os mais vulneráveis.[14]

OS PROJETOS DE SAÚDE EM DISPUTA NO MUNDO E NO BRASIL

A grande maioria dos países de alta renda fornece substanciais cuidados de saúde aos seus cidadãos, de uma forma ou outra, por meio de um sistema nacional de saúde. Além das justificativas básicas da ordem de direito humano, há importantes razões econômicas para essa escolha. Os mecanismos do mercado não funcionam bem quando aplicados aos cuidados de saúde em grande parte porque, diferentemente de outras situações, muitas vezes quem decide quais serviços serão adquiridos não é o comprador, mas seu médico (ou plano ou fornecedor de saúde), gerando um inevitável potencial para conflito de interesses. Ademais, as economias de escala de um sistema de comprador único e a complexidade do processo, como um todo, argumentam fortemente para a intervenção do Estado. No entanto, os sistemas nacionais de saúde nos países de baixa e média renda são, em regra, bem mais rudimentares e oferecem um mínimo de acesso e serviços.

No Brasil, ao contrário, o princípio constitucional "a saúde é um direito de todos e dever do Estado" embasa importante atividade do Estado e é um divisor de águas entre dois grupos que disputam a hegemonia nas políticas de saúde no Brasil. Um conjunto de forças sociais e políticas defende um modelo assistencial baseado nas diretrizes do SUS, que, em sua totalidade, representam um Sistema Nacional de Saúde, guardando algumas semelhanças com os modelos de saúde inglês, canadense e italiano. Contudo, esse ordenamento jurídico é generoso na proposta e tímido no financiamento. Essa contradição cria um ambiente favorável para o desenvolvimento dos seguros privados de saúde e todas as suas variáveis mercadológicas, que congregam o outro conjunto de forças políticas, predominantemente do campo liberal em saúde. Essa visão retira da órbita do Estado a responsabilidade pela saúde e elege o indivíduo como provedor principal. Quem consegue comprar serviços no mercado abastece suas necessidades, pois, nessa lógica, a saúde é categorizada como mercadoria regulada pela lei da oferta e procura, e não como um bem público baseado nas necessidades da população.

A visão liberal em saúde tende a ser contrária à ideia da cobertura universal pelo SUS, com o argumento de que o Estado não deve substituir a iniciativa dos indivíduos que têm alguma condição de comprar serviços no mercado. Nessa concepção, o Estado deveria cuidar apenas da parcela da população sem qualquer poder de compra. Seguindo a linha de raciocínio dessa visão política, isso seria um paternalismo que levaria as pessoas a um processo de acomodação e poderia se estender para outros setores da sociedade, desobrigando as pessoas de cuidarem de si mesmas e passando muitas responsabilidades para o Estado.

Já o movimento sanitário defende a ideia de que saúde não é um bem comercial que deva ser regulado pelo mercado. A saúde é pensada como um direito de cidadania e uma condição básica de vida. Para proteger esse bem individual e social, devem-se conjugar harmoniosamente todos os esforços do indivíduo para cuidar de si e dos seus familiares e, com base em suas necessidades, todos os serviços de saúde disponíveis no sistema de saúde.

Uma das questões centrais para compreender as tendências dos sistemas de saúde é saber como o Estado financia suas políticas sociais – e de saúde em particular. Os países que investem pesadamente em políticas para promover o estado de bem-estar social arrecadam, em média, 50% do produto interno bruto (PIB), enquanto no Brasil o Estado arrecada cerca de 34%.[15]

Do gasto total em saúde no Brasil (8,9% do produto doméstico bruto em 2015 ou, em dólares internacionais, Int$ 1.391,50 *per capita*),[16] 57,2% são privados e apenas 42,8% são públicos,[16] para dar conta de um sistema público universal e gratuito. Cerca de 75% da população são usuários dependentes exclusivos, sem contar os usuários de planos privados que utilizam o SUS no setor de alta tecnologia, emergências, etc. Em termos comparativos, no Reino Unido (9,9% do produto doméstico bruto no mesmo ano ou Int$ 4.144,60 *per capita*), o gasto público é de 80,4% do total de gastos em saúde para atender aproximadamente 90% da população.[16] Sendo assim, os gastos públicos em saúde no Brasil, proporcionalmente, são menores do que em outros países com forte sistema nacional de saúde. Sem aumento do financiamento público, o SUS não tem como cumprir o que está previsto em todas as suas diretrizes.

DIRETRIZES E CARACTERÍSTICAS DO MODELO ASSISTENCIAL DO SUS

Antes de comentar as diretrizes do SUS, é importante apresentar o conceito de saúde definido pela 8ª Conferência Nacional de Saúde, pois sintetiza grande parte do ideário do Movimento Sanitário Brasileiro:

Em sentido mais abrangente, a saúde é a resultante das condições de alimentação, habitação, educação, renda, meio ambiente, trabalho, transporte, emprego, lazer, liberdade, acesso e posse da terra e acesso a serviços de saúde. É assim, antes de tudo, o resultado das formas de organização social da produção, as quais podem gerar grandes desigualdades nos níveis de vida.[17]

Esse conceito amplia a compreensão do processo saúde-doença e é basilar para entender a abrangência e a complexidade das diretrizes do SUS no Brasil, discutidas a seguir.

Universalidade

É a garantia de que todos os cidadãos devem ter acesso aos serviços de saúde públicos e privados conveniados, em todos os níveis do sistema de saúde, assegurado por uma rede hierarquizada de serviços e com tecnologia apropriada para cada nível.

Do ponto de vista normativo, o sistema público de saúde está universalizado. Não há mais discriminação entre população urbana e rural, ou entre contribuintes e não contribuintes previdenciários.

O acesso universal aos serviços de saúde, além de ser uma garantia constitucional, é uma bandeira de luta dos movimentos sociais, para os quais essa reivindicação passou a ser um dos elementos fundamentais dos direitos de cidadania. E, nesse caso, o exercício da cidadania tem um grande potencial de produzir resultados concretos, tendo em vista as reais possibilidades de mudança e melhora no atendimento aos problemas de saúde da população.

Contudo, a situação, apesar de promissora com a extensão de cobertura no nível de atenção primária, continua mostrando importantes limitações de acesso aos níveis secundário e terciário do sistema de saúde.

A universalização do acesso aos serviços de saúde, por encontrar-se em condições de financiamento inadequado, gera diferentes problemas e dilemas. Para a população mais pobre, um dos problemas é a falta de serviços além da APS, obrigando-a a enfrentar uma série de dificuldades para conseguir passagem para os outros níveis de atendimento. Para os setores médios da população, o dilema é submeter-se à universalização de baixa qualidade no setor público ou optar por um seguro privado[18] sem cobertura universal, engrossando a lista dos que buscam acesso ao subsistema público de alta tecnologia, por meio de estratégias que privilegiam o clientelismo, mecanismo ainda comum na cultura brasileira.

Equidade

Em princípio, o acesso aos serviços de saúde deve ser garantido a toda a população em condições de igualdade, não importando o gênero, a situação econômica, social, cultural, racial ou religiosa, mas podendo haver uma discriminação positiva em casos especiais, em que a prioridade deve ser dada a quem tem mais necessidades. Esse acesso também deve garantir possibilidades de atendimento em todos os níveis de complexidade do sistema de saúde.

A equidade no Brasil é incipiente, pois há obstáculos, com graus variados de dificuldades para os diferentes estratos sociais. Os mais pobres e marginalizados chegam com alguma facilidade ao nível da APS. A partir daí, eles chegam aos outros níveis do sistema somente com bastante sacrifício, permanecendo muito tempo nos escaninhos da regulação, grande parte ainda em papel nos documentos de referência e contrarreferência, ou em filas virtuais do sistema nacional de regulação (SISREG), dificultando a coordenação do cuidado.[19]

Para alcançar equidade de acesso aos cuidados secundário e terciário, é preciso melhorar a regulação, garantindo fluxos adequados a todos os níveis de complexidade tecnológica do sistema e aumentando a oferta e a resolutividade dos serviços, principalmente no nível ambulatorial especializado.

Integralidade

No Brasil, durante muitos anos, havia uma clara separação entre as ações preventivas, ligadas ao Ministério da Saúde, e as ações curativas, vinculadas ao Ministério da Previdência e Assistência Social. A atual legislação é muito clara na definição: não deve mais haver essa separação; as ações de caráter individual e coletivo devem ser financiadas e estar articuladas no mesmo sistema, gerando atendimento da demanda espontânea da população, sem que sejam esquecidos os programas estruturados para atender às necessidades epidemiologicamente definidas pelo gestor do serviço de saúde. O atendimento com a diretriz da integralidade deve incorporar um amplo espectro de intervenções, articulando prevenção, atendimento curativo e reabilitação. Essa ação integrada deve ter a capacidade de promover a saúde no cotidiano das pessoas, fazer diagnósticos e tratamentos precoces para reduzir danos e iniciar rapidamente a reabilitação e a readaptação ao convívio social. Os Núcleos de Apoio à Saúde da Família (NASF) e os Núcleos Ampliados de Saúde da Família e Atenção Básica (NASF-AB) são o desdobramento institucional para ampliar o espectro de atenção incorporando um conjunto de profissões na APS.

No entanto, a conjuntura atual mostra um sistema estruturado para atender, de forma prioritária, os pacientes com doença já instalada, focalizando a intervenção no momento em que o agravo já aconteceu. É muito comum os serviços de saúde subsumirem à lógica de "apagar incêndio" e atender, prioritariamente, a demanda espontânea. Um exemplo é a expansão de Unidades de Pronto Atendimento (UPAs),[20] muitas vezes pouco vinculadas às equipes de ESF e das Unidades Básicas de Saúde (UBSs) tradicionais. A vontade política de organizar modelos assistenciais integrais também esbarra na formação curativista da maioria dos profissionais de saúde.

Além de o enfoque do atendimento ser centrado na doença, ainda há o problema da falta de médicos generalistas para atuar na APS. Sua substituição por médicos treinados em outras especialidades e subespecialidades focais, que cada vez mais fragmentam o corpo do paciente, dificulta a noção de uma atenção integral.

Na prática do setor privado, observa-se um agigantamento das ações puramente diagnósticas e curativas sem articulação com a prevenção. Essa situação é influenciada por mecanismos de financiamento que pagam por produção médica e orientam-se por uma lógica de mercado. Esse tipo de prática reforça o processo de medicalização da sociedade, em que cada sintoma ou sinal verificado no paciente torna-se objeto de investimento da indústria médica, além de indicar um entendimento muito pobre do processo saúde-doença e uma leitura linear das necessidades do indivíduo e da coletividade. Essa tendência é reforçada pela indústria de rastreamentos nem sempre embasados em evidências confiáveis.[21,22] Manter um balanço adequado das ações médicas no setor público diante dessas tendências é tarefa contínua e árdua.

Hierarquização e regionalização

Os serviços de saúde precisam estar organizados em níveis de complexidade crescente, com tecnologia adequada para cada nível, potencializando a resolutividade. É fundamental a regulação adequada entre os níveis do sistema, de modo que haja fluxos de referência e contrarreferência claramente normatizados e funcionando para que o acesso seja garantido a todos, sem que se perca a capacidade de discernir a prioridade de atendimento especializado, por exemplo, entre um paciente com suspeita de um nevo maligno na retina e outro com necessidade de trocar de óculos.

A base territorial do serviço no SUS está definida com adscrição da clientela para um pleno exercício da responsabilidade do serviço com aquela população. A área de abrangência específica da unidade precisa estar delimitada geograficamente, com demarcação das áreas de risco, a fim de possibilitar um diagnóstico demográfico, socioeconômico e cultural, com destaque para o perfil epidemiológico da população servida, para o pleno desenvolvimento das potencialidades do serviço de saúde.

Se todos os encaminhamentos fossem feitos com critério, os ambulatórios e hospitais especializados ficariam mais disponíveis para se dedicarem aos problemas que realmente precisam de intervenções com tecnologias mais complexas.

Nos últimos anos, cresceram os esforços para racionalizar as relações entre diferentes níveis hierárquicos e promover a regionalização de serviços, incluindo o agrupamento das unidades de saúde de uma determinada região em uma unidade político-administrativa chamada de Distrito Sanitário, que englobaria, pelo menos, todo o nível primário. No entanto, ainda há muito a ser feito no processo de integração para vincular de forma mais estreita os serviços de APS com ambulatórios especializados, procedimentos diagnósticos e hospitalares. Essas estruturas devem estar necessariamente articuladas com o nível terciário, constituído de hospitais especializados, entre os quais os hospitais universitários, além de serviços diagnósticos e terapêuticos avançados, que podem ser da mesma cidade ou servir de referência também para outras cidades próximas.

Nesse sentido, a Portaria nº 4.279/2010 (substituída pela Portaria de Consolidação nº 3/2017) estabeleceu diretrizes para a organização de redes de atenção à saúde com o intuito de efetivar a hierarquização e a regionalização dos serviços de saúde, cumprindo com o objetivo de atender às necessidades em saúde da população, mas respeitando os princípios de ordenação do sistema pela APS e os conceitos de escala e qualidade dos serviços de saúde. Essa proposição pretende resolver lacunas importantes da rede pública assistencial do Brasil, sobretudo a baixa oferta de consultas e procedimentos diagnósticos de nível secundário, além da qualidade questionável em repetir diversas ações em múltiplos níveis assistenciais.

Com a regulamentação da Lei nº 8.080/1990, por meio do Decreto nº 7.508/2011, que garante a ordenação de acesso aos serviços de saúde por meio da APS, a constituição das portas de entrada do sistema e os contratos organizativos de ação pública, as bases para a efetiva hierarquização e regionalização da saúde com qualidade estão dadas. Os próximos anos mostrarão se essas condições permitirão a constituição de redes integradas de atenção ordenadas pela APS como define Eugênio Vilaça Mendes:

Redes integradas de atenção à saúde são organizações poliárquicas de conjuntos de serviços de saúde, vinculados entre si por uma missão única, por objetivos comuns e por uma ação cooperativa e interdependente, que permitem ofertar uma atenção contínua e integral à determinada população, coordenada pela atenção primária à saúde – prestada no tempo certo, no lugar certo, com o custo certo, com a qualidade certa, de forma humanizada e com equidade – com responsabilidades sanitária e econômica e gerando valor para a população.[23]

(ver Capítulo A Organização de Serviços de Atenção Primária à Saúde).

Descentralização

A diretriz da descentralização deve ser entendida como uma resposta a um movimento anterior, que foi a centralização político-administrativa nos governos militares. No SUS, há uma redistribuição do poder, repassando competências e instâncias decisórias para esferas mais próximas à população. Com isso, houve uma redefinição das atribuições, desconcentrando o poder da União e dos Estados para os municípios. No centro dessa estratégia está o processo de municipalização da saúde, entendido como um fenômeno político-administrativo que aponte para uma ruptura com o modelo assistencial tradicional e consiga dotar os municípios com modelos locais de saúde de acordo com todas as diretrizes do SUS. Contudo, um número ainda significativo de prefeituras enfrenta o problema de forma contraditória. Com a universalização do sistema e a responsabilização do Estado pelo atendimento, foi trazida para as prefeituras uma demanda nova, para a qual a maioria não estava preparada.

A municipalização da saúde ocorre por adesão espontânea das prefeituras, o que traz duas consequências. A primeira é positiva, pois trabalha com a noção de autodeterminação do poder local, deixando a prerrogativa de buscar a municipalização da saúde para o momento em que as condições estiverem favoráveis e, assim, tenham boa chance de dar certo. A outra consequência é negativa, pois a possibilidade de não municipalizar tem acautelado muitos prefeitos, deixando as respectivas populações no limbo, praticamente sem assistência.

A descentralização pressupõe a existência de gestores em vários níveis, mas a célula básica do sistema deve ser o município, ficando para os Estados e para a União os serviços de alta complexidade tecnológica, além de outras atribuições previstas em lei. Essa descentralização radical da gestão da saúde tem, caracteristicamente, dificuldade para encontrar gestores qualificados para assumir responsabilidade da organização da saúde em nível municipal, principalmente para os municípios muito pequenos. Dos cerca de 5,5 mil municípios brasileiros, praticamente metade tem população inferior a 10 mil habitantes, o que implica dificuldades adicionais, tanto de qualificação da gestão como até de restrições legais. Esforços por parte do Ministério da Saúde e do Conasems e de seus subsidiários estaduais, os Conselhos das Secretarias Municipais de Saúde (Cosems), têm sido realizados com o objetivo de qualificar os gestores municipais. Entretanto, as Unidades da Federação, isto é, os Estados, devem assumir sua atribuição legal de apoiar a organização dos serviços de saúde nos pequenos municípios. Mais uma vez, a consolidação de redes integradas nas regiões de saúde que abarquem pequenos municípios pode ser uma estratégia para impulsionar a organização do SUS nesses locais, sobretudo a partir da atribuição de responsabilidades por meio dos contratos de ação pública.

Controle social

Essa diretriz é a garantia dada pelo Estado de que a sociedade civil organizada tem possibilidade concreta de influir sobre as políticas públicas de saúde. A participação popular deve ter caráter deliberativo, oferecendo condições para que se possa determinar a política de saúde que interessa ao conjunto da população. Para que essa participação seja efetiva, é necessário que os atores sociais estejam devidamente instrumentalizados para intervir no processo, de forma a indicar um modelo de saúde mais adequado para as necessidades da população, e para criar uma nova consciência sanitária de acordo com o conceito de saúde que embasa as diretrizes do SUS.

A participação social está garantida, em todos os níveis, com os conselhos nacional, estaduais e municipais. Esses órgãos são permanentes e, ao lado das conferências nacional, estaduais e municipais de saúde, compõem o conjunto de instituições que garantem a participação da sociedade. Essa participação social em instituições do Estado está normatizada em lei[7] e é composta pelos representantes do governo, prestadores de serviço, profissionais de saúde e usuários, sendo que estes têm paridade com a soma de outros setores. É o espaço oferecido ao cidadão que quer exercer influência no direcionamento do SUS.

Os formuladores teóricos da diretriz de controle social no SUS sustentam claramente a perspectiva da participação enquanto prática transformadora, tanto na saúde como nas outras relações sociais que estão implicadas no processo saúde-doença. Como instâncias democráticas que devem ser, os Conselhos e as Conferências de Saúde deliberam por maioria, muitas vezes existindo posicionamentos divergentes entre os representantes dos usuários, profissionais de saúde, prestadores de serviço e governos. Estes últimos, por exemplo, às vezes tentam utilizar essas instâncias de participação social para legitimar suas políticas públicas, ou para diminuir a oposição a seus projetos ou interesses.

No Brasil, existe uma diversidade muito grande de experiências. Alguns municípios tiveram avanços consideráveis, e a participação nos fóruns da saúde passou a ser um exercício permanente de cidadania, não apenas fortalecendo os indivíduos e as instituições da sociedade civil organizada, mas também contribuindo para o aperfeiçoamento do sistema de saúde. Nesses casos, há uma negociação permanente entre o Estado e a sociedade, na qual a discussão política, democrática e transparente, precisa estar sempre presente.

O setor privado e sua participação complementar no SUS

Como já mencionado, o setor privado ocupa grande espaço nos serviços de saúde brasileiros, sobretudo em cuidados dos níveis secundário e terciário. No atual momento da saúde brasileira, só é possível pensar em integralidade nas ações médicas se houver uma complementação do setor privado na prestação de atendimento para o setor público.

O setor público, mantidas as atuais condições, não pode arcar sozinho com todos os serviços necessários para compor um sistema de saúde completo. Acaba contratando, por necessidade, muitos serviços do setor privado, que podem e devem ser aproveitados quando esgotadas as possibilidades do setor público, dando-se preferência aos de caráter não lucrativo. Entretanto, expressiva parcela de serviços privados ainda não absorveu as diretrizes do SUS, seguindo uma lógica de mercado.

Estrategicamente, é importante manter a grande rede hospitalar privada conveniada com o SUS, mas, no atendimento ambulatorial no nível de atenção primária, é possível ampliar o investimento em serviços públicos.

Recursos humanos

Na implementação integral de um novo modelo assistencial baseado em todas as diretrizes do SUS, a questão dos recursos humanos desempenha um papel central. A atual política de recursos humanos apresenta um descompasso entre a teoria e a prática. As conferências e os planos de saúde do governo anunciam o perfil dos profissionais de saúde a serem formados para atender as necessidades do SUS, mas muitas instituições de ensino continuam formando profissionais alheios a essas novas demandas. O resultado dessa política é o de profissionais formados fora da realidade, inadequados tanto em qualidade como em quantidade para atuação no setor público. Uma das consequências dessa política é a dificuldade de encontrar profissionais com perfil adequado para atuar na ESF, pois a grande maioria dos profissionais de saúde, sobremaneira da área médica, passa por treinamentos em programas de residência médica e estágios de graduação feitos em hospitais. A Universidade Aberta do SUS (UNA-SUS) é uma tentativa de mudar o rumo da formação pós-graduada *lato sensu*.

A efetiva implantação das diretrizes curriculares para os cursos de medicina,[24] que incorporam atividades de formação em todos os níveis do sistema de saúde com ênfase em APS, exigirá uma graduação médica mais adequada à realidade, assim como mais oportunidades em programas de especialização na área de Medicina de Família e Comunidade. É evidente que esse redirecionamento não deve ocorrer em detrimento da formação de especialistas nas demais áreas, incluindo as mais tecnológicas; apenas deve haver um processo de equalização para atender todos os níveis do sistema de saúde de forma mais adequada.

Para atender às diretrizes do SUS, seria necessário formar profissionais com uma nova mentalidade, dispostos a trabalhar em equipes multiprofissionais e enfrentar o processo saúde-doença em sua real complexidade. Isso significa que os profissionais deveriam ter um profundo conhecimento de todos os determinantes sociais, econômicos, biológicos, psicológicos, ecológicos e culturais que definem o perfil epidemiológico da população, bem como um conhecimento sobre as estratégias de intervenção. Em 2013, foi estabelecido o Programa Mais Médicos, com a finalidade de formar recursos humanos na área médica para o SUS por meio, entre outros, da reordenação da oferta de cursos de Medicina e de vagas para residência médica, priorizando regiões de saúde com menor relação de vagas e médicos por habitante e com estrutura de serviços de saúde em condições de ofertar campo de prática suficiente e de qualidade para os alunos; do estabelecimento de novos parâmetros para a formação médica no País; e da promoção, nas regiões prioritárias do SUS, de aperfeiçoamento de médicos na área de atenção básica em saúde, mediante integração ensino-serviço, inclusive por meio de intercâmbio internacional.[25] Em 2019, foi instituído o Programa Médicos pelo Brasil, no âmbito da APS no SUS, com a finalidade de incrementar a prestação de serviços médicos em locais de difícil provimento ou alta vulnerabilidade e fomentar a formação de médicos especialistas em medicina de família e comunidade. O Programa Médicos pelo Brasil será executado pela Agência para o Desenvolvimento da Atenção Primária à Saúde (Adaps), criada na mesma oportunidade, sob a orientação técnica e a supervisão do Ministério da Saúde.[26]

No Brasil, o problema dos recursos humanos não se restringe à formação. É na administração desses recursos que se encontram os problemas mais graves. Muitos recrutamentos ainda são feitos com critérios clientelísticos e influências políticas. Inexistem planos de cargos e salários unificados, as diferenças salariais são acentuadas tanto entre instituições como entre diferentes regiões do País, e, em geral, o salário é muito baixo.

A lógica dos achados de múltiplas pesquisas de Barbara Starfield e outros, demonstrando que sistemas de saúde com alta qualidade de atenção primária geram um melhor perfil de desfechos (p. ex., maior expectativa de vida), menores custos e maior satisfação entre usuários (ver Capítulo Estratégia Saúde da Família), é a base empírica que justifica maior investimento e aumentos salariais em APS.

Além disso, a distribuição de profissionais pelo País ainda é díspar, deixando várias regiões sem assistência – justamente as mais pobres – e concentrando recursos nos grandes centros urbanos.

Cabe ressaltar ainda que a multiplicidade de inserção no mercado de trabalho gera distorções. Muitos profissionais são obrigados a trabalhar em vários empregos, estendendo perigosamente a jornada de trabalho, situação esta aliada a péssimas condições de trabalho. Uma das consequências é o pouco tempo para a atualização profissional. Todas essas condições colaboram de forma decisiva para a baixa qualidade do atendimento.

CONCLUSÃO

No Brasil, ainda existe uma situação social muito precária, a qual se expressa no campo da saúde pela influência direta na gênese das doenças mais prevalentes. As políticas públicas de saúde, por si só, não têm a capacidade de reverter esse quadro; porém, articuladas com outras políticas sociais, podem contribuir decisivamente para que se promova a cidadania de uma parcela significativa da população brasileira.

Para o Brasil resgatar essa dívida social histórica, faz-se necessária uma decisão política fundamental: acreditar na possibilidade de que se possa reverter o quadro de exclusão social. Para isso, o desenvolvimento econômico deve beneficiar o conjunto da população. Essa opção, aparentemente simples, tem profundas implicações ideológicas, que podem ser traduzidas em tendências bem-distintas, passando pela visão liberal e pela visão social em política.

Certamente, se a sociedade brasileira souber optar por uma linha política adequada, poderá conquistar a consolidação do SUS com todas as suas prerrogativas. Caso contrário, continuará com um arremedo de sistema de saúde.

REFERÊNCIAS

1. Rosen G. Uma história da saúde pública. 3. ed. São Paulo: Hucitec; 2006.
2. Bueno E. À sua saúde: a vigilância sanitária na história do Brasil. Brasília: Anvisa; 2005.
3. Brenner J. História do sistema privado de saúde do Brasil: uma trajetória de desafios: 1543-2006. Brasília: MEC; 2006.
4. Bertolli Filho C. História da saúde pública no Brasil. São Paulo: Ática; 2008.
5. Costa NR. Políticas públicas, justiça distributiva e inovação: saúde e saneamento na agenda social. São Paulo: Hucitec; 1998.
6. Brasil. Congresso Nacional. Lei nº 8.080, de 19 de setembro de 1990 [Internet]. Brasília: CN; 1990 [capturado em 30 jul. 2019]. Disponível em: http://www.planalto.gov.br/ccivil_03/leis/l8080.htm.
7. Brasil. Congresso Nacional. Lei nº 8.142, de 28 de dezembro de 1990 [Internet]. Brasília: CN; 1990 [capturado em 30 jul. 2019]. Disponível em: http://www.planalto.gov.br/ccivil_03/leis/L8142.htm.
8. Brasil. Casa Civil. Decreto nº 7.508, de 28 de junho de 2011 [Internet]. Brasília: CC; 2011 [capturado em 30 jul. 2019]. Disponível em: http://www.planalto.gov.br/ccivil_03/_ato2011-2014/2011/decreto/D7508.htm.
9. Brasil. Ministério da Saúde. Portaria nº 4.279, de 30 de dezembro de 2010 [Internet]. Brasília: MS; 2010 [capturado em 30 jul. 2019]. Disponível em: http://bvsms.saude.gov.br/bvs/saudelegis/gm/2010/prt4279_30_12_2010.html.
10. Paim J, Travassos C, Almeida C, Bahia L, Macinko J. The Brazilian health system: history, advances, and challenges. Lancet. 2011; 377(9779):1778-97.
11. Machado CV, Lima LD, Baptista TWF. Políticas de saúde no Brasil em tempos contraditórios: caminhos e tropeços na construção de um sistema universal. Cad Saude Publica 2017; 33 Sup. 2:S143-S161.
12. Paim JS. Sistema Único de Saúde (SUS) aos 30 anos. Ciên Saude Colet. 2018; 23(6):1723-28.2.
13. Santos NR. SUS 30 anos. O início, a caminhada e o rumo. Cien Saude Colet. 2018; 23(6):1729-36
14. Santos IS, Vieira FS. Direito à saúde e austeridade fiscal: o caso brasileiro em perspectiva internacional. Cien Saude Colet. 2018; 23(7):2303-14.
15. World Health Organization. Global health expenditure database [Internet]. Geneva: WHO; [2019] [capturado em 30 jul. 2019]. Disponível em: https://apps.who.int/nha/database.
16. World Health Organization. Global health observatory data repository [Internet]. Geneva: WHO; 2019 [capturado em 23 jun. 2019]. Disponível em: https://www.who.int/gho/database/en/.
17. Brasil. Ministério da Saúde. Relatório final [da] 8ª Conferência Nacional de Saúde: 17-21 mar. 1986[Internet]. [Brasília]: MS; 1986 [capturado em 30 jul. 2019]. Disponível em: http://bvsms.saude.gov.br/bvs/publicacoes/8_conferencia_nacional_saude_relatorio_final.pdf.
18. Fontenelle LF, Sarti TD, Camargo MBJ, Maciel ELN, Barros AJD. Utilization of the Brazilian public health system by privately insured individuals: a literature review. Cad Saude Publica 2019; 35(4):e00004118.
19. Brasil. Sistema Nacional de Regulação. Brasília: MS; c2019 [capturado em 30 jul. 2019]. Disponível em: http://sisregiii.saude.gov.br/
20. Brasil. Unidade de Pronto Atendimento (UPA 24h): o que é, quando usar, diretrizes e competências. Brasília: MS; c2019 [capturado em 30 jul. 2019]. Disponível em: http://www.saude.gov.br/saude-de-a-z/unidade-de-pronto-atendimento-upa-24h
21. Welch HG, Brawley OW. Scrutiny-dependent cancer and self-fulfilling risk factors. Ann Intern Med. 2018; 168(2):143-144.
22. Welch HG. Too much medicine: symptoms matter. BMJ 2019;365: l1454.
23. Mendes EV. As redes de atenção à saúde [Internet]. 2. ed. Brasília: OPAS; 2011 [capturado em 30 jul. 2019]. Disponível em: https://apsredes.org/as-redes-de-atencao-a-saude-eugenio-vilaca-mendes/.
24. Brasil. Ministério da Educação. Conselho Nacional de Educação. Câmara de Educação Superior. Resolução Nº. 3 de 20 de junho de 2014. Brasília: MEC; 2014 [capturado em 20 ago. 2019]. Disponível em: http://portal.mec.gov.br/conselho-nacional-de-educacao/atos-normativos--sumulas-pareceres-e-resolucoes?id=12991.
25. Brasil. Casa Civil. Lei nº 12.871, de 22 de outubro de 2013. [Internet]. Brasília: CN; 2013 [capturado em 23 ago. 2019]. Disponível em: http://www.planalto.gov.br/ccivil_03/_ato2011-2014/2013/lei/l12871.htm
26. Brasil. Secretaria Geral. Medida Provisória nº 890, de 1º de agosto de 2019. [Internet]. Brasília: Palácio do Planalto; 2019 [capturado em 23 ago. 2019]. Disponível em: http://www.planalto.gov.br/ccivil_03/_Ato2019-2022/2019/Mpv/mpv890.htm.

Capítulo 3
A ORGANIZAÇÃO DE SERVIÇOS DE ATENÇÃO PRIMÁRIA À SAÚDE

Silvia Takeda

Um sistema de saúde com forte referencial na atenção primária à saúde é mais efetivo, é mais satisfatório para a população, tem menores custos e é mais equitativo – mesmo em contextos de grande iniquidade social.

Barbara Starfield

A promoção da saúde e o tratamento efetivo das enfermidades não dependem apenas da aplicação qualificada, pelos profissionais, de

condutas bem-embasadas. A estrutura e o funcionamento do sistema de saúde e dos serviços onde as equipes de saúde atuam também determinam os resultados alcançados.

As características dos sistemas de saúde são importantes determinantes da saúde das populações, assim como a educação, as condições de moradia e trabalho, a alimentação e a renda.[1-4] Um sistema de saúde cuja porta de entrada é composta por serviços de atenção primária, em que os usuários têm vínculo com as equipes de saúde, e cujas respostas às necessidades de saúde são coordenadas, é mais eficiente e traz maior satisfação à população, além de, em comparação com outros, apresentar menores custos.[5]

As populações que contam com serviços de atenção primária à saúde (APS) de alta qualidade têm menores taxas de hospitalizações em razão de condições sensíveis à atenção primária, incluindo hipertensão arterial sistêmica, diabetes melito e pneumonia.[6,7] Além disso, há melhor seguimento das prescrições médicas, menos hospitalizações, menor utilização de serviços de emergência, mais cuidados preventivos e mais detecção precoce de cânceres. No Brasil, os benefícios dos serviços de saúde organizados de acordo com os atributos da APS já são demonstráveis por diversos estudos.[8-9]

AS NECESSIDADES EM SAÚDE E SUA EXPRESSÃO

Os serviços de saúde têm o propósito de promover a saúde, respondendo às necessidades em saúde das populações. As necessidades – que compreendem a promoção de saúde, a prevenção e o tratamento de doenças – são de diversas naturezas, advêm de fenômenos físicos, psicológicos ou sociais, e atingem alguns poucos indivíduos ou são comuns a grupos.

Essas necessidades se expressam, em nível populacional, por medidas de morbimortalidade (ver Capítulo Saúde da População Brasileira) e, clinicamente, como diagnósticos, sinais ou sintomas; pela autopercepção de problemas de saúde ou estado de saúde insatisfatório; pela restrição às atividades rotineiras; por hábitos de vida, etc. Há, ainda, necessidades identificadas pelas equipes de saúde que não são intuídas pelos indivíduos.

No Brasil, onde o território é o lócus das ações dos serviços de atenção primária, responder às necessidades em saúde significa identificar e corresponder aos imperativos de saúde de quem procura e tem acesso aos serviços, bem como intervir nos riscos populacionais, protegendo populações vulneráveis e diminuindo iniquidades em saúde.

OS FUNDAMENTOS QUE ORIENTAM A ORGANIZAÇÃO DE SISTEMAS DE SAÚDE

O clássico estudo de White[10] demonstrou que, em uma população de 1.000 pessoas com mais de 15 anos, no período de 1 mês, 750 terão sintomas ou problemas de saúde. A maioria dessas pessoas lidará com seus próprios problemas, mas 250 se consultarão com um médico. Destas, cinco serão encaminhadas a outro médico, e nove serão hospitalizadas (FIGURA 3.1). Passados 40 anos, o estudo foi repetido utilizando metodologia similar e incluindo crianças. As proporções se mantiveram idênticas.[11]

A FIGURA 3.2 mostra que, de um total de 7.849 atendimentos realizados em um serviço de APS no Brasil, ao longo de um período de 15 dias, 9% resultaram em encaminhamento para cuidados secundários e terciários. A análise dos encaminhamentos, conforme o grupo de diagnósticos (FIGURA 3.3),[12] mostra que a proporção de encaminhamentos situa-se entre 5 e 22% para cada grupo de diagnóstico. Proporções semelhantes são encontradas em diversos estudos de demanda (nacionais e internacionais).

Os estudos de demanda em ambulatórios gerais demonstram, ainda, que, embora seja ampla a variedade de problemas de saúde, existem alguns muito frequentes, responsáveis por cerca de metade de toda a demanda trazida pela população (TABELA 3.1). A metade das consultas deve-se a cerca de apenas 25 diferentes diagnósticos, e o manejo adequado dos 50 diagnósticos mais frequentes permite a resolução de mais da metade da demanda clínica em ambulatórios de atenção primária.[13]

Os problemas de saúde apresentados por qualquer população são de diversas naturezas, afetam todos os órgãos e sistemas e amiúde não são estritamente médicos. Coexistem doenças crônicas (não transmissíveis e transmissíveis), violência e acidentes, problemas de saúde mental, doenças agudas e infectocontagiosas. Entre os problemas mais frequentes em qualquer população, encontram-se alguns de grande complexidade, exigindo intervenções sobre indivíduos, famílias e grupos sociais, bem como englobando elementos cognitivo-tecnológicos de diferentes disciplinas, como

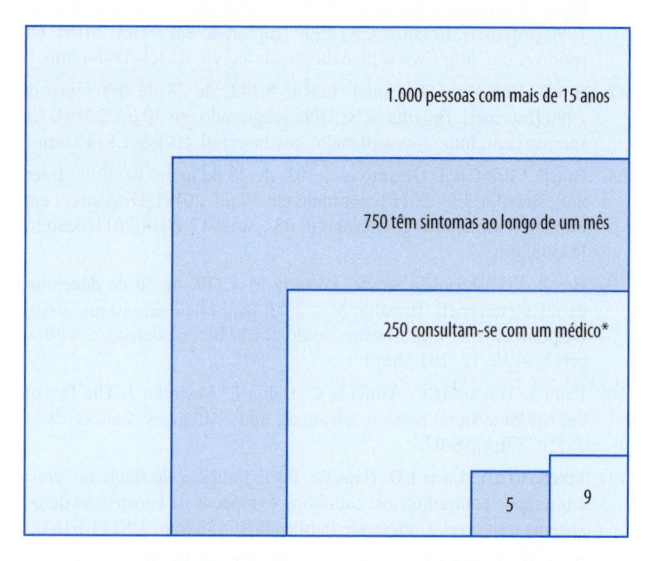

FIGURA 3.1 → Estimativas da prevalência mensal de problemas de saúde na população e o papel dos médicos, hospitais e universidades na provisão do cuidado médico.
*De cada 250 pessoas que se consultam com um médico, cinco são referidas a especialistas e nove são hospitalizadas (oito em hospital geral e uma em hospital universitário).
Fonte: White e colaboradores.[10]

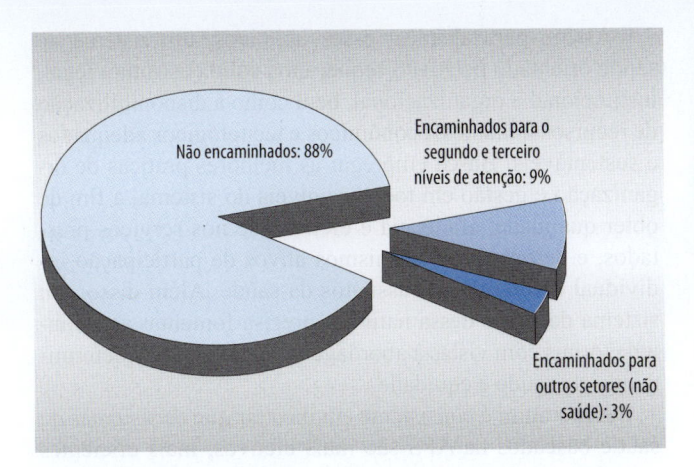

FIGURA 3.2 → Encaminhamentos em atenção primária (estudo de demanda do Serviço de Saúde Comunitária do Grupo Hospitalar Conceição).
Fonte: Grupo Hospitalar Conceição. Núcleo de Epidemiologia.[12]

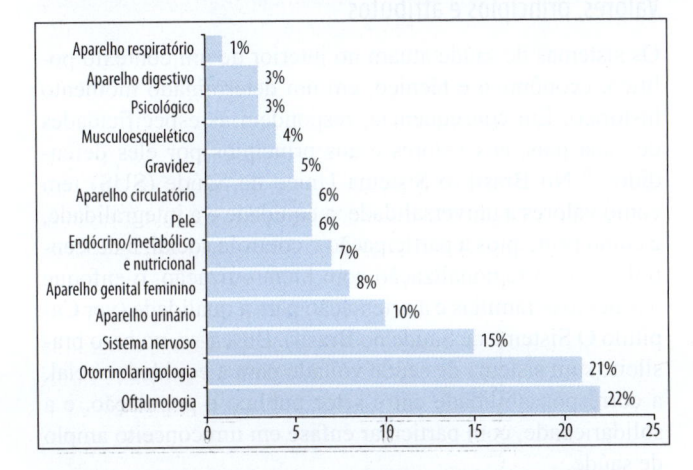

- Não encaminhados: 88%
- Encaminhados para o segundo e terceiro níveis de atenção: 9%
- Encaminhados para outros setores (não saúde): 3%

FIGURA 3.3 → Proporção de encaminhamentos para os cuidados secundários e terciários, para problemas* identificados em atenção primária (Serviço de Saúde Comunitária do Grupo Hospitalar Conceição, Porto Alegre, 1999).
*Classificados segundo os capítulos da ICPC-2: Classificação Internacional de Cuidados Primários.[26]
Fonte: Grupo Hospitalar Conceição. Núcleo de Epidemiologia.[12]

- Aparelho respiratório: 1%
- Aparelho digestivo: 3%
- Psicológico: 3%
- Musculoesquelético: 4%
- Gravidez: 5%
- Aparelho circulatório: 6%
- Pele: 6%
- Endócrino/metabólico e nutricional: 7%
- Aparelho genital feminino: 8%
- Aparelho urinário: 10%
- Sistema nervoso: 15%
- Otorrinolaringologia: 21%
- Oftalmologia: 22%

TABELA 3.1 → Descrição dos 50 diagnósticos/problemas mais frequentes* registrados por equipes multidisciplinares em um serviço de atenção primária à saúde[13] (Serviço de Saúde Comunitária do Grupo Hospitalar Conceição, Porto Alegre, Estado do Rio Grande do Sul, 2017)

ORDEM	DESCRIÇÃO	%	% CUMULATIVO
1	Prescrição de repetição	8,3	8,3
2	Hipertensão essencial (sem complicações)	6,4	14,7
3	Aconselhamento/orientações/prevenção/manutenção da saúde/planejamento familiar	5,2	19,9
4	Sem doença	4,2	24,1
5	Cárie dentária	2,4	26,5
6	Diabetes melito não insulinodependente	2,1	28,5
7	Depressão	1,9	30,5
9	Puericultura	1,8	32,3
10	Pessoa que consulta para explicação sobre resultado de exames	1,7	34,0
11	Sinais e sintomas da região lombar	1,6	35,6
12	Doenças da polpa e dos tecidos periapicais (pulpite, necrose da polpa, abscesso periapical)	1,6	37,2
13	Prevenção do câncer ginecológico	1,6	38,9
14	Gravidez, acompanhamento pré-natal	1,5	40,4
15	Nasofaringite aguda	1,3	41,7
16	Asma	1,2	43,0
17	Transtorno de ansiedade/estado de ansiedade	1,2	44,2
18	Gengivite e doenças periodontais	1,0	45,2
19	Infecção aguda nas vias aéreas superiores	1,0	46,2
20	Cistite	0,9	47,1
21	Dor abdominal	0,8	47,9
22	Consulta com finalidade administrativa: atestados, cartas, certificados	0,8	48,7
23	Anticoncepção	0,7	49,4
24	Diarreia e gastroenterite de origem infecciosa presumida	0,7	50,1
25	Transtorno afetivo bipolar	0,6	50,7
26	Sinusite aguda	0,6	51,3
27	Tonsilite aguda	0,6	51,9
28	Tosse	0,5	52,4
29	Problemas relacionados ao grupo familiar	0,5	52,9
30	Diabetes melito insulinodependente	0,5	53,4
31	Obesidade	0,4	53,8
32	Cefaleia	0,4	54,2
33	Hipotireoidismo	0,3	54,5
34	Problemas relacionados com hábitos de vida/abuso de tabaco	0,3	54,9
35	Exame para rastreamento de doenças infecciosas e parasitárias	0,3	55,2
36	Alterações no metabolismo dos lipídeos	0,3	55,5
37	Lesões do ombro	0,3	55,7
38	Otite média	0,3	56,0
39	Doença pulmonar obstrutiva crônica	0,3	56,3

(continua)

sociologia, antropologia, psicologia, educação, comunicação, biomedicina, educação física, nutrição, entre outros. Apesar disso, lidar com esses problemas em APS implica menor custo financeiro e maior qualidade.[7]

As condições crônicas, responsáveis por 85% da morbidade na população brasileira,[14] exigem que as equipes – atuando interdisciplinarmente – utilizem abordagens multifacetadas e tecnologias do autocuidado apoiado, apliquem diretrizes clínicas baseadas em evidências, disponham de sistemas de informação e otimizem o uso dos recursos locais disponíveis. (Ver Capítulo A Atenção às Condições Crônicas e Capítulo Cuidados Longitudinais e Integrais a Pessoas com Condições Crônicas.)

A análise das características de saúde comuns às diversas populações deve orientar a organização de sistemas de saúde, além de nortear a educação médica e o desenvolvimento de pesquisas. Com base nessas características,

TABELA 3.1 → Descrição dos 50 diagnósticos/problemas mais frequentes* registrados por equipes multidisciplinares em um serviço de atenção primária à saúde[13] (Serviço de Saúde Comunitária do Grupo Hospitalar Conceição, Porto Alegre, Estado do Rio Grande do Sul, 2017)   (Continuação)

ORDEM	DESCRIÇÃO	%	% CUMULATIVO
40	Dor NCOP	0,3	56,6
41	Esquizofrenia	0,2	56,8
42	Dispepsia/indigestão	0,2	57,0
43	Rinite alérgica	0,2	57,3
44	Náusea e vômitos	0,2	57,5
45	Dores musculares	0,2	57,7
46	Tontura	0,2	57,9
47	Doença cardíaca isquêmica	0,2	58,1
48	Transtornos do ouvido externo	0,2	58,3
49	Úlcera dos membros inferiores	0,2	58,5
50	Artrose do joelho	0,2	58,7

*Refere-se aos 50 diagnósticos/problemas mais frequentes de um total de 294.233 atendimentos do ano de 2018, realizados pelos médicos, enfermeiros, dentistas e psicólogos que integram as 12 equipes de saúde do Serviço de Saúde Comunitária do Grupo Hospitalar Conceição. Códigos da CID-10 foram registrados em boletins de atendimento. Podem ser informados mais de um CID em um mesmo boletim.

estrutura-se, no Brasil, um modelo de sistema de saúde que é hoje adotado por um número cada vez maior de países – a APS, apresentada a seguir. A análise das características de saúde particulares a cada população orienta a organização local dos serviços de saúde, discutida adiante.

O QUE É A ATENÇÃO PRIMÁRIA?

A expressão "atenção primária à saúde" tem sido utilizada com distintas acepções, sendo duas predominantes: (1) APS – um modelo de organização do sistema de saúde; e (2) APS – um nível de atenção do sistema de saúde.

Atenção primária à saúde como um modelo de organização do sistema de saúde

Um sistema de saúde é "[...] o conjunto de organizações, indivíduos e ações cuja intenção primordial é promover, recuperar e/ou melhorar a saúde".[15] A APS é, nessa perspectiva, uma forma de organização dos serviços, na qual há uma porta de entrada ao sistema de saúde, que se configura como espaço de coordenação das respostas às necessidades dos indivíduos, de suas famílias e da comunidade.

Segundo a Organização Pan-Americana da Saúde,[15] um sistema de saúde orientado pela APS conforma-se a partir de um conjunto de elementos estruturais e funcionais que garantem a cobertura e o acesso universal aos serviços de saúde, relevantes e adequados à população, promovendo a equidade. Prevê uma atenção integral, integrada e apropriada ao longo do tempo, conferindo ênfase na prevenção e na promoção da saúde e assegurando o contato do usuário com o sistema de saúde através de uma porta de entrada. As famílias e comunidades são a base para o planejamento e a efetivação de suas ações.

Assim, para alcançar esses objetivos, um sistema de saúde orientado pela APS requer uma sólida estrutura legal, institucional e organizacional, bem como a disponibilização de recursos humanos, econômicos e tecnológicos adequados e sustentáveis. Busca empregar as melhores práticas de organização e gestão em todos os níveis do sistema, a fim de obter qualidade, eficiência e efetividade nos serviços prestados, e desenvolve mecanismos ativos de participação individual e coletiva nos assuntos da saúde. Além disso, um sistema de saúde dessa natureza precisa fomentar ações intersetoriais com vistas à abordagem do conjunto de determinantes de saúde e equidade.

A literatura é consistente em mostrar que os sistemas de saúde baseados na APS são mais efetivos, mais eficientes e promovem maior equidade. Há evidências dos benefícios nos níveis individual e populacional, e já são mais bem conhecidos os mecanismos pelos quais os benefícios da APS são alcançados.[7]

Valores, princípios e atributos

Os sistemas de saúde atuam no interior de um contexto político, econômico e técnico, em um determinado momento histórico. Em consequência, respondem às especificidades de cada país, aos valores e aos princípios por eles defendidos.[16] No Brasil, o Sistema Único de Saúde (SUS) tem como valores a universalidade, a equidade e a integralidade, e como princípios a participação e controle social, a descentralização, a regionalização com hierarquização, o enfoque nas pessoas/famílias e a orientação para a qualidade (ver Capítulo O Sistema de Saúde no Brasil). Busca-se, no caso brasileiro, um sistema de saúde voltado para a equidade social, a corresponsabilidade entre setor público e população, e a solidariedade, com particular ênfase em um conceito amplo de saúde.

Os valores são, assim, reflexos dos valores mais amplos que pautam a sociedade em geral, e são essenciais para o estabelecimento das prioridades nacionais e para a avaliação da correspondência entre os pactos sociais e as necessidades e expectativas da população. Proveem um fundamento moral e ético que rege as políticas e os programas formulados em nome do interesse público.[16]

Os princípios são responsáveis pela articulação entre os valores e os elementos estruturais e funcionais de um determinado sistema de saúde, fundamentando as políticas de saúde, a legislação, os critérios de avaliação, a geração e a alocação de recursos.

Os atributos são as características operativas por meio das quais se busca alcançar os valores e os princípios preconizados.

Atenção primária à saúde como um nível de atenção do sistema de saúde

Em um sistema de saúde orientado pela APS, os serviços de atenção primária – ou seja, as unidades básicas e as equipes de saúde – constituem a porta de entrada, o primeiro contato dos indivíduos, das famílias e da população com o sistema de saúde para a maioria das situações. Esses serviços respondem às necessidades de saúde com ações preventivas, curativas, de reabilitação e de promoção da saúde, integrando os cuidados quando existe mais de um problema e responsabilizando-se, ao longo do tempo, pela coordenação do conjunto de respostas às necessidades em saúde.

A atenção primária diferencia-se da secundária e da terciária por diversas características: dedica-se aos problemas (simples ou complexos) mais apresentados pelas pessoas, frequentemente em suas fases iniciais e menos definidas, operando principalmente em unidades de saúde, mas também em consultórios comunitários, escolas, asilos ou domicílios.

No âmbito da atenção primária, observa-se alta proporção de usuários já conhecidos pela equipe de saúde, e, em consequência, há maior familiaridade com os pacientes e seus problemas. Os médicos de atenção primária, assim como os especialistas em doenças, veem tanto novos pacientes quanto pacientes antigos com problemas antigos. Entretanto, os profissionais de atenção primária veem, de maneira proporcional, mais pacientes antigos com problemas novos, já que são responsáveis pelo atendimento das pessoas ao longo do tempo, independentemente da necessidade. Em ordem de frequência, veem pacientes antigos com problemas antigos, pacientes antigos com problemas novos e pacientes novos com problemas novos.[5]

Atributos dos serviços de atenção primária

Os atributos da atenção primária referem-se às características operacionais, peculiares e únicas dos serviços nesse nível. Os benefícios da APS resultam do efeito combinado do primeiro contato, da longitudinalidade, da integralidade e da coordenação.[7]

Primeiro contato: a porta de entrada

Um serviço é considerado a porta de entrada ao sistema de saúde quando é identificado pela população e pela equipe como o primeiro recurso a ser buscado, em caso de uma necessidade em saúde. Em uma situação ideal, sempre que um indivíduo apresenta uma necessidade em saúde, o primeiro contato é feito nesse serviço, que deve ser de fácil acesso e disponível; se isso não acontecer, a procura será adiada, talvez a ponto de afetar negativamente a saúde.

O conceito "porta de entrada ao sistema de saúde" refere-se tanto à acessibilidade quanto à utilização do serviço pela população, seja em caso de um novo evento de saúde ou de um novo episódio de uma condição antiga.

A porta de entrada está associada a diversas vantagens: menos consultas para um mesmo problema; menos exames complementares; menos hospitalizações ou hospitalizações mais curtas; menos cirurgias; mais ações preventivas e adequadas; maior qualidade das ações e maiores chances de que ocorram no tempo certo.[5]

Às equipes interessa saber, então, em que medida o seu local de trabalho é identificado pela população como o primeiro recurso de saúde a ser buscado pelos indivíduos, por sua família e pela comunidade em geral, e qual a acessibilidade e a utilização dos serviços. Nessa perspectiva, avaliar o acesso geográfico significa deter o conhecimento de aspectos como distância, transporte disponível e tempo de deslocamento. O diálogo com a população assinala as dificuldades em termos de acesso geográfico.

O acesso sócio-organizacional inclui as "[...] características e recursos que facilitam ou impedem os esforços das pessoas em receber os cuidados de uma equipe de saúde".[5] Por exemplo, o horário de funcionamento ou a forma de marcação de consultas podem significar barreiras ao acesso.

Assim, analisar os aspectos sócio-organizacionais implica, por exemplo, considerar o horário de funcionamento em relação às características culturais e de organização do trabalho da população; a forma de marcação das consultas; as horas de disponibilidade (unidade de saúde aberta); a facilidade ou dificuldade de acesso para portadores de deficiências físicas e idosos; o tempo médio de espera para o atendimento; a linguagem e comunicação entre equipe e população; as acomodações disponibilizadas; a flexibilidade para realização de consultas de emergências; o intervalo de tempo entre a marcação e a realização da consulta; a disponibilidade da equipe de saúde para realização de visitas domiciliares; a oferta de atenção a grupos ou pessoas que não procuram espontaneamente o serviço; a realização de buscas ativas; etc.

Equilibrar a atenção às necessidades em saúde com a capacidade dos serviços de APS constitui um problema a ser enfrentado no Brasil. Novos modelos de organização dos serviços têm sido propostos para responder à demanda de consultas, entre eles o Acesso Avançado,[17] que tem como princípio disponibilizar consultas para o mesmo dia, ou em até 72 horas, a todos que assim desejarem, sem distinção de motivo (urgência ou seguimento), e priorizar a longitudinalidade. Essa forma de organização pressupõe o equilíbrio entre a oferta e a demanda. Operacionalmente, cada dia do clínico inicia com vagas suficientes para suprir a demanda do dia e não são feitas restrições para os agendamentos futuros necessários (cerca de 30% da demanda). Nas referências, é encontrada uma sistematização dos modelos, suas características, vantagens e desvantagens.[18]

O diálogo com a comunidade sobre as características de organização do serviço de saúde abre espaço para que seus membros possam manifestar-se a respeito desses aspectos, além de permitir que os serviços tenham a oportunidade de prestar maiores esclarecimentos sobre o seu funcionamento.

Longitudinalidade: a continuidade do cuidado e o estabelecimento do vínculo

A essência do conceito de longitudinalidade é a duração, no tempo, de uma relação de confiança de base pessoal que se estabelece entre indivíduos e um médico e uma equipe de saúde, independentemente do tipo de problema de saúde apresentado ou mesmo de sua presença pontual. Essa relação possibilita que os profissionais conheçam os usuários do serviço e que estes conheçam a equipe de saúde.

A longitudinalidade pressupõe a existência de uma fonte regular de atenção e a recorrência a ela ao longo do tempo, o que implica a adscrição da população a equipes de saúde. Equipes com dois ou mais médicos e enfermeiros promovem a longitudinalidade redividindo o território em áreas, atribuindo, a cada área, profissionais específicos (equipe de referência) e trabalhando com listas de usuários por profissional. Essa organização favorece a definição de responsabilidades, vínculo e integralidade da atenção, bem como maior apropriação e ações de vigilância mais adequadas a cada área. Associada a diversas vantagens, a longitudinalidade possibilita mais ações de prevenção; um atendimento mais precoce e adequado; a conclusão de um maior número de tratamentos; a obtenção de maior integralidade no cuidado; uma coordenação mais eficiente das ações e dos serviços; o surgimento de uma menor proporção de doenças preveníveis; a redução da utilização de serviços de saúde e hospitalizações; a obtenção de maior satisfação com o atendimento; e a diminuição dos custos totais.[5] É especialmente vantajosa para pessoas com doenças crônicas e morbidades múltiplas.

Às equipes de saúde interessa saber em que medida estão sendo estabelecidos relacionamentos profissionais que permitam aos usuários conhecer a equipe de saúde; e aos profissionais, familiarizarem-se com os usuários. A adscrição (cadastro) das famílias e o período de permanência dos integrantes na equipe informam sobre a longitudinalidade.

Integralidade: a abrangência do cuidado

Integralidade é a capacidade que detém uma equipe de saúde de identificar e lidar com o leque das necessidades de saúde apresentadas pelos indivíduos, seja resolvendo-as ou prestando orientações para que recebam os serviços dos demais pontos de atenção à saúde (cuidados secundários e terciários ou outros setores).

O cuidado integral depende das condições da equipe de saúde de identificar e lidar com a ampla gama de questões relativas à promoção de cuidados, à prevenção, ao tratamento e/ou à recuperação de doenças. Refere-se, portanto, ao conjunto de serviços oferecidos, que vão das orientações sobre o modo de utilização de uma medicação ou dos efeitos do cigarro, do tratamento ou do encaminhamento adequado, ao apoio ao indivíduo e à sua família nas crises vitais, ou à orientação sobre direitos legalmente adquiridos, internação domiciliar, etc. O emprego de recursos como visitas domiciliares, organizações comunitárias e articulações intersetoriais é, muitas vezes, necessário, constituindo parte de um atendimento integral.

Pode parecer que, quanto maior a variedade de serviços disponíveis, melhor será a atenção oferecida. Entretanto, essa suposição não é necessariamente verdadeira: alguns dos serviços ofertados podem não ser eficazes, outros podem ter um custo desproporcional à sua efetividade, e outros podem, ainda, causar danos. A decisão sobre a carteira de serviços é um importante aspecto de gestão, baseada no conhecimento das necessidades da população em que o serviço se insere. O volume de pacientes vistos ou de procedimentos realizados está associado à qualidade dos resultados, ou seja, para alguns procedimentos, a quantidade aumenta a probabilidade de melhores resultados, o que se convencionou chamar de "economia de escala".[5]

A integralidade no cuidado está associada à maior quantidade de ações de prevenção, à maior adesão aos tratamentos recomendados e à maior satisfação da população com o atendimento.[5]

A avaliação de um serviço de saúde na perspectiva da integralidade pode ser feita mediante observação da diversidade de procedimentos e serviços ofertados (rastreamentos, pequenas cirurgias, atenção à saúde bucal, atenção à saúde mental, aconselhamentos, etc.) e do uso dos recursos, pelas equipes de saúde, como visitas domiciliares; trabalho com grupos, organizações comunitárias (creches, clubes de mães, grupos de apoio, etc.) ou organizações não governamentais; articulações intersetoriais (educação, saneamento, etc.), entre outros.

Coordenação: informação, comunicação e articulação e ordenação nos diversos níveis de atenção à saúde

As equipes de saúde que atuam como porta de entrada do sistema sabem que as necessidades em saúde são múltiplas e, em geral, complexas. Há necessidade de profissionais de diversas categorias, bem preparados e atuando de forma coordenada, bem como de uma articulação entre os cuidados dispensados nos demais serviços e níveis de atenção, já que uma proporção variável de necessidades demandará serviços de atenção secundária e/ou terciária à saúde. Diante da mudança do perfil epidemiológico, com a presença crescente de doenças crônicas e de multimorbidades, a integração entre diferentes serviços é fundamental, e os serviços de atenção primária devem exercer seu papel de coordenar os cuidados.

> **A essência da coordenação reside na disponibilidade de informações a respeito dos problemas e das ações realizadas nos diferentes pontos de atenção, bem como no reconhecimento da pertinência da informação para o atendimento em pauta.**

A coordenação implica adequada e eficiente troca de informações nos casos de referência e contrarreferências, e é mais bem desempenhada por meio de um sistema de informação de base eletrônica que integre os pontos assistenciais e que permita aos serviços de APS acompanhar e avaliar se a atenção recebida nos demais pontos foi adequada às necessidades dos pacientes.

A coordenação é essencial para o alcance dos demais atributos da APS. Sem coordenação, a continuidade do cuidado perde muito de seu potencial, a integralidade não se faz possível, e o primeiro contato recebe contornos puramente administrativos.[6]

A coordenação está associada a uma melhor identificação dos problemas de saúde, à adesão mais efetiva a tratamentos e dietas e à execução mais cuidadosa de exames e consultas de encaminhamentos, diminuindo, com isso, o número de solicitações de exames complementares.[5]

A coordenação pode ser avaliada a partir da disponibilidade de informações a respeito dos problemas identificados e das ações empreendidas, envolvendo a eficiência do sistema de registro empregado; a qualidade dos registros que compõem esse sistema; e a presença de mecanismos ou espaços de comunicação entre os diversos pontos constituintes da rede de atenção à saúde. No trabalho em equipe, avaliam-se, como exemplo, a gestão de casos, as linhas de cuidado e os protocolos utilizados pelas equipes.

Diversos mecanismos de coordenação assistencial têm sido propostos para melhor integrar os diferentes pontos de uma rede de serviços de saúde.[19] O mecanismo prioritário é um sistema de informação em saúde informatizado que inclua um prontuário eletrônico com identificador único e que seja comum a todos os pontos de atenção da rede de serviços.

Além disso, a realização de interconsultas entre profissionais de diferentes pontos assistenciais, estratégias de apoio matricial (ver Capítulo Estratégia Saúde da Família), encontros para discussão de casos clínicos com profissionais de diferentes pontos de atenção e ferramentas de comunicação entre esses pontos – uso rotineiro de contato telefônico, ampliação do uso de tecnologias de comunicação e informação, como as teleconsultorias – são fundamentais para que a coordenação do cuidado realizada pelos serviços de APS se consolide.

Esses mecanismos buscam personalizar as relações entre diferentes serviços de saúde, gerando um ambiente de confiança mútua entre os profissionais ao se corresponsabilizarem pelo cuidado dos pacientes. Pressupõem a existência dos diversos pontos de atenção à saúde em número e qualidade suficientes para atender às necessidades em saúde da população adscrita a cada rede de serviços.

Demais atributos

A partir dessas quatro características, resultam as demais: a centralização na família (ver Capítulo Abordagem Familiar), a orientação na comunidade e a valorização da cultura (ver Capítulo Antropologia e Atenção Primária à Saúde). Há, ainda, algumas características essenciais, mas que não se restringem à atenção primária: o registro adequado (ver Capítulo Registros Médicos, Certificados, Atestados e Laudos), a continuidade de pessoal, a qualidade clínica e a comunicação.[5]

Redes de atenção à saúde

Segundo Mendes,[20] um sistema de saúde é composto por redes horizontais interligadas por pontos de atenção e por distintas densidades tecnológicas, com suas estruturas de apoio e logística, não havendo hierarquia entre os diferentes pontos de atenção à saúde (locais de prestação de serviços). Como exemplos, citam-se unidades de atenção primária, unidades de cuidados intensivos, hospitais-dia, ambulatórios de cirurgia, ambulatórios de atenção especializada e serviços de atenção domiciliar. Os serviços de atenção primária são a porta de entrada ao sistema, e orientam o conjunto de respostas às necessidades em saúde da população.

Para a Organização Pan-Americana da Saúde/Organização Mundial da Saúde,

> [...] as redes de serviços integrais e integrados são uma das principais expressões operativas do enfoque da atenção primária à saúde no que se refere à prestação de serviços da saúde, contribuindo a efetivar-se seus atributos, entre eles a cobertura e o acesso universal; o primeiro contato; a atenção integral, integrada e contínua; o cuidado apropriado; a organização e a gerência ótimas; a ação intersetorial.[15]

Há evidências, provenientes de diferentes países, demonstrando que as redes de atenção à saúde contribuem de forma importante para a melhoria dos resultados sanitários e econômicos dos sistemas de atenção à saúde.[20]

As redes de serviços integrais e integrados constituem-se a partir de uma população (território), uma estrutura operacional e um modelo de atenção à saúde.[20] Os aspectos relativos à população e ao território são vistos a seguir. No que concerne à estrutura operacional das redes de atenção à saúde, elas comportam um centro de comunicação; pontos de atenção à saúde; sistemas de apoio diagnóstico e terapêutico, assistencial-farmacêutico e de informação em saúde; sistemas logísticos de identificação dos usuários, de prontuário clínico, de acesso regulado à atenção e de transporte em saúde; e sistemas de governança da rede. O modelo de atenção à saúde é o da atenção primária.

A ORGANIZAÇÃO LOCAL DE SERVIÇOS DE ATENÇÃO PRIMÁRIA

Os aspectos socioeconômicos, demográficos, culturais e de saúde são específicos para cada população. Ainda que se observem problemas de saúde muito frequentes em estudos de demanda de qualquer população (p. ex., hipertensão arterial sistêmica), as abordagens populacionais e individuais a esses problemas costumam ter aspectos próprios de cada população/território. São descritos, a seguir, conceitos e instrumentos úteis para conhecer as características próprias de cada população e adequar as ações de saúde às suas necessidades.

Território

O território corresponde à área geográfica de abrangência de uma equipe de saúde. É entendido como um espaço em permanente construção e reconstrução, produto de uma dinâmica social. O território-processo é território de vida pulsante, de conflitos, de solidariedade e de busca de consensos; nele, expressam-se diferentes interesses, projetos, sonhos e realizações. Possui dimensões econômica, política, cultural e epidemiológica. Nesse espaço social, configura-se uma determinada realidade de saúde da população que nele vive, realidade esta também em permanente movimento, por isso denominada de processo saúde-doença.[21]

É definido com base em critérios administrativos, assistenciais e organizacionais da população local. É um espaço de corresponsabilidade pela saúde entre população e serviço.

Cada território pode ser entendido como território-área (quando se distancia o foco, o que permite ver o conjunto) e como microáreas (quando se aproxima o foco). É útil definir microáreas pela lógica da homogeneidade (ambiental, geográfica, socioeconômica, sanitária, cultural, etc.): nelas se concentram grupos populacionais mais ou menos homogêneos, de acordo com suas condições de existência.

Os territórios não são necessariamente homogêneos, as médias não costumam refletir a realidade, e conhecê-los permite lidar com as iniquidades em saúde. No contexto da Estratégia Saúde da Família, referencial para a organização da atenção primária no Brasil, a microárea é formada por um conjunto de famílias que congrega cerca de 450 a 750 habitantes, constituindo a unidade operacional do agente de saúde.

Adequação

Uma das características defendidas como capazes de qualificar um serviço de saúde é a adequação, entendida como a capacidade dos serviços de darem a melhor resposta às necessidades de saúde.[22] E como um serviço pode tornar-se adequado?

O primeiro passo rumo à adequação é a apreensão dos elementos que compõem o território, sua população e inter-relações. Com base nesse entendimento, é feita a análise da situação de saúde e de seus determinantes, são identificadas as necessidades e os problemas e é construído um plano, que ainda necessitará de outros arranjos para tornar-se viável e bem-sucedido.

Na busca da adequação, em especial para definir a composição e as competências das equipes, é fundamental conhecer o perfil da população, o tipo e o tamanho das demandas espontânea e provocada, a estrutura dos serviços e os recursos disponíveis. A adequação também envolve preocupações com qualidade, resolutividade e satisfação do usuário. Em que medida os serviços de APS cumprem os atributos que a qualificam?

Entende-se que nenhum serviço deve ser copiado, e que não existem fórmulas para a adequação. Deve-se buscar inspiração e experiência nos modelos desenvolvidos e ousar soluções originais. Para um país como o Brasil, que multiplica realidades e contradições, mas que também tem gerado profissionais e comunidades capazes de enfrentá-los, a diversidade é um fato. Por essas razões, a adequação é sempre uma questão local.[23]

ANÁLISE DA SITUAÇÃO DE SAÚDE

Na busca da adequação, as informações para conhecer a realidade local e analisar a situação de saúde podem ser conhecidas por meio de diferentes instrumentos: dados secundários, inquéritos domiciliares, estudos de demanda, estimativas rápidas, pesquisas qualitativas e organização de processos informais de coleta, como entrevistas em grupos, oficinas, entrevistas com líderes de opinião e observação direta, entre outros.

A ordem de apresentação desses instrumentos, a seguir, sugere uma sequência de seus usos em termos de elaboração e complexidade metodológica crescentes, e reflete a trajetória de muitos serviços.

Dados secundários

São dados e informações colhidos por outras agências e setores, governamentais ou não, em geral para fins político-administrativos e invariavelmente subutilizados. Dispõe-se de um diverso conjunto de sistemas de informação de interesse para a saúde, com bancos de dados nacionais de acesso facilitado no âmbito do Ministério da Saúde e das secretarias estaduais e municipais de saúde, que incluem informações sobre mortalidade, nascidos vivos, agravos de notificação compulsória, produção de serviços, atendimentos ambulatoriais, hospitalizações e internações domiciliares, além de informações de base populacional.

A **TABELA 3.2** relaciona algumas das fontes mais utilizadas na organização, na administração e no planejamento dos serviços de saúde. Além delas, fornecem importantes informações as fundações ou secretarias estaduais de economia e estatística, prefeituras e órgãos de planejamento, administração, urbanismo e obras públicas; as autarquias e empresas de saneamento básico; as secretarias estaduais e municipais de saúde e afins; e as secretarias estaduais e municipais de educação. É papel de instâncias de hierarquia superior (Município, Estado, Ministério) oferecer esses dados, originalmente coletados por membros das equipes de saúde, de forma organizada em detalhe geográfico adequado para planejamento e avaliação no nível local. Destaca-se, entre eles, o *site* do estudo Global Burden of Disease (GBD), cujos infográficos fornecem dados atualizados em ambiente amigável, produzidos com apoio do Ministério da Saúde, em nível do país e de seus estados.

Dados primários

Quando os dados secundários são insuficientes, questões importantes podem ser respondidas por pesquisas de campo, que consistem, basicamente, na aplicação de questionários (padronizados ou não) em amostras ou censos de populações.

Inquéritos domiciliares são justificados quando não estão disponíveis informações necessárias que digam respeito a toda a população, como perfis demográfico, educacional e socioeconômico; frequências de doenças; índices e coeficientes; condições ambientais e habitacionais. Um aspecto peculiar dos inquéritos domiciliares é fornecer dados sobre moradores que não procuram os serviços de saúde e/ou não constam nas informações oficiais.

Contra seu uso pesam os altos custos financeiros, a utilização de pessoal treinado e a mobilização logística despendida para sua execução. A menos que haja disponibilidade de pessoal com treinamento formal, é necessária assessoria metodológica para planejamento, amostragem, elaboração do instrumento de coleta de dados, treinamento de entrevistadores, codificação, processamento e análise de dados.[24,25] Além disso, o longo tempo decorrido entre o planejamento de um inquérito e a divulgação de suas informações não estimula sua aplicação em larga escala.

Dois aspectos, no entanto, advogam seu uso: a precisão dos dados coletados e os ganhos secundários obtidos, pois, durante a fase de coleta, tem-se a oportunidade de conhecer cada recanto e cada morador de uma comunidade.

Diagnósticos de demanda são úteis para definir o padrão de morbidade e perfil dos usuários de um serviço de

TABELA 3.2 → Fontes de dados secundários úteis para a organização, a administração e o planejamento de serviços de saúde

INSTITUIÇÃO	LINK	COMENTÁRIO
Instituto Brasileiro de Geografia e Estatística (IBGE)	www.ibge.gov.br	Fornece informações sociais, demográficas e econômicas
Ministério da Saúde		
Secretaria de Atenção Primária à Saúde (SAPS)	aps.saude.gov.br	Fornece dados sobre cobertura de equipes de saúde da família, publicações e legislação relevantes em atenção primária
Agência Nacional de Vigilância Sanitária (Anvisa)	portal.anvisa.gov.br	Orientações e bancos de dados sobre controle sanitário de produtos e serviços submetidos à vigilância sanitária, inclusive dos ambientes, dos processos, dos insumos e das tecnologias a eles relacionados
Departamento de Informática do Sistema Único de Saúde (Datasus)	datasus.saude.gov.br	Principal fonte de dados de morbimortalidade; fornece dados cuja menor agregação é municipal, permitindo cálculo de indicadores de saúde e fornecendo resultados de indicadores clássicos
Fundação Oswaldo Cruz (Fiocruz)	portal.fiocruz.br	Oferece extensa biblioteca em assuntos de saúde pública
Conselho Nacional de Secretários de Saúde (Conass)	conass.org.br	Visa apoiar tecnicamente os secretários estaduais e suas equipes, com informações sobre gestão e divulgação de boas práticas no Sistema Único de Saúde (SUS)
Conselho Nacional de Secretarias Municipais de Saúde (Conasems)	conasems.org.br	Visa apoiar os secretários municipais da saúde e suas equipes com informações sobre gestão local
Instituições internacionais		
Organização Mundial da Saúde (OMS)	who.int	Estatísticas sanitárias mundiais sobre enfermidades, fatores de risco, cobertura de serviços, mortalidade; publicações dirigidas a gestores, pesquisadores e clínicos
Organização Pan-Americana da Saúde (OPAS)	paho.org	Informações sobre sistemas de saúde, políticas e programas na América Latina e no Caribe; estatísticas sanitárias sobre enfermidades, fatores de risco, cobertura de serviços, mortalidade; publicações dirigidas a gestores, pesquisadores e clínicos; fornece parâmetros para a programação das ações básicas de saúde, por meio do *link* http://www.opas.org.br/servico/arquivos/Sala5406.pdf
Biblioteca Virtual em Saúde (BVS), BIREME	bvsalud.org	Biblioteca virtual que integra fontes de informação em saúde, disseminando literatura técnico-científica; acesso livre e gratuito à informação gerada pelas instituições acadêmicas e pelo SUS
Institute for Health Metrics and Evaluation (IHME) e Global Burden of Disease (GBD)	healthdata.org/results/country-profiles	O Global Burden of Disease (GBD) é o estudo epidemiológico observacional mundial mais abrangente até o momento; descreve mortalidade e morbidade das principais doenças, lesões e fatores de risco para a saúde em níveis global, nacional e regional; examina as tendências desde 1990 até hoje e faz comparações entre as populações; métricas: óbitos; taxas de mortalidade, ajustadas, padronizadas; YLLs (anos de vida perdidos por morte prematura); YLDs (anos de vida perdidos por incapacidade); DALYs (YLL + YLD) anos de vida perdidos ajustados por incapacidade; prevalência; incidência; fatores de risco; expectativa de vida; expectativa de vida saudável
	vizhub.healthdata.org/gbd-compare/	Permite acesso direto às métricas mencionadas acima para Brasil e seus estados
Banco Mundial	datacatalog.worldbank.org	Oferece dados mundiais sobre desenvolvimento e finanças, entre outros
Banco Interamericano de Desenvolvimento (BID)	iadb.org/pt	Oferece base de informações sobre assuntos sociais e econômicos

saúde, obter informações sobre o processo de assistência à saúde (tempo de espera e de consulta, número de pacientes por hora, etc.), além de características do atendimento e da prática dos profissionais de saúde (exames complementares, encaminhamentos, prescrições e outras decisões relacionadas com a assistência). São pesquisas operacionais, geralmente curtas, com informações coletadas por meio de formulários. A utilização dos registros clínicos para estudos de demanda pode incidir nas limitações de registros incompletos e pouco precisos.

A classificação específica para atenção primária é a Classificação Internacional de Atenção Primária (CIAP 2),[26] desenvolvida pela comissão de classificações da Organização Mundial de Médicos de Família (Wonca). Essa classificação inclui rubricas para os motivos de consulta, o diagnóstico médico, ações do médico e uma abordagem centrada na pessoa e não na doença ou no prestador de serviços, sendo dotada de um detalhado sistema de conversão para a *Classificação estatística internacional de doenças e problemas relacionados à saúde*, 10ª revisão (CID-10).

Estimativas rápidas são utilizadas quando informações específicas para populações definidas precisam ser obtidas ou atualizadas. É um método que reúne algumas vantagens: simplicidade, baixo custo, rapidez, e envolvimento da comunidade na definição de seus próprios problemas e na busca de soluções.[27]

Os diagnósticos de comunidade compreendem a apreciação dos dados secundários disponíveis sobre uma população, o reconhecimento de campo e o levantamento demográfico, de saúde, de recursos e de serviços, integrando, assim, os elementos antes apresentados. Incluem, ainda, a tentativa de compreender os aspectos culturais. Nessa perspectiva, o diagnóstico de comunidade expressa a percepção de uma dada realidade e de suas forças dinâmicas, tendo em vista:

→ identificação dos diferentes grupos populacionais, segundo critérios demográficos, epidemiológicos, socioeconômicos, culturais e políticos;
→ identificação e descrição dos problemas de saúde dos distintos grupos;
→ análise da situação de saúde e presença de iniquidades;

→ priorização dos problemas, buscando a definição das intervenções necessárias;
→ definição dos objetivos e formulação dos planos e metas para a implementação de ações; e
→ estabelecimento de parâmetros para as avaliações.

A análise da situação de saúde tem o objetivo de conhecer as necessidades de saúde para os processos de planejamento e monitoramento das ações de saúde, assim como para a avaliação do impacto das ações na saúde da população.

A periodicidade com que essas análises devem ser elaboradas guarda relação com o espaço geográfico, o tamanho da população e a introdução de fatores capazes de produzir alterações importantes no perfil epidemiológico e no impacto sobre os serviços de promoção e recuperação da saúde.

O conjunto de dados e informações obtidos por meio desses instrumentos, quando integrado e sistematizado, permite a adequada implantação ou reestruturação de um serviço de saúde, propiciando a oferta de serviços e cuidados ótimos. Entretanto, os grupos sociais e os aspectos de saúde são dinâmicos, e um serviço inicialmente adequado pode, em pouco tempo, tornar-se obsoleto.

SISTEMAS DE INFORMAÇÃO EM ATENÇÃO PRIMÁRIA

Um componente estratégico fundamental para manter as informações atualizadas e avaliar as ações é o sistema de informação, que compreende um conjunto de registros sobre indivíduos, fatores de risco, enfermidades, ações de saúde e indicadores, seu processamento, análise, divulgação e o fluxo dessas informações nas equipes de saúde, na população e na cadeia burocrático-administrativa.

O sistema de informação deve dar suporte à utilização das tecnologias de gestão local (microgestão), seja na abordagem individual ou na abordagem populacional dos problemas de saúde: gestão da clínica, estratificação de riscos, gestão da lista de espera, vigilância em saúde, etc. (ver Capítulo Informação, Prontuário Eletrônico e Telemedicina em APS).

PLANEJAMENTO LOCAL EM ATENÇÃO PRIMÁRIA

O planejamento tem como finalidade aprimorar os serviços de saúde e auxiliar administrativamente a adequá-los à instituição, aos recursos, aos custos, às necessidades da população e ao momento social, aumentando a eficiência das ações e melhorando a qualidade dos serviços oferecidos. Uma discussão maior sobre diferentes escolas e métodos de planejamento e gestão local escapa ao alcance deste capítulo, mas pode ser encontrada nas Referências.[28–30]

Etapas do planejamento

As etapas apresentadas são uma tentativa de explicar didaticamente um processo que, na realidade, é contínuo e dinâmico. As etapas não são passos a serem desenvolvidos em sequência, mas momentos que podem ser simultâneos. A primeira etapa do planejamento – o conhecimento da realidade – expressa a percepção de uma dada realidade e permite analisar a situação de saúde local. As etapas de eleição de prioridades, definição de alternativas para a intervenção aos problemas e programação das ações, junto à avaliação das intervenções, completam o processo.

A análise da situação de saúde comumente produz uma lista de problemas que não podem – nem devem – ser abordados de modo simultâneo. As equipes de saúde e os gestores tendem a enfrentar mais problemas ou problemas de maior complexidade do que as possibilidades permitem responder. Os diversos grupos envolvidos no processo de tomada de decisões defrontam-se, portanto, com a necessidade de priorizar, conciliando prioridades definidas localmente com prioridades estabelecidas nas políticas nacionais de saúde.

A Organização Mundial da Saúde propôs os clássicos critérios frequência, transcendência e capacidade de intervenção como ferramentas técnicas para serem utilizadas na eleição de prioridades.[31] Os indicadores compreendidos nesses critérios estão sendo aperfeiçoados, incluindo indicadores como anos de vida perdidos ajustados por incapacidade e indicadores de custo-efetividade, ainda não muito empregados no cenário nacional, mas importantes orientadores das intervenções em saúde.[32,33]

A transcendência dimensiona a importância do problema, e seu conceito pode ser estendido à relevância das relações explicativas: a análise dos determinantes dos problemas de saúde e suas associações revela que alguns problemas têm maior poder explicativo do que outros, e enfrentá-los significa intervir e gerar impacto positivo em um maior número de situações-problema. Por exemplo, a diarreia seria tão ou mais importante em termos de letalidade do que a desnutrição. Entretanto, ao analisar o modelo explicativo da desnutrição, percebe-se que diarreia é apenas parte de sua determinação.

A presença simultânea de múltiplas condições que se influenciam mutuamente e compartilham fatores de risco é outro importante aspecto a ser considerado. A importância das multimorbidades sinaliza para uma nova era na abordagem dos problemas de saúde: o manejo integrado de múltiplas e concorrentes condições, em que a forma mais apropriada de organizar o cuidado é com foco no indivíduo (e não na doença) e com abordagem integral[7] (ver Capítulo Cuidados Longitudinais e Integrais a Pessoas com Condições Crônicas).

Desse modo, pode-se evitar que a eleição de prioridades constitua uma atomização de frentes de abordagem, agrupando coerentemente os problemas em áreas críticas.

A capacidade de intervenção engloba a vulnerabilidade do problema e o custo das ações. A vulnerabilidade refere-se à possibilidade de resolver o problema: o conhecimento técnico atual possibilita resolver/controlar o problema? O que dizem as evidências? O serviço de saúde dispõe da tecnologia para tal? Se as respostas a essas perguntas forem positivas, é preciso questionar se a intervenção, na forma preconizada, seria efetiva na realidade local. Uma importante questão subjacente a esta é a facilidade em identificar os indivíduos da população-alvo a serem submetidos à intervenção. As intervenções sistematizadas para problemas de saúde priorizados englobam um número amplo de ações e o conjunto da equipe em um trabalho interdisciplinar, e configuram os programas de saúde. Estes devem ter objetivos claros, método de avaliação previamente definido e retroalimentar as ações, diante dos resultados alcançados.

Ao sistematizar uma intervenção para um problema prioritário, deve-se estar atento para os focos individual e coletivo das ações. As consultas em grupo trazem inúmeros benefícios quando bem indicadas (ver Capítulo Cuidados Longitudinais e Integrais a Pessoas com Condições Crônicas).

Supondo que a situação-problema seja vulnerável, ainda resta considerar os custos para definir a capacidade de intervenção. Por exemplo, a implantação de desfibriladores automáticos nos pacientes com insuficiência cardíaca moderada é efetiva, mas com um custo impraticável para muitos serviços.

Uma vez selecionados os problemas de saúde, a programação das ações inicia com a definição de objetivos e metas e com a descrição das ações e dos responsáveis, dos prazos e dos indicadores para monitoramento e avaliação. A programação refere-se ao planejamento de curto prazo e visa determinar o conjunto de ações que reúne as condições necessárias para concretizar os objetivos fixados. O propósito da programação é determinar as ações que maximizam o rendimento dos recursos para o alcance dos objetivos, que devem ser bem definidos e expressos em metas e prazos de cumprimento. Algumas ferramentas e parâmetros de programação local em atenção primária estão disponíveis.[34]

Se o diabetes melito tipo 2 for priorizado, por exemplo, inicia-se definindo os objetivos, que poderão ser a ampliação do acesso (cobertura) e da qualidade da atenção (abordagem integral, consideração de comorbidades, controle clínico – aumentar o número de pessoas com a glicemia e os demais fatores de risco para doenças cardiovasculares controlados e os pés examinados, p. ex.) e o estabelecimento de metas a serem alcançadas em um período de tempo determinado. As ações irão abarcar as estratégias para aumento de cobertura; o uso de protocolos clínicos baseados em evidências com recomendações, conforme estrato de risco, da periodicidade das consultas com médicos, enfermeiros, odontólogos e nutricionistas; a periodicidade da avaliação da hemoglobina glicada e do exame dos pés; e os critérios para consulta com especialistas. Componentes indispensáveis são as atividades de educação permanente da equipe de saúde, que devem incluir o manejo do diabetes e comorbidades de forma integrada; a importância de elaborar planos individualizados de cuidado que considerem as preferências do paciente; a capacitação em abordagens motivacionais e outras que visam apoiar usuários nas mudanças de hábitos necessárias; e formas de apoiar o autocuidado (ver Capítulo Cuidados Longitudinais e Integrais a Pessoas com Condições Crônicas).

No processo de monitoramento, o não alcance das metas pode indicar a necessidade de pesquisas operacionais. Em um programa de controle da asma em menores de 19 anos em um serviço de APS de Porto Alegre, no Estado do Rio Grande do Sul, observou-se que a taxa de hospitalização por asma não havia mudado. Uma breve pesquisa investigando o cumprimento de aspectos do protocolo clínico demonstrou que os médicos utilizavam subdoses de corticoide e as mães/cuidadores não sabiam identificar precocemente os sinais de uma crise. A capacitação dos médicos e o fornecimento de um plano de cuidado escrito para todas as mães/cuidadores tiveram resultado imediato, com drástica diminuição das hospitalizações.[35]

A avaliação busca, fundamentalmente, viabilizar a retroalimentação das equipes e o aperfeiçoamento das atividades. O monitoramento de indicadores integra a avaliação e sinaliza para a necessidade de revisão ou não das ações. Avaliar é parte do processo dinâmico de planejamento e perpassa todas as suas etapas. Durante o planejamento, avaliam-se duas instâncias: o plano como um todo e o cumprimento das metas de cada ação programada. Problemas comuns no processo de planejamento incluem:

→ ênfase excessiva no diagnóstico da situação;
→ dificuldades na definição de prioridades pela ausência de informação, tanto dos problemas de saúde quanto dos meios de intervenção;
→ foco em uma condição de saúde, desconsiderando comorbidades;
→ falta de definição clara dos objetivos perseguidos;
→ sistema de informação pouco adequado;
→ processo considerado como imposição de instâncias superiores;
→ processo visto como um fim em si mesmo e não como parte da ação que visa melhorar a qualidade dos serviços;
→ tendência a tentar resolver mais problemas do que as possibilidades permitem;
→ diferenças entre o olhar dos técnicos e o olhar da população; e
→ descompasso entre as propostas indicadas pelos planejadores e as decisões políticas.

Por ser atividade que depende de conhecimentos e experiências prévias, frequentemente o planejamento relevante às atividades de equipes locais de saúde é feito em instâncias de hierarquia superior (Município, microrregião, Estado ou Ministério). Nesses casos, é recomendável que, na medida do possível, membros da equipe participem em partes relevantes do processo.

A capacidade de resposta de uma equipe de saúde ao conjunto das necessidades da população decorre da gestão local das unidades de APS. Segundo Raupp, a gestão compreende a construção de um plano e a coordenação do processo de trabalho. A coordenação do processo de trabalho, por sua vez, engloba o planejamento, a avaliação e as atividades educativas com as equipes de saúde e, no planejamento com a comunidade, as atividades de educação em saúde.[30]

AVALIAÇÃO LOCAL DE SERVIÇOS DE SAÚDE

A avaliação de programas e serviços de saúde tem a finalidade de aumentar a qualidade da atenção à saúde dispensada pelas equipes e conhecer a capacidade dos serviços de responder às necessidades em saúde. Objetivamente, as avaliações podem ser utilizadas para receber e incorporar a experiência de quem está executando as ações; obter contribuições imediatas para o aperfeiçoamento das atividades em nível local; motivar a equipe; retroalimentar as equipes de saúde, os gestores dos serviços e a população; conhecer o nível de satisfação da população; e verificar a competência e o compromisso de quem está executando as ações.[36,37]

As avaliações têm diferentes dimensões, como estrutura, processo, resultado, qualidade e custos. A estrutura refere-se à consideração da existência, da adequação e da forma de organização das instalações, dos equipamentos, dos insumos e dos recursos humanos (número e qualificação dos profissionais). A avaliação de processo é a análise de como a estrutura está sendo utilizada e inclui a prestação e a recepção dos cuidados de saúde. O resultado mede as modificações ocorridas na situação de saúde dos pacientes e das populações.

Para entender como avaliar qualidade, é preciso conceituá-la. São duas as dimensões principais da qualidade da atenção: acesso e efetividade.[37] Em essência, pergunta-se: os usuários obtêm os cuidados de que necessitam, quando necessitam? Esses cuidados são efetivos?

Ao definir efetividade, destacam-se dois componentes: a efetividade clínica e a efetividade das relações interpessoais. A efetividade clínica depende do melhor conhecimento e tecnologia atuais – e de seu uso. A condução das relações interpessoais é um elemento vital da qualidade da atenção das equipes de saúde. Por meio das trocas interpessoais, os pacientes comunicam a informação necessária para o diagnóstico preciso e o profissional informa a natureza do problema e as formas de lidar com ele, motivando as pessoas a participarem ativamente do seu cuidado. Privacidade, confiança, preocupação, empatia, tato, sensibilidade, honestidade e fornecimento de informações para escolhas conscientes são algumas das virtudes das relações interpessoais.

Alguns elementos que compõem a qualidade são acesso aos serviços; relacionamento interpessoal baseado em sensibilidade, empatia e preocupação com o bem-estar do paciente; comunicação entre instituição, equipe de saúde e população; instalações (ambiente agradável, conforto das cadeiras e das macas, temperatura dos instrumentos que entram em contato com a pele do paciente, limpeza dos lençóis, privacidade do consultório e das salas de procedimento, telefone, etc.); aplicação de conhecimento científico atualizado; resolubilidade; abordagens preventivas e promotoras da saúde e uso racional da tecnologia pesada; abordagem da prevenção quaternária e relação favorável entre dano, risco, benefício e custo; continuidade do cuidado e, como pré-requisito, registro clínico; clareza de critérios e procedimentos dentro da instituição; tempo de espera e tempo despendido no atendimento; oportunidade do cuidado dispensado; envolvimento do paciente no seu cuidado; e preocupação dos gestores e gerentes em auditar seus serviços quanto aos elementos recém-listados.

Sugestões para a avaliação da qualidade são apresentadas por vários autores,[37-39] utilizando diversas abordagens. O apoio de profissionais com experiência em avaliação, especialmente nas fases de seu planejamento e análise, facilita o processo.

CONTRATO COMUNITÁRIO

As equipes de saúde organizam-se das mais diferentes formas, determinadas pelas condições situacionais, criando uma identidade com características peculiares e estabelecendo canais particulares de comunicação com os usuários.

Entretanto, essa organização nem sempre respeita os princípios e as diretrizes institucionais. Além disso, nem sempre vai ao encontro das expectativas da população servida. Os acordos que se estabelecem entre instituição e equipe, equipe e população – e, algumas vezes, equipe e lideranças locais –, quase sempre são implícitos e não sistematizados. Resultam de um processo dinâmico de interação de forças, em que prevalece o poder institucional transferido para a equipe e o poder do saber técnico. Assim, as equipes tendem a se organizar de forma a atender mais às suas próprias necessidades.

No entanto, os serviços podem optar por explicitar conflitos e estabelecer canais de negociação, propiciando um melhor atendimento às necessidades da instituição, da equipe e, sobretudo, dos usuários. A clara definição dos itens negociáveis e inegociáveis e os ajustes acordados compreendem um contrato comunitário.

Essa opção pressupõe alguns pré-requisitos, como equipe de saúde e instituição competentes e sensibilizadas, capazes de abdicar do seu poder tecnocrático e de partir em busca de uma redefinição conceitual permanente das estratégias e das metodologias de ação.

Mas quais são as vantagens de realizar um contrato desse teor? Em que, de fato, ele pode melhorar a qualidade dos serviços de saúde? Quais são os seus objetivos?

O contrato favorece a interação entre equipe e comunidade, ajudando a estabelecer canais eficientes de comunicação, permitindo aos técnicos conhecer as expectativas da população e tornar-se conhecidos entre os líderes e os usuários locais. Assim, o momento de negociação inicial pode desencadear a participação dos usuários nos serviços de saúde, e os momentos de renegociação podem auxiliar na inserção da equipe na comunidade e fortalecer a corresponsabilidade pela saúde. Esse processo deve aumentar a eficiência das ações da equipe e garantir a viabilidade do modelo a ser implementado.

Embora não existam fórmulas para a realização desses contratos, pois, como sugerido antes, são processos de negociação, alguns aspectos devem ser considerados pelas equipes:

→ definir quais são os objetivos e as diretrizes da instituição mantenedora do serviço;
→ garantir uma representação da instituição no processo, delegando-a a alguém da equipe ou a outro membro da instituição;

- esclarecer os pontos inegociáveis para a instituição e para a equipe;
- definir a população-alvo das ações de saúde;
- obter dados que ajudem a conhecer o território;
- iniciar com o diagnóstico de comunidade para conhecer seus aspectos históricos, culturais e políticos, especialmente os relacionados à implantação de outros serviços e formas de participação que a comunidade exerce;
- identificar lideranças legítimas e aceitas, que nem sempre são as mesmas;
- identificar recursos de saúde e outros recursos formais e informais;
- ouvir, de forma atenta, todos os sinais da comunidade e considerá-los no processo de negociação; e
- avaliar constantemente a adequação e a efetividade da comunicação entre as partes envolvidas (população, equipes de saúde e instituição).

CONSEQUÊNCIA

O documento "*A vision for primary health care in the 21st century*" (Uma visão para a atenção primária à saúde no século XXI)[40] fundamentou o texto da Declaração de Astana, em Astana, no Cazaquistão, em 2018, por ocasião dos 40 anos da Declaração de Alma-Ata. O texto analisa as evidências coletadas ao longo desse período e fornece uma visão da evolução dos sistemas de saúde, com foco na atenção primária; na saúde como um construto social e econômico multissetorial; e no empoderamento das pessoas com relação à saúde.

As decisões sobre como organizar os serviços de saúde afetam a vida das pessoas. Projetos que visem alcançar conquistas como alterar as condições de saúde de uma população, obter respaldo dos usuários e criar uma forma própria, sensível e oportuna de ação, entre tantas outras metas, só alcançarão seus objetivos se a consequência for o núcleo das ações e seu fator mantenedor.

REFERÊNCIAS

1. Starfield B, Shi L. Policy relevant determinants of health: an international perspective. Health Policy. 2002;60(3):201-18.
2. Organização Mundial da Saúde Diminuindo Diferenças: a prática das políticas sobre determinantes sociais da saúde. Genebra: OMS; 2011 [capturado em 28 jul. 2019]. Disponível em: http://cmdss2011.org/site/wp-content/uploads/2011/10/Documento-Tecnico-da-Conferencia-vers%C3%A3o-final.pdf.
3. Rasanathan K, Montesinos EV, Matheson D, Etienne C, Evans T. Primary health care and the social determinants of health: essential and complementary approaches for reducing inequities in health. J Epidemiol Community Health 2011;65(8):656-60.
4. Organização Mundial da Saúde, Comissão para os Determinantes Sociais da Saúde. Redução das desigualdades no período de uma geração: igualdade na saúde através da acção sobre os seus determinantes sociais. Genebra: OMS; 2010 [capturado em 28 jul. 2019]. Disponível em: https://www.who.int/social_determinants/thecommission/finalreport/en/.
5. Starfield B. Atenção primária: equilíbrio entre necessidades de saúde, serviços e tecnologia. Brasília: Unesco; 2002.
6. Starfield B, Shi L, Macinko J. Contribution of primary care to health systems and health. Milbank Q. 2005;83(3):457-502.
7. Starfield B. Primary care: an increasingly important contributor to effectiveness, equity, and efficiency of health services. SESPAS report 2012. Gac Sanit. 2012;26(S1):20-6.
8. Macinko J, Mendonça CS. Estratégia Saúde da Família, um forte modelo de Atenção Primária à Saúde que
9. traz resultados. Saúde Debate. 2018;42(E1); 18-37.
10. Luft VC, Giugliani C, Harzheim E, Schmidt MI, Duncan BB. Prevalence of use and potential impact of increased use of primary care interventions to prevent cardiovascular hospitalizations in patients with diabetes. Diabetes Res Clin Pract. 2009;85(3):328-34.
11. White KL, Williams TF, Greenberg BG. The ecology of medical care. N Engl J Med. 1961;265:885-92.
12. Green LA, Fryer GE Jr, Yawn BP, Lanier D, Dovey SM. The ecology of medical care revisited. N Engl J Med. 2001;344(26):2021-5.
13. Grupo Hospitalar Conceição. Serviço de Saúde Comunitária. Núcleo de Epidemiologia. Estudo da demanda ambulatorial. Porto Alegre: GHC; 2002.
14. Ministério da Saúde. Grupo Hospitalar Conceição. Serviço de Saúde Comunitária. Indicadores de Saúde Relatório Anual 2016 [internet]. Porto Alegre: Hospital Nossa Senhora da Conceição; 2017 [capturado em 28 jul. 2019]. Disponível em: https://www.ghc.com.br/files/RelatorioAnual2016.pdf.
15. Institute for Health Metrics and Evaluation (IHME). GBD Compare Data Visualization. 2017 [capturado em 28 jul. 2019]. Disponível em: https://vizhub.healthdata.org/gbd-compare/.
16. Macinko J, Montenegro H, Nebot Adell C, Etienne C, Grupo de Trabajo de Atención Primaria de Salud de la Organización Panamericana de la Salud. La renovación de la atención primaria de salud en las Américas. Rev Panam Salud Publica. 2007;21(2/3):73-84.
17. Brasil. Conselho Nacional de Secretários de Saúde. O Papel da atenção primária na construção do SUS. In: Brasil. Conselho Nacional de Secretários de Saúde. Atenção Primária e Promoção da Saúde. Brasília: CONASS; 2011. p. 10-26.
18. Murray M, Tantau C. Same-day appointments: exploding the access paradigm. Fam Pract Manag. 2000;7(8):45-50.
19. Vidal TB, Rocha AS, Tesser CD, Harzheim E. Modelos de acesso ao cuidado pelo médico de família e comunidade na atenção primária à saúde. In: Gusso G. Lopes JMC, Dias LC, editores. Tratado de medicina de família e comunidade: princípios, formação e prática. 2. ed. Porto Alegre: Artmed; 2019. p. 37-49.
20. Mendes EV. O cuidado das condições crônicas na atenção primária à saúde: o imperativo da consolidação da estratégia da saúde da família. Brasília: Organização Pan-Americana da Saúde; 2012.
21. Mendes EV. As redes de atenção à saúde. 2. ed. Brasília: Organização Pan-Americana da Saúde; 2011.
22. Mendes EV. Distrito sanitário. Rio de Janeiro: Hucitec-Abrasco; 1993.
23. Vuori HV. Quality assurance of health services. Concepts and methodology. Copenhagen: WHO; 1982.
24. Tavares MR, Takeda S. Organização dos Serviços de Atenção Primária à Saude. In: Duncan BB, Schimidt MI, Giugliani ERJ, Duncan MS, Giugliani C. Medicina ambulatorial: condutas de atenção primária baseadas em evidências. 4. ed. Porto Alegre: Artmed; 2013. p. 19-32.
25. Barros FC, Victora CG. Epidemiologia da saúde infantil: um manual para diagnósticos comunitários. São Paulo: Unicef; 1991.
26. Barros MB de A. Inquéritos domiciliares de saúde: potencialidades e desafios. Rev Bras Epidemiol. 2008;11(Supl 1):6-19.
27. Comissão de Classificações da Organização Mundial de Ordens Nacionais, Academias e Associações Médicas de Médicos Clínicos Gerais/Médicos de Família (WONCA). CIAP-2: Classificação Internacional de Cuidados Primários. [Internet]. 2. ed. Florianópolis: Sociedade Brasileira de Medicina de Família e Comunidade; 2009. Disponível em: http://www.sbmfc.org.br/wp-content/uploads/media/file/CIAP%202/CIAP%20Brasil_atualizado.pdf

28. Acúrcio FA, Santos MA, Ferreira SMG. A aplicação da técnica da estimativa rápida no processo de planejamento local. In: Mendes EV, editor. A organização da saúde no nível local. São Paulo: Hucitec; 1998.
29. Loch S, Cunha CJCA, Longhi DM, Medeiros L. Gerenciamento de unidades de saúde. In: Gusso G. Lopes JMC, Dias LC, editores. Tratado de medicina de família e comunidade: princípios, formação e prática. 2. ed. Porto Alegre: Artmed; 2019. p. 372-379.
30. Raupp B. Uma metodologia gerencial direcionada para Unidades Básicas de Saúde: cultura e desenvolvimento organizacional. Revista Brasileira de Saúde da Família. 2007;8(15):9-21.
31. Raupp B. Coordenação do processo de trabalho: uma estratégia para fortalecer a Gestão e o Trabalho em Equipe nas Unidades de APS no contexto do planejamento estratégico do SSC/GHC 2013-2020. Porto Alegre: GHC; 2016.
32. Ahumada J, Arreaza Guzmán A, Durán H, Pizzi M, Sarué E, Testa M. Problemas conceptuales y metodológicos de la programación de la salud. Washington: OPS; 1965.
33. World Health Organization. WHO guide to identifying the economic consequences of disease and injury. Geneva: WHO; 2009.
34. Leite YC, Valente JG, Schramm JMA, Daumas RP, Rodrigues RN, Santos MF et al. Carga de doença no Brasil e suas regiões, 2008. Cad Saude Publica.2015;31(7):1551-1564.
35. Brasil. Ministério da Saúde. Secretaria de Atenção à Saúde. Departamento de Regulação, Avaliação e Controle de Sistemas Critérios e Parâmetros para o Planejamento e Programação de Ações e Serviços de Saúde no âmbito do Sistema Único de Saúde. Brasília: MS; 2015. Série Parâmetros SUS, v. 1.
36. Lenz MLM, Camillo EG, Silva DDF, Pires NBV, Flores R. Atendimento sequencial multiprofissional de crianças e adolescentes com asma em um serviço de atenção primária à saúde. Rev APS. 2014;17(4):438-49.
37. Takeda S, Talbot Y. Avaliar, uma responsabilidade. Cien Saude Colet. 2006;11(3):564-76.
38. Campbell SM, Roland MO, Buetow SA. Defining quality of care. Soc Sci Med. 2000;51(11):1611-25.
39. Donabedian A. The quality of care. How can it be assessed? JAMA. 1988;260(12):1743-8.
40. Habicht JP, Victora CG, Vaughan JP. Evaluation designs for adequacy, plausibility and probability of public health programme performance and impact. Int J Epidemiol. 1999;28(1):10-8.
41. World Health Organization. United Nations Children's Fund. A vision for primary health care in the 21st century: towards universal health coverage and the Sustainable Development Goals. Geneva: WHO/UNICEF; 2018.

LEITURAS RECOMENDADAS

Comissão de Classificações da Organização Mundial de Ordens Nacionais, Academias e Associações Médicas de Médicos Clínicos Gerais/Médicos de Família (Wonca). CIAP 2: Classificação internacional de cuidados de saúde primários [Internet]. 2. ed. Brasília: MS; 20019 [capturado em: 28 nov. 2019]. Disponível em: http://www.saude.campinas.sp.gov.br/sistemas/esus/guia_CIAP2.pdf

Classificação específica para atenção primária que congrega três elementos importantes da consulta: os motivos que levaram à consulta, os diagnósticos ou problemas e os procedimentos.

Mendes EV. Desafios do SUS. Brasília: CONASS; 2019 [capturado em: 27 abr. 2020]. Disponível em: http://www.conass.org.br/biblioteca/desafios-do-sus/

Obra de fundamental relevância, disponível gratuitamente, com ampla revisão nacional e internacional sobre as formas de organização do acesso à APS. Descreve estratégias para responder à transição epidemiológica, demográfica, econômica e social da população brasileira. Destaca a necessidade de mudanças na organização dos serviços para a atenção às condições de saúde, agudas e crônicas. Discute mudanças organizacionais e dos processos de trabalho para equipes de atenção primária, para responder às condições crônicas em saúde: o cuidado compartilhado; a estratificação segundo riscos e as diferentes respostas da equipe de saúde conforme o estrato de risco; o apoio ao autocuidado; a programação das consultas segundo as necessidades; a gestão de caso, a relação com demais níveis de atenção, entre outras.

Starfield B. Atenção primária: equilíbrio entre necessidades de saúde, serviços e tecnologia. Brasília: MS; 2002.

Descreve a atenção primária à saúde, os conceitos, princípios e práticas desenvolvidos em vários países. Detalha as principais características dos serviços de atenção primária à saúde, discute seu papel na organização de sistemas de saúde e propõe sua avaliação a partir de uma perspectiva populacional.

Gusso G, Lopes JMC, Dias LC, editores. Tratado de medicina de família e comunidade: princípios, formação e prática. 2. ed. Porto Alegre: Artmed, 2019.

Aborda temas relevantes à prática da atenção primária à saúde, à organização dos serviços locais de saúde, ao gerenciamento de unidades de saúde e gestão da clínica, com abordagem multiprofissional.

Chueiri SP, Gonçalves MR, Hauserc L, Wollmannd L, Mengue SS, Roman R, et al. Reasons for encounter in primary health care in Brazil. Fam Pract. 2020;cmaa029.

Recente estudo de demanda ambulatorial, de âmbito nacional, descrevendo os motivos de consulta, a proporção de encaminhamentos, solicitação de exames e prescrição de receitas nas unidades de APS do Brasil.

GBD Compare
https://vizhub.healthdata.org/gbd-compare/

Site do infográficos do Global Burden of Disease (GBD) Project. Oferece acesso rápido aos dados sobre mortalidade, morbidade e fatores de risco para Brasil, como país, e para cada um de seus estados. Os dados são atuais e sua criação e revisão são apoiados por convênio entre o Ministério da Saúde, a rede GBD Brasil e o Institute for Health Metrics and Evaluation, responsável pelo GBD.

Capítulo 4
ESTRATÉGIA SAÚDE DA FAMÍLIA

Erno Harzheim
Claunara Schilling Mendonça
Caroline Martins José dos Santos
Otávio Pereira D'Avila

DEFINIÇÃO E OBJETIVOS

A Estratégia Saúde da Família (ESF) é a estratégia do Estado brasileiro para organizar a atenção primária à saúde (APS) dentro do Sistema Único de Saúde (SUS),[1] e está fundamentada nos atributos da APS FIGURA 4.1 (ver Capítulo

A Organização de Serviços de Atenção Primária à Saúde).[2] É considerada a principal estratégia de expansão, qualificação e consolidação da APS no Brasil por favorecer uma reorientação do processo de trabalho com maior potencial de aprofundar os princípios, as diretrizes e os fundamentos da APS, assim como ampliar a resolubilidade dos problemas de saúde e produzir maior impacto na situação de saúde das pessoas e famílias com equidade, além de propiciar uma importante relação custo-efetividade.[3] Essa política reafirma, de forma inequívoca, que os três níveis de governo – federal, estadual e municipal – devem apoiar e estimular a ESF como opção prioritária para organização dos serviços de APS.

As funções principais da ESF são:[4]

→ **responsabilização:** implica o conhecimento e o relacionamento próximo com a população. Ser responsável pela identificação e pelo manejo das condições de saúde das pessoas vinculadas às equipes de Saúde da Família;
→ **resolubilidade:** significa que ela deve ser resolutiva, isto é, capacitada cognitiva e tecnologicamente para resolver com qualidade cerca de 90% dos problemas da população;
→ **ser o centro de comunicação da APS:** significa ter condições de ordenar os fluxos e os contrafluxos das pessoas, dos produtos e das informações entre os diferentes componentes das redes;
→ **ser a base do sistema de saúde,** com serviços de saúde ofertados por meio das Unidades de Saúde da Família (USFs), ou Unidades Básicas de Saúde (UBSs), com alto grau de descentralização e capilaridade, isto é, o mais próximo possível, presencial ou virtualmente, das pessoas e das comunidades.

Em resumo, é definir que a ESF é o serviço de saúde preferencial das pessoas para resolver seus problemas de saúde, tendo os profissionais da APS/ESF como responsáveis pelo cuidado integral da saúde das pessoas.

A ESTRATÉGIA SAÚDE DA FAMÍLIA NO SISTEMA ÚNICO DE SAÚDE: BREVE HISTÓRIA E PANORAMA ATUAL

O Brasil vem dedicando amplo esforço político e financeiro para o desenvolvimento de seu próprio modelo de APS, impulsionado por um entendimento da APS como parte estrutural e essencial do sistema nacional de saúde. A APS no sistema de saúde brasileiro[5,6] remonta a experiências anteriores e à própria Conferência de Alma-Ata, com os modelos dos centros de saúde da Universidade de São Paulo, na década de 1920, e o Serviço Especial de Saúde Pública (Sesp), da década de 1940, que respondiam à concepção de APS seletiva, com objetivo de aumentar a cobertura assistencial.

Com a Constituição Federal de 1988 e a instituição do SUS, experiências municipais de APS ocorreram em diversas regiões do País e foram subsidiárias para a formulação da proposta do Programa Saúde da Família (PSF) pelo Ministério da Saúde, em dezembro de 1993. Uma influência

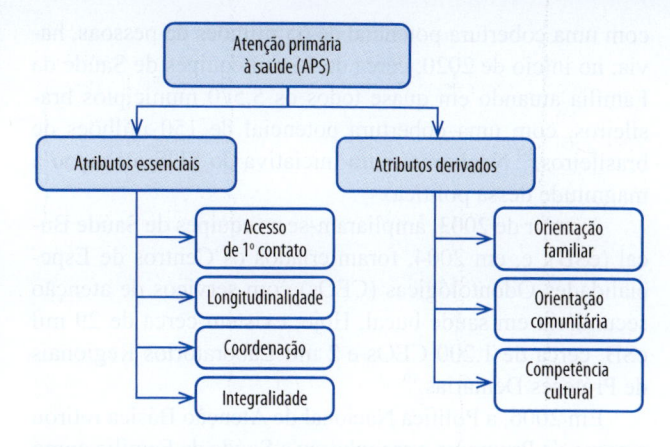

FIGURA 4.1 → Atributos da atenção primária à saúde.
Fonte: Adaptada de Starfield.[2]

central nesse processo foi o êxito inicial do Programa de Agentes Comunitários de Saúde (Pacs), criado a partir de um programa emergencial no ano de 1987 no Ceará (ver Capítulo Agentes Comunitários de Saúde). Diante da baixíssima cobertura médico-sanitária nas regiões onde o Pacs foi implantado inicialmente e pelo fato de os agentes exercerem apenas ações restritas, um passo natural foi vincular serviços médicos ao Pacs a fim de ampliar as ações de saúde em número e qualidade. Outra experiência importante foi o Serviço de Saúde Comunitária do Hospital Nossa Senhora da Conceição em Porto Alegre. Assim, surgiu o Programa Saúde da Família (PSF) em 1993.[7]

O sucesso do modelo levou à sua consolidação e expansão. Em 1996, a Norma Operacional Básica do Sistema Único de Saúde – NOB-SUS/96 – trouxe as bases para um novo modelo de financiamento da APS, o Piso da Atenção Básica (PAB), substituindo a modalidade anterior de pagamento por procedimentos. Naquele momento, diante da preocupação de que o nome Atenção Primária pudesse ser vinculado aos pacotes assistenciais reducionistas impostos pelas agências internacionais aos países em desenvolvimento, foi escolhido, de maneira equivocada, o termo Atenção Básica.[8]

O PAB passou a garantir os repasses de forma automática desde o nível federal até o nível municipal, representando uma importante inovação no modelo de financiamento da saúde, pois iniciou repasses, pela primeira vez no País, de recursos federais de forma mais igualitária a todos os municípios brasileiros. Posteriormente, a criação do PAB variável, vinculado ao número e à cobertura de equipes de Saúde da Família em cada município, acelerou o ritmo de expansão da ESF. Além disso, mais tarde, foram criados incentivos especiais dentro do financiamento da APS para atendimento a populações historicamente negligenciadas, como quilombolas, assentamentos agrários, populações indígenas e todos os municípios do País com baixo Índice de Desenvolvimento Humano (IDH).[9] Esses incentivos trouxeram um maior viés de equidade, ainda que limitado, ao financiamento federal da APS, e proporcionaram uma contínua expansão do programa. Das 19.068 equipes de 2003 com uma cobertura potencial de 65 milhões de pessoas, havia, no início de 2020, cerca de 46 mil equipes de Saúde da Família atuando em quase todos os 5.570 municípios brasileiros, com uma cobertura potencial de 150 milhões de brasileiros.[10] Nenhuma outra iniciativa do SUS alcançou a magnitude dessa política.

A partir de 2003, ampliaram-se as equipes de Saúde Bucal (eSB), e, em 2004, foram criados os Centros de Especialidades Odontológicas (CEOs) com serviços de atenção secundária em saúde bucal. Hoje, existem cerca de 29 mil eSB, cerca de 1.200 CEOs e 2 mil Laboratórios Regionais de Próteses Dentárias.[10]

Em 2006, a Política Nacional de Atenção Básica retirou o nome de Programa e reconheceu a Saúde da Família como a estratégia preferencial para reorganização da APS no SUS e definiu suas características e função, resgatando o termo Atenção Primária à Saúde.

A ESTRUTURA DA ESTRATÉGIA SAÚDE DA FAMÍLIA

Não há padrão único de infraestrutura física e de conformação quanti-qualitativa de profissionais de saúde para organizar serviços efetivos de APS. O que existe é conhecimento acumulado e sistematizado, principalmente originado de alguns países europeus, sobre questões importantes referentes à estrutura dos serviços de APS. Destas, pode-se realçar a importância de ter profissionais médicos especialistas em APS, cuja especialidade, no Brasil, denomina-se medicina de família e comunidade (MFC). Também é importante que a razão população/médico seja em torno de 1.500 a 2.500 pessoas por médico/40 horas, como se observa no Reino Unido, no Canadá, na Espanha e em outros países onde a APS estrutura o sistema nacional de saúde.[11]

O fundamental em relação à estrutura dos serviços de APS é ofertar serviços em tipo e quantidade suficientes para atender com resolubilidade cerca de 90% das demandas – necessidades – em saúde da população.[12] No Brasil, no entanto, houve normas federais um tanto rígidas para questões de estrutura da APS e, em especial, da ESF. Os principais motivos para isso são a falta de conhecimento de muitos gestores e profissionais sobre o que de fato é APS e a dificuldade de organizar serviços de saúde descentralizados em nível municipal em um país com mais de 200 milhões de habitantes e 5.570 municípios onde, culturalmente, a indicação política se sobrepõe à capacidade técnica no momento de escolher gestores públicos. Devido a resultados superiores alcançados pela ESF, essa opção parece ter sido acertada nesse período. Essa homogeneidade se refere principalmente à composição da equipe de Saúde da Família: um médico, um enfermeiro e, ao menos, um técnico de enfermagem e um agente comunitário de saúde, todos sob carga horária de 40 horas, com exceção das equipes do Programa Saúde na Hora.

Passados mais de 20 anos de expansão da ESF, há a consolidação de um modelo de APS no Brasil em que é possível observar importantes avanços, como detalhado mais adiante. Por outro lado, há diminuição da cobertura vacinal, perda de velocidade na redução da mortalidade infantil e dificuldade no manejo das doenças crônicas, na abordagem do envelhecimento e no enfrentamento de doenças infecciosas como a sífilis e o vírus da imunodeficiência humana (HIV)/síndrome da imunodeficiência adquirida (Aids).[13,14]

Em 2019, iniciou-se um novo modelo de indução para a APS brasileira com o objetivo de diminuir a referida rigidez, fortalecer a presença e a extensão dos atributos da APS e atingir melhores resultados.[15] Como parte desse modelo, o Ministério da Saúde criou as equipes de Atenção Primária (eAP),[16] com conformação de equipes mais flexível. São compostas por médicos e enfermeiros com cumprimento de carga horária individual inferior à das equipes de Saúde da Família, com o compromisso de atender aos atributos essenciais da APS, promover a alimentação regular do Sistema de Informação em Saúde para a Atenção Básica (Sisab) e responsabilizar-se pelo acompanhamento de uma quantidade de pessoas proporcional ao tempo dedicado. Nesse modelo, também são permitidas equipes de Saúde Bucal (eSB), compostas por cirurgiões-dentistas e auxiliares de saúde bucal com carga horária e demais características idênticas às eAP.

Para redefinir o teto de população por equipe de Saúde da Família, o Ministério da Saúde utilizou metodologia do Instituto Brasileiro de Geografia e Estatística (IBGE) para classificar os municípios, estabelecendo o quantitativo entre 2 mil e 4 mil pessoas por equipe, de acordo com a dispersão ou concentração populacional, a fim de garantir maior capacidade de trabalho e equidade na distribuição de recursos financeiros (TABELA 4.1).

As equipes de Saúde da Família têm, obrigatoriamente, composição multiprofissional, sendo formadas minimamente por um médico (generalista ou de MFC), enfermeiro, auxiliar ou técnico enfermagem e pelo menos um agente comunitário de saúde. Podem ser complementadas por profissionais de saúde bucal – cirurgião-dentista e auxiliar e/ou técnico em saúde bucal. A carga horária semanal para esses profissionais é de 40 horas. Mais categorias profissionais podem e devem ser incorporadas a esse time essencial, de acordo com as necessidades em saúde da população adscrita.

As eAP têm também composição multiprofissional, sendo formadas minimamente por um médico (generalista ou de MFC) e um enfermeiro. Podem ser complementadas por profissionais de saúde bucal – cirurgião-dentista e auxiliar e/ou técnico em saúde bucal. A carga horária semanal para esses profissionais é de 30 horas ou 20 horas.

TABELA 4.1 → População sob responsabilidade de equipes de Saúde da Família/equipes de Atenção Primária (eAP) por tipologia de município

	URBANO	INTERMEDIÁRIO ADJACENTE/RURAL ADJACENTE	INTERMEDIÁRIO REMOTO/RURAL REMOTO
Equipes de Saúde da Família	4.000	2.700	2.000
eAP 30 horas	3.000	2.000	1.500
eAP 20 horas	2.000	1.350	1.000

Ambos os modelos podem ter a inclusão de mais profissionais de saúde de acordo com as necessidades de saúde da população, com liberdade do gestor local de escolher essa composição com autonomia ou seguir o modelo dos Núcleos de Apoio à Saúde da Família (Nasf).

Unidades de Saúde da Família

As Unidades de Saúde da Família (USFs), ou Unidades Básicas de Saúde (UBSs), são a estrutura física onde as equipes de Saúde da Família exercem a maioria de suas ações. O número de equipes que trabalham em cada USF é definido pelo gestor municipal. Esse número de equipes determina o tamanho da população sob cuidado de cada USF. As USFs devem ter estruturas físicas de qualidade, com acessibilidade garantida, horários de atendimento amplos, em locais seguros e com tamanho suficiente para ofertar o maior leque possível de ações. Sabe-se que USFs com maior número de equipes são mais eficientes que USFs com menor número de equipes.

ORGANIZAÇÃO DO TRABALHO NA ESTRATÉGIA SAÚDE DA FAMÍLIA/ EQUIPES DE ATENÇÃO PRIMÁRIA

Considerando os atributos da APS, a ESF é o modelo superior para garantir a presença e a extensão desses atributos e o consequente alcance de melhores desfechos em saúde. A fim de descrever esse modelo com maior exatidão, é importante descrever as diretrizes que orientam o processo de trabalho das equipes e as ações a serem desenvolvidas cotidianamente. Entre as diretrizes principais constam: a organização do acesso à população; a responsabilização contínua das equipes pela população assistida; a integralidade e a qualidade das ações ofertadas; e a coordenação do cuidado na Rede de Atenção à Saúde (RAS). Na efetivação dos atributos, diversas ações devem ser realizadas: consultas e teleconsultas médicas, de enfermagem e odontológicas; visitas domiciliares; imunizações; curativos; procedimentos cirúrgicos ambulatoriais; (tele)monitoramento de pacientes; atividades de educação em saúde; ações intersetoriais com escolas, instituições de idosos e outras; ações de farmácia clínica; entre outras. A definição de quais ações e em que intensidade cada uma delas deve ser realizada dependem das necessidades locais em saúde da população sob cuidado e da efetividade, isto é, da base científica (de evidências) de cada ação. A cada ação realizada sem comprovação de evidência, perde-se a oportunidade de melhorar a saúde da população com ações de efetividade já definida e comprovada.

A seguir, apresentamos formas de organizar o trabalho em relação a cada um dos atributos essenciais.

Acesso

Para organização do acesso pelas equipes de Saúde da Família e pelas eAP, é preciso compreender a APS como principal porta de entrada do sistema, e suas equipes como os profissionais a quem as pessoas buscarão a cada episódio em que se expressa determinado sinal e sintoma de algum agravo, a necessidade de orientação em relação à sua saúde, a procura por procedimentos, entre outras formas de manifestação de alguma necessidade de saúde. Para tanto, é preciso que ambas as equipes se caracterizem por posturas receptivas e resolutivas, bem como organizem suas ações de modo a assegurar o acesso dessas pessoas diante da busca por respostas às suas necessidades.

O acesso pode ser compreendido a partir de suas duas dimensões: a acessibilidade e a utilização do serviço.[2] Quanto à acessibilidade, pode-se tomá-la de uma perspectiva estrutural, que reflete aspectos geográficos dos serviços, como o tempo e a distância para chegar a essas estruturas, bem como aspectos sócio-organizacionais, como as características que podem facilitar ou dificultar a chegada das pessoas aos atendimentos (p. ex., eventuais aspectos financeiros que poderiam dificultar a obtenção de determinado medicamento ou exame). Ações que facilitam o acesso são: implantar equipes e unidades de saúde às quais o acesso geográfico é facilitado, podendo elas estar localizadas próximo à residência das pessoas, ao seu local de trabalho ou em áreas de grande circulação de determinado bairro; e disponibilizar estrutura com boa acessibilidade para pessoas com deficiência. Estas são características mais estruturais e de responsabilidade da gestão municipal e/ou de gerentes de unidades básicas/saúde da família.

Quanto à dimensão da utilização dos serviços de saúde, verifica-se que ela está relacionada à disponibilidade dos serviços e ao modo como os serviços e as equipes recebem e organizam as respostas às demandas apresentadas, por meio de organização do acesso e do modelo de agendamento de consultas e ações.

Em 2019, o Ministério da Saúde lançou o Programa Saúde na Hora,[17] com o objetivo de ampliar o acesso aos serviços de APS para a população. Ele prevê USFs com equipes múltiplas que fiquem abertas 60 ou 75 horas/semana, sendo facultativo abrir em horário noturno e fins de semana, ininterruptamente. Devem atuar com escala de horários dos profissionais; consultas médicas e de enfermagem; consultas de pré-natal; vacinação; pequenos procedimentos, como curativos, suturas e aplicação de injeção; pequenas cirurgias; rastreamentos para manejo de infecções sexualmente transmissíveis; puericultura; coletas de exames laboratoriais (para as USFs de 75 horas/semana); entre outros procedimentos ao longo de todo o período de funcionamento.

Com o lançamento do Programa Saúde na Hora, as USFs que até então funcionavam 40 horas/semana ou 8 horas/dia (frequentemente fechando no horário de almoço), podem funcionar 60 ou 75 horas/semana, ou seja, 12 ou 15 horas/dia, podendo incluir sábados e/ou domingos. Isso facilita a utilização do serviço pelas pessoas que trabalham o dia todo, e que certamente ocupariam portas de urgências com demandas solucionáveis pela APS. Nesse modelo, preserva-se a jornada individual de trabalho, podendo as equipes se organizarem em regime de escala e equipes-irmãs, desde que atendam à premissa de disponibilizar a atenção de acordo com a conveniência e a necessidade das pessoas.

Também são importantes os modelos de agendamento e as práticas e tecnologias que envolvem a recepção no acolhimento às demandas e às necessidades de saúde. Essa recepção refere-se à própria área física e às ações realizadas na recepção da unidade de saúde, até o modo de organização para atendimentos às demandas urgentes, incluindo sistemas de classificação de risco e o uso de metodologias mais sofisticadas como o acesso avançado.

Entre as práticas recomendadas para uma organização de trabalho que facilita o acesso das pessoas aos serviços podem ser mencionadas:

→ atendimento a todas as pessoas que procuram o serviço, pautando-se pelas necessidades de saúde, e evitando atendimento limitado a determinados grupos populacionais, ou agravos mais prevalentes e/ou fragmentados por ciclo de vida;
→ oferta de respostas mais amplas que a consulta, de modo a atender as necessidades de saúde e valorizar outros tipos de interação com o usuário;
→ oferta de respostas pela equipe multiprofissional e não apenas concentrada no médico;
→ organização de fluxos pautados em protocolos adequados para os casos de urgências e emergências que eventualmente surjam;
→ utilização de métodos de classificação de risco compatíveis com a APS para a organização das respostas às necessidades de saúde;
→ realização de estudos de demanda periódicos para organização das ofertas mais adequadas às necessidades.

Em razão de as consultas serem os serviços geralmente mais procurados nas unidades de saúde, é importante que as equipes utilizem modelos de agendamento que se orientem pela facilitação do acesso e pelo alinhamento com algumas das recomendações anteriormente mencionadas. Nesse sentido, o modelo de agendamento pautado no acesso avançado vem mostrando ser o modelo mais adequado para facilitar o acesso e vem apresentando também consequências quanto à garantia de longitudinalidade e obtenção de maior satisfação das pessoas.[18]

O modelo de agendamento do acesso avançado constitui-se como modelo em que a demanda do dia é resolvida no dia, ou em até 2 dias, sem que a maioria das vagas da agenda fique reservada previamente. Nesse modelo, apenas 25% da agenda fica reservada para agendamentos prévios, dirigidos, em geral, para as pessoas que não puderam ser atendidas no dia anterior ou para consultas de acompanhamento ou retorno.[18] Esse modelo de organização da agenda reduz o tempo de espera dos usuários, otimizando o cuidado e garantindo sua continuidade.

Contudo, nem todas as equipes e serviços já conseguem se organizar desse modo, sendo verificadas, ainda, muitas equipes organizadas pelo sistema de agendamento tradicional e por vagas. O modelo tradicional é aquele em que grande parte da agenda está reservada para agravos específicos, por ciclos de vida, e que acabam dificultando o acesso das demandas que surgem no dia, isto é, a demanda espontânea. No modelo por vagas, que é um meio caminho entre os dois, garante-se parte das vagas – por volta de 50% – para demanda espontânea. O modelo por vagas pode ser uma alternativa que compromete menos a facilitação do acesso e que pode ser transitória até que as equipes e serviços consigam instituir o modelo de acesso avançado.

Longitudinalidade

A responsabilização, compreendida como princípio elementar do novo modelo de financiamento da APS, confere às equipes a responsabilidade pela saúde das pessoas a elas vinculadas/cadastradas, incluindo a resposta e o acompanhamento de todos os episódios em que essas pessoas demandem atenção. Pode ser estabelecida a partir de mecanismos de vinculação e cadastramento que propiciem o conhecimento ampliado da vida de cada indivíduo e do conjunto deles, e que contribuem para tornar essas equipes a principal referência para essas pessoas diante de qualquer necessidade de saúde. A Política Nacional de Atenção Básica[1] enfatiza que a responsabilização implica o conhecimento da população pelas equipes quanto aos fatores epidemiológicos (principais agravos, experiência nos serviços de saúde, exposição a fatores de risco, surtos, notificações), quanto às condições sanitárias e ambientais de moradia, e quanto aos fatores culturais e socioeconômicos. O cadastro realizado pelas equipes de Saúde da Família, seja o cadastro completo (com o conjunto completo das informações individuais e de determinantes sociais) ou o cadastro simplificado (realizado com informações mínimas do indivíduo, podendo ser realizado no ato da interação do profissional com o usuário), materializa e individualiza a dimensão da responsabilidade das equipes pelas pessoas.

A partir do amplo conhecimento da população assistida, é possível, ainda, que as equipes melhorem o cuidado ofertado por apresentarem mais condições de conhecer os riscos individuais e de famílias e por terem mais chance de estabelecer relação de confiança com as pessoas, de modo a contribuir para a longitudinalidade do cuidado.

Integralidade

A integralidade do cuidado pode ser materializada a partir da oferta de ações de promoção, prevenção, diagnóstico, assistência e reabilitação ao conjunto de pessoas sob a responsabilidade das equipes, e a partir da perspectiva de abordagem integral da pessoa. A Carteira de Serviços da Atenção Primária à Saúde[19] norteia as ações essenciais a serem desenvolvidas pelas equipes de Saúde da Família, segundo os ciclos de vida e os procedimentos a serem ofertados. Também dá transparência e clareza à população sobre o conjunto de ações essenciais da APS e orienta a necessidade de prover formação e capacitação para temas específicos, bem como estrutura adequada e insumos necessários à oferta das ações.

O método clínico centrado na pessoa (MCCP) e os princípios de orientação familiar são outras estratégias a serem empregadas a fim de dar materialidade à abordagem integral e à qualidade da clínica (ver Capítulo Método Clínico Centrado na Pessoa). O MCCP aumenta a satisfação dos usuários, produz melhor adesão ao tratamento, reduz sintomas e melhora aspectos fisiológicos.[20] A abordagem familiar – orientação familiar – é muito importante para ampliar a efetividade das ações ao incorporar o papel protetor – e de risco – que a estrutura familiar, sua forma de relacionamento, o cumprimento dos papéis familiares e as crises vitais e familiares exercem sobre a saúde das pessoas[21] (ver Capítulo Abordagem Familiar).

Coordenação do cuidado

A coordenação do cuidado pode ser compreendida como a capacidade que as equipes têm de estabelecer mecanismos de integração e cooperação clínica com os diferentes níveis de atenção, tendo como centro desses mecanismos as pessoas usuárias. Essa coordenação do cuidado das pessoas pelas equipes pode ser fortalecida a partir:

→ da implementação de processos e ferramentas relacionadas à gestão da clínica, como a utilização de linhas-guia e protocolos clínicos baseados em evidências científicas;
→ do monitoramento de doenças crônicas e condições especiais, como a gestação;
→ do estabelecimento de fluxos de referência e contrarreferência;
→ da utilização de telemedicina/telessaúde como ferramenta de suporte clínico e de coordenação do cuidado.

A utilização de protocolos de encaminhamento contribui para orientar as decisões clínicas dos profissionais, ao mesmo tempo que atua como parâmetro para a decisão sobre a necessidade de um encaminhamento para outro nível de atenção. É importante que a APS protagonize a regulação clínica para a atenção ambulatorial especializada e cuidado hospitalar, uma vez que a APS é o nível de atenção que melhor conhece as demandas dos usuários. Por essa razão, é importante que a ESF possa gerir a referência e a contrarreferência baseando-se em protocolos e documentos ancorados em evidência científica, e por meio da utilização da telessaúde como suporte oportuno. A associação dessas duas estratégias mostrou forte impacto na redução de lista de espera por consultas especializadas no Estado do Rio Grande do Sul.[22] Além disso, recomenda-se que a gestão de referências contribua para que todos os pontos de atenção da rede conheçam a capacidade resolutiva da APS e seus respectivos papéis na rede, bem como garantam mecanismos de comunicação e interação com os profissionais da atenção especializada.

ESTRATÉGIA SAÚDE DA FAMÍLIA E A REDE DE ATENÇÃO À SAÚDE

A APS tem papel fundamental na consolidação e no fortalecimento do funcionamento de sistemas de saúde enquanto redes de atenção capazes de ofertar respostas adequadas e compatíveis com o cenário epidemiológico e de prover acesso de qualidade com custos sustentáveis. A ESF, enquanto modelo prioritário de funcionamento da APS no Brasil, por sua vez, é a principal catalisadora de muitos dos atributos das redes de atenção e elemento precípuo para seu funcionamento.

A Organização Mundial da Saúde (OMS) define as redes de atenção à saúde (RAS) como arranjos organizativos dos serviços de saúde de um dado sistema capazes de ofertar o cuidado contínuo e compatível com as necessidades de saúde das pessoas em seus diversos níveis de atenção, que gerem melhores resultados em saúde e eficiência para os sistemas.[23] Em consonância com a concepção e os atributos das RAS, Mendes[24] aponta a tríade pessoas, elementos operacionais e modelo de atenção como elementos constitutivos das RAS. As pessoas a serem assistidas pelas RAS são o centro da engrenagem que as constitui. Os serviços que compõem as RAS devem ter pleno conhecimento das necessidades de saúde das pessoas e possuir informação suficiente para a tomada de decisão em relação às suas características demográficas e epidemiológicas e acerca do itinerário terapêutico dentro do sistema de saúde.[25] A consolidação de uma engrenagem cujo centro é realmente ocupado pelas pessoas, e tem todos os seus vetores de ação voltados para cada uma delas e seu conjunto, só se dá plenamente em sistemas cuja APS realiza plenamente seus processos e orienta-se pelo princípio da responsabilidade por essas pessoas, fortemente apoiada pela tecnologia de informação e comunicação e por estratégias de telemedicina e telessaúde. A **FIGURA 4.2**[3] exemplifica esse desenho de forte centralização do cuidado nas pessoas, papel prioritário da APS e seu suporte por meio das tecnologias citadas.

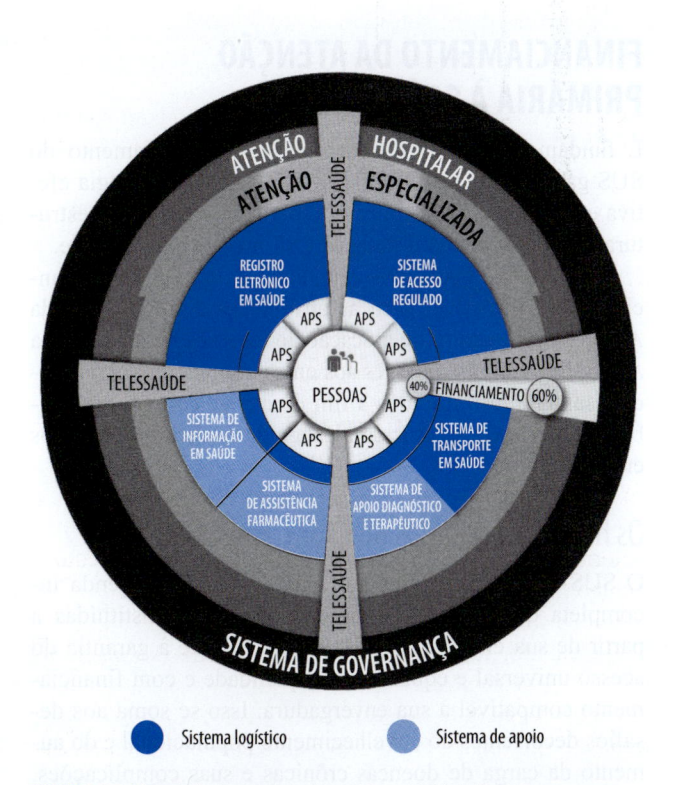

FIGURA 4.2 → Rede de Atenção à Saúde. 40% = até 40% de financiamento para atenção primária à saúde (APS); 60% = financiamento da atenção hospitalar, especializada e outros setores que não APS.
Fonte: Harzheim.[3]

O importante é permitir o fluxo mais rápido das pessoas e suas informações de saúde até os pontos da rede capazes de resolverem de forma efetiva e eficiente seus problemas de saúde. Para isso, a reforma da APS iniciada em 2019 junto ao Ministério da Saúde foi um importante primeiro passo, mas sem uma reforma da atenção especializada e o fortalecimento da tecnologia de informação e da telemedicina/telessaúde não teremos um sistema de saúde apto a enfrentar as necessidades atuais e futuras.

É nesse ponto que pode ser apontada a essencial zona de convergência entre a ESF e as RAS: a responsabilização inequívoca de cada pessoa vinculada e assistida pela Saúde da Família. A ESF, orientada pelo princípio da responsabilidade sanitária e estruturada como modelo capaz de garantir a presença e a extensão dos atributos essenciais da APS (acesso, longitudinalidade, coordenação do cuidado e integralidade), é capaz de impulsionar e propagar as principais diretrizes para o funcionamento das RAS, entre as quais a mais cara de todas: a responsabilidade pelos indivíduos assistidos. Essa responsabilidade expressa-se com processos da ESF que passam por cadastramento e vinculação das pessoas, conhecimento de suas necessidades de saúde e condições de vida, assim como conhecimento acerca da exposição das pessoas a fatores de risco e sua estratificação de risco individual. Da mesma forma, o conhecimento do itinerário terapêutico no sistema de saúde é fundamental, incluindo informações sobre imunização, uso de medicamentos, realização de consultas, internações e procedimentos diagnósticos e terapêuticos.

FINANCIAMENTO DA ATENÇÃO PRIMÁRIA À SAÚDE

É fundamental que os mecanismos de financiamento do SUS garantam recursos suficientes e com metodologia efetiva e eficiente para fortalecer e salvaguardar o papel estruturante e de sustentabilidade da ESF no sistema de saúde.

Ademais, é necessário que, além da garantia de financiamento compatível com as atribuições e o potencial da APS, os mecanismos de alocação de recursos federais para a APS e respectivos repasses aos entes municipais sejam cuidadosamente estruturados a fim de que se constituam também como meio indutor do alcance de melhores resultados em saúde.

Os históricos desafios de financiamento

O SUS enfrenta desafios provenientes de uma agenda incompleta quanto à efetivação das diretrizes instituídas a partir de sua criação, há 31 anos, no tocante à garantia do acesso universal e equânime, de qualidade e com financiamento compatível à sua envergadura. Isso se soma aos desafios decorrentes do envelhecimento populacional e do aumento da carga de doenças crônicas e suas complicações, além das imprecisões no rateio tripartite do financiamento das ações, e relativo grau de ineficiência na utilização dos recursos financeiros pelos municípios. Todo esse cenário de desafios a serem enfrentados incide diretamente sobre a APS, cujas questões reproduzem, em diferentes medidas, essas mesmas fragilidades.

Até 2019, o Brasil investia cerca de 9% de seu produto interno bruto (PIB) na saúde, colocando-se ao lado de países da Organização para a Cooperação e Desenvolvimento Econômico (OCDE) quanto a esse parâmetro. Contudo, apenas 3,8% (42% do total) desse gasto é público, ficando o Brasil bastante atrás da média dos países da OCDE, que apresentam 73,2% dos gastos totais provenientes do setor público.[26] Essa relação ilustra o subfinanciamento relativo, visto que países com sistemas de saúde estruturados investem mais recursos públicos em suas ações e serviços.

No que diz respeito à fonte de recurso público investido, acrescentam-se ao desafio da limitação de recursos aspectos que envolvem o rateio da despesa em saúde pelos três entes federativos. Regulamentando a definição dos mínimos que cada ente deverá aplicar no conjunto de ações e serviços de saúde, podem-se mencionar a Emenda Constitucional nº 29, de 2000, e a Lei Complementar (LC) nº 141, de 2012, ordenamentos constitucionais que apontam a definição dos gastos em saúde, bem como o percentual mínimo a ser aplicado pelos municípios (15%), pelos Estados (12%) e pela União (até a LC nº 141, valor fixado no empenho do exercício anterior acrescido da variação nominal do PIB). Posteriormente, outros dispositivos legais reviram o mínimo a ser aplicado pela União. Com a promulgação da Emenda Constitucional nº 95, de 2016, a União passa a ser responsável pela aplicação de 15% da receita corrente líquida do ano de 2017, e nos subsequentes, o valor executado no ano anterior corrigido pela variação do índice de preços ao consumidor amplo (IPCA). Contudo, não há previsão legal dos mínimos a serem aplicados pelos três entes federativos para a APS. O que pode ser observado é que, sendo a execução das ações e serviços da APS de responsabilidade preponderante dos municípios, boa parte do que estes aplicam na saúde é destinada às ações e aos serviços da APS. Observando o perfil dos gastos em saúde em 2018, verifica-se que os municípios de até 20 mil habitantes aplicaram 67,5% dos seus gastos em saúde na APS.[27]

No orçamento total do Ministério da Saúde previsto na Lei Orçamentária Anual (LOA) de 2019, considerados os recursos de ações e serviços públicos de saúde (ASPS), o orçamento atual destinado à APS correspondia a 16%, enquanto a média e alta complexidades alcançavam 40% do total de R$ 118 bilhões de recursos federais para a saúde. Os países europeus com melhor desempenho em seus sistemas de saúde investem cerca de 10 a 18%,[28] ainda longe dos 40% propostos para um futuro sistema de saúde em que a APS substitua algumas atribuições da atenção especializada por meio da incorporação de tecnologias assistenciais e novas responsabilidades.

Considerando-se ainda os resultados em saúde que podem ser produzidos pela APS e pela ESF, e a superioridade desse modelo para organização de sistemas de saúde que precisam enfrentar a fragmentação do sistema, o envelhecimento populacional e a expansão da prevalência de agravos crônicos, ratifica-se o desafio da adequação da alocação do orçamento total da saúde para o modelo a ser priorizado e com melhores respostas em saúde. Estima-se que países cujos sistemas estão orientados por uma APS forte, capaz de desenvolver o conjunto de atribuições e promover melhores resultados em saúde, deveriam ter entre 20 e 40% do recurso total da saúde destinado à APS (ver FIGURA 4.2).

O novo modelo de financiamento

Em 2019, 21 anos após a criação dos dois mecanismos principais de financiamento federal da APS – o PAB fixo e o PAB variável –, o Ministério da Saúde propôs e aprovou novo modelo de financiamento federal da APS (o Previne Brasil),[15,29] tendo em vista os desafios atuais e as limitações dos mecanismos vigentes anteriormente.

Esse modelo almeja enfrentar o desafio de aumentar a cobertura populacional real da APS e ampliar sua efetividade de cuidado diante das condições de saúde e de doença comuns.

O modelo foi inspirado pela revisão dos mecanismos de financiamento de países que compõem a OCDE, e também pelas revisões sistemáticas que abordam a questão. Entre as tendências de mecanismos bem-sucedidos de financiamento da APS, observa-se a premência de manter modelos de financiamento com mecanismos mistos, que envolvam pagamento *per capita*, por desempenho e por incentivos específicos. Ressalta-se que a capitação ponderada contribui para ajustes das necessidades de saúde, dimensionamento adequado para os custos de provisão e incentivo à coordenação do cuidado de cada indivíduo, em vez de fragmentar os incentivos. O pagamento por desempenho contribui para o alcance de resultados e atende às mudanças no perfil epidemiológico a ser enfrentado pelos sistemas de saúde, aumentando a qualidade da atenção. Já os incentivos específicos são dirigidos para a implementação de estratégias específicas para a indução de algumas ações, como a saúde bucal e a residência em MFC.[29]

A proposta institui um modelo de financiamento misto e equilibrado para a APS brasileira baseado em quatro eixos: capitação ponderada, pagamento por desempenho, incentivos a ações e programas específicos, e provimento de profissionais.

O primeiro eixo, a capitação ponderada, assegura recursos financeiros para a população efetivamente coberta pelas equipes multiprofissionais de Saúde da Família da APS, ponderando-se o valor *per capita* a partir de critério de ajuste geográfico e individual. O valor de capitação, valor financeiro por pessoa cadastrada, é ajustado por características dos municípios, tanto de tipo (rural ou urbana) como de localização em relação a grandes centros (municípios remotos), e ajustado também por característica social dos indivíduos, com maior valor para aqueles que recebem benefícios sociais (Bolsa Família, Benefício de Prestação Continuada e baixos valores de benefícios previdenciários). O quantitativo de pessoas a serem cadastradas e que efetivamente cada equipe de Saúde da Família acompanha também varia por princípios de equidade, sendo menor em municípios pequenos e pouco povoados (2 mil pessoas por equipe) e maior em municípios densamente povoados (4 mil pessoas por equipe).

O segundo eixo, pagamento por desempenho, responde, inicialmente, por 9% do modelo de financiamento. Os indicadores são apurados a partir de informações de processo e resultados verificados pelas informações transmitidas ao Sisab, e englobam indicadores de saúde da mulher e de gestantes, saúde da criança e condições crônicas, bem como indicadores globais de avaliação da atenção ofertada, com uso de instrumentos validados internacionalmente como o PCATool-Brasil e o PDRQ-9 (*Patient-Doctor Relationship Questionnaire-9*),[30,31] que medem, respectivamente, a fidelização das pessoas aos serviços, a presença e a força dos atributos da APS e a qualidade da relação médico-paciente.

O terceiro eixo, incentivos a ações e programas específicos, assegura a manutenção de mecanismos de financiamento de programas já vigentes antes de 2019, como: equipes de Saúde Bucal, centros de especialidades odontológicas, Laboratórios Regionais de Próteses Dentárias, Unidades Odontológicas Móveis, equipes de Saúde da Família Ribeirinhas, equipes de Saúde da Família Fluviais, Unidades Básicas de Saúde Fluviais, microscopistas, equipes de Consultório na Rua, equipes de Atenção Primária Prisional, equipes de Atenção à Saúde de Adolescentes em Conflito com a Lei, Programa Saúde na Escola, Programa Academia da Saúde e Programa Saúde na Hora. Foram incluídos, pela primeira vez, incentivos à informatização e ao uso de prontuário eletrônico nas Unidades Básicas de Saúde, bem como incentivo financeiro para a qualificação dos recursos humanos por meio de incentivo vinculado à oferta de residência em MFC, de enfermagem e de odontologia nas equipes de Saúde da Família.

O quarto eixo, provimento de profissionais, conta com a manutenção dos recursos financeiros de custeio dos agentes comunitário de saúde, atendendo responsabilidade legal de pagamento do piso salarial desses profissionais, e também dos profissionais da nova estratégia federal de provimento de médicos para a APS – o Médicos pelo Brasil.

Portanto, a expectativa é que o novo e atual modelo de financiamento amplie a cobertura real da ESF, sobretudo aos mais vulneráveis, alcançando não só o compromisso de promover o acesso, mas também de ter informações necessárias para ofertar o cuidado de modo adequado, contínuo e longitudinal a essas pessoas. Concomitantemente a isso, espera-se, ainda, aplicar melhor e de modo mais responsável e eficiente os recursos federais da saúde, e de modo que assegure maior autonomia e flexibilidade aos gestores municipais responsáveis pela implementação com mais qualidade das ações e serviços da APS para cada indivíduo e seu conjunto.

EVOLUÇÃO DA ESTRATÉGIA SAÚDE DA FAMÍLIA E RESULTADOS ALCANÇADOS

As múltiplas avaliações realizadas no âmbito da APS ao longo dos anos permitem descrever o percurso da ESF, incluindo os principais resultados alcançados. Em 2001, com 13.501 equipes implantadas em 3.778 (68%) municípios em todo o território nacional, no contexto de questionamentos sobre a sustentabilidade do então programa, o Ministério da

Saúde realizou um censo de todas as equipes existentes. Documentou uma implantação incipiente do programa no Brasil, uma vez que:[32]

→ 77% dos médicos estavam há menos de 1 ano nas equipes;
→ apenas 81% das unidades tinham presentes todos os equipamentos considerados básicos naquele momento, com enormes variações regionais;
→ 3% das unidades estavam sem pelo menos um consultório médico;
→ 38% não dispunham de consultório de enfermagem;
→ embora 93% das equipes odontológicas tivessem cadeira odontológica, 26% destas não tinham o instrumental completo;
→ 30% das USFs estavam sem acesso a anti-hipertensivos e 60% sem acesso a antibióticos;
→ somente 55% das equipes estavam com acesso a exames complementares básicos;
→ apenas 47,3% estavam com disponibilidade de internação hospitalar especializada.

Em 2008, com 29.300 equipes de Saúde da Família implantadas, representando 50% de cobertura populacional brasileira, um novo estudo da estrutura da ESF no Brasil[33] mostrou, comparando com a pesquisa de 2001, que:

→ 55% das USFs estavam em funcionamento há mais de 5 anos (era 4% em 2001);
→ houve eliminação do percentual de unidades sem nenhum consultório médico por equipe e redução de 20% das unidades de saúde sem nenhum consultório de enfermagem por equipe;
→ a quantidade de salas de vacina nas unidades de saúde aumentou 10% desde 2001 entre as duas pesquisas.

Mas o mesmo inquérito também mostrou que:

→ equipamentos de informática estavam presentes em apenas 25% das unidades (um aumento de 11% desde 2001);
→ 7% do total das USFs estavam sem médico;
→ 74% das 1.857 USFs avaliadas estavam abaixo do padrão mínimo de instalações, concentrados na baixa presença de sala específica para dispensar medicamentos e sala de expurgo.

Apesar da situação estrutural ainda bastante carente, um inquérito epidemiológico realizado em 2008-2009 demonstrou grande oferta de serviços da APS pelo SUS em amostra de mais de 20 mil pessoas representativa da população urbana.[34] Dos indivíduos entrevistados, 34,5% consultaram um médico nos últimos 3 meses, cerca de 75% destes em UBSs contra 25% na atenção especializada. A assistência domiciliar foi recebida por 2,9%, com 11,7% dos idosos recebendo atendimento domiciliar nos últimos 3 meses. Por outro lado, no mesmo período, 4,3% da população foi atendida em urgências/emergências e 1,3% tiveram uma internação hospitalar.

O crescimento na referência da Saúde da Família como serviço de escolha da população foi verificado novamente na Pesquisa Nacional de Saúde (PNS) 2013, que identificou 56% das pessoas cadastradas na Saúde da Família, com maior cobertura rural (71%) que urbana (50%), e maior cobertura entre pessoas de baixa renda e menor escolaridade.[35] Esse maior cadastramento de famílias de baixa renda e menor escolaridade reforçava a dimensão da equidade da Saúde da Família.

Em 2004, com a adaptação de um instrumento desenvolvido na Johns Hopkins University, por Starfield e colaboradores, chamado *Primary Care Assessment Tool* (PCATool), validado no Brasil,[30] cujo objetivo é avaliar a presença e a extensão dos quatro atributos essenciais e dos três atributos derivados da APS, ele passou a ser utilizado no Brasil, tanto para medir os atributos da APS como para comparar diferentes modelos de APS e verificar fatores associados ao desempenho dos serviços.[36] De maneira geral, a aplicação do PCATool-Brasil em usuários, em amostras municipais, ou com representatividade regional, tem mostrado que o atributo Acesso é o pior avaliado, estando abaixo do ponto de corte considerado de qualidade (6,6). Isso evidencia a necessidade de implantar formatos inovadores de cuidado das pessoas na APS, que melhorem o tempo de espera por consulta médica na APS, priorizando usuários com maior vulnerabilidade, formas não presenciais de contato com as equipes multiprofissionais, horário estendido e formas alternativas para agendamento de consultas, respeitando uma relação adequada de usuários e profissionais das equipes.

Pesquisas do Programa Nacional de Melhoria do Acesso e da Qualidade da Atenção Básica (PMAQ)[37] investigaram a estrutura do ponto de vista dos benefícios da ESF. Em 2006, Macinko, Guanais e Souza mostravam uma redução, naquela época, de 4,5% na mortalidade infantil a cada 10% em aumento de cobertura da Saúde da Família.[38] Uma revisão sistemática de estudos sobre o impacto da ESF,[14] de 1994 a 2016, demonstrou, entre outros, associação da maior presença da ESF com:

→ redução da mortalidade infantil e da mortalidade em crianças com idade até 5 anos;
→ redução de internações sensíveis;
→ redução de desnutrição infantil;
→ aumento de consultas de pré-natal.

Um estudo posterior, que utilizou a Lista Brasileira de Internações por Condições Sensíveis à Atenção Primária (ICSAP), criado pelo Projeto ICSAP-Brasil como instrumento para avaliação da qualidade da APS,[39,40] demonstrou redução de 52,5% nos ICSAPs de crianças com idade < 1 ano na Bahia entre 2000 e 2012.[41] Um estudo ecológico de óbitos do âmbito nacional demonstrou grande queda entre 2000 e 2013 em óbitos devido a essas condições sensíveis, bem como uma melhora na inequidade racial associada aos óbitos. As taxas de mortalidade pelas condições sensíveis, quando padronizadas por idade, caíram 37,9% no período na população negra/parda e 34,9% na população branca.[42]

Finalmente, de 2000 a 2018, a taxa de mortalidade infantil caiu de 29 para 12,8 a cada 1.000 nascidos vivos, e a razão de mortalidade materna caiu de 101 para 59,1 a cada 100 mil nascidos vivos. Ao longo desses anos, a ESF expandiu e se qualificou, e fica evidente sua associação com as quedas nessas duas causas altamente sensíveis à qualidade da APS. A **TABELA 4.2** mostra o crescimento da

TABELA 4.2 → Crescimento da cobertura da Estratégia Saúde da Família (ESF) (2002-2018) e as melhoras em indicadores de saúde selecionados ao longo deste período

INDICADOR	ANO								
	2002	2004	2006	2008	2010	2012	2014	2016	2018
Cobertura populacional (%)	25	39	41	50,9	53,01	55,5	61	62,6	64
Número de equipes de Saúde da Família	13.501	21.061	24.173	29.769	32.243	33.899	39.426	41.061	43.016
Taxa de mortalidade infantil*	26,04	23,39	21,04	18,09	17,22	15,69	14,4	15,5	14,9
Mortalidade materna[†]	79	78	78	69	70	65	62,1	64	64,5
Mortalidade prematura por DCNTs[‡]	499	410	395	375	365	359	352	250	240

* Óbitos a cada 1.000 nascidos vivos.
[†] Óbitos a cada 100.000 nascidos vivos.
[‡] DCNTs, doenças crônicas não transmissíveis (a cada 100.000 habitantes).

cobertura da ESF e os benefícios em alguns indicadores de saúde selecionados.

CONSIDERAÇÕES FINAIS

A APS, por meio da ESF, reúne atributos e características capazes de organizar o funcionamento do SUS de modo mais racional e compatível com o atual perfil demográfico e epidemiológico, e com potencial de produzir melhores desfechos na saúde das pessoas, segundo apontamento de uma série de evidências científicas. Entretanto, ainda há necessidade de ampliar sua cobertura efetiva, aumentar a lista de ações ofertadas, monitorar e incentivar financeiramente a qualidade assistencial medida em nível individual, assim como incorporar mais tecnologias de cuidado a fim de ampliar a resolutividade da ESF. O foco da reforma da APS, iniciada em 2019, foi enfrentar esses e outros desafios.[43]

O futuro do SUS depende da capacidade da sociedade brasileira de reformar e fortalecer a APS e a ESF.

REFERÊNCIAS

1. Brasil. Ministério da Saúde. Portaria nº 2.436, de 21 de setembro de 2017. Aprova a Política Nacional de Atenção Básica, estabelecendo a revisão de diretrizes para a organização da Atenção Básica, no âmbito do Sistema Único de Saúde (SUS). Brasília: MS; 2017.
2. Starfield, B. Atenção primária: equilíbrio entre necessidades de saúde, serviços e tecnologia. Brasília: UNESCO; 2002.
3. Harzheim E, Chueiri PS, Umpierre RN, Gonçalves MR, Siqueira ACS, D'Avila OP, et al. Telessaúde como eixo organizacional dos sistemas universais de saúde do século XXI. Rev Bras Med Fam Comunidade. 2019;14(41):1881.
4. Mendes EV. A construção social da atenção primária à saúde. Brasília: Conselho Nacional de Secretários de Saúde; 2015.
5. World Health Organization. Relatório mundial de saúde 2008: cuidados de saúde primários: agora mais que nunca [Internet]. Geneva: WHO; 2008 [capturado em 4 abr. 2021]. Disponível em: https://www.who.int/eportuguese/publications/whr08_pr.pdf?ua=1
6. Lavras C. Atenção primária à saúde e a organização de redes regionais de atenção à saúde no Brasil. Saúde Soc. 2011;20(4):867-74.
7. Souza HM. Saúde de família: uma proposta que conquistou o Brasil. In: Brasil. Ministério da Saúde. Memórias da saúde da família no Brasil. Brasília: MS; 2010. p. 30-5.
8. Mello GA, Fontenella JBF, Demarzo MMP. Atenção Básica ou Atenção Primária à Saúde: origens e diferenças conceituais. Rev. APS. 2009;12(2):204-13.
9. Programa das Nações Unidas para o Desenvolvimento. Desenvolvimento humano e IDH [Internet]. Brasília: PNUD; 2021 [capturado em 4 abr. 2021]. Disponível em: https://www.br.undp.org/content/brazil/pt/home/idh0.html
10. Brasil. Ministério da Saúde. Sala de Apoio a Gestão Estratégica [Internet]. Brasília: MS; 2021 [capturado em 15 mar. 2021]. Disponível em: http://sage.saude.gov.br/
11. Altschuler J, Margolius D, Bodenheimer T, Grumbach K. Estimating a reasonable patient panel size for primary care physicians with team-based task delegation. Ann Fam Med. 2013;10(5):396-400.
12. Green LA, Fryer GE Jr, Yawn BP, Lanier D, Dovey SM. The ecology of medical care revisited. N Engl J Med. 2001;344(26):2021-5.
13. Rocha R, Soares R. Evaluating the impact of community-based health interventions: evidence from Brazil's Family Health Program. Health Econ. 2010;19 Suppl:126-5
14. Bastos ML, Menzies D, Hone T, Dehghani K, Trajman A. Correction: the impact of the Brazilian family health on selected primary care sensitive conditions: a systematic review. Plos One. 2017;12(12):e0189557.
15. Brasil. Ministério da Saúde. Portaria nº 2.979, de 12 de novembro de 2019. Institui o Programa Previne Brasil, que estabelece novo modelo de financiamento de custeio da Atenção Primária à Saúde no âmbito do Sistema Único de Saúde, por meio da alteração da Portaria de Consolidação nº 6/GM/MS, de 28 de setembro de 2017. [Internet]. Brasília: MS; 2019 [capturado em 1 abr. 2021]. Disponível: https://www.in.gov.br/en/web/dou/-/portaria-n-2.979-de-12-de-novembro-de-2019-227652180.
16. Brasil. Ministério da Saúde. Portaria nº 2.539, de 26 de setembro de 2019. Altera as Portarias de Consolidação nº 2/GM/MS, de 28 de setembro de 2017, e nº 6, de 28 de setembro de 2017, para instituir a equipe de Atenção Primária – eAP e dispor sobre o financiamento de equipe de Saúde Bucal – eSB com carga horária diferenciada. [Internet]. Brasília: MS; 2019 [capturado em 5 abr. 2021]. Disponível em: https://www.in.gov.br/en/web/dou/-/portaria-n-2.539-de-26-de-setembro-de-2019-218535009
17. Brasil. Portaria nº 930, de 15 de maio de 2019. Institui o Programa "Saúde na Hora", que dispõe sobre o horário estendido de funcionamento das Unidades de Saúde da Família, altera a Portaria nº 2.436/GM/MS, de 2017, a Portaria de Consolidação nº 2/GM/MS, de 2017, a Portaria de Consolidação nº 6/GM/MS, de 2017, e dá outras providências. [Internet]. Brasília: MS; 2019 [capturado em 5 abr. 2021]. Disponível em: http://bvsms.saude.gov.br/bvs/saudelegis/gm/2019/prt0930_17_05_2019.html#:~:text=1%C2%BA%20Esta%20Portaria%20institui%20o,Sa%C3%BAde%20da%20Fam%C3%ADlia%20(USF).
18. Barra TV, Alves RS, Harzheim E, Hauser L, Tesser CD. Modelos de agendamento e qualidade da atenção primária: estudo transversal multinível. Rev. Saúde Pública. 2019;53:38.
19. Cunha CRH, Harzheim E, Medeiros OL, D'Avila OP, Wollmann L, Martins C, Faller LA. Carteira de Serviços da Atenção Primária à Saúde: garantia de integralidade nas Equipes de Saúde da Família e Saúde Bucal no Brasil. Cien Saude Colet. 2020;25(4):1313-26.

20. Stewart M, Brown JB, Weston WW, McWhinney IR, McWilliam CL, Freeman TR. Medicina centrada na pessoa: transformando o método clínico. 3. ed. Porto Alegre: Artmed; 2017.
21. Freeman T. Manual de medicina de família e comunidade de McWhinney. 4. ed. Porto Alegre: Artmed; 2018.
22. Pfeil, Juliana Nunes. Avaliação da regulação de consultas médicas especializadas baseadas em Protocolo + Teleconsultoria. [Dissertação em Epidemiologia]. Porto Alegre: Universidade Federal do Rio Grande do Sul; 2018.
23. World Health Organization. Relatório mundial de saúde 2008: cuidados de saúde primários: agora mais que nunca [Internet]. Geneva: WHO; 2008 [capturado em13 fev. 2021]. Disponível em: http://www.who.int/whr/2008/whr08_pr.pdf.
24. Mendes EV. As redes de atenção à saúde. Brasília: OPAS/CONASS; 2010.
25. World Bank Group. Um ajuste justo: análise da eficiência e equidade do gasto público no Brasil [Internet]. Washington: World Bank Group; 2017 [capturado em 4 mar. 2021]. Disponível em: https://www.worldbankorg/pt/country/brazil/publication/brazil-expenditure-review-report about:blank
26. Brasil. Sistema de Informações sobre Orçamentos Público em Saúde. [Internet] Brasília: SIOPS; 2020 [capturado em 15 mar. 2021]. Disponível em: https://basedosdados.org/dataset/sistema-de-informacoes-sobre-orcamentos-publicos-em-saude-siops#:~:text=O%20SIOPS%20%C3%A9%20o%20sistema,sa%C3%BAde%20dos%20or%C3%A7amentos%20p%C3%BAblicos%20em
27. Kringos D, Boerma W, Bourgueil Y, Cartier T, Dedeu T, Hasvold T, et al. The strength of primary care in Europe: an international comparative study. Br J Gen Pract. 2013;63(616):e742-50.
28. Harzheim E, D'Avila O, Ribeiro DC, Ramos LG, Silva LE, Martins CJ, et al. Novo financiamento para uma nova Atenção Primária à Saúde no Brasil.. Cien Saude Colet. 2020;25(4):1361-74.
29. Brasil. Ministério da Saúde. Secretaria de Atenção Primária à Saúde. Departamento de Saúde da Família. Manual do Instrumento de Avaliação da Atenção Primária à Saúde: PCATool-Brasil – 2020 [Internet]. Brasília: MS; 2020 [capturado em 5 abr. 2021]. Disponível em: https://www.conasems.org.br/wp-content/uploads/2020/05/Pcatool_2020.pdf
30. Wollmann L, Hauser L, Mengue SS, Agostinho MR, Roman R, Feltz-Cornelis CMVD, et al. Adaptação transcultural do instrumento Patient-Doctor Relationship Questionnaire (PDRQ-9) no Brasil. Rev. Saúde Pública. 2018;52:71.
31. Brasil. Ministério da Saúde. Secretaria de Atenção à Saúde. Departamento de Atenção Básica. Avaliação normativa do Programa Saúde da Família no Brasil: monitoramento da implantação e funcionamento das equipes de saúde da família: 2001-2002. Brasília: MS; 2004.
32. Barbosa ACQ, coordenador. Saúde da Família no Brasil: situação atual e perspectivas – Estudo Amostral 2008 – avaliação normativa do programa saúde da família no Brasil – monitoramento da implantação das equipes de saúde da família e saúde bucal. Belo Horizonte: UFMG; 2009.
33. Facchini LA, Piccini RX, Tomasi E, Silveira DS, Siqueira FV, Maia MFS, et al. Projeto AQUARES – Avaliação de Serviços de Saúde no Brasil: Acesso e Qualidade da Atenção. Relatório Final. [Internet]. Pelotas: UFPel; 2010 [capturado em 4 abr. 2021]. Disponível em: https://dms.ufpel.edu.br/aquares/wp-content/uploads/2013/01/AquaresFINAL-.pdf
34. Malta DC, Santos MAS, Stopa SR, Vieira JEB, Melo EA, Reis AC. A cobertura da Estratégia de Saúde da Família (ESF) no Brasil, segundo a Pesquisa Nacional de Saúde, 2013. Ciênc. Saúde Coletiva. 2016;21(2):327-38.
35. Prates ML, Machado JC, Silva LS, Avelar PS, Prates LL, Mendonça ET, et al . Desempenho da Atenção Primária à Saúde segundo o instrumento PCATool: uma revisão sistemática. Ciênc. Saúde Coletiva. 2017;22(6):1881-93.
36. Brasil. Ministério da Saúde. Portaria nº 1.645, de 2 de outubro de 2015. Dispõe sobre o Programa Nacional de Melhoria do Acesso e da Qualidade da Atenção Básica (PMAQ-AB). [Internet]. Brasília: MS; 2015 [capturado em 6 abr. 2021]. Disponível em: http://bvsms.saude.gov.br/bvs/saudelegis/gm/2015/prt1645_01_10_2015.html
37. Macinko J, Mendonça CS. Estratégia Saúde da Família, um forte modelo de Atenção Primária à Saúde que traz resultados. Saúde debate. 2018;42(spe 1):18-37 .
38. Brasil. Ministério da Saúde. Portaria nº 221, de 17 de abril de 2008. Lista Brasileira de Internações por Condições Sensíveis à Atenção Primária [Internet]. Brasília: MS; 2008 [capturado em 6 abr. 2021]. Disponível em: https://bvsms.saude.gov.br/bvs/saudelegis/sas/2008/prt0221_17_04_2008.html.
39. Alfradique ME, Bonolo PF, Dourado I, Lima-Costa MF, Macinko J, Mendonça CS, et al. Internações por condições sensíveis à atenção primária: a construção da lista brasileira como ferramenta para medir o desempenho do sistema de saúde (Projeto ICSAP – Brasil). Cad Saúde Pública. 2009;25(6):1337-49.
40. Mendonça CS et al. A utilização do indicador internações por condições sensíveis à atenção Primária no Brasil. In: Mendonça MHM, Matta GC, Gondim R, Giovanella L, organizadores. Atenção Primária à Saúde no Brasil: conceitos, práticas e pesquisa. Rio de Janeiro: Fiocruz; 2018. Cap. 18, p. 527-68.
41. Pinto Junior EP; Aquino R; Medina MG; Silva MGCD. Efeito da Estratégia Saúde da Família nas internações por condições sensíveis à atenção primária em menores de um ano na Bahia, Brasil. about:blankCad Saude Publica. 2018;34(2):e00133816.
42. Hone T, Rasella D, Barreto ML, Majeed A, Millett C. Association between expansion of primary healthcare and racial inequalities in mortality amenable to primary care in Brazil: A national longitudinal analysis. about:blankPLoS Med. 2017;14(5): e1002306.
43. Harzheim E., Martins JSC, D'Avila OP, Wollmann L, Pinto LF. Bases para a Reforma da Atenção Primária à Saúde no Brasil em 2019: mudanças estruturantes após 25 anos do Programa de Saúde da Família. Rev Bras Med Fam Comunidade. 2020;15(42):2354.

Capítulo 5
A PRÁTICA DE MEDICINA RURAL

Leonardo Vieira Targa
Magda Moura de Almeida

A saúde de populações rurais e urbanas apresenta características diferentes. A prática da medicina rural, portanto, exige habilidades e recursos diversos, além de imprimir peculiaridades próprias às características da atenção primária à saúde (APS). Isso assume maior importância em países como o Brasil, que apresenta grandes áreas rurais e enormes distâncias, relativo baixo índice de desenvolvimento de algumas regiões e grande desigualdade social.

O QUE É RURAL

Para tratar da saúde rural e da prática da APS nessas áreas, é importante conceituar o termo "rural". Nem sempre é fácil definir se uma região ou população é rural ou não.[1,2] Há áreas aparentemente rurais nos limites de grandes cidades, assim como pequenas áreas urbanizadas em regiões predominantemente rurais que deixam dúvidas quanto à melhor forma de classificá-las.

No Brasil, pelo último censo oficial, 15% da população habitam áreas consideradas rurais, o que corresponde a mais de 30 milhões de pessoas.[3] Deve-se ter em mente, no entanto, que essas contagens comumente subestimam as populações rurais da Região Amazônica. Além disso, existem aspectos questionáveis por trás da definição de uma área rural. Por exemplo, a sede de todo município, a despeito do tamanho ou da densidade populacional, é considerada urbana. Ao conceituar a ruralidade brasileira com base na combinação da densidade demográfica e do tamanho populacional, considerando rurais os municípios que apresentam simultaneamente < 50 mil habitantes e < 80 habitantes/km², 90% do território brasileiro, 80% de seus municípios e 30% de sua população (o dobro, portanto, do que figura nos dados oficiais) são essencialmente rurais. Então, o Brasil "inequivocamente urbano" corresponde a 57% de nossa população. Os restantes 13% da população caberiam em uma categoria intermediária, que pode ser denominada "rurbana".[4,5]

Essa classificação problemática, atrelada a uma legislação antiga e que tem dificuldades de acompanhar as mudanças sociais, está sendo revista pelo Instituto Brasileiro de Geografia e Estatística (IBGE) e já deve impactar o novo censo demográfico de 2020. As mudanças propostas, aumentando a importância da densidade demográfica e criando novas categorias intermediárias entre rural e urbano, bem como os conceitos de regiões remotas e adjacentes, têm potencial de redesenhar a geografia brasileira e impactar as políticas específicas para essas regiões. Em estudos nos quais essa metodologia foi utilizada, constatou-se que a maior parte dos municípios brasileiros é predominantemente rural (60,4%), sendo 54,6% adjacentes a áreas urbanas de maior hierarquia e 5,8% rurais remotos.[6]

A discussão conceitual pode estender-se, mas, para os motivos deste capítulo, importa destacar:[7]
→ rural não é sinônimo de agrícola e nem tem exclusividade sobre este;
→ rural é multissetorial (pluriatividade) e multifuncional (as funções produtiva, ambiental, ecológica e social);
→ as áreas rurais têm densidade populacional relativamente baixa;
→ não há um isolamento absoluto entre os espaços rurais e as áreas urbanas – pelo contrário, a grande interação entre eles torna ainda mais relevante para todos a saúde das populações rurais, onde, por exemplo, são produzidos os alimentos e captadas as águas para as cidades.

Apesar de características comuns, diferentes áreas do meio rural são marcadas por imensa diversidade, sobretudo em um país como o Brasil.

A DEFASAGEM RURAL-URBANA EM RELAÇÃO À SAÚDE

Existe, mundialmente, uma defasagem de profissionais de saúde em zonas rurais e remotas. No Brasil, a Região Norte apresentava, em 2018, uma taxa de 1,16 médico para cada 1.000 habitantes, enquanto, na Região Sudeste, a média era de 2,81 médicos para cada 1.000 habitantes (FIGURA 5.1). O Estado do Maranhão detém a menor razão (0,85 médico para cada 1.000 habitantes) e o Distrito Federal, a maior (4,35), seguido por Rio de Janeiro (3,55) e São Paulo (2,81). Em números totais, impressiona que mais da metade dos médicos (54%) do País esteja na Região Sudeste, onde moram 41% da população brasileira. Verificam-se também desigualdades internas aos estados da federação, tendo as grandes metrópoles as maiores concentrações de médicos. Segundo o Conselho Federal de Medicina, o conjunto das capitais apresenta a razão de 5,07 médicos registrados para cada 1.000 habitantes, enquanto, no País como um todo, o número é 1,28. Portanto, 55% dos médicos brasileiros estão nas capitais, onde vivem 23% da população brasileira[8] (FIGURA 5.2).

Em 29% dos municípios brasileiros, a população residente em área rural supera a urbana. A menor população rural encontra-se na Região Centro-Oeste, e a maior, na Região Nordeste (47%). Dados do segundo ciclo avaliativo do Programa Nacional de Melhoria do Acesso e da Qualidade da Atenção Básica, do Ministério da Saúde, mostram que a Estratégia Saúde da Família (ESF) permanece sendo uma

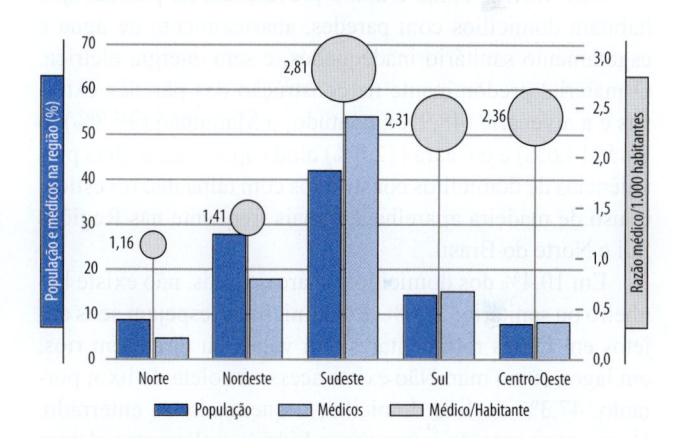

FIGURA 5.1 → Distribuição de médicos e população nas grandes regiões do Brasil.
Fonte: Scheffer M e colaboradores.[8]

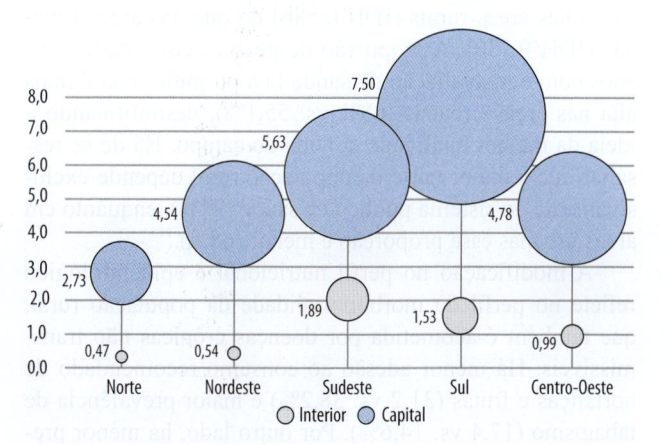

FIGURA 5.2 → Distribuição de médicos a cada 1.000 habitantes entre capitais e interior, em grandes regiões do Brasil, 2018.
Fonte: Scheffer M. et. al., Demografia Médica no Brasil 2018.

importante ferramenta para a redução das iniquidades de saúde. Os dados indicaram que 39% das equipes da ESF realizam atendimento a comunidades rurais ou tradicionais. As comunidades tradicionais específicas mais beneficiadas são assentados da reforma agrária (20%), pescadores (11%) e ribeirinhos (8%). Contudo, apenas 32% dessas equipes possuem transporte disponível para viabilizar o atendimento à população.[9]

Os determinantes socioambientais e da saúde são piores em áreas rurais em relação às áreas urbanas. Soares e colaboradores analisaram os municípios mais rurais (MMRs) e os municípios mais urbanos (MMUs) em relação ao Atlas de Desenvolvimento Humano no Brasil, aos censos do IBGE, à Pesquisa Nacional por Amostra de Domicílios e ao Sistema de Informação de Agravos de Notificação. São significantes as diferenças em relação à mortalidade infantil, à esperança de vida ao nascer, à proporção de pobres (34,4% vs. 18,6%), ao analfabetismo (11,1% vs. 7,9%) e ao percentual da população com idade ≥ 18 anos com ensino fundamental completo (31,7% vs. 42,9%). A taxa de analfabetismo entre as mulheres rurais é levemente inferior (21,11%) que entre os homens (24,48%).[10]

Nos MMRs, ainda é alta a prevalência de pessoas que habitam domicílios com paredes, abastecimento de água e esgotamento sanitário inadequados, e sem energia elétrica. O material predominante na construção das paredes externas é a alvenaria (48,9%); contudo, o Maranhão (39,8%), o Pará (14,6%) e o Ceará (12,8%) ainda apresentam altas prevalências de domicílios construídos com taipa não revestida. O uso de madeira aparelhada é mais frequente nas Regiões Sul e Norte do Brasil.

Em 10,4% dos domicílios de áreas rurais, não existe banheiro ou sanitário; 37,4% dos domicílios despejam seus dejetos em fossas rudimentares, em valas, ou direto em rios, em lagos ou no mar. Não existe acesso à coleta de lixo; portanto, 47,3% do lixo domiciliar é queimado ou enterrado. Como agravante de insegurança hídrica e alimentar, dentre os domicílios que não utilizam a rede geral de distribuição de água (82%), 68,8% também não possuem filtro d'água.

Isso reflete em índice de desenvolvimento humano mais baixo nas áreas rurais (IDH 0,586) do que nas áreas urbanas (IDH 0,750). A proporção de pessoas com idade ≥ 18 anos com autoavaliação de saúde boa ou muito boa é mais alta nas áreas urbanas (68% vs. 55,1%), desmitificando a ideia da melhor qualidade de vida do campo. Há de se ressaltar que a maior parte da população rural depende exclusivamente do sistema público de saúde (94%), enquanto em áreas urbanas essa proporção é menor (68%).[11]

A modificação no perfil nutricional e epidemiológico reflete no perfil de morbimortalidade da população rural, que também é acometida por doenças crônicas não transmissíveis. Há menor adesão ao consumo recomendado de hortaliças e frutas (31,2 vs. 38,2%) e maior prevalência de tabagismo (17,4 vs. 14,6%). Por outro lado, há menor prevalência de consumo abusivo de álcool nos últimos 30 dias (10,3 vs. 14,2%) e menor consumo de refrigerante (13,1 vs. 23,6%). Em relação à atividade física, ela é praticada com menor frequência no lazer (13,8 vs. 23,8%); porém, nas áreas rurais, as pessoas são mais ativas no trabalho, com maior prevalência de realização de pelo menos 150 minutos por semana de atividade física no trabalho (21,1 vs. 12,9%). A proporção de pessoas com idade ≥ 18 anos que têm sintomas de angina nos graus 1 e 2 (de acordo com a versão resumida da escala de Rose) é maior na área rural (5,2% vs. 4,0% e 9,4% vs. 7,3%, respectivamente). A proporção de pessoas com idade a partir de 18 anos que perderam todos os dentes também é maior nas populações rurais (15% vs. 10%). Esse indicador é reflexo também da desigualdade de acesso à escova de dente, à pasta de dente e ao fio dental para a limpeza dos dentes, que é de apenas 30% na população domiciliada em zona rural.[11]

A má distribuição de recursos humanos e serviços é refletida em indicadores de acesso: 37% das pessoas não foram ao médico no último ano nas áreas rurais *versus* apenas 27% nas áreas urbanas.[11]

Por outro lado, pode-se constatar que grande parte dos municípios que apresentam os mais altos índices de qualidade de vida ou de desenvolvimento humano é predominantemente rural.[12] A ocupação agrícola, mesmo nas regiões mais fortemente rurais, pode encontrar-se em queda, mas algumas regiões rurais fazem parte das zonas mais dinâmicas de vários países. A pluriatividade é uma característica cada vez mais forte dessas áreas e faz parte de um conjunto de transformações complexas que hoje estão em curso e que apresentam consequências não apenas para os mercados de trabalho, mas também para as formas de funcionamento das unidades familiares e sua saúde.[13]

A PRÁTICA DA MEDICINA RURAL

A prática do cuidado à saúde e o próprio sistema de saúde apresentam características diferentes em áreas rurais.[14-16] Pode-se constatar que alguns problemas de saúde e fatores de risco são mais encontrados em zonas rurais do que em urbanas, como as intoxicações agudas, subagudas e crônicas por agrotóxicos,[17-19] os acidentes com animais peçonhentos e plantas tóxicas,[20] e os acidentes decorrentes de certos riscos ocupacionais.[21]

O trabalho das populações rurais frequentemente está relacionado com exposições climáticas, físicas, químicas e orgânicas, além do risco de operações com máquinas específicas como serras, tratores, etc.[22] O fato de o trabalho ser muitas vezes realizado próximo ou no próprio local de moradia também está relacionado com riscos.[21]

O trabalho dos profissionais de saúde também apresenta, tecnicamente, características distintas. Entre elas, é possível destacar o relativo isolamento de outros colegas,[23] o que exige o desenvolvimento de certas habilidades, como:
→ interpretação de exames sem laudos de especialista. É frequente a indisponibilidade total ou eventual de especialistas para laudos de eletrocardiogramas e radiografias, por exemplo;
→ realização de procedimentos que seriam encaminhados para outros profissionais em grandes cidades. Muitos pacientes preferem realizar procedimentos cirúrgicos, diagnósticos e

- terapêuticos em suas próprias localidades, mesmo que disponham de referência apropriada. Não é incomum a recusa a procedimentos se não forem feitos localmente;
→ **familiaridade com o manejo inicial de emergências.** A distância e o tempo entre o primeiro atendimento e o da equipe apropriada para o tratamento definitivo, inclusive de saúde mental e traumas, costumam ser maiores do que em grandes centros;
→ **ampliação da escala de habilidades em relação ao cuidado das fases do ciclo vital,** incluindo atenção à gestante e à sua família, puericultura, puerpério, atenção à saúde da criança e do adolescente, da mulher, do adulto e do idoso e cuidados durante o fim da vida;
→ **ampliação da escala de habilidades no que diz respeito ao manejo integral e sociofamiliar da pessoa,** incluindo competência dialógica intercultural.

Não são somente as características técnicas que mudam na prática rural, mas também há o relativo isolamento profissional do ponto de vista social. Muitos médicos convivem com seus pacientes, além de atendê-los em uma parte do dia. Isso implica maior flexibilização de horários e capacidade de negociar papéis e limites, e isso tem implicações também para a família do profissional.[23]

Questões éticas afloram dessas características de vida e trabalho.[24] O médico rural deve prestar atenção a questões de sigilo e privacidade. Sendo uma parcela de seu convívio social dividida com as pessoas com quem trabalha, nem sempre será fácil separar o que é de conhecimento público e o que é informação profissional. Alguns problemas podem ser ocultados ao médico com maior intensidade, como algumas doenças sexualmente transmissíveis, abuso sexual, violência, drogadição.[25] Os casos de violência são especialmente complexos pela proximidade e possibilidades de envolvimento do profissional e de sua família, conforme sua interferência seja percebida.[26]

O respeito às diferenças e a capacidade de adaptação do profissional e de sua família também podem levantar questões. A adoção ou não de certos costumes e hábitos pode aproximar ou afastar médico e população e acontece naturalmente; entretanto, pode ser necessário negociar alguns aspectos culturais com vistas à manutenção da privacidade e da personalidade do profissional. Essas questões são mais frequentes quando se trabalha com minorias étnicas.[27] Da mesma forma, em uma pequena localidade, é comum que as relações pessoais do médico se deem, por exemplo, com o farmacêutico ou dono da farmácia e os laboratórios. É necessário profissionalismo e ética para que as relações profissionais não sofram influência dessa proximidade. Isso também ocorre com colegas e gestores, administradores públicos e privados.

Outra questão é a de que a comunidade conhecerá seu médico ao longo do tempo. Assim, alguém poderá, com o passar do tempo, saber o que dizer para ter maior chance de ganhar um antibiótico ou uma licença-trabalho. Saberá, possivelmente, em que áreas o médico é "mais fraco" ou tem tendência a encaminhar mais o paciente para especialistas e urgências.[28]

CARACTERÍSTICAS DA ATENÇÃO PRIMÁRIA À SAÚDE EM ÁREAS RURAIS

Acesso ou porta de entrada e longitudinalidade

Nas zonas rurais, o nível primário é ainda mais importante como porta de entrada do sistema de saúde do que nas cidades.[29] Em algumas localidades, o posto de saúde é o único ponto próximo de acesso ao sistema de saúde. Enquanto nas áreas urbanas a porcentagem média de pessoas com planos privados é de 29,7%, nas áreas rurais esse número cai para 6,4%, sendo grandes as diferenças entre as regiões do País.[11]

Quando se pensa em acesso à saúde rural, logo vêm à mente as dificuldades de transporte e as grandes distâncias. Criatividade e flexibilidade têm sido necessárias em regiões rurais do País, como uso de embarcações servindo como postos de saúde móveis, equipes itinerantes e para transporte de pacientes. A estratégia de treinamento de agentes comunitários de saúde nas mais diversas realidades é uma forma de ampliação do acesso. Recentemente, bicicletas foram distribuídas como maneira de facilitar o trabalho. Há necessidade de individualização no momento de decidir sobre recursos desse tipo, devendo-se utilizar, em alguns lugares, jipes de tração, barcos, etc.

Os mesmos desafios de acessibilidade também serão obstáculos para a longitudinalidade. A atenção domiciliar constitui prática de grande importância para diminuir a fragmentação da atenção e o foco nos episódios de doença grave.[30] O menor número de alternativas de acesso ao sistema de saúde e as distâncias facilitam, por outro lado, a longitudinalidade.

Muitas atividades rurais apresentam periodicidades específicas no ciclo diário, relacionadas com as estações ou as condições climáticas. Certos tipos de trabalho, uma vez iniciados, preferencialmente não deverão ser interrompidos. Outros serviços são mais bem realizados à noite, como o carregamento para transporte de aves de criação, o que exige alteração do ciclo circadiano ou diminuição do sono total, já que esse serviço com frequência complementa a renda do trabalho diário. Outros serviços exigem grandes deslocamentos, o que altera ou impede temporariamente a possibilidade de contato com o serviço de saúde. Essa é uma das dificuldades do médico de APS em áreas rurais onde uma parcela expressiva da população deve se deslocar para trabalhar, inclusive para áreas urbanas mais ou menos próximas. Muitas vezes, essas pessoas não têm acesso a um serviço de saúde do trabalhador que dê cobertura aos recursos diagnósticos e terapêuticos necessários e precisam ausentar-se do trabalho para acessar as equipes que estão nas áreas rurais onde moram e, portanto, para a qual estão designadas pela regulamentação territorializada do sistema de saúde.

A saúde de grupos nômades e de trabalhadores rurais temporários são capítulos específicos da medicina rural e representam grande desafio por sua maior exposição a fatores de risco, doenças e fragmentação do cuidado.[31]

Integralidade e coordenação

A integralidade talvez seja a característica de significado mais variado da APS. De qualquer forma que se conceitue, entretanto, ela apresentará nuanças e desafios para as zonas rurais. Do ponto de vista de acesso a recursos de saúde, como exames, procedimentos, especialistas, internações, etc., em que a integralidade é assumida como um aspecto da oferta de serviços, vê-se que as equipes de saúde rural são menores em geral do que as das grandes cidades, e há um número mais limitado de outros profissionais bem como médicos de outras especialidades. São necessárias redes regionais de referências nesses locais, assim como estruturas logísticas de transporte e acompanhamento dessas pessoas. Até o presente, esse tem sido um ponto crítico dentro da atenção à saúde no Brasil. Em algumas regiões, acessar outros níveis de atenção dentro do sistema de saúde é possível somente em barcos e, em outras, apenas por transporte aéreo (o que também limita o número de pessoas). Recursos recentemente disponíveis e cada vez mais utilizados, como dispositivos de consultoria à distância (telessaúde), prontuários informatizados e fax, entre outros, tendem a diminuir essas dificuldades, mas em muitos casos o contato direto com especialistas ou acesso a recursos diversos é insubstituível.

A integralidade diz respeito também a uma ampliação de foco da atenção ao processo patológico individual e de uma intervenção biomédica pontual para uma compreensão ampliada do processo de saúde-doença e intervenção continuada e abrangente do ciclo de vida da pessoa, suas redes familiares e comunitárias. Sendo assim, a reflexão dos fenômenos históricos, das peculiaridades regionais, das formas de inserção global das comunidades, das formas como as redes naturais e sociais se estabelecem no âmbito rural e de suas relações com a produção de saúde-doença deve estar sempre presente no cotidiano das equipes de saúde.[32]

Outras peculiaridades da prática rural que dizem respeito a essas características da APS são a utilização mais frequente do contato direto com outros médicos que trabalham na região, tanto por telefone quanto pessoalmente, promovendo a troca de informações, e a menor rede burocrática que organiza os sistemas locais, facilitando o acesso direto às pessoas que tomam as decisões ou dispõem das informações necessárias e que podem abrir exceções em casos especiais. O papel de coordenador do médico de APS fica evidente por um lado, mas, por outro, pode ser desafiado pelo acesso direto, por parte do usuário, a outros especialistas, em função de menor dificuldade de contato com estes em hospitais, emergências e consultórios privados.

Centralização na família e na comunidade

Em geral, as zonas rurais apresentam valores mais tradicionais do que as grandes cidades.[23] A forma como funciona, em determinada localidade, o conceito de família tem impacto no modo como o médico de APS utilizará instrumentos e técnicas de trabalho, como o genograma e as consultas para abordagem de casais e famílias. A forma de intervenção e as expectativas em relação às condutas e aos papéis dentro do núcleo familiar precisam ser "calibradas" para as diferentes comunidades, além de individualmente. É necessário lembrar que certa naturalização do conceito de família[33] é realizada com frequência, em que uma família nuclear com pai, mãe e filhos é vista como forma ideal de família, o que nem sempre condiz com a realidade e com outras culturas. É conhecida também a necessidade de adaptação da teoria da terapia de família para a realidade nacional e para diferentes classes sociais (ver Capítulo Abordagem Familiar).[34] Entretanto, para algumas comunidades rurais mais tradicionais, essas adaptações podem ser facilitadas por uma relativa rigidez de modelos de família e normalidade locais.

A família dos idosos rurais é a principal fonte de recurso e apoio contra a escassez geral de serviços sociais e de saúde, e, como tal, deve ser foco de políticas públicas sociais e de saúde adequadas às particularidades dessa população.[35]

> Da mesma forma, o conceito e o sentimento de comunidade, muitas vezes discutíveis nas grandes cidades, podem ser muito fortes. Se o processo de delimitação de áreas de abrangência das equipes respeitar esse fenômeno, pode-se criar um ambiente muito propício para intervenções comunitárias. É comum que haja grande participação comunitária em reuniões de conselhos locais de saúde ou reuniões pontuais para tratar de problemas específicos. O trabalho com grupos, em especial para idosos e pessoas que tenham certa flexibilidade de horários, costuma ser gratificante, inclusive por abrir uma possibilidade a mais de lazer e convívio nas regiões que dispõem de poucas opções.

As atividades intersetoriais são potencialmente facilitadas pelo tamanho reduzido das estruturas e das instituições, mas podem estar mais dependentes das personalidades individuais dos responsáveis por elas, o que nem sempre é produtivo. Assim, o médico rural tem grande facilidade de acesso, em geral, à(s) escola(s) local(is), a postos de trabalho, a igrejas, etc., e deve usar isso em favor da comunidade na qual trabalha.

Competência cultural

> Em zonas rurais, a grande diversidade brasileira pode ser ainda mais aparente. Conceitos diferentes de saúde, doença e prevenção deverão ser conhecidos e manejados habilmente pelo médico rural, com vistas a não ferir a autonomia das pessoas para quem trabalha. A medicina, assim como todas as formas de ciência aplicada, apresenta forte poder modificador das formas de vida tradicionais. O médico deve estar ciente do poder silenciador[36] sobre culturas diversas que sua atividade apresenta e dos resultados com frequência imprevistos gerados por ela. O trabalho com cuidadores tradicionais e tratamentos não formalmente científicos pode ser ainda mais explícito do que nas grandes cidades. Conflitos desnecessários devem ser evitados, bem como uma postura arrogante perante outros saberes.[23]

> Conhecer um pouco da história dos conceitos de cultura e identidade e suas várias definições e ter uma noção geral das discussões da filosofia e da antropologia da ciência, assim como da problemática entre natureza e cultura, podem ser de grande valor para o médico em geral, porém mais especificamente para o profissional que trabalha com grande diversidade e formas de vida muito distantes da sua de origem.[37]

O cuidar da saúde realizado pelo médico de APS em áreas rurais precisa ser compreendido como algo além de uma simples transposição das práticas médicas em um local diferente. Mais do que uma troca de cenários, há necessidade de aprimoramentos tendo em vista, conforme mencionado, as características especiais da saúde das populações rurais; as peculiaridades da forma de organização do sistema de saúde; e a necessidade de adequação do perfil exigido para o profissional de saúde rural. Isso implica uma formação diferenciada desses profissionais que contemple essas diferenças, e o suporte continuado deles após sua inserção nas comunidades rurais.

COMO MELHORAR A DEFASAGEM RURAL-URBANA

O Working Party on Rural Practice, da World Organization of Family Doctors,[38] estabelece os seguintes princípios para o fortalecimento da medicina rural:

→ a infraestrutura necessária para a implementação de atenção à saúde integral de áreas rurais, remotas e com dificuldades de acesso deve ser de alta prioridade para os governos nacionais;
→ a natureza específica da prática rural, incluindo a mais ampla gama de habilidades necessárias para os médicos rurais, deve ser reconhecida pelos governos e pelas organizações profissionais;
→ o núcleo de competências da prática geral/de família deve ser ampliado pela provisão de habilidades adicionais para prática rural especificamente apropriadas às localidades determinadas;
→ o *status* dos médicos rurais deve ser elevado por uma abordagem coordenada que envolva planos de carreira, educação e treinamento, aumento de incentivos e melhoria das condições de trabalho. Essas medidas devem ser financiadas e apoiadas pelos governos, comunidades e organizações profissionais, reconhecendo o papel vital do médico rural;
→ o médico rural e outros profissionais de saúde devem auxiliar a comunidade na avaliação, na análise e no desenvolvimento de serviços de saúde que sejam voltados para as necessidades locais, sem deixar de reconhecer a importância da abordagem voltada ao paciente no nível individual;
→ os modelos de serviços em saúde rural devem ser avaliados e promovidos em parceria com as comunidades rurais e em cooperação com as autoridades de saúde regionais e nacionais;
→ os médicos rurais devem adotar a filosofia da APS como fundamental para a saúde de comunidades rurais;
→ deve haver representação feminina em todas as instâncias expressivas nas quais as decisões forem tomadas.

De forma importante, a literatura mostra que o estabelecimento de políticas voltadas para a interiorização e a retenção de profissionais em áreas rurais e remotas deve ser o objetivo central a ser perseguido,[38-44] de modo que essa questão seja prioritária em planos nacionais de governo.

A análise dos fatores que influenciam essa decisão por parte dos profissionais é um passo-chave para a compreensão da complexidade do problema e para guiar possíveis intervenções (FIGURA 5.3). A Organização Mundial da Saúde sugere que as abordagens para ele sejam realizadas intersetorialmente.[45]

Nos últimos anos, políticas nacionais têm desafiado esse problema de forma corajosa – embora extremamente polêmica. O Programa Mais Médicos aparentemente reduziu a falta de profissionais médicos, embora constate-se uma tendência forte a substituir profissionais que trabalhavam na Saúde da Família[46] inicialmente por bolsistas estrangeiros, com direitos limitados e por tempo restrito. Essa preferência internacional foi sendo corrigida com a inclusão de uma proporção progressivamente maior de médicos brasileiros, mas ainda não consegue gerar fixação desses profissionais médicos ao longo do tempo. Se, por um lado, o déficit médico em algumas regiões parece ter sido aliviado, o efeito colateral da substituição da oferta regular de médicos das prefeituras pelo provimento federal foi constatado. Outra crítica comum foi a ocupação de vagas onde não havia carência de médicos previamente. As grandes diferenças de remuneração em relação aos médicos regularmente contratados (passam do triplo em algumas regiões) e outras vantagens, como tempo reservado para estudo e

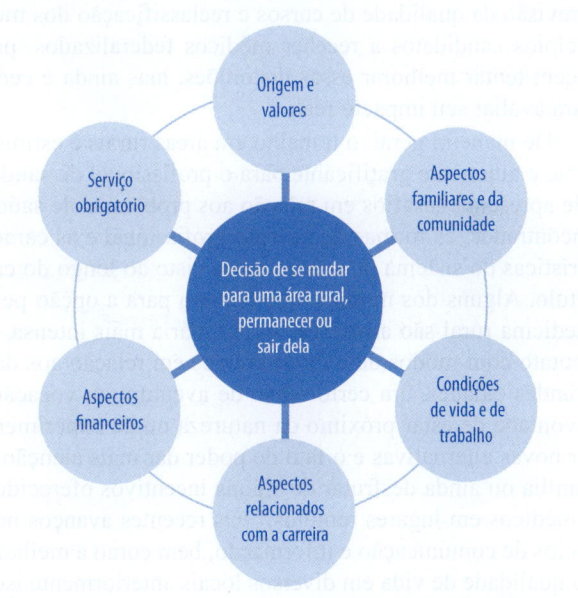

Origem e valores
Ter sido criado em ambiente rural, valores, altruísmo

Aspectos familiares e da comunidade
Disponibilidade de escola para os filhos, identificar-se com o espírito da comunidade, recursos na comunidade

Aspectos financeiros
Salários, benefícios, tipo de vínculo

Aspectos relacionados com a carreira
Oportunidades de educação permanente, supervisão, cursos para aperfeiçoamento pessoal, plano de carreira

Condições de vida e de trabalho
Infraestrutura, ambiente de trabalho, acesso a tecnologia e medicamentos, condições de moradia

Serviço obrigatório
Ser obrigado a prestar serviços no local

FIGURA 5.3 → Fatores relacionados com a decisão tomada por um profissional de saúde de trabalhar em áreas rurais.
Fonte: World Health Organization.[46]

auxílio-moradia, jamais garantidos aos médicos brasileiros que optaram por regiões rurais ou remotas anterior ou paralelamente a essas políticas também acabaram competindo com a contratação e com a residência médica em áreas ligadas à APS. Apesar dessas críticas à maneira como foi conduzida a cooperação internacional nesse caso específico, é importante ressaltar que esse pode ser um instrumento importante para o recrutamento de recursos humanos em saúde para situações restritas, quando outras formas de lidar com o problema não obtiverem sucesso, respeitando as recomendações internacionais.[47,48]

As etapas mais recentes dessas políticas indutoras incluíram modificações na formação médica, estando de acordo com estratégias recomendadas internacionalmente para o recrutamento e a retenção de profissionais de saúde.[45] Nos últimos anos, o número de vagas em cursos de medicina aumentou bastante, com ênfase em APS, e com a criação de cursos médicos fora dos grandes centros. Entretanto, preocupa o grande número de instituições privadas, em relação às públicas, a grande concentração de novos cursos em áreas onde já existiam antes, em estados altamente industrializados e populosos, associada à falta de apoio a essas localidades, bem como o número de alunos por equipe de saúde e ausência de hospitais com condições para garantir a qualidade da formação.[49] Recentes propostas anunciadas pelo governo brasileiro, relacionadas com a revisão da qualidade de cursos e reclassificação dos municípios candidatos a receber médicos federalizados, parecem tentar melhorar essas distorções, mas ainda é cedo para avaliar seu impacto real.

De maneira geral, o trabalho em áreas rurais é estimulante e altamente gratificante para o profissional de saúde. Ele apresenta desafios em relação aos problemas de saúde encontrados, às formas de atuação profissional e às características do sistema de saúde, como visto ao longo do capítulo. Alguns dos motivos que contam para a opção pela medicina rural são a inserção comunitária mais intensa, o contato com modos de vida diferentes em relação aos das grandes cidades, um certo senso de aventura ou vocação, a vontade de estar próximo da natureza ou de experimentar novas alternativas e o fato de poder dar mais atenção à família ou ainda desfrutar de alguns incentivos oferecidos a médicos em lugares remotos.[50] Os recentes avanços nos meios de comunicação e informação, bem como a melhora da qualidade de vida em diversos locais anteriormente isolados, têm reforçado a ideia de que pode ser uma boa opção viver e trabalhar em áreas rurais e pequenas cidades.

REFERÊNCIAS

1. Couper I. The rural doctor. In: Mash B, editor. Handbook of family medicine. 2nd ed. Cape Town: Oxford University Press Southern Africa; 2006. P. 298-315.
2. Ando N, Targa L, Almeida A, Silva DS, Barros E, Schwalm F et al. Declaração de Brasília – "O conceito de rural e o cuidado à saúde". Rev Bras Med Fam Comunidade. 2011;6(19):142-4.
3. Instituto Brasileiro de Geografia e Estatística. Censo 2010 [Internet]. Rio de Janeiro: IBGE; 2011 [capturado em 1 dez. 2019]. Disponível em: https://censo2010.ibge.gov.br/resultados.html.
4. Veiga JE. Cidades imaginárias: o Brasil é menos urbano do que se calcula. 2. ed. Campinas: Autores Associados; 2003.
5. Marques MIM. O conceito de espaço rural em questão. Terra Livre. 2002;18(19):95-112.
6. Instituto Brasileiro de Geografia e Estatística. Classificação e caracterização dos espaços rurais e urbanos do Brasil: uma primeira aproximação. Rio de Janeiro: IBGE; 2017.
7. Kageyama A. Desenvolvimento rural: conceito e medida. Cad Ciên Tecnol. 2004;21(3):379-408.
8. Scheffer M, Cassenote A, Guilloux AGA, Biancarelli A, Miotto BA, Mainardi GM et al. Demografia Médica no Brasil 2018. São Paulo: FMUSP; CFM; Cremesp; 2018.
9. Brasil. Ministério da Saúde. Portal do Departamento de Atenção Básica. Programa de Melhoria do Acesso e da Qualidade: 2º ciclo [internet]. 2013 [capturado em 23 jun. 2019]. Disponível em: http://aps.saude.gov.br/ape/pmaq/ciclo2/.
10. Sarmento RA, Moraes RM, Viana RTP de, Pessoa VM, Carneiro FF. Determinantes socioambientais e saúde: O Brasil rural versus o Brasil urbano. Tempus Actas de Saúde Colet. 2015;9(2):221-35.
11. Instituto Brasileiro de Geografia e Estatística. Pesquisa Nacional de Saúde [Internet]. 2013 [capturado em 24 jun. 2019]. Disponível em: https://ww2.ibge.gov.br/home/estatistica/populacao/pns/2013/default_xls.shtm.
12. Organização das Nações Unidas. Programa das Nações Unidas para o desenvolvimento [Internet]. Brasília: PNUD; 2011 [capturado em 1 fev. 2011]. Disponível em: http://www.pnud.org.br/home/.
13. Schneider S. A pluriatividade na agricultura familiar. 2. ed. Porto Alegre: Editora da UFRGS; 2003.
14. Yawn BP, Bushy A, Yawn RA, editors. Exploring rural medicine: current issues and concepts. Thousand Oaks: Sage; 1994.
15. Loue S, Quill BE, editors. Handbook of rural health. New York: Kluwer Academic; 2001.
16. Targa LV. Área Rural. In: Gusso G, Lopes JMC, Dias LC, editores. Tratado de Medicina de Família e Comunidade: princípios, formação e prática. 2. ed. Porto Alegre: Artmed; 2019. p 498-507.
17. Organização Mundial da Saúde. Organização Pan-americana da Saúde. Manual de vigilância da saúde de populações expostas a agrotóxicos. Brasília: OMS/OPAS; 1996.
18. Levigard YE, Rozemberg B. A interpretação dos profissionais de saúde acerca das queixas de "nervos" no meio rural: uma aproximação ao problema das intoxicações por agrotóxicos. Cad Saude Publica. 2004;20(6):1515-24.
19. Peres F, Moreira JC. Saúde e ambiente em sua relação com o consumo de agrotóxicos em um pólo agrícola do Estado do Rio de Janeiro, Brasil. Cad Saude Publica. 2007;23 Supl 4:S612-21.
20. Brasil. Ministério da Saúde. Fundação Nacional de Saúde. Manual de diagnóstico e tratamento de acidentes por animais peçonhentos. 2. ed. Brasília: FUNASA; 2001.
21. Lessenger JE, editor. Agricultural medicine: a practical guide. New York: Springer; 2006.
22. Fehlberg MF, Santos I dos, Tomasi E. Prevalência e fatores associados a acidentes de trabalho em zona rural. Rev Saude Publica. 2001;35(3):269-75.
23. Yawn BP. Rural medical practice: present and future. In: Yawn BP, Bushy A, Yawn RA, editors. Exploring rural medicine: current issues and concepts. Thousand Oaks: Sage; 1994. p. 1-16.
24. Bushy A, Rauh JR. Ethics dilemmas in rural practice. In: Yawn BP, Bushy A, Yawn RA, editors. Exploring rural medicine: current issues and concepts. Thousand Oaks: Sage; 1994. p. 271-86.

25. Broughton DD. Recognition and evaluation of child abuse. In: Yawn BP, Bushy A, Yawn RA, editors. Exploring rural medicine: current issues and concepts. Thousand Oaks: Sage; 1994. p. 73-82.

26. Murty S. No safe place to hide: rural family violence. In: Loue S, Quill BE, editors. Handbook of rural health. New York: Kluwer Academic; 2001. p. 277-94.

27. Baer RD, Nichols J. Ethnic issues. In: Loue S, Quill BE, editors. Handbook of rural health. New York: Kluwer Academic; 2001. p. 73-102.

28. Gérvas J, Pérez Fernández M. El médico rural en el siglo XXI, desde el punto de vista urbano. Rev Clín Eletrónica Aten Primaria. 2007;14:1-5.

29. Pinheiro RS, Viacava F, Travassos C, Brito A dos S. Gênero, morbidade, acesso e utilização de serviços de saúde no Brasil. Cien Saude Colet. 2002;7(4):687-707.

30. Targa LV. Atenção domiciliar à saúde. In: Sociedade Brasileira de Medicina de Família e Comunidade, editor. Programa de Atualização em Medicina de Família e Comunidade. Porto Alegre: Artmed/Panamericana Editora; 2006. p. 71-106.

31. Goldberg BW, Napolitano M. The health of migrant and seasonal farmworkers. In: Loue S, Quill BE, editors. Handbook of rural health. New York: Kluwer Academic; 2001. p. 103-18.

32. Targa LV. Mobilizando coletivos e construindo competências culturais no cuidado à saúde: estudo antropológico da política brasileira de Atenção Primária à Saúde. Porto Alegre. Dissertação [Mestrado em Antropologia Social] – Universidade Federal do Rio Grande do Sul; 2010.

33. Fonseca C. Concepções de família e práticas de intervenção: uma contribuição antropológica. Saúde Soc. 2005;14(2):50-9.

34. Fernandes CLC, Curra LCD. Ferramentas de abordagem da família. In: Sociedade Brasileira de Medicina de Família e Comunidade, editor. Programa de Atualização em Medicina de Família e Comunidade. Porto Alegre: Artmed/Panamericana Editora; 2005. p. 11-41.

35. Morais EP de, Rodrigues RAP, Gerhardt TE. Os idosos mais velhos no meio rural: realidade de vida e saúde de uma população do interior gaúcho. Texto Contexto Enferm. 2008;17(2):347-83.

36. Nader L, editor. Naked science: anthropological inquiry into boundaries, power, and knowledge. New York: Routledge; 1996.

37. Yawn BP, Bushy A. Making your practice palatable for your Patients: cultural competency. In: Yawn BP, Bushy A, Yawn RA, editors. Exploring rural medicine: current issues and concepts. Thousand Oaks: Sage; 1994. P. 253-70.

38. World Organization of Family Doctors. Wonca Working Party on Rural Practice. Policy on rural practice and rural health 2001. 2nd ed. Traralgon Victoria: Monash University School of Rural Health; 2001.

39. Wilson NW, Couper ID, De Vries E, Reid S, Fish T, Marais BJ. A critical review of interventions to redress the inequitable distribution of healthcare professionals to rural and remote areas. Rural Remote Health. 2009;9(2):1060.

40. Auer K, Carson D. How can general practitioners establish 'place attachment' in Australia's Northern Territory? Adjustment trumps adaptation. Rural Remote Health. 2010;10(4):1476.

41. MacDowell M, Glasser M, Fitts M, Nielsen K, Hunsaker M. A national view of rural health workforce issues in the USA. Rural Remote Health. 2010;10(3):1531.

42. Elliott T, Bromley T, Chur-Hansen A, Laurence C. Expectations and experiences associated with rural GP placements. Rural Remote Health. 2009;9(4):1264.

43. Peña S, Ramirez J, Becerra C, Carabantes J, Arteaga O. The chilean rural practitioner programme: a multidimensional strategy to attract and retain doctors in rural areas. Bull World Health Organ. 2010;88(5):371-8.

44. Targa LV, Wynn-Jones J, Howe A, Anderson MIP, Lopes JMC, Lermen Junior N, et al. Declaração de Gramado pela Saúde Rural nos países em desenvolvimento. Rev Bras Med Fam Comunidade. 2014;9(32)p. 292-4.

45. World Health Organization. Increasing access to health workers in remote and rural areas through improved retention: global policy recommendations. Geneva: WHO; 2010.

46. Girardi SN, Stralen ACS, Cella JN, Wan Der Maas L, Carvalho CL, Faria EO. Impacto do Programa Mais Médicos na redução da escassez de médicos em Atenção Primária à Saúde. Cien Saude Colet. 2016;21(9):2675-84.

47. Wonca Working Party on Rural Practice. A Code of Practice for the International Recruitment of Health Care Professionals: the Melbourne Manifesto [Internet]. Melbourne: Wonca; 2002 [capturado em 24 jun. 2019]. Disponível em: https://www.ruralhealth.org.au/document/melbourne-manifesto-code-practice-international-recruitment-health-care-professionals.

48. World Health Organization. Migration of health workers: the WHO code of practice and the global economic crisis [Internet]. Geneva, 2014 [capturado em 24 jun. 2019]. Disponível em: https://www.who.int/hrh/migration/14075_MigrationofHealth_Workers.pdf.

49. Conselho Federal de Medicina. Radiografia das escolas médicas do Brasil [Internet]. 2019 [capturado em 17 jun. 2019]. Disponível em: http://webpainel.cfm.org.br/QvAJAXZfc/opendoc.htm?document=Radiografia%20do%20Ensino%20m%C3%A9dico%2FRadiografia%20do%20Ensino%20m%C3%A9dico.qvw&host=QVS%40scfm73&anonymous=true.

50. Savassi LCM, Almeida MM de, Floss M, Lima MC. Saúde no caminho da roça. Rio de Janeiro: Fiocruz; 2018.

LEITURAS RECOMENDADAS

World Health Organization. Increasing access to health workers in remote and rural areas through improved retention [internet]. Geneva: WHO; 2010 [capturado em 26 ago 2011]. Disponível em: http://whqlibdoc.who.int/publications/2010/9789241564014_eng.pdf

Importante publicação da Organização Mundial da Saúde sobre recursos humanos e saúde rural.

Rural and Remote Health. Disponível em: http://www.rrh.org.au

Site de uma das mais importantes publicações em medicina rural.

Sociedade Brasileira de Medicina de Família e Comunidade (SBMFC) – Grupo de Trabalho de Medicina Rural. Disponível em: https://sites.google.com/site/gtmedicinarural/home

Site que apresenta links, documentos importantes, publicações, eventos, fotografias e vídeos sobre medicina e saúde rural.

Sociedade Brasileira de Medicina de Família e Comunidade (SBMFC) – Grupo de Trabalho de Medicina Rural – Declaração de Brasília

Grupo de Trabalho em Medicina Rural da Sociedade Brasileira de Medicina de Família e Comunidade. Declaração de Brasília. Disponível em: https://sites.google.com/site/gtmedicinarural/home/documentos/declaracao-de-brasilia

Documento que trata do conceito de rural no contexto brasileiro e apresenta a missão e os objetivos do grupo.

Wonca – Global Family Doctor – Grupo de Trabalho Internacional em Medicina Rural da Associação Mundial de Médicos de Família. Disponível em: http://www.globalfamilydoctor.com/aboutwonca/working_groups/rural_training/wonca_ruralprac.htm

Site que disponibiliza documentos, informação sobre eventos e links internacionais.

Capítulo 6
SAÚDE PLANETÁRIA E O IMPERATIVO DA AÇÃO CLIMÁTICA PARA PROTEGER A SAÚDE

Enrique Falceto de Barros
Mayara Floss
Andrew Haines

"Qualquer um que pretenda investigar medicina apropriadamente deve proceder desta forma: em primeiro lugar, considerar as estações do ano..."

(Hipócrates)

"Medicina é uma ciência social, e as políticas de saúde não são nada além de medicina em larga escala."

(Rudolf Virchow)

Desde o tempo de Hipócrates, a medicina ensina que a saúde humana depende da qualidade do seu entorno – isto é, do ambiente. Os sistemas naturais são a base de serviços essenciais como o abastecimento de ar e água limpos, alimentos nutritivos, clima estável e energia limpa para o desenvolvimento humano civilizatório.

Há um crescente consenso científico de que a humanidade saiu do Holoceno – época geológica com clima relativamente estável e propício ao desenvolvimento da civilização humana – e adentrou uma nova época: o Antropoceno.[1,2] Essa época se caracteriza, entre outras coisas, por não se encontrar em nenhum território no planeta que não esteja fisicamente afetado pela "mão" do ser humano, seja por impactos mais óbvios, como rodovias, ou por formas mais sutis, como contaminação ubíqua por radiação nuclear.

A característica marcante do Antropoceno é a chamada "grande aceleração" dos impactos da civilização no planeta, e suas significativas consequências em curso pela mudança climática, pela sexta extinção em massa de espécies,[3] entre outros, desestabilizando os serviços naturais planetários, que dão suporte básico à nossa civilização.

A **FIGURA 6.1** mostra o conceito de limites planetários que define nove limites dentro dos quais a humanidade pode florescer. Atingir os limiares coloca a humanidade em risco de grandes impactos adversos, devido aos quais podem ocorrer mudanças bruscas e não lineares. Esses pontos de inflexão podem representar a possibilidade de uma mudança repentina de um estado para outro que pode ser difícil ou impossível de reverter e causar profundos declínios nos ecossistemas que as sociedades humanas habitam.[2]

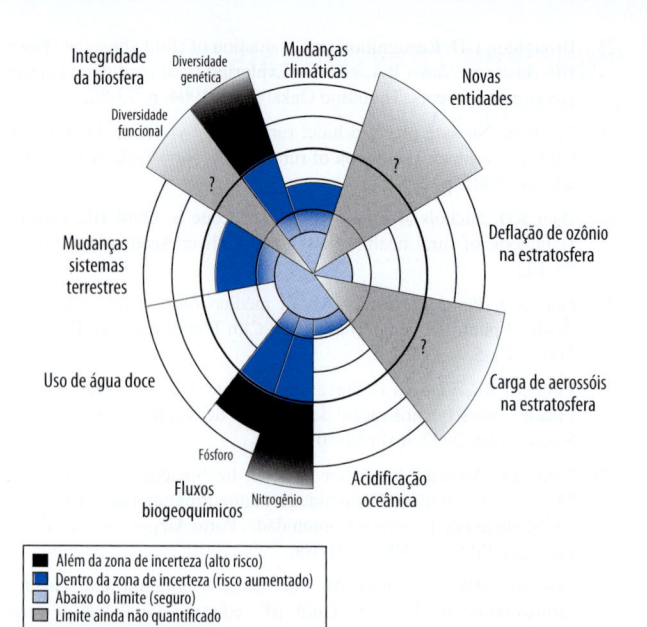

FIGURA 6.1 → Estado atual das variáveis de controle para sete dos nove limites planetários. A zona azul claro é o espaço operacional seguro (abaixo do limite), o azul escuro representa a zona de incerteza (risco crescente) e o preto é a zona de alto risco. O limite planetário está no círculo mais interno. Processos para os quais os limites de nível global ainda não podem ser quantificados são representados por cunhas cinzentas; estes são cargas atmosféricas de aerossóis, novas entidades e o papel funcional da integridade da biosfera.
Fonte: Steffen e colaboradores.[4]

Doenças causadas por poluição foram responsáveis por cerca de 9 milhões de mortes prematuras em 2015 – mais que três vezes as mortes por síndrome da imunodeficiência adquirida, malária e tuberculose.[5]

Ampliando ainda mais nosso olhar, observa-se que os sistemas naturais (p. ex., clima, terra, oceanos, biodiversidade, etc.) que dão suporte para a saúde humana estão deteriorando-se rapidamente. Assim, torna-se evidente a necessidade de uma ação urgente para evitar que um eminente colapso cause reversão das tendências de melhora global da saúde que ocorreu nas últimas décadas.[6]

O paradigma da saúde pública, fundamental para compreender e atuar na saúde, já não é mais suficiente. É necessário considerar o cuidado do planeta Terra como um todo. Toda a humanidade é uma comunidade interconectada e interdependente com a natureza.

Nesse contexto, surge o campo de estudos da saúde planetária (QUADRO 6.1) que simplificadamente é a saúde da civilização e dos sistemas naturais dos quais depende.

QUADRO 6.1 → Saúde planetária

Saúde planetária é a busca do mais alto padrão atingível de saúde, bem-estar e **equidade** em todo o mundo, por meio de atenção judiciosa dos sistemas humanos – políticos, econômicos e sociais, que constroem o futuro da humanidade e dos sistemas naturais da Terra, e definem os limites seguros dentro dos quais a humanidade pode florescer.

Fonte: Whitmee e colaboradores.[6]

PRINCÍPIOS TRANSVERSAIS DA EDUCAÇÃO EM SAÚDE PLANETÁRIA

Diante da novidade, da emergência e do impacto da saúde planetária no campo das ciências da vida, iniciou-se um esforço internacional pela educação em saúde planetária. Torna-se necessário usar a **lente** da saúde planetária[7] para começar a compreender como os humanos estão afetando a Terra e a humanidade. Seus 12 princípios transversais estão identificados e explicados na **FIGURA 6.2**.

MUDANÇAS CLIMÁTICAS: COBENEFÍCIOS PARA O PLANETA E PARA A SAÚDE

As mudanças climáticas, ou a emergência climática, pode ser considerada a maior ameaça do século XXI – entretanto, também representa a maior janela de oportunidade para a saúde pública.[8] Esse cenário leva-nos ao que já foi definido como o imperativo da ação climática para proteger a saúde[9] – isto é, a mudança climática tem efeitos negativos diretos, por exemplo, aumento de eventos extremos como ondas de calor, secas, enchentes e fome, e repercussões indiretas, como migração e refugiados climáticos (**FIGURA 6.3**). As ações de mitigação de mudança climática trazem consigo o potencial de enormes **cobenefícios** para a saúde – isto é, as

EDUCAÇÃO SOBRE SAÚDE PLANETÁRIA

Princípios transversais

01	02	03	04	05	06
Lente da saúde planetária	Urgência e escala	Políticas públicas	Organização e construção de movimento	Comunicação	Pensamento sistêmico e colaboração transdisciplinar
Conectando mudanças ambientais e saúde.	Interações geográficas, temporais e socioeconômicas.	Traduzir e comunicar para relevantes partes interessadas.	Soluções de baixo-para-cima para desafios de saúde planetária.	Traduzir ciência da saúde planetária de forma transversal através das disciplinas.	Abordar complexidade e integração de conhecimento.

07	08	09	10	11	12
Desigualdade e iniquidade	Viés	Governança	Consequências não intencionais	Cidadania global e identidade global	Valores globais históricos e correntes
Examinar vencedores e perdedores; quem se beneficia? Quem é prejudicado?	Desembaraçar percepções de mudanças ambientais e impactos em saúde humana.	Estratégias em processos decisórios e implementação.	Lidar com incerteza e esperar o inesperado.	Reconhecer identidades pessoais e pertencimento na comunidade global.	Apreciar o papel de perspectivas históricas e marcos.

FIGURA 6.2 → Princípios transversais da educação para saúde planetária.
Fonte: Cedida por Carlos Faerron e adaptada de Stone e colaboradores.[7]

políticas para aumentar o uso de energia renovável limpa e veículos elétricos reduzirão a poluição do ar e as emissões de gases de efeito estufa; o aumento da atividade física em viagens ativas e a dieta da saúde planetária, com maior

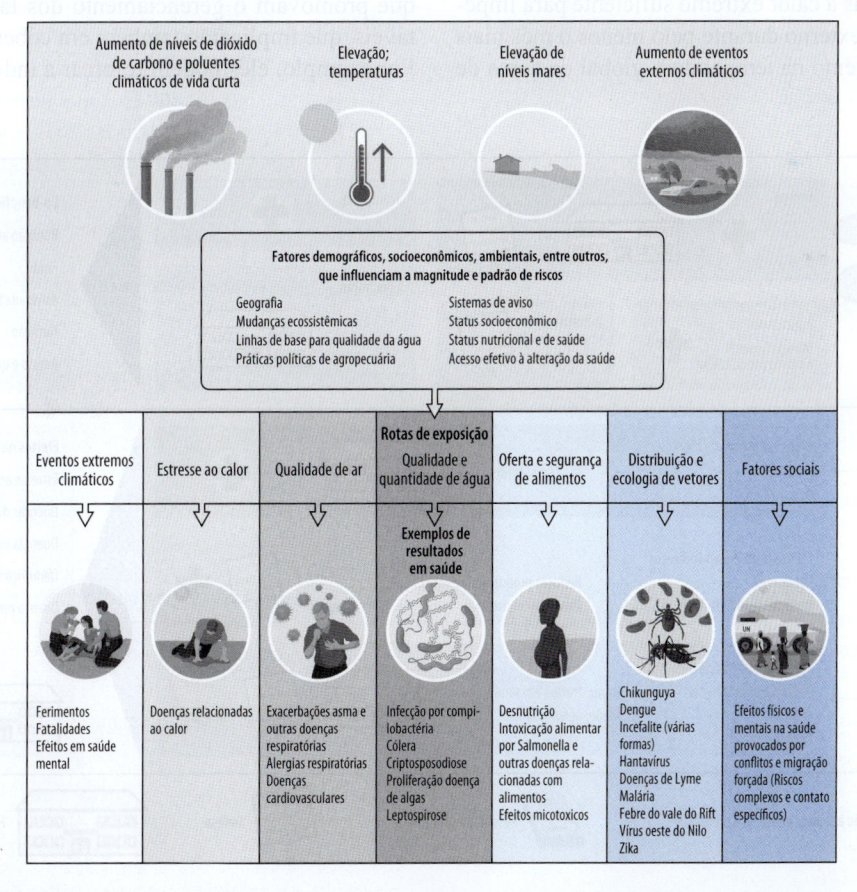

FIGURA 6.3 → Exemplos de possíveis resultados para a saúde e vias de exposição que ligam as mudanças climáticas à saúde humana, juntamente com fatores que podem influenciar a magnitude e o padrão dos riscos.
Fonte: Haines e colaboradores.[9]

consumo de alimentos vegetais e menor consumo de carne vermelha e processada, reduzem os riscos de doenças crônicas não transmissíveis, incluindo doenças cardiovasculares, bem como emissões de gases de efeito estufa.[10]

Por ser o campo emergente de maior interesse para as ciências da vida, as mudanças climáticas revelam-se o exemplo mais pesquisado e didático para aplicar a lente da saúde planetária. Por exemplo, um estudo[11] sobre a cidade de São Paulo demonstra que mudar as viagens urbanas de carro e moto para transporte ativo (caminhadas e bicicleta) e transporte público limpo pode fornecer benefícios à saúde, desde que essas mudanças sejam substanciais e em toda a população e de forma mais equitativa. Um estudo prospectivo[12] encontrou associação entre redução de câncer, doença cardiovascular e mortalidade geral com transporte ativo por bicicleta.

O Brasil é um país de dimensões continentais com desigualdades sociais generalizadas. Estima-se que as mudanças climáticas agravarão essa condição.[8,13,14] Sem mitigação e adaptação, aumentará a iniquidade na saúde, especialmente por meio de efeitos negativos sobre os determinantes sociais da saúde nas comunidades mais pobres.[8,15] Somente o impacto isolado de aumentar a exposição ao calor já reduz e reduzirá ainda mais a produtividade do trabalho e, portanto, aumentará a pobreza – inclusive no Brasil.[16] Por exemplo, aproximadamente 1 bilhão de pessoas em todo o mundo serão expostas a calor extremo suficiente para impedir o trabalho físico externo durante pelo menos o mês mais quente após um aumento na temperatura global de cerca de 2,5 °C acima dos níveis pré-industriais.[17] Populações que trabalham em áreas externas, trabalhadores rurais, trabalhadores da construção civil, entre outros, sofrerão mais esses impactos.[9,16]

Existe uma clara necessidade de fortalecer a capacidade do setor de atenção à saúde para tratar e prevenir problemas relacionados às mudanças climáticas. Ao mesmo tempo, o setor de atenção à saúde contribui significativamente para as emissões de gases de efeito estufa, com uma parcela estimada de 4,4% do total de emissões globais de gases de efeito estufa – se o setor de saúde fosse um país, ele seria o quinto maior emissor. Já o setor de saúde no Brasil responde por 4,4% do total brasileiro de gases efeito estufa.[18]

Até 2030, a humanidade tem a possibilidade de exercer um papel essencial na mitigação das mudanças climáticas que pode determinar os rumos da mudança climática e do desenvolvimento humano no futuro próximo e longínquo.[8]

O PAPEL DOS PROFISSIONAIS DA ATENÇÃO PRIMÁRIA À SAÚDE NA SAÚDE PLANETÁRIA

Os profissionais da atenção primária à saúde (APS) têm um papel importante na saúde planetária (FIGURA 6.4). Considerando que os principais fatores de riscos associados às doenças crônicas são dieta, sedentarismo e poluição ambiental,[19] os profissionais de APS podem fazer recomendações clínicas que promovam o gerenciamento dos fatores de riscos evitáveis, que implicarão também em cobenefícios ambientais. Por exemplo, eles podem reforçar a indicação de transporte

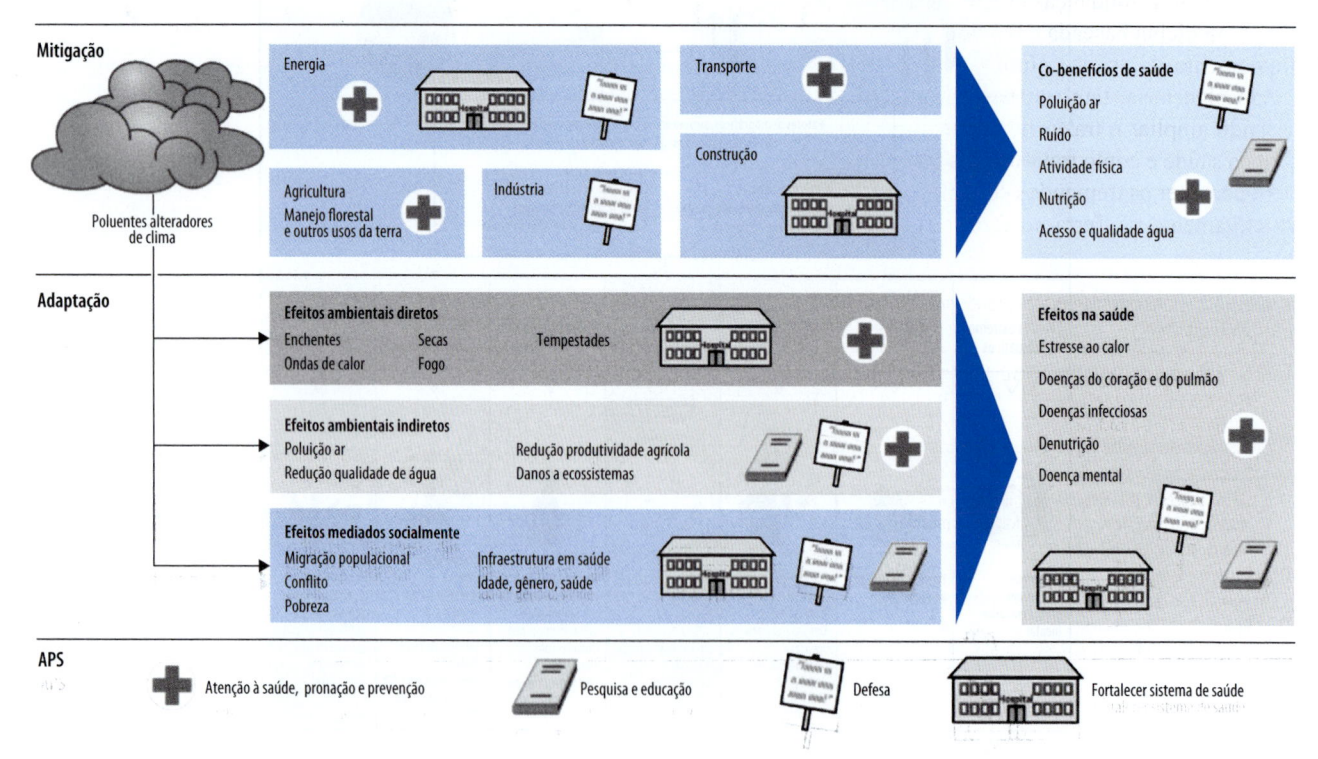

FIGURA 6.4 → Possíveis lócus de intervenção pela atenção primária à saúde para mitigar as causas da poluição e para adaptar a civilização aos efeitos ambientais diretos, efeitos ambientais indiretos e efeitos socialmente mediados, com seus respectivos efeitos esperados na saúde.
Fonte: Xie e colaboradores.[23]

ativo, adesão a alimentos mais saudáveis com baixo impacto ambiental, incluindo pouco ou nenhuma carne vermelha e mais frutas, sementes e plantas em geral. Serviços de planejamento familiar e direitos reprodutivos na APS são essenciais para prevenir morbimortalidade materno-infantil, além de garantir que as famílias planejem quantos filhos podem sustentar, diminuindo, de maneira potencial, a pressão populacional aos limites planetários. Por outro lado, quando há uma doença estabelecida, o médico pode ajustar a terapia para adaptá-la considerando o estresse ambiental. Por exemplo, durante ondas de calor, ele pode ajustar medicações de idosos e pacientes vulneráveis (p. ex., fármacos anti-hipertensivos e psicotrópicos). Além disso, profissionais de APS costumam ser os primeiros a identificar doenças, exercendo importante papel na vigilância epidemiológica. Finalmente, após eventos climáticos (como inundações e tempestades, entre outros eventos extremos), o provedor de APS pode dar apoio para reduzir os efeitos físicos e de saúde mental nos indivíduos e populações afetadas.

O imperativo pela ação climática requer que os médicos se mobilizem acadêmica e politicamente, como já fizeram em outras ocasiões, em prol de importantes mudanças sociais, ambientais e econômicas. Uma relação ética com o planeta que habitamos tão precariamente e com as futuras gerações exige esse comprometimento.[20] Por exemplo, em 2019, a Organização Mundial de Médicos de Família (WONCA), em parceria com a Planetary Health Alliance, lançou uma conclamação para ação pela saúde planetária.[21] Ainda em 2019, o WONCA reconheceu oficialmente a emergência climática, propondo diversas medidas práticas para mitigar as mudanças climáticas (QUADRO 6.2).[22]

A medicina baseada em evidências consolidou-se como fundamento da prática clínica. Agora emerge o campo da saúde planetária, também baseado em robustas pesquisas, visando ampliar e trazer novas perspectivas sobre os desafios da saúde e como tratá-los. Os profissionais de saúde devem perceber os tremendos cobenefícios que podem exercer coletivamente na Terra ao fornecerem conselhos baseados nas melhores evidências disponíveis aos pacientes. Essa percepção pode levar a uma nova atitude e desencadear uma onda poderosa de mudanças sociais e planetárias positivas.

O papel do profissional de saúde da APS também é tornar o impacto das mudanças climáticas e o olhar da saúde planetária tangível tanto para a população quanto para outros profissionais. Também cabe solicitar às associações nacionais e internacionais que se comprometam e tomem ações concretas, estabelecendo diretrizes sobre como reduzir suas próprias emissões, além de planos de ação para ondas de calor e desastres naturais, entre outras ações da saúde planetária.

As ameaças generalizadas à saúde colocadas pelas mudanças climáticas exigem ações decisivas dos profissionais de saúde e dos governos para proteger o bem-estar das gerações atuais e futuras. Por fim, deve-se reconhecer que para ser um bom profissional de saúde é fundamental familiarizar-se com o conceito de saúde planetária.

REFERÊNCIAS

1. Crutzen P. Geology of mankind. Nature. 2002;415(6867):23.
2. Steffen W, Richardson K, Rockstrom J, Cornell SE, Fetzer I, Bennett EM, et al. Planetary boundaries: guiding human development on a changing planet. Science. 2015;347(6223):1259855.
3. Ceballos G, Ehrlich P, Barnosky A, García A, Pringle R, Palmer T. Accelerated modern human–induced species losses: entering the sixth mass extinction. Sci Adv. 2015;1(5):e1400253.
4. Steffen W, Richardson K, Rockström J, Cornell SE, Fetzer I, Bennet EM, et al. Planetary boundaries: guiding human development on a changing planet. Science. 2015;347(6223): 1259855.
5. Landrigan P, Fuller R, Acosta N, Adeyi O, Arnold R, Basu N, et al. The Lancet Commission on pollution and health. Lancet. 2018;391(10119):462-512.
6. Whitmee S, Haines A, Beyrer C, Boltz F, Capon AG, Dias BFDS, et al. Safeguarding human health in the Anthropocene epoch: report of The Rockefeller Foundation–Lancet Commission on planetary health. Lancet. 2015;386(10007):1973–2028.
7. Stone S, Myers S, Golden C. Cross-cutting principles for planetary health education. Lancet Planet Health. 2018;2(5):e192-e193.
8. Watts N, Amann M, Arnell N, Ayeb-Karlsson S, Belesova K, Berry H, et al. The 2018 report of the Lancet Countdown on health and climate change: shaping the health of nations for centuries to come. Lancet. 2018;392(10163):2479-514.
9. Haines A, Ebi K. The imperative for climate action to protect health. N Engl J Med. 2019;380(3):263-73.
10. Willett W, Rockström J, Loken B, Springmann M, Lang T, Vermeulen S et al. Food in the Anthropocene: the EAT–Lancet Commission on healthy diets from sustainable food systems. Lancet. 2019;393(10170):447-92.
11. Sá T, Tainio M, Goodman A, Edwards P, Haines A, Gouveia N, et al. Health impact modelling of different travel patterns on physical activity, air pollution and road injuries for São Paulo, Brazil. Environ Int. 2017;108:22-31.
12. Celis-Morales C, Lyall D, Welsh P, Anderson J, Steell L, Guo Y, et al. Association between active commuting and incident cardiovascular disease, cancer, and mortality: prospective cohort study. BMJ. 2017;357:j1456.
13. Levy BS, Patz JA. Climate change, human rights, and social justice. Ann Glob Health. 2015;81(3):310-22.
14. Paim J, Travassos C, Almeida C, Bahia L, Macinko J. The Brazilian health system: history, advances, and challenges. Lancet. 2011;377(9779):1778-97.

QUADRO 6.2 Recomendações para a saúde planetária e propostas para enfrentar a emergência climática

- Aconselhar pacientes a buscar escolhas cotidianas que potencializam cobenefícios (p. ex., preferir dietas mais sustentáveis e baseadas em plantas e evitar ultraprocessados; escolher transporte ativo)
- Garantir direitos fundamentais de saúde reprodutiva
- Reforçar a conectividade com a natureza
- Liderar pelo exemplo (pensar, globalmente, agir localmente [*think globally, act locally*]), reduzindo sua própria pegada ecológica, de sua prática clínica (unidade básica, consultório e/ou hospital) e de sua entidade científica representativa
- Envolver-se com algum grupo de trabalho em saúde ambiental
- Avançar a pesquisa em saúde planetária e atenção primária à saúde
- Reduzir a pegada climática do sistema de saúde agora e cooperar em ações para implementar sistemas de saúde Carbono Zero (*net-zero emissions*) até 2030 – buscando utilizar a política de *Green Procurement* da Organização Mundial da Saúde (OMS) e uma Unidade de Desenvolvimento Sustentável no Sistema Único de Saúde e no Sistema de Saúde Suplementar
- Conclamar a World Medical Association e a OMS para declarar emergência climática
- Incluir saúde planetária no currículo da medicina e das demais profissões de saúde
- Monitorar e combater a poluição do ar
- Apoiar a transição da sociedade para energia limpa e renovável

15. Costello A, Abbas M, Allen A, Ball S, Bell S, Bellamy R, et al. Managing the health effects of climate change. Lancet. 2009;373(9676):1693-733.

16. Lancet Countdown 2018 report: briefing for brazilian policymakers. Lancet Countdown [Internet]. 2018 [capturado em 29 mar. 2020];1-19. Disponível em: http://www.lancetcountdown.org/media/1417/2018-lancet-countdown-policy-brief-brazil.pdf

17. Andrews O, Le Quéré C, Kjellstrom T, Lemke B, Haines A. Implications for workability and survivability in populations exposed to extreme heat under climate change: a modelling study. Lancet Planet Health. 2018;2(12):e540-e547.

18. Health Care Without Harm. Health care climate footprint report [Internet]. Reston: Haealth Care Without Harm; 2019 [capturado em 29 mar. 2020]. Disponível em: https://noharm-uscanada.org/climatefootprintreport

19. Peters R, Ee N, Peters J, Beckett N, Booth A, Rockwood K, et al. Common risk factors for major noncommunicable disease, a systematic overview of reviews and commentary: the implied potential for targeted risk reduction. Ther Adv Chronic Dis [Internet]. 2019 [capturado em 29 mar. 2020];10:2040622319880392. Disponível em: https://www.ncbi.nlm.nih.gov/pmc/articles/PMC6794648/pdf/10.1177_2040622319880392.pdf

20. Dunk JH, Jones DS, Capon A, Anderson WH. Human health on an ailing planet – historical perspectives on our future. N Engl J Med [Internet]. 2019 [capturado em 29 mar. 2020];381(8):778-82. Disponível em: https://www.nejm.org/doi/full/10.1056/NEJMms1907455?query=infectious-disease

21. Veidis EM, Myers SS, Almada AA, Golden CD; Clinicians for Planetary Health Working Group. A call for clinicians to act on planetary health. Lancet [Internet]. 2019 [capturado em 29 mar. 2020];393(10185):2021. Disponível em: https://www.thelancet.com/journals/lancet/article/PIIS0140-6736(19)30846-3/fulltext?dgcid=raven_jbs_etoc_email

22. WONCA Global Family Doctor. Working Party on the Environment recognise climate emergency [Internet] Bangkok: WONCA; 2019 [capturado em 29 mar. 2020]. Disponível em: https://www.globalfamilydoctor.com/News/WorkingPartyontheEnvironmentrecognise-ClimateEmergency.aspx

23. Xie E, Barros EFD, Abelsohn A, Stein AT, Haines A. Challenges and opportunities in planetary health for primary care providers. Lancet Planet Health. 2018;2(5):e185-e187.

LEITURAS RECOMENDADAS

Floss M, Barros EF. Saúde planetária: conclamação para a ação dos médicos de família de todo o mundo. Rev Bras Med Fam Comunidade [Internet]. 2019 [capturado em 29 mar. 2020];14(41):1992. Disponível em: https://rbmfc.org.br/rbmfc/article/view/1992

Hippocrates. On airs, waters, and places [Internet]. Cambridge: Internet Classics Archive; c1994-2020 [capturado em 29 mar. 2020]. Disponível em: http://classics.mit.edu/Hippocrates/airwatpl.mb.txt

Haines A, Ebi K. The imperative for climate action to protect health. N Engl J Med. 2019;380(3):263-73. [capturado em 03 out. 2021] Disponível em: https://www.nejm.org/doi/full/10.1056/NEJMra1807873

SEÇÃO II

Coordenador: *Michael Schmidt Duncan*

Ferramentas para a Prática Clínica na Atenção Primária à Saúde

7. Prática da Medicina Ambulatorial Baseada em Evidências 58
   Bruce B. Duncan, Maria Inês Schmidt, Maicon Falavigna

8. Conceitos de Epidemiologia Clínica para a Tomada de Decisões Clínicas na Atenção Primária 67
   Maria Inês Schmidt, Ricardo Kuchenbecker, Bruce B. Duncan

9. Saúde Pública Baseada em Evidências 78
   Maria Inês Schmidt, Bruce B. Duncan

10. O Diagnóstico Clínico: Estratégia e Táticas 85
    Kurt Kloetzel[†]

11. Método Clínico Centrado na Pessoa 94
    Marcelo Garcia Kolling

12. Modelo de Consulta e Habilidades de Comunicação 102
    Eberhart Portocarrero-Gross

13. Agentes Comunitários de Saúde 112
    Camila Giugliani, A. Carlile H. Lavor, Míria Campos Lavor[†], Maria Idalice Silva Barbosa, Thaíse Bernardo da Silva

14. Prescrição de Medicamentos e Adesão aos Tratamentos 129
    Jorge Béria, Pedro Beria, Sotero Serrate Mengue

15. Registros Médicos, Certificados e Atestados 138
    Marcelo Vieira de Lima, Lucia Campos Pellanda, Moacir Assein Arús[†]

16. Informação, Prontuário Eletrônico e Telemedicina em APS 147
    Erno Harzheim, Lucas Alexandre Pedebos, Jacson Venancio de Barros

17. A Atenção às Condições Crônicas 156
    Eugênio Vilaça Mendes

18. Antropologia e Atenção Primária à Saúde 162
    Daniela Riva Knauth, Francisco Arsego de Oliveira, Rodrigo Caprio Leite de Castro

19. Atendimento ao Trabalhador na Atenção Primária 167
    Fábio Fernandes Dantas Filho, Karen Gomes d'Ávila

20. Abordagem Familiar 181
    Carmen Luiza C. Fernandes, Olga Garcia Falceto, Brendha Silva Givisiez, Elisabeth Susana Wartchow

21. Abordagem Integral da Sexualidade e Cuidados Específicos da População LGBTI+ 195
    Ana Paula Andreotti Amorim, Renata Carneiro Vieira, Rita Helena Borret, Thiago Campos, Thiago Cherem Morelli

22. Abordagem da Morte e do Luto 210
    Martha Farias Collares, Patrícia Lichtenfels, Milton Humberto Schanes dos Santos

Capítulo 7
PRÁTICA DA MEDICINA AMBULATORIAL BASEADA EM EVIDÊNCIAS

Bruce B. Duncan

Maria Inês Schmidt

Maicon Falavigna

O médico defronta-se com múltiplas opções diagnósticas, terapêuticas e preventivas para considerar com seus pacientes. A escolha entre essas opções visa maximizar benefícios e minimizar riscos e custos. Para auxiliar na escolha, o médico pode lançar mão de princípios, regras e informações de apoio à decisão clínica, desenvolvidos sob o prisma da medicina baseada em evidências (MBE).[1]

> Medicina baseada em evidências é o uso consciente, explícito e judicioso das melhores evidências atuais disponíveis para a tomada de decisões acerca do cuidado com os pacientes.[2] Isso exige ir além da fisiopatologia da doença e da experiência clínica (pessoal ou do serviço) ou da opinião de peritos (professores, palestrantes de congressos, autores de capítulos de livros-texto bem-conceituados). Não exclui a experiência e o conhecimento clínico, mas preconiza que eles se associem a evidências baseadas em investigações clínicas que forneçam medidas de benefícios, riscos e custos.[2]

A prática da medicina ambulatorial baseada em evidências tornou-se mais presente com a disponibilidade de ferramentas e sistemas de apoio à decisão clínica e com o acesso crescente à internet. Além disso, o fortalecimento dos sistemas de saúde permite inserir a prática individual da MBE dentro de uma prática coletiva, com o objetivo de alcançar os melhores desfechos, levando em conta os recursos disponíveis.

Este capítulo aborda a prática individual baseada em evidências, inter-relacionando-a com a prática coletiva. Inicialmente, é apresentada a hierarquização das evidências de acordo com o sistema GRADE, adotado neste livro, bem como os tipos de publicações onde essas evidências são encontradas. Então, serão mostrados caminhos para localizar as evidências e orientações sobre como integrá-las ao processo de decisão clínica. Conceitos básicos de epidemiologia clínica para melhor entendimento de alguns aspectos quantitativos relacionados a essa prática são abordados no Capítulo Conceitos de Epidemiologia Clínica para a Tomada de Decisões Clínicas na Atenção Primária.

NÍVEIS DE EVIDÊNCIAS E GRAUS DE RECOMENDAÇÕES

Evidência clínico-epidemiológica

Os resultados de pesquisas experimentais em animais ou em fragmentos de tecidos ou células de seres humanos são fundamentais para o avanço do conhecimento. No entanto, eles não respondem diretamente às questões relevantes para decisões clínicas. Essas questões são respondidas pela experiência clínica, uma "base pessoal de dados" gerada pelo contato com pacientes que permite uma "investigação clínica" não sistematizada. Essa base de dados pode ter vieses como perda de seguimento daqueles com pior desfecho, efeito-placebo, efeito de Hawthorne, cointervenção, avaliação subjetiva, entre outros. Para lidar com esses potenciais vieses, foram sistematizados métodos de desenho e análise de pesquisa, aqui denominada pesquisa clínico-epidemiológica. São definidos objetivos e hipóteses *a priori*, escolhido o melhor desenho de pesquisa, padronizadas as medidas e desfechos, buscados os participantes que não retornam ao serviço, e analisados os dados para ajustar para fatores de confusão, etc. Além disso, a comprovação de um benefício clinicamente significativo de testes diagnósticos ou intervenções médicas pode exigir estudo com milhares de pacientes ao longo de vários anos, o que só seria conseguido com dados de dezenas de serviços de saúde. Por isso, para muitas situações clínicas, hoje é quase impossível o clínico poder concluir sobre a vantagem entre as opções disponíveis para diagnóstico ou tratamento, sem amparar-se nas evidências clínico-epidemiológicas que resultam dessas pesquisas.

Hierarquizando níveis de evidências

Com a expansão da pesquisa clínico-epidemiológica, gerou-se um número imenso de artigos relevantes, cujos resultados variam substancialmente em seu potencial para embasar decisões clínicas. Para expressar de forma sucinta o potencial benefício identificado por esses resultados e a qualidade das evidências que o apoiam, foram desenvolvidos sistemas hierarquizados de níveis de evidências. Dois pilares fundamentais sustentam a hierarquização:

→ dar maior prioridade a pesquisas em seres humanos, em especial aquelas com desfechos clínicos de significância para o paciente e para a sociedade;
→ valorizar o rigor metodológico do delineamento da pesquisa.

Maior prioridade é dada sempre para pesquisas em seres humanos que analisam desfechos de saúde-doença com significado real para o paciente e para a sociedade (p. ex., morte [vida], doença [cura, saúde], recidiva, perda de órgão ou função, dor, custo). Quando os desfechos são raros, contados em 1.000, 10.000 ou até 100.000 indivíduos, pesquisas capazes de produzir essas evidências podem requerer um número enorme de pacientes estudados ao longo de muitos anos. Por isso, são frequentes as pesquisas com desfechos intermediários no processo de causalidade da doença (fisiopatológicos ou bioquímicos, p. ex., níveis de glicemia ou de pressão arterial). Esses desfechos, também chamados de desfechos substitutos (*surrogate endpoints*), geram evidências provisórias. Primeiro, porque desfechos clínicos necessários para essa avaliação não são efetivamente medidos. Segundo, porque a avaliação dos riscos associados às intervenções fica limitada a efeitos colaterais comuns e de curto prazo, típicos dessas pesquisas; efeitos crônicos e alguns efeitos raros, muitas vezes graves, não são detectados. A evidência gerada por esses estudos pode justificar a necessidade de estudos maiores, com desfechos clínicos mais relevantes para produzir evidência segura de que o benefício clínico justifica o risco.

O princípio do rigor metodológico do delineamento da pesquisa visa assegurar que os resultados apresentados sejam, de fato, verdadeiros. Almeja-se a melhor evidência hoje disponível, salvaguardando-se dos potenciais vieses típicos do contexto clínico de investigação. O aspecto metodológico que melhor distingue a capacidade de uma pesquisa clínica em apresentar dados confiáveis é o delineamento da pesquisa.

Recomendações clínicas e níveis de evidências no sistema GRADE

A formulação de recomendações clínicas requer comunicação sucinta sobre o benefício (ou dano) de uma intervenção ou procedimento diagnóstico e a qualidade das evidências que apoiam a avaliação desse benefício. Há dezenas de esquemas para expressar a força da recomendação e a qualidade das evidências. O sistema GRADE (*Grading of Recommendations, Assessment, Development and Evaluation*),[3,4] adotado neste livro, vem sendo utilizado de forma crescente, com adesão de instituições na formulação de suas recomendações, como a Organização Mundial da Saúde (OMS), o Centers for Disease Control and Prevention (CDC) e o National Institute for Health and Care Excellence (NICE). (Ver QR code.).

O sistema GRADE define o grau da recomendação para adotar uma determinada conduta e o nível (qualidade) da evidência científica que apoia a recomendação. Para fazer essas definições, o sistema GRADE considera o conjunto de evidências disponíveis para responder a uma questão clínica específica, não se limitando à qualidade de um estudo apenas.

Grau de recomendação

O grau de recomendação expressa a ênfase que é dada para adotar ou rejeitar uma determinada conduta, considerando potenciais vantagens e desvantagens. As vantagens são os resultados benéficos que poderiam resultar da recomendação, como melhora da qualidade de vida, aumento da sobrevida e redução dos custos. As desvantagens são os riscos de efeitos colaterais, a carga psicológica para o paciente e seus familiares e os custos para a sociedade que resultariam da recomendação. A relação entre vantagens e desvantagens determina a força da recomendação, que é classificada em dois níveis: forte e fraco[5] (TABELA 7.1).

Os fatores básicos que determinam o grau da recomendação são a importância dos desfechos, a magnitude absoluta do benefício (considerando o risco relativo e o risco basal) e a qualidade da evidência. Outros fatores que podem pesar são os custos e os riscos da terapia e as preferências dos pacientes. Por entender que esses fatores são, em geral, muito dependentes dos contextos locais, optou-se por não fornecer o grau das recomendações neste livro. No entanto, frequentemente é fornecida a magnitude dos benefícios e dos riscos correspondentes. Associada ao nível de evidência (fornecido para condutas terapêuticas e preventivas), essa informação auxilia o clínico a fundamentar a força da recomendação em seu contexto, considerando as especificidades locais (ver Capítulo Conceitos de Epidemiologia Clínica para a Tomada de Decisões Clínicas na Atenção Primária).

Nível de evidência

O nível de evidência define a qualidade científica dos achados de pesquisa utilizados para apoiar uma determinada recomendação. No sistema GRADE, a qualidade da evidência é classificada em quatro níveis – alto, moderado, baixo e muito baixo –, representados pelas letras A, B, C e D, conforme mostrado na TABELA 7.2. Neste livro, são fornecidos os níveis de evidência para condutas terapêuticas e preventivas, e os níveis C e D serão unificados, sendo representados como C/D.

O ponto de partida para definir a qualidade da evidência, conforme mostrado na FIGURA 7.1, é o desenho do estudo. Para ensaios clínicos randomizados, o nível de evidência inicia como "alto (nível A)", e, para estudos observacionais capazes de gerar evidência para decisão clínica, como "baixo (nível C)". A partir disso, outros aspectos dos estudos podem baixar ou elevar o nível de evidência. Os principais redutores de qualidade da evidência são sintetizados da seguinte maneira.

Em primeiro lugar, a análise da metodologia de cada estudo pode revelar falha metodológica com resultante risco de viés. Em segundo lugar, os resultados dos estudos podem mostrar heterogeneidade (inconsistência); alguns estudos sugerem benefício e outros não, ou até mesmo mostram

TABELA 7.1 → Graus de recomendação de acordo com o sistema GRADE

GRAU	DEFINIÇÃO	EXEMPLO	JUSTIFICATIVA
Forte	As vantagens de uma dada conduta claramente suplantam as desvantagens; ou, então, as desvantagens claramente suplantam as vantagens	A isotretinoína não deve ser utilizada por mulheres em idade fértil sem uso de método seguro de anticoncepção	Apesar de a isotretinoína ser efetiva para o tratamento da acne, é inequívoco o seu alto potencial de teratogenicidade; é contraindicada em mulheres com possibilidade de gestação
Fraco	Há certo grau de incerteza sobre a relação entre vantagens e desvantagens de uma dada conduta	O uso de benzodiazepínico antes da realização de anestesia regional em paciente com ansiedade	Procedimento lógico; contudo, não há estudos sobre o assunto, apenas evidência indireta e opinião de peritos

TABELA 7.2 → Qualidade da evidência no sistema GRADE

QUALIDADE DA EVIDÊNCIA	DEFINIÇÃO	NOVAS PESQUISAS	FONTE DA EVIDÊNCIA
Alta (nível A)	Há forte confiança de que o verdadeiro efeito esteja próximo do estimado	É improvável que novas pesquisas mudem a confiança depositada na estimativa do efeito	→ Ensaios clínicos randomizados com grupos paralelos, com controles adequados, bem-conduzidos e achados consistentes → Em algumas situações, estudos observacionais (estudos de coorte e, mais raramente, estudos de caso-controle) bem-conduzidos, cujos resultados mostram efeitos muito fortes de intervenções terapêuticas que não podem ser explicados por potenciais vieses
Moderada (nível B)	Há confiança moderada no efeito estimado; o verdadeiro efeito é provavelmente próximo ao estimado, mas é possível que seja substancialmente diferente	Pesquisas posteriores provavelmente terão impacto na confiança depositada na estimativa de efeito e poderão mudar a estimativa	→ Ensaios clínicos randomizados com limitações leves, como problemas na condução, fonte indireta de evidência, imprecisão e inconsistência dos resultados → Estudos observacionais, quando relatam benefício forte em delineamento sem viés
Baixa (nível C)	A confiança no efeito é limitada; o efeito verdadeiro pode ser substancialmente diferente do estimado	É muito provável que pesquisas posteriores tenham importante impacto na confiança depositada na estimativa de efeito, e é provável que mudem a estimativa	→ Ensaios clínicos randomizados com limitações importantes, como problemas na condução, fonte indireta de evidência (p. ex., desfechos substitutos não validados), imprecisão e inconsistência dos resultados → Estudos observacionais, mais especificamente estudos de coorte e caso-controle
Muito baixa (nível D)	A confiança na estimativa de efeito é muito limitada; é provável que o efeito verdadeiro seja substancialmente diferente do estimado	Qualquer estimativa de efeito deve ser vista como muito incerta	→ Ensaios com graves problemas metodológicos → Estudos observacionais não controlados e observações clínicas não sistematizadas (p. ex., relato de casos e série de casos)

Fonte: Balshem e colaboradores.[4]

malefício da intervenção. Essas inconsistências podem resultar de problemas metodológicos nos estudos ou de características distintas dos pacientes estudados (p. ex., idade, gravidade da doença, comorbidades associadas). Terceiro, como evidências que respondem diretamente à questão clínica nem sempre estão disponíveis, evidências indiretas são utilizadas, mas com nível mais baixo. Um tipo de evidência indireta relaciona-se à população-alvo; por exemplo, quando resultados observados em pacientes com diabetes tipo 1 (uso de inibidor de enzima de conversão da angiotensina para reduzir a progressão da doença renal crônica) são usados para apoiar recomendação para pacientes com diabetes tipo 2. Outro tipo de evidência indireta é a utilização de achados baseados em desfechos intermediários ou substitutos, como no caso da redução da concentração de A1C (hemoglobina glicada), em lugar de um desfecho clinicamente relevante, como redução do risco de doença cardiovascular ou morte por qualquer causa. Quarto, a imprecisão dos resultados também prejudica a qualidade da evidência pela incerteza na magnitude do benefício ou do risco da intervenção. Isso porque a imprecisão na estimativa corresponde a uma maior probabilidade de ocorrência de erro aleatório, sendo decorrente de amostra pequena ou de pequeno número de eventos nos estudos, influenciando na amplitude dos intervalos de confiança. Por último, outro fator que reduz a qualidade da evidência é o viés de publicação – a tendência de publicar resultados de estudos que mostram um efeito benéfico de uma determinada intervenção.

É possível aumentar o nível de evidência em estudos observacionais. Isso é importante para poder apoiar decisões clínicas quando não há ensaios clínicos capazes de responder a determinadas questões clínicas. Estudos de coorte e de caso-controle, em algumas circunstâncias, podem ser adequados para apoiar recomendações terapêuticas – por exemplo, rastreamento do câncer do colo do útero pelo exame de Papanicolaou e orientações clínicas sobre os malefícios do fumo. Embora o nível de evidência no sistema GRADE inicie como baixo, ele pode crescer de acordo com aspectos da pesquisa que fortalecem a evidência. Por exemplo, o nível pode aumentar quando a magnitude da associação for muito grande, a estimativa for altamente precisa e houver ausência de vieses. O nível de evidência também pode aumentar quando há um gradiente dose-resposta no efeito da intervenção. Por fim, a presença de vieses conservadores, que diminuem o tamanho da associação encontrada (aproximam o risco relativo ao valor de 1), também pode aumentar o nível da evidência.

O sistema GRADE foi desenvolvido pensando primariamente na graduação de evidências para tratamento e prevenção. No entanto, ele pode ser útil também para graduar evidências e fazer recomendações sobre testes diagnósticos (incluindo sinais, sintomas, exames de imagem e exames laboratoriais) ou estratégias diagnósticas (uso de algoritmos ou escores de predição na avaliação de um determinado problema). Infelizmente, em geral, esses estudos não são

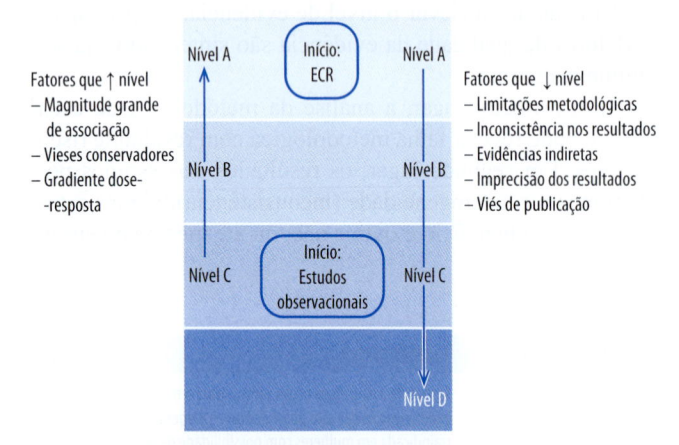

FIGURA 7.1 → Definição do nível de evidência no sistema GRADE. ECR, ensaio clínico randomizado.

desenvolvidos para avaliar o impacto dos resultados corretos (verdadeiros-positivos e verdadeiros-negativos) e dos resultados falsos (falsos-positivos e falsos-negativos) na prevenção de eventos adversos clinicamente relevantes. Assim sendo, a análise da importância de cada teste depende da validade da premissa de que os resultados fornecidos pelo teste contribuem no final para melhorar o prognóstico. Isso significa que, para alcançar nível alto de qualidade de evidência diagnóstica, não é suficiente demonstrar que o teste tem acurácia diagnóstica, mas é preciso demonstrar sua capacidade de modificar desfechos clinicamente relevantes. Nesta edição do livro, optou-se por não avaliar a qualidade da evidência de recomendações diagnósticas; contudo, os dados quantitativos, a avaliação qualitativa e as referências que embasam as recomendações serão apresentados sempre que pertinentes.

TIPOS DE PUBLICAÇÕES QUE FORNECEM EVIDÊNCIAS PARA DECISÕES CLÍNICAS

Os principais tipos de publicações que geram evidências para decisões clínicas são apresentados a seguir, iniciando pelos artigos originais (onde as evidências são geradas) e concluindo pelas publicações que fornecem evidências já analisadas e sintetizadas, como os livros-texto, os sumários eletrônicos e os sistemas eletrônicos de apoio a decisões clínicas.[6]

Artigos originais

Os artigos originais, particularmente os grandes ensaios clínicos randomizados e os estudos observacionais de boa qualidade metodológica, representam a fonte primária de informação para embasar decisões clínicas. No entanto, como enfatizado pelo sistema GRADE, a qualidade da evidência baseia-se na consistência de achados de vários desses estudos, o que pode ser verificado e quantificado em revisões sistemáticas.

Revisões sistemáticas

A revisão sistemática é um tipo de revisão de literatura com o objetivo precípuo de responder a questões clínicas com aplicabilidade direta. Nesse tipo de pesquisa, a unidade deixa de ser um sujeito de pesquisa e passa a ser um artigo original. O termo "sistemática" mostra que a revisão segue o mesmo rigor metodológico de artigos originais – formulação da questão de pesquisa e aplicação de técnicas específicas e explícitas de seleção de artigos e abstração de dados para evitar, ou ao menos minimizar, os vieses capazes de distorcer os resultados. Quando possível, são feitas metanálises, isto é, análises estatísticas que sumarizam medidas de efeito de diversos estudos em uma única medida de efeito, o que amplia o poder estatístico para análise da questão clínica.

Sinopses

Revistas e portais na internet disponibilizam sinopses sobre estudos relevantes acompanhadas de uma análise crítica para facilitar acesso rápido às novas evidências. Essas publicações oferecem uma maneira rápida e segura de conhecer as novidades, e as bases compiladas de suas sinopses são fontes de informações clínicas úteis para localização rápida de evidências. Um exemplo de fonte de sinopses poderia ser a revista *ACP Journal Club* (do American College of Physicians).

Diretrizes

As diretrizes (*guidelines*) compreendem um conjunto de recomendações clínicas para o manejo de um determinado problema clínico. Em geral, são produzidas por iniciativa de uma agência governamental ou de uma sociedade médica. A complexidade atual da literatura e sua velocidade de mudança geraram, nos últimos anos, uma verdadeira indústria de produção de diretrizes. Infelizmente, apesar dos esforços para melhorar a qualidade das diretrizes,[7] muitas ainda recomendam fortemente condutas não apoiadas por evidências de alta qualidade ou não explicitam que as intervenções recomendadas apresentam baixa relação custo-efetividade. Além disso, autores de muitas diretrizes apresentam conflitos de interesse nem sempre explicitados, a exemplo do financiamento pela indústria ou da coordenação por sociedades profissionais que defendem interesses corporativos. Estudos recentes mostram que mais da metade dos autores de diretrizes nos Estados Unidos tinham ligações, frequentemente não declaradas, com indústrias farmacêuticas ou de equipamentos médicos.[8-11] A natureza do patrocínio – governo (comprador de serviços, mas com a responsabilidade de fornecer serviços de qualidade dentro das limitações de orçamento) ou sociedades médicas (fornecedores de serviços, com compromisso de zelar pela qualidade da prática de sua especialidade e cuidar dos interesses de seus sócios) – pode guiar a valorização das diretrizes, uma vez que as diretrizes de governos mostram uma tendência para recomendações mais conservadoras e mais bem baseadas em evidências.

Em suma, é possível considerar as diretrizes como fonte de evidências para a prática clínica, contanto que elas sejam apoiadas em boas evidências e que sua produção seja conduzida com critérios explícitos para minimizar vieses induzidos por interesses comerciais ou corporativos.

Sumários de informação para uso clínico (ponto de cuidado [*point of care*])

Os livros-texto impressos são fonte tradicional de consulta para condutas clínicas do dia a dia e têm a vantagem de conter grande densidade de recomendações de forma organizada e de fácil acesso. Livros-texto baseados em evidências, como este sobre Medicina Ambulatorial, indicam o nível de evidência e/ou o grau de recomendação para as condutas. Sua maior desvantagem é a rápida desatualização, especialmente em áreas com maior dinamismo de investigação.

Os sumários eletrônicos de apoio a decisões clínicas permitem maior agilidade para localizar a informação necessária no ponto de cuidado, mas em geral não são gratuitos. Apresentam recursos de hipertexto, que permitem rápido e fácil acesso às evidências. Os enfoques e abordagens são variados, desde os mais abrangentes até os que se limitam a uma especialidade. Alguns desses sistemas restringem-se a condutas terapêuticas.

Sistemas eletrônicos de apoio a decisões clínicas

Sistemas de informação clínica oferecem grande potencialidade para qualificação da prática médica. Esses sistemas, aliados ao prontuário eletrônico, podem automaticamente mostrar as condutas recomendadas com seus níveis de evidência a partir das características do paciente, com alertas periódicos relacionados a aspectos-chave do manejo.

UMA PRÁTICA BASEADA EM EVIDÊNCIAS

A prática do uso consciente, explícito e judicioso das melhores evidências disponíveis para a tomada de decisões exige exercício constante e autocrítico do "perguntar-responder". Os passos para obter as evidências que respondem a uma determinada questão clínica são apresentados no QUADRO 7.1 e abordados a seguir.

Formular boas questões clínicas

O atendimento de pacientes gera muitas questões. Um estudo sobre isso avaliou que surgem cerca de 5 a 6 questões por médico/por turno.[12] Apenas uma fração delas são questões diretas sobre como proceder no manejo clínico dos pacientes, e para algumas delas pode ser necessário um pronto esclarecimento. Para as questões com aplicação direta no manejo clínico, o primeiro passo para localizar as evidências é formular a questão clínica de forma padrão.[13]

Uma questão clínica padrão inclui quatro elementos caracterizados pela sigla PICO (do inglês *patient, intervention, comparison and outcome* [paciente, intervenção, comparação e desfecho]). Um exemplo de questão-padrão para terapêutica poderia ser: Em pacientes com neuropatia diabética, a duloxetina – em comparação ao placebo – reduz a dor? Um exemplo de questão-padrão para diagnóstico poderia ser: Em pacientes com diabetes, a acurácia de teleoftalmologia é equivalente à da avaliação presencial por um oftalmologista (padrão-ouro) para a detecção de retinopatia diabética?

Localizar as evidências

Uma vez formulada a questão PICO, as palavras-chave identificadas podem ser utilizadas para orientar a busca.

QUADRO 7.1 → Passos na prática da medicina baseada em evidências

1. Formular boas questões clínicas: converter a necessidade de informação (sobre diagnóstico, tratamento, prevenção, etc.) em questão padronizada que possa ser efetivamente respondida
2. Localizar as evidências: rastrear a literatura em busca das melhores evidências para responder à questão formulada
3. Analisar criticamente as evidências: analisar, de modo crítico, as evidências em relação à validade (veracidade), ao impacto (magnitude do efeito) e à aplicabilidade (no contexto clínico específico em questão)
4. Aplicar as evidências na prática clínica: aplicar as evidências obtidas na prática, integrando-as com a experiência clínica e com as características específicas do paciente e com as suas preferências

As respostas podem ser encontradas em diversos tipos de publicação já descritos anteriormente. Não há tempo, no dia a dia, para analisar de maneira crítica e sintetizar os resultados de todas as publicações sobre cada um dos problemas encontrados. Felizmente, esse trabalho já vem sendo feito de forma coletiva em várias instâncias. Hoje estão amplamente disponíveis análises integradas como revisões sistemáticas, avaliações de tecnologias em saúde, diretrizes e sumários eletrônicos para uso clínico – estes últimos, muitas vezes, são o equivalente eletrônico do livro-texto impresso.[13] Dependendo do local de trabalho, é possível também usar normas ou protocolos específicos para orientar as decisões clínicas locais.

O processo eletrônico de localização das evidências é ágil e simples, permitindo pesquisa no momento e local das decisões clínicas, por exemplo, via celular ou *notebook*. Tempo maior será despendido quando são buscados artigos originais e metanálises, porque isso requer maior tempo no passo 2, além da necessidade de analisar os artigos criticamente (passo 3), como visto adiante.

> Sumários de informação são mais ágeis para localização da evidência e, muitas vezes, já fornecem os níveis das evidências, permitindo ir diretamente para o passo 4 (aplicar as evidências).

A TABELA 7.3 lista os principais endereços eletrônicos de portais gratuitos que disponibilizam evidências. Há também portais que disponibilizam livros-texto de forma gratuita.[14]

Fontes de artigos originais e metanálises

No portal PubMed da National Library of Medicine dos Estados Unidos, o principal banco de títulos e resumos de artigos da área médica, os termos de busca são inseridos na caixa de busca principal, que procura, automaticamente, não apenas artigos com os termos inseridos, mas também artigos indexados com termos MeSH (do inglês *Medical Subject Headings* [termos indexadores de assuntos]) a eles relacionados. O PubMed destaca os artigos identificados pela estratégia de busca e, ao abrir o resumo de um artigo, fornece também uma lista de artigos relacionados.

O PubMed oferece filtros de busca que permitem especificar tipos de artigos (p. ex., editorial, carta ou artigo com delineamento específico – ensaio clínico randomizado, revisão sistemática e metanálise). Também é possível filtrar a busca segundo a faixa etária de interesse. Entre as ferramentas disponibilizadas na abertura do *site* está a janela *Clinical Queries*, desenhada para facilitar a localização de artigos de maior relevância para apoio a decisões clínicas, usando filtros metodológicos específicos para cada um dos enfoques – terapia, diagnóstico (com opção para busca separada de regras de predição clínica [*Clinical prediction guides*]), prognóstico e etiologia.

Um *link* de acesso ao texto integral pode ser encontrado junto ao resumo no PubMed, bem como a cópia eletrônica gratuita (quando disponíveis – o texto integral e a cópia eletrônica gratuita). Artigos com financiamento público – por exemplo, do National Institutes of Health dos Estados Unidos – são disponibilizados na íntegra, na versão aceita pela revista, logo após sua publicação. O portal SciELO é outra

TABELA 7.3 → Portais gratuitos recomendados para localizar evidências para embasar condutas clínicas

PORTAL	URL
ARTIGOS ORIGINAIS	
Resumos	
PubMed (Medline)	www.pubmed.gov
Biblioteca Virtual em Saúde (BVS)	bvsalud.org
Texto integral	
Periódicos Capes (acesso restrito a certas instituições)	www.periodicos.capes.gov.br
SciELO	www.scielo.org/php/index.php
REVISÕES SISTEMÁTICAS*	
JBI Database of Systematic Reviews and Implementation Reports	https://journals.lww.com/jbisrir/Pages/default.aspx
Cochrane Collaboration	www.cochranelibrary.com/search
DIRETRIZES	
HSTAT (Health Services/Technology Assessment Text)	https://www.ncbi.nlm.nih.gov/books/NBK16710/
NICE Evidence	www.evidence.nhs.uk/
ECRI Guidelines Trust	guidelines.ecri.org/
Projeto Diretrizes (AMB)	diretrizes.amb.org.br/
SUMÁRIOS PARA REFERÊNCIA CLÍNICA	
DynaMed (via Portal Saúde Baseada em Evidências)	atualmente disponível em apenas alguns lugares, p.ex., via o site de CREMERS no Rio Grande do Sul
Epocrates	www.epocrates.com/
BUSCAS INTEGRADAS	
ACCESSSS	www.accessss.org/
SUMSearch2	sumsearch.org
Trip Database	www.tripdatabase.com
BVS Portal de Evidências	bvsalud.org/ e http://brasil.bvs.br/
Epistemonikos	www.epistemonikos.org/
Google	www.google.com
Google Acadêmico	https://scholar.google.com.br/?hl=pt

*Resumos das revisões disponíveis também via PubMed e portais de buscas integradas.

fonte de acesso a texto integral gratuito das principais revistas brasileiras e várias estrangeiras. Muitas revistas estão oferecendo texto integral desde o início ou algum período após a publicação.

Outras fontes de revisões sistemáticas e metanálises são o JBI Database of Systematic Reviews and Implementation Reports, e a biblioteca da *Cochrane Collaboration*. Esta última, uma organização não governamental, é fonte abrangente para textos completos sobre terapêutica ou prevenção. Um acordo com a CAPES permite acesso gratuito à biblioteca *Cochrane*, inclusive às revisões em texto integral.

Os *sites* para buscas integradas, descritos adiante, são alternativas para localização rápida de revisões sistemáticas e metanálises.

O portal em português da Biblioteca Virtual em Saúde (BVS)[15] permite fazer a busca utilizando os termos descritores em ciências da saúde (DeCS), traduzidos dos termos MeSH para português e espanhol, e ampliados para outros campos da saúde.

Uma vez localizados resumos ou artigos em inglês (ou em outra língua), eles podem ser traduzidos agilmente para português usando tradutores digitais como o do Google.

Fontes de diretrizes

Diretrizes (*guidelines* ou linhas-guia) podem ser obtidas de diversas fontes, incluindo portais de sociedades profissionais. Quando publicadas em revista médica, aparecem nas buscas do PubMed. Os portais de buscas integradas localizam rapidamente revisões sistemáticas e metanálises do PubMed.

Um portal para acessar diretrizes produzidas explicitamente dentro do paradigma de prática baseada em evidências é o Evidence Search do NICE, instância principal do National Health Service para fornecer orientações para os médicos e outros profissionais do sistema público de assistência e saúde pública do Reino Unido. No Brasil, o Projeto Diretrizes, da Associação Médica Brasileira, fornece revisões atualizadas de sociedades médicas.

Fontes de sumários eletrônicos de informação para uso clínico

Os sumários mais conhecidos são o DynaMed,[16] o UpToDate[17] e o Best Practice.[18] Outros sistemas disponíveis incluem Clinical Evidence, Evidence Essentials, First Consult (uma parte de ClinicalKey) e Medscape; este último não apresenta um sistema de avaliação de evidências com a qualidade e a sofisticação do Dynamed ou do UpToDate, mas é gratuito. A Wikipédia e o Epocrates também têm acesso gratuito; este último com avaliação das evidências para algumas condutas apresentadas.

> O site do *DynaMed* é atualizado mais frequentemente do que o do *UpToDate*, mas a cobertura de tópicos é menor. Seu acesso gratuito, disponível no passado pelo Ministério da Saúde, está atualmente restrito. Uma avaliação feita em 2014 sobre potenciais conflitos de interesse de autores do UpToDate e do DynaMed demonstrou haver maior potencial para conflito entre os autores do UpToDate.[19]

Por essas razões, os níveis de evidência neste livro baseiam-se principalmente nas avaliações de qualidade do Dynamed. Para agilizar seu uso, o *site* disponibiliza tutoriais e vídeos.

Fontes para buscas integradas

A busca integrada e gratuita de diretrizes, revisões sistemáticas e artigos originais pode ser feita pelo ACCESSSS, parte do projeto de McMaster.[20] ACCESSSS fornece um lugar centralizado para acessar evidência pré-avaliada para responder à questão "Qual é a melhor evidência atual para apoiar decisões clínicas?". Sugere-se iniciar a leitura da lista de referências geradas pelo nível hierárquico mais alto.

O Trip Database é outro mecanismo de busca integrada de evidências, que rastreia grande número de portais e tem algoritmo para selecionar publicações de maior relevância.

Uma terceira alternativa é o SUMSearch, que apresenta filtros para restringir a busca aos enfoques clínicos específicos.[21] O SUMSearch é um meio prático para localizar evidências de interesse clínico, pois segue a lógica de que não é necessário buscar revisões sistemáticas se houver diretrizes adequadas e atualizadas e não é necessário buscar artigos originais se houver uma revisão sistemática boa e atualizada. Permite o uso de palavras-chave via *MeSH terms* e buscas com múltiplas palavras-chave.

Outra fonte de buscas integradas é o Epistemonikos, que permite buscas e retornos operando em português.

A Biblioteca Virtual em Saúde (BVS), da BIREME,[15] construiu um portal de evidências que permite acesso em português a vários outros portais de evidências, entre eles BIGG (Base Internacional de Guías GRADE),[22] BRISA (Base Regional de Informes de Avaliação de Tecnologias em Saúde das Américas)[23] e LILACS (Literatura Latino-Americana e do Caribe em Ciências da Saúde).[24]

O próprio *site* do Google Acadêmico[25] tornou-se um bom recurso para localização de artigos, revisões e diretrizes. Tem a vantagem de ordenar os *links* apresentados pela sua utilidade e relevância. Indica também a disponibilidade de texto integral de uma forma mais ampla. O Botão do Google Acadêmico é uma excelente opção para localizar artigos em texto integral. (Ver QR code.)

Analisar criticamente as evidências

A pesquisa clínico-epidemiológica cresceu muito nos últimos anos, produzindo aumento quantitativo e qualitativo de evidências clinicamente relevantes. Com isso, cresceu também a complexidade de sua análise, geralmente referida como avaliação crítica da literatura médica (*critical appraisal*). Esse tema vem sendo tratado dentro de uma disciplina básica na formação médica, a Epidemiologia Clínica. Aos mais interessados, há diversas publicações que descrevem os passos da avaliação crítica de artigos originais e de revisões sistemáticas (ver Leituras Recomendadas).

Felizmente, essa tarefa laboriosa está passando para os autores de revisões sistemáticas, diretrizes, livros-texto e sistemas de apoio a decisões clínicas. Dessa forma, o papel crítico do clínico reside mais na avaliação criteriosa da qualidade dessas publicações. Para avaliação crítica de revisões sistemáticas, uma guia orientadora sucinta é apresentada no **QUADRO 7.2**. Para avaliação crítica de diretrizes, pode-se utilizar a guia da Colaboração AGREE,[26] uma rede internacional de pesquisadores e formuladores de políticas de saúde (ver Leituras Recomendadas). Cabe destacar que a avaliação de diretrizes extrapola questões técnicas, englobando também questões sobre a representatividade dos diversos atores sociais que formulam as diretrizes e a isenção de conflitos de interesse. Esses mesmos quesitos podem ser utilizados, até certo ponto, também para avaliar sistemas eletrônicos de apoio a decisões clínicas.

Aplicar as evidências na prática clínica

A prática de saúde baseada em evidências não substitui o raciocínio integral do profissional de saúde por uma abordagem do tipo livro de receitas. Ao contrário, estimula a avaliação crítica na escolha das alternativas que ampliem benefícios e minimizem riscos para as pessoas sob seu cuidado.

Identificadas e avaliadas as evidências, elas precisam ser integradas à situação específica – uma habilidade que se desenvolve à medida que cresce a experiência no manejo dessas situações. Mesmo quando a recomendação para uma determinada conduta é graduada como forte e a qualidade da evidência é considerada alta, ainda assim é necessário contextualizar a recomendação à realidade clínica específica, como ilustrado na **FIGURA 7.2**.

Primeiramente, é preciso avaliar o potencial benefício/dano esperado para o paciente em questão. A pesquisa pode ter sido realizada em pacientes de maior ou menor risco que o paciente em questão. Além disso, os resultados das pesquisas expressam magnitudes médias, encobrindo a heterogeneidade de benefícios e danos. A melhor decisão para cada paciente requer avaliação mais precisa de seu risco basal e do potencial para lograr benefício da intervenção em questão. Há metodologias para integrar o risco basal do paciente com o benefício/dano encontrado na pesquisa (ver Capítulo Conceitos de Epidemiologia Clínica para a Tomada de Decisões Clínicas na Atenção Primária).

A cautela em adotar recomendações da literatura para o contexto local também se justifica quando se consideram os custos associados à intervenção, pois os custos podem ser proibitivos para os pacientes individualmente ou para o sistema de saúde, especialmente em realidades socioeconômicas e culturais distintas da pesquisa que gerou as evidências.

QUADRO 7.2 → Critérios metodológicos para avaliação crítica de revisões sistemáticas nos enfoques de terapia e prevenção

- → A revisão é de ensaios clínicos randomizados com desfechos clínicos relevantes?
- → Os métodos de localização de artigos captam todos os ensaios relevantes? São atuais, incorporando evidências recentes? A possibilidade de viés de publicação foi avaliada?
- → A determinação dos efeitos da intervenção foi feita de maneira objetiva e reprodutível?
- → Houve homogeneidade entre artigos em termos de magnitude e de direção do efeito?
- → A magnitude do efeito da terapia foi estatisticamente significativa e com precisão adequada?
- → A magnitude do efeito da terapia era clinicamente relevante?
- → A abrangência dos efeitos demonstrada (em termos de benefícios, efeitos colaterais e custos) permite uma avaliação sobre os benefícios e/ou danos reais da intervenção na prática?
- → Os resultados podem ser generalizados ao seu paciente? Qual seria a magnitude dos potenciais benefícios/danos para ele?

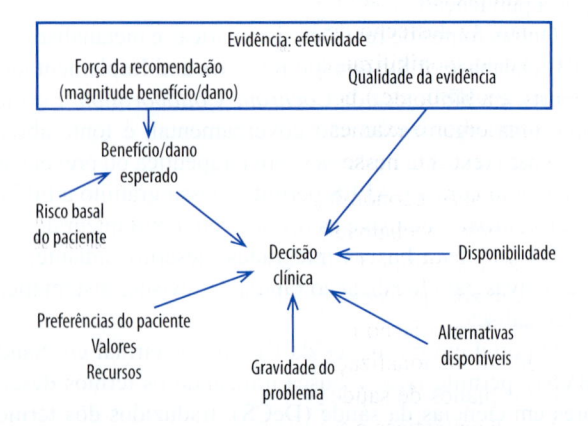

FIGURA 7.2 → Integração de informações sobre evidência no contexto clínico: a decisão clínica sobre uma conduta terapêutica.

Outro aspecto relevante a ser considerado na aplicação de evidências no contexto local é a preferência cultural ou mesmo do paciente e/ou sua família. Para tanto, é preciso saber comunicar as evidências em linguagem acessível para que elas possam ser consideradas no processo de decisão conjunta (ver Capítulo Método Clínico Centrado na Pessoa).

PRÁTICA INSTITUCIONAL BASEADA EM EVIDÊNCIAS

A complexidade das análises que subsidiam as decisões e a importância da racionalidade na escolha de opções diagnósticas e terapêuticas no Sistema Único de Saúde (SUS) motivaram a criação da Rede Brasileira de Avaliação de Tecnologias em Saúde (Rebrats), do Instituto de Avaliação de Tecnologia em Saúde (IATS) e de vários núcleos hospitalares de avaliação de tecnologia. Foi criada a Comissão Nacional de Incorporação de Tecnologias no Sistema Único de Saúde (Conitec) para assessorar o Ministério da Saúde na avaliação e na incorporação de tecnologias no SUS e na elaboração de protocolos e diretrizes.

Iniciativas como essas surgem internacionalmente.[27] Um bom exemplo é o investimento maciço do National Health Service (NHS) do Reino Unido no NICE e nas parcerias com universidades e organizações não governamentais para sumarizar, avaliar e divulgar as evidências, além de incentivar e auditar seu uso. Como parte desse investimento, citam-se apoios a *Cochrane Collaboration*, financiamento de vários centros acadêmicos para participar na avaliação de evidências, bem como a remuneração dos médicos de atenção primária pelo seu desempenho baseado em evidência.

Importante vertente dessa prática institucional é a avaliação de tecnologias em saúde (ATS), que visa fornecer aos tomadores de decisão uma análise da efetividade de condutas, em contexto maior, incluindo as implicações econômicas, ambientais, sociais, políticas e legais para a sociedade. Nesse processo, a avaliação é semelhante àquela sobre a decisão clínica ilustrada na FIGURA 7.1. No entanto, no lugar da disponibilidade, são feitas considerações sobre custo, custo-efetividade e recursos institucionais, e, no lugar das preferências do paciente, são levadas em conta preferências institucionais. O desfecho dessa avaliação é frequentemente a decisão de disponibilizar, ou não, o procedimento (fármaco, teste diagnóstico, etc.) no sistema. Decisões-chave sobre o uso de remédios e exames diagnósticos vêm sendo tomadas de forma crescente nesse nível sistêmico.

A avaliação econômica de condutas médicas, mais especificamente, a chamada análise de custo-efetividade, é discutida no Capítulo Conceitos de Epidemiologia Clínica para a Tomada de Decisões Clínicas na Atenção Primária. Esse tipo de avaliação é complexo, mas se impõe pela necessidade de racionalização dos recursos da saúde (seja do SUS, dos planos de saúde privados ou de outros). Para que condutas diagnósticas e terapêuticas sejam incorporadas no sistema, é preciso que elas sejam julgadas custo-efetivas.

> Se pode ser difícil para o profissional de saúde perceber a relevância direta de uma análise de custo-efetividade para seu paciente, é mais fácil para um gestor ver sua utilidade para a instituição. A análise de custo-efetividade é a base racional para definir quais condutas disponibilizar entre as inúmeras que competem pelos recursos fixos da instituição, evitando distorções causadas pelo emprego inadequado de condutas de alto custo e baixa efetividade.

Contudo, o papel institucional vai além dessas decisões e ações: engloba também a viabilização da tecnologia envolvida e vai até a adesão do paciente. Por falhas nos múltiplos aspectos desse processo, estima-se que uma intervenção efetiva possa ter apenas 20% de chance de impactar na saúde dos pacientes.[28] Por essa razão, mecanismos de melhoria de qualidade que estimulem ativamente a mudança de conduta dentro de uma prática institucional baseada em evidências são essenciais, pois a simples disponibilidade de sumários das evidências não garante sua efetiva incorporação.

Técnicas para estimular práticas efetivas têm sido avaliadas favoravelmente por ensaios clínicos. Entre elas, citam-se discussões individuais entre profissionais de saúde e peritos, estágios docente-assistenciais, alertas e lembretes computadorizados, orientações por profissionais de saúde de liderança e auditorias com retroalimentação direcionadas a práticas específicas. Protocolos clínicos desenvolvidos em instâncias menores (estado, município, serviço) podem orientar uma prática baseada em evidências dentro das condições locais. Restrições na prescrição de certos remédios e incentivos financeiros também fazem parte dessa lista. Para que essas técnicas sejam efetivas, tem sido recomendado que façam parte de projetos institucionais formais de melhoria de qualidade.[29,30] A partir disso, foram criadas as novas disciplinas de efetividade clínica e governança clínica (*clinical governance*).[31] Embora possa parecer uma simples invasão no direito individual do clínico de praticar seu melhor julgamento, esse processo é inevitável na realidade atual. No entanto, é preciso frisar a importância da participação do profissional de saúde nas decisões institucionais para garantir a qualidade das condutas definidas e a adesão aos protocolos.

No SUS, a incorporação de novas tecnologias precisa ser previamente avaliada, e os protocolos clínicos e diretrizes terapêuticas para orientar condutas estão sendo progressivamente produzidos, tanto para tecnologias de alto custo quanto para cuidados básicos em atenção primária.

No âmbito local, hospitais e serviços de saúde que adotam uma prática baseada em evidências podem desenvolver protocolos assistenciais baseados em evidências e adequados ao seu contexto. Ao aplicarem as melhores evidências sobre efetividade e custo-efetividade, levam em conta os recursos disponíveis e as preferências pessoais e institucionais. Nesse processo, não é necessário duplicar a análise crítica da evidência sobre efetividade e custo-efetividade, se elas já foram adequadamente realizadas em avaliações internacionais e nacionais.

CONSIDERAÇÕES FINAIS

Conforme o artigo 196 da Constituição brasileira, "A saúde é direito de todos e dever do Estado, garantido mediante políticas sociais e econômicas que visem à redução do risco de doença e de outros agravos e ao acesso universal e igualitário às ações e serviços para sua promoção, proteção e recuperação". O paradigma da medicina baseada em evidências, desenvolvido sob um plano político (e científico) adequado, é peça fundamental em assegurar esse direito, orientando as políticas sociais e econômicas necessárias para viabilizar uma prática médica efetiva e equânime.

REFERÊNCIAS

1. Evidence-Based Medicine Working Group. Evidence-based medicine. A new approach to teaching the practice of medicine. JAMA. 1992;268(17):2420–5.
2. Straus SE, Glasziou P, Richardson WS, Haynes RB. Evidence-based medicine: how to practice and teach EBM. 5th ed. Edinburgh: Elsevier; 2018.
3. Guyatt GH, Oxman AD, Vist GE, Kunz R, Falck-Ytter Y, Alonso-Coello P, et al. GRADE: an emerging consensus on rating quality of evidence and strength of recommendations. BMJ. 2008;336(7650):924–6.
4. Balshem H, Helfand M, Schünemann HJ, Oxman AD, Kunz R, Brozek J, et al. GRADE guidelines: 3. Rating the quality of evidence. J Clin Epidemiol. 2011;64(4):401–6.
5. Guyatt G, Rennie D, Meade MO, Cook DJ. Users' guides to the medical literature: a manual for evidence-based clinical practice. 3rd ed. New York: McGraw-Hill Medical; 2015.
6. Alper BS, Haynes RB. EBHC pyramid 5.0 for accessing preappraised evidence and guidance. Evid Based Med. 2016;21(4):123–5.
7. Schünemann HJ, Wiercioch W, Brozek J, Etxeandia-Ikobaltzeta I, Mustafa RA, Manja V, et al. GRADE Evidence to Decision (EtD) frameworks for adoption, adaptation, and de novo development of trustworthy recommendations: GRADE-ADOLOPMENT. J Clin Epidemiol. 2017;81:101–10.
8. Tringale KR, Marshall D, Mackey TK, Connor M, Murphy JD, Hattangadi-Gluth JA. Types and Distribution of Payments From Industry to Physicians in 2015. JAMA. 2017;317(17):1774–84.
9. Carlisle A, Bowers A, Wayant C, Meyer C, Vassar M. Financial Conflicts of Interest Among Authors of Urology Clinical Practice Guidelines. Eur Urol. 2018;74(3):348–54.
10. Checketts JX, Cook C, Vassar M. An Evaluation of Industry Relationships Among Contributors to AAOS Clinical Practice Guidelines and Appropriate Use Criteria. J Bone Joint Surg Am. 2018;100(2):e10.
11. Checketts JX, Sims MT, Vassar M. Evaluating Industry Payments Among Dermatology Clinical Practice Guidelines Authors. JAMA Dermatol. 2017;153(12):1229–35.
12. Sackett D, Srauss S, Richardson WS, Haynes RB. Evidence-based medicine: how to practice and teach EBM. 2nd ed. Edinburgh: Churchill Livingstone; 2000.
13. Agoritsas T, Vandvik PO, Neumann I, Rochwerg B, Jaeschke R, Hayward R, et al. Finding current best evidence. In: Users' guides to the medical literature: a manual for evidence-based clinical practice. 3rd ed. New York: McGraw-Hill Education; 2015. p. 29–50.
14. Free medical books [Internet]. FreeBookCentre.net. 2020 [capturado em 26 jul 2020]. Disponível em: http://www.freebookcentre.net/medical_text_books_journals/medical_text_books_online.html.
15. Centro Latino-Americano e do Caribe de Informação em Ciências da Saúde. Portal Regional da BVS [Internet]. Biblioteca Virtual em Saúde. São Paulo; 2019 [capturado em 11 mar 2019]. Disponível em: https://bvsalud.org/.
16. EBSCO. Evidence-based content [Internet]. DynaMed Plus. 2019 [capturado em 11 mar 2019]. Disponível em: https://dynamed.com/home/.
17. Wolters Kluwer. UpToDate [Internet]. 2019 [capturado em 11 mar 2019]. Disponível em: https://www.uptodate.com/contents/search.
18. British Medical Journal Publishing Group. BMJ Best Practice [Internet]. 2019 [capturado em 26 jul. 2020]. Disponível em: https://bestpractice.bmj.com/info/pt/.
19. Amber KT, Dhiman G, Goodman KW. Conflict of interest in online point-of-care clinical support websites. Journal of Medical Ethics. 2014;40(8):578–80.
20. McMaster University. McMaster PLUS [Internet]. Health Information Research Unit: evidence-based health informatics. 2019 [capturado em 11 mar 2019]. Disponível em: https://hiru.mcmaster.ca/hiru/hiru_mcmaster_plus_projects.aspx.
21. Badgett RG, Dylla DP, Megison SD, Harmon EG. An experimental search strategy retrieves more precise results than PubMed and Google for questions about medical interventions. PeerJ. 2015;3:e913.
22. Centro Latino-Americano e do Caribe de Informação em Ciências da Saúde. Base Internacional de guías GRADE [Internet]. BIGG. 2020 [capturado em 26 jul. 2020]. Disponível em: https://sites.bvsalud.org/bigg/biblio/.
23. Centro Latino-Americano e do Caribe de Informação em Ciências da Saúde. Base Regional de Informes de Avaliação de Tecnologias em Saúde das Américas [Internet]. BRISA; 2020 [capturado em 26 jul 2020]. Disponível em: https://sites.bvsalud.org/redetsa/pt/brisa/.
24. Centro Latino-Americano e do Caribe de Informação em Ciências da Saúde. Lilacs [Internet]. Literatura Latino-Americana e do Caribe em Ciências da Saúde. 2020 [capturado em 26 jul. 2020]. Disponível em: https://lilacs.bvsalud.org/.
25. Google Acadêmico [Internet]. 2020 [capturado em 26 jul 2020]. Disponível em: https://scholar.google.com.br/.
26. Canadian Institutes of Health Research. Appraisal of Guidelines Research & Evaluation [Internet]. AGREE. 2019 [capturado em 11 mar 2019]. Disponível em: https://www.agreetrust.org/.
27. The International Network f Agencies for Health Technology Assessment [Internet]. INAHTA. 2019 [capturado em 11 mar 2019]. Disponível em: www.inahta.org.
28. Glasziou P, Haynes B. The paths from research to improved health outcomes. Evid Based Nurs. 2005;8(2):36–8.
29. Guyatt G, Meade MO, Grimshaw J, Haynes RB, Jaeschke R, Cook DJ, et al. Evidence-based practioners and evidence-based care. In: Users' Guides to the Medical Literature: A Manual for Evidence-Based Clinical Practice. 3rd ed. New York: McGraw-Hill Medical; 2015. p. 621-.
30. O'Connor PJ, Sperl-Hillen JM. Current Status and Future Directions for Electronic Point-of-Care Clinical Decision Support to Improve Diabetes Management in Primary Care. Diabetes Technol Ther. 2019;21(S2):S226–34.
31. National Health Services. Clinical governance [Internet]. GOV.UK; 2020 [capturado em 26 jul. 2020]. Disponível em: https://www.gov.uk/government/publications/newborn-hearing-screening-programme-nhsp-operational-guidance/4-clinical-governance.

LEITURAS RECOMENDADAS

Amber KT, Dhiman G, Goodman KW. Conflict of interest in online point-of-care clinical support websites. J Med Ethics. 2014;40(8):578-80.

Comparação dos potenciais conflitos de interesse de autores e editores do UpToDate e do Dynamed.

Andrews R, Mehta N, Maypole J, Martin SA. Staying afloat in a sea of information: Point-of-care resources. Cleve Clin J Med. 2017;84(3):225-35.
Revisão recente de vários sistemas eletrônicos de apoio a decisões clínicas.

Djulbegovic B, Guyatt G. Evidence-based medicine in times of crisis. J Clin Epidemiol. 2020 Oct;126:164-166.
Enfatiza a importância da utilização de escala GRADE na avaliação de qualidade das evidências, citando erros durante a pandemia causados pela prática inadequada de medicina baseada em evidências.

Biblioteca Virtual em Saúde (BSV), da BIREME
http://brasil.bvs.br/
Portal de evidências da BIREME (Centro Especializado da OPAS, em colaboração com o Ministério da Saúde e o Ministério da Educação, entre outros), que permite acesso em português a várias fontes de evidências.

Centre for Evidence-Based Medicine
http://www.cebm.net/
Diversas informações sobre a prática da medicina baseada em evidências, incluindo tutoriais, glossário de termos, links para outros endereços de relevância e tabela com sugestões em níveis de evidência em diversos enfoques clínicos.

Knowledge Translation Program, da University of Toronto
https://ebm-tools.knowledgetranslation.net/
Diversas informações sobre a prática da medicina baseada em evidências, incluindo tutoriais, glossário de termos e links para outros endereços.

Agency for Healthcare Research & Quality
http://www.ahrq.gov/clinic/epcix.htm
Portal da agência do governo norte-americano responsável para avaliação de tecnologias, disponibilizando sumários de evidência.

National Institute for Health and Care Excellence
http://www.nice.org.uk/
http://www.evidence.nhs.uk/default.aspx
Portais da principal organização dentro do NHS do Reino Unido responsável pela provisão de diretrizes sobre a promoção de saúde e a prevenção e manejo de doenças.

Grade Working Group
www.gradeworkinggroup.org/
Portal do sistema GRADE, com explicações detalhadas da abordagem, link para a ferramenta GRADEpro para utilizar na avaliação e lista de publicações-chave.

JAMAevidence
http://www.jamaevidence.com/
Fornece os Users' guides to the medical literature, publicados originalmente na revista JAMA, versando sobre vários aspectos de análise crítica da literatura em medicina e a prática de medicina baseada em evidências. Disponibiliza, também, um grande leque de materiais úteis para a prática clínica, infelizmente acessível apenas mediante assinatura.

Agree
https://www.agreetrust.org/
Portal do grupo Agree, que avalia o processo de desenvolvimento de diretrizes e a qualidade de seu relato. Permite baixar o instrumento Appraisal of Guidelines for Research and Evaluation (AGREEII), com materiais de treinamento e vídeos. A versão do instrumento em português está disponível em: https://www.agreetrust.org/wp-content/uploads/2013/06/AGREE_II_Brazilian_Portuguese.pdf.

Medicina Baseada em Evidências
medicinabaseadaemevidencias.blogspot.com
Blog desenvolvido pelo cardiologista Luis Correia, da Universidade Federal da Bahia. Contém múltiplas postagens sobre tópicos relacionados à medicina baseada em evidências, análise clínico-epidemiológica de temas atuais, bem como videoaulas.

Capítulo 8
CONCEITOS DE EPIDEMIOLOGIA CLÍNICA PARA A TOMADA DE DECISÕES CLÍNICAS NA ATENÇÃO PRIMÁRIA

Maria Inês Schmidt
Ricardo Kuchenbecker
Bruce B. Duncan

Muitos conceitos e medidas aplicados na prática clínica baseada em evidências são derivados da epidemiologia clínica. Considerada hoje uma disciplina básica nos currículos formadores dos profissionais de saúde com atuação clínica, ela tomou forma na segunda metade do século passado, quando a pesquisa clínico-epidemiológica floresceu. O nome "epidemiologia clínica" reflete o arcabouço metodológico da pesquisa clínico-epidemiológica e suas implicações para a prática clínica baseada em evidências.

Enquanto a epidemiologia investiga a ocorrência de doenças (ou condições de saúde) e seus fatores associados em populações, visando à prática da saúde pública, a epidemiologia clínica investiga a ocorrência de doenças (ou complicações) e seus fatores associados em populações clínicas visando à prática clínica. Essas relações entre um fator em estudo (F) e um desfecho saúde/doença (D) em uma população de pesquisa (p) – clínica ou populacional – são ilustradas a seguir.

$$p\text{------}F \rightarrow D$$

A **TABELA 8.1** apresenta as especificidades dessas relações em vários enfoques de atuação clínica – identificação de fator de risco, prevenção de doença, diagnóstico de doença ou

TABELA 8.1 → Fator em estudo e desfecho clínico em alguns enfoques de pesquisa clínico-epidemiológica

ENFOQUE DE PESQUISA	FATOR EM ESTUDO (F)	DESFECHO (D)	RELAÇÃO
Fator de risco	Fator de risco para o desenvolvimento da doença	Doença	F→D
Prevenção	Ação preventiva	Doença	F→D
Rastreamento	Exame de rastreamento	Doença ou padrão-ouro	F – D
Diagnóstico	Exame diagnóstico	Doença ou padrão-ouro	F – D
Prognóstico	Doença ou fator prognóstico	Evolução da doença	F→D
Tratamento	Tratamento	Evolução ou prevenção de complicação de doença	F→D

complicação e tratamento de doença/prevenção de complicação. No enfoque de fator de risco, o objetivo é esclarecer fatores de risco e sua associação com doenças específicas. Nos enfoques preventivo e terapêutico, a intervenção visa mudar o curso da doença antes ou após seu diagnóstico clínico. No enfoque diagnóstico, o objetivo é avaliar a classificação do estado de saúde-doença para poder chegar a um diagnóstico preciso e, assim, indicar a melhor intervenção preventivo-terapêutica.

Os estudos que embasam essas decisões são estudos de coorte, ensaios clínicos randomizados, estudos transversais, estudos de caso-controle e estudos ecológicos, bem como as revisões sistemáticas e metanálises desses estudos. Neste capítulo, serão mostradas medidas de associação para descrever os achados das pesquisas para a população de pesquisa investigada, e caberá ao leitor avaliar se os achados se aplicam aos pacientes que ele vê na clínica. O capítulo ilustrará como aplicar essas medidas em quatro enfoques de atuação clínica, partindo de um caso clínico específico.

Caso clínico

M.S., mulher, negra, 35 anos, 3ª gravidez, recebeu o diagnóstico de diabetes gestacional e foi informada de que precisaria fazer tratamento com insulina para evitar problemas na gravidez. A gravidez transcorreu bem; o bebê nasceu com 3.750 g.

Na primeira consulta após o parto, ela foi informada de que seu teste oral de tolerância à glicose (TOTG) havia normalizado, mas que seu risco de desenvolver diabetes futuramente era elevado. Seu índice de massa corporal (IMC) estava em 29 kg/m². Foi orientada a fazer acompanhamento periódico de glicemia e recebeu suporte para controle de peso, alimentação saudável e prática de atividade física. Consultas anuais subsequentes mostraram monitoramento do IMC entre valores próximos de 27 kg/m².

Aos 37 anos, ganhou peso e apresentou alteração na tolerância à glicose. Ficou sem consultar até os 47 anos, quando retornou com queixas de fraqueza e emagrecimento mesmo sem estar fazendo dieta. O quadro teve início há 3 ou 4 meses, sendo acompanhado de poliúria e polidipsia. A anamnese revelou também que sua mãe tinha diabetes. O exame clínico mostrou IMC de 30 kg/m², cintura de 96 cm e pressão arterial de 140/85 mmHg. A glicemia foi de 270 mg/dL e a hemoglobina glicada foi de 9,5%. Os exames de microalbuminúria e eletrocardiograma foram normais. O colesterol total foi de 205 mg/dL.

Foi feito o diagnóstico de diabetes. A prescrição incluiu dieta para diabetes (hipocalórica), exercícios físicos e metformina 850 mg (meio comprimido 2×/dia, com orientação de aumentar para 1 comprimido 2×/dia em 7 dias). Como há indicação para investigar retinopatia diabética no diagnóstico, você solicitaria exame de fundo de olho via teleoftalmologia? E para prevenir doenças ateroscleróticas, seu risco basal justificaria a prescrição de uma estatina?

A evolução de 12 anos de M.S. permite identificar questões clínicas que serão utilizadas para ilustrar a aplicação das evidências clínico-epidemiológicas na prática de uma medicina baseada em evidências. Serão mencionados delineamentos de pesquisa, medidas de associação, sumário de análise crítica (*critical appraisal*) dos artigos (evidência clínico-epidemiológica) e a personalização do sumário da evidência apresentada para M.S.

1. Diabetes gestacional é fator de risco para o desenvolvimento de diabetes? (**avaliação de fator de risco para doença**)
2. Há algo que possa ser feito para reduzir esse risco em mulheres com diabetes gestacional prévio? Qual é a evidência que apoia isso? (**prevenção de doença**)
3. Como investigar se ela já apresenta complicações do diabetes, como retinopatia, a qual exigiria abordagem específica? Como estimar o risco de complicações cardiovasculares para decidir se a prescrição de estatina está indicada? (**avaliação de risco de complicação**)
4. Está indicada a prescrição de metformina para reduzir a glicemia? (**avaliação terapêutica?**)

AVALIAÇÃO DE FATOR DE RISCO

Por que e como avaliar um fator de risco

Saber se um determinado fator de risco está associado a uma determinada doença pode ser de grande utilidade ao clínico. Por exemplo, fatores de risco cardiovasculares (hipercolesterolemia, hipertensão, fumo e diabetes) são úteis na anamnese e no acompanhamento de pessoas com suspeita de doença coronariana. Esses fatores de risco foram estabelecidos a partir de **estudos de coorte**, como o estudo de Framingham, que acompanhou por muitos anos adultos dessa pequena cidade dos Estados Unidos. Fatores de risco para doenças mais raras, como câncer de pâncreas, por exemplo, são estabelecidos por **estudos do tipo caso-controle**. Os **estudos ecológicos**, que estudam grupos populacionais como bairros ou cidades, também contribuem para o estabelecimento de fatores de risco.

Medidas de associação

Medidas relativas

Estudos de coorte (e ensaios clínicos randomizados) permitem estimar o risco relativo (RR), isto é, a divisão entre a incidência de doença em quem tem sobre quem não tem o fator de risco. Essa medida expressa a **força de uma associação**, o que é importante na avaliação de causalidade da associação. Sua equação matemática pode variar em diferentes contextos de pesquisa, como visto na TABELA 8.2. Por exemplo, a *hazard ratio* compara incidências em análises que incorporam a noção de tempo até o evento, muito útil em estudos de coorte e em ensaios clínicos randomizados, que em geral têm tempos desiguais de seguimento.

Para quantificar associações entre fatores de risco e desfechos clínicos em estudos transversais, utiliza-se a razão de prevalência, que, matematicamente, usa a mesma equação do RR, mas, em vez de comparar incidências, compara prevalências.

Em estudos de caso-controle, que não permitem estimar incidências diretamente, é utilizada a razão de *odds* (razão de chances), que, em certas condições (doença rara e ausência de vieses), estimam adequadamente o RR. A expressão *odds*, muito comum em inglês, é semelhante à expressão de probabilidade. *Odds* são as chances de ter/não ter um determinado fator (80%/20% = 4). Probabilidade é a chance de ter um determinado fator (80%). Pode-se converter probabilidade para *odds* (dividindo a probabilidade por 1 − probabilidade: 0,8/(1 − 0,8) = 0,8/0,2 = 4), e vice-versa (4/(1 + 4) = 4/5 = 80%). Essa conversão torna-se relevante no raciocínio

TABELA 8.2 → Medidas de associação em estudos observacionais para avaliar um fator de risco

MEDIDA	DEFINIÇÃO	FÓRMULA PARA CÁLCULO	INTERPRETAÇÃO
Risco relativo (RR)	Razão entre a incidência de eventos nos expostos (I_E) e não expostos (I_{nE})	$RR = I_E/I_{nE}$ (estimada em modelos de regressão de Poisson com variância robusta)	A incidência do desfecho nos expostos (I_E) é quantas vezes a dos não expostos (o dobro, o triplo)?
Razão de prevalências (RP)	Razão entre a prevalência de eventos nos expostos (P_E) e não expostos (P_{nE})	$RP = P_E/P_{nE}$ (estimada em modelos de regressão de Poisson com variância robusta)	A prevalência do desfecho nos expostos (I_E) é quantas vezes a dos não expostos (o dobro, o triplo)?
Odds ratio (OR) ou razão de chances (RC)	Razão das chances de exposição (expostos/não expostos) entre casos e não casos (controles)	$RC = \dfrac{E_C/nE_C}{E_{nC}/nE_{nC}}$ (estimada em modelos de regressão logística)	Na ausência de vieses e se a doença for rara, pode ser interpretada como um RR
Hazard ratio (HR)	Razão de incidências entre expostos e não expostos levando em conta os eventos desenvolvidos em unidades de tempo de seguimento	$HR = I_E/I_{nE}$ (estimada em modelos de regressão de Cox ou de azares proporcionais)	A incidência do desfecho nos expostos (I_E) é quantas vezes a dos não expostos (o dobro, o triplo)?
Risco atribuível (RA)	Diferença entre a incidência de eventos nos expostos e não expostos	$RA = I_E - I_{nE}$	Excesso, em termos absolutos, de risco que *os expostos* têm de apresentar o evento em decorrência da exposição
Risco atribuível na população (RAP)	Risco adicional de apresentar o desfecho na população de pesquisa devido exclusivamente à exposição	$RAP = RA \times$ Prevalência do fator na população	Excesso de risco que *a população* tem de apresentar o evento em decorrência da exposição
Fração atribuível na população (FAP)	Fração (%) de eventos na população atribuível à exposição	$FAP = RAP/$Incidência total na população	Fração do risco na população atribuível à exposição

C, caso; E, exposto; I, incidência; nC, não caso (ou controle); nE, não exposto; P, prevalência.

diagnóstico probabilístico, quando se utilizam *likelihood ratios* para transformar probabilidades pré-teste em pós-teste, como visto adiante.

Medidas absolutas

Outra forma relevante de comparar incidências é usar a diferença em vez da divisão das incidências, como visto também na **TABELA 8.2**. Medidas absolutas assim derivadas, como o chamado risco atribuível (e suas derivações), expressam a **importância de uma associação** na clínica ou na saúde pública.

Para responder à questão levantada sobre M.S., o diabetes gestacional foi estabelecido como um fator de risco para o diabetes tipo 2 a partir de resultados de muitos estudos de coorte. Revisões sistemáticas com metanálise desses estudos podem sumarizar a magnitude do RR. Por exemplo, uma revisão sistemática recente estimou que mulheres com diabetes gestacional têm risco 6 vezes maior (RR = 7,1; intervalo de confiança [IC] 95% 6,0-8,5) de desenvolver diabetes que mulheres sem diabetes gestacional. O risco é maior quando elas requerem insulina para tratamento na gravidez do que quando não requerem (RR = 3,66; IC 95% 2,78-4, 82).

Avaliação de fator de risco

M.S. foi informada sobre seu risco elevado de desenvolver diabetes (diabetes gestacional prévio e necessidade de insulina na gravidez).

Evidência clínico-epidemiológica

Diabetes gestacional é um forte fator de risco para o desenvolvimento de diabetes tipo 2 (RR = 7,1; IC 95% 6,0-8,5). A força da associação e a consistência de seu achado em diferentes estudos e populações sugerem uma relação de causalidade que apoiaria rastreamento e intervenções preventivas para mulheres com diabetes gestacional. Ainda não há evidências para apoiar políticas públicas preventivas dirigidas a esse grupo de mulheres.

Personalizando para M.S.

Por ter usado insulina seu risco seria maior, justificando ainda mais um rastreamento de diabetes após o parto. Orientações para mudanças de estilo de vida poderiam ser benéficas, especialmente por não haver riscos esperados, mas a magnitude desse potencial benefício, quando a intervenção ocorre em mulheres mais jovens, como M.S., não é conhecida (ver seção Decisões Preventivas).

DECISÕES PREVENTIVAS

Ações preventivas podem ocorrer em momentos diferentes na história natural da doença (nesse caso, diabetes): antes da instalação dos fatores de risco (prevenção primordial), antes da instalação da doença (**prevenção primária**), antes do diagnóstico clínico (**prevenção secundária**) e antes da instalação das complicações da doença, incapacitação ou óbito (**prevenção terciária**).

As instruções específicas dadas a M.S. sobre dieta e exercício para prevenir diabetes seriam exemplos de prevenção primária. O rastreamento de mulheres que tiveram diabetes gestacional para detecção e tratamento precoce do diabetes seria um exemplo de prevenção secundária. O tratamento com metformina visando prevenir complicações do diabetes e o uso de metformina para prevenção de doenças cardiovasculares seriam exemplos de prevenção terciária.

Eficácia, efetividade e eficiência de intervenções preventivas

Decisões preventivas (ou terapêuticas) baseiam-se na evidência de benefício da intervenção. Essa evidência pode resultar de estudos de eficácia, que garantem a validade do resultado para o contexto da pesquisa, em geral um ensaio clínico randomizado, mas, muitas vezes, o contexto é muito diferente do mundo real da clínica. Outras vezes, pode resultar de estudos de efetividade, em geral um ensaio clínico randomizado, e que ocorrem em contexto mais próximo do mundo real. Há, ainda, estudos de eficiência, que avaliam os benefícios, riscos e custos das opções de intervenção disponíveis.

Como no caso da avaliação de um fator de risco, o benefício da intervenção pode ser avaliado por medidas relativas (com base na razão entre os riscos do grupo experimental e do grupo-controle) ou absolutas (com base na diferença entre os riscos do grupo experimental e do grupo-controle). As medidas relativas expressam a força etiológica da intervenção. As medidas absolutas expressam o impacto da intervenção na população, isto é, a importância da intervenção. A TABELA 8.3 apresenta essas medidas e suas definições. Elas são utilizadas também para avaliar as intervenções terapêuticas, como apresentado no fim deste capítulo.

Medidas relativas de efeito na avaliação de uma intervenção

O RR, de forma semelhante à avaliação de fator de risco, compara (ao dividir) o risco do evento que se quer evitar entre o grupo experimental e o grupo-controle.

Por exemplo, uma metanálise de intervenções de estilo de vida na prevenção do diabetes mostrou que a incidência de diabetes em 2,6 anos de intervenção é de 7,4 casos/100 pessoas-ano, e no grupo-controle é de 11,4 casos/100 pessoas-ano.[1] O RR (7,4/11,4) é de aproximadamente 0,65, o que significa que o grupo da intervenção teve apenas 65% da incidência detectada no grupo-controle. Em outras palavras, 35% da incidência no grupo-controle foi evitada pela intervenção. Diz-se que houve uma redução relativa do risco (RRR) de 0,35 (ou 35%) com a intervenção (RRR = 1 – RR). Essas estimativas costumam ser relatadas com seus respectivos ICs (em geral, de 95%), o que dá uma ideia de sua precisão e significância estatística.

Medidas de impacto na avaliação de uma intervenção

Para a grande maioria das doenças, o risco de um desfecho varia de paciente para paciente. Por essa razão, as medidas relativas de efeito recém-apresentadas, e que expressam apenas a força ou poder terapêutico, não são suficientes para caracterizar o benefício de uma intervenção em situações específicas. Outras medidas, chamadas genericamente de expressões absolutas de benefício, levam em conta esse risco basal.

TABELA 8.3 → Medidas de avaliação de benefício ou impacto de um tratamento ou medida preventiva

MEDIDA	DEFINIÇÃO	FÓRMULA PARA CÁLCULO	EXEMPLO*
Benefício (variável categórica)			Benefício sobre intervenção de estilo de vida
Risco relativo (RR)	Razão entre a incidência de eventos dos tratados e dos não tratados	$RE = \dfrac{Incidência_{intervenção}}{Incidência_{controle}}$	$RR = \dfrac{\frac{7,4}{100\ pessoas-ano}}{\frac{11,4}{100\ pessoas-ano}} = \dfrac{7,4}{11,4} = 0,65$
Redução relativa do risco (RRR)	Proporção (ou percentual) relativa de eventos que deixam de ocorrer com o tratamento	$RRR = 1 - RR$	$RRR = 1 - 0,65 = 0,35$
Redução absoluta do risco (RAR)	Proporção (ou percentual) absoluta de eventos que deixam de acontecer nos indivíduos tratados	$RAR = Risco_{controle} - Risco_{intervenção}$	$RAR = 11,4 - 7,4 = 4/100\ pessoas-ano$
Número necessário tratar (NNT)	Número de indivíduos a serem tratados por determinado tempo para evitar um evento	$NNT = \dfrac{100}{RAR}$ ou $NNT = \dfrac{100}{Risco\ basal \cdot RRR}$	$NNT\ (metanálise) = \dfrac{100}{4}$ = 25 pessoas – ano (ou 10 pessoas por 2,5 anos)
Dano (variável categórica)			Risco de hipoglicemia*
Aumento relativo de risco (ARR)	Proporção (ou percentual) relativa de eventos adicionais que acontecem com o tratamento	$ARR = RR - 1$	$ARR\ (hipoglicemia) = \dfrac{20,5}{8,3} - 1 = 2,5 - 1 = 1,5$
Aumento absoluto de risco (AAR)	Proporção (ou percentual) absoluta de eventos adicionais que acontecem nos indivíduos tratados	$AAR = Risco_{intervenção} - Risco_{controle}$	$AAR\ (hipoglicemia) = 20,5\% - 8,3\% = 12,2\%$
Número necessário para causar dano (NNH – number needed to harm)	Número de indivíduos a serem tratados por determinado tempo para causar um dano	$NNH = \dfrac{100}{AAR}$	$NNH\ (hipoglicemia) = \dfrac{100}{12,1}$ = 8,2 arrendondar para 9 (por 10 anos)
Desfecho (variável contínua)			
Tamanho de efeito (TE)	Diferença das médias entre os grupos dividida pelo desvio-padrão comum	$E = \dfrac{\bar{X}_1 - \bar{X}_2}{s}$	$TE\ (para\ IMC) = 0,91^†$

*Intervenção: terapia intensificada com glibenclamida; controle: terapia intensificada com metformina.
†Diferença na média de mudança de índice de massa corporal (IMC) após terapia, comparando metformina e insulina – uma diferença de 0,91 desvio-padrão a favor da metformina. O cálculo, que envolve vários estudos, não pode ser exemplificado aqui.
IC, intervalo de confiança; X_1 = média do grupo 1; X_2 = média do grupo 2; s, desvio-padrão comum dos dois grupos.

Uma forma de expressão do efeito absoluto é a redução absoluta do risco (RAR), ou seja, o número de eventos evitados (expresso, p. ex., em termos de 100 indivíduos tratados). Uma derivação dessa medida absoluta é o número de pessoas que precisaria receber a intervenção para evitar um evento (número necessário tratar [NNT]), que é o inverso da RAR (NNT = 100/RAR). Por exemplo, quando a diferença das incidências é 5%, o NNT (100/5) é de 20 pessoas tratadas pela duração média da pesquisa (p. ex., 2 anos).

Quando a diferença das incidências é baseada em incidência-densidade (pessoas-ano), como no exemplo a seguir, a interpretação é mais complexa, mas isso é frequentemente ignorado nos artigos. Na metanálise sobre prevenção de diabetes, a RAR relatada foi de 4,0/100 pessoas-ano (11,4/100 pessoas-ano − 7,4/100 pessoas-ano)[1], ou seja, foram evitados 4 eventos/100 pessoas-ano. O NNT é o inverso da RAR (4/100 pessoas-ano), isto é, NNT = 100/4 = 25 pessoas-ano. Diz-se que seria necessário tratar 25 pessoas-ano (p. ex., ~10 pessoas por 2,6 anos, a duração média dos estudos) para evitar um evento de diabetes.

Essa estimativa é válida para pessoas com risco semelhante ao da metanálise. Se o risco basal (sem a intervenção) de M.S. for diferente daquele da metanálise, pode-se estimar um NNT específico para ela. Há duas abordagens para fazer essa estimativa. Na primeira, multiplica-se o risco de eventos estimado por paciente (PEER, do inglês *patient estimated event rate*) pela RRR da literatura, obtendo-se a RAR (RAR = RRR × PEER). Então, inverte-se o valor obtido para chegar ao NNT (NNT = 1/RAR). Estimando que o risco de M.S. seja o dobro daquele dos pacientes no estudo (11,4/100 pessoas-ano × 2 = 22,8/100 pessoas-ano), RAR = 0,35 × 22,8/100 = 8,0/100; invertendo, tem-se NNT = 100/8,0 = 12,5 pessoas-ano (arredonda-se para cima: 13 pessoas-ano). A segunda abordagem é ajustar o NNT obtido do ensaio clínico. Portanto, inicialmente, calcula-se a razão entre o risco basal do paciente e o risco basal dos pacientes no estudo; depois, divide-se o NNT relatado pelo estudo por essa razão obtida. Na segunda abordagem, como a razão entre o risco basal de M.S. e o risco basal dos pacientes no estudo é de 2, o NNT ajustado para M.S. seria 25/2, isto é, 12,5 pessoas-ano (arredonda-se para cima: 13 pessoas-ano).

Com base em um NNT estimado para M.S. de 13 pessoas-ano, seria necessário tratar 13 pessoas-ano, ou seja, ~5 pessoas por 2,6 anos para evitar um evento de diabetes. Considerando o baixo custo e o baixo nível de efeitos colaterais da intervenção, esse NNT parece bem factível. No entanto, na ausência de estudos com intervenção realizada em mães jovens como M.S., é necessário pressupor que o efeito encontrado na metanálise seja o mesmo que seria encontrado se a intervenção fosse aplicada a ela. Metanálise pequena sugere eficácia, mas com magnitude menor; a significância estatística foi limítrofe e a qualidade dos estudos incluídos, em geral baixa, limita as conclusões.[2]

Análises econômicas em prevenção

Além de avaliar a eficácia/efetividade de uma intervenção, é preciso maximizar benefício e minimizar risco, inconveniência e custo financeiro, além de considerar a experiência prévia com a intervenção e a aceitabilidade pelo paciente. A comparação entre os prós e os contras das opções disponíveis é chamada de análise de eficiência. Análises formais quantitativas de custos e benefícios são chamadas de análises econômicas em saúde. Esse tipo de análise leva em conta eficácia/efetividade, custos financeiros e, às vezes, preferências dos pacientes. Os principais tipos de análises econômicas para avaliação de uma intervenção clínica são análises de custo-efetividade, de custo-utilidade e de custo-minimização. Essas análises são muito úteis para as decisões coletivas dos gestores para a disponibilização de terapias, ações preventivas e procedimentos diagnósticos nos serviços de saúde. Para quem presta atendimento nesses serviços, a decisão de aplicar uma dessas condutas é mais simples: se disponível no serviço, depende apenas de sua efetividade e de que seu uso esteja de acordo com a experiência do clínico e a preferência do paciente.[3]

Estudos de custo-efetividade

Os estudos de custo-efetividade integram as estimativas de benefícios e de custos para as intervenções em estudo, chegando a uma razão de custo-efetividade indicativa da opção que produz o maior benefício. Para calcular essa razão, usa-se, no numerador, a diferença em custos entre os grupos e, no denominador, a diferença em desfechos entre os grupos. A diferença entre as razões de custo-efetividade expressa quanto teria de se pagar a mais para alcançar a efetividade medida. Às vezes, o benefício da intervenção é tão grande que a redução no custo futuro da doença é maior que o custo da intervenção. Nesses casos, diz-se que a intervenção é custo-poupadora.

Quando o próprio ensaio clínico não produz dados sobre custos, é possível estimar razões de custo-efetividade por meio de modelos matemáticos que integram as taxas de desfechos esperadas sem a intervenção (obtidas de estudos de coorte), a diminuição esperada nessas taxas a partir de intervenções (obtida de ensaios clínicos) e os custos decorrentes das intervenções e das complicações da doença (obtidos de inquéritos sobre despesas). Nesse processo, é recomendável juntar tipos diferentes de benefícios. Por exemplo, seria melhor calcular uma razão de benefícios e custos para o desfecho combinado de mortalidade e as diversas morbidades do diabetes, em vez de calcular separadamente uma razão para cada desfecho.

Estudos de custo-utilidade

Estudos de custo-utilidade geram expressões de utilidade integrando os benefícios advindos da prevenção de diversos desfechos – por exemplo, no caso do diabetes, complicações microvasculares (cegueira, insuficiência renal, etc.), macrovasculares (angina, impotência sexual) e morte – para compará-los com os custos envolvidos.

O indicador mais comum que incorpora esse conceito de utilidade é o QALY (*quality-adjusted life years* [anos de vida ajustados para qualidade de vida]). O QALY expressa anos de vida com qualidade (ou valor) plena: 1 ano com saúde perfeita é igual a 1,0 QALY; 1 ano de vida com incapacidade será sempre menos. Essa expressão é, em geral, construída a partir de juízos de valor sobre diferentes condições de vida. Se 1 ano de plena saúde vale 1, e a morte vale 0, estima-se, a partir de pesquisas sobre esses juízos de valor, por exemplo, que 1 ano de vida com cegueira vale, relativamente, 0,82, ou em hemodiálise, 0,43.[4]

O projeto Disease Control Priorities, do Banco Mundial, classificou recentemente as intervenções para diabetes em termos de custo-efetividade. As intervenções mais custo-efetivas para América Latina e Caribe (< 1.000 dólares/QALY) foram prevenção de diabetes em pessoas em alto risco (como M.S.), educação para autocontrole do diabetes e controle intensivo da pressão arterial, especialmente esta última (100 a 400 dólares/QALY).[5]

Estudos de custo-minimização

Um terceiro tipo de análise econômica, o estudo de custo-minimização, é uma variação de um estudo de custo-efetividade, em que o desfecho é idêntico, mas o que se calcula é quanto custaria um regime terapêutico em vez de outro.

> **Prevenção de doença**
>
> M.S. foi informada sobre seu risco elevado de desenvolver diabetes (ter tido diabetes gestacional e ter requerido insulina para tratamento) e foram dadas orientações para mudanças de estilo de vida.
>
> **Evidência clínico-epidemiológica**
>
> O diabetes tipo 2 pode ser prevenido com intervenções intensivas para mudança de estilo de vida, com efeito sustentável no longo prazo, e com benefícios adicionais para a saúde cardiovascular. O NNT é de 25. A intervenção demonstrou-se custo-efetiva.
>
> **Personalização para M.S.**
>
> Há poucos estudos em que a intervenção ocorre mais cedo na vida, no ano seguinte à gravidez complicada por diabetes gestacional. Uma metanálise sugere possível eficácia, mas com magnitude de efeito menor e qualidade limitada. O risco basal de M.S. provavelmente é mais alto do que o dos pacientes da metanálise. Considerando o baixo custo da intervenção, a motivação de M.S. para prevenir diabetes (sua mãe tem diabetes) e o factível NNT, a orientação estaria muito bem justificada, especialmente por envolver controle de peso, que poderia trazer benefícios adicionais à saúde dela.

DECISÕES DIAGNÓSTICAS

O diagnóstico de uma determinada doença baseia-se em um conjunto de informações clínicas obtidas em uma ou mais ocasiões, desde os dados clínicos iniciais, detectados a partir da entrevista clínica e do exame físico, até os resultados de exames complementares ou, muitas vezes, da própria evolução clínica do paciente. Os raciocínios ou estratégias para fazer um diagnóstico são, em geral, de três tipos, aplicados de maneira complementar – raciocínio causal, raciocínio probabilístico ou raciocínio determinístico –,[6] brevemente abordados a seguir.

Raciocínio causal

O raciocínio causal é uma estratégia hipotético-dedutiva fundamentada na tentativa de explicar os achados de um paciente, relacionando-os ao arcabouço teórico de conhecimentos clínicos e fisiopatológicos acerca de um determinado problema clínico. São levantadas hipóteses diagnósticas iniciais e, a partir delas, deduzidos os elementos clínicos que deveriam ser investigados na anamnese, no exame físico ou em exames complementares. Ao encontrá-los, a hipótese se fortalece; quando não os encontra, especialmente quando o elemento clínico tiver alta sensibilidade (i.e., se não estiver presente, afasta o diagnóstico), a hipótese é descartada. Isso é feito por repetidas vezes, até que uma ou mais das hipóteses diagnósticas "expliquem melhor o caso".

Apenas vendo M.S. na consulta aos 57 anos, antes mesmo de conhecer suas queixas, já era possível gerar hipóteses diagnósticas e preparar questões a serem resolvidas durante o exame clínico: ela aparentava 50 a 60 anos e apresentava gordura corporal localizada na região central, em torno da cintura, achado que, por si só, poderia sugerir a presença de diabetes ou hipertensão arterial sistêmica, condições comuns em pacientes de meia-idade com deposição central de gordura. A partir de seus sintomas, incluindo fraqueza e emagrecimento – queixas principais –, a probabilidade de terem sido causados por diabetes aumentou, mas eles poderiam também ser causados por infecção crônica (p. ex., tuberculose), depressão ou até mesmo câncer.

Dados da história clínica (positivos ou negativos) podem alterar a probabilidade de cada uma das hipóteses levantadas. A ausência de sinais e sintomas sugestivos de infecção, depressão ou câncer, e as queixas de poliúria, polidipsia e polifagia, decorrentes da fisiopatologia de hiperglicemia, fortalecem a hipótese de diabetes, levando a deduzir que M.S. poderia ter outros indícios de diabetes, como história de filho nascido com macrossomia. O achado dessa informação fortalece a hipótese de diabetes.

O conjunto dos dados clínicos pode ser explicado pela presença de hiperglicemia, tornando a hipótese de diabetes muito provável. No entanto, para evitar um rótulo incorreto, com potenciais prejuízos a M.S., é preciso confirmar o diagnóstico de diabetes com um exame altamente específico, como a glicemia, que poderá trazer a certeza diagnóstica para quase 100%. Um único resultado ≥ 200 mg/dL, em paciente com queixas típicas de diabetes, confere certeza diagnóstica consensual, exigindo notificação a M.S., com pronto manejo clínico, como foi feito.

Em algumas ocasiões, a certeza diagnóstica alcançada pelos dados clínicos no raciocínio causal hipotético-dedutivo é tão alta (alta especificidade) que dispensa exames complementares. Um exemplo seria a presença de sinais de tetania no pós-operatório de tireoidectomia, que poderia ser explicada, com muita segurança, por deficiência de cálcio. O mais frequente é não chegar a um diagnóstico definitivo apenas pelo raciocínio causal, requerendo avaliações adicionais, em geral feitas seguindo um raciocínio probabilístico.

Raciocínio probabilístico

O raciocínio probabilístico baseia-se em estimativas da probabilidade de doença (0 a 100%) feitas em vários momentos do processo diagnóstico. As probabilidades de doença estimadas são julgadas dentro de um espectro de probabilidades que pode ser simplificado em três zonas principais de decisões clínicas. A **FIGURA 8.1** ilustra o raciocínio. Na zona de alta probabilidade (à direita), o diagnóstico da doença, mesmo não sendo 100% certo, é tão provável que não exigiria avaliação adicional, podendo, em muitas situações, já indicar a necessidade de tratamento. Na zona de baixa probabilidade (à esquerda), embora não completamente afastado, o diagnóstico é tão improvável que dispensaria maior investigação neste momento. Nesses casos, o processo diagnóstico poderia ser suspenso – ao menos temporariamente – ou, então, levantar/investigar outras hipóteses diagnósticas. Na zona central, a probabilidade de doença é dúbia, exigindo investigação adicional, como um exame complementar ou até mesmo observação clínica por alguns dias (a observação clínica também opera como um teste diagnóstico, aliás, muito útil na prática ambulatorial).

Cada doença ou situação clínica apresenta limites específicos de probabilidade para definir essas zonas de decisão, pois eles dependem dos benefícios associados aos diagnósticos corretos e dos custos associados aos diagnósticos incorretos (falso-positivos e falso-negativos). Por exemplo, o custo (humano e financeiro) de um paciente sem doença de Hodgkin receber erroneamente esse rótulo de doença é enorme, porque o tratamento é invasivo, caro e acarreta risco de efeitos colaterais graves; isso exige um limite superior (B) próximo de 100%. Um limite inferior (A) próximo de 0 pode ser necessário para evitar o não reconhecimento de uma doença tratável de grande potencial de gravidade, como infarto agudo do miocárdio.

O papel do teste a ser aplicado é movimentar a probabilidade da doença. Se seu resultado for positivo, a probabilidade de doença aumenta; se o resultado for negativo, diminui **(FIGURA 8.2)**. A coleta de novas informações vai se desenvolvendo, até a probabilidade de a doença alcançar uma das zonas extremas, onde é possível classificar doença ou ausência de doença com a segurança necessária para cada caso.

No caso de M.S., a probabilidade de diabetes em mulheres de 57 anos é de cerca de 15% (prevalência na população), o que exige considerar essa hipótese diagnóstica, especialmente por ser uma doença com tratamento custo-efetivo. Os achados clínicos aumentam a probabilidade de diabetes, mas sem alcançar a faixa de certeza (próxima de 100%) para rotular o diagnóstico de uma doença crônica e grave como o diabetes. Portanto, há necessidade de uma glicemia para fechar o diagnóstico.

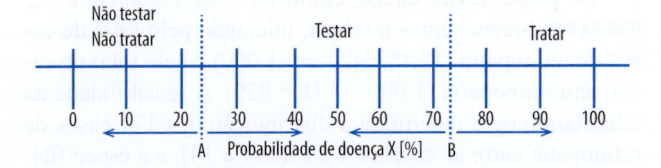

FIGURA 8.1 → Zonas de decisão no espectro de probabilidades. As setas ilustram a necessidade de ajustar os limites entre zonas de acordo com a doença em questão.

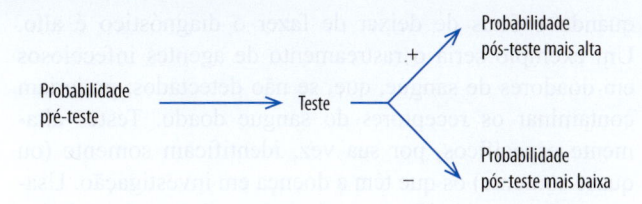

FIGURA 8.2 → Função do teste diagnóstico dentro de um raciocínio probabilístico.

Métricas para expressar a validade (acurácia) de um teste ou estratégia diagnóstica

A capacidade de um teste (teste em estudo) gerar importante alteração na probabilidade pós-teste depende de sua validade ou acurácia. Um teste diagnóstico de alta validade tem alta capacidade de acertar: quando apresentar resultado positivo, o paciente, de fato, terá a doença em investigação; quando apresentar resultado negativo, o paciente, de fato, não terá a respectiva doença. Esse tipo de validade é avaliado mediante a comparação do seu desempenho em relação a outro teste, consagrado como válido (embora em geral mais invasivo ou de maior custo), denominado **padrão-ouro** ou teste de referência (preferível). A **FIGURA 8.3** mostra os resultados do teste (positivo ou negativo) e os resultados do teste de referência (doente ou não doente) obtidos na classificação da doença em investigação.

Supondo que o teste de referência represente o diagnóstico correto (válido), o resultado do teste em estudo pode ser considerado verdadeiro (verdadeiro-positivo e verdadeiro-negativo) ou falso (falso-positivo e falso-negativo). Esse conceito de correção/incorreção do teste pode ser expresso por duas propriedades diagnósticas básicas: a **sensibilidade** [a/(a+c) na figura], ou seja, a capacidade do teste de acertar apresentando resultados positivos em indivíduos que de fato têm aquela doença (proporção de verdadeiro-positivos), e a **especificidade** [D/(B+D)], ou seja, a capacidade do teste de acertar apresentando resultados negativos em indivíduos que de fato não têm aquela doença (proporção de verdadeiro-negativos).

Testes altamente sensíveis detectam todos (ou quase todos) os doentes. Usa-se um teste de máxima sensibilidade

	Doença (teste-padrão)			
Teste em validação	Sim	Não		
Positivo	A	B	A+B	Probabilidade pós-teste = A/(A+B) positivo
Negativo	C	D	C+D	Probabilidade pós-teste = C/(C+D) negativo
	A+C	B+D		

Sensibilidade = A/(A+C)

Especificidade = D/(B+D)

Probabilidade pré-teste (prevalência da doença) = (A+C)/(A+B+C+D)

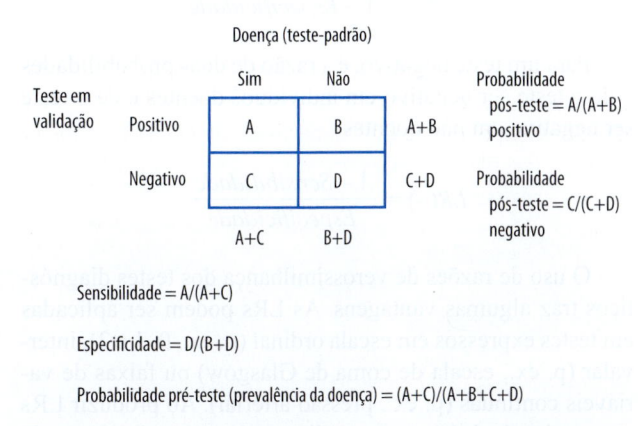

FIGURA 8.3 → Propriedades do teste diagnóstico.

quando o ônus de deixar de fazer o diagnóstico é alto. Um exemplo seria o rastreamento de agentes infecciosos em doadores de sangue, que, se não detectados, poderiam contaminar os receptores do sangue doado. Testes altamente específicos, por sua vez, identificam somente (ou quase somente) os que têm a doença em investigação. Usa-se um teste específico quando o ônus de um diagnóstico errôneo é alto, como rotular incorretamente um paciente como portador de doença de Hodgkin, como mencionado anteriormente, o que poderia levar ao tratamento indevido com radioterapia e quimioterapia. Em suma, testes sensíveis apresentam poucos falso-negativos, e testes específicos, poucos falso-positivos.

A aplicação concomitante de mais de um teste diagnóstico pode melhorar a acurácia da estratégica diagnóstica. Quando aplicados simultaneamente ("em paralelo"), se qualquer um dos testes for positivo, o resultado será considerado positivo. Isso aumenta a sensibilidade e o valor preditivo negativo acima do valor de cada teste de maneira individual. Como resultado, reduz-se a probabilidade de deixar de diagnosticar uma doença, isto é, são reduzidos os falso-negativos. Quando dois ou mais testes são realizados "em série", a aplicação do segundo depende de um resultado positivo do primeiro, e assim sucessivamente. O resultado dessa estratégia é considerado positivo apenas quando todos os testes forem positivos. A estratégia em série aumenta a especificidade, isto é, reduz os falso-positivos.

Cabe ressaltar, ainda, que muitas vezes os resultados de um teste não são expressos como "positivo" ou "negativo", mas sim em valores contínuos (p. ex., escores) ou em estratos, inviabilizando a análise dicotômica (positivo/negativos ou reagente/não reagente). Nesses casos, os resultados são expressos em vários níveis, e cada um deles apresenta sensibilidade e especificidade próprias. Uma forma de utilizar essa informação é pela métrica das razões de verossimilhança (*likelihood ratios*).

Likelihood ratios (LRs) expressam a relação entre sensibilidade e especificidade do teste. Para um teste positivo, é a razão de duas probabilidades – de o teste ser positivo em indivíduos doentes e de o teste ser positivo em não doentes.

$$LR(+) = \frac{Sensibilidade}{1 - Especificidade}$$

Para um teste negativo, é a razão de duas probabilidades – de o teste ser negativo em indivíduos doentes e de o teste ser negativo em não doentes.

$$LR(-) = \frac{1 - Sensibilidade}{Especificidade}$$

O uso de razões de verossimilhança dos testes diagnósticos traz algumas vantagens. As LRs podem ser aplicadas em testes expressos em escala ordinal (p. ex., 0, 1 e 2), intervalar (p. ex., escala de coma de Glasgow) ou faixas de variáveis contínuas (p. ex., pressão arterial). Ao produzir LRs para cada nível do teste, ampliam-se o aproveitamento do seu resultado e a acurácia da probabilidade pós-teste.

Estimando a probabilidade de doença após o resultado de um teste diagnóstico

O raciocínio probabilístico permite estimar, de modo quantitativo, a capacidade de um teste diagnóstico direcionar uma probabilidade dúbia (pré-teste) para uma das extremidades (pós-teste), o que facilita decisões como tratar/não tratar, solicitar/não solicitar exame adicional, caro ou invasivo (ver **FIGURA 8.2**). A **probabilidade pré-teste** é a melhor estimativa da probabilidade de doença antes de aplicar o teste em consideração, o que requer dados clínicos. Na ausência de dados clínicos, ela pode ser estimada pela prevalência da doença em alguma população relevante, por exemplo, o serviço onde os pacientes são atendidos. Estimada a probabilidade pré-teste, pode-se estimar a **probabilidade pós-teste** que resultaria se o teste em questão fosse aplicado.

Para avaliar a capacidade de um teste diagnóstico direcionar uma probabilidade pré-teste dúbia para uma das extremidades pós-teste que permite decisão diagnóstica ou terapêutica, pode-se transformar a probabilidade pré-teste em probabilidade pós-teste, aplicando os dados de sensibilidade e especificidade conforme a teorema de Bayes. Para ilustrar os passos do raciocínio probabilístico, vamos exemplificar com a necessidade de um exame para avaliar se M.S. apresenta ou não retinopatia diabética nesse momento. Para tanto, faremos a transformação preenchendo dados em uma tabela de contingência (2 × 2) para uma amostra hipotética de 1.000 pessoas.

Inicialmente, estimamos uma probabilidade pré-teste. Estima-se que 17,1% dos indivíduos negros com diabetes tipo 2 recém-diagnosticados apresentem algum nível de retinopatia diabética,[7] às vezes com alto risco de cegueira, que poderia ser prevenida pelo diagnóstico precoce e tratamento. Considerando que essa complicação é potencialmente grave e tratável, a probabilidade cai na zona central: não é suficientemente alta para tratar, mas exige investigação. O exame consagrado seria um exame especializado realizado por oftalmologista. Como a lista de espera é grande, existe a possibilidade de encaminhar M.S. para um exame à distância, por teleoftalmologia. Então, a questão seria avaliar se a detecção de retinopatia diabética por teleoftalmologia seria suficientemente sensível/específica para direcionar a probabilidade dessa retinopatia para uma das zonas extremas. Metanálise de estudos sobre as propriedades diagnósticas da teleoftalmologia, em comparação a um teste-padrão (padrão-ouro) – uma retinografia feita por especialista –, demonstra sensibilidade de 92% e especificidade de 94% para detectar retinopatia diabética.[8] O clínico precisa saber se tais sensibilidade e especificidade seriam suficientes para alcançar uma probabilidade pós-teste baixa o suficiente para descartar retinopatia que requer encaminhamento.

De posse desses dados, como ilustrado na tabela 2 × 2 **(FIGURA 8.4)**, preenchemos a tabela, iniciando pelo total de casos de retinopatia (17,1%; 171 em 1.000) e pelo total de casos sem retinopatia (1.000 – 171 = 829). A sensibilidade da teleoftalmologia determina a distribuição dos 171 casos de retinopatia entre as caselas A e C (157 e 14), e a especificidade determina a distribuição dos 829 casos sem retinopatia entre as caselas B e D (50 e 779). Com esses números, é possível fazer os cálculos horizontais pós-teste: entre os

Probabilidade pré-teste (prevalência da doença) = 17,1%[7]

Achados da metanálise:[8]
Sensibilidade = 92%
Especificidade = 94%
Likelihood ratio positiva LR(+) = 0,92/(1,00 − 0,94) = 15,3
Likelihood ratio negativa LR(−) = (1 − 0,92)/0,94 = 0,09

Retinopatia proliferativa por avaliação-padrão

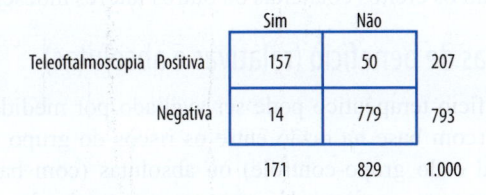

		Sim	Não	
Teleoftalmoscopia	Positiva	157	50	207
	Negativa	14	779	793
		171	829	1.000

Probabilidade pós-teste positivo = 157/207 = 76%

Probabilidade pós-teste negativo = 14/793 = 2,7%

FIGURA 8.4 → Propriedades diagnósticas da teleoftalmoscopia para o diagnóstico de retinopatia diabética em pacientes com risco de retinopatia semelhante ao de M.S., ilustrado em amostra hipotética de 1.000 pessoas.

207 indivíduos com teleoftalmologia positiva, a probabilidade pós-teste positivo é de 76% (157/207); entre os 793 indivíduos com teleoftalmologia negativa, a probabilidade pós-teste negativo é de 2,7% (14/793). Em suma, se o exame for negativo, a probabilidade pré-teste de 17% seria transformada em probabilidade pós-teste negativo de 2,7%.

Na prática, utilizam-se *likelihood ratios* e calculadoras eletrônicas. O processo de transformação via *likelihood ratios* exige a conversão de probabilidade para *odds* e depois de *odds* para probabilidade, o que é muito complexo para uso no dia a dia. Evita-se isso com uma calculadora[9] (ver Leituras Recomendadas) ou regra de memorização. A regra de memorização é válida para probabilidades pré-teste entre 10 e 90%, o que já é prático, porque probabilidades de doença < 10% e > 90% têm segurança diagnóstica alta o suficiente (em geral) para dispensar novos exames. A regra é a seguinte: três múltiplos de 15 (15, 30 e 45) são usados para expressar incrementos/reduções aproximados na probabilidade de doença. LRs de 2, 5 e 10 aumentam a probabilidade de doença, de pré a pós-teste, em 15, 30 e 45%, respectivamente. LRs de 0,5, 0,2 e 0,1 diminuem a probabilidade de doença em 15, 30 e 45%, respectivamente.[10] No caso de a probabilidade pós-teste ficar menor do que 0% ou maior do que 100%, ela é arredondada para 0 e 100%.

A partir dos dados de sensibilidade e especificidade da teleoftalmologia, podem-se calcular ainda as *likelihood ratios* positiva e negativa: LR(+) 0,92/(1,00 − 0,94) = 15,3; LR(−) (1 − 0,92)/0,94 = 0,09. Utilizando a regra apresentada anteriormente, uma LR(−) de 0,09, aproximadamente 0,1, baixaria a probabilidade em 45%, pela regra, próximo de 0%.

O raciocínio diagnóstico baseado na estimativa de probabilidade pós-teste tem maior utilidade quando o teste é aplicado com frequência, quando a estimativa da probabilidade pré-teste é relativamente confiável e quando os limites das três zonas do espectro de probabilidades são bem definidos. Sua importância máxima está nas decisões sobre a necessidade de um teste invasivo ou muito caro.

Ao aplicar esse raciocínio para o caso de M.S., é importante lembrar que ele se baseia em estimativas de sensibilidade e especificidade derivadas de pesquisas clínicas. É fundamental assegurar-se de que elas sejam válidas (derivadas de pesquisas com metodologias adequadas), precisas (amplitude pequena dos ICs) e generalizáveis ao paciente em questão.

> **Avaliação diagnóstica**
>
> **A teleoftalmologia pode ser usada para afastar a presença de retinopatia diabética no caso de M.S.?**
>
> **Evidência clínico-epidemiológica**
> A probabilidade pré-teste de retinopatia diabética de M.S. é por volta de 17%. A teleoftalmologia tem sensibilidade de 92% e especificidade de 94%.
>
> **Personalização para M.S.**
> Com avaliação teleoftalmoscopia negativa, a probabilidade de ter retinopatia diabética é muito baixa, apenas 2%. Ela não precisa de maior avaliação no momento, evitando a necessidade de entrar em fila para consulta de oftalmologia.

Testes compostos de múltiplos elementos diagnósticos

Muitos testes envolvem mais de um elemento clínico para o diagnóstico de uma condição. Por exemplo, cita-se a regra do tornozelo de Ottawa para descartar fraturas clinicamente significativas de pé e tornozelo[11] e a regra de Wells para trombose venosa profunda para decidir sobre a investigação de trombose venosa profunda.[12]

Quando múltiplos elementos são usados, equações matemáticas podem fazer a integração dos dados. Essas equações são derivadas de estudos clínico-epidemiológicos, por meio de modelos estatísticos. Os escores ou regras resultantes podem ser utilizados em calculadoras clínicas eletrônicas *on-line* ou, em alguns casos, simplificados para permitir memorização (ver QR codes).

Raciocínio determinístico

Algumas vezes, a apresentação clínica do paciente é tão específica que o diagnóstico é feito instantaneamente, sem que o diagnosticador se dê conta de que usou um raciocínio diagnóstico. Um exemplo é o diagnóstico de herpes simples labial, feito a partir do conjunto de características de lesões – vesiculares, dolorosas, localizadas no lábio, em formato de cacho de uvas e com uma base eritematosa. Nesse caso, o diagnóstico é feito pelo reconhecimento do conjunto, como uma regra clínica: "na presença de tais sinais e sintomas, o diagnóstico é de herpes labial".

Essa estratégia diagnóstica de reconhecimento imediato de um padrão é conhecida como *gestalt*, e pode ser vista como um exemplo do raciocínio determinístico. Esse tipo de raciocínio aplica regras predeterminadas no processo diagnóstico. A probabilidade pré-teste e os limites das zonas de decisão são predefinidos, de modo que os resultados da regra alcancem diretamente uma das três zonas de decisão, sem exigir, portanto, estimativas numéricas das probabilidades pré e pós-teste.

Contudo, em muitas situações clínicas, o diagnóstico é menos chamativo do que nesse exemplo de herpes, exigindo o auxílio de regras definidas a partir de evidências clínico-epidemiológicas. As regras resultantes podem ser expressas de forma simples (elementos diagnósticos presentes = doença presente) ou mais complexas (escores, algoritmos ou fluxogramas). A vantagem dessas regras é que elas organizam, previamente, as informações do exame clínico de modo a alcançar definições diagnósticas que, de outra forma, iriam requerer exames complementares. Há muito espaço para essas regras na prática clínica ambulatorial, especialmente quando os recursos para exames complementares são escassos.

Por exemplo, para M.S., as complicações cardiovasculares são as de maior importância preventiva. Quanto maior seu risco de complicações cardiovasculares, maior será o benefício das intervenções preventivas, e maior a justificativa (e o ganho) da terapia farmacológica preventiva. A probabilidade de que, sem intervenção, ela venha a sofrer complicações cardiovasculares pode ser estimada a partir de uma regra composta de múltiplos fatores de risco.

Aplicando uma regra de predição desenvolvida a partir da experiência de dezenas de milhares de pessoas seguidas ao longo de vários anos em estudos de coorte ao redor do mundo,[13] o risco de um infarto agudo do miocárdio ou acidente vascular cerebral (AVC) para M.S. pode ser estimado pelas seguintes características: ser mulher, negra, não fumar, ter 47 anos, diabetes, pressão arterial de 140/85 mmHg, colesterol total de 205 mg/dL. A partir de uma tabela de risco disponível[14] (ver Capítulo Prevenção Clínica das Doenças Cardiovasculares), estima-se que seu risco de desenvolver eventos ateroscleróticos maiores em 10 anos seja de 5%, o que está abaixo do nível de risco que indica uso de estatina. O tratamento com anti-hipertensivo, a ser iniciado, poderá reduzir seu risco.

Avaliação diagnóstica

O risco de eventos cardiovasculares é alto o suficiente para justificar o uso de estatina em M.S., mesmo sem história de infarto, AVC ou outra manifestação maior de doença aterosclerótica?

Evidência clínico-epidemiológica

Dados de estudos de coorte com longo seguimento permitem estimar o risco de doença aterosclerótica em 10 anos.

Personalização para M.S.

A partir de suas características demográficas e clínicas, seu risco de um evento aterosclerótico maior em 10 anos é baixo (5%), o que não justifica a prescrição de uma estatina.

DECISÕES TERAPÊUTICAS

A terapia para uma doença visa melhorar seu curso clínico, o que pode significar atenuação de sintomas manifestos ou prevenção de complicações futuras. A terapia envolve custos, inconveniências e até mesmo efeitos colaterais, o que precisa ser considerado, especialmente em tratamentos crônicos, em que os potenciais benefícios nem sempre contrabalançam os efeitos colaterais ou outros fatores indesejados.

Medidas de benefício (relativas e absolutas)

O benefício terapêutico pode ser avaliado por medidas relativas (com base na razão entre os riscos do grupo experimental e do grupo-controle) ou absolutas (com base na diferença entre os riscos do grupo experimental e do grupo-controle). Essas medidas são as mesmas discutidas na seção sobre intervenções preventivas (TABELA 8.3).

Técnicas mais sofisticadas para quantificar a utilidade de uma determinada intervenção, as chamadas análises de decisão (*decision analysis*), fogem do escopo deste capítulo.

Medidas para expressar dano

A escolha da metformina como primeiro hipoglicemiante apoia-se nas diretrizes das principais sociedades de diabetes no mundo. Embora a redução de eventos cardiovasculares a ela associada não seja tão superior à de outros hipoglicemiantes, a metformina tem um perfil atraente pela larga experiência de seu uso, pelo baixo custo e pela raridade de efeitos colaterais maiores.[15] Medidas de efeito para efeitos colaterais também podem ser estimadas. Por exemplo, o risco de hipoglicemia com glibenclamida no estudo UKPDS[16] foi de 20,5% e, com metformina, 8,3%, um RR = 2,5. O **aumento relativo do risco** (ARR), o incremento relativo de eventos induzido pelo tratamento, pode ser calculado pela fórmula ARR = RR − 1, ou seja, ARR = 2,5 − 1 = 1,5 (a incidência de hipoglicemia com a glibenclamida foi 150% maior que a com metformina).

Para expressar esse aumento em termos absolutos (**aumento absoluto do risco** [AAR]), calcula-se o número de eventos adicionais causados pela intervenção para cada 100 (ou 1.000) indivíduos tratados. No UKPDS, para cada 100 indivíduos tratados com glibenclamida, em vez de metformina, 12,2% (20,5% − 8,3%) tiveram hipoglicemia induzida pela glibenclamida. O NNT para causar dano (NNH, do inglês *number needed to harm*), calculado de forma semelhante ao NNT, é o inverso do AAR. Assim, NNH = 100/12,2 = 8,2 ou seja, para cada 9 pacientes tratados com glibenclamida (em vez de metformina), 1 deles sofrerá hipoglicemia.

Medidas de benefício baseadas em variáveis contínuas

Às vezes, os resultados de uma pesquisa são expressos por variáveis contínuas (p. ex., mmHg ou mg/dL), e não por variáveis dicotômicas (com desfecho/sem desfecho). Muitas vezes usadas para desfechos substitutos, as variáveis contínuas também podem expressar desfechos clínicos relevantes como qualidade de vida e melhora sintomática. Especialmente em estudos de saúde mental, esses efeitos são medidos por escala e expressos por diferenças entre médias.

Ao comparar esses efeitos entre vários estudos em revisões sistemáticas, duas maneiras têm sido empregadas: a diferença média (*mean difference*) e a diferença média padronizada (*standardized mean difference*), esta última também chamada de tamanho de efeito (*effect size*).

A diferença média é simplesmente a média das diferenças entre tratamentos nos diversos estudos, mantendo a escala original em que a medida foi aferida, por exemplo, redução da glicemia de jejum em mg/dL ou aumento da qualidade de vida conforme a escala do instrumento em que foi avaliada. Sua vantagem é apresentar uma medida de fácil interpretação clínica.

No entanto, muitas vezes os estudos originais utilizam instrumentos distintos (p. ex., diferentes escalas para avaliar a qualidade de vida) ou diferentes técnicas ou valores (p. ex., valores de referência distintos para A1C) para aferir um mesmo desfecho de interesse. Nesses casos, não seria adequado combinar a diferença das médias para cada estudo. Uma alternativa seria utilizar a diferença média padronizada, que é calculada dividindo-se a diferença das médias entre os grupos de cada estudo pelo respectivo desvio-padrão. Nesse cálculo, a diferença produzida perde sua unidade de escala e passa a ser expressa em desvios-padrão, o que torna a interpretação mais abstrata. Ressalta-se também que, quando a variável não tem distribuição normal, a medida final pode sofrer distorções.

Por exemplo, para ser útil para M.S., a metformina, além de prevenir complicações crônicas, deveria baixar suficientemente a glicemia a ponto de evitar sintomas. Em metanálise de ensaios clínicos comparando a capacidade de vários antidiabéticos baixarem a glicemia, o tamanho de efeito sobre a A1C da metformina, em comparação com o das sulfonilureias, foi de −0,14 (TE = −0,14); em comparação com o da insulina, de 0,26 (TE = 0,26). Isso significa que a metformina baixou a A1C, em média, 0,14 desvio-padrão a mais do que as sulfonilureias, e 0,26 desvio-padrão a menos do que a insulina. A mesma metanálise mostrou que, para outro desfecho relevante para M.S. – o IMC –, os tamanhos de efeito para metformina foram de −0,45 (TE = −0,45) e −0,91 (TE = −0,91) em comparação com sulfonilureias e insulina, respectivamente.

De forma geral, o tamanho de efeito da ordem de 0,2 a 0,3 pode ser considerado pequeno; em torno de 0,5, moderado; e acima de 0,8, grande. Entretanto, esses parâmetros devem ser avaliados com cautela, especialmente quando a qualidade da evidência que os gerou for baixa.

Assim, as diferenças entre os fármacos em termos de sua capacidade de baixar a A1C são pequenas, o que apoia o uso da metformina como fármaco hipoglicemiante no início do tratamento. Além disso, como a diferença em efeito da metformina sobre o IMC foi de tamanho moderado (contra sulfonilureias) e grande (contra insulina), sua utilização como fármaco de primeira linha fica fortalecida pelo seu efeito protetor contra o ganho de peso.

Pela maior dificuldade em interpretar o sentido clínico dessas medidas, elas são mais utilizadas quando variáveis dicotômicas não estão disponíveis ou não fazem sentido e, dessa forma, o RR e o NNT não são calculados.

Comparações do tipo "não inferioridade"

A abordagem até agora previa a hipótese alternativa de superioridade de um novo tratamento, isto é, de que o tratamento experimental seja superior ao controle. Isso faz sentido quando se compara o tratamento experimental a um placebo. Isso também faz sentido quando se adiciona um tratamento experimental ao tratamento convencional, e o grupo-controle recebe apenas o tratamento convencional.

No entanto, quando há um tratamento bem-avaliado e bem-consagrado na clínica, a justificativa para testar um novo tratamento é a possibilidade de ele trazer alguma vantagem em relação ao tratamento consagrado (p. ex., ser mais barato, com menos paraefeitos, ou de mais fácil aplicação). Nesses casos, o objetivo não seria verificar se o novo tratamento é superior ao tratamento vigente, mas sim se não é inferior ao tratamento vigente. A hipótese alternativa é de não inferioridade do novo tratamento em relação ao tratamento consagrado vigente.[17]

O uso do tratamento convencional no grupo-controle é necessário, pois não seria ético testar um medicamento novo contra placebo ou nada quando existe um tratamento convencional.

AVALIAÇÃO DE TECNOLOGIAS EM SAÚDE

Como já destacado no Capítulo Prática da Medicina Ambulatorial Baseada em Evidências, o processo de avaliação de evidências para condutas clínicas está sendo progressivamente assumido pelos sistemas de saúde.[18] Conhecido como avaliação de tecnologias em saúde, o processo envolve questões de efetividade e de eficiência e inclui revisões sistemáticas, metanálises, sínteses de evidências e, frequentemente, modelagem da relação custo-efetividade para a tecnologia em questão.

Com essas informações, podem ser formuladas diretrizes baseadas em evidências. Os produtos gerados na avaliação de tecnologia são sumários das evidências e da relação custo-efetividade; diretrizes para clínicos; orientações para gestores, como os custos previstos com a incorporação da tecnologia; e meios de auditar seu uso.

REFERÊNCIAS

1. Haw JS, Galaviz KI, Straus AN, Kowalski AJ, Magee MJ, Weber MB, et al. Long-term Sustainability of Diabetes Prevention Approaches: A Systematic Review and Meta-analysis of Randomized Clinical Trials. JAMA Intern Med. 2017;177(12):1808-17.

2. Goveia P, Cañon-Montañez W, Santos D de P, Lopes GW, Ma RCW, Duncan BB, et al. Lifestyle Intervention for the Prevention of Diabetes in Women With Previous Gestational Diabetes Mellitus: A Systematic Review and Meta-Analysis. Front Endocrinol. 2018;9:583.

3. Drummond MF, Sculpher MJ, Claxton K, Stoddart GL, Torrance GW. Methods for the Economic Evaluation of Health Care Programmes. 4th ed. Oxford: Oxford University Press; 2015.

4. Global Burden of Disease Collaborative Network. Global Burden of Disease Study 2017 (GBD 2017) Disability Weights [Internet]. Seattle: Institute for Health Metrics and Evaluation; 2018 [capturado em 27 jul. 2019]. Disponível em: http://ghdx.healthdata.org/record/ihme-data/gbd-2017-disability-weights.

5. Ali MK, Siegel KR, Chandrasekar E, Tandon N, Montoya PA, Mbanya J-C, et al. Diabetes: An Update on the Pandemic and Potential Solutions. In: Prabhakaran D, Anand S, Gaziano TA, Mbanya J-C, Wu Y, Nugent R, editors. Cardiovascular, Respiratory, and Related Disorders [Internet]. 3rd ed. Washington (DC): The International Bank for Reconstruction and Development / The World Bank; 2017 [capturado em 25 jul. 2019]. Disponível em: http://www.ncbi.nlm.nih.gov/books/NBK525150/.

6. Kassirer JP, Wong JB, Kopelman RI. Learning Clinical Reasoning. 2nd ed. Baltimore, MD: LWW; 2009.

7. Tsugawa Y, Mukamal KJ, Davis RB, Taylor WC, Wee CC. Should the hemoglobin A1c diagnostic cutoff differ between blacks and whites? A cross-sectional study. Ann Intern Med. 2012;157(3):153-9.

8. Piyasena MMPN, Murthy GVS, Yip JLY, Gilbert C, Peto T, Gordon I, et al. Systematic review and meta-analysis of diagnostic accuracy of detection of any level of diabetic retinopathy using digital retinal imaging. Syst Rev. 2018 07;7(1):182.

9. Fagan TJ. Letter: Nomogram for Bayes theorem. N Engl J Med. 1975;293(5):257.

10. McGee S. Simplifying likelihood ratios. J Gen Intern Med. 2002;17(8):646-9.

11. Hwang, C. Ottawa Ankle Rule [Internet]. New York: MDCalc;[201-] [capturado em 27 jul. 2019]. Disponível em: https://www.mdcalc.com/ottawa-ankle-rule.

12. Slovis B. Wells' Criteria for DVT [Internet]. New York: MDCalc; [201-] [capturado em 27 jul. 2019]. Disponível em: https://www.mdcalc.com/wells-criteria-dvt.

13. Goff DC Jr, Lloyd-Jones DM, Bennett G, Coady S, D'Agostino RB, Gibbons R, et al. 2013 ACC/AHA Guideline on the Assessment of Cardiovascular Risk. Circulation. 2014;129(25 suppl 2):S49-73.

14. Kaptoge S, Pennells L, Bacquer DD, Cooney MT, Kavousi M, Stevens G, et al. World Health Organization cardiovascular disease risk charts: revised models to estimate risk in 21 global regions. Lancet Glob Health. 2019;7(10):E1332-45.

15. Qaseem A, Barry MJ, Humphrey LL, Forciea MA, Clinical Guidelines Committee of the American College of Physicians. Oral Pharmacologic Treatment of Type 2 Diabetes Mellitus: A Clinical Practice Guideline Update From the American College of Physicians. Ann Intern Med. 2017;166(4):279-90.

16. Effect of intensive blood-glucose control with metformin on complications in overweight patients with type 2 diabetes (UKPDS 34). UK Prospective Diabetes Study (UKPDS) Group. Lancet. 1998;352(9131):854-65.

17. Mulla SM, Scott IA, Jackevicius CA, You JJ, Guyatt G. How to Use a Noninferiority Trial. In: Guyatt G, Rennie D, Meade MO, Cook DJ. Users' Guides to the Medical Literature: A Manual for Evidence-Based Clinical Practice. 3rd ed. New York: McGraw-Hill Medical; 2015. Chapter 8, p. 75-85.

18. Instituto de Avaliação de Tecnologias em Saúde. IATS [Internet]. Porto Alegre; 2013 [capturado em 27 jul. 2019]. Disponível em: http://www.iats.com.br/.

LEITURAS RECOMENDADAS

Guyatt G, Rennie D, Meade MO, Cook DJ. Users' Guides to the Medical Literature: A Manual for Evidence-Based Clinical Practice. 3rd ed. New York: McGraw-Hill Medical; 2015.

Versão atualizada dos Users' guides to the medical literature, *publicados originalmente na revista* JAMA, *versando sobre vários aspectos de análise crítica da literatura em medicina e a prática de medicina baseada em evidências. Acompanhado, eletronicamente, pelo JAMA Evidence* (http://www.jamaevidence.com/), *fonte de grande leque de materiais úteis para a prática, infelizmente acessível apenas mediante assinatura.*

McGee S. Evidence-based physical diagnosis. 4th ed. Philadelphia: Elsevier; 2017.

Texto com sugestões para o diagnóstico clínico de condições comuns e capítulos introdutórios sucintos sobre abordagens probabilísticas.

Straus SE, Glasziou P, Richardson WS, Haynes RB. Evidence-based medicine: how to practice and teach it. 5th ed. Edinburgh: Churchill Livingstone; 2018.

Livro-texto conciso sobre a prática e o ensino da medicina baseada em evidências.

Centre for Evidence Based Medicine – CEBM. Disponível: http://www.cebm.net/.

Diversas informações sobre a prática da medicina baseada em evidências, incluindo tutoriais, glossário de termos, banco de critically appraised topics, links *para outros endereços de relevância e tabela com sugestões sobre níveis de evidência em diversos enfoques clínicos.*

Centre of Evidence-Based Medicine – University of Toronto. Disponível em: https://ebm-tools.knowledgetranslation.net/.

Diversas informações sobre a prática da Medicina Baseada em Evidências, incluindo tutoriais, glossário de termos, calculadoras e links *para outros endereços.*

UCSF Data Resources. Disponível em:

https://data.ucsf.edu/research e http://www.sample-size.net/.

Parte do portal do Departamento de Epidemiologia e Estatística, Faculdade de Medicina, da University of San Francisco. Oferece grande quantidade de links *para portais de epidemiologia e bioestatística, inclusive programas para cálculo de tamanho de amostra e entrada de dados.*

Capítulo 9
SAÚDE PÚBLICA BASEADA EM EVIDÊNCIAS

Maria Inês Schmidt
Bruce B. Duncan

A falta de uma evidência excelente não inviabiliza uma decisão baseada em evidência; o que é preciso é a melhor evidência disponível, não a melhor evidência possível.

Muir Gray

O termo "evidências" é usado para apoiar decisões em saúde há muito tempo. O PUBMED mostra seu largo uso nos anos de 1800, referindo-se a dados geográficos, demográficos, socioeconômicos, clínicos e laboratoriais que apoiavam decisões em saúde.

O termo "evidência epidemiológica", embora já captado pelo PUBMED em 1943, só impactou a literatura científica a partir dos anos 1960, ancorado por uma síntese das evidências para a relação entre fumo e câncer de pulmão [1]. Desde então, uma pujante produção científica caracterizando evidências epidemiológicas para várias doenças consolidou a epidemiologia como uma disciplina cientificamente robusta e inerentemente aplicada no controle de doenças e seus fatores de risco. Muitos delineamentos (desenhos) de pesquisa foram desenvolvidos para o estudo de tais fatores de risco, o protótipo sendo o estudo de coorte.

A pesquisa clínica também apresentou um desenvolvimento profícuo no mesmo período, especialmente após os relatos da eficácia do tratamento medicamentoso da tuberculose nos anos 1950, pioneiramente avaliada por um ensaio clínico randomizado (ECR), que se tornou o delineamento de pesquisa padrão-ouro para evidências terapêuticas na prática clínica.

A integração de tais avanços da epidemiologia e da clínica produziram uma nova disciplina na formação médica, a Epidemiologia Clínica. Seu escopo alargou-se, englobando prevenção, diagnóstico, rastreamento, prognóstico e tratamento. As evidências "clínico-epidemiológicas" resultantes levaram ao conceito de "*evidence-based*", que significa baseado ou apoiado em evidência, e a um novo paradigma de prática médica, a medicina baseada em evidências (MBE). (Ver Capítulo Medicina Baseada em Evidências.)

Esses desenvolvimentos científicos e tecnológicos, ocorridos no período pós-guerra no século XX, ampliaram notavelmente a expectativa de vida das populações e contribuíram para a credibilidade atribuída às práticas da clínica e da saúde pública e ao desenvolvimento das nações. Alguns exemplos de intervenções são dignos de nota: acesso à água e ao alimento seguro, vacinas, acompanhamento pré-natal, uso de antibióticos e de anti-hipertensivos, tratamentos efetivos para doença coronariana, cerebrovascular e renal terminal, intervenções cirúrgicas para múltiplas doenças congênitas e adquiridas.

No mesmo período, mudanças significativas ocorreram no perfil de doenças da população. Enquanto problemas mais agudos e com manejo de curto prazo, como as doenças infecciosas, nutricionais e materno-infantis foram debeladas em grande parte, novos problemas surgiram, genericamente chamados de doenças crônicas não transmissíveis, requerendo cuidados longitudinais e novos modelos de atenção. Formas diferentes de mobilidade, transporte, alimentação, entre outros fatores, mudaram o padrão de saúde e doença, trazendo a violência no trânsito, a epidemia de obesidade, a incidência de diabetes tipo 2 em jovens, entre outros. A poluição do ar, da água e do solo e o aquecimento global aumentaram a carga de doenças na população. Os modelos econômicos de desenvolvimento ampliaram as desigualdades sociais e a concentração de renda. Novas epidemias foram surgindo, como a da SARS, MERS, Zika e, mais recentemente, Covid-19, requerendo decisões rápidas, muitas vezes com limitada evidência.

Todos esses problemas de saúde contemporâneos precisam ser enfrentados, o que requer ações populacionais e clínicas baseadas em evidências. A APS, na sua missão de promover saúde e prevenir/remediar doenças, exerce um papel importante, seja em suas intervenções clínicas, seja nas intervenções populacionais. Pela natureza e foco deste livro, as intervenções clínicas são extensivamente abordadas nos vários capítulos do livro, ficando menos evidente a abordagem preventiva populacional, tão importante para a carga de doença contemporânea.

Digno de nota, para as ações populacionais, o ensaio clínico-randomizado (ECR) não é, na maior das vezes, o padrão-ouro das evidências. Mesmo dando a impressão de que isso torna as ações de saúde pública "pouco baseadas em evidências", na verdade, elas operam sob outra forma de fundamentação. Primeiro, porque intervenções preventivas em saúde pública com frequência agem mais diretamente na causalidade da doença e por isso são potencialmente muito efetivas. Quando bem justificadas, elas são implementadas e avaliadas, e, se necessário, adaptadas. Isso ocorreu em relação às primeiras políticas antitabagismo para controle do câncer de pulmão, baseadas na evidência epidemiológica preliminar de causalidade, mas fortalecidas pelos resultados de sua implementação. Segundo, nem todas as ações necessárias em saúde pública podem ser traduzidas numa questão testável em um ensaio clínico randomizado.

Este capítulo apresenta, de forma breve, conceitos, ferramentas e aplicações da prática de uma *saúde pública baseada em evidências (SPBE)*. Exemplos de aplicação desses conceitos e ferramentas podem ser encontrados nos Capítulos Saúde da População Brasileira, Saúde Planetária e o Imperativo da Ação Climática para Proteger a Saúde e Práticas Alimentares Saudáveis na Infância, bem como na Seção Promoção da Saúde do Adulto e Prevenção de Doenças Crônicas, entre outros, onde a importância das ações populacionais também é enfatizada. Decisões baseadas em paradigma de medicina baseada em evidência versus decisões baseadas em paradigmas de sistemas complexos são contrastadas ao final do capítulo.

CONCEITOS

Saúde pública baseada em evidências

Em 1997, Jenicek definiu SPBE como "[...] o uso consciente, explícito e criterioso das melhores evidências disponíveis na tomada de decisões sobre os cuidados de comunidades e populações para proteção da saúde, prevenção de doenças e manutenção ou melhora da saúde (promoção da saúde)".[2]

A prática de uma SPBE apresenta as seguintes etapas:
1. Formular bem a pergunta sobre um problema de saúde pública.
2. Buscar as melhores evidências disponíveis.
3. Avaliar as evidências obtidas.
4. Selecionar as melhores evidências para a tomada de decisão.
5. Vincular evidências à experiência, ao conhecimento e à prática de saúde pública.
6. Implementar políticas e programas com base nas evidências e julgados como de utilidade para a saúde pública.
7. Avaliar a implementação e o desempenho dos profissionais de saúde pública na prática de SPBE.
8. Promover o ensino e a prática de uma SPBE.

Confusões entre os tipos de evidências que apoiam decisões clínicas e populacionais geraram discussões produtivas no início deste século.[3-7] Hoje, há consenso entre pesquisadores e líderes de saúde pública de que uma combinação de evidências e valores científicos, recursos disponíveis e contexto deve fazer parte da tomada de decisão. Isso exige habilidades científicas, de comunicação, de bom senso e de perspicácia política.

Um diagrama ilustrativo do processo de tomada de decisão baseada em evidências é apresentado na FIGURA 9.1.

Ações em saúde pública

As ações em saúde pública precisam ser baseadas na melhor informação disponível sobre perguntas como: "é efetiva?", "é custo-efetiva?", "permite alcançar as metas?", "é a melhor opção?", "o que deveria ser feito primeiro?". A melhor informação disponível pode não responder de forma conclusiva a cada uma das questões no início das intervenções. Por essa razão, é preciso avaliar as intervenções para qualificar as evidências e aprimorar sua eficácia e sustentabilidade.

Ações em saúde pública desenvolvem-se primariamente no setor da saúde como uma vacina ou a medida periódica da pressão arterial para prevenção cardiovascular. Seu planejamento e implementação são guiados por protocolos, diretrizes, programas ou até mesmo campanhas.

No entanto, muitas vezes as ações em saúde pública são mais complexas, envolvendo outros setores fora da saúde e requerendo, inclusive, medidas regulatórias e legislativas.

> O conjunto de ações regidas por uma lei, regulamento, procedimento, ação administrativa, incentivo ou prática voluntária de governos e outras instituições em prol de uma melhoria de saúde na população é referido como política de saúde, abrangendo todos os níveis – sistêmico, organizacional e individual.[8]

TIPOS DE EVIDÊNCIA EM SAÚDE PÚBLICA

As evidências para tomada de decisão em saúde pública foram classificadas por Brownson em três tipos, desde aquelas que levam ao reconhecimento de que um problema requer ação até as que definem a ação a ser tomada e como ela deveria ser implementada.

As características desses três tipos de evidências são apresentadas na TABELA 9.1.[9]

Tipo 1

Evidências que definem que algo deveria ser feito na população, incluindo a magnitude da associação envolvida e outros critérios de causalidade, a gravidade da doença e o potencial de prevenção.

As evidências que apoiam decisões em saúde pública são discutidas e consentidas entre as partes interessadas levando em conta o contexto local. Uma abordagem muito utilizada é conhecida como avaliação de impacto na saúde (HIA, do inglês *health impact assessment*).[11]

> HIA é uma combinação de procedimentos, métodos e ferramentas pelas quais uma política, programa ou projeto pode ser julgado quanto aos seus efeitos potenciais sobre a saúde de uma população e a distribuição desses efeitos na população. A abordagem permite avaliar a carga de doença e o potencial de melhora na saúde a partir de mudanças nos fatores identificados. Como muitas vezes as ações podem ocorrer fora do setor da saúde, essa abordagem facilita a compreensão intersetorial envolvida, considerando os possíveis efeitos nos setores da agricultura, educação, política, economia, transporte e habitação.

Tipo 2

Evidências que descrevem o potencial impacto de uma determinada intervenção, visando fundamentar a decisão de implementá-la ou não.

Avaliar o potencial impacto da intervenção requer avaliação da qualidade da evidência que apoia a intervenção (em geral classificadas em graus crescentes de qualidade) e de outras considerações relevantes para a tomada de decisão. A partir disso, a evidência que apoia a intervenção pode ser classificada em uma das categorias mostradas na TABELA 9.2.

> Não se espera que ações sejam tomadas apenas quando as evidências estão nas primeiras duas categorias. Evidências promissoras e emergentes frequentemente são usadas para apoiar ações e políticas de saúde sobre problemas emergentes. Nesses casos, o uso estrito de hierarquia de desenhos de pesquisa pode reforçar a lei de evidência inversa, em que as intervenções que mais influenciam populações inteiras (p. ex., uma mudança política) acabam sendo menos valorizadas em uma matriz de evidências que enfatiza ensaios clínicos randomizados.

Tipo 3

Evidências que mostram como e sob quais condições contextuais a intervenção foi experimentada e como foi recebida pela população, informando sobre "como ela deveria ser implementada".

FIGURA 9.1 → Aspectos considerados na tomada de decisão em saúde pública baseada em evidências.

TABELA 9.1 → Tipos de evidências científicas para tomada de decisão em saúde pública baseada em evidências

	TIPO 1	TIPO 2	TIPO 3
Ação	Algo deveria ser feito?	Esta intervenção pode ser implementada?	Como deve ser aplicada esta intervenção?
Tipo de dado ou associação	Magnitude e força da associação e outros critérios de causalidade	Medida da efetividade da intervenção específica	Adaptação/translação da intervenção, incluindo avaliações qualitativas
Exemplo 1: nova vacina	Doença com elevada carga de doença, mau prognóstico, sem intervenção preventiva	A taxa de infecção é menor no grupo experimental do que no grupo-controle	Maior ênfase a grupos de maior risco; identificação de grupos com menor adesão e de falhas de processo
Exemplo 2: campanha antitabagismo	O fumo causa câncer de pulmão e deveria ser contido	O aumento do preço associado à campanha na mídia reduz as taxas de fumo na população	Desafios políticos do aumento de preço; trabalhar com a mídia para direcionar as mensagens a segmentos populacionais mais relevantes
Exemplo 3: diretrizes nutricionais	Alimentos e bebidas ultraprocessados propiciam ganho de peso e obesidade e seu consumo deveria ser contido	A rotulação frontal de bebidas e alimentos ultraprocessados, associada à campanha da mídia, reduz a incidência de ganho excessivo de peso na população	Como lidar com barreiras sociais para esta e outras intervenções visando ao mesmo fim
Exemplo 4: distanciamento social como estratégia para controle da pandemia de Covid-19	Relatos de casos de uma nova doença causada por SARS-CoV-2, cuja rápida propagação e letalidade colocam sistemas de saúde em risco de colapso; experiência bem-sucedida de intervenções não farmacológicas na epidemia de SARS	Revisão sistemática e metanálise sobre o benefício do distanciamento físico, do uso de máscara e de protetor de olhos[10]	Particularização das ações para contextos específicos, incluindo conscientização e envolvimento das partes interessadas

SARS, síndrome respiratória aguda grave; SARS-CoV-2, coronavírus 2 associado à síndrome respiratória aguda grave.
Fonte: Adaptada de Brownson.[9]

TABELA 9.2 → Tipologia para classificação de intervenções de acordo com a evidência científica que as apoiam

CATEGORIA	COMO FOI ESTABELECIDA	ASPECTOS CONSIDERADOS EM CADA CATEGORIA
Baseada em evidência	Revisão de pares via revisão sistemática	→ Delineamento (desenho) de estudo → Validade externa → Potenciais benefícios e danos → Custo e custo-efetividade
Efetiva	Revisão de pares	→ Delineamento (desenho) de estudo → Validade externa → Potenciais benefícios e danos → Custo e custo-efetividade
Promissora	Avaliação escrita de programa sem avaliação formal de pares	→ Conclusão sobre evidências de efetividade → Dados de avaliação de efetividade em andamento → Intervenção teoricamente consistente, plausível, potencialmente de grande alcance, de baixo custo, replicável
Emergente	Trabalho em andamento, sumário de práticas realizadas, avaliações em andamento	→ Dados de avaliação de efetividade em andamento → Intervenção teoricamente consistente, plausível, potencialmente de grande alcance, de baixo custo, replicável → Validade de face

Fonte: Adaptada de Brownson.[9]

É a evidência menos disponível. Embora a pesquisa científica em geral enfatize mais a validade interna dos estudos, aspectos de validade externa e aplicabilidades fora do contexto da pesquisa são fundamentais para o sucesso da intervenção. Esses aspectos fazem parte das evidências do tipo 3.

ABORDAGENS PARA AVALIAR POSSÍVEIS INTERVENÇÕES EM SAÚDE PÚBLICA

Uma forma muito útil de avaliar e sistematizar evidências é a revisão sistemática e, mais recentemente, a revisão guarda-chuva de revisões sistemáticas.

A revisão sistemática é um processo formal que identifica todos os estudos científicos relevantes sobre um tópico; avalia sua qualidade, individual e coletivamente; e resume seus resultados. O caráter sistemático para sintetizar as evidências científicas e vinculá-las às recomendações de práticas e políticas aumenta a transparência, a compreensibilidade e a credibilidade das recomendações. Um exemplo clássico do uso de revisões sistemáticas para subsidiar as decisões para adoção de políticas de prevenção na população é o enfrentamento do tabagismo.[12]

Abordagens variadas foram desenvolvidas para avaliar possíveis intervenções em saúde pública e sistematizar as evidências que melhor informam ou guiam decisões em saúde pública. Algumas delas são apresentadas a seguir.

O quadro RE-AIM: programas ou políticas em saúde pública

O quadro RE-AIM foi proposto em 1999 com o objetivo de fornecer uma estrutura abrangente de avaliação dos vários aspectos relevantes em um programa ou política de saúde pública.[13]

São avaliados os quesitos alcance, (em inglês, *reach*), eficácia, adoção, implementação e manutenção.

A grande vantagem dessa abordagem é sua simplicidade e abrangência. Ao considerar simultaneamente aspectos de validade interna (eficácia) e externa (alcance e adoção), o quadro torna-se bem aplicável para a maior parte das intervenções e contextos de saúde pública. Ao considerar os níveis individuais e populacionais da avaliação, o quadro permite contrastar as vantagens e as desvantagens de estratégias clínicas e populacionais – as últimas, em geral, logram maior alcance populacional, e as primeiras, em geral, maior eficácia.

Reach (alcance)

Do inglês *reach*, alcance refere-se à taxa de participação da população-alvo no programa e às características associadas à participação. Fatores que podem determinar o alcance são o número e as características dos participantes visados e as barreiras para a participação (p. ex., o custo envolvido, as eventuais referências para atendimento clínico, os agendamentos decorrentes da intervenção, o transporte das pessoas e as inconveniências em geral).

Eficácia

A eficácia refere-se ao impacto da intervenção nos desfechos de interesse quando a intervenção é implementada conforme o protocolo planejado. Esse conceito difere de efetividade, que considera o impacto da intervenção conforme sua implementação (ver a seguir).

Adoção

Opera em nível mais sistêmico, envolvendo a porcentagem e a representatividade das organizações que adotam o programa no sistema amplo de saúde. Fatores associados à adoção incluem o custo envolvido, os recursos e habilidades necessários e a similaridade com as práticas atuais do serviço ou organização.

Implementação

Refere-se à integridade da intervenção, isto é, a qualidade e a consistência que a intervenção mantém quando replicada em contextos do mundo real.

Manutenção (sustentabilidade)

Opera nos níveis individual e sistêmico. No nível individual, refere-se ao grau de sustentabilidade da mudança em longo prazo. No nível sistêmico, refere-se à extensão em que um tratamento ou prática se institucionaliza como rotina nos cuidados comuns dentro na organização.

Quadro EtD: evidências para decisões do sistema de saúde

O quadro EtD (em inglês *evidence to decision* [evidências para decisões]), já apresentado no Capítulo Prática da Medicina Ambulatorial Baseada em Evidências, é um arcabouço de conceitos e ferramentas para avaliação de evidências clínicas, pensado para apoiar também decisões informadas de sistemas de saúde, incluindo intervenções em saúde pública.[14] Sua utilização é complexa e menos aplicável nas avaliações de políticas de saúde mais amplas.

No Brasil, o quadro EtD foi utilizado para organizar evidências para incorporação de tecnologias no Sistema Único de Saúde (SUS) – por exemplo, o tratamento farmacológico da Covid-19.[15] O quadro EtD pode ser usado também para outras decisões de cuidados de saúde, como decisões de cobertura e decisões sobre testes diagnósticos.

A estrutura básica para avaliar EtDs no sistema GRADE (*Grading of Recommendations, Assessment, Development and Evaluation*) compreende a formulação da pergunta, a avaliação da evidência e a formulação das conclusões. Os passos seguidos são:

1. Formulação da pergunta (PICO: paciente, intervenção, comparação e desfecho [*outcome*]; ou POCO: população, opção, comparação e desfecho [*outcome*]).
2. Busca da literatura.
3. Análise da evidência para a decisão por pares: benefícios e malefícios, valores e balanço entre benefícios e malefícios, recursos necessários, custo-efetividade, equidade, aceitabilidade, factibilidade.
4. Recomendação do painel e adaptação por tomadores de decisão.
5. Relatório, publicação em portais abertos.

Os EtDs para sistemas de saúde e saúde pública incluem critérios de avaliação para a tomada de decisão específicos para esses contextos. Além dos benefícios e malefícios antecipados são considerados também outros critérios, como a prioridade do problema, o impacto econômico da opção considerada, o impacto da opção na equidade, a aceitabilidade e a viabilidade da opção. Esses critérios permitem julgar se e como implementar uma determinada opção em uma dada população. A TABELA 9.3 lista esses critérios e as bases para o julgamento.

O quadro EtD propicia uma abordagem estruturada e transparente de apoio à elaboração de decisões informadas pelas melhores evidências disponíveis. Com isso, o quadro mostra a base das decisões a todos aqueles afetados por elas, ajudando na disseminação das recomendações e permitindo que tomadores de decisão adotem e adaptem as recomendações ou decisões nelas contidas.

É importante frisar que o grau de certeza das evidências em saúde pública costuma ser baixo ou muito baixo segundo esses critérios. No entanto, como os tomadores de decisão muitas vezes precisam agir mesmo com esses níveis de evidência, o monitoramento e a avaliação da implementação são fundamentais para documentar e aprimorar as ações empreendidas.

O paradigma da medicina baseada em evidências e o paradigma de sistemas complexos em saúde pública

Ações em saúde pública podem ser unifatoriais (vacina, p.ex.), ou mais complexas, iterativas, com fluxos de decisões, adaptáveis de acordo com avaliação continuada e sensíveis a contextos locais (p.ex., decisão sobre *lockdown* comunitário na pandemia). A concepção de problemas mais complexos beneficia-se de teorias de sistemas adaptativos complexos, que reconhecem que fatores múltiplos interagem de forma dinâmica e não previsível, e que a incerteza exige métodos naturalísticos com ciclos rápidos de avaliação. Tais métodos contrastam com a lógica da medicina baseada em evidências (BEM), que busca certeza, previsibilidade e causalidade linear.[16]

Ao invés de polarizar os dois paradigmas, o melhor é aproximá-los nas decisões de saúde pública. Assim, o *caminho da prática baseada em evidências*, que prioriza o ensaio clínico randomizado, e o *caminho das evidências baseadas na prática*, que prioriza experimentos naturais com avaliação rápida das intervenções, relacionam-se e se complementam de forma recursiva e não hierárquica.[17] De fato, os dois paradigmas são necessários: por um lado, os ensaios clínicos reduzem a incerteza sobre benefícios e riscos, sendo essenciais

TABELA 9.3 → Julgamentos detalhados em evidências para decisões (EtD) para sistemas de saúde e saúde pública

CRITÉRIO	BASES PARA O JULGAMENTO
O problema é prioritário?	A carga de doença é grande e pode ser reduzida? O problema é urgente?
Os benefícios antecipados são substanciais?	Considerar benefícios antecipados para cada desfecho.
Os malefícios antecipados são substanciais?	Considerar malefícios antecipados para cada desfecho.
Qual é o grau geral de certeza das evidências dos efeitos?	Usar as guias GRADE.
Há incertezas importantes sobre os valores atribuído aos desfechos?	As incertezas ou a variabilidade entre as pessoas sobre os valores atribuídos aos desfechos são importantes?
Os benefícios superam os malefícios antecipados?	Considerar os 4 itens precedentes e fazer um balanço: como as pessoas consideram valores futuros *versus* valores atuais (taxa de desconto)? Quais são as atitudes em relação aos benefícios e aos efeitos colaterais?
Os recursos necessários são de grande monta?	Comparar com opções que exigem menos recursos e mais recursos.
Qual é o grau de certeza sobre os recursos necessários?	Todos os itens de recursos foram considerados? Usar guias GRADEs para avaliar a incerteza da qualidade da evidência. Os custos e sua variabilidade entre as opções foram estimados adequadamente?
Os benefícios líquidos justificam o incremento dos recursos?	Considerar os 6 itens precedentes: A razão custo-efetividade é sensível em análise de sensibilidade univariável? E multivariável? A análise econômica é confiável? A análise econômica é aplicável ao contexto de interesse?
Qual é o impacto na equidade em saúde?	Há grupos que ficariam em desvantagem? Há razões plausíveis para antecipar diferenças na efetividade para grupos mais vulneráveis socialmente?
A intervenção é aceitável aos grupos-chave da parte interessada?	Há partes interessadas que não aceitariam a distribuição dos benefícios, malefícios e custos? A intervenção gera conflito de valores? Interfere na autonomia da pessoa? Gera questões sobre maleficiência, beneficência ou justiça?
A implementação da intervenção é factível?	A intervenção é sustentável? Quais são as barreiras? A cobertura é sustentável? O uso apropriado pode ser garantido se a intervenção for aprovada?

Fonte: Adaptada de Moberg et al.[14]

na escolha de medicamentos e vacinas; por outro, experimentos naturais, se bem justificados, permitem rápida implementação e avaliação em contexto local, facilitando adaptações e tornando a evidência inicial mais robusta. Isso pode ser ilustrado pelas ações tomadas no enfrentamento da pandemia de Covid-19. A incerteza sobre que ações tomar no início da pandemia foi abordada pela analogia com a epidemia de SARS. Ciclos rápidos de implementação e avaliação, que possibilitaram ajustes locais. Ao longo da pandemia, medidas não farmacológicas foram as principais ações para contenção e mitigação, incluindo o uso de máscaras faciais pela população, inicialmente mais reservado para profissionais de saúde. Ondas foram debeladas nos primeiros 18 meses com um conjunto variável (no espaço e no tempo) dessas medidas. Medidas farmacológicas para casos leves e uso profilático, testadas com ensaios clínicos randomizados, não foram efetivas. Vacinas, também testadas por ensaios clínicos randomizados, foram efetivas e disponibilizadas amplamente às populações para contenção da pandemia. Esse conjunto de ações ilustra a complementaridade de evidências sob os paradigmas da MBE e de sistemas complexos em saúde pública.

FONTES DE EVIDÊNCIAS PARA A PRÁTICA DE SAÚDE PÚBLICA BASEADA EM EVIDÊNCIAS

O Capítulo Estratégias Preventivas para as Doenças Crônicas Não Transmissíveis cita várias fontes de evidências para ações de saúde pública. A **TABELA 9.4** apresenta alguns *sites* com intervenções avaliadas como efetivas.

A Health Evidence Network (HEN) é uma iniciativa do Regional Office for Europe da Organização Mundial da Saúde (OMS) que visa gerar sínteses de evidências de fontes multidisciplinares e intersetoriais para apoiar a formulação de políticas de saúde. A rede engloba a Evidence-Informed Policy Network (EVIPNet), dirigida especificamente para os formuladores de políticas públicas na Europa.[18]

Seu esforço visa facilitar as diferentes etapas do processo de formulação de políticas baseadas em evidências: definir claramente o problema ou questão de saúde; buscar as evidências de forma eficiente; avaliar crítica e eficientemente as evidências identificadas; interpretar, posicionar-se e recomendar práticas ou políticas com base na literatura encontrada; adaptar as informações a um contexto local; implementar; e avaliar a eficácia e efetividade dos esforços de implementação.

Os relatórios gerados respondem a questões gerais de saúde pública, resumindo os melhores achados globais e locais disponíveis obtidos da literatura científica revisada por pares e da literatura cinza, e propondo orientações gerais, estratégias e ações a serem consideradas.

Outra iniciativa é a Colaboração da Cochrane Effective Practice and Organisation of Care (EPOC), que gera revisões sistemáticas e outros sumários, muitos deles disponíveis nos *sites* PDQ-Evidence e Support Summaries, listados na **TABELA 9.4**.

TABELA 9.4 → Fontes de evidências para a saúde pública

TIPO DE EVIDÊNCIA	FONTE	LINK
Iniciativa da OMS/Europa que produz publicações para formuladores de políticas públicas na região, incluindo sinopses das principais conclusões e opções de políticas públicas com sínteses das evidências disponíveis	Health Evidence Network (HEN)	http://www.euro.who.int/en/health-topics/health-determinants/migration-and-health/publications/health-evidence-network-hen-synthesis-reports
Análise descritiva de situação e de carga de doença para subsidiar políticas públicas em nível global, de macrorregião, país e estado; em desenvolvimento também para nível local	GBD Compare	https://vizhub.healthdata.org/gbd-compare/
Fonte de revisões sistemáticas	Cochrane Collaboration	www.cochranelibrary.com/search
Diretrizes para promoção de saúde; inclui os *best-buys* para prevenção de doenças crônicas não transmissíveis	Organização Mundial da Saúde (OMS)	https://who.int
Evidências dos efeitos das intervenções em sistemas de saúde para países de baixa e média renda	Cochrane Effective Practice and Organisation of Care (EPOC) Group e outros	http://supportsummaries.org/
Evidência (revisões sistemáticas e estudos primários) para apoiar decisões de sistemas de saúde	PDQ-Evidence	https://www.pdq-evidence.org/
Resumos estruturados de revisões relevantes de informações de alta qualidade sobre intervenções potencialmente eficazes para melhorar os sistemas de saúde	Support Summaries	http://www.supportsummaries.org/
Recomendações com padrões explícitos de qualidade da evidência, para cuidados de saúde e saúde pública; mostra recursos para otimizar evidências e guiar caminhos para obtê-las	NICE Public Health	https://www.nice.org.uk/guidance/published?type=ph
Achados e recomendações baseadas em evidências de peritos norte-americanos sobre serviços preventivos, programas e outras intervenções comunitárias	Community Preventive Services Task Force (CPSTF)	https://www.thecommunityguide.org/
Pronunciamentos sobre ações de saúde pública para orientar suas políticas sólidas e garantir a excelência nas práticas de saúde pública baseadas em nível dos estados	Association of State and Territorial Health Officials (ASTHO)	https://www.astho.org/Reports/
Revisões sistemáticas de qualidade avaliando a eficácia e a relação custo-efetividade das intervenções de saúde pública, incluindo dados de custo	Health Evidence	https://www.healthevidence.org/

REFERÊNCIAS

1. Hutchison GB. The nature of epidemiologic evidence: smoking and health. Bull N Y Acad Med. 1968;44(12):1471–5.
2. Jenicek M. Epidemiology, evidenced-based medicine, and evidence-based public health. J Epidemiol. 1997;7(4):187–97.
3. Glasziou P, Longbottom H. Evidence-based public health practice. Aust N Z J Public Health. 1999;23(4):436–40.
4. Brownson RC, Gurney JG, Land GH. Evidence-based decision making in public health. J Public Health Manag Pract. 1999;5(5):86–97.
5. Kohatsu ND, Robinson JG, Torner JC. Evidence-based public health: An evolving concept. American Journal of Preventive Medicine. 2004;27(5):417–21.
6. Rychetnik L, Hawe P, Waters E, Barratt A, Frommer M. A glossary for evidence based public health. J Epidemiol Community Health. 2004;58(7):538–45.
7. Kelly M, Morgan A, Ellis S, Younger T, Huntley J, Swann C. Evidence based public health: A review of the experience of the National Institute of Health and Clinical Excellence (NICE) of developing public health guidance in England. Soc Sci Med. 2010;71(6):1056–62.
8. Karlsson LE, Takahashi R. A resource for developing an evidence synthesis report for policy-making [Internet]. Geneva: World Health Organization; 2017 [capturado em 26 jul. 2020]. Disponível em: https://www.euro.who.int/en/publications/abstracts/resource-for-developing-an-evidence-synthesis-report-for-policy-making-a-2017.
9. Brownson RC, Fielding JE, Maylahn CM. Evidence-based public health: a fundamental concept for public health practice. Annu Rev Public Health. 2009;30:175–201.
10. Chu DK, Akl EA, Duda S, Solo K, Yaacoub S, Schünemann HJ, et al. Physical distancing, face masks, and eye protection to prevent person-to-person transmission of SARS-CoV-2 and Covid-19: a systematic review and meta-analysis. The Lancet. 2020;395(10242):1973–87.
11. Pan American Health Organization. Health Impact Assessment: concepts and guidelines for the Americas [Internet]. Washington: PAHO; 2013 [capturado em 26 jul. 2020]. Disponível em: https://www.paho.org/hq/dmdocuments/2013/health-impact-assessment.pdf.
12. Fielding JE, Briss PA. Promoting evidence-based public health policy: can we have better evidence and more action? Health Aff (Millwood). 2006;25(4):969–78.
13. Glasgow RE, Vogt TM, Boles SM. Evaluating the public health impact of health promotion interventions: the RE-AIM framework. Am J Public Health. 1999;89(9):1322–7.
14. Moberg J, Oxman AD, Rosenbaum S, Schünemann HJ, Guyatt G, Flottorp S, et al. The GRADE Evidence to Decision (EtD) framework for health system and public health decisions. Health Res Policy Syst. 2018;16(1):45.
15. Falavigna M, Colpani V, Stein C, Azevedo LCP, Bagattini AM, Brito GV de, et al. Diretrizes para o tratamento farmacológico da Covid-19. Consenso da Associação de Medicina Intensiva Brasileira, da Sociedade Brasileira de Infectologia e da Sociedade Brasileira de Pneumologia e Tisiologia. Rev Bras Ter Intensiva. 2020;32(2):166–96.
16. Greenhalgh T. Will Covid-19 be evidence-based medicine's nemesis? PLoS Med. 2020;17(6):e1003266.
17. Ogilvie D, Adams J, Bauman A, Gregg EW, Panter J, Siegel KR, et al. Using natural experimental studies to guide public health action: turning the evidence-based medicine paradigm on its head. J Epidemiol Community Health. 2020;74(2):203-8.
18. World Health Organization. Health Evidence Network [Internet]. Copenhagen: WHO; 2020 [capturado em 26 jul. 2020]. Disponível em: https://www.euro.who.int/en/data-and-evidence/evidence-informed-policy-making/health-evidence-network-hen.

Capítulo 10
O DIAGNÓSTICO CLÍNICO: ESTRATÉGIA E TÁTICAS*

Kurt Kloetzel[†]

Se alguém ainda não sabe, podemos confirmar que, seja onde for, a clientela do ambulatório sempre é incomparavelmente superior ao número de pacientes hospitalizados. Para ser preciso, em nosso país, a cada ano, constata-se uma demanda de 200 ou 300 consultas ambulatoriais por 100 habitantes, dos quais apenas 8 ou 9 passam por uma internação. Logo, é fácil deduzir que o jovem médico, queira ou não, despenderá a maior parte do tempo com o atendimento ambulatorial.

Surpreendentemente, essa verdade não foi assimilada de modo adequado, de sorte que, não obstante a flagrante desproporção, o ensino médico ainda tem como estandarte o aprendizado em hospital-escola, fiel ao mito de que as doenças raras, as patologias exóticas merecem inteira prioridade. As consequências não se fazem tardar: estudantes ou jovens médicos, familiarizados com o *doente horizontal* mas geralmente estranhos ao *paciente vertical*, sentem-se perplexos, desambientados, impotentes quando de seus primeiros contatos com o mundo novo do ambulatório. Isso influi de forma decisiva em seu desempenho futuro, salvo esforços especiais por parte dos educadores.

De fato, existem diferenças entre ambas as modalidades de atendimento, embora – atenção! – não se trate de medicinas distintas, diferentes em grau, gênero ou espécie.

O perfil da demanda ambulatorial, extremamente diversificado, foi descrito de forma magistral por John Fry:[1]

> Fora do hospital, as doenças comuns em uma comunidade se caracterizam por serem de menor porte, benignas, fugazes e autolimitadas, com acentuada tendência para a remissão espontânea. Sua apresentação clínica tende a ser um tanto vaga e é difícil afixar-lhes um rótulo diagnóstico preciso. Frequentemente permanecem indiferenciadas e não identificadas do começo ao fim do episódio. Muitas vezes a patologia clínica vem acompanhada de problemas sociais, de sorte a exigir uma conduta que simultaneamente faça frente a ambas.

Desconhecendo essas peculiaridades, é bem possível que o iniciante seja levado à conclusão de que está diante de "outra medicina", não percebendo de imediato os laços de continuidade entre o universo do ambulatório e os pacientes acamados que já transitaram por aí, os quais, no fim das contas, constituem somente uma amostra especialmente selecionada segundo a gravidade do quadro clínico. Sem a porta de entrada de uma competente unidade de saúde, pela mão de um médico atento e responsável, a maioria desses pacientes acabaria recorrendo ao pronto-socorro, bem mais tarde, já em estágio avançado, com prognóstico reservado. Se tiver sorte, o profissional finalmente é levado a compreender a injustiça que lhe fizeram ao ocultar-lhe esta realidade, ao descrever-lhe o ambulatório como um local onde se pratica uma submedicina, monótona e pouco "científica". Torna-se urgente desfazer essa impressão errônea.

Em primeiro lugar, deve-se deixar claro que o médico de ambulatório – chamemo-lo de generalista – deve ser dono de um repertório de conhecimentos tão respeitável como aquele de um intensivista ou qualquer outro especialista. Sendo ele que abastece as enfermarias, terá de ser um profissional muito bem preparado, extremamente versátil.

Enquanto o especialista, na maior parte das vezes, já recebe o paciente com endereço certo, ao generalista cabe encontrar a proverbial agulha no palheiro, isto é, distinguir, em meio à avalanche das doenças benignas, os pacientes cujas necessidades pode – e deve – atender com eficiente simplicidade, e aqueles poucos, 5% quando muito, que requerem tratamento diferenciado, o quanto antes (como é natural, John Fry não teve outra preocupação senão a de esboçar um quadro abrangente, panorâmico do ambulatório, sem mostrar o lado oposto da medalha).

Guardadas as proporções, essa estreita convivência entre as afecções "de menor porte, benignas, fugazes e autolimitadas" e aquela pequena minoria de pacientes que deve ser identificada em tempo de tomar as medidas precisas constitui o maior obstáculo e, ao mesmo tempo, um desafio. A vigilância não poderá ser relaxada, e a sensação de monotonia deve ser a todo custo combatida, em face da possibilidade de uma "banal" cefaleia na verdade indicar um processo expansivo intracraniano, de uma "trivial" dor lombar ter sua origem não na coluna, mas em outra parte (no começo eles podem se assemelhar; só o tempo os diferenciará).

Estes são os dois "chifres" do dilema. Por um lado, o profissional de ambulatório, ciente da responsabilidade que carrega nos ombros, pode ser levado a concluir que, salvo fortíssima prova em contrário, qualquer que seja a queixa, é sempre mais seguro agir conforme o padrão aprendido no hospital-escola, com o emprego de todo o complicado arsenal diagnóstico e terapêutico à disposição deste; por outro lado, não tarda em cair na realidade e se dar conta de que isso é impossível, que o hospital-escola não se presta para modelo, que os recursos ao alcance da unidade de saúde são bem mais limitados. Qual é a resposta ao dilema?

Certamente não é a crítica destrutiva ao Sistema Único de Saúde (SUS), visto que uma política de contenção de despesas é uma constante em todo o mundo. É especialmente importante no caso do Brasil: depois que a saúde passou a ser vista não apenas como um privilégio, mas um direito do cidadão (fato que resultou em um considerável aumento na demanda), a questão econômica adquiriu respeitabilidade, tendo ficado claro que, quanto mais sóbria a conduta e mais parcimonioso o uso de recursos, tanto mais abrangente e flexível (logo, mais democrático) se torna o sistema de saúde.

De resto, a sobriedade, a simplicidade é perfeitamente compatível com um alto padrão de qualidade, uma conduta

---
*Este capítulo é reproduzido na íntegra como publicado na 3ª edição desta obra.

comedida, conservadora, atendendo não apenas aos interesses do orçamento, mas resultando em benefício do próprio paciente. Uma medicina "minimalista", se é que se pode chamá-la assim, assume feições mais humanas, poupa ao doente sofrimento e gastos muitas vezes dispensáveis, sem contar a redução dos riscos de uma iatrogenia – no fim de contas, da necessidade fez-se uma virtude. Usando como exemplo o emprego abusivo dos antibióticos, por toda parte uma prática muito comum, não será verdade que uma conduta mais ponderada, ao reduzir as chances do aparecimento de cepas bacterianas resistentes, resultará em benefício ao paciente?

Costumamos ensinar que a solução do dilema ambulatorial pode ser resumida por um aforismo muito simples: *pensar complicado, mas agir com simplicidade*. Esta aparente contradição é objeto do presente capítulo.

Todavia, antes de entrar no tema propriamente dito, é preciso ressaltar que a estratégia e as táticas aqui propostas pressupõem um sistema de saúde que tenha adotado a *atenção continuada* como norma de trabalho, o paciente dispondo de acesso livre a uma mesma unidade de saúde e ao mesmo médico toda vez que isso se fizer necessário. Não estamos exigindo o impossível, pois a crescente expansão dos Programas Saúde da Família favorecerá as condições propícias a um vínculo mais firme entre profissional e cliente.

O DIAGNÓSTICO

"...é difícil afixar-lhes um rótulo diagnóstico preciso." Se as palavras de Fry[1] soam mal, é porque ainda não nos libertamos do conceito acadêmico do diagnóstico como uma charada que nos cabe decifrar até o último detalhe, senão o ato médico perde sua razão de ser. Esquece-se de que o esforço despendido em dar um nome às necessidades do paciente só faz sentido se conduzir à *causa* imediata do mal, e essa causa for a condição prévia para o êxito do tratamento. Caso contrário, é melhor não insistir na busca do rótulo exato – ele pode muito bem não existir. Ou, se imaginamos que exista, não passará de um lance da imaginação.

Na maior parte das vezes, a demanda trazida pelo paciente é vaga, imprecisa, para não dizer inespecífica, de sorte que nenhum índice remissivo, por mais volumoso que seja o compêndio, esclarecerá a situação. Acomodemo-nos, então, a essa realidade e, em vez de forjar um apelido de valor meramente simbólico, tratemos de substituir o *diagnóstico* formal pela informalidade do *problema* (é o método ainda adotado por alguns professores, que recomendam ao aluno principiar pela construção de uma *lista de problemas*).

Antes do *diagnóstico* vem o *problema*. Às vezes não se trata de um sintoma ou de um sinal que o paciente consiga verbalizar, mas, antes, de um pretexto para mendigar solidariedade, uma ansiedade que precisa ser confessada, o temor desta ou daquela doença. De resto, o que pensar dos 80 a 90% que experimentarão uma remissão espontânea, cujas necessidades desaparecerão em questão de horas ou dias, sem deixar pistas? Sentirão a falta de um rótulo pretensamente científico?

O paciente a seguir jamais foi esquecido, não só por ter sido um dos primeiros clientes na clínica privada, mas em virtude da demanda inusitada que trouxe consigo:

K.T., 23 anos, homem, desenhista técnico. Inteiramente desinibido, o paciente foi logo contando sua história:

Desde o princípio do ano frequentava um curso noturno de especialização, sem o qual dificilmente conseguiria qualificar-se para uma promoção na firma. Agora, porém, via-se ameaçado de perder o ano letivo, dado um excesso de faltas na folha de chamada. Não que deixasse de frequentar as aulas – a questão era outra: cada vez que o professor fazia a chamada, o paciente era tomado por um bloqueio da fala, simplesmente não conseguia pronunciar a palavra "presente". Por mais que reconhecesse o ridículo da situação, cada vez que o mestre chegava a ele na lista da chamada, era como se uma mão de ferro lhe estreitasse a garganta, nem balbuciar uma identificação conseguia (com isso, lógico, tornara-se objeto de chacota dos colegas).

Por diversas vezes recorrera a sedativos, mas debalde. Daí concluir que sua "doença" era orgânica; logo, seria obrigado a recorrer a um médico.

K.T. aparentava saúde perfeita, nenhuma anormalidade tendo sido constatada ao exame físico.

Como fosse urgente encontrar uma solução para o problema de K.T., e adivinhando que o tratamento nas mãos do psiquiatra não traria alívio imediato, o médico decidiu-se por uma intervenção mais simples embora menos "científica": escreveu um bilhete ao diretor da escola, pedindo-lhe que doravante permitisse ao aluno levantar o braço ao ser interpelado pelo professor, assinalando sua presença na sala de aula. (Até hoje o médico não sabe dar um nome àquela doença – o importante é que K.T. não perdeu o ano letivo, e que hoje deve estar com a carreira avançada.)

Temos uma alentada coleção de exemplos situados entre o somático e o psíquico e que puderam ser solucionados de forma quase empírica: o mecânico colostomizado, cujos colegas, por causa do mau cheiro, recusaram-se a trabalhar no mesmo recinto; o moço que veio à busca de um remédio para "engrossar" a voz, temendo que o tomem por invertido sexual; a mocinha que inventa uma antiga "alergia alimentar" para encobrir seu pavor de uma possível gravidez; o executivo de multinacional que exige que o médico acabe com seu pânico de viagens aéreas, e tantos outros.

Um caso como o de K.T. não creio que me aconteça uma segunda vez. A única desculpa por citar um exemplo incomum é deixar claro que muitas vezes é difícil traçar uma nítida linha divisória entre uma demanda biológica e uma demanda social, entre o terreno do psíquico e do somático. Para complicar ainda mais, boa parte dos pacientes encobre seus problemas existenciais com uma cortina de exuberantes sinais e sintomas, configurando uma situação um tanto fluida.

Não se pretende exagerar na ênfase, dando a impressão de que a prática ambulatorial dispensa o diagnóstico. Longe disso: mas que seja o diagnóstico adequado às circunstâncias, apropriado às necessidades do paciente – todo o resto é um exercício de futilidade.

Um homem em bom estado geral, afebril, informa que em determinada época do ano, invariavelmente, passa por um episódio de tosse catarral, com moderada expectoração branca, durando de uma a duas semanas. Trata-se de um desses casos corriqueiros, benignos, que o próprio paciente encara com tranquilidade, moderando no cigarro, aumentando a ingestão de líquidos. E, no entanto, todos já presenciaram discussões em torno de casos semelhantes, da terminologia correta – será uma traqueíte, uma bronquite, quiçá uma traqueobronquite, quem sabe agravada por um discreto enfisema, quem sabe se o anúncio de doença pulmonar obstrutiva crônica?

Outro paciente, na manhã seguinte a um lanche em restaurante de beira de estrada, é acometido de algumas evacuações diarreicas. Em face de semelhante queixa, sem quaisquer antecedentes suspeitos, será uma sagrada obrigação do médico sair a encalce do agente etiológico, para isso mobilizando recursos nem sempre fáceis, nem sempre disponíveis? Não é possível, *provável* até, que, finalmente pronto o relatório da cultura, o paciente já esteja de novo em plena forma?

O prontuário desse paciente, no espaço reservado ao diagnóstico, informa que ele sofreu de *diarreia*. É o diagnóstico *sindrômico* ou *sintomático*, assim como dizer que aquele outro sofre de *cefaleia, lombalgia, prurido*, etc. É a maneira mais prática de proceder – e quase sempre mais do que suficiente para fins de conduta. *Agir com simplicidade* – metade do aforismo foi cumprido a rigor; mas logo atrás vem o *pensar complicado*: como todo procedimento médico é uma operação probabilística, o médico sabe que, por mínima que seja a possibilidade de um lapso seu, não pode livrar-se do paciente sem instruí-lo a dar notícias caso não melhore em x dias (voltaremos ao tema).

Como mostra a TABELA 10.1, existem diversos níveis de diagnóstico, do mais simples ao mais complexo (quanto ao *diagnóstico de certeza*, este fica reservado para raras ocasiões, como uma fratura, por exemplo).

A TABELA 10.1, copiada de um trabalho antigo mas ainda atual, talvez desperte a estranheza do estudante, habituado a um padrão (aparentemente) mais científico. O seu autor, experiente professor de medicina, abre seu arquivo de prontuários e põe-se a analisar o tipo de conduta adotado por ele e sua equipe em uma unidade de saúde nas proximidades de Londres.[2] Na base desses dados, Morrell reconhece três distintos níveis de diagnóstico, a começar pelo mais elementar, o diagnóstico *sintomático*, até o mais avançado, o *presuntivo*, este subentendendo um nível de razoável precisão. Nota-se a franqueza do autor ao confessar que em apenas 12% dos casos de diarreia (alterações de função intestinal) achou necessário chegar a um diagnóstico presuntivo, e que em 43% dos casos nem sequer praticou o exame físico do paciente.

Irresponsabilidade? De jeito algum: em defesa desse tipo de esquema, é preciso ter em mente as características dos serviços de saúde no Reino Unido, incluindo um forte vínculo entre o paciente e um médico de sua livre escolha, bem como fácil acesso a ele, inclusive a possibilidade de uma visita domiciliar fora de hora.

Morrell procederia de forma idêntica no caso de uma lesão cutânea, contentando-se com o diagnóstico genérico de *dermatite*? Negativo: na linha correspondente a "manchas, feridas e úlceras", lê-se que em 81% dos casos o profissional esforçou-se em atingir um alto nível de probabilidade diagnóstica, pois, ao contrário do exemplo anterior, agora é fundamental saber distinguir entre a psoríase e uma micose, entre uma úlcera varicosa e uma lesão devida à leishmaniose (nesta categoria de doenças, como se sabe, a remissão espontânea é excepcional).

Embora a experiência clínica e o bom-senso favoreçam uma elevada *probabilidade* de acerto, no diagnóstico e na conduta, a metodologia descrita não é infalível. Como a medicina, ao contrário do que alegam alguns, não é uma ciência exata, sempre existe a possibilidade de que a conduta tenha que ser revista, talvez modificada. Porém, tal perspectiva não tem nada de alarmante, pois o método preconizado inclui como rotina algumas medidas de precaução.

TABELA 10.1 → Conduta ambulatorial segundo o tipo de queixa: precisão do diagnóstico e exame físico[2]

SINTOMA	TIPO DE DIAGNÓSTICO (%)			SINTOMAS EXAMINADOS (%)		
	SINTOMÁTICO	PROVISÓRIO	PRESUNTIVO	NENHUM	UM	DOIS OU MAIS
Tosse	4	20	76	17	73	10
Rash cutâneo	7	28	65	2	93	5
Dor de garganta	2	9	89	5	92	3
Dor abdominal	18	60	21	5	60	35
Alteração da função intestinal	46	41	12	43	50	7
Manchas, feridas e úlceras	2	17	81	2	97	1
Dor dorsal	8	52	40	5	83	12
Dor torácica	7	44	49	1	66	33
Dor de cabeça	14	53	32	10	57	33
Dor articular	7	48	45	1	94	5
Distúrbio na função gástrica	30	44	26	24	56	20
Distúrbio no equilíbrio	19	50	31	10	51	39
Distúrbio na respiração	2	23	75	1	79	20
Astenia	5	52	41	26	57	17

A DEMORA PERMITIDA

Uma dessas medidas é assegurar ao usuário, em caso de necessidade, acesso fácil ao seu médico. Com essa garantia, o profissional ganha a liberdade para uma conduta sóbria, de expectativa, sem aquele clima de atropelo que caracteriza o atendimento médico de "alta rotatividade" (as urgências costumam ser raras, de resto não são difíceis de reconhecer, a elas reservando-se cuidados especiais). No interesse do serviço e, sem dúvida, do próprio paciente, o médico poderá agir sem pressa ou precipitação, pois sua conduta está baseada no acompanhamento da gradual evolução do quadro clínico (sem que isso se torne um pretexto para a displicência, lógico).

Entre as características da demanda ambulatorial, foi mencionada a remissão espontânea, observada em 80 a 90% das situações (um fenômeno, aliás, que ao longo da história da medicina foi responsável pela fama de uma legião de charlatães e pela popularidade de toda sorte de manipulações terapêuticas). Ao usar o tempo como instrumento de trabalho, o profissional ganha um poderoso aliado, que muito lhe simplifica o trabalho, podendo mostrar-se indispensável. Existem alguns requisitos, é lógico: que o médico esteja convencido de não se encontrar ante uma urgência, e que tenha uma ideia formada sobre o tempo que lhe é permitido esperar sem risco para o paciente. Usando essa estratégia, a *demora permitida*, o dilema do ambulatório, recém-mencionado, perde muito de seu constrangimento.

G.A.L., 32 anos, mulher, prendas domésticas. Esta senhora comparece diante do médico queixando-se de uma súbita rouquidão, quase uma afonia, surgida aquela manhã, ao levantar. Não há antecedentes dignos de nota, nem febre ou qualquer outro sintoma.

Uma vez que o médico não tem recursos para uma laringoscopia indireta (e mesmo que os tivesse, ainda deveria providenciar o agendamento de uma segunda consulta, dessa vez em jejum), seu primeiro impulso é o de enviar a paciente a um especialista. Porém, já que tanto falam em *resolutividade,* será que não existe outra opção?

Como se sabe, a rouquidão, a afonia, é um problema bastante comum, geralmente benigno. Por outro lado, também se sabe que a lista do diagnóstico diferencial inclui o câncer de laringe, a blastomicose, a tuberculose de laringe e algumas outras patologias. Uma vez que são infrequentes, e como o início súbito dos sintomas não faz parte de seu quadro clínico, a laringite aguda, doença autolimitada, tem tudo a seu favor. Ainda assim, o médico não se dispõe a correr o mínimo risco e, adotando a política da *demora permitida,* agenda uma consulta de retorno.

Seu raciocínio segue o seguinte caminho:

– É urgente?
– Não é.
– Então, dá para esperar?
– Sim, dá.
– Quanto tempo poderei esperar?

Basicamente, é nisso que consiste a demora permitida. Sua duração é variável; cada situação precisa ser analisada à parte. No caso presente – uma muito provável laringite aguda –, uma demora de sete dias é razoável, oferecendo oportunidade para uma remissão espontânea; por outro lado, se não houver remissão, não haverá prejuízos maiores para o paciente (nenhuma das patologias que fazem parte do diagnóstico diferencial terá evoluído substancialmente no decorrer de uma semana).

Antes de se despedir da paciente, o médico lhe receita repouso de voz, complementado, mais a título de placebo, por algumas inalações.

Três dias depois o médico veio a saber, sem qualquer surpresa, que G.A.L. recuperara o pleno uso das cordas vocais. Reparem a economia resultante, os agravos físicos e psíquicos poupados a 99% dos casos de laringite, que se "curam" sem que seja preciso complicar-lhes a vida. Semelhante metodologia, um atendimento simplificado mas responsável, assegura a boa resolutividade dos serviços de saúde, permitindo-lhes manter um padrão de qualidade impossível sob qualquer outro regime de trabalho. Em vez de pulverizar o já escasso orçamento de saúde, consumindo seus recursos de forma indiscriminada e irracional com um grande número de pacientes, e atendê-los mal, agora o precioso dinheiro estará a serviço daqueles que, estes sim, requerem medidas especiais (no caso de uma afonia que não responde favoravelmente, uma eventual laringoscopia direta, uma tomografia ou mesmo uma biópsia).

É natural que a mesma estratégia seja adotada em outras situações. Contudo, há ocasiões, é verdade que raras, nas quais, não obstante as estatísticas otimistas, seria uma temeridade apostar na remissão espontânea. Em tais casos – febre e vômitos em uma criança de meses, por exemplo – nenhuma demora é permitida.

Muitos anos atrás, em volta de uma mesa-redonda, travamos um inflamado debate com um colega gastrenterologista, que se mostrou inflexível em exigir que todo paciente com queimação epigástrica, mesmo aqueles que diziam sofrer de algo assim como uma "dispepsia", teria de ser submetido a uma gastroscopia, por via de dúvidas, claro. Nós, por outro lado, advogávamos que, na ausência de informações mais específicas, se começasse pelo tratamento empírico, completado pela frequente observação do paciente. Mesmo hoje, depois de muita pesquisa e da descoberta do *Helicobacter*, uma conduta conservadora continua sendo a primeira escolha.

A demora permitida não significa displicência nem primarismo (uma "medicina de pobre", como se costuma dizer): às vezes é a única solução para uma situação que parece não ter saída. Um bom exemplo é a tão corriqueira lombalgia, extremamente comum em qualquer ambulatório (talvez a terceira demanda em ordem de frequência), dada a grande dificuldade de esclarecer o diagnóstico anatômico, mesmo após emprego dos exames complementares de "terceira geração". Daí que os protocolos mais modernos, adotados após longa discussão e alguns estudos multicêntricos, recomendam o tratamento de suporte, completado por uma espera não inferior a seis semanas.

Por outro lado, existem doenças que evoluem por surtos (asma, enxaqueca, epilepsia e outras), sendo a remissão espontânea nesses casos apenas ilusória. Porém, isso não importa: contanto que o sistema de saúde permita a atenção continuada dos pacientes, uma breve demora só contribuirá para a melhor definição do quadro, inclusive permitindo firmar um diagnóstico ainda em suspenso. De resto, o atual consenso recomenda que pessoas com uma pressão arterial considerada elevada, mas sem sinais evidentes de lesão de órgão-alvo, sejam acompanhadas durante algumas semanas ou mesmo meses, até chegar a uma melhor compreensão de sua hipertensão.

G.O., 52 anos, homem, comerciante. Paciente tranquilo, informando bem, em bom estado geral. Conta que nos últimos quatro meses passou por dois episódios de "reumatismo agudo", o primeiro afetando um dos cotovelos e, em seguida, duas semanas atrás, o joelho esquerdo. Em ambas as ocasiões o início foi súbito; concomitantemente, a região das articulações tornou-se edemaciada, corada e quente. Não obstante a automedicação com analgésicos, os episódios só terminaram decorrida uma semana, mais ou menos.

O exame físico nada revelou de anormal. Apesar da insistência do acadêmico que acompanhava seu professor – e que pretendia conseguir uma radiografia das articulações e um "perfil bioquímico" –, o paciente foi instruído a voltar por ocasião do início de um novo episódio. G.O. retornou uns 20 dias depois, às voltas com um terceiro surto reumático, confirmando a suspeita clínica anterior. No mesmo dia foi iniciado o tratamento de sua gota, novamente desapontando o estudante, que pretendia primeiro esperar por uma dosagem de ácido úrico.

Para finalizar, vamos pôr as cartas na mesa e confessar que, mesmo decorridas algumas décadas de exercício da medicina, não é infrequente chegarmos à conclusão de que ainda somos principiantes e necessitamos de informação atualizada, que é preciso voltar aos estudos, seja em livros ou portais da internet, seja por meio de uma conversa com um colega especialista. Sendo esse o caso, o adiamento de uma tomada de decisão para o dia seguinte, sem qualquer prejuízo para o doente, está plenamente justificado, uma demora mais do que permitida.

O ACHADO CASUAL

Como o leitor deve ter percebido, até aqui não se fez qualquer menção ao exame clínico, preferindo adiá-lo para um momento oportuno, quando aproveitaríamos para falar, em particular, do exame físico. Ao contrário da opinião vigente, os sinais clínicos por ele descobertos trazem uma contribuição bastante inferior à da anamnese; esta, segundo querem alguns autores, por si só responde por 80 ou mesmo 85% dos acertos diagnósticos.

> **Sempre nos opusemos à prática do assim chamado "exame físico completo", atitude que nos valeu muitas controvérsias. Para início de conversa, consideramo-lo uma fraude, pois ele jamais deixará de ser incompleto, seja porque determinada manobra é complicada ou demorada demais, seja por ser inaceitável para o paciente. Como parte de uma rotina a ser seguida à risca, independente da natureza dos problemas apresentados pelo doente, fatalmente é cumprida com indiferença e negligência. De resto, tamanha é a riqueza de desvios ou "anormalidades" por ele trazidos à luz do dia que distinguir o joio do trigo, identificar os achados que de fato importam, é virtualmente impossível (não é só a falta de informação que prejudica um diagnóstico: o *excesso* também lhe é nocivo).**

Anos atrás, em um ambulatório universitário em Londrina, PR, cuja clientela era composta principalmente por trabalhadores rurais, entretivemo-nos durante uma semana em listar os achados semiológicos obtidos mediante um exame físico razoavelmente completo, finalizando por computar a média de 4,5 "patologias" *per capita*. Boa parte desses achados era sequela de uma demanda longamente reprimida por um sistema de saúde omisso: cataratas, hérnias, varicoceles, roturas de períneo, etc.; o restante consistia em sinais clínicos de importância discutível: adenopatias antigas, varizes, um discreto pterígio, má oclusão dentária, um fígado ou baço apenas palpável, e assim por diante.

O objetivo maior do exame físico é o conhecimento da *causalidade*; infelizmente, esse alvo nem sempre é alcançado; em vez disso, vêmo-nos às voltas com a *casualidade,* ou seja, tantos são os sinais revelados ao exame sistemático do paciente que a maioria inevitavelmente terá que ser classificada entre os *achados casuais*. Isso pode ser perigoso: atropelado pela avalanche de dados clínicos, é muito comum que o iniciante, desnorteado, tome o atalho errado, por excessiva atenção a um ou outro sinal ou sintoma que, na verdade, são de todo inocentes. Não há quem jamais tenha visto crianças que, em razão de um sopro sistólico suave sem maiores consequências, tenham sido afastadas das aulas de educação física, excluídas de uma vida normal, para o resto da vida condenadas a um papel de quase-inválidas. Os exemplos são muitos. Um dos mais grotescos, de consequências dramáticas, foi o de um adolescente com osteomielite de fêmur em fase aguda, que, por apresentar ginecomastia discreta, por iniciativa do residente, perambulou três semanas pelos endocrinologistas, para enfim ser submetido a uma drástica cirurgia óssea.

Antes de se aventurar a identificar as "anomalias" de um exame físico, é preciso ter uma ideia precisa a respeito do normal e do anormal. Neste sentido, os conceitos têm se modificado grandemente. Um bom exemplo é o do famoso esporão de calcâneo (osteófito), que os estudantes da minha geração aprendiam ser uma patologia a ser enfrentada com energia, mas que hoje, depois de verificado que o idêntico osteófito está presente em pessoas sem dores no membro inferior, foi reduzido à condição de um achado casual, assim como ocorreu com o lendário desvio de septo nasal, objeto, em seu apogeu, de um oceano de cirurgias corretivas. Outro exemplo, este bastante atual, é o do prolapso da válvula mitral, uma questão que, embora ainda sem um consenso, é igualmente um sério candidato ao título de achado casual (os exemplos são muitos).

Visando contornar esse problema, sempre demos preferência ao exame físico de caráter *seletivo*, direcionado conforme as necessidades do paciente. Se este se queixar de uma dor no cotovelo, é por aí que se iniciará o exame; se nada for constatado, se nenhuma das manobras prescritas resultar positiva, então o exame poderá progredir para o ombro (porventura trata-se de uma dor referida?), o tórax (a síndrome braço-pulmão, tão rara?) e daí para diante.

Na prática, nenhum profissional encontra tempo ou disposição para um exame "completo"; o próprio professor, em sua clínica privada, é duvidoso que o faça. Então, por que continuar insistindo em um modelo ultrapassado? (Aliás, conforme mostra a TABELA 10.1, também Morrell não faz segredo de sua preferência).

Há quem pense que determinados grupos etários ou alguns outros grupos em risco poderiam tirar proveito daquilo que se chama um "exame geral", uma revisão de saúde, um *check-up*. Pode até ser verdade, mas é preciso manter em mente que a partir deste momento estaremos engajados com a medicina preventiva, uma especialidade inteiramente respeitável, com técnicas e linguagem próprias, uma eventual promessa para um futuro melhor, mas que nada tem a ver com as necessidades presentes deste ou daquele paciente.

Confundir demandas presentes com possibilidades futuras não pode dar certo. O próprio respeito pelo ser humano exige que o atendimento da demanda expressa do doente seja prioritário, à medicina preventiva cabendo um papel secundário. Senão, é fácil acontecer o que aconteceu com este paciente:

H.R., 54 anos, homem, relojoeiro. O paciente queixa-se de dor lombossacral que há muitos anos o importuna. Como se intensifica ao longo do dia e torna-se mais branda nos fins de semana, não hesita em culpar a posição imposta pelo trabalho. "Fico o dia todo em minha bancada, mexendo com relógios. Agachado em cima do banquinho, curvado para a frente, senão não enxergo o que estou fazendo. Chega o fim do dia, mal consigo me levantar; chegar em casa é um sacrifício."

O médico fê-lo ficar em pé, apalpou-lhe a musculatura paravertebral, depois tirou da maleta o seu esfigmomanômetro, constatou uma pressão arterial de 16,5 por 10. Sentou-se, começou a escrever: um diurético, seguido por um betabloqueador. Acrescentou algumas recomendações com respeito ao peso, o regime alimentar, a necessidade de exercício. E deu por encerrada a sua missão

Não teria sido melhor começar com a lombalgia, o verdadeiro motivo da consulta, deixando a hipertensão – desde que confirmada por repetidas leituras! – para outra ocasião? Níveis tensionais elevados ainda não indicam a presença de uma *doença,* no máximo (já que 90% dos hipertensos vistos no ambulatório são assintomáticos) um *fator de risco,* algo que pertence ao terreno da medicina preventiva.

Em outras palavras, no contexto da consulta, o profissional deu mais atenção a um achado casual do que ao próprio paciente. Infelizmente, esse tipo de atuação já se tornou praxe, um diagnóstico precipitado de hipertensão arterial sendo atualmente a causa mais comum de erros e desacertos.

Problema idêntico ocorre com relação aos exames complementares, sendo o exame parasitológico de fezes o responsável por grande parte dos erros de conduta (isso porque, a exemplo da hipertensão arterial, as verminoses se destacam pela elevada prevalência). Mas, salvo forte prova em contrário (isto é, a suspeita de uma estrongiloidíase ou amebíase, que possuem um quadro clínico mais ou menos característico), estamos convictos de que o exame parasitológico de fezes é sempre o último a ser pedido, dada a alta prevalência das parasitoses em nosso meio. Quem já não teve conhecimento de pessoas com doenças graves do trato intestinal mas que, por apresentarem alguma banal helmintose ou protozoose, perderam preciosas semanas até que alguém percebesse que a causa de seus sintomas era outra?

Foi também em Londrina que tentamos estudar a correlação entre as parasitoses intestinais e o tipo de demanda apresentado pelo paciente (TABELA 10.2). Mas que surpresa: os pacientes com queixas reumáticas eram os mais infestados, sendo que no grupo com uma sintomatologia digestiva a prevalência era bem menor!

Ainda com relação à proliferação dos exames complementares, embora ocasionalmente assumam um papel decisivo, com mais frequência seu efeito é o de aumentar as incertezas: quanto mais se procura, tanto mais se acha, seja nos exames de rotina (tão comuns nas enfermarias, embora uma prática desacreditada), seja no rastreamento das doenças em nível de população, sem esquecer uma série de ficções científicas, como as "disritmias" da infância ou da adolescência, uma patologia de triste memória que deveu sua existência à popularidade do eletroencefalograma (EEG).

TABELA 10.2 → Resultados da coproscopia segundo a queixa predominante (Londrina, pacientes maiores de 18 anos)

RESULTADO	QUEIXAS				
	GASTRINTESTINAIS	GINECOLÓGICAS	REUMÁTICAS	OTORRINOLARINGOLÓGICAS	OUTRAS
% de exames negativos:	44	32	17	33	37
% de exames com:					
Ancilostomídeos	45	49	52	75	46
Ascaris lumbricoides	9	15	13	10	21
Enterobius	0	0	0	0	2
Tricocephalus	2	2	9	9	7
Schistosoma mansoni	3	5	0	9	2
Hymenolepis nana	1	5	5	9	0
Taenia sp.	4	0	9	0	5
Strongyloide	9	10	26	9	14
Giardia lamblia	8	5	4	17	0
Entamoeba histolytica	3	7	0	0	5
Número de parasitas por exame	0,85	1,00	1,2	1,1	1,05
Números de exames	90	82	46	24	86

A rápida expansão da tecnologia médica de segunda ou terceira geração, a ultrassonografia, a tomografia, a ressonância magnética, entre outras, ampliou o espectro das "doenças" ou "anormalidades" que, em sua ausência, jamais seriam descobertas. Nesse sentido, os cálculos biliares ou urinários "silenciosos", bem como uma legião de malformações anatômicas sem maior significado clínico, tornam-se pretexto para intervenções cirúrgicas inteiramente desnecessárias.

OS EXAMES COMPLEMENTARES

"A medicina é a ciência da incerteza e a arte da probabilidade."

William Osler (há quase um século)

O preenchimento dos pedidos de exame faz parte do cerimonial quase obrigatório de uma consulta, pois estamos habituados a encarar os métodos e procedimentos que ano após ano, em número crescente, são oferecidos pelos laboratórios ou institutos de imagem como a garantia de um diagnóstico seguro, de uma conduta terapêutica bem-sucedida (tal glorificação é imerecida).

A experiência demonstrou que um eficiente ambulatório geral se satisfaz com 30 a 40 exames complementares por 100 consultas, dos quais por volta de um quarto são exames de imagens. Esta cifra coincide com a melhor prática do exterior. (Enquanto isso, o SUS é alvo da indignação geral por estipular um teto de 55 ou 60 exames por 100, julgado insuficiente. Mas esse teto, diga-se, é uma imposição formal, pois a utilização desses exames depende menos do tipo da demanda do que do "estilo de vida" adotado pela unidade de saúde. Algumas são extremamente imprudentes com os recursos públicos, a exemplo daquele ambulatório de hospital-escola, que alcançou o recorde de 245 exames por 100.)

No geral, os exames complementares trazem uma contribuição apenas modesta, conforme mostra a **TABELA 10.3**, que oferece uma estimativa da importância relativa da anamnese, do exame físico e dos exames complementares na finalização do diagnóstico.[3] Como esses dados tiveram sua origem em uma clínica de especialistas, usada como referência pelo serviço de saúde do Reino Unido, os resultados são particularmente surpreendentes.

Constata-se, em primeiro lugar, que os exames de rotina se mostraram pouco úteis. Concomitantemente, vê-se que o tradicional exame clínico, mesmo em um ambulatório de especialidades, demonstrou ser de importância decisiva. Por exemplo, é digno de nota que 91% dos diagnósticos do cardiologista se deveram à anamnese e ao exame físico, sobretudo a primeira.

Os atendimentos em endocrinologia são um exemplo à parte; como eles não incluem os casos corriqueiros de diabetes, doença que no Reino Unido fica por conta do generalista, ao especialista são enviadas as patologias mais complicadas, muitas das quais exigem dosagens hormonais. Uma segunda exceção é a gastrenterologia, em que a anamnese costuma ser pouco específica e o exame físico pouco sensível, o diagnóstico dependendo, em grande parte, dos exames "especiais". (Se a soma das colunas não completa os 100%, isso provavelmente se deve a um fenômeno que não costuma ser mencionado em público: há ocasiões em que o diagnóstico permanece em suspenso, mesmo na mão do especialista.)

Não obstante a escandalosa liberalidade no uso dos exames complementares, seria um equívoco menosprezá-los. Em determinadas situações, podem trazer uma importante contribuição ao diagnóstico e mesmo mostrar-se indispensáveis, mormente quando se trata da identificação de um agente etiológico (a pesquisa do bacilo de Koch no escarro, a hemocultura em face da suspeita de endocardite bacteriana). Ainda assim, é preciso insistir que, no momento atual, se formos confrontar estes êxitos com o montante dos prejuízos decorrentes do emprego intempestivo desses exames, os prejuízos haverão de predominar.

Certamente não nos referimos aos *riscos diretos* do procedimento – o pneumotórax devido a uma acidental punção da pleura, a hemorragia após biópsia de fígado, a reação alérgica por efeito do contraste radiológico, etc. –, pois estes representam riscos calculados, que podem ser previstos. Tampouco nos ocuparemos das mil-e-uma fontes de *erros e enganos*, seja por conta do método, do equipamento ou do observador; a melhor maneira de contorná-los consiste em sempre trabalhar com laboratórios ou serviços altamente credenciados.

Em vez disso, falaremos de riscos mais indiferenciados, inerentes ao próprio hábito de exagerar no número e na indicação dos exames (TABELA 10.4).

TABELA 10.3 → Valor diagnóstico da anamnese, do exame físico e dos exames complementares

DIAGNÓSTICO DE REFERÊNCIA	NÚMERO DE PACIENTES	ANAMNESE (%)	EXAME FÍSICO (%)	EXAME COMPLEMENTAR – ROTINA (%)*	IDEM-ESPECIAL (%)
Cardiovascular	276	67	24	3	6
Neurológico	119	63	12	3	14
Endócrino	65	32	15	11	42
Gastrintestinal	52	27	0	0	58
Respiratório	36	47	22	17	14
Urinário	19	53	10	5	26
Miscelânea	63	46	8	8	21
Totais	630	56	17	5	18

*Hemoglobina, leucograma, velocidade de hemossedimentação, exame comum de urina, ureia e eletrólitos, glicemia, eletrocardiograma (ECG) e radiografia de tórax.
Fonte: Sandler.[3]

TABELA 10.4 → Riscos do exame complementar

→ Custo (iatrogenia *social*)
→ Ansiedade (iatrogenia *psicológica*)
→ Menosprezo pelo exame clínico
→ "Engarrafamento"
→ Atraso no diagnóstico
→ Diagnóstico equivocado

Custo

Como é de esperar, a demanda por exames de baixa, média e alta complexidade cresce em relação direta com a oferta, em certos municípios, especialmente na presença de uma escola médica, sendo responsáveis por despesas insustentáveis, superiores à própria folha de pagamento da Secretaria de Saúde. (Enquanto isso, já é tradicional a falta de verba para a aquisição de medicamentos, que, na pior das hipóteses, não deveria ultrapassar os 10 a 15% do orçamento de saúde.)

A economia no uso dos recursos, em especial no serviço público, é incontornável, um imperativo. Para compreendê-lo, é preciso atentar para o que Giovanni Berlinguer[4] tem a dizer:

> [...] a reflexão ética obriga-nos a escolher. Obriga-nos a procurar, entre as várias soluções possíveis, quais são aquelas que correspondem não só a critérios de eficiência e de eficácia, ao equilíbrio entre custos e benefícios, mas sobretudo a exigências de prioridade, equidade e moralidade [...]

Ansiedade

É fácil compreender: a partir do momento em que lhe pedem algum exame, clínico ou complementar, o usuário tende a considerar-se um "doente", sua preocupação sendo proporcional ao número e à complexidade dos exames solicitados.

Para o profissional sensível, este é um fator de primeiríssima ordem.

Menosprezo pelo exame clínico

Como é sabido, um exame clínico de complexidade adequada ao caso é medida indispensável, ao exame complementar cabendo o papel, no mais das vezes, de um mero complemento. Porém, tamanho é o fascínio dos laudos que emanam do laboratório ou do gabinete dos institutos, que cada vez mais a ordem hierárquica é subvertida, a anamnese e o exame físico passando a ocupar uma posição subalterna, meramente simbólica. Isso fatalmente resulta em uma deterioração do padrão de atendimento.

Engarrafamento

O engarrafamento nos laboratórios e demais serviços em face da crescente avalanche de pedidos de exame traz como resultado inevitável um duplo padrão de prioridades, em prejuízo, é natural, dos "pacientes do SUS". Em meio a esses pedidos represados, certamente se encontram alguns exames urgentes, cuja falta pode dificultar uma conduta clínica acertada.

Atraso no diagnóstico

O tão costumeiro ritual do exame complementar faz esquecer que, ao adiar uma tomada de conduta, mesmo uma demora de um, dois ou três dias pode ser prejudicial ao paciente, especialmente injustificado quando os exames pelos quais espera não são de fato indispensáveis.

Diagnóstico equivocado

Contrariamente ao que pretendem os entusiastas, a confiabilidade de um diagnóstico não guarda a menor relação com o número de exames complementares encomendados: a verdade é que, na maioria das vezes, estes não só se revelam redundantes, mas podem mesmo mostrar-se nocivos ao diagnóstico, desencaminhando o raciocínio clínico, conduzindo-o por rumos falsos (é lastimável que a respeito desses achados casuais o silêncio seja quase total).

Não estamos nos referindo aos erros ou enganos do observador nem às más condições do instrumental utilizado – ambos podem facilmente ser superados. A verdadeira fonte dos equívocos mencionados são as limitações inerentes ao processo de decidir, à base de uma evidência indireta, entre o normal e o anormal, fenômeno que pode ser resumido em um breve axioma, a saber:

Nenhum exame, clínico ou paraclínico (complementar) tem, ao mesmo tempo, 100% de sensibilidade e 100% de especificidade.

Esse fato, é lógico, afeta o desempenho: o exame ora vê de menos (os falso-negativos), ora vê demais (os falso-positivos).

Como esse é um tema abordado no Capítulo Conceitos de Epidemiologia Clínica para a Tomada de Decisões Clínicas na Atenção Primária o leitor já estará familiarizado com tais noções; logo, entenderá que os exames complementares são particularmente nocivos quando empregados no diagnóstico de doenças de baixa prevalência, no rastreamento populacional ou – um assunto de todos os dias – na prática de encomendar ao laboratório toda uma bateria de exames, digamos a título de curiosidade, com o fim de "melhor documentar o caso" ou "só para ver como está", sem que haja o mínimo elemento de suspeita que possa justificá-los.

Em tais situações – e como a especificidade nunca atinge os 100%, em geral está bem abaixo deste valor – o número de falso-positivos é considerável, superando em muito o número de pessoas efetivamente positivas. Não é preciso entrar em detalhes, um simples exemplo numérico já é o bastante:

> Principiamos com a hipótese de um agente infeccioso qualquer, cuja prevalência na população é estimada em 0,5%. Admitimos também que o exame empregado pelo laboratório tenha uma especificidade de 80% (uma cifra bastante favorável), sua sensibilidade, com vistas a simplificar o cálculo, sendo fixada em exatos 100%. Nessas condições, se praticarmos o exame em 1.000 pessoas, acabaremos com o saldo de cinco pessoas efetivamente infectadas; em contrapartida, somos obrigados a aceitar 20% de falso-positivos, em um total de 199 erros de diagnóstico (995 multiplicado

por 0,2). Em resumo, cada doente identificado pelo laboratório vem acompanhado por 40 "alarmes falsos", uma situação, convenhamos, constrangedora.

Será esse um exemplo isolado, especialmente escolhido por seu forte efeito sobre o leitor? De forma alguma: acidentes como este ocorrem todos os dias, mas não nos damos conta. A maior parte das doenças tem uma prevalência inferior a 1:100, em geral mais próximo de 1:1.000; assim sendo, qualquer tentativa de rastreamento *(screening)* de uma população, toda vez que, na enfermaria, se pede um "perfil bioquímico" ou uma "avaliação pré-operatória", abre as portas para uma pequena catástrofe. É preciso que isso fique bem claro.

No entanto, se o pedido de exame partir de uma suspeita clínica concreta, situação na qual o nível de probabilidade – ou prevalência, se quiserem – é bem mais elevado do que no exemplo que acabamos de ver e os falso-positivos proporcionalmente infrequentes, ele poderá ser justificado. Assim, se uma dosagem de creatinina em pacientes de uma enfermaria geral não tem valor algum, em uma enfermaria de urologia, onde a probabilidade de alterações bioquímicas é bem superior, não há o que objetar.

Boa parte dos indicadores usados em clínica tem uma distribuição contínua, com um aspecto que lembra a distribuição de Gauss. Nessas condições, em vez de simplesmente distinguir entre o "positivo" e o "negativo", entre o "presente" e o "ausente", o resultado do exame é expresso mediante um valor numérico. Por isso é que, para decidir se o resultado é normal ou não, sempre foi hábito consultar as listas dos valores normais, encontradas nos livros-texto ou acompanhando o laudo do laboratório. No caso do ácido úrico, por exemplo, consta que os limites da normalidade são respectivamente 4 e 8,6 mg/dL.

Caso tivéssemos autorizado este exame por ocasião da primeira consulta do paciente G.O., e o laboratório tivesse encontrado uma taxa de 7,2 mg/dL, isso já nos permitiria descartar o diagnóstico de gota? Ou a sacramentá-lo se a dosagem casualmente atingisse os 8,7 mg/dL?

Não, a história é bem mais complicada. Ao falar do diagnóstico de gota, o magnífico manual escrito por Wallach[5] diz o seguinte: "verifica-se que a incidência de gota nos homens, para os diferentes níveis de ácido úrico, é de 1,1% para taxas inferiores a 6 mg/dL, de 7,3% para valores entre 6 e 6,9 mg/dL, de 14,2% entre 7,0 e 7,9 mg/dL, de 18,7% para o intervalo de 8,0 a 8,9 mg/dL e de 83% para valores iguais ou superiores a 9 mg/dL". Com essas palavras, o autor confirma que a transição entre o normal e o anormal não se dá bruscamente, de um salto, e que um diagnóstico é, em sua essência, uma operação probabilística (veja o que Osler teve a dizer).

Com relação à gota, ainda consta que somente 1 a 3% das pessoas com hiperuricemia sofrem de gota; em torno de 10% dos adultos do sexo masculino têm níveis elevados de ácido úrico; e mais de um terço dos pacientes portadores de gota jamais revelam níveis anormais de ácido úrico.

Vê-se que, não obstante nossa conduta pouco convencional ao atender o paciente G.O., em vez de exames de laboratório, preferindo acompanhar a evolução natural de sua doença, tal prática foi bem-sucedida.

UM EXEMPLO FINAL

A lombalgia é uma dessas entidades clínicas extremamente comuns, na grande maioria dos pacientes benigna, que se presta bem como última ilustração ao presente capítulo, uma espécie de recapitulação.

Segundo se estima, cerca de nove décimos dos adultos já tiveram pelo menos um episódio de dor lombar ou lombossacral na vida, a afecção sendo crônica em boa parte deles. Assim, todo médico, qualquer que seja a sua especialidade, faria bem em apropriar-se de uma estratégia, de uma conduta padronizada, que lhe permita enfrentar com tranquilidade o grande número de pacientes que vêm a queixar-se de uma recente dor na parte inferior da coluna. (É natural que estamos falando do atendimento ambulatorial, pois nenhum sistema de saúde organizado de forma racional, seja qual for o país, aceita que tais pacientes sejam de imediato encaminhados ao ortopedista.)

Embora tenhamos sido todos condicionados, sem maior reflexão, a iniciar a conduta clínica por uma radiografia de coluna (frente e algumas oblíquas), os benefícios são ilusórios. Não porque se negue à radiografia a necessária sensibilidade na detecção de eventuais alterações anatômicas – muito pelo contrário, seu poder de captação é até grande demais, ao identificar uma profusão de "anomalias". Estas, por indispensável medida de cautela, é preferível encarar como achados casuais, uma vez que também estão presentes em pessoas sem quaisquer sintomas atribuíveis à coluna. As vítimas da imprudência se contam aos milhares: pessoas desnecessariamente alarmadas na base de um ou mais bicos-de-papagaio, de grandes ou discretas alterações nos espaços intervertebrais, fusão entre vértebras, desvios, deslizamentos e assim por diante! Poucas pessoas têm uma coluna conforme desenhada nos atlas de anatomia.

A imprecisão dos exames complementares já é notória, a causa anatômica em estimados 80 a 90% dos portadores de dor lombar aguda permanecendo ignorada. Assim, muito a contragosto, em vez de um diagnóstico etiológico razoavelmente preciso, em vez de raciocinar em termos de uma

TABELA 10.5 → Características da radiografia e da tomografia na dor lombar aguda

EXAME	DOENÇA	SENSIBILIDADE	ESPECIFICIDADE
Radiografia simples	Câncer	70%	90%
Radiografia simples	Osteomielite	80 a 90%	70 a 90%
Radiografia simples	Espondilite anquilosante	50%	90%
Radiografia contrastada (mielografia)	Hérnia – ciática	~75%	~70%
Tomografia computadorizada	Câncer	95%	80%
Tomografia computadorizada	Osteomielite	95%	80%
Tomografia computadorizada	Hérnia – ciática	~85%	~65%
Tomografia computadorizada	Espondilite anquilosante	80%	70%

Fonte: Mazanec.[6]

doença, somos forçados a nos contentar com a lombalgia enquanto *síndrome.*

Para melhor ilustrar as dificuldades na interpretação de alguns dos exames mais sofisticados, incluímos a TABELA 10.5.[6] Para compreendê-la melhor, é preciso lembrar que a sensibilidade e a especificidade de um determinado exame não têm caráter imutável, mas dependem do objetivo do exame, da doença que se procura. Assim, uma radiografia de tórax pode ter uma elevada sensibilidade para a tuberculose, mas ser inteiramente inadequada para o diagnóstico das bronquiectasias.

Não conseguimos encontrar dados referentes à ressonância magnética, mas é duvidoso que ela, por um toque de mágica, venha a salvar a situação. Em outro lugar reproduzimos uma fotografia tomada de empréstimo de um pesquisador norte-americano: uma ressonância magnética de coluna lombar que acusa a presença de pelo menos cinco anomalias de espaço intervertebral, duas delas indiscutíveis "hérnias de disco". E, no entanto, a anomalia se resumia em apenas uma: a pessoa em pauta jamais se queixara de lombalgia![7]

Conforme demonstra a tabela, a sensibilidade no diagnóstico da osteomielite de coluna lombar é bastante razoável, os 10 a 20% falso-negativos da radiografia simples caindo para 5% mediante emprego da tomografia. Já a especificidade de cerca de 80%, à primeira vista uma cifra animadora, acaba por mostrar-se inaceitável, dada a elevada frequência da lombalgia na população. A prevalência da osteomielite é bastante baixa; a "pseudo-osteomielite", por outro lado, pode ser identificada em cerca de um quinto das pessoas, estejam elas doentes ou não.

Se o reconhecimento dessas doenças relacionadas já é tão problemático, quais não serão as dificuldades em face das lombalgias mais benignas, não necessariamente dependentes de alterações anatômicas, mas determinadas por uma postura viciada, um esforço súbito, a ansiedade ou a depressão?

Embora se veja obrigado a raciocinar em termos de uma síndrome, mesmo assim o profissional ainda tem pela frente uma importante tarefa: a de distinguir entre o grupo de lombalgias devidas a *fatores mecânicos* e um segundo grupo, constituído por algumas patologias mais graves, que se expressam por uma dor na região lombar mas não têm origem no sistema musculoesquelético. Se essa triagem deixar de ser feita, a conduta conservadora atualmente adotada em todo o mundo terá de ser considerada uma temeridade.

Este segundo grupo, o das lombalgias devidas a *causas não mecânicas,* que, somadas, não excedem 1% dos casos, pode incluir casos de câncer, de espondilite anquilosante ou de osteomielite; sintomas semelhantes podem ser observados na pielonefrite, na calculose urinária ou biliar, nas doenças de pâncreas, no aneurisma de aorta, na úlcera perfurada e outras. Doenças ricas em outros sinais e sintomas dificilmente constituem um problema diagnóstico; de resto, é incomum que tais processos se acompanhem por uma dor lombar de início súbito. Outra característica a lembrar é que neste grupo de doentes a dor não costuma ser aliviada pelo repouso ou pela posição de decúbito.

Afastados os 1% que exigem cuidados especiais, ficamos com um grupo numeroso de pessoas afetadas por uma lombalgia não precisamente identificada, que continuarão sob nossos cuidados sem que se busque avançar no diagnóstico com auxílio de exames complementares.

A terapêutica é conservadora, consistindo essencialmente em anti-inflamatórios e/ou eventuais analgésicos, bem como um repouso relativo. (Estudos recentes põem em dúvida a eficácia do repouso em leito.) O prognóstico costuma ser excelente, tanto assim que cerca de 85% dos pacientes voltam ao trabalho no decorrer do primeiro mês.

A etapa complementar consiste na observação do paciente, com uma "demora permitida" de seis semanas. Aqueles cujos sintomas persistirem além desse prazo – ou se agravarem – deverão ser reavaliados (esta é a mais recente estratégia recomendada pelos especialistas, e a ela nada temos que acrescentar).

As estratégias e táticas apresentadas neste capítulo nada têm de revolucionárias; na verdade, obedecem ao mais elementar bom-senso. Foram testadas durante vinte anos sem dar motivos de arrependimento. Podemos recomendá-las sem qualquer restrição, mesmo porque transformam o atendimento ambulatorial, temido por suas dificuldades, suas incertezas e, principalmente, por causa dos dilemas de conduta, em uma atividade capaz de fazer a satisfação de pacientes e profissionais.

REFERÊNCIAS

1. Fry J. Common diseases. London: MTP; 1974.
2. Morrell DC. Symptom interpretation in general practice. J R Coll Gen Pract. 1972;22(118):297-309.
3. Sandler G. The importance of the history in the medical clinic and the cost of unnecessary tests. Am Heart J. 1980;100(6 Pt 1):928-31.
4. Berlinguer G. 15 anos errando pela América Latina. In: Cibenschutz C, organizador. Política de saúde: o público e o privado. Rio de Janeiro: Fiocruz; 1996.
5. Wallach J. Interpretation of diagnostic tests. 6th. ed. Boston: Little, Brown; 1996.
6. Mazanec DJ. Low back pain syndromes. In: Black ER, Bordley DR, Tape TG, Panzer RJ, editors. Diagnostic strategies for common medical problems. 2nd ed. Philadelphia: American College of Physicians; 1999.
7. Kloetzel K. Medicina ambulatorial: princípios básicos. São Paulo: EPU; 1999.

Capítulo 11
MÉTODO CLÍNICO CENTRADO NA PESSOA

Marcelo Garcia Kolling

Muitos pacientes buscam atendimento na atenção primária à saúde (APS) por problemas que não são estritamente clínicos. Nesse grupo, estão as pessoas que são atendidas devido a cuidados rotineiros com a saúde, como consultas de puericultura e pré-natal, bem como para os chamados *check-ups*; outras, por questões administrativas, como necessidade de atestados e declarações diversas. Há quem procure a APS por problemas psicossociais, como os que sofrem com o luto, o desemprego, a insegurança e as crises do ciclo de vida. Existem, ainda, várias pessoas que vão à APS para buscar algum esclarecimento, pois têm medos e preocupações com doença ou precisam de orientações gerais, como no caso da anticoncepção. Além disso, uma significativa parcela dos pacientes vai ao serviço de APS com problemas em um estágio muito inicial, de modo que fazer um diagnóstico certo é tarefa quase impossível, o que, entretanto, não impede o profissional de já iniciar as medidas de manejo ou até mesmo de fazer intervenções curativas.

Por isso, é irrealista – e algumas vezes inadequado – buscar um diagnóstico médico definitivo e dar nome ao problema em todas as consultas, para somente então iniciar o manejo. Buscar o nome de uma doença e definir os quadros clínicos em termos estritamente biomédicos podem fazer com que muitos quadros sejam rotulados de maneira inadequada, como nomear tristeza como depressão, birra como hiperatividade, um paciente com muito medo como pânico, hipocondria ou distúrbio neurovegetativo.

Independentemente de chegar a um diagnóstico formal, a tarefa do médico ainda está muito longe de ser resolvida, considerando que há um longo caminho desde o diagnóstico e a prescrição até a execução das medidas por parte dos pacientes. Um número muito significativo de exames nunca chega a ser realizado; outros tantos não têm seus resultados avaliados. Muitas prescrições nunca são cumpridas, ou são usadas de maneira muito errada. Mudanças de hábitos de vida são necessárias em grande parte das doenças crônicas, mas raras vezes acontecem.

Compreender a doença e a pessoa é uma tarefa desafiadora, que pode levar a um diagnóstico preciso e contextualizado, mas isso ainda é apenas um primeiro passo. O passo seguinte é negociar com o paciente as medidas apropriadas, tarefa que tem sido bastante negligenciada na prática clínica.[1]

Várias outras razões se acumulam para que se transforme o método clínico, modificando aspectos essenciais da relação entre médico e paciente:

→ atualmente, o acesso à informação é cada vez mais amplo, e os pacientes estão informados (e muitas vezes mal-informados) a respeito dos cuidados com saúde e doença;
→ profissionais da ética, entre outros, têm destacado a importância da autonomia e da autodeterminação do indivíduo;
→ um número crescente de tecnologias, cada vez mais caras e com ganhos muito marginais em relação a métodos tradicionais, dificulta ao médico definir claramente a melhor conduta para cada momento;
→ o crescimento nas queixas levadas à justiça;
→ a necessidade de prevenir o excesso de intervenções potencialmente danosas, seja com exames ou tratamentos.

Muitos esforços estão sendo feitos para sistematizar essas mudanças necessárias, a maioria deles relacionada claramente com o referencial teórico de "ser centrado na pessoa".

O entendimento e a valorização do paciente e dos aspectos subjetivos do seu sofrimento (competência cultural, antropologia médica, etc.) e o compartilhamento do poder no processo da consulta são os dois aspectos mais destacados na busca de uma prática centrada na pessoa.

Um dos grupos que mais colaborou para a sistematização desse processo está no Canadá e inicialmente foi dirigido por Ian McWhinney e Joseph Levenstein. Na 1ª edição do livro *Medicina centrada na pessoa: transformando o método clínico*, publicada em 1995, agora em sua 3ª edição e traduzida para o português,[2] os autores trouxeram a síntese de um vasto material até então existente e ofereceram uma proposta mais ampla sobre o assunto.

A transferência do foco da doença para a pessoa, e do médico para o paciente, não só influencia a consulta ambulatorial, mas também deve orientar toda a filosofia da reformulação dos cuidados à saúde. A política de gestão deve ajudar os profissionais de saúde a adquirir, manter e exercer habilidades relacionadas com os cuidados centrados na pessoa e deve encorajar as organizações a cultivar uma cultura de colocar a pessoa como centro.[3] Nesse contexto dos sistemas de saúde, está ganhando força o modelo de ***patient-centered medical home*** (**PCMH**), termo que pode ser traduzido livremente como centro de saúde centrado nas pessoas. Nesse modelo, são privilegiados cuidados integrados, abrangentes, coordenados e contextualizados, com foco em buscar resultados em saúde de importância para o paciente. Os atributos da APS são destacados na estruturação do serviço e na orientação da abordagem clínica.

Pela sua amplitude e abrangência, o método clínico centrado na pessoa (MCCP) é abordado também em outros capítulos deste livro. Os aspectos da doença *versus* experiência com a doença e da pessoa no seu contexto são abordados de maneira mais detalhada no Capítulo Antropologia e Atenção Primária à Saúde. Neste capítulo, são abordadas a generalidade do método e a sua aplicação nos encontros entre o profissional de saúde e a pessoa que requer o cuidado.

EVIDÊNCIAS APOIANDO O MÉTODO CLÍNICO CENTRADO NA PESSOA

Embora existam muitos estudos avaliando o impacto do MCCP em desfechos clínicos, os estudos com boa qualidade metodológica ainda são escassos. O componente com maior nível de evidência é aquele que envolve a tomada de decisão compartilhada.[4] Os estudos que avaliaram, durante a consulta, parâmetros objetivos do processo de decisão compartilhada não demonstraram resultados positivos, porém os estudos que avaliaram a percepção do paciente sobre a decisão compartilhada demonstraram benefício, especialmente em desfechos afetivo-cognitivos (compreensão, satisfação, confiança), bem como em desfechos comportamentais (adesão e outros comportamentos relacionados à saúde) e desfechos clínicos (redução de sintomas, qualidade de vida e medidas fisiológicas). Isso reforça que, mais importante do que seguir um modelo específico, é o paciente sentir que de fato teve protagonismo no seu cuidado.

No âmbito dos sistemas de saúde, podem-se destacar diversos desfechos positivos associados ao modelo PCMH, como menos internações em serviços psiquiátricos[5] e melhor qualidade de atenção em doenças crônicas.[6]

O QUE É SER CENTRADO NA PESSOA?

A **TABELA 11.1** apresenta duas entrevistas: uma centrada no médico/doença e outra centrada na pessoa. É claro que esses exemplos são apenas uma representação da prática, mas, no primeiro caso, ilustra-se a busca do médico por um diagnóstico e a sua dominância, conduzindo a consulta o tempo todo. Já no segundo, o interesse pela visão do paciente e pelos aspectos subjetivos da doença revelou novas informações, e a participação do paciente na definição do quadro e do plano de manejo levou a uma conduta diferente, que não será necessariamente melhor, mas que trará benefícios ao longo do tempo, por promover uma relação de intimidade e confiança. Não se pode afirmar nada a respeito do primeiro caso, mas, no segundo, é provável que o paciente siga o plano proposto.

Dimensões do ser centrado na pessoa

Ser centrado na pessoa é uma forma de orientar os cuidados durante o encontro médico, o que inclui três dimensões distintas: o centro do poder, o foco da entrevista e o objetivo da consulta.

Quanto ao centro do poder, ser centrado na pessoa pressupõe uma transferência, em algum grau, do poder classicamente restrito ao médico para o paciente, no que tange à condução da consulta, à análise da situação e ao processo de tomada de decisão a respeito do manejo.

Profissionais da bioética têm destacado a necessidade de o paciente estar envolvido e ser responsabilizado pelos seus cuidados, que possa ser esclarecido, a fim de que ele participe ativa e conscientemente das decisões que precisam ser tomadas, como parte do seu direito humanitário. Todavia, empoderar o paciente não é apenas um dever ético, mas também uma estratégia técnica, já que é o paciente quem decide se vai ou não realizar seus exames, buscar os resultados, tomar os medicamentos ou fazer as alterações necessárias em sua rotina diária. Assim sendo, sua participação ativa nas decisões tende a ter impacto no acompanhamento.

Quanto ao foco da entrevista, ser centrado na pessoa se opõe a ser centrado na doença, representando o antigo embate entre o modelo biomédico e o modelo biopsicossocial. Quando a consulta é centrada na pessoa, há espaço para a discussão de aspectos subjetivos da doença, como qual é a vivência do paciente com os sintomas e quais sentimentos são despertados, especialmente medos e preocupações. Portanto, uma consulta centrada na pessoa inclui explorar aspectos além dos sinais e sintomas.

TABELA 11.1 → Exemplos de duas entrevistas

ENTREVISTA CENTRADA NO MÉDICO/DOENÇA	ENTREVISTA CENTRADA NA PESSOA
Médico: Bom dia, o que está acontecendo?	**Médico:** Bom dia.
Paciente: Eu estou com dor de cabeça.	**Paciente:** Bom dia.
Médico: Há quanto tempo?	**Médico:** Como vai?
Paciente: Uns 3 meses.	**Paciente:** Estou com dor de cabeça.
Médico: Muito forte?	**Médico:** (...)
Paciente: Mais ou menos.	**Paciente:** É uma dor que não é muito forte, que dá do lado da cabeça, é enjoada, tem me incomodado um bocado...
Médico: Em que lugar da cabeça?	**Médico:** Mais alguma coisa?
Paciente: Aqui (aponta a têmpora esquerda).	**Paciente:** Não...
Médico: O tempo todo?	**Médico:** O que você acha que está acontecendo?
Paciente: Não, de vez em quando.	**Paciente:** Não sei bem... acho que pode ter algo errado dentro da minha cabeça. A dor é bem forte, e eu tenho andado meio nervoso...
Médico: Quanto tempo duram as crises?	**Médico:** Tem andado meio nervoso?
Paciente: Até tomar remédio.	**Paciente:** É, tenho tido uns problemas com o meu filho...
Médico: Quantas vezes no dia?	**Médico:** Como é que isso?
Paciente: Uma vez.	**Paciente:** Ele é adolescente... e estamos tendo dificuldade com a comunicação...
Médico: Que remédio você toma?	**Médico:** Você acha que isso pode ter a ver com sua dor de cabeça?
Paciente: Dipirona.	**Paciente:** Não sei, pode ser...
Médico: E melhora?	**Médico:** Quando começou a dor de cabeça?
Paciente: Um pouco.	**Paciente:** Faz uns 3 meses.
Médico: Piora com barulho ou claridade?	**Médico:** Aconteceu alguma coisa diferente com seu filho nesses 3 meses?
Paciente: Sim.	**Paciente:** Acho que é mais ou menos quando ouvi da direção da escola que ele tem faltado às aulas... eu não sabia...
Médico: Dá ânsia de vômito?	**Médico:** Isso tem preocupado você?
Paciente: Sim.	**Paciente:** Sabe como é, pai se preocupa... principalmente com drogas...
Médico: Atrapalha suas atividades habituais?	**Médico:** Esta é uma preocupação muito importante. Sugiro que o senhor fique bem atento aos comportamentos dele...
Paciente: Sim.	**Paciente:** Isso eu tenho feito. Não tem mais nada para fazer?
Médico: Mais alguma coisa?	**Médico:** Acho que agora não... Se você quiser, podemos marcar uma consulta, eu converso com ele...
Paciente: Acho que é só isso. (Exame físico sem particularidades.)	**Paciente:** Isso seria ótimo.
Médico: O senhor deve tomar estes comprimidos para evitar que tenha crises.	**Médico:** E quanto à dor de cabeça? Tem sensação de ânsia?
Paciente: (...)	**Paciente:** Bem pouco...
Médico: E estes aqui caso tenha crises mesmo com o outro remédio.	**Médico:** Fica ruim com barulho ou claridade?
Paciente: (...)	**Paciente:** Sim...
Médico: E deve voltar caso tenha algum sinal de alerta ou não melhore.	**Médico:** Melhora com alguma coisa?
Paciente: Ok.	**Paciente:** Com dipirona.
	Médico: O que você acha que precisa ser feito?
	Paciente: Se o senhor acha que não é nada grave, eu poderia continuar tomando a dipirona, e ver se meu filho vem na consulta...
	Médico: Acho que é um bom plano, mas se a dor piorar, se aparecerem novos sintomas, o senhor volta antes, ok?
	Paciente: Combinado.

Por fim, o objetivo da consulta exerce impacto no modelo de assistência. Uma consulta centrada na pessoa pretende gerar um entendimento entre médico e paciente, com a construção de uma parceria em que todos se beneficiam, em oposição às consultas cujo objetivo é dar um nome para a condição e dizer o que precisa ser feito. Pode-se dizer, então, que a consulta centrada na pessoa não se preocupa exclusivamente com o resultado, mas dá grande atenção ao processo da consulta, em especial ao fortalecimento da relação entre médico e paciente, que precisa, obviamente, ser duradoura e gerar a confiança necessária para alcançar bons desfechos.

Objetivos essenciais de uma abordagem centrada na pessoa

O objetivo essencial de um cuidado centrado na pessoa é conseguir o melhor resultado para a saúde do paciente, seja em relação à satisfação, à morbimortalidade ou à qualidade de vida.

Assim sendo, a abordagem técnica visa obter informações relevantes que permitam construir um projeto comum de manejo, negociado com o paciente, que promova uma melhor adesão ao tratamento. Ao mesmo tempo, busca-se tornar o paciente, enquanto indivíduo esclarecido, um parceiro no cuidado e executor motivado e disciplinado das medidas de autocuidado, via de regra, necessárias em qualquer problema que se torna motivo de consulta.

COMO SER CENTRADO NA PESSOA

Uma abordagem centrada na pessoa exige uma sistemática clara, principalmente enquanto as habilidades específicas estão sendo desenvolvidas.

O MCCP pressupõe a coleta e a organização de um determinado conjunto de informações importantes, e o médico deve ter esse modelo em mente a fim de construir seu raciocínio clínico de forma integrada e representativa da complexidade de cada caso.

Três são os principais componentes de uma consulta centrada na pessoa, que devem ser buscados em todas as consultas, independentemente da razão do atendimento, e que são aprofundados neste capítulo:

1. explorar os aspectos subjetivos do problema;
2. conhecer o contexto do paciente;
3. construir um entendimento acerca do problema e do que precisa ser feito.

Além desses três componentes, soma-se o fortalecimento da relação médico-paciente como quarto componente.

No processo de desenvolvimento das habilidades que fazem parte da execução de uma consulta centrada na pessoa, um dos modelos que tem maior experiência, e que vale a pena fazer parte do conhecimento do médico que atua na APS, é o de Calgary-Cambridge, que reúne cerca de 70 itens a serem observados para uma comunicação eficiente com o paciente. O modelo não deve ser aplicado de maneira mecânica em todas as consultas, mas deve ser seguido enquanto a pessoa está se apropriando do método e periodicamente, na autoavaliação com vistas a um aperfeiçoamento continuado das habilidades de comunicação, seja individualmente ou em atividades estruturadas. (Ver Capítulo Modelo de Consulta e Habilidades de Comunicação.)

A **FIGURA 11.1** apresenta um esquema conceitual do MCCP, descrito a seguir.

Componente 1: aspectos subjetivos e objetivos do problema e os conceitos e aspirações com relação à saúde

O médico deve transitar entre dois mundos durante a consulta. Deve estar atento aos aspectos objetivos da doença, elencando sinais e sintomas que sejam relevantes para o diagnóstico, além de observar expressões corporais, pausas e entonações, para agregar informação às expressões do paciente. Ao mesmo tempo, deve estimular e colher dados sobre a experiência do adoecimento, o impacto na funcionalidade, o valor pessoal dos sintomas, os modelos explanatórios que o paciente tem para o problema vivenciado e os aspectos psicossociais que possam ser relevantes (ver Capítulos Antropologia e Atenção Primária à Saúde e Modelo de Consulta e Habilidades de Comunicação).

É interessante que o médico não apenas valorize, mas que faça esforço ativo para que o paciente expresse (com perguntas dirigidas) os aspectos subjetivos da vivência da doença, como os sentimentos (S), as ideias (I) sobre o que está acontecendo, o impacto do problema no dia a dia da pessoa (função [F]) e as expectativas (E) que a pessoa tem a respeito de como as coisas devem se desenrolar e do que precisa ser feito. Pode-se usar o acrônimo SIFE para lembrar os aspectos importantes (TABELA 11.2).

Frequentemente a pessoa precisará de grande estímulo e apoio para expressar o seu ponto de vista sobre a condição que está vivendo, mas, devido à importância desses dados, devem-se empreender os esforços necessários para que isso aconteça.

1. Compreensão integrada dos aspectos subjetivos, objetivos e aspirações com relação à saúde
2. Compreender a experiência individual dentro do contexto próximo e distante
3. Promover decisões mútuas a respeito das prioridades, metas e atribuições no cuidado
4. Aperfeiçoar a relação médico-paciente

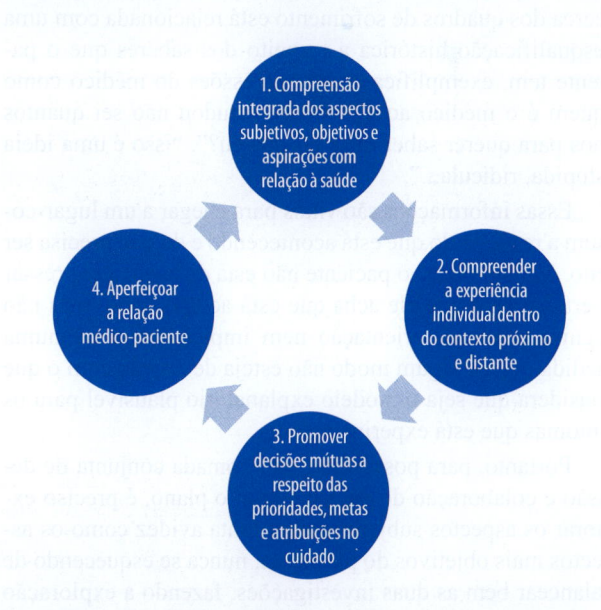

FIGURA 11.1 → Esquema conceitual do método clínico centrado na pessoa. A ideia do ciclo lembra a continuidade e o aprofundamento em todos os aspectos. No entanto, não deve ser tomada de maneira linear, mas sim como uma integração que demanda ênfases de acordo com as necessidades do momento.

TABELA 11.2 → Como explorar os aspectos subjetivos da doença

	OBJETIVO	EXEMPLOS DE PERGUNTA
Sentimentos	Entender como o sinal ou sintoma está afetando emocionalmente a pessoa, em especial seus medos e preocupações	→ Você tem alguma preocupação especial com relação a isso? → Você tem medo de que isso possa ser ou possa se tornar algo grave? O quê?
Ideias	Entender o que a pessoa entende que esteja acontecendo e como isso chegou a este ponto	→ O que você pensa que possa estar causando esse problema? → O que você imagina que pode ter acontecido ou contribuído para que isso surgisse?
Função	Compreender como o problema afeta a vida diária da pessoa	→ Você teve de mudar algo na sua rotina depois que o problema surgiu? → De que maneira isso tem afetado o seu trabalho ou a realização de suas outras atividades?
Expectativas	Compreender o que o paciente espera que se faça ou que precise ser feito, especialmente em relação a investigações complementares ou medidas terapêuticas	→ O que você imagina que precisa ser feito a respeito? → Você pensou que seria necessário fazer algum exame? → Você acha que é necessário algum tipo de medicamento?

Uma pergunta facilitadora que pode ser útil é "O(A) senhor(a) tem alguma ideia de qual é a causa de seu problema?". Não raro o paciente responde algo do tipo "eu vim aqui para que o senhor me diga", "o senhor é que tem de saber" ou "se eu soubesse, não teria vindo até aqui". Nesse momento, deve-se manter a calma e a curiosidade investigativa, justificando e reforçando, com estímulos como "é importante para mim saber o que você está pensando, para que eu possa fazer os esclarecimentos necessários" ou "é importante eu saber o que você já pensou, já que é você quem está vivenciando o problema e, portanto, tem muito mais informação a respeito do que está acontecendo".

Em geral, a resistência em expor a opinião pessoal acerca dos quadros de sofrimento está relacionada com uma desqualificação histórica a respeito dos saberes que o paciente tem, exemplificada em expressões do médico como "quem é o médico aqui?", "você estudou não sei quantos anos para querer saber mais do que eu?", "isso é uma ideia estúpida, ridícula...".

Essas informações são vitais para chegar a um lugar-comum a respeito do que está acontecendo e do que precisa ser feito. Muitas vezes, o paciente não está disposto a expressar abertamente o que ele acha que está acontecendo, mas não seguirá nenhuma orientação nem implementará nenhuma medida que de algum modo não esteja de acordo com o que considera que seja o modelo explanatório plausível para os sintomas que está experimentando.

Portanto, para possibilitar uma tomada conjunta de decisão e colaboração do paciente com o plano, é preciso explorar os aspectos subjetivos com tanta avidez como os aspectos mais objetivos do problema, nunca se esquecendo de balancear bem as duas investigações, fazendo a exploração simultânea dos dois mundos e integrando as informações mais relevantes.

Aqui, também, destaca-se a necessidade de explorar as aspirações da pessoa com relação à sua funcionalidade e o que a pessoa entende por "estar bem/estar saudável", visto que isso será crucial na definição dos planos terapêuticos.

Componente 2: o contexto individual e ambiental

Dados do contexto são fundamentais para compreender o processo que levou à doença, as manifestações da doença e os elementos que podem ser usados no manejo.

São relevantes tanto elementos do contexto próximo, como condições de trabalho, configuração familiar, etapa do ciclo de vida e estado socioeconômico, quanto elementos do contexto mais distante, como convivência social, bagagem cultural e questões sensibilizantes discutidas na mídia ou vivenciadas de outra maneira.

Um método que parece eficiente para avaliar a relevância das questões do contexto sobre o processo da doença é buscar uma relação temporal entre as mudanças do contexto e o surgimento ou mudança no padrão dos sintomas. Assim sendo, a perda de emprego pode ser um evento relevante na manifestação de uma cefaleia, mas não será o fator mais importante quando tiver acontecido há 3 meses e a cefaleia tem apenas 2 semanas de duração. Da mesma forma, muitas pessoas podem passar sem grandes intercorrências pelas crises do ciclo de vida, mas, no caso de uma mulher que começou a apresentar tristeza e anedonia há 3 meses, desde que o último filho se casou, deve-se levar essa crise do ciclo de vida em consideração. (Ver Capítulo Abordagem Familiar.)

Componente 3: chegando a um lugar-comum

A conscientização sobre os aspectos subjetivos da doença e o conhecimento do contexto são elementos fundamentais, mas somente são importantes se forem usados para chegar a um consenso a respeito da análise do que está acontecendo, o que pode, ou não, incluir um diagnóstico formal e um acordo sobre a maneira como a condição deve ser manejada.

O primeiro passo, portanto, é chegar a uma explicação que seja razoável tanto para o médico como para o paciente. Se o paciente não ficar convencido com a explicação do médico para a situação que lhe está trazendo desconforto, ele dificilmente ficará tranquilo sem o uso de exames complementares que "comprovem" a teoria, assim como não terá uma boa adesão a medidas propostas.

Do mesmo modo, o médico deve estar atento à lógica que o paciente estabelece para os sintomas, seus desencadeantes e fatores de melhora e piora, de maneira a poder conciliar essa visão no plano terapêutico.

Quando médico e paciente conseguem chegar a um lugar-comum a respeito do que está acontecendo, passa-se para a fase de negociação acerca do que precisa ser feito e quais são as atribuições, tanto do médico como do paciente.

Componente 4: reforçar a relação entre profissional e pessoa

Um dos atributos essenciais da APS é a longitudinalidade (ver Capítulo A Organização de Serviços de Atenção Primária à Saúde). Por isso, destaca-se a importância de construir uma relação fluida e de confiança entre o profissional e seus pacientes.

Compaixão e empatia são dois elementos fundamentais nesse processo, conforme destacado por McWhinney.

A partir da compreensão adquirida na consulta, o profissional deve trabalhar aspectos como o empoderamento do paciente para lidar com a sua parte no plano de cuidados estabelecido.

É necessário desenvolver consciência a respeito dos processos de transferência e contratransferência típicos desse tipo de relacionamento, aprendendo a identificar oportunidades construtivas neles.

A construção desse relacionamento segue determinados princípios, mas é única de cada relação e deve ser orientada para a construção conjugada de uma relação com foco na produção de saúde e no desenvolvimento de esperança.

O MÉTODO CLÍNICO CENTRADO NA PESSOA EM SITUAÇÕES ESPECIAIS

Comunicando riscos e benefícios

Uma das tarefas comuns do médico de APS é manejar situações em que existe um balanço entre riscos e benefícios, como uma investigação que pode ter falsos-positivos e falsos-negativos, um tratamento com efeitos colaterais ou até mesmo a necessidade de mudança de hábitos deletérios.

Informar que existem riscos raramente será suficiente para uma comunicação responsável e ética. Na maioria das vezes, a pessoa que está comunicando o risco tem um objetivo, que pode ser a modificação de um determinado hábito (quando há sólida evidência de que isso é necessário) ou a conscientização judiciosa para uma escolha adequada (quando existe evidência de benefício, mas é necessário assumir riscos, e somente parte da população é beneficiada).

A percepção de que se está em risco é a maneira mais eficaz de conseguir que as pessoas tomem atitudes de proteção. Para conseguir essa percepção, é recomendável a abordagem exploratória e elucidativa do MCCP (considerando experiências pessoais que o paciente teve com a intervenção em questão, como história pessoal, familiar e suas crenças, discutindo a adequabilidade destas à situação em foco). Pesquisas com avaliação de atividade cerebral sugerem que a mensagem deve ter três componentes para ser mais eficiente: ter argumentos percebidos como válidos; ser sensorialmente impactante (p.ex., por meio do uso de imagens, gráficos e tabelas); e provir de fonte considerada relevante (o que é facilitado quando já se tem um relacionamento horizontal com a pessoa).[7]

Para conseguir os melhores desfechos em situações que envolvem risco, por meio da abordagem centrada na pessoa, devem-se considerar dois elementos: o interesse do paciente em correr os riscos de uma intervenção contra o risco de esperar a evolução; e a capacidade de compreender os riscos.

Alguns preferem os riscos de uma intervenção aos riscos de não fazer nada; outros, justamente o contrário. Isso deve ser considerado pelo profissional na sua busca por "chegar a um lugar-comum" com o paciente. À medida que passa a conhecer melhor o paciente, seu contexto e suas aspirações, o médico tem mais elementos para ajudar a pessoa a tomar a sua decisão.

Existe tendência, por parte dos pacientes, de subestimar os riscos e superestimar os benefícios de intervenções. Sabendo disso, o médico deve, pelos meios possíveis, tentar corrigir as distorções.[8] O uso de números, como número necessário para tratar (NNT) e valor preditivo positivo (VPP), pode trazer uma impressão de objetivar as decisões, mas também é fonte de confusão. Quando se deseja usar números, os números absolutos tendem a ser os mais compreensíveis para chegar a um lugar-comum e devem ser a maneira preferida pelo médico. Gráficos e outras ferramentas visuais foram desenvolvidos para ajudar nesse processo, mas ainda são muito pouco usados na APS. Comunicar os riscos de maneira individual e contextualizada, em vez de apresentar informações genéricas, parece ser o método mais eficaz.

Lidando com a incerteza

Quem trabalha na APS está em um ambiente com muitas incertezas. Com frequência, o profissional não consegue dar um nome definitivo para o que está acontecendo, mas já dispõe de informações suficientes para delinear o que precisa ser feito. Comunicar isso ao paciente pode ser um desafio.

Frequentemente, manejam-se casos não com base em seus diagnósticos precisos, mas na exclusão de situações que representem gravidade. Por exemplo: opta-se por tratar de forma conservadora uma criança com quadro de febre pela ausência de sinais de alerta, e não pelo diagnóstico exato. Inclusive propõe-se que, nesses casos, o médico deve estar atento às preocupações específicas das mães, evitando passar uma série padronizada de informações.[9] Outro exemplo: apesar de não conseguir definir exatamente o que está acontecendo, a ausência de dor ao esforço físico, de alterações ao exame físico e de risco cardiovascular alto pode ser suficiente para planejar o que fazer com um paciente jovem com dor torácica que está muito preocupado que esta seja de origem cardíaca.

Por isso, é importante que o médico não somente fale sobre o que está acontecendo, mas também explique ao paciente as características do caso que o levam a concluir que não há gravidade ou emergência do ponto de vista clínico, o que fundamentalmente pode definir a tomada de determinadas condutas.

Essas explicações são importantes também para estabelecer o senso de autonomia já que, bem informado, o paciente poderá, em ocasiões futuras, tomar a melhor decisão sobre quando e por que buscar atendimento, não apenas para si como para as pessoas com as quais convive, divulgando bom conhecimento pela comunidade.

A abordagem centrada na pessoa consegue melhor satisfação, diminuição dos sintomas e menor índice de solicitação de exames nos casos em que as pessoas têm condições não definidas ou inexplicáveis, sobretudo por sua virtude em explorar as preocupações principais dos pacientes.[10] (Ver Capítulo Abordando os Sintomas Físicos de Difícil Caracterização.)

Comunicar suas próprias incertezas e as lacunas do conhecimento científico é importante e pode ser um fator que traz muito mais credibilidade ao que é apresentado como certo durante a consulta.

Muitos pacientes terão uma boa resposta a uma abordagem como: "não sei exatamente o que está acontecendo, mas pelos fatores x, y e z podemos dizer que não deve ser nada muito grave ou preocupante".

Comunicando más notícias

Quando existe a necessidade de comunicar uma notícia desagradável, como o diagnóstico de uma doença grave, a falha de um tratamento, a perda de uma gestação ou a necessidade de uma cirurgia, as habilidades de comunicação necessárias podem ser um pouco diferentes daquelas dos encontros médicos em geral.

Nenhum médico gosta de desempenhar esse papel, mas, ainda assim, ele faz parte da vida profissional. A falta de uma formação em comunicação e o medo das possíveis reações do paciente, em especial choro, desespero e agressividade, fazem o médico não se sentir à vontade nessa situação.

As principais queixas dos pacientes a respeito do modo como seus médicos lhes trouxeram más notícias são comportamento inadequado do profissional, incluindo falta de atenção às necessidades do paciente e falta de honestidade, tempo insuficiente destinado à consulta, uso de jargão e falta de apoio emocional e cognitivo. Muitas vezes, essas queixas fazem o paciente procurar outro médico ou até mesmo abandonar o tratamento.[11] Estas devem, portanto, estar entre as maiores preocupações do médico ao comunicar uma notícia desagradável, mas outros aspectos importantes também devem ser considerados. A expressão de humor, por exemplo, em outros casos desejável, aqui pode ser vista como muito desrespeitosa; as perguntas muito abertas podem aumentar o estresse do paciente; e sugestões e checagem frequentes da compreensão podem gerar mal-estar.

As consultas nas quais há necessidade de comunicar assuntos desagradáveis não são adequadas para a construção de relacionamentos pessoais. Por isso, a expressão de intimidade, afeto, consideração e empatia é mais adequada quando já se tem uma construção prévia e, assim, legitimidade.

A troca de informações deve ser muito focada nas necessidades da pessoa naquele momento, já que o indivíduo precisa de espaço para elaborar os seus sentimentos e não está com disposição para se concentrar e pensar em assuntos que não sejam considerados de máxima importância nesses momentos.[12]

Assim sendo, na hora de dar notícias desagradáveis, é importante que o médico leve em consideração os seguintes aspectos:

→ **o quanto o paciente já sabe sobre o seu quadro:** algumas vezes há grande temor em comunicar algo que o paciente de algum modo já sabe;

→ **o que o paciente deseja saber sobre o seu diagnóstico e prognóstico:** algumas pessoas desejam apenas saber se sua situação é grave, outras desejam saber detalhes da evolução. Há quem deseje saber se a doença pode ser fatal e quem deseje saber quanto tempo de vida ainda pode esperar. Certos indivíduos querem saber detalhes da evolução e todas as possíveis complicações, e outros só querem saber genericamente o que pode acontecer;

→ **o quanto o paciente é capaz de entender:** em alguns casos, o uso de expressões matemáticas, como proporções e porcentagens, pode ser impossível de ser entendido. Os jargões médicos também devem ser evitados ao máximo, mesmo ao falar com pacientes que tenham um maior grau de instrução.

Para esse tipo de situação, é fundamental providenciar um ambiente que garanta privacidade e um tempo sem interrupções. A quantidade de tempo não precisa ser grande, mas o paciente precisa perceber que o médico está à sua disposição e com a total atenção disponível. Ao final, sempre se deve verificar a compreensão, observar os sentimentos e a situação emocional do paciente e colocar-se, assim como o serviço, à disposição.

As intervenções focadas em capacitação de médicos e estudantes de medicina para dar más notícias que mais impactam na capacidade desses profissionais são aquelas focadas na abordagem SPIKES, que sistematiza a sequência de etapas da abordagem em um acrônimo:[13]

1. *Set up* **(preparar o ambiente):** considerar que a comunicação de uma notícia ruim exige privacidade e tempo para ser realizada e, portanto, viabilizar espaço físico e agenda para tal. Além disso, considerar todos os atores que devem ser informados da notícia, como no caso de uma criança pequena ou de um idoso incapaz, em que o envolvimento das pessoas deve ser planejado com antecedência;

2. *Perception* **(o que o paciente já sabe):** os passos 2 e 3 seguem a regra de sempre perguntar antes de falar. Nesta altura da entrevista, o objetivo é colocar o paciente em uma postura reflexiva e ao mesmo tempo envolvida com a informação. Deve-se perguntar ao paciente sobre a sua consciência da razão pela qual foi realizada determinada investigação, e o que estava sendo investigado. Você quer entender se o paciente ainda está com algum tipo de bloqueio ao pensar sobre sua própria condição e quais possíveis expectativas equivocadas ele pode ter criado;

3. *Invitation* **(autorização/convite do paciente):** nesta etapa, pergunta-se ao paciente o que ele deseja realmente saber sobre o que está acontecendo e qual é a profundidade da informação. Alguns querem a informação completa, outros querem ter uma ideia do prognóstico; outros, ainda, só querem saber quais serão os possíveis próximos passos;

4. *Knowledge* **(passar as informações/conhecimento):** agora é o momento de apresentar todas as informações relevantes, de acordo com a percepção que o paciente tem e a medida de informação que ele sente que precisa neste momento. Deve-se estar sempre muito atento, pois, ao apresentar a informação, o paciente pode mostrar sinais de sofrimento agudo ou incompreensão nas suas expressões, devendo sempre retornar aos passos 2 e 3 se necessário. Aqui é importante muito equilíbrio: não apresentar as informações de uma maneira direta demais (p. ex., "você tem um câncer muito agressivo e

deve iniciar o tratamento imediatamente"), mas também não ficar rodeando para dar a informação; falar uma linguagem clara, mas sem excesso de termos técnicos; dar as informações em partes e verificar se o paciente está entendendo e suportando; nunca deixar, nem de maneira explícita, nem implícita, a ideia de que nada pode ser feito a respeito do diagnóstico e do prognóstico;

5. *Emotions* **(observar e responder empaticamente às reações emocionais do paciente):** é até esperado que, durante ou mesmo após as informações transmitidas, o paciente mostre alguma reação emocional. Deve-se buscar identificar essa resposta, demonstrar que se percebeu o impacto e que isso é normal e buscar clarificar a emoção e suas razões, visto que neste momento, mais uma vez, a lógica pode não estar muito clara para o paciente. O toque físico pode ser consolador ou assustador e deve ser usado apenas quando se percebe a abertura para isso. Em geral, é confortador mover-se na direção do paciente e verbalizar que percebe o quanto aquelas informações o afetam. Não se deve prosseguir para outras informações ou assuntos até que a emoção tenha se dissipado em boa quantidade;

6. *Strategy and Summarizing* **(estratégias a serem implementadas e resumo dos destaques):** o passo seguinte é falar sobre o que precisa ser feito a partir da notícia dada. Sempre é importante checar com o paciente se ele está pronto, neste momento, para falar sobre o futuro e o que deve ser feito. Mais uma vez, deve-se dar as informações em partes e esclarecer as dúvidas que possam surgir. Encerrar destacando os pontos mais importantes, verificando se o paciente compreendeu, e deixar clara a maneira como o paciente pode usar para fazer contato em caso de dúvidas.

Foi proposta recentemente uma adaptação para a realidade brasileira do modelo SPIKES por meio do acrônimo PACIENTE: 1. **P**reparar, 2. **A**valiar o que o paciente já sabe, 3. **C**onvite à informação, 4. **I**nformar, 5. **E**moções, 6. **N**ão abandonar o paciente, e 7. **T**raçar **E**stratégia).[14]

Facilitando mudanças no estilo de vida

Quase todas as condições que se apresentam como problemas na APS estão relacionadas com condições e hábitos de vida das pessoas. Dieta, atividade física e uso de substâncias são alguns exemplos. Muitas vezes, uma mudança de estilo de vida está na base do plano terapêutico, como acontece com os pacientes portadores de hipertensão, diabetes ou síndrome do intestino irritável.

Quatro componentes são essenciais para uma boa comunicação entre médico e paciente a respeito de mudanças no estilo de vida: congruência nas percepções, escolha consensual das metas, disposição para a mudança e intervenções individualizadas.[15]

Congruência nas percepções refere-se a um alinhamento acerca dos problemas, necessário ainda antes de pensar em qualquer meta. Foi demonstrado que cerca de metade dos pacientes que têm índice de massa corporal (IMC) > 25 referem-se a seu peso como saudável.[15] Enquanto médico e paciente discordarem a respeito do que deve ser considerado um problema, obviamente não chegarão a um acordo sobre quais são as metas e muito menos conseguirão realizá-las.

Quando se fala em chegar a um lugar-comum em relação a mudanças do estilo de vida, o aspecto central é a pactuação de metas realistas e importantes. É fundamental determinar um alvo, de modo que o seu alcance possa ser mensurável. Portanto, melhor do que entrar em acordo sobre "fazer mais atividade física" seria inventariar com o paciente qual tipo de atividade física é mais factível para ele e quantificar uma meta como "andar de bicicleta pelo menos 30 minutos, ao menos 3 vezes por semana". Começar com pequenas metas, fazendo reforço positivo de cada passo alcançado, é uma estratégia que tende a ser eficiente.

A disposição para a mudança é o terceiro aspecto. Uma pesquisa demonstrou que 80% das pessoas ainda não se consideram prontas para mudar um comportamento;[16] desse modo, não é eficiente concentrar o tempo e os demais recursos em programas de ação. Nesses casos, a abordagem centrada na pessoa inclui explorar os valores e os significados que o paciente atrela aos hábitos instalados, assim como as potenciais resistências à mudança. Trabalhar para ampliar os aspectos positivos (benefícios) do novo comportamento parece ser a melhor estratégia, seguindo-se pela redução das dificuldades (custos) associadas à mudança. (Ver Capítulo Abordagem para Mudança de Estilo de Vida.)

Por fim, a escolha por parte do paciente do que se encaixa mais em sua rotina tende a ser melhor do que programas prontos ou predeterminados. Assim sendo, as ações devem levar sempre em consideração os aspectos para os quais o paciente está mais pronto e precisam ser contextualizadas.

REFERÊNCIAS

1. Elwyn G, Edwards A, Kinnersley P. Shared decision-making in primary care: the neglected second half of the consultation. Br J Gen Pract. 1999;49(443):477-82.
2. Stewart M, Brown JB, Weston WW, McWhinney IR, McWilliam CL, Freeman TR. Medicina centrada na pessoa: transformando o método clínico. 3. ed. Porto Alegre: Artmed; 2017.
3. National Academies of Sciences, Engineering, and Medicine, Health and Medicine Division, Board on Health Care Services, Board on Global Health, Committee on Improving the Quality of Health Care Globally. Crossing the global quality chasm: improving health care worldwide. Washington: The National Academies; 2018.
4. Shay LA, Lafata JE. Where is the evidence? A systematic review of shared decision making and patient outcomes. Med Decis Making. 2015;35(1):114-31.
5. Adaji A, Melin GJ, Campbell RL, Lohse CM, Westphal JJ, Katzelnick DJ. Patient-centered medical home membership is associated with decreased hospital admissions for emergency department behavioral health patients. Popul Health Manag. 2018;21(3):172-9.
6. Rosland AM, Wong E, Maciejewski M, Zulman D, Piegari R, Fihn S, et al. Patient-centered medical home implementation and improved chronic disease quality: a longitudinal observational study. Health Serv Res. 2018;53(4):2503-22.
7. Schmälzle R, Renner B, Schupp HT. Health risk perception and risk communication. Policy Insights Behav Brain Sci. 2017;4(2):163-9.
8. Freeman AL. How to communicate evidence to patients. Drug Ther Bull. 2019;57(8):119-24.

9. Korsch BM, Gozzi EK, Francis V. Gaps in doctor-patient communication: I. Doctor-patient interaction and patient satisfaction. Pediatrics. 1968;42(5):855-71.
10. Smith RC, Lyles JS, Gardiner JC, Sirbu C, Hodges A, Collins C, et al. Primary care clinicians treat patients with medically unexplained symptoms. J Gen Intern Med. 2006;21(7):671-7.
11. Sobczak K, Leoniuk K, Janaszczyk A. Delivering bad news: patient's perspective and opinions. Patient Prefer Adherence. 2018;12:2397-404.
12. Berkey FJ, Wiedemer JP, Vithalani ND. Delivering bad or life-altering news. Am Fam Physician. 2018;98(2):99-104.
13. Johnson J, Panagioti M. Interventions to improve the breaking of bad or difficult news by physicians, medical students, and interns/residents: a systematic review and meta-analysis. Acad Med. 2018;93(9):1400-12.
14. Pereira CR, Calônego MAM, Lemonica L, Barros GAM. The P-A-C-I-E-N-T-E protocol: an instrument for breaking bad news adapted to the Brazilian medical reality. Rev. Assoc. Med. Bras. 2017;63(1):43-9.
15. Peters RM. Theoretical perspectives to increase clinical effectiveness of lifestyle modification strategies in diabetes. Ethn Dis. 2004;14(4):S2-17-22.
16. Prochaska JO, Velicer WF. The transtheoretical model of health behavior change. Am J Health Promot. 1997;12(1):38-48.

Capítulo 12
MODELO DE CONSULTA E HABILIDADES DE COMUNICAÇÃO

Eberhart Portocarrero-Gross

Sempre que estamos na presença de outra pessoa, estamos nos comunicando. O próprio silêncio ou a imobilidade podem ser entendidos como formas de comunicar. Contudo, embora a comunicação seja um fenômeno universal, não há consenso sobre sua definição. Uma proposta útil é compreendê-la como **o processo de construir significado por meio de uma interação simbólica**.[1] Essa definição destaca que a comunicação é um processo, e não um instante isolado; que ela é relacional, e não individual; e, por fim, que se baseia em símbolos, dos mais diversos tipos.

Outro aspecto de especial relevância é o fato de que **a forma como nos comunicamos reflete o nosso estado mental**. Se estamos agitados, falamos mais rápido e encadeamos uma frase na outra; se estamos sonolentos, alongamos as palavras e fazemos mais pausas; e assim por diante. O modo como ouvimos – o grau de atenção, a disposição para concordar ou discordar, etc. – também é condicionado pela nossa situação interna em um dado momento.

Quando a comunicação ocorre no contexto específico de atendimentos feitos por profissionais de saúde, ela é conhecida como "comunicação clínica". Este capítulo discutirá sobre a comunicação clínica sob dois enfoques principais: habilidades isoladas e modelos globais de consulta. As habilidades isoladas, por vezes chamadas de micro-habilidades, referem-se a maneiras pontuais de observar ou indicar uma reação, como de concordância ou de interesse, que podem ocorrer a qualquer momento da consulta. Já os modelos de consulta são desenhos da dinâmica total de uma interação, podendo ser úteis como mapas mentais para não nos perdermos, a nós mesmos e aos pacientes, em uma conversa muitas vezes complexa e atravessada por diversos assuntos e afetos.

Por fim, antes de passarmos aos aspectos mais práticos da comunicação, vale ressaltar que o que for apresentado aqui não deve ser entendido como regra, e sim como proposta de experimentação. Além disso, não devemos esquecer o fato de que as interações se dão em um ambiente específico, entre pessoas que têm gênero, etnia e outras características, com seus determinantes sociais, suas opressões e seus privilégios. Estar aberto para caminhos e desfechos inesperados, assim como ter um entendimento macropolítico do cenário em que nossas consultas se dão, é fundamental para uma troca real e significativa para todos os envolvidos.

COMO DESENVOLVER HABILIDADES DE COMUNICAÇÃO CLÍNICA

Embora muitas vezes se diga que a comunicação clínica "se aprende com o tempo", é fácil observar que isso não é verdade. Se fosse assim, todos os profissionais experientes seriam exímios comunicadores, o que, infelizmente, não acontece. A repetição é ótima para consolidar hábitos, mas não faz distinção entre bons e maus costumes. Por outro lado, a boa notícia é que uma comunicação clínica de melhor qualidade pode, sim, ser aprendida e ensinada. Por exemplo, uma revisão sistemática recente mostrou que o treinamento de habilidades de comunicação para profissionais de saúde que atendem pacientes com câncer resultou na melhoria de diversos parâmetros associados a uma boa comunicação.[2]

Porém, não devemos encarar a comunicação clínica como um conjunto de técnicas direcionadas a argumentar de modo mais convincente e expressar sentimentos falsos, uma espécie de manipulação. Por mais que essa dinâmica de fato seja parte de nossas vidas – quem nunca sorriu sem vontade em um momento de mau humor? –, é importante estar atento à motivação que nos leva à consulta e à comunicação que nela acontece. Fundamentada em autoconhecimento e autocuidado, essa honestidade nos permitirá desenvolver uma disponibilidade emocional e um genuíno interesse no outro que vão na contramão dessa possível formação de "atrizes" e "atores" clínicos.[3]

Esse desenvolvimento, como outros, passa inicialmente por conhecer e aplicar processos mais ou menos padronizados e que soam artificiais de início, mas que devem ser – e serão, naturalmente – adequados ao estilo pessoal de quem se comunica. É muito comum nos sentirmos desconfortáveis quando tentamos uma habilidade nova, quando mudamos um padrão estabelecido. Muitas vezes nos sentimos como robôs desajeitados fazendo perguntas pré-formuladas. Com a insistência no processo fundamental de (1) colocar em prática as recomendações, (2) incomodar-se com o esforço necessário para tal e com a sensação de artificialidade decorrente e (3) encontrar maneiras novas e mais confortáveis de usar os princípios aprendidos, transitaremos dessa sensação inicial de incômodo para uma destreza espontânea muito recompensadora.

HABILIDADES ESPECÍFICAS

Talvez a observação mais importante sobre as habilidades que utilizaremos para a construção conjunta de narrativas com nossos pacientes é a de que **nós já as possuímos**. Estamos sempre utilizando e observando a utilização, em nosso cotidiano, de diversos comportamentos verbais e não verbais que dão andamento a uma conversa, indicando que estamos satisfeitos com uma afirmativa do interlocutor ou que temos pressa ou tempo de sobra, por exemplo.

O processo de aprimorar essas habilidades passa por desenvolver uma atenção consciente desses comportamentos e de elementos muitas vezes sutis da comunicação verbal e não verbal. Isso pode ser trabalhado em todas as nossas interações cotidianas, mas tem características especiais no contexto da comunicação clínica.

Contexto de aplicação das habilidades

Ao estudar as interações entre médico e paciente pelo conteúdo clínico, com foco nas doenças, tendemos a achar que o início de uma consulta se dá assim:

— Sr. Leonardo Pereira?

(Leonardo se levanta e entra no consultório. A médica observa marcha e fácies, atípicas. Ambos se sentam.)

— Bom dia, Sr. Leonardo! Como posso lhe ajudar?

— Bom dia, Dra. Carla! Nossa, estou com uma dor de garganta incômoda, que nem me deixa dormir.

(A médica acessa seu roteiro mental para a queixa "dor de garganta".)

Porém, apesar de essa descrição não estar propriamente incorreta, ela desconsidera várias observações e escolhas conscientes e inconscientes que são feitas por ambas as partes e que influenciam fortemente o diálogo. Para além do **conteúdo**, há **comportamentos**. Quando atende ao chamado, Leonardo sorri ou suspira profundamente? Ele olha a médica nos olhos? Se sim, de maneira sustentada ou apenas por um instante? Ele responde rapidamente à pergunta inicial de Carla, ou hesita antes de começar a falar? Ele enfatiza mais "dor de garganta", "incômoda", ou "nem me deixa dormir"?

Nessa linha, poderíamos estender os questionamentos infinitamente – é claro que há muito mais ocorrendo no diálogo do que o que foi listado. Para cada observação, há uma interpretação, ainda que incompleta (se Leonardo suspira ao ser chamado, Carla pode ficar curiosa e perguntar-se o porquê disso). Há aspectos não relacionados à comunicação propriamente dita (como o fato de que Carla se lembra brevemente de que Leonardo Pereira é o nome de um primo distante, de quem gosta muito). Isoladas, nenhuma das respostas a esses questionamentos nos levará muito longe – mas cada uma delas pode funcionar como uma pista para compor uma impressão mais refinada a respeito do paciente, formando uma base para perguntas mais bem direcionadas e, com alguma sorte, um entendimento melhor do que está ocorrendo. Se, ao ser chamado, Leonardo demora um instante sentado antes de se levantar de forma decidida, faz pouco contato visual e frisa mais as últimas palavras de sua resposta, pode ser razoável começar a supor que esteja principalmente **preocupado** com o quadro, talvez até com receio da possibilidade de receber um diagnóstico mais grave. Por outro lado, caso caminhe sem pressa, cumprimente de forma tranquila e exponha sua queixa de maneira desapaixonada, talvez possamos sentir que não o compreendemos bem, para mais adiante descobrir que há outro motivo para a sua vinda além da dor de garganta, o qual, por alguma razão, ele preferiu não expor inicialmente.

Da mesma forma, o mesmo olhar investigador poderia centrar-se em Carla, compondo a impressão do paciente a seu respeito. Com mais ou menos detalhe, essa impressão sempre se forma. Ao chamar seu nome, o tom de voz da médica soa gentil, ríspido, cansado ou de outra forma? Presos a nosso ponto de vista, só temos consciência das nossas interpretações a respeito do mundo e, ao mesmo tempo em que podemos atentar para o que estamos transmitindo, muitas vezes é útil imaginar quais posturas tendem a ser mais bem (ou mais mal) recebidas por cada pessoa com quem interagimos.

O processo de tornar todas essas escolhas conscientes pode parecer avassalador e paralisante. De fato, no início podemos ter a sensação de estarmos mais confusos ou nos comunicando pior. Porém, é preciso ter confiança de que isso é uma parte importante do processo de aprendizagem. Diz-se que, antes de ganhar uma habilidade nova, como fazer embaixadinhas ou tocar violão, somos inabilidosos inconscientes: não sabemos fazer e não olhamos para o fato de que não sabemos. A primeira etapa, portanto, consiste em nos tornarmos inabilidosos conscientes. Fazemos as primeiras tentativas e constatamos, às vezes de forma dolorosa, que não vamos longe: descobrimos que temos muito a aprender. **Essa percepção é necessária para avançarmos** – e compreender isso pode tornar a trajetória instigante, ou ao menos tranquila, em vez de aflitiva. Ao praticar, poderemos, então, passar a habilidosos conscientes e, com mais tempo, até mesmo a habilidosos inconscientes, capazes de fazer tudo que antes parecia inalcançável e, ao mesmo tempo, de estar relaxados, como muitas vezes vemos acontecer com grandes jogadores de futebol ou violonistas experientes.

Descrição das habilidades de comunicação

Alguns exemplos de habilidades de comunicação podem ser vistos nas TABELAS 12.1 e 12.2. É claro que não é possível (nem desejável) desenvolver todas as competências apresentadas ao mesmo tempo. Dentre as listas dessas tabelas, é possível escolher um item por vez, passar um turno ou alguns dias observando-o e experimentando novas estratégias em relação a ele, antes de deixá-lo de lado e passar para um

TABELA 12.1 → Exemplos de habilidades de comunicação específicas

OBSERVAÇÕES A RESPEITO DO PACIENTE	MANIFESTAÇÕES DO PROFISSIONAL DE SAÚDE
Aparência	
Vestuário, higiene pessoal, fácies, marcha	Vestuário, higiene pessoal e do ambiente, organização e decoração do consultório
Linguagem não verbal*	
Manifestações iniciais e suas modificações em relação a corpo, face e voz: → Corpo: postura na sala de espera, ao caminhar após o chamado e no consultório; distância do profissional, gestual, tônus muscular, respiração → Face: expressão facial, direção do olhar, contato visual, movimentação dos olhos → Voz: velocidade, volume, ritmo, tom	→ Atenção especial à sua própria postura física ao fazer o chamado, no consultório e na despedida; expressão facial, presença ou ausência de contato visual (com frequência, "ver é escutar"), tom de voz, acenos com a cabeça, gestual, uso do toque → As mudanças nessas demonstrações ao longo da consulta também são importantes na interlocução
Escuta ativa (demonstração de interesse no que é dito)	
A pessoa parece interessada no que o profissional diz, usando estratégias naturais como sons de encorajamento ("ahã", "hmm" "ahm?"), concordância ("entendi", "claro"), eco (repetição das últimas palavras ditas pela pessoa como incentivo para que prossiga) etc.?	→ Facilitar a fala com sons de encorajamento, concordância, eco → Dizer o que vê/escuta (p. ex., "vejo que esse assunto te deixa inquieta") → A linguagem não verbal é fundamental para comunicar interesse: contato visual sustentado, postura na cadeira, etc. → Além da melhor obtenção de informações, tem clara função terapêutica e de estabelecimento de vínculo
Uso do silêncio	
Atenção, também, ao que **não** é dito. Duas situações comuns são: → Autoimersão: momentos de pausa ou lentificação na interação e desconexão do olhar do ambiente podem revelar um mergulho em pensamentos e sentimentos, um contato com memórias, uma conclusão ou digestão de uma informação; muitas vezes são o pródromo de um momento de choro; é interessante que possamos notá-los e respeitá-los → Autocensura: muitas vezes, manifesta-se como hesitação na escolha das palavras, falas excessivamente vagas ou omissão de tópicos esperados (como "esquecer" um membro da casa ao falar da vida doméstica), costuma indicar um tema sensível ou mal-elaborado; às vezes podemos ajudar a pessoa a colocar em palavras um assunto difícil	A competência de manter-se calado é fundamental, e mais difícil de ser implementada quando a outra pessoa também não está falando; é útil tanto para lidar com os silêncios curtos ou longos da pessoa atendida (ver "Autoimersão", ao lado) quanto para convidá-la a falar; é dificultada pela nossa agitação mental, pela ansiedade de avançar na consulta e pela pressa (muitas vezes necessária, diante de uma agenda cheia); para sustentarmos o silêncio mantendo a conexão com o outro, ajuda se nos concentrarmos em nossa própria respiração e aproveitarmos a oportunidade para observar aspectos da linguagem não verbal
Interrupção	
Apesar de com frequência nos sentirmos desconfortáveis nessa situação (quem gosta de ser interrompido?), podemos nos perguntar sinceramente o que aquela pessoa quer trazer que é tão importante a ponto de não poder esperar o fim da nossa frase; pode ser uma informação nova, uma correção ou um reforço, indicando que não está claro se valorizamos algo que já foi dito; pode ajudar se expressarmos, em seguida, a compreensão do ponto específico que foi trazido	Como o mais comum é interrompermos demais, essa habilidade é pouco estimulada; porém, pode ser benéfica se for usada de forma oportuna, como para pessoas que falam por vários minutos a cada vez ou que contam histórias longas para responder a perguntas simples → **Ao notar** que uma narrativa não parece interessante para si, pergunte-se rapidamente se é importante para a pessoa que está falando, e o porquê; observe se a pessoa está se repetindo e se precisa de uma confirmação do seu entendimento (ver item "Resumo", na **TABELA 12.2**). → **Ao decidir** interromper, ajuda usar o momento da respiração de quem fala (às vezes, quase inexistente), ser gentil e firme, frisar a dificuldade de lidar com muitas informações e a importância de ater-se ao tema da consulta (p. ex., "desculpe, senão eu me perco, vamos voltar para a pergunta (...)" → **Não interrompa** a fala no primeiro minuto de consulta
Perguntas	
→ Podem ocorrer em fase precoce na consulta, sendo muitas vezes adequado aguardar para respondê-las mais tarde (ver item "Respostas", a seguir) → Muitas vezes indicam preocupações ou expectativas da pessoa atendida → Também podem ser tardias, abrindo um novo tema com a consulta já adiantada, gerando a necessidade de avaliar se há urgência que demande um reenquadramento da consulta ou se podem ser gentilmente suprimidas naquele momento (ver os itens "Prevenção de demandas aditivas" e "Pactuação", na **TABELA 12.2**)	Algumas classificações principais são: → Abertas: convidam à fala livre; são muito importantes no início da consulta, para compreendermos a narrativa global (p. ex., "o que você acha que está acontecendo com o seu joelho?") → Fechadas: respondidas com uma ou duas palavras, limitam as possibilidades de resposta a um conjunto fechado e previsível, como em uma múltipla escolha; são úteis para a avaliação de sinais de alerta (p. ex., "você chegou a desmaiar?") → Focadas: mais restritas a um elemento que as abertas, mas com respostas imprevisíveis (p. ex., "quando começou?" – compare com "me conta sobre quando começou" e com "começou hoje?") → Indutoras: perigosas, são muito convidativas a respostas confirmatórias de baixa confiabilidade (p. ex., "está tomando os remédios direitinho?") Também importantes, algumas estratégias de encadeamento de perguntas são: → Em funil: preferencial, parte de perguntas abertas para fechadas, dando, ao paciente, mais segurança de que ele foi ouvido e, ao nosso raciocínio, os dados relevantes (ver capítulo de raciocínio diagnóstico) → Em funil invertido: faz o caminho inverso ao anterior; é útil para ganhar a confiança de crianças, adolescentes e adultos relutantes ou desconfiados, os quais se sentirão mais confortáveis para responder perguntas exploratórias após alguma troca ter sido iniciada com perguntas fechadas → Em sondagem: encadeia perguntas simples a partir das informações obtidas; é útil para pessoas que dão respostas curtas a perguntas abertas (p. ex., "você falou do seu irmão, onde ele mora?", "e vocês se dão bem?" Atenção às pressuposições e aos valores implícitos nas suas perguntas, reformulando-as quando necessário, como na presunção de heterossexualidade ou de alfabetização
Respostas	
Nem sempre devem ser entendidas literalmente: esteja alerta para aspectos contextuais indutores (ver "Perguntas indutoras", anteriormente), e desconfie de respostas sempre muito agradáveis de ouvir	→ Cuide especialmente para não fornecer respostas prematuras, mesmo que a pergunta venha cedo na consulta: sempre é possível dizer "deixa eu entender melhor a situação e já lhe respondo" → Dê informações na medida certa (nem demais, nem de menos) e evite tranquilizações excessivas e irreais → Dar conselhos não é crime, mas atente para o fato de que seu conhecimento sempre incompleto sobre as circunstâncias de vida da pessoa podem levar a sugestões inadequadas

(continua)

TABELA 12.1 → Exemplos de habilidades de comunicação específicas *(Continuação)*

OBSERVAÇÕES A RESPEITO DO PACIENTE	MANIFESTAÇÕES DO PROFISSIONAL DE SAÚDE
Escolha das palavras	
Entenda o que as palavras ditas pela pessoa significam em seu contexto Além de gírias e expressões culturalmente relevantes, expressões podem ganhar novos significados (como "estar com sistema nervoso" para indicar irritabilidade) e aparentes sinônimos podem ser diferenciados (p. ex., "não sinto angústia, sinto agonia")	→ Evite jargão e expressões de difícil compreensão, adeque a linguagem ao paciente e à impressão dele sobre o quadro → Em geral, evite diminutivos, em especial para acompanhantes de crianças e idosos – tendem a ser impessoais e infantilizantes → Se for o caso, utilize os termos já ditos pelo paciente, entendendo que não está em um contexto científico que requeira um uso técnico das palavras
Uso de métodos visuais	
Encoraje o uso de desenhos e fotos para ilustrar problemas	Utilize desenhos, diagramas (genograma, ecomapa, etc.), fotos da internet e folhetos de qualidade para apoiar e complementar suas perguntas e explicações
Uso de metáforas	
Ao ouvir uma metáfora, observe se você não está diante de uma oportunidade para compreender aspectos subjetivos do adoecimento	Descubra e decore boas metáforas para ilustrar situações clínicas e estados emocionais – elas facilitarão o diálogo e a conexão

*Esta é, provavelmente, a mais importante habilidade de comunicação a ser aprimorada. É usada em todos os momentos da consulta (em todas as interações sociais de nossas vidas, na verdade) e tem uma natureza própria e distinta da maioria das outras habilidades, que são verbais. O livro *The inner consultation*, de Roger Neighbour, ainda sem tradução para o português, é uma referência valiosa para o desenvolvimento da habilidade de linguagem não verbal, com exercícios muito úteis. A base desse treinamento, como de costume, consiste em simplesmente escolher e observar conscientemente uma das características listadas na tabela ao longo de uma ou mais consultas, seja na pessoa atendida ou em si mesmo(a).
Fonte: Silverman e colaboradores[4] e Neighbour.[5]

TABELA 12.2 → Exemplos de estratégias facilitadoras do andamento da consulta

APRESENTAÇÃO
→ Você tem uma fórmula de apresentação pessoal? → Lembrar de apresentar-se e cumprimentar acompanhantes, descobrindo seu nome e relação com a pessoa atendida → Para observar: Como a pessoa se apresenta? Será que gostaria de ser chamada por uma parte específica do seu nome, por um apelido ou nome social?

FRASE DE ABERTURA
→ Para refletir e aplicar: → A escolha das nossas primeiras palavras, que devem ser adequadas a cada paciente, costuma dirigir o início do encontro, para o bem ou para o mal → A expressão habitual "Tudo bem?" com frequência traz confusão acerca do motivo da consulta → Um silêncio interessado é, com frequência, uma boa escolha → Para observar: Quais foram as primeiras palavras ditas? Como se relacionam com o conteúdo da consulta? Elas podem trazer o motivo da ida à consulta de forma clara ou camuflada, ou expressar algum sentimento relevante que aflora no contato com o profissional

SINALIZAÇÃO
→ Indica uma mudança de foco ou etapa na consulta; é mais conhecida no pedido de permissão para o exame físico, e também facilita outras transições, como uma mudança de ritmo no diálogo, a justificativa de uma pergunta inesperada ou o início de uma explicação → Como sempre, bem componentes não verbais muito importantes, aqui expressos nas modificações – de tom de voz, postura, etc. → Por exemplo: "agora eu gostaria de fazer algumas perguntas mais curtas, tipo 'sim' ou 'não'", "deixa eu ver se entendi: (...)" ou "posso lhe fazer algumas perguntas mais íntimas?"

RESUMO
→ Deve ser breve, mas contemplar as informações principais → Pode ser formulado com as mesmas palavras da pessoa ou como paráfrase → Tem as funções principais de checar os dados obtidos e de demonstrar para a pessoa que ela foi ouvida e compreendida → Caso surja alguma correção, repita-o

PREVENÇÃO DE DEMANDAS ADITIVAS
→ Enumeração das questões trazidas, à maneira de um resumo, mas seguida de questionamento sobre a existência de outras demandas para o atendimento → Importante, mas não infalível: uma nova demanda pode surgir mesmo assim; imprevistos acontecem

(continua)

TABELA 12.2 → Exemplos de estratégias facilitadoras do andamento da consulta *(Continuação)*

PACTUAÇÃO
→ Útil desde a organização do que será abordado em uma consulta ("agenda médica" e "agenda do paciente") até a construção de um plano de cuidados compartilhado ao final → Envolve ofertar opções – as melhores primeiro, para aumentar a chance de chegar a um acordo em pouco tempo – e, muitas vezes, um processo de negociação em que devemos estar dispostos a ser flexíveis e fazer concessões, mas manter nossa capacidade de negar demandas inadequadas → Se houver demandas excessivas (inclusive as "aditivas", trazidas ao longo da consulta), frisar que as demandas não urgentes podem ser importantes, e por isso não devem ser tratadas com pressa: lançar mão da longitudinalidade e programar o tema para uma próxima consulta

DESPEDIDA
→ Como na chegada, colocar-se de pé e abrir a porta, como quando nos despedimos de alguém em nossa casa; isso transmite respeito e contribui para um bom encerramento → Usar o que aprendeu a partir da reação da pessoa ao toque no cumprimento inicial, para modular o da despedida → Algumas pessoas precisarão de indicações mais explícitas de que a consulta encerrou (p. ex., "da minha parte é isso, tem alguma dúvida?") → Para observar: O que a pessoa parece ter achado da consulta? Ela se levanta espontaneamente, como alguém que está satisfeito, ou é necessário que você a convide a sair?

próximo. No futuro, sempre é possível retomar um item já estudado e repetir o procedimento, refinando e diversificando as competências já adquiridas. Criar e usar frases padronizadas – e modificá-las conforme a experiência –, apesar de possivelmente nos dar uma sensação inicial de artificialidade, pode ser uma boa estratégia para encontrarmos um modo mais natural de fazer perguntas que sejam novas para nós, como costuma acontecer com questionamentos sobre ideias ou expectativas quando começamos a aplicar o método clínico centrado na pessoa (ver Capítulo Método Clínico Centrado na Pessoa). Além disso, quanto mais confiantes estivermos de que uma pergunta é necessária e adequada, maior é a chance de ela soar apropriada e confortável para a pessoa a quem perguntamos. Isso feito, poderemos confiar em nossa habilidade introjetada e voltar a dizer o que nos vier à cabeça, com sucesso. Há livros dedicados a elaborar cada uma dessas habilidades, com sugestões de exercícios, e eles são muito indicados para quem deseja se aprofundar e aperfeiçoar mais – algumas sugestões estão listadas no fim deste capítulo.

Algumas dessas habilidades, como a escuta ativa ou a escolha das palavras utilizadas, são aplicadas em diversos pontos ao longo do atendimento (e, como já vimos, de outros tipos de interação também). Outras, porém, como apresentar-se ou explicar um diagnóstico, destinam-se a momentos específicos do encontro clínico. A percepção de que a consulta pode ser compreendida por esses momentos, por etapas, é útil para organizarmos nossa compreensão, nosso estudo e nossa prática da comunicação clínica.

MODELOS DE CONSULTA

Se entendemos a interação ambulatorial a partir da própria palavra "consulta", podemos imaginar que, em termos gerais, uma pessoa (paciente) consulta outra (profissional) a respeito de algo (desejo de alívio sintomático, de obter informações, de realizar um procedimento, de ser escutado, etc.). É claro que essa simplificação não contempla toda a complexidade das consultas, mas permite uma primeira organização mental acerca delas: costuma haver uma demanda (explícita ou não) e uma resposta (incluindo possibilidades como "não sei"). Ainda, dentro da exposição da demanda, há espaço para seu esclarecimento e detalhamento da situação, e dentro da resposta podem ser feitas explicações adicionais conforme as dúvidas que surgirem, e a pactuação de um plano.

Mais uma vez, percebemos que a lista de informações de que necessitaremos para dar resposta satisfatória à pessoa que nos procura, como listada em textos focados em doenças, não se traduz imediatamente em sua aplicação prática. Afinal, um diálogo entre dois seres humanos nunca se dá de forma algorítmica. Há muitos "inesperados": compreensões inesperadas, emoções inesperadas, informações inesperadas. Não cabe ler uma lista de perguntas como se estivéssemos conduzindo um interrogatório (como muitas vezes aprendemos a fazer anamneses em cursos tradicionais de semiologia), nem matraquear orientações esperando que todas sejam retidas. Desejamos ter uma conversa fluida que vá desde o cumprimento até a despedida, além de levar em consideração complicadores "adicionais" inescapáveis, como as restrições do tempo disponível para cada pessoa que vemos.

Porém, muitas vezes a fluidez é menos natural do que esperamos. Especialmente quando iniciamos nossa prática profissional (e mesmo como estudantes), percebemos o quanto podemos nos perder dentro da própria consulta, com idas e vindas que muitas vezes parecem deixar todos os envolvidos com sensações de confusão e insatisfação. Será de grande valia, então, voltarmo-nos para os chamados **modelos de consulta**, que são esquemas mais detalhados para ajudar a estruturar essas conversas.

Considerando relações longitudinais de cuidado, uma demanda apresentada em uma consulta pode receber uma resposta provisória naquele momento, e outra, mais definitiva, em um encontro posterior. Mais do que isso, pode desdobrar-se em outras demandas adicionais, que necessitarão de outras consultas, muitas vezes por tempo indefinido. Um exemplo seria o de um homem que vai à consulta por estar preocupado com as possíveis causas de uma perda de peso inexplicada, e que naquela consulta recebe como resposta provisória a proposta de realizar um exame laboratorial. Ao retornar com o resultado, recebe a resposta que contém a causa que buscava: um diagnóstico de diabetes. Este, por sua vez, levará a novas demandas, como quais os impactos esperados em sua saúde e como minimizá-los, novas sugestões, e assim por diante. Esse conjunto de consultas pode ser entendido a partir do conceito de "episódios de cuidado" (ver Capítulo Cuidados Longitudinais e Integrais a Pessoas com Condições Crônicas). Além disso, se a relação entre profissional e paciente independe de um tipo de queixa ou diagnóstico específico, como ocorre na atenção primária à saúde, a continuidade de cuidado pode borrar ainda mais as etapas, com algumas delas acontecendo de forma silenciosa, implícita ou como recurso a informações que já foram obtidas em outros encontros não relacionados à demanda atual. Para fins didáticos, os modelos de consulta são mais bem compreendidos como referentes à primeira consulta em um episódio de cuidado (independentemente de se a demanda se relaciona a um quadro agudo ou crônico), com as adaptações necessárias sendo feitas na prática (ou em modelos mais específicos).

Etapas e tarefas na consulta

Existem diversos modelos de consulta na literatura, com enfoques e potencialidades distintas. Para explorar melhor alguns dos conceitos que eles trazem, utilizaremos como referência duas adaptações originais de um esquema elaborado pelo médico de família e comunidade britânico Ramesh Mehay,[6] sendo, a primeira, uma descrição sequencial das etapas da consulta (FIGURA 12.1), e a segunda, das tarefas que se espera que o profissional execute ao longo desses momentos (FIGURA 12.2).

Baseado no guia de Calgary-Cambridge,[4] muito popular para o ensino de comunicação clínica em diversos países, o modelo de Mehay tem as vantagens adicionais de um grau de detalhamento equilibrado – nem tão extenso que se torne exaustivo, nem sucinto a ponto de se perderem tarefas importantes – e uma clara demonstração visual, o que o torna facilmente aplicável, inclusive por profissionais iniciantes. Para estes, inclusive, cabe a recomendação de que imprimam uma cópia do fluxograma de tarefas (ver FIGURA 12.2) e tenham-na no consultório, na parede à sua frente ou sobre a mesa, de modo que possam observá-la sempre.

Além disso, o modelo tem como benefício extra levar em consideração o tempo necessário para cada grupo de tarefas. Inicialmente desenhado para treinamento das consultas de 10 minutos que se espera que todo médico de família britânico seja capaz de fazer – em especial para a prova de título obrigatória ao final da residência médica, contexto para o qual o modelo foi pensado –, pode ser adaptado para qualquer duração esperada/desejada, mantendo as proporções de cada etapa.

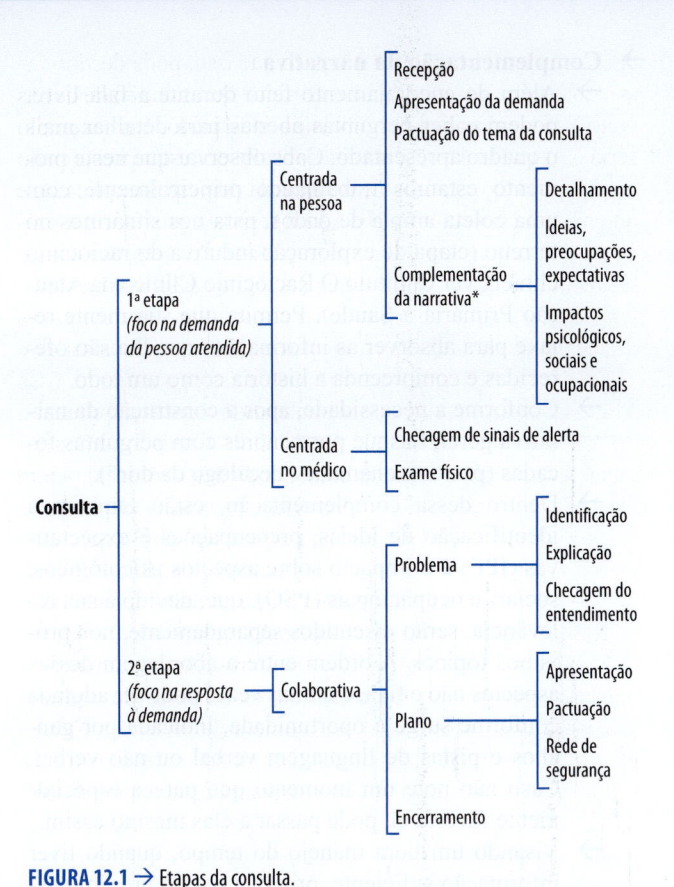

Observe os modelos apresentados e visualize uma consulta simples passando pelas etapas descritas. Por exemplo, a pessoa é convidada ao consultório pelo profissional, onde ambos se apresentam e este escuta atentamente a descrição de um incômodo suprapúbico associado à disúria há 7 dias. Após certificar-se de que não há outros motivos para a consulta, ele pede mais informações sobre o que está ocorrendo. Ouvindo alguns detalhes sobre a necessidade de ir muitas vezes ao banheiro por dia, com urgência, e notando a testa franzida e a hesitação da paciente, o profissional lhe pergunta o que acredita que possa estar ocorrendo, e recebe como resposta a expectativa de que seja uma infecção urinária e, em associação, o medo de que possa se tratar de um câncer de bexiga, semelhante ao que teve o pai da paciente. Assentindo, indaga como a pessoa pensa que pode ser ajudada por ele, e ouve a resposta "me tranquilizar de que não é isso, talvez fazendo algum exame". Mantendo a postura de interesse, resume as informações obtidas até então e, diante da confirmação da paciente, pede se pode fazer mais perguntas. Após o consentimento, descobre que a pessoa está empregada como vendedora de uma loja de roupas (sendo a polaciúria, inclusive, um pequeno transtorno para o seu trabalho), é sexualmente ativa e está em relacionamento heterossexual de início recente, além de não estar com problemas de sono ou maiores preocupações cotidianas. Pedindo autorização para fazer perguntas do tipo sim/não, informa-se de que a pessoa não é tabagista, não apresenta corrimento vaginal, e não apresentou febre, náuseas, emagrecimento não intencional ou outros sintomas nas últimas semanas. Explica que as informações já são suficientes e passa a expor sua impressão sobre o caso: de que se trata de uma cistite sem complicações. Em sua explicação, inclui o fato de que não percebe risco importante para câncer no quadro apresentado, e seu conforto em afirmá-lo a partir do relato obtido, mesmo sem exames complementares. Acrescenta que o diagnóstico é comum em mulheres jovens em relacionamentos de início recente. Observando que a paciente confirma com a

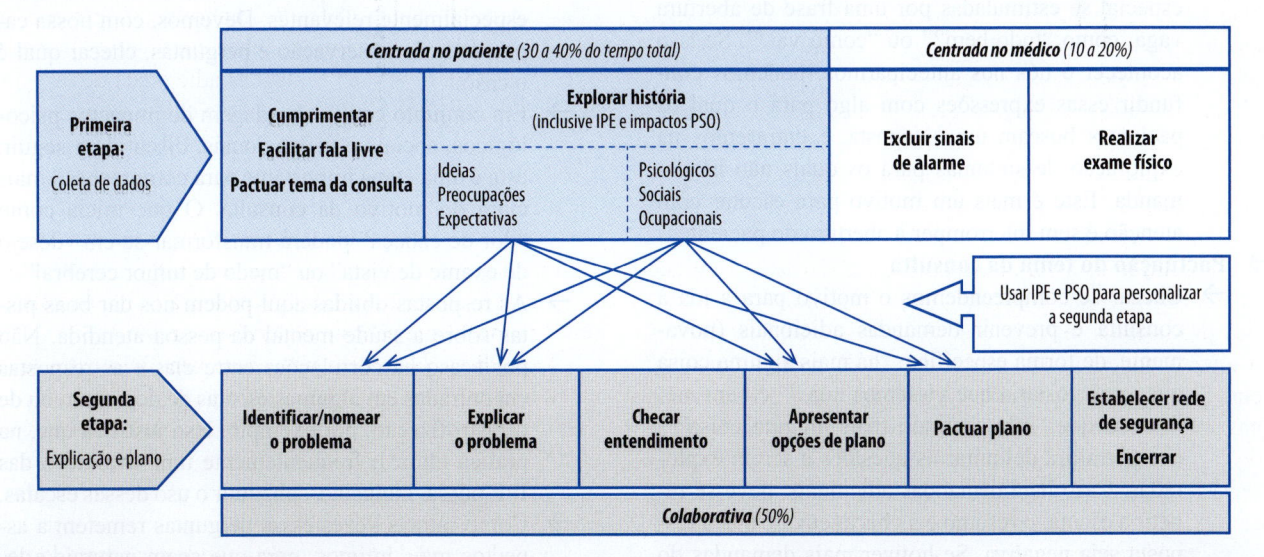

FIGURA 12.1 → Etapas da consulta.
*É importante observar que não há ordem preferencial entre os componentes deste estágio.

Partindo da divisão da consulta que fizemos anteriormente – demanda da pessoa atendida e resposta da pessoa que atende –, esse modelo permite uma organização adicional, com subdivisões progressivas, especialmente úteis para memorizar a estrutura como um todo e situar-se nela, inclusive durante um atendimento real.

FIGURA 12.2 → Modelo de Mehay adaptado – tarefas a serem cumpridas pelo médico segundo a etapa da consulta.
IPE, ideias, preocupações e expectativas; PSO, psicológicos, sociais e ocupacionais.

cabeça e respira profundamente ao ouvir sua explicação, relaxando a musculatura dos ombros, confirma que endereçou as questões principais e indaga se há algum esclarecimento necessário. Ela responde que gostaria de saber como tratar os sintomas relatados, ao que o médico sugere o uso de antibióticos, apresentando algumas opções de posologias distintas, mas com eficácia semelhante. Quando a paciente opta por um dos medicamentos oferecidos, ele frisa que espera melhora com até 3 dias de tratamento (durante os quais o desconforto no trabalho deve persistir), sem recorrência, e solicita que, caso alguma dessas situações ocorra, ela retorne. Sorrindo, a paciente pega a receita, agradece, levanta-se e sai pela porta aberta pelo médico.

Pela descrição apresentada, já fica claro que as habilidades de comunicação descritas anteriormente se relacionam diretamente com as etapas da consulta. Outro aspecto que se nota é que algumas etapas podem ser omitidas, como foi o caso do exame físico, já que, para o quadro em questão, as evidências apontam que o diálogo é suficiente (ver Capítulo Infecção do Trato Urinário). A seguir, são apresentados alguns comentários sobre cada uma das etapas do modelo.

→ **Recepção:** é composta por chamada à sala, cumprimento e apresentação do profissional e do paciente (ver TABELA 12.2). A atenção à linguagem não verbal inicia neste momento: olhos e ouvidos abertos!

→ **Apresentação da demanda**
  → Observar com atenção o chamado "minuto de ouro" (que, na verdade, pode durar mais de 60 segundos, ou menos), correspondente à abertura do paciente, encorajada ou não pela frase de abertura do profissional. Neste momento estão sempre presentes aspectos importantes, conscientes e inconscientes.
  → Aqui é importante **diferenciar queixa de demanda** (ou "motivo da consulta"). Não é raro que as pessoas expressem desconfortos que não correspondem à razão específica para sua ida ao consultório, como uma espécie peculiar de quebra-gelo, em especial se estimuladas por uma frase de abertura vaga, como "tudo bem?" ou "como vai?". Se isso acontecer e nós nos anteciparmos, podemos confundir essas expressões com algo para o qual os pacientes buscam uma resposta, e entraremos na exploração de sintomas para os quais não há demanda. Este é mais um motivo para escutar com atenção e sem interromper a abertura do paciente.

→ **Pactuação do tema da consulta**
  → Checar se compreendemos o motivo para a ida à consulta e prevenir demandas adicionais (novamente, de forma específica: "há mais alguma coisa que você gostaria que víssemos hoje?" é bem melhor do que "está sentindo mais alguma coisa?") nos permitirá delimitar as questões a serem exploradas. Caso haja demandas adicionais, deve-se repetir a escuta, o resumo e a checagem até que a resposta seja negativa. Se houver mais demandas do que você imagina que será manejável, é o momento de pactuar o que será possível para aquele encontro.

→ **Complementação da narrativa**
  → Além do encorajamento feito durante a fala livre, podem caber perguntas abertas para detalhar mais o quadro apresentado. Cabe observar que neste momento estamos trabalhando principalmente com uma coleta ampla de dados, para nos situarmos no terreno (etapa de exploração indutiva do raciocínio clínico, ver Capítulo O Raciocínio Clínico na Atenção Primária à Saúde). Permita que sua mente relaxe para absorver as informações que lhe são oferecidas e compreenda a história como um todo.
  → Conforme a necessidade, após a construção da narrativa geral, busque pormenores com perguntas focadas (p. ex., o chamado "decálogo da dor").
  → Dentro dessa complementação, estão também a identificação de ideias, preocupações e expectativas (IPE) e o impacto sobre aspectos psicológicos, sociais e ocupacionais (PSO), que, devido à sua relevância, serão discutidos separadamente, nos próximos tópicos. A ordem entre a abordagem desses aspectos não é fixa, e muitas vezes pode ser adotada conforme surge a oportunidade, indicada por ganchos e pistas de linguagem verbal ou não verbal. Caso não note um momento que pareça especialmente favorável, pode passar a elas mesmo assim.
  → Visando um bom manejo do tempo, quando tiver informação suficiente, prossiga para o próximo estágio. Essa orientação é válida para toda a consulta, mas especialmente importante aqui, onde com frequência nos demoramos, mas com pouco ganho real.

→ **IPE – ideias, preocupações e expectativas**
  → Lembre-se de que sempre temos pensamentos e sentimentos acerca do que ocorre conosco, em especial quando é algo que chega ao ponto de nos levar a uma consulta. Por outro lado, muitas consultas ocorrerão por motivos simples e diretos, que não terão levado a pessoa atendida a elaborações especialmente relevantes. Devemos, com nossa capacidade de observação e perguntas, checar qual é o caso.
  → Em conjunto com a abordagem de impactos psicológicos, sociais e ocupacionais, discutida a seguir, esta é uma etapa importante para compreensão mais clara do motivo da consulta. O que inicia como "dor de cabeça" poderá transformar-se em "desejo de exame de vista" ou "medo de tumor cerebral".
  → As respostas obtidas aqui podem nos dar boas pistas sobre a saúde mental da pessoa atendida. Não por acaso há correlações entre elas e as respostas encontradas em algumas escalas de depressão ou de catastrofização, por exemplo. Isso justifica que, na prática clínica, frequentemente uma avaliação das IPE possa, inclusive, substituir o uso dessas escalas.
  → Como muitas vezes essas perguntas remetem a aspectos mais íntimos, para que soem naturais e levem a respostas significativas, é importante que só sejam feitas quando sentirmos que há uma boa

conexão entre profissional e paciente (em geral, atingida em 1 a 2 minutos de escuta ativa e perguntas abertas interessadas).
- Exemplos de formulações iniciais (complemente com os exemplos de perguntas para "sentimentos, funções, ideias e expectativas" apresentados no Capítulo Método Clínico Centrado na Pessoa):
  - "Você imaginou o que poderia ser essa dor?"
  - "Essa dormência lhe trouxe alguma preocupação específica?"
  - "O que você pensou que poderíamos fazer em relação a isso?"
- **Impacto PSO – psicológicos, sociais e ocupacionais**
  - Pode ser entendido como os impactos do quadro atual no humor, na vida social (inclusive doméstica) e no trabalho.
  - Considerando que esses três campos são extremamente vastos, é importante que sejam abordados em nível adequado, isto é, na medida em que trazem informações úteis para uma compreensão mais ampliada, mas ainda focada no quadro atual.
  - Assim como ocorre com as indagações de IPE, caso as respostas revelem outros problemas importantes (como depressão ou violência doméstica), devemos avaliar se indicam um motivo de consulta que não havia sido expresso diretamente (as chamadas "demandas ocultas") ou uma questão separada da demanda atual (que muitas vezes também pode ou deve ser abordada). Uma possível revisão do rumo da consulta pode ser feita de forma explícita, junto com a pessoa atendida, compartilhando nossa impressão com ela, ou implícita, observando suas reações.
  - Exemplos de formulações:
    - "Você acha que estar com falta de ar está afetando o seu humor? Como?"
    - "Essa mancha no rosto tem impactado as suas relações com outras pessoas?"
    - "Essas palpitações interferem no seu trabalho?"
- **Checagem de sinais de alerta**
  - A exploração de situações mais graves é feita, basicamente, por perguntas específicas que buscam as chamadas "bandeiras vermelhas", sinais de alerta da história que devem ser explicitamente excluídos.
  - Como perguntas fechadas tendem a representar uma mudança no ritmo da consulta, que até então vinha com uma narrativa mais livre, é interessante indicar a entrada nesta etapa (ver item "Sinalização", na TABELA 12.2).
  - Assim como a escolha das manobras a serem feitas no exame físico (a seguir), o ideal é que as perguntas feitas tenham razão de verossimilhança expressiva (ver Capítulo Prática da Medicina Ambulatorial Baseada em Evidências), isoladas ou em grupo. Mais claramente, devem ser feitas as perguntas que impactarão o seu raciocínio e a sua conduta. Para otimização deste momento, é possível buscar listas de sinais de alerta para cada queixa em textos específicos, e guiar-se por elas.
- **Exame físico**
  - Por mais que possa ser um passo natural, sinalizar essa transição sob a forma de uma pergunta costuma contribuir para a sensação de conforto e respeito por parte do paciente.
  - Assim como a última parte da história, a coleta de dados do exame físico deve ser feita de forma focada, buscando "o que fará diferença".
  - Na literatura, existe uma discussão sobre realizar exame físico "completo" (uma idealização impossível, em termos objetivos) ou mesmo "ampliado", sem relação com a queixa apresentada. Adotamos aqui uma postura guiada pela prevenção quaternária de não fazer rastreamentos que não tenham evidência estabelecida de benefício, inclusive por meio do exame físico. (Ver Capítulos Rastreamento de Adultos para Tratamento Preventivo e O Diagnóstico Clínico: Estratégias e Táticas.)
- **Transição para a segunda etapa da consulta**
  - É interessante observar que, ainda que considerada mais importante, mais discutida e mais estudada, a primeira fase da consulta é mais curta ou, no máximo, do mesmo tamanho que a segunda, de acordo com a maioria dos autores da área, variando de 30 a 50% do tempo total do atendimento.
  - A transição entre as etapas é uma espécie de estágio "invisível" da consulta, mas importantíssimo. Até então, engajamo-nos na coleta de informações. Agora, inverteremos o fluxo e passaremos a ser o polo mais falante, ainda que sempre observando as reações e buscando novas trocas.
  - É o momento em que confirmamos para nós mesmos que estamos aptos a converter as informações obtidas em uma devolutiva, com explicitação das nossas impressões e propostas de conduta.
  - Em poucos segundos, muitas vezes no tempo necessário para o paciente retornar da maca para a cadeira, daremo-nos por satisfeitos e demonstraremos isso por meio de nosso corpo: uma pausa, um suspiro, uma mudança na postura corporal ou no tom de voz. Faremos isso naturalmente, mas podemos marcar mais esse momento se desejarmos, sinalizando a transição com mais ênfase.
  - Se nos demorarmos demais neste hiato, criaremos um espaço no qual poderemos nos perder – a nós mesmos e a pessoa atendida –, entrando por raciocínios ou diálogos novos dos quais teremos dificuldade de sair.
  - Em toda a segunda parte, que inicia agora, utilizaremos como base as informações obtidas de IPE e PSO, de modo que nossa devolutiva esteja mais conectada ao que importa para a pessoa atendida.
- **Problema**
  - O uso do termo "problema" nos sinaliza que nem todas as consultas (nem mesmo a maioria delas) terminará com um diagnóstico específico. O fato de

que uma questão se mantém indiferenciada ou sem um rótulo bem-definido não deve ser empecilho para a devolutiva. Mesmo que haja um diagnóstico pontual possível, muitas vezes consideraremos a relação entre vantagens e desvantagens de apresentá-lo, sob pena de que traga um estigma sem benefícios, como é comum em questões de saúde mental.

→ A **identificação** do problema, a despeito de seu grau de especificidade, deve ser feita de acordo com o caso. "Uma dor na barriga sem sinais de gravidade" pode ser o suficiente, e deve ser apresentada assim. Se for o caso, em especial quando houver um diagnóstico em termos técnicos (como hipertensão ou artrite reumatoide), é interessante questionar a pessoa atendida acerca do seu entendimento do significado do termo, inclusive para pensar como será construída a explicação a ser dada em seguida.

→ A **explicação** do problema deve ser feita com linguagem apropriada, dialogando com as informações obtidas até então, e com leitura atenta das reações verbais e não verbais. Ela também deve ser feita na medida adequada, em geral breve, lembrando que não estamos em uma prova oral de conteúdo: dizer tudo que pensamos ou sabemos a respeito pode ser irrelevante ou, pior, confundir. O que realmente importa para a compreensão?

→ Em conjunto com a etapa posterior de apresentação do plano, podem ser montados roteiros para prática prévia da explicação dos problemas mais comuns, fornecendo uma base sólida a ser adaptada para cada consulta.

→ Ainda, é importante fazer uma **checagem** do entendimento do que foi apresentado. É comum as pessoas se sentirem intimidadas para dizer que não entenderam, como se isso representasse uma falha. Desconfiando de respostas positivas a perguntas genéricas, fechadas e potencialmente indutoras ("entendeu?"), pode ser útil sinalizar que queremos averiguar se está claro, para então buscar uma resposta mais complexa. Uma estratégia clássica é pedir que a pessoa explique de volta o que entendeu do que foi dito até então, ajustando a explicação conforme o necessário e, ao final, perguntando se quer saber algo mais.

→ **Plano**
  → A **apresentação** das possibilidades de conduta deve ser adaptada à realidade da pessoa e feita na forma de sugestões, mais do que de diretivas. Mais uma vez, ajuda se formos concisos e simples – com foco nas opções mais relevantes – e mantivermos o diálogo com IPE e PSO. Em geral, é melhor evitar detalhes excessivos e o relato de etapas subsequentes ("podemos pedir IgG e IgM, e se a IgM for positiva e a IgG for negativa, …e se as duas forem positivas, …e se…"), a não ser que sejam muito importantes para a decisão a ser tomada naquele momento. Descrever os principais prós e contras de cada opção pode ser útil.

  → A **pactuação** da decisão pode vir naturalmente mesclada à apresentação das opções, em especial com pessoas que estão mais à vontade. Caso isso não ocorra, pode ser útil sinalizar e fazer uma decisão explicitamente compartilhada. Por outro lado, é importante atentarmos e nos adaptarmos ao nível de compartilhamento desejado pela pessoa – há momentos em que, como pacientes, não nos sentiremos aptos a decidir, independentemente da qualidade da informação de que dispusermos.

  → A delimitação de uma **rede de segurança** deve ser parte integrante do plano, e consiste em apresentar uma estratégia para o caso de ocorrerem desfechos indesejados, como piora do quadro ou surgimento de outros sintomas, a despeito da conduta adotada. Fundamentalmente, deve ser específica e com tempo definido: "volte se piorar, ou se não melhorar" é menos útil do que "se a febre continuar depois do terceiro dia de antibiótico, ou se antes disso perceber que seu filho está mais cansado, venham aqui ou, se estivermos fechados, procurem uma emergência". A depender da complexidade do quadro, pode ser útil entregar os sinais de alerta e a conduta indicada por escrito.

→ **Encerramento:** finalmente, pode valer uma repetição curta do que foi pactuado para aumentar a retenção da informação e, quase sempre, uma despedida cordial, deixando uma boa impressão final.

Aplicando os modelos a consultas reais

Como vimos, a primeira das duas grandes etapas da consulta se concentra na coleta das informações que nos permitirá compreender e articular uma resposta à demanda da pessoa que atendemos. Conforme ela se desenrola, passamos gradativamente de um foco maior no processo, isto é, na dinâmica de troca em si, a um predomínio de conteúdo, com perguntas focadas e fechadas guiadas pela avaliação das informações já obtidas. Na realidade, processo e conteúdo se alimentam mutuamente, com um determinando a maneira como o outro se manifesta em nossas ações e pensamentos, ambos existindo a todo momento. Quando nos sentimos saciados com a informação coletada nessa primeira etapa, passamos à segunda. É importante notar aqui que estamos, portanto, buscando informação suficiente, em quantidade adequada para a situação concreta, e não uma pretensa informação completa, total. É por isso que, assim como não buscamos fazer um exame físico completo, não buscamos a chamada "anamnese completa". Quando nos focamos na prática e na pessoa atendida, percebemos que essa ideia de completude tem mais potencial de dano que de benefício.

Por outro lado, pode-se afirmar que faltam elementos essenciais no modelo apresentado. Ele se centrou na interação presencial que ocorre dentro do consultório, isto é, onde há comunicação entre duas (ou mais) pessoas. Porém, a consulta inicia antes do encontro e termina depois dele. Assim como boa parte das nossas atividades cotidianas, para além do evento em si, há uma preparação prévia e um processamento posterior a respeito do que ocorreu. Do ponto de vista de quem atende, a preparação é de si e do ambiente, incluindo avaliação das necessidades fisiológicas e da organização dos materiais, entre outros, e o processamento consiste na finalização do registro e na consideração de nosso estado emocional (atividade conhecida como *housekeeping*, ou organização da casa) e de nossas necessidades de estudo (em geral, consideradas ao fim do turno de atendimento).

Por mais etapas e detalhes que tentemos incluir, porém, devemos ter em mente que modelos são sempre simplificações, distantes da realidade como um mapa está distante do território mapeado. O próprio método de considerar um modelo de consulta, por mais útil que seja, tem limitações intrínsecas que nos levam a ressaltar a importância do estudo de mais fontes já publicadas, e da geração de outras, novas. Pode-se dizer que "pacientes não estudam as etapas da consulta", e pela própria natureza da comunicação humana, sempre poderemos nos surpreender. Se, diante da surpresa, o sentimento é de desorientação, pode ser útil nos perguntarmos "o que esta pessoa está querendo me dizer?" ou "o que será que ela está sentindo para agir assim?". Por mais que o processo não seja claro ou consciente, as ações têm suas causas.

Os modelos buscam prever os processos de causa e consequência mais comuns, mas jamais – e nem é sua pretensão – darão conta de todas as possibilidades. Da mesma maneira, uma demanda oculta que se revela no último minuto (a famosa "queixa da maçaneta") pode ser diminuída por uma boa conexão inicial e pela prevenção explícita de demandas aditivas, mas nunca eliminada. A vida não permite esse grau de controle, e devemos buscar nos aperfeiçoar no diálogo, e não dominá-lo. Dominar um diálogo é uma contradição em termos, que corresponderia a eliminar o próprio diálogo. Ter consciência disso nos liberta da perspectiva opressora de que exista uma comunicação perfeita.

Estabelecer uma sequência linear e bem-encadeada de etapas parece facilitar uma progressão suave e agradável da consulta, mas podemos nos perguntar se será assim para todos. Talvez para a senhora interiorana contemplativa, o pescador falante, o sertanejo lacônico e outras figuras arquetípicas que não carreguem as culturas de racionalismo, pressa, produtividade e separação entre relações pessoais e de trabalho, a consulta estruturada dessa forma faça menos sentido. Não, como muitas vezes se diz, por uma falta, por terem "dificuldade de compreensão" ou outras impressões de um olhar colonizador, mas por pertencerem a outras culturas. Inclusive, também podemos perguntar isso sobre os próprios profissionais de saúde brasileiros que, por mais que tenham parte de sua mentalidade mais orgulhosamente colonizada, ainda são latino-americanos. Até que ponto o que estudamos e praticamos é mais bem desenhado para uma mentalidade anglo-saxã e analítica do que para as nossas? Faltam discussões nacionais sobre o tema e propostas de novos enquadramentos.

Nada disso significa, porém, que os modelos não nos sejam úteis. Ano após ano, profissionais iniciantes se sentem perdidos em suas consultas e, gradativamente, tornam-se mais proficientes pela aplicação de abordagens como as descritas aqui. Ainda que de início se sintam pior, "incompetentes conscientes", e muitas vezes culpem o próprio modelo, que não corresponderia à vida real, será com a prática e, preferencialmente, uma boa tutoria, que perceberão a possibilidade de fazer mudanças, deixarão de dar respostas e tranquilizações precoces demais, e potencializarão o diálogo e a própria relação. O reforço positivo se instala e, mais rápido do que o previsto, o nível de competência se eleva. A confiança que é ganhada assim não deve, por outro lado, impedir incursões para fora do que já foi escrito: há muito espaço para inversões, experimentações e, inclusive, publicações.

Também é certo que há muitas situações específicas que divergem da ideia básica do modelo, o que se refere basicamente a uma consulta presencial de uma pessoa com boa capacidade cognitiva que vai sozinha à consulta. Certos perfis, eventos ou cenários exigem mudanças importantes nas habilidades de que lançamos mão para facilitar o andamento do diálogo. É bastante claro que pode representar um desafio importante atender alguém que esteja em surto psicótico, ou que seja muito calado, que chore durante a consulta ou, simplesmente, que tenha um acompanhante muito participativo. Há adaptações e sugestões descritas na literatura para algumas dessas situações e, para outras, será necessário descobrir como agir.

Um cenário que merece destaque é o dos teleatendimentos, mais especificamente das consultas remotas por áudio e vídeo. Avaliações clínicas em chamadas de voz já são realidade ao redor do mundo há muitos anos, mas em 2020 os atendimentos a distância, e em especial as ligações com uso de vídeo, tornaram-se uma realidade legalmente autorizada e mais amplamente adotada no Brasil.[7] Quando, acostumados apenas com consultas presenciais, nos aproximamos do tema pela primeira vez, alguns de nós tendem a observar mais as suas limitações: as dificuldades de exame físico, o impedimento do toque como estratégia de conexão, a perda de aspectos da linguagem não verbal, entre outras. Estas nos exigirão estratégias específicas do ponto de vista da comunicação (e não apenas deste) – maior foco na história, exame físico orientado pelo médico e realizado pela própria pessoa ou por acompanhante, hábito de olhar para a câmera para aumentar a sensação de contato visual, ajuste da posição dos dispositivos para melhor enquadramento, etc. Por outro lado, devemos observar que há potencialidades no contato remoto, a começar pelo fato de que todas as consultas serão, em alguma medida, visitas domiciliares virtuais. É possível pedir à pessoa atendida que nos mostre o ambiente em que está e observar um comportamento possivelmente mais natural dela no ambiente doméstico do que no consultório, além de acessar mais facilmente os familiares, por exemplo. É claro que, com foco na segurança da pessoa atendida, há situações em que será necessário indicar uma consulta presencial, mas também é verdade que, em alguns cenários (como em caso de dificuldade de acesso), o atendimento remoto pode mostrar-se a melhor opção. No mais, boa parte da interação se mantém semelhante à presencial, cabendo adaptações simples de modelos de consulta como o apresentado neste capítulo.

CONSIDERAÇÕES FINAIS

Para produzir um bom repertório pessoal de respostas a situações diversas, é importante considerar que o aprendizado da comunicação deve ser ativo. Não basta ler, é necessário imaginar, escrever e praticar, sozinho e com colegas. Algumas estratégias específicas muito úteis são as dramatizações, a análise de gravações de consultas e as observações diretas de colegas ou tutores. Ferramentas como *checklists*, apesar de simplistas se utilizadas isoladamente, podem servir como um bom ponto de partida para discussões mais aprofundadas. Algumas destas são úteis também para processos avaliativos.

O processo de estudar, aplicar, refletir e incorporar os benefícios dos vários modelos pode ser repetido muitas vezes, levando a um aprofundamento em espiral, em que passamos pelos mesmos temas, mas ganhamos em profundidade a cada vez. Há muitas fontes de qualidade a se conhecer, com abordagens distintas que podem corresponder melhor às nossas inclinações e interesses. Por fim, devemos nos lembrar de que as várias técnicas devem estar conectadas ao nosso mundo interno, e servir como um apoio para o desenvolvimento de nossa espontaneidade no encontro clínico.

REFERÊNCIAS

1. Adler RB, Rodman GR, Du Pré A. Understanding human communication. 13th ed. Oxford: Oxford University; 2016.
2. Moore PM, Rivera S, Bravo-Soto GA, Olivares C, Lawrie TA. Communication skills training for healthcare professionals working with people who have cancer. Cochrane Database Syst Rev. 2018;7(7):CD003751.
3. Gardner C. Medicine's uncanny valley: the problem of standardising empathy. Lancet. 2015;386(9998):1032–3.
4. Silverman J, Kurtz S, Draper J. Skills for communicating with patients. 3rd ed. London: CRC; 2016. 328 p.
5. Neighbour R. The inner consultation: how to develop an effective and intuitive consulting style. 2nd ed. London:CRC; 2004. 275 p.
6. Mehay R. Ram's "5+5" CSA consultation method [Internet]. Bradford VTS Online Resources. Bradford: CSA; c2014 [capturado em 5 maio 2021]. Disponível em: https://www.bradfordvts.co.uk/communication-skills/consultation-models/
7. Conselho Federal de Medicina. Ofício CFM nº 1756/2020 CO-JUR, de 19 de março de 2020 [capturado em 5 maio de 2021]. Disponível em: https://portal.cfm.org.br/images/PDF/2020_oficio_telemedicina.pdf

LEITURAS RECOMENDADAS

Carrió FB. Entrevista clínica: habilidades de comunicação para profissionais de saúde. Porto Alegre: Artmed; 2012
Mais focado em habilidades, como indica o título, traz conceitos e reflexões originais para situações específicas, considerando bem os aspectos emocionais do profissional. Traduzido do espanhol para o português.

McKelvey I. The consultation hill: a new model to aid teaching consultation skills. Br J Gen Pract. 2010; 60(576):538–40.
Artigo curto, ótimo para se familiarizar com um modelo de consulta simplificado. Compara o atendimento ao processo de subir e descer uma montanha. Tem apenas três páginas, sendo a primeira dispensável para a leitora que não estiver interessada em especificidades dos modelos de avaliação de consulta do Reino Unido. Em inglês.

Stewart M, Brown JB, Weston WW, McWhinney IR, McWilliam CL, Freeman TR. Medicina centrada na pessoa: transformando o método clínico. 3. ed. Porto Alegre: Artmed; 2017
Apesar de não ser um livro sobre comunicação clínica, seus conceitos compõem uma base indispensável para a aplicação adequada de habilidades e modelos. Traduzido do inglês para o português.

Wenceslau LD, Fonseca VKT, Dutra LA, Caldeira LG. Um roteiro de entrevista clínica centrada na pessoa para a graduação médica. Rev Bras Med Fam Comunidade. 2020;15(42):2154.
Uma das poucas publicações nacionais sobre o tema, parte das inadequações da anamnese tradicional para descrever um modelo de coleta de dados original voltado para a graduação. Em português.

Portal Multiplica. Disponível em: http://portalmultiplica.org/
Repositório de materiais para organização de oficinas para residentes de medicina de família e comunidade (MFC), desenvolvido pelo programa de residência em MFC da secretaria municipal de saúde do Rio de Janeiro. Inclui excelente módulo de comunicação clínica com vídeos demonstrativos. Em português.

Matthew Smith – YouTube. Disponível em: https://www.youtube.com/user/mattandhazelsmith
Canal contendo vídeos de boa qualidade, com dezenas de exemplos de consultas e discussões sobre habilidades de comunicação para candidatos à prova prática de título de especialista em MFC do Reino Unido, organizados pelo MFC e preceptor Matthew Smith. Em inglês.

Capítulo 13
AGENTES COMUNITÁRIOS DE SAÚDE

Camila Giugliani
A. Carlile H. Lavor
Míria Campos Lavor[†]
Maria Idalice Silva Barbosa
Thaíse Bernardo da Silva

Em muitos países, a incorporação de agentes comunitários de saúde (ACSs) é considerada uma estratégia importante para o desenvolvimento do sistema de saúde,[1,2] contribuindo para o alcance de melhores desfechos por meio de intervenções simples e conhecidas.[3] Na Conferência de Alma-Ata, em 1978, foi ressaltado o papel de agentes comunitários devidamente treinados para, junto com a equipe de saúde, responder às necessidades da sua comunidade. Passados 30 anos, a Conferência de Astana reforçou a mensagem, ao reconhecer a importância do trabalho de equipes multidisciplinares e capacitadas. Hoje, visando alcançar as Metas de Desenvolvimento Sustentável, no que diz respeito à saúde e ao bem-estar, a Organização Mundial da Saúde (OMS) inclui em suas recomendações o desenvolvimento e o preparo da força de trabalho, principalmente nos países menos desenvolvidos, e incentiva o aproveitamento do potencial dos ACSs dentro das equipes multiprofissionais da atenção primária à saúde (APS).

Considerando o conjunto de evidências acerca da contribuição do trabalho do ACS em ações de prevenção, promoção e assistência à saúde, e a potencialidade do trabalho desses profissionais no enfrentamento dos mais diversos problemas de saúde no mundo, o interesse mundial crescente no trabalho do ACS é notável, e o Brasil tem sido citado de maneira recorrente como exemplo bem-sucedido de política de APS com incorporação de ACSs em larga escala.[4-7] O projeto Exemplares em Saúde Global (QR Code) descreve em mais detalhes o destaque brasileiro. De fato, a presença de ACSs nas equipes de Saúde da Família tem sido reconhecida como um importante diferencial em relação a outros modelos de APS, podendo ser considerada como um dos fatores ligados aos bons resultados da Estratégia Saúde da Família (ESF) (ver Capítulo Estratégia Saúde da Família). O interesse dos países europeus pela experiência brasileira com ACS no contexto da ESF ganhou visibilidade, inclusive com a perspectiva de ser "traduzida" para países da Europa,[8,9] por exemplo, incluindo a proposta de implementação de um programa de ACS como estratégia de enfrentamento à pandemia de doença do coronavírus 2019 (Covid-19), em 2020, na Inglaterra.[10]

No Brasil, a atualização, em 2017, da Política Nacional de Atenção Básica (PNAB)[11] não definiu o número mínimo de ACSs por equipe de Saúde da Família e acrescentou novas atribuições para esses profissionais. Em meio a uma conjuntura política bastante divergente daquela dos anos 1990 e 2000 no País, é possível que se apresentem, nos próximos anos, mudanças quanto ao modo de organização da ESF, bem como em relação ao perfil e às competências dos ACSs.[12]

O AGENTE COMUNITÁRIO DE SAÚDE NO MUNDO: HISTÓRICO E DEFINIÇÃO

Há pelo menos 70 anos, conhece-se o conceito do trabalho de membros de uma comunidade na provisão de cuidados básicos de saúde para essa mesma comunidade.[2] No mundo, o termo genérico "agente comunitário de saúde" se refere a uma variedade de tipos de trabalhadores comunitários, em diferentes modalidades e com diversas tarefas, incluindo intervenções preventivas, promoção de comportamentos saudáveis, mobilização comunitária e, em alguns casos, manejo clínico de doenças prevalentes. Embora seja difícil generalizar o seu perfil, as experiências pelo mundo mostram que a identificação sociocultural com a comunidade, com forte sentimento de pertença, contribui para a real compreensão das suas necessidades, permitindo ao sistema de saúde uma atuação voltada para os determinantes sociais, no que se refere às dificuldades de acesso, à precariedade de infraestrutura e às barreiras geográficas e culturais. O saber da experiência torna a relação desses profissionais com as pessoas, o território e os serviços de saúde a característica primordial de sua atuação.[13]

As origens do ACS são antigas; introduzida em 1968 como política nacional na China, a experiência com os *barefoot doctors* (médicos descalços) atraiu o interesse da OMS. A avaliação positiva do trabalho dos *barefoot doctors*, assim como de outras experiências em meio comunitário, em diferentes lugares do mundo, enfatizou a urgência em adotar, em nível global, uma perspectiva de APS incluindo a formação de ACS.[14] Com a Conferência de Alma-Ata, a figura do ACS passou a integrar os recursos humanos da APS com os importantes pressupostos da formação adequada e do trabalho junto com outros profissionais da equipe de saúde.

De fato, vários países já estavam experimentando o trabalho do ACS nas décadas de 1960 e 1970, mas foi no final dos anos 1970 que começaram a ser implementados os programas em escala nacional.[15] Na década de 1980, o termo "agente comunitário de saúde" passou a ser usado de forma corrente, contemplando o que havia em comum entre todos os tipos de trabalhadores comunitários experimentados até então: a atuação na ampliação do acesso da população mais desassistida aos cuidados de saúde e o envolvimento de pessoas da própria comunidade nessa atuação. Com isso, as agências internacionais e os governos chegaram a duas conclusões principais: 1) as experiências demonstravam que era possível ampliar o acesso das populações mais desassistidas aos cuidados de saúde por meio de uma formação de curta duração feita com pessoas da comunidade; e 2) a diversidade de termos usados para denominar a figura do ACS refletia a grande variedade de tarefas que eles executavam.[15]

Nas décadas seguintes, a partir de experiências numerosas e diversas, a atuação do ACS foi mostrando-se, ao mesmo tempo, poderosa e vulnerável, com obstáculos importantes se impondo à sua contribuição efetiva. Uma revisão extensa da literatura, de 2007,[2] destacou os seguintes aspectos, que permanecem atuais:

→ o ACS contribui para melhorar o acesso e a cobertura de serviços básicos de saúde e, com isso, atua no desenvolvimento comunitário;
→ para que o ACS possa fazer uma contribuição efetiva, é necessário um perfil para seleção, somado à formação e à supervisão adequadas e ao apoio contínuo;
→ programas de ACS não são a solução para resolver todos os problemas de sistemas de saúde precários, nem são uma opção barata para oferecer acesso a serviços de saúde para populações carentes;
→ por sua própria natureza, programas de ACS são vulneráveis se não forem devidamente apropriados pelas comunidades, tendo relação direta com a mobilização comunitária.

Outra revisão de experiências com ACS em vários lugares do mundo[16] os categorizou em quatro tipos: 1) o **generalista**, treinado para prover cuidados preventivos e curativos, preenchendo lacunas em contextos onde há marcada escassez de recursos humanos; 2) o **especialista**, treinado com foco em uma condição específica que tenha alta prevalência no contexto; 3) uma **pessoa com determinada condição de saúde**, que possua conhecimento acumulado sobre ela, com capacidade de apoiar outros com a mesma condição; e 4) o **mediador** entre a comunidade e o serviço de saúde, que sensibiliza as pessoas em relação aos seus direitos e facilita o acesso aos serviços. O ACS no Brasil, conforme descrito adiante, enquadra-se principalmente neste último tipo.

Em 2018, uma revisão acerca do papel do ACS na APS identificou 12 funções, destacando-se: coordenação do cuidado, suporte ao paciente, avaliação de saúde, *link* entre recursos e usuários, acompanhamento das pessoas, trabalho administrativo e educação em saúde. O estudo também categorizou o papel do ACS em: serviços clínicos, conexão com recursos comunitários e educação e treinamento em saúde.[17] Para entender como os programas de ACS podem ser mais bem estruturados e operacionalizados, uma extensa revisão sobre as funções e as contribuições dos ACSs para os resultados em saúde – incluindo 75 revisões sistemáticas e 24 metanálises, a grande maioria realizada em países de médio ou baixo índice de desenvolvimento – compilou seis grupos de funções:[18] 1) fornecer serviços de diagnóstico, tratamento e outros serviços clínicos; 2) auxiliar na utilização adequada dos serviços de saúde e fazer encaminhamentos; 3) fornecer educação em saúde e motivação para mudança de comportamento aos membros da comunidade; 4) coletar e registrar dados; 5) melhorar a relação entre serviços de saúde e comunidades; e 6) fornecer apoio psicossocial. Além disso, citam-se as capacidades dos ACSs em intervenções de saúde específicas, como nos campos de saúde reprodutiva, materna, neonatal e infantil, imunização, doenças não transmissíveis (diabetes, câncer, transtornos de saúde mental, asma) e doenças infecciosas (vírus da imunodeficiência humana [HIV], malária e outras).

O AGENTE COMUNITÁRIO DE SAÚDE NO BRASIL: HISTÓRICO E DEFINIÇÃO

O ACS é uma categoria profissional desenvolvida em conjunto com a ideia do Sistema Único de Saúde (SUS), a partir do contexto de redemocratização do País e da construção de um novo modelo de atenção à saúde. Há mais de 30 anos, o Brasil vem investindo em uma política nacional envolvendo ACSs como integrantes de equipes interdisciplinares, com o importante diferencial de incorporá-los como trabalhadores formais do sistema de saúde.

As bases para o surgimento do agente comunitário de saúde

Os conhecimentos acumulados pelas ciências da saúde possibilitaram a maior participação das pessoas, das suas famílias, da sociedade e do Estado na prevenção e no controle dos problemas de saúde. Muitos deles são de aplicação fácil e direta; outros implicam mudança de costumes e do estilo de vida. Outros, ainda, necessitam de uma ação mais ampla da sociedade e do Estado para a mudança de modos de vida que se criaram e se naturalizaram a partir de uma estrutura política e social.

Nesse sentido, identifica-se o desafio do trabalho junto às pessoas e às suas famílias, sobretudo aquelas mais pobres e vulneráveis, com pouca ou nenhuma escolaridade, vivendo precariamente na área rural ou em aglomerações urbanas.

A atuação do ACS foi pensada na direção da promoção da saúde no seio da família e da comunidade, com objetivos de atuação variando de acordo com as características de cada população. Historicamente, o seu primeiro objetivo foi a redução das altas taxas de mortalidade infantil e materna, atuando na mobilização junto às mulheres para aderirem ao pré-natal, ao parto assistido, ao aleitamento materno e à puericultura, estimulando o acompanhamento da criança, e observando seu calendário de imunizações e sua curva de crescimento. No decorrer da história, constata-se que o sucesso do ACS depende de um trabalho paciente e continuado, valendo-se da sua vivência na comunidade, com espaço para a criatividade na resolução dos problemas, uma vez que a mudança cultural para introdução de novos hábitos implica mudanças nos modos de vida, o que requer um trabalho em forte parceria com as famílias e as comunidades, considerando e compreendendo seus saberes, crenças e costumes.

O início do Programa de Agentes Comunitários de Saúde

O Programa de Agentes Comunitários de Saúde (Pacs), criado em 1991 pelo Ministério da Saúde, foi fruto de uma série de experiências "embrionárias". Entre as mais relevantes, está o projeto de auxiliares de saúde, desenvolvido entre 1974 e 1978 em Planaltina, no Distrito Federal,[13] cujo objetivo era realizar ações de atenção básica na comunidade, priorizando os cuidados com as crianças e estimulando a participação e a organização do trabalho comunitário. Após a avaliação desse trabalho, a ação dos auxiliares de saúde foi relacionada com melhoras nos indicadores de saúde da população.

Outras experiências igualmente relevantes foram o Programa de Treinamento de Voluntários de Saúde, ligado ao Sistema de Saúde Comunitária Murialdo, em Porto Alegre, no Estado do Rio Grande do Sul;[19] o Projeto Montes Claros, proposto pelo Sistema Integrado de Prestação de Serviços de Saúde do Norte de Minas, em Montes Claros, no Estado de Minas Gerais, iniciado em 1975;[22] e a experiência da Pastoral da Criança, iniciada em 1983 na cidade de Florestópolis, Paraná, sendo a primeira experiência em maior escala com trabalhadores comunitários de saúde no Brasil. O objetivo da Pastoral era oferecer cuidado e aconselhamento às mães vivendo nas áreas mais pobres por meio de líderes voluntárias, quase todas mulheres, que eram treinadas para motivar as gestantes para os cuidados de pré-natal, tratar episódios de diarreia e de infecção respiratória aguda em crianças com idade < 6 anos e estimular a imunização, a amamentação e a monitorização do seu crescimento e desenvolvimento. As líderes da Pastoral não eram remuneradas e trabalhavam em tempo parcial, sem ligação formal com os serviços de saúde, cada uma acompanhando, em média, 20 famílias.[21] Posteriormente, a Pastoral se expandiu para todos os Estados brasileiros, registrando, em 2018, 50 mil gestantes e 1,46 milhão de crianças com idade < 1 ano cadastradas.[22]

Em 1987, por ocasião de uma forte seca no Ceará, cerca de 6 mil mulheres foram contratadas em 118 municípios do sertão para trabalhar como agentes de saúde, além de 235 enfermeiras supervisoras. Essas mulheres trabalharam por um período de 6 a 12 meses após terem recebido um treinamento de 15 dias. Seu trabalho incluía a promoção de cuidados de saúde junto a mães e crianças, como aleitamento materno, reidratação oral e vacinação.[23] Diante do êxito dessa experiência, a Secretaria da Saúde do Estado do Ceará começou, a partir de 1988, a implantar o Programa de Agentes de Saúde.

Essas e outras experiências despertaram interesse em todo o Brasil, e também fora do País, pela possibilidade de estender a cobertura de cuidados de saúde essenciais a populações com menos acesso, envolvendo pessoas da própria comunidade.

A partir dessa retrospectiva histórica, é importante destacar três ideias-chave presentes nessas experiências e que fundamentaram a construção do projeto mais amplo do ACS no Brasil:

→ as soluções para os problemas de saúde da população foram buscadas no âmbito familiar e comunitário;
→ a interdisciplinaridade entre os saberes médico e social o conhecimento clínico e os dados epidemiológicos foram integrados com uma abordagem que possibilitou o diálogo e a aprendizagem mútua entre saúde, educação e serviço social, por meio do reconhecimento da importância de saberes ligados à cultura e aos modos de vida da comunidade;
→ o trabalho educativo apareceu como uma ferramenta importante para o controle das doenças endêmicas e melhoria dos índices epidemiológicos.

Estudos sobre a experiência inicial do trabalho do ACS no Ceará[24,25] descreveram alguns aspectos relacionados com o seu sucesso: dedicação e compromisso com o trabalho, relação de confiança com as famílias, autonomia e iniciativa para solução de problemas. A relação de confiança entre as ACSs e suas supervisoras também merece destaque, contrapondo-se à relação autoritária e de desconfiança frequentemente encontrada entre gerentes e trabalhadores nas instituições públicas e privadas.

Estimulado pelas avaliações positivas,[23] principalmente nas duas primeiras edições da Pesquisa de Saúde Materno-Infantil do Ceará (Pesmic 1 e 2),[26] o governo brasileiro resolveu, em 1991, adotar a experiência para todos os Estados da Região Nordeste. Assim surgiu o Pacs, e começou a consolidar-se uma nova forma de promoção da saúde junto às famílias. Cada ACS acompanhava aproximadamente 100 famílias, sendo supervisionado por uma enfermeira, responsável por 20 ACSs, em média. Em 1994, quando foi criado o Programa Saúde da Família (PSF), o Pacs foi ampliado para todo o território nacional, e o ACS passou a integrar a equipe de saúde – junto com o médico, o enfermeiro e os técnicos de enfermagem – responsável pelos cuidados primários de uma população vivendo em uma área geograficamente definida.

O que estava sendo gestado desde o trabalho com os auxiliares de saúde de Planaltina era o início da transformação do modelo assistencial com foco no indivíduo para um modelo que tem a família e a comunidade como centro do cuidado, legitimando uma nova categoria profissional cuja função é alicerçada em ações de prevenção e promoção de saúde. Entre outras conquistas, o Brasil tornou-se um dos campeões mundiais na utilização de vacinas para crianças e adultos, possibilitando o controle de muitas doenças. O Pacs nasceu desse trabalho interdisciplinar e foi adquirindo substância política no contexto da implantação do SUS, que começava a funcionar de forma regionalizada, hierarquizada e descentralizada.

A legislação referente ao agente comunitário de saúde

Em 1997, ocorreu a primeira aprovação das normas e diretrizes do Pacs. A partir daí, foram vários os marcos legais instituídos (um resumo é apresentado na TABELA 13.1), entre os quais se destaca a criação da profissão de ACS, em 2002, por meio da Lei nº 10.507. O reconhecimento do ACS como categoria profissional foi uma grande conquista, o que, por sua vez, motivou iniciativas subsequentes para a superação de outros desafios, como as vinculações precárias de trabalho, o piso salarial, entre outros.

A Lei nº 11.350, de 2006, redefiniu as atividades do ACS e os requisitos que deveria preencher para o exercício da atividade: residir na área da comunidade onde vai atuar; haver concluído, com aproveitamento, curso introdutório de formação inicial e continuada; e ter concluído o ensino fundamental. A Lei nº 13.595, de 2018, apresentou algumas alterações no rol de atividades dos ACSs e determinou que devem ter concluído o ensino médio para exercer a profissão.

Além das leis específicas referentes aos ACSs, a publicação da PNAB, em 2006, definiu as atribuições do ACS dentro da equipe de saúde e reforçou a sua atuação articulada com a de outros profissionais da ESF. A PNAB foi revisada em 2011, e novamente em 2017.[11] A revisão de 2011 modificou discretamente as atribuições do ACS. Já a versão de 2017 levantou bastante discussão, por não definir número mínimo de ACSs por equipe, por facultar a presença desse profissional nas equipes de Atenção Básica (equipes que não se enquadram como equipes de Saúde da Família) e por atribuir ao agente outras funções, como aferição de pressão arterial e de glicemia, mediante curso preparatório. Conforme a PNAB de 2017, o ACS pode estar vinculado a uma equipe de Saúde da Família (pelo menos 1 por equipe), a uma equipe de Atenção Básica (presença facultativa do ACS) ou a uma Estratégia de ACS (Eacs –uma possibilidade de reorganização inicial da APS, com vistas à implantação gradual da ESF), sendo a primeira a estratégia prioritária.

AGENTE COMUNITÁRIO DE SAÚDE: UMA CARREIRA EM CONSTRUÇÃO

A dimensão da APS e do ACS no Brasil cresceu gradualmente: em dezembro de 2020, o SUS contabilizava 43.286 equipes de Saúde da Família e 257.061 ACSs,

TABELA 13.1 → Principais marcos legais relativos à história e à atuação do agente comunitário de saúde (ACS) no Brasil

DATA	LEI/PORTARIA	DESCRIÇÃO
18/12/1997	Portaria nº 1.886/GM	Primeira aprovação das normas e diretrizes do Pacs; estabelece atribuições do ACS
4/10/1999	Decreto nº 3.189	Fixa as diretrizes para o exercício da atividade de ACS
10/7/2002	Lei nº 10.507	Cria a profissão de ACS vinculada ao SUS
14/2/2006	Emenda Constitucional nº 51	Estabelece o processo seletivo público como forma de seleção dos ACSs, de acordo com a natureza e a complexidade de suas atribuições e os requisitos específicos para sua atuação
28/3/2006	Portaria nº 648/GM	Aprova a PNAB; dispõe sobre o processo de implantação das equipes de Saúde da Família, detalhando as atribuições específicas de cada categoria profissional, incluindo o ACS
5/10/2006	Lei nº 11.350	Reafirma o exercício profissional do ACS vinculado exclusivamente ao SUS e define atribuições do ACS; revoga a Lei nº 10.507/2002
19/10/2006	Portaria nº 2.527	Define os conteúdos mínimos do Curso Introdutório para profissionais de saúde da Família
15/5/2009	Projeto de lei do Senado nº 196	Institui o piso salarial profissional nacional dos ACSs e dos ACEs
4/2/2010	Emenda Constitucional nº 63	Cria direito ao piso salarial nacional e ao plano de carreira dos ACSs
4/5/2010	Portaria nº 1.007/GM	Define critérios para regulamentar a incorporação do ACE na APS para fortalecer as ações de vigilância em saúde junto às equipes de Saúde da Família
21/10/2011	Portaria nº 2.488/GM	Primeira atualização da PNAB
28/2/2014	Portaria nº 314/GM	Fixa o valor do incentivo de custeio referente à implantação de ACSs
17/6/2014	Lei nº 12.994/GM	Altera a Lei nº 11.350/2006, para instituir piso salarial profissional nacional (R$ 1.014,00) e diretrizes para o plano de carreira dos ACSs e dos ACEs
22/6/2015	Decreto nº 8.474	Regulamenta o piso salarial dos ACSs e dos ACEs e define o incentivo financeiro da União para fortalecer as atividades de ACS e ACE
21/9/2017	Portaria nº 2.436/GM	Segunda atualização da PNAB
5/1/2018	Lei nº 13.595/GM	Altera a Lei nº 11.350/2006 para dispor sobre a reformulação das atribuições, a jornada e as condições de trabalho, o grau de formação profissional, os cursos de formação técnica e continuada e a indenização de transporte dos profissionais ACSs e ACEs
10/1/2018	Portaria nº 83	Institui o Profags, para oferta de curso de formação técnica em enfermagem para ACSs e ACEs no âmbito do SUS, para o biênio de 2018-2019
14/8/2018	Lei nº 13.708/GM	Altera a Lei nº 11.350/2006 para modificar normas que regulam o exercício profissional dos ACSs e dos ACEs
07/12/2020*	Portaria GM/MS nº 3.241	Institui o Programa Saúde Com Agente, destinado à formação técnica dos Agentes Comunitários de Saúde e dos Agentes de Combate às Endemias.

ACE, agente de combate a endemias; APS, atenção primária à saúde; ESF, Estratégia Saúde da Família; GM, Gabinete do Ministro; Pacs, Programa de Agentes Comunitários de Saúde; PNAB, Política Nacional de Atenção Básica; Profags, Programa de Formação Técnica para Agentes de Saúde; SUS, Sistema Único de Saúde.
*Alterada pela Portaria GM/MS nº 569 de 29 de março de 2021, relativo a questões de preceptoria, ferramentas pedagógicas e incentivos financeiros no âmbito do Programa Saúde Com Agente.

proporcionando cobertura de APS para 133 milhões (63,62%) de brasileiros.[28] Pelo seu tamanho sem precedentes e pela característica de categoria profissional formal, o Pacs/Eacs e a ESF vêm sendo reconhecidos no mundo como exemplo de estratégia de APS.[4]

Um estudo realizado em 2010 pela OMS[7] aplicou um escore para avaliar programas de ACS[28] em 8 países (Brasil, Haiti, Etiópia, Moçambique, Uganda, Bangladesh, Paquistão e Tailândia), destacando o Brasil como o mais bem avaliado.

Perfil do agente comunitário de saúde e suas atribuições

O ACS conduz as famílias para a construção de uma vida mais saudável. Pode ser considerado um pedagogo, no sentido original grego de condutor. Para a criação de uma nova prática, é necessário muito mais do que levar uma informação. É preciso respeitar e dialogar com a cultura, envolvendo crenças e costumes, com a ideia de ampliar saberes e desenvolver conhecimentos que ajudem a conquistar mais saúde, sempre considerando a sua determinação social, diante de dificuldades como a pouca escolarização, a falta de acesso aos serviços de saúde e o precário saneamento, bem como dificuldades financeiras das famílias e a fragilidade da organização comunitária.

Outra característica importante do ACS é a sua responsabilidade baseada no território. O ACS reside na microárea onde atua e acompanha as pessoas que vivem em uma determinada área geográfica. O número de famílias pode variar, dependendo das distâncias a serem percorridas para acompanhá-las e da gravidade dos problemas sociossanitários encontrados. Uma bicicleta ou motocicleta podem melhorar o desempenho do ACS na zona rural. Índice de desenvolvimento humano (IDH) baixo, saneamento precário e famílias muito numerosas são fatores para a limitação do número de pessoas ou famílias acompanhadas por cada ACS.

Um traço marcante da responsabilidade do ACS é a sua maior proximidade com as famílias ou com as pessoas, possibilitando identificar aquelas em maior risco relacionado à saúde e que necessitam de atenção da equipe: um adolescente que está se aproximando de traficantes ou abusando de drogas, uma criança que está abandonando a escola, uma pessoa em situação de rua, um idoso que recebe pouca atenção da sua família ou uma mulher grávida sem família para apoiá-la.

Solidariedade e confiança são aspectos relevantes no trabalho do ACS, uma vez que são próprios da cultura em que se vive. Fortalecer os vínculos sociais por meio da confiança possibilitou o diálogo entre o ACS e as famílias, dando espaço à ação solidária, que se apresenta como forte mediadora da aprendizagem mútua – por exemplo, ajudar nos afazeres domésticos de uma mãe nos primeiros dias de puerpério durante uma visita domiciliar, enquanto conversa e compartilha orientações sobre a importância do aleitamento materno.

Outro diferencial marcante da atuação dos ACSs consiste em defender, junto aos serviços de saúde ou outros setores da administração pública, o atendimento às necessidades básicas das famílias de sua comunidade. A administração municipal, por sua vez, também solicita o apoio dos ACSs em muitas ocasiões, pelo conhecimento e confiança que eles têm das famílias. Os ACSs selecionados, segundo critérios preestabelecidos, que cumprem com regularidade e sob supervisão suas atribuições, contribuem para a melhoria das condições de saúde de sua população adscrita e tornam o SUS mais solidário e equitativo. Vale ressaltar que o envolvimento partidário dos ACSs nas disputas políticas tende a prejudicar as suas atividades.

Segundo a PNAB de 2017, "o número de ACSs por equipe deverá ser definido de acordo com base populacional, critérios demográficos, epidemiológicos e socioeconômicos, de acordo com definição local. Em áreas de grande dispersão territorial, áreas de risco e vulnerabilidade social, recomenda-se a cobertura de 100% da população, com número máximo de 750 pessoas por ACS". O número de pessoas por equipe de Saúde da Família varia de 2.000 a 3.500, de acordo com as vulnerabilidades, os riscos e a dinâmica da comunidade.[11]

As atividades do ACS foram definidas oficialmente, pela primeira vez, na PNAB de 2006:
→ utilização de instrumentos para diagnóstico demográfico e sociocultural da comunidade;
→ promoção de ações de educação individual e coletiva;
→ registro, para fins exclusivos de controle e planejamento das ações de saúde, de nascimentos, óbitos, doenças e outros agravos à saúde;
→ estímulo à participação da comunidade nas políticas públicas voltadas para a área da saúde;
→ realização de visitas domiciliares periódicas para monitoramento de situações de risco à família;
→ participação em ações que fortaleçam os elos entre o setor da saúde e outras políticas que promovam a qualidade de vida.

Em 2018, mantêm-se essas atribuições; porém, o item "promoção de ações de educação individual e coletiva" desapareceu no seu formato amplo, sendo realocado dentro das atividades relacionadas às visitas domiciliares, as quais foram detalhadas assim:
→ realização de visitas domiciliares regulares e periódicas para acolhimento e acompanhamento:
  → da gestante, no pré-natal, no parto e no puerpério;
  → da lactante, nos 6 meses seguintes ao parto;
  → da criança, verificando seu estado vacinal e evolução de seu peso e altura;
  → do adolescente, identificando suas necessidades e motivando sua participação em ações de educação em saúde;
  → da pessoa idosa, desenvolvendo ações de promoção de saúde e de prevenção de quedas e acidentes domésticos e motivando sua participação em atividades físicas e coletivas;
  → da pessoa em sofrimento psíquico;
  → da pessoa com dependência química de álcool, de tabaco ou de outras drogas;
  → da pessoa com sinais ou sintomas de alteração na cavidade bucal;
  → dos grupos homossexuais e transexuais, desenvolvendo ações de educação para promover a saúde e prevenir doenças;
  → da mulher e do homem, desenvolvendo ações de educação para promover a saúde e prevenir doenças;
→ realização de visitas domiciliares regulares e periódicas para identificação e acompanhamento:
  → de situações de risco à família;
  → de grupos de risco com maior vulnerabilidade social, por meio de ações de promoção da saúde, de prevenção de doenças e de educação em saúde;
  → do estado vacinal da gestante, da pessoa idosa e da população de risco, conforme sua vulnerabilidade e em consonância com o previsto no calendário nacional de vacinação.

Além disso, hoje em dia, o ACS também é responsável pelo acompanhamento de condicionalidades de programas sociais, em parceria com os Centros de Referência de Assistência Social (Cras).

Outra mudança veio com a PNAB de 2017: a possibilidade de novas atribuições para os ACSs, como aferição de pressão arterial e medição de glicemia capilar, desde que respeitadas algumas condições. Além disso, a referida portaria orientou que as atividades dos ACSs e dos agentes de combate a endemias (ACEs) fossem integradas; no entanto, uma parte das atividades desses agentes foi mantida como específica, tanto para os ACSs como para os ACEs. Na **TABELA 13.2**, estão apresentadas, detalhadamente, essas atribuições.

Essas atribuições, apesar de abrangentes, colocam claramente a atuação do ACS em um âmbito de ação ligado ao território e à proximidade com as famílias. Nesse sentido, a realização de visitas domiciliares tem papel de destaque, podendo ser considerada a principal atividade do ACS. O Ministério da Saúde define visita domiciliar como uma competência profissional do ACS e a especifica como "capacidade de identificar a família e seu espaço social como núcleo básico para desenvolver ações de prevenção e monitoramento da saúde e prevenção da doença".[29] Apesar do envolvimento do ACS em ações educativas individuais e coletivas na unidade básica de saúde (UBS), o cenário de prática principal do ACS é fora da unidade, nos espaços da comunidade, sobretudo nas casas das famílias.

A definição das atribuições do ACS, assim como a maneira de colocá-las, é fundamental para organizar o seu trabalho junto às famílias de modo integrado ao funcionamento da equipe de Saúde da Família. Ainda assim, por ser abrangente, pode dar margem a diferentes modos de execução, o que pode ser bom (para adaptar as atividades ao contexto local) ou ruim (pode haver perda da especificidade do trabalho do ACS e distanciamento do seu caráter original), dependendo do contexto no qual o trabalho está sendo desempenhado.

Resgatando aspectos históricos, o trabalho dos ACSs iniciou com objetivos claros definidos pelo sistema de saúde, como a redução da mortalidade infantil. Com o desenvolvimento do seu trabalho, eles começaram a identificar outros problemas importantes na comunidade, cuja dimensão ainda não havia sido percebida pelos profissionais das unidades de saúde. Historicamente, ficou clara a importância de os ACSs terem objetivos bem-estabelecidos para suas funções, possibilitando um trabalho com autonomia e criatividade, baseado no compromisso da adesão a esses objetivos, sem necessidade de seguir protocolos rígidos,

TABELA 13.2 → Atribuições do agente comunitário de saúde (ACS) e do agente de combate a endemias (ACE), segundo a Política Nacional de Atenção Básica (PNAB), Portaria nº 2.436/2017

Atribuições comuns dos ACSs e dos ACEs

I. Realizar diagnóstico demográfico, social, cultural, ambiental, epidemiológico e sanitário do território em que atuam, contribuindo para o processo de territorialização e mapeamento da área de atuação da equipe
II. Desenvolver atividades de promoção da saúde, de prevenção de doenças e agravos, em especial aqueles mais prevalentes no território, e de vigilância em saúde, por meio de visitas domiciliares regulares e de ações educativas individuais e coletivas, na UBS, no domicílio e em outros espaços da comunidade, incluindo a investigação epidemiológica de casos suspeitos de doenças e agravos, junto a outros profissionais da equipe quando necessário
III. Realizar visitas domiciliares com periodicidade estabelecida no planejamento da equipe e conforme as necessidades de saúde da população, para o monitoramento da situação das famílias e indivíduos do território, com especial atenção às pessoas com agravos e condições que necessitem de maior número de visitas domiciliares
IV. Identificar e registrar situações que interfiram no curso das doenças ou que tenham importância epidemiológica relacionada aos fatores ambientais, realizando, quando necessário, bloqueio de transmissão de doenças infecciosas e agravos
V. Orientar a comunidade sobre sintomas, riscos e agentes transmissores de doenças e medidas de prevenção individual e coletiva
VI. Identificar casos suspeitos de doenças e agravos, encaminhar os usuários para a unidade de saúde de referência, registrar e comunicar o fato à autoridade de saúde responsável pelo território
VII. Informar e mobilizar a comunidade para desenvolver medidas simples de manejo ambiental e outras formas de intervenção no ambiente para o controle de vetores
VIII. Conhecer o funcionamento das ações e serviços do seu território e orientar as pessoas quanto à utilização dos serviços de saúde disponíveis
IX. Estimular a participação da comunidade nas políticas públicas voltadas para a área da saúde
X. Identificar parceiros e recursos na comunidade que possam potencializar ações intersetoriais de relevância para a promoção da qualidade de vida da população, como ações e programas de educação, esporte e lazer, assistência social, entre outros
XI. Exercer outras atribuições que lhes sejam atribuídas por legislação específica da categoria, ou outra normativa instituída pelo gestor federal, municipal ou do Distrito Federal

Atribuições específicas dos ACSs

I. Trabalhar com adscrição de indivíduos e famílias em base geográfica definida e cadastrar todas as pessoas de sua área, mantendo os dados atualizados no Siab vigente, utilizando-os de forma sistemática, com apoio da equipe, para a análise da situação de saúde, considerando as características sociais, econômicas, culturais, demográficas e epidemiológicas do território, e priorizando as situações a serem acompanhadas no planejamento local
II. Utilizar instrumentos para a coleta de informações que apoiem no diagnóstico demográfico e sociocultural da comunidade
III. Registrar, para fins de planejamento e acompanhamento das ações de saúde, os dados de nascimentos, óbitos, doenças e outros agravos à saúde, garantido o sigilo ético
IV. Desenvolver ações que busquem a integração entre a equipe de saúde e a população adscrita à UBS, considerando as características e as finalidades do trabalho de acompanhamento de indivíduos e grupos sociais ou coletividades
V. Informar os usuários sobre as datas e os horários de consultas e exames agendados
VI. Participar dos processos de regulação a partir da atenção básica para acompanhamento das necessidades dos usuários no que diz respeito a agendamentos ou desistências de consultas e exames solicitados
VII. Exercer outras atribuições que lhes sejam atribuídas por legislação específica da categoria, ou outra normativa instituída pelo gestor federal, municipal ou do Distrito Federal

Poderão ser consideradas, ainda, atividades do ACS, a serem realizadas em caráter excepcional, assistidas por profissional de saúde de nível superior, membro da equipe, após treinamento específico e fornecimento de equipamentos adequados, em sua base geográfica de atuação, encaminhando o paciente para a unidade de saúde de referência:

I. aferir a pressão arterial, inclusive no domicílio, com o objetivo de promover saúde e prevenir doenças e agravos
II. realizar a medição da glicemia capilar, inclusive no domicílio, para o acompanhamento dos casos diagnosticados de diabetes melito e segundo projeto terapêutico prescrito pelas equipes que atuam na atenção básica
III. aferição da temperatura axilar, durante a visita domiciliar
IV. realizar técnicas limpas de curativo, que são realizadas com material limpo, água corrente ou soro fisiológico e cobertura estéril, com uso de coberturas passivas, que somente cobre a ferida
V. orientação e apoio, em domicílio, para a correta administração da medicação do paciente em situação de vulnerabilidade

Atribuições específicas dos ACEs

I. Executar ações de campo para pesquisa entomológica, malacológica ou coleta de reservatórios de doenças
II. Realizar cadastramento e atualização da base de imóveis para planejamento e definição de estratégias de prevenção, intervenção e controle de doenças, incluindo, dentre outros, o recenseamento de animais e levantamento de índice amostral tecnicamente indicado
III. Executar ações de controle de doenças utilizando as medidas de controle químico, biológico, manejo ambiental e outras ações de manejo integrado de vetores
IV. Realizar e manter atualizados os mapas, croquis e o reconhecimento geográfico de seu território
V. Executar ações de campo em projetos que visem avaliar novas metodologias de intervenção para prevenção e controle de doenças
VI. Exercer outras atividades que lhes sejam atribuídas por legislação específica da categoria, ou outra normativa instituída pelo gestor federal, municipal ou do Distrito Federal

Siab, Sistema de Informação da Atenção Básica; UBS, unidade básica de saúde.
Fonte: Brasil.[11]

---

aproveitando todo o conhecimento que eles têm sobre as famílias que acompanham.

Dessa forma, no desenvolvimento do seu trabalho, os ACSs podem passar a trabalhar com temas cada vez mais complexos, relevantes na comunidade em que atuam, como obesidade, abuso de drogas e violência, desde que sejam formados para essas novas atividades. Melhorar os hábitos alimentares, motivar para a prática de atividade física e proteger a saúde mental são exemplos de ações em que os ACSs podem dar uma contribuição importante. No decorrer da sua atuação, espera-se que os ACSs acumulem um grande capital social, obtenham o reconhecimento das famílias e estabeleçam boas relações com a equipe de saúde, para que novos objetivos de trabalho e novas tarefas possam ser priorizados de acordo com as necessidades e os problemas identificados.

A escolaridade do ACS aumentou muito desde o início dos anos 2000: de 18,2% em 2003, para 70,97% em 2015, com ensino médio completo; e de 0,6% a 12,71% com ensino superior completo.[30] Muitos ACSs continuam estudando enquanto trabalham e demonstram um anseio de profissionalização e de novas oportunidades.[31] Considerando esses dados, a definição de um perfil de profissional que contemple os saberes socioculturais e o compromisso social com a comunidade, para além dos conhecimentos de saúde, torna-se ainda mais importante para não descaracterizar o ACS da sua essência como trabalhador comunitário.

As mudanças no processo de trabalho dos ACSs, desde o seu ingresso no PSF, em 1994, evocam uma transição que fortalece a convergência do seu papel de profissional formal do sistema de saúde com aquele de trabalhador comunitário. Cabe ressaltar a tensão entre as categorias de ACS e dos profissionais de enfermagem, existente desde o surgimento do ACS como trabalhador do SUS, quando era vedado ao ACS o desenvolvimento de atividades típicas do serviço interno das unidades de saúde. Hoje, com a PNAB de 2017 e as novas atribuições possíveis para o ACS, essa tensão volta a ganhar visibilidade.

Outra discussão que merece menção diz respeito ao movimento do ACS de fora (da comunidade) para dentro (da unidade de saúde). Ao mesmo tempo em que esse movimento reforça o lugar do ACS como membro da equipe de saúde, ele o distancia das suas atividades no território, reduzindo seu tempo para isso. A participação crescente do ACS em atividades diversas dentro das unidades, como auxílio em tarefas administrativas, incluindo o acompanhamento das condicionalidades de programas sociais, e "filtro" no acolhimento aos usuários, coloca em voga a polivalência e a flexibilidade do trabalho do ACS, com o risco de redirecionar o seu trabalho educativo e reflexivo com base no território, para a execução de tarefas de menor complexidade pertinentes ao serviço.[31]

O agente comunitário de saúde como mediador

Desde a implantação do Pacs como política nacional, a função do ACS vem sendo definida como elo entre a comunidade e os serviços de saúde. As particularidades envolvidas na sua atuação o colocam em condição de profissional *sui generis*, diferenciando-se pela importância do papel social que exerce ao atuar como mediador: "elo entre os objetivos das políticas sociais e os objetivos próprios ao modo de vida da comunidade; entre as necessidades de saúde e outros tipos de necessidades das pessoas; entre o conhecimento popular e o conhecimento científico; entre a capacidade de autoajuda própria da comunidade e os direitos sociais garantidos pelo Estado".[32] Elo entendido não somente como simples ligação, mas como integração. A partir das suas atribuições, é possível constatar que o trabalho do ACS transcende o campo da saúde, uma vez que requer atenção a múltiplos aspectos das condições de vida da população.

Outro aspecto fundamental ligado ao perfil do ACS consiste nas habilidades de comunicação, pela necessidade de estabelecimento de diálogo verdadeiro e compartilhamento de saberes, tanto com a comunidade quanto com os demais profissionais da equipe. A boa comunicação com as pessoas é essencial para diminuir barreiras à aproximação entre serviços de saúde e comunidade, considerando diferenças culturais e disparidades sociais que resultem na falta de acesso, geralmente da população mais pobre e vulnerável, aos serviços de saúde. O ACS que se comunica bem também ajuda seus colegas da equipe a entender melhor o que está acontecendo na comunidade, como um facilitador do diálogo entre o setor da saúde e a cultura social.

Assumindo-se que o ACS desempenha um trabalho educativo – e isso está claro no rol das suas atribuições –, tem-se o diálogo como fundamento para o seu trabalho. Desde a perspectiva da educação popular em saúde, considera-se o saber das pessoas sobre as experiências de adoecimento e de cura como ponto de partida do processo educativo. Alguns autores defendem que ver o ACS como um educador popular tem potencial para fortalecer o seu papel mediador na transformação das práticas de saúde.[33,34] No entanto, o caráter transformador da sua prática depende também de uma permeabilidade maior dos serviços e das equipes com relação às necessidades da população e à atuação do ACS em si.

Outra questão que evoca a complexidade em torno do trabalho do ACS é a privacidade das informações relativas aos usuários do serviço, que se pauta pelo fato de o ACS ser morador da comunidade e ao mesmo tempo membro da equipe de saúde. Se, por um lado, a proximidade com as pessoas favorece o estabelecimento de vínculo e a identificação entre ACS e pessoas da comunidade, essa mesma proximidade pode gerar constrangimento pela questão da privacidade (acesso a informações que deveriam ser de uso restrito do serviço de saúde) e até risco para os ACSs que vivem em áreas com altos índices de violência.[35] Existe um amplo debate sobre esse assunto, suscitando inclusive a discussão sobre a obrigatoriedade de o ACS ser morador da área.

Assim, considera-se, no atual contexto, em que o ACS integra as equipes de Saúde da Família, que o seu papel vai além da função de elo entre comunidade e serviço de saúde, facilitando também a ligação entre saberes. O ACS tem habilidades e competências específicas no trabalho em saúde. Essa compreensão coloca o ACS como profissional com necessidade de formação específica, condições de trabalho e remuneração adequadas, da mesma forma que outros profissionais do sistema de saúde.

SELEÇÃO DO AGENTE COMUNITÁRIO DE SAÚDE

Uma vez que o processo seletivo se dá no nível do município, é importante que haja critérios estabelecidos, que sejam relevantes localmente e tornem viável a seleção e a contratação de bons ACSs.

No início do Pacs, no Ceará, aplicou-se um modelo de seleção constituído por três etapas:[24,25]

1. **preenchimento individual de um formulário** com perguntas sobre aspectos pessoais (características da sua família, da sua moradia, como costuma ser a sua rotina, o que gosta de fazer, etc.) **(FIGURA 13.1)**.
2. **entrevista em grupo:** discutir sobre expectativas do ACS com o trabalho, suas atribuições e compromisso com a comunidade. Em grupo, pode-se observar melhor como as pessoas se relacionam. Essa etapa deve ser facilitada por um profissional que domine a condução de atividades em grupo;
3. **entrevista individual:** abordar motivações do candidato para o trabalho de ACS, por que seria ele um bom ACS, qualificações do candidato, participação em atividades comunitárias (associações comunitárias, orçamento participativo, conselho de saúde, etc.).

FORMULÁRIO DE INSCRIÇÃO PARA SELEÇÃO DE AGENTES COMUNITÁRIOS DE SAÚDE

Nome:_____

Idade:_____

Endereço:_____
_____

1. Há quanto tempo você mora neste endereço? Você morava onde antes de mudar-se para o atual endereço?

2. Com quem você mora atualmente? Você tem filhos? Quantos? Qual a idade dos seus filhos?

3. Até que ano você estudou? (contar até o último ano que concluiu)

4. Você já participou de alguma atividade comunitária em seu bairro? Qual? Conte-nos como foi.

5. Como costuma ser sua rotina diária?

6. O que você mais gosta de fazer? O que você costuma fazer como lazer?

7. Há opções de lazer em seu bairro? Quais?

8. O que você identifica como as maiores necessidades atualmente em seu bairro?

9. Por que você quer ser um agente comunitário de saúde (ACS)?

10. Quais são, na sua opinião, as características que um ACS deve possuir?

11. Caso seja selecionado, qual seria o melhor horário para você fazer o curso introdutório: manhã ou tarde?

FIGURA 13.1 → Formulário de inscrição para seleção de agentes comunitários de saúde.

Apesar de muitas mudanças terem ocorrido na gestão dos ACSs desde então, este ainda é um bom modelo para guiar o modo de seleção dos agentes, ao menos para auxiliar na definição de critérios e informações a serem valorizadas. A seleção é (ou, pelo menos, deveria ser) uma etapa crucial para o sucesso do trabalho do ACS. O processo seletivo deve não só garantir clareza quanto às atribuições, mas também dar ênfase à importância de um perfil de liderança que demonstre compromisso com a comunidade. Deve ser isento de quaisquer formas de clientelismo ou favoritismo, valorizando a função do ACS no SUS, reconhecendo as seguintes características: responsabilidade, gentileza, capacidade de liderança na comunidade, sentimento de pertença, legítimo interesse na vida coletiva da comunidade, vontade de aprender, abertura para novas ideias, compreensão e respeito dos costumes e crenças das pessoas e habilidades de comunicação.[24,25]

Percebe-se, pelo Brasil afora, que os pressupostos originalmente usados se desvirtuaram, e as seleções de ACSs já não garantem a sua identificação sociocultural com a comunidade, tampouco o seu sentimento de pertença. Essas características se desconfiguraram no mundo interconectado e globalizado de hoje, tornando mais complexas essas definições. Assim, o processo formativo contínuo assume papel imperativo no desenvolvimento e no fortalecimento do trabalho do ACS, mediante processos educativos baseados em competências não apenas técnicas, centradas em conteúdo de saúde, mas também em habilidades nos campos da psicologia social e comunitária e do serviço social, trabalhando afetividade, empatia e solidariedade na abordagem da relação das pessoas com seu lugar de nascimento e moradia.

As diretrizes sobre programas de ACS da OMS, lançadas em 2018, recomendam adotar os seguintes critérios para seleção de ACSs:

→ nível educacional mínimo, considerando a atividade a ser desenvolvida;
→ aceitação pela comunidade em que vai trabalhar;
→ equidade de gênero, apropriada ao contexto;
→ características pessoais, capacidades, valores e experiências profissionais e de vida (p. ex., habilidades cognitivas, integridade, motivação, habilidades interpessoais, demonstração de compromisso com o trabalho comunitário e com o serviço público de saúde).

Em relação ao ingresso no trabalho e à vinculação institucional, no Brasil, a Emenda Constitucional nº 51 determinou, em 2006, a admissão de ACSs por meio de processo seletivo público, e a Lei nº 11.350, no mesmo ano, dispôs que esse processo seletivo fosse "de provas ou de provas e títulos, de acordo com a natureza e a complexidade de suas atribuições e requisitos específicos para o exercício das atividades, que atenda aos princípios de legalidade, impessoalidade, moralidade, publicidade e eficiência".

Além disso, o agente deve ser submetido ao regime jurídico estabelecido pela Consolidação das Leis do Trabalho (CLT), sendo modificado apenas caso os Estados, o Distrito Federal e os municípios possuam lei diversa. Em muitos municípios, os ACSs passaram a ser contratados como estatutários ou empregados públicos, via CLT. A maioria dos ACSs é contratada por meio de concurso público e, secundariamente, por seleção pública. No entanto, destaca-se o fato de cidades como São Paulo, Rio de Janeiro e Porto Alegre realizarem a contratação desses profissionais via Organizações Sociais (OS) ou afins, diferentemente do previsto em lei para contratação.

Desde o seu surgimento, o ACS passou de uma situação de informalidade para um reconhecimento formal de seu papel como trabalhador de saúde do SUS. Essa condição possibilitou outras conquistas a essa classe profissional, bem como a sua organização e a desprecarização da sua remuneração e forma de contratação.[30,36,37] A pesquisa realizada por Pinto e colaboradores, de 2015, demonstrou mudanças positivas: 55,5% dos ACSs são contratados como estatutários no Brasil (22,54% na Região Sudeste) e 26,3% como empregados públicos via CLT (27,23% na Região Sudeste); 54% ingressaram no trabalho por meio de concurso público e 27,2% via seleção pública.[30]

FORMAÇÃO DO AGENTE COMUNITÁRIO DE SAÚDE

A falta de formação é uma das características do panorama de qualificação profissional do ACS no Brasil.[37] A pesquisa de Pinto e colaboradores identificou que 85% desses profissionais foram capacitados para o trabalho por meio do curso introdutório (72%) e da formação técnica (36%), mostrando que a sua formação se deu após o ingresso no SUS.[30]

Fundamentos e métodos para a formação do agente comunitário de saúde

A formação do ACS no Ceará lançou mão das ideias de Paulo Freire, Safira Ammann e Lauro de Oliveira Lima, com o uso de técnicas e dinâmicas grupais que facilitavam a aprendizagem e a comunicação, diminuindo as barreiras entre as linguagens médico-científica e popular e ajudando as pessoas a se sentirem à vontade para manifestar pensamentos, discutir ideias e buscar soluções para os problemas. Um dos aspectos fundamentais da formação consiste em fortalecer o vínculo socioafetivo com a comunidade, pré-requisito para uma boa comunicação, possibilitando um trabalho voltado para a mudança comportamental e cultural na comunidade, com base na confiança e na compreensão, e não na mera imposição, pelo medo ou pela força.

À medida que as questões de saúde extrapolavam os muros do serviço de saúde, necessariamente era preciso buscar uma formação interdisciplinar para compreender como cuidar da saúde no contexto comunitário. A compreensão da dinâmica comunitária, o uso de técnicas de inserção em grupos comunitários e o domínio das dinâmicas de animação e participação faziam o saber social ser parte integrante dessa nova forma de compreender a saúde. As atividades eram norteadas pelo conceito de animação: animar significa dar alma a algo, dar sentido, força, entusiasmo. Significa gostar do encontro e do trabalho juntos, reconhecendo a presença e dando voz ao outro, ser parte e tomar parte da ação.

No início, o trabalho do ACS, assim como a sua formação, era direcionado principalmente a mães e crianças. Hoje, os ACSs desenvolvem atividades educativas e de promoção da saúde junto a outros grupos populacionais, como pessoas com diabetes e hipertensão. Os principais problemas de saúde da atualidade, as doenças crônicas (incluindo os problemas de saúde mental) e a violência, junto com as doenças infecciosas que persistem, trazem novos desafios para a atuação do ACS.

A formação dos ACSs se dá em dois setores principais do conhecimento: o da saúde e o do trabalho social junto às famílias. Requer habilidades para trabalhar em equipe, bem como apreender técnicas de entrevista, de visita domiciliar, de reuniões de grupos e de mobilizações comunitárias. A formação desse profissional valoriza saberes e vivências prévias para construir um conhecimento que promova a autonomia na aprendizagem, incluindo as experiências dos próprios ACSs, que serão trabalhadas junto ao conteúdo teórico com metodologias ativas que favoreçam a participação, estimulando a animação e a integração grupal, para construir novos caminhos e fomentar a mediação transformadora desse profissional no SUS.[38,39] Sua formação requer, portanto, o uso de técnicas de problematização da realidade, conceitos e histórias, estimulando um trabalho comunitário participativo, crítico e reflexivo, com abertura para inclusão de novas atividades e temáticas que surjam ao longo do processo, a partir das vivências dos próprios ACSs. Nessa linha, muitos autores defendem a educação popular como eixo estruturante da formação dos ACSs.[33,34]

Curso técnico de agente comunitário de saúde

Em 2004, o Ministério da Educação e o Ministério da Saúde publicaram o referencial curricular para curso técnico de ACS,[40] (FIGURA 13.2) com o objetivo de subsidiar as escolas técnicas na elaboração do seu próprio plano de curso e do currículo de formação, reafirmando a intenção governamental de associar a educação profissional à elevação de escolaridade do ACS.[41] Competia aos Estados e aos municípios organizar o curso técnico de ACS de acordo com o referencial, junto à escola técnica competente. Apesar de não ter sido implementado como política nacional, a formação dos ACSs foi realizada em alguns locais. O curso proposto em 2004 oferecia uma abordagem ampla, que, além dos conhecimentos técnicos, proporcionava uma perspectiva política, incluindo a compreensão do processo de determinação social de saúde.[31] Embora os serviços de saúde exijam profissionais cada vez mais qualificados para enfrentar as demandas em saúde da população, a formação técnica dos ACSs foi perdendo importância na agenda política nacional. Muitos ACSs foram buscando, por conta própria, aumentar o seu nível de escolaridade.[37]

Em 2018, a Portaria nº 83 instituiu o Programa de Formação Técnica para Agentes de Saúde (Profags), para oferta de curso de formação técnica em enfermagem para ACS e ACE no âmbito do SUS. Entre seus objetivos, estão: estimular a formação de agentes de saúde no curso técnico de enfermagem, considerando as especificidades regionais, as necessidades locais e a capacidade de oferta institucional de ações técnicas de educação na saúde; e contribuir para a ampliação do escopo de práticas na atenção básica, com vistas

---

A partir de alguns pressupostos, o referencial curricular agrupou as competências profissionais do ACS em três âmbitos, sendo que cada um deles incorpora três dimensões do saber: saber-ser, saber-conhecer e saber-fazer **(FIGURA 13.3)**. O saber-ser (produção de si) é considerado transversal a todas as competências.

O curso técnico está estruturado com uma carga horária mínima de 1.200 horas, incluindo horas de prática profissional, distribuídas em três etapas:

→ **Etapa I** – formação inicial: contextualização, aproximação e dimensionamento do problema. O perfil social do técnico ACS e seu papel no âmbito da equipe multiprofissional da rede básica do SUS – carga horária de 400 horas.

→ **Etapa II** – desenvolvimento de competências no âmbito da promoção da saúde e prevenção de doenças, dirigidas a indivíduos, grupos específicos e doenças prevalentes – carga horária de 600 horas.

→ **Etapa III** – desenvolvimento de competências no âmbito da promoção, prevenção e monitoramento das situações de risco ambiental e sanitário – carga horária de 200 horas.

FIGURA 13.2 → Etapas do curso técnico de agente comunitário de saúde (2004).
Fonte: Brasil.[40]

PRESSUPOSTOS PARA DELINEAMENTO DAS COMPETÊNCIAS

1) Adequação aos princípios e diretrizes da política de recursos humanos do SUS
2) Proposição que contemple a diversidade de aspectos relacionados com a prática profissional do ACS e considere suas especificidades quanto às diferentes unidades de organização do cuidado em saúde, às formas de inserção e organização do trabalho e ao atendimento das demandas individuais, grupais e coletivas
3) Observância às diretrizes e atribuições definidas nas leis e decretos referentes ao ACS
4) Valorização da singularidade profissional do ACS, como um trabalhador da saúde com interface na assistência social, educação e meio ambiente
5) Promoção da qualificação profissional mediante processo sistemático de formação vinculado às escolas técnicas, itinerário de formação e obtenção de certificado profissional com validade nacional

GRUPOS DE COMPETÊNCIA PROFISSIONAIS

1) Mobilização social, integração entre a população e as equipes de saúde e planejamento das ações
2) Promoção da saúde e prevenção de doenças, dirigidas a indivíduos, grupos específicos e doenças prevalentes
3) Promoção, prevenção e monitoramento das situações de risco ambiental e sanitário

DIMENSÕES DO SABER

SABER-SER: ATITUDES E VALORES
Capacidade de crítica, ética, reflexão e mudança em si mesmo e nas suas práticas

SABER-CONHECER
Aquisição de conhecimentos

SABER-FAZER
Aquisição de habilidades

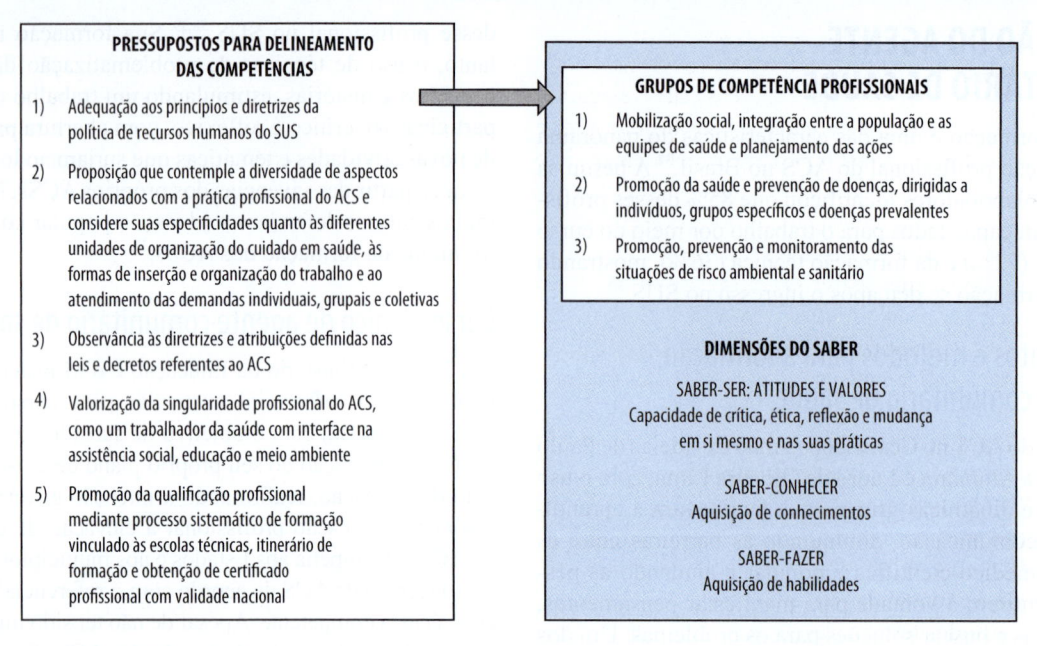

FIGURA 13.3 → Referencial curricular para curso técnico de agente comunitário de saúde (2004).
Fonte: Brasil.[40]

ao aumento da sua resolutividade. Como já foi mencionado, essa portaria reforça o movimento de aproximar o ACS do profissional de enfermagem, distanciando-o de seu papel primordial de educador e mobilizador da comunidade, cujas atividades se desenvolvem essencialmente no território. Em dezembro de 2020, foi lançado o novo curso técnico de ACS e ACE, no âmbito do Programa Saúde Com Agente (Portaria GM/MS nº3.241 de 07 de dezembro de 2020. O novo curso apresenta uma proposta híbrida (ensino a distância e presencial), com implementação pretendida em larga escala no nível nacional.

Curso introdutório e educação permanente

O Ministério da Saúde estabelece os parâmetros do curso introdutório, observadas as diretrizes curriculares nacionais definidas pelo Conselho Nacional de Educação, observando uma exigência de formação inicial, com carga horária mínima de 40 horas. Propõe-se a utilização dos referenciais da Educação Popular em Saúde e são ofertados, nas modalidades presencial ou semipresencial, durante a jornada de trabalho. O curso também está disponível na modalidade educação a distância (EaD) por meio da plataforma AVA-SUS. (Ver QR code.) Além disso, os ACSs e os ACEs devem frequentar cursos bienais de educação continuada e de aperfeiçoamento.[40]

Em 2016, o Ministério da Saúde publicou as *Diretrizes para capacitação de agentes comunitários de saúde em linhas de cuidado*, passando a integrar o conjunto de formação técnica e educação permanente do ACS. O material apresenta um módulo introdutório sobre promoção da saúde e cuidado, seguido de módulos específicos das linhas de cuidado em atenção psicossocial, urgência e emergência, doenças crônicas e saúde materna, neonatal e do lactente.[42]

A PNAB de 2017 estimula a formação e a educação permanente em saúde, desenvolvidas no ambiente de trabalho, com vistas a transformar as práticas dos profissionais. Reuniões e fóruns territoriais também são citados como meios de qualificar a equipe multiprofissional e os gestores.[11] A educação permanente faz parte de um processo contínuo de integração do ACS na equipe, devendo ser acompanhada da avaliação mensal do ACS por seu supervisor em relação às atividades realizadas e aos resultados atingidos, podendo funcionar como processo contínuo de formação.

Além disso, o município pode promover encontros periódicos (mensais, p. ex.) entre os ACSs, com a participação de supervisores membros das equipes de Saúde da Família, com o objetivo de fortalecer as redes sociais entre os ACSs. As redes possibilitam o compartilhamento de experiências por meio da discussão de problemas comuns no cotidiano de trabalho dos ACSs. É importante estabelecer essa possibilidade de comunicação como uma forma de lidar com a situação de vulnerabilidade a que frequentemente estão expostos e de estimular a sua motivação para o trabalho. Os recursos virtuais de aprendizagem também são ferramentas potentes e cada vez mais presentes no cotidiano de trabalho do ACS. O formato EaD, com o uso de computadores, *tablets* ou celulares, pode ser usado para práticas de educação permanente.

EVIDÊNCIAS: IMPACTO DO AGENTE COMUNITÁRIO DE SAÚDE SOBRE CONDIÇÕES DE SAÚDE E APOIO ÀS POLÍTICAS DE SAÚDE PÚBLICA

O sucesso de um programa de ACS depende de muitos fatores: políticos, socioeconômicos, comunitários (infraestrutura local, características epidemiológicas locais, mobilização da comunidade) e organização e funcionamento do sistema de saúde.[1] Esses fatores, por sua vez, também estão relacionados com a situação de saúde de uma população. Por isso, é difícil medir o efeito do trabalho do ACS isoladamente de outros fatores também implicados na melhora de certos indicadores de saúde, como educação, condições de moradia, saneamento e o trabalho de outros profissionais de saúde. Além disso, muito da atuação do ACS está ligado a processos educativos com a comunidade, cujos resultados, que costumam requerer um prazo mais longo, são mais difíceis de medir. Outra dificuldade para avaliar o impacto do ACS, especificamente no Brasil, é que sua integração ao Pacs ou à ESF, que são políticas de saúde em nível nacional, torna mais limitado o potencial de estudar a intervenção (o programa de ACS) com ensaios clínicos randomizados. Nesse sentido, a opção mais factível é estudar intervenções específicas realizadas pelos ACSs. Ainda assim, com o passar dos anos, conforme se consolidaram as experiências do Pacs e da ESF, vários estudos têm mostrado os possíveis benefícios da atuação do ACS para a saúde da população.

Efetividade do agente comunitário de saúde no contexto internacional

Diversos exemplos históricos de programas de ACS, em vários contextos, com diferentes tipos de resultados, podem ser lembrados para ilustrar a efetividade do ACS. Em Bangladesh, desde 1972, a inovadora experiência *Gonoshasthaya Kendra* contribuiu para transformar o papel da mulher na sociedade, ao treinar mulheres para atuarem como "paramédicas", percorrendo os vilarejos de bicicleta, algo que era absolutamente contrário às tradições e às normas da época.[43] Com a figura das paramédicas, um tipo de ACS, essa experiência trouxe um componente central de inclusão social da mulher, com formação e geração de empregos.

Em outro exemplo histórico, no Irã, os ACSs, chamados de *behvarzes*, existem há mais de 40 anos. São remunerados e trabalham em áreas rurais. As taxas de mortalidade infantil e materna reduziram consideravelmente, assim como as desigualdades entre zonas urbanas e rurais, resultado de um sistema de APS forte, em que os *behvarzes*, que chegaram ao número de 34 mil, são considerados elementos fundamentais C/D.[44]

Em 2010, uma revisão sistemática de ensaios clínicos randomizados[45] no âmbito internacional avaliou a efetividade do ACS (incluindo vários tipos de trabalhadores comunitários) em desfechos relacionados com saúde materno-infantil e manejo de doenças infecciosas. Entre os seus principais resultados, destacam-se melhora da cobertura vacinal em crianças em 23% (número necessário para tratar [NNT] = 10) B e melhora nos padrões de amamentação, com aumento de 24% na amamentação total (NNT = 7) e aumento de 178% na amamentação exclusiva até os 6 meses (NNT = 6) B. Quanto aos desfechos de morbimortalidade infantil, apesar de a qualidade de evidência ser inferior, há sugestão de benefício, com redução de 14% da morbidade por febre, infecção respiratória aguda ou diarreia em crianças (NNT = 18) C/D, redução de 25% na mortalidade em crianças com idade < 5 anos (NNT = 54) C/D e redução de 24% na mortalidade neonatal (NNT = 92) C/D. Uma revisão realizada pela OMS, em 2010, sobre os resultados do trabalho do ACS em vários países[7] mostrou redução das taxas de mortalidade materna e infantil, além de diminuição da carga de doença e dos custos relacionados com tuberculose e malária. Um trabalho realizado nos Estados Unidos usou a ferramenta chamada de *Lives Saved Tool* (LiST) para estimar quantos óbitos seriam evitados na população materno-infantil se a cobertura de ações realizadas pelos ACSs fosse ampliada em 73 países. Observou-se que haveria redução de 14%, 23% e 32% de óbitos entre os anos de 2016 a 2020, quando aumentada a cobertura de serviços em 50%, 70% e 90%, respectivamente. Entre as ações destacadas pelo maior impacto em salvar vidas, estão: intervenção nutricional em gestantes, reidratação infantil e lavagem das mãos com água e sabão.[46]

Em relação às doenças infectocontagiosas, o papel dos agentes comunitários aumentou em 22% as taxas de cura de tuberculose pulmonar (NNT = 8) B.[45] A atuação do ACS também tem-se mostrado importante em situações de epidemias de doenças infecciosas. No caso da epidemia do vírus Ebola, que atingiu vários países africanos em 2013 a 2016, a implementação de programas de ACS logo após a epidemia contribuiu para criar mobilização que aumentasse a confiança entre a comunidade e as equipes de resposta à epidemia, fazendo o vírus ser mais rapidamente contido nesses lugares C/D.[47] Atualmente, o papel do ACS na pandemia de Covid-19 vem sendo destacado internacionalmente, pelo potencial de disseminar informação, sensibilizar a comunidade para medidas de prevenção e auxiliar na identificação de casos suspeitos e contatos, com o importante diferencial de conhecer a comunidade e seus pontos de maior vulnerabilidade.[10,48]

Em relação às doenças crônicas, estudos mostram que o ACS pode ter impacto importante no autocuidado em pessoas hipertensas e diabéticas, especialmente em populações carentes ou de minoria étnica/racial.[46] Desfechos como controle da pressão arterial e adesão aos medicamentos anti-hipertensivos já foram estudados e parecem melhorar com a intervenção do ACS C/D. Uma revisão sistemática de 2017 também demonstrou que o ACS pode ser treinado para ajudar na prevenção e no enfrentamento às doenças cardiovasculares.[49] Em relação ao diabetes tipo 2, os ACSs realizaram principalmente atividades de apoio e orientação aos pacientes.[50]

Outra questão relevante diz respeito à contribuição dos programas de ACS para maior equidade em saúde, uma vez que se direcionam primordialmente aos grupos populacionais vulneráveis, o que é especialmente visível em países de baixa e média renda, com altos índices de desigualdade. Porém, esse papel do ACS também pode ser identificado em países de alta renda e menos desiguais, como a Austrália, cenário do estudo de Javanparast e colaboradores, que mostrou que o ACS é capaz de facilitar o acesso da população mais vulnerável aos serviços de APS, assim como a circulação de informações que normalmente não chegam nas comunidades marginalizadas.[51]

Em 2018, a OMS publicou novas diretrizes para apoiar políticas e sistemas de saúde na otimização de programas de ACS no mundo. Esse documento foi baseado na produção de 15 revisões sistemáticas por grupos de especialistas, gerando 15 recomendações baseadas em evidências sobre: critérios de seleção, duração da formação inicial, competências no currículo de formação, modalidades de formação, certificação baseada em competências, estratégias de supervisão, remuneração, contrato de trabalho, plano de carreira, tamanho da população adscrita, coleta e uso de dados, tipos de ACS, estratégias de engajamento da comunidade, estratégias para mobilização dos recursos comunitários e disponibilidade de insumos para o trabalho. O documento pode ser acessado, em várias línguas, para leitura na íntegra. (Ver Leituras Recomendadas.)

Efetividade do agente comunitário de saúde no Brasil

Os estudos sobre o impacto do ACS nas condições de saúde da população brasileira ao longo do tempo, em geral, não possuem boa qualidade metodológica e estão dispersos na literatura. Uma revisão sistemática de 2011[52] sumarizou e avaliou a evidência da efetividade do ACS no Brasil, em diferentes contextos e vários tipos de ação (TABELA 18.3). A maioria dos estudos foi sobre o ACS vinculado ao Pacs ou ao PSF/ESF, tendo o meio urbano como cenário. Apenas 2 estudos (9%) eram ensaios clínicos randomizados. Treze estudos (56%) avaliaram desfechos de saúde materno-infantil (tanto práticas preventivas quanto indicadores de morbimortalidade), enquanto 7 estudos (30%) mediram o efeito do ACS em desfechos relacionados a doenças infecciosas, e outros 6 estudos (26%) fizeram isso no âmbito das doenças crônicas. A redução das iniquidades foi medida como resultado em 2 estudos (9%).

Em resumo, o conjunto da evidência estudado nessa revisão resulta em uma forte sugestão de benefício do trabalho do ACS em diversas áreas de atuação, com destaque para algumas intervenções no campo da saúde materno-infantil.

No entanto, as evidências também sugerem benefícios no âmbito das doenças infecciosas e crônicas, apesar de a evidência ser de nível baixo ou muito baixo para esses tipos de desfecho. Um achado interessante foi a atuação do ACS na redução de iniquidades, mostrando que as famílias mais vulneráveis recebiam mais visitas. Com relação ao enfrentamento de problemas emergentes de saúde, como as epidemias de zika e Covid-19, a ESF, com seu enfoque comunitário e territorial, tem um papel importante na rede assistencial de cuidados e na construção de respostas localmente adaptadas.

No campo da saúde mental, um ensaio clínico randomizado controlado realizado em São Paulo testou uma intervenção de aconselhamento interpessoal, conduzida por ACSs treinados, para pessoas com sintomas depressivos usuárias

TABELA 13.3 → Resumo das evidências sobre a efetividade do ACS no Brasil quanto à direção do efeito e qualidade (nível) de evidência de acordo com o sistema GRADE*, incluindo publicações até março de 2010

DIREÇÃO DO EFEITO	NÍVEL DE EVIDÊNCIA	DESFECHOS
Efeito positivo	Moderado B	Frequência da pesagem em crianças Amamentação total Amamentação exclusiva ou predominante Introdução tardia da mamadeira
Efeito positivo	Baixo C/D	Cobertura vacinal em crianças Adesão ao DOT para tuberculose Índice predial de larvas do mosquito da dengue Tratamento da água para beber Conhecimento das mulheres sobre IST Redução de iniquidades
Efeito positivo	Muito baixo C/D	Suplementação com vitamina A em crianças Mortalidade infantil Mortalidade infantil por diarreia Realização de pré-natal ou número de consultas de pré-natal Suplementação com ferro no pré-natal Realização de ultrassonografia no pré-natal[†] Saúde bucal: escovação e uso do fio dental Acesso facilitado e uso regular do serviço de saúde bucal Adesão ao exame citopatológico de colo uterino Adesão ao rastreamento para câncer de mama Hospitalizações por problemas circulatórios Prevalência de malária Tratamento para malária instituído precocemente Detecção de HPV por autocoleta Identificação de sintomáticos respiratórios (tuberculose) Identificação de demência Detecção de pressão arterial alta Qualidade da água após cloração Conhecimentos sobre saúde bucal Conhecimento sobre uso do SRO em caso de diarreia
Sem efeito	Moderado B	Baixo peso ao nascer
Sem efeito	Baixo C/D	Déficit altura/idade Conhecimento das mães sobre doenças comuns Conhecimento sobre prevenção da dengue
Sem efeito	Muito baixo C/D	Incidência de diarreia em crianças Mortalidade neonatal Início do pré-natal no 1º trimestre Partos institucionais Tipo de parto (normal) Incidência de diarreia em adultos
Efeito negativo	Moderado B	Nenhum
Efeito negativo	Baixo C/D	Nenhum
Efeito negativo	Muito baixo C/D	Déficit peso/idade
Dados inconclusivos[‡]		Uso de SRO no último episódio de diarreia Manutenção da amamentação e da alimentação durante episódios de diarreia Hospitalização em período < 5 anos Mortalidade em período < 5 anos Imunização contra tétano na gestação Consulta pós-parto

* GRADE Working Group.
[†] O trabalho do ACS esteve associado a aumento da realização de ultrassonografia no pré-natal, porém não há evidências de benefício clínico desta prática de rotina.
[‡] Alguns desfechos foram classificados como inconclusivos, devido à inconsistência dos resultados encontrados entre os estudos.
DOT, tratamento diretamente observado; HPV, papilomavírus humano; IST, infecção sexualmente transmissível; SRO, soro de reidratação oral.
Fonte: Giugliani e colaboradores.[52]

de unidades da ESF. As pessoas do grupo de intervenção que completaram as 3 ou 4 sessões de aconselhamento tiveram maior redução dos sintomas depressivos, em comparação com o grupo que recebeu o cuidado usual; porém, não houve diferença entre os grupos na análise por intenção de tratar B.⁵³ Os achados desse estudo, que teve uma amostra relativamente pequena (n = 86), apontam para o potencial de envolver o ACS no cuidado em saúde mental na comunidade. O ACS também pode engajar-se na realização de grupos de terapia comunitária, uma metodologia desenvolvida na década de 1980 no Ceará, hoje difundida em todo o Brasil, com o objetivo de promover saúde mental baseada na construção de vínculos solidários, valorização das experiências de vida dos participantes, resgate da identidade, restauração da autoestima e ampliação da percepção dos problemas e possibilidades de resolução a partir das competências locais.⁵⁴

Além disso, considerando que o ACS é elemento fundamental da ESF, estudos demonstrando benefício da ESF na saúde da população também reforçam a evidência sobre a efetividade do ACS. Redução de mortalidade infantil e diminuição de internações por condições sensíveis à APS, por exemplo, foram demonstradas em estudos de boa qualidade. Para mais detalhes sobre a efetividade da ESF, ver Capítulo Estratégia Saúde da Família. Recentemente, estudo com modelos de regressão, incluindo 5.411 municípios brasileiros, mostrou associação de visita do ACS com redução da mortalidade por doenças cardiovasculares e das hospitalizações maternas C/D.⁵⁵

Publicado em 2020, o projeto *Exemplars in Global Health* destacou cinco aspectos que contribuíram para o êxito do Pacs no Brasil: a abordagem multissetorial, o engajamento da sociedade civil, arranjos diferenciados de financiamento da política de APS, priorização das populações mais vulneráveis e integração dos ACSs nas equipes de Saúde da Família e no SUS.⁵

O AGENTE COMUNITÁRIO DE SAÚDE NO COTIDIANO DAS EQUIPES DE SAÚDE DA FAMÍLIA

O conhecimento disponível sobre o ACS, em termos de política de saúde, pode ser considerado suficiente para subsidiar um investimento do governo. No entanto, o grande desafio é fazer funcionar o trabalho do ACS no cotidiano das equipes de Saúde da Família, integrando o ACS no processo de trabalho de forma efetiva.

Diversos fatores podem influenciar a maneira como o trabalho do ACS se desenvolve em uma equipe de saúde, como características da equipe (integração, interdisciplinaridade, capacidade de diálogo, compromisso, permeabilidade em relação às necessidades da comunidade), características do ACS (compromisso, diálogo com a comunidade e com a equipe, habilidades de comunicação, vontade de aprender e, principalmente, motivação para o trabalho), características da comunidade (rural/urbana, vulnerabilidade social, risco e violência, abertura em relação ao trabalho do ACS e ao serviço de saúde) e apoio da gestão (favorece organização do trabalho nas equipes de forma a integrar o ACS, dá espaço para atividades de formação e integração, oferece incentivos baseados em boas práticas e resultados alcançados).

Não existe receita para o êxito do trabalho do ACS nas equipes, dada a heterogeneidade dos contextos relacionados, porém é possível traçar algumas direções que podem servir como sugestão para uma boa integração entre o ACS e as equipes. A equipe pode organizar uma atividade educativa contínua, com encontros regulares, em que, ao mesmo tempo, sejam discutidos as situações e os problemas encontrados pelo ACS na sua prática e avaliados os resultados do seu trabalho de acordo com objetivos previamente definidos. Grandes linhas para orientar esses encontros são:

→ trabalhar apropriação do ACS sobre seu papel na equipe e no sistema de saúde (histórico da profissão, marcos legais);
→ trabalhar territorialização (mapeamento e características do território e das famílias que aí habitam);
→ identificar as necessidades do seu território e discutir os problemas mais importantes, abordando os temas considerados prioritários junto com a equipe de saúde (conteúdos necessários para o ACS desempenhar seu trabalho nesse tema, p. ex., saúde das mulheres, álcool e drogas, prevenção da dengue e combate a epidemias, vacinação, enfrentamento das doenças crônicas, saúde mental);
→ a partir das necessidades identificadas e dos problemas considerados prioritários, definir objetivos claros de trabalho para o ACS, que possam ser medidos e avaliados, e traçar metas para alcançá-los;
→ trabalhar e treinar registro de dados;
→ avaliar continuamente os resultados alcançados de acordo com os objetivos e metas propostos;
→ trabalhar com conceitos e experiências de mobilização social e participação comunitária, incentivando a atuação intersetorial do ACS e seu papel como agente da transformação social.

Esse trabalho educativo-formativo contínuo, coordenado por um ou mais profissionais da equipe, pode ser a maneira mais produtiva de trabalhar com os ACSs, pois funciona como um ciclo de motivação constante: ter esse espaço dedicado aos ACSs é uma forma de valorizar o seu trabalho, integrar a equipe e retroalimentar as ações.

DESAFIOS ATUAIS: CONSOLIDANDO OS PILARES PARA UMA POLÍTICA DE AGENTE COMUNITÁRIO DE SAÚDE EXITOSA

Uma revisão de estudos qualitativos procurou explorar os fatores que afetam a implementação de programas materno-infantis pelos ACSs, identificando os seguintes desafios:⁵⁶

→ a proximidade com a comunidade é o que torna o seu trabalho tão único e valioso, mas também é motivo de dificuldades e transtornos;
→ a credibilidade dos usuários nos serviços oferecidos bem como o suporte do sistema de saúde e da própria comunidade ao ACS devem ser regulares e visíveis;

→ formação, supervisão e incentivos apropriados devem ser proporcionados.

No Brasil, um estudo qualitativo com ACSs de duas grandes cidades destacou os seguintes desafios, trazidos pelos próprios ACSs:[57]
→ falta de integração com a equipe de Atenção Primária;
→ falta de recursos para atender as necessidades em saúde da população;
→ pouco conhecimento da comunidade sobre o trabalho do ACS;
→ desvalorização da medicina preventiva.

As já citadas diretrizes da OMS para programas de ACS, de 2018, podem servir de base para construir estratégias que visem à superação desses desafios e ao fortalecimento da ação do ACS no Brasil e no mundo, destacando-se a necessidade de definir o papel dos ACSs em relação a outros trabalhadores e planejar a força de trabalho em saúde como um todo, além de integrar adequadamente os programas de ACS ao sistema de saúde. No Brasil, além disso, o reforço da integração do ACS na equipe de saúde e uma melhor comunicação com as comunidades sobre o papel e o valor dos ACSs poderiam aumentar a sua motivação e, em consequência, a sua efetividade.[57]

As subseções a seguir detalham alguns dos principais desafios.

Formação profissional (curso técnico) e continuada

Os ACSs, no seu cotidiano, são confrontados com situações complexas de vulnerabilidade social, que extrapolam a formação que costumam receber. A falta de formação para executar um trabalho que se mostra, na prática, extremamente complexo produz frustração e insatisfação com o trabalho. O *Referencial curricular para curso técnico de agente comunitário de saúde* continua valendo como diretriz política, mas segue largamente inviabilizado, sobretudo pela falta de investimentos, agravada pelo congelamento dos gastos em saúde desde 2016, mas também, em muitos contextos, pela falta de interesse dos gestores. A perspectiva de elevação da escolaridade do ACS, que levaria ao aumento salarial, parece ser um dos entraves ao posicionamento favorável dos gestores ao projeto de formação técnica do ACS.

A perspectiva de avanço representada pela formação profissional ainda não se concretizou.[37] Salvo poucos locais, a implementação do curso técnico permanece incompleta ou até mesmo ausente. Outro argumento contrário é de que a formação afastaria o ACS do contexto da população que atende. Para além dessas questões pontuais, essas resistências evocam temas mais amplos, relacionados ao projeto do SUS como um todo, incluindo o caráter transformador da ESF e a contribuição do trabalho do ACS nesse sentido.[58] Segundo Morosini (2018), não houve avanço na implementação do curso técnico de ACS e, em paralelo, instituem-se qualificações breves e impulsionadas por demandas pontuais. No momento, há grande expectativa com o Curso Técnico de ACS e ACE instituído pelo Programa Saúde Com Agente.

Supervisão

As diretrizes da OMS sugerem o termo "supervisão apoiadora" e propõem algumas recomendações para sua implementação: disponibilizar número apropriado de ACSs por supervisor, que permita um apoio significativo e regular; assegurar que os supervisores também sejam formados para desempenhar a tarefa; e usar como ferramentas a observação do trabalho, dados de desempenho e *feedback* da comunidade.

Para que o ACS possa desenvolver o seu trabalho integrado à equipe, é indispensável a supervisão contínua de seu desempenho por um membro da equipe, sobretudo em função das deficiências de formação. Em geral, esse acompanhamento é feito pelo enfermeiro; no entanto, é uma função que pode ser assumida por outro profissional da equipe que tenha disponibilidade e interesse em desenvolver um trabalho contínuo junto aos ACSs. É importante considerar, ainda, que o desempenho da categoria, sobretudo no que se refere às suas competências no campo social, ligadas à educação em saúde e à mobilização social, depende também da capacidade de orientação dos profissionais supervisores, que muitas vezes não possuem essas habilidades ou não foram formados para isso.

Consolidação do agente comunitário de saúde como profissional com habilidades e competências específicas

Por todas as especificidades envolvidas no trabalho do ACS, fica claro que a profissão exige o desenvolvimento de habilidades e competências próprias, envolvendo conhecimentos técnicos de saúde e também habilidades no campo social. A consolidação do ACS como profissional com habilidades e competências específicas requer, além de uma formação profissional adequada, reconhecimento político e social da sua função no sistema de saúde para superação do modelo curativo assistencial. No presente, teme-se que a ampliação da gama de ações que os ACSs podem executar, com maior ênfase em tarefas dentro da unidade de saúde, possa diminuir a centralidade do seu trabalho no território. Além disso, é preciso atentar para as limitações do emprego de indicadores numéricos unicamente para avaliar o trabalho do ACS, uma vez que eles dificilmente contemplam as dimensões sociais e subjetivas presentes nas suas ações e nas relações de cuidado que ele estabelece.[31]

Também é importante levar em conta que o ACS se mostra especialmente vulnerável ao sofrimento psíquico, às vezes fruto de uma expectativa excessiva em relação ao seu trabalho. A insegurança ocasionada pela sua pouca formação, principalmente quando não há clareza suficiente em relação às suas atribuições, aumenta a sua fragilidade.[59]

No contexto da pandemia por Covid-19, por exemplo, os ACSs vêm enfrentando muitas dificuldades para desempenhar o seu trabalho junto às comunidades, devido à falta de coordenação das ações em nível nacional, gerando precariedade, como falta de equipamentos de proteção individual, falha no pagamento de incentivos, incerteza em relação ao trabalho que deve ser realizado (fazer ou não visitas domiciliares, p. ex.) e falta de capacitação específica no contexto da pandemia.[60] Isso gera um sentimento de insegurança entre os ACSs, levando ao seu adoecimento.

Integração com a equipe e definição clara de papéis

O ACS precisa estar integrado na equipe para que o seu trabalho possa ser executado com motivação e para que o seu potencial seja bem aproveitado. No entanto, costuma haver grande resistência dos demais profissionais da equipe em compreender e viabilizar estratégias voltadas para a promoção da saúde e prevenção de doenças, limitando o adequado acompanhamento e a supervisão efetiva dos ACSs em sua atuação.

Ainda existe muita indefinição em torno do papel do ACS. Ao mesmo tempo em que isso pode atrapalhar a execução do seu trabalho, existe espaço para que seu papel e atividades sejam definidos no nível da equipe, de acordo com as necessidades locais. Dessa forma, pode-se adaptar a função do ACS ao contexto, ampliando a sua atuação com novas tarefas, se isso trouxer benefício para a saúde da população e se ele estiver preparado para isso. O importante é que o ACS e toda a equipe entendam com clareza o papel e os objetivos de trabalho de cada um.

A PNAB de 2017 traz a possibilidade de novas atribuições ao ACS, como já foi discutido anteriormente, mas vem recebendo críticas por atrelar o ACS a atividades geralmente desempenhadas por profissionais da enfermagem, podendo distanciá-lo das atividades de educação e promoção de saúde.[11]

Remuneração e plano de carreira

Mesmo com a aprovação do piso salarial da categoria e com a formalização da profissão, ainda é preciso evoluir rumo a uma remuneração adequada, vínculos mais sólidos de trabalho e um plano de carreira bem-estabelecido. Esses seriam motores importantes para o ACS consolidar-se como profissional de saúde valorizado no SUS, com oportunidade de desenvolvimento profissional contínuo, e para que seu lugar não seja visto como um "trampolim" para profissões mais valorizadas.

Em relação à remuneração e ao plano de carreira, as diretrizes da OMS de 2018 sugerem: remunerar o ACS de forma adequada, levando em conta as demandas de trabalho, a carga horária, a formação e o tipo de atividades que realiza; não remunerar o ACS com base apenas ou predominantemente em incentivos por desempenho; e oferecer um plano de carreira.

NOVAS TECNOLOGIAS NO TRABALHO DO AGENTE COMUNITÁRIO DE SAÚDE

Hoje, o uso de aparelhos eletrônicos é uma realidade, mesmo nos países menos desenvolvidos socioeconomicamente. Diversos países estão utilizando esses recursos tecnológicos para aumentar a efetividade do trabalho dos ACSs. Atividades envolvendo coleta e apresentação de dados, educação e orientação em saúde e acerca do funcionamento dos serviços, além de supervisão, avaliação e monitoramento dos próprios agentes, estão sendo desenvolvidas com o suporte de aparelhos eletrônicos, como *tablets* e celulares. Desafios logísticos e as distâncias que precisam ser percorridas pelos ACSs também podem ser superados com a ajuda dessas tecnologias.

Uma revisão narrativa sobre como a digitalização afeta os ACSs no combate às doenças não transmissíveis em países de médio e baixo índice de desenvolvimento demonstrou que esse recurso apresenta perspectivas encorajadoras, porém repletas de desafios. Para que sejam alcançados bons resultados no trabalho com aparelhos digitais, é necessário investimento em treinamento, suporte e capacitação.[61] Um estudo brasileiro, realizado a partir de entrevistas com 57 ACSs que utilizavam um determinado aplicativo de celular para coleta de dados demográficos e de saúde na sua comunidade, ao reconhecer várias vantagens relacionadas ao uso da tecnologia (economia de tempo com trabalho burocrático, melhor organização dos dados, redução do volume de folhas e do peso a carregar), também levantou barreiras importantes, ligadas tanto ao *hardware* quanto ao *software* utilizado, assim como com a percepção negativa da comunidade diante do uso. A partir dos achados, os autores sugerem que o ACS deve participar do desenho dessas ferramentas para maximizar a sua utilidade e minimizar as barreiras do uso.[62]

CONSIDERAÇÕES FINAIS

Se, com as adversidades presentes, o ACS já é um elemento reconhecido como um dos principais diferenciais do SUS, é fato que seu potencial seria mais amplamente atingido com a superação dos desafios recém-mencionados. Apesar de as evidências existentes trazerem mais resultados relacionados com saúde materno-infantil, é clara a necessidade de desenvolver e avaliar a efetividade do ACS no cuidado às doenças crônicas não transmissíveis, à saúde mental e às causas externas de morbimortalidade, principalmente associadas à violência e ao abuso de drogas, problemas que se tornam cada vez mais prevalentes, gerando crescente carga de doença. Nesse sentido, também é importante pensar na atuação do ACS junto às pessoas pertencentes às classes sociais mais favorecidas, o que traz desafios específicos relacionados à cultura desse grupo populacional. De qualquer forma, a ampla diversidade de ações que o ACS pode desenvolver no âmbito das suas atribuições certamente contempla um potencial razoável de expansão e inovação, desde que haja formação adequada e boa integração com a equipe de saúde, com definição clara de papéis e um escopo de ações voltadas para a promoção da saúde.

É preciso ter muito cuidado para que não se perca a essência do papel do ACS na comunidade, nos serviços e no sistema de saúde. Reforçar os princípios que guiaram o início do Pacs, incorporando os novos desafios que surgem, é fundamental para que o ACS que contribuiu com a redução da mortalidade infantil no Brasil possa continuar colaborando para a construção do SUS, indo além, com outros objetivos. Para isso, é necessário que o ACS continue sendo legitimamente integrado à força de trabalho do sistema de saúde e que seja valorizado e devidamente preparado para exercer a sua função com compromisso, solidariedade, autonomia e criatividade.

REFERÊNCIAS

1. Haines A, Sanders D, Lehmann U, Rowe AK, Lawn JE, Jan S, et al. Achieving child survival goals: potential contribution of community health workers. Lancet. 2007;369(9579):2121–31.

2. Lehmann U, Sanders D. Community health workers: what do we know about them? [Internet]. Geneva: WHO; 2007 [capturado em 19 mar. 2021]. Disponível em: https://www.who.int/hrh/documents/community_health_workers.pdf.

3. Jones G, Steketee RW, Black RE, Bhutta ZA, Morris SS, Bellagio Child Survival Study Group. How many child deaths can we prevent this year? Lancet. 2003;362(9377):65–71.

4. Giugliani C, Zulliger R. Community Health Agent Program of Brazil. In: National Community Health Programs: Descriptions from Afghanistan to Zimbabwe. Washington: USAID, Jhpiego, Maternal and Child Survival Program; 2020.

5. Bornstein VJ, Castañeda CL, Chen N, Gabani J, Giugliani C, Jones T, et al. Community Health Workers in Brazil [Internet]. Kirkland: Exemplars in Global Health; c2021[capturado em 20 mar. 2021]. Disponível em: https://www.exemplars.health/topics/community-health-workers/brazil.

6. World Health Organization. The World Health Report 2008 – primary health care (now more than ever) [Internet]. Geneva: WHO; 2008 [capturado em 19 mar. 2021]. Disponível em: https://www.who.int/whr/2008/en/.

7. Bhutta ZA, Lassi ZS, Pariyo G, Huicho L. Global Experience of Community Health Workers for Delivery of Health Related Millennium Development Goals: A Systematic Review, Country Case Studies, and Recommendations for Integration into National Health Systems [Internet]. CHW Central; 2009 [capturado em 19 mar. 2021]. Disponível em: https://chwcentral.org/resources/global-experience-of-community-health-workers-for-delivery-of-health-related-millennium-development-goals-a-systematic-review-country-case-studies-and-recommendations-for-integration-into-national/.

8. Harris M. Integrating primary care and public health: learning from the Brazilian way. Lond J Prim Care. 2012;4(2):126–32.

9. Johnson CD, Noyes J, Haines A, Thomas K, Stockport C, Ribas AN, et al. Learning from the Brazilian community health worker model in North Wales. Glob Health. 2013;9:25.

10. Haines A, Barros EF de, Berlin A, Heymann DL, Harris MJ. National UK programme of community health workers for Covid-19 response. Lancet. 2020;395(10231):1173–5.

11. Brasil. Ministério da Saúde. Portaria nº 2.436, de 21 de setembro de 2017. Aprova a Política Nacional de Atenção Básica, estabelecendo a revisão de diretrizes para a organização da Atenção Básica, no âmbito do Sistema Único de Saúde (SUS) [Internet]. Brasília: MS; 2017 [capturado em 19 ago. 2020]. Disponível em: https://bvsms.saude.gov.br/bvs/saudelegis/gm/2017/prt2436_22_09_2017.html.

12. Melo EA, Mendonça MHM de, Oliveira JR de, Andrade GCL de, Melo EA, Mendonça MHM de, et al. Mudanças na Política Nacional de Atenção Básica: entre retrocessos e desafios. Saúde Em Debate. 2018;42(spe 1):38–51.

13. Lavor ACH, Lavor MC, Lavor IC. Agente comunitário de Saúde: um novo profissional para novas necessidades da saúde. SANARE – Rev Políticas Públicas. 2004;5(1):121-8.

14. Brown TM, Cueto M, Fee E. The World Health Organization and the transition from "international" to "global" public health. Am J Public Health. 2006;96(1):62–72.

15. Walt G. Community health workers in national programmes: just another pair of hands? Philadelphia: Open University; 1990. 180 p.

16. Standing H, Chowdhury AMR. Producing effective knowledge agents in a pluralistic environment: what future for community health workers? Soc Sci Med. 2008;66(10):2096–107.

17. Hartzler AL, Tuzzio L, Hsu C, Wagner EH. Roles and functions of community health workers in primary care. Ann Fam Med. 2018;16(3):240–5.

18. Scott K, Beckham SW, Gross M, Pariyo G, Rao KD, Cometto G, et al. What do we know about community-based health worker programs? A systematic review of existing reviews on community health workers. Hum Resour Health. 2018;16(1):39.

19. Scaravaglione D, Coroilli EM, Witt RR, Ranieri T. Voluntários de saúde--mito ou realidade? Elementos preliminares da availiação de nove anos de experiência no Sistema de Saúde Comunitária Murialdo, Rio Grande do Sul. Rev Bras Enferm. 1984;37(3–4):262–9.

20. Santos MR, Pierantoni CR, Silva LL. Agentes comunitários de saúde: experiências e modelos do Brasil. Physis Rev Saúde Coletiva. 2010;20(4):1165–81.

21. Cesar JA. Community Health Workers in Sergipe, Brazil: implications for their future role in maternal and child health [dissertação]. [London]: London School of Hygiene and Tropical Medicine; 2005.

22. Pastoral da Criança. Relatório Anual 2020 [Internet]. Curitiba: Pastoral da Crianã; 2020 [capturado em 12 abr. 2021]. Disponível em: https://www.pastoraldacrianca.org.br/materiais-educativos-0/5518-relatorio-anual-da-pastoral-da-crianca-2020

23. Minayo MC, D'Elia JC, Svitone E. Programa agentes de saude do Ceará: estudo de caso. Fortaleza: Unicef; 1990. 60 p.

24. Freedhein S. Why fewer bells toll in Ceará: success of a community health worker program in Ceará, Brazil [dissertação]. Cambridge: Massachusetts Institute of Technology; 1993.

25. Tendler J. Bom governo nos trópicos: uma visão crítica. Rio de Janeiro: Revan; 2002.

26. McAuliffe JF, Correia L, Victora CG. Segunda pesquisa de saúde materno-infantil do Ceará – PESMIC 2. Fortaleza: Secretaria de Saúde do Ceará; 1990.

27. Brasil. Ministério da Saúde. Painéis de Indicadores – Atenção Primária à Saúde. Brasília: SAPS; 2021 [capturado em 30 set. 2021]. Disponível em: https://sisaps.saude.gov.br/painelsaps/saude-familia

28. United States Agency for International Development. Rapid assessment of community health worker programs in USAID priority MCH countries. Bethesda: USAID; 2009.

29. Brasil. Ministério da Saúde. Diretrizes para elaboração de programas de qualificação e requalificação dos agentes comunitários de saúde. Brasília: MS; 1999.

30. Pinto ICM, Medina MG, Pereira RAG. Avaliação do perfil dos agentes comunitários de saúde no processo de consolidação da atenção primária à saúde no Brasil [relatório de Pesquisa]. Salvador: Universidade Federal da Bahia, Instituto de Saúde Coletiva; 2015.

31. Morosini, MV, Fonseca, AF. Configurações do trabalho dos agentes comunitários na atenção primária à saúde: entre normas e práticas. In: Mendonça MHM, Matta GC, Gondim R, Giovanella L, organizadores. Atenção Atenção primária à saúde no Brasil: conceitos, práticas e pesquisa. Rio de Janeiro: Fiocruz; 2018.

32. Nogueira RP, Silva FB da, Ramos ZVO. Vinculação institucional de um trabalhador sui generis – o agente comunitário de saúde [Internet]. Rio de Janeiro: IPEA; 2000 [capturado em 20 ago. 2020]. Disponível em: https://www.ipea.gov.br/portal/index.php?option=com_content&view=article&id=4208.

33. Bornstein VJ, Stotz EN. O trabalho dos agentes comunitários de saúde: entre a mediação convencedora e a transformadora. Trab educ. saúde. 2008;6(3):457–80.

34. Stotz EN, David HMSL, Bornstein VJ. O agente comunitário de saúde como mediador: uma reflexão na perspectiva da educação popular em saúde. Rev APS. 2009;12(4).

35. Jardim TA, Lancman S. Aspectos subjetivos do morar e trabalhar na mesma comunidade: a realidade vivenciada pelo agente comunitário de saúde. Interface. 2009;13(28):123–35.

36. Nogueira ML. O processo histórico da Confederação Nacional dos agentes comunitários de saúde: trabalho, educação e consciência política coletiva. [tese]. Rio de Janeiro: Universidade do Estado do Rio de Janeiro; 2017.

37. Morosini MV, Fonseca AF, Morosini MV, Fonseca AF. Os agentes comunitários na atenção primária à saúde no Brasil: inventário de conquistas e desafios. Saúde debate. 2018;42(spe 1):261–74.

38. Bornstein VJ, Stotz EN. Concepts involved in the training and work processes of community healthcare agents: a bibliographical review. Ciênc Amp Saúde Coletiva. 2008;13(1):259–68.
39. Ceará. Secretaria da Saúde. Escola de Saúde Pública do Ceará Paulo Marcelo Martins Rodrigues. Curso técnico agente comunitário de saúde. Fortaleza: ESP/CE; 2006.
40. Brasil. Ministério da Saúde. Ministério da Educação. Referencial curricular para curso técnico de agente comunitário de saúde: área profissional saúde. Brasília: MS; 2004. 63 p.
41. Fausto MCR, Giovanella L, de Mendonça MHM, de Almeida PF, Escorel S, de Andrade CLT, et al. The work of community health workers in major cities in Brazil: mediation, community action, and health care. J Ambulatory Care Manage. 2011;34(4):339–53.
42. Brasil. Ministério da Saúde. Secretaria de Gestão do Trabalho e da Educação na Saúde. Departamento de Gestão da Educação na Saúde. Diretrizes para capacitação de agentes comunitários de saúde em linhas de cuidado. Brasília: MS; 2016. 46 p.
43. Chaudhury RH, Chowdhury Z. Achieving the millenium development goal on maternal mortality: Gonoshastaya Kendra's experience in rural Bangladesh. Dhaka: Gonomudran; 2007. 188 p.
44. Rahbar M, Raeisi A, Chowdhury Z, Javadi D. Iran's Community Health Worker Program. In: National Community Health Programs: Descriptions from Afghanistan to ZimbabweCHW Central [Internet]. Washington: USAID/Jhpiego/Maternal and Child Survival Program; 2020 [capturado em 20 ago. 2020]. Disponível em: https://chwcentral.org/irans-community-health-worker-program-2/.
45. Lewin S, Munabi-Babigumira S, Glenton C, Daniels K, Bosch-Capblanch X, van Wyk BE, et al. Lay health workers in primary and community health care for maternal and child health and the management of infectious diseases. Cochrane Database Syst Rev. 2010;(3):CD004015.
46. Chou VB, Friberg IK, Christian M, Walker N, Perry HB. Expanding the population coverage of evidence–based interventions with community health workers to save the lives of mothers and children: an analysis of potential global impact using the Lives Saved Tool (LiST). J Glob Health. 2017;7(2):020401.
47. Perry HB, Dhillon RS, Liu A, Chitnis K, Panjabi R, Palazuelos D, et al. Community health worker programmes after the 2013–2016 Ebola outbreak. Bull World Health Organ. 2016;94(7):551–3.
48. Bhaumik S, Moola S, Tyagi J, Nambiar D, Kakoti M. Community health workers for pandemic response: a rapid evidence synthesis. BMJ Glob Health. 2020;5(6):e002769.
49. Abdel-All M, Putica B, Praveen D, Abimbola S, Joshi R. Effectiveness of community health worker training programmes for cardiovascular disease management in low-income and middle-income countries: a systematic review. BMJ Open. 2017;7(11):e015529.
50. Egbujie BA, Delobelle PA, Levitt N, Puoane T, Sanders D, van Wyk B. Role of community health workers in type 2 diabetes mellitus self-management: A scoping review. PloS One. 2018;13(6):e0198424.
51. Javanparast S, Windle A, Freeman T, Baum F. Community Health Worker Programs to Improve Healthcare Access and Equity: Are They Only Relevant to Low- and Middle-Income Countries? Int J Health Policy Manag. 2018;7(10):943–54.
52. Giugliani C, Harzheim E, Duncan MS, Duncan BB. Effectiveness of community health workers in Brazil: a systematic review. J Ambulatory Care Manage. 2011;34(4):326–38.
53. Matsuzaka CT, Wainberg M, Norcini Pala A, Hoffmann EV, Coimbra BM, Braga RF, et al. Task shifting interpersonal counseling for depression: a pragmatic randomized controlled trial in primary care. BMC Psychiatry. 2017;17(1):225.
54. Padilha C dos S, Oliveira WF de. Terapia comunitária: prática relatada pelos profissionais da rede SUS de Santa Catarina, Brasil. Interface. 2012;16(43):1069–86.
55. Mrejen M, Rocha R, Millett C, Hone T. The quality of alternative models of primary health care and morbidity and mortality in Brazil: a national longitudinal analysis. Lancet Reg Heath Americas. 2021;19:24.
56. Glenton C, Colvin C, Carlsen B, Swartz A, Lewin S, Noyes J, et al. Barriers and facilitators to the implementation of lay health worker programmes to improve access to maternal and child health: qualitative evidence synthesis. Cochrane Database Syst Rev. 2013;2013(10):CD010414.
57. Grossman-Kahn R, Schoen J, Mallett JW, Brentani A, Kaselitz E, Heisler M. Challenges facing Community Health Workers in Brazil's Family Health Strategy: a qualitative study. Int J Health Plann Manage. 2018;33(2):309–20.
58. Morosini MV. Educação e trabalho em disputa no SUS: a política de formação dos agentes comunitários de saúde. Rio de Janeiro: Fiocruz, 2010.
59. Schubert J, Neves Da Silva R. Los modos de trabajo de los agentes comunitarios de salud: entre el discurso institucional y el cotidiano de la vulnerabilidad. MedPal. 2011;3(4):45-52.
60. Lotta G, Wenham C, Nunes J, Pimenta DN. Community health workers reveal Covid-19 disaster in Brazil. Lancet. 2020;396(10248):365–6.
61. Mishra S, Lygidakis C, Neupane D, Gyawali B, Uwizihiwe J-P, Virani S, et al. Combating non-communicable diseases: Potentials and challenges for community health workers in a digital age, a narrative review of the literature. Health Policy Plan. 2019;34:1–12.
62. Schoen J, Mallett JW, Grossman-Kahn R, Brentani A, Kaselitz E, Heisler M. Perspectives and experiences of community health workers in Brazilian primary care centers using m-health tools in home visits with community members. Hum Resour Health. 2017;15(1):71.

LEITURAS RECOMENDADAS

Brasil. Ministério da Saúde. O trabalho do agente comunitário de saúde. Brasília: MS; 2009.

Manual direcionado aos ACS, sobre as atribuições do cotidiano e atividades que devem desempenhar.

World Health Organization. WHO guideline on health policy and system support to optimize community health worker programmes [Internet]. Geneva: WHO; 2018 [capturado em 19 mar. 2021]. Disponível em: https://www.who.int/publications-detail-redirect/whoguideline-on-health-policy-and-system-support-to-optimize-community-health-worker-programmes.

Diretrizes da OMS para fortalecer a atuação dos ACS nos sistemas de saúde.

Capítulo 14
PRESCRIÇÃO DE MEDICAMENTOS E ADESÃO AOS TRATAMENTOS

Jorge Béria

Pedro Beria

Sotero Serrate Mengue

Segundo Meville, a prescrição de medicamentos talvez seja a melhor medida direta disponível para avaliar a qualidade do trabalho médico em atenção primária à saúde (APS).[1] Por exemplo, médicos que atendiam crianças com diarreia em postos de saúde tinham comportamentos prescritivos diferentes de sua rotina usual quando suas consultas eram observadas (prescreviam mais soro reidratante oral e menos antibióticos). Além disso, alguns médicos tendiam a prescrições inadequadas ao se defrontarem com mães "difíceis" ou ansiosas.[2]

A maioria das consultas médicas termina com a prescrição de algum medicamento. A prescrição é o documento que, geralmente, encerra a consulta. Com isso, ela se reveste de grande valor simbólico para os pacientes. A Pesquisa Nacional sobre Acesso, Utilização e Promoção do Uso Racional de Medicamentos (PNAUM) mostrou que, na população brasileira, o uso de medicamentos foi de 50,7% (61% no sexo feminino e 39,3% no sexo masculino).[3] Para usuários das Unidades Básicas de Saúde, o uso de ao menos um medicamento prescrito foi de 68,3%. Para 45,1% dos usuários, todos os medicamentos utilizados constavam na Relação Nacional de Medicamentos Essenciais (Rename).[4]

FATORES QUE INFLUENCIAM PRÁTICAS DE PRESCRIÇÃO INADEQUADAS

Um dos maiores problemas da prática médica no Brasil é a confusão existente no que já foi chamado de "selva terapêutica". Entre os fatores que contribuem para essa situação, podem-se salientar:
→ a elevada quantidade de apresentações comerciais e novos fármacos que pouco ou nada incorporam aos resultados dos fármacos existentes, mas revestidos de alguma promessa de ser um produto melhor;[5]
→ a propaganda intensa sem regulação, com frequência distorcida, travestida de informação científica e atualização terapêutica realizada pela indústria farmacêutica;[6]
→ o inadequado e insuficiente ensino de terapêutica nas escolas médicas. Muitas vezes, o diagnóstico é mais enfatizado do que as habilidades terapêuticas e as disciplinas básicas de farmacologia apresentadas como formação clínica;
→ a educação continuada deficiente ou, via de regra, inexistente;
→ ausência de efetividade dos mecanismos de controle existentes e pouco ou nenhum monitoramento de comercialização e, principalmente, de prescrição de medicamentos.

Um dos perigos da prática de um médico de APS, pressionado pelo grande número de atendimentos, pode ser a utilização da prescrição como uma forma mais simples de encerrar uma consulta, bem como um pretenso substituto de outras atitudes mais adequadas.

RECOMENDAÇÕES GERAIS

É fundamental o estudo continuado, bem como o estudo imediato no consultório sempre que necessário. Para tanto, é importante ter à mão textos confiáveis e atualizados de farmacologia clínica.

A Rename (disponível no app MedSUS), com monografias sobre todos os medicamentos essenciais, é uma fonte segura de informação.

A lista atualizada dos medicamentos disponíveis na Farmácia Popular é essencial para a melhor utilização de produtos gratuitos ou com descontos de até 90% (ver Leituras Recomendadas), quando não disponíveis no local do atendimento. Pode-se consultar os preços dos medicamentos quando necessário (ver Leituras Recomendadas).

Também é interessante ter a lista de medicamentos disponíveis pelo município nos casos de atendimento pelo Sistema Único de Saúde (SUS). Apesar de haver uma Relação Nacional de Medicamentos, cada município deve ter a sua Relação Municipal de Medicamentos que pode incluir outros produtos além daqueles constantes da Rename ou até mesmo não disponibilizar todos os medicamentos da lista nacional. Isso também pode ser útil para auxiliar os pacientes do SUS a conhecerem como o município organiza a dispensação de medicamentos. Em alguns casos, a distribuição de todos os medicamentos é feita nas unidades de atendimento. Em outros, a distribuição é centralizada, e ainda existem casos em que uma parte é centralizada e outra é descentralizada.

Deve-se ter em mente, conforme salienta Cordeiro, que "[...] as práticas de consumo de medicamentos são proporcionalmente mais onerosas nos grupos sociais de menor renda, apesar de as despesas, em termos absolutos, serem menores".[7] Portanto, sempre que possível, deve-se prescrever medicamentos genéricos, que são mais baratos do que os com nome-fantasia, além de apresentarem a mesma segurança e qualidade. Porém, isso não se aplica aos similares. Esses medicamentos têm nome-fantasia, em geral são mais baratos do que o medicamento de referência, têm o(s) mesmo(s) princípio(s) ativo(s) dos de referência, mas devem ser intercambiáveis com muita cautela, pois não apresentam a segurança e a qualidade comprovada dos genéricos.[8]

RECOMENDAÇÕES ESPECÍFICAS

A seguir, estão alguns questionamentos que o médico deve se fazer antes de prescrever.

É realmente necessária a utilização de um fármaco para modificar o curso clínico deste problema?
Se a resposta for positiva, o uso de cada fármaco deve ser justificado para o paciente.

Qual fármaco devo indicar?
Devem ser prescritos sempre medicamentos conhecidos, não caindo no fascínio da "última novidade terapêutica". Sempre que possível, devem ser usados fármacos isolados, pois, além de o controle do esquema adequado ser mais fácil, eles são mais baratos. A regra do fármaco de escolha para cada doença ou agente infeccioso deve sempre ser seguida.

Antes de prescrever um medicamento, seus efeitos indesejáveis e a interação com outras substâncias devem ser conhecidos pelo médico. Mulheres em idade fértil devem ser questionadas sobre o tipo de anticoncepção que utilizam ou se apresentam atraso menstrual. Deve-se lembrar que alguns medicamentos reduzem a efetividade dos anticoncepcionais orais (p. ex., topiramato).[9] Caso haja suspeita de gravidez, deve-se prescrever somente medicamentos recomendados (ver Apêndice Uso de Medicamentos na Gestação e na Lactação). A escolha de medicamentos em outras situações fisiológicas (infância, senilidade) ou patológicas (p. ex., prematuridade, insuficiências cardíaca, hepática e renal) deve privilegiar os fármacos que lesam menos o usuário ou os sistemas comprometidos. Se isso for impossível, ajustes de esquemas devem ser feitos.

Como deve ser administrado o fármaco?
A dose, a via de administração, o intervalo entre as administrações e o tempo de uso devem ser prescritos detalhadamente. Na dúvida, consultar capítulos específicos deste livro ou outras fontes.

A linguagem deve ser acessível ao paciente, e a letra, legível. No final da consulta, o médico deve solicitar ao paciente a descrição de como vai utilizar os medicamentos prescritos. Um dos autores atendeu duas pacientes grávidas que estavam usando anticoncepcional oral. Ao perguntar como usavam o medicamento, uma disse que colocava a pílula na vagina e a outra que o marido queria participar e uns dias ele tomava.

A prescrição realizada deve ser anotada de forma detalhada no prontuário. É importante, também, ressaltar por quanto tempo o paciente deve usar o medicamento. Existe exagero para os dois lados: consumo por tempo menor do que o indicado e consumo crônico quando não indicado.

O tempo de tratamento deve ser especificado para as doenças crônicas e agudas. No caso das doenças agudas, deve-se informar o paciente que, em caso de melhora, o tratamento deve ser continuado pelo período recomendado. Nos casos das doenças crônicas, deve-se informar que o tratamento deve ser continuado independentemente da remissão dos sintomas ou da normalização de exames e medidas. Por exemplo, alguns pacientes com diabetes acreditam que quando a glicemia volta aos parâmetros normais a doença está curada e abandonam o tratamento.

Os horários da tomada dos medicamentos devem ser ajustados para a conveniência do paciente. Uma prescrição para a tomada de 8 em 8 horas deve ter o horário de início ajustado para o conforto do paciente sob pena de uma baixa adesão quando uma das doses for durante a madrugada.

O paciente está usando outro fármaco?
Antes de prescrever, o médico deve perguntar sempre ao paciente se ele está tomando outros medicamentos e quais são, ficando atento para eventuais interações nocivas.

Quais são os efeitos esperados com a utilização do fármaco?
O paciente deve ser informado quanto aos efeitos positivos e negativos do medicamento prescrito e orientado a retornar se houver qualquer manifestação diferente da esperada.

O fármaco pode ser utilizado para outros fins além dos da prescrição?
Deve-se ter especial cuidado com a prescrição de determinados fármacos quando há risco de serem usados em tentativa de suicídio ou para outros fins além dos da prescrição. Isso pode ser feito prescrevendo-os em pequenas quantidades de cada vez ou encarregando um familiar pelo monitoramento do medicamento. Um dos autores atendeu um menino com rigidez de nuca. Perguntou para a avó se ele havia usado algum medicamento. A primeira resposta foi não. Após o médico insistir, ela pensou um pouco e disse: tomou umas gotas para dor de dente. Como não lembrava o nome do medicamento, foi solicitado que um familiar fosse buscar em casa. Era haloperidol gotas.

É necessário recomendar que todos os medicamentos sejam guardados fora do alcance das crianças (p. ex., ácido acetilsalicílico, paracetamol, sulfato ferroso e teofilina são causas de intoxicação por vezes fatal). O prazo de validade dos medicamentos deve ser sempre verificado tanto na aquisição como no uso de algum medicamento que esteja guardado em casa. Uma orientação específica deve ser dada para as apresentações líquidas, como soluções, xaropes ou colírios. Nesses casos, o prazo de validade inscrito na embalagem é apenas para o frasco fechado. Depois de abertos, esses medicamentos precisam ser utilizados no máximo pelo período especificado na bula. Recomenda-se colocar essa data na embalagem. Todos os medicamentos vencidos ou fora de uso devem ser descartados nas farmácias que estão preparadas para recebê-los, dando-lhes o destino correto. O descarte no lixo, na pia ou no vaso sanitário pode representar danos ao meio ambiente.

É recomendável evitar a prescrição de tranquilizantes para pessoas sadias em ocasiões de estresse agudo, como luto ou separação (ver Capítulo Abordagem da Morte e do Luto). A dependência de tranquilizantes menores está tomando as proporções de uma epidemia, controlável com a prescrição criteriosa e o apoio empático do clínico. Prescrições do tipo "se necessário" devem ser avaliadas com cautela para evitar o uso inadequado desses medicamentos.

O médico deve estar ciente de que a prescrição é um documento que pode ter impacto maior do que o esperado para a consulta. Alguns pacientes costumam guardar as receitas de tratamentos que deram certo como uma referência para outras situações, seja para si mesmos ou para uma pessoa próxima. Também pode haver uso por prazo maior para aumentar o benefício obtido naquele tratamento específico. Esse fenômeno pode ser chamado de sobrevida da prescrição. O médico deve informar claramente os limites de cada tratamento, tanto em relação ao tempo quanto ao motivo do uso, e alertar o paciente de que outros usos podem ser indevidos ou causar algum dano. Um dos autores supervisionou uma consulta de APS de uma senhora com hirsutismo. Ela usava, há 20 anos, uma injeção que também tinha testosterona e tinha sido prescrita para sintomas da menopausa.

FARMÁCIA POPULAR

A Farmácia Popular é um programa do Governo Federal que visa disponibilizar à população, por meio da rede privada de farmácias e drogarias, medicamentos para tratar doenças como hipertensão arterial e diabetes.

Para o tratamento de diabetes e hipertensão (p. ex., metformina, insulina, vários betabloqueadores e hidroclorotiazida), os medicamentos são gratuitos. Medicamentos para asma, doença de Parkinson, glaucoma, osteoporose e rinite, anticoncepcionais e fraldas geriátricas também estão disponíveis com descontos de até 90% do preço de referência estimado pelo Ministério da Saúde.

Para obter o medicamento na Farmácia Popular, o paciente precisa de Cadastro de Pessoas Físicas (CPF), um documento com fotografia, prescrição médica contendo o CRM do médico emitente com carimbo e assinatura, data da expedição da receita (de até 365 dias para anticoncepcionais e 180 dias para os outros itens), nome e endereço residencial do paciente. No momento da dispensação, o paciente deve assinar uma das vias do comprovante emitido pela farmácia.[10] Vale lembrar que os medicamentos são dispensados para exatos 30 dias a partir da data da apresentação da receita na farmácia, não sendo permitido adiantar a retirada ou compensar dias passados.

NORMAS GERAIS PARA PRESCRIÇÃO

Quando é tomada a decisão de prescrever um medicamento, deve-se levar em conta que as duas principais funções da receita são informar o farmacêutico ou atendente sobre qual fármaco deve ser fornecido ao paciente e sob quais condições, e instruir o paciente sobre as condições de uso do medicamento, o que é discutido adiante.

Além disso, a receita é um documento legal que sujeita o médico e o farmacêutico às leis de controle e vigilância sanitária vigentes, devendo o clínico, portanto, seguir estas normas:
→ escrevê-la claramente a tinta, sendo preferível a impressão;
→ evitar o uso de abreviaturas e termos técnicos, mesmo que sejam de uso corriqueiro;
→ cuidar com a grafia dos números, especialmente o uso de zeros e vírgulas, evitando, assim, erros de dosagem;
→ usar receituário apropriado para a classe do fármaco prescrito;
→ assinar, datar e carimbar a prescrição de forma que o CRM e o nome do médico sejam legíveis;
→ lembrar que apenas 6 unidades comerciais podem ser dispensadas por receita.

A receita formal deve ser composta pela seguinte sequência de informações:[11]
→ **cabeçalho:** nome, endereço, telefone, instituição e número de cadastro do profissional (geralmente impressos no receituário);
→ **superinscrição:** nome e endereço do paciente que receberá o medicamento, seguido pela forma "uso oral", "uso intramuscular", "uso nasal", "uso intravenoso", "uso intra-articular", "uso dermatológico";
→ **inscrição:** nome do fármaco, forma farmacêutica e sua concentração;
→ **subinscrição:** a quantidade a ser fornecida. No caso de fármacos controlados, essa quantidade deve ser escrita por extenso entre parênteses. Por exemplo, escreve-se "Dispensa 20 (vinte) comprimidos";
→ **transcrição:** as orientações para o paciente;
→ **data, assinatura e carimbo.**

TIPOS DE RECEITAS E SUBSTÂNCIAS CONTROLADAS

Seguindo acordos internacionais, a legislação brasileira classifica os medicamentos em grupos com regimes de controle diferentes. A maioria dos fármacos é prescrita em receituário comum. Para os antibióticos – incluindo os de uso dermatológico, ginecológico, oftálmico e otorrinolaringológico –, é necessária receita comum dupla, e a validade é de apenas 10 dias. No entanto, para substâncias controladas, é obrigatório o uso de receituários ou notificações específicas, emitidos pela Secretaria de Vigilância Sanitária. A Agência Nacional de Vigilância Sanitária (Anvisa) utiliza a seguinte classificação para as substâncias controladas (TABELA 14.1):
→ **Lista A (receita amarela):**
  → A1: substâncias entorpecentes (analgésicos opioides);

TABELA 14.1 → Tipos de notificações e receitas para medicamentos controlados

TIPO DE NOTIFICAÇÃO	NOTIFICAÇÃO DE RECEITA A	NOTIFICAÇÃO DE RECEITA B1	NOTIFICAÇÃO DE RECEITA B2	NOTIFICAÇÃO DE RECEITA ESPECIAL	RECEITA DE CONTROLE ESPECIAL EM DUAS VIAS	RECEITA COMUM EM DUAS VIAS
Medicamentos	Entorpecentes	Psicotrópicos	Anorexígenos	Retinoides sistêmicos e imunossupressores (talidomida)	Outras substâncias de controle especial, antirretrovirais e anabolizantes	Antibióticos
Listas	A1, A2 e A3	B1	B2	C2 e C3	C1, C4 e C5	—
Abrangência	Em todo o território nacional	Em todo o território nacional			Em todo o território nacional	Em todo o território nacional
Cor da notificação	Amarela	Azul	Azul	Branca	Branca	Branca
Quantidade máxima por receita	Quantidade suficiente para 30 dias (ou 5 ampolas, se injetável)	Quantidade suficiente para 60 dias (ou 5 ampolas, se injetável)	Quantidade suficiente para 30 dias	Quantidade suficiente para 30 dias	Quantidade suficiente para 30 dias (ou 5 ampolas, se injetável)	Não há limite de quantidade de caixas ou tempo de tratamento; a farmácia deve seguir a orientação presente na prescrição médica
Quem imprime o talão da notificação	Autoridade sanitária	O profissional retira a numeração na autoridade sanitária e escolhe a gráfica para imprimir o talão às suas expensas. Para medicamentos da lista C3, os talões serão impressos às expensas dos serviços públicos de saúde devidamente cadastrados no órgão de Vigilância Sanitária Estadual			A receita de controle especial é fornecida pelo profissional às suas expensas	A receita é fornecida pelo profissional às suas expensas

Fonte: Brasil.[12]

- A2: substâncias entorpecentes em concentrações especiais (analgésicos opioides e antagonistas);
- A3: substâncias psicotrópicas (anfetamínicas);
- **Lista B (receita azul):**
  - B1: substâncias psicotrópicas (benzodiazepínicos e barbitúricos);
  - B2: substâncias psicotrópicas anorexígenas;
- **Lista C (receita branca, duas vias):**
  - C1: outras substâncias sujeitas a controle especial (anticonvulsivantes, antidepressivos);
  - C2: substâncias retinoicas de uso sistêmico (receita especial);
  - C3: substâncias imunossupressoras (talidomida – receita especial);
  - C4: substâncias antirretrovirais;
  - C5: substâncias anabolizantes;
- **Listas D, E e F:** substâncias controladas pelo Ministério da Justiça por terem propriedades entorpecentes ou psicotrópicas ou por serem precursoras dessas substâncias.[12]

A validade das receitas para substâncias controladas é de 30 dias. As listas completas das substâncias controladas e mais informações sobre a prescrição desses medicamentos estão disponíveis na página da Anvisa (ver Leituras Recomendadas).

CONFLITOS DE INTERESSE NA PRESCRIÇÃO

A influência da indústria farmacêutica sobre a prescrição médica tem sido alvo de preocupação de pesquisadores.[6,13] A atuação da indústria abrange as sociedades médicas, a academia e outros setores envolvidos. Esse protagonismo vai desde a contratação de especialistas influentes na divulgação de seus produtos até a distribuição de passagens e inscrições para congressos, jantares e outros brindes que em algum momento desencadeiam o que é conhecido como "efeito da gratidão". Ou seja, em algum momento aquele prêmio ou presente retornará em forma de prescrição de um produto daquela empresa.[14]

Uma das formas adequadas de neutralizar essa influência é a escolha do medicamento baseada na melhor evidência para aquele quadro clínico e não apenas para desfechos substitutos que não tenham efeito no problema.

POLIFARMÁCIA E DESPRESCRIÇÃO

O envelhecimento da população tem colocado o médico diante de novos desafios para o cuidado adequado.[15] É comum o paciente idoso apresentar mais de um problema de saúde, em geral crônico, e já estar sob tratamento medicamentoso anterior.[8-10] Com isso, a cada novo problema de saúde são acrescentados novos medicamentos. Essa situação leva ao que é conhecido como polifarmácia, que pode ser definida como o uso excessivo de medicamentos.[16]

O acúmulo de medicamentos pode gerar uma sobreposição de tratamentos. Nesses casos, é preciso revisar todos os medicamentos utilizados pelo paciente e organizar um tratamento somente com os medicamentos necessários. Essa revisão dos tratamentos medicamentosos tem sido identificada como o processo de desprescrição para o paciente idoso.[17]

ADESÃO AOS TRATAMENTOS

A adesão dos pacientes é definida como o grau de seguimento das recomendações médicas. A não adesão a tratamentos com medicamentos pode ser classificada como erro de omissão (um medicamento prescrito não é utilizado), erro de consumo (um medicamento não prescrito é consumido), erro de posologia (uma dose errada é utilizada) e erro no intervalo entre as administrações (p. ex., uma vez em vez de duas vezes ao dia).[18]

Para as doenças crônicas, alguns autores[19] têm proposto a ideia de adesão e persistência como momentos do tratamento. A adesão é a disposição dos pacientes em iniciar o tratamento da maneira prescrita. Isso inclui a etapa de reconhecer a doença e a necessidade do tratamento. A persistência consiste no processo de primeiramente manter o tratamento e, depois, manter o tratamento seguindo a prescrição. Para o adequado cuidado do paciente, são necessárias quatro etapas: iniciar o tratamento, manter o tratamento, manter o tratamento com todos os medicamentos nas doses e intervalos prescritos e não abandonar o tratamento.

Estima-se que 30 a 50% dos medicamentos prescritos para condições de longo curso não sejam usados conforme as recomendações recebidas. A não adesão não deveria ser vista como um problema apenas do paciente. Ela representa uma limitação fundamental da provisão dos cuidados de saúde, frequentemente devido a uma falha na concordância com a prescrição ou em identificar e proporcionar o suporte de que o paciente necessita (TABELA 14.2).[20]

O grau de adesão dos pacientes e o comportamento prescritivo dos médicos devem sempre ser examinados simultaneamente e como parte das avaliações da qualidade da atenção médica, pois, segundo Wright, muitas vezes uma prescrição sinaliza o fim de uma consulta e não o início de uma aliança.[18]

Segundo revisões de literatura, a adesão a tratamentos medicamentosos de curta duração chega a 75% nos primeiros dias; porém, menos de 25% dos pacientes ambulatoriais completarão 10 dias de antibiótico para uma amigdalite bacteriana ou uma otite média.[21] Como mostrado na TABELA 14.3, a adesão ao uso de medicamentos para tuberculose, quando autoadministrados, foi de apenas 86%;[21] para hipertensão e

TABELA 14.2 → Principais fatores que levam à não adesão ao tratamento

FATORES INTENCIONAIS	FATORES NÃO INTENCIONAIS
→ Esquema terapêutico complexo, que exige mudança nos hábitos de vida do paciente	→ Falta de acesso ao medicamento prescrito
→ Aparecimento de efeitos colaterais dos medicamentos prescritos	→ Custo dos medicamentos
→ Remissão dos sintomas da doença em tratamento	→ Entendimento equivocado da prescrição
→ Desconfiança do paciente em relação à prescrição	→ Depressão, desmotivação, esquecimento

TABELA 14.3 → Prevalência de adesão ao tratamento de doenças crônicas em contextos brasileiros

TRATAMENTO	PREVALÊNCIA DE ADESÃO (%)	CONTEXTO
Doenças crônicas de adultos	69	Brasil[28]
Tuberculostáticos	85	Municípios de alta vulnerabilidade no Estado do Maranhão, Brasil[24]
Adesão	24-98	Revisão sistemática[24]
Persistência	19-90	Revisão sistemática[24]
Anti-hipertensivos	58	Revisão sistemática, América Latina[25]
Diabetes	71	Brasil[26]
Antirretroviral	70	Revisão sistemática, América Latina[29]

para tratamento de diabetes, de 71%;[22,23] e, para antirretrovirais no tratamento de vírus da imunodeficiência humana (HIV)/síndrome da imunodeficiência humana (Aids), de apenas 70%.[24] Em um estudo de base populacional no Brasil, encontrou-se 69% de adesão para o tratamento medicamentoso de doenças crônicas em adultos. A baixa adesão estava associada à menor escolaridade, aos jovens, residentes no Nordeste e Centro-Oeste, à autopercepção de saúde ruim e ao consumo de três medicamentos ou mais.[25]

Uma revisão de estudos brasileiros sobre hipertensão arterial mostrou que a adesão moderada ao tratamento foi observada em 63% dos pacientes, enquanto uma adesão considerada elevada foi alcançada apenas em 25% dos casos. Em outro estudo de revisão, constatou-se que o controle da pressão arterial nos pacientes tratados variou de 10 a 35%, a depender da população estudada.[26]

Em uma revisão integrativa sobre o tratamento do HIV/Aids, os autores observaram uma variação de adesão de 20 a 99%.[27] Em outra revisão, focando apenas em adolescentes, essas taxas variaram de 16 a 99%. Concluiu-se que as dificuldades de adesão à terapia antirretroviral são oriundas, sobretudo, do baixo nível educacional, do déficit de suporte familiar e social, do consumo de bebida alcoólica e drogas ilícitas, de regimes complexos de tratamento, da via de administração, da estrutura dos serviços de saúde como acesso e disponibilidade de consultas e medicamentos, das atitudes em relação ao medicamento e dos seus efeitos colaterais.[28] Os efeitos colaterais de maior impacto foram fadiga, confusão e distúrbios do paladar.[29] Os resultados dos estudos sobre o tratamento de HIV/Aids mostram uma ampla variação na adesão com motivos amplos, desde características individuais até o apoio da família e a presença de equipes de saúde organizadas para a atenção a esse tipo de paciente em especial.

Uma metanálise sobre o efeito da ansiedade e da depressão na adesão de pacientes não psiquiátricos atendidos por médicos não psiquiatras verificou que pacientes deprimidos apresentavam uma adesão três vezes menor do que os não deprimidos.[30] A não adesão de um paciente a uma terapêutica eficaz pode frustrar os objetivos do médico e do paciente em reduzir sofrimento, prevenir enfermidades, melhorar o nível de funcionamento e aumentar a longevidade.

Se o médico desconhece a não adesão do paciente, pode atribuir, equivocadamente, o resultado insuficiente a uma dosagem inadequada, à falha do esquema terapêutico ou a um diagnóstico incorreto. Qualquer uma dessas conclusões pode levar o médico a agir de modo inapropriado. Assim, o medicamento pode ser trocado, ou a dose, aumentada. Novos diagnósticos podem ser considerados, sendo o paciente submetido a testes e a procedimentos desnecessários.[31]

Prevenção da não adesão

Geralmente é mais eficiente usar algumas estratégias que melhoram a adesão de todos os pacientes no início do tratamento do que tentar identificar os que não aderiram mais tarde. Estratégias preventivas mínimas para todos os pacientes devem incluir:

→ desenvolvimento de vínculo e confiança na relação com o paciente (ver Capítulo Método Clínico Centrado na Pessoa);
→ uso do esquema de tratamento mais simples possível;
→ instruções breves, claras e explícitas, que incluam o propósito e a duração do tratamento, com repetição subsequente pelo paciente para testar a efetividade da comunicação;
→ compreeensão da doença pelo paciente (p. ex., no diabetes, a glicemia normaliza, mas a doença não tem cura; na doença psiquiátrica, a melhora geral não autoriza o abandono do tratamento) (TABELA 14.4).

Uma revisão sistemática de estudos sobre adesão confirmou que o número de doses diárias prescritas está inversamente relacionado com a adesão. Prescrições simples, com doses menos frequentes, resultam em melhor adesão.[32] Em uma revisão de intervenções para promover a adesão ao manejo da tuberculose, o tratamento diretamente observado oferecido por diferentes serviços e em vários locais, os lembretes, os incentivos, a educação do paciente, as tecnologias digitais (serviços de mensagens curtas [SMSs] via telefones celulares e terapia de vídeo-observação), as equipes multidisciplinares e as combinações dessas intervenções melhoraram desfechos de tratamento.[33]

Em uma revisão de intervenções para auxiliar os pacientes a seguirem a prescrição de tratamentos em geral, o aconselhamento e a informação escrita mostraram efeito na adesão e no desfecho clínico. As intervenções para tratamentos de longa duração que estiveram associadas à melhora da adesão eram complexas, incluindo combinações de cuidados, informação, aconselhamento, lembretes, automonitoramento, reforço, terapia de família e programas de assistência farmacêutica em geral.[34]

Instruções por escrito, além da receita, devem ser utilizadas quando forem feitas mudanças no esquema de

TABELA 14.4 → Principais fatores que levam à maior adesão ao tratamento

→ Boa relação médico-paciente
→ Uso de esquema terapêutico o mais simples possível
→ Entendimento, por parte do paciente, da doença, do esquema terapêutico e do propósito do seu tratamento
→ Motivação

tratamento, ou quando o esquema for complexo ou as instruções não forem memorizadas totalmente. Alguns aspectos podem reforçar a adesão: a educação dirigida à correção de ideias errôneas e à motivação do paciente, e a discussão dos possíveis efeitos colaterais e o que fazer caso ocorram, do custo aproximado dos medicamentos, de alternativas terapêuticas e de consequências do não tratamento. Transferência negativa e reações contratransferenciais devem ser reconhecidas e trabalhadas.[18]

O cuidado individualizado das necessidades do paciente desde o início pode aumentar sua satisfação e as chances de adesão. Para tanto, é necessário que o médico responda rotineiramente a algumas das seguintes perguntas:[31]

→ Quem é este paciente? Quais são os seus traços de personalidade? Ele necessita de mais ou menos informação e envolvimento em seu próprio cuidado?
→ Quais são as explicações e as crenças do paciente sobre a sua enfermidade? Qual é a sua atitude sobre a atenção de saúde? Quais são as barreiras para a adesão? (ver Capítulo Antropologia e Atenção Primária à Saúde.)
→ De onde vem este paciente? Quais fatores ambientais, como família e horário de trabalho, poderiam influenciar em sua capacidade de seguir um esquema terapêutico?
→ Por que o paciente está aqui? Quais são suas expectativas, motivações e preocupações ao procurar atenção médica? O que desencadeou a presente consulta?
→ O paciente entende e aceita a explicação e a prescrição do médico?

A entrevista motivacional é uma abordagem para ajudar a pessoa a reconhecer a ambivalência e a relutância que envolvem a mudança de comportamento (ver Capítulo Abordagem para Mudança de Estilo de Vida).[35-38]

A administração de medicamentos com gosto ruim deve ser feita de forma a evitar o contato com a língua. Nos casos de líquidos, o uso de uma seringa pode ajudar nesse processo.[39]

Para pacientes com problemas em seguir um esquema oral fracionado e de duração prolongada, o uso de esquemas de dose única, oral ou parenteral, quando possível, reduz a não adesão, aumentando a efetividade da terapia. O auxílio de familiares, os lembretes e a colocação do medicamento (desde que não fique ao alcance de crianças e animais de estimação) em locais onde o paciente vai regularmente (cabeceira da cama, pia do banheiro, sobre a geladeira) são métodos que podem ajudar a aumentar a adesão. Para os idosos que podem apresentar problemas com a memória recente, a recomendação de colocar a dose diária do(s) medicamento(s) em um pequeno recipiente fechado pela manhã pode ser uma forma de facilitar o controle da dose prescrita.

Aplicativos

Existe uma variedade de aplicativos para celulares que auxiliam na adesão ao tratamento. Eles permitem que sejam inseridos os nomes dos medicamentos utilizados, as características físicas dos medicamentos, como cor, formato do comprimido e outras formas farmacêuticas, como gotas (algumas versões permitem que seja feita uma fotografia do produto). Também podem ser programados diferentes horários de administração, intervalos de tempo e duração do tratamento, quando for o caso. O estoque de comprimidos também pode ser programado de forma a criar um alerta para a nova obtenção dos medicamentos.

O aplicativo Medisafe é gratuito e pode ser útil para os pacientes com celular compatível.

Diagnóstico da não adesão

A possibilidade de não adesão deve ser considerada em todos os pacientes, devido à alta prevalência. A ausência de efeitos terapêuticos ou efeitos colaterais esperados deve levantar suspeita, assim como a presença de outros fatores de risco associados à não adesão.

O primeiro passo para o diagnóstico de não adesão é perguntar ao paciente (de forma aberta, facilitadora e sem julgamento) o que ele está fazendo para tratar seu problema. As informações devem ser abrangentes, incluindo medicamentos que estão sendo utilizados, frequência das doses, esquecimentos e tipos de tratamentos não farmacológicos que estão sendo seguidos. Deve-se perguntar especificamente sobre a adesão no dia da consulta e no dia anterior. Quando o paciente parece confuso ou não consegue informar o suficiente, solicita-se que ele traga todos os frascos de medicamentos utilizados ao consultório. Além de algumas surpresas que provavelmente surgirão (usar dois medicamentos com a mesma composição, medicamentos que foram substituídos e continuam sendo utilizados), essa técnica permite a contagem de comprimidos para uma medida aproximada da adesão.[39]

Pelo menos quatro tipos de pacientes consultam um médico e não seguem as recomendações:

1. os que querem cumprir, mas não sabem como ou esqueceram todas ou algumas recomendações;
2. os que sabem como, mas não se sentem suficientemente motivados para seguir as recomendações;
3. os que não conseguem cumprir devido à pobreza e à impossibilidade de conseguir medicamentos (ou outros obstáculos externos);
4. os que mudam de ideia e, por diversas razões, decidem não mais seguir as recomendações (efeitos secundários, análise de custo-benefício, melhora rápida).[18]

Tratamento da não adesão

Na prática individual, é importante levar em consideração, antes de realizar intervenções para aumentar a adesão, que a terapêutica seja racional e baseada em conhecimento médico estabelecido e que os riscos potenciais do tratamento sejam menores do que os benefícios esperados.[18]

Para o tratamento da não adesão, é importante melhorar a comunicação com os pacientes. Antes que os pacientes saiam do consultório, os médicos devem comprovar sistematicamente se as recomendações foram entendidas. O uso de material escrito com clareza ajuda os pacientes a lembrarem das informações recebidas.

Para os que não sabem ler ou têm dificuldade em compreender uma instrução escrita, devem ser usados símbolos visuais compatíveis com a cultura local. Por exemplo, desenhar uma colher ou comprimido para simbolizar o número de doses, sol e lua para dia e noite (FIGURAS 14.1 a 14.3).[40]

Se o problema é de não compreensão das recomendações, o uso de mais instruções verbais e escritas e/ou a simplificação e a personalização do esquema terapêutico são indicados. Se mesmo assim o paciente não compreende, é necessária a supervisão do uso do medicamento por um familiar ou trabalhador da saúde.

Quando a não adesão é voluntária, a estratégia delineada para melhorá-la deve ser personalizada às necessidades individuais. Problemas de fundo, como depressão e alcoolismo, devem ser tratados. O uso de métodos comportamentais é frequentemente necessário, incluindo simplificação e personalização do esquema terapêutico, uso de recipientes farmacêuticos especiais ou cartões de lembrete, automonitoramento pelo paciente, negociação e envolvimento do paciente no planejamento de seu próprio cuidado, obtenção de compromissos verbais e contratos escritos, e aumento da supervisão médica e familiar.

Estratégias simultâneas necessárias ao tratamento incluem educação delineada para motivar o paciente, correção de ideias errôneas, introdução ou alteração de certas crenças, atitudes e valores, reforço do senso de autoeficácia e reforço das habilidades necessárias para a adesão. Às vezes, uma opção é o tratamento parenteral de ação prolongada. Como a adesão tende a diminuir após o término das intervenções, as estratégias efetivas devem ser mantidas por prazo indeterminado. Tentativas de simplificação ou interrupção de uma estratégia que teve bom resultado devem ser feitas gradualmente, ao mesmo tempo que a adesão continua a ser monitorada.[31]

ADESÃO A RETORNOS E ENCAMINHAMENTOS

Em relação à adesão a consultas de retorno, é importante:
→ discutir o propósito da consulta;
→ negociar um intervalo de consulta que seja mutuamente aceitável;
→ personalizar o horário da consulta às necessidades do paciente;
→ obter concordância verbal do paciente;
→ marcar a consulta, em vez de deixar para o paciente a iniciativa de quando retornar.

Faltar a uma consulta agendada pode ser sinal de abandono de tratamento; assim, as fichas dos pacientes deveriam ser revisadas diariamente pelo médico ou pela equipe. Quando indicado, e se possível, o paciente deve ser contatado por telefone, correio ou visita domiciliar. Se o encaminhamento a um especialista for necessário, é importante salientar ao paciente o propósito desse ato, assegurar o entendimento e a concordância com o plano de referenciamento e, sempre que possível, encaminhá-lo para um profissional específico, e não para um grupo. Além disso, se possível, a consulta deve ser agendada dentro de um curto período.

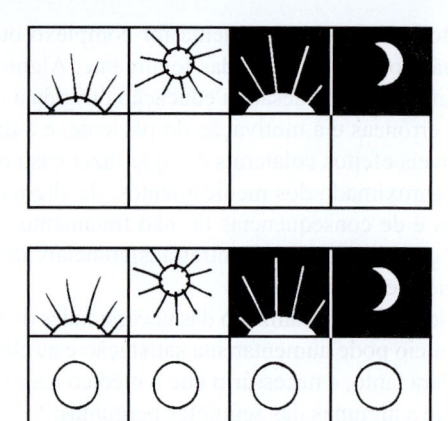

FIGURA 14.1 → Para lembrar a pessoa que não sabe ler ou que tem dificuldade em compreender uma instrução escrita, pode-se utilizar um impresso como este. Nos quadrinhos em branco, desenha-se a quantidade de medicamento que ela deve tomar. É preciso explicar com cuidado o que o desenho significa.
Fonte: Adaptada de Werner.[40]

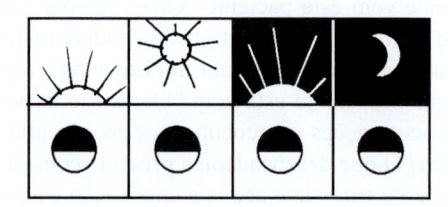

FIGURA 14.2 → Desenho que significa que o paciente deve tomar meio comprimido quatro vezes ao dia.
Fonte: Adaptada de Werner.[40]

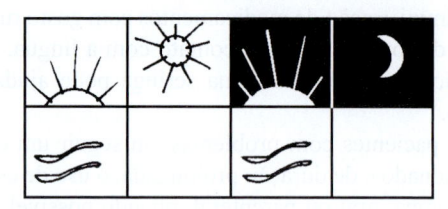

FIGURA 14.3 → Desenho que significa que o paciente deve tomar duas colheres de chá duas vezes ao dia.
Fonte: Adaptada de Werner.[40]

REFERÊNCIAS

1. Melville A. Job satisfaction in general practice: implications for prescribing. Soc Sci Med Med Psychol Med Sociol. 1980;14A(6):495–9.
2. Béria JU, Damiani MF, dos Santos IS, Lombardi C. Physicians' prescribing behaviour for diarrhoea in children: An ethnoepidemiological study in southern Brazil. Soc Sci Med.1998;47(3):341–6.
3. Bertoldi AD, Pizzol T da SD, Ramos LR, Mengue SS, Luiza VL, Tavares NUL, et al. Sociodemographic profile of medicines users in Brazil: results from the 2014 PNAUM survey. Rev Saúde Pública. 2016;50(suppl 2):5s.
4. Lima MG, Álvares J, Guerra Junior AA, Costa EA, Guibu IA, Soeiro OM, et al. Indicators related to the rational use of medicines and its associated factors. Rev Saúde Pública. 2017;51(suppl.2):23s.

5. World Health Organization. Model List of Essential Medicines: 21st List, 2019. Geneva: WHO; 2019.
6. Gøtzsche PC. Medicamentos mortais e crime organizado. Porto Alegre: Bookman; 2016.
7. Garcia LP, Ocké-Reis CO, de Magalhães LCG, Sant'Anna AC, de Freitas LRS. Gastos com planos de saúde das famílias brasileiras: estudo descritivo com dados das Pesquisas de Orçamentos Familiares 2002-2003 e 2008-2009 [Spending on private health insurance plans of Brazilian families: a descriptive study with data from the family budget surveys 2002-2003 and 2008-2009]. Cien Saude Colet. 2015;20(5):1425–34.
8. Rumel D, Nishioka S de A, Santos AAM dos. Intercambialidade de medicamentos: abordagem clínica e o ponto de vista do consumidor. [Drug interchangeability: clinical approach and consumer's point of view]. Rev Saude Publica. 2006 Oct;40(5):921–7.
9. Cordioli AV, Gallois CB, Isolan L. Psicofármacos: consulta rápida. 5. ed. Porto Alegre: Artmed; 2015.
10. Brasil. Ministério da Saúde. Secretaria de Ciência. Programa Farmácia Popular do Brasil: manual básico. Brasília: MS; 2019.
11. Fuchs FD, Wannmacher L. Farmacologia clínica e terapêutica. 5. ed. Rio de Janeiro: Guanabara Koogan; 2017.
12. Brasil. Agência Nacional de Vigilância Sanitária [Internet]. Substâncias sujeitas a controle especial. Brasília: ANVISA; 2017 [capturado em 17 ago. 2020]. Disponível em: http://portal.anvisa.gov.br/controlados
13. Angell M. A verdade sobre os laboratórios farmacêuticos. Rio de Janeiro: Record; 2007
14. Coyle SL, Ethics and Human Rights Committee, American College of Physicians–American Society of Internal Medicine. Physician–industry relations. Part 1: individual physicians. Ann Intern Med. 2002;136(5):396–402.
15. Tramujas Vasconcellos Neumann L, Albert SM. Aging in Brazil. Gerontologist. 2018;58(4):611–7.
16. Masnoon N, Shakib S, Kalisch-Ellett L, Caughey GE. What is polypharmacy? A systematic review of definitions. BMC Geriatr. 2017;17(1):230.
17. Moraes EN. A arte da (des) prescrição no idoso: a dualidade terapêutica. Belo Horizonte: Folium; 2018.
18. Wright EC. Non-compliance – or how many aunts has Matilda? Lancet. 1993;342(8876):909–13.
19. Vrijens B, Geest SD, Hughes DA, Przemyslaw K, Demonceau J, Ruppar T, et al. A new taxonomy for describing and defining adherence to medications. Br J Clin Pharmacol. 2012;73(5):691–705.
20. National Collaborating Centre for Primary Care (UK). Medicines adherence: involving patients in decisions about prescribed medicines and supporting adherence. London: Royal College of General Practitioners; 2009.
21. Liu Y, Birch S, Newbold KB, Essue BM. Barriers to treatment adherence for individuals with latent tuberculosis infection: a systematic search and narrative synthesis of the literature. Int J Health Plann Manage. 2018;33(2):e416–33.
22. Nielsen JØ, Shrestha AD, Neupane D, Kallestrup P. Non-adherence to anti-hypertensive medication in low- and middle-income countries: a systematic review and meta-analysis of 92443 subjects. J Hum Hypertens. 2017;31(1):14–21.
23. Meiners MMM de A, Tavares NUL, Guimarães LSP, Bertoldi AD, Pizzol T da SD, Luiza VL, et al. Acesso e adesão a medicamentos entre pessoas com diabetes no Brasil: evidências da PNAUM [Access and adherence to medication among people with diabetes in Brazil: evidences from PNAUM]. Rev Bras Epidemiol. 2017;20(3):445–59.
24. Costa J de M, Torres TS, Coelho LE, Luz PM. Adherence to antiretroviral therapy for HIV/AIDS in Latin America and the Caribbean: Systematic review and meta-analysis. J Int AIDS Soc. 2018;21(1):e25066.
25. Tavares NUL, Bertoldi AD, Mengue SS, Arrais PSD, Luiza VL, Oliveira MA, et al. Factors associated with low adherence to medicine treatment for chronic diseases in Brazil. Rev Saúde Pública. 2016;50(suppl 2):10s.
26. Scala LC, Magalhães LB, Machado A. Epidemiologia da hipertensão arterial sistêmica. In: Moreira SM, Paola AV, Sociedade Brasileira de Cardiologia. Livro-texto da Sociedade Brasileira de Cardiologia. 2. ed. São Paulo: Manole; 2015. p. 780–5.
27. Carvalho PP, Barroso SM, Coelho HC, Penaforte FR de O. Factors associated with antiretroviral therapy adherence in adults: an integrative review of literature. Cien Saude Colet. 2019;24(7):2543–55.
28. Al-Dakkak I, Patel S, McCann E, Gadkari A, Prajapati G, Maiese EM. The impact of specific HIV treatment-related adverse events on adherence to antiretroviral therapy: a systematic review and meta-analysis. AIDS Care. 2013;25(4):400–14.
29. Hudelson C, Cluver L. Factors associated with adherence to antiretroviral therapy among adolescents living with HIV/AIDS in low- and middle-income countries: a systematic review. AIDS Care. 2015;27(7):805–16.
30. DiMatteo MR, Lepper HS, Croghan TW. Depression is a risk factor for noncompliance with medical treatment: meta-analysis of the effects of anxiety and depression on patient adherence. Arch Intern Med. 2000;160(14):2101–7.
31. Kern DE. Patient compliance with medical advice. In: Barker R, Fiebach NH, Kern DE, Thomas PA, Ziegelstein RC, Zieve PD, editors. Principles of ambulatory medicine. 4th ed. Baltimore: Williams & Wilkins; 1995. p. 35–49.
32. Pantuzza LL, Ceccato M das GB, Silveira MR, Junqueira LMR, Reis AMM. Association between medication regimen complexity and pharmacotherapy adherence: a systematic review. Eur J Clin Pharmacol. 2017;73(11):1475–89.
33. Alipanah N, Jarlsberg L, Miller C, Linh NN, Falzon D, Jaramillo E, et al. Adherence interventions and outcomes of tuberculosis treatment: a systematic review and meta-analysis of trials and observational studies. PLoS Med. 2018;15(7):e1002595.
34. Simon-Tuval T, Neumann PJ, Greenberg D. Cost-effectiveness of adherence-enhancing interventions: a systematic review. Expert Rev Pharmacoecon Outcomes Res. 2016;16(1):67–84.
35. Miller WR, Rollnick S. Entrevista motivacional: preparando pessoas para a mudança de comportamentos adictivos. Porto Alegre: Artmed; 2001.
36. Lee WWM, Choi KC, Yum RWY, Yu DSF, Chair SY. Effectiveness of motivational interviewing on lifestyle modification and health outcomes of clients at risk or diagnosed with cardiovascular diseases: A systematic review. Int J Nurs Stud. 2016;53:331–41.
37. Dillard PK, Zuniga JA, Holstad MM. An integrative review of the efficacy of motivational interviewing in HIV management. Patient Educ Couns. 2017;100(4):636–46.
38. Zomahoun HTV, Guénette L, Grégoire J-P, Lauzier S, Lawani AM, Ferdynus C, et al. Effectiveness of motivational interviewing interventions on medication adherence in adults with chronic diseases: a systematic review and meta-analysis. Int J Epidemiol. 2017;46(2):589–602.
39. Conselho Federal de Farmácia. Guia de prática clínica sinais e sintomas não específicos: febre. Brasília: CFF; 2018. (Guias de prática clínica para farmacêuticos, 3).
40. Werner D. Onde não há médico. São Paulo: Paulinas; 1979.

LEITURAS RECOMENDADAS

Brasil. Ministério da Saúde Relação Nacional de Medicamentos Essenciais: RENAME 2020. Brasília: MS; 2020 [capturado em 17 ago. 2020]. Disponível em: http://portalms.saude.gov.br/assistencia-farmaceutica/medicamentos-rename

Apresenta a Relação Nacional de Medicamentos Essenciais

Brasil. Ministério da Saúde. Assistência Farmacêutica no SUS: 20 anos de políticas e propostas para desenvolvimento e qualificação: relatório com análise e recomendações de gestores, especialistas e representantes da sociedade civil organizada. Brasília: MS; 2018 [capturado em 17 ago. 2020]. Disponível em: http://bvsms.saude.gov.br/bvs/publicacoes/assistencia_farmaceutica_sus_relatorio_recomendacoes.pdf
Aborda aspectos teóricos e práticos relacionados com a adequação da assistência farmacêutica ao modelo descentralizado de gestão em saúde.

Fuchs FD, Wannmacher L. Farmacologia clínica e terapêutica. 5. ed. Rio de Janeiro: Guanabara Koogan; 2017.
Apresenta os fundamentos farmacológico-clínicos da terapêutica medicamentosa.

Agência Nacional de Vigilância Sanitária – ANVISA. Disponível em: www.anvisa.gov.br
Portal da Anvisa, órgão que regulamenta a prescrição. Disponibiliza legislação e informações adicionais relevantes à prescrição de medicamentos.

Agência Nacional de Vigilância Sanitária. Bulário Eletrônico. Disponível em: http://www4.anvisa.gov.br/BularioEletronico/
Apresenta a bula de medicamentos de referência.

Consulta Remédios. Disponível em: www.consultaremedios.com.br/
Site que informa preços de remédios no Brasil, permitindo comparações de valores.

MedSUS. App disponível no Google Play ou Apple Store
Aplicativo que oferece a Relação Nacional de Medicamentos Essênciais (Rename), lista de medicamentos disponibilizados pelo Sistema Único de Saúde. Também fornece informações científicas sobre os fármacos da Rename; diretrizes terapêuticas e protocolos clínicos preconizados pelo Ministério da Saúde e o banco de dados da Anvisa de empresas e medicamentos autorizados a serem comercializados no Brasil.

Brasil. Ministério da Saúde. Nota Informativa sobre Prescrição Médica. http://portalarquivos2.saude.gov.br/images/pdf/2017/maio/03/Nota-Informativa-sobre-prescricao-medica.pdf
Resumo sobre a prescrição médica com exemplo de uma prescrição correta. ANVISA. Nota Técnica RDC número 20 de 2011.

Brasil. Nota técnica sobre a RDC nº 20/2011. Brasília: ANVISA; 2013. Disponível em:
http://portal.anvisa.gov.br/documents/33868/3410076/Nota+t%C3%A9cnica+sobre+a+RDC+n%C2%BA+20+de+2011/6c84d3b6-edc0-4ce9-9611-abe274ad4b0e
Descreve a prescrição para antibióticos.

Capítulo 15
REGISTROS MÉDICOS, CERTIFICADOS E ATESTADOS

Marcelo Vieira de Lima
Lucia Campos Pellanda
Moacir Assein Arús[†]

A qualidade dos registros médicos, sobretudo dos prontuários e documentos de comunicação entre pontos assistenciais e/ou outros setores afins do setor saúde, é fundamental para que os atributos longitudinalidade e coordenação da atenção estejam fortemente presentes nos serviços de saúde. Além disso, a qualidade e a precisão dos documentos médicos destinados aos pacientes, como receitas, certificados e atestados, são imprescindíveis para que a comunicação formal entre médicos e pacientes se desenvolva com uma base clara e respeitosa.

De maneira complementar, os registros médicos extrapolam a importância médico-científica, ao tangenciar as esferas administrativas e judiciárias, o que faz desses documentos relevantes peças comprobatórias. Assim, não se devem considerar esses documentos como mera formalidade burocrática, sob pena de prejudicar o atendimento ao paciente e o avanço da ciência, bem como acarretar possíveis implicações administrativo-judiciárias.

ATESTADOS

Os atestados médicos, também conhecidos como certificados médicos, são as declarações redigidas por autoridade médica, relativas a fatos médicos, cuja finalidade é afirmar o estado mórbido ou de higidez de um paciente.[1] Do ponto de vista ético-legal, trata-se do ato de afirmar ou provar em caráter oficial.

É parte integrante do ato médico, e seu fornecimento caracteriza um direito inquestionável do paciente, não gerando qualquer majoração de honorários.

Os atestados médicos são notoriamente reconhecidos pela sociedade, apresentando alto valor moral e legal, pois gozam da presunção de veracidade, devendo ser acatados por quem de direito, salvo se houver divergência de entendimento por médico da instituição ou perito.

Esses documentos têm o poder de:
→ autorizar o registro civil;
→ permitir a admissão, o afastamento e o retorno ao trabalho;
→ gerar licenças médicas;
→ gerar ou suspender interdição judiciária;
→ gerar indenizações;
→ conceder aposentadorias;
→ autorizar o sepultamento de cadáveres;
→ contribuir para decisões judiciais e policiais.

Apesar de seu imenso valor, os atestados médicos são considerados documentos oficiosos, ou seja, podem ser contestados. Isso se dá porque esses documentos emitem a opinião de um médico sobre o estado de saúde de um paciente. Há um caráter subjetivo – logo, questionável. Um exemplo dessa subjetividade é o provável tempo de consolidação e recuperação funcional de uma fratura óssea: para um médico, pode ser de 45 dias, enquanto, para outro, pode ser de 60 dias. A contestação, porém, deve ser realizada pelo reexame do estado mórbido atestado, de preferência por meio de junta médica.

O fato de o médico atestar para sua própria família não pode ser considerado infração ética, pois não existe expresso impedimento a respeito, salvo nos casos de perícias judiciais ou em situações como as de doenças graves e de toxicomanias. Porém, nas duas últimas situações, o fornecimento de atestado não é proibido quando se tratar do único médico da localidade.[2] No entanto, é importante observar que não é aceitável que o médico ateste para si mesmo.

Há vários tipos de atestado médico, a depender do fim a que se destina. Esses tipos estão descritos a seguir.

Atestado de doença

Tem por objetivo declarar a impossibilidade de exercer determinada função ou atividade no âmbito trabalhista-previdenciário, na prática de exercícios físicos ou no uso de transportes coletivos. Serve, ainda, para esclarecer aos órgãos competentes que o solicitante é portador de uma alteração funcional, possibilitando o direito a pleitear uma vaga especial em concursos públicos ou processos seletivos. Do ponto de vista jurídico, pode, por exemplo, justificar a interdição judicial de uma pessoa em caso de esta não poder, por motivo de doença, responder pelos seus atos.

Atestado de saúde

Informa sobre a boa condição psicofísica do solicitante para o desempenho de determinada função ou atividade no âmbito trabalhista-previdenciário, na prática de exercícios físicos ou para fins jurídicos, como para o cancelamento da interdição judicial.

Atestado para a realização de atividade física

Em geral, é necessário um exame dirigido e focado em aspectos específicos da saúde para participação em atividades físicas. No entanto, esse tipo de exame é um dos poucos momentos de contato de um adulto jovem com o sistema de saúde, e é válida uma abordagem mais detalhada e abrangente, oportunizando, principalmente, orientações de promoção de saúde e prevenção de doenças.

A história pode ser dirigida com o objetivo de identificar condições que excluam a pessoa da participação em atividades físicas. É recomendável fazer perguntas a respeito do estado geral de saúde, história mórbida pregressa, hospitalizações, uso de álcool e drogas e limitações de função, além de realizar revisão dos sistemas circulatório, pulmonar e musculoesquelético.

O exame físico compreende os seguintes aspectos:
→ **avaliação do sistema circulatório:** envolve medida da pressão sanguínea arterial, palpação dos pulsos periféricos, ausculta cardíaca. Alguns autores recomendam que o paciente corra ou caminhe por 12 minutos, sendo então examinado, na busca de alterações hemodinâmicas ou asma induzida pelo exercício;
→ **exame ortopédico:** inclui exame de lesões prévias para avaliar déficit residual, além de exame do joelho e da articulação coxofemoral ou de outras articulações de maior risco para o esporte específico a ser praticado.

Raramente são necessários exames complementares.

As principais contraindicações ou limitações para participação em esportes estão descritas no Capítulo Promoção da Atividade Física.

Atestado para avaliação da saúde mental

Atestados de saúde mental podem ser solicitados ao médico para finalidades como adoção de crianças e interdição judicial.

A resolução do Conselho Federal de Medicina (CFM) nº 1.931/2009[3] assevera que a emissão de atestados de sanidade mental não é prerrogativa exclusiva do médico psiquiatra. Conforme podemos observar no artigo 7º da resolução CFM nº 1.658/2002,[4] qualquer médico, independentemente de sua especialidade, está autorizado a emitir atestados de sanidade mental para toda e qualquer finalidade.

Deve-se, entretanto, observar as exigências formais para cada tipo de processo legal, de forma a não acarretar problemas de ordem jurídica devido à especificidade de cada caso. O atestado de sanidade mental precisa ser objetivo e claro, de forma que possa ser corretamente interpretado.

Salienta-se que, para o médico emitir tais atestados, deve examinar o paciente pelo tempo que achar necessário e pelo número de vezes que for preciso. Em certas ocasiões, necessitará realizar entrevista com membros da família para colher informações, se assim julgar conveniente. Sobretudo, não deve o médico se sentir pressionado pelo paciente ou familiar na elaboração do atestado. Caso não se sinta apto a estabelecer a existência ou não de sanidade mental, o médico deve encaminhar o paciente para o psiquiatra, para que este conclua o exame.

Outros tipos de atestado de saúde

Existem inúmeros outros tipos de atestados médicos para evidenciar a higidez dos pacientes. São tantos que seria impossível elencá-los em um livro, mas, em todos os casos, o que se espera do médico é o mais puro e simples bom senso na elaboração do documento. Além da correta identificação do paciente, do médico emissor, do local e da data do atestado, deve-se enfatizar o motivo de sua elaboração, além das condições clínicas observadas no exame médico realizado.

Não se deve esquecer de descrever que o documento foi elaborado a pedido do paciente. Deve-se informar, ainda, que o paciente autorizou a informação de seus dados médicos no atestado, pedindo a ele que assine o seu nome no rodapé do documento. Assim, você estará respaldado ético-juridicamente.

Atestado de vacina

Pode ser englobado no atestado de saúde. Serve para comprovar o estado vacinal do paciente, sendo mandatório constar os tipos de vacinas, as datas de aplicação e as respectivas doses.

Atestado médico administrativo

Tem seus efeitos perante as repartições públicas. São exemplos a licença-maternidade, para doação de sangue, para abono de faltas ou para consentimento de aposentadoria por invalidez.

Atestado médico judicial

Destina-se a fins judiciais, sendo requisitado ou não pelo Juízo. Vale ressaltar que qualquer atestado médico pode se tornar atestado judicial quando este é anexado aos autos judiciais.

Atestado de óbito

O Ministério da Saúde reserva a denominação **declaração de óbito** ao documento fornecido pelo médico e **atestado de óbito** à parte VI desse documento (FIGURA 15.1). **Certidão de óbito** é o documento fornecido pelo Cartório de Registro Civil.

Com ele, é realizado o registro de óbito no cartório, sem o qual não se pode realizar o sepultamento.

> O atestado de óbito tem extrema importância, pois permite cessar juridicamente a vida de uma pessoa. O seu correto preenchimento é imprescindível, visto que esse documento subsidia decisões administrativas, jurídicas e, em um contexto maior, estudos médico-sanitários a partir de análises estatísticas. Portanto, o correto preenchimento desse documento auxilia o planejamento e a avaliação das políticas e dos programas de saúde no País.

Tendo em vista os aspectos legais envolvidos, são feitas as seguintes recomendações aos médicos responsáveis pelo preenchimento desse documento:[5]

→ atestar todos os óbitos, inclusive os fetais, ocorridos em estabelecimentos de saúde, domicílios ou outros locais;
→ conscientizar-se da responsabilidade por todas as informações contidas no atestado de óbito;
→ assinar o documento somente após o total preenchimento, não devendo assiná-lo em branco ou deixar declarações previamente assinadas;
→ verificar se todos os itens de identificação estão devida e corretamente preenchidos;
→ saber que o documento é impresso em papel especial carbonado, em três vias e, antes de ser preenchido, o conjunto deverá ser destacado do bloco;
→ preencher os campos à máquina ou em letra de forma com caneta esferográfica;
→ evitar, sempre que possível, emendas ou rasuras. Caso isso ocorra, o conjunto deve ser anulado e encaminhado ao setor de processamento para controle;
→ evitar deixar campos em branco, colocando o código correspondente a Ignorado, ou um traço (–), quando não se conhecer a informação solicitada ou não se aplicar ao item correspondente.

Como preencher a causa da morte

As estatísticas de mortalidade segundo causas de morte são produzidas atribuindo-se ao óbito uma só causa, a chamada causa básica. A causa básica, por recomendação internacional, deve ser informada na última linha da parte I, ao passo que as causas consequenciais, caso existam, devem ser informadas nas linhas anteriores.

É de suma importância que, na última linha, o médico informe a causa básica de maneira correta, para que se tenham dados confiáveis e comparáveis sobre mortalidade segundo a causa básica ou primária, de modo a subsidiar estudos do perfil epidemiológico da população.

Na parte II, registra-se qualquer outra condição mórbida significativa que tenha contribuído para a morte do paciente, sem estar, no entanto, diretamente relacionada com a doença ou situação patológica que causou a morte, não sendo, portanto, registrada na parte I.

A FIGURA 15.2 mostra três exemplos de preenchimento correto da causa básica.

Cabe ressaltar que, nos casos de óbitos fetais, não se deve anotar o termo "natimorto", mas sim a causa ou causas do óbito fetal.

A codificação das partes I e II com o código da *Classificação estatística internacional de doenças e problemas relacionados à saúde*, 10ª revisão (CID-10) é realizada por técnicos da Equipe de Informação da Coordenação Geral de Vigilância em Saúde da Secretaria Municipal de Saúde. Assim, as áreas sombreadas à direita de cada alínea não devem ser preenchidas pelo médico.

Nos casos de mortes violentas (homicídio, suicídio ou acidente), não naturais ou suspeitas, a lei determina que a declaração seja fornecida obrigatoriamente por peritos médico-legais, após a necropsia, salvo nas localidades onde existir apenas um médico, que será, então, responsável pelo fornecimento da declaração.

Os atestados de óbito de pessoas falecidas de morte natural sem assistência médica deverão ser fornecidos por médicos do serviço de verificação de óbitos, nas cidades onde houver esse serviço; por médicos do serviço público de saúde

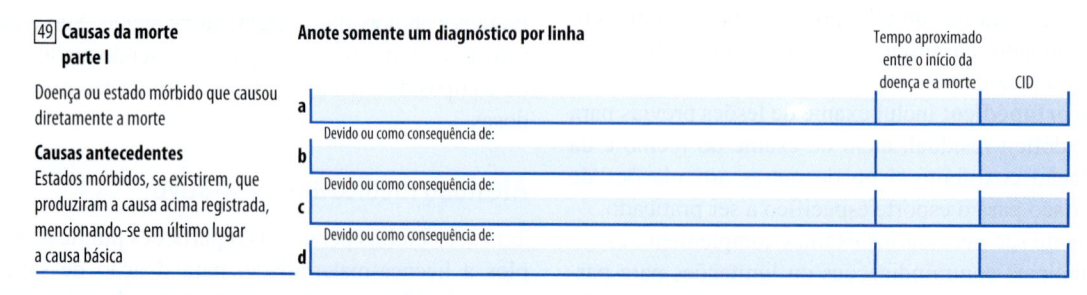

FIGURA 15.1 → Campo do atestado de óbito relativo à causa da morte.

Febre reumática

Caso clínico: Paciente de 50 anos, com quadro de hipertensão arterial sistêmica crônica. Apresentava estenose mitral devido à febre reumática. Como complicação da lesão valvar, evoluiu com insuficiência cardíaca congestiva descompensada, ocorrendo então o óbito. Neste exemplo, a causa básica foi a febre reumática, que ocasionou a estenose mitral. O óbito evoluiu de uma insuficiência cardíaca congestiva descompensada. A forma correta de preenchimento da declaração de óbito está exemplificada a seguir:

I. a) Insuficiência cardíaca congestiva
   b) Estenose mitral
   c) Cardiopatia reumática
   d) Febre reumática
II. Hipertensão arterial

Acidente de trabalho

Caso clínico: Operário, previamente hígido, sofreu queda acidental de andaime, sofrendo politraumatismo.
A causa básica foi a queda de andaime e a causa terminal foi politraumatismo. As outras linhas ficam em branco.

I. a) Politraumatismo
   b) Queda acidental de andaime
   c)
   d)
II.

Gestante com descolamento prematuro de placenta

Caso clínico: Gestante, com idade gestacional de 36 semanas, com doença hipertensiva da gestação. Apresentou sangramento uterino abundante decorrente de descolamento prematuro de placenta. Evoluiu com anemia aguda grave e óbito.
A causa básica da morte foi o descolamento prematuro de placenta e a causa terminal foi o choque hipovolêmico. A doença hipertensiva da gestação contribuiu para o óbito.

I. a) Choque hipovolêmico
   b) Sangramento uterino
   c) Descolamento prematuro de placenta
   d)
II. Doença hipertensiva da gestação

FIGURA 15.2 → Exemplos de preenchimento correto do atestado de óbito.

Dr. José Médico da Silva
Rua dos Médicos, nº 72
Porto Alegre – RS

Atesto, para fins trabalhistas, e a pedido do paciente, que o Sr. João Exemplo da Silva, portador do RG xxx.xxx.xx-xx IFP/SP, foi por mim examinado na data de hoje, tendo sido recomendados 07 (sete) dias de afastamento de suas atividades laborais para restabelecimento da saúde.

CID-10: J00

Porto Alegre, 16/01/2020
Dr. José Médico da Silva
CRM-RS xxxxx

x João Exemplo da Silva – autorizo a informação do código da CID-10

FIGURA 15.3 → Exemplo de atestado de doença.

Dra. Maria Médica da Silva
Rua das Médicas, nº 10
São José dos Campos - SP

Atesto, para fins de prática de atividades desportivas, e a pedido do paciente, que a Sra. Etiene Exemplo da Silva, portadora do RG xxx.xxx.xx-xx IFP/SP, foi por mim examinada na data de hoje, não sendo observado, durante o exame clínico, condições que contraindiquem a prática de atividades desportivas.

SJC, 16/01/2021
Dra. Maria Médica da Silva
CRM-SP xxxxx

FIGURA 15.4 → Exemplo de atestado de aptidão física.

Dr. Francisco Médico da Silva
Rua das Médicas, nº 1942
Rondonópolis - MT

Atesto, o pedido da paciente, que a Sra. Nicole Exemplo da Silva, portadora do RG XXX.XXX.XX•XX IFP/SP, foi por mim examinada na data de hoje, não sendo observado, durante o exame clínico, alterações de ordem psíquica.

SJC, 25/03/2021
Dr. Francisco Médico da Silva
CRM·MT xxxxx

FIGURA 15.5 → Exemplo de atestado de saúde mental.

---

mais próximo do local onde ocorreu o evento; ou, na falta destes, por qualquer outro médico da localidade. Em quaisquer dos casos, deverá constar no atestado que a morte ocorreu sem assistência médica.[2]

Nos casos de morte fetal ou natimorto, os médicos que prestaram assistência à mãe devem fornecer a declaração de óbito do feto, quando a gestação tiver duração ≥ a 20 semanas ou o feto tiver peso corporal ≥ 500 g e/ou estatura ≥ 25 cm.[2]

Ao óbito feminino em idade fértil (10 a 49 anos), correspondem campos específicos na declaração de óbito que visam obter informações para elaboração de programas de proteção à saúde da mulher e à diminuição da mortalidade materna.

Modelo de atestado médico

A **FIGURA 15.3** ilustra um atestado de doença, por ser o mais comum na prática médica. Serve ainda como modelo para atestados junto ao Instituto Nacional do Seguro Social (INSS).

A **FIGURA 15.4** ilustra um atestado de aptidão física para uso em academia de ginástica e práticas desportivas.

A **FIGURA 15.5** ilustra um atestado de saúde mental.

Informações importantes que devem constar nos atestados

O médico deve atentar a todos os detalhes ao elaborar um atestado médico, pois, como já citado, todo atestado médico é, em potencial, um documento judicial. O desleixo ou descuido no preenchimento deste e de outros documentos médicos pode comprometer seriamente a carreira profissional do médico emissor.[6] Sendo assim, ao elaborar um atestado, o médico deve considerar as seguintes informações:

1. o registro dos dados deve constar de maneira legível. A perfeita compreensão do conteúdo do atestado médico

é item de suma importância, inclusive salientado na resolução do CFM nº 1.851/2008,⁶ porém alguns médicos não cumprem tal determinação, estando, dessa forma, expostos a sanções éticas;

2. a identificação do médico emissor do atestado é imprescindível. Isso inclui o nome e o sobrenome do médico; o endereço completo onde se deu o atendimento; o número de inscrição no Conselho Regional de Medicina (CRM) e suas especializações, caso as possua. A utilização de carimbo do médico em receita é opcional, pois não há obrigatoriedade legal ou ética. O que se exige é a assinatura com identificação clara do profissional e seu respectivo CRM;

3. o motivo do atestado deve estar discriminado. Isso significa que o médico deve informar a motivação que gerou aquele documento: se para fins trabalhistas, de prática desportiva, de concurso público, entre outros. O termo "para os devidos fins" é um erro muito frequente nos atestados médicos e, em mãos erradas, pode comprometer a carreira do médico. É importante ser específico na discriminação do motivo do atestado;

4. a informação de quem solicitou o atestado. Geralmente, o atestado é emitido por requisição do próprio paciente, que precisa apresentá-lo a terceiros; ou a pedido do Juízo. Assim, declarar expressamente que quem o solicitou foi pessoa legítima para fazê-lo, e não terceiros, resguarda o médico de sanções éticas ou mesmo cíveis no que tange à revelação de diagnóstico ou de outras informações. Como o atestado médico é utilizado para diversos fins, essa informação, acompanhada da assinatura do paciente no documento, inibe seu mau uso;

5. a identificação do paciente deve ser completa. Isso inclui o nome completo do paciente, sem abreviações, e o número do registro de sua carteira de identidade. O médico deve sempre realizar a identificação do paciente com um documento oficial com foto. Em caso de menor ou interdito, a prova de identidade deverá ser exigida de seu responsável legal. Não são poucas as vezes em que, para gerar um álibi, um criminoso solicita a um cúmplice que faça uma consulta médica em seu lugar. Nesse caso, o documento médico comprovaria que, naquela determinada hora e local, o criminoso não estaria no local do crime;

6. a expressão "Foi por mim examinado na data de hoje". Essa informação pode parecer clichê, mas indica que o exame foi realizado pelo médico que assina o atestado na data comunicada;

7. a expressão "Tendo sido recomendado(s)". Fica expresso pelo médico, autor do atestado, a recomendação que se segue, sendo de responsabilidade única e exclusiva do paciente o cumprimento ou não de tal recomendação;

8. o tempo de afastamento deve ser informado em numeral e por extenso. Tal cautela serve para evitar a adulteração do tempo de afastamento. É aconselhável, também, anotar no prontuário a informação relativa a esse tempo, pois serve como prova e parâmetro do tempo em que o paciente se encontra em repouso. Se o número de dias for inferior a 10, recomenda-se colocar o número 0 antes do número de dias – p.ex., 05 (cinco) dias. Outro erro comum encontrado nos atestados médicos é a sugestão de afastamento por tempo indeterminado. Se o médico não conseguir determinar o tempo de recuperação do paciente, deverá estimar um intervalo periódico para reavaliar o caso em questão, como 03 meses, 06 meses. Se a doença gerou uma sequela, é incurável ou terminal, deverá o médico descrever essa informação de forma ética, ou seja, com a anuência expressa do paciente; por exemplo, apresenta doença com sequela definitiva. O médico deve, ainda, evitar sugerir aposentadoria se não for perito judicial ou previdenciário, pois se trata de atribuição exclusiva desses profissionais;

9. a informação do código do CID-10. Embora essa informação seja de suma importância, os médicos somente podem fornecer atestados com o diagnóstico codificado ou não quando por justa causa, exercício de dever legal, solicitação do próprio paciente ou de seu representante legal. Quando a solicitação for feita pelo paciente ou seu representante legal, este deve expressar a sua anuência com sua assinatura no rodapé do atestado, acompanhado da expressão "autorizo a informação do código do CID-10";

10. a datação do documento é extremamente relevante. Não são raros erros de datação, como a datação futura (semelhante ao cheque pré-datado) ou mesmo a ausência de data, o que anula totalmente o valor do documento médico.

Além dos itens mencionados, o atestado médico também pode conter:

→ os resultados dos exames complementares;
→ a conduta terapêutica;
→ o prognóstico;
→ as consequências para a saúde do paciente.

Aspectos legais

O CFM definiu, no Código de Ética Médica, vários fatores importantes a serem observados no momento da elaboração de atestados médicos. Por serem de vital importância, estão citados a seguir.⁷

É vedado ao médico:

Art. 80. Expedir documento médico sem ter praticado ato profissional que o justifique, que seja tendencioso ou que não corresponda à verdade.

Art. 81. Atestar como forma de obter vantagens.

Art. 82. Usar formulários institucionais para atestar, prescrever e solicitar exames ou procedimentos fora da instituição a que pertençam tais formulários.

Art. 83. Atestar óbito quando não o tenha verificado pessoalmente, ou quando não tenha prestado assistência ao paciente, salvo, no último caso, se o fizer como plantonista, médico substituto ou em caso de necropsia e verificação médico-legal.

Art. 84. Deixar de atestar óbito de paciente ao qual vinha prestando assistência, exceto quando houver indícios de morte violenta.

Art. 86. Deixar de fornecer laudo médico ao paciente ou a seu representante legal quando aquele for encaminhado ou transferido para continuação do tratamento ou em caso de solicitação de alta.

Art. 91. Deixar de atestar atos executados no exercício profissional, quando solicitado pelo paciente ou por seu representante legal.

Infelizmente, são frequentes as denúncias envolvendo esse tipo de documento médico, em que processos ético-profissionais têm sido gerados por indícios de atestados inidôneos ou até mesmo falsos.

LAUDO MÉDICO

Muitos confundem laudo médico com atestado médico. Embora ambos sejam documentos médico-legais que informam a condição de saúde de uma pessoa, eles guardam as suas diferenças, e estas não são pequenas.

O laudo médico é de extrema importância para o colega médico a quem encaminhamos um paciente de que estávamos tratando, por exemplo, ou quando o paciente necessita comprovar, em uma perícia médica, o quadro clínico que apresenta.

Aliado ao atestado médico, o laudo médico é capaz de permitir o total conhecimento do quadro clínico de uma pessoa, fornecendo subsídios suficientes para a tomada de decisões por aqueles que ainda não conhecem, de maneira aprofundada, a história clínica do paciente.

Para melhor compreender a diferença entre atestado e laudo médico, recorremos a uma simples comparação. Imagine que um amigo seu tenha se casado e você não pôde comparecer ao casamento devido a algum contratempo. O seu amigo lhe envia, então, por *e-mail*, uma foto do casamento, junto com um endereço do YouTube para você assistir à filmagem da cerimônia.

Ao observarmos a foto, podemos ver o noivo com a noiva cortando o bolo e ambos sorrindo com grande alegria. Assim é o atestado médico: uma fotografia temporal do que ocorreu com o paciente. Nada mais do que isso.

Quando acessamos o vídeo do casamento, podemos observar quem participou da cerimônia e a alegria das pessoas, ouvir a música ambiente e os votos dos noivos. Assim é o laudo médico: uma descrição muito mais detalhada de tudo o que está ocorrendo com o paciente, não apenas o fornecimento da informação de uma determinada doença que o incapacitou por um número de dias.

Assim, temos várias diferenças entre atestado médico e laudo médico, como podemos ver na **FIGURA 15.6**.

O laudo médico deve conter, além de todas as informações constantes no atestado médico e já descritas neste capítulo, os seguintes dados:

TIPO DE DOCUMENTO	CONTEÚDO
Atestado Médico	→ Nome do paciente; → CID-10 da doença; → Tempo de afastamento.
Laudo Médico	→ Nome do paciente; → CID-10 da doença; → Quando começou a doença; → Quais os exames realizados e seus resultados; → Quais os tratamentos já realizados e seus resultados; → Qual a situação atual; → Qual o prognóstico; → Quais as limitações; → Tempo de afastamento.

FIGURA 15.6 → Conteúdos do atestado médico e do laudo médico.

1. **quando começou a doença:** esse dado pode ser extraído do prontuário do paciente ou dos exames médicos já realizados. Essa informação é vital tanto para compreender o momento em que se instalou a enfermidade quanto para subsidiar a data do início da doença nos casos de perícias médicas;
2. **quais os exames realizados e seus resultados:** relevante para formar uma opinião mais precisa a respeito do espectro do quadro clínico do paciente, bem como para comprovar as doenças alegadas;
3. **quais os tratamentos já realizados e seus resultados:** descrevem-se os tipos de tratamentos realizados, como medicamentoso, fisioterápico, psicológico, etc.;
4. **qual a situação atual do paciente:** esse trecho do laudo médico tem grande importância, pois informará o que está sendo feito pelo paciente no momento atual, quais as novas terapêuticas a serem estabelecidas ou exames a serem realizados;
5. **qual o prognóstico:** de forma sucinta, o médico deverá descrever o prognóstico do caso em questão. Busque informar se a doença está em remissão, se está ocorrendo agravamento do quadro clínico ou mesmo se já existe sequela;
6. **quais as limitações observadas e por quais motivos:** essa informação é vital nos casos das perícias médicas. Informe a existência ou não de alguma limitação para o desempenho das atividades laborais ou para a vida independente. Por exemplo: o paciente não poderá realizar atividades laborais que sobrecarreguem a coluna lombar pelo risco de agravar a hérnia lombar L4-L5; não deverá desempenhar atividade em altura devido ao risco de queda por quadro convulsivo.

Nas **FIGURAS 15.7** e **15.8**, vemos um exemplo prático de atestado médico e laudo médico relativos ao mesmo problema de saúde de uma paciente. No caso hipotético, a senhora Manuela das Cebolas é empregada doméstica e, há 1 ano, está apresentando dor ciática devido a hérnias de disco, o que a impede de trabalhar. Podemos observar, nesse exemplo, as nítidas diferenças entre atestado médico e laudo médico.

FIGURA 15.7 → Exemplo de atestado médico.

FIGURA 15.8 → Exemplo de laudo médico.

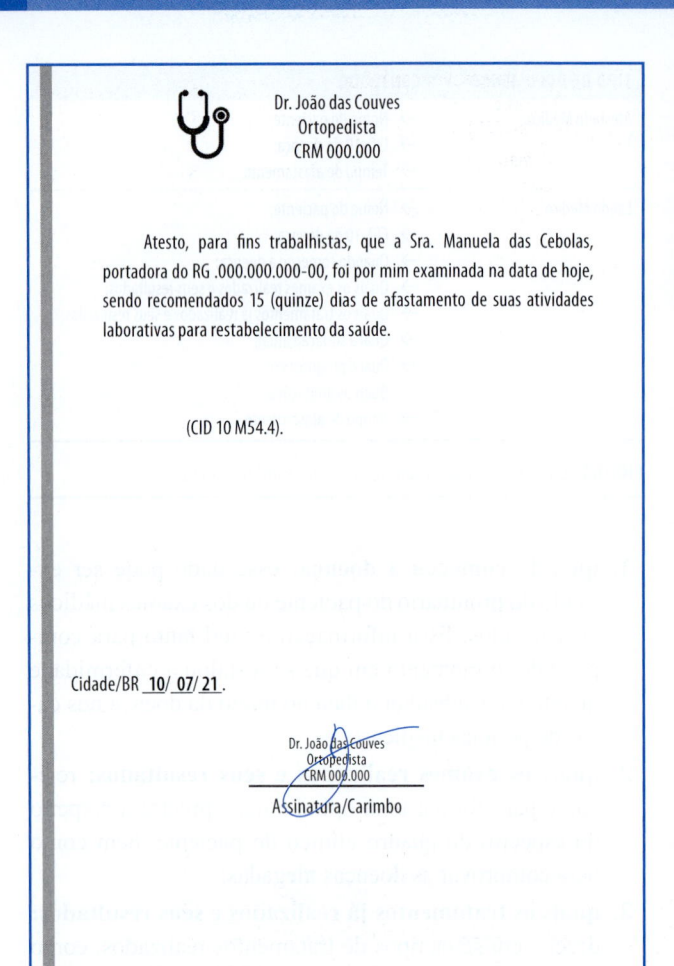

PRONTUÁRIO MÉDICO

Segundo o dicionário Porto, prontuário advém do latim *promptuariu*, que significa despensa, armazém. Significa *lugar onde se colocam as coisas que são precisas a qualquer momento*. Assim, o prontuário médico pode ser definido como um local onde informações médicas sobre um paciente estão à disposição, para serem observadas e utilizadas a qualquer momento.

Com os avanços tecnológicos, surgem os registros médicos informatizados, tornando o uso dos dados do prontuário mais amplo, abrindo espaço para ferramentas clínicas, como geradores de lembretes, e facilitando a interação de diversos profissionais dentro das redes de atenção que participam no cuidado de determinado paciente (ver Capítulo Informação, Prontuário Eletrônico e Telemedicina em APS).

O prontuário é universalmente utilizado e aceito no meio médico, porém, muitas vezes, é usado de maneira inadequada. Erros no preenchimento desse documento podem ter repercussões gravíssimas para o paciente, para o médico e para a própria medicina.

Um exemplo é o preenchimento ilegível da prescrição medicamentosa, podendo ter consequências fatais, por levar à administração de medicamentos ou doses erradas ao paciente.

A forma taquigráfica de alguns prontuários, em que detalhes importantes são omitidos, pode expor o médico a processos judiciais e consequente desgaste moral e psicológico. De semelhante maneira, em função da ilegibilidade, desorganização e omissão de dados importantes, as pesquisas médicas realizadas pela avaliação do prontuário são bastante prejudicadas. Esses tristes fatos nos levam a crer que, de maneira geral, boa parte dos médicos desconhece a importância ética, legal e científica do prontuário médico.

Definição

Segundo a resolução do CFM nº 1.638/2002,[8] o prontuário médico é um documento único constituído de um conjunto de informações, sinais e imagens registradas, geradas a partir de fatos, acontecimentos e situações sobre a saúde do paciente e a assistência a ele prestada, de caráter legal, sigiloso e científico, que possibilita a comunicação entre membros da equipe multiprofissional e a continuidade da assistência prestada ao indivíduo.

Essa resolução informa, em seu artigo 2º, que a responsabilidade pelo prontuário médico cabe:
→ ao médico assistente e aos demais profissionais que compartilham do atendimento;

- à hierarquia médica da instituição, nas suas respectivas áreas de atuação, que tem como dever zelar pela qualidade da prática médica ali desenvolvida;
- à hierarquia médica constituída pelas chefias de equipe, chefias da Clínica, do Setor até o diretor da Divisão Médica e/ou diretor técnico.

Como todo documento médico, este deve ser preenchido de forma legível, com a clara identificação dos envolvidos no cuidado do paciente.

Aspectos legais

O prontuário médico é um instrumento extremamente valioso para o paciente, seu médico e demais profissionais de saúde. Como todo e qualquer documento médico-legal, o seu correto e completo preenchimento, como já citado, permite ao médico sua eventual defesa judicial perante a autoridade competente, em caso de processos ético-legais.

Esse aspecto ético-legal do prontuário levou o CFM a enfatizar, em seu novo Código de Ética Médica,[7] cuidados relativos a esse documento, os quais estão listados a seguir.

É vedado ao médico:

Art. 85. Permitir o manuseio e o conhecimento dos prontuários por pessoas não obrigadas ao sigilo profissional quando sob sua responsabilidade.

Art. 86. Deixar de fornecer laudo médico ao paciente ou a seu representante legal quando aquele for encaminhado ou transferido para continuação do tratamento ou em caso de solicitação de alta.

Art. 87. Deixar de elaborar prontuário legível para cada paciente.

§ 1º O prontuário deve conter os dados clínicos necessários para a boa condução do caso, sendo preenchido, em cada avaliação, em ordem cronológica com data, hora, assinatura e número de registro do médico no Conselho Regional de Medicina.

§ 2º O prontuário estará sob a guarda do médico ou da instituição que assiste o paciente.

Art. 88. Negar ao paciente ou, na sua impossibilidade, a seu representante legal, acesso a seu prontuário, deixar de lhe fornecer cópia quando solicitada, bem como deixar de lhe dar explicações necessárias à sua compreensão, salvo quando ocasionarem riscos ao próprio paciente ou a terceiros.

Art. 89. Liberar cópias do prontuário sob sua guarda exceto para atender a ordem judicial ou para sua própria defesa, assim como quando autorizado por escrito pelo paciente.

§ 1º Quando requisitado judicialmente, o prontuário será encaminhado ao juízo requisitante.

§ 2º Quando o prontuário for apresentado em sua própria defesa, o médico deverá solicitar que seja observado o sigilo profissional.

Art. 90. Deixar de fornecer cópia do prontuário médico de seu paciente quando de sua requisição pelos Conselhos Regionais de Medicina.

Com o advento do prontuário eletrônico, a resolução do CFM nº 1.821/2007[9] definiu que é de no mínimo 20 anos o prazo, a partir do último registro, para a preservação dos prontuários dos pacientes em suporte de papel que não tenham sido ainda arquivados eletronicamente em meio óptico, microfilmado ou digitalizado.

Documentos que compõem o prontuário médico

A seguir, são detalhados os documentos que fazem parte do prontuário médico ambulatorial, com ênfase em particularidades da atenção primária à saúde (APS).[10]

Instituições hospitalares e grande parte dos serviços ambulatoriais utilizam um prontuário médico para cada paciente. Em APS, dada a importância da orientação familiar no processo de cuidado, sugere-se que sejam utilizados prontuários familiares. Para esse fim, é considerada uma família o conjunto de moradores de determinado domicílio, não importando se os laços que os unem são relacionais ou biológicos.

O prontuário familiar é composto por documentos relativos ao grupo familiar e documentos relativos a cada um dos indivíduos que compõem esse grupo.

Os documentos comuns ao grupo familiar podem ser:

1. **capa ou envelope do prontuário:** deve conter nome da instituição, o título "Prontuário Médico", o nome e número de registro da família, assim como seu endereço;
2. **formulários com dados de identificação da família:** neles devem constar os dados de identificação do conjunto de indivíduos que residem naquele domicílio. Os dados mínimos que devem fazer parte de tal formulário são nome de cada um dos indivíduos, número de registro civil e cartão SUS, se disponível, data de nascimento, sexo, estado civil. Deve-se frisar que é imprescindível a apresentação de documento oficial de identificação com foto para abertura do prontuário e/ou inclusão de mais um indivíduo;
3. **página do genograma:** após o formulário com dados de identificação, é possível incluir uma folha em branco onde se pode montar o genograma da família, pelo menos em seu aspecto estrutural (ver Capítulo Abordagem Familiar);
4. **formulário sobre o domicílio:** este pode conter, entre outros dados, informações sobre tipo de domicílio, número de cômodos, destino do lixo, tipo de esgoto, abastecimento de energia e água, presença de animais domésticos e/ou de produção, condições ambientais e valoração do grau de bem-estar familiar.

Os documentos relativos a cada indivíduo podem ser:

1. formulários com dados de identificação, nos quais devem constar os dados de identificação do paciente, como número de registro, nome, local e data de nascimento (ou idade aproximada), sexo, estado civil, nome

dos pais, nome do cônjuge, profissão, pessoa responsável, endereço, telefones, procedência;
2. lista de problemas ou formulário de diagnósticos, o qual é utilizado para ter uma revisão rápida do histórico do paciente. Nele constam a lista com os problemas de saúde, as doenças diagnosticadas ou as hipóteses diagnósticas apresentadas pelo paciente ao longo dos atendimentos realizados na instituição, assim como as principais questões sociais que podem determinar impacto na saúde do indivíduo ou seu grupo familiar. Cada problema deve ser datado em relação ao seu início e, se aplicável, ao seu final. Pode, ainda, conter dados sobre alergias medicamentosas. É interessante que junto desse formulário haja um espaço destinado especificamente às medicações de uso prolongado, assim como ao calendário vacinal apropriado a cada faixa etária;
3. fluxograma de exames – geralmente no formato de quadro ou tabela, no qual são registrados, em ordem cronológica, os resultados dos principais exames diagnósticos –, em que cada coluna representa uma data e cada linha, um tipo de exame. Trata-se de um recurso muito útil para acompanhar pacientes com doenças crônicas ao longo do tempo;
4. informações sobre anamnese e exame físico. Esse formulário deve conter, em seu cabeçalho, ao menos o nome completo do paciente, seu registro no serviço de saúde e, como complemento, filiação e data de nascimento. Para cada atendimento, é imprescindível que se registrem a data e a hora em que ocorreu.

A forma como se registra cada atendimento é muito variável. Entretanto, serviços de saúde com grande experiência em APS costumam utilizar como método de registro o SOAP, isto é, as questões Subjetivas, as queixas/problemas, que o paciente traz à consulta; o registro Objetivo dos achados do exame físico do médico e os principais resultados de provas diagnósticas; a Avaliação do médico diante do conjunto de informações anteriores, isto é, suas hipóteses diagnósticas e/ou os diagnósticos definidos; e o Plano de atuação, ressaltando as ações de responsabilidade do médico e as que ficarem a cargo do paciente.

O formato mais extenso de anamnese-padrão, composto por queixa principal, história da doença atual, história médica pregressa, etc., pode ser utilizado em uma primeira consulta do paciente junto ao serviço de saúde ou em outras oportunidades quando o médico julgar necessário, mas, devido às características dos atendimentos em APS, em grande número e comumente de curta duração, o método SOAP é mais indicado. É importante que, ao fim de cada atendimento, o médico assine e carimbe, com o número de seu registro no CRM, o prontuário do paciente. Para detalhes sobre registro de informações da família (genogramas, ecomapas), ver Capítulo Abordagem Familiar.

O que não deve ser feito no prontuário

De forma a evitar transtornos médico-legais, a seguir são descritos alguns cuidados que devem ser observados na elaboração de um prontuário médico.

Não se deve:
→ escrever a lápis;
→ usar líquido corretor;
→ deixar folhas em branco;
→ fazer anotações que não se referem ao paciente.

REFERÊNCIAS

1. Conselho Regional de Medicina do Distrito Federal. Guia prático sobre atestados médicos: leis normas, pareceres, resoluções, questões mais comuns [Internet]. Brasília: CRM DF; 2007 [capturado em 21 out. 2019]. Disponível em: http://www.crmdf.org.br/images/stories/publicacoes/livros/guia-pratico-sobre-atestados-medicos.pdf.
2. França GV de. Medicina legal. 11. ed. Rio de Janeiro: Guanabara Koogan; 2017.
3. Conselho Federal de Medicina. Resolução CFM nº 1.931, de 17 de setembro de 2009 [Internet]. Brasília: CFM; 2009 [capturado em 21 out. 2019]. Disponível em: http://www.portalmedico.org.br/resolucoes/CFM/2009/1931_2009.pdf.
4. Conselho Federal de Medicina. Resolução CFM nº 1.658, de 13 de dezembro de 2002 [Internet]. Brasília: CFM; 2002 [capturado em 21 out. 2019]. Disponível em: http://www.portalmedico.org.br/resolucoes/CFM/2002/1658_2002.pdf.
5. Brasil. Ministério da Saúde. Manual de instruções para o preenchimento da declaração de óbito [Internet]. Brasília: MS; 2001 [capturado em 21 out. 2019]. Disponível em: http://bvsms.saude.gov.br/bvs/publicacoes/manual_declaracao_obitos.pdf.
6. Conselho Federal de Medicina. Resolução CFM nº 1.851, de 14 de agosto de 2008 [Internet]. Brasília: CFM; 2008 [capturado em 21 out. 2019]. Disponível em: http://www.portalmedico.org.br/resolucoes/CFM/2008/1851_2008.htm.
7. Conselho Federal de Medicina. Código de ética médica [Internet]. Brasília: CFM; [2009] [capturado em 21 out. 2019]. Disponível em: http://www.portalmedico.org.br/novocodigo/integra.asp.
8. Conselho Federal de Medicina. Resolução CFM nº 1.638, de 10 de julho de 2002 [Internet]. Brasília: CFM; 2008 [capturado em 21 out. 2019]. Disponível em: http://www.portalmedico.org.br/resolucoes/CFM/2002/1638_2002.htm.
9. Conselho Federal de Medicina. Resolução CFM nº 1.821, de 11 de julho de 2007 [Internet]. Brasília: CFM; 2007 [capturado em 21 out. 2019]. Disponível em: http://www.portalmedico.org.br/resolucoes/CFM/2007/1821_2007.pdf.
10. Conselho Regional de Medicina do Distrito Federal. Prontuário médico do paciente: guia para uso prático [Internet]. Brasília: CRM DF; 2006 [capturado em 21 out. 2019]. Disponível em: http://www.crmdf.org.br/images/stories/publicacoes/livros/prontuario-medico-do-paciente.pdf.

LEITURAS RECOMENDADAS

Brasil. Agência Nacional de Vigilância Sanitária. Certificação Internacional de Vacinação [Internet]. Brasília: ANVISA; 2011 [capturado em 21 out. 2019]. Disponível em: http://portal.anvisa.gov.br/certificado-internacional-de-vacinacao-ou-profilaxia.
Informações sobre necessidade e obtenção de Certificado Internacional de Vacinação.

Brasil. Ministério da Saúde. Conselho Federal de Medicina. A declaração de óbito: documento necessário e importante [Internet]. Brasília: MS; 2006 [capturado em 21 out. 2019]. Disponível em: http://www.portalmedico.org.br/arquivos/cartilha_do_cfm_ms.pdf.
Manual do Ministério da Saúde e do Conselho Federal de Medicina sobre a declaração de óbito.

Capítulo 16
INFORMAÇÃO, PRONTUÁRIO ELETRÔNICO E TELEMEDICINA EM APS

Erno Harzheim
Lucas Alexandre Pedebos
Jacson Venancio de Barros

Uma nova era da informação no âmbito da saúde está em curso. (Ver QR code.) Isso se deve, em parte, à ampla adoção de ferramentas digitais nos últimos anos em todos os tipos de serviços. Hospitais, laboratórios, serviços ambulatoriais especializados e unidades de atenção primária à saúde (APS) têm incorporado esses instrumentos nas atividades relacionadas à promoção de saúde, prevenção, manejo diagnóstico e terapêutico de doenças, assim como em ações de vigilância e na avaliação e monitoramento dos resultados em saúde.

Nos Estados Unidos e em grande parte dos países desenvolvidos, estão surgindo, de maneira muito rápida, iniciativas promissoras no sentido de integrar grandes bases de dados de saúde e utilizar ferramentas computacionais avançadas de inteligência artificial na análise e interpretação dos dados. Não obstante, partes interessadas da indústria da saúde também têm acelerado o movimento em direção à transparência, de modo que esses dados sejam utilizáveis, pesquisáveis e acionáveis.[1,2]

A pandemia de doença do coronavírus 2019 (Covid-19) acelerou ainda mais esse processo e cristalizou a telemedicina como uma ferramenta essencial dos sistemas de saúde. (Ver QR codes.) A posição das corporações, as normas e regulações, que já vinham a reboque do desenvolvimento tecnológico, precisam, agora, de um movimento de aceleração na direção da realidade para não termos uma distância ainda maior entre o que é realizado e o que é normatizado e regulado. Afinal, o mais importante, sempre, é atender, com ética e segurança, às necessidades em saúde das pessoas.

Esse cenário contribui para a transformação digital na saúde, em que as inovações tecnológicas estão cada vez mais presentes, mudando hábitos e costumes. Portanto, conhecer essas ferramentas e dominá-las possibilita melhorar a efetividade e a eficiência na prestação de serviços à saúde. Além disso, o sistema de saúde do século XXI é um sistema com forte base na APS e na tecnologia da informação (ver Figura 4.1 do Capítulo Estratégia Saúde da Família). (Ver QR code.)

INFORMAÇÃO EM SAÚDE

Informação pode ser definida como "dados acerca de alguém ou de algo" ou como "conhecimento amplo e bem fundamentado, resultante da análise e combinação de vários informes."[3] Em epidemiologia, os dados são os registros dos eventos em saúde. Esses dados, analisados em indicadores úteis e sintéticos, são a informação.[4] No Brasil, acompanhando o processo de evolução do Sistema Único de Saúde (SUS), os sistemas de informação atuais são um emaranhado complexo de ações fragmentadas, assim como o próprio sistema de saúde. Há inúmeras bases de dados específicas para cada agravo ou conjunto de condições de saúde, surgidas em momentos distintos, com objetivos próprios, em sistemas eletrônicos diversos, às vezes com definições diferentes de variáveis que deveriam representar o mesmo fenômeno ou evento. O principal problema das informações no nosso sistema de saúde, tanto público como suplementar, é a falta de uma identificação unívoca de pessoas, profissionais e serviços. O Cartão SUS nunca se efetivou como identificador unívoco. A indentificação única das pessoas (e profissionais) se tornou possível apenas em 2019, com a decisão de instituir o CPF (cadastro de pessoas físicas) como identificador unívoco em todas as bases de dados governamentais.[5] Talvez o principal problema de todos os sistemas de informação em saúde oficiais é o fato de que surgiram programas verticais isolados com baixa correlação com as variáveis e dados coletados cotidianamente no processo clínico-assistencial. Em vez de surgirem da apropriação dos dados clínicos naturalmente coletados ao longo do processo assistencial, os sistemas de informação em saúde exigem duplicidade do trabalho de registro dos profissionais com baixa taxa de retorno de informação para a tomada de decisão local. Esses problemas fragilizam a qualidade da apropriação de dados, fato que ficou evidente durante a pandemia de Covid-19.

No Brasil, existem diversos sistemas de informação em saúde – a TABELA 16.1 apresenta os principais.

TABELA 16.1 → Principais sistemas de informação em saúde oficiais do Ministério da Saúde do Brasil, de acordo com a abrangência das informações

INFORMAÇÃO	SISTEMA DE INFORMAÇÕES	INSTRUMENTO DE COLETA	ABRANGÊNCIA
Nascidos vivos	Sistema de Informação sobre Nascidos Vivos (Sinasc)	DN (declaração de nascidos vivos)	Universal
Pré-natal	Sistema de Acompanhamento da Gestante (SisPreNatal)	Instrumento específico	SUS
Doenças e agravos de notificação compulsória	Sistema de Informação de Agravos de Notificação (Sinan)	Instrumento específico	Universal
Mortalidade	Sistema de Informação sobre Mortalidade (SIM)	DO (declaração de óbito)	Universal
População	Estimativa IBGE	Diversos	Universal
Estabelecimento e profissionais (CNES)	Sistema de Cadastro Nacional de Estabelecimentos de Saúde (SCNES)	SCNES	Universal
Atenção hospitalar	Sistema de Informações Hospitalares (SIH)	Autorização de Internação Hospitalar (AIH)	SUS
Atenção ambulatorial	Sistema de Informações Ambulatoriais (SIA)/Autorização de Procedimento Ambulatorial (Apac)	Boletim de Produção Ambulatorial (BPA)/Apac	SUS
Atenção primária	Sistema de Informação em Saúde para a Atenção Básica (Sisab)	e-SUS (ver QR code da p. 147), Prontuário Eletrônico do Cidadão (PEC) ou fichas em papel	SUS c/ ESF ou ACS
Imunizações	Sistema de Informações do Programa Nacional de Imunizações (SIPNI)	Instrumento específico	SUS
Câncer do colo do útero/câncer de mama	Siscolo/Sismama	Instrumentos específicos	SUS
Assistência farmacêutica	Hórus	Instrumento específico	SUS
Orçamentos públicos	Sistema de Informações sobre Orçamentos Públicos em Saúde (Siops)	Relatório de gestão e guia SIOPS	SUS

ACS, agente comunitário de saúde; ESF, Estratégia Saúde da Família; IBGE, Instituto Brasileiro de Geografia e Estatística; SUS, Sistema Único de Saúde.

Os mais utilizados e importantes são: SCNES (Sistema de Cadastro Nacional de Estabelecimentos de Saúde), Sisab (Sistema de Informação em Saúde para a Atenção Básica), SIH-SUS (Sistema de Informações Hospitalares do SUS), Sinasc (Sistema de Informação sobre Nascidos Vivos), SIM (Sistema de Informação sobre Mortalidade), Sinan (Sistema de Informação de Agravos de Notificação), SisPreNatal (Sistema de Acompanhamento da Gestante), Siscolo (Sistema de Informação do Câncer do Colo do Útero) e Sismama (Sistema de Informação do Câncer de Mama). (Ver também Leituras recomendadas.) Os próprios nomes e siglas dos sistemas já denotam a sua fragmentação e origem vertical, à exceção do SCNES e do Sisab, que buscam ser sistêmicos desde sua origem. Alguns desses sistemas de informação nacionais foram construídos há décadas, sendo utilizados tanto para o pagamento e o financiamento de serviços de saúde quanto para a vigilância, o monitoramento e a avaliação das ações de saúde populacional e pesquisa científica. No entanto, o principal problema deles, até o início do ConecteSUS[6] e da qualificação do Sisab, ocorridas em 2019, é a falta de univocidade do denominador populacional, gerando muitas duplicatas de registros de pessoas dentro e entre cada um deles. Com a qualificação da base cadastral do Sisab por meio da incorporação do CPF, das informações do Cadastro Único para Programas Sociais do Governo Federal (ou apenas Cadastro Único) e da base de dados do Instituto Nacional do Seguro Social (INSS), o Cartão SUS atualmente está integrado ao CPF, permitindo facilmente a identificação das duplicatas. Esse fato é promissor na qualificação da informação em saúde no Brasil.

Quanto mais longe um sistema de informação estiver do processo clínico-assistencial, pior será a qualidade da informação. Para superar esse desafio, está em andamento uma importante estratégia denominada ConecteSUS, capitaneada pelo Departamento de Informática do SUS (Datasus) do Ministério da Saúde. Essa estratégia tem dois eixos principais: qualificar e integrar as informações em saúde das pessoas e aumentar o grau de digitalização (uso de prontuário eletrônico) nos serviços assistenciais do SUS. O ConecteSUS busca, em primeiro lugar, unificar toda a base do Cartão SUS ao CPF e, a partir da informação unívoca de todos os cidadãos brasileiros, integrar as informações com origem na APS (Sisab), nos hospitais (SIH), nos procedimentos especializados (Sistema de Informações Ambulatoriais [SAI]/Autorização de Procedimento Ambulatorial [Apac]), na vacinação (Sistema de Informações do Programa Nacional de Imunizações [SIPNI]), na prescrição e na dispensação de medicamentos (Hórus). A partir da integração dessas principais bases de dados, surge o Prontuário Eletrônico do Cidadão (PEC), com confidencialidade e respeito à hierarquia de acesso às informações. O ConecteSUS incorporará também as informações provenientes dos sistemas da Agência Nacional de Saúde Suplementar (ANS), sendo um passo decisivo na diminuição da segmentação público-privada no País e na integração das informações clínicas das pessoas.

PRONTUÁRIO ELETRÔNICO E REGISTRO ELETRÔNICO

O prontuário eletrônico do paciente é um conjunto de informações demográficas e clínico-assistenciais de caráter legal, sigiloso e científico, geradas a partir do processo de assistência à saúde do paciente. Possibilita a continuidade dessa assistência, bem como a comunicação entre a equipe multiprofissional responsável. A partir de 2002, o Conselho Federal de Medicina (CFM), considerando as evoluções tecnológicas, aprovou as normas técnicas que permitem o armazenamento digital de prontuários.[7] Em 2007, o CFM eliminou a obrigatoriedade de registro em papel para sistemas com assinatura digital e passou a normatizar, além do prontuário eletrônico do paciente (PEP), a certificação de sistemas de registro eletrônico em saúde (RES).[8]

Os prontuários eletrônicos caracterizam-se por armazenar eventos ocorridos no processo assistencial em uma única organização de saúde, podendo ou não alimentar um RES.[9] Porém, diferentemente de seus homólogos tradicionais em papel, são gerenciados por um *software* que amplia as possibilidades de cruzamento de dados e geração de informação. O RES, por outro lado, integra dados clínicos gerados em vários pontos de atendimento de diversas organizações de saúde e, normalmente, está sob a guarda de órgãos governamentais que mantêm uma rede nacional de informações em saúde. Enquanto um prontuário eletrônico depende da integração dos sistemas de uma única organização de saúde, um RES, de base federada, dependerá da interoperabilidade entre os vários subsistemas municipais, regionais e/ou nacionais de saúde. O ConecteSUS pretende construir justamente um RES a partir das bases de dados já citadas.

Prontuário Eletrônico na APS

A implementação de prontuários eletrônicos nos serviços de APS no País, inclusive nas quase 46 mil equipes da Estratégia Saúde da Família (ESF), é um grande desafio para o sistema de saúde. Ao final de 2019, mais de 26 mil das 46 mil equipes da ESF já estavam em uso de prontuário eletrônico – cerca de 60% do total. A estratégia do ConecteSUS prevê a incorporação de prontuário eletrônico para 90% das equipes da ESF do Brasil até o ano de 2022. É uma estratégia ampla de interoperabilidade entre diversas bases de dados, suporte financeiro para crescimento de unidades básicas de saúde (UBSs) conectadas à internet e em uso de prontuário eletrônico, além da qualificação da estratégia de desenvolvimento e oferta do Sistema de Informações da Secretaria de APS (Sisaps, antigo Sisab), que inclui o e-SUS APS 4.0 (ver QR code),[10] tanto na versão de fichas clínicas e de vigilância digitalizadas como na versão de Prontuário Eletrônico do Cidadão (PEC; FIGURA 16.1).

A magnitude desse desafio aumenta à medida que a implementação de prontuários eletrônicos exigem outras mudanças, como: familiarização dos profissionais ao novo fluxo de registro e às mudanças decorrentes no processo de trabalho; uniformização e integração dos diferentes modelos de prontuários com os sistemas de informação vigentes; criação ou adaptação de estrutura física de rede de comunicação e de *hardware* necessária, etc. Experiências de diversos países demonstraram a dificuldade logística de estender a implantação e o uso de prontuários eletrônicos ao conjunto de serviços de APS.[11]

Apesar das dificuldades, é imprescindível a incorporação de prontuários eletrônicos na APS para que os serviços de atenção primária exerçam concretamente o papel de centro de comunicação das redes integradas de atenção à saúde,[12] efetivando suas funções de ordenamento dessa rede e de coordenação do cuidado individual dos pacientes. Para tanto, esses prontuários eletrônicos deverão, por meio de padrões bem-definidos de interoperabilidade, executar realmente o papel de tributários do RES, permitindo a troca de informações clínicas e administrativas entre os distintos serviços de saúde.[12] Embora a importância dos prontuários eletrônicos para os sistemas de saúde esteja bem documentada,[13] algumas funcionalidades e ferramentas de apoio clínico evidenciam essa importância – por exemplo, a facilidade de armazenar as informações clínicas, a disponibilidade da informação clínica dentro e entre distintos níveis assistenciais, os sistemas de lembradores e alertas para o cuidado de doenças crônicas, e a padronização de dados essenciais ao cuidado, como os valores de exames laboratoriais (TABELA 16.2). Cabe ressaltar que não existe prontuário eletrônico perfeito, mas há recursos nos prontuários que melhoram a confiabilidade da informação, bem como a qualidade e a eficiência clínica.[13]

Em especial, a coordenação é um atributo essencial da APS que pode ser aprimorada com a implementação de registros eletrônicos interoperáveis. A coordenação do cuidado exige a existência de algum tipo de continuidade (seja por meio dos médicos, dos prontuários/registros ou ambos), assim como a identificação de problemas abordados em outros serviços e a integração desse cuidado no cuidado global do paciente. Diante do perfil epidemiológico atual, com a grande prevalência de doenças crônicas e de pacientes portadores de multimorbidades, os quais utilizam um número importante de diferentes serviços de saúde, uma ferramenta que integre as informações desses distintos serviços é imprescindível para a coordenação do cuidado. A TABELA 16.3 lista uma série de características que, se presentes, qualificam o papel integrador de um PEP para a APS.

Características de prontuários eletrônicos orientados pela APS

Prontuários eletrônicos próprios para serviços de APS devem, idealmente, possuir as seguintes caracrísticas e funcionalidades:

→ identificação unívoca das pessoas;
→ permitir organização das pessoas em "listas de pacientes" por equipe ou médico de família;
→ permitir o estabelecimento das relações familiares entre os registros individuais;
→ refletir o fluxo de atendimento das pessoas dentro do serviço, desde a identificação na recepção, passando pela pré-consulta, pela consulta e pelo consumo de outros serviços sem necessidade de repetir os processos de identificação e pré-consulta;
→ sinais vitais da pré-consulta em campos estruturados e expostos em ordem cronológica;
→ registro das consultas em modelo estruturado SOAP, isto é, campos específicos para Subjetivo, Objetivo, Avaliação e Plano, de acordo com o método de registro clínico orientado por problemas (RCOP);[15]

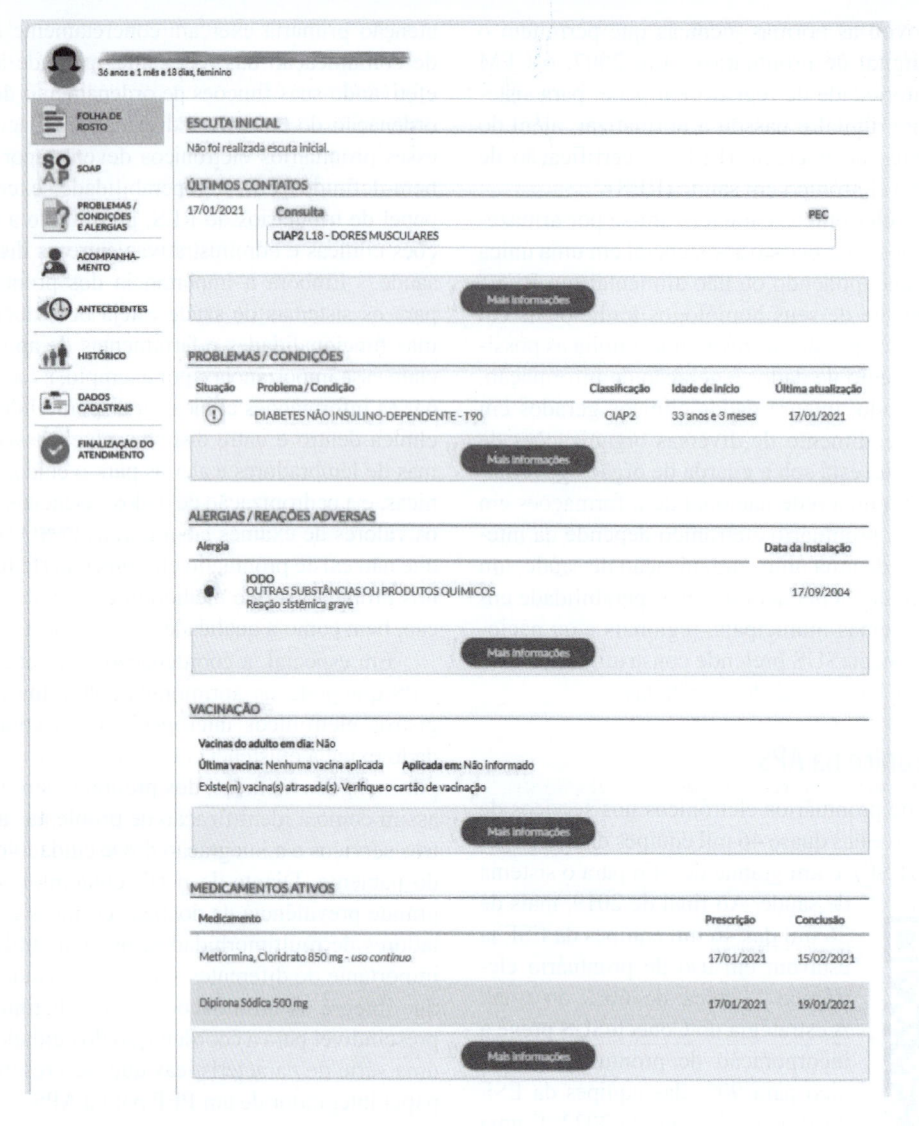

FIGURA 16.1 → Prontuário Eletrônico do Cidadão (PEC).
Fonte: Brasil.[10]

TABELA 16.2 → Vantagens e desvantagens da incorporação de prontuários eletrônicos à rotina de serviços de atenção primária à saúde

VANTAGENS	DESVANTAGENS
→ Agilidade no acesso à informação	→ Dependência de boas taxas de conexão, se o prontuário for de base *web*
→ Diminuição do retrabalho com preenchimento	→ Campos obrigatórios no preenchimento/tempo
→ Possibilidade de coordenação do cuidado	→ Menor confiabilidade do usuário
→ Integração dos vários sistemas de informações e com outros níveis do sistema	→ Necessidade de equipe de desenvolvimento para integração com demais sistemas da rede eletrônica de saúde
→ Aplicação de lembradores e alertas (ferramentas de apoio clínico)	→ Necessidade de treinamento e atualização
→ Redução na duplicidade de cadastros	→ Heterogeneidade dos conhecimentos de informática
→ Mobilidade/acesso via *web* e armazenamento	→ Custos iniciais de implantação

→ lista de problemas;
→ lista de medicamentos de uso corrente;
→ alergias;
→ exames realizados em ordem cronológica;
→ resumo de eventos em ordem cronológica: consultas, procedimentos, cirurgias, internações;
→ sistemas de suporte clínico à decisão;
→ permitir o gerenciamento e o monitoramento de painéis de pacientes de acordo com sua condição de saúde e classificação de risco a fim de garantir a adoção de medidas preventivas e terapêuticas;
→ certificação digital dos usuários do sistema de prontuário eletrônico, assim como hierarquia de acesso às informações clínicas de acordo com os preceitos ético-profissionais;
→ ferramentas de comunicação que permitam a comunicação intra e entre equipes, assim como entre profissionais e pacientes.

TABELA 16.3 → Características de um prontuário eletrônico adequado à atenção primária à saúde e à integração da rede de serviços de saúde

Integrar informação de todos os serviços de saúde, serviços de apoio diagnóstico e terapêutico, serviços de saúde pública e de gestão da instituição a que serve
Oferecer segurança e confidencialidade com níveis hierarquizados de acesso de acordo com atribuições e funções de cada profissional
Ter identificador comum e único dos pacientes
Ter definição comum de termos
Ter mecanismos para evitar apropriação duplicada de informação
Possuir interoperabilidade com os outros sistemas de informação e capacidade de interoperar com um registro eletrônico de base federada
Prover variedade de dados para atender às necessidades essenciais de informação para tomada de decisão clínica dos diferentes profissionais e serviços da rede, entre eles: → Situação de saúde da população, incluindo seus determinantes socioeconômicos e com classificação de risco → Demanda e utilização dos serviços de saúde → Trajetória clínica dos pacientes independentemente de local de atenção → História clínica de cada usuário → Lista de problemas → Medicamentos de uso corrente → Alergias → Procedimentos realizados → Internações hospitalares → Exames diagnósticos em base cronológica → Imunizações → Controle de materiais, insumos e procedimentos → Possibilidade de criar indicadores que expressem o resultado em saúde e a satisfação do usuário → Estudos econômicos
Ter base georreferenciada para o conjunto de dados citados acima
Ser acessível para toda a rede assistencial e de apoio
Possuir sistemas de apoio para decisão clínica (lembradores, etc.)
Sistematizar dados para monitoramento e avaliação de programas e diretrizes clínicas, produzindo ampla gama de relatórios
Facilitar a comunicação do sistema de referência e contrarreferência, permitindo comunicação entre profissionais de diferentes níveis assistenciais
Agregar os dados dos usuários em prontuário familiar
Disponibilizar ferramentas de abordagem familiar, como genograma

Fonte: Adaptada de Organização Pan-Americana da Saúde.[14]

Os sistemas de suporte à decisão clínica têm recebido importante atenção pelas possibilidades de melhoria em custo-efetividade e qualidade clínica. Destaca-se a potencialidade na redução da solicitação de exames desnecessários, que podem expor o cidadão a riscos desnecessários, mas também alertas referentes a rastreamento e manejo diagnóstico e terapêutico relacionados a condições de saúde quando devidamente sustentados por evidências.[16,17] Uma das possibilidades é a inclusão de pacientes em linhas de cuidado com alertas de apoio à tomada de decisão, assim como sugestões padronizadas e baseadas em evidências acerca da abordagem diagnóstica (solicitação de exames e provas) e terapêutica (medidas farmacológicas e não farmacológicas), assim como protocolos de encaminhamento.

Uma questão importante relacionada aos dados clínicos a serem apropriados nos prontuários eletrônicos é a escolha entre campos de texto livre e campos estruturados e codificados. Os campos de texto livre são aqueles de registro sem limitação do formato, dando ao usuário do sistema completa liberdade sobre o que será escrito no campo, normalmente limitando apenas quanto à quantidade máxima de caracteres permitidos. Os campos estruturados possibilitam uma organização melhor dos dados registrados, geram menos erros de registro e facilitam enormemente sua recuperação. Uma prescrição ou solicitação de exame não tem como ser escrita de maneira errada se for a partir de uma tabela estruturada, a não ser que esta contenha erros. Além disso, como esses valores são predefinidos e limitados, pode-se facilmente emitir relatórios ou gerar painéis demonstrando "os medicamentos mais prescritos" ou "todos os cidadãos para os quais foi solicitado determinado exame", por exemplo. No entanto, caso o campo seja unicamente estruturado, não há possibilidade de prescrever algum medicamento ou solicitar um exame que não exista na tabela.

Dada as vantagens e desvantagens de cada tipo, é importante estabelecer um equilíbrio de modo que não se restrinja demais a liberdade de registro, a qual pode impactar na dificuldade da descrição de questões que não são facilmente enquadradas em sistemas de classificação, mas não deixar livre demais a ponto de gerar dificuldades ou até mesmo impossibilidade de recuperação de dados para a gestão clínica ou administrativa.

No geral, sugere-se a seguinte estrutura, que costuma ser uma boa mescla entre campos estruturados e livres, e adotada por uma variedade de sistemas de prontuários eletrônicos, gerando, portanto, pouco impacto na facilidade/dificuldade de registro em transições:

→ registro em campos livres para:
  → SOAP: separado para cada um dos 4 elementos;
  → antecedentes de importância clínica que não possam ser feitos a partir de codificação;
  → orientações gerais realizadas para o usuário associadas ao atendimento ou a serem realizadas posteriormente;
→ registro em campo estruturado para:
  → diagnóstico principal e secundário (CIAP ou CID, preferencialmente);
  → sinais vitais e outros registros clínicos numéricos;
  → procedimentos executados: necessidade de haver alguma tabela de referência devido à dificuldade em padronizar a escrita;
  → encaminhamentos para outros profissionais ou serviços – como se trata de serviços organizados em rede, há necessidade de usar uma tabela de referência;
→ registro contendo ambos (estruturado e livre) para:
  → motivo da consulta: preferencialmente a partir de estrutura que permita essa delimitação, como a CIAP, mas permitindo o registro textual pela dificuldade de definição exata em classificações. Normalmente será registrado no S do SOAP;
  → prescrição de medicamentos: preferencialmente estruturado a partir da lista de medicamentos ofertada pelo local, mas com opção de digitação livre para outros medicamentos;

→ lista de problemas: preferencialmente estruturado a partir de CIAP, CID ou outras classificações, mas contendo registro livre para outras questões importantes observadas pelos profissionais e não contempladas nessas classificações;

→ solicitação de exames e resultados: preferencialmente estruturada, mas contendo possibilidade de registro livre. Aqui cabe um porém: para o setor público, é importante evitar registro livre devido à existência de tabelas de procedimentos que precisam ser respeitadas para faturamento. Isso também pode acontecer com operadoras de plano/seguro saúde. Os resultados de exames devem ser preferencialmente estruturados para facilitar a recuperação, análise de normalidade e geração de gráficos de acompanhamento. Mas alguns, como os de imagem e com laudo complexo, dificultam essa estruturação.

Além disso, o uso de dados estruturados deve ser introduzido de maneira progressiva e conforme facilidade de uso do sistema de prontuário eletrônico pelos profissionais.

Implantação de prontuários eletrônicos

Cabe ressaltar que a introdução de uma nova tecnologia, seja ela um equipamento ou um *software*, precisa ser devidamente acompanhada de processos de treinamento e acompanhamento de uso. Além de questões intrínsecas à nova tecnologia, outros fatores como escolaridade, idade, qualidade do treinamento (incluindo a adequabilidade da carga horária) e momentos em que este acontece (se continuado ou não) parecem estar associados à facilidade de uso e à adoção dos diferentes elementos da ferramenta.[18,19] Quanto mais complexo for o sistema e mais distante do fluxo normal de trabalho com a ferramenta anterior (quer seja o registro em papel ou outro sistema), maior é a dificuldade esperada para a adoção completa da tecnologia. Essas dificuldades podem ser minimizadas com um processo amplo de análise anterior à implantação do sistema envolvendo exibição prévia da ferramenta com os profissionais, mas que exigem uma avaliação continuada de uso, e podem ser facilitados com multiplicadores do próprio serviço.[18–21]

Obviamente, também há um esforço de implantação relacionado à estrutura física (espaço, móveis, rede elétrica e de lógica) e de aquisição ou aluguel de *hardware* (computadores, servidores, acessórios, etc.) que são essenciais, mas não serão detalhados aqui, pois fogem do escopo deste capítulo.

Requisitos de segurança da informação de prontuários eletrônicos

Ainda que o uso de prontuário eletrônico represente maior segurança do armazenamento dos dados clínicos do cidadão, principalmente pela maior facilidade de realização de *backup* e pela maior facilidade de controle de acesso quando comparado a seu correlato de papel, ele também cria outras falhas potenciais de segurança se determinadas premissas não forem respeitadas. O armazenamento eletrônico de dados, principalmente quando o sistema possui alguma exposição direta à internet, pode facilitar o roubo remoto de informações sensíveis (dados sobre doenças, p. ex.) e a rápida disseminação destas. Na época atual, informações possuem grande valor comercial, inclusive as de saúde, o que atrai pessoas para o comércio ilegal desse tipo de dado, gerando mais preocupação em relação à necessidade de criar camadas de proteção para as informações obtidas na relação profissional-paciente.

A melhor arquitetura de segurança possível dependerá do investimento disponível, da capacidade do parque tecnológico, das conectividades das estações de trabalho e de um número tão grande de outras variáveis que se torna difícil realizar uma sugestão, mesmo que genérica. Contudo, rotinas de *backup* periódico dos dados de prontuário armazenados em servidores separados fisicamente daqueles utilizados nos ambientes de produção são premissas básicas de segurança que propiciam a recuperação dos dados das pessoas tanto em casos de corrompimento da base principal quanto de ação criminosa.

A Lei Geral de Proteção de Dados Pessoais atribui claras responsabilidades ao gestor das bases de dados, sobretudo em relação ao não compartilhamento das informações sem a expressa autorização do cidadão. Ela classifica os dados de saúde como sensíveis pela natureza sigilosa destes (fruto da relação profissional de saúde com o paciente), os quais podem carregar situações que despertem estigmas sociais e gerem discriminação em relações familiares, comunitárias ou de emprego. No entanto, especificamente no campo da saúde, abre algumas exceções para aqueles casos em que esse sigilo absoluto possa gerar risco à saúde desta mesma pessoa ou em casos em que esta não esteja em condições de decidir, o que se encaixa muito bem nas situações de urgência médica ou grave distúrbio mental. Ainda, permite o uso de dados sensíveis quando estes forem para a execução de políticas públicas, realizando a anonimização sempre que possível, o que se encaixa em levantamentos estatísticos e epidemiológicos para efeitos de gestão dos serviços de saúde, de populações ou de campanhas específicas, inclusive em situações epidêmicas.

Assim, contanto que respeitadas as definições legais e as boas práticas de gestão da informação, os sistemas de prontuário eletrônico não possuem restrição legal que impeça ou limite excessivamente seu uso compartilhado. Eles geram maiores possibilidades de segurança do que os prontuários de papel, tanto em acesso quanto em redundância.

O FUTURO DO SISTEMAS DE INFORMAÇÃO EM SAÚDE

A revolução digital tem um efeito profundo e transformador em nossa economia e sociedade. Diante da digitalização dos prontuários médicos, do aumento dos recursos computacionais e da ampliação do uso de dispositivos móveis, é evidente a potencialidade desse arcabouço digital na resolução de problemas em escala global. A seguir, serão demonstrados alguns pontos importantes que podem acelerar a transformação digital na indústria da saúde e colaborar para aperfeiçoar as ações em APS.

Uso de dispositivos móveis (mobilidade)

Na última década, a adoção de celulares que permitem acesso à internet e o uso de aplicativos (conhecidos como *smartphones*) contribuíram para mudanças em nossas rotinas sociais, econômicas e políticas. No Brasil, entre a população adulta jovem, tivemos um crescimento no uso de celulares de 2015 a 2018 de 24% e, entre a população com idade > 50 anos, de 16%, no mesmo período.[22]

No setor da saúde, o mercado de aplicativos tem crescido constantemente nos últimos anos com a adoção de novas tecnologias, novos modelos de negócios e novos fluxos de trabalho, fazendo a indústria reconhecer esse cenário e concentrar seus esforços no desenvolvimento de soluções para a redução de custos e a ampliação do acesso aos seus serviços. No mercado de aplicativos, foram registrados aproximadamente 318 mil aplicativos de saúde em 2017. Estima-se que sejam inseridos mais de 200 aplicativos de saúde diariamente às lojas de aplicativos.[23]

Entre os principais aplicativos, podemos destacar o uso de alertas para lembrar o paciente sobre seus medicamentos, ferramentas para armazenar suas informações sobre saúde, bem como realizar monitoramento remoto de saúde, diagnósticos remotos, agendamento de consultas, etc. Na APS, podemos ver a grande quantidade de aplicativos sendo utilizados como ferramenta para manejo de portadores de condições crônicas, para agendamento de consultas e para acompanhamento do uso dos medicamentos.

Inteligência artificial

Os avanços científicos e tecnológicos alcançados nas últimas décadas mostram que estamos no limiar de uma grande transformação, em que o uso de múltiplas fontes de dados (administrativas, genéticas, clínicas, sociodemográficas e econômicas) torna-se essencial para obter informações mais abrangentes sobre o estado de saúde individual e coletiva no âmbito local e mundial, sendo o alicerce de estudos econômicos para manter a qualidade assistencial, a segurança do paciente, a eficiência operacional e melhores resultados financeiros. Com isso, oportunidades sem precedentes são apresentadas ao transformar esses dados em registros úteis para a tomada de decisão. Considerando o grande volume, diversidade de estruturas e formatos, esse cenário tornou-se uma nova fronteira da gestão da informação, conhecida como "Big Data". Ela tem impulsionado a necessidade de infraestrutura tecnológica, capacitação de recursos humanos e ferramentas avançadas que permitam capturar, armazenar, distribuir, analisar e visualizar grandes quantidades de dados estruturados e não estruturados.

O aumento dessa disponibilidade de dados contribuiu para o aperfeiçoamento de técnicas de inteligência artificial (IA), que, embora não seja uma ciência nova, traz um novo paradigma para a saúde. O aprimoramento das análise dos dados, o uso de sistemas de suporte à decisão, a automação de serviços de atenção à saúde, a predição de diagnósticos e os sistemas de reconhecimento de voz para registros clínicos são algumas das possibilidades oferecidas pela digitalização da indústria da saúde.[24-26]

TELESSAÚDE E TELEMEDICINA

Telemedicina e telessaúde são o conjunto de interações via tecnologia da informação e comunicação (TIC) com foco na saúde.[27] Elas permitem a interação entre pacientes e médicos (ou outros profissionais de saúde), entre médicos, entre pacientes, entre pacientes e a internet das coisas, e entre profissionais e gestores, em uma combinação que só tem limites na criatividade e na efetividade dos processos propostos. Podem abarcar qualquer área da medicina e qualquer escopo assistencial ou de suporte assistencial. Têm sido realizadas com ênfase em teleconsultorias, teleconsultas, telediagnóstico, telemonitoramento, telecirurgia e teleeducação. Apesar de ainda apresentarem limitações tecnológicas, a telemedicina e a telessaúde se tornam passíveis de superação em velocidade cada vez maior. As maiores limitações ainda residem na questão da conectividade, do fluxo de informações clínicas e do marco normativo-legal.

A pandemia de Covid-19 eliminou os obstáculos normativos-legais, pelo menos de forma transitória, e possibilitou uma franca e rápida expansão de serviços e negócios envolvendo telemedicina. Na esteira dessa ruptura normativo-legal, a telemedicina é e será cada vez mais incorporada ao cotidiano dos serviços de saúde e, em um futuro breve, será uma ferramenta muito útil sobre a qual não existirão mais questionamentos de ordem normativa ou ética. Além disso, possivelmente o prefixo "tele" deixará de ser utilizado. A exigência de diminuição da mobilidade social associada ao imperativo de manter a assistência aos pacientes com sintomas de Covid-19 e outras doenças impulsionou enormemente a difusão da telemedicina no ano de 2020. Iniciativas estatais e privadas focadas em sistemas de triagem, classificação e risco e atendimento não presencial de pessoas com sintomas sugestivos de Covid-19 foram implantadas em grande quantidade.

No presente momento, a maioria das ações relacionadas à telemedicina são as teleconsultorias, o telemonitoramento e as teleconsultas. As teleconsultorias são, em resumo, discussões de situações clínicas entre pares, isto é, de médico para médico. Acontecem nos mais variados contextos, da APS às unidades de terapia intensiva (UTIs). No Rio Grande do Sul, as teleconsultorias foram incorporadas ao sistema de regulação ambulatorial de consultas especializadas, promovendo uma redução de grande magnitude no tamanho da fila de pacientes em espera por consultas especializadas oriundos da APS, bem como redução no tempo de espera.[28] O telemonitoramento de pacientes consiste no contato sistemático de equipes de coordenação de cuidado com pacientes portadores de condições crônicas por meio de tecnologia de informação com o intuito de otimizar o manejo das condições, buscando melhor resultado em saúde. O telemonitoramento pode dar-se por meio de chamadas telefônicas, mensagens por aplicativos de comunicação, aplicativos específicos, entre outros métodos. Em Porto Alegre, no Estado do Rio Grande do Sul, a instituição de um sistema de telemonitoramento de pacientes portadores de tuberculose pela Secretaria Municipal de Saúde no ano de 2018 levou, em 1 ano, a um aumento na taxa de cura de 56 para 65% e redução na taxa de abandono de 27 para 19%.

As teleconsultas – isto é, consultas entre médico e paciente mediada por tecnologia de informação – eram restritas no Brasil até o advento da pandemia de Covid-19. Após a sua normatização excepcional e transitória por lei federal, houve uma explosão na sua realização no Brasil, tanto no ambiente público como no privado. Teleconsultas são passíveis de realização sempre que a segurança da informação, a autonomia do profissional e seu senso de responsabilidade permitam que a necessidade em saúde do paciente seja manejada de forma efetiva. A prática de teleconsultas, apesar de sua expansão recente, deve continuar em crescimento a fim de ampliar o acesso das pessoas a consultas médicas, visto que o atributo acesso ainda é uma das maiores fragilidades do SUS. Entretanto, há condições em que o uso das teleconsultas deve ser evitado ou realizado com muita cautela. Em APS, as condições em que não se deve realizar teleconsultas como primeira avaliação ou em que estas devem ser realizadas com extrema cautela são:[29]

→ condições clínicas agudas compatíveis com emergência clínica;
→ crianças com idade < 5 anos;
→ pacientes adultos portadores de deficiências auditivas, de fala ou de visão;
→ inabilidade do paciente de fazer uso da tecnologia adequada;
→ instabilidade de conexão que possa prejudicar o andamento da teleconsulta;
→ insegurança por parte do paciente ou do profissional de saúde em fazer uso da tecnologia de forma adequada.

Do ponto de vista metodológico, as teleconsultas têm melhor efetividade se forem síncronas e realizadas por meio de videochamadas ou videoconferências. Inúmeras plataformas comuns e populares de videochamadas podem ser utilizadas, apesar de apresentarem menos requisitos de segurança, mas são mais fáceis para os pacientes e de menor custo. Existem sistemas dedicados (fechados) de teleconsulta que apresentam maior segurança no fluxo da informação, mas representam maiores custos. Além do sistema de comunicação, é importante que o registro da consulta seja realizado, preferencialmente, em um prontuário eletrônico integrado ao sistema de teleconsulta. Além disso, para envio de receitas, atestados, solicitações de exames e documentos médicos, o mais apropriado é que o profissional de saúde possua uma assinatura certificada no sistema de teleconsulta e/ou do prontuário eletrônico. Para a realização da teleconsulta, outros requisitos devem ser cumpridos:[29]

→ ambiente privado e livre de interrupções;
→ o médico deve estar identificado com crachá ou avental, contra um fundo neutro (uma parede clara, p. ex.), com boa iluminação, bom enquadramento, centralizado na tela, a uma distância que o paciente possa ver todo o rosto, tronco, braços e mãos;
→ o paciente a ser atendido deve ser identificado e ter dados de identificação confirmados previamente para assegurar a sua identidade;
→ o motivo da consulta deve ser previamente conhecido a fim de identificar alguma contraindicação para sua realização;
→ as informações clínicas do paciente devem estar disponíveis, por meio de prontuário eletrônico ou não;
→ em caso de consulta por áudio ou vídeo, fones de ouvido melhoram a experiência, transmitem confiabilidade (que a voz não será ouvida por outra pessoa) e evitam ruídos indesejados;
→ o paciente deve receber antecipadamente as orientações para realização da teleconsulta, com a opção da oferta de um documento de consentimento informado, que pode ser tanto explícito como de concordância tática.

O exame físico ainda é um desafio para as teleconsultas. Por outro lado, sabe-se que, para muitas queixas e condições, uma anamnese de qualidade somada à medida de sinais vitais e a ectoscopia (visão global do paciente) são suficientes para uma abordagem sindrômica efetiva. Ainda mais efetiva é a teleconsulta para o acompanhamento de pacientes já conhecidos pelo médico, principalmente os portadores de condições crônicas. Como a longitudinalidade e o fácil acesso presencial devem ser atributos fortemente presentes em serviços de APS, as teleconsultas são uma ferramenta de alto poder resolutivo para o médico de família diante do manejo de sua lista de pacientes.

Além disso, há outras duas formas de potencializar o exame físico em teleconsultas. Uma delas é a teleconsulta assistida, na qual outro médico ou um enfermeiro ou outro profissional de saúde está presencialmente com o paciente e pode realizar manobras diagnósticas. Um exemplo dessa estratégia é avaliação diagnóstica realizada pelo projeto de teleoftalmologia do TelessaúdeRS.[30] A segunda opção é, novamente, o avanço tecnológico. Já estão disponíveis diversos dispositivos capazes de auxiliar o médico, a distância, na apropriação da semiologia do exame físico, incluindo pressão arterial, frequência cardíaca, saturação de oxigênio, temperatura, otoscopia, ausculta respiratória e cardíaca, entre outros sinais.

A telemedicina permite incorporar ferramentas de regulação clínica e de mecanismos de coordenação assistencial capazes de ampliar, e muito, a eficiência dos processos clínicos realizados presencialmente. Da mesma forma, em um país continental como o Brasil, a virtualidade dos processos permite uma ampliação de acesso dos pacientes a centros médicos de alta qualidade em escala de excelência nunca antes imaginada. Dessa forma, a telemedicina contribui para o alcance do Triple Aim: associação entre a positiva experiência do paciente (cuidado centrado na pessoa), foco na saúde populacional e sustentabilidade econômica. Ademais, tem potencial de agregar três características que parecem impossíveis de serem reunidas na prestação de ações médicas: acesso, qualidade e custo. Isso se deve principalmente à possibilidade de criar grandes serviços de telemedicina que usem a escala como motor de qualidade ao reunir um grande número de profissionais de saúde de alta qualidade com baixa ociosidade e larga capilaridade, permitindo acesso aos profissionais de qualquer lugar do País que conte com acesso à internet. Soma-se, a essa perspectiva, a integração da análise de *Big Data* e dos processos de inteligência artificial, e será possível construir um sistema de saúde do século XXI, fortemente amparado pela APS, pela telessaúde e pela telemedicina, bem como pela busca de valor em saúde.

REFERÊNCIAS

1. Greenhalgh T, Stramer K, Bratan T, Byrne E, Russell J, Potts HWW. Adoption and non-adoption of a shared electronic summary record in England: a mixed-method case study. BMJ. 2010;340:c3111.
2. Hivert M-F, Grant RW, Shrader P, Meigs JB. Identifying primary care patients at risk for future diabetes and cardiovascular disease using electronic health records. BMC Health Serv Res. 2009;9(1):170.
3. Ferreira ABDH. Novo aurelio seculo XXI: o dicionario da lingua portuguesa. 3. ed. Rio de Janeiro: Nova Fronteira; 1999.
4. Sanches KRB. Sistemas de informação em saúde. In: Medronho RA, Bloch KV, Luiz RR, Werneck GL, organizadores. Epidemiologia. 2. ed. São Paulo: Atheneu; 2008. p. 202.
5. Brasil. Ministério da Economia. Decreto nº 9.723 de 11 de março de 2019 [Internet]. Brasília; 2019. Disponível em: https://legislacao.presidencia.gov.br/atos/?tipo=DEC&numero=9723&ano=2019&ato=537MTS65keZpWT919.
6. Brasil. Ministério da Saúde. Departamento de Informática do SUS. ConecteSUS [Internet]. Sistema Único de Saúde Brasileiro. 2021 [capturado em 20 jan. 2021]. Disponível em: https://conectesus.saude.gov.br/home.
7. Conselho Federal de Medicina. Resolução CFM nº 1.639/2002 [Internet]. Brasília; 2002. Disponível em: https://sistemas.cfm.org.br/normas/visualizar/resolucoes/BR/2002/1639.
8. Conselho Federal de Medicina. Resolução CFM nº 1.821/2007 [Internet]. Brasília; 2007. Disponível em: https://sistemas.cfm.org.br/normas/visualizar/resolucoes/BR/2007/1821.
9. Garets D, Davis M. Electronic medical records vs. electronic health records: yes, there is a difference. Chicago: HIMSS Analytics; 2006.
10. Brasil. Ministério da Saúde. Secretaria de Atenção Primária a Saúde. e-SUS Atenção Primária [Internet]. Secretaria de Atenção Primária à Saúde. Brasília; 2021 [capturado em 4 fev. 2021]. Disponível em: https://aps.saude.gov.br/ape/esus.
11. Hertelendy A, Fenton SH, Griffin D. The implications of health reform for health information and electronic health record implementation efforts. Perspect Health Inf Manag. 2010;7(Summer):1e.
12. Mendes EV. As redes de atenção à saúde. 2. ed. Brasília: OPAS; 2011.
13. Janett RS, Yeracaris PP. Electronic medical records in the American health system: challenges and lessons learned. Ciênc Saúde Coletiva. 2020;25(4):1293–304.
14. Organização Pan-Americana da Saúde, Organização Mundial da Saúde, Brasil. Ministério da Saúde, Conselho Nacional de Secretários de Saúde, Conselho Nacional de Secretarias Municipais de Saúde. Inovando o papel da atenção primária nas redes de atenção à saúde: resultados do laboratório de inovação em quatro capitais brasileiras. Brasília: OPAS; 2011.
15. Demarzo MMP, Oliveira CA de, Gonçalves DA. Prática clínica na estratégia saúde da família: organização e registro. São Paulo: UNA-SUS/UNIFESP; 2011.
16. Kawamoto K, Houlihan CA, Balas EA, Lobach DF. Improving clinical practice using clinical decision support systems: a systematic review of trials to identify features critical to success. BMJ. 2005;330(7494):765.
17. Bright TJ, Wong A, Dhurjati R, Bristow E, Bastian L, Coeytaux RR, et al. Effect of clinical decision-support systems: a systematic review. Ann Intern Med. 2012;157(1):29–43.
18. Cardoso RB, Ferreira BJ, Martins WA, Paludeto SB. Programa de educação permanente para o uso do prontuário eletrônico do paciente na enfermagem. J Health Inform. 2017;9(1):25–30.
19. Lahm JV, Carvalho DR. Prontuário eletrônico do paciente: Avaliação de usabilidade pela equipe de enfermagem. Cogitare Enferm. 2015;20(1):38–44.
20. Jenal S, Évora YDM. Desafio da implantação do prontuário eletrônico do paciente. J Health Inform. 2012;4(especial):216–9.
21. Canêo PK, Rondina JM. Prontuário eletrônico do paciente: conhecendo as experiências de sua implantação. J Health Inform. 2014;6(2):67–71.
22. Silver L. Smartphone ownership is growing rapidly around the world, but not always equally [Internet]. Pew Research Center's Global Attitudes Project. 2019 [capturado em 1 fev. 2021]. Disponível em: https://www.pewresearch.org/global/2019/02/05/smartphone-ownership-is-growing-rapidly-around-the-world-but-not-always-equally/.
23. Adam R, McMichael D, Powell D, Murchie P. Publicly available apps for cancer survivors: a scoping review. BMJ Open. 2019;9(9):e032510.
24. Monica K. Using EHR voice recognition to improve clinical documentation, usability [Internet]. EHRIntelligence. 2018 [capturado em 1 fev. 2021]. Disponível em: https://ehrintelligence.com/news/using-ehr-voice-recognition-to-improve-clinical-documentation-usability.
25. Saxena K, Diamond R, Conant RF, Mitchell TH, Gallopyn Jr. G, Yakimow KE. Provider adoption of speech recognition and its impact on satisfaction, documentation quality, efficiency, and cost in an inpatient EHR. AMIA Summits Transl Sci Proc. 2018;2018:186–95.
26. Hoyt R, Yoshihashi A. Lessons learned from implementation of voice recognition for documentation in the military electronic health record system. Perspect Health Inf Manag. 2010;7(Winter):1e.
27. Brasil. Ministério da Saúde. Guia metodológico para programas e serviços em telessaúde. Brasília: MS; 2019.
28. Pfeil JN, Rados DV, Roman R, Katz N, Nunes LN, Vigo Á, et al. A telemedicine strategy to reduce waiting lists and time to specialist care: a retrospective cohort study. J Telemed Telecare. 2020;1357633X20963935.
29. Porto Alegre. Secretaria Municipal da Saúde. Diretoria Geral de Atenção Primária à Saúde, Universidade Federal do Rio Grande do Sul. Programa de pós-graduação em epidemiologia. Manual de teleconsulta na APS [Internet]. Porto Alegre: TelessaúdeRS; 2020 [capturado em 1 fev. 2021]. Disponível em: https://www.ufrgs.br/telessauders/documentos/Manual_teleconsultas.pdf.
30. Araujo AL, Moreira T de C, Rados DRV, Gross PB, Molina-Bastos CG, Katz N, et al. The use of telemedicine to support Brazilian primary care physicians in managing eye conditions: the TeleOftalmo project. PLOS ONE. 2020;15(4):e0231034.

LEITURAS RECOMENDADAS

Associação Brasileira de Normas Técnicas – Comissão de Estudo Especial de Informática em Saúde (ABNT/CEE-078). Disponível em: http://www.abnt.org.br/cee-78

Comissão da Associação Brasileira de Normas Técnicas, entidade privada e sem fins lucrativos que cuida de diferentes normatizações no país, responsável para delinear normas técnicas para tecnologias da informação em saúde.

Brasil. Ministério da Saúde. Cadastro Nacional de Estabelecimentos de Saúde – CNES. Disponível em: http://cnes.datasus.gov.br/

O CNES tem como objetivo disponibilizar informações das atuais condições de infraestrutura de funcionamento dos estabelecimentos de saúde em todas as esferas administrativas.

Brasil. Ministério da Saúde. Coordenação-Geral de Alimentação e Nutrição. SISVAN. Disponível em: https://sisaps.saude.gov.br/sisvan/

Este sistema tem por objetivo promover informação contínua sobre as condições nutricionais da população e os fatores que as influenciam. Os indicadores disponíveis são as proporções peso/idade em percentis.

Brasil. Ministério da Saúde. DATASUS. Departamento de Informática do SUS. Disponível em: https://datasus.saude.gov.br/
Página inicial do Departamento de Informática do SUS permite acesso à maioria das bases componentes do Sistema de Informação em Saúde do Brasil, como SIM, SIA e SIH.
www2.datasus.gov.br -> link alternativo de acesso aos bancos de dados.

Brasil. Ministério da Saúde. DATASUS. Sistema de Informação do Programa Nacional de Imunização – SIPNI. Disponível em: http://sipni.datasus.gov.br/si-pni-web/faces/inicio.jsf
SIPNI apresenta informações consolidadas das campanhas de vacinação e do número de imunobiológicos de rotina aplicados, bem como dados de cobertura vacinal.

Brasil. Ministério da Saúde. DATASUS. SISCOLO/SISMAMA. Disponível em: http://w3.datasus.gov.br/siscam/index.php
Este sistema oferece informações como a adequabilidade, causas de inadequabilidade, razão de exames realizados por mulheres segundo a faixa etária, alterações verificadas nos resultados dos exames destinados ao rastreamento e diagnóstico do câncer de colo e mama.

Brasil. Ministério da Saúde. DATASUS. SISPRENATAL. Disponível em: http://sisprenatal.datasus.gov.br/SISPRENATAL/index.php?area=01.
No SisPreNatal é possível acessar o elenco de procedimentos para uma assistência pré-natal.

Brasil. Ministério da Saúde. Painéis de Monitoramento da Secretaria de Vigilância em Saúde – SVS. Disponível em: http://svs.aids.gov.br/dantps/centrais-de-conteudos/paineis-de-monitoramento/
Exibe informações de mortalidade (SIM), natalidade (Sinasc) e dentre outras relacionadas.

Brasil. Ministério da Saúde. Secretaria de Atenção Primária à Saúde – SAPS. Painéis de Indicadores. Disponível em: https://sisaps.saude.gov.br/painelsaps/
Painel contendo vários indicadores da área até a granularidade município.

Secretaria de Atenção Primária à Saúde – SAPS. Sistema e-Gestor. Disponível em: https://egestorab.saude.gov.br/
O e-Gestor concentra as informações relacionadas à SAPS, como financiamento, indicadores, recebimento e envio de dados, equipes e homologações. Também possibilita a solicitação de credenciamento de equipes e serviços da atenção primária. Ainda, dá acesso às informações do Sisab e indicadores de saúde.

Brasil. Ministério da Saúde. Sistema de Informações sobre Orçamentos Públicos em Saúde – SIOPS. Disponível em: http://siops.datasus.gov.br
O SIOPS permite avaliar relatórios da proporção de gastos por habitantes com receitas próprias, proporção de gastos com recursos humanos, total de transferências SUS, a razão dos recursos das transferências SUS por habitantes, entre outros.

Clube CIAP. Disponível em: https://sites.google.com/site/clubeciap/
Grupo de Trabalho de Classificações e Prontuário eletrônico da SBMFC.

Instituto Brasileiro de Estatística e Geografia – IBGE. Disponível em: http://www.ibge.gov.br
Dá amplo e geral acesso a dados sociodemográficos e geográficos.

Sociedade Brasileira de Informática em Saúde – SBIS. Disponível em: http://www.sbis.org.br/
Sociedade cuja missão é de contribuir para a melhoria e transformação da Saúde por meio do uso adequado das Tecnologias de Informação e Comunicação.

Sociedade Brasileira de Informática em Saúde – SBIS. Manual de Certificação para Sistemas de Registro Eletrônico em Saúde (S-RES): versão 3.3. São Paulo: CFM; 2009. Disponível em: http://www.sbis.org.br/certificacao/Manual_Certificacao_SBIS-CFM_2009_v3-3.pdf

Sociedade Brasileira de Informática em Saúde – SBIS. Manual de Certificação de Sistemas de Registro Eletrônico em Saúde, Versão 5.0. 2020. Disponível em: http://www.sbis.org.br/certificacao/Manual_Certificacao_S-RES_SBIS_v5-0.pdf

Sociedade Brasileira de Informática em Saúde – SBIS. Requisitos para Certificação de Sistemas de Registro Eletrônico em Saúde. Categoria: Prontuário Eletrônico do Paciente. Modalidade: Consultório Individual. Versão 5.0 de 18/11/2020. Disponível em: http://www.sbis.org.br/certificacao/Requisitos_Certificacao_SBIS_PEP_ConsultorioIndividual_v5-0.pdf

Sociedade Brasileira de Informática em Saúde – SBIS. Requisitos para Certificação de Sistemas de Registro Eletrônico em Saúde. Categoria: Prontuário Eletrônico do Paciente. Modalidade: Clínica/Ambulatório. Versão 5.0 de 18/11/2020. Disponível em: http://www.sbis.org.br/certificacao/Requisitos_Certificacao_SBIS_PEP_ClinicaAmbulatorio_v5-0.pdf
Documentação produzida em ação conjunta entre a Sociedade Brasileira de Informática em Saúde e o Conselho Federal de Medicina, baseado em conceitos e padrões nacionais e internacionais da área de Informática em Saúde.

Capítulo 17
A ATENÇÃO ÀS CONDIÇÕES CRÔNICAS

Eugênio Vilaça Mendes

O CONCEITO DE CONDIÇÃO CRÔNICA

As condições de saúde podem ser definidas como as circunstâncias na saúde das pessoas que se apresentam de forma mais ou menos persistente e que exigem respostas sociais reativas ou proativas, episódicas ou contínuas e fragmentadas ou integradas dos sistemas de atenção à saúde.

Tradicionalmente, trabalha-se em saúde com uma divisão entre doenças transmissíveis e doenças crônicas não transmissíveis. Essa tipologia é bastante usada, em especial, pela epidemiologia. É verdade que essa tipologia tem sido muito útil nos estudos epidemiológicos; por outro lado, ela não se presta para referenciar a organização dos sistemas de atenção à saúde.

A razão é simples: do ponto de vista da resposta social aos problemas de saúde – o objeto dos sistemas de atenção à saúde –, certas doenças transmissíveis, pelo longo período de seu curso, estão mais próximas da lógica de enfrentamento das doenças crônicas do que das doenças transmissíveis de curso rápido. Além disso, é uma tipologia que se assenta no conceito de doença e exclui outras condições que não são doenças, mas que exigem uma resposta social adequada dos sistemas de atenção à saúde.

Por isso, tem sido considerada uma nova categorização, com base no conceito de condição de saúde, desenvolvida, inicialmente, por teóricos ligados aos modelos de atenção às condições crônicas[1] e, depois, acolhida pela Organização Mundial da Saúde (OMS):[2] as condições agudas e as condições crônicas.

O recorte da tipologia de condições de saúde faz-se a partir da forma como os profissionais, as pessoas usuárias e os sistemas de atenção à saúde se organizam para o cuidado: se de forma reativa, episódica (apropriada para as condições agudas) e fragmentada, ou se de forma proativa, contínua e integrada (apropriada para as condições crônicas).

Isso é diferente da clássica tipologia de transmissíveis e não transmissíveis que se sustenta, principalmente, na etiopatogenia das doenças. Ademais, "condição de saúde" vai além de doenças por incorporar certos estados fisiológicos e os acompanhamentos dos ciclos de vida que não são doenças, mas condições de saúde.

As condições crônicas vão muito além das doenças crônicas (diabetes, doenças cardiovasculares, cânceres, doenças respiratórias crônicas, etc.) ao envolverem doenças infecciosas persistentes (hanseníase, tuberculose, infecção pelo vírus da imunodeficiência humana/síndrome da imunodeficiência adquirida [HIV/Aids], hepatites virais, etc.); condições ligadas à maternidade e ao período perinatal; condições ligadas à manutenção da saúde por ciclos de vida (puericultura, acompanhamento dos adolescentes e monitoramento da capacidade funcional das pessoas idosas); distúrbios mentais de longo prazo; deficiências físicas e estruturais contínuas (amputações, cegueiras, deficiências motoras persistentes, etc.); doenças metabólicas; e doenças bucais.

A SITUAÇÃO DE SAÚDE NO BRASIL

Os sistemas de atenção à saúde são respostas sociais deliberadas às necessidades de saúde da população. Como consequência, deve haver uma forte sintonia entre a situação de saúde da população e a forma como se estrutura o sistema de atenção à saúde para responder, socialmente, a essa situação singular.

A situação de saúde no Brasil caracteriza-se por uma transição demográfica acelerada e por uma situação epidemiológica de tripla carga de doenças com forte predomínio relativo das condições crônicas (ver Capítulo Condições de Saúde da População Brasileira).

Uma população em processo rápido de envelhecimento significa um crescente incremento relativo das condições crônicas, em especial das doenças crônicas, porque elas afetam mais os segmentos de maior idade. O estudo Global Burden of Disease (GBD) estimou que, em 2019, 84% da incapacidade (anos vividos com doença) no país foram devidas às doenças crônicas não transmissíveis (ver Capítulo Condições de Saúde da População Brasileira). A Pesquisa Nacional por Amostra de Domicílios (PNAD) de 2008[3] demonstrou que, conforme a idade avança, aumentam as doenças crônicas, de modo que 79,1% dos brasileiros de 65 anos ou mais relatam ser portadores de doença crônica; 31,3% da população geral, 60 milhões de pessoas, têm doença crônica, e 5,9% dessa população total apresentam três ou mais doenças crônicas.

O DESAFIO DO CUIDADO ÀS CONDIÇÕES CRÔNICAS E A CRISE DO MODELO DE ATENÇÃO DO SISTEMA ÚNICO DE SAÚDE

A crise contemporânea dos sistemas de atenção à saúde reflete o desencontro entre uma situação de saúde que combina envelhecimento populacional e transição epidemiológica dominada por condições crônicas e um sistema de atenção à saúde voltado para responder às condições agudas e aos eventos agudos decorrentes de agudizações de condições crônicas de forma fragmentada, episódica, reativa e com foco nas doenças.

No plano da clínica, essa crise tem sido chamada de tirania das condições agudas.[4] Essa crise é universal e, no fundo, decorre do descompasso entre uma situação de saúde do século XXI, sendo respondida socialmente por um sistema de saúde estruturado na metade do século XX. Isso ocorre porque os fatores contingenciais dos sistemas de atenção à saúde (transições demográfica e epidemiológica e inovação tecnológica) mudam rápido, enquanto os fatores internos sob governabilidade desses sistemas (cultura e estrutura organizacionais, recursos, sistemas de financiamento e de incentivos, estilos de liderança, arranjos organizativos, etc.) movem-se lentamente, gerando desequilíbrios.[5] O resultado, como adverte a OMS,[2] é que "os sistemas de saúde predominantes em todo o mundo estão falhando, pois não estão conseguindo acompanhar a tendência de declínio dos problemas agudos e de ascensão das condições crônicas. Quando os problemas de saúde são crônicos, o modelo de tratamento agudo não funciona".

Essa crise contemporânea dos sistemas de atenção à saúde manifesta-se, inequivocamente, no Sistema Único de Saúde (SUS). A razão é que uma situação de saúde de transição demográfica acelerada e de tripla carga de doenças, com predomínio relativo forte de condições crônicas, tem tido uma resposta social inadequada por meio de um sistema de atenção à saúde fragmentado, voltado para as condições agudas, reativo, episódico, focado nas doenças e sem uma participação protagonista das pessoas usuárias no cuidado da sua saúde.

Os sistemas fragmentados de atenção à saúde, fortemente presentes aqui e alhures, são aqueles que se organizam mediante um conjunto de pontos de atenção à saúde isolados e incomunicados uns dos outros e que, como consequência, são incapazes de prestar uma atenção contínua à população. Em geral, não há uma população adscrita de responsabilização. Neles, a atenção primária à saúde não se comunica de modo fluido com a atenção secundária à saúde, e esses dois níveis também não se articulam com a atenção terciária à saúde – nem com os sistemas de apoio, nem com os sistemas logísticos.

Além disso, a atenção é fundamentalmente reativa, episódica, voltada para as doenças e bastante prescritiva, afastando a participação das pessoas usuárias, tanto no plano de cuidado quanto em um elemento essencial do manejo das condições crônicas que é o autocuidado. Os resultados desses sistemas fragmentados no cuidado das condições crônicas têm sido desastrosos. Tome-se, como exemplo, o controle do nível glicêmico dos portadores de diabetes e se verificará que, independentemente do volume de recursos aplicados, os resultados são insatisfatórios nos Estados Unidos e nos sistemas público e privado brasileiros.[6-9]

RESPOSTA SOCIAL ADEQUADA À SITUAÇÃO DE SAÚDE BRASILEIRA: AS REDES DE ATENÇÃO À SAÚDE

A incoerência entre a situação de saúde e o sistema de atenção à saúde, praticado hegemonicamente, constitui o problema fundamental do SUS e, para ser superada, envolve a implantação de redes de atenção à saúde.

As redes de atenção à saúde são organizações poliárquicas de conjuntos de serviços de saúde, vinculados entre si por uma missão única, por objetivos comuns e por uma ação cooperativa e interdependente, que permitem ofertar uma atenção contínua e integral a determinada população, coordenada pela atenção primária à saúde – prestada no tempo certo, no lugar certo, com o custo certo, com a qualidade certa, de forma humanizada e com equidade –, com responsabilidade sanitária e econômica pela população adscrita de forma a gerar valor para essa população.[10]

As redes de atenção à saúde constituem-se de três elementos fundamentais: uma população, uma estrutura operacional e um modelo de atenção à saúde.

O primeiro elemento das redes de atenção à saúde, e sua razão de ser, é uma população, colocada sob sua responsabilidade sanitária e econômica. É isso que marca a atenção à saúde baseada na população, uma característica essencial das redes de atenção à saúde. O conhecimento da população de uma rede de atenção à saúde envolve um processo complexo, estruturado em vários momentos: o processo de territorialização; o cadastramento das famílias; a classificação das famílias por riscos sociossanitários; a vinculação das famílias à Unidade de Atenção Primária à Saúde/Equipe do Programa de Saúde da Família; a identificação de subpopulações com fatores de riscos; a identificação das subpopulações com condições de saúde estabelecidas por estratos de riscos; e a identificação de subpopulações com condições de saúde muito complexas (ver Capítulo A Organização de Serviços de Atenção Primária à Saúde).

O segundo elemento constitutivo das redes de atenção à saúde é a estrutura operacional formada pelos nós das redes e pelas ligações materiais e imateriais que comunicam esses diferentes nós. A estrutura operacional das redes de atenção à saúde compõe-se de cinco elementos: o centro de comunicação, a atenção primária à saúde; os pontos de atenção à saúde secundários e terciários, ambulatoriais e hospitalares; os sistemas de apoio (sistemas de apoio diagnóstico e terapêutico, sistemas de assistência farmacêutica, sistemas de teleassistência e sistemas de informação em saúde); os sistemas logísticos (registro eletrônico em saúde, sistemas de acesso regulado à atenção e sistemas de transporte em saúde); e o sistema de governança das redes de atenção à saúde.

O terceiro elemento das redes de atenção à saúde são os modelos de atenção à saúde constituídos de sistemas lógicos que organizam, de forma singular, as relações entre os componentes das redes e as intervenções sanitárias, definidos em função da visão prevalecente da saúde, das situações demográfica e epidemiológica e dos determinantes sociais da saúde, vigentes em determinado tempo e em determinada sociedade. Os modelos de atenção à saúde são diferenciados em modelos de atenção às condições agudas e às condições crônicas.

Os modelos de atenção às condições agudas prestam-se à organização das respostas dos sistemas de atenção à saúde e, também, aos eventos agudos, decorrentes de agudizações das condições crônicas. Em geral, os modelos de atenção às condições agudas constituem-se por algum tipo de classificação de riscos para que se possa, com base na variável tempo-resposta do sistema, prestar o cuidado no tempo certo e no lugar certo. Há vários modelos, mas no Brasil, recentemente, tem sido utilizado, de modo crescente, o sistema Manchester de classificação de riscos.[11]

MODELOS DE ATENÇÃO ÀS CONDIÇÕES CRÔNICAS

O modelo de atenção crônica

Os modelos de atenção crônica são sistemas lógicos mais complexos e de proposição recente. Eles têm, como modelo seminal, o modelo de atenção crônica (CCM, do inglês *chronic care model*), desenvolvido pela equipe do MacColl Institute for Healthcare Innovation, nos Estados Unidos (FIGURA 17.1), a partir de uma ampla revisão da literatura internacional sobre a gestão das condições crônicas e de um projeto-piloto implantado em escala nacional.[1]

Como a maior parte da atenção às condições crônicas se realiza no âmbito da atenção primária à saúde, o CCM implica repensar e redesenhar profundamente a prática nesse nível de atenção.[4]

O CCM é composto por seis elementos, subdivididos em dois grandes campos: o sistema de atenção à saúde e a comunidade. No sistema de atenção à saúde, as mudanças devem ser feitas na organização da atenção à saúde, no desenho do sistema de prestação de serviços, no suporte às decisões, nos sistemas de informação clínica e no autocuidado apoiado. Na comunidade, as mudanças estão centradas na articulação dos serviços de saúde com os recursos da comunidade.

Esses seis elementos apresentam inter-relações que permitem que as pessoas se tornem usuárias informadas e ativas e que se formem equipes de saúde preparadas e proativas para produzir melhores resultados sanitários e funcionais para a população.

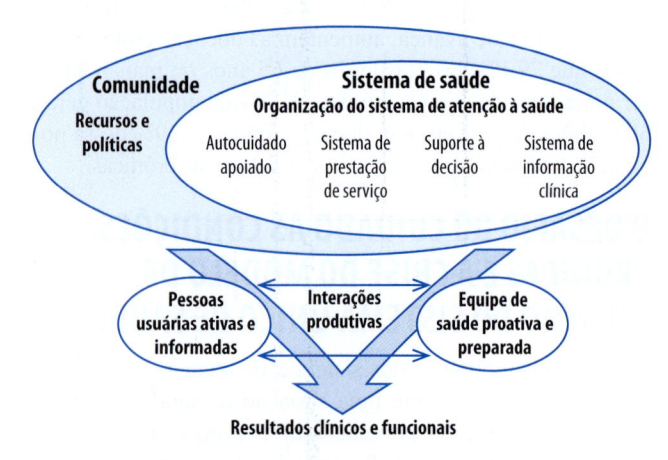

FIGURA 17.1 → O modelo de atenção crônica (CCM).
Fonte: Adaptada de Wagner.[1]

As mudanças na organização da atenção à saúde objetivam criar cultura, organização e mecanismos que promovam uma atenção segura e de alta qualidade. Isso se faz por meio de melhoria do suporte a essas mudanças em todos os níveis da organização, especialmente com seus líderes seniores; introdução de estratégias potentes destinadas a facilitar as mudanças sistêmicas amplas; fortalecimento aberto e sistemático do manejo dos erros e dos problemas de qualidade para melhorar a atenção à saúde; e provisão de incentivos baseados na qualidade da atenção à saúde.

As mudanças no desenho do sistema de prestação de serviços de saúde objetivam assegurar uma atenção à saúde efetiva e eficiente e um autocuidado apoiado. Isso se faz mediante clara definição de papéis e distribuição de tarefas entre os membros da equipe multiprofissional de saúde; introdução de novas formas de atenção, como atendimento à distância, atendimentos em grupo e encontros virtuais; busca do incremento relativo entre atendimentos programados e não programados; uso planejado de instrumentos para dar suporte a uma atenção à saúde baseada em evidência; provisão de gestão de caso para os portadores de condições de saúde muito complexas; monitoramento regular dos portadores de condição crônica pela equipe de saúde; e prestação de atenção à saúde de acordo com as necessidades e a compreensão das pessoas usuárias e em conformidade com sua cultura.

As mudanças no apoio às decisões objetivam promover uma atenção à saúde que seja consistente com as evidências científicas e com as preferências das pessoas usuárias. Isso se faz por meio de introdução de diretrizes clínicas baseadas em evidência na prática cotidiana dos sistemas de atenção à saúde; compartilhamento das diretrizes clínicas baseadas em evidência e das informações clínicas com as pessoas usuárias para fortalecer sua participação na atenção à saúde; uso de ferramentas de educação permanente dos profissionais de saúde e de educação em saúde de comprovada efetividade; e integração da atenção primária à saúde com a atenção especializada (ver Capítulo Prática da Medicina Ambulatorial Baseada em Evidências).

As mudanças no sistema de informação clínica objetivam organizar os dados da população e das pessoas usuárias para facilitar uma atenção à saúde mais eficiente e efetiva. Isso se faz mediante utilização rotineira de prontuários clínicos informatizados (ver Capítulo Informação, Prontuário Eletrônico e Telemedicina em APS); provisão de alertas, lembretes e *feedbacks* oportunos para os profissionais de saúde e para as pessoas usuárias; identificação de subpopulações relevantes, em função de riscos, para uma atenção à saúde proativa e integrada; elaboração de um plano de cuidado individual para cada pessoa usuária; e compartilhamento de informações clínicas entre os profissionais de saúde e as pessoas usuárias para possibilitar a coordenação da atenção à saúde.

As mudanças no autocuidado apoiado objetivam preparar e empoderar as pessoas usuárias para que autogerenciem sua saúde e a atenção à saúde prestada (ver Capítulos Abordagem para Mudança de Estilo de Vida e Cuidados Longitudinais e Integrais a Pessoas com Condições Crônicas). Isso se faz por meio de ênfase no papel central das pessoas usuárias no gerenciamento de sua própria saúde; uso de estratégias de apoio para o autocuidado (ver Capítulo Método Clínico Centrado na Pessoa) que incluam a avaliação do estado de saúde, a fixação de metas a serem alcançadas, a elaboração dos planos de cuidado, as ações de resolução de problemas e o monitoramento; e estruturação dos recursos das organizações de saúde e da comunidade para prover apoio ao autocuidado das pessoas usuárias.

As mudanças nos recursos da comunidade objetivam mobilizar esses recursos para atender às necessidades das pessoas usuárias. Isso se faz mediante encorajamento das pessoas usuárias para participarem de programas comunitários efetivos; parcerias entre as organizações de saúde e as organizações comunitárias para dar apoio e desenvolver programas que ajudem a atender às necessidades das pessoas usuárias; e advocacia de políticas que melhorem a atenção à saúde. Neste elemento, é fundamental articular as ações das unidades de saúde, em especial das unidades de atenção primária à saúde, com organizações da comunidade como igrejas, clubes de serviços, movimentos sociais, etc.

Há evidências, na literatura internacional, sobre os efeitos positivos do CCM na atenção às condições crônicas. O estudo avaliativo clássico do CCM foi realizado pela Rand Corporation e pela University of California, Berkeley, Estados Unidos,[12] envolvendo aproximadamente 4 mil portadores de diabetes, insuficiência cardíaca, asma e depressão, em 51 organizações de saúde. Outros estudos avaliativos mostraram resultados positivos na aplicação do CCM.[13-24]

O CCM, a partir de sua divulgação, tem sido adaptado a diferentes países do mundo, como Alemanha, Austrália, Canadá, Dinamarca, Espanha, Holanda, Portugal, Nova Zelândia e Rússia, e a países em desenvolvimento.[2,5,21-27]

O modelo da pirâmide de riscos

Outro modelo, utilizado para o manejo de condições crônicas, é o da pirâmide de riscos, desenvolvido na organização americana Kaiser Permanente,[28] que identifica três níveis de intervenções, segundo o grau de complexidade da condição de saúde.

No nível 1, estão 70 a 80% dos portadores de uma condição crônica e que apresentam boa capacidade para o autocuidado e uma condição simples, bem controlada e com um baixo perfil de risco geral (p. ex., pessoas portadoras de hipertensão de risco baixo e médio).

No nível 2, estão 20 a 30% dos portadores de uma condição crônica complexa, até mesmo de mais comorbidades, com certo grau de instabilidade ou um potencial de deterioração de sua saúde, a menos que tenham o suporte de uma equipe profissional (p. ex., pessoas portadoras de hipertensão de risco alto ou muito alto).

Finalmente, no nível 3, estão 1 a 5% da população, que são pessoas com condição crônica ou comorbidades altamente complexas e baixo grau de autonomia (p. ex., pessoas com várias doenças crônicas em situação de risco alto, como pacientes com pé diabético em estágio avançado; pessoas usuárias frequentes de serviços de urgência e emergência, como portadores de insuficiência cardíaca de difícil manejo; ou pessoas moradoras de rua, etc.).

Esse modelo vem apresentando resultados positivos no manejo das condições crônicas[27] e, em função disso, tem sido aplicado em países como Austrália, Canadá, Dinamarca, Nova Zelândia[5,28] e, especialmente, no Serviço Nacional de Saúde do Reino Unido.[29,30]

Um modelo de atenção às condições crônicas para o Sistema Único de Saúde

A proposta de um modelo de atenção às condições crônicas para o SUS justifica-se pela singularidade desse sistema público de saúde brasileiro. O SUS, como sistema público universal, tem responsabilidades sobre populações e territórios, o que convoca uma ampliação dos modelos de atenção crônica e da pirâmide de riscos, envolvendo uma integração entre o campo da clínica e o campo da saúde coletiva. Nesse sentido, torna-se imprescindível expandir esses modelos, articulando-os com um modelo de determinação social da saúde.

Apesar da existência de outros modelos mais complexos, que buscam explicar mais detalhadamente as relações e as mediações entre os diversos níveis de determinação social da saúde e a gênese das iniquidades, a Comissão Nacional sobre Determinantes Sociais da Saúde[31] escolheu, para ser aplicado no Brasil, o modelo de Dahlgren e Whitehead[32] por sua simplicidade, fácil compreensão para vários tipos de público e clara visualização dos diversos determinantes sociais da saúde.

O modelo de Dahlgren e Whitehead inclui os determinantes sociais da saúde dispostos em diferentes camadas concêntricas, segundo seu nível de abrangência, desde uma camada de determinantes individuais (idade, sexo e fatores hereditários); uma camada de determinantes proximais ligados aos de estilos de vida dos indivíduos (tabagismo, inatividade física, sobrepeso ou obesidade, alimentação inadequada, uso excessivo de álcool e outras drogas, etc.); uma camada de redes sociais e comunitárias; uma camada de determinantes intermediários ligados às condições de vida e de trabalho (educação, saneamento, emprego, habitação, serviços sociais e outros); e uma camada de macrodeterminantes distais derivados de condições socioeconômicas, culturais e ambientais gerais.

A partir destas três matrizes – o modelo de determinação social da saúde de Dahlgren e Whitehead, o modelo de atenção crônica e o modelo da pirâmide de riscos –, propõe-se um modelo de atenção às condições crônicas (MACC) para utilização no SUS. Esse modelo está representado na FIGURA 17.2.

Atuação clínica dentro do modelo de atenção às condições crônicas

O MACC estrutura-se em cinco níveis e em três componentes integrados: a população (à esquerda da FIGURA 17.2), os focos das intervenções sobre os determinantes sociais da saúde (à direita da FIGURA 17.2) e os tipos de intervenções de saúde (o meio da FIGURA 17.2).

No nível 1, a atuação não é clínica; opera-se com a população total, com foco nos determinantes intermediários da saúde, por meio de intervenções de promoção da saúde, entendidas como projetos intersetoriais que integram saúde com educação, saneamento, habitação, emprego e renda, e outros determinantes ligados às condições de vida e trabalho.

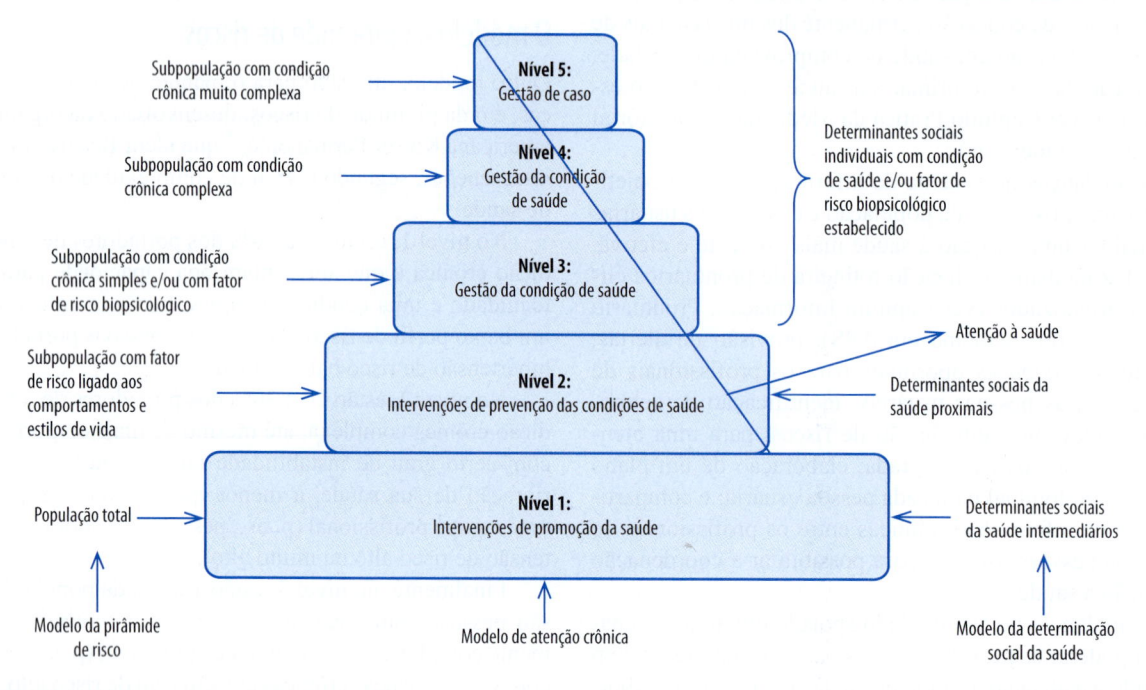

FIGURA 17.2 → Modelo de atenção às condições crônicas (MACC).
Fonte: Mendes.[10]

No nível 2, opera-se com subpopulações estratificadas por fatores de riscos ligados aos comportamentos e aos estilos de vida, com foco nos determinantes proximais da saúde, por meio de intervenções de prevenção das condições de saúde que podem se estruturar nos âmbitos micro, meso e macro.

Nos níveis 3, 4 e 5, opera-se com subpopulações portadoras de um fator de risco biopsicológico (dislipidemia, hipertensão arterial, alterações da glicemia e outros) ou de uma condição de saúde já estabelecida (gravidez, diabetes, asma e outras), com foco nos determinantes sociais individuais. A estratificação de riscos que estabelece os três diferentes níveis é feita por meio da pirâmide de riscos. Nesses três níveis, as intervenções são realizadas por tecnologias de gestão da clínica: gestão das condições de saúde e gestão de casos.

No nível 3, opera-se com subpopulações que apresentam condição crônica simples, por meio da tecnologia da gestão das condições de saúde e com ênfase relativa nas ações de autocuidado apoiado. No nível 4, opera-se com subpopulações que apresentam condição crônica complexa, por meio da tecnologia de gestão da condição de saúde, mas com uma ação mais equilibrada entre cuidado profissional geral, especializado e autocuidado apoiado. No nível 5, opera-se com subpopulações que apresentam condições crônicas muito complexas, por meio da tecnologia de gestão de caso que envolve alta concentração de cuidado profissional, coordenado por um gestor de caso. A linha transversal que corta a FIGURA 17.2, desde as ações de prevenção das condições de saúde até a gestão de caso, representa uma divisão relativa à natureza da atenção à saúde. O que estiver acima dessa linha representa, mais significativamente, a atenção profissional; o que estiver abaixo, o autocuidado apoiado.

O MACC tem sido aplicado em várias regiões do Brasil.[33] Uma avaliação da aplicação desse modelo no município de Santo Antônio do Monte, Minas Gerais, mostrou resultados positivos.[34,35]

REFERÊNCIAS

1. Wagner EH. Chronic disease management: what will it take to improve care for chronic illness? Eff Clin Pract. 1998;1(1):2-4.
2. Organização Mundial da Saúde. Cuidados inovadores para as condições crônicas: componentes estruturais de ação. Brasília: OMS; 2002.
3. Instituto Brasileiro de Geografia e Estatística. Um panorama da saúde no Brasil: acesso e utilização dos serviços, condições de saúde e fatores de risco e proteção à saúde: 2008 [Internet]. Rio de Janeiro: IBGE; 2010 [capturado em: 21 mar. 2021]. Disponível em: http://bvsms.saude.gov.br/bvs/publicacoes/pnad_panorama_saude_brasil.pdf.
4. Coleman K, Austin BT, Brach C, Wagner EH. Evidence on the chronic care model in the new millennium. Health Aff. 2009;28(1):75-85.
5. Bengoa R. Curar y cuidar. In: Bengoa R, Nuño Solinís R. Curar y cuidar: innovación en la gestión de enfermedades crónicas: una guía práctica para avanzar. Barcelona: Elsevier Masson; 2010. p. 17-30.
6. Bodenheimer T, Grumbach K. Improving primary care: strategies and tools for a better practice. New York: McGraw Hill; 2007.
7. National Institute of Diabetes and Digestive and Kidney Diseases. National Diabetes Statistics [Internet]. Bethesda: NIDDK; 2020 [capturado em 3 abr. 2021]. Disponível em: https://www.niddk.nih.gov/health-information/health-statistics/diabetes-statistics
8. Dominguez B. Controle ainda é baixo no Brasil. Radis. 2007;59:11.
9. Baptista DR, Wiens A, Pontarolo R, Regis L, Reis WC, Correr CJ. The chronic care model for type 2 diabetes: a systematic review. Diabetol Metab Syndr. 2016;8:7.
10. Mendes EV. As redes de atenção à saúde. 2. ed. Brasília: Organização Pan-Americana da Saúde; 2011.
11. Mackway-Jones K, Marsden J, Windle J, Manchester Triage Group. Emergency triage. 2nd ed. Malden: Blackwell; 2006.
12. Mattke S, Mengistu T, Klautzer L, Sloss EM, Brook RH. Improving care for chronic conditions: current practices and future trends in health plan programs [Internet]. Santa Monica: RAND Corporation, 2015 [capturado em 15 mar. 2021]. Disponível em: https://www.rand.org/content/dam/rand/pubs/research_reports/RR300/RR393/RAND_RR393.pdf
13. Fleming B, Silver A, Ocepek-Welikson K, Keller D. The relationship between organizational systems and clinical quality in diabetes care. Am J Manag Care. 2004;10(12):934-44.
14. Asch SM, Baker DW, Keesey JW, Broder M, Schonlau M, Rosen M, et al. Does the collaborative model improve care for chronic heart failure? Med Care. 2005;43(7):667-75.
15. Baker DW, Asch SM, Keesey JW, Brown JA, Chan KS, Joyce G, et al. Differences in education, knowledge, self-management activities, and health outcomes for patients with heart failure cared for under the chronic disease model: the improving chronic illness care evaluation. J Card Fail. 2005;11(6):405-13.
16. Schonlau M, Mangione-Smith R, Chan KS, Keesey J, Rosen M, Louis TA, et al. Evaluation of a quality improvement collaborative in asthma care: does it improve processes and outcomes of care? Ann Fam Med. 2005;3(3):200-8.
17. Chin MH, Cook S, Drum ML, Jin L, Guillen M, Humikowski CA, et al. Improving diabetes care in midwest community health centers with the health disparities collaborative. Diabetes Care. 2004;27(1):2-8.
18. Siminerio LM, Piatt GA, Emerson S, Ruppert K, Saul M, Solano F, et al. Deploying the chronic care model to implement and sustain diabetes self-management training programs. Diabetes Educ. 2006;32(2):253-60.
19. Homer CJ, Forbes P, Horvitz L, Peterson LE, Wypij D, Heinrich P. Impact of a quality improvement program on care and outcomes for children with asthma. Arch Pediatr Adolesc Med. 2005;159(5):464-9.
20. Gilmer TP, O'Connor PJ, Rush WA, Crain AL, Whitebird RR, Hanson AM, et al. Impact of office systems and improvement strategies on costs of care for adults with diabetes. Diabetes Care. 2006;29(6):1242-8.
21. Cramm JM, Nieboer AP. Short and long term improvements in quality of chronic care delivery predict program sustainability. Soc Sci Med. 2014;101:148-54.
22. Davy C, Bleasel J, Liu H, Tchan M, Ponniah S, Brown A. Effectiveness of chronic care models: opportunities for improving healthcare practice and health outcomes: a systematic review. BMC Health Serv Res. 2015;15:194.
23. Kadu MK, Stolee P. Facilitators and barriers of implementing the chronic care model in primary care: a systematic review. BMC Fam Pract. 2015;16:12.
24. Stock S, Pitcavage JM, Simic D, Altin S, Graf C, Feng W, et al. Chronic care model strategies in the United States and Germany deliver patient-centered, high-quality diabetes care. Health Aff. 2014;33(9):1540-8.
25. Canada. Ministry of Health Planning. Population Health and Wellness. A framework for a provincial chronic disease prevention iniciative. Victoria: MHP; 2003.

26. United Kingdom. Department of Health. Supporting people with long term conditions: an NHS and social care model to support local innovation and integration [Internet]. Leeds: DH; 2005 [capturado em 4 abr. 2021]. Disponível em: https://webarchive.nationalarchives.gov.uk/20130104194402/http://www.dh.gov.uk/en/Publicationsandstatistics/Publications/PublicationsPolicyAndGuidance/DH_4100252.
27. Singh D, Ham C, NHS Institute for Innovation and Improvement. Improving care for people with long-term conditions: a review of UK and international frameworks [Internet]. Birmingham: HSMC; 2006 [capturado em 5 abr. 2021]. Disponível em: http://www.improvingchroniccare.org/downloads/review_of_international_frameworks__chris_hamm.pdf.
28. Porter M, Kellogg M. Kaiser permanente: una experiencia en atención sanitaria integrada. RISAI. 2008;1(1): 1-8.
29. Ham C. Developing integrated care in the NHS: adapting lessons from Kaiser. Birmingham: NHS; 2006.
30. Nolte E, McKee M. Caring for people with chronic conditions: a health system perspective [Internet]. London: Open University; 2008 [capturado em 4 abr. 2021]. Disponível em: https://www.euro.who.int/__data/assets/pdf_file/0006/96468/E91878.pdf.
31. Comissão Nacional sobre Determinantes Sociais da Saúde. As causas sociais das iniquidades em saúde no Brasil: relatório final da CNDSS [Internet]. Rio de Janeiro: Fiocruz; 2009 [capturado em 4 abr. 2021]. Disponível em: https://www.paho.org/bra/index.php?option=com_docman&view=download&alias=58-as-causas-sociais-das-iniquidades-em-saude-no-brasil-8&category_slug=atencao-primaria-em-saude-944&Itemid=965.
32. Dahlgren G, Whitehead M. Policies and strategies to promote social equity in health. Background document to WHO – Strategy paper for Europe [Internet]. Stockholm: Institute for Futures Studies; 1991 [capturado em 4 abr. 2021]. Disponível em: https://www.iffs.se/media/1326/20080109110739filmz8uvqv2wqfshmrf6cut.pdf
33. Guimarães AMDN, Cavalcante CCB, Lins MZS, organizadores. Planificação da atenção à saúde: um instrumento de gestão e organização da atenção primária e da atenção ambulatorial especializada nas redes de atenção à saúde [Internet]. Brasília: Conselho Nacional de Secretários de Saúde; 2018 [capturado em 4 abr. 2021]. Disponível em: https://www.conass.org.br/biblioteca/caderno-conass-documenta-n-31/
34. Mendes EV, Catanelli RCB, Nicoletti RHA, Kemper ES, Quintino ND, Matos MAB, et al. Integrated care in the unified health system of Brazil: The laboratory for innovation in chronic conditions in Santo Antônio do Monte. Int. J. Healthc. Manag. 2019;12(2): 116-22.
35. Andrade M, Noronha K, Cardoso CS, Oliveira CDL, Calazans JA, Souza MN. Challenges and lessons from a primary care intervention in a Brasilian municipality. Rev Saude Pública. 2019; 53:45.

LEITURAS RECOMENDADAS

Mendes EV. O cuidado das condições crônicas na atenção primária à saúde: o imperativo da consolidação da estratégia da saúde da família. Brasília: Organização Pan-Americana da Saúde; 2012. Disponível em: http://www.conass.org.br.
Trata-se de uma proposta de implantação do modelo de atenção às condições crônicas pela estratégia de saúde da família.

Mendes EV. A construção social da atenção primária à saúde. Brasília: Conselho Nacional de Secretários de Saúde (CONASS); 2015. Disponível em: http://www.conass.org.br.
Trata-se de uma proposta de um modelo operacional para a construção da atenção primária à saúde como centro de comunicação das redes de atenção à saúde.

Improving Chronic Illness Care. Disponível em: http://www.improvingchroniccare.org.
Site da organização Improving Chronic Illness Care, apoiada pela The Robert Wood Johnson Foundation, que faz uma descrição detalhada do CCM e de como implantá-lo.

Clinical Microsystems. Disponível em: http://www.clinicalmicrosystem.org/materials/workbooks/action_guide/.
Site de Dartmouth Medical School em colaboração com o Institute for Healthcare Improvement que propõe uma coleção de instrumentos, informações e ideias para melhorar a atenção à saúde nos microssistemas clínicos, com foco em gerenciamento de processos, e que se aplica ao CCM.

Organização Pan-Americana da Saúde – Portal da inovação para a gestão do SUS. Disponível em: http://apsredes.org
Site da Organização Pan-Americana da Saúde, Representação do Brasil, para os gestores do SUS, que apresenta uma parte específica sobre os laboratórios de cuidados de condições crônicas na atenção primária à saúde.

Capítulo 18
ANTROPOLOGIA E ATENÇÃO PRIMÁRIA À SAÚDE

Daniela Riva Knauth
Francisco Arsego de Oliveira
Rodrigo Caprio Leite de Castro

A importância da inclusão do tema da antropologia em um livro de medicina ambulatorial voltado para a prática em atenção primária à saúde (APS) pode ser compreendida por meio da experiência clínica, que tem evidenciado, em todo o mundo, inclusive no Brasil, a pertinência da aproximação de disciplinas aparentemente tão distantes, e isso se dá por vários motivos. Um dos principais refere-se seguramente à persistência de um paradoxo no atual modelo assistencial em saúde: por um lado, o desenvolvimento tecnológico nunca esteve tão avançado na luta contra as doenças, mas, por outro, esses formidáveis avanços têm um custo financeiro elevado e não permitem o acesso a todos de forma equânime. Além disso, com frequência se percebe que a atenção centrada na doença acaba desviando os clínicos de seu foco principal, que é a pessoa, imersa em seu contexto social, cultural e econômico. Um dos indicadores que atesta a insatisfação das pessoas com a atenção centrada na doença é, sem dúvida, a crescente procura pelas chamadas "medicinas alternativas" nos últimos anos.[1]

Recolocar a pessoa no centro da prática médica implica considerar não apenas os aspectos individuais, mas também o contexto no qual ela se insere. Sabe-se que diversos aspectos do comportamento individual são determinados por fatores socioculturais. Por exemplo, o fato de um paciente não seguir determinada prescrição médica pode estar relacionado com diversos fatores, como dificuldades econômicas em adquirir os medicamentos, concepções culturais sobre a doença e sobre os medicamentos e forma de organização do tempo. Todos esses elementos são influenciados pelas condições socioeconômicas e pela cultura desse indivíduo, razão pela qual um comportamento aparentemente individual tende a reproduzir-se em outros indivíduos pertencentes ao mesmo grupo social.

A antropologia classicamente tem sido definida como o "estudo do ser humano". Ela tem-se ocupado, de maneira geral, de todos os fenômenos relacionados com o ser humano, suas origens, a vida em sociedade, as formas como ele se relaciona com os outros seres humanos e com outros grupos sociais, e suas religiões; enfim, sua cultura.

Na sociedade moderna, embora se tenha uma cultura dominante, há uma série de subculturas que possuem seus próprios valores e crenças. Pertencemos a sociedades multiculturais, com diferentes grupos sociais convivendo de maneira muito próxima e interagindo entre si. Não se pode concluir que, por pertencerem ao mesmo território, falarem a mesma língua, usarem roupas semelhantes, as pessoas pertençam à mesma cultura.

Essa diversidade cultural tem exigido dos médicos de qualquer especialidade, mas particularmente dos profissionais que atuam em APS, um entendimento profundo sobre o contexto sociocultural dos indivíduos com os quais trabalham, pois se sabe que esse contexto exerce uma influência decisiva nas manifestações das doenças, na busca de tratamento e na relação que as pessoas estabelecem com os serviços de saúde.

Há uma relação direta da cultura com o corpo, ou seja, as ideias que as pessoas têm sobre o corpo vão determinar, por exemplo, o que é considerado "normal" e "anormal", sua lógica de funcionamento, suas comunicações internas e trocas com o meio externo e os cuidados a ele dispensados. Essas ideias variam de acordo com o grupo social (subcultura). A cultura é tão importante que é possível dizer que se "aprende a ficar doente". Dessa forma, para melhor intervir sobre os indivíduos, é fundamental conhecer o universo sociocultural no qual eles se encontram inseridos.

As ciências sociais, e mais especificamente a antropologia, possuem ferramentas que podem auxiliar os profissionais da área da saúde a compreender melhor esses universos. Um conceito-chave para esse entendimento é o de cultura. A cultura pode ser definida como um sistema de crenças e valores compartilhados que influenciam decisivamente o comportamento das pessoas. A cultura indica aos indivíduos padrões que dizem respeito aos modos mais apropriados de comportamento diante de diferentes situações. Além disso, a cultura dá significado às práticas e aos pensamentos envolvidos na vida em sociedade.

As regras que formam a cultura permitem a relação de indivíduos entre si e do próprio grupo com o ambiente onde vive. Assim, ela terá, por exemplo, implicações no gosto das pessoas, nas suas posturas corporais, na forma como as pessoas percebem e manipulam os seus corpos. Mesmo sem perceber, esse conjunto de noções é incorporado e passa a orientar a maneira como se vê o mundo e se interage com ele, a língua que se fala, o jeito de vestir, o que se come, como se relaciona com as outras pessoas, etc. Por esse motivo, é muito perigoso falar de uma "cultura brasileira" ou uma "cultura regional única". O melhor seria dizer "culturas", no plural.

CRENÇAS E PRÁTICAS SOBRE O CORPO, A SAÚDE E A DOENÇA: A EXPERIÊNCIA DA SAÚDE E DA DOENÇA NA PRÁTICA CLÍNICA

Desde que a antropologia se constituiu como disciplina, os antropólogos se preocuparam em elucidar os aspectos relacionados com a saúde nos grupos sociais que estudavam, já que isso é, em geral, uma parte importante da dinâmica social, assim como a religião e as relações comerciais.

Antropologia médica é a área que trata, mais especificamente, das questões vinculadas ao corpo, à saúde e à doença. Pode-se dizer que a antropologia médica "trata de como as pessoas, nas diferentes culturas e grupos sociais, explicam as causas das doenças, os tipos de tratamento em que acreditam e a quem recorrem se ficam doentes. Também é o estudo de como essas crenças e práticas estão relacionadas com as mudanças biológicas e psicológicas no organismo humano, tanto na saúde quanto na doença".[2]

Os estudos da antropologia médica têm ajudado, sobretudo, a relativizar valores. E relativizar é perceber as diferenças, e não colocá-las em uma escala hierárquica. Relativizar é buscar entender a diferença e o outro a partir de sua própria cultura. Essa é a posição contrária ao etnocentrismo, visão do mundo em que o próprio grupo é tomado como centro de tudo e todos os outros são pensados e sentidos por meio dos próprios valores, modelos e definições do que é a existência.[3] O etnocentrismo confronta, então, o grupo do eu com o grupo do outro, separando os dois e hierarquizando os grupos sociais a partir dessas diferenças, entre "bons" e "maus", "cultos" e "ignorantes", "avançados" e "atrasados". Essa é uma noção importante também na área da saúde, porque, sob alguns aspectos, pode-se considerar a prática médica como estando, em geral, muito impregnada de etnocentrismo. Ou seja, muitas vezes, analisam-se e julgam-se os pacientes a partir da perspectiva exclusivamente médica, sem considerar suas crenças e valores.

É evidente, então, que há perspectivas diferentes em relação à saúde e à doença, dependendo da cultura à qual se está referindo, se a do médico ou a do paciente (leigo). Para dar conta dessas perspectivas distintas, a antropologia médica utiliza a diferença entre as noções de *disease* e *illness*.[2,4]

Disease, que corresponderia, em português, aos termos "afecção", "enfermidade" ou "doença", é a visão médica do problema trazido pelo paciente, do que está se passando com ele, isto é, a doença vista como um problema físico-biológico. É a forma como a experiência da doença é interpretada pelos profissionais de saúde à luz de seus modelos teóricos e que os orienta em seu trabalho clínico. É, portanto, uma definição de *disfunção*, assentada em um substrato essencialmente biomédico.

A noção de *illness*, que poderia ser traduzida por "*perturbação*", "*desconforto*" ou "*adoecimento*", refere-se ao modo como as pessoas percebem a sua doença, ou seja, é a resposta subjetiva do indivíduo e/ou de sua rede de relações (familiares, amigos, vizinhos) diante da situação de doença. É um fenômeno que engloba aspectos individuais, sociais e culturais da experiência de doença. *Illness* contempla, ainda, o *signifi-*

cado atribuído à doença, isto é, as respostas que o indivíduo e seu meio social dão a um conjunto de perguntas.[2]

É importante compreender que não existem duas formas de experienciar a doença que sejam iguais, ou seja, a *illness* é única, não se repete, cada pessoa experiencia o adoecimento de uma forma, não podendo ser, assim, generalizada. Por outro lado, *disease* é o que pode ser generalizado, é o que as pessoas com a mesma doença apresentam em comum, são os critérios diagnósticos e prognósticos das doenças.

Tomando o caso de uma paciente com síndrome da imunodeficiência adquirida (Aids) como exemplo, seria possível montar um quadro de perguntas relacionadas com a *illness* e as possíveis respostas:

→ O que aconteceu?
  Só fico doente; melhoro de alguma coisa e logo vem outra... Minha vida mudou muito, pois não posso mais trabalhar. Tenho Aids.
→ Por que aconteceu?
  Acho que peguei esse vírus [HIV] do espírito de uma amiga que morreu de Aids, pois nenhum dos homens com quem andei tem a doença.
→ Por que comigo?
  Não sei, mas acho que foi porque eu era muito amiga dela e ela era muito ligada a mim.
→ Por que agora?
  Porque minha amiga tem ciúmes porque continuo saindo, me divertindo, embora doente, e ela já morreu.
→ O que aconteceria comigo se nada fosse feito?
  Agora que estou mais doente, pioraria e acabaria morrendo, como minha amiga.
  O que aconteceria a outras pessoas (família, amigos, empregadores, colegas de trabalho, vizinhos) se nada fosse feito? *Minha mãe está sofrendo muito com essa doença. Já tivemos que nos mudar porque os vizinhos descobriram o que eu tinha e incomodavam minha mãe e eu.*
→ O que eu deveria fazer sobre isso ou a quem eu deveria recorrer em busca de ajuda?
  Devo ir ao médico para tratar as doenças oportunistas, mas também ao Centro Espírita para acalmar o espírito da minha amiga que se encostou em mim.

Sendo *disease* e *illness* perspectivas distintas sobre um mesmo evento, é possível encontrar situações em que *disease* e *illness* não ocorrem simultaneamente. Em consequência disso, podem-se observar, na prática clínica, inúmeras situações em que um diagnóstico médico não é acompanhado por uma percepção de doença pelo paciente, como no caso, por exemplo, do que acontece frequentemente quando o médico diagnostica hipertensão arterial sistêmica. Nessa situação, é comum ser constatada pressão arterial muito elevada repetidas vezes durante o acompanhamento de um paciente assintomático, que, por não apresentar nenhum sintoma, não se considera doente, e isso pode ter implicações inclusive no tratamento, como dificuldades em aceitar o uso de medicação.

Um exemplo, no lado oposto, é quando o médico atende um paciente com uma experiência intensa de adoecimento (*illness*), mas sem ainda apresentar um diagnóstico reconhecível (*disease*), como no caso da "doença dos nervos". Nessa situação, a pessoa pode sentir-se muito doente, buscar ajuda, mas seu problema não ser diagnosticado pelo médico, se este não conseguir enquadrar a sintomatologia do paciente em uma patologia reconhecível pelo modelo biomédico dominante.

Essa diferença de perspectiva é inevitável, já que médico e paciente se situam, em geral, em posições distintas diante do mesmo evento. Uma das atribuições principais do médico é, justamente, "traduzir" o discurso, os sinais e os sintomas do paciente para chegar ao diagnóstico de determinada doença, ou seja, decodificar *illness* em *disease*. Entretanto, essa diferença passa a ser problemática no momento em que se impõe a visão médica, não dando chances ao diálogo e desqualificando a perspectiva do paciente sobre o problema.

A fim de melhor compreender as diferenças entre a perspectiva médica e a leiga, Kleinman[5] propôs a sistematização das explicações sobre as experiências de adoecimento no que chamou de modelos explanatórios ou explicativos. Na visão do autor, cada experiência de adoecimento compõe um modelo e é confrontada constantemente na prática clínica.

O modelo explicativo de um evento de doença deve contemplar as explicações sobre sua origem, duração e características dos sintomas e sinais, as alterações corporais e sociais envolvidas, o que se espera em relação ao desenvolvimento da doença e o tratamento considerado adequado à situação. Além disso, esse modelo deve incluir o sentido dado ao evento, ou seja, como a doença se insere na história de vida do indivíduo e de sua rede de relações mais próximas. O sentido conferido a determinado evento de doença é, em geral, buscado na esfera religiosa ou sobrenatural, visto que extrapola as explicações médicas sobre a etiologia e o diagnóstico. É a parte do modelo explanatório que visa dar uma explicação do motivo de aquele evento ter acometido essa pessoa, nesse momento e de que maneira incide sobre sua trajetória de vida.

Retomando o exemplo da paciente com Aids antes referido, no modelo médico, a causa da doença seria a infecção pelo vírus da imunodeficiência humana (HIV) contraído em uma relação sexual, diferentemente da causa atribuída pela paciente. Entretanto, à medida que o médico conhece a visão da paciente sobre sua doença, tem melhores condições de negociar com ela o tratamento: no caso em questão, entendendo a necessidade da paciente de buscar outro recurso (o Centro Espírita), mas, ao mesmo tempo, mostrando a importância de manter a terapêutica médica.

Vários estudos[2,5] mostram que, para que a relação médico-paciente tenha êxito, é necessário buscar um certo consenso entre os agentes envolvidos sobre cada um dos aspectos do modelo explanatório. Para chegar a esse consenso, deve haver uma negociação na qual cada um dos implicados cede em parte diante dos argumentos do outro, seja aceitando-os ou simplesmente respeitando um posicionamento diferente do seu. O que deve ser considerado é que ambos os lados dessa equação – médico e paciente – possuem um objetivo comum, que é a busca e/ou recuperação do bem-estar que, em geral, tem um significado mais amplo do que a cura ou melhora clínica.

FAMÍLIA E COMUNIDADE: O CONTEXTO DA PESSOA

Tendo em vista que os comportamentos individuais possuem determinantes socioculturais e que o trabalho em APS não se restringe ao indivíduo doente, deve-se considerar também o meio no qual esse indivíduo encontra-se inserido. Podem-se identificar duas esferas prioritárias de formação de valores e concepções: a família e a comunidade.

A família é a principal responsável pela socialização primária dos indivíduos, isto é, pela internalização dos valores e crenças mais estruturais. Entretanto, o próprio conceito de família varia conforme o grupo social e, portanto, não se limita à ideia de família nuclear (pais e filhos), podendo incorporar outras pessoas com ou sem relação de consanguinidade.[6] Há, ainda, modelos de família em que as funções de pai e/ou mãe são desempenhadas por outras pessoas que não os genitores, como tios, avós e padrinhos (ver Capítulo Abordagem Familiar).[7] De qualquer forma, é nesse grupo social que os indivíduos apreendem as regras e os valores fundamentais da cultura, como as percepções e os cuidados corporais.

Além disso, pode-se encontrar, em cada família, uma pessoa responsável pelo cuidado da saúde de seus membros. Essa função, em geral, compete às mulheres (mãe, avó) e inclui uma série de atividades: escolha e preparação dos alimentos, cuidados com a exposição aos agentes considerados prejudiciais à saúde, como frio e umidade, prescrição de chás e medicamentos caseiros, identificação de sinais e sintomas, classificação do tipo de doença, busca de recursos terapêuticos, acompanhamento e avaliação dos tratamentos recomendados.

Outra esfera que exerce grande influência sobre o comportamento do indivíduo é o grupo social mais amplo no qual ele se encontra inserido, comumente chamado de comunidade. Esse grupo pode coincidir com o local de moradia (rede de vizinhança), pode ser uma comunidade constituída em função de uma atividade ou crença específica (comunidades religiosas ou instituições totais, como exército e asilos), ou ainda decorrer de uma identidade comum, como no caso de etnia ou raça. Nas sociedades modernas, os indivíduos frequentemente participam de diferentes grupos sociais ao mesmo tempo.

É possível identificar valores e práticas bastante específicos a determinados grupos sociais. Conhecer a organização, o funcionamento e os valores do grupo ou comunidade pode ajudar a compreender e melhor intervir sobre os comportamentos individuais e coletivos, tarefa da equipe de APS ao cumprir o atributo de orientação comunitária (ver Capítulo A Organização de Serviços de Atenção Primária à Saúde).

Por exemplo, a explicação sobre o uso de anticoncepcional oral pode não fazer sentido para um grupo social que perceba o período fértil como sendo o período menstrual.[8,9] Ou, ainda, uma comunidade acostumada com a violência e com a presença cotidiana da morte, em que as pessoas organizam suas vidas em função do presente, pode não perceber como graves algumas doenças que, como a Aids, podem levar vários anos para se manifestar, desprezando, assim, as medidas preventivas preconizadas pela medicina.[10] Isso sem mencionar outros aspectos da vida cotidiana das pessoas, que são diretamente influenciados pelo grupo social ou cultura, como os padrões de alimentação e vestuário, o ideal de corpo valorizado, os locais e organização das moradias, os papéis sociais atribuídos a homens e mulheres, crianças, idosos, etc.

Da mesma maneira que ocorre na família, em geral, a comunidade atribui a determinados membros as funções vinculadas aos cuidados de saúde e doença. Essas funções podem concentrar-se em algumas pessoas consideradas especialistas, como pajés, benzedeiras, curandeiros, sacerdotes, pais/mães de santo, mas também podem encontrar-se de forma dispersa e fragmentada entre alguns membros, sobretudo os de mais idade – que é o que costuma ocorrer nas comunidades das grandes cidades, onde apenas algumas pessoas mais velhas conhecem as ervas, os chás e os remédios caseiros tradicionalmente utilizados pelo grupo. Esses especialistas locais podem ser bons parceiros para o trabalho de prevenção desenvolvido na comunidade e também bons aliados nas abordagens familiares e individuais.

Em APS, a comunidade e a família encontram-se em um nível local de intervenção. Esse é um ponto privilegiado de articulação entre o nível mais geral (sociedade) e o nível individual, visto que é nesse plano que os indivíduos são socializados, aprendem determinados valores e práticas, e assimilam determinados conhecimentos.

Diversos trabalhos têm mostrado a pertinência em usar a própria organização social do grupo para trabalhar programas de intervenção em saúde;[11,12] em outras palavras, partir de uma realidade local e não de um projeto que só faz sentido para os técnicos que o conceberam. Será que um "grupo das mulheres com Aids" faz sentido para a comunidade com a qual se está trabalhando? Será que ser portadora de um mesmo vírus é suficiente para dar identidade a essas mulheres, ou será que elas se identificam por outras questões, como o fato de serem mães e esposas enfrentando o mesmo tipo de problema?

ABORDAGEM DA EXPERIÊNCIA DA SAÚDE E DA DOENÇA E DO CONTEXTO DA PESSOA: O MÉTODO CLÍNICO CENTRADO NA PESSOA

A compreensão da perspectiva da pessoa que busca ajuda (*illness*) e do seu contexto (comunidade e família) é essencial na prática do método clínico centrado na pessoa,[13] que é abordado em capítulo específico (ver Capítulo Método Clínico Centrado na Pessoa). Como mostrado a seguir, essa compreensão é essencial em quatro componentes interativos do método clínico centrado na pessoa.

1. Explorar a saúde, a doença e a experiência da doença.
   Os conceitos de *illness* e do *modelo explanatório* podem auxiliar o médico a aproximar-se da perspectiva da pessoa sobre a sua doença e a buscar as estratégias,

tanto técnicas quanto culturais, mais adequadas para cada situação de doença.
2. Entender a pessoa como um todo se refere à compreensão da história de vida da pessoa e do seu contexto próximo (a família, o trabalho e a rede de apoio disponível) e distante (comunidade e cultura). Nos dois primeiros componentes, portanto, a dimensão da cultura e sua atualização na situação de doença são centrais. Como se pode perceber, colocar a pessoa como elemento central da prática médica implica compreender como seus valores, visão de mundo e inserção social incidem na interpretação e nas respostas dadas à situação de doença.
3. Elaborar um plano conjunto de manejo dos problemas permite estabelecer um "campo comum" entre as perspectivas da pessoa e do médico. Essas perspectivas, muitas vezes divergentes, alcançam, neste momento, um entendimento mútuo sobre os problemas a serem tratados, as metas a serem buscadas e os papéis a serem assumidos por ambos. Esse componente ocupa posição central na aplicação do método, visto que integra todos os demais no processo de construção das decisões conjuntas entre pessoa e médico.
4. Intensificar a relação entre a pessoa e o médico compreende o fortalecimento do vínculo que acontece e se projeta ao longo do tempo de acompanhamento (o cuidado longitudinal na APS). Nesse âmbito, são tratados os elementos que constituem a relação médico-pessoa: a compaixão e a empatia, o compartilhamento do poder na relação terapêutica, as expectativas de melhora e cura, a esperança, o autoconhecimento e a transferência e a contratransferência.

> Ao explorar saúde, doença e experiência da doença, é preciso compreender a perspectiva da pessoa (*illness*), seus sentimentos com relação à doença, suas ideias sobre o que está acontecendo com ela, como a doença afeta seu funcionamento e suas expectativas com relação ao médico, à consulta e ao tratamento. Explorar a saúde, a doença e a experiência da doença inclui também a perspectiva do médico (*disease*). Dessa forma, as perspectivas do médico e da pessoa devem "entrelaçar-se", para que o médico não somente explore a história clínica, o exame físico e os exames complementares, mas também busque entender a experiência singular da pessoa em estar doente.

COMPETÊNCIA CULTURAL

A perspectiva antropológica sobre os processos de saúde e doença, seja da comunidade, seja dos indivíduos, é elemento central no desenvolvimento da competência cultural das organizações e profissionais de saúde.

> Competência cultural pode ser definida como a habilidade dos indivíduos e instituições de saúde de estabelecer uma comunicação interpessoal efetiva e uma relação de trabalho que permita superar as diferenças culturais existentes.[14]

Inúmeros estudos na área da saúde evidenciam que abordagens que levem em consideração esses aspectos resultam em melhores desfechos clínicos e maiores índices de satisfação para os usuários e para os profissionais envolvidos. É importante enfatizar, contudo, que a competência cultural deve envolver, além do conhecimento técnico específico, atitudes e habilidades que possam significar, concretamente, uma relação de verdadeira comunicação com pacientes e comunidades.[15,16] Diferentes abordagens têm sido utilizadas para o desenvolvimento da competência cultural, sendo a abordagem denominada transcultural aquela que tem mostrado melhor resultados no tratamento da diversidade cultural encontrada nas diferentes sociedades. Essa abordagem prioriza os conhecimentos gerais, atitudes e habilidades relevantes para que o profissional de saúde possa lidar com diferentes situações. Inclui o uso de modelos explicativos da doença,[5] estratégias de negociação e compartilhamento das decisões, compreensão do contexto social do paciente, entre outros.[17,18]

Como visto anteriormente, a cultura não é homogênea e está em constante transformação. A solução para que o sistema de atenção à saúde vença esse desafio e acompanhe adequadamente essas mudanças é complexa e deve mobilizar os centros formadores de recursos humanos, os profissionais e os gestores de serviços de saúde de forma permanente e em consonância com as necessidades percebidas.

Para tanto, é necessário manter uma postura em relação aos usuários despida de preconceitos e não etnocêntrica. Além disso, passa a ser fundamental conhecer as comunidades onde os serviços estão inseridos, entendendo a sua dinâmica, as suas crenças e seus valores. Isso é possível mediante uma abordagem "etnográfica", ou seja, um aporte que possibilite conhecer profundamente a realidade local e perceber o significado do adoecimento e suas consequências para o indivíduo e para o seu grupo social. Além disso, será mais fácil entender o que orienta a busca e a relação a ser estabelecida com os recursos de cura disponíveis.[19]

Aberturas como essa podem indicar mudanças até mesmo no funcionamento dos serviços, como no horário de atendimento, na composição da equipe de trabalho, no estabelecimento de agendas específicas e de programas prioritários e até mesmo no desenho do espaço físico ocupado pelas unidades de saúde.

REFERÊNCIAS

1. Luz MT. Cultura contemporânea e medicinas alternativas: novos paradigmas em saúde no fim do século. Physis. 1997;7(1):13-43.
2. Helman CG. Cultura, saúde e doença. 5. ed. Porto Alegre: Artmed; 2009.
3. Nunes E. O que é etnocentrismo? São Paulo: Brasiliense; 1988.
4. Fabrega H. Medical anthropology. Bienn Rev Anthropol. 1971(7): 167-229.
5. Kleinman A. Patients and healers in the context of culture. Berkeley: University of California; 1981.
6. Lévi-Strauss C. A família. In: Shapiro H, organizador. Homem, cultura e sociedade. Rio de Janeiro: Fundo de Cultura; 1966. p. 308-32.

7. Fonseca C. Família, fofoca e honra: etnografia de relações de gênero e violência em grupos populares. Porto Alegre: UFRGS; 2000.
8. Victora CG. As imagens do corpo: representações do aparelho reprodutor feminino e reapropriações dos modelos médicos. In: Leal OF, organizador. Corpo e significado: ensaios de antropologia social. Porto Alegre: UFRGS; 1994. p. 77-88.
9. Duarte LF, Leal OF. Doença, sofrimento e perturbação: perspectivas etnográficas. Rio de Janeiro: Fiocruz; 1998.
10. Knauth DR, Victora CG, Leal OF. A banalização da AIDS. Horiz Antropol. 1998;4(9):171-202.
11. Parker RG. Sexual cultures, HIV transmission, and AIDS prevention. Annu Rev Anthropol. 1994;8 Suppl.:S309-14.
12. Paiva V. Sexuality, condom use and gender norms among Brazilian teenagers. Reprod Health Matters. 1993;1(2):98-109.
13. Stewart M, Brown JB, Weston WW, McWhinney IR, McWilliam CL, Freeman TR. Medicina centrada na pessoa: transformando o método clínico. 3. ed. Porto Alegre: Artmed; 2017.
14. Beach MC, Price EG, Gary TL, Robinson KA, Gozu A, Palacio A, et al. Cultural competence: a systematic review of health care provider educational interventions. Med Care. 2005;43(4):356-73.
15. Fox RC. Cultural competence and the culture of medicine. N Engl J Med. 2005;353(13):1316-9.
16. Bhopal R. Medicine and public health in a multiethnic world. J Public Health (Oxf). 2009;31(3):315-21.
17. Jongen C, McCalman J, Bainbridge R. Health workforce cultural competency interventions: a systematic scoping review. BMC Health Serv Res. 2018;18(1): 232.
18. Betancourt JR. Cross-cultural medical education: conceptual approaches and frameworks for evaluation. Acad Med. 2003;78(6): 560–9.
19. Kleinman A, Benson P. Anthropology in the clinic: the problem of cultural competency and how to fix it. PLoS Med. 2006;3(10):e294.

LEITURAS RECOMENDADAS

Adam P, Herzlich C. Sociologia da doença e da medicina. Bauru: EDUSC; 2001.
Livro em que são analisados os principais fatores históricos, sociais e culturais que influenciam a percepção da doença na sociedade moderna.

Laplantine F. Antropologia da doença. São Paulo: Martins Fontes; 1991.
Sistematização das concepções clássicas sobre a percepção da doença e formas de tratamento.

American Anthropological Association (AAA). Disponível em: http://www.aaanet.org/.
Disponibiliza acesso ao periódico American Anthropologist e fornece informações sobre eventos e notícias da área.

Associação Brasileira de Antropologia (ABA). Disponível em: http://www.portal.abant.org.br/
Fornece os principais eventos e publicações recentes na área em nível nacional.

Ethnic Medicine Information from Harborview Medical Center (EthnoMed). Disponível em: http://ethnomed.org/.
Página que contém artigos sobre crenças culturais de diferentes partes do mundo e informações sobre recursos de curas médicas e tradicionais para imigrantes e refugiados.

Society for Medical Anthropology. Disponível em: http://www.medanthro.net/.
Além de notícias sobre publicações e eventos na área, a página disponibiliza o índice da revista Medical Anthropology Quartely, uma das principais publicações da área da antropologia médica.

Capítulo 19
ATENDIMENTO AO TRABALHADOR NA ATENÇÃO PRIMÁRIA

Fábio Fernandes Dantas Filho
Karen Gomes d'Ávila

A saúde do trabalhador pode ser entendida como um conjunto de atividades que se destina, por meio das ações de vigilância epidemiológica e vigilância sanitária, à promoção e à proteção da saúde dos trabalhadores, assim como visa à recuperação e à reabilitação da saúde dos trabalhadores submetidos aos riscos e agravos advindos das condições de trabalho.[1]

A Constituição Federal de 1988 e a Lei nº 8.080 de 1990, a Lei Orgânica da Saúde (LOS), definiram como atribuição do Sistema Único de Saúde (SUS) a execução das ações voltadas para a atenção à saúde do trabalhador, conferindo à direção nacional do SUS a responsabilidade de coordenar a política de saúde do trabalhador.[2]

A partir de 2003, as diretrizes políticas nacionais para a área começaram a ser implementadas, mas foi somente em 13 de fevereiro de 2004, com a publicação da Portaria Interministerial nº 153, que o Grupo de Trabalho Interministerial – Ministério da Previdência Social/Ministério da Saúde/Ministério do Trabalho e Emprego – recebeu a atribuição de "elaborar proposta de Política Nacional de Segurança e Saúde do Trabalhador, observando as interfaces existentes e ações comuns entre os diversos setores do Governo".[3] Essas diretrizes são:
→ Atenção Integral à Saúde dos Trabalhadores;
→ Articulação Intra e Intersetoriais;
→ Estruturação de Rede de Informações em Saúde do Trabalhador;
→ Apoio ao Desenvolvimento de Estudos e Pesquisas;
→ Desenvolvimento e Capacitação de Recursos Humanos;
→ Participação da Comunidade na Gestão das Ações em Saúde do Trabalhador.

Para torná-las efetivas, algumas estratégias regulamentadas nos anos seguintes foram determinantes: em 2004, por meio da criação da Portaria nº 777/GM, que dispôs "sobre os procedimentos técnicos para a notificação compulsória de agravos à saúde do trabalhador em rede de serviços sentinela específica, no Sistema Único de Saúde – SUS";[4] e em 2005, com a publicação da Portaria nº 2.437, sobre a ampliação e o fortalecimento da Rede Nacional de Atenção Integral à Saúde do Trabalhador (RENAST), no SUS.[5]

Portanto, o SUS assume a execução integral das ações de Saúde do Trabalhador: a porta de entrada constitui toda a rede básica de saúde; os Centros de Referência em Saúde do Trabalhador (CERESTs) constituem a retaguarda técnica; e os serviços especializados dos Hospitais Universitários e de outros serviços terciários, os níveis mais complexos dessa rede.

NÚMEROS DO TRABALHO NO BRASIL

A Pesquisa Nacional por Amostra de Domicílios Contínua (PNAD Contínua) traz alguns números importantes sobre o trabalho no Brasil. A força de trabalho em 2018 foi estimada em 104,7 milhões de pessoas, das quais 91,9 milhões eram consideradas ocupadas. Destas, 35,8% eram empregados do setor privado com carteira de trabalho assinada, 25,4% eram trabalhadores por conta própria, 6,7%, trabalhadores domésticos, e 4,8%, empregadores.[6]

Dados do Observatório Digital de Saúde e Segurança do Trabalho (https://observatoriosst.mpt.mp.br/) revelam a ocorrência de 623,8 mil acidentes de trabalho registrados com Comunicação de Acidente de Trabalho (CAT) ocorridos no ano de 2018, dos quais 2 mil acidentes com óbito. No ano de 2017, morreram 6 trabalhadores para cada 100 mil trabalhadores com carteira assinada, em um cenário em que foram registrados, no mesmo ano, 150 acidentes de trabalho a cada 10 mil trabalhadores com carteira assinada.

Em relação à concessão de benefícios previdenciários acidentários (B91), em 2018, foram registradas 154,8 mil concessões dessa espécie para a população com vínculo de emprego regular. Entre 2000 e 2018, o número acumulado de concessões de benefícios acidentários atingiu o patamar de 4,4 milhões. No mesmo período, foram concedidas 181 mil aposentadorias por invalidez acidentária (B92).

Esses números são provavelmente subestimados. A estimativa de subnotificação de acidentes de trabalho que resultaram em afastamento previdenciário foi de 24,7%, segundo o Observatório Digital de Saúde e Segurança do Trabalho, correspondendo a cerca de 154,2 mil acidentes sem CAT no ano de 2018. Como referência, um estudo realizado em 1997 em Botucatu, no estado de São Paulo, cidade com padrão de vida e índice de desenvolvimento humano superiores à média nacional, mostrou que apenas 22,4% dos acidentes de trabalho informados nas entrevistas domiciliares tiveram registro previdenciário.[7] Estimativas da Organização Mundial da Saúde (OMS) demonstram que apenas 1 a 4% das doenças do trabalho na América Latina são notificadas.[3]

Para compreender a dimensão do problema, ainda no ano de 2018, os gastos da Previdência Social com pagamento de auxílio-doença por acidente do trabalho somaram 2,3 bilhões de reais, acumulando 15,6 bilhões entre 2012 e 2018. No caso da aposentadoria por invalidez por acidente do trabalho, foram gastos 4,9 bilhões de reais em 2018, e cerca de 22 bilhões acumulados entre 2012 e 2018.

QUEM SÃO NOSSOS TRABALHADORES?

O profissional da atenção primária à saúde (APS) precisa compreender as intrincadas relações entre as doenças, as ocupações e o meio ambiente, a fim de racionalizar, planejar e integralizar as ações voltadas ao trabalhador que procura esses serviços.

Segundo o Ministério da Saúde, trabalhadores são:

> [...] todos os homens e mulheres que exercem atividades para sustento próprio e/ou de seus dependentes, qualquer que seja sua forma de inserção no mercado de trabalho, nos setores formais ou informais da economia. Estão incluídos nesse grupo os indivíduos que trabalharam ou trabalham como empregados assalariados, trabalhadores domésticos, trabalhadores avulsos, trabalhadores agrícolas, autônomos, servidores públicos, trabalhadores cooperativados e empregadores – particularmente, os proprietários de micro e pequenas unidades de produção. São também considerados trabalhadores aqueles que exercem atividades não remuneradas – habitualmente, em ajuda a membro da unidade domiciliar que tem uma atividade econômica, os aprendizes e estagiários e aqueles temporária ou definitivamente afastados do mercado de trabalho por doença, aposentadoria ou desemprego.[2]

ATENDIMENTO AO TRABALHADOR NA ATENÇÃO PRIMÁRIA

Queixas ocupacionais na consulta médica

No atendimento ao trabalhador na APS, alguns agravos à saúde são facilmente identificáveis, como os que levam aos acidentes de trabalho ou aqueles que podem provocar reações agudas, como riscos físicos e substâncias tóxicas. Os sintomas geralmente surgem em um curto período, de grave intensidade e de evolução rápida, exigindo pronta intervenção médica. Outros levam a enfermidades crônicas, podendo determinar uma instalação gradual de sintomas, que muitas vezes se assemelham aos de enfermidades não ocupacionais: fadiga, perda de apetite, diarreia, dor, etc. A associação entre risco ocupacional e alguns sintomas sutis e insidiosos pode passar despercebida, deixando o trabalhador exposto ao risco ocupacional que levou à doença, agravando o quadro e dificultando seu tratamento.

Nessas circunstâncias, estabelecer o nexo entre as queixas do paciente e o trabalho que ele realiza não é tarefa fácil, e exige que o profissional conheça e aperfeiçoe algumas habilidades e ferramentas menos frequentemente utilizadas no atendimento de pacientes sem queixas primariamente ocupacionais.

Com o objetivo de levantar hipóteses sobre a associação da atividade real com a exposição aos riscos à saúde, e sobre a relação entre os sintomas que o paciente apresenta e a atividade que realiza, é importante incluir, na anamnese clínica, aspectos de uma anamnese ocupacional. Além disso, podem ser obtidas informações de prontuário médico externo, consultas prévias, Comunicação de Acidente de Trabalho (CAT), pedidos de encaminhamento, boletins de consultas, relatórios, laudos e atestados. Quando houver divergência entre as informações das fontes secundárias, os fatos devem ser elucidados com o trabalhador.

Mesmo o profissional mais experimentado no estudo do ambiente e dos processos de trabalho desconhece as reais circunstâncias e condições da atividade exercida por um trabalhador. Somente o indivíduo, por meio de suas observações, de suas experiências pessoais e de seus relatos, é capaz de descrever precisamente as situações, circunstâncias, etapas, processos e até imprevistos que ocorrem em sua atividade.

Alguns aspectos da anamnese ocupacional úteis para a equipe de APS que atende o trabalhador serão ressaltados a seguir. Para maior aprofundamento, consultar o manual de preenchimento da Ficha Resumo de Atendimento Ambulatorial em Saúde do Trabalhador (Firaast), do Ministério da Saúde.[8]

A anamnese ocupacional

A anamnese ocupacional pode ser importante no atendimento a qualquer pessoa que procura os serviços de saúde na atenção primária, mesmo quando a queixa principal não tem relação direta com o trabalho, ou quando o paciente está aposentado ou afastado do trabalho por tempo prolongado.

Uma anamnese ocupacional aprofundada, especialmente por meio da coleta de uma história ocupacional completa, pode revelar processos de adoecimento relacionados ao trabalho cujos sintomas podem surgir décadas após a ocorrência de exposição. Como exemplos, pacientes com depressão grave e risco de suicídio podem ser trabalhadores da agricultura cronicamente intoxicados por agrotóxicos; ou um indivíduo que desmonta bateria, cronicamente intoxicado pelo chumbo metálico, pode tornar-se um paciente com hipertensão arterial sistêmica e alterações de memória e concentração.

A anamnese pode atender a diversos objetivos, entre eles:[9]
→ identificar os riscos à saúde dos trabalhadores presentes no nível da produção e do consumo, no meio ambiente e seus hábitos;
→ permitir o diagnóstico e o tratamento de doenças relacionadas ao trabalho;
→ identificar novos riscos à saúde dos trabalhadores o mais cedo possível;
→ prevenir a recorrência de agravos em trabalhadores atingidos, e a ocorrência de doenças em outros trabalhadores expostos ao mesmo risco;
→ identificar novas relações entre exposições ocupacionais e doenças;
→ assegurar aos trabalhadores o acesso aos benefícios da Previdência Social, previstos para as vítimas de acidentes e doenças do trabalho;
→ subsidiar a oferta de ações educativas voltadas para os trabalhadores;
→ reunir dados para a produção científica;
→ apoiar ações de vigilância à saúde dos trabalhadores.

História ocupacional

A história clínica é o elemento mais importante de que o profissional de saúde dispõe para aproximar ou afastar a relação entre as queixas do paciente e o trabalho. Por essa razão, a história ocupacional deve ser investigada no atendimento de todos os pacientes, tenham eles queixas relacionadas ao trabalho ou não. Diversas razões podem interferir na obtenção de uma boa história ocupacional, e precisam da atenção e cuidado do profissional de saúde:[9]
→ a insegurança do paciente, muitas vezes temeroso de perder o emprego, ou mesmo após uma recente demissão;
→ a apresentação do paciente com insegurança, agressividade, confusão, descrença ou contrariedade, frequentemente tendo peregrinado por diversos serviços de saúde, onde suas queixas não foram abordadas ou não foram consideradas por completo; ou, então, diante de um histórico de negativas das empresas ou do Instituto Nacional do Seguro Social (INSS) quanto ao estabelecimento de nexo entre suas queixas e o trabalho, muitas vezes ainda se sentindo incapacitado para assumir sua função;
→ é comum o paciente se apresentar à consulta na atenção primária tendo decorrido longo período de tempo entre a exposição a agentes e processos de risco no(s) trabalho(s) e o momento da entrevista, dificultando a recordação de informações importantes sobre essas exposições e processos, agentes de risco, doses, intensidade, duração e condições específicas relacionadas;
→ a desinformação e a dificuldade do próprio paciente de reconhecer a relação entre adoecimento e trabalho, seja por limitações relacionadas ao nível de escolaridade, seja por questões culturais, ou dificuldades de se expressar e ser entendido, bem como pela existência de déficit cognitivo (em alguns casos, até em consequência a determinada exposição no trabalho);
→ as atitudes do próprio profissional de saúde diante das queixas do paciente-trabalhador, muitas vezes por meio de gestos, palavras e atitudes que induzem o paciente a restringir a sua manifestação, algumas vezes por medo de ser culpabilizado e responsabilizado pelo próprio adoecimento.

A seguir, são apresentadas algumas orientações para a coleta de uma história ocupacional adequada:
→ registrar cronologicamente todas as ocupações já exercidas, formais ou informais, de carteira assinada ou não;
→ obter e registrar o tempo que exerceu cada uma das atividades ou trabalho, data de início e de término, atividades ocupacionais realizadas, fatores de risco relacionados a cada uma das atividades, bem como grau de exposição e intensidade;
→ investigar a ocupação atual:
  → há quanto tempo exerce a função?
  → quantos turnos por dia?
  → quantos dias por semana?
  → realiza horas extras?
  → quantas horas extras por semana?
  → tem intervalos ou pausas na jornada de trabalho?
  → tem recessos ou férias no trabalho?
  → exerce mais de uma atividade ocupacional ao mesmo tempo? Qual delas considera a principal?
  → quais são os meios de transporte entre o local de trabalho e a residência?
→ descrever a ocupação atual em relação à atividade realmente exercida, não necessariamente aquela registrada em carteira de trabalho (p. ex., para auxiliar de escritório

que realiza atendimento ao público como atendente, registrar atendente);
→ aprofundar dados específicos de cada ocupação, principalmente se há suspeita de nexo com as queixas atuais:
  → há exposição a agentes químicos, físicos ou biológicos?
  → a empresa fornece equipamentos de proteção coletiva (EPCs) ou equipamento de proteção individual (EPI)?
  → os EPCs e EPIs estão em boas condições de uso?
  → os EPCs e EPIs são utilizados corretamente pelo trabalhador?
→ investigar a relação com empregadores, patrões, superiores imediatos e colegas de trabalho, principalmente quando o quadro clínico estiver relacionado a assédio moral, sofrimento mental no trabalho ou intoxicações ocupacionais coletivas;
→ elucidar e categorizar os afastamentos do trabalho, temporários ou definitivos:
  → com que frequência?
  → gerou benefício pecuniário? Qual? (Auxílio-doença? Aposentadoria por invalidez? Aposentadoria por tempo de contribuição ou por idade?)
  → por quanto tempo? Houve demanda judicial?

Embora essas informações possam parecer excessivas ao profissional de saúde que não está habituado ao atendimento de trabalhadores, é importante destacar que são apenas informações básicas para uma anamnese ocupacional satisfatória. Outras questões, quando pertinentes, poderão ser aprofundadas. Além disso, aspectos comuns da anamnese-padrão podem ser úteis na investigação da relação entre agravo e trabalho, como mostrados a seguir.

História da doença atual

Devem ser valorizadas informações sobre o momento de surgimento dos sintomas e a relação com o trabalho, como agentes de risco específicos ou determinadas tarefas e processos de trabalho, especialmente se recentemente modificados. Além do surgimento dos sintomas atuais, devem ser verificadas mudanças como desaparecimento ou melhora de sinais e sintomas em pausas, descansos, folgas, fins de semana e férias, por exemplo.

Investigar as inter-relações entre as queixas do paciente e as atividades e funções já exercidas no passado.

Considerar mudanças de função, de setor ou de trabalho e a duração das queixas para discernir o grau de associação entre as queixas, a intensidade dos sinais e sintomas e a ocupação atual.

Determinar a correlação entre o período de início da exposição e o início dos sintomas, verificando se o curso dos sintomas é consistente com a doença em suspeição.

História médica pregressa

Avaliar outras doenças concomitantes, como endocrinológicas, reumatológicas, ortopédicas, neurológicas, etc. Investigar história de traumas, fraturas, intervenções cirúrgicas, internações, fármacos já utilizados ou em uso, tratamentos não farmacológicos e outros.

Além disso, registrar possíveis acidentes de trabalho e doenças ocupacionais relacionados à história médica pregressa e atual. Investigar doenças genéticas e congênitas, que muitas vezes se relacionam com o adoecimento atual.

História psicossocial

Devem-se questionar aspectos psicossociais, como condições de habitação, vida afetiva, relacionamento familiar, consumo de álcool, abuso de drogas, prática de exercícios físicos, *hobbies*, atividades de lazer, atividades em grupo, etc.

Aprofundar as relações entre queixas psicossociais e o trabalho, bem como as expectativas do trabalhador quanto à ocupação, às condições financeiras e aos projetos para o futuro.

Adoecimento relacionado ao trabalho

A relação entre trabalho e doença (ou saúde) é o foco de diversos campos de estudo do homem, não só dentro da área médica, mas da sociologia, da psicologia, da filosofia, do direito, entre outras. Como o tema é bastante amplo, esta seção abordará aspectos mais relevantes ao atendimento do paciente-trabalhador na APS.

Os trabalhadores adoecem e morrem sob aspectos semelhantes à da população geral, em função de idade, gênero, grupo social ou inserção em um grupo específico de risco.[2] No entanto, os trabalhadores também adoecem e morrem em função do trabalho, como consequência da profissão que exercem ou exerceram, ou pelas condições adversas em que o trabalho é ou foi realizado. Em 1984, o médico inglês Richard Schilling publicou um prefácio no periódico *The Journal of the Society of Occupational Medicine* em que aborda a casuística de doenças entre os trabalhadores na Grã-Bretanha e as causas e as estratégias para lidar com elas.[10] Schilling classificou as doenças relacionadas ao trabalho em três grandes grupos:

1. **Grupo 1:** doenças em que o trabalho é **causa necessária**.[10] Nessas doenças, o nexo causal é direto, e a abordagem clínica e individual pode identificá-lo com alto grau de confiabilidade.[11] Exemplos são: intoxicação por chumbo, pneumoconiose por sílica (silicose).
2. **Grupo 2:** doenças em que o trabalho é **fator de risco contributivo ou adicional**, mas não necessário. É aplicável às doenças comuns, endêmicas, de etiologia multifatorial. Por exemplo: câncer, doenças do aparelho locomotor, doença coronariana.
3. **Grupo 3:** doenças em que o trabalho é **provocador de um distúrbio latente, ou agravador de doença já estabelecida**. Nesse grupo, a identificação da doença pré-existente é fundamental, sobretudo diante de estados de baixa imunidade, suscetibilidade individual, sensibilização prévia, e outras condições identificadas por meio da abordagem clínica individual. Por exemplo: asma, dermatite de contato alérgica, doenças mentais.

Para a Organização Internacional do Trabalho (OIT),

[...] o reconhecimento de uma enfermidade como doença profissional é um exemplo concreto de tomada de decisão em matéria de medicina clínica ou epidemiologia clínica aplicada. Decidir sobre a origem de uma doença não é uma 'ciência exata', mas uma questão de critério, baseada em um exame crítico de todas as evidências disponíveis.[12]

Considerando esse cenário, a OIT recomenda que os seguintes critérios sejam considerados para reconhecer uma doença como profissional:

→ **intensidade da associação:** quanto maiores são os efeitos da exposição na frequência ou no desenvolvimento de uma enfermidade, maiores serão as probabilidades de que exista uma relação causal entre a exposição e esse desenvolvimento ou frequência;

→ **concordância:** diferentes publicações de estudos que convergem em resultados e conclusões similares, em termos gerais;

→ **especificidade:** a exposição a um fator de risco específico se traduz em um padrão claramente definido da doença ou das doenças;

→ **relação ou sequência temporal:** entre a exposição considerada e o aparecimento da doença transcorre um período de tempo compatível com qualquer mecanismo biológico proposto;

→ **gradiente biológico:** quanto maiores são o nível e a duração da exposição, maior será a gravidade das doenças ou a sua incidência;

→ **plausibilidade biológica:** de acordo com os conhecimentos que se têm hoje sobre as propriedades toxicológicas e químicas e outras características físicas do risco ou perigo estudado, é racional afirmar, do ponto de vista biológico, que a exposição conduz ao desenvolvimento da doença;

→ **coerência:** acontece quando, a partir de uma síntese de todas as evidências (p. ex., estudos de epidemiologia humana e animal), deduz-se a existência de uma relação causal no sentido amplo e segundo o sentido comum;

→ **estudos de intervenção:** em alguns casos, um teste preventivo simples permite verificar se a exclusão de um determinado perigo ou a redução de um risco concreto no ambiente de trabalho ou da atividade laboral impede o desenvolvimento de uma doença específica ou reduz a sua incidência.

O adoecimento relacionado ao trabalho também encontra questões legais cujo conhecimento é importante para o profissional da APS. A Lei nº 8.213, de 1991, considera a doença profissional e a doença do trabalho como acidente do trabalho, caracterizando-as, para esse fim, como:[13]

I. **doença profissional**, assim entendida a produzida ou desencadeada pelo exercício do trabalho peculiar a determinada atividade e constante da respectiva relação elaborada pelo Ministério do Trabalho e da Previdência Social;

II. **doença do trabalho**, assim entendida a adquirida ou desencadeada em função de condições especiais em que o trabalho é realizado e com ele se relacione diretamente, constante da relação supramencionada.

Para fins de classificação como acidente do trabalho, com as implicações legais, previdenciárias e trabalhistas (que serão abordadas a seguir), a Lei nº 8.213 não considera doença do trabalho:

a. a doença degenerativa;
b. a inerente a grupo etário;
c. a que não produza incapacidade laborativa;
d. a doença endêmica adquirida por segurado habitante de região em que ela se desenvolva, salvo comprovação de que é resultante de exposição ou contato direto determinado pela natureza do trabalho.

No entanto, essa lei ressalva que, nos casos excepcionais em que a doença não incluída na relação prevista anteriormente resultou das condições especiais em que o trabalho é executado e com ele se relaciona diretamente, a Previdência Social deverá considerá-la acidente do trabalho.

Comunicação de Acidente de Trabalho (CAT)

A CAT é o documento por meio do qual a Previdência Social é informada sobre a ocorrência de acidente de trabalho ou a suspeita de doença relacionada ao trabalho.

No atendimento ao paciente-trabalhador na APS, não é incomum que o indivíduo solicite ao profissional de saúde a emissão desse documento, com frequência alegando a recusa do empregador de fazê-lo. Embora a emissão da CAT seja uma obrigação legal das empresas diante de situações de acidentes de trabalho e doenças relacionadas ao trabalho, ela também pode ser emitida por sindicatos, profissionais de saúde do SUS, autoridades públicas ou mesmo pelo próprio segurado ou seus dependentes. O trabalhador pode preencher a CAT no *site* do INSS (http://www.previdencia.gov.br/forms/formularios/form001.html) e entregá-lo diretamente na sede do órgão, junto com o(s) atestado(s) médico(s), a fim de que o médico perito do INSS comprove o acidente de trabalho ou a doença ocupacional. (Para mais informações, consulte as instruções de preenchimento da CAT disponíveis em: http://www.previdencia.gov.br/forms/formularios/form002_instrucoes.html.)

Vale salientar que alguns dispositivos legais, de interesse do profissional da APS, abordam a questão da emissão da CAT:

→ o artigo 169, da Consolidação das Leis do Trabalho (CLT), traz que "será **obrigatória** a notificação das doenças profissionais e das produzidas em virtude de condições especiais de trabalho, **comprovadas ou objeto de suspeita**, de conformidade com as instruções expedidas pelo Ministério do Trabalho";[14]

→ o artigo 336, da Lei nº 8.213, traz que, "[...] para fins estatísticos e epidemiológicos, a empresa deverá comunicar à previdência social o acidente [...] ocorrido com o segurado empregado, exceto o doméstico, e o trabalhador avulso, até o primeiro dia útil seguinte ao da ocorrência e, em caso de morte, de imediato, à autoridade competente [...]", mas destaca, também, que "na falta de comunicação por parte da empresa, ou quando se tratar de segurado especial, podem formalizá-la o próprio acidentado, seus dependentes, a entidade sindical competente, **o médico que o assistiu** ou qualquer autoridade pública [...]".[13]

Mas em quais situações é devida a emissão de CAT? Qual é a responsabilidade do médico que assistiu o trabalhador no SUS, a partir do relato exclusivo do trabalhador sobre a situação ocorrida?

Em primeiro lugar, é importante salientar que o profissional de saúde que assiste o trabalhador na APS se baseia unicamente na informação relatada pelo paciente em consulta, portanto, um bom exame clínico e uma anamnese completa são fundamentais para esse processo. O campo "atestado médico" da CAT deve ser preenchido com as informações relatadas pelo trabalhador e obtidas a partir da consulta. A constatação e a comprovação do nexo causal entre as queixas do paciente-trabalhador e a doença ou acidente alegados, para fins previdenciários, serão feitas na perícia médica do INSS.

Ademais, as situações previstas na legislação para enquadramento como acidente do trabalho, além da doença profissional e da doença do trabalho anteriormente mencionadas, são:[13]

- o acidente que ocorre pelo exercício do trabalho a serviço de empresa ou de empregador doméstico [...] provocando lesão corporal ou perturbação funcional que cause a morte ou a perda ou redução, permanente ou temporária, da capacidade para o trabalho;
- a doença endêmica adquirida por segurado habitante de região em que ela se desenvolva quando comprovada de que é resultante de exposição ou contato direto determinado pela natureza do trabalho;
- o acidente ligado ao trabalho que, embora não tenha sido a causa única, haja contribuído diretamente para a morte do segurado, para redução ou perda da sua capacidade para o trabalho, ou produzido lesão que exija atenção médica para a sua recuperação;
- o acidente sofrido pelo segurado no local e no horário do trabalho, em consequência de:
  a. ato de agressão, sabotagem ou terrorismo praticado por terceiro ou companheiro de trabalho;
  b. ofensa física intencional, inclusive de terceiro, por motivo de disputa relacionada ao trabalho;
  c. ato de imprudência, de negligência ou de imperícia de terceiro ou de companheiro de trabalho;
  d. ato de pessoa privada do uso da razão;
  e. desabamento, inundação, incêndio e outros casos fortuitos ou decorrentes de força maior;
- a doença proveniente de contaminação acidental do empregado no exercício de sua atividade;
- o acidente sofrido pelo segurado ainda que fora do local e horário de trabalho:
  a. na execução de ordem ou na realização de serviço sob a autoridade da empresa;
  b. na prestação espontânea de qualquer serviço à empresa para lhe evitar prejuízo ou proporcionar proveito;
  c. em viagem a serviço da empresa, inclusive para estudo quando financiada por esta dentro de seus planos para melhor capacitação da mão de obra, independentemente do meio de locomoção utilizado, inclusive veículo de propriedade do segurado;
  d. no percurso da residência para o local de trabalho ou deste para aquela, qualquer que seja o meio de locomoção, inclusive veículo de propriedade do segurado.

Notificação de agravos relacionados ao trabalho

O Sistema de Informação de Agravos de Notificação (Sinan) foi implantado, de forma gradual, a partir de 1993. Em 1998, o Centro Nacional de Epidemiologia (Cenepi) constituiu uma comissão para desenvolver instrumentos, definir fluxos e um novo *software* para o Sinan, além de definir estratégias para sua imediata implantação em todo o território nacional, por meio da Portaria Funasa/MS nº 073 de 9 de março de 1998. A partir de 1998, o uso do Sinan foi regulamentado, tornando obrigatória a alimentação regular da base de dados nacional pelos municípios, estados e Distrito Federal, bem como designando a Fundação Nacional de Saúde (Funasa), por meio do Cenepi, como gestora nacional do Sinan. Com a criação da Secretaria de Vigilância em Saúde (SVS), em 2003, as atribuições do Cenepi passam a ser de responsabilidade da SVS.[15]

Além da lista ampla de agravos à saúde de notificação compulsória, que não será objeto deste capítulo, alguns agravos à saúde do trabalhador são também de notificação compulsória. A seguir, estão relacionados esses agravos e suas características:[4]

- **intoxicações exógenas** (por substâncias químicas, incluindo agrotóxicos, gases tóxicos e metais pesados);
- **acidentes com exposição a material biológico:** acidentes envolvendo sangue e outros fluidos orgânicos ocorridos com os profissionais da área da saúde durante o desenvolvimento do seu trabalho, em que estão expostos a materiais biológicos potencialmente contaminados. Os ferimentos com agulhas e material perfurocortante em geral são considerados extremamente perigosos por serem potencialmente capazes de transmitir mais de 20 tipos de patógenos diferentes, sendo o vírus da imunodeficiência humana (HIV), o da hepatite B (HBV) e o da hepatite C (HCV) os agentes infecciosos mais comumente envolvidos;
- **câncer de origem ocupacional:** é todo câncer que surgiu como consequência da exposição a agentes carcinogênicos presentes no ambiente de trabalho, mesmo após a cessação da exposição. Serão considerados casos confirmados, como eventos-sentinelas, entre outros, aqueles que resultarem em leucemia por exposição ao benzeno, mesotelioma por amianto e angiossarcoma hepático por exposição a cloreto de vinila;
- **dermatoses ocupacionais:** compreendem as alterações da pele, mucosas e anexos, direta ou indiretamente causadas, mantidas ou agravadas pelo trabalho;
- **acidentes de trabalho graves:** são considerados acidentes de trabalho aqueles que ocorrem no exercício da atividade laboral, ou no percurso de casa para o trabalho e vice-versa (acidentes de trajeto), podendo o trabalhador estar inserido tanto no mercado formal quanto no informal de trabalho. São considerados acidentes de trabalho graves aqueles que resultam em morte, os

que resultam em mutilações e os que acontecem com indivíduos com idade < 18 anos. O acidente de trabalho fatal é aquele que resulta em óbito imediatamente ou até 12 horas após sua ocorrência. Acidentes de trabalho com mutilações ocorrem quando o acidente ocasiona lesão (politraumatismos, amputações, esmagamentos, traumatismo craniencefálico, fratura de coluna, lesão de medula espinal, trauma com lesões viscerais, eletrocussão, asfixia, queimaduras, perda de consciência e aborto) que resulte em internação hospitalar, a qual poderá levar à redução temporária ou permanente da capacidade para o trabalho. Acidentes do trabalho em crianças e adolescentes ocorrem quando acontecem com pessoas com idade < 18 anos;
- **pneumoconioses:** conjunto de doenças pulmonares causadas pelo acúmulo de poeira nos pulmões e reação tecidual à presença dessas poeiras, presentes no ambiente de trabalho. Podem abranger os seguintes grupos:
  - **silicose:** causada pela inalação de poeiras contendo sílica livre cristalina;
  - **pneumoconiose dos trabalhadores do carvão:** causada pela inalação de poeiras de carvão mineral;
  - **asbestose:** causada pela inalação de fibras de asbesto ou amianto;
  - **pneumoconiose devido a outras poeiras inorgânicas:**
    - **beriliose** (exposição ao berílio);
    - **siderose** (exposição a fumos de óxido de ferro);
    - **estanhose** (exposição a estanho);
  - **pneumoconiose por poeiras mistas:** engloba pneumoconioses com padrões radiológicos diferentes, de opacidades regulares e irregulares, devidas à inalação de poeiras de diversos tipos de minerais, com significativo grau de contaminação por sílica livre, porém sem apresentar o substrato anatomopatológico típico de silicose;
- **perda auditiva induzida por níveis de pressão sonora elevados (PAINPSE):** é a diminuição gradual da acuidade auditiva, decorrente da exposição continuada a níveis elevados de ruído no ambiente de trabalho. É sempre neurossensorial, irreversível e passível de não progressão, uma vez cessada a exposição ao ruído;
- **lesão por esforço repetitivo (LER)/distúrbio osteomuscular relacionado ao trabalho (DORT):** síndrome clínica que afeta o sistema musculoesquelético em geral, caracterizada pela ocorrência de vários sintomas concomitantes ou não, de aparecimento insidioso, como dor crônica, parestesia, fadiga muscular, manifestando-se principalmente no pescoço, na cintura escapular e/ou nos membros superiores. Acontece em decorrência das relações e da organização do trabalho, em que as atividades são realizadas com movimentos repetitivos, com posturas inadequadas, trabalho muscular estático e outras condições inadequadas;
- **transtornos mentais e do comportamento relacionados ao trabalho:** são aqueles resultantes de situações do processo de trabalho, provenientes de fatores pontuais como exposição a determinados agentes tóxicos, até a completa articulação de fatores relativos à organização do trabalho, como a divisão e o parcelamento das tarefas, as políticas de gerenciamento das pessoas, o assédio moral no trabalho e a estrutura hierárquica organizacional. Transtornos mentais e do comportamento, para uso desse instrumento, são considerados os estados de estresses pós-traumáticos decorrentes do trabalho.

O profissional que atua na APS é peça fundamental para a alimentação do banco de dados do Sinan. Por meio das informações desse sistema, é possível realizar um diagnóstico dinâmico e análise epidemiológica da ocorrência de uma doença ou agravo na população de determinada região, auxiliando na definição de prioridades nos investimentos em saúde, além da aferição dos resultados dessas ações.

Unidades notificantes são, em geral, aquelas que prestam atendimento ao SUS. Outras unidades, como hospitais privados e/ou consultórios particulares ou instituições não vinculadas ao setor saúde, poderão ser cadastradas no Sinan como fontes de notificação.

É importante salientar que, sempre que houver suspeita ou confirmação de patologias ou eventos que constem na lista nacional de doenças de notificação compulsória, deverá ser feito, obrigatoriamente, o preenchimento do Sinan. Estados e municípios podem incluir outros problemas de saúde importantes em suas respectivas regiões.

Quando essa suspeita ocorre, deve ser preenchida a Ficha Individual de Notificação (FIN) pelas unidades assistenciais, para cada paciente. A FIN deve ser encaminhada às Secretarias Municipais, que devem repassar semanalmente os arquivos para as Secretarias Estaduais de Saúde (SES). A FIN tem modelo padronizado e deverá ser impressa em duas vias: a primeira via deverá ser enviada pela unidade de saúde para o local no qual será feita a digitação, caso a unidade de saúde não seja informatizada, e a segunda via deverá ser arquivada na própria unidade de saúde.

LEGISLAÇÃO TRABALHISTA

A Previdência Social no Brasil

Com frequência, o paciente solicita ao profissional da APS a elaboração de laudos e pareceres para a perícia do INSS, a fim de subsidiar o recebimento de determinado benefício. Por essa razão, o profissional de saúde precisa conhecer minimamente como funciona a previdência no Brasil, e entender o seu papel no intrincado mecanismo que associa o quadripé paciente-trabalhador, adoecimento relacionado ao trabalho, incapacidade de trabalhar e a Previdência Social e seus benefícios.

A legislação previdenciária brasileira em vigor está estabelecida na Constituição Federal de 1988. É importante salientar que os direitos relativos à Previdência Social podem ser considerados direitos sociais fundamentais. Além disso, a Previdência Social compõe, com a Saúde e a Assistência Social, o sistema de proteção social mais amplo, o tripé da seguridade social.[16]

A previdência brasileira compreende dois regimes: o Regime Geral de Previdência Social (RGPS), que cobre os trabalhadores do setor privado, e o Regime Próprio de

Previdência Social (RPPS) dos servidores públicos e dos militares. Ambos os regimes são públicos, de filiação compulsória. Além desses regimes públicos, vale mencionar que existe o regime privado, de adesão facultativa, representado pela previdência complementar. São oito os princípios e objetivos da Previdência Social:
  I. universalidade de participação nos planos previdenciários;
  II. uniformidade e equivalência dos benefícios e serviços às populações urbanas e rurais;
  III. seletividade e distributividade na prestação dos benefícios;
  IV. cálculo dos benefícios considerando os salários de contribuição corrigidos monetariamente;
  V. irredutibilidade do valor dos benefícios, de forma a preservar o poder aquisitivo;
  VI. valor da renda mensal dos benefícios substitutos do salário de contribuição ou do rendimento do trabalho do segurado não inferior ao do salário mínimo; e
  VII. caráter democrático e descentralizado da administração, mediante gestão quadripartite, com participação dos trabalhadores, dos empregadores, dos aposentados e do governo nos órgãos colegiados.

A seguir, serão apresentados os benefícios previdenciários devidos aos beneficiários do RGPS que são as pessoas físicas classificadas como segurados e dependentes nos termos da Lei. Maior enfoque será dado aos benefícios de interesse do profissional da APS, relacionados à incapacidade temporária ou definitiva, parcial ou total, dos pacientes-trabalhadores.

Benefícios previdenciários

Para fins didáticos, os benefícios previdenciários atualmente em vigor no Brasil serão divididos em dois grandes grupos: os benefícios de longo prazo, compostos principalmente pelas aposentadorias, e os benefícios de curto prazo, caracterizados por benefícios pagos por determinado intervalo de tempo, enquanto durar a condição que o originou. Mais informações podem ser encontradas em: https://www.inss.gov.br/beneficios/.

Benefícios de longo prazo

Os benefícios previdenciários de longo prazo são:
- **aposentadoria por invalidez:** devido ao cidadão incapaz de trabalhar e que não possa ser reabilitado em outra profissão. É um benefício devido ao trabalhador **permanentemente incapaz** de exercer qualquer atividade laborativa e que também não possa ser reabilitado em outra profissão, de acordo com a avaliação da perícia médica do INSS:
  - o benefício é pago enquanto persistir a invalidez, e o segurado pode ser reavaliado pelo INSS a cada 2 anos;
  - inicialmente, o cidadão deve requerer um auxílio-doença, que possui os mesmos requisitos da aposentadoria por invalidez. Caso a perícia médica constate incapacidade permanente para o trabalho, sem possibilidade de reabilitação para outra função, a aposentadoria por invalidez será indicada;
  - não tem direito à aposentadoria por invalidez quem se filiar à Previdência Social já com doença ou lesão que geraria o benefício, a não ser quando a incapacidade resultar do agravamento da enfermidade;
  - o aposentado por invalidez que necessitar de assistência permanente de outra pessoa, nas condições previstas em lei, poderá ter direito a um **acréscimo de 25%** no valor de seu benefício, inclusive sobre o 13º salário;
  - a aposentadoria por invalidez deixa de ser paga quando o segurado recupera a capacidade e/ou volta ao trabalho ou por ocasião do óbito;
  - o aposentado por invalidez deve ser reavaliado pela perícia médica do INSS a cada 2 anos para comprovar que permanece inválido. Os segurados com idade > 60 anos e os com idade > 55 anos com mais de 15 anos em benefício por incapacidade são isentos dessa obrigação;
  - o cidadão poderá solicitar a presença de um acompanhante (inclusive seu próprio médico) durante a realização da perícia. No entanto, poderá ser negado, com a devida fundamentação, caso a presença de terceiro possa interferir no ato do perito do INSS;
- **aposentadoria por idade rural:** benefício devido ao cidadão que comprovar o mínimo de 180 meses trabalhados na atividade rural, além da idade mínima de 60 anos (homem) ou de 55 anos (mulher);
- **aposentadoria por tempo de contribuição:** benefício devido ao cidadão que comprovar o tempo total de 35 anos de contribuição (homem) ou de 30 anos de contribuição (mulher). Podem utilizar esse serviço cidadãos que já possuem tempo mínimo de contribuição e carência exigidos, conforme regras que podem ser consultadas em: https://www.gov.br/inss/pt-br/saiba-mais/aposentadorias/aposentadoria-por-tempo-de-contribuicao;
- **aposentadoria especial por tempo de contribuição:** a aposentadoria especial é um benefício concedido ao cidadão que trabalha exposto a agentes nocivos à saúde, como calor ou ruído, de forma contínua e ininterrupta, em níveis de exposição acima dos limites estabelecidos em legislação própria. É possível aposentar-se após cumprir 25, 20 ou 15 anos de contribuição, conforme o agente nocivo. Além do tempo de contribuição, é necessário que o cidadão tenha efetivamente trabalhado por, no mínimo, 180 meses. Períodos de auxílio-doença, por exemplo, não são considerados para cumprir este requisito;
- **aposentadoria por idade urbana:** benefício para o trabalhador urbano com idade mínima de 65 anos (homem) ou 60 anos (mulher) e com tempo mínimo de 180 meses de contribuição;
- **aposentadoria da pessoa com deficiência por idade:** benefício devido ao cidadão que comprovar o mínimo de 180 contribuições exclusivamente na condição de pessoa com deficiência, além da idade de 60 anos (homem) ou 55 anos (mulher). É considerada pessoa com deficiência aquela que tem impedimentos de longo prazo, de natureza física, mental, intelectual ou sensorial, os quais, em interação com diversas barreiras, impossibilita sua

participação plena e efetiva na sociedade em igualdade de condições com as demais pessoas, de acordo com a Lei Complementar nº 142, de 2013;
→ **aposentadoria da pessoa com deficiência por tempo de contribuição:** benefício devido ao cidadão que comprovar o tempo de contribuição necessário, conforme o seu grau de deficiência. Desse período, no mínimo 180 meses devem ter sido trabalhados na condição de pessoa com deficiência. A definição de pessoa com deficiência é a mesma, conforme Lei Complementar nº 142, de 2013;
→ **aposentadoria por tempo de contribuição do professor:** aposentadoria por tempo de contribuição do professor é um benefício devido ao profissional que comprovar 30 anos de contribuição (homem) ou 25 anos de contribuição (mulher), exercidos exclusivamente em funções de magistério em estabelecimentos de Educação Básica (educação infantil, ensino fundamental e médio). O tempo efetivamente trabalhado de deve ser de 180 meses (carência).

Benefícios de curto prazo

Os benefícios previdenciários de curto prazo são:
→ **auxílio-doença:** esse benefício é devido ao segurado que comprova, por meio de perícia médica no INSS, estar **temporariamente incapaz** para o trabalho em decorrência de doença ou acidente. Pode ser **acidentário** (quando há acidente de trabalho ou doença relacionada ao trabalho) ou **previdenciário** (quando a incapacidade não guarda relação com o trabalho). Em casos de internação hospitalar ou restrição ao leito, pode ser remarcada a perícia de 7 dias antes ou até a data agendada. Se o segurado não comparecer na data agendada ou não efetivar a remarcação da perícia médica ou solicitar o cancelamento do requerimento, ficará impossibilitado de requerer novamente benefício pelos próximos 30 dias. Nos últimos 15 dias do auxílio-doença, caso julgue que o prazo inicialmente concedido para a recuperação se revelou insuficiente para retorno ao trabalho, o segurado poderá solicitar a prorrogação do benefício. Em caso de o auxílio-doença ser indeferido, o segurado que não concorde com o indeferimento ou a cessação do benefício, caso não seja mais possível solicitar prorrogação, pode entrar com recurso à Junta de Recursos do INSS, em até 30 dias contados a partir da data em que tomar ciência da decisão. Os principais requisitos para solicitar o auxílio-doença são:
  → cumprir carência de 12 contribuições mensais: a perícia médica do INSS avaliará a isenção de carência para doenças previstas na Portaria Interministerial MPAS/MS nº 2.998/2001, doenças profissionais, acidentes de trabalho e acidentes de qualquer natureza ou causa;
  → possuir qualidade de segurado (caso tenha perdido, deverá cumprir metade da carência de 12 meses a partir da nova filiação à Previdência Social);
  → comprovar, em perícia médica, doença/acidente que torne o segurado temporariamente incapaz para o seu trabalho;
  → para o empregado em empresa: estar afastado do trabalho por mais de 15 dias (**corridos** ou **intercalados** dentro do prazo de 60 dias se for pela mesma doença);
→ **auxílio-acidente:** benefício de natureza indenizatória pago em decorrência de acidente que reduza permanentemente a capacidade para o trabalho:
  → é um benefício de natureza indenizatória pago ao segurado do INSS quando, em decorrência de acidente, apresentar **sequela permanente** que reduza sua capacidade para o trabalho;
  → essa situação é avaliada pela perícia médica do INSS;
  → como se trata de uma indenização, não impede o cidadão de continuar trabalhando;
  → o atendimento desse serviço é realizado a distância, não sendo necessário o comparecimento presencial nas unidades do INSS, a não ser quando solicitado para eventual comprovação ou realização de perícia médica;
→ **salário-maternidade:** pago no caso de nascimento de filho ou de adoção de criança. O encaminhamento à licença-maternidade pode ser requerido ao profissional de saúde da APS (ver mais informações a seguir, no tópico "Atestado médico para trabalhadoras gestantes");
→ **salário-maternidade rural:** pago ao trabalhador rural no caso de nascimento de filho ou de adoção de criança;
→ **salário-família:** valor pago ao empregado de baixa renda, inclusive o doméstico, e ao trabalhador avulso, de acordo com o número de filhos;
→ **auxílio-reclusão urbano:** pago apenas aos dependentes do segurado do INSS durante o período de reclusão ou detenção;
→ **pensão por morte urbana:** pago aos dependentes do segurado que falecer ou, em caso de desaparecimento, tiver sua morte declarada judicialmente;
→ **pensão por morte rural:** destinado aos dependentes do trabalhador rural, do pescador artesanal e do índio que produzem em regime de economia familiar.

A seguir, serão abordados os enquadramentos previdenciários na análise do nexo entre doença e trabalho.

Nexo técnico entre doença e trabalho

O segurado, a partir do 16º dia de afastamento do trabalho, fará jus ao benefício auxílio-doença, acidentário ou não acidentário, por parte da Previdência Social. A caracterização da espécie de benefício, previdenciário (espécie 31) ou acidentário (espécie 91), é função da Perícia Médica Previdenciária, que deve analisar se há relação causal entre o trabalho e a patologia que motivou o afastamento. Em alguns casos, quando houver o entendimento pericial de que essa relação entre trabalho e doença ensejou o pagamento do benefício, o perito poderá proceder à aplicação do **nexo técnico**.

Os nexos técnicos podem ser de três tipos:[17]

I. **nexo técnico profissional ou do trabalho:** fundamentado nas associações entre patologias e exposições ocupacionais de acordo com a profissiográfica do segurado (Listas A e B do Anexo II do Regulamento da Previdência Social).[18] Para caracterizá-lo, a incapacidade deve estar intimamente ligada ao trabalho, ou seja, são doenças que têm o trabalho como sua causa necessária;

II. **nexo técnico por doença equiparada a acidente de trabalho ou nexo técnico individual:** decorrente de acidentes de trabalho típicos ou de trajeto, bem como de condições especiais em que o trabalho é realizado e com ele relacionado diretamente;[13]

III. **nexo técnico epidemiológico previdenciário (NTEP):** esse tipo de nexo é aplicável quando houver **significância estatística** da associação entre a entidade mórbida motivadora da incapacidade definida pelo código da *Classificação estatística internacional de doenças e problemas relacionados à saúde*, 10ª revisão (CID-10), e a associação entre a atividade econômica da empresa na qual o segurado está vinculado conforme a Classificação Nacional de Atividades Econômicas (CNAE) (Lista C do Anexo II do Regulamento da Previdência Social).[18]

Quando o trabalhador contrair uma enfermidade diretamente relacionada com sua atividade profissional, fica caracterizada a doença ocupacional. No mesmo sentido, quando houver correlação estatística entre a doença ou lesão e o setor de atividade econômica do trabalhador, o NTEP caracterizará automaticamente que se trata de benefício acidentário (espécie 91) e não benefício de previdenciário (espécie 31).

O NTEP, implementado nos sistemas informatizados do INSS para concessão de benefícios em abril de 2007, é uma metodologia para identificar quais doenças e acidentes estão relacionados com a prática de uma determinada atividade profissional, levando em conta dados estatísticos e epidemiológicos do INSS. De acordo com a frequência de um mesmo evento ocorrido em determinado setor econômico, uma doença, que pode não estar relacionada ao trabalho executado pelo segurado, pode ter seu benefício concedido como auxílio-doença acidentário. Isso ocorre quando há presunção de doença ocupacional cada vez que a moléstia diagnosticada (CID), responsável por incapacidade para o trabalho superior a 15 dias, tiver incidência estatística epidemiológica em relação à atividade empresarial (CNAE). Assim, caberá à empresa provar que as doenças e os acidentes de trabalho não foram causados pela atividade desenvolvida pelo trabalhador, ou seja, o ônus da prova passa a ser do empregador, e não mais do empregado.

Essa nova legislação teve impacto muito grande nas empresas, e é fundamental que cada empregador conheça esse processo em detalhes para poder contestar junto à Previdência Social os casos em que houve estabelecimento de nexo entre o agravo e a profissiografia, identificar os fatores geradores de maiores problemas de segurança e saúde e desenvolver ações preventivas e corretivas.

O empregador poderá anexar, às suas respectivas contestações e recursos, documentos comprobatórios para demonstração do ambiente de trabalho de seu funcionário, como: Programa de Prevenção de Riscos Ambientais (PPRA); Programa de Gerenciamento de Riscos (PGR); Programa de Controle do Meio Ambiente de Trabalho (PCMAT); Programa de Controle Médico de Saúde Ocupacional (PCMSO); Laudo Técnico das Condições do Ambiente de Trabalho (LTCAT); Perfil Profissiográfico Previdenciário (PPP); Comunicação de Acidente de Trabalho (CAT) e Atestado de Saúde Ocupacional (ASO).

Atestado médico na APS

Os médicos que atendem o paciente-trabalhador, em qualquer nível de atenção à saúde, devem seguir normas ético-profissionais determinadas pelo Conselho Federal de Medicina (CFM), que são publicadas, para além do Código de Ética Médica, por meio de Resoluções, Pareceres, Recomendações, Notas Técnicas e Despachos.

Três resoluções são destacadas neste capítulo, que guardam relação íntima com o atendimento do trabalhador, e conversam com as questões relacionadas à seguridade social. Essas normas orientam um componente fundamental e indissociável do Ato Médico: a atestação médica:

I. Resolução CFM nº 1.658 de 2002, que normatiza a emissão de atestados médicos;[19]
II. Resolução CFM nº 1.851 de 2008, que alterou o artigo 3º da resolução anterior, orientando a estrutura requerida para a elaboração do atestado médico;[20]
III. Resolução CFM nº 2.297 de 2021, que traz normas específicas para médicos que atendem o trabalhador.[21]

Quando um paciente procura assistência na APS e, após submeter-se ao exame clínico, solicita ao médico um "laudo" para perícia, não é incomum que essa situação gere dúvidas e desconforto ao profissional de saúde que o assiste. Isso ocorre por diversas razões:

→ desconhecimento do real significado do laudo médico ao qual se refere o paciente;
→ medo de elaborar documento com informações duvidosas, oriundas de relato unilateral do paciente (excetuando-se as informações adquiridas pelo profissional de saúde por meio do exame clínico);
→ dúvidas sobre a atestação em documento de informações do paciente do que comumente se denomina "ganho secundário";
→ dúvidas sobre a congruência entre o relato do paciente e os achados de sinais e sintomas, e exame físico realizado;
→ menção do paciente sobre orientação de advogados, muitas vezes solicitando que determinadas informações constem no documento médico;
→ receio de causar "dano ao erário público" ou "prejuízo às empresas", quando for solicitado "laudo" para perícia previdenciária.

Primeiramente, deve-se salientar a diferença entre laudo médico, no sentido estrito, do "laudo médico" requisitado por pacientes para a perícia e outros fins: o laudo médico, *stricto sensu*, é um documento redigido por peritos médicos, por força de solicitação de autoridade judicial. Não guarda nenhuma relação com a expressão "laudo médico" que é requisitada pelo paciente, por exemplo, para fins previdenciários. Nesse caso, trata-se de um atestado médico.

O atestado médico é qualquer documento em que se faz a atestação, pelo médico, da constatação de um fato ou de certa obrigação. Conforme o Código de Ética Médica, em seu artigo 91, é vedado ao médico "[...] deixar de atestar atos executados no exercício profissional, quando solicitado pelo paciente ou por seu representante legal";[22] portanto, é obrigação do médico fornecê-lo, em qualquer circunstância.

Como o atestado é parte indissociável do ato médico, outras duas questões importantes emergem:
1. o atestado médico não pode ser elaborado sem estar atrelado a uma consulta (ato médico), a partir da qual as informações ali contidas se originaram (é vedado ao médico "[...] assinar laudos periciais, auditoriais ou de verificação médico-legal caso não tenha realizado pessoalmente o exame");[19]
2. o fornecimento do atestado "[...] é um direito inalienável do paciente, não podendo importar em qualquer majoração de honorários".[19]

Informações que devem constar no atestado

Na elaboração do atestado médico, o médico assistente (qualquer médico que não seja o médico perito do INSS ou o médico do trabalho da empresa/empregador):
I. especificar o **tempo** concedido de dispensa à atividade, necessário para a recuperação do paciente;
II. estabelecer o **diagnóstico**, quando expressamente autorizado pelo paciente;
III. **registrar os dados** de maneira legível;
IV. **identificar-se** como emissor, mediante assinatura e carimbo ou número de registro no Conselho Regional de Medicina.

É importante salientar o que segue, quanto à colocação no atestado do diagnóstico, codificado (CID) ou não: os médicos somente podem fornecer atestados com o diagnóstico codificado ou não quando por justa causa, exercício de dever legal, solicitação do próprio paciente ou de seu representante legal. No caso da solicitação de colocação de diagnóstico, codificado ou não, ser feita pelo próprio paciente ou seu representante legal, essa concordância deverá estar expressa no atestado.

Atestado ao médico do trabalho

A Resolução CFM nº 2.297,[21] publicada em 2021, determina que todos os médicos que atendem o trabalhador, independentemente do local onde atuem, devem elaborar relatório ao médico do trabalho, quando requisitado pelo paciente que consulta na APS:

> § 5º O médico assistente ou especialista, ao ser solicitado pelo médico do trabalho, deverá produzir relatório ou parecer com descrição dos achados clínicos, prognóstico, tratamento e exames complementares realizados que possam estar relacionados às queixas do trabalhador e entregar a ele ou ao seu responsável legal, em envelope lacrado endereçado ao médico solicitante, de forma confidencial.[21]

Atestado de aptidão laborativa

As empresas, quando contratam trabalhadores para realizar as atividades ocupacionais em suas instalações, necessitam que o trabalhador se apresente em condições clínicas de exercer suas atividades laborativas. Com frequência, o trabalhador procura o médico que atua na APS para elaborar atestado médico de aptidão laborativa.

Ocorre, porém, que o atestado de aptidão laborativa, para efeito trabalhista (admissional, demissional, periódico, retorno ao trabalho e mudança de função), deve seguir um padrão específico determinado pela Norma Regulamentadora nº 7 do Ministério do Trabalho e Emprego. Esse atestado é denominado Atestado de Saúde Ocupacional (ASO), e não é prerrogativa do médico do SUS, que desconhece o ambiente de trabalho e os riscos inerentes e específicos a este. Além disso, a Resolução nº 2.297[21] determina que é:

> [...] vedado ao médico que presta assistência ao trabalhador:
>
> I – Realizar exame médico ocupacional com recursos de telemedicina, sem o exame presencial do trabalhador.*
>
> II – Assinar Atestado de Saúde Ocupacional (ASO) em branco.
>
> III – Emitir ASO sem que esteja familiarizado com os princípios da patologia ocupacional e suas causas, bem como com o ambiente, as condições de trabalho e os riscos a que está ou será exposto cada trabalhador.
>
> IV – Deixar de registrar no prontuário médico do trabalhador todas as informações referentes aos atos médicos praticados.

Atestado médico ao perito do INSS

Diferentemente da elaboração do ASO, a atestação de ato médico praticado pelo médico do SUS, no atendimento ao paciente-trabalhador, é obrigatória, e direito do paciente. Quando elaborado para finalidade de complementar o parecer do médico perito do INSS quanto à capacidade laborativa, deve ser elaborado conforme as orientações da Resolução CFM nº 1.851[20], que determina que:

> [...] quando o atestado for solicitado pelo paciente ou seu representante legal para fins de perícia médica deverá observar:
>
> I – O diagnóstico;
>
> II – Os resultados dos exames complementares;
>
> III – A conduta terapêutica;
>
> IV – O prognóstico;
>
> V – As consequências à saúde do paciente;
>
> VI – O provável tempo de repouso estimado necessário para a sua recuperação, que complementará o parecer fundamentado do médico perito, a quem cabe legalmente decisão do benefício previdenciário, tais como: aposentadoria, invalidez definitiva, readaptação;
>
> VII – Registrar os dados de maneira legível;
>
> VIII – Identificar-se como emissor, mediante assinatura e carimbo ou número de registro no Conselho Regional de Medicina.[20]

---

*Nota dos autores. O item I acima é controverso, uma vez que os recursos de telemedicina são úteis no atendimento de pacientes-trabalhadores, respeitando os preceitos éticos e legais. No entendimento dos autores, esse item deve ser interpretado com cautela. Recomenda-se que seja interpretado como vedação para prealização de exames ocupacionais determinados pela Norma Regulamentadora nº 7 que necessitam emissão de ASO, quais sejam: admissional, demissional, periódico, mudança de função e retorno ao trabalho.

ATESTADO MÉDICO A SEGURADORAS

Quando o paciente solicita que o médico da APS preencha documentos de seguradoras, é importante destacar algumas orientações:

1. A realização de exame clínico específico para prover informações e preencher documentos de seguradoras se trata de ato pericial. Para isso, a seguradora deve possuir, em seu quadro de profissionais, um médico específico para a realização desse exame pericial e respectivo preenchimento do documento.
2. Nesse caso, salienta-se que o médico da APS pode se recusar a preencher qualquer documento de seguradora.
3. Caso o médico da APS deseje realizar o exame médico (que tem caráter pericial) e preencher o respectivo documento, orienta-se que ele faça fora de seu horário de trabalho na APS, e pode cobrar por esse ato médico específico. O parágrafo único do artigo 98 do Código de Ética Médica traz que "[...] o médico tem direito a justa remuneração pela realização do exame pericial".
4. Outrossim, é obrigação do médico a elaboração de atestado médico, quando solicitado pelo paciente, com as informações constatadas e em exame clínico, sem que para isso deva preencher diretamente documento específico da seguradora.

Laudo médico para pessoas com deficiência

O profissional da APS pode ser requisitado pelo paciente para elaborar e preencher o laudo médico para pessoas com deficiência (PCD), por exemplo, para que se cumpram as cotas de contratação de colaboradores com deficiência ou reabilitados pelo INSS. A legislação específica diz quem pode atestar e de que maneira as deficiências são comprovadas. Uma das determinações é a necessidade do laudo médico, que pode ser emitido por **médico do trabalho da empresa** ou **outro médico**, que ateste a deficiência de acordo com as definições legais específicas.

O "laudo" deverá especificar o tipo de deficiência, com o código correspondente da CID-10, e ter autorização expressa do empregado para tornar pública a sua condição. Dependendo da deficiência, a avaliação deverá ser feita por um especialista e os laudos devem ser recentes, emitidos há menos de 1 ano. Nos casos de pessoas com deficiência auditiva e visual, a legislação determina a apresentação de exames de audiometria e oftalmológico, respectivamente. Quanto à deficiência intelectual, é importante destacar que o laudo elaborado por um psicólogo é aceito para fins legais. Alguns pontos importantes são destacados a seguir:

→ nem todas as deficiências enquadram-se na Lei de Cotas, portanto, os laudos devem estar detalhados e bem especificados, para que o trabalhador não tenha problemas na admissão em empresas, ou na fiscalização das empresas pelo Ministério Público do Trabalho e/ou Ministério do Trabalho e Emprego;
→ o laudo deve ser o mais atual possível;
→ o laudo precisa fornecer, além do código da CID, **detalhes sobre as limitações funcionais** da pessoa na prática, ou seja, a deficiência e sua sequela. Por exemplo:

se consta do laudo encurtamento no membro inferior direito, é importante especificar quantos centímetros, se utiliza prótese ou órtese, muletas, cadeira de rodas, se apresenta "dificuldade para ambular", "dificuldade para subir escadas", "impossibilidade de ficar em pé por longos períodos", "distúrbios da marcha", etc.

Atestado médico para trabalhadoras gestantes

A paciente-trabalhadora que estiver gestante pode necessitar de um atestado para comprovação de início de salário-maternidade. Para isso, é importante que o profissional da APS entenda a legislação que resguarda o direito da gestante.

A licença-maternidade está prevista na Constituição Federal e garante o direito da gestante ao afastamento do trabalho, sem prejuízo do seu salário, durante 120 dias. A licença poderá ser iniciada, mediante apresentação de atestado médico, **a partir do 28º dia antes da data prevista para o parto**, até o dia do parto propriamente dito.[14]

As empresas que aderiram ao programa Empresa Cidadã ampliaram o direito de licença-maternidade para 180 dias. Entretanto, para usufruir desse benefício, deve haver um requerimento expresso por parte da gestante até o fim do primeiro mês após o parto. Durante a licença-maternidade, o salário da empregada é pago diretamente pela empresa, que será, posteriormente, reembolsada pelo INSS.

Para as gestantes empregadas pelo regime da CLT, os períodos de repouso, antes e depois do parto, poderão ser aumentados de 2 (duas) semanas cada um, **mediante atestado médico**.

É importante salientar que a gestante faz jus à estabilidade provisória, ou seja, é vedada a dispensa arbitrária ou sem justa causa da gestante, desde a confirmação da gravidez até 5 meses após o parto, e, nos casos de morte desta, a quem detiver a guarda de seu filho.

Nos casos em que houver a necessidade do afastamento da gestante do trabalho antes da data prevista para o parto, o médico assistente deverá observar a idade gestacional da paciente. A partir das 36 semanas de idade gestacional completas, a paciente já poderá ser encaminhada para licença-maternidade. Antes das 36 semanas de gestação, quando houver necessidade de afastamento do trabalho por período > 15 dias, a gestante deverá ser encaminhada para auxílio-doença, assim como os demais trabalhadores.

É importante observar que, para as servidoras públicas, o afastamento do trabalho deve obedecer ao regime jurídico próprio (ver seção "A previdência social no Brasil", anteriormente).

De acordo com artigo 394-A da CLT, Lei 13.467, de 13 de julho de 2017 (ADIN 5938 – STF), as empregadas deverão ser afastada das atividades consideradas insalubres (em qualquer grau) quando estiverem grávidas ou em período de lactação, sem prejuízo de sua remuneração e do adicional de insalubridade. As empresas, ao terem confirmada a gestação de uma empregada que exerça atividades insalubres, devem encaminhá-las para atividades não insalubres. Nos casos em que o remanejo da empregada gestante para atividades sem insalubridade não for possível, a mesma deverá ser afastada, com direito a percepção de salário-maternidade durante todo o período de gestação, sendo sua gravidez considerada de risco para os fins previdenciários.

A **TABELA 19.1** contém as questões mais frequentes relacionadas à legislação que diz respeito ao trabalhador e sua saúde/doença.

TABELA 19.1 → Questões mais frequentes relacionadas à legislação que diz respeito ao trabalhador e sua saúde/doença

PERGUNTA	RESPOSTA	COMENTÁRIO
Até quantos dias de afastamento do trabalho posso fornecer?	Não existe limite de dias de afastamento do trabalho que podem ser concedidos no atestado médico.	O tempo concedido de dispensa à atividade, necessário para a recuperação do paciente, é parte integrante do atestado médico. Deve corresponder às informações obtidas no ato médico praticado, respeitando a história natural da doença.
Posso negar o fornecimento de atestado médico de afastamento do trabalho?	Depende.	É vedado ao médico deixar de assumir a responsabilidade de qualquer ato profissional que tenha praticado ou indicado. Também é vedado ao médico deixar de atestar atos executados no exercício profissional, quando solicitado pelo paciente ou por seu representante legal. Dessa forma, após praticado ato médico em que se constata a necessidade de afastamento do trabalho para recuperação do trabalhador, o fornecimento de atestado médico com o período especificado de afastamento é obrigatório.
Como devo atestar afastamento do trabalho superior a 15 dias?	O médico da APS deve especificar no atestado o período completo de afastamento necessário à recuperação do trabalhador, a partir das conclusões do ato médico praticado.	A dúvida sobre o prazo máximo que o médico pode atestar está relacionada a questões previdenciárias. No caso do trabalhador segurado empregado, por exemplo, durante os primeiros 15 dias consecutivos ao do afastamento da atividade por motivo de doença, incumbirá à empresa pagar o salário integral. Quando a incapacidade ultrapassar 15 dias consecutivos, será encaminhado à perícia médica do Instituto Nacional do Seguro Social. O médico perito do INSS periciará o trabalhador para fins de comprovação de incapacidade para o trabalho. Constatada a incapacidade, será concedido o benefício previdenciário auxílio-doença.
Posso negar atestado médico de afastamento ao trabalho de trabalhador que consulta recorrentemente?	Depende.	Em caso de trabalhadores que buscam serviços de saúde de forma contumaz, requisitando atestados para afastamento do trabalho com frequência, a decisão sobre o fornecimento destes atestados deve respeitar as mesmas observações da primeira pergunta acima. Reforça-se que é vedado ao médico deixar de atestar atos executados no exercício profissional. Para fins de concessão de benefícios, conforme regulamento da Previdência Social, se o trabalhador segurado empregado, por motivo de doença, afastar-se do trabalho durante 15 dias, retornando à atividade no 16º dia, e se dela voltar a se afastar dentro de 60 dias desse retorno, em decorrência da mesma doença, fará jus ao auxílio doença a partir da data do novo afastamento.
O médico do trabalho da empresa pode recusar atestado médico de afastamento do trabalho que concedi a um trabalhador?	Sim, para fins de justificar à empresa o pagamento da remuneração do trabalhador pelos dias de dispensa ao trabalho.	Em caso de atestados médicos que não versam sobre afastamento do trabalho, o mesmo não deve ser recusado pelo médico do trabalho da empresa. No caso de atestados médicos de afastamento ao trabalho, o médico do trabalho poderá discordar do tempo de dispensa concedido por outro médico, podendo modificar a recomendação, aumentando ou reduzindo este período. Para isso, no entanto, deverá assumir inteira responsabilidade sobre a avaliação, devendo realizar novo ato médico e emitir atestado fundamentado, especificado o tempo de dispensa do trabalho necessário à recuperação do trabalhador.
Posso colocar o diagnóstico do trabalhador no atestado?	Depende.	O diagnóstico, codificado ou não, somente pode integrar o atestado médico quando por **justa causa, exercício de dever legal, solicitação do próprio paciente ou de seu representante legal**. Em alguns casos, o próprio trabalhador solicita a colocação do CID no atestado devido às exigências da empresa onde trabalha. Neste caso, o médico pode especificar o CID do motivo da dispensa ao trabalho, mas a concordância do trabalhador deverá estar expressa no atestado e registrada no prontuário médico.
Trabalho em emergência, urgência ou pronto atendimento. Posso substituir o atestado médico por uma declaração de comparecimento?	Não.	Os médicos que trabalham em emergências, urgências e unidades de pronto atendimento, não estão dispensados, por qualquer alegação, de fornecer atestado médico. Além disso, é dever do médico especificar no atestado o tempo concedido de dispensa do trabalho necessário à recuperação do trabalhador.
Posso fornecer atestado retroativo ou com data retroativa?	É possível o fornecimento de atestado médico com dias de dispensa ao trabalho retroativos à avaliação ora realizada. No entanto, não é possível emitir atestado médico com data retroativa.	Em algumas situações pode ser necessário atestar necessidade de afastamento do trabalho relativo a dias que antecederam a avaliação clínica, sem que isso configure infração ética. Desde que sejam respeitados os preceitos éticos, a fisiopatologia, os sinais e sintomas, e, especialmente, a história natural da doença, o médico pode concluir, após realização de ato médico que o subsidie, que provável incapacidade laboral iniciou antes da realização do ato médico que o subsidiou. A atestação médica, no entanto, embora especifique tempo de dispensa ao trabalho necessário à recuperação por período que antecede a data da consulta, deverá obrigatoriamente ter a data presente consignada junto à identificação do médico emissor.
Posso negar o fornecimento de laudo ao trabalhador que necessita realizar perícia no INSS?	Não.	Embora essa situação gere insegurança para o médico que não está habituado a atender pacientes com demandas trabalhistas e previdenciárias, o "laudo" médico a que se refere o trabalhador é, na realidade, um atestado médico. Portanto, o médico não pode negar o seu fornecimento, ainda que o trabalhador não seja seu paciente habitual, mesmo que seja a primeira consulta. O atestado médico para fins previdenciários implica as mesmas prerrogativas de um atestado médico para outros fins. Portanto, ele só poderá atestar aquilo que corresponda à verdade, após praticar os atos profissionais para obter as informações necessárias. Deverá necessariamente conter: I. o diagnóstico; II. os resultados dos exames complementares; III. a conduta terapêutica; IV. o prognóstico; V. as consequências à saúde do paciente; VI. o provável tempo de repouso estimado necessário para a sua recuperação, que complementará o parecer fundamentado do médico perito, a quem cabe legalmente a decisão do benefício previdenciário.

(continua)

TABELA 19.1 → Questões mais frequentes relacionadas à legislação que diz respeito ao trabalhador e sua saúde/doença *(Continuação)*

PERGUNTA	RESPOSTA	COMENTÁRIO
Como elaborar um "laudo" para o INSS na primeira consulta?	Se o paciente solicita atestado médico para fins de obtenção de benefícios previdenciários já na primeira consulta, o médico deverá proceder seguindo as mesmas prerrogativas descritas nas respostas acima. Se não for possível obter resultados de exames complementares, diagnóstico, prognóstico e demais informações que podem depender de consultas posteriores, o médico deverá deixar claro no atestado que essas informações ainda não estão disponíveis.	Exemplos: 1. "Diante dos sinais e sintomas relatados pelo paciente, considerando os achados obtidos ao exame físico, os seguintes exames foram solicitados para esclarecimento diagnóstico: ... 2. "Devido à necessidade de exames complementares, o diagnóstico permanece em investigação." 3. O paciente permanecerá em investigação neste ambulatório, devendo retornar no dia __/__/__ para prosseguir com avaliação do tratamento e do prognóstico.
Trabalhador solicita que eu emita a CAT (Comunicação de Acidente de Trabalho). Posso negar-lhe?	Depende.	Caso o trabalhador informe a ocorrência de acidente de trabalho em consulta, e afirme que a empresa onde trabalha recusou a emissão de CAT, podem realizar essa emissão: → O próprio empregado-acidentado; → Seus familiares; → A entidade sindical competente; → O médico que o assistiu; → O auditor-fiscal do trabalho; → Qualquer autoridade pública.

REFERÊNCIAS

1. Brasil. Presidência da República. Lei nº 8.080, de 19 de setembro de 1990 [Internet]. Brasília: PR; 1990 [capturado em 25 ago. 2019]. Disponível em: http://www.planalto.gov.br/ccivil_03/leis/l8080.htm.
2. Brasil. Ministério da Saúde. Doenças relacionadas ao trabalho: manual de procedimentos para os serviços de saúde [Internet]. Brasília: MS; 2001 [capturado em 25 ago. 2019]. Disponível em: http://bvsms.saude.gov.br/bvs/publicacoes/doencas_relacionadas_trabalho_manual_procedimentos.pdf.
3. Brasil. Ministério do Trabalho. Ministério da Previdência. Ministério da Saúde. Política Nacional de Segurança e Saúde do Trabalhador [Internet]. Brasília: MPS/MS/TEM; 2004 [capturado em 25 ago. 2019]. Disponível em: http://bvsms.saude.gov.br/bvs/publicacoes/politica_nacional_seguranca_saude.pdf.
4. Brasil. Ministério da Saúde. Portaria nº 777/GM, de 28 de abril de 2004 [Internet] [Internet]. Brasília: MS; 2004 [capturado em 25 ago. 2019]. Disponível em: https://bvsms.saude.gov.br/bvs/saudelegis/gm/2004/prt0777_28_04_2004.html.
5. Brasil. Ministério da Saúde. Portaria nº 2.437/GM, de 07 de dezembro de 2005 [Internet] [Internet]. Brasília: MS; 2005 [capturado em 25 ago. 2019]. Disponível em: http://bvsms.saude.gov.br/bvs/saudelegis/gm/2005/prt2437_07_12_2005.html.
6. Brasil. Instituto Brasileiro de Geografia e Estatística. Pesquisa nacional por amostra de domicílios contínua – PNAD contínua 2012-2018 [Internet]. Brasília: IBGE; 2012-2018 [capturado em 25 de ago. 2019]. Disponível em: https://www.ibge.gov.br/estatisticas/multidominio/condicoes-de-vida-desigualdade-e-pobreza/17270-pnad-continua.html?edicao=24091&t=downloads.
7. Binder MCP, Cordeiro R. Sub-registro de acidentes do trabalho em localidade do Estado de São Paulo, 1997. Rev Saúde Pública. 2003;37(4):409–16.
8. Brasil, Ministério da Saúde. Secretaria de Atenção à Saúde. Departamento de Ações Programáticas Estratégicas. Anamnese ocupacional: manual de preenchimento da Ficha Resumo de Atendimento Ambulatorial em Saúde do Trabalhador (Firaast). Brasília: Ministério da Saúde; 2006.
9. Silveira AM, Lucca SR. Estabelecimento de nexo causal entre adoecimento e trabalho: a perspectiva clínica e individual. In: Mendes R (Org.). Patologia do trabalho. 3. ed. São Rio de Janeiro: Atheneu; 2013.
10. Schilling RS. More effective prevention in occupational health practice? J Soc Occup Med. 1984;34(3):71–9.
11. Mendes R (Org.). Conceito de adoecimento relacionado ao trabalho e sua taxonomia. In: Patologia do Trabalho. 3. ed. Rio de Janeiro: Atheneu; 2013.
12. Lista de enfermedades profesionales (revisada en 2010): identificación y reconocimiento de las enfermedades profesionales : criterios para incluir enfermedades en la lista de enfermedades profesionales de la OIT [Internet]. Geneva: Oficina International del Trabajo; 2010 [capturado em 22 set. 2019]. Disponível em: http://site.ebrary.com/id/10512084.
13. Brasil. Presidência da República. Lei nº 8.213, de 24 de julho de 1991 [Internet]. Brasília: PR; 1991 [capturado em 25 ago. 2019]. Disponível em: http://www.planalto.gov.br/ccivil_03/leis/l8080.htm
14. Brasil. Presidência da República. Casa Civil. Subchefia para Assuntos Jurídicos. Decreto-Lei Nº 5.452, de 01 de maio de 1943 [Internet]. Brasília: PR; 1943 [capturado em 25 ago. 2019]. Disponível em: http://www.planalto.gov.br/ccivil_03/leis/l8080.htm.
15. Brasil. Ministério da Saúde. Secretaria de Vigilância em Saúde. Departamento de Vigilância Epidemiológica. Sistema de Informação de Agravos de Notificação–Sinan: normas e rotinas [Internet]. Brasília: MS; 2006 [capturado em 25 ago. 2019]. Disponível em: http://bvsms.saude.gov.br/bvs/publicacoes/sistema_informacao_agravos_notificacao_sinan.pdf.
16. Camarano AA, Fernandes D. A Previdência Social Brasileira. In: Alcântara AO, Camarano AA, Giacomin KC (Orgs.). Política Nacional do Idoso: velhas e novas questões. Rio de Janeiro: IPEA; 2016. p. 265–94.
17. INSS. Instrução Normativa INSS nº 31, de 10 de setembro de 2008 [Internet]. Brasília: INSS; 2008 [capturado em 25 ago. 2019]. Disponível em: http://www.normaslegais.com.br/legislacao/ininss31_2008.htm.
18. Brasil. Presidência da República. Casa Civil. Subchefia para Assuntos Jurídicos. Decreto nº 3.048, de 06 de maio de 1999 [Internet]. Brasília: PR; 1999 [capturado em 25 ago. 2019]. Disponível em: http://www.planalto.gov.br/ccivil_03/decreto/D3048.htm.
19. Conselho Federal de Medicina. Resolução CFM nº 1.658, de 20 de dezembro de 2002 [Internet]. Brasília: CFM; 2002 [capturado em 25 ago. 2019]. Disponível em: https://sistemas.cfm.org.br/normas/visualizar/resolucoes/BR/2002/1658.
20. Conselho Federal de Medicina. Resolução CFM nº 1.851, de 18 de agosto de 2008. [Internet]. Brasília: CFM; 2008 [capturado em 26 ago. 2019]. Disponível em: http://www.portalmedico.org.br/resolucoes/cfm/2008/1851_2008.htm
21. Conselho Federal de Medicina. Resolução CFM nº 2.297, de 18 de agosto de 2021 [Internet]. Brasília: CFM; 2021 [capturado em 30 set. 2021]. Disponível em: https://sistemas.cfm.org.br/normas/visualizar/resolucoes/BR/2021/2297.

22. Conselho Federal de Medicina. Resolução CFM nº 2.183, de 21 de setembro de 2018 [Internet]. Brasília: CFM; 2018 [capturado em 25 ago. 2019]. Disponível em: https://sistemas.cfm.org.br/normas/visualizar/resolucoes/BR/2018/2183.

Capítulo 20
ABORDAGEM FAMILIAR

Carmen Luiza C. Fernandes
Olga Garcia Falceto
Brendha Silva Givisiez
Elisabeth Susana Wartchow

A família é o primeiro grupo do qual fazemos parte e pelo qual nunca deixamos de ser influenciados, fato que a torna o eixo estrutural da atenção primária à saúde (APS). Sob uma concepção integral e sistêmica, é entendida como espaço de desenvolvimento individual e de grupo, dinâmica, de múltiplos formatos, e passível de crises ao longo do tempo, indissociável de seu contexto comunitário e das relações sociais que estabelece. De acordo com essa visão sistêmica de tratamento dos problemas de saúde, é necessário que a equipe de APS conheça métodos e técnicas de avaliação de famílias e encare a família do paciente como contexto-problema e, principalmente, como recurso terapêutico.

O QUE É FAMÍLIA?

Família é uma pequena sociedade humana cujos membros têm contato direto, laços emocionais e de cuidado. Têm também uma estrutura e forma de funcionamento, além de uma história compartilhada que organiza a sua estabilidade e a capacidade para mudanças.

Partindo dessa premissa, podemos compreender família como um sistema aberto, dinâmico e interconectado com outros sistemas (estruturas sociais e meio ambiente) e subsistemas que compõem a vida em sociedade. É constituída de um grupo de pessoas que compartilham uma relação de cuidados (proteção, desenvolvimento, alimentação e socialização), vínculos afetivos (relacionais), de convivência e de parentesco (consanguíneo ou não), condicionada por valores socioeconômicos, geográficos e culturais, dando a ela uma significação interna contextualizada.

Toda família é única: independentemente de seu tipo ou constituição, tem seu código próprio de funcionamento ditado por normas de convivência, regras ou acordos relacionais, ritos, jogos, crenças, mitos e a história da família, modos especiais de expressar e interpretar emoções e comunicações e uma forma particular de enfrentar problemas e tomar decisões. O legado familiar é transmitido aos membros de uma família em padrões, muitas vezes repetitivos ao longo de gerações de forma vertical e ao longo do ciclo de vida familiar de forma longitudinal.

Uma das principais funções da família é econômica (prover meios, bens e recursos). Também é função da família oferecer acolhimento e investimento afetivos para o crescimento de seus membros com o objetivo de que se tornem autônomos e independentes. Para isso, oferecem cuidado com a saúde, o lazer, a socialização e a educação/formação. O que define a família são os sentimentos e as sensações especiais de união, pertencimento, vínculo, interação e interdependência.

RELEVÂNCIA DA ABORDAGEM FAMILIAR PARA A ATENÇÃO PRIMÁRIA

Uma família constitui um sistema com estrutura e padrões próprios que a caracterizam.[1] É fonte dos relacionamentos mais duradouros e, talvez por isso, o maior recurso capaz de efetuar mudanças. Esse sistema apresenta competências importantes e merece confiança no processo de resolução de problemas. Com a abordagem familiar, os membros podem mover-se no sentido de provocar mudanças importantes no funcionamento e na organização de suas relações, contribuindo para reduzir sintomas disfuncionais, reinventar-se e encontrar soluções para os seus problemas.

Por esses motivos, a abordagem familiar deve estar presente transversalmente nas discussões na área da saúde, desenvolvendo um olhar para a família, para o sujeito na família e para o contexto onde está inserido, levando a um aprimoramento constante da equipe de atenção primária.

Estudos demonstram a eficácia da abordagem focada na família nos cuidados de saúde. Uma metanálise[2] de 52 ensaios clínicos randomizados (total de 8.896 pacientes) que compararam intervenções envolvendo a família com intervenções-padrão em adultos com doenças crônicas (doenças cardio e cerebrovasculares, câncer e artrite), tendo como desfechos predominantemente escores de qualidade de vida, funcionalidade e sintomas, demonstrou que o envolvimento da família associa-se com resultados significativamente melhores. Intervenções envolvendo mudanças nas relações familiares tenderam a ter melhores resultados do que intervenções apenas psicoeducativas. Os efeitos foram moderados, porém amplos, significativos e estáveis durante longo período de tempo, envolvendo melhora do paciente e de seus cuidadores.

Outra revisão sistemática sobre intervenções familiares em adultos com condições crônicas[3] incluiu 9 ensaios clínicos e um quase experimento e demonstrou impacto sobre reinternações, qualidade de vida, autocuidado, adesão ao tratamento e custo. Intervenções focadas no enfrentamento das dificuldades pela família tiveram maior impacto do que aquelas focadas em educação sobre a doença. Achados positivos também foram encontrados em estudos focados em problemas pediátricos (especialmente doenças crônicas em crianças),[4-6] doenças mentais crônicas[7-10] e cuidados paliativos.[11] Embora os estudos tenham focado em condições crônicas, a experiência dos autores deste capítulo sugere benefícios semelhantes também para condições agudas, especialmente as de repetição.

MODELO DE ABORDAGEM FAMILIAR PARA AS EQUIPES DE ATENÇÃO PRIMÁRIA À SAÚDE

Doherty e Baird, citados por McDaniel e colaboradores,[12] descrevem cinco possíveis graus de envolvimento do médico com as famílias durante sua intervenção terapêutica:

→ **grau 1:** ênfase mínima nos assuntos familiares. Existe apenas o contato necessário por questões práticas ou de natureza médico-legal;
→ **grau 2:** colaboração com a família para trocar informações ou aconselhar. Não requer um conhecimento especial sobre o desenvolvimento familiar ou sobre fatores estressores. O profissional deve estar disposto a obter a colaboração da família, informá-la acerca das opções de tratamento e ouvir suas angústias e preocupações;
→ **grau 3:** abordagem de apoio atendendo aos sentimentos da família. O profissional necessita de conhecimentos sobre desenvolvimento familiar e sobre as formas como as famílias reagem a situações de estresse;
→ **grau 4:** abordagem sistêmica da família com avaliação sistemática e planejamento de intervenção. Implica conhecimentos sobre sistemas familiares e preparo para convocar e coordenar uma reunião de família, encorajando-a a externar seus sentimentos;
→ **grau 5:** terapia familiar. Exige do profissional preparo para o tratamento de famílias com padrões disfuncionais de interação. Habitualmente nesse nível atuam os terapeutas familiares.

Neste capítulo, são apresentados alguns conhecimentos básicos para o entendimento da família que visam guiar intervenções de graus 3 e 4, que podem ser aprofundados pela leitura da bibliografia recomendada.

O trabalho a ser desenvolvido exige a aquisição de ferramentas de abordagem e conhecimentos específicos, além do desenvolvimento das habilidades de observação, comunicação, intuição, intervenção e capacidade de trabalhar em equipe.

Inicia-se a abordagem familiar buscando-se o conhecimento da família por meio de três leituras:

1. **anatomia da família:** utiliza-se um instrumento chamado **genograma** como forma de conhecer a estrutura (arquitetura familiar), nomes, datas, vínculos, profissão, escolaridade, origem, problemas de saúde, eventos significativos entre outros. Este pode ser complementado pelo **ecomapa**, que mostra a rede de apoio da família;
2. **desenvolvimento familiar:** analisa-se o ciclo de vida familiar e determina-se o estágio do ciclo em que os integrantes da família se encontram, como passaram as fases anteriores, se houve crises acidentais, e como superaram as adversidades ao longo do tempo;
3. **funcionamento familiar:** identificam-se as regras de funcionamento da família, a partir da história, da observação da família e de suas relações no processo de evolução da vida familiar, da forma de expressar afetos e da forma de desempenhar papéis e funções no contexto em que estão inseridas.

A avaliação de uma família deve incluir sistematicamente o uso de ferramentas que sejam de domínio dos profissionais que trabalham na saúde da família, composta por instrumentos mínimos como genograma, ecomapa, abordagem do ciclo de vida e entrevista familiar. Hoje, essas ferramentas já são parte do cotidiano de várias unidades de saúde no Brasil, e estão cada vez mais fazendo parte da assistência e da pesquisa nas unidades da Estratégia de Saúde da Família do Ministério da Saúde.

No acompanhamento cadastral das famílias, as equipes de Saúde da Família podem, ainda, fazer uso da escala de risco familiar de Coelho e Savassi, que utiliza os dados cadastrais das famílias coletados pelos ACSs para criar uma estratificação de risco social e potencial de adoecimento de cada família dentro dos seus territórios, elencando graus de prioridade para a realização de visitas domiciliares. Essa escala não será objeto de detalhamento neste capítulo por tratar-se de instrumento de apoio para a programação das ações de saúde e ser utilizada no planejamento geral das equipes objetivando estabelecer prioridades nos seus territórios.[13-15]

ANATOMIA DA FAMÍLIA

Genograma

O genograma é a ferramenta mais fácil de ser dominada pela equipe, sendo, portanto, uma ferramenta muito útil para estabelecer vínculo, fazer conexões e questionamentos, e para organizar informações, como o nome dos membros da família, relacionamentos, datas significativas e toda a estrutura familiar.[12,16,17] É um mapa visual, de leitura fácil e dinâmica, que fornece informações estruturais, funcionais e relacionais da família ao longo do tempo e facilita a compreensão e a elaboração de hipóteses. A partir do genograma, é possível identificar temas intergeracionais, relacionais, biomédicos e psicossociais. Ele também permite mostrar os problemas presentes na família, padrões de funcionamento e repetições, facilitando uma priorização destes para intervenção, além de identificar os obstáculos para cooperação, estabelecimento de vínculo, adesão e acompanhamento médico-paciente e família-equipe.

O genograma pode também ter um foco biomédico, constituindo um caminho para organizar as informações clínicas e genéticas de uma família e, assim, auxiliar na contextualização do conhecimento sobre elas, mediante visualização das relações entre o contexto familiar e a doença. Dessa forma, auxilia também na visualização da necessidade de intervenções preventivas, sendo útil em inúmeras situações corriqueiras na APS (TABELA 20.1). Ele não necessariamente precisa ser construído quando a história familiar é obtida (primeira consulta) e pode ser completado e atualizado nas visitas subsequentes, inclusive adicionando informações sobre a qualidade das relações interpessoais.

A FIGURA 20.1 ilustra símbolos que podem ser utilizados para construir um genograma. Há variações nos símbolos dependendo da bibliografia utilizada ou do serviço.[18,19] Os símbolos tradicionais são universais, e os símbolos de interesse específico são construídos conforme a necessidade do profissional e seu serviço, de forma a fazer sentido para eles, que estarão construindo, interpretando e propondo uma ação para a pessoa, sua família e seu contexto.

Ecomapa ou mapa de rede

O ecomapa é a construção de um mapa que identifica a rede social e de apoio de uma pessoa e/ou de uma família. Faz parte dos instrumentos de avaliação familiar, mas, enquanto o genograma identifica as relações e ligações dentro do sistema multigeracional da família, o ecomapa identifica as relações da pessoa e/ou da família com o meio onde habitam. Desenha o seu sistema ecológico, identificando a natureza das suas relações com o meio, mostrando o equilíbrio entre as necessidades, as vulnerabilidades, os riscos e as potencialidades da pessoa e/ou da família.

Assim como para o genograma, há símbolos padronizados para construir o ecomapa, que também podem variar de acordo com a bibliografia utilizada.[20,21] No seu formato original, o ecomapa tem no centro apenas um indivíduo, porém integrá-lo ao genograma, como demonstrado neste capítulo, pode ampliar sua contribuição. A força da relação entre um indivíduo/família e algum elemento externo é representada pela linha que os une. Uma linha simples indica que há uma ligação. Os demais símbolos usados para representar relações (relação próxima, relação muito próxima, relação

Regras para fazer um genograma

1. Faça sempre no mínimo três gerações a partir do paciente identificado ou informante.
2. Utilize símbolos reconhecidos pelo seu serviço ou reconhecidos internacionalmente.
3. Tenha sempre uma legenda, data da realização e das atualizações e o nome de quem colheu as informações.
4. Se achar necessário, utilize cores.
5. Sempre coloque a família de origem da pessoa de referência ou que deu as informações.
6. Tudo o que não souber representar escreva para discussão posterior

O genograma deve incluir

1. Nomes
2. Idades
3. Estado marital
4. Casamentos prévios
5. Filhos
6. Doenças importantes
7. Datas de eventos traumáticos
8. Ocupações
9. Emoções de proximidade, distância ou conflito entre os membros
10. Outras informações relevantes

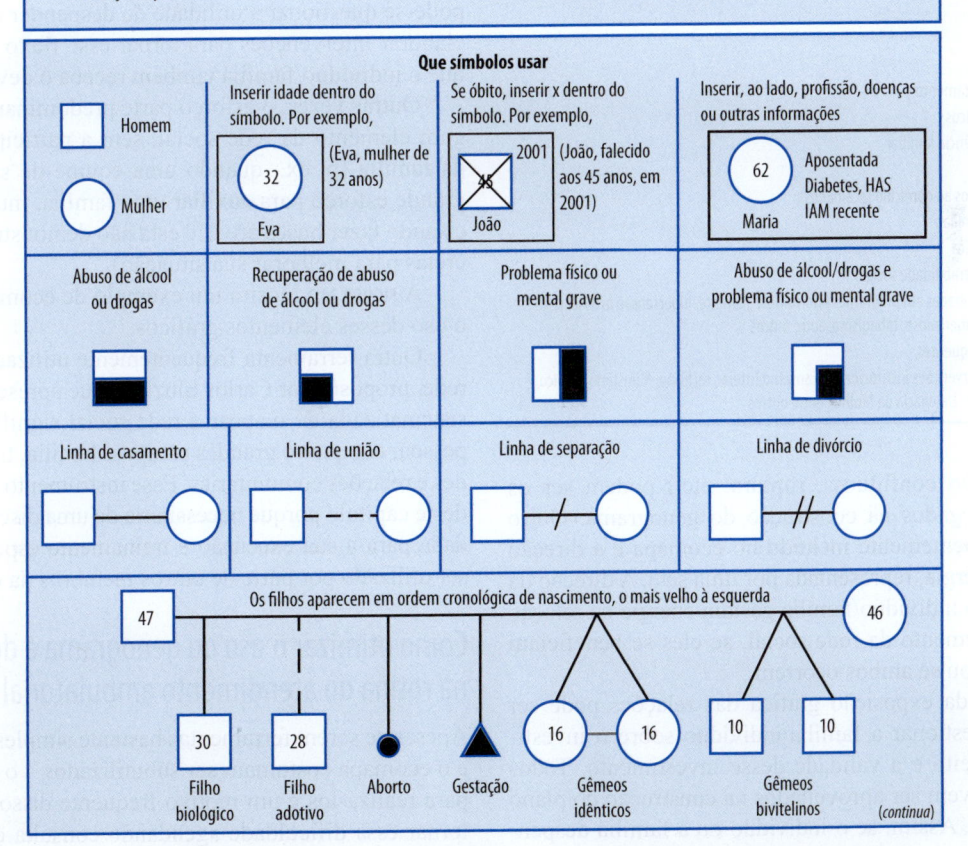

FIGURA 20.1 → Símbolos utilizados no genograma. *(continua)*

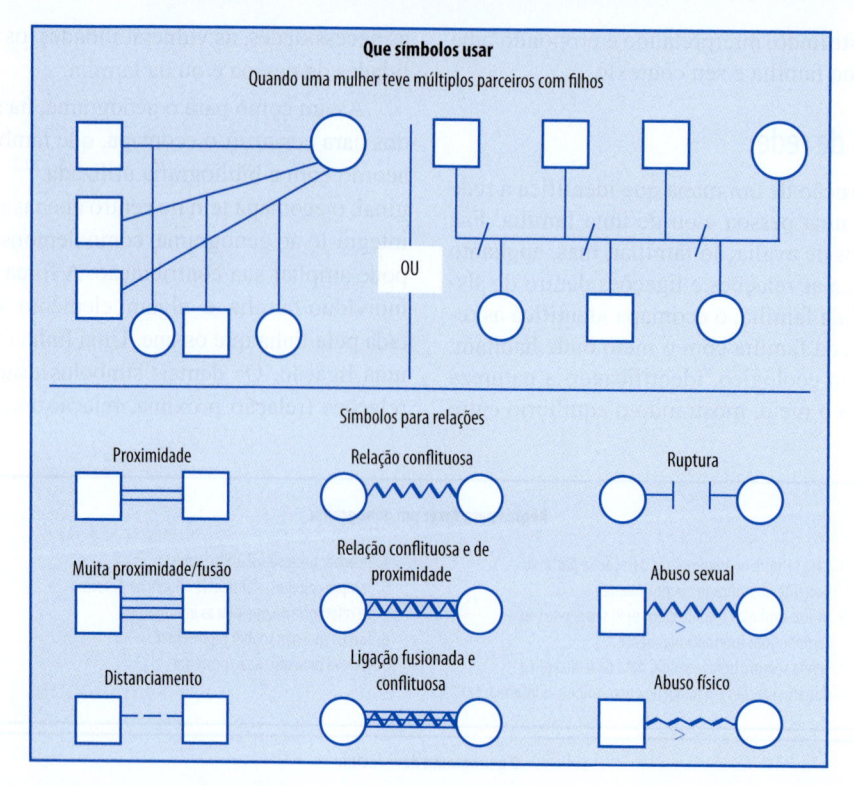

FIGURA 20.1 → Símbolos utilizados no genograma. (*Continuação*)

TABELA 20.1 → Situações em que é útil ter o genograma

- → Abertura de prontuário para conhecer a família e seu contexto
- → Pré-natal
- → Puericultura
- → Doenças crônicas
- → Má adesão ao tratamento
- → Problemas genéticos
- → Doenças de incidência familiar
- → Doença mental
- → Pacientes limitados ao domicílio (acamados)
- → Violência intrafamiliar
- → Violência doméstica
- → Famílias em vulnerabilidade social
- → Famílias acompanhadas em programas prioritários: gestante, hipertensão arterial sistêmica, diabetes, tuberculose, tabagismo, entre outros
- → Consultadores frequentes
- → Famílias com intervenções institucionais: Conselho Tutelar, reclusão, Ministério Público, Conselho do Idoso, Delegacia da Mulher, entre outros

distante, relação conflituosa, ruptura, etc.) podem ser os mesmos empregados na construção do genograma. Outro elemento frequentemente incluído no ecomapa é a direção do fluxo de energia, representada por uma seta. A direção da seta indica se o indivíduo/família gastam energia na relação com algum elemento da rede social, se eles se beneficiam dessa relação, ou se ambos ocorrem.

A análise da exposição gráfica das relações pode ser usada para questionar a família/indivíduo sobre o investimento que é feito e a validade desse investimento. Todos esses dados devem ser aproveitados na construção do plano de intervenção. Assim, se o indivíduo ou a família despenderem grande esforço na relação com algum elemento de sua rede social, sem o retorno esperado (p. ex., trabalho estressante, mas pouco gratificante e com remuneração abaixo do que o indivíduo poderia obter em outro emprego), pode-se questionar a utilidade de despender esse esforço ou elaborar intervenções para tornar esse fluxo recíproco (i.e., que o indivíduo/família também receba o devido benefício).

Outras vezes, o esforço parte predominantemente de algum elemento da rede social, sem a participação esperada da família (p. ex., quando uma equipe de saúde despende grande esforço para auxiliar uma família, muitas vezes precisando fazer busca ativa, e esta não demonstra atitudes concretas para melhorar sua situação).

A **FIGURA 20.2** mostra um exemplo de ecomapa, ilustrando o uso desses elementos gráficos.

Outra ferramenta frequentemente utilizada é o mapa de rede, proposto por Carlos Sluzki,[22] que apresenta uma forma sistematizada de mapear a rede social significativa de uma pessoa, em quatro grandes campos: família, trabalho, amizades e relações comunitárias. Esse instrumento não será objeto deste capítulo porque necessitaria de uma discussão aprofundada para a sua execução e treinamento especializado para ser utilizado por parte de outros membros da equipe.

Como otimizar o uso do genograma e do ecomapa na rotina do atendimento ambulatorial

Apesar de serem ferramentas bastante simples, o genograma e o ecomapa costumam ser subutilizados – o tempo exigido para realizá-los é um motivo frequente disso. Pode-se contornar essa dificuldade agendando consulta específica para a elaboração do genograma e/ou do ecomapa, o que permite maior tempo dedicado a essa tarefa. Entretanto, em consultas

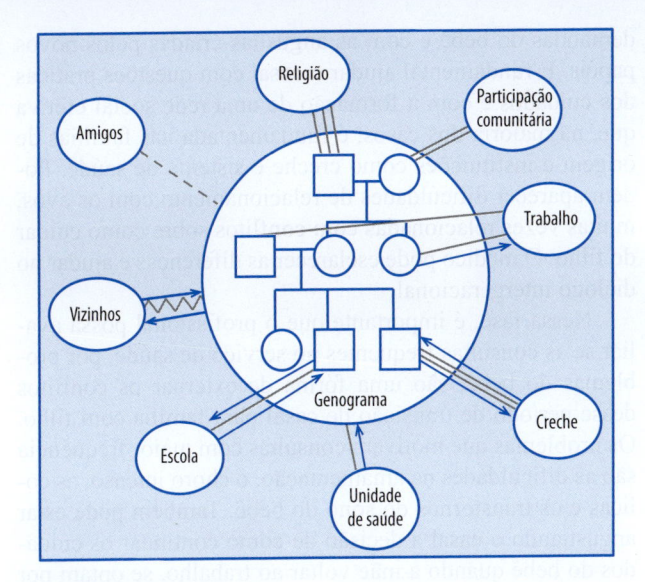

FIGURA 20.2 → Exemplo de ecomapa.

DESENVOLVIMENTO FAMILIAR: O CICLO VITAL DA FAMÍLIA E AS CRISES PREVISÍVEIS DO DESENVOLVIMENTO

Chama-se de ciclo vital o processo evolutivo pelo qual a família passa ao longo da vida.[23-25] São etapas com situações previsíveis e tarefas específicas a serem cumpridas, sujeitas a modificações por eventos não previsíveis. O bem-estar e o crescimento biopsicossocial de seus membros dependem da solução adequada e funcional desses problemas. As etapas, também chamadas de crises evolutivas, exigem mudança na organização da família e requerem múltiplos ajustes de seus membros e do seu funcionamento ao longo do tempo. A forma como os membros da família evoluem nesse processo indica como passarão para a fase seguinte, se o farão mantendo um desenvolvimento adequado (funcional) ou se terão mais chances de serem acometidos por transtornos físicos, psíquicos e desenvolvimentais.

> Conhecer o ciclo vital de uma família com suas crises previsíveis e imprevisíveis permite avaliar sua adaptabilidade, vulnerabilidade, funcionalidade, resiliência e seus fatores de risco e proteção. Dessa forma, será possível estabelecer prioridades e montar uma proposta de intervenção que contemple ações de prevenção, tratamento e recuperação de situações disfuncionais.

Fases do ciclo vital da família

Adulto jovem independente

Vivendo sozinho ou com sua família, a consolidação da etapa de vida do adulto jovem se caracteriza pela construção de sua autonomia emocional e financeira, sendo fundamental para que as etapas posteriores da vida pessoal e familiar possam realizar-se com solidez.

No Brasil, há uma tendência social a um aumento de jovens que moram sozinhos. Entretanto, as dificuldades socioeconômicas ainda são um fator determinante para adiamento da independência dos jovens nas classes populares, com mais frequência do que nos outros extratos sociais. O jovem de classe popular, muitas vezes ainda adolescente, vive maritalmente com seu parceiro na casa dos pais. Essa situação se deve, frequentemente, a uma gravidez inesperada e a dificuldades financeiras para iniciar a vida sozinhos.

A equipe de APS tem papel fundamental no acompanhamento e na educação continuada das famílias, de forma a preparar seus jovens para poder pensar como querem organizar suas vidas. O mais frequente é que as conversas nesse sentido sejam raras, mas isso pode aumentar por influência do profissional de saúde. Sugere-se que o foco seja: como é sua família atual? Qual é seu plano de futuro? Como você deseja que seja a construção de sua própria família?

Casamento

Tradicionalmente, ou de maneira ideal, em nossa sociedade, a família nuclear surge do encontro de dois adultos jovens, já independentes e diferenciados de suas famílias de origem,

de rotina, o tempo pode ser otimizado focando no registro de alguns aspectos específicos do genograma – por exemplo, incluindo apenas a família nuclear ou apenas as pessoas que moram em uma determinada casa e explorando os aspectos relevantes a essa parte registrada. Posteriormente, é possível realizar um genograma mais completo, e o fato de já ter iniciado o registro facilita o processo. À medida que o profissional vai ganhando experiência com o genograma e o ecomapa, sua realização torna-se mais fácil e rápida, facilitando sua integração às consultas de rotina. Quando o registro é feito em prontuário de papel, os genogramas mais simples podem ser feitos no corpo do prontuário, integrados à consulta, mas, para genogramas mais complexos, sugere-se elaborá-lo em folha avulsa, anexa ao prontuário. É importante lembrar que o genograma como instrumento vivo pode ser utilizado por qualquer membro da equipe, o que facilita as atualizações e a utilização de todos.

Outro motivo frequente para a não realização do genograma é que os *softwares* de prontuário eletrônico na maioria das vezes não dispõem de ferramentas para elaborá-los. Nesse caso, a solução mais comum é a equipe ter uma pasta organizada em ordem alfabética ou de numeração de prontuário para armazenar os genogramas realizados em papel. Nesse caso, ajuda informar na lista de problemas do paciente que o genograma está disponível e armazenado nessa pasta. Alguns sistemas de prontuário eletrônico permitem anexar imagens, sendo possível escanear o genograma realizado em papel e anexá-lo como imagem. Uma alternativa interessante é utilizar *softwares* específicos para a realização do genograma. Os mais comuns são o Álbum de Família, gratuito, e o Genopro, que é pago. (Ver QR codes.)

que se escolhem livremente após um período de namoro e noivado, significando um período em que ambos se dedicam a preparar sua nova vida como casal.

A tarefa fundamental do início do casamento é o conhecimento recíproco e a construção de regras próprias de funcionamento, que guardam semelhanças mas que podem diferir daquelas das famílias de origem. É um período no qual o casal vive mais distanciado de suas famílias, renegociando as relações com seus pais e com seus amigos, velhos e novos.

Nessa fase, é comum que um dos cônjuges procure o serviço de saúde com queixas orgânicas que podem ser a expressão das dificuldades de adaptação (ver Capítulo Abordando os Sintomas Físicos de Difícil Caracterização). As mulheres fazem isso com mais frequência devido a sintomas como infecções urinárias, vaginites, dispareunia, cefaleias ou problemas com anticoncepção, que podem ser a manifestação das dificuldades do casal, tanto em seu relacionamento quanto no processo de independização das famílias de origem, seja por questões afetivas ou financeiras.

O médico deve conversar com o jovem casal em conjunto e também com cada um individualmente. Deve procurar entender as características do relacionamento entre ambos e as expectativas de cada um. A maioria das separações e divórcios acontece nessa fase, por falta de capacidade de negociar as diferenças do casal e construir objetivos em comum. Os profissionais de APS podem aprender a motivar e mediar essas conversas. Parte da discussão deve ser também a sua preparação para a vida a dois e a vontade de exercer a parentalidade, definindo em conjunto quando desejam ter e como desejam educar seus filhos.

Nascimento do primeiro filho

O período da gravidez é um momento de profundas transformações na vida do casal, forçando uma reavaliação e criando a necessidade de questionamentos de alguns acordos. A gravidez torna a mulher mais sensível e introspectiva, necessitando de apoio, atenção e carinho do marido, o qual, por sua vez, pode não entender essas mudanças e afastar-se, ou agir favoravelmente, solidificando a relação. Muitas vezes, cabe ao médico esclarecer a normalidade da situação de insegurança, aproveitando a consulta – que deve ser, sempre que possível, conjunta – para promover uma aproximação do casal e criar um espaço para que discutam as dificuldades, falem das fantasias e negociem os futuros papéis de pai e mãe.

Com o nascimento do primeiro filho, os pais passam a desempenhar novas funções. A passagem de uma díade (casal) para uma tríade (mãe, pai e filho) requer uma reorganização do casal. A mãe está ligada ao bebê e sente-se sobrecarregada pelas tarefas; o pai pode ficar distante, muitas vezes sem saber como se aproximar. Os problemas trazidos por essas transformações devem ser antecipados e discutidos durante o pré-natal e nas consultas de puericultura, quando também se deve enfatizar a importância do apoio do pai à amamentação, para que esta seja bem-sucedida, além de colaborar em outros cuidados.[26]

As dificuldades das famílias de bom funcionamento em geral decorrem das exigências externas de trabalho, em que o pai, a mãe ou ambos são muito solicitados pelos seus investimentos profissionais, difíceis de conciliar com as intensas demandas do bebê e com as angústias criadas pelos novos papéis. É fundamental ajudar o casal com questões práticas dos cuidados e com a formação de uma rede social efetiva que, na maioria dos casos, é fundamentada nas famílias de origem e instituições como creche e sistema de saúde. Podem aparecer dificuldades de relacionamento com os avós, muitas vezes relacionadas com conflitos sobre como cuidar do filho. O médico pode esclarecer as diferenças e ajudar no diálogo intergeracional.

Nessa fase, é importante que o profissional possa avaliar se as consultas frequentes no serviço de saúde, por problemas do bebê, são uma forma de externar os conflitos desse período de transição de casal para família com filho. Os problemas que motivam consultas com maior frequência são as dificuldades na amamentação, o choro intenso, as cólicas e os transtornos do sono do bebê. Também pode estar angustiando o casal a decisão de como continuar os cuidados do bebê quando a mãe voltar ao trabalho, se optam por colocá-lo em creche ou se há outras alternativas.

É essencial lembrar que vários transtornos psicológicos dos adultos aparecem nesse período, sendo o mais prevalente a depressão na mulher, que muitas vezes se associa à depressão do parceiro.[26] É também nesse período que se pode trabalhar preventivamente o risco de abuso de álcool, drogas e exposições sexuais fora da relação.

Família com filhos pequenos

O nascimento dos outros filhos apresenta características distintas. Devem ser antecipadas aos pais as possíveis dificuldades entre os irmãos, como a regressão de habilidades já adquiridas (fala, controle esfincteriano), agressões aos pais e ao bebê, dificuldades na escola e outras formas de manifestação de ciúme e medo de abandono. Esses sintomas tendem a ser leves e limitados no tempo, não afetando o funcionamento global da criança.

Com a chegada de novos membros à família, as exigências se multiplicam de forma geométrica, e as incapacidades de atender às demandas acabam recaindo sobre os filhos maiores. Pode haver, por exemplo, desnutrição porque a amamentação é cortada em favor do irmão menor, negligência e violência doméstica (como expressão de depressão e/ou drogadição ou associadas a elas).

À medida que os filhos crescem, a família vai gradativamente abrindo-se para o exterior, fazendo contato cada vez mais íntimo com a sociedade, por meio de creches, maternais e da escola de ensino fundamental.

O ingresso na escola representa para as famílias um momento de auto e heteroavaliação e desafio. Alguns pais até protelam-no, antevendo a dificuldade da separação. Muitas vezes, os pais relutam em aceitar a crescente autonomia dos filhos e a influência e a avaliação do mundo externo sobre sua família.

O médico pode ajudar a família a discutir as diferentes modalidades educativas, como usar a autoridade parental, a importância do estímulo à curiosidade infantil, mas também a colocação de limites. Pode facilitar a discussão sobre que tipo de creche/escola escolher. Frequentemente, o conflito dos pais se relaciona com sua própria criação e com pressões atuais exercidas por seus próprios pais.

Família com filhos adolescentes

Quando os filhos chegam à adolescência, os pais estão chegando à meia-idade, e os avós, à aposentadoria e à velhice. Não só o adolescente, mas toda a família vive uma crise de desenvolvimento. Em geral, esta se manifesta por brigas dos filhos com os pais por mais liberdade. Quanto mais em paz estão os pais e os avós com a nova etapa de suas próprias vidas, mais tranquila será a adolescência dos filhos. O adolescente tem por tarefa principal encontrar a sua própria identidade. Na classe média, esse período costuma ser longo, configurando uma etapa do ciclo vital. Nas classes populares, essa fase é cada vez mais curta: os adolescentes frequentemente se transformam em pais sem rituais de passagem, encurtando e antecipando fases do ciclo vital dessas famílias.

Nesse processo, sobretudo nos primeiros anos da adolescência, o jovem apresenta ansiedade e períodos de depressão acompanhados de conflitos, em geral não muito intensos, com os pais. A ideia de que a adolescência seria um período de conflitos graves não é comprovada por estudos epidemiológicos.

A prevenção das disfunções deve ser foco de trabalho da equipe de saúde e pode ser obtida trabalhando-se o difícil equilíbrio que há entre dar liberdade e colocar limites. Esse equilíbrio é necessário para o desenvolvimento tanto da capacidade de aceitar quanto da de negociar as opiniões diferentes dentro da família. O médico pode orientar os pais a respeito das necessidades do jovem e facilitar a conversa e as negociações durante a própria consulta. Frequentemente, o tema central é o desejo de maior liberdade do adolescente ao qual os pais contrapõem seus medos relacionados ao mundo exterior. E ambos os lados têm razão. Cabe ao médico ajudá-los a encontrar acordos adequados para a sua realidade particular. Pode ser necessário ter conversas em separado com os pais e com o adolescente para só depois tentar mediar os acordos necessários, por exemplo, quanto à organização dos estudos, à hora de voltar das festas, ao uso de álcool, à experimentação de maconha, ao início da vida sexual e a seus cuidados.

A característica mais importante que a família deve ter nessa etapa é a flexibilidade para mudar algumas de suas regras, tornando suas fronteiras mais permeáveis ao exterior, permitindo ao adolescente exercer sua recém-construída autonomia dentro e fora da família.

Quando a comunicação entre pais e adolescentes falha, são comuns transtornos no comportamento do jovem que se expressam sob a forma de dificuldades escolares, gravidez indesejada, abuso de drogas e álcool, tentativas de suicídio e envolvimento em acidentes. O papel do médico nessas situações é muito mais difícil, precisando ajudar a diminuir os danos, promovendo novas formas de relacionar-se dentro e fora da família. Nessas situações, com frequência já há psicopatologia instalada, e é importante avaliar a necessidade de outras intervenções, desde o uso de psicofármacos, psicoterapia familiar e/ou individual, ou mesmo internação hospitalar.

Ninho vazio

Quando os filhos começam a sair de casa, deixam os pais novamente sozinhos, face a face consigo mesmos e um com o outro, retornando ao questionamento da sua vida conjugal. Soma-se a isso a crise da meia-idade, a decrepitude física e a perspectiva da morte de seus próprios pais, que também remete à própria finitude. Nessa fase, inicia-se a chamada "síndrome do ninho vazio".

É comum a procura do serviço de saúde pela mulher de meia-idade com queixas vagas e múltiplas, como cefaleia, desânimo, transtornos de sono, dispareunia e leucorreias. Essas queixas podem ser a expressão das dificuldades de adaptação à nova situação de vida.

Esse período é, sem dúvida, o que mais tem sofrido modificações. Ocorre cada vez mais cedo nas classes populares, pois as mulheres ficam sós precocemente, em função de relações de curta duração, sendo forçadas a chefiar e sustentar famílias por um longo período de tempo. Na classe média, tem ocorrido mais tarde, uma vez que as mulheres esperam mais tempo para ter filhos e a crise financeira dificulta a independência econômica dos jovens. Com o aumento na expectativa de vida, essa fase pode ser a mais longa do ciclo vital, e o serviço de saúde vem sendo cada vez mais procurado nesse momento, em especial pelas mulheres.

As questões que o médico precisa abordar vão desde a prevenção, com o planejamento da aposentadoria, a preparação para a velhice até o tratamento de depressão, que é muito frequente nos idosos. Outro desafio do médico é acompanhar psicologicamente as difíceis consequências das doenças crônicas e a incapacitação progressiva do envelhecimento, enfatizando a importância de uma rede social ativa que se envolva nos cuidados. Já está bem demonstrado que a abordagem familiar nesses casos é mais eficaz do que a abordagem individual.[2] A etapa do processo de morte em si é extremamente desafiadora e pode ser um período de grande desenvolvimento pessoal para quem se aproxima dela, sua família, amigos e até mesmo o médico. Aprender a prestar os cuidados adequados para facilitar uma "boa" morte, se possível em casa, é um dos maiores desafios atuais da medicina (ver Capítulo Cuidados Paliativos).

Particularidades das famílias de classe popular

As famílias de classe popular possuem características próprias delimitadas pelo seu contexto. Em geral, são chefiadas por mulheres, compostas por várias gerações, sustentadas na maioria das vezes pela geração mais velha. A infância é um período relativamente curto, sem rito de passagem para a vida adulta e, desta, para a fase dos filhos e a do ninho que, em geral, nunca fica vazio.

As crianças de classe popular assumem precocemente papéis de adulto, como cuidar de irmãos menores, cuidar de idosos, medicações, compras e assuntos dependentes da sua escolaridade, da inserção digital com mais habilidades que as das gerações anteriores. A fase adulta da mulher de classe popular costuma iniciar-se aos 13 a 14 anos, com o primeiro relacionamento amoroso, que possui características e consentimento velado ou não para o início da vida procriativa. Segue-se, então, a formação do casal, que muitas vezes ocorre para promover independência da família de origem. A fase adulta prolonga-se por muito tempo, terminando, em geral, com o fim do período reprodutivo na mulher.

É frequente que ocorram vários relacionamentos ao longo do tempo e, como consequência, muitos filhos de pais diferentes, que costumam ficar com a mãe e, em muitos casos, sem figura masculina de características parentais presentes.

CRISES ACIDENTAIS: CRISES NÃO PREVISÍVEIS DO DESENVOLVIMENTO

Ao longo de seu ciclo vital, a família enfrenta também inúmeras crises imprevistas, como mudança de domicílio, desemprego, doença e morte de entes queridos, incapacidades físicas e psicológicas, rupturas conjugais prematuras, mudanças de hábito e estilo de vida, miséria e violência.

> **As capacidades adquiridas pela família ao vivenciar as crises esperadas do ciclo vital preparam-na para as crises acidentais, de forma a enfrentar as mudanças sem produzir respostas patológicas, ou seja, desenvolvendo sua resiliência (a capacidade que a família tem de voltar a seu funcionamento normal após um período de desequilíbrio).**

Quando a família tenta evitar um problema, por meio da negação dos conflitos gerados, o médico deve abordar as dificuldades na consulta, se possível com todo o grupo familiar. Dessa maneira, tenta-se introduzir um novo padrão de interação, que é o de identificar, discutir e procurar soluções para os problemas e, após, ainda ser capaz de avaliar os resultados. Isso resulta na prevenção, entre outros, de transtornos psicossomáticos, que são uma das formas de expressão de dificuldades emocionais não resolvidas.

As famílias que respondem e se organizam melhor nas crises tendem a estar ativamente envolvidas em organizações comunitárias de cunho assistencial, de lazer, cultural e político.[22] O médico pode, pois, de maneira preventiva, auxiliar na formação de grupos de autoajuda, comunitários e de educação em saúde, e estimular a participação em organizações sociais, reunindo pessoas que enfrentam dificuldades semelhantes e favorecendo a troca de experiências como forma de expressão e resolução de problemas (ver Capítulo Intervenções Psicossociais na Atenção Primária à Saúde). Bons resultados têm sido obtidos com gestantes, nutrizes, desnutridos ou mães de crianças desnutridas, idosos, alcoolistas, pacientes com transtornos alimentares, hipertensos, epilépticos e outros.

Pode ser de extrema importância a mobilização de vizinhos, amigos e instituições, a fim de formar uma rede de apoio no amparo aos doentes e a suas famílias no enfrentamento e no acompanhamento de situações de crise.

DIVERSIDADE DAS ESTRUTURAS FAMILIARES

Com o passar do tempo, a família sofreu grandes modificações decorrentes dos processos socioculturais, como o aumento do número de divórcios, o aumento do número de famílias reconstituídas, o planejamento familiar, a mudança do papel da mulher, a inserção da mulher no mercado de trabalho, o maior poder dos filhos, a valorização do amor na escolha conjugal, a diminuição da taxa de fecundidade e o aumento da longevidade.

Seja qual for a estrutura familiar, persistem as funções primárias de criar os filhos até a idade adulta e proporcionar um espaço de troca de cuidado e afeto. Algumas famílias, por apresentarem características especiais na sua constituição ou estrutura, exigem do profissional que as atende um conhecimento específico de suas peculiaridades. Essas famílias serão abordadas a seguir.

Famílias em processo de separação

Quando um paciente diz ao médico que quer se separar, pode estar queixando-se de uma relação que lhe está sendo insuportável. Cabe ao médico ajudá-lo a identificar seu desejo real de separação ou de mudança na relação. Nas duas situações, é importante que o médico agende uma consulta com o casal, de preferência juntos, mas não obrigatoriamente. Uma consultoria especializada ou um encaminhamento podem ser necessários.

A separação é um processo longo, que pode levar anos até completar todas as suas etapas, e envolve 1) decisão de se separar, 2) separação propriamente dita, 3) estabilização das duas novas famílias monoparentais que se formam, 4) divórcio legal, 5) reorganização da vida dos pais e 6) novos casamentos e reorganizações familiares.[27]

Quando um casal com filhos decide separar-se, há algumas recomendações que podem evitar problemas. Por exemplo:

→ lembrar-se de que é a relação conjugal que se rompe, e não a relação parental;
→ limitar ao máximo as mudanças externas para os filhos;
→ permitir a circulação dos filhos entre as duas casas, com combinações consistentes de como isso será feito;
→ manter o contato com ambas as famílias de origem;
→ manter, se possível, alguns rituais que continuem unindo as duas famílias, como aniversários dos filhos;
→ permitir tempo suficiente para que todos elaborem a separação;
→ não apresentar aos filhos namorados temporários (os novos companheiros que se estabelecerão devem manter uma posição diferenciada da dos pais);
→ repensar os tradicionais papéis masculino e feminino na reorganização familiar que, pelo menos inicialmente, será monoparental.

Na família com filhos, o divórcio não representa o seu fim, mas a sua transformação em duas famílias monoparentais. Para o desenvolvimento equilibrado dos filhos, é fundamental o clima de cooperação entre os ex-esposos no desempenho de suas funções parentais.

É essencial, para um bom desenvolvimento biopsicossocial da criança, manter a relação com ambos os pais, apoiados pelas respectivas famílias e amigos, que se complementam e apoiam na função de cuidar dos filhos.

O médico deve avaliar o risco das crianças cujos pais vivem um processo de divórcio. Para as crianças, muito pior do que o divórcio em si, é a violência do conflito do casal, sua disputa pelos filhos ou por seu apoio nos conflitos conjugais.

Com o objetivo de preservar a capacidade funcional do sistema relacionada com o desenvolvimento dos filhos e de

orientar os membros da família que buscam auxílio, interessa avaliar os seguintes pontos:
- → o impacto do conflito conjugal na prestação de cuidados à criança pelos pais;
- → os sinais de depressão (no pai ou na mãe que mantém a guarda) que possam levar à prestação de cuidados insuficientes, à dependência afetiva e à abdicação das funções educativas, situações que podem levar à depressão da criança;
- → a utilização dos filhos nas batalhas legais do divórcio;
- → as situações de acusação ou desvalorização de um dos progenitores pelo outro, ou sua família, perante a criança;
- → o consentimento da mãe biológica ao filho para que este se relacione com a madrasta/padrasto;
- → a participação e o apoio das famílias de origem na nova organização familiar.

Nas famílias de classe popular, as etapas de reconstrução pós-divórcio são frequentemente aceleradas pelas dificuldades econômicas, que as impedem de manter duas casas separadas. Isso altera a dinâmica, fazendo uma aproximação mais rápida entre os filhos e o novo parceiro. Nesse processo em que "a pressa é inimiga da perfeição", como não há resolução dos conflitos, trocam-se os atores, mas a forma disfuncional da família anterior pode ser perpetuada. É bastante frequente uma reorganização com a entrada de novos parceiros e uma gestação quando a família ainda está se organizando, o que pode levar à negligência em relação às necessidades dos filhos da relação anterior. É função do médico de família avaliar e acompanhar esse processo, auxiliando, de forma preventiva, as necessidades dos membros da família na reorganização dos papéis, das funções e dos limites.

Outro momento importante é na orientação sobre a necessidade da participação ativa dos pais, garantindo os direitos de participação de ambos nas decisões referentes à criança, na sua manutenção e na participação do seu cotidiano.

Famílias monoparentais

Esse tipo de família pode resultar da morte de um membro do casal, da sua separação, de divórcio ou da não constituição de vida de casal após uma gravidez indesejada. Problemas típicos a serem resolvidos são:
- → elaboração do luto da família anterior ou do projeto de constituição familiar;
- → sobrecarga com as tarefas do cotidiano do pai ou da mãe que está com a guarda;
- → manutenção do contato com a figura parental que não possui a guarda e com a sua família de origem;
- → necessidade do adulto de ter apoio e intimidade com alguém;
- → fragilização das fronteiras entre as diferentes gerações, com um retorno à família de origem.

É essencial ajudar o cônjuge que está sozinho a sentir-se competente e a desenvolver uma rede de suporte adequada, pois uma família isolada é uma família em risco.

Famílias reconstituídas

As famílias reconstituídas são aquelas formadas por adultos que já tiveram um casamento anterior com filhos, o qual terminou por morte ou separação conjugal. Apresentam as seguintes características:
- → todos os seus membros sofreram perdas importantes, exceto quando se trata do primeiro casamento de um dos cônjuges, o que também pode ocasionar desequilíbrio no sistema familiar;
- → todos têm uma história familiar anterior, com outra figura parental, que pode estar biologicamente morta, mas psicologicamente viva;
- → os laços parentais interferem na vinculação do novo casal;
- → Os filhos pertencem a duas casas e precisam manter os vínculos com as famílias de origem de seus pais e conviver com as dos cônjuges destes.

As famílias recasadas muitas vezes têm sobrepostas tarefas de diferentes estágios do ciclo de vida familiar (p. ex., tarefas do estágio da formação do casal e tarefas do estágio da família com filhos adolescentes), o que pode representar mais dificuldades para o desenvolvimento familiar harmonioso.

É importante que o padrasto ou a madrasta não procure substituir o pai biológico ausente, e que não se rotulem as casas a que os filhos pertencem, uma como boa, outra como má. Deve-se permitir que as crianças vivam a diversidade de experiências.

Famílias estendidas

Famílias das quais os avós fazem parte são frequentes, sobretudo na classe popular. Podem ser chefiadas pelo avô/avó e incluir o convívio entre três gerações, o que ocorre quando filhos adolescentes têm gestações não planejadas. Nesses casos, é necessário ajudar avós e pais a colaborar nas tarefas parentais, respeitando as respectivas funções, sem que os pais se sintam infantilizados pelos avós, dificultando sua relação com os filhos.

Nesse sentido, tem se tornado cada vez mais frequente outro tipo de família, aquela em que a avó assume, sozinha, as responsabilidades parentais, devido a abuso de drogas, maus-tratos, doença mental ou morte do filho. A idade avançada da avó, as frequentes dificuldades financeiras e a preocupação com a saúde física e/ou mental dos pais das crianças são fatores de estresse nessas famílias.

Famílias LGBTI+

São famílias que têm recebido maior visibilidade social nos últimos anos, não por representarem algo novo, mas por lutas e movimentos sociais por reconhecimento do desejo de constituir uma família com suas parcerias. Apesar de menos frequentes, estão cada vez mais presentes em nosso meio de atendimento.

Não há evidências de que os papéis e o desenvolvimento da função parental sofram interferência por serem desempenhados por parcerias consideradas não convencionais. A configuração familiar da qual o indivíduo deriva deve ser compreendida de forma que fique claro que o importante são as relações interpessoais que estabelece dentro do núcleo. Dessa forma, as crianças se sentirão livres para falar abertamente sobre sua constituição familiar.[28]

FUNCIONAMENTO FAMILIAR

O funcionamento das famílias é dinâmico e é construído a partir das histórias individuais, seus legados e crenças e a fase do ciclo de vida em que se encontram. Ao longo do tempo, a família passa por diversas crises (previsíveis e imprevisíveis), constrói sua resiliência, suas fortalezas e suas vulnerabilidades, desenvolvendo características que podem ser observadas, avaliadas e ajudadas de forma preventiva ou terapêutica por profissionais de atenção primária. Descrevem-se, a seguir, alguns parâmetros do funcionamento, ou dinâmica, familiar, para que possam ser incluídos na abordagem dessas famílias.[27]

O foco desta seção será em como avaliar esses parâmetros. Algumas intervenções específicas que podem ser feitas para abordar padrões disfuncionais em cada fase do ciclo de vida ou para diferentes estruturas familiares já foram abordadas anteriormente nas respectivas seções. De forma geral, entretanto, a intervenção inicia com o profissional sinalizando o que está percebendo em relação a esse padrão disfuncional, trazendo essa questão para reflexão e discussão com o paciente e demais membros da família, reconhecendo os diferentes pontos de vista. O profissional também pode mediar o diálogo entre os membros da família (ver adiante na seção Entrevista Familiar) ou modelar diferentes formas de interação durante a consulta. Padrões de funcionamento familiar mais disfuncionais ou que não respondem a essas intervenções podem beneficiar-se de encaminhamento para terapia familiar.

Natureza das relações na família

As relações familiares incluem relações conjugais, parentais e fraternais. A função conjugal implica satisfação das necessidades objetivas e subjetivas dos cônjuges, com provisão de apoio mútuo para o seu desenvolvimento pessoal (amizade), desenvolvimento de parceria nas responsabilidades e tarefas do dia a dia (companheirismo), bem como relacionamento afetivo e sexual (relação amorosa). A função parental envolve o funcionamento do casal como cuidadores das necessidades da prole, implicando um relacionamento entre pais e filhos adequado ao estágio de desenvolvimento destes. É no sistema fraterno que aprendemos a negociar, fazer alianças e disputar espaço, e essa é uma experiência que levamos para a vida adulta.[27] Quando não são satisfeitas as necessidades esperadas de cada função, podem surgir problemas familiares. Isso pode ocorrer, por exemplo, quando a função conjugal é sobrepujada pela função parental ou quando, na função conjugal, predomina algum aspecto em detrimento do outro – por exemplo, relação amorosa forte, porém com pouco companheirismo. Surgem problemas também quando os papéis na família são pouco claros – por exemplo, quando filhos assumem papéis de pais ou quando pais agem como se fossem irmãos ou amigos dos filhos.

Divisão do poder na família

Nos relacionamentos sadios, cada cônjuge aceita a divisão de poder e há respeito mútuo. Pelas normas culturais brasileiras geralmente vigentes, significa que o poder é dividido entre o casal, observando-se as áreas de competência de cada um. Os cônjuges que conseguem chegar a um consenso com o mínimo de conflito negociam de forma aberta as decisões e não necessitam estabelecer alianças rígidas e inadequadas com os filhos, ou com qualquer pessoa de fora da família. Sentem-se apoiados e respeitados um pelo outro e podem incluir os filhos no funcionamento, não apresentando disfuncionalidades com relação aos limites, às coalisões ou aos problemas nas definições de conjugalidade e parentalidade. É importante estar atento para assimetrias de poder na família, característicos de relações conjugais disfuncionais e que são fator de risco para violência intrafamiliar (ver adiante).

Padrão de comunicação familiar

A forma como se processa a comunicação é muitas vezes mais importante do que o seu conteúdo. O médico pode conhecer aspectos significativos do funcionamento familiar observando a maneira como seus membros se comunicam, isto é, se falam uns pelos outros, se existe um porta-voz ou se usam o plural que indiferencia os indivíduos e as opiniões. É também importante verificar a espontaneidade, a clareza de expressão e o respeito pela opinião do outro. Padrões de comunicação disfuncionais, quando são percebidos pelo profissional, podem ser comunicados aos pacientes, promovendo discussão a respeito e tentativa de desenvolver novos padrões.

Expressão e manejo dos sentimentos

Existem famílias nas quais a raiva ou o conflito jamais podem ser expressos. Em outras, mostrar amor é sinônimo de fraqueza. O clima emocional de uma família pode ser afetuoso (quando o carinho, a afeição e o otimismo são expostos abertamente), polido (quando há certa formalidade ao tratar-se de sentimentos), hostil (quando a raiva, as agressões constantes, a culpa e a falta de afeto são predominantes) ou deprimido (quando a desesperança é o sentimento prevalente).

Capacidade de lidar com perdas e mudanças: flexibilidade

Há famílias que enfrentam as crises vitais e acidentais com flexibilidade, sem negar a existência dos problemas, os quais são discutidos, permitindo que todos os membros da família possam falar sobre eles e buscar soluções. Esse padrão de comunicação faz os indivíduos aprenderem a lidar com situações difíceis e encontrarem outras formas de organização, mais adequadas às novas exigências da família.

Outras famílias apresentam uma estrutura tão rígida que toda possibilidade de mudança é sentida como extremamente ameaçadora. Seu padrão de comunicação usual é não falar sobre os problemas e não permitir que os indivíduos externem seus sentimentos. Isso faz com que essas famílias apresentem sintomas psicossomáticos e psiquiátricos.

Capacidade de autonomia e intimidade

A autonomia é o sentimento que cada um tem de ser uma pessoa separada, que pensa, sente e age por si, independentemente de vínculos com seus familiares. Um padrão de comunicação que facilite o reconhecimento e a aceitação das diferenças individuais, com melhor elaboração das perdas, favorece a autonomia.

As famílias que mantêm uma forma de comunicação clara, em que os indivíduos são encorajados a falar de seus desejos, sentimentos ou pensamentos, costumam gerar membros com maior capacidade de autonomia.

Intimidade é a capacidade existente entre duas ou mais pessoas de trocar sentimentos, e compartilhar pensamentos, privados e profundos. Uma ligação parental forte e próxima, com confiança na família e em cada um de seus membros, proporciona uma individualidade com proximidade, calor e empatia, que são condições básicas para o desenvolvimento de relações íntimas, saudáveis e geradoras de autonomia.

Aparecimento e manutenção de sintomas

O transtorno psicossomático, emocional ou relacional em um indivíduo pode ser a expressão de um conflito ou de uma disfunção pessoal e/ou familiar e, ao mesmo tempo, o recurso usado por ele para manter a estabilidade e buscar ajuda. O médico deve ser sensível às mudanças no ciclo de vida da família e à ocorrência de crises previsíveis (casamento, nascimentos e envelhecimento) e imprevisíveis (perda de emprego, acidentes, morte precoce, divórcio e outros), porque causam grande impacto na dinâmica das famílias e têm como manifestação problemas psicossomáticos.

USANDO A LENTE FAMILIAR NA CONSULTA INDIVIDUAL

A entrevista clínica é parte do nosso cotidiano, mas é cada vez mais importante a nossa capacidade de colocar o paciente como uma pessoa no seu contexto, explorando sua experiência de passar por determinada crise do ciclo de vida, seja ela acidental ou esperada. Considerando que a experiência ocorre dentro de uma família com contexto relacional único, deve-se entender o funcionamento familiar e suas relações, principalmente durante os momentos de crise. Dessa maneira, pode-se compreender se existem ou não membros potencialmente colaboradores capazes de fornecer suporte ou contribuir para aumentar o estresse.[29] Isso permite uma abordagem orientada na família até mesmo na consulta individual, na qual se leva em consideração a percepção do paciente sobre o seu adoecimento e busca-se entender como a família entende o problema, qual é a percepção que tem sobre ele, suas crenças e o impacto que o diagnóstico terá em suas vidas.

Algumas questões podem auxiliar durante a abordagem individual com foco orientado para a família. Ou seja, mesmo que o indivíduo vá à consulta sozinho, pode-se levar a família de forma indireta, buscando informações por meio do próprio paciente. Exemplos são: perguntar sobre como outros membros da família responderiam a determinada pergunta, questionar sobre a existência de problema semelhante anterior na família, sobre a origem do problema e como pode ser resolvido na visão de familiares, sobre qual membro se mostra mais próximo e preocupado, sobre mudança ou estresse recentes em sua vida, além de entender como familiares e amigos têm sido úteis neste momento para lidar com o atual problema.[29]

ENTREVISTA FAMILIAR

A equipe de atenção primária conhece as famílias ao longo do tempo de acompanhamento, mas, para que possa planejar algumas ações, às vezes é necessário realizar uma intervenção formal por meio da entrevista familiar.[12] Idealmente, deve-se propor que a entrevista aconteça com toda a família, mas é possível, em um primeiro momento, começar com uma ou mais pessoas específicas na consulta. Para isso, o médico da atenção primária deve estar preparado, porque o foco inicial da consulta não é psicoterápico, e sim de abordagem familiar para um problema específico que a trouxe à consulta. Nossa abordagem é oportunista, porque podemos perceber problemas que a família ainda não percebeu. Isso pode ser muito favorável, pois é possível criar o ambiente, em entrevista, para o conhecimento e a criação de uma proposta de enfrentamento desse problema. Algumas vezes, o não comparecimento de parentes, quando convidados a participar, pode ser indicativo de que eles têm dificuldade de mobilizar-se para auxiliar o indivíduo doente. A **TABELA 20.2** apresenta um roteiro para a entrevista familiar.[12,30]

MOBILIZAÇÃO DA FAMÍLIA COMO RECURSO TERAPÊUTICO

Ao longo do ciclo da vida familiar, demandas de saúde e doença, incluindo doenças graves, atingem os indivíduos e suas famílias. A experiência vivida em decorrência da doença e a experiência no cuidado nos ensinam como é o significado da doença naquela família, seu impacto, e as crenças sobre ela. As crises passadas pelas famílias ensinam muito sobre resiliência e como as famílias podem ser estimuladas a serem mais resilientes e a conviverem, da melhor maneira possível, com condições persistentes.

É importante lembrar que cada tipo de condição impõe uma série de demandas práticas e emocionais que podem ser consideradas na forma, na apresentação, na concepção da família e no seu perfil biopsicossocial. Algumas delas são expostas a seguir.

TABELA 20.2 → Roteiro para a entrevista familiar

PREPARAÇÃO PARA A ENTREVISTA
→ Entrar em contato com as pessoas envolvidas no problema em pauta
→ Estabelecer como e quando vai atendê-las
→ Tornar claro o que vai ser discutido na entrevista
→ Revisar o prontuário
→ Preparar o genograma e relacionar o momento da família com o ciclo vital

APRESENTAÇÃO
→ Oferecer um ambiente amigável, o mais confortável e privado possível
→ Solicitar que todas as pessoas se apresentem, começando pelo profissional que está coordenando a entrevista

APROXIMAÇÃO (OU AQUECIMENTO) (5 A 10 MINUTOS)
→ A discussão inicial deve concentrar-se em assuntos não relacionados com o motivo da consulta, para diminuir o constrangimento; isso vai distensionar e desmanchar a possibilidade de um entendimento de aliança prévia com membros da família; solicitar que falem sempre na primeira pessoa e um de cada vez
→ Nesse momento, podem ser feitos o genograma, a avaliação do ciclo vital e o ecomapa como instrumentos de aproximação, vínculo, coleta e organização das informações mais relevantes sobre a família, tanto na sua história como na influência intergeracional e de sua rede de apoio
→ Observar as características do funcionamento da família, como o tipo de comunicação, a relação de poder e outros parâmetros descritos neste capítulo

ENTENDIMENTO DA SITUAÇÃO
→ Perguntar aos membros da família por que acham que foram convidados e como entendem o motivo da consulta e as causas para o que está ocorrendo
→ É importante ouvir a opinião de todos, mesmo que seja necessário solicitá-la individualmente
→ Deve-se solicitar que as pessoas sejam objetivas ao falar, bem como estabelecer metas claras, objetivas e realistas com a família, para a abordagem do problema
→ Nesse momento, a leitura do genograma, do ciclo de vida e do ecomapa com as suas relações tem como objetivo ajudar a entender o contexto e o momento em que a família se encontra

DISCUSSÃO
→ Comparar os entendimentos, agrupar as informações e mostrar o entendimento proporcionado pela exposição que foi realizada, de maneira a compor uma forma quase narrativa do problema

ESTABELECIMENTO DE UM PLANO TERAPÊUTICO
→ Perguntar o que pensam que pode ser feito para alterar a situação ou o problema e como cada um pode contribuir
→ Estabelecer as possibilidades e os recursos e o que se deve buscar dentro da família e na rede de apoio a ser construída para a resolução dos problemas encontrados, estabelecendo, assim, um plano conjunto de seguimento da situação
→ Combinar com a família o que deve ser feito, incluindo todas as necessidades apontadas, e reafirmá-las quando necessário
→ Perguntar se restaram dúvidas quanto ao plano
→ Agradecer a todos por participarem e concluir a entrevista

Gestação e amamentação

É importante lembrar que a gestação é um dos momentos mais importantes para avaliar o funcionamento de um casal e intervir preventivamente na saúde mental dos pais e do futuro bebê. É na gestação que devemos buscar o momento do casal e o espaço que deve ser criado para uma terceira pessoa. Alguns aspectos a serem avaliados incluem: esta é uma gestação desejada? Quais expectativas o casal e as famílias de origem têm em relação à criança? Existe um sexo preferencial? E se não coincide, foi aceito? Quanto tempo levou? A família tem história de amamentação? Existe sofrimento mental? Já sofreram intervenção de outras instituições? A equipe avalia como uma família de risco?

Pacientes com doença crônica em que os sintomas estruturam as relações familiares

Frequentadores assíduos dos consultórios, esses pacientes provocam no médico a sensação de que este não está manejando bem seu caso: mesmo com o uso da medicação adequada, o curso da doença não melhora. É fundamental ressaltar mais uma vez que a doença pode ter uma função na dinâmica familiar. Por exemplo, um paciente com cardiopatia pode evitar as discussões com os filhos adolescentes por mais liberdade, queixando-se de dor precordial e outros sintomas que fazem cessar imediatamente as brigas, pois a família logo se mobiliza para atendê-lo. No momento em que recebe medicação e melhora, pode perder a única forma que conhece de lidar com a situação-problema. Nesse caso, é provável que faça uso inadequado da medicação ou que esta não produza o efeito desejado, com o objetivo de manter a circularidade da situação.

Nas doenças crônicas em geral, é importante que o médico entenda a função do sintoma e como a família se organiza em função do doente. É necessário identificar se há fatores familiares que atuam como desencadeantes ou agravantes de crises e discutir esses aspectos abertamente com toda a família e não apenas com o doente, lembrando sempre que os outros membros podem estar sendo atingidos pela doença e, portanto, também estar necessitando de ajuda.

Isso explica os achados da metanálise já discutida de que uma abordagem buscando mudanças nas relações familiares é mais efetiva do que a abordagem exclusivamente psicoeducativa nas doenças crônicas com má resolutividade.[2]

Pacientes com doença aguda frequente

Há pacientes que chamam a atenção pela frequência com que adoecem por problemas agudos diversos. Quando investigados, muitas vezes não apresentam problemas orgânicos que justifiquem tantas doenças. Em alguns casos, é possível identificar que essas patologias surgem nos momentos de crise, desviando a atenção da situação-problema para a doença aguda e permitindo que a tensão diminua, pois a família volta-se para o membro doente. Um exemplo é um filho que adoece quando os pais brigam e falam em separação. Com sua doença, os pais mobilizam-se para atendê-lo, deixando suas dificuldades conjugais em segundo plano por algum tempo. A trégua fornecida pela doença permite que a tensão entre o casal diminua, melhorando o relacionamento. No entanto, como os problemas não foram resolvidos, as brigas tornam a acontecer, o assunto da separação volta à tona e o filho pode adoecer outra vez. O adoecimento está a serviço do não enfrentamento do problema.

Nessa situação, assim como nas anteriores, o médico pode auxiliar por meio de intervenções relativamente simples, como pedir que os pais não discutam suas dificuldades na frente do filho suscetível e que não o coloquem na posição de ter que tomar partido. Se os pais puderem atender a essa orientação, a criança ou o jovem fica mais liberado do conflito conjugal, podendo deixar de adoecer.

Pacientes psicossomáticos

Como discutido no Capítulo Abordando os Sintomas Físicos de Difícil Caracterização, há pacientes somatizadores que costumam procurar vários médicos na tentativa de encontrar alguma solução para suas queixas. Assim, acabam sendo medicados e investigados em excesso, pois não se vinculam realmente a nenhum médico por não encontrarem solução para seu sofrimento.

Quando se analisa o paciente somatizador do ponto de vista sistêmico, incluindo a família, observa-se que ele pertence a uma família na qual, com frequência, outros membros apresentam um comportamento semelhante, com dificuldade na resolução de conflitos e na expressão dos afetos. O desgaste emocional contribui, de forma significativa, para o aparecimento de sintomas físicos, reduz a imunidade fisiológica e pode apressar a morte. Entretanto, a doença física grave também é acompanhada e exacerbada por ansiedade, confusão e depressão, principalmente entre indivíduos que não dispõem de apoio social.

Pacientes com transtorno psiquiátrico

Mais do que em outros problemas, a avaliação da relação entre os sintomas psiquiátricos e a dinâmica familiar é essencial. O médico de atenção primária muitas vezes é o primeiro profissional a suspeitar de problemas emocionais. A característica de acolhimento do médico de família e comunidade permite que muitas vezes ele perceba problemas que o paciente não percebe, sendo necessário fazer a conexão entre o motivo da consulta e a apresentação do sintoma. O psiquiatra deve funcionar como consultor para a equipe de atenção primária e receber, para tratamento, os casos mais complexos ou refratários ao tratamento de primeira linha. Estes sempre envolvem problemas familiares e exigem a participação da família para sua resolução. No entanto, com frequência são os médicos de família os que têm acesso mais fácil à família, razão pela qual o trabalho em colaboração é fundamental. O médico de família e o psiquiatra devem conhecer os princípios básicos do tratamento de famílias e, quando necessário, podem pedir consultoria ou encaminhar o caso a um terapeuta de famílias e casais.

Violência intrafamiliar

A presença de violência intrafamiliar deve ser ativamente investigada por ser o agravo mais importante para a saúde física e mental dos membros da família (ver Capítulos Atenção à Saúde da Criança e do Adolescente em Situação de Violência, Atenção à Saúde da Mulher em Situação de Violência e O Cuidado do Paciente Idoso).[31] Os fatores de risco da família para violência nas suas diferentes manifestações (negligência, maus-tratos físicos e psicológicos, abuso sexual, entre outros) são:

→ distribuição rígida e desigual de autoridade e poder, conforme papéis de gênero, sociais, sexuais ou de idade, por exemplo, atribuídos a seus membros;
→ falta de diferenciação de papéis, levando ao apagamento de limites entre seus membros;
→ conflito permanente, que se manifesta por dificuldades de diálogo e descontrole da agressividade;
→ baixo nível de desenvolvimento da autonomia dos membros da família;
→ estrutura fechada, sem abertura para contatos externos, levando a padrões repetitivos de conduta;
→ famílias em situação de crise, perdas (separação do casal, desemprego, morte, migração, doenças prolongadas ou incapacitantes, etc.);
→ presença de um modelo familiar violento na história de origem das pessoas envolvidas (maus-tratos, abuso na infância e abandono);
→ maior incidência de abuso de álcool e outras drogas;
→ história de antecedentes criminais e/ou porte de armas;
→ comprometimento psicológico/psiquiátrico dos indivíduos;
→ dependência econômica/emocional e baixa autoestima dos membros, levando à impotência e/ou ao fracasso em lidar com a situação de violência.

Outras situações

Ao identificar dificuldades familiares durante uma consulta clínica, é papel do médico abordá-las com a família, mesmo que não se planeje o atendimento nesse aspecto. Em alguns momentos, o que o paciente necessita é ter com quem falar a respeito das suas dificuldades, e ninguém melhor para isso do que a equipe que o acompanha, seu médico ou o membro da equipe com quem já construiu um vínculo de confiança.

É importante ressaltar que algumas famílias se encontram tão comprometidas que ajudá-las constitui uma tarefa difícil. Por isso, o médico deve ter presente que, nessas situações, pequenas mudanças são de extremo valor e podem ser o início de transformações maiores, ou podem ser a preparação para um tratamento mais especializado com um terapeuta familiar ou outro profissional de saúde mental.

Sugestões às famílias[32,33]

Na sociedade atual, o excesso de tarefas a serem cumpridas e a presença constante das redes sociais pela internet têm feito as famílias deixarem de realizar atividades juntos ou de manter espaços de conversa, comprometendo a coesão familiar. Por isso, é necessário relembrar e orientar as famílias quanto à importância de se manterem unidos e terem um tempo reservado para fortalecer seus vínculos e relações.

Pode-se sugerir que os membros da família programem, planejem e elaborem as refeições em conjunto para que possam aumentar o envolvimento familiar, assim como realizem pelo menos uma refeição diária juntos, para que tenham conversas amenas e aumentem a aproximação entre eles. A tarefa do cuidado da casa não deve cair nas mãos de apenas uma pessoa na família; dividindo as tarefas, o trabalho se torna bem menos cansativo e pode ser mais um momento de interação familiar. Outras atividades e tarefas podem ter a mesma função, visto que aumentam a percepção de que existe amor, carinho, respeito e preocupação.

Em famílias com crianças, é essencial que tenham diálogos colaborativos usando inteligência emocional e recursos lúdicos. As discussões sobre as relações são extremamente úteis, mas jamais devem acontecer na frente das crianças. Os membros devem ser capazes de reconhecer suas responsabilidades no conflito em discussão, e de forma alguma envolver os filhos em diferenças conjugais.

As dificuldades, presentes em todas as famílias, precisam ser bem resolvidas, sendo para isso importante uma comunicação clara e respeitosa, com honestidade e gentileza entre seus membros. Vale lembrar que as crianças percebem a comunicação dos pais e replicam o que veem. Se elas percebem o esforço dos pais em serem educados, gentis e amáveis entre si, farão isso não só em casa, mas também fora dela. Para manter boas relações familiares, deve-se controlar a impulsividade, ter bom humor e criatividade, além de não recorrer a responsabilizar os demais.

Para o bom convívio familiar, assim como para o desenvolvimento da criança, é necessário que sejam impostos limites para viver em comunidade de forma civilizada; é dever dos adultos ensinar as crianças.

Outro aspecto importante para a aprendizagem das crianças é que, quanto mais os pais derem o exemplo de um estilo saudável de vida, com prática de exercícios e cuidado com o meio ambiente, mais os filhos aprenderão e seguirão esse caminho.

É recomendado que existam encontros entre as gerações de uma família, mas deve-se ter cautela com o envolvimento das famílias de origem dos pais na nova família nuclear. Deve-se sempre manter um equilíbrio para que seja uma convivência saudável entre as partes.

Os membros da família precisam de convívio social. É fundamental que desenvolvam uma rede de amizades e relações fora do núcleo familiar e possam participar de instituições sociais. As famílias isoladas tendem a adoecer e diminuem o treinamento de socialização.

REFERÊNCIAS

1. Minuchin P, Minuchin S, Colapinto J. Trabalhando com famílias pobres. Porto Alegre: Artmed; 1999.
2. Hartmann M, Bäzner E, Wild B, Eisler I, Herzog W. Effects of interventions involving the family in the treatment of adult patients with chronic physical diseases: a meta-analysis. Psychother Psychosom. 2010;79(3):136–48.
3. Deek H, Hamilton S, Brown N, Inglis SC, Digiacomo M, Newton PJ, et al. Family-centred approaches to healthcare interventions in chronic diseases in adults: a quantitative systematic review. J Adv Nurs. 2016;72(5):968–79.
4. Robertson W, Fleming J, Kamal A, Hamborg T, Khan KA, Griffiths F, et al. Randomised controlled trial evaluating the effectiveness and cost-effectiveness of 'Families for Health', a family-based childhood obesity treatment intervention delivered in a community setting for ages 6 to 11 years. Health Technol Assess. 2017;21(1):1–180.
5. Bristow S, Jackson D, Shields L, Usher K. The rural mother's experience of caring for a child with a chronic health condition: An integrative review. J Clin Nurs. 2018;27(13–14):2558–68.
6. Flynn P, Kew F, Kisely SR. Interventions for psychosexual dysfunction in women treated for gynaecological malignancy. Cochrane Database Syst Rev. 2009;(2):CD004708.
7. Lefio LÁ, Villarroel SR, Rebolledo C, Zamorano P, Rivas K. Intervenciones eficaces en consumo problemático de alcohol y otras drogas. Rev Panam Salud Publica. 2013;34(4):257-66.
8. Bird V, Premkumar P, Kendall T, Whittington C, Mitchell J, Kuipers E. Early intervention services, cognitive-behavioural therapy and family intervention in early psychosis: systematic review. Br J Psychiatry. 2010;197(5):350–6.
9. von Sydow K, Beher S, Schweitzer J, Retzlaff R. The efficacy of systemic therapy with adult patients: a meta-content analysis of 38 randomized controlled trials. Fam Process. 2010;49(4):457–85.
10. Daneau S, Goudreau J, Sarrazin C. [Analysis of barriers to nursing intervention for families in mental health units, in light of Collerette's change model]. Rech Soins Infirm. 2014;(117):21–32.
11. Carrero Planes V, Navarro Sanz R, Serrano Font M. Planificación adelantada de los cuidados en pacientes con enfermedades crónicas y necesidad de atención paliativa. Med Paliat. 2016;23(1):32–41.
12. McDaniel AH, Campbell TL, Hepworth J, Lorenz A. Family-oriented primary care. 2nd ed. New York: Springer; 2005.
13. Coelho FLG, Savassi LCM. Aplicação de Escala de Risco Familiar como instrumento de priorização das Visitas Domiciliares. Rev Bras Med Fam Comunidade. 2004;1(2):19–26.
14. Nascimento FG do, Prado TN do, Galavote HS, Maciel PA, Lima R de CD, Maciel ELN. Aplicabilidade de uma escala de risco para organização do processo de trabalho com famílias atendidas na Unidade Saúde da Família em Vitória (ES). Cien Saude Colet. 2010;15(5):2465–72.
15. Savassi LCM, Lage JL, Coelho FLG. Sistematização de instrumento de estratificação de risco familiar: a Escala de Risco Familiar de Coelho-Savassi. J Manag Prima Health Care. 2012;3(2):179–85.
16. Fernandes CLC, Curra LCD. Ferramentas de abordagem da família. In: Castro Filho ED, Anderson MIP, organizadores. PROMEF: Programa de Atualização em Saúde da Família. Porto Alegre: Artmed/Panamericana; 2006. p. 11-41.
17. Tomson PR. Genograms in general practice. J R Soc Med. 1985;78(Suppl 8):34–9.
18. McGoldrick M, Petry SS, Randy G. Genograms: Assessment and Intervention. 3rd ed. New York: W. W. Norton; 2008.
19. Rebelo L. Genograma familiar. O bisturi do médico de família. Rev Port Med Geral Fam. 2007;23(3):309–17.
20. Jenson K, Cornelson BM. Eco-maps: a systems tool for family physicians. Can Fam Physician. 1987;33:172–7.
21. Agostinho M. Ecomapa. Rev Port Med Geral Fam. 2007;23(3):327–30.
22. Sluzki CE. A Rede Social Na Pratica Sistêmica: alternativas terapêuticas. São Paulo: Casa do Psicólogo; 1997.
23. Eizirik CL, Basols AMS (Orgs.). O ciclo da vida humana: uma perspectiva psicodinâmica. 2. ed. Porto Alegre: Artmed; 2013.
24. Carter EA, McGoldrick M. As Mudanças no Ciclo de Vida Familiar: uma estrutura para a terapia familiar. 2. ed. Porto Alegre: Artes Médicas; 1995.
25. Prado LC. Famílias e terapeutas: construindo caminhos. Porto Alegre: Artes Médicas; 1996.
26. Falceto OG, Fernandes CL, Baratojo C, Giugliani ERJ. Factors associated with father involvement in infant care. Rev Saude Publica. 2008;42(6):1034–40.
27. Prado LC, Zanonato A. Terapias de famílias e casais. In: Cordioli AV, Grevet EH (Orgs.). Psicoterapias: abordagens atuais. 4. ed. Porto Alegre: Artmed; 2019. p. 298-316.
28. Martinez ALM. Famílias homoparentais: tão diferentes assim? Psicol rev. 2013;19(3):371–88.
29. Cole-Kelly K, Seaburn D. A Family-Oriented Approach to Individual Patients. In: McDaniel AH, Campbell TL, Hepworth J, Lorenz A. Family-oriented primary care. 2nd ed. New York: Springer; 2005. p. 43–53.

30. Asen E, Tomson D, Young V, Tomson P. 10 Minutos para a Família: Intervenções Sistêmicas em Atenção Primária à Saúde. Porto Alegre: Artmed; 2012.
31. Brasil. Ministério da Saúde. Violência intrafamiliar: orientações para a prática em serviço. Brasília: MS; 2002.
32. Haines A, Ebi K. The Imperative for Climate Action to Protect Health. N Engl J Med. 2019;380(3):263–73.
33. Beavers R, Hampson RB. The Beavers Systems Model of Family Functioning. J Fam Ther. 2000;22(2):128–43.

Capítulo 21
ABORDAGEM INTEGRAL DA SEXUALIDADE E CUIDADOS ESPECÍFICOS DA POPULAÇÃO LGBTI+

Ana Paula Andreotti Amorim
Renata Carneiro Vieira
Rita Helena Borret
Thiago Campos
Thiago Cherem Morelli

A sexualidade é um aspecto central da vivência humana e, embora nem sempre as pessoas experienciem ou expressem todas as suas dimensões, ela se manifesta por meio de pensamentos, fantasias, desejos, crenças, valores, atitudes, comportamentos, práticas, papéis e relacionamentos. O termo "sexualidade" refere-se a muitos aspectos: características corporais relacionadas ao sexo, identidade e papéis de gênero, orientação sexual, erotismo, prazer, intimidade e reprodução. Envolve aspectos psicológicos, sociais, econômicos, políticos, culturais, legais, históricos, religiosos e espirituais.[1]

Portanto, a vivência da sexualidade acontece em âmbito individual e coletivo, desde o nascimento até o final da vida. Como sua percepção é construída socialmente, pessoas ou populações que não expressam essa vivência de acordo com a estrutura social hegemônica são marginalizadas e tornam-se mais vulneráveis a adoecimentos diversos.[2] Neste capítulo, priorizam-se a abordagem e o cuidado dessas populações, tradicionalmente negligenciadas em suas especificidades dentro das práticas de saúde.

CONCEITOS E ATRIBUTOS RELACIONADOS À SEXUALIDADE

Só é possível abordar e cuidar de situações relacionadas à sexualidade se todas as questões relacionadas a ela forem reconhecidas e compreendidas. A seguir, são detalhados alguns conceitos e atributos tradicionalmente relacionados à sexualidade, que são independentes entre si e precisam ser considerados nos cuidados em saúde (FIGURA 21.1).[3]

Gênero

O conceito de gênero parte da compreensão de que o feminino e o masculino (adjetivos representados por normas, obrigações, comportamentos, pensamentos e até mesmo o caráter de mulheres e homens) são construções culturais e não fatos naturais ou biológicos.[4] Ele é relevante para a análise de muitos aspectos atribuídos à sexualidade, pois, a partir dele, podem ser visibilizados discursos que afetam, além das mulheres, outras populações que tensionam essa estrutura social, como a população LGBTI+ (lésbicas, gays, bissexuais, travestis, mulheres transexuais, homens trans,

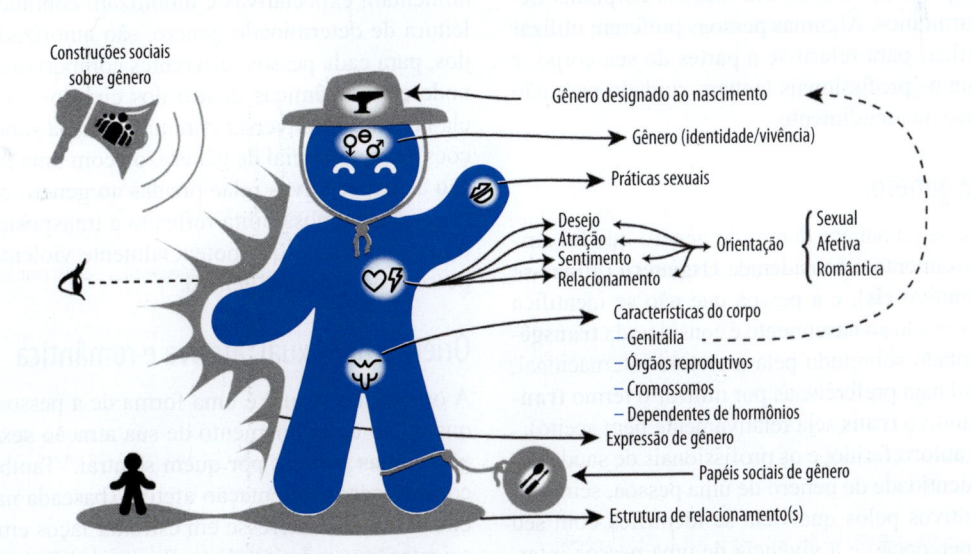

FIGURA 21.1 → Ilustração dos aspectos geralmente atribuídos à sexualidade.
Fonte: São Paulo.[3]

pessoas não binárias, pessoas intersexo e demais pessoas com variabilidade de gênero ou de orientação sexual).

O significado de ser mulher ou homem varia de acordo com cada sociedade, cada um delas marcada pela cultura e pelo momento histórico. Embora a divisão seja mais conhecida em um modelo binário (mulher ou homem), diversos grupos sociais não hegemônicos compreendem outros gêneros possíveis e têm suas percepções sobre eles. Entender a concepção de gênero de uma pessoa gera respeito e acolhimento.

Compreender que só há uma possível coerência entre características do corpo de uma pessoa, seu gênero, seus desejos e suas práticas sexuais (a heterossexualidade compulsória) faz parte das práticas reguladoras de construção e divisão de gênero que oprime e alimenta a heterocisnormatividade.[5] A opressão de gênero se apoia em discursos de desigualdade, baseados na crença de que homens são superiores a mulheres (machismo) e em leituras de que a humanidade baseia-se na experiência e no interesse de homens (androcentrismo), o que contamina também a produção de conhecimento científico e médico.[4]

Gênero designado ao nascimento

O gênero designado ao nascimento, que tende a ser estabelecido a partir de características do corpo, relaciona-se com o campo "Sexo" preenchido nos documentos de registro e define a maneira generificada como a sociedade se relacionará com essa pessoa. Essas práticas reguladoras de formação e divisão do gênero não constituem necessariamente a identidade de uma pessoa.[5]

Características do corpo e "sexo"

Embora se utilize prioritariamente a genitália para categorizar e estabelecer qual é o "sexo" a ser utilizado nos documentos de registro e designar gênero, outros aspectos físicos também são relacionados com uma tentativa de dividir os corpos em dois grupos ("fêmea" e "macho"): genótipo, gônadas, órgãos reprodutivos e transformações corporais dependentes de hormônios. Algumas pessoas preferem utilizar palavras específicas para referir-se a partes do seu corpo, e é importante que os profissionais tenham cuidado para não gerar desconforto no atendimento.

Identidade de gênero

Uma pessoa que se reconhece dentro do gênero que foi atribuído ao seu nascimento é considerada **cisgênero** (utiliza-se também o diminutivo **cis**), e a pessoa que não se identifica com o gênero atribuído ao nascimento é considerada **transgênero** (termo adotado sobretudo pela literatura internacional, embora no Brasil haja preferências por utilizar o termo **transexual** e o diminutivo **trans** seja relativamente bem aceito).

O gênero é autorreferido, e os profissionais de saúde devem validar a identidade de gênero de uma pessoa, sem deslegitimar os motivos pelos quais ela se identifica com seu gênero. A autopercepção e a vivência de uma pessoa interferem na construção da identidade de gênero, que pode não se encaixar em um modelo binário. Os diferentes gêneros podem ser entendidos como espectros, em que as pessoas podem localizar-se mais próximas ao seu núcleo (com características muito bem definidas dentro de um certo padrão de gênero reconhecido pela pessoa: mulher, homem, não binário, neutro, etc.), na sua região tangencial (que se dissolve em um campo indefinido e com poucas características de um certo gênero reconhecido) ou fora desses espectros (considerando-se agênero, i.e., sem gênero). Uma pessoa de gênero fluido percebe-se transitando dentro de diferentes espectros de gênero, alternadamente, ao contrário de pessoas com identidade de gênero fixa.

A identidade de gênero, portanto, não pode ser confundida nem associada com quaisquer outros aspectos atribuídos à sexualidade, como a expressão de gênero, descrita a seguir.

Expressão de gênero

É a maneira como uma pessoa expõe características de gênero, assim como a maneira como as outras as interpretam. Essa manifestação de gênero é observada em vestimentas, maneirismos, posturas, voz – características que são atribuídas a gêneros diferentes a partir de normas sociais que se transformam cultural e historicamente. Ela não traduz a vivência ou a identidade de gênero de uma pessoa, mas pode ser interpretada como o resultado da normatividade do gênero e, portanto, como o próprio gênero.[5]

Pessoas *crossdressers* (que se vestem e se comportam como um gênero diferente daquele com o qual se identificam em determinadas situações), transformistas, *drag queens* ou *drag kings* (que performam artisticamente estereótipos exagerados de gênero) alteram sua expressão de gênero momentaneamente sem que isso necessariamente represente sua própria expressão ou identidade de gênero.

Papéis sociais de gênero

O gênero designado ao nascimento e a expressão de gênero alimentam expectativas e mobilizam cobranças. A partir da leitura de determinado gênero, são autorizados e estimulados, para cada pessoa, diferentes comportamentos, funções, poderes e dinâmicas dentro dos círculos sociais dos quais ela faz parte. Conversar com uma pessoa sobre suas percepções de papel social de gênero, ou com uma família em relação às expectativas relacionadas ao gênero depositadas em uma criança, possibilita reflexão e transposição de estereótipos e opressões que potencialmente violentam e adoecem pessoas de qualquer gênero.

Orientação sexual, afetiva e romântica

A orientação sexual é uma forma de a pessoa identificar-se quanto ao direcionamento de sua atração sexual a partir do gênero das pessoas por quem se atrai.[6] Também podem ser consideradas a orientação afetiva (baseada na atração emocional, i.e., no interesse em estreitar laços emocionais) ou a orientação romântica (baseada na atração romântica, i.e., a paixão e o interesse em relacionar-se).[7] Então, em diferentes momentos da vida, de acordo com a percepção individual, dentro de códigos culturais vigentes, uma pessoa pode identificar-se como:

→ homossexual, homoafetiva e/ou homorromântica, quando percebe atrair-se por pessoas do mesmo gênero que o seu;
→ heterossexual, heteroafetiva e/ou heterorromântica, quando se atrai por pessoas de um gênero diferente do seu;
→ bissexual, biafetiva e/ou birromântica, quando se atrai por mais de um gênero (inclusive, pode entender-se como pansexual, pan-afetiva ou panromântica, quando se atrai por outras pessoas independentemente ao gênero delas, ou polissexual, poliafetiva e/ou polirromântica, quando se atrai por pessoas de mais de um gênero mas não de todos os gêneros);
→ assexual e/ou arromântica, se não tem atração sexual ou romântica por nenhum gênero.

Além do campo identitário, o conceito também costuma ser utilizado para descrever os componentes psicológicos (que incluem desejos, fantasias e afetos) e comportamentais (como relacionamentos prévios), porém não cabe a profissionais de saúde classificarem a orientação sexual de uma pessoa, pois ela pode não se sentir representada pelo termo utilizado. Nos Estados Unidos, 4 a 22% dos jovens declararam identidade não heterossexual em uma pesquisa,[8] e, no Brasil, até 19,3% dos homens e 10,2% das mulheres.[9]

Mulheres que se atraem por mulheres podem identificar-se como **lésbicas** ou **bissexuais**, assim como homens que se atraem por homens podem identificar-se como *gays* ou **bissexuais**. Esses termos são utilizados como identidade política, e muitas vezes associam-se com uma cultura própria e um histórico de organização civil e social dentro das comunidades LGBTI+; por isso, não descrevem todas as mulheres cis e homens cis que realizam prática sexual entre si. Os termos MSM (mulheres que fazem sexo com mulheres) e HSH (homens que fazem sexo com homens), comuns em textos médicos e utilizados para definir ações e políticas de saúde, denotam categorias epidemiológicas que abrangem as pessoas cis que praticam sexo com pessoas cis do mesmo gênero que o seu, independentemente de definirem-se como lésbicas, *gays* ou bissexuais.[10]

Práticas sexuais

É a maneira como cada pessoa realiza (ou não) atividades sexuais, seja por prazer, reprodução ou outros motivos. Não se relacionam necessariamente com seu gênero, com sua orientação sexual ou com a constituição do seu corpo. Compreender as práticas sexuais (p. ex., penetração vaginal por dedos, penetração anal por pênis, oral vulvar, tribadismo, variações do sadomasoquismo, masturbação com objetos) e as condições em que elas acontecem possibilita avaliar vulnerabilidades e ofertar cuidados específicos.

Desejo reprodutivo

O desejo reprodutivo não guarda relação direta com identidade de gênero ou orientação sexual; portanto, é necessário investigar, sem presumir, o desejo reprodutivo de todas as pessoas. A compreensão desse desejo, assim como do planejamento individual ou coletivo para sua execução, possibilita que profissionais de saúde realizem ofertas adequadas.

Estrutura de relacionamento(s)

Cada relacionamento pode seguir uma lógica própria, a partir de um acordo entre as pessoas envolvidas (p. ex., relações monogâmicas ou não monogâmicas) ou a partir de regras impostas por algum motivo (como celibato ou poligamia). É importante que o profissional de saúde não presuma a monogamia como regra e seja capaz de acolher, sem julgamentos, diversos formatos de relacionamento.

ACOLHIMENTO E ABORDAGEM EM SEXUALIDADE

Cartazes, símbolos que possam ser reconhecidos (como pequenas bandeiras LGBTI+ na recepção ou dentro do consultório) e materiais impressos divulgando direitos podem ser úteis para tornar o ambiente físico da unidade de saúde mais acolhedor.[11] Também é necessário organizar processos de trabalho integralmente atentos à diversidade de gênero e sexualidade, com treinamento de profissionais para lidar com as violências que possam ocorrer, perpetradas pelas demais pessoas atendidas ou até mesmo por profissionais do serviço.

Por isso, é importante que a construção de um ambiente acolhedor passe por todos os profissionais do serviço, a fim de que seja possível identificar e acolher as populações vulneráveis por sua sexualidade (como LGBTI+ e profissionais do sexo), com oferta de condutas clínicas específicas para o cuidado integral. Para pessoas LGBTI+, é importante explorar experiências prévias de acesso aos serviços de saúde, como forma de identificar possíveis barreiras e organizar fluxo sem que esses elementos impeçam o retorno dessa pessoa.

Habilidades de comunicação necessárias para atendimento integral e não excludente

Profissionais de saúde não devem fazer suposições e nem presumir a orientação sexual, a identidade de gênero e o desejo reprodutivo das pessoas que atendem, pois os diferentes aspectos da sexualidade são independentes e todos devem sempre ser abordados, com oferta de espaço seguro e sigiloso para que a pessoa exponha suas vivências e identidades. Assim, deve-se evitar o pressuposto de cis-heterossexualidade – ou seja, de abordar todas as pessoas como se fossem cisgênero e heterossexuais.[11]

Só será possível acessar essas informações e, portanto, oferecer o melhor cuidado, se a conversa sobre sexualidade puder ser aberta e tranquila. A pessoa atendida pode não querer revelar todos os detalhes em uma primeira consulta, assim como para alguns profissionais pode ser difícil questionar determinados aspectos no primeiro encontro. É importante naturalizar a abordagem da sexualidade, e, caso seja identificado algum sinal de constrangimento, pode-se informar que aquelas perguntas são feitas a todas as pessoas, além da possibilidade de interrupção da conversa sobre o tema. Profissionais da atenção primária à saúde (APS) podem utilizar o vínculo e a longitudinalidade como estratégia para facilitar o processo de abordagem e para explorar questões ligadas à saúde sexual.

> O cuidado com a comunicação, verbal e não verbal, deve ser o de nunca agir como se algum aspecto ou vivência da sexualidade fosse uma anormalidade ou motivo de vergonha.

Profissionais de saúde são sujeitos socialmente construídos que carregam uma série de preconceitos e, para evitar ou diminuir a reprodução de julgamentos no encontro clínico, é essencial a prática da reflexão crítica para reconhecer e ativamente combater essas ações. Deve-se atentar à linguagem para que seja inclusiva e considere todas as vivências de diversidades da sexualidade (p. ex., palavras, gênero, pronomes utilizados, plurais). Se não há certeza sobre qual pronome de tratamento utilizar (femininos, masculinos ou neutros: ela, ele ou ilu; senhora, senhor ou senhore, etc.), deve-se acolher de forma neutra e perguntar por quais termos a pessoas prefere ser tratada e se utiliza algum nome social.

Cada pessoa pode adotar um termo diferente para definir seu corpo, suas experiências e identidades. Portanto, profissionais de saúde devem conhecer a concepção de cada pessoa e perguntar quais termos a representam, além de pedir permissão antes de utilizá-los, pois determinadas expressões podem ser utilizadas por alguns grupos como forma de enfrentar preconceitos, mas continuam sendo agressivas (p. ex., bicha, sapatão, gilete, traveco, bofe, amapoa).

Para pessoas LGBTI+, é um desafio revelar a identidade de gênero e sexual ("sair do armário"). Esse processo de expor a sexualidade e a identidade de gênero diversas vezes – para a família, para os amigos e para profissionais de saúde – geralmente é ansiogênico e pode ser traumático. Para garantir abordagens direcionadas para o cuidado em saúde da população LGBTI+, o primeiro desafio é identificar, entre as pessoas atendidas, quais delas fazem parte desse grupo. A abordagem de diferentes identidades e orientações sexuais parece representar uma importante barreira na construção da consulta, como exemplificado pelo medo dos profissionais de que os pacientes cisgêneros e heterossexuais se sintam ofendidos com determinadas perguntas. Assim, por entender que esses temas podem gerar conflito na consulta, muitos profissionais se negam a fazer perguntas ligadas a esses temas, deixando de oferecer recomendações importantes e específicas para determinadas populações e privando pessoas de um cuidado integral e equânime.

O método clínico centrado na pessoa pode ser um importante aliado na construção de uma consulta que leva em conta aspectos ligados com a sexualidade, com a utilização de perguntas abertas para iniciar o diálogo, além de explorar medos e expectativas relacionadas com a demanda do indivíduo que procura o serviço de saúde (ver Capítulo Método Clínico Centrado na Pessoa).

Redes de cuidado

O cuidado em sexualidade não se encerra nos serviços de saúde. A articulação interinstitucional se faz necessária, sobretudo em situações de violação de direitos e de reconhecida vulnerabilidade e, para tanto, é necessário conhecer e/ou formar uma rede de instituições que garanta acolhimento, atendimento e direitos para as pessoas de determinado território. Nessa rede, devem-se considerar: instituições de ensino, serviços de assistência social, órgãos de direitos humanos, órgãos de acesso à justiça, polícia civil, serviços de cuidados a vítimas de violência, grupos comunitários, conselhos gestores e demais órgãos de controle social, movimentos sociais e grupos da sociedade civil organizada, e serviços para populações específicas (população LGBTI+, mulheres, adolescentes, etc.).

ALGUMAS IDENTIDADES LGBTI+

Mulheres lésbicas

A existência de lésbicas e mulheres que se relacionam com mulheres desafia a norma hegemônica ao explicitar a sexualidade de mulheres, alvo de intenso controle patriarcal, independente da participação masculina. Para considerar o cuidado integral dessas mulheres, é fundamental incluir a perspectiva de gênero e reconhecer a opressão do sexismo, em intersecção com o heterossexismo, como mecanismos de silenciamento. Ser lésbica é compreender que não existem espaços pensados para si e que tal existência não é validada pelo entorno social. Assim, como estratégia para buscar aprovação social, lésbicas sentem a necessidade de mostrarem-se úteis, íntegras e capazes, na tentativa de compensar a lesbianidade. Há uma falsa crença de que a homossexualidade é uma expressão de perversão de caráter, um desvio existencial que se expressa por meio da sexualidade fora do padrão.[12]

As relações sexuais entre pessoas com vulva e vagina, por não envolver penetração peniana, não são lidas socialmente, inclusive por profissionais de saúde, como práticas sexuais. Esse é um dos erros mais comuns dos profissionais de saúde no cuidado de mulheres que fazem sexo com mulheres.

Orientações sobre prevenção de infecções sexualmente transmissíveis (ISTs) e exames de rastreamento indicados nessa população são discutidos mais adiante, na seção "Cuidados Preventivos Específicos para a População LGBTI+".

No caso de mulheres trans lésbicas que não realizaram remoção do pênis (falectomia) e o usam em atividades sexuais, é fundamental discutir a possibilidade de gestação e, se ela não for desejada, oferecer opções de contracepção.

Homens *gays*

A abordagem de saúde dos homens *gays* é bastante diversa quanto a suas demandas, que variam desde questões ligadas ao sexo anal, ao uso de drogas recreativas durante o sexo e outras formas de prática sexual, até tópicos de saúde mental, variando muito de acordo com o contexto social e familiar em que o indivíduo esteve ou está inserido.

Pessoas intersexo

Intersexo é um termo "guarda-chuva" usado para descrever muitas variações naturais nas características do corpo atribuídas ao sexo (genitálias, gônadas, padrões cromossômicos e resposta a hormônios esteroides) que não se enquadram nas noções binárias típicas macho-fêmea, estejam elas expressas ao nascimento, perceptíveis somente após a puberdade ou até mesmo não aparentes.[22] A intersexualidade pode ser assumida como identidade por algumas pessoas, além de uma condição física.

Pesquisas demonstram que 1,7% da população nasce com traços intersexo, isolados ou associados a síndromes, prevalência que pode ser ainda subestimada, devido à dificuldade em detectar pessoas intersexo e ao sigilo desejado por muitas delas e suas famílias.[23] Por seus corpos serem vistos como diferentes, crianças e adultos intersexo são frequentemente estigmatizados e sujeitos a múltiplas violações de direitos humanos: discriminações, desigualdades de direitos, mutilações, torturas, sujeição a práticas nocivas e demais cuidados em saúde inadequados.[22]

A intersexualidade não é uma condição médica, pois a maioria das pessoas intersexo é saudável, uma porcentagem muito pequena necessita de intervenções prontamente ou ao longo da vida. Algumas das variações são agrupadas como "distúrbio de desenvolvimento sexual", porém o termo é rejeitado por estudiosos, por ativistas de direitos e pela própria população intersexo por ser estigmatizador e patologizador, pois considera somente o desenvolvimento genital mais frequente como o normal.[24] O termo "diferenças de desenvolvimento do sexo" tem sido preferido em substituição a "distúrbios/disfunções/doenças do desenvolvimento sexual".[25] Termos estigmatizantes e incorretos, como "hermafroditismo", "pseudo-hermafroditismo" e "reversão de sexo" não devem ser utilizados.[26]

Embora seja um raciocínio comum, a compreensão de que genitálias atípicas seriam anomalias passíveis de correções – e, portanto, deveriam ser reparadas cirurgicamente ainda em idade precoce – é patologizante e gera muito mais sofrimento do que conforto às pessoas intersexo.[25] Além da concepção discriminatória e normativa de gênero que embasa esse raciocínio, esses procedimentos são frequentemente realizados sem o consentimento esclarecido das pessoas submetidas e tendem a gerar infertilidade, dores, incontinência urinária, perda da sensibilidade sexual, cicatrizes e sofrimentos mentais que permanecem ao longo da vida, como depressão. Muitas pessoas intersexo submetidas a essas intervenções na infância também sentem que foram forçadas a adotar categorias de gênero que não as servem, em porcentagem maior do que pessoas diáticas (que não são intersexo). Dessa forma, movimentos mundiais de direitos humanos defendem que cirurgias e demais tratamentos desnecessários e não solicitados sejam proibidos, embora a legislação brasileira ainda não tenha avançado no tema.[22]

Os direitos à integridade física, a estar livre de torturas e de tratamentos patologizantes, à igualdade, à não discriminação e à autonomia devem ser abordados pelo médico de família e comunidade junto às famílias e às demais equipes que realizam o cuidado das pessoas intersexo. A construção dessa linha de cuidado implica construir, com os demais profissionais, uma lógica de reconhecimento de singularidades e de alteridade que substitua o assistencialismo passivo para o cuidado centrado na pessoa e livre de violações de direitos, assim como entender, promover e acolher as pluralidades da sexualidade que vão além das binaridades e integrar uma rede de apoio solidário.[25]

Os cuidados com a criança intersexo e sua família precisam ser iniciados ainda antes de sua chegada, com abordagem geral sobre diversidades da sexualidade e com preparo específico para o momento do parto e pós-parto, incluindo os direitos da pessoa parturiente e da criança. A família precisa ser orientada de que todas as intervenções cirúrgicas não urgentes não devem ser realizadas na maternidade e devem ser adiadas, inclusive gonadectomias, sob justificativa de risco de desenvolvimento tumoral maligno.

O registro de nascimento é um direito humano e, no Brasil, desde 2012, o campo "Sexo" pode ser preenchido com a opção "ignorado" na Declaração de Nascido Vivo (DNV). Os serviços de saúde não podem condicionar a entrega desse documento a investigações anatômicas, procedimentos de alteração genital ou suplementação hormonal a fim de assinalar outra opção no campo "Sexo". A partir da DNV, a família pode emitir a Certidão de Nascimento em cartório com a possibilidade de, posteriormente, acrescentar a informação sobre sexo, quando o entendimento da família e da equipe transdisciplinar sobre o sexo/gênero da criança for concluído. A ausência de registro é uma violação de direitos e um fator gerador de muita angústia para as famílias.[25]

Assexualidade

A assexualidade pode ser definida como atração sexual ausente ou muito escassa, ou como interesse ausente ou muito escasso de prática sexual com outra pessoa. Diferencia-se do celibato ou de acordos relacionais, em que uma pessoa sublima, inibe ou renuncia a seus desejos, por imposição religiosa, por falta de oportunidade ou por decisão de não se relacionar sexualmente.[27] Após a identidade assexual ganhar legitimidade cultural nos anos 2000, estudos analisaram dados prévios sobre comportamento sexual e encontraram 1 a 20% de pessoas com vivências assexuais (principalmente mulheres cisgênero).

A assexualidade pode ser entendida como uma orientação sexual, ou seja, uma forma de uma pessoa se identificar quanto ao direcionamento de seus desejos. Atração sexual e sentimentos de afeto ou amor não são necessariamente associados entre si, então uma pessoa assexual pode desenvolver sentimentos de afeto ou de amor romântico, podendo reconhecer-se como heteroafetiva/heterorromântica, biafetiva/birromântica, etc. Da mesma forma, é possível identificar-se como arromântica, por não ter interesse ou não sentir amor romântico, o que por sua vez não significa que a pessoa não se interesse por relacionamentos afetivos.

Pessoas assexuais podem sentir desejo, masturbar-se e ter prazer sexual, mas ter nenhuma ou pouca atração sexual.[28] Há tendência em serem indiferentes a atividades sexuais (*sex-neutral*), embora algumas tenham aversão a elas (*sex-averse* ou *sex-repulsed*).[29] Uma pessoa assexual pode escolher ter relacionamentos sexuais por diversos motivos além da atração sexual por outra pessoa (por experiência, por intimidade com uma pessoa amada, para relaxamento físico, por prazer não sexual, etc.), sem que necessariamente o ato sexual tenha relevância para si.[30]

Adoecimentos físicos, transtornos psicológicos, violências prévias e outras causas que tenham motivado diminuição ou ausência do desejo sexual podem ser abordadas e cuidadas, essencialmente se houver sofrimento e desconforto. Porém, a assexualidade não é um transtorno e não deve ser tratada.

A despatologização da assexualidade é necessária, sobretudo na perspectiva da saúde mental em que é confundida com patologias. O DSM-IV-TR considerava toda redução ou ausência de desejo sexual como "transtorno de desejo sexual hipoativo", porém o atual DSM-5 diferencia a diminuição ou ausência de desejo sexual em relação ao gênero da pessoa ("transtorno de desejo sexual masculino hipoativo" ou "transtorno do interesse/excitação sexual feminino" – o que suscita reflexão sobre o papel de gênero impresso nessas classificações) e pontua que o diagnóstico depende de sofrimento clinicamente significativo em uma pessoa que não se identifica como assexual – elucidando essa possibilidade identitária. Apesar do aparente avanço, ainda há muitas críticas voltadas para essa classificação por não considerar que o sofrimento geralmente é induzido por uma cultura sexo-normativa, heterossexual e cisgênera, que além de gerar expectativas quanto ao desejo sexual também invisibiliza a assexualidade e impede que a maioria das pessoas assexuais entendam sua orientação sexual.[27]

DIREITOS EM SAÚDE SEXUAL E REPRODUTIVA

Todas as pessoas devem ter seus direitos humanos protegidos integralmente, independentemente das especificidades de sua sexualidade. É inalienável o direito humano de decidir sobre questões relacionadas à sexualidade, livre de discriminação e violência, assim como o direito à vida, à educação, à autodeterminação, de constituir família, entre outros.[31,32]

Os serviços de saúde têm por obrigação defender toda e qualquer pessoa de sofrer discriminação e violência, garantir o acesso aos serviços de forma não discriminatória, assegurar que os registros médicos sejam tratados de forma confidencial, desenvolver e implementar programas de enfrentamento ao preconceito e a outros fatores sociais que interferem na saúde dessas pessoas, assim como garantir que os programas relacionados à saúde sexual e reprodutiva, à prevenção, aos tratamentos e aos atendimentos da saúde de forma integral respeitem as diversidades relacionadas à sexualidade.

Divulgar e promover direitos é responsabilidade dos serviços de saúde e dos profissionais que neles atuam. Embora alguns Estados e municípios possuam legislações mais específicas, por meio do QR Code pode ser acessada uma tabela com algumas garantias legais relacionadas à sexualidade em nível nacional e que devem ser informadas à população.[31]

VIOLÊNCIA, SOFRIMENTO MENTAL E MARGINALIZAÇÃO

A população LGBTI+ sofre diversas formas de violência direta e indireta. É difícil produzir e visibilizar dados sobre violências sofridas por essa população devido à dificuldade de acesso a instituições formais de segurança pública, saúde e direito. A LGBTI+fobia institucional também opera na produção de dados que invisibilizam essa população. Na área da saúde, por exemplo, orientação sexual e identidade de gênero só passaram a compor a ficha de notificação de violência do Sistema de Informação de Agravos de Notificação (Sinan) do Ministério da Saúde em 2015. Organizações não governamentais e associações vêm buscando sistematizar dados e produzir documentos, como o Relatório anual de mortes LGBTI+ do Grupo Gay da Bahia, o Dossiê sobre lesbocídio e o Dossiê sobre assassinatos e violência contra pessoas trans da Associação Nacional de Travestis e Transexuais (Antra). E, mesmo com fontes de dados restritas, é possível afirmar, por exemplo, que o Brasil é o país que identifica o maior número de assassinatos de pessoas trans no mundo desde 2008,[33] e o Atlas da Violência do Instituto de Pesquisa Econômica Aplicada (Ipea) de 2020 afirma que em 2018 foram registradas 5.065 denúncias de violência física e 231 denúncias de tortura de pessoas LGBTI+ no País.

As violências contra lésbicas e outras mulheres que se relacionam com mulheres são chamadas de lesbofobia, expressão usada para visibilizar esse lugar de opressão na intersecção entre homofobia e machismo. Elas podem ser sutis ou tomar formas de violência física e sexual e estão presentes em todos os âmbitos da vida da lésbica: na família, na comunidade, na escola, no trabalho.[34] Entre as formas de lesbofobia, chama especial atenção o estupro corretivo, no qual um ou mais homens cis, geralmente da família, forçam mulheres lésbicas a ter relações com penetração vaginal, com base na ideia de que, mesmo contra a vontade, mulheres naturalmente sentem prazer em relações heterossexuais, e, ao forçá-las, é possível promover a "cura" da homossexualidade. Essa prática, que carrega extrema violência física e simbólica, é naturalizada e reproduzida em diversas clínicas clandestinas que propõem a "cura" da homossexualidade, além de ser cometida em congregações religiosas, por líderes e demais fiéis que pretendem "exorcizar" lésbicas ou bissexuais.[35]

Estigma social

A Política Nacional de Saúde Integral da População LGBT reconhece o impacto da discriminação e do estigma social na determinação social da saúde e no processo de sofrimento e adoecimento dessa população.[36] Nas sociedades ocidentais modernas, a cis-heteronormatividade condiciona a população LGBTI+ à marginalização e ao estigma social, uma vez que sua identidade de gênero ou orientação sexual não correspondem às expectativas impostas como o padrão normativo.

O estigma diz respeito a uma qualidade socialmente desaprovada ou desvalorizada, cuja posse faz um indivíduo ser socialmente marginalizado, compreendido como inferior e indesejável. É um processo psicossocial por meio do qual determinadas pessoas são rejeitadas pelo grupo social a que pertencem e passam a ser marcadas, de forma contínua, pelas características que as diferenciam do restante do grupo.[37,38]

Estresse de minorias sexuais e de gênero

O estresse de minorias sexuais é definido como sofrimento experienciado pela marginalização de pessoas cuja sexualidade não cumpre padrões hegemônicos, e pode ser dividido em aspectos distais (externos) e proximais (internos) de estresse aos quais essas pessoas estão submetidas. Do mais distal para o mais proximal, há quatro aspectos essenciais para avaliação:[39]

1. eventos e condições LGBTI+fóbicas objetivas (crônicas ou agudas);
2. a expectativa de eventos como esses e a vigilância contínua necessária para se proteger;
3. a internalização de atitudes e pensamentos sociais negativos, chamado de LGBTI+fobia internalizada;
4. a decisão pela ocultação (ou não) da orientação sexual ou identidade de gênero, que também pode ser compreendida no âmbito do estresse proximal.

A manutenção de uma estratégia de ocultação social de desejos, práticas sexuais e da identidade de gênero, assim como o constante enfrentamento social pelo ato de "sair do armário", podem ser associados ao estresse e também ao isolamento. Encobrir desejos e práticas priva a população LGBTI+ de suportes sociais importantes, como de familiares, amigos ou religioso, especialmente em momentos de dificuldades relacionadas à vida afetiva, como em casos de separação, luto por perda de parceria ou situações de abuso ou violência.[40]

A vivência internalizada da LGBTI+fobia é um aspecto que atravessa a vida dessa população. Seja no reconhecimento da orientação sexual e/ou identidade de gênero, como na afirmação dessas características para o contexto social, essas ações – que são elementos essenciais na constituição de sujeitos sociais – estão carregadas de sofrimento pela sensação de ruptura, de falha ou de culpa por não reproduzir o padrão esperado pela sociedade. A vivência do estresse de minorias implica, consequentemente, elevados índices de isolamento social, seja por desconforto consigo mesmo, por medo de provocar sofrimento nas pessoas próximas ou, ainda, por reações de afastamento de pessoas próximas, como familiares e amigos.[12]

Interseccionalidade

Uma pessoa não é lida socialmente a partir de uma perspectiva isolada de raça, gênero, sexualidade ou classe. Todas são matrizes de dominação que, ao promover hierarquização social, estruturam os sistemas de subordinação, interagem com o processo de construção da subjetividade humana e no processo de saúde e adoecimento. Essas categorias carregam consigo normatizações, hierarquias e opressões e atuam de maneira integrada entre si e com outros marcadores sociais, como origem, geração, capacidade física e outros. Esses marcadores de diferença condicionam o acesso a bens e serviços, determinam o reconhecimento de cidadania e delimitam oportunidades de subjetivação e performatividade.

O Brasil é um país repleto de desigualdades: geograficamente heterogêneo, é o segundo país com maior concentração de renda no mundo[41] e se constituiu socioestruturalmente com base na escravização e no genocídio de milhões de indígenas e pessoas negras sequestradas do continente africano.[42,43]

A ideia de um povo brasileiro miscigenado romantiza as violências sexuais que mulheres negras sofreram no período de escravização e sofrem ainda hoje, assim como romantiza a subjetivação dos corpos racializados como negros, mestiços e indígenas como sub-humanos.

Para mulheres negras, a sociedade brasileira impõe dois estereótipos: o da "mulata do carnaval", que delimita padrões estéticos, hipersexualiza e as torna objeto de prazer para a masculinidade; ou o da empregada doméstica, sempre subserviente e atenta aos cuidados de outros.[44] A mulher lésbica negra, ao não se reconhecer nos estereótipos sociais possíveis, encontra-se em uma experiência de "não lugar". A busca por modelos e referências na família não é uma realidade para a vivência fora da cis-heteronormatividade, e a LGBTI+fobia promove rupturas e abandono familiar. O não pertencimento a um padrão estético eurocêntrico e a marginalidade social pela opressão de raça não necessariamente preparam mulheres negras para lidar com a lesbofobia.

Tal como para mulheres cis negras, a sociedade impõe estereótipos para homens cis negros *gays*, como o agressivo, impulsivo, hipersexualizado e com o pênis grande ou a imagem afeminada e cômica. A existência dessas imagens estereotipadas atua diretamente na construção da subjetividade e da identidade desse grupo de pessoas, afetando a forma como se reconhecem e socializam. Ainda assim, adequando-se ou não a esses estereótipos, a população negra cis *gay* tem sua existência permeada pela possibilidade de violências físicas brutais. Isso também acontece com a população negra trans, com ênfase para as transfemininas negras, que têm sua experiência social marcada pelo encontro do racismo, do machismo e da transfobia, geralmente associadas à opressão de classe, o que implica elevadas chances de violência física e poucas oportunidades de inserção no mercado de trabalho ou nos sistemas formais de educação e saúde.

Ao utilizar a perspectiva interseccional, não surpreendem os dados produzidos pela Antra no ano de 2020 que apontam que, do total de pessoas trans assassinadas no Brasil em 2018, 82% são identificadas como negras. Esse relatório ainda apresenta o dado de que 97,7% dos casos de homicídio são de pessoas transfemininas, mulheres transexuais e travestis, reafirmando a necessidade de considerar a intersecção de transfobia, machismo e racismo na experiência de saúde e adoecimento dessa população.[45,46]

A opressão de classe em intersecção com a LGBTI+fobia também requer especial atenção para o cuidado em saúde. Se a população LGBTI+ apresenta, em decorrência do estigma social, elevada chance de expulsão domiciliar, mais chances de evasão escolar precoce e maiores dificuldades de inserção no mercado de trabalho, é prudente considerar que um percentual alto estará em condições econômicas desfavoráveis. Chama atenção, no entanto, o quanto a produção acadêmica brasileira sobre a população LGBTI+ invisibiliza essas existências. Em geral, as pesquisas abordam pessoas brancas, de classe média e alta e que estão inseridas na academia ou no mercado formal de trabalho, silenciando outras formas de existência marginalizadas.

Quando os distintos lugares sociais de marginalização não são considerados em sua integralidade e sob perspectiva interseccional, corre-se o risco do cuidado em saúde reproduzir opressões de raça, gênero, sexualidade e classe, seja por silenciamento ou ativa discriminação.[42,47,48] A perspectiva interseccional é, portanto, estruturante para uma proposta de cuidado em saúde integral, inclusiva e não reprodutora de violências e opressões institucionais.

Violência intrafamiliar

Ao contrário do que se idealiza, a vivência intrafamiliar para a população LGBTI+ pode ser de extrema violência e não um ambiente seguro e protegido. Na família de origem, a pessoa LGBTI+ se percebe e é percebida como diferente e não costuma encontrar modelo ou referência de pessoas que convivam com opressão social similar, tal como acontece em outras situações de opressão. Como o ambiente familiar é fundamental para a construção da identidade pessoal, este pode ser o primeiro e principal agressor na vida dessas pessoas.[49] Quando a família de origem reage de maneira negativa à revelação da identidade sexual ou de gênero, com rejeição ou punição, é gerado um impacto direto na saúde ao longo de toda a vida.[49–51]

Além disso, a violência familiar ocorre em um contexto de relações próximas, e as pessoas agressoras (mães, pais, irmãos, filhos, parcerias, etc.) conhecem suas fragilidades, o que torna mais difícil que a vítima consiga se libertar dessas relações abusivas. Como na população em geral, as manifestações da violência podem ser na forma de violência psicológica, patrimonial, física e sexual.

São poucos os relatos de casos de violência conjugal entre LGBTI+ pela invisibilização de sua existência e suas especificidades. Existem poucos estudos sobre essa violência, os quais demonstram que ela ocorre na mesma ou até em maior proporção do que entre casais de pessoas heterossexuais.[52,53] O isolamento, a ruptura de laços familiares e de amizade e a LGBTI+fobia internalizada são fatores de risco para violência íntima e dificultadores da interrupção do ciclo de violência.[53,54]

Transtornos ansiosos e depressivos

As diversas formas de violência a que estão submetidas, o sentimento de não pertencimento, o abandono familiar, o isolamento social e a expectativa de rejeição levam as pessoas LGBTI+ a níveis de sofrimento profundos e continuados, aumentando o risco de apresentarem questões de saúde mental.

A prevalência de depressão e ansiedade é maior entre as minorias sexuais e as afeta de forma desigual: pessoas bissexuais, por exemplo, experienciam vivências de não pertencimento em círculos cis-heteronormativos e não são bem aceitas nos grupos LGBTI+,[55] apresentando índices maiores de transtornos ansiosos.

Pessoas trans também estão mais sujeitas a sofrimentos na ordem da saúde mental.[18,56] O sofrimento de exclusão tem relação com transtornos de humor, como depressão, automutilação, negligência, compulsividade, transtornos de personalidade *borderline* e/ou histriônico, transtornos alimentares e ansiosos, assim como transtornos e sintomas psicóticos e transtornos do espectro autista.[57]

No cuidado à população LGBTI+, indica-se rastrear depressão, ansiedade, transtorno de estresse pós-traumático, violência autoprovocada e ideação/comportamento suicida.[58,59]

Risco de suicídio

Pessoas LGBTI+ têm risco maior de suicídio, principalmente durante a adolescência.[60] Esse risco pode ser até cinco vezes maior em jovens, em especial quando em ambientes hostis à sua orientação sexual e/ou identidade de gênero.[61] Mulheres lésbicas e bissexuais têm possibilidade maior de suicídio, e homens *gays* também apresentam índices maiores de tentativas de suicídio e episódios de violência autoprovocada, principalmente na juventude.[13] Entre pessoas LGBTI+, o suicídio está diretamente ligado ao estresse de minorias e, por isso, os índices de mortes por essa causa podem ser incluídos nos dados de mortes por LGBTI+fobia.[12] Os dados divulgados pelo Grupo Gay da Bahia, em 2018, mostram que, das 420 pessoas LGBTI+ mortas naquele ano, 100 se suicidaram – 77 delas com idade < 40 anos.[62]

Ciclos de vida de pessoas LGBTI+

Pessoas LGBTI+ podem enfrentar, dentro do contexto familiar, crises similares às que ocorrem nos ciclos de vida das demais famílias e que se convencionou chamar de crises esperadas ou normativas. Entretanto, apresentam desafios adicionais que têm origem nas vivências de marginalização, preconceitos e violências geradas pela cis-heteronormatividade e pela LGBTI+fobia. É necessário, portanto, focar nesses aspectos únicos dessas famílias e na grande diversidade nas formas de constituí-las, a fim de promover bem-estar e maior compreensão, e ter em vista que, apesar das similaridades, as experiências dos ciclos de vida podem variar bastante entre os diferentes grupos LGBTI+.

Um elemento importante do ciclo de vida da população LGBTI+ é o processo de revelação de sua identidade de gênero e/ou orientação sexual para a família e terceiros. Trata-se de um processo individual, que cada pessoa LGBTI+ vivencia de forma única e que ocorre ao longo da vida, podendo variar em função das normas culturais e familiares, como também das intersecções entre gênero, raça e classe social. A revelação pode incluir métodos verbais ou não verbais, voluntários ou involuntários, ser inicialmente apenas para a família ou rede de apoio mais próxima ou aberta a todos, e também apresentar particularidades entre as diferentes gerações LGBTI+. É importante que a equipe de APS saiba em que ponto a pessoa está no processo de revelação, para apoiá-la nas dificuldades envolvidas, bem como para resguardar o sigilo dentro do serviço de saúde e nos contatos com a família. Para ler sobre especificidades de vivências comuns a pessoas LGBTI+, em diferentes fases da vida, ver QR code.

CUIDADOS PREVENTIVOS ESPECÍFICOS PARA A POPULAÇÃO LGBTI+

Pessoas LGBTI+ necessitam de atendimento integral, assim como a população de pessoas heterossexuais cisgênero. Porém, é importante que profissionais de saúde conheçam e se atentem para algumas especificidades de suas vivências e vulnerabilidades, com a finalidade de oferecer cuidado em saúde adequado.

Prevenção e rastreamento de infecções sexualmente transmissíveis, incluindo HIV/Aids

A abordagem da saúde sexual visando à prevenção, ao diagnóstico e ao tratamento oportuno do HIV e das outras ISTs é ponto importante no cuidado da população em geral, porém adquire características especiais na população LGBTI+.

Entre as práticas sexuais, o sexo anal é o tipo em que o risco de transmissão do HIV, por exemplo, é mais alto. Vale lembrar que esse tipo de prática não é exclusivo de homens gays cis, porém é uma das práticas sexuais frequentes nessa população. É importante reforçar a utilização de preservativo em práticas que envolvem penetração, seja penetração peniana, de brinquedos sexuais, da língua ou dos dedos.

Além do preservativo, outras estratégias de prevenção combinada podem ser associadas a partir de um gerenciamento de risco, como gel lubrificante, profilaxia pré-exposição de risco à infecção pelo HIV (PrEP) e profilaxia pós-exposição de risco à infecção pelo HIV (PEP), hepatites virais e outras ISTs. Esse processo passa pela possibilidade de ampliar o arsenal de instrumentos, objetivando justamente trabalhar com a individualidade dos sujeitos, por meio da abordagem da prevenção combinada, ressignificando, assim, o conceito de "sexo seguro". (Ver Capítulo Infecções Sexualmente Transmissíveis: Abordagem Sindrômica.)

A epidemia de HIV/Aids no Brasil acomete determinados grupos sociais de forma desproporcional. Enquanto na população geral a prevalência de HIV permanece em 0,4%, em alguns grupos populacionais historicamente negligenciados do cuidado em saúde essa prevalência apresenta taxas bastante superiores. Em gays e outros HSH, a prevalência de HIV pode variar de 12,1% em 2009 para 18,4% em 2016.[63] No caso de mulheres transexuais e travestis, a prevalência é de 36,7%.[64]

Assim, diferentemente de outros países com epidemia generalizada, o Brasil apresenta um perfil de epidemia concentrada de HIV/Aids em populações-chave vulneráveis, que não são consideradas grupo de risco (termo estigmatizante e que não é mais utilizado). O Ministério da Saúde caracteriza enquanto populações-chave os grupos que apresentam prevalência de HIV maior do que a da população geral. São eles: gays e outros HSH; pessoas trans; pessoas que usam álcool e outras drogas; pessoas privadas de liberdade; e trabalhadores(as) sexuais.

Uma dessas tecnologias de prevenção que vem apresentando resultados importantes na redução da incidência de HIV, principalmente entre gays e HSH, é a PrEP.[65] A oferta de PrEP visa identificar pessoas que pertencem às populações-chave e que se expõem de forma repetida a relações sexuais de risco, ofertando, para essas pessoas soronegativas, medicamentos antirretrovirais com o objetivo de reduzir o risco de infecção pelo HIV. (Ver Capítulo Infecções Sexualmente Transmissíveis: Abordagem Sindrômica.)

Para a prevenção da hepatite A, é importante orientar medidas adicionais de proteção, como a higienização de vibradores e plugues anais e vaginais, assim como das mãos, da genitália e da região anal e perineal (antes e depois da prática sexual), o uso de barreiras de látex durante o sexo oral-anal (cunete) e luvas de látex para dedilhado (introduzir o dedo no ânus) ou fisting (introdução da mão) anal.[66]

Por muitos anos, a medicina reproduziu a falácia de que relações sexuais entre mulheres cis não possibilitaria contaminação por IST. Esse discurso começou a se modificar apenas com estudos específicos voltados para MSM (cisgênero) e com casos relatados de contaminação por HIV em casais de lésbicas cis sorodiscordantes. Ainda assim, existe uma dificuldade grande para orientar sexo seguro entre pessoas com vulva, em função da falta de materiais pensados para essas práticas. A **TABELA 21.1** apresenta orientações sobre sexo mais seguro nas relações que não envolvem pênis.

A população composta por gays, bissexuais e outros HSH possui algumas indicações específicas de rastreamentos, majoritariamente de IST, que devem sempre acompanhar orientações pré-teste e pós-teste. As recomendações gerais são baseadas a partir da prevalência do HIV e das outras ISTs, e devem ser individualizadas a partir da abordagem de saúde sexual dessas pessoas. A frequência da oferta

TABELA 21.1 → Sexo mais seguro nas relações que não envolvem pênis

TIPO DE PRÁTICA SEXUAL	MÉTODOS DE BARREIRA PARA SEXO MAIS SEGURO
Sexo oral vaginal	Camisinha vaginal cobrindo a vulva, camisinha vaginal ou peniana recortada,* folha de látex de uso odontológico (Dental Dam®)
Sexo oral anal	Camisinha vaginal ou peniana recortada,* folha de látex de uso odontológico (Dental Dam®)
Manipulação	Luva de látex, camisinha peniana (nos dedos) ou camisinha feminina na vagina cobrindo a vulva
Contato entre vulvas (tribadismo)	Camisinha vaginal ou peniana recortada,* folha de látex de uso odontológico (Dental Dam®)

* Corta-se a ponta da camisinha e o anel externo para retirá-lo e faz-se um corte transversal, transformando a camisinha em uma folha de látex.

de testagens deve levar em conta o histórico de exposição sexual de risco e as práticas sexuais:

→ **HIV:** semestralmente se apresentar risco aumentado e preferencialmente com teste rápido, embora possam ser considerados intervalos menores de rastreamento (a cada 3 meses), a depender de histórico de exposição de risco e se estiver em uso de PrEP;
→ **sífilis:** semestralmente se apresentar risco aumentado, embora possam ser considerados intervalos menores de rastreamento (a cada 3 meses), a depender de histórico de exposição de risco e uso de PrEP;
→ **clamídia e gonorreia:** anualmente ou a cada 6 meses se apresentar risco aumentado (múltiplas parcerias sexuais, prática sexual sem preservativo), uso de PrEP ou pessoas vivendo com HIV (PVHIV). Devem-se utilizar métodos de detecção por biologia molecular, com a pesquisa orientada de acordo com a prática sexual (urina, *swab* anal ou faríngeo);
→ **hepatite A:** deve-se oferecer a checagem, ao menos uma vez, se há suscetibilidade à doença ou imunidade por infecção prévia, com exame sorológico específico (anti-HAV IgM/IgG). Se suscetível, recomenda-se a vacinação contra a hepatite A;
→ **hepatite B:** semestral ou trimestral se em uso de PrEP, de preferência com teste rápido e indicação de vacinação para qualquer pessoa suscetível (sem registro de esquema vacinal completo e com HBsAg/teste rápido não reagentes, ou com anti-HBs não reagente);
→ **hepatite C:** semestral ou trimestral se em uso de PrEP, de preferência com teste rápido.

Imunizações

Não há vacina específica para a população LGBTI+ ou para demais grupos vulneráveis, como profissionais do sexo. Deve-se, portanto, seguir as mesmas recomendações de imunização indicadas para a população geral. Todavia, considerando que as hepatites A e B podem ser transmitidas por meio das práticas sexuais, considerando que as pessoas podem não ter sido imunizadas ao longo da vida, recomenda-se rastrear a suscetibilidade a essas infecções e indicar a vacinação, se necessário. A vacina da hepatite B está indicada para toda a população, porém a da hepatite A está disponível no calendário do Ministério da Saúde apenas para a população de até 5 anos incompletos. Para HSH que convivem com HIV, a vacina da hepatite A está disponível nos Centros de Referência para Imunobiológicos Especiais (CRIEs). Devido ao aumento de casos de hepatite A em São Paulo, em 2018, a vacina passou a ser indicada nesse Estado para todas as pessoas que praticam sexo oral-anal, com priorização de *gays* e HSH, a ser realizada nos Centros de Testagem e Aconselhamento (CTAs), nos serviços que ofertam PEP/PrEP e nos CRIEs.[67] (Ver Capítulos Imunizações e Hepatites Virais.)

Rastreamentos

Os aspectos dificultadores para a inclusão de pessoas LGBTI+ nos programas de rastreamento nacionais de neoplasias envolvem a LGBTI+fobia institucional na saúde, a falta de dados específicos sobre essa população e a falta de informação qualificada sobre a necessidade de realizar os exames de rastreamento voltada para essa parcela da população. Ambientes de saúde inclusivos e profissionais de saúde acolhedores são alguns dos fatores que aparecem como facilitadores de acesso aos programas para essa população.[68]

A dificuldade de profissionais de saúde em superar o binarismo de gênero torna a operacionalização de programas de rastreamento complexa e não permite que eles reconheçam a necessidade de indicar a realização de exames de colo uterino e tecido mamário para todas as pessoas que têm esses órgãos e tecidos, não sendo o programa restrito a mulheres cis.

A ideia de que relações sexuais entre mulheres cis não são atos sexuais pela ausência do pênis e de que não transmitem IST é uma importante barreira de acesso a ser desconstruída para uma oferta de cuidado em saúde integral, universal e equânime, como preconiza o SUS. Homens trans, mulheres cis lésbicas e bissexuais podem estar em risco aumentado para câncer de colo uterino pela falta de rastreamento realizado e por apresentarem-se com mais fatores de risco, como tabagismo e obesidade.[59]

Um estudo multicêntrico realizado no Brasil com mulheres cis que fazem sexo com mulheres cis demonstrou que uma das práticas sexuais mais realizadas é a penetração digital ou com acessórios sexuais e que um percentual baixo dessas mulheres utiliza métodos de barreira nas relações sexuais, o que as coloca em maior risco de contaminação de IST, incluindo HPV.[69]

Profissionais da APS devem conduzir rotinas de rastreamento baseadas nos órgãos e na subjetividade das pessoas, de acordo com protocolos de referência de cada país. Como regra geral, se a pessoa tem determinado órgão e está nos critérios nacionais para rastreamento, este deve ser ofertado, independentemente de gênero e processos de hormonização em curso.[70]

Rastreamento de câncer de colo uterino

Está indicado para todas as pessoas que têm colo uterino, entre 25 e 64 anos e que tenham vida sexual ativa, com prática sexual penetrativa vaginal, por meio do exame citopatológico de colo uterino. Não há evidências que sustentem ou refutem sua indicação para pessoas com atividade sexual não penetrativa e, nesses casos, a decisão pelo rastreamento deve ser individualizada e compartilhada.

O exame citopatológico, embora seja simples e barato, é incômodo e desconfortável. O medo de sentir dor e a falta de informação qualificada sobre a indicação de realizá-lo ou não são aspectos importantes que colocam mulheres cis lésbicas e homens trans em risco aumentado de não aderir ao programa de rastreamento, maior necessidade de colposcopia e elevado risco de cronificação da infecção pelo HPV, o que resulta em maior morbidade e mortalidade por neoplasia cervical. O uso prolongado de testosterona por pessoas transmasculinas implica atrofias vaginal e cervical, que podem provocar ainda mais desconforto no exame.[3]

Estratégias que podem ser utilizadas para um acolhimento culturalmente competente e para diminuir as barreiras de acesso à saúde para a população LGBTI+ são:

→ usar uma linguagem culturalmente competente e não cis-heteronormativa;
→ sugerir que a pessoa se desnude apenas da cintura para baixo, para diminuir o desconforto;
→ usar espéculo pediátrico ou virgoscópio, que possibilitam a visualização do colo com menor incômodo no canal vaginal;
→ encorajar relaxamento da musculatura pélvica, por meio de conversa, ambiência apropriada ou técnicas de relaxamento;
→ usar uma fina camada de lubrificante à base de água ou água morna para diminuir o desconforto da inserção do espéculo, sem atrapalhar o resultado do exame;
→ permitir que a pessoa faça a autoespeculação (inserção do espéculo) ou que acompanhe o exame por um espelho, além de posicionamento confortável (p. ex., sem utilizar "perneiras");
→ em casos de extrema dificuldade, benzodiazepínicos orais ou o uso de estrogênio tópico podem ser prescritos na semana anterior à realização do exame, com o intuito de aumentar o relaxamento pélvico e diminuir o desconforto.

Rastreamento de câncer de mama

Para mulheres trans e travestis, o rastreamento de câncer de mama deve seguir o protocolo nacional, com algumas ponderações específicas, considerando que este apresenta evidências controversas. O tempo de exposição ao estrogênio para pessoas transfemininas é um fator importante e distinto do que ocorre com mulheres cis. O rastreamento é indicado, portanto, para mulheres trans e travestis com idade > 50 anos e que façam uso de estrogênios por pelo menos 5 a 10 anos.[70]

Para homens trans e pessoas transmasculinas que realizaram mastectomia bilateral total, não há evidências que sustentem um protocolo de rastreamento. Com a retirada de quase todo o tecido mamário, a realização de mamografia pode não ser o melhor exame a ser realizado quando a investigação diagnóstica é necessária. Além disso, o risco de câncer de mama no tecido mamário residual ainda não é conhecido. A ressonância magnética ou a ultrassonografia da mama podem ser exames mais estratégicos para diagnóstico, se necessário.

Outros rastreamentos

Devido à maior incidência de câncer de canal anal em HSH, principalmente naqueles que convivem com HIV/Aids, um programa de rastreamento dessa neoplasia é recomendado por algumas sociedades[71] e demonstra ter bom custo-benefício,[72] porém faltam evidências de boa qualidade para recomendar sua aplicação.[73]

Abordagem do uso de tabaco, álcool e outras drogas

O uso prejudicial de substâncias está intimamente ligado à saúde mental e a aspectos socioculturais de cada grupo. Pessoas LGBTI+ apresentam taxas significativamente maiores desse uso, o que pode ser atribuído a terem de lidar com o estresse de minorias e, em sua socialização, frequentarem espaços mais permissivos ao uso de substâncias.[74,75] A falta de suporte familiar e social, os problemas de saúde mental e as propagandas das indústrias de tabaco e álcool colaboram para o uso dessas substâncias de forma abusiva.[74]

O uso de tabaco é maior entre minorias sexuais,[76-78] especialmente entre as mulheres desse grupo,[78] com evidências de que nesses casos inicie em uma idade precoce.[79] Esse uso aumenta o risco de eventos tromboembólicos associados à terapia hormonal cruzada que envolva estrogênios, principalmente em pessoas com hipertensão arterial sistêmica (HAS), diabetes melito (DM) ou outros fatores de risco, devendo ser levado em consideração na escolha de medicações e doses. O rastreamento do tabagismo é indicado para todos os adultos pelo Ministério da Saúde.[80]

O uso nocivo de álcool por homens de minorias sexuais pode ser atribuído a outros fatores socioculturais, mas em mulheres pode-se afirmar que tem uma ligação direta com a identidade minoritária.[74] O Ministério da Saúde indica rastreamento de álcool para todos os adultos no Brasil,[80] mas especial atenção deve ser dada a lésbicas e mulheres bissexuais.[59]

São mais escassos os estudos sobre o uso de drogas ilícitas na população LGBTI+, atribuído à dupla dificuldade de obter uma amostra de minorias sexuais e usuários de drogas ilícitas. Entretanto, as pesquisas já realizadas também encontraram uso mais frequente dessas substâncias e uma relação mais nociva dessa população com as drogas.[75]

CONSIDERAÇÕES FINAIS

A abordagem à sexualidade para todas as pessoas assim como o cuidado com questões de saúde específicas de pessoas LGBTI+ não se restringem a ações clínicas e exigem aproximação do tema, com ampliação de repertório individual e atenção à comunicação individual ou coletiva.

A **TABELA 21.2** resume algumas ações relevantes para o exercício profissional qualificado em relação a pessoas LGBTI+ ou com demandas em sexualidade.

TABELA 21.2 → 10 ações importantes que devem fazer parte do trabalho das equipes de atenção primária à saúde (APS)

1. Não assuma que você sabe ou que consegue descobrir a orientação sexual, a identidade de gênero ou o desejo reprodutivo de uma pessoa. Pergunte sempre! Isso não é ofensivo e pode dar início a uma boa conversa sobre preconceitos mesmo com quem não é LGBTI+.
2. Ao abordar sexualidade, IST, reprodução e anticoncepção, pergunte sobre as práticas sexuais da pessoa. Mesmo para casais formados por mulher e homem cisgêneros, existem outras formas de transar além da penetração vaginal por um pênis. Saiba oferecer prevenção de IST direcionada a todas as práticas sexuais.
3. Pergunte sobre termos que cada pessoa acredita definirem sua identidade de gênero, sua orientação afetivo-sexual, suas relações, seus comportamentos, suas práticas sexuais e seus grupos de convivência. Peça permissão para utilizar os mesmos termos, pois algumas expressões conhecidamente ofensivas podem ser utilizadas exclusivamente por alguns grupos como forma de enfrentar preconceitos e afirmar sua existência.
4. Garanta atendimento privativo e com sigilo das informações, mesmo em relação aos demais membros da equipe de saúde (como agente comunitário de saúde). O medo de violência pela família ou pela comunidade pode ser um motivo para a pessoa não conversar com profissionais.
5. A exclusão social e a violência são importantes causas diretas e indiretas de adoecimento de LGBTI+ e, geralmente, são causas ignoradas e/ou negligenciadas por profissionais. O risco aumenta quando outras opressões se somam à LGBTI+fobia, como machismo, racismo, etarismo e discriminações de classe socioeconômica e de formação familiar. Aborde e considere essas situações ao investigar um problema e ao propor uma estratégia de cuidado. Preencha os campos destinados à orientação sexual e à identidade de gênero na ficha de notificação de violência.
6. A equipe deve oferecer ativamente o uso do nome social, no momento do cadastramento no serviço de saúde. O nome social deve ser utilizado sempre, por todos os profissionais e em todos os documentos do serviço.
7. Aprenda a prescrever hormônios para travestis, mulheres transexuais, homens trans e pessoas não binárias que desejam transformações corporais. Além de ser uma necessidade para muitas dessas pessoas, o risco biológico do uso de hormônios está relacionado principalmente à automedicação com substâncias inadequadas e que costumam ser utilizadas de maneira errada.
8. Organize um ambiente de trabalho que acolha as diferenças e que possa enfrentar as violências sofridas por usuários e por profissionais dentro do serviço de saúde, por meio de discussões nas reuniões de equipe, educação continuada e permanente, formação de núcleos de prevenção à violência, ouvidoria efetiva, espaço aberto e seguro para escuta ou outras estratégias. A violência institucional é uma realidade que não pode ser ignorada.
9. Conheça ou forme uma rede intersetorial para garantir acolhimento, atendimento e direitos para as pessoas LGBTI+ no território que você atende. Informe-se dos direitos garantidos pelo seu município ou estado.
10. Converse sobre as percepções de gênero e aborde as expectativas de cada família para suas crianças. Mulheres e homens heterossexuais cisgêneros também estão sujeitos a violências e adoecimentos por consequência dos papéis sociais e dos estereótipos de gênero, transmitidos cultural e historicamente.

IST, infecção sexualmente transmissível.
Fonte: Sociedade Brasileira de Medicina de Família e Comunidade.[11]

REFERÊNCIAS

1. World Health Organization. Defining sexual health: report of a technical consultation on sexual health, 28–31 January 2002, Geneva. Geneva: WHO; 2006.
2. Foucault M. Microfísica do poder. Rio de Janeiro: Graal; 1979.
3. São Paulo. Secretaria da Saúde. Coordenação da Atenção Básica. Comitê Técnico de Saúde Integral LGBTI. Protocolo para o atendimento de pessoas transexuais e travestis no município de São Paulo. São Paulo: SMS; 2020.
4. Garcia CC. Breve história do feminismo. 4. ed. São Paulo: Claridade; 2015.
5. Butler J. Problemas de gênero: feminismo e subversão da identidade. Rio de Janeiro: Civilização Brasileira; 2003.
6. Cochran SD, Drescher J, Kismödi E, Giami A, García-Moreno C, Atalla E, et al. Proposed declassification of disease categories related to sexual orientation in the *International Statistical Classification of Diseases and Related Health Problems* (ICD-11). Bull World Health Organ. 2014;92(9):672–9.
7. Cardoso FL. O conceito de orientação sexual na encruzilhada entre sexo, gênero e motricidade. Interam J Psychol. 2008;42(1):69–79.
8. Savin-Williams RC, Joyner K, Rieger G. Prevalence and stability of self-reported sexual orientation identity during young adulthood. Arch Sex Behav. 2012;41(1):103–10.
9. Abdo C. Mosaico Brasil – Programa de Estudos em Sexualidade (ProSex). São Paulo: FMUSP;2008.
10. Joint United Nations Programme on HIV/AIDS. UNAIDS terminology guidelines: 2015. Geneva: UNAIDS; 2015.
11. Sociedade Brasileira de Medicina de Família e Comunidade. Cuidados oferecidos à saúde da população LGBTI [Internet]. SBMFC. Rio de Janeiro; 2018 [capturado em 23 fev. 2021]. Disponível em: https://www.sbmfc.org.br/noticias/cuidados-oferecidos-a-saude-da-populacao-lgbti/.
12. Peres MCC, Soares SF, Dias MC. Dossiê sobre lesbocídio no Brasil: de 2014 até 2017. Rio de Janeiro: Livros Ilimitados; 2018.
13. Knight DA, Jarrett D. Preventive health care for men who have sex with men. Am Fam Physician. 2015;91(12):844–51.
14. Leeds IL, Fang SH. Anal cancer and intraepithelial neoplasia screening: a review. World J Gastrointest Surg. 2016;8(1):41–51.
15. Movement Advancement Project. Invisible majority: the disparities facing bisexual people and how to remedy them [Internet]. Boulder; 2016 [capturado em 23 fev. 2021]. Disponível em: https://www.lgbtmap.org/invisible-majority.
16. Rankin S, Hiwatari J. Roadmap to bisexual inclusion: a guide for Scottish services [Internet]. Edinburgh: Equality Network; 2018 [capturado em 23 fev. 2021]. Disponível em: https://www.equality-network.org/wp-content/uploads/2018/09/Roadmap-booklet-digital.pdf
17. Human Rights Campaign Foundation. Health disparities among bisexual people [Internet]. HRC; 2015 [capturado em 24 fev. 2021]. Disponível em: https://assets2.hrc.org/files/assets/resources/HRC-Bi-HealthBrief.pdf
18. Winter S, Diamond M, Green J, Karasic D, Reed T, Whittle S, et al. Transgender people: health at the margins of society. The Lancet. 2016;388(10042):390–400.
19. Conselho Nacional de Combate à Discriminação e Promoção dos Direitos da população LGBT. Relatório final: 3ª conferência nacional de políticas públicas de direitos humanos de lésbicas, gays, bissexuais, travestis e transexuais. Brasília: CNCD/LGBT; 2016.
20. Russell ST, Pollitt AM, Li G, Grossman AH. Chosen name use is linked to reduced depressive symptoms, suicidal ideation, and suicidal behavior among transgender youth. J Adolesc Health Off Publ Soc Adolesc Med. 2018;63(4):503–5.
21. Robles R, Fresán A, Vega-Ramírez H, Cruz-Islas J, Rodríguez-Pérez V, Domínguez-Martínez T, et al. Removing transgender identity from the classification of mental disorders: a Mexican field study for ICD-11. Lancet Psychiatry. 2016;3(9):850–9.
22. United Nations for LGBT equality. Fact sheet: intersex [Internet]. UNHR; 2015 [capturado em 24 fev. 2021]. Disponível em: https://www.unfe.org/wp-content/uploads/2017/05/UNFE-Intersex.pdf
23. Jones T, Hart B, Carpenter M, Ansara G, Leonard W, Lucke J. Intersex: stories and statistics from australia. Cambridge: Open Book Publishers; 2016.
24. European Union Agency for Fundamental Rights. The fundamental rights situation of intersex people. Vienna: FRA; 2015.
25. Silva MRD da. Repensando os cuidados de saúde para a pessoa intersexo. In: Intersexo. São Paulo: Revista dos Tribunais; 2018. p. 379–404.

26. Hughes IA, Houk C, Ahmed SF, Lee PA, Lawson Wilkins Pediatric Endocrine Society/European Society for Paediatric Endocrinology Consensus Group. Consensus statement on management of intersex disorders. J Pediatr Urol. 2006;2(3):148–62.
27. Bezerra PV. Assexualidade: subjetividades emergentes no século XXI. Londrina: EDUEL; 2019.
28. Yule MA, Brotto LA, Gorzalka BB. Sexual fantasy and masturbation among asexual individuals: an in-depth exploration. Arch Sex Behav. 2017;46(1):311–28.
29. Emens EF. Compulsory sexuality. Stanford Law Rev. 2014;66(2):303–86.
30. Prause N, Graham CA. Asexuality: classification and characterization. Arch Sex Behav. 2007;36(3):341–56.
31. Grinspan MC, Carpenter M, Ehrt J, Kara S, Narrain A, Patel P, et al. The Yogyakarta principles plus 10: additional principles and state obligations on the application of international human rights law in relation to sexual orientation, gender identity, gender expression and sex characteristics to complement the Yogyakarta principles [Internet]. Geneva; 2017 [capturado em 24 fev. 2021]. Disponível em: http://yogyakartaprinciples.org/wp-content/uploads/2017/11/A5_yogyakartaWEB-2.pdf
32. Corrêa SO, Muntarbhorn V. Princípios de Yogyakarta: princípios sobre a aplicação da legislação internacional de direitos humanos em relação à orientação sexual e identidade de gênero [Internet]. 2007 [capturado em 25 fev. 2021]. Disponível em: http://www.clam.org.br/uploads/conteudo/principios_de_yogyakarta.pdf
33. Trans respeito versus transfobia no mundo. Nota de imprensa, dia internacional da visibilidade trans: mais de 2,000 pessoas trans assassinadas nos últimos 8 anos. TGEU; 2016.
34. Lionço T, Diniz D, organizadores. Homofobia & educação: um desafio ao silêncio. Brasília: Letras Livres : Editora UnB; 2009.
35. Santos TN dos, Araujo BP de, Rabello LR. Percepções de lésbicas e não-lésbicas sobre a possibilidade de aplicação da Lei Maria da Penha em casos de lesbofobia intrafamiliar e doméstica. Bagoas Estud Gays Gênero E Sex. 2014;8(11):101–19.
36. Brasil. Ministério da Saúde. Política nacional de saúde integral de lésbicas, gays, bissexuais, travestis e transexuais. Brasília: MS; 2013.
37. Herek GM. Sexual stigma and sexual prejudice in the United States: a conceptual framework. In: Hope DA, organizador. Contemporary Perspectives on Lesbian, Gay, and Bisexual Identities. New York: Springer; 2009. p. 65–111.
38. Goffman E. Estigma: notas sobre a manipulação da identidade deteriorada. 4. ed. Rio de Janeiro, RJ: LTC; 1981.
39. Meyer IH. Prejudice, social stress, and mental health in lesbian, gay, and bisexual populations: conceptual issues and research evidence. Psychol Bull. 2003;129(5):674–97.
40. Rede Feminista de Saúde, Conselho Federal do Serviço Social. Saúde das mulheres lésbicas: promoção da equidade e da integralidade: dossiê [Internet]. Belo Horizonte: Rede Nacional Feminista de Saúde, Direitos Sexuais e Direitos Reprodutivos; 2012 [capturado em 24 fev. 2021]. Disponível em: http://www.cfess.org.br/arquivos/dossie_da_saude_da_mulher_lesbica.pdf
41. United Nations Development Programme. Relatório do desenvolvimento humano 2019: além do rendimento, além das médias, além do presente: as desigualdades no desenvolvimento humano no século XXI. New York: PNUD; 2019.
42. Almeida S. O que é racismo estrutural? Ribeiro D, organizador. Belo Horizonte: Letramento; 2018.
43. Brah A. Diferença, diversidade, diferenciação. Cad Pagu. 2006;(26):329–76.
44. Gonzalez L. Racismo e sexismo na cultura Brasileña. Rev. Ci. Soc. Hoje. 1984: 223-44.
45. Cerqueira D, Bueno S, Alves PP, Lima RS de, Silva ERA da, Ferreira H, et al. Atlas da violência 2020 [Internet]. Brasília: IPEA; 2020 [capturado em 24 fev. 2021]. Disponível em: https://www.ipea.gov.br/portal/images/stories/PDFs/relatorio_institucional/200826_ri_atlas_da_violencia.pdf
46. Benevides BG, Nogueira SNB, organizadores. Dossiê dos assassinatos e da violência contra travestis e transexuais brasileiras em 2019. São Paulo: Expressão Popular : ANTRA : IBTE; 2020.
47. Brasil. Ministério da Saúde. Portaria nº 992, de 13 de maio de 2009 [Internet]. 2009. Disponível em: http://bvsms.saude.gov.br/bvs/saudelegis/gm/2009/prt0992_13_05_2009.html.
48. Brasil. Ministério da Saúde. Política nacional de atenção integral à saúde da mulher: princípios e diretrizes. Brasília: MS; 2011.
49. Braga IF, Oliveira WA de, Silva JL da, Mello FCM de, Silva MAI, Braga IF, et al. Violência familiar contra adolescentes e jovens gays e lésbicas: um estudo qualitativo. Rev Bras Enferm. 2018;71:1220–7.
50. Ryan C, Huebner D, Diaz RM, Sanchez J. Family rejection as a predictor of negative health outcomes in white and latino lesbian, gay, and bisexual young adults. Pediatrics. 2009;123(1):346–52.
51. Puckett JA, Woodward EN, Mereish EH, Pantalone DW. Parental rejection following sexual orientation disclosure: impact on internalized homophobia, social support, and mental health. LGBT Health. 2015;2(3):265–9.
52. Moleiro C, Pinto N, Oliveira JM de, Santos MH. Violência doméstica: boas práticas no apoio a vítimas LGBT: guia de boas práticas para profissionais de estruturas de apoio a vítimas. Lisboa: Comissão para a Cidadania e a Igualdade de Género; 2016.
53. Reuter TR, Newcomb ME, Whitton SW, Mustanski B. Intimate partner violence victimization in LGBT young adults: demographic differences and associations with health behaviors. Psychol Violence. 2017;7(1):101–9.
54. Ard KL, Makadon HJ. Addressing intimate partner violence in lesbian, gay, bisexual, and transgender patients. J Gen Intern Med. 2011;26(8):930–3.
55. Friedman MR, Dodge B, Schick V, Herbenick D, Hubach R, Bowling J, et al. From bias to bisexual health disparities: attitudes toward bisexual men and women in the united states. LGBT Health. 2014;1(4):309–18.
56. Bockting WO, Miner MH, Swinburne Romine RE, Hamilton A, Coleman E. Stigma, mental health, and resilience in an online sample of the US transgender population. Am J Public Health. 2013;103(5):943–51.
57. Warrier V, Greenberg DM, Weir E, Buckingham C, Smith P, Lai M-C, et al. Elevated rates of autism, other neurodevelopmental and psychiatric diagnoses, and autistic traits in transgender and gender-diverse individuals. Nat Commun. 2020;11(1):3959.
58. Klein DA, Paradise SL, Goodwin ET. Caring for transgender and gender-diverse persons: what clinicians should know. Am Fam Physician. 2018;98(11):645–53.
59. Knight DA, Jarrett D. Preventive health care for women who have sex with women. Am Fam Physician. 2017;95(5):314–21.
60. Toomey RB, Syvertsen AK, Flores M. Are developmental assets protective against suicidal behavior? Differential associations by sexual orientation. J Youth Adolesc. 2019;48(4):788–801.
61. Hatzenbuehler ML. The social environment and suicide attempts in lesbian, gay, and bisexual youth. Pediatrics. 2011;127(5):896–903.
62. Grupo Gay da Bahia. Mortes violentas de LGBT+ no Brasil: relatório 2018. Salvador: GGB; 2019.
63. Kerr LRFS, Mota RS, Kendall C, Pinho A de A, Mello MB, Guimarães MDC, et al. HIV among MSM in a large middle-income country. AIDS Lond Engl. 2013;27(3):427–35.
64. Grinsztejn B, Jalil EM, Monteiro L, Velasque L, Moreira RI, Garcia ACF, et al. Unveiling of HIV dynamics among transgender women: a respondent-driven sampling study in Rio de Janeiro, Brazil. Lancet HIV. 2017;4(4):e169–76.
65. Brasil. Ministério da Saúde. Protocolo clínico e diretrizes terapêuticas para profilaxia pré-exposição (PrEP) de risco à infecção pelo HIV. Brasília: MS; 2018.
66. Brasil. Ministério da Saúde. Protocolo clínico e diretrizes terapêuticas para atenção integral às pessoas com infecções sexualmente transmissíveis (IST). Brasília: MS; 2020.
67. Brasil. Ministério da Saúde. Departamento de Vigilância, Prevenção e Controle das IST, do HIV/AIDS e das Hepatites Virais. Nota informativa nº 10/2018-COVIG/CGVP/.DIAHV/SVS/MS [Internet].

Brasília; 2018. Disponível em: http://www.aids.gov.br/pt-br/legislacao/nota-informativa-no-102018-covigcgvpdiahvsvsms.

68. Haviland KS, Swette S, Kelechi T, Mueller M. Barriers and facilitators to cancer screening among LGBTQ individuals with cancer. Oncol Nurs Forum. 2020;47(1):44–55.
69. Rufino AC, Madeiro A, Trinidad A, Santos R, Freitas I. Práticas sexuais e cuidados em saúde de mulheres que fazem sexo com mulheres: 2013-2014. Epidemiol E Serviços Saúde. 2018;27(4).
70. Deutsch MB, organizador. Guidelines for the primary and gender-affirming care of transgender and gender nonbinary people. 2nd ed. San Francisco: UCSF; 2016.
71. Ong JJ, Chen M, Grulich AE, Fairley CK. Regional and national guideline recommendations for digital ano-rectal examination as a means for anal cancer screening in HIV positive men who have sex with men: a systematic review. BMC Cancer. 2014;14:557.
72. Howard K. The cost-effectiveness of screening for anal cancer in men who have sex with men: a systematic review. Sex Health. 2012;9(6):610–9.
73. Workowski KA, Bolan GA. Sexually transmitted diseases treatment guidelines, 2015. Morb Mortal Wkly Rep. 2015;64(RR3):1–137.
74. Shahab L, Brown J, Hagger-Johnson G, Michie S, Semlyen J, West R, et al. Sexual orientation identity and tobacco and hazardous alcohol use: findings from a cross-sectional English population survey. BMJ Open. 2017;7(10):e015058.
75. Schuler MS, Rice CE, Evans-Polce RJ, Collins RL. Disparities in substance use behaviors and disorders among adult sexual minorities by age, gender, and sexual identity. Drug Alcohol Depend. 2018;189:139–46.
76. Fish JN, Watson RJ, Gahagan J, Porta CM, Beaulieu-Prévost D, Russell ST. Smoking behaviours among heterosexual and sexual minority youth? Findings from 15 years of provincially representative data. Drug Alcohol Rev. 2019;38(1):101–10.
77. Li J, Haardörfer R, Vu M, Windle M, Berg CJ. Sex and sexual orientation in relation to tobacco use among young adult college students in the US: a cross-sectional study. BMC Public Health. 2018;18(1):1244.
78. Hinds JT, Loukas A, Perry CL. Explaining sexual minority young adult cigarette smoking disparities. Psychol Addict Behav. 2019;33(4):371–81.
79. Corliss HL, Rosario M, Birkett MA, Newcomb ME, Buchting FO, Matthews AK. Sexual orientation disparities in adolescent cigarette smoking: intersections with race/ethnicity, gender, and age. Am J Public Health. 2014;104(6):1137–47.
80. Brasil. Ministério da Saúde. Departamento de Atenção Básica. Rastreamento. Brasília: MS; 2010.

Capítulo 22
ABORDAGEM DA MORTE E DO LUTO

Martha Farias Collares
Patrícia Lichtenfels
Milton Humberto Schanes dos Santos

Como um dos atributos da atenção primária à saúde (APS) é acompanhar as pessoas ao longo do tempo, em algum momento da vida elas experimentarão o luto – uma grande sensação de perda devido à morte de um ente querido. O luto ocupa um dos 10 principais eventos de necessidade de reajuste social, afetando a saúde das pessoas. Se estratégias de enfrentamento adequadas forem aplicadas, estas podem ajudar a prevenir doenças físicas e mentais no futuro. Portanto, o profissional de APS deve estar preparado para dar suporte e orientação e deve estar apto para identificar e abordar possíveis complicações desse evento da vida.[1]

Considerada uma das perdas mais desafiadoras da vida, o luto compartilha muitos aspectos em comum com outras perdas. No entanto, possui algumas características únicas: é quase sempre doloroso e perturbador, geralmente modulável e sempre irreversível. É uma experiência humana universal, instintiva e adaptativa. O **luto agudo**, considerado o seu início, é um fenômeno amargo, mas geralmente transitório, que, aos poucos, transforma-se em um **luto integrado**, uma forma de luto menos onerosa, mas atemporal. No entanto, para alguns indivíduos, em certas circunstâncias, essa transição não ocorre, e os sintomas passam a ser mais intensos, prolongados e debilitantes – condição que pode ser denominada **luto complicado**.[2]

> O luto pode ser entendido como uma reação normal e esperada para o rompimento de um vínculo. Tem como função proporcionar a reconstrução de recursos e viabilizar um processo de adaptação às mudanças ocorridas em consequência da perda.[3] É um processo determinado por fatores internos (estrutura psíquica do enlutado, tipo de vínculo com a pessoa falecida, histórico de perdas anteriores) e externos (circunstâncias da perda, crenças culturais e religiosas, apoio recebido).

O tempo do processo de luto é variável e, com frequência, dura mais do que o esperado. A maioria das culturas ritualiza o luto em um período em torno de 1 ano, e, em geral, os sobreviventes não estão preparados para suportar um luto mais prolongado. No entanto, em caso de mortes súbitas, traumáticas e prematuras, esse período pode ser mais longo, porque não se processa um luto antecipatório como ocorre com as mortes por doenças crônicas.[4]

Após a morte de um paciente, em geral os familiares esperam algum contato ou abordagem por parte do médico e da equipe que o acompanhava. Um estudo qualitativo sobre os cuidados às pessoas em fase terminal na APS, em um município do interior do Brasil, evidenciou uma grande descontinuidade de cuidados para a melhoria na qualidade de vida de quem morre no domicílio. Na percepção dos cuidadores, há falta de assistência médica e de apoio dos profissionais de saúde. Para os profissionais, uma das justificativas para isso é a própria limitação emocional para lidar com a morte ou com a impossibilidade de cura, além da inadequada formação para comunicar uma má notícia e relacionar-se com a família do paciente. Situações de muito sofrimento do doente e os fatos de o paciente ser jovem ou de ter tido forte vínculo com a equipe podem potencializar o problema.[5]

O objetivo deste capítulo é ampliar o conhecimento sobre o assunto e oferecer ferramentas para que o médico e a equipe de APS possam acompanhar seus pacientes e famílias no processo de enfrentamento da morte e do luto.

IMPACTO DA PERDA SOBRE A DINÂMICA FAMILIAR

A morte em uma família envolve múltiplas perdas: a perda de uma pessoa, a perda de papéis e relações, a perda de uma unidade familiar e a perda de sonhos e esperanças. Ela se expressa nas interações e trocas entre aqueles que sobrevivem e é capaz de atravessar as gerações e o próprio ciclo de vida. A dor sentida a partir dela é capaz de chegar às relações de membros de uma família com pessoas que jamais tiveram contato com o falecido.[4]

Uma revisão sistemática sobre a dinâmica familiar no processo de luto evidenciou que as famílias disfuncionais manifestam maior sintomatologia psicopatológica, maior morbidade psicossocial, pior funcionamento social, dificuldade para recorrer aos recursos da comunidade e menor capacidade funcional no trabalho. Os conflitos familiares também podem contribuir para o desenvolvimento de um luto complicado. Por outro lado, a coesão, a expressão de afeto e uma boa comunicação nas famílias podem ser considerados como atenuantes nos sintomas de luto.[6]

A intensidade da reação emocional de uma família pode ser determinada por dois fatores principais: o nível de integração emocional da família no momento da perda e a importância funcional do membro perdido. Uma família mais integrada pode mostrar reações mais explícitas e adaptar-se mais rápido que uma família menos integrada, que pode demonstrar pouca reação imediata, mas responder posteriormente com problemas físicos ou emocionais. Da mesma forma, a morte de uma pessoa com grande importância funcional na família tem impacto muito diferente do que a morte de alguém que era visto como um peso pela família ou que simplesmente não tinha grande importância funcional. Por exemplo, espera-se um grande impacto com a perda do pai ou mãe, avô com grande poder de tomada de decisões ou filho em quem se depositavam grandes esperanças no seu futuro profissional.[7]

Algumas situações que causam um maior impacto e podem predispor a lutos complicados podem ser destacadas: as perdas envolvidas em situações de desprestígio, como execução de um prisioneiro ou a morte de um motorista alcoolizado que provocou um acidente de trânsito; o luto por morte de crianças; o suicídio, pelo estigma e provável ausência de suporte social; mortes no exercício profissional em situações de catástrofe (p. ex., profissionais de saúde durante a pandemia); e o surgimento de múltiplos estressores a partir da perda, como dívidas financeiras, perda de emprego ou convênio de saúde.[8]

> Para entender a importância de uma perda, é preciso compreender as circunstâncias nas quais a morte ocorreu, os significados dessa morte para uma família em particular, em qual estágio de desenvolvimento familiar ela se dá e o seu contexto social.[4] Sob um olhar sistêmico, entender a perda exige compreender toda uma cadeia de influências que agirá ao longo da teia de relações familiares, incluindo casal, pais, filhos, irmãos e família estendida.

No contexto da APS, pela característica de cuidados continuados, as equipes lidam frequentemente com lutos antecipatórios ao acompanhar o adoecimento de pacientes e as reações de seus familiares. Uma revisão de literatura define o luto antecipatório como um processo angustiante familiar de antecipação da perda de um ente querido e transição para uma realidade diferente, na ausência deste. É caracterizado pela ambivalência entre duas dimensões principais: por um lado, o reconhecimento da proximidade da morte devido às atuais relações com a pessoa e perdas relacionadas a esta e, por outro lado, a necessidade de proteção dessa sensação dolorosa e inibição das expressões de luto, com o objetivo de manter a funcionalidade e poder cuidar do familiar doente.[9]

A adaptação à perda requer da família uma reorganização imediata e de longo prazo, bem como mudanças na sua própria definição, nos seus propósitos e objetivos. Essa adaptação não significa resolução, e o processo de luto não possui uma sequência ou tempo determinados. Algumas perdas muito significativas ou mesmo traumáticas podem nunca ser completamente resolvidas. Ao longo do processo de adaptação, ocorre uma mudança de uma relação física para um vínculo eterno que envolve a espiritualidade, as memórias e as histórias que cruzarão as diversas gerações da família.[10]

A capacidade de uma família de se adaptar e aceitar uma perda ao longo do tempo reflete um sistema familiar saudável no qual foi possível ocorrer esse complexo e difícil processo de adaptação.[11] A **TABELA 22.1** apresenta as variáveis que influenciam essa adaptação.

Visto que o processo de luto envolve toda a família e muitas gerações, uma abordagem familiar integral pode ser mais vantajosa do que o tratamento individual de seus membros.[12]

IMPACTO DA PERDA SOBRE A SAÚDE INDIVIDUAL

A morte de um ente da família aumenta o risco de os demais membros desenvolverem doenças e morrerem prematuramente,[13] sobretudo quando a morte ocorreu de forma inesperada[14] ou quando se trata da morte de uma criança.[15] Portanto, o acompanhamento longitudinal e integral desses familiares é de grande importância.

Uma revisão sistemática avaliou o impacto do luto em comportamentos relacionados à saúde em adultos com idade > 50 anos, especialmente após perda do cônjuge. Destaca-se um risco aumentado para piora dos indicadores nutricionais, sobremaneira no primeiro ano do luto, incluindo maior tendência a pular refeições, a comer fora de casa e a comer menor variedade de alimentos, havendo inclusive associação à perda de peso não intencional. Houve piora também da percepção sobre a qualidade do sono e aumento do consumo de álcool. Os achados foram inconsistentes para atividade física e consumo de tabaco. Os mecanismos apontados para um pior comportamento relacionado à saúde incluem a perda do apoio do parceiro e o impacto do luto e da depressão na motivação para engajar-se em comportamentos promotores

TABELA 22.1 → Variáveis que influenciam na adaptação familiar à perda

VARIÁVEL	DETALHES
Características da pessoa que faleceu	→ Relação familiar entre a pessoa que morreu e a pessoa que está se adaptando à perda; por exemplo, pai, mãe, filho, cônjuge, avô ou primo distante; a percepção e a aceitação da morte de um primo distante acontecem de forma diferente daquelas de um filho → Idade da pessoa que faleceu; por exemplo, um avô que morreu de causa natural ou uma criança que morreu em um acidente
Natureza da união (vínculo, apego)	→ Força da união (intensidade de sentimento envolvida na relação com o falecido) → Segurança proporcionada pelo vínculo (quão necessária era a pessoa que faleceu para o bem-estar da que sobreviveu) → Ambivalências na relação; há sempre sentimentos negativos e positivos na relação – se os negativos superam os positivos, pode haver predomínio do sentimento de culpa em relação à perda ou raiva por ter sido abandonado → Conflitos com a pessoa que morreu; conflitos que não foram resolvidos antes da morte podem gerar sentimentos de culpa → Grau de dependência; o luto pode ser mais difícil para aqueles muito dependentes da pessoa que morreu
Como a pessoa morreu	→ Causa da morte: natural, acidental, suicídio, homicídio → Onde a morte ocorreu: em casa, no hospital, em uma clínica, na rua, etc.; a morte em casa pode trazer benefícios, como maior atenção ao doente e a possibilidade de todos os integrantes da família vivenciarem a morte de perto, e ao mesmo tempo pode gerar dificuldades para os sobreviventes, como maior nível de estresse, sentimentos intensos de perda após a morte e maior tempo de adaptação → Morte esperada ou súbita: a adaptação dos sobreviventes à morte parece ser mais tranquila para aqueles que tiveram algum tempo para se preparar, ou seja, que já passaram pelo luto antecipatório → Mortes violentas ou traumáticas: podem ter impacto violento sobre os sobreviventes e causar um luto complicado → Múltiplas perdas: uma pessoa que experimenta múltiplas perdas em um curto espaço de tempo pode não ser capaz de lidar com seus sentimentos sozinha e precisar de ajuda para se adaptar a cada perda e ao processo como um todo → Mortes preveníveis: são comuns sentimentos como falha, culpa, autocensura e autopunição → Mortes ambíguas: a morte é considerada ambígua quando não se sabe se a pessoa morreu ou está viva (p. ex., pessoa desaparecida); isso torna o luto complicado porque deixa a pessoa enlutada em posição de não saber se continua a ter esperanças ou se aceita a perda → Mortes estigmatizadas: as mortes por suicídio e por Aids são frequentemente vistas com um estigma social, o que muitas vezes gera um suporte social pobre e insuficiente aos sobreviventes
Antecedentes históricos	→ A pessoa enlutada já teve alguma perda na vida? Como foi a adaptação a essa perda? → História prévia de transtornos psiquiátricos, sobretudo quadros de depressão maior, pode complicar o processo de luto
Variáveis da personalidade	→ Gênero e idade: homens e mulheres são socializados de formas diferentes, o que também os diferencia no seu processo de adaptação ao luto → Resiliência: é a capacidade para lidar com estressores internos e externos; varia de pessoa para pessoa; exemplos de resiliência: habilidade para resolver problemas, capacidade de lidar positivamente com situações adversas (bom humor, aprendizado e crescimento pessoal, expressão de sentimentos), capacidade de aceitar ajuda ou suporte → Vínculos significativos: se o vínculo da criança com as pessoas mais próximas e significativas foi saudável, ela terá maior facilidade em se adaptar ao luto na fase adulta → Estilo de vida: otimista, pessimista, ruminativo → Autoestima e autoeficácia: a perda pode modificar substancialmente os sentimentos de autoestima e autoeficácia → Crenças e valores: a perda pode modificar valores e gerar uma crise existencial e espiritual
Variáveis sociais e culturais	→ O processo de luto é um fenômeno social; a percepção de estar recebendo suporte social por parte da família ou fora dela pode reduzir significativamente os níveis de estresse dos enlutados; a falta de uma rede de apoio e a estigmatização podem contribuir para um luto complicado → Os papéis sociais desempenhados pela pessoa enlutada e a sua vivência religiosa familiar e étnica podem contribuir para a adaptação à perda
Estresses concomitantes	→ Uma história de múltiplas perdas recentes pode dificultar a adaptação à perda; por exemplo, perda de um emprego, perda de um bebê (abortamento), divórcio, etc.

Aids, síndrome da imunodeficiência adquirida.

de saúde. A atividade física pode aumentar como uma forma de buscar adaptar-se ao luto, porém pode ser difícil realizar atividades físicas que eram realizadas anteriormente em parceria com a pessoa que faleceu.[16]

COMO O LUTO PODE MANIFESTAR-SE NA CONSULTA

Os sintomas provenientes do sofrimento por luto podem ser tanto físicos quanto emocionais e, muitas vezes, não são relacionados à experiência de luto.[1] É comum que as queixas somáticas "legitimem" a necessidade da consulta, já que o sofrimento emocional pode não ser considerado um motivo adequado.[17] As demandas podem variar de sintomas de ansiedade, como aperto no peito, falta de ar, tontura, dificuldade em engolir e boca seca, a sintomas de depressão, como falta de apetite, falta de energia, dificuldade de concentração e labilidade emocional.[1] Uma postura empática por parte do profissional e o uso de intervenções, como a terapia de retribuição, podem permitir que o paciente reconheça a origem psicossocial dos seus sintomas e aceite uma intervenção focada no luto, quando indicada (ver Capítulos Abordando os Sintomas Físicos de Difícil Caracterização e Intervenções Psicossociais na Atenção Primária à Saúde).

Apesar de não estar indicada abordagem sistemática do processo de luto para todos os pacientes que perderam algum familiar, uma conversa sobre a perda frequentemente acontece, decorrente da longitudinalidade do cuidado à família. O foco deve ser o acolhimento emocional acompanhado de psicoeducação sobre o processo de luto e identificação dos casos mais vulneráveis para um luto complicado.

EVOLUÇÃO ESPERADA DO PROCESSO DE LUTO

Com o tempo, a maioria das pessoas se adapta à perda, aceitando sua finalidade e suas consequências. O período inicial do luto, chamado de luto agudo, é muito sintomático, com comprometimento não apenas emocional, mas também físico, social, cognitivo e espiritual. Os profissionais devem monitorar a resposta à perda até que eles e seus pacientes estejam confortáveis com o fato de que a pessoa se adaptou com sucesso e evoluiu para o denominado luto integrado. Para uma minoria dos indivíduos, há uma falha nessa adaptação e eles evoluem para um luto complicado, também conhecido como prolongado, ou persistente.[18,19] A FIGURA 22.1 ilustra como ocorre essa evolução.

No luto agudo, as emoções são intensas e existem muitas preocupações e lembranças relacionadas à pessoa falecida. Os indivíduos enlutados geralmente têm uma sensação de desconexão consigo, com seu passado, presente e futuro, e principalmente com a pessoa que morreu. Eles podem temer nunca mais se sentir felizes ou realizados.[18] Outros, no entanto, podem manifestar apenas uma sensação de solidão e vazio.[1]

A linha do tempo de evolução do luto varia consideravelmente e é única de indivíduo para indivíduo. Alguns determinantes desse processo são as experiências passadas de perda e as questões culturais envolvidas. O cenário mais comum é de uma intensa experiência de luto de até 6 meses, que desaparece progressivamente nos 12 a 18 meses seguintes. No entanto, o luto pode aparecer como uma onda de intensidade e variabilidade episódica, prolongando-se por muitos meses.[1]

Os enlutados não esquecem as pessoas que perderam, não renunciam à tristeza ou deixam de sentir falta dos entes queridos. Porém, progressivamente, desenvolvem um relacionamento diferente, mas contínuo, com a pessoa que morreu. Assim, podem repensar um futuro com possibilidades de felicidade, conexão e significado – mesmo em um mundo sem o falecido. Esse estado é chamado de luto integrado, pois a adaptação à perda transforma e integra o luto.[18]

Ainda assim, em momentos significativos, como feriados, aniversários, uma nova perda ou qualquer outro período importante ou estressante, os sintomas do luto agudo podem reaparecer. No entanto, isso já não interfere na experiência contínua de um sentimento renovado de alegria e satisfação.[18]

Alguns enlutados não prosseguem na adaptação à sua perda e desenvolvem o luto complicado. As causas envolvidas nesse processo são multifatoriais, destacando-se: problemas sociais e ambientais (p. ex., dificuldade financeira, falta de apoio social), pensamentos disfuncionais, comportamentos desadaptativos e dificuldades de regulação emocional.[18]

TAREFAS DO LUTO NORMAL

O conhecimento das tarefas a serem cumpridas pela pessoa e/ou família enlutada fornece as bases para que o profissional lide de forma produtiva com os recursos disponíveis. O psicoterapeuta e pesquisador do tema J. William Worden propôs ser essencial o cumprimento de quatro tarefas básicas para que uma pessoa e/ou sistema familiar processem a dor da perda e retornem ao seu equilíbrio funcional.[20]

Tarefa 1: Aceitar a realidade da morte

A primeira tarefa é aceitar a realidade da perda: a perda é real, a pessoa está morta, e o reencontro nesta vida é impossível. Todos os membros da família, a seu modo, devem confrontar a realidade de uma morte que a atinge. O reconhecimento da perda é facilitado pela informação clara e pela comunicação aberta sobre os fatos e as circunstâncias da morte. A incapacidade de aceitar a realidade da morte pode levar um membro da família a evitar o contato com os outros ou a ter raiva daqueles que estão progredindo em seu processo de luto.

Os rituais funerários e as visitas ao túmulo têm uma função vital ao proporcionar uma confrontação direta com a realidade da morte e uma oportunidade de prestar uma

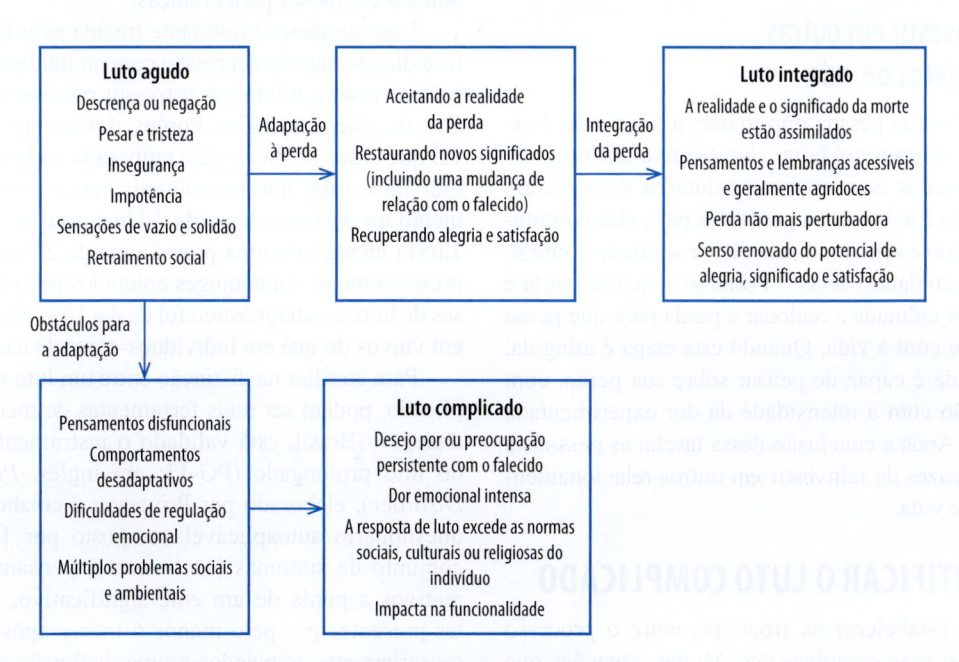

FIGURA 22.1 → Processo de luto com os desfechos integrado e complicado. Adaptado de Iglewicz et al.[19]

última homenagem, compartilhar o sofrimento e receber conforto da rede de apoio dos sobreviventes.[21]

Tarefa 2: Processar a dor da perda

Todas as pessoas experimentam algum tipo de dor relacionada com a perda. A dor pode ser física, emocional ou, ainda, comportamental, e manifestar-se de formas diversas em diferentes pessoas e contextos. O tipo de dor e a sua intensidade variam de pessoa a pessoa e de acordo com as características da perda já discutidas na TABELA 22.1. Os sentimentos despertados podem ser muito dolorosos, e é possível que algumas pessoas suprimam essas emoções, adiando o processo de luto ou tornando-se deprimidas.

A comunicação clara e direta facilita a adaptação familiar e fortalece a família como uma rede de apoio para seus membros.[22]

Tarefa 3: Ajustar-se ao mundo sem a pessoa que morreu

Uma perda é capaz de modificar valores fundamentais da vida de uma pessoa, assim como suas crenças, seus objetivos e suas metas. Após a perda, aqueles que ficam necessitam passar por um processo de ajustamento que se dá em três níveis.

Os ajustes externos se referem à influência da morte no funcionamento diário da família. Os ajustes internos, por sua vez, referem-se às mudanças pessoais decorrentes da perda, como em relação à autoimagem, à autoestima e ao senso de autoeficácia – por exemplo, mulheres que definiam sua identidade com base em sua relação com o marido sentem que perderam uma parte de si após a morte deste. Por último, os ajustes espirituais se referem a como a morte interfere nas crenças, nos valores e na visão de mundo.

Tarefa 4: Reinvestir em outras relações e projetos de vida

Quando se perde uma pessoa importante, a tarefa não é esquecê-la, mas encontrar um lugar significativo nos próprios sentimentos. Estudos com crianças enlutadas demonstram que, mesmo após 2 a 3 anos da perda dos pais, elas continuavam conversando e sonhando com eles, e sentindo como se eles estivessem cuidando delas.[23] Portanto, a quarta tarefa é auxiliar a pessoa enlutada a realocar a perda para que possa seguir em frente com a vida. Quando esta etapa é atingida, a pessoa enlutada é capaz de pensar sobre sua perda, com tristeza, mas não com a intensidade da dor experimentada primeiramente. Após a conclusão dessa tarefa, as pessoas e famílias são capazes de reinvestir em outros relacionamentos e projetos de vida.

COMO IDENTIFICAR O LUTO COMPLICADO

É muito difícil estabelecer as fronteiras entre o processo normal de luto e suas complicações. Muitas situações que poderiam parecer patológicas, como labilidade emocional, sentimento de culpa, identificação com o morto e aparecimento de sintomas parecidos com os do morto, surgem em diversos graus nas pessoas enlutadas. O que diferencia as duas situações é a intensidade, a frequência e a duração dos sintomas nas situações de luto complicado.[24] E, embora ainda não haja consenso sobre os sintomas, o curso de tempo e o nome da síndrome, ele pode ser identificado com segurança.

Os sintomas típicos do luto complicado incluem:

→ sofrimento agudo que dura pelo menos 6 a 12 meses após a perda;
→ saudade persistente da pessoa que morreu;
→ tristeza e dor emocional;
→ dificuldade em vislumbrar uma vida significativa sem a pessoa que morreu;
→ pensamentos ruminativos e mal-adaptativos;
→ comportamentos disfuncionais (excesso de busca ou exagerada evitação de lembranças da pessoa que morreu);
→ ideação e comportamento suicida.[18]

A *Classificação estatística internacional de doenças e problemas relacionados à saúde*, 11ª revisão (CID-11), denomina as complicações do luto como **luto prolongado**, definindo-o como "uma persistente e generalizada resposta de luto, por um tempo maior que 6 meses, e que excede claramente as normas sociais, culturais ou religiosas esperadas para o contexto do indivíduo".[25]

Já o *Manual diagnóstico e estatístico de transtornos mentais*, 5ª edição (DSM-5), apresenta o termo **transtorno do luto complexo persistente** no capítulo de condições para estudos posteriores, e não o denomina como um diagnóstico em saúde mental. Sua definição também é de uma reação de luto desproporcional às normas sociais ou religiosas do indivíduo, mas difere por exigir um maior tempo de sintomas, se comparado ao luto prolongado da CID-11: 12 meses para adultos e 6 meses para crianças.[26]

Uma mudança importante trazida pelo DSM-5 é permitir o diagnóstico de depressão concomitantemente ao de luto, pois considera o luto um estressor psicossocial, desencadeante de psicopatologias. Porém, destaca que é imprescindível que o diagnóstico esteja embasado na história pessoal do indivíduo e nas normas culturais para a expressão do sofrimento no contexto de perda.[26] Uma revisão sistemática (n = 1.051) identificou uma prevalência de 22% de episódio depressivo maior em cônjuges enlutados nos primeiros 12 meses de luto, e o diagnóstico foi de 4 a 10 vezes mais frequente em viúvos do que em indivíduos-controle não viúvos.[27]

Para auxiliar na distinção entre um luto normal ou complicado, podem ser úteis ferramentas de medida de intensidade. No Brasil, está validado o instrumento de avaliação do luto prolongado (PG-13; em inglês, *Prolonged Grief Disorder*), elaborado por Prigerson e colaboradores. É um questionário autoaplicável composto por 13 itens de um conjunto de sintomas (sentimentos, pensamentos e ações) reativos à perda de um ente significativo, que devem estar presentes por pelo menos 6 meses após a perda, e necessariamente associados a uma disfunção social e/ou funcional.[28,29] A TABELA 22.2 apresenta a tradução do *Brief Grief*

TABELA 22.2 → Questionário Breve de Luto

1. Quanta dificuldade você está tendo para aceitar a morte de _____?	
Nenhuma	0
Um pouco	1
Muita	2
2. Quanto sua dor interfere na sua vida neste momento?	
Nada	0
Um pouco	1
Muito	2
3. Quanto lhe incomodam os pensamentos ou imagens de _____, sobre quando ele/a morreu, ou outros pensamentos sobre a morte?	
Nada	0
Um pouco	1
Muito	2
4. Há algo que você fazia com _____ e que passou a evitar? Por exemplo, ir a lugares que iam juntos ou fazer algo de que gostavam de fazer juntos? Ou evitar ver fotografias ou falar sobre_____? Quanto você está evitando essas coisas?	
Nada	0
Um pouco	1
Muito	2
5. Quanto você está se sentindo isolado ou distante de outras pessoas desde que _____ morreu (inclusive pessoas que eram bastante próximas, como família ou amigos)?	
Nada	0
Um pouco	1
Muito	2
Triagem positiva: pontuação ≥ 4	

Fonte: Traduzida pelos autores a partir do original em inglês de Shear et al.[30]

Questionnaire (Questionário Breve de Luto),[30] que pode ser usado como instrumento de triagem para luto complicado. Quando positivo, deve-se realizar o atendimento para confirmar ou descartar o diagnóstico.

O luto complicado pode ser fator desencadeante para depressão, transtorno de estresse pós-traumático (TEPT), transtorno de ansiedade generalizada, transtorno do pânico e transtorno por abuso de substâncias, ou até mesmo ser uma comorbidade desses transtornos.[2] Também está associado a maior risco de câncer, eventos cardíacos, problemas de sono, ideação e tentativas suicidas e aumento da mortalidade.[14,31]

Reconhecendo o luto complicado e outros transtornos psíquicos que podem estar associados, a equipe pode direcionar e otimizar a abordagem, além de encaminhar a pessoa para atendimento especializado em saúde mental ou grupos de apoio, quando necessário. Mais informações podem ser encontradas no *site* do Center for Complicated Grief.[32]

CUIDADOS ÀS PESSOAS E ÀS FAMÍLIAS ENLUTADAS

A abordagem do luto pode variar desde algumas palavras em uma única consulta até um processo estruturado de psicoterapia realizado por profissional especializado no tema. Geralmente, não é necessária psicoterapia para pessoas enlutadas, mas um aconselhamento ou abordagem é útil se a pessoa desejar. Independentemente da estrutura do atendimento, da formação ou das crenças do profissional de saúde, há uma série de princípios e procedimentos que, se colocados em prática, auxiliam as pessoas em luto a integrar a sua perda (TABELA 22.3).[8]

No ambiente de APS, logo após a morte de algum paciente, é importante que o médico, ou outro profissional representando a equipe, faça um contato telefônico com a família, oferecendo suporte. Uma visita domiciliar ou o comparecimento à cerimônia funeral também são gestos que propiciam um bom encerramento do cuidado, além de apoio e conforto para a família.

Uma revisão sistemática de literatura sobre luto demonstrou que tanto médicos quanto enfermeiros da APS consideravam a abordagem do luto uma competência importante e gratificante do seu trabalho. Porém, reconheceram falta de capacitação sobre o tema e medo de hipermedicalizar o luto normal. Referiram fazer visitas domiciliares, consultas por telefone e enviar cartas de condolências como forma de apoio às pessoas enlutadas.[33]

> **Como o processo de luto continua por anos e, provavelmente, nunca termina, o objetivo de sua abordagem não é extingui-lo, mas sim facilitá-lo até o momento em que a pessoa e/ou a família possa reinvestir em novos interesses e relacionamentos que substituam a relação que foi perdida.[20]**

Nas fases iniciais, é importante que o profissional incentive a expressão dos sentimentos e ajude a pessoa e/ou a família enlutada a pensar sobre a perda. O acompanhamento do luto será mais efetivo quanto mais o profissional conseguir aceitar o processo de luto da família, ser empático com as pessoas enlutadas e explorar o lado doloroso da perda.[4] É fundamental especificar e nomear a perda e a morte, explorar seu significado e dirigir a perda para um contexto social.[20]

Como o processo de luto atinge toda a família, o cuidado integral da família é mais efetivo que o cuidado individualizado.[12] Uma ferramenta muito útil na abordagem familiar é o genograma (ver Capítulo Abordagem Familiar). O profissional pode construí-lo em conjunto com a pessoa ou a família enlutada. Nesse momento, é importante perguntar como as mortes anteriores foram recebidas e elaboradas pela família ampliada, quais as crenças existentes sobre a morte, quais rituais foram utilizados e como foi possível superar a perda e seguir com a vida.[18,31] Atividades facilitadoras do luto e que podem ser recomendadas são: fazer visitas ao cemitério, conversar com parentes a respeito da perda, escrever cartas para o morto e olhar fotografias de várias épocas do relacionamento. As últimas podem ser feitas inclusive na própria consulta.

Algumas terapias mais específicas, se adaptadas para a APS, também podem ser um recurso. A **terapia do luto focada na família** classifica as famílias de acordo com seu funcionamento relacional para identificar aquelas sob risco de evoluir para um luto complicado. Os objetivos de sua intervenção são otimizar a coesão e comunicação familiar,

TABELA 22.3 → Princípios e procedimentos de abordagem ao luto

PRINCÍPIO	PROCEDIMENTOS
Princípio 1 – Ajudar a pessoa a efetivar a perda	→ Encorajar a falar sobre a perda: Onde ocorreu a morte? Como aconteceu? Quem contou a você? Onde você estava quando soube? Como foi o funeral? O que foi dito durante a cerimônia? → Encorajar a visita ao túmulo; saber reconhecer qual é o momento certo para isso
Princípio 2 – Ajudar a pessoa a identificar e vivenciar sentimentos	→ Raiva: ajudar a entrar em contato com a raiva que a pessoa possa sentir do morto, fazendo perguntas indiretas como "Do que você não sente falta em relação a ele?", após ter perguntado do que sente falta, ou "De que maneira ele desapontou você?"; ajudar a encontrar o equilíbrio entre os sentimentos negativos e positivos pela pessoa que morreu → Culpa: é comum as pessoas acharem que não fizeram o suficiente para evitar a morte; pode-se perguntar repetidas vezes o que a pessoa fez, até que ela conclua que fez tudo o que podia → Ansiedade e desamparo: auxiliar a reconhecer os meios que as pessoas usam para seguir a vida sem a pessoa que morreu alivia a sensação de desamparo; fazer escuta dos pensamentos sobre a própria morte, que são desencadeados após a perda de alguém próximo → Tristeza: encorajar o choro e a vivência do afeto de tristeza, acompanhada da consciência do que a pessoa perdeu
Princípio 3 – Ajudar a viver sem a pessoa falecida	→ Utilizar técnicas de resolução de problemas: "Quais problemas você está enfrentando e como eles podem ser resolvidos?" → Estimular a aquisição de habilidades de enfrentamento e tomada de decisão, mas, ao mesmo tempo, desencorajando grandes decisões de mudança de vida no período agudo do luto
Princípio 4 – Ajudar a encontrar sentido na perda	→ Apoiar na reatribuição de sentido por meio das crenças religiosas individuais e do envolvimento em atividades filantrópicas, políticas ou de assistência relacionadas com a maneira como a morte aconteceu
Princípio 5 – Facilitar a relocalização emocional da pessoa morta	→ Ajudar a pessoa a encontrar um novo lugar em sua vida para a pessoa que morreu → Relembrar é um modo de, gradualmente, desinvestir a energia emocional conectada ao falecido
Princípio 6 – Dar tempo ao luto	→ Informar que é normal que o luto seja um processo longo → Antecipar que parte da vivência retorna em datas especiais (aniversário, Natal) e no período da perda nos anos subsequentes
Princípio 7 – Interpretar o comportamento normal	→ Informar sobre a normalidade das sensações de atordoamento, de inquietação elevada, de "estar ficando louco" e de preocupações com o morto
Princípio 8 – Permitir diferenças individuais	→ Especialmente comunicar às famílias que as pessoas têm respostas diferentes na intensidade das reações afetivas, no grau de prejuízo e na extensão do tempo em que vivenciam o efeito doloroso da perda
Princípio 9 – Examinar estilos de defesa e enfrentamento	→ O enfrentamento emocional ativo tende a ser a forma mais eficaz, e abrange o uso do humor, a habilidade para reestruturar e redefinir uma situação difícil, adequar a regulação emocional e a habilidade de aceitar o suporte social → A evitação tende a ser menos eficaz → Culpa, distração, negação, isolamento social e abuso de substâncias podem aliviar o sofrimento por um curto período, mas não são eficazes para resolver os problemas → Identificar os estilos menos eficazes e explorar outras vias pode ser útil
Princípio 10 – Identificar patologias e encaminhar	→ Identificar o luto complicado e/ou comorbidades com outros transtornos mentais → Solicitar interconsulta ou realizar encaminhamento para serviço especializado

Fonte: Worden.[20]

ajudar no enfrentamento dos conflitos, além de incentivar o compartilhamento do sofrimento, gerando apoio mútuo.[34]

A realização de rituais também pode ser indicada, pois envolve metáforas, símbolos e ações dramáticas que facilitam a expressão de sentimentos, trazendo sentido à perda. Porém, é fundamental lembrar que os rituais são muito específicos para cada família e cultura.[21] As religiões organizadas oferecem práticas estruturadas para o velório e o enterro dos mortos, e, em geral, as famílias são confortadas por suas filiações religiosas. Porém, algumas famílias não estão envolvidas em religiões formais e podem não ter consciência de ter crenças ou práticas especiais. Nesses casos, o processo de busca e seleção de rituais desejados pode ajudá-las a considerar o que faz mais sentido para elas e traz mais significado.[35]

A equipe de APS também deve estar atenta ao ressurgimento de problemas nos chamados **aniversários de luto**. Nesses períodos, é comum que as pessoas apresentem sintomas físicos inexplicáveis, descompensem suas doenças crônicas ou reexperimentem sintomas emocionais. Para facilitar a associação dos motivos de consulta à data de aniversário da perda, é fundamental o cuidado com o registro dos eventos no prontuário da família ou na lista de problemas do paciente (ver Capítulo Registros Médicos, Certificados e Atestados).[36]

Nos casos de luto complicado, é importante reconhecer seu diagnóstico e compartilhar com o paciente, explorar empaticamente a narrativa do relacionamento da pessoa com seu ente falecido e checar regularmente a experiência de luto, avaliando se há risco de suicídio ou a presença de condições frequentemente comórbidas, como depressão, TEPT, transtornos de ansiedade ou de abuso de substâncias.[19] A terapia cognitivo-comportamental (TCC) com enfoque no luto complicado mostra resposta favorável com maior frequência (ARB = 51%, número necessário para tratar [NNT] = 4 contra placebo; ARB = 21%, NNT = 7 contra apenas citalopram) **B**.[37] Esta tem base nas terapias de exposição prolongada, interpessoal e motivacional. Quando possível, a equipe de APS deve referenciar a pessoa para serviços que ofereçam essa modalidade terapêutica. Além disso, com base em estudos observacionais, um antidepressivo adjuvante (p. ex., um inibidor seletivo da recaptação da serotonina ou um tricíclico) pode ser útil, especialmente em pacientes com depressão comórbida **C/D**.[38,39]

Na ausência desses, pode-se realizar práticas da terapia de ativação comportamental, ou uma abordagem que combine educação sobre o luto complicado, aconselhamento e apoio ao luto. O aconselhamento dos casos de luto complicado baseia-se em princípios da terapia do luto complicado adaptados para a APS. O principal objetivo dessa terapia é ajudar o indivíduo a aceitar e lidar com a perda e, simultaneamente, encorajá-lo na adaptação à vida sem o ente querido. Os autores descrevem sete maneiras de implementar os principais temas da terapia: (1) compreender e aceitar o sofrimento, (2) administrar emoções dolorosas, (3) planejar o futuro, (4) fortalecer relacionamentos contínuos, (5) narrar a história da morte, (6) aprender a conviver com as recordações e (7) estabelecer uma conexão duradoura com as memórias da pessoa que morreu. Os profissionais podem abordar essas temáticas nas consultas, estipulando tempo e frequência de encontros, de acordo com sua realidade de trabalho.[19]

Como abordar a morte e o luto com as crianças

As crianças expressam seus sentimentos de dor e luto de forma diferente dos adultos e de acordo com sua idade e nível de desenvolvimento.[24,36] Os bebês e as crianças pequenas não costumam ter consciência da morte; no entanto, crianças separadas de suas mães também demonstram mudanças físicas e emocionais, como apatia, perda de peso e distúrbios do sono.[24] Crianças com idade entre 3 e 6 anos muitas vezes consideram a morte como um evento temporário, acreditando na sua reversibilidade. Além disso, são influenciadas pelo seu pensamento mágico onipotente e podem considerar que seus desejos e ações podem ter causado a morte da pessoa, gerando um grande sentimento de culpa. Podem regredir no seu desenvolvimento e apresentar distúrbios de alimentação e sono. Na faixa etária entre 6 e 9 anos, começam a compreender que a morte é definitiva, e suas reações podem ser de agressividade ou excesso de união com seus cuidadores.[36]

Também é frequente que as crianças expressem seu estresse e sofrimento por meio de queixas somáticas, como dor abdominal, cefaleia e mal-estar geral.[40] É importante que os profissionais sejam continentes para essas queixas e as relacionem com o momento pelo qual a criança e a família estão passando. Pode ser útil brincar ou desenhar com a criança, pois, nessas atividades, muitas vezes elas indicam como estão vivenciando as perdas e tentam elaborá-las.

É comum que os adultos soneguem informações e ocultem seus próprios sentimentos, crendo que assim estão protegendo as crianças. Porém, é uma falsa crença, pois as crianças sabem que algo aconteceu e buscarão informações para melhor compreender a situação. Ao não encontrarem explicações claras, podem surgir mais medo e insegurança.[1]

Os profissionais de APS podem encorajar atitudes positivas para os pais ou cuidadores terem com seus filhos, além de demonstrar como proceder na própria consulta. A **TABELA 22.4** apresenta sugestões de como lidar com as crianças em luto.

O luto nas mortes perinatais

São exemplos de perdas perinatais os abortos (espontâneos ou provocados), a gravidez ectópica, os partos de natimortos, as mortes neonatais, entre outras. A perda perinatal é diferente das outras porque ainda não existe um relacionamento estável entre o ser que morreu e a família. Muitas vezes, a criança ainda é considerada uma parte da identidade dos pais.[41]

Nesses lutos, fatores relacionados com o diagnóstico e o tratamento da condição da morte, as motivações para a gestação e os fatores relativos ao seu planejamento são determinantes no processo de elaboração da perda. O significado da

TABELA 22.4 → Sugestões de como lidar com as crianças em luto

→ Fornecer explicações simples sobre a morte
→ Responder a todas as perguntas honestamente e com detalhes que a criança possa compreender
→ Usar linguagem adequada, incluindo palavras como "câncer", "morte", etc., e não eufemismos, como "está dormindo" ou "foi para o céu"; essas expressões podem deixar as crianças mais confusas, pois elas costumam entendê-las no seu sentido literal
→ Incluir a criança nos rituais, como funerais, missas ou celebrações, de acordo com seu nível de conforto
→ Informar a criança sobre os sentimentos diferentes que podem surgir, como raiva e tristeza, certificando-lhe de que são normais
→ Fornecer a garantia de que a criança é amada e continuará sendo cuidada

gestação ou da criança para os pais, suas expectativas em relação ao futuro dela, sua rede de apoio social e as possíveis perdas secundárias são fatores de influência relevantes.[3] Devido a algumas particularidades desse tipo de perda, sua duração pode ser mais longa do que o definido como normal para o luto em geral.[3,27]

O aborto provocado também é uma forma de perda sobre a qual existe um silêncio social que leva a maior parte das mulheres e famílias a não compartilhar seu sofrimento com outras pessoas. É possível que não vivenciem um processo de luto ou que o vivenciem em uma perda subsequente. Poder conversar com as mulheres sobre os motivos, as circunstâncias e os sentimentos de ambivalência é o primeiro passo da abordagem. Perguntas que podem auxiliar são: "Como você ficou grávida?", "Quando você sentiu a primeira vez que estava grávida?", "Quais são seus pensamentos sobre o feto?", "Como você decidiu pelo aborto?". Ainda destaca-se que a intervenção mais efetiva é oferecer a abordagem anteriormente ao aborto em si, de forma que a pessoa possa explorar seus sentimentos ambivalentes, discutir opções e receber apoio emocional[20] (ver Capítulo Abortamento).

Pais que experimentaram perdas perinatais sugeriram que a tolerância às suas emoções, as recordações, incluindo a revisão de fotografias, e a ajuda na construção de significado para a experiência foram o apoio mais útil.[41] A equipe de APS deve oferecer cuidados continuados para as famílias após esses eventos.

O luto nas mortes por suicídio

A morte por suicídio não traz apenas a sensação de perda aos sobreviventes, mas todo um legado de sentimentos de vergonha, medo, rejeição, raiva e culpa. Existem evidências de que o processo de luto cuja perda foi causada por um suicídio seja mais intenso e prolongado do que outros processos de adaptação à perda.[42]

Um suicídio coloca os sobreviventes em uma situação de adaptação à perda e, ao mesmo tempo, em uma vivência de TEPT. Há três temas prevalentes nos processos de adaptação a esse tipo de perda: "Por que ele/ela fez isso?", "Por que eu não pude evitar?" e "Por que ele/ela fez isso para mim?".[42]

Entre os diversos sentimentos que as pessoas apresentam após uma perda por suicídio, culpa e vergonha são os mais comuns. As pessoas podem sentir-se responsáveis pelo ocorrido porque acreditam que poderiam ter feito algo para evitar ou modificar a situação. Nossa sociedade estigmatiza esse tipo de perda, gerando uma forte pressão emocional para os sobreviventes, que podem desenvolver graves dificuldades nos seus relacionamentos familiares e sociais.

É importante lembrar que as vítimas de suicídio, na cultura ocidental, com frequência vêm de famílias de grande vulnerabilidade social com problemas como pobreza, violência e transtornos mentais. Portanto, podem prevalecer sentimentos muito ambivalentes entre os membros da família, e o suicídio pode ser uma forte expressão desse conjunto de sentimentos e problemas. Além disso, é um tema com muitos tabus, e quebrar o silêncio sobre o assunto é mais um desafio.[20]

O luto nas mortes súbitas

Além da morte por suicídio, outros grupos de mortes súbitas precisam ser considerados: por acidentes, por problemas cardíacos agudos e por homicídios. Estudos mostram que essas perdas em geral são mais difíceis do que aquelas em que a morte já era esperada. Nas últimas décadas, o número de mortes desse tipo, sobretudo as violentas, tem crescido assustadoramente em nossa sociedade.

Em relação a esse tipo especial de perda, existem alguns pontos relevantes que devem ser lembrados. Um deles é o senso de irrealidade em relação ao ocorrido. Os sobreviventes, após receberem uma notícia inesperada, sentem como se estivessem "caminhando nas nuvens" ou, muitas vezes, aparecem imagens cerebrais sobre a situação traumática ao longo do dia ou pesadelos à noite. Outros sentimentos muito prevalentes entre os sobreviventes são a culpa, a responsabilização e a autocensura pelo fato ocorrido.

O envolvimento da família com questões médicas e legais, em especial nos casos de acidentes e homicídios, pode prolongar o processo de adaptação à perda devido à lentidão das investigações e dos processos judiciais. Dar apoio aos familiares para que tenham coragem de ver o corpo ou partes dele após um acidente ou morte violenta pode auxiliar na elaboração do luto.[20]

Dois pontos importantes a serem lembrados quando se lida com sobreviventes de mortes súbitas: a sensação de dever não cumprido (não houve tempo para resolver algumas questões e problemas pendentes) e a necessidade de compreender o que aconteceu. O acompanhamento dessas pessoas é fundamental para sua recuperação, seja ele individual, familiar ou por meio de grupos de apoio a familiares que perderam pessoas por morte violenta ou súbita.

Existem muitas formas de abordagem e tratamento para sobreviventes de mortes súbitas, e a estratégia de tratamento inicial deve ser de apoio, com foco no restabelecimento da resiliência.[20]

O luto nas tragédias e catástrofes

A pessoa enlutada em condições traumáticas está fragilizada e precisa de acolhimento, paciência e atenção. Em geral, ela está desorganizada, incoerente, assustada e/ou paralisada.

São muito comuns sintomas de TEPT. Levando em conta essas condições peculiares, um dos principais cuidados é não fazer a pessoa parar de sofrer rapidamente, pois isso seria um mecanismo de tamponamento de sua reação, com graves consequências. É importante não evitar o assunto ou desviar a conversa sobre o tema.

As intervenções psicológicas em situações de emergência, que podem ser desempenhadas pelos profissionais de APS, procuram restaurar ou aumentar as capacidades adaptativas. Com esse objetivo, deve-se oferecer oportunidades para as vítimas avaliarem e utilizarem o apoio familiar e da comunidade, questionar sobre expectativas futuras e oportunizar uma organização e interpretação cognitiva sobre o evento traumático.[43]

O luto em pandemias

As pandemias trazem diferentes e desafiadores aspectos aos processos de luto. Devido à pandemia pela doença do coronavírus 2019 (Covid-19), milhões de pessoas morreram em menos de 1 ano em todo o mundo.[44] Nesse cenário pandêmico, vários fatores aumentam as chances de o luto se tornar complicado:

→ as medidas necessárias para a contenção da pandemia, como o distanciamento e o isolamento social, as restrições de visitas e acompanhantes nos hospitais, e a impossibilidade de realizar os rituais de despedida, como velórios e enterros;
→ as incertezas sobre o curso da doença e possíveis culpas relacionadas ao processo de contágio e adoecimento dos indivíduos;
→ múltiplas perdas em uma mesma família ou rede social;
→ os escassos recursos diagnósticos e de suporte para as pessoas afetadas, como testes diagnósticos, leitos de unidade de terapia intensiva e respiradores,[45]

Para atenuar o sofrimento dos pacientes, de suas famílias e dos próprios profissionais de saúde, existem ferramentas e recomendações a serem adotadas no processo de adoecimento e morte que podem facilitar o luto. Destacam-se a qualidade da comunicação;[45,46] a implementação de planos antecipados de cuidados[46] (ver Capítulo Cuidados Paliativos); o autocuidado dos profissionais de saúde;[46] as ferramentas de telessaúde;[45,46] as intervenções nos formatos presencial e *on-line* com base na TCC para luto complicado;[45,47] e o estímulo e a facilitação de práticas culturais, espirituais e religiosas de recuperação da comunidade.[48] A TABELA 22.5 apresenta algumas dessas possíveis estratégias.

O luto dos profissionais de saúde

Para ajudar as pessoas e as famílias enlutadas, os profissionais de saúde devem estar preparados para compartilhar a dor da perda, as angústias e o medo despertado pela morte. Devido à longitudinalidade do cuidado e à força do vínculo que o ambiente de APS proporciona, pode ser muito doloroso para a equipe de saúde perder um paciente que

TABELA 22.5 → Recomendações para facilitar o processo de luto nas pandemias

RECOMENDAÇÃO		EXEMPLOS
Habilidades de comunicação[44,45]	Facilitar conversas do paciente com seus entes queridos, mesmo em isolamento físico	→ Incentivar o uso do telefone e de plataformas digitais de videoconferência, incluindo conversas com filhos e netos quando possível → Utilizar *sites* com materiais informativos sobre tópicos de fim de vida, conversas úteis durante períodos de visitas restritas e guias virtuais de reuniões familiares; um exemplo é o *site* VitalTalk[49], que oferece um recurso de comunicação para orientar um membro da família a despedir-se por telefone ou por outras plataformas digitais de videoconferência
	Conselhos práticos sobre como falar sobre tópicos difíceis (p. ex., a suspeita ou diagnóstico da doença, o prognóstico, o falecimento, etc.)	→ Preparar o ambiente e certificar-se de estar tranquilo para conduzir a conversa → Buscar informações sobre a pessoa com quem vai conversar, apresentar-se → Iniciar a conversa com sinalizações empáticas: "Estou ligando porque tenho uma notícia triste...", "Eu lamento..." → Comunicar a má notícia: iniciar com um resumo que culminará na má notícia, não usar jargão médico, falar devagar, fazer pausas, demonstrar empatia → Encerrar a conversa: verificar com quem a pessoa poderá dividir a notícia, oferecer-se para fazer ligações se necessário, combinar procedimentos futuros, registrar a conversa em prontuário → Para o autocuidado do profissional de saúde: fazer uma pausa, compartilhar o fato com algum colega ou supervisor
	Reconhecer, responder e validar respostas emocionais	Responder à emoção: → Nomear: "Isso é muito difícil" → Explorar: "Você pode me falar mais sobre isso?" → Quando a emoção é reconhecida, as pessoas enlutadas se sentem apoiadas e processam melhor as informações Reconhecer o efeito da pandemia: → "Estes são tempos sem precedentes" → "A pandemia nos pegou de surpresa" → Isso ajuda a externalizar o problema e estabelecer expectativas realistas, e também serve de base para desafiar o pensamento errôneo dentro de um modelo de TCC
Implementação de planos antecipados de cuidados[44]	O plano antecipado de cuidados é um processo contínuo em que os pacientes, suas famílias e os profissionais de saúde refletem sobre os objetivos, os valores e as crenças do paciente, discutem como devem planejar e informar os cuidados médicos atuais e futuros e, por fim, usam essas informações para documentar com precisão as futuras escolhas de cuidados de saúde do paciente	Tópicos importantes: → Informar sobre a doença da pandemia, avaliar qual é o risco de adoecer, ser hospitalizado ou morrer, de acordo com idade e comorbidades → Explorar prioridades/planos de vida futura → Sugerir a escolha de uma pessoa de confiança que represente o paciente, caso fique incomunicável durante o adoecimento → Pensar sobre o que mais importa na vida (p. ex., "Quais atividades ou experiências são mais importantes para você?", "O que seria realmente importante se você ficasse, inesperadamente, muito doente?") → Perguntar sobre quais tratamentos e intervenções quer ou não receber, caso fique doente → Estimular que registre seus desejos em documentos legais como cartas diretivas antecipadas
Autocuidado dos profissionais de saúde[44]		→ Fazer exercícios de autoconsciência sobre a capacidade de atender às necessidades dos pacientes, do ambiente de trabalho e de sua própria experiência subjetiva ao lidar com tantas situações difíceis → Sentir-se bem informado quanto às diretrizes clínicas → Estar ciente dos recursos e serviços locais para encaminhar pacientes para outros níveis de atenção → Ter supervisão e apoio de colegas → Garantir pausas e "desconectar-se" do assunto pandemia por algum tempo
Ferramentas de telessaúde[44,45]		→ Plataformas para atendimento *on-line* em saúde mental
Intervenções nos formatos presencial e *on-line* com base na TCC para luto complicado[46]		→ Auxiliar as pessoas a avaliar seus pensamentos e gerar padrões mais realistas pode melhorar tanto seu estado emocional quanto comportamental – por exemplo, durante a pandemia, um membro da família pode culpar a si próprio ou a outros por ter infectado alguém querido e por ter causado a sua morte, ou sentir extrema culpa por não estar presente quando este morreu; ajudando-o a identificar e questionar pensamentos ou crenças errôneas, pode-se modificar seus sentimentos de culpa e raiva e, assim, facilitar seu processo de luto → Referenciar para atendimento especializado, quando houver o recurso
Estímulo e facilitação de práticas culturais, espirituais e religiosas de recuperação da comunidade[47]		→ Aproximar-se de líderes religiosos e espirituais locais e outras fontes de informação cultural para saber suas opiniões sobre como as pessoas foram afetadas pela pandemia e quais práticas podem apoiar a comunidade → Aprender sobre os mecanismos locais de enfrentamento e apoios culturais, religiosos e espirituais → Identificar obstáculos (p. ex., falta de recursos) para a realização dessas práticas e tentar removê-los (p. ex., auxiliar na disponibilização de telefones, celulares ou *notebooks* com acesso à internet para a prática de despedidas ou celebrações virtuais adaptadas)

TCC, terapia cognitivo-comportamental.

conhecem e do qual cuidaram por tanto tempo. Porém, muitas vezes, os profissionais têm dificuldades em reconhecer suas próprias necessidades emocionais e podem negar o seu lamento pela morte de um paciente.[40]

Compartilhar seus sentimentos com os colegas de trabalho, participar dos rituais de despedida, como as cerimônias funerais, ou fazer uma visita domiciliar para a família pode ajudar o profissional a elaborar o seu próprio luto.

Os profissionais que encontram maneiras de satisfazer as suas necessidades de expressão emocional e apoio também têm maior satisfação em seu trabalho e mais chances de alcançar um equilíbrio entre atender às necessidades de seus pacientes e manter seus próprios recursos de energia.[3] Portanto, torna-se fundamental examinar seus próprios sentimentos e medos sobre a morte, já que a própria tristeza e o desespero, assim como a empatia, podem melhorar o atendimento oferecido às pessoas.

REFERÊNCIAS

1. Dworkind MA. The role of the family physician. Canadian J CME. 2001;13(5):141–8.
2. Zisook S, Iglewicz A, Avanzino J, Maglione J, Glorioso D, Zetumer S, et al. Bereavement: course, consequences, and care. Curr Psychiatry Rep. 2014;16(10):482.
3. Parkes CM. Luto: estudos sobre a perda na vida adulta. São Paulo: Summus; 1998.
4. Walsh F, McGoldrick M. Loss and the family: a systemic perspective. In: McGoldrick M, Walsh F, organizadores. Living beyond loss: death in the family. 2nd. ed. New York: W. W. Norton & Company; 2004. p. 3–26.
5. Queiroz AHAB, Pontes RJS, Souza ÂMA e, Rodrigues TB. Percepção de familiares e profissionais de saúde sobre os cuidados no final da vida no âmbito da atenção primária à saúde. Ciênc Saúde Coletiva. 2013;18(9):2615–23.
6. Delalibera M, Presa J, Coelho A, Barbosa A, Franco MHP. A dinâmica familiar no processo de luto: revisão sistemática da literatura. Ciênc Saúde Coletiva. 2015;20(4):1119–34.
7. Bowen M. Family reactions to death. In: McGoldrick M, Walsh F, organizadores. Living Beyond Loss: Death in the Family. 2nd. ed. New York: W. W. Norton & Company; 2004. p. 47–60.
8. Walsh K. Grief and loss: theories and skills for the helping professions. 2nd. ed. Boston: Pearson; 2011. 192 p.
9. Coelho A, Barbosa A. Family anticipatory grief: an integrative literature review. Am J Hosp Palliat Med. 2017;34(8):774–85.
10. Klass D, Silverman P, Nickman S, organizadores. Continuing bonds: new understandings of grief. Washington: Taylor and Francis; 1996. 384 p.
11. Beavers WR, Hampson RB. Measuring family competence: the beavers systems model. In: Normal family processes: growing diversity and complexity. 3rd. ed. New York: Guilford; 2003. p. 549–80.
12. Overton BL, Cottone RR. Anticipatory grief: a family systems approach. Fam J. 2016;24(4):430–2.
13. King M, Lodwick R, Jones R, Whitaker H, Petersen I. Death following partner bereavement: a self-controlled case series analysis. Dekel S, organizador. PLOS ONE. 2017;12(3):e0173870.
14. Shah SM, Carey IM, Harris T, DeWilde S, Victor CR, Cook DG. The effect of unexpected bereavement on mortality in older couples. Am J Public Health. 2013;103(6):1140–5.
15. Rostila M, Saarela J, Kawachi I. Mortality in parents following the death of a child: a nationwide follow-up study from Sweden. J Epidemiol Community Health. 2012;66(10):927–33.
16. Stahl ST, Schulz R. Changes in routine health behaviors following late-life bereavement: a systematic review. J Behav Med. 2014;37(4):736–55.
17. Borins M, Abrahams P. Grief and loss: an approach for family physicians [Internet]. Toronto: University of Toronto. Department of Family & Community Medicine; 2014 [capturado em 26 jul. 2020]. (Working With Families Institute). Disponível em: https://dfcmopen.com/item/grief-loss-approach-family-physicians/.
18. Bui E, organizador. Clinical Handbook of Bereavement and Grief Reactions [Internet]. Totowa: Humana Press; 2018 [capturado em 26 jul. 2020]. (Current Clinical Psychiatry). Disponível em: https://www.springer.com/gp/book/9783319652405.
19. Iglewicz A, Shear MK, Reynolds CF, Simon N, Lebowitz B, Zisook S. Complicated grief therapy for clinicians: an evidence-based protocol for mental health practice. Depress Anxiety. 2020;37(1):90–8.
20. Worden JWPA. Grief counseling and grief therapy: a handbook for the mental health practitioner. 5th. ed. New York: Springer; 2018.
21. Imber-Black E, Roberts J, Whiting RA, organizadores. Rituals in families and family therapy. 2nd. ed. New York: W W Norton; 2003.
22. Walsh F. Strengthening family resilience. 3rd. ed. New York: Guilford; 2016.
23. Silverman PR, Nickman S, Worden JW. Detachment revisited: the child's reconstruction of a dead parent. Am J Orthopsychiatry. 1992;62(4):494–503.
24. Bowlby J. Apego, perda e separação. São Paulo: Martins Fontes; 1985.
25. World Health Organization. International classification of diseases and related health problems. 11th. ed. Geneva: WHO; 2019.
26. American Psychiatric Association. Diagnostic and Statistical Manual of Mental Disorders [Internet]. Fifth Edition. American Psychiatric Pub; 2013. 1520 p. Disponível em: https://psychiatryonline.org/doi/book/10.1176/appi.books.9780890425596.
27. Onrust SA, Cuijpers P. Mood and anxiety disorders in widowhood: a systematic review. Aging Ment Health. 2006;10(4):327–34.
28. Prigerson HG, Maciejewski PK, Reynolds CF, Bierhals AJ, Newsom JT, Fasiczka A, et al. Inventory of complicated grief: a scale to measure maladaptive symptoms of loss. Psychiatry Res. 1995;59(1–2):65–79.
29. Delalibera M, Delalibera TA, Franco MHP, Barbosa A, Leal I. Adaptação e validação brasileira do instrumento de avaliação do luto prolongado – PG-13. Psicol – Teor E Prática. 2017;19(1):94–106.
30. Shear MK, Simon N, Wall M, Zisook S, Neimeyer R, Duan N, et al. Complicated grief and related bereavement issues for DSM-5. Depress Anxiety. 2011;28(2):103–17.
31. Lannen PK, Wolfe J, Prigerson HG, Onelov E, Kreicbergs UC. Unresolved grief in a national sample of bereaved parents: impaired mental and physical health 4 to 9 years later. J Clin Oncol. 2008;26(36):5870–6.
32. Columbia School of Social Work. Research. Training. Collaboration. Compassion: profissionals [Internet]. New York: The Center for Complicated Grief; 2020 [capturado em 26 jul. 2020]. Disponível em: http://complicatedgrief.columbia.edu/professionals/complicated-grief-professionals/overview/.
33. Nagraj S, Barclay S. Bereavement care in primary care: a systematic literature review and narrative synthesis. Br J Gen Pract J R Coll Gen Pract. 2011;61(582):e42-48.
34. Kissane D. Family focused grief therapy: a randomized, controlled trial in palliative care and bereavement. Am J Psychiatry. 2006;163(7):1208.
35. Dahl NA. O atendimento de pacientes terminais e das famílias enlutadas. In: McDaniel S, Hepworth J, Doherty W, McDaniel J, Hepworth JT, McDaniel J, Doherty W. Terapia familiar médica: um enfoque biopsicossocial às famílias com problemas de saúde. Porto Alegre: Artmed; 1994. p. 225–42.
36. Kovács MJ. Perdas e o processo de luto. In: Santos FS. A arte de morrer: visões plurais. São Paulo: Comenius; 2007. p. 217–38.
37. Shear MK, Reynolds CF, Simon NM, Zisook S, Wang Y, Mauro C, et al. Optimizing treatment of complicated grief: a randomized clinical trial. JAMA Psychiatry. 2016;73(7):685.
38. Simon NM, Shear MK, Fagiolini A, Frank E, Zalta A, Thompson EH, et al. Impact of concurrent naturalistic pharmacotherapy on psychotherapy of complicated grief. Psychiatry Res. 2008;159(1–2):31–6.
39. Zygmont M, Prigerson HG, Houck PR, Miller MD, Shear MK, Jacobs S, et al. A post hoc comparison of paroxetine and nortriptyline for symptoms of traumatic grief. J Clin Psychiatry. 1998;59(5):241–5.
40. Zeitlin SV. Grief and bereavement. Prim Care. 2001;28(2):415–25.
41. Callister LC. Perinatal loss: a family perspective. J Perinat Neonatal Nurs. 2006;20(3):227–34; quiz 235–6.
42. Callahan J. Predictors and correlates of bereavement in suicide support group participants. Suicide Life Threat Behav. 2000;30(2):104–24.
43. Franco MHP. Atendimento psicológico para emergências em aviação: a teoria revista na prática. Estud Psicol. 2005;10(2):177–80.
44. World Health Organization. WHO coronavirus disease (Covid-19) dashboard [Internet]. WHO. 2020 [capturado em 23 maio. 2020]. Disponível em: https://covid19.who.int.

45. Morris SE, Moment A, Thomas J deLima. Caring for bereaved family members during the Covid-19 pandemic: before and after the death of a patient. J Pain Symptom Manage. 2020;60(2):e70–4.
46. Wallace CL, Wladkowski SP, Gibson A, White P. Grief during the Covid-19 pandemic: considerations for palliative care providers. J Pain Symptom Manage. 2020;60(1):e70–6.
47. Eisma MC, Boelen PA, Lenferink LIM. Prolonged grief disorder following the Coronavirus (Covid-19) pandemic. Psychiatry Res. 2020;288:113031.
48. Inter-Agency Standing Committee. Como lidar com os aspectos psicossociais e de saúde mental referentes ao surto de Covid-19: guia preliminar: versão 1.5 [Internet]. IASC; 2020 [capturado em 26 jul. 2020]. Disponível em: https://www.paho.org/pt/documents/interim-briefing-note-addressing-mental-health-and-psychosocial-aspects-covid-19-outbreak.
49. VitalTalk. Covid ready communication playbook [Internet]. 2020 [capturado em 27 jul. 2020]. Disponível em: https://www.vitaltalk.org/guides/covid-19-communication-skills/.

LEITURAS RECOMENDADAS

Dworkind MA. The Role of the Family Physician. The Canadian Journal of Continuing Medical Education. 2001;13(5):141–8 [capturado em 26 jul. 2020]. Disponível em:
http://www.stacommunications.com/journals/cme/images/cmepdf/may01/bereavement.pdf
Artigo sobre abordagem do luto para médicos de família.

Wheeler-Roy S, Amyot BA. Grief counseling resource guide: a field manual [Internet]. New York: New York State Office of Mental Health; 2004 [capturado em 26 jul. 2020]. Disponível em: http://www.crossref.org/deleted_DOI.html.
Manual sobre abordagem do luto.

Worden JWPA. Grief counseling and grief therapy: a handbook for the mental health practitioner. 5th ed. New York: Springer; 2018.
Livro sobre aconselhamento do luto e terapia do luto, abordando em detalhes tanto o luto normal quanto o complicado. A 42ª edição foi publicada em português, em 20131998, pela Roca Artes Médicas, com o título "Aconselhamento do Luto e Terapia do Luto: um manual para profissionais de saúde mental. "Terapia do luto: um manual para o profissional de saúde mental".

Borins M, Abrahams P. Grief and loss: an approach for family physicians [Internet]. Toronto: University of Toronto. Department of Family & Community Medicine; 2014 [capturado em 26 jul. 2020]. (Working With Families Institute). Disponível em: https://dfcmopen.com/item/grief-loss-approach-family-physicians/.

SEÇÃO III

Coordenadores: *Maria Inês Schmidt*
Bruce B. Duncan

Promoção da Saúde do Adulto e Prevenção de Doenças Crônicas

23. Estratégias Preventivas para as Doenças Crônicas Não Transmissíveis 224
    Betine Pinto Moehlecke Iser, Lenildo de Moura, Bruce B. Duncan, Maria Inês Schmidt

24. Abordagem para Mudança de Estilo de Vida 234
    Elisabeth Meyer, Pedro Marques da Rosa

25. Alimentação Saudável do Adulto 242
    Maria Laura da Costa Louzada, Patricia Constante Jaime

26. Promoção da Atividade Física 250
    Maria Eugênia Bresolin Pinto, Angela M. V. Tavares, Marcelo Demarzo

27. Tabagismo 265
    Juliana Dias Pereira dos Santos, Aloyzio Achutti, Thaís Soares Ferreira, Raquel Meira Franca

28. Problemas Relacionados ao Consumo de Álcool 276
    Mauro Soibelman, Paola Bell Felix de Oliveira, Lisia von Diemen

29. Obesidade: Prevenção e Tratamento 288
    Gabriela Wünsch Lopes, Michael Schmidt Duncan, Bruce B. Duncan, Maria Inês Schmidt

30. Prevenção do Diabetes Tipo 2 309
    Maria Inês Schmidt, Bruce B. Duncan

31. Prevenção Clínica das Doenças Cardiovasculares 315
    Bruce B. Duncan, Karine Margarites Lima†, Carisi Anne Polanczyk

32. Hipertensão Arterial Sistêmica 331
    Flávio Danni Fuchs

33. Rastreamento de Adultos para Tratamento Preventivo 346
    Airton Tetelbom Stein, Daniel Costi Simões, Alice de M. Zelmanowicz, Maicon Falavigna

Capítulo 23
ESTRATÉGIAS PREVENTIVAS PARA AS DOENÇAS CRÔNICAS NÃO TRANSMISSÍVEIS

Betine Pinto Moehlecke Iser
Lenildo de Moura
Bruce B. Duncan
Maria Inês Schmidt

As doenças crônicas não transmissíveis (DCNTs) são consideradas hoje a principal causa de carga de doença no mundo. No Brasil, em 2019, essas doenças responderam por 62% da mortalidade prematura (YLLs) e 85% dos anos de vida perdidos por incapacidade (YLDs). Quatro grupos de doenças – as cardiovasculares, as neoplasias, as respiratórias crônicas e o diabetes – explicaram mais que 70% da mortalidade prematura (YLLs); outros quatro grupos de doenças – as musculoesqueléticas (principalmente dor lombar e dor cervical), as mentais (principalmente depressão e ansiedade), as neurológicas (principalmente migrânea) e as sensoriais (principalmente perdas auditivas e visuais) – explicaram a maior parte da incapacidade[1] (ver Capítulo Saúde da População Brasileira).

A Organização Mundial da Saúde (OMS) vem alertando que as DCNTs atingem as populações mais vulneráveis com maior força, e que a carga dessas doenças acarreta um desafio aos sistemas de saúde e ao próprio desenvolvimento das nações. Com o envelhecimento populacional crescente e a epidemia de obesidade que se alastra pelo mundo, a carga global das DCNTs tende a aumentar, representando uma enorme perda de saúde. A Organização Pan-Americana de Saúde prognosticou o mesmo cenário para a região, afirmando que o impacto econômico das DCNTs ultrapassa o setor de saúde e poderá ampliar as já largas desigualdades sociais.[2] No Brasil, estima-se que os custos anuais envolvidos com o tratamento das DCNTs e a perda de produtividade delas decorrente estejam em torno de 72 bilhões de dólares.[3]

Estratégias populacionais são os principais meios de enfrentar a epidemia de DCNTs e têm excelente custo-efetividade em países de baixa e média renda.[4,5] Ao avaliar dezenas de intervenções para a prevenção ou o controle das DCNTs, a OMS considerou 16 como muito custo-efetivas, "as melhores apostas" (*best buys*).[6] Muitas das intervenções *best buys* são populacionais, dirigidas aos principais fatores de risco, e serão abordadas neste capítulo. As *best buys* clínicas serão discutidas nos demais capítulos desta seção.

ENFRENTAMENTO GLOBAL E NACIONAL

Ao declarar que as DCNTs constituem uma epidemia que ameaça o desenvolvimento das nações, a Organização das Nações Unidas (ONU) e a OMS conclamaram os países a enfrentá-la, estabelecendo um Plano de Ação com metas para 2013-2020, com base em quatro doenças e quatro fatores de risco.[7] Entre os 17 Objetivos de Desenvolvimento Sustentável (ODSs) estabelecidos na ONU para o período de 2015-2030 (ver QR code), o Objetivo 3 inclui metas relacionadas às DCNTs.[8] Para fortalecer essas ações, a ONU realizou sua 3ª Reunião de Alto Nível sobre Cobertura Universal de Saúde em 2018, endossando os esforços desencadeados para conter as DCNTs e conclamando sua intensificação. A saúde mental e a poluição foram introduzidas no enfrentamento, constituindo a agora chamada Agenda 5x5 para as DCNTs, que foi discutida entre as nações em dezembro de 2019.[9] A Agenda 5x5 baseia-se em cinco doenças – doenças cardiovasculares e respiratória crônica, diabetes, câncer e transtornos mentais – e cinco fatores de risco – alimentação e atividade física inadequadas, consumo prejudicial de álcool, tabagismo e poluição atmosférica.

Em 2011, o Brasil elaborou o seu Plano de Ações Estratégicas para o Enfrentamento das Doenças Crônicas Não Transmissíveis 2011-2022,[10] especificando as seguintes metas: redução da taxa de mortalidade prematura por DCNTs em 2% ao ano, alinhada ao Plano de Ação da OMS[7] e aos ODSs da ONU;[8] contenção do crescimento da obesidade em todos os ciclos de vida; redução do tabagismo, do consumo de sal e do consumo nocivo de álcool; aumento do consumo de frutas e hortaliças, e da prática de atividade física; e controle da hipertensão. Além disso, foi ampliada a vigilância dos fatores de risco por meio de inquéritos específicos, como a Pesquisa Nacional de Saúde, estabelecidos acordos e convênios com instituições internacionais e o setor produtivo, e fortalecida a capacidade de resposta do Sistema Único de Saúde (SUS) para atendimento integral de portadores de condições crônicas.[11]

A meta de redução em 2% ao ano na mortalidade prematura para as quatro DCNTs vinha sendo parcialmente alcançada, mas a estabilização mais recente, talvez até mesmo um discreto aumento entre 2014-2016,[12] alerta para a necessidade de intensificar as ações de controle. De fato, embora o controle do tabagismo tenha sido bem-sucedido, podendo ser um exemplo a ser seguido para o desenvolvimento de outras políticas públicas populacionais, as ações sobre os demais fatores de risco não têm tido o mesmo ímpeto. As tendências temporais para a maior parte dos demais fatores de risco comportamentais (consumo de álcool, inatividade física e consumo de vários alimentos marcadores de risco, p. ex., de bebidas açucaradas e de carne processada) demonstram estabilidade ou piora. Além disso, conforme dados do Global Burden of Disease (GBD), nenhum dos fatores de risco metabólicos (pressão arterial, glicemia, colesterol e índice de massa corporal) melhorou.[13] A poluição atmosférica, introduzida mais recentemente na Agenda 5x5 para 2030, também mostra piora na última década.[13] Outro grande desafio, talvez um dos principais, é o aumento continuado nas taxas de obesidade e sobrepeso, em homens e mulheres, de todas as faixas etárias.[14]

AÇÕES POPULACIONAIS: CARACTERÍSTICAS E ALCANCE

Da mesma forma que o controle da mortalidade infantil dependeu de ações populacionais como acesso à água limpa e ao saneamento e de ações legislativas para promoção do aleitamento materno, ações populacionais também podem contribuir para o controle das DCNTs. É o que foi feito no combate ao tabagismo, com o estabelecimento de impostos e outras medidas legislativas em relação à publicidade, à venda e ao consumo do tabaco, resultando em quedas marcantes nas taxas de tabagismo na população e no controle da mortalidade por DCNTs, notadamente das doenças cardiovasculares.[15]

As intervenções populacionais aqui recomendadas – legislação, regulação, impostos, subsídios a ações educativas amplas, entre outras – em geral extrapolam o setor de saúde e são construídas no arcabouço de políticas públicas. O papel do setor de saúde é organizar a articulação intersetorial e tornar cada vez mais visível o fato de que o processo saúde-adoecimento é um efeito de múltiplos fatores, pertinentes a diversos setores da sociedade, que precisam compor as suas agendas preventivas.[16,17]

Intervenções populacionais e a estrutura causal

Ações populacionais fazem parte de estratégias que visam controlar as causas das doenças na população. Revisão com exemplos concretos mostra que intervenções populacionais que agem mais na estrutura causal (*upstream actions*) exigem menor "*agency*" e são mais efetivas que intervenções mais individuais (*downstream*) **(FIGURA 23.1)**.[18]

Isso acontece, em parte, porque a maioria dos casos de doença ou óbito na população se origina em indivíduos de menor risco (mais numerosos), em geral expostos a doses menores e socialmente mais aceitáveis dos fatores de risco. Outra razão é a dificuldade de alcançar fração importante daqueles em alto risco. Por exemplo, na estratégia de alto risco aplicada à prevenção do diabetes nos Estados Unidos, menos de 5% dos indivíduos em alto risco completaram programas montados nacionalmente;[19] prognóstico semelhante foi feito para o programa nacional de prevenção do diabetes no Reino Unido.[20] Ademais, em geral, as ações populacionais exigem menor esforço ("*agency*") individual para serem bem-sucedidas, ao contrário das ações clínicas em geral, que exigem que a pessoa seja o agente da mudança. Por exemplo, quando a indústria reduz o conteúdo de sal em alguns alimentos, as pessoas comerão menos sal, exigindo pouca "*agency*" das pessoas para serem bem-sucedidas; a proibição do tabagismo em recintos coletivos também exige pouca "*agency*" das pessoas de maneira individual para obter sucesso na população.

Além disso, é importante notar que intervenções educativas clínicas que requerem mudanças de estilo de vida com grande esforço individual serão pouco efetivas se a sociedade não propiciar, por meio de intervenções populacionais, um ambiente que estimule e viabilize as mudanças pretendidas.[16,21] Por essa razão, diz-se que estratégias individuais e populacionais se complementam.

A regulação da publicidade de alimentos, tabaco e álcool e o estabelecimento de políticas públicas para a criação de ambientes condizentes com estilos de vida saudáveis não podem ser entendidos como restrições à liberdade da escolha individual, mas sim como ações que impactam na saúde pública por ajudar pessoas a evitar e minimizar comportamentos que colocam sua saúde em risco. Políticas fiscais de tributação para bens e serviços insalubres, diferentemente daquelas para bens e serviços saudáveis, não podem ser interpretadas como ganância fiscal, mas como ações coletivas em prol de uma sociedade mais saudável.

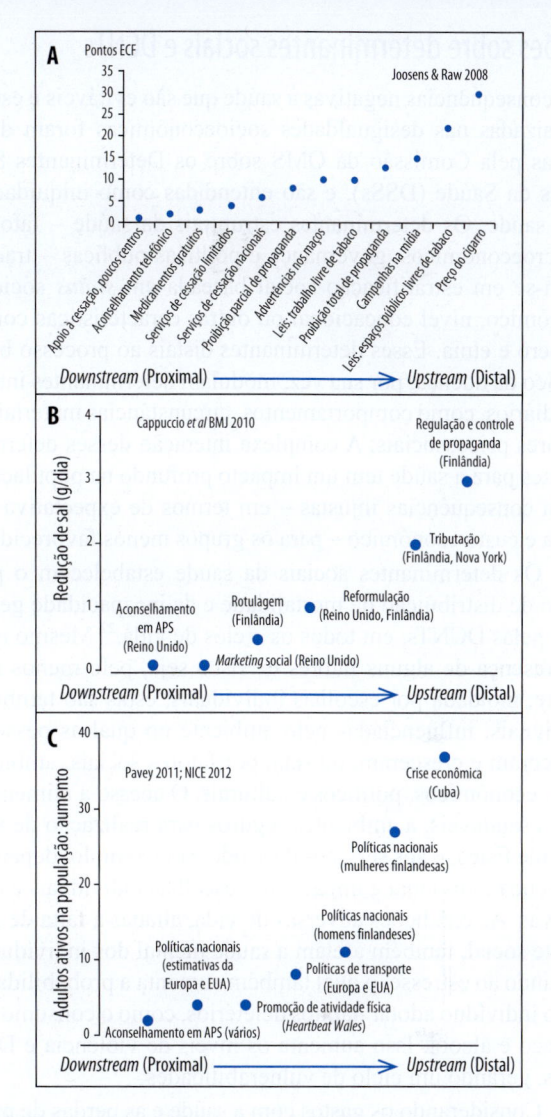

FIGURA 23.1 Exemplos da literatura sobre a efetividade relativa de diferentes políticas para controle de fatores de risco para doenças crônicas não transmissíveis. Ações mais distais (*upstream*) são uniformemente mais efetivas no controle dos fatores de risco. **Painel A** – Tabagismo: um escore mais alto (ECF, escala de controle de fumo) indica maior efetividade. **Painel B** – Sal alimentar. **Painel C** – Atividade física.
Fonte: Capewell e Capewell.[18]

Ações sobre determinantes sociais e DCNTs

As consequências negativas à saúde que são evitáveis e estão enraizadas nas desigualdades socioeconômicas foram descritas pela Comissão da OMS sobre os Determinantes Sociais da Saúde (DSSs), e são entendidas como iniquidades em saúde. Os determinantes estruturais da saúde – fatores macroeconômicos, governança e políticas públicas – traduzem-se em estratificação social baseada em *status* socioeconômico, nível educacional ou outras características como gênero e etnia. Esses determinantes distais ao processo biológico da doença, por sua vez, modulam determinantes intermediários, como comportamentos, circunstâncias materiais e fatores psicossociais. A complexa interação desses determinantes para a saúde tem um impacto profundo na população, com consequências injustas – em termos de expectativa de vida e custo econômico – para os grupos menos favorecidos.

Os determinantes sociais da saúde estabelecem o padrão de distribuição da mortalidade e da incapacidade geradas pelas DCNTs, em todos os ciclos de vida.[22] Mesmo que a presença de alguns fatores de risco seja, pelo menos em parte, moldada por escolhas individuais, estas são também desiguais, influenciadas pelo ambiente no qual as pessoas nasceram e cresceram, ou seja, por fatores sociais, ambientais, econômicos, políticos e culturais. O acesso a alimentos mais saudáveis, a ambientes seguros para realização de atividade física, e aos serviços de saúde, por exemplo, depende da renda individual e impacta nas escolhas individuais e coletivas. As condições adversas de vida, aliadas à falta de suporte social, também afetam a saúde mental dos indivíduos, levando ao estresse, o qual também aumenta a probabilidade de o indivíduo adotar hábitos deletérios, como o consumo de tabaco e álcool. Isso aumenta os níveis de violência e DCNTs, gerando um ciclo de vulnerabilidades.

Considerando os gastos com a saúde e as perdas de produtividade decorrentes das DCNTs, suas consequências são mais nefastas em populações desfavorecidas, especialmente em países de baixa e média renda. Dessa forma, os DSSs colocam um empecilho para o desenvolvimento econômico, e impedem que as populações participem plenamente da economia de um país, desviando seus recursos para tratamentos dispendiosos nos sistemas de saúde e com crescimentos exponenciais nos custos vinculados.

Para alcançar êxito em longo prazo, portanto, as ações preventivas devem integrar os sistemas em abordagem intersetorial e de curso de vida, que considerem as desigualdades sociais em todos os seus contextos, combinando estratégias para redução da pobreza, controle da exposição a poluentes, e promoção da saúde.[22]

Cabe ressaltar, ainda, o papel de políticas do SUS e dos serviços de saúde na redução do impacto dos DSSs nos fatores de riscos intermediários, reduzindo barreiras sociais e econômicas ao acesso aos cuidados de saúde. A estratégia de saúde da família, implementada prioritariamente em áreas de maior vulnerabilidade social, é uma ação dessa natureza. Ela permite maior acesso a intervenções efetivas, como o controle da pressão arterial por medicamentos anti-hipertensivos[23] e do colesterol por estatinas.[24]

CONTROLE DO TABAGISMO

A OMS e a Convenção-Quadro para o Controle do Tabaco orientam as ações contra tabagismo por meio da estratégia MPOWER,[25] um pacote de seis medidas economicamente viáveis. Cada letra da sigla MPOWER corresponde a uma das seis intervenções recomendadas:

1. ***Monitor***: monitorar o uso do tabaco e políticas de prevenção;
2. ***Protect***: proteger as pessoas da fumaça do tabaco;
3. ***Offer***: oferecer ajuda para a cessação do tabagismo;
4. ***Warn***: alertar sobre os malefícios causados pelo tabaco;
5. ***Enforce***: aplicar proibições de publicidade, promoção e patrocínio;
6. ***Raise***: elevar a tributação incidente sobre o tabaco.

O Brasil é signatário da Convenção-Quadro desde o seu início, e medidas dessa natureza vêm sendo adotadas desde a década de 1980, frutos de leis aprovadas no Congresso Nacional e de decretos presidenciais[26] implementadas por meio da colaboração interministerial e com apoio da sociedade civil.[27] Os resultados são excelentes: a prevalência do tabagismo caiu para patamares próximos de um dígito (ver Capítulo Saúde da População Brasileira).

O **Programa Nacional de Controle do Tabagismo** vem orientando as atividades antitabaco no Brasil,[28] visando à prevenção da iniciação e à promoção da cessação de fumar, além da redução da poluição ambiental causada pela fumaça de produtos do tabaco. Ações regulatórias principais incluem a proibição da propaganda de cigarros, a exigência de advertências em maços de cigarro sobre os riscos decorrentes do consumo, o aumento das alíquotas dos impostos para 85% e a proibição de fumo em recintos fechados, incluindo fumódromos. O aumento dos impostos e do preço dos produtos do tabaco é considerado uma das medidas mais efetivas para a redução do consumo, tanto na iniciação do hábito entre jovens, como no incentivo à cessação para os já fumantes.[29,30] Em 2012, a Agência Nacional de Vigilância Sanitária (Anvisa) proibiu os aditivos de sabor do cigarro para inibir a iniciação do hábito.

REDUÇÃO DO USO DANOSO DE BEBIDAS ALCOÓLICAS

A OMS, por meio da **Estratégia Mundial para Redução do Uso Nocivo do Álcool**,[31] estimula a prevenção de consumo prejudicial de álcool por meio de estratégias que devem ser implementadas em nível nacional:

→ liderança, conscientização e compromisso do governo;
→ restrição da disponibilidade de bebidas alcoólicas;
→ políticas e contramedidas contra dirigir intoxicado;
→ restrições na propaganda e *marketing*, em geral, de bebidas alcoólicas;
→ aumento do preço, geralmente por meio de impostos;
→ aumento da conscientização da população sobre os problemas associados ao consumo prejudicial;
→ organização de serviços e atividades de tratamento para redução das consequências negativas do consumo danoso de bebidas alcoólicas.

O Brasil não tem a mesma história bem-sucedida em relação ao uso danoso das bebidas alcoólicas. A Lei nº 11.705, conhecida como "Lei Seca" por proibir o consumo de praticamente qualquer quantidade de bebida alcoólica por parte dos condutores de veículos, reduziu a incidência e a gravidade dos acidentes de trânsito.[32] Contudo, para que os benefícios da lei possam ser sentidos, são necessárias ações de conscientização e de fiscalização constantes.[33,34]

Medidas como ações contra a propaganda de bebidas alcoólicas, aumento de impostos e proibição de consumo na rua têm sido implantadas, mas enfrentam enormes barreiras para serem colocadas em prática.

Como discutido em revisão guarda-chuva de revisões sistemáticas[35] sobre políticas e intervenções de controle do álcool incluídas na Estratégia Global da OMS, com poucas exceções, a qualidade das revisões sistemáticas identificadas é insatisfatória, não atendendo aos padrões PRISMA. Assim, as evidências para muitas intervenções permanecem incertas. Para algumas intervenções, a qualidade é aceitável, e as seguintes medidas de controle podem ser consideradas benéficas: mobilização da comunidade; intervenções multicomponentes realizadas no ambiente em que ocorre a bebida; restrição à publicidade das bebidas alcoólicas; restrição de pontos de acesso às bebidas alcoólicas dentro e fora de locais de maior consumo; patrulhas policiais e travas de ignição para reduzir direção quando alcoolizados; e aumento de preço e tributação, incluindo preços mínimos por unidade.

PROMOÇÃO DE HÁBITOS ATIVOS DE VIDA E REDUÇÃO DO SEDENTARISMO

Com a meta de reduzir a inatividade física em 10% até 2025 e em 15% até 2030, a OMS propôs o **Plano de Ação Global para a Atividade Física 2018-2030**, estabelecendo quatro objetivos e recomendando 20 estratégias políticas que possibilitam ações nacionais e locais para aumento da atividade física e redução de comportamentos sedentários.[36] O plano propõe a promoção da saúde pela interligação dos diversos contextos em que as pessoas vivem, trabalham e brincam, criando:

→ **sociedades ativas:** a partir de normas sociais e atitudes de promoção da saúde em todas as idades;
→ **ambientes ativos:** espaços e lugares seguros e propícios à realização de atividades, especialmente ao ar livre;
→ **pessoas ativas:** a partir de programas e oportunidades à realização de atividade física em nível individual, familiar e comunitário;
→ **sistemas ativos:** por meio do *advocacy*, liderança, governança e parcerias multissetoriais, buscando ações integradas e sistêmicas.[36] De fato, estratégias de aumento dos níveis de atividade física na população são consideradas mais efetivas quando perpassam o nível individual e abrangem políticas em nível populacional e que integram diferentes setores da sociedade civil além da saúde, em um modelo socioecológico.[37]

Exemplos internacionais indicam que mudanças estruturais, como melhoria do acesso ao transporte público e construção de ciclovias, têm resultados mais sustentáveis do que as recomendações individuais.[18] O *Best Buy* para promoção de atividade física na população é a educação e a conscientização da população para adoção de estilos de vida mais ativos, incluindo campanhas na mídia, combinada com outras ações comunitárias de educação e programas motivacionais e ambientais para apoiar as mudanças comportamentais de atividade física necessárias.[38] Destaca-se, também, a influência do setor econômico, político e industrial no ambiente urbano, afetando as opções e as escolhas em termos de transporte, moradia e entretenimento, que acabam contribuindo para a manutenção de um estilo de vida sedentário.[39]

Revisão sobre intervenções possíveis em 2013 mostrou que intervenções nas escolas (aulas em grupo e atividades coletivas, com ações educativas e envolvimento dos pais) e em locais de trabalho (sessões educativas e motivacionais), combinando diferentes abordagens, são efetivas na promoção da atividade física e na mudança de comportamento.[37,40]

Indivíduos saudáveis, mas inativos (que realizam menos de 150 minutos/semana de atividade física), por exemplo, podem ser alvos para mudanças comportamentais preventivas em programas comunitários, que demonstram resultados promissores e sustentáveis na promoção da atividade física. Entre as ações mais efetivas estão: o planejamento com instruções detalhadas sobre como realizar a atividade, com lembretes e dicas para realizar o exercício, e o aumento da frequência e da intensidade de forma progressiva.[41]

Estudo de intervenção realizado em São Paulo com adultos usuários do SUS verificou aumento dos níveis de atividade física após 12 meses de intervenção, em ambos os grupos, compostos por: a) exercícios realizados em grupo 3 vezes por semana, e b) educação em saúde, no qual foram realizados 16 encontros temáticos que buscaram conscientizar sobre a adoção de um estilo de vida saudável. O seguimento por 6 meses pós-intervenção demonstrou que a educação em saúde é mais promissora em termos de resultados em longo prazo,[42] indicando que a mudança de hábito e, principalmente, sua manutenção, depende também do desenvolvimento da autonomia e dos esforços individuais ("*agency*").

O Programa Academia da Saúde,[38,43] que expandiu nacionalmente, contemplou a implantação de polos com infraestrutura, equipamentos e profissionais qualificados para a orientação de práticas corporais e de atividade física no lazer e modos de vida saudáveis. Além de promover o aumento da atividade física, a construção desses espaços visou melhorar o ambiente urbano, tornando-o incentivador de atividades ao ar livre. Uma avaliação desse programa no município de Belo Horizonte, no Estado de Minas Gerais, demonstrou aumento da prática de exercícios físicos no tempo livre mesmo na população não usuária do programa, mas residente em locais próximos, sendo o nível de atividade maior de acordo com a proximidade dos polos do programa, sugerindo que a presença da estrutura adequada próximo de casa incentiva a prática de atividade física na população.[44] Dessa forma, sua integração com as equipes das unidades básicas de saúde pode auxiliar na prevenção e no tratamento das DCNTs.

PROMOÇÃO DE UMA ALIMENTAÇÃO SAUDÁVEL E SUSTENTÁVEL

O Brasil tem uma história de políticas alimentares,[45–47] ver linha de tempo na referência de Haack e colaboradores, com melhora nas taxas de desnutrição, mas com aumento na obesidade.[48,49]

Para intensificar as ações visando eliminar a fome e erradicar todas as formas de má nutrição no mundo, garantindo o acesso a todos a alimentos saudáveis e nutritivos, a ONU proclamou a **Década da Nutrição (2016-2025)**, conclamando a Organização das Nações Unidas para a Alimentação e a Agricultura (FAO) e a OMS para liderarem as ações.[50] O Guia Alimentar para a População Brasileira[51] é um exemplo de políticas alinhadas com esses princípios (ver Capítulo Alimentação Saudável do Adulto).

A *EAT-Lancet Commission on Healthy Diets from Sustainable Food Systems* enumerou 10 pontos que sintetizam a emergência dessas ações e o grau de compromisso necessário:[52]

1. alimentos não saudáveis produzidos de forma não sustentável constituem um risco global às pessoas e ao planeta. Mais de 820 milhões de pessoas não têm alimento suficiente e muito mais consomem alimentos não saudáveis que contribuem para morbimortalidade prematura. Além disso, a produção global de alimentos é a maior pressão causada por humanos no planeta, ameaçando ecossistemas locais e a estabilidade do sistema planetário;
2. as tendências dos padrões de alimentação combinadas ao aumento populacional projetado para 2050 de 10 bilhões de pessoas vão exacerbar os riscos às pessoas e ao planeta. Prevê-se que a carga global de doenças não transmissíveis piore e os efeitos da produção de alimentos nas emissões de gases de efeito estufa, poluição de nitrogênio e fósforo, perda de biodiversidade e uso da água e da terra reduzam a estabilidade do sistema terrestre;
3. a transformação para uma alimentação saudável a partir de sistemas alimentares sustentáveis é necessária para alcançar os ODSs da ONU e o Acordo de Paris, que rege medidas de redução da emissão de gases de efeito estufa para conter o aquecimento global. Para que haja uma grande transformação alimentar, são necessárias metas científicas para dietas saudáveis e para produção sustentável de alimentos;
4. a alimentação saudável pressupõe uma ingestão calórica adequada e inclui uma diversidade de alimentos à base de plantas, baixas quantidades de alimentos de origem animal, gorduras insaturadas em lugar das saturadas e pequenas quantidades de grãos refinados, alimentos altamente processados e com adição de açúcar;
5. a transformação para uma alimentação saudável exigirá mudanças substanciais nos padrões alimentares, com variações regionais, mas visando alcançar, até 2050, uma redução média superior a 50% no consumo global de alimentos não saudáveis (como a carne vermelha e o açúcar) e um aumento médio superior a 100% no consumo de alimentos saudáveis, como nozes, frutas, hortaliças e leguminosas;
6. estima-se que mudanças beneficiem a saúde humana, evitando cerca de 10,8 a 11 milhões de mortes por ano, uma redução de 19 a 23,6%;
7. a produção de alimentos causa grandes riscos ambientais globais, e a sua produção sustentável precisa ocorrer dentro de espaço operacional seguro para os sistemas alimentares em todas as escalas da Terra. Para garantir produção sustentável a cerca de 10 bilhões de pessoas, não poderão ser usadas terras adicionais e deverá ser salvaguardada a biodiversidade existente, além da redução do consumo de água com gerenciamento responsável, redução da poluição por nitrogênio e fósforo e redução a zero de emissões de dióxido de carbono, evitando aumento de metano e de emissões de óxido nitroso;
8. a transformação para produção sustentável de alimentos saudáveis até 2050 exigirá pelo menos uma redução de 75% nas lacunas de produtividade agrícola, redistribuição global do uso de fertilizantes nitrogenados e fósforo, reciclagem de fósforo, melhorias radicais na eficiência do uso de fertilizantes e água, implementação rápida de opções de mitigação agrícola para reduzir emissões de gases de efeito estufa, adoção de práticas de gestão da terra que eliminem fontes de carbono e uma mudança fundamental nas prioridades de produção;
9. os objetivos científicos para dietas saudáveis de sistemas alimentares sustentáveis estão entrelaçados com todos os ODSs da ONU. Por exemplo, alcançar essas metas dependerá da prestação de cuidados de saúde primários de alta qualidade que integrem planejamento e educação familiar sobre alimentação saudável. Essas metas e os ODSs quanto à água doce, ao clima, à terra, aos oceanos e à biodiversidade poderão ser alcançados por um forte compromisso com parcerias e ações globais;
10. alimentação saudável e sistemas alimentares sustentáveis para todos exigirão grandes reduções nas perdas e desperdícios de alimentos e grandes melhorias nas práticas de produção de alimentos. Esse objetivo universal é alcançável, mas exigirá a adoção de metas científicas por todos os setores para estimular ações de indivíduos e organizações de todos os setores e em todas as escalas.

Algumas ações estruturais podem ser tomadas para criar ambientes alimentares saudáveis, o que foi feito até agora em menos de um terço dos países:[53]

→ banir a produção industrial de gorduras *trans*;
→ restringir a comercialização de alimentos e bebidas não saudáveis para crianças;
→ coibir a promoção inadequada (aos pais) de alimentos para bebês e crianças pequenas;
→ taxar bebidas adoçadas com açúcar ou alimentos não saudáveis;
→ exigir rotulagem nutricional frontal simplificada e interpretativa;
→ introduzir normas nutricionais para alimentos servidos ou vendidos em escolas, hospitais e outras instituições públicas.

Considerando que a ingestão de gordura *trans* causa mais de 500 mil mortes por doenças cardiovasculares ao ano, a OMS publicou a estratégia REPLACE,[54] com ações para eliminar o uso de gorduras *trans* em alimentos industrializados. A rotulagem obrigatória desses alimentos foi acordada entre os países do Mercosul.

Além disso, o Brasil aprovou, em 2019, regras que limitam o uso de óleos vegetais parcialmente hidrogenados, com restrições começando a vigorar em 2021, levando ao banimento do produto do mercado até 2023.[55]

Sinergias para enfrentar múltiplas formas de má nutrição podem ser conseguidas com ações denominadas de "*double duty*", isto é, que enfrentam mais de uma forma de má nutrição simultaneamente, como a desnutrição e a obesidade.[53] Alguns exemplos incluem: proteção e promoção de aleitamento materno (o Vietnã, p. ex., baniu a propaganda de substitutos do leite e estendeu a licença-maternidade, triplicando as taxas de aleitamento exclusivo em 5 anos, com potenciais benefícios na redução da desnutrição e da obesidade); acesso à água potável, com redução de infecções/desnutrição e redução da ingestão de bebidas açucaradas, o que já é oferecido em escolas de 85 países, mas pode ser ampliado a outros países e a outros locais públicos; programas para alimentação saudável nas escolas que podem ser usados em sinergia com outros ODSs – por exemplo, no Brasil, exigiu-se que ao menos 30% do orçamento para alimentação seja utilizado para compra de produtores locais, que são fonte de alimentos mais saudáveis.

POLÍTICAS ANTIPOLUIÇÃO: SINERGIAS COM OUTRAS POLÍTICAS PARA CONTROLE DE DOENÇAS CRÔNICAS NÃO TRANSMISSÍVEIS

A poluição do ar é uma das principais causas de DCNTs globalmente, exigindo engajamento ativo do setor de saúde para o desenvolvimento de políticas para outros setores a partir dos quais os riscos ambientais são constituídos, como políticas de energia e transporte. A criação de ambientes saudáveis, integrada a políticas de enfrentamento às DCNTs, poderá trazer múltiplos cobenefícios para a saúde, o bem-estar social, a equidade social e o meio ambiente.[56]

A OMS alerta que os poluentes climáticos de vida curta (SLCPs, do inglês *short-lived climate pollutants*), incluindo carbono preto, metano e ozônio, são responsáveis por uma fração substancial das mudanças climáticas e por uma proporção significativa de mortes e doenças relacionadas à poluição do ar, matando cerca de 7 milhões de pessoas por ano. A redução das emissões de SLCPs, que persistem na atmosfera por períodos que variam de dias a cerca de uma década, pode fornecer benefícios à saúde de três maneiras principais:[57]

1. diretamente, pela redução da poluição do ar e de problemas de saúde relacionados;
2. indiretamente, pelos efeitos reduzidos de ozônio e carbono preto sobre condições climáticas extremas e produção agrícola (afetando a segurança alimentar);
3. e de outros tipos de benefícios à saúde que não estão associados à poluição do ar, mas que podem resultar de certas ações de mitigação dos SLCPs, como melhores alimentos, ou mais oportunidades para transporte ativo e atividades físicas seguras.

Estratégias e políticas de ação que abrangem setores como planejamento urbano, transporte, energia doméstica e *design* de edifícios, produção e consumo de alimentos, geração de energia, indústria e gestão de resíduos reduzem as emissões de SLCPs e podem trazer benefícios de curto prazo para a saúde, além de diminuir o ritmo das mudanças climáticas nas próximas décadas. Das mais de 20 ações de mitigação dos SLCPs examinadas de maneira detalhada, o relatório da OMS aponta as quatro seguintes intervenções que oferecem alto nível de benefício potencial à saúde e alto nível de certeza para produzir um grande benefício climático relacionado aos SLCPs:

1. políticas e infraestrutura para priorizar transporte ativo e seguro (caminhadas/ciclismo);
2. incentivo à alimentação saudável, rica em diversos alimentos à base de plantas;
3. acesso a fogões de baixa emissão e/ou alternativas de combustível para os aproximadamente 2,8 bilhões de lares de baixa renda em todo o mundo que ainda são dependentes principalmente de madeira, esterco e outros combustíveis sólidos;
4. redução de emissões de veículos, implementando padrões mais rigorosos de emissão e eficiência para materiais particulados e precursores de ozônio, incluindo óxidos de nitrogênio (NO).

O documento da OMS[57] aborda, em detalhe, essas e outras ações associadas a transporte, agricultura, poluição domiciliar e *design* de prédios, geração de energia e eletricidade, indústria e manejo adequado do lixo.

PROMOÇÃO DE SAÚDE MENTAL

Transtornos mentais, neurológicos e de abuso de substâncias são prevalentes em todas as regiões do mundo e contribuem para a morbidade e para a mortalidade prematura. Os recursos utilizados para lidar com a carga de transtornos mentais são distribuídos de forma desigual e de forma ineficaz.[58] Reconhecendo o papel essencial da saúde mental na obtenção de saúde para todas as pessoas, notadamente no enfrentamento das DCNTs, a OMS propôs o **Plano de Ação para a Saúde Mental 2013-2020**, o qual é abrangente, baseado em abordagem de curso de vida, visando alcançar equidade por meio da cobertura universal de saúde.[59] Entre as ações de promoção e prevenção, citam-se alguns exemplos:

→ aumentar o conhecimento do público sobre saúde mental para reduzir estigma e discriminação e promover direitos humanos;
→ incluir saúde emocional e mental nos cuidados da gestante e da puérpera e seu bebê, incluindo habilidades para os pais ao lidar com as dificuldades com o recém-nascido;
→ prover programas que abordem o desenvolvimento cognitivo, sensório-motor e psicossocial de crianças para promover relacionamentos de pais e crianças mais saudáveis;
→ promover condições seguras e de suporte no trabalho, com atenção na melhoria da organização do trabalho, com a oferta de cursos de manejo do estresse e programas de bem-estar, e com o cuidado de evitar estigma e discriminação no trabalho.

Há uma série de medidas eficazes para prevenir suicídio, prevenir e tratar transtornos mentais em crianças, prevenir e tratar demência e tratar transtornos relacionados ao uso de substâncias. A OMS desenvolveu, ainda, o **Programa de Ação para Superar Lacunas em Saúde Mental (mhGAP),**[58] fornecendo diretrizes baseadas em evidências para que não especialistas identifiquem e abordem melhor uma série de transtornos mentais prioritários. Esse guia de intervenção tem sido amplamente utilizado por diferentes líderes e formuladores de políticas, como ministérios da saúde, instituições acadêmicas, organizações não governamentais (ONGs) e outras fundações filantrópicas, bem como pesquisadores, para expandir a atenção em saúde mental. O mhGAP foi desenvolvido para facilitar intervenções de profissionais não especializados que atuam na atenção primária à saúde (APS).[58]

A EPIDEMIA DE OBESIDADE: UM QUADRO CONCEITUAL SINÉRGICO DE ENFRENTAMENTO

A epidemia de obesidade não está sendo controlada globalmente,[60] e o Brasil não é exceção.[61,62] As ações tomadas até agora no Brasil – políticas de alimentação (entre elas, a instituição da CAISAN[63,64] e o lançamento do Guia Alimentar para a População Brasileira[65]) e promoção de hábitos ativos de vida (entre eles, a Academia da Cidade) – não estão surtindo efeito.

Esse cenário global contribui para um prognóstico reservado quanto à capacidade de controlar as DCNTs na próxima década. Ademais, a obesidade convive com problemas de desnutrição endêmica em muitos contextos. Por essa razão, esforços sinérgicos estão sendo planejados para enfrentar a dupla carga obesidade/desnutrição.[66] Mais ainda, esforços sinérgicos estão sendo concebidos para enfrentar as mudanças climáticas, caracterizando uma sindemia de obesidade, desnutrição e mudança climática.[67] Sindemia é entendida aqui como a sinergia de pandemias que coocorrem no tempo e lugar, interagem e compartilham fatores sociais subjacentes comuns. Por exemplo, os sistemas alimentares não apenas estão conduzindo as pandemias de obesidade e desnutrição, mas também estão gerando 25 a 30% das emissões de gases de efeito estufa – a produção de gado gera metade desse percentual. O sistema de transporte, em que o carro é o principal meio de locomoção, gera estilos de vida sedentários e produz 14 a 25% dos gases de efeito estufa. Por trás disso, estão fracos sistemas de governança política, a busca desenfreada de crescimento do produto interno bruto (PIB) e uma poderosa engenharia comercial de excesso de consumo.

Alguns dados denotam a urgência dos três problemas:
- **obesidade:** o excesso de peso afeta mais de 2 bilhões de pessoas em todo o mundo e é responsável por cerca de 4 milhões de mortes anualmente. Os atuais custos econômicos estimados da obesidade são aproximadamente 2,8% da receita do PIB dos países no mundo;
- **desnutrição:** na Ásia e na África, a desnutrição custa de 4 a 11% do PIB. Em 2017, 155 milhões de crianças tiveram baixa estatura, e 52 milhões, magreza. Cerca de 2 bilhões de pessoas sofrem de deficiências de micronutrientes e 815 milhões de pessoas são desnutridas cronicamente;
- **mudança climática:** as estimativas dos custos econômicos futuros das mudanças climáticas são de 5 a 10% do PIB mundial, com custos em países de baixa renda que podem exceder 10% de seu PIB.

Os custos sociais da sindemia global são extensos e desproporcionalmente afetam pessoas pobres e países de baixa renda. Para vencer esse imenso desafio, a Comissão Lancet em Obesidade propôs um movimento social transformador, construído nos níveis locais, nacionais e globais, para vencer a inércia política prevalente. A narrativa da Sindemia Global, com seus impulsionadores comuns e suas interações complexas, pode ajudar a catalisar esse movimento, propiciando oportunidades inovadoras de alcance duplo ou triplo dos componentes da sindemia, que podem ser disseminadas e intensificadas. Narrativas como essas podem dar suporte aos movimentos sociais nos níveis local, nacional e global. Algumas oportunidades de alcance triplo são apresentadas a seguir:[67]

- **redução do consumo de carne vermelha:** por exemplo, com mudanças nos impostos/subsídios, rotulagem informativa sobre saúde e meio ambiente, *marketing* social;
- **mudanças nos modos de transporte:** por exemplo, infraestrutura, mudanças nos impostos/subsídios, e *marketing* social;
- **diretrizes alimentares saudáveis e sustentáveis:** por exemplo, promover escolhas saudáveis e sustentáveis;
- **restringir influências comerciais:** por exemplo, manejo transparente dos conflitos de interesse e do financiamento político;
- **direito a legislações para bem-estar:** por exemplo, direito à saúde, direito ao alimento, direitos da criança, direitos culturais e direito a um ambiente saudável;
- **Convenção-Quadro sobre Sistemas Alimentares:** por exemplo, políticas necessárias para sistemas alimentares saudáveis, equitativos, sustentáveis e economicamente prósperos.

ENVELHECIMENTO SAUDÁVEL

Considerando que, até 2050, 1 a cada 5 pessoas deve ter 60 anos ou mais e que, com o envelhecimento, as necessidades em saúde se tornam crônicas e mais complexas, a OMS lançou, em 2016, o **Plano de Ação Global para o Envelhecimento e a Saúde 2016-2020**. A estratégia global busca oportunizar vida longa e saudável a todas as pessoas, a partir de ações baseadas em evidências que busquem maximizar a capacidade intrínseca (física e mental) e funcional e, até 2020, estabelecer evidências e parcerias necessárias para apoiar a **Década do Envelhecimento Saudável 2020-2030**.[68] As cinco principais estratégias envolvidas são:

1. compromisso com ações para envelhecimento saudável em todos os países, fortalecendo as políticas nacionais;
2. desenvolvimento de ambientes adaptados aos idosos (*age-friendly*), promovendo ações multissetoriais para autonomia e engajamento dos idosos;
3. sistemas de saúde adaptados às necessidades da população mais velha, com melhoria de acesso e serviços

integrados, a partir da capacitação dos profissionais de saúde e reorientação dos serviços de saúde;
4. desenvolvimento de sistemas sustentáveis para a prestação de cuidados de longo prazo, buscando a manutenção da capacidade funcional dos idosos e protegendo seus direitos e dignidade;
5. aprimorar o monitoramento e as pesquisas no tema do envelhecimento saudável.

O monitoramento dessas ações em nível global tem sido realizado por meio de 10 indicadores, destacando-se que 45% dos países indicam ter desenvolvido seu plano nacional de envelhecimento saudável,[69] incluindo o Brasil.[70,71]

AÇÕES CLÍNICAS COMPLEMENTARES

O sucesso da abordagem dos problemas materno-infantis pode servir como modelo para o enfrentamento das DCNTs. O quadro de saúde materno-infantil brasileiro, antes dramático, melhorou expressivamente com a adoção de estratégias complementares de ações coletivas (p. ex., saneamento, maior educação das mães) e ações clínicas simples, mas efetivas, com foco em educação em saúde e empoderamento das mães (p. ex., estímulo ao aleitamento materno), prevenção (p. ex., maior atenção ao pré-natal e a uma puericultura padronizada, vacinas) e tratamentos clínicos (p. ex., sais de reidratação oral e antibióticos para crianças com suspeita de pneumonia) a partir de dados obtidos na APS por meio da anamnese e do exame clínico. Dada a primazia das ações populacionais, o apoio e o engajamento da APS nessas ações coletivas são de suma importância.

Agora, o desafio é implementar ações da mesma ordem para o enfrentamento das DCNTs, priorizando educação e autonomia, prevenção e tratamentos simples. O atendimento clínico e as demais atividades da APS, incluindo as ações dos agentes comunitários de saúde (ACSs),[72] incluem ações de promoção à saúde e de prevenção primária, por meio de ações educativas e de estímulo à autonomia e ao empoderamento, como discutido nos capítulos a seguir.

Devido à natureza da APS, ela tem papel central no controle das DCNTs. Como porta de entrada da população no serviço de saúde, a APS é responsável por 90% das demandas de saúde, podendo reduzir internações hospitalares e mortes prematuras por DCNTs, além de promover melhoria do estado de saúde e qualidade de vida de pacientes com essas condições. Para tanto, são necessárias adaptações nos serviços de APS para ampliar o acesso equitativo e a qualidade dos serviços à população com ações de enfrentamento das doenças crônicas. Essas ações visam à prevenção de fatores de risco modificáveis, à detecção em estágios iniciais da doença e ao manejo adequado. Seu sucesso depende da disponibilidade de recursos de diagnóstico e medicações, da atuação de equipes multiprofissionais, da descentralização do cuidado, além de políticas e educação pública que mantenham o *advocacy* pela busca da qualidade dos serviços de atenção primária.[73]

Como a maior parte dessa seção abordará a comunicação de risco, é necessária uma breve reflexão sobre isso. Comunicar e educar exigem adaptações à realidade local. O clínico de APS pode transmitir a mensagem a seus pacientes e apoiar as ações coletivas buscando iniciativas comunitárias, participando de debates e apoiando entidades locais (escolas, igrejas, associações comunitárias) que podem exigir orientação técnica para engajar-se efetivamente no processo. No controle de doenças, como hipertensão arterial e diabetes, é imprescindível que o clínico passe a mensagem necessária a seu paciente da forma mais compreensível possível, garantindo o entendimento e o controle adequados.

Comunicar sobre risco não é simples. Para que a comunicação desencadeie mudança de comportamento, as pessoas não precisam apenas estar cientes do risco à saúde ("Existe um novo vírus e isso representa um risco à saúde"), mas precisam também sentir que estão pessoalmente em risco ("Eu mesmo posso pegar o vírus"). A percepção de risco pessoal pode ser absoluta (de baixo a alto – geralmente sondado por meio de perguntas como "Qual é a probabilidade de que você tenha câncer?") ou comparativa ("Qual você acha que é sua chance de ter câncer em comparação com a pessoa média de sua idade?"). Estudos de neuroimagem estão contribuindo para entender melhor como fazer a comunicação de risco em situações que requerem uma ação preventiva.[74]

ORGANIZAÇÃO DESTA SEÇÃO

A partir dessa visão geral das principais ações de promoção da saúde e prevenção das DCNTs, os capítulos desta seção detalham abordagens e ações focadas em tópicos clínicos específicos. O capítulo a seguir dedica-se à mudança de estilo de vida, auxiliando o clínico a compreender a dificuldade no processo de mudança e apresentando algumas técnicas de abordagem – principalmente a entrevista motivacional – para poder apoiar os pacientes na adoção de estilos de vida mais saudáveis.

Na sequência, os capítulos focam a alimentação, a atividade física, o tabagismo e o consumo de álcool – quatro dos cinco fatores de risco incluídos na Agenda 5x5 2030 para controle global das DCNTs. Não está incluída, nesta seção, a abordagem da poluição ambiental na APS, mas o Capítulo Saúde Planetária e o Imperativo da Ação Climática para Proteger a Saúde apresenta algumas sugestões específicas.

O Capítulo 29 trata da prevenção e do tratamento do ganho de peso e da obesidade, enfatizando o caráter epidêmico do problema e a importância do controle de peso ao longo da vida. São abordadas, então, a prevenção clínica do diabetes tipo 2 (Capítulo 30) e das doenças cardiovasculares (Capítulo 32), duas entre as cinco principais causas de óbito por doenças crônicas. Devido à sua relação com o conteúdo dos dois capítulos anteriores, o manejo da hipertensão, um dos principais fatores de risco para as DCNTs, é abordado no Capítulo 31.

O Capítulo 33 dedica-se à detecção precoce de doença quando ela pode trazer mais benefício do que risco, e são brevemente discutidas as poucas condições em que há maior consenso. É abordada, também, a importância da prevenção quaternária, que visa evitar a aplicação excessiva de exames diagnósticos e a iatrogenia em pacientes que se sentem doentes, mas que, de fato, não têm doença que justifique seus sintomas e preocupações.

REFERÊNCIAS

1. Institute for Metrics and Evalution Metrics. GBD Compare. IHME Viz Hub [Internet]. Washington: University of Washington; 2019 [capturado em 01 abr. 2021]. Disponível em: http://vizhub.healthdata.org/gbd-compare

2. Pan American Health Organization. The economic burden of non-communicable diseases in the Americas. Issue brief on non-communicable diseases [Internet]. Washington: PAHO; 2011 [capturado em 01 abr. 2020]. Disponível em: https://www.paho.org/hq/dmdocuments/2011/paho-policy-brief-3-En-web1.pdf

3. Bloom D, Cafiero E, Jané-Llopis E, Abrahams-Gessel S, Bloom L, Fathima S, et al. The global economic burden of noncommunicable diseases [Internet] Geneva: World Economic Forum; 2011 [capturado em 01 abr. 2020]. Disponível em: http://www3.weforum.org/docs/WEF_Harvard_HE_GlobalEconomicBurdenNonCommunicableDiseases_2011.pdf

4. Gaziano TA, Pagidipati N. Scaling up chronic disease prevention interventions in lower- and middle-income countries. Annu Rev Public Health. 2013;34:317–35.

5. World Health Organization, World Economic Forum. From Burden to "best buys": reducing the economic impact of non-communicable diseases in low- and middle-income countries [Internet] Geneva: World Economic Forum; 2011 [capturado em 01 abr. 2020]. Disponível em: https://www.who.int/nmh/publications/best_buys_summary.pdf

6. World Health Organization. Tackling NCDs: "best buys" and other recommended interventions for the prevention and control of noncommunicable diseases [Internet]. Geneva: WHO; 2017 [capturado em 01 abr. 2020]. Disponível em: https://apps.who.int/iris/handle/10665/259232

7. World Health Organization. Global action plan for the prevention and control of NCDs 2013-2020 [Internet]. Geneva: WHO; 2013 [capturado em 01 abr. 2020]. Disponível em: http://www.who.int/nmh/events/ncd_action_plan/en/

8. United Nations. Sustainable development goals. Goal 3: ensure healthy lives and promote well-being for all at all ages [Internet]. New York: United Nations; c2020 [capturado em 01 abr. 2020]. Disponível em: http https://www.un.org/sustainabledevelopment/health/

9. World Health Organization. WHO Global Meeting to Accelerate Progress on SDG target 3.4 on NCDs and Mental Health [Internet]. Geneva: WHO; 2019 [capturado em 01 abr. 2020]. Disponível em: https://www.who.int/news-room/events/detail/2019/12/09/default-calendar/ncds2019

10. Brasil. Ministério da Saúde. Plano de ações estratégicas para o enfrentamento das doenças crônicas não transmissíveis (DCNT) no Brasil 2011-2022 [Internet]. Brasília: MS; 2011 [capturado em 01 abr. 2020]. Disponível em: http://portal.saude.gov.br/ portal/saude/profissional/area.cfm?id_area=1818>

11. Malta DC, Oliveira TP, Santos MAS, Andrade SSCA, Silva MMA. Avanços do plano de ações estratégicas para o enfrentamento das doenças crônicas não transmissíveis no Brasil, 2011-2015. Epidemiol Serv Saúde. 2016 ;25(2):373–90.

12. Brasil. Secretaria de Vigilância em Saúde. Centrais de conteúdo. Saúde Brasil [Internet]. Brasília: SVS; c2020 [capturado em 01 abr. 2020]. Disponível em: http://svs.aids.gov.br/dantps/centrais-de-conteudos/publicacoes/saude-brasil/

13. Institute for Metrics and Evalution Metrics. GBD Compare. IHME Viz Hub [Internet]. Washington: University of Washington; 2017 [capturado em 01 abr. 2020]. Disponível em: http://vizhub.healthdata.org/gbd-compare

14. Araújo FG, Velasquez-Melendez G, Felisbino-Mendes MS. Prevalence trends of overweight, obesity, diabetes and hypertension among Brazilian women of reproductive age based on sociodemographic characteristics. Health Care Women Int. 2019;386-406.

15. Schmidt MI, Duncan BB, E Silva GA, Menezes AM, Monteiro CA, Barreto SM, et al. Chronic non-communicable diseases in Brazil: Burden and current challenges. Lancet. 2011;377(9781):1949–61.

16. Diem G, Brownson RC, Grabauskas V, Shatchkute A, Stachenko S. Prevention and control of noncommunicable diseases through evidence-based public health: implementing the NCD 2020 action plan. Glob Health Promot. 2016;23(3):5–13.

17. Brasil. Ministério da Saúde. Portaria nº 2.446, de 11 de novembro de 2014. Redefine a Política Nacional de Promoção da Saúde (PNPS) [Internet]. Brasília: MS; 2014 [capturado em 01 abr. 2020]. Disponível em: http://bvsms.saude.gov.br/bvs/saudelegis/gm/2014/prt2446_11_11_2014.html

18. Capewell S, Capewell A. An effectiveness hierarchy of preventive interventions: neglected paradigm or self-evident truth? J Public Health. 2017;40(2):350–8.

19. Venkataramani M, Pollack CE, Yeh H-C, Maruthur NM. Prevalence and correlates of diabetes prevention program referral and participation. Am J Prev Med. 2019;56(3):452–7.

20. Roberts S, Craig D, Adler A, McPherson K, Greenhalgh T. Economic evaluation of type 2 diabetes prevention programmes: Markov model of low- and high-intensity lifestyle programmes and metformin in participants with different categories of intermediate hyperglycaemia. BMC Med [Internet]. 2018 [capturado em 01 abr. 2020];16(1):16. Disponível em: https://www.ncbi.nlm.nih.gov/pmc/articles/PMC5798197/

21. National Institute for Health and Care Excellence. Methods for the Development of NICE Public Health Guidance [Internet]. London: NICE; 2012 [capturado em 01 abr. 2020]. Disponível em: http://www.ncbi.nlm.nih.gov/books/NBK395862/

22. Marmot M, Bell R. Social determinants and non-communicable diseases: time for integrated action. BMJ. 2019;364:251.

23. Bundy JD, Li C, Stuchlik P, Bu X, Kelly TN, Mills KT, et al. Systolic blood pressure reduction and risk of cardiovascular disease and mortality: a systematic review and network meta-analysis. JAMA Cardiol. 2017;2(7):775–81.

24. Yebyo HG, Aschmann HE, Kaufmann M, Puhan MA. Comparative effectiveness and safety of statins as a class and of specific statins for primary prevention of cardiovascular disease: a systematic review, meta-analysis, and network meta-analysis of randomized trials with 94,283 participants. Am Heart J. 2019;210:18–28.

25. Organização Mundial da Saúde. MPOWER: um plano de medidas para reduzir a epidemia de tabagismo [Internet]. Genebra: OMS; 2008 [capturado em 01 abr. 2020]. Disponível em: http://actbr.org.br/uploads/arquivo/343_Tabaco_ebook.pdf

26. Portes LH, Machado CV, Turci SRB. History of Brazil's tobacco control policy from 1986 to 2016. Cad Saude Pública. 2018 19;34(2):e00017317.

27. Craig L, Fong GT, Chung-Hall J, Puska P. Impact of the WHO FCTC on tobacco control: perspectives from stakeholders in 12 countries. Tob Control [Internet]. 2019 [capturado em 01 abr. 2020]. Disponível em: https://tobaccocontrol.bmj.com/content/early/2019/05/29/tobaccocontrol-2019-054940

28. Brasil. Instituto Nacional de Câncer José Alencar Gomes da Silva. Programa Nacional de Controle do Tabagismo [Internet]. Rio de Janeiro: INCA; 2018 [capturado em 01 abr. 2020]. Disponível em: https://www.inca.gov.br/programa-nacional-de-controle-do-tabagismo

29. World Health Organization. Taxation [Internet]. Geneva: WHO; 2019 [capturado em 01 abr. 2020]. Disponível em: http://www.who.int/tobacco/economics/taxation/en/

30. Brasil. Instituto Nacional de Câncer José Alencar Gomes da Silva. Observatório da Política Nacional de Controle do Tabaco. Preços e Impostos [Internet]. Rio de Janeiro: INCA; 2018 [capturado em 01 abr. 2020]. Disponível em: https://www.inca.gov.br/observatorio-da-politica-nacional-de-controle-do-tabaco/precos-e-impostos

31. World Health Organization. Global strategy to reduce harmful use of alcohol [Internet]. Geneva: WHO; 2010 [capturado em 01 abr. 2020]. Disponível em: http://www.who.int/substance_abuse/activities/gsrhua/en/

32. Malta DC, Silva MMA, Lima CM de, Soares Filho AM, Montenegro MMS, Mascarenhas MDM, et al. Impacto da Legislação Restritiva do Álcool na Morbimortalidade por Acidentes de Transporte Terrestre – Brasil, 2008. Epidemiol Serv Saúde. 2010;19(1):78.

33. Abreu DROM, Souza EM, Mathias TAF. Impacto do Código de Trânsito Brasileiro e da Lei Seca na mortalidade por acidentes de trânsito. Cad Saúde Pública. 2018;34(8):1–13.

34. Moreira MR, Ribeiro JM, Motta CT, Motta JIJ. Mortalidade por acidentes de transporte de trânsito em adolescentes e jovens, Brasil, 1996-2015: cumpriremos o ODS 3.6? Ciênc Saúde Coletiva. 2018;23(9):2785–96.

35. Siegfried N, Parry C. Do alcohol control policies work? An umbrella review and quality assessment of systematic reviews of alcohol control interventions (2006 – 2017). PloS One. 2019;14(4):e0214865.

36. World Health Organization. More active people for a healthier world: global action plan on physical activity 2018-2030. 2018.

37. Pratt M, Perez LG, Goenka S, Brownson RC, Bauman A, Sarmiento OL, et al. Can population levels of physical activity be increased? Global evidence and experience. Prog Cardiovasc Dis. 2015;57(4):356–67.

38. Becker LA, Rech CR, Reis RS, Becker LA, Rech CR, Reis RS. Evidence-based public health: concepts, principles and applications to promotephysicalactivityintheBraziliancontext.RevBrasCineantropometria Amp Desempenho Hum [Internet]. 2019 [capturado em 01 abr. 2020];21. Disponível em: http://www.scielo.br/scielo.php?script=sci_abstract&pid=S1980-00372019000100501&lng=en&nrm=iso&tlng=en

39. Parra DC, Sá TH, Monteiro CA, Freudenberg N. Automobile, construction and entertainment business sector influences on sedentary lifestyles. Health Promot Int. 2018;33(2):239–49.

40. Hoehner CM, Ribeiro IC, Parra DC, Reis RS, Azevedo MR, Hino AA, et al. Physical activity interventions in Latin America: expanding and classifying the evidence. Am J Prev Med. 2013;44(3):e31-40.

41. Howlett N, Trivedi D, Troop NA, Chater AM. Are physical activity interventions for healthy inactive adults effective in promoting behavior change and maintenance, and which behavior change techniques are effective? A systematic review and meta-analysis. Transl Behav Med. 2019;9(1):147–57.

42. Ribeiro EHC, Garcia LMT, Salvador EP, Costa EF, Andrade DR, Latorre MRDO, et al. Assessment of the effectiveness of physical activity interventions in the Brazilian Unified Health System. Rev Saude Publica. 2017;51:56.

43. Malta DC, Barbosa da Silva J. Policies to promote physical activity in Brazil. Lancet Lond Engl. 2012;380(9838):195–6.

44. Andrade ACS, Mingoti SA, Fernandes AP, Andrade RG, Friche AAL, Xavier CC, et al. Neighborhood-based physical activity differences: evaluation of the effect of health promotion program. PLOS ONE. 2018;13(2):e0192115.

45. Haack A, de Alvarenga AP. Políticas e programas de nutrição no Brasil da década de 30 até 2018: uma revisão da literatura. Com Ciências Saúde. 2018; 29(2):126-38.

46. Jaime PC, Delmuè DCC, Campello T, Silva DO, Santos LMP. Um olhar sobre a agenda de alimentação e nutrição nos trinta anos do Sistema Único de Saúde. Ciênc Saúde Coletiva. 2018;23:1829–36.

47. Alves KP de S, Jaime PC. A Política Nacional de alimentação e Nutrição e seu diálogo com a Política Nacional de Segurança alimentar e Nutricional. Ciênc Saúde Coletiva. 2014;19:4331–40.

48. Brasil. Ministério da Saúde. Política Nacional de Alimentação e Nutrição [Internet]. Brasília: MS; 2013 [capturado em 01 abr. 2020]. Disponível em: http://bvsms.saude.gov.br/bvs/publicacoes/politica_nacional_alimentacao_nutricao.pdf

49. Instituto Brasileiro de Geografia e Estatística, editor. Pesquisa nacional de saúde, 2013: ciclos de vida: Brasil e grandes regiões [Internet]. Rio de Janeiro: IBGE; 2015 [capturado em 01 abr. 2020]. Disponível em: https://biblioteca.ibge.gov.br/visualizacao/livros/liv94522.pdf

50. United Nations. Decade of action on nutrition 2016-2025 [Internet]. New York: United Nations; c2020 [capturado em 01 abr. 2020]. Disponível em: https://www.un.org/nutrition/

51. Brasil. Ministério da Saúde. Guia Alimentar para a população brasileira [Internet]. Brasília: MS; 2014 [capturado em 01 abr. 2020]. Disponível em: http://www.foodpolitics.com/wp-content/uploads/Brazils-Dietary-Guidelines_2014.pdf

52. Willett W, Rockström J, Loken B, Springmann M, Lang T, Vermeulen S, et al. Food in the Anthropocene: the EAT-Lancet Commission on healthy diets from sustainable food systems. Lancet. 2019 02;393(10170):447–92.

53. Branca F, Lartey A, Oenema S, Aguayo V, Stordalen GA, Richardson R, et al. Transforming the food system to fight non-communicable diseases. BMJ. 2019;364:l296.

54. World Health Organization. REPLACE trans fat [Internet]. Geneva: WHO; c2020 [capturado em 01 abr. 2020]. Disponível em: https://www.who.int/nutrition/topics/replace-transfat

55. Anvisa aprova regras que limitam o uso de gorduras trans em alimentos [Internet]. Brasília: Governo do Brasil; 2019 [capturado em 01 abr. 2020]. Disponível em: https://www.gov.br/pt-br/noticias/saude-e-vigilancia-sanitaria/2019/12/anvisa-aprova-regras-que-limitam-o-uso-de-gorduras-trans-industriais-em-alimentos

56. Prüss-Ustün A, van Deventer E, Mudu P, Campbell-Lendrum D, Vickers C, Ivanov I, et al. Environmental risks and non-communicable diseases. BMJ. 2019;364:265.

57. Scovronick N. Reducing global health risks through mitigation of short-lived climate pollutants [Internet]. Geneva: WHO; 2015 [capturado em 01 abr. 2020]. Disponível em: https://www.who.int/phe/publications/climate-reducing-health-risks/en/

58. Organização Mundial da Saúde. Manual de Intervenções para transtornos mentais, neurológicos e por uso de álcool e outras drogas na rede de atenção básica à saúde. Versão 2.0 (mhGAP) [Internet]. Brasília: Organização Pan-Americana da Saúde; 2018. [capturado em 01 abr. 2020]. Disponível em: https://iris.paho.org/handle/10665.2/49096?locale-attribute=pt.

59. World Health Organization. Mental health action plan 2013 – 2020 [Internet]. Geneva: WHO; 2013 [capturado em 18 out. 2021]. Disponível em: https://apps.who.int/iris/bitstream/handle/10665/250239/9789241549790-eng.pdf

60. Abarca-Gómez L, Abdeen ZA, Hamid ZA, Abu-Rmeileh NM, Acosta-Cazares B, Acuin C, et al. Worldwide trends in body-mass index, underweight, overweight, and obesity from 1975 to 2016: a pooled analysis of 2416 population-based measurement studies in 128·9 million children, adolescents, and adults. Lancet. 2017;390(10113):2627–42.

61. Brasil. Ministério da Saúde. Vigitel Brasil 2018: vigilância de fatores de risco e proteção para doenças crônicas por inquérito telefônico : estimativas sobre frequência e distribuição sociodemográfica de fatores de risco e proteção para doenças crônicas nas capitais dos 26 estados brasileiros e no Distrito Federal em 2018 [Internet]. Brasília: MS; 2019 [capturado em 01 abr. 2020]. Disponível em: https://portalarquivos2.saude.gov.br/images/pdf/2019/julho/25/vigitel-brasil-2018.pdf

62. Gomes DCK, Sichieri R, Junior EV, Boccolini CS, de Moura Souza A, Cunha DB. Trends in obesity prevalence among Brazilian adults from 2002 to 2013 by educational level. BMC Public Health. 2019;19(1):965.

63. Brasil. Ministério do Desenvolvimento Social e Agrário. Plano Nacional de Segurança Alimentar e Nutricional – PLANSAN 2016-2019 [Internet]. Brasilia: CAISAN; 2017 [capturado em 01 abr. 2020]. Disponível em: http://www.mds.gov.br/webarquivos/arquivo/seguranca_alimentar/caisan/plansan_2016_19.pdf

64. Brasil. Ministério do Desenvolvimento Social e Combate à Fome. Balanço das Ações do plano Nacional de Segurança Alimentar e Nutricional – PLANSAN 2012-2015 [Internet]. Brasilia: CAISAN; 2014 [capturado em 01 abr. 2020]. Disponível em: http://www.mds.gov.br/webarquivos/publicacao/seguranca_alimentar/balanco_caisan_2012_2015.pdf

65. Brasil. Ministério da Saúde. Guia alimentar para a população brasileira [Internet]. 2. ed. Brasilia: MS; 2014 [capturado em 01 abr. 2020]. Disponível em: https://bvsms.saude.gov.br/bvs/publicacoes/guia_alimentar_populacao_brasileira_2ed.pdf

66. Grajeda R, Hassell T, Ashby-Mitchell K, Uauy R, Nilson E. Regional overview on the double burden of malnutrition and examples of

program and policy responses: Latin America and the Caribbean. Ann Nutr Metab. 2019;75(2):139–43.
67. Swinburn BA, Kraak VI, Allender S, Atkins VJ, Baker PI, Bogard JR, et al. The Global Syndemic of Obesity, Undernutrition, and Climate Change: the Lancet Commission report. Lancet. 2019;393(10173):791–846.
68. World Health Organization. The Global strategy and action plan on ageing and health [Internet]. Geneva: WHO; 2017 [capturado em 01 abr. 2020]. Disponível em: http://www.who.int/ageing/global-strategy/en/
69. World Health Organization. Mid-term progress on the Global strategy and action plan on ageing and health [Internet]. Geneva: WHO; 2018 [capturado em 01 abr. 2020]. Disponível em: http://www.who.int/ageing/commit-action/measuring-progress/en/
70. Veras RP, Oliveira M, Veras RP, Oliveira M. Aging in Brazil: the building of a healthcare model. Ciênc Saúde Coletiva. 2018;23(6):1929–36.
71. Brasil. Ministério da Saúde. Construindo um plano nacional para o envelhecimento saudável. Contribuições do colegiado nacional de coordenadores de saúde da pessoa idosa [Internet]. Brasília: MS; 2019 [capturado em 01 abr. 2020]. Disponível em: http://189.28.128.100/dab/docs/portaldab/documentos/colegiado_2019_V2_20out.pdf
72. Jeet G, Thakur JS, Prinja S, Singh M. Community health workers for non-communicable diseases prevention and control in developing countries: Evidence and implications. PLOS ONE. 2017;12(7):e0180640.
73. Varghese C, Nongkynrih B, Onakpoya I, McCall M, Barkley S, Collins TE. Better health and wellbeing for billion more people: integrating non-communicable diseases in primary care. BMJ [Internet]. 2019 [capturado em 01 abr. 2020];364. Disponível em: https://www.bmj.com/content/364/bmj.l327
74. Schmälzle R, Renner B, Schupp HT. Health risk perception and risk communication. Policy Insights Behav Brain Sci [Internet]. 2017 [capturado em 01. abr. 2020]; 4(2). Disponível em: https://journals.sagepub.com/doi/10.1177/2372732217720223

LEITURA RECOMENDADA

Brasil. Ministério da Saúde. Plano de ações estratégicas para o enfrentamento das doenças crônicas e agravos não transmissíveis no Brasil - 2021-2030 [Internet]. Brasília: MS; 2021 [capturado em 18 nov. 2021]. Disponível em: https://www.gov.br/saude/pt-br/centrais-de-conteudo/publicacoes/publicacoes-svs/doencas-cronicas-nao-transmissiveis-dcnt/09-plano-de-dant-2022_2030.pdf/view.
Atualização do Plano de Enfrentamento.

Capítulo 24
ABORDAGEM PARA MUDANÇA DE ESTILO DE VIDA

Elisabeth Meyer
Pedro Marques da Rosa

Um "estilo de vida não saudável" poderia ser definido[1] como a falha em adotar recomendações para práticas consideradas protetoras de saúde, por exemplo, os exercícios mínimos de aptidão física para adultos – 150 minutos de exercício aeróbico moderado ou 75 minutos de exercício aeróbico vigoroso por semana.

Um estilo de vida saudável e o autocuidado estão intimamente interligados. O autocuidado diz respeito a um conjunto de comportamentos protetivos que incluem a forma como o paciente se alimenta, se realiza algum tipo de atividade física, sua adesão aos medicamentos prescritos, bem como o monitoramento e o gerenciamento de sintomas. Faz parte da rotina dos profissionais de saúde promover o bem-estar físico e mental dos pacientes. Para tanto, muitas vezes é imprescindível propor mudanças no estilo de vida ao manejar as diferentes condições clínicas de determinado paciente.

As mudanças no estilo de vida geralmente são mais difíceis do que o esperado e não são fáceis de serem mantidas. Ter que restringir a alimentação ou monitorar sintomas, por exemplo, é considerado "anormal" por muitos pacientes quando comparado ao estilo de vida prévio. Ajudar o paciente a perceber que diferentes comportamentos não saudáveis estão relacionados à piora da qualidade de vida é um desafio constante na prática clínica. Mais do que isso, é preciso criar, junto com o paciente, oportunidades que permitam que ele controle seu estilo de vida e assuma a responsabilidade por sua saúde. Facilitar o conhecimento teórico por meio de palestras com profissionais ou relatos das vivências de pacientes que mudaram um comportamento-alvo nem sempre é suficiente para influenciar uma mudança efetiva. Por essa razão, iniciar e manter as mudanças no estilo de vida pode não ser tão simples, indo além de simplesmente transmitir conhecimentos ou ensinar habilidades.

A frase de uma paciente durante a consulta ilustra exatamente esse ponto: "Vou tomar a medicação, mas não espere que faça qualquer outra coisa. Não vou fazer exercícios e gosto do que como. A medicação vai cuidar do meu colesterol". Os pacientes sentem-se validados quando são recebidos pelo profissional de saúde com respeito ao seu tempo para efetuar as mudanças em vez de serem confrontados com resultados de exames que comprovam que pouca ou nenhuma mudança foi efetuada. No fim das contas, o paciente precisa ter um verdadeiro desejo de implementar uma mudança no estilo de vida para obter sucesso. Sem esse desejo e sem autodeterminação, não há boas perspectivas de mudança.

O fragmento da consulta de um paciente com hipertensão arterial recém-diagnosticada, que ficou muito assustado ao saber que deveria fazer várias mudanças para manejar a pressão, e ao perceber que o médico iria respeitar o seu tempo, foi o seguinte: "Acho bom isso de fazer um passo de cada vez, poder falar com o senhor e ir fazendo isso aos poucos... Ao invés de... Não tinha certeza se poderia fazer tudo isso, mas um passo de cada vez, começando pela medicação... Não vai ser um problema. Isso eu consigo."

Alguns pacientes estão claramente dispostos a comprometer-se com a mudança no estilo de vida como um todo, enquanto outros se mostram indecisos em relação a essa proposta. Dessa forma, os profissionais de saúde perguntam-se como poderiam engajar, em longo prazo, a participação do paciente no tratamento proposto e recomendado. Os pacientes precisam sentir satisfação e motivação para gerenciar uma mudança no estilo de vida. Para melhorar o autocuidado e, consequentemente, mudar o estilo de vida, é altamente indicado utilizar a entrevista motivacional (EM) e algumas intervenções cognitivo-comportamentais. Vários estudos indicam que a EM é eficaz para ajudar os pacientes a fazer mudanças no estilo de vida.[2-6] As estratégias cognitivo-comportamentais são utilizadas para manter a mudança de comportamento e a autorregulação, que é a habilidade pessoal para monitorar e controlar o próprio comportamento, modificando-o diante das exigências de cada situação.[7-8]

O objetivo deste capítulo é apresentar as estratégias cognitivo-comportamentais e da EM que poderiam ser incluídas rotineiramente nos atendimentos dos profissionais de saúde com a meta de promover mudanças de comportamento saudáveis e facilitar as mudanças no estilo de vida.

FORTALECENDO A RELAÇÃO ENTRE PACIENTE E PROFISSIONAL DE SAÚDE

Os pacientes fazem escolhas e não podemos, nem devemos, tirar esse direito deles. Ao contrário, devemos ajudá-los a fazer as escolhas que julgam melhores para si. Além das características pessoais, muitos fatores podem dificultar a adesão e a manutenção do plano terapêutico. As habilidades de comunicação do profissional de saúde impactam de forma positiva ou negativa na relação que se estabelece entre paciente e profissional, influenciando a maneira como o paciente responde e reage durante os atendimentos.

Por exemplo, uma paciente fala: "Não posso acreditar que estou com o colesterol alto". Então, o profissional de saúde comenta: "Sabe, um monte de pacientes minhas tem colesterol alto e isso é facilmente tratável". Ao fazer isso, o profissional corre o risco de escutar da paciente algo como: "Eu não sou suas outras pacientes". Comparar pacientes pode dificultar uma comunicação que encaminhe para a mudança porque pode fazer o paciente entender que sua preocupação não foi compreendida ou que o profissional diminuiu a particularidade do seu problema ao não explorar a razão do seu sofrimento. Deve-se ter cuidado ao comparar uns pacientes aos outros, só fazendo isso quando for perguntado: "Você costuma atender outras pacientes com o mesmo problema?". O melhor preditor de mudança de comportamento é a relação que se estabelece entre paciente e profissional de saúde, e não qualquer técnica específica. Para levar os pacientes a aderirem à proposta de tratamento é necessário muito mais do que conselhos ou estratégias de intimidação, como "Se você não começar imediatamente a se exercitar, acompanhado de uma mudança drástica no jeito como se alimenta, sua saúde só vai piorar e chegar a um ponto irreversível; já vi isso antes, posso garantir". Uma conversa bem-sucedida sobre estilo de vida entre paciente e profissional de saúde oportuniza uma sensação de bem-estar, permitindo que o paciente se sinta apoiado e perceba que não está sozinho com seus problemas. Um estilo diferente de abordar o paciente do exemplo anterior poderia ser: "Você pensa que poderia ter algum benefício caso mudasse algo na sua alimentação?" ou "O Sr. me contou que tem sentido pouca força nas pernas. De que maneira o fato não fazer exercícios pode se encaixar aqui?".

PEDINDO AUTORIZAÇÃO PARA DAR INFORMAÇÃO

Um **aspecto** importante quando o profissional de saúde está falando com um paciente que ainda não tem certeza sobre se deve mudar o comportamento-alvo, ou seja, que está ambivalente, é prestar atenção na maneira como dá uma informação que acredita ser extremamente importante para a tomada de decisão do paciente. Se o paciente não está pronto ou propenso a recebê-la, a escolha em informar poderá aumentar a resistência. É necessário ter em mente que proporcionar uma informação durante a consulta só é útil se o paciente deseja escutá-la. Existem diferentes estratégias para dar informações quando o profissional está usando a EM. Perguntar o que o paciente já sabe ou quais ideias têm a respeito do comportamento-alvo antes de informá-lo pode ajudar o profissional a saber qual caminho seguir. Pedir permissão reforça a autonomia do paciente, o que pode diminuir a resistência. Quando o profissional de saúde fornece uma informação que é do interesse do paciente, aumenta sua atenção e aceitação, oportunizando que ele realmente escute o que o profissional tem a dizer. A vinheta a seguir permite observar como o profissional pediu autorização desta paciente para dar informações.

Profissional: "Maria, estou vendo que você está com a pressão 150/90 mmHg. Gostaria de prescrever uma medicação para ajudar a diminuir a pressão."

Paciente: "Não precisa, Dr., me sinto bem. Eu não estou com a pressão tão alta assim. Além disso, nem como muito sal."

Profissional: "Então, por estar se sentindo bem e não achar que a pressão está alta e ficar longe do sal, você se pergunta por que deveria começar a usar medicação?"

Paciente: "Isso mesmo."

Profissional: "Essa é uma boa questão. Se importa se eu der algumas informações e daí você me fala o que pensa? É você quem decide se quer tomar a medicação."

Paciente: "Pode ser."

Profissional: "Infelizmente, pressão alta pode não ter sintomas que você possa notar. O primeiro sintoma pode ser um derrame ou ataque cardíaco. A sua pressão está 150/90 mmHg. Sabemos que o risco de ter um derrame diminui muito quando a pressão diminui para menos de 120/80 mmHg. Tomar esse medicamento, fazer pequenas mudanças nos seus hábitos alimentares e fazer atividade física podem diminuir significativamente a pressão. Eu não gostaria de saber que você teve um derrame sabendo que poderia ter sido prevenido. O que acha de tomar medicação para diminuir a pressão?"

DANDO PERMISSÃO PARA QUE O PACIENTE CONTE SUA VIVÊNCIA SEM SENTIR-SE ENVERGONHADO OU CULPADO

Quando a conversa resulta em uma nova maneira de pensar sobre o estilo de vida e quando as próprias iniciativas dos pacientes são incentivadas, a conversa pode contribuir para a mudança. Criar uma atmosfera de confiança e respeito durante o atendimento, em que o paciente sente que pode ser honesto com o profissional de saúde, permite que ele discorra sobre suas experiências, o que aconteceu desde a última consulta, o que tem ou não tem feito, incluindo situações nas quais possa sentir-se muito envergonhado. O profissional de saúde deve ter em mente que é importante que o paciente não sinta culpa por seu comportamento não saudável ao conversar sobre sua dificuldade para mudar o estilo de vida, evitando que o paciente sinta que sua liberdade pessoal está reduzida ou que está sendo acusado de ter uma característica indesejável. Ao sentir-se acusado, não é de surpreender que o paciente diga algo como: "Como você pode falar que estou com obesidade quando evidentemente você também está acima do peso?".

O "REFLEXO DE CONSERTAR AS COISAS" DO PROFISSIONAL DE SAÚDE

Por vezes, os profissionais de saúde não são tão bons para motivar a mudança de comportamento como são para dar conselhos sobre quais comportamentos precisam ser mudados. Esse hábito de dar conselhos, segundo Miller e Rollnick,[9] é conhecido como o "Reflexo de consertar as coisas". Identificar estratégias que possam ser usadas para evitar a não adesão a um estilo de vida saudável e, assim, alcançar resultados clínicos positivos é uma meta a ser perseguida em qualquer área da saúde. Apresentamos um trecho de uma consulta na qual é possível observar quando o profissional utilizou uma estratégia do estilo prescritor levado pelo instinto de "consertar as coisas".

Profissional: "Você me contou que tem planos de começar a nadar ou fazer caminhadas. Acho que é uma ótima ideia. Fazer exercício irá ajudar a diminuir o peso, que é o seu maior desejo, não é mesmo? Além disso, vai ajudar a diminuir sua hipertensão. Penso que nadar será um pouco complicado logisticamente; seria melhor começar caminhando devagar até chegar a, pelo menos, 30 minutos, 4 ou 5 vezes por semana. O ideal seria começar com 20 minutos para não se cansar e logo desistir."

Paciente: "Eu não sei como encontrar tempo para fazer isso na minha agenda."

Profissional: "Muitas pessoas conseguem fazer isso pela manhã. O indicado é fazer a caminhada sempre na mesma hora. Coloque seu tênis ao lado da cama, porque vai ajudar a lembrar que você tem um objetivo a atingir. Também seria interessante anotar em uma folha de papel os dias que pretende caminhar e sinalizar com um OK quando você fizer. Para muitas pessoas, funciona combinar uma caminhada com uma amiga ou vizinha, porque uma motiva a outra. Fazer atividade física acompanhada é sempre mais divertido, e o tempo passa mais rápido."

Paciente: "Entendo que tenho de fazer isso."

Profissional: "Então estamos combinados! Se você fizer um pequeno esforço para começar, tenho certeza de que vai conseguir."

O QUE IMPORTA É O QUE O PACIENTE SE ESCUTA FALANDO

Respeitar a motivação pessoal é um elemento fundamental na EM, pois é essa motivação que possibilita maior compromisso e manutenção do novo comportamento em longo prazo. Quando se usa a EM, o foco é ajudar o paciente a ouvir-se falar, com o propósito de resolver sua ambivalência em relação à mudança no estilo de vida, usando a sua própria motivação, energia e comprometimento. Mais do que isso, o espírito da EM é baseado na tarefa de encorajar a mudança por meio de um relacionamento de trabalho sem julgamentos, que forneça apoio contínuo e respeite efetivamente a autonomia, que deveria ser considerada uma necessidade fundamental do ser humano. No caso da última paciente, que precisa iniciar uma atividade física, teria sido mais interessante o profissional evitar dar conselhos e utilizar perguntas sobre quais são as ideias dela a respeito de como iniciar as caminhadas, como, por exemplo: "O que já tentou fazer?", "Em quais alternativas pensou?", "Como costumava lidar com situações em que precisava iniciar um novo comportamento?", "O que diria para alguém que lhe perguntasse a mesma coisa?".

A AMBIVALÊNCIA

Enquanto alguns pacientes estão claramente dispostos a mudar comportamentos e a comprometer-se com a dinâmica do tratamento como um todo, outros parecem indecisos e ambivalentes: "Sei que preciso cuidar do diabetes se não quiser ficar como minha avó, mas não posso abrir mão do meu docinho".

Um dos fatores que podem atuar diretamente na pouca resposta ao tratamento é o fato de o paciente não perceber sua ambivalência em mudar. Por exemplo: "Meus filhos ficam jogando na minha cara que não faço nada para mudar, mas eu venho a todas as consultas, não é verdade? O que mais eles querem que eu faça?". Também assinala uma baixa adesão quando o paciente demonstra menor motivação à mudança do que seria necessário, como se pode ver no comentário de uma paciente tabagista: "Será que é uma boa ideia deixar de fumar? Se deixar de fumar, engordarei, com certeza". Sendo assim, a resistência e/ou a não adesão podem sinalizar uma fraca motivação ao tratamento ou à mudança de comportamento. Como apontado por Moyers e Martin,[10] a meta fundamental da EM é aumentar a intensidade do comprometimento do paciente com a mudança.

OS PROCESSOS QUE FORMAM O FLUXO DA EM: ENVOLVER, ORIENTAR, EVOCAR E PLANEJAR

Segundo Miller e Rollnick,[9] é possível observar quatro processos centrais que descrevem a EM. Esses processos não são lineares e não ocorrem em uma sequência rígida, mas se sobrepõem e interagem uns com os outros ao longo da EM. Os quatro processos dizem respeito a: (1) estilo de comunicação e o espírito centrado no paciente (Envolver); (2) o foco da conversa ser um comportamento-alvo identificado para a mudança (Orientar); (3) o profissional de saúde evocar as motivações do paciente para a mudança (Evocar); (4) ajudar o paciente a encontrar dentro de si os planos para a mudança (Planejar). É a junção desses quatro processos que melhor descreve a EM.

1. "Vamos caminhar juntos?" diz respeito a ENVOLVER. Aqui o "espírito" da EM fica mais evidente. É o primeiro processo, pois procura ligar e compreender as perspectivas e os interesses do paciente. A meta é estabelecer uma relação colaborativa de confiança e respeito que facilitará que o profissional de saúde entenda as atuais necessidades do paciente. Durante o processo de ENVOLVER, o profissional de saúde deve perguntar-se: "O paciente parece confortável ao falar comigo?", "Quanto apoio e ajuda estou dando?" e "Entendo o ponto de vista e as preocupações do paciente?".

2. "Estamos trabalhando juntos com um objetivo comum?" representa o processo de ORIENTAR. Não se limita apenas a uma meta porque, durante o tratamento, outras mudanças podem surgir; se houver mais de uma, deve-se priorizar. O profissional de saúde deve ajudar o paciente a identificar o comportamento-alvo sobre o qual está ambivalente ou tem-se esforçado para mudar. Procure não induzir o paciente na escolha do comportamento-alvo. No processo de ORIENTAR, o profissional de saúde deve ter em mente: "Quais são as reais metas de mudança do paciente?", "Minhas metas de mudança são diferentes das do paciente?", "Estamos nos movendo em direções diferentes?". Utilize as estratégias OARS, que serão apresentadas adiante.

3. "Qual conversa sobre mudança estou ouvindo?" retrata o processo de EVOCAR. O objetivo é fazer o paciente trazer as próprias razões e a importância da mudança. O processo de EVOCAR é comumente conhecido como o processo do "Por quê?". "Por que essa mudança é importante para você?" Nesse processo, o profissional de saúde deve estar atento ao "Reflexo de consertar as coisas".

4. "Como? Quando?" descreve o processo de PLANEJAR. Engloba o desenvolvimento de um compromisso com a mudança, além da criação de um plano de ação específico. Certamente é o último passo, pois é a "ponte" para a mudança. Conforme Miller e Rolnick,[9] depois que os pacientes passam pelo processo de EVOCAR e PLANEJAR, eles geralmente se mostram satisfeitos em realizar as mudanças por conta própria.

"CONVERSA SOBRE MUDANÇA" E "CONVERSA PARA MANTER COMO ESTÁ"

A EM tem-se caracterizado por ter um estilo de comunicação colaborativo, orientado para metas, com atenção especial na "Conversa sobre mudança", projetada para reforçar a motivação pessoal e o compromisso com um objetivo específico que evoca e explora as próprias razões para a mudança dentro de uma atmosfera de aceitação e empatia que oportuniza fazer mudanças comportamentais no interesse da sua própria saúde. O cerne da EM é orientar o paciente a convencer-se quanto à necessidade da mudança, ou seja, a "Conversa sobre mudança", o que permite explorar e resolver sua ambivalência.

Os princípios orientadores da EM são:
→ resistir ao "Reflexo de consertar as coisas";
→ entender e explorar as motivações do paciente;
→ escutar com empatia;
→ fortalecer o paciente, estimulando a esperança e o otimismo.

Esses princípios devem estar presentes durante os atendimentos para facilitar que aconteça a "Conversa sobre mudança" do comportamento-alvo com o paciente e o profissional de saúde. Utilizar a EM facilita a "Conversa sobre mudança" ao organizar as falas, de modo que seja mais provável que o movimento para a mudança ocorra. O oposto da "Conversa sobre mudança" é a "Conversa para manter como está", que propicia a resistência e pode bloquear a oportunidade para que ocorra a "Conversa sobre mudança".[11]

Observe as duas vinhetas do paciente Bartolomeu, 37 anos.

A primeira é um exemplo que provoca a "Conversa para manter como está".

Profissional: "Oi. Você é o Bartolomeu?"

Paciente: "Sim."

Profissional: "O que o traz aqui hoje?"

Paciente: *(de forma ansiosa)* "Eu tinha que vir para aprender a lidar com a minha pressão alta. Acabo de saber que sou hipertenso."

Profissional: "Vejo aqui que sua pressão está muito alta."

Paciente: *(preocupado)* "Foi isso que a enfermeira falou. Ela falou muito sobre isso. Que é uma coisa muito séria. Ela falou sobre riscos de derrame, infarto e insuficiência renal. Realmente me assustou. Então, eu quero aprender como lidar com isso porque é assustador."

Profissional: "Bom, você tem que tomar a medicação. Precisa fazer dieta para perder peso e fazer exercícios. Ela está certa, é muito sério."

Paciente: "Puxa! É muita coisa para fazer. Não tenho certeza de que posso fazer tudo isso. Se eu não fizer tudo isso, essas coisas ruins podem acontecer comigo?"

Profissional: "Com certeza."

Paciente: *(chateado, coloca as mãos no rosto e fala)* "Meu Deus!"

Profissional: "Então, precisamos planejar e fazer todas essas coisas para lidar com a sua pressão, porque o número é muito alto."

Paciente: *(sentindo-se sobrecarregado)* "É, acho que sim."

A segunda vinheta, a seguir, é "Conversa sobre mudança".

Profissional: "Olá, Bartolomeu! Como está se sentindo hoje? Meu nome é João. Eu sou o médico aqui do posto. Sei que você veio hoje para falarmos sobre sua hipertensão."

Paciente: *(parecendo muito chateado)* "Sim, tenho que aprender a lidar com isso. Acabo de descobrir que tenho pressão alta, o que parece ser muito ruim. A enfermeira falou que estava muito alta e falou todas as consequências que podem acontecer, e parece desastroso. Ela me falou que tenho que fazer várias coisas e me sinto sobrecarregado."

Profissional: "Então você acaba de ver a enfermeira e parece que foi pego de surpresa, não só pelo quão assustador é o fato de ter pressão alta, mas pelas várias coisas que ela contou que podem acontecer devido a isso." *(paciente acena positivamente com a cabeça)*

Paciente: "Ela falou que posso ter problemas, como risco de derrame, infarto e insuficiência renal. É sério."

Profissional: "Então você está se acostumando com todas essas informações e parece muito assustado."

Paciente: "É! É mais do que estar assustado, sabe. Não quero que aconteça comigo. Quando ela começou a contar todas as coisas que preciso fazer, comecei a ficar desesperado. Não tenho certeza de que posso fazer tudo que devo. Estou aqui sentado pensando que é o que vai acontecer comigo. Isso é muito desencorajador."

Profissional: "Então, além do fato de que está muito assustado com isso e com as consequências do que pode acontecer, está preocupado com todas as coisas que ela falou que deve fazer para lidar com isso. Você não consegue se imaginar fazendo todas essas coisas. Você sente que todas as consequências ruins irão acontecer."

Paciente: "Parece uma tarefa imensa com que posso não saber lidar, e daí todas essas coisas horríveis irão acontecer comigo. É uma situação ruim de várias formas."

Profissional: *(acenando afirmativamente com a cabeça)* "Está bem. O que quero fazer é ajudar a separar essas tarefas para que diminua a sua pressão. Por um lado, a enfermeira está certa, a sua pressão está muito alta e precisamos diminuí-la para reduzir o risco dessas consequências. Há várias coisas que você pode fazer para diminuir a pressão. Por outro lado, podemos fazer isso com um passo de cada vez, para não lhe sobrecarregar. Quero que me diga que tipo de coisa consegue fazer agora. Por exemplo, são basicamente três tarefas que tem de fazer para lidar com a pressão alta. Tomar o remédio como prescrito; honestamente, se fosse focar em alguma coisa para fazer agora, já que tudo parece demais, essa seria a primeira, porque vai ter um impacto maior. O que acha?"

Paciente: "Acho que não teria muito problema em tomar a medicação, porque entendo que a pressão está alta."

Profissional: "Então isso você acha que consegue fazer."

Paciente: "Sim. Isso eu posso fazer. Sou muito bom em tomar remédios."

Profissional: "Ótimo! Só tem que tomar 1 vez por dia, o que parece possível neste momento."

Paciente: *(calmamente)* "Sim, acho que possivelmente consigo fazer isso."

Profissional: "Tá certo. As outras coisas que podemos trabalhar com o tempo são fazer dieta para perder peso e fazer exercícios. Isso não quer dizer que tem que ir em uma academia, mas sim caminhar mais, usar escadas no lugar do elevador."

Paciente: "Ela também falou para monitorar a pressão, mas parece besteira para mim."

Profissional: "Isso é para você saber como as coisas estão indo, e para que continue se empenhando. Ajuda saber que tomar a medicação e mudar os hábitos alimentares estão realmente funcionando. Manter a sua pressão baixa vai ajudar a prevenir que tenha todos os outros problemas."

Paciente: "Certo."

Profissional: "Como isso faz você se sentir agora?"

Paciente: "Acho bom isso de fazer um passo de cada vez. Poder falar com o Sr. e ir fazendo isso aos poucos... Ao invés de... Não tinha certeza de que poderia fazer tudo isso, mas um passo de cada vez, começando pela medicação... Não vai ser um problema. Isso eu consigo."

Profissional: "Você parece comprometido a fazer isso."

Paciente: *(entusiasmado)* "É, posso fazer isso desde que não tenha qualquer efeito colateral grande."

Profissional: "Geralmente, as pessoas se dão muito bem com esse tipo de medicação. Parece que você vai tomar a medicação e fazer outras mudanças com o tempo."

Paciente: "Isso!"

Profissional: "Ótimo! Vamos ver como as coisas vão indo e, se você concordar, conversamos em 2 ou 3 semanas para ver como está."

Paciente: "Ótimo!"

USANDO OARS NA "CONVERSA SOBRE MUDANÇA"

Quando queremos ajudar o paciente a falar e explorar sua ambivalência, é possível utilizar quatro técnicas básicas específicas da EM que são usadas ao mesmo tempo durante a consulta. Utilizá-las provoca a "Conversa sobre mudança", fazendo o paciente apresentar os motivos para fazer determinada mudança. Essas quatro estratégias são conhecidas pelo acrônimo OARS, e serão apresentadas a seguir.

1. Perguntas abertas (do inglês *Open questions*). Fazer perguntas que permitam que o paciente compartilhe informações, em vez de responder com uma simples resposta sim ou não. O profissional pode usar perguntas abertas para incentivar o paciente a considerar como e por que ele pode mudar. Exemplos de perguntas abertas são: "O que você gostaria de mudar no seu estilo de vida?" ou "Por que você acha que precisa alterar seu (fator de risco)?". As perguntas fechadas são necessárias e muito valiosas, mas, às vezes, podem ensinar o paciente a ser monossilábico ou podem limitar a quantidade de informações fornecidas.
2. Afirmações (do inglês *Affirmations*). As afirmações oferecem reforço positivo aos pontos fortes, valores ou intenções do paciente. Afirmações genuínas podem aumentar a confiança em sua capacidade de mudar e

apoiar o autogerenciamento. Por exemplo: "Você passou por um período muito difícil e demonstrou muita coragem" ou "Sua decisão de reduzir o consumo de sal é um ótimo primeiro passo".

3. Escuta reflexiva (do inglês *Reflective listening*). Os pacientes relatam estar mais satisfeitos com o seu autocuidado quando acreditam que o profissional de saúde é empático com suas necessidades. Além disso, também estão mais propensos a aderir às recomendações do tratamento. Ouça com atenção e repita uma parte do todo que o paciente diz, pois isso valida os sentimentos dele e mostra que o profissional o entende. Pense em um espelho: você está literalmente "refletindo" de volta o que lhe foi dito. A reflexão ajuda o paciente a sentir que está sendo ouvido e oportuniza a "Conversa sobre mudança". O profissional de saúde irá se concentrar na "Conversa sobre mudança" e dará menor atenção à "Conversa sobre manter como está". Por exemplo: "Ouvi você dizer que seu diabetes o preocupa" ou "Tenho a impressão de que você tentou mudar seu colesterol, mas isso tem sido um desafio".

4. Resumos (do inglês *Summaries*): Resumir uma conversa permite que o profissional vincule e reforce o que discutiu com o paciente. Isso demonstra que o paciente está sendo ouvido e que o profissional de saúde está realmente interessado na situação. Os resumos podem ser usados para encerrar uma sessão ou alterar tópicos. Exemplos de resumo podem ser: "Você disse que deseja mudar seu (fator de risco), mas não sabe ao certo como" ou "Você tem alguns folhetos para ler e acha que conversar com um profissional de saúde lhe ajudaria a comprometer-se com a mudança. Essas são todas indicações positivas de que você está pronto para alterar seu (fator de risco)".

O profissional de saúde pode mover-se de uma técnica para outra quando achar necessário. Usar constantemente a OARS pode levar-nos muito longe em uma "Conversa sobre mudança". A habilidade de comunicação do profissional de saúde é importante porque oportuniza que os pacientes falem sobre si e seus problemas.[12] A seguir, são apresentadas três vinhetas entre o profissional de saúde e o paciente, na qual é possível observar o uso da OARS, do espírito e dos princípios da EM.

Caso 1

Este é um exemplo de como usar alguns dos princípios e espírito da EM e a reflexão para responder à relutância de um paciente em fazer uso de um medicamento devido a um efeito colateral.

Paciente: "Ouvi falar que essa medicação tem efeitos colaterais. Se isso é verdade, não sei se quero tomar."

Profissional: "Você parece preocupado com os efeitos colaterais *(Reflexão)*. Conte sobre o que ouviu dizer *(Explorando o problema)*."

Paciente: "Meu maior medo é que posso ter problemas de dor no estômago. Eu não sei lidar com isso."

Profissional: "Parece que, se conseguirmos diminuir ou eliminar as chances de sentir dor no estômago, com esse medicamento você estaria mais aberto a usar *(Ressignificar/Reflexão)*."

Paciente: "Você consegue fazer isso?"

Profissional: "Acho que sim. A maior parte das dores no estômago é causada por tomar essa medicação com o estômago vazio. Se tomar junto com as refeições, isso provavelmente eliminará o problema *(Informação)*."

Paciente: "Ainda assim algumas pessoas sentem dor?"

Profissional: "Um percentual muito pequeno *(Informação)*. Gostaria de tentar tomar por alguns dias e ver se seu estômago tolera a medicação com a comida *(Respeitando a autonomia)*"?

Paciente: "Tem outra coisa que possa tomar?"

Profissional: "Temos outras alternativas que não são muito eficazes, sendo que algumas delas também podem causar dor no estômago *(Informação)*. Você gostaria de saber quais são e depois decidimos o que quer fazer *(Pedindo permissão)*?"

Caso 2

Neste exemplo, é possível acompanhar como o profissional de saúde utilizou a OARS e o espírito e princípios da EM para diminuir a resistência do paciente em iniciar o uso da medicação porque não acredita ser necessário.

Paciente: "Eu não entendo por que tenho de tomar esse remédio. Me sinto bem."

Profissional: "Porque se sente bem você se pergunta por que deveria tomar a medicação *(Reflexão)*?"

Paciente: "Exatamente."

Profissional: "Essa é uma boa pergunta *(Afirmação)*. Tudo bem para você se der algumas informações para ajudar a responder a sua dúvida, e daí você me fala o que pensa *(Pedindo permissão)*?"

Paciente: "Sim."

Profissional: "Infelizmente, glicemia alta é uma condição que não tem sintomas até algo acontecer. Geralmente o paciente percebe apenas quando aparecem sintomas mais graves, como problemas de cicatrização, perda de peso e fadiga, sede excessiva e micções mais frequentes. Sabemos que, se a glicemia está abaixo de 100 mg/dL, as chances de ter essas complicações diminuem muito. A sua glicemia está em 140 mg/dL, e isso aumenta seu risco de ter complicações *(Informação)*. Eu ficaria muito chateado se alguma coisa acontecesse com você, principalmente porque poderia ter sido evitado *(Empático)*. De que forma saber disso pode mudar a sua visão sobre tomar a medicação *(Provocando a 'Conversa sobre mudança')*?"

Caso 3

Neste diálogo com um paciente que aceita usar medicação, mas não quer mudar o estilo de vida, o profissional de saúde lança mão das estratégias da OARS e do princípio da EM de Pedir permissão.

Paciente: "Eu vou tomar a medicação, mas não espere que faça qualquer outra coisa. Eu não vou fazer exercícios e gosto daquilo que como. A medicação vai cuidar da minha pressão."

Profissional: "Fico feliz em saber que está comprometida a tomar o remédio *(Afirmação)*. Vai ajudar a diminuir sua pressão *(Informação)*. De que modo você entende que a atividade física e os hábitos alimentares mais saudáveis irão ajudar a diminuir sua pressão e evitar complicações mais graves, como eventos vasculares e doença renal *(Pergunta aberta)*?"

Paciente: "Eu não me importo. A medicação dará conta sozinha."

Profissional: "Então você se pergunta por que deveria fazer qualquer outra coisa se a medicação vai dar conta sozinha *(Reflexão)*?".

Paciente: "Sim."

Profissional: "Essa é uma boa questão *(Afirmação)*. Você se importa se eu der mais informações para ajudar a responder a essa questão e depois você me fala o que pensa *(Pedindo permissão)*?"

Paciente: "Não, eu não farei mais nada. Só vou tomar a medicação."

Profissional: "Está bem *(Acompanha a resistência)*. Fico feliz que você está comprometida a tomar a medicação *(Afirmação)*. Continue cuidando da sua pressão *(Reforça capacidade)*. Eu não gostaria de saber que você teve complicações mais sérias que poderiam ter sido evitadas *(Empático)*."

Paciente: "Está bem."

USANDO DARN-CAT NA "CONVERSA SOBRE MUDANÇA"

Existem sete perguntas que encaminham o paciente para a "Conversa sobre mudança" e podem ser descritas usando o acrônimo DARN-CAT. As quatro primeiras perguntas são utilizadas na fase preparatória da "Conversa sobre mudança" e refletem Desejo, Habilidade, Razão e Necessidade (DARN). As três últimas são orientadas para implementar/mobilizar a ação durante a "Conversa sobre mudança".

1. Desejo

   Profissional: "O que você espera que aconteça com o tratamento?"

   Paciente: "Apenas quero me sentir melhor. É muito ruim não conseguir mais fazer o que sempre fiz por causa dessa tontura."

2. Habilidade

   Profissional: "Como você poderia fazer isso?"

   Paciente: "Eu sei o que preciso fazer... Eu apenas preciso fazer."

3. Razão

   Profissional: "Quais são os três melhores motivos para fazer a mudança?"

   Paciente: "Talvez eu tenha um pouco mais de energia se tiver mais consciência a respeito do meu açúcar no sangue. Também deixaria meus filhos mais tranquilos em relação à minha saúde. Minha mãe também ficaria menos nervosa, porque acha que vou ficar cego ou ter outras complicações por causa do diabetes."

4. Necessidade/compromisso

   Profissional: "O quanto é importante, em uma escala de 0 a 10, sendo 0 nada importante e 10 extremamente importante?"

   Paciente: "Acho que é 10. Minha taxa de açúcar no sangue não pode continuar assim."

5. Compromisso

   Profissional: "O que pretende fazer?"

   Paciente: "Vou colocar a dieta da nutricionista na porta da geladeira e me organizar para ter os alimentos que ela indicou."

6. Ativação

   Profissional: "O que você está pronto ou disposto a fazer?"

   Paciente: "Estou planejando diminuir muito as comidas com gorduras."

7. Dando passos/tentando

   Profissional: "O que você já fez?"

   Paciente: "Decidi tomar meu medicamento todos os dias para ver o que ele pode fazer comigo. Eu realmente desejo evitar ter que usar insulina."

EXERCÍCIOS BASEADOS EM TÉCNICAS COGNITIVAS E COMPORTAMENTAIS

Quando utilizamos, na mesma consulta, as estratégias da EM com as técnicas cognitivo-comportamentais com um foco particular na mudança de comportamento em saúde, favorecemos resultados mais produtivos. Existem diferentes técnicas cognitivo-comportamentais que o profissional de saúde pode utilizar durante o atendimento. Todos os exercícios podem ser usados como um guia impresso no papel e discutidos durante o atendimento, ou o paciente e o profissional escrevem juntos a resposta para cada pergunta. O ideal é que o paciente leve com ele o exercício quando escritas as respostas e tente ler sempre que possível.

Exercício 1: Trabalhar o planejamento e a tomada de decisão

Qual comportamento quero desenvolver?
1. Quais as saídas possíveis?
2. O que já viu funcionar com outras pessoas?
3. Quais são as outras alternativas?
4. De todas as opções, qual é a mais interessante?
5. O que é preciso fazer primeiro?
6. Como vai fazer para funcionar?
7. O que precisa fazer para atingir sua meta?

Exercício 2: Ajudar o paciente a se preparar para lidar com sentimentos que possam dificultar e/ou afastá-lo do estilo de vida saudável

1. O que é importante para você?
2. Quais sentimentos estão lhe impedindo de alcançar o que é importante?
3. O que você está fazendo para lidar e ficar longe dos sentimentos que não gostaria de ter?
4. Quais comportamentos você pode adotar para alcançar o que é importante enquanto ainda tem esses sentimentos?

Exercício 3: O paciente está pensando em mudar um comportamento não saudável

A Balança do Processo de Mudança permite examinar atentamente as consequências negativas e positivas do comportamento-alvo, oportunizando que o paciente se envolva em um comportamento alternativo mais saudável. Essa atividade ajuda o paciente a dar mais um passo para decidir que precisa mudar ou para manter a mudança no estilo de vida.

Balança do Processo de Mudança
1. Pense sobre as dificuldades que você está experimentando atualmente. Existem pontos positivos e negativos sobre quase todas as situações.
2. Liste as consequências negativas ao enfrentar seu problema atual. De que você acha que vai precisar abrir mão se decidir mudar?
3. Liste as consequências positivas ao enfrentar seu problema atual.
4. Liste os benefícios pessoais que espera alcançar se mudar.
5. Pense em um objetivo geral e como terá que mudar a fim de alcançá-lo.

Exercício 4: Lidar com a dificuldade relacionada à recaída ao estilo de vida não saudável

Plano de manutenção: Converse detalhadamente sobre cada um dos itens sugeridos. O profissional deve ajudar o paciente a resolver qualquer problema que surgir, de forma a conseguir executar a tarefa.

1. Razões para não querer (fator de risco).
2. Bons hábitos que vou continuar.
3. Zonas de perigo e situações de risco de recaída.
4. Coisas que posso fazer para ajudar em situações de risco de recaída.
5. Pessoas que poderão me ajudar.
6. O que farei se voltar a ter comportamentos que contribuem para (fator de risco).

Exercício 5: Reforço na reconsulta

Mudar o estilo de vida requer esforço e energia. Quando o paciente retorna para a próxima consulta, é importante reforçar o quanto prestou atenção nas escolhas que decidiu fazer em relação ao comportamento-alvo. A técnica a seguir deve ser usada durante a sessão. O objetivo é identificar e reduzir pontos de tensão que possam ter ocorrido na tentativa de mudar o fator de risco.

1. O que consegui fazer desde a última consulta em relação a (fator de risco)?
2. O que aprendi?
3. O que foi difícil para mim?
4. Quais são os elementos aos quais preciso ficar atento no meu (fator de risco) até a próxima consulta?
5. Quais objetivos realistas e alcançáveis eu posso estabelecer?
6. Quais são os problemas que provavelmente encontrarei?
7. Como poderei superá-los?

CONSIDERAÇÕES FINAIS

Para finalizar, gostaríamos de chamar a atenção do leitor para o fato de que ambivalência e resistência às recomendações, bem como o abandono prematuro do tratamento, são realidades clínicas comuns enfrentadas por todos os profissionais de saúde.

A entrevista motivacional tem como foco o paciente que não acredita ter um problema cuja solução exige uma mudança de estilo de vida ou que está em um programa de tratamento que não confia que será útil. É essencial motivar o paciente para se engajar e, consequentemente, obter o melhor proveito do tratamento. O processo de mudança de estilo de vida por meio do espírito, dos princípios e das técnicas da EM cria uma sensação de bem-estar na consulta, que possibilita a autodeterminação do paciente e contribui para a mudança do comportamento-alvo. Dessa forma, é relevante usar a EM como um meio de maximizar as taxas de resposta do tratamento por meio do aumento da motivação, do compromisso e da adesão do paciente ao que é proposto pelos diferentes profissionais de saúde.

Adicionar técnicas cognitivo-comportamentais possibilita trabalhar com soluções pré-selecionadas e treinar habilidades que farão diferença na manutenção do novo estilo de vida.

REFERÊNCIAS

1. World Health Organization. Global Recommendations on Physical Activity for Health. Geneva; 2010. 2013. [capturado em 01 set. 2019]. Disponível em: https://www.who.int/dietphysicalactivity/physical-activity-recommendations-18-64years.pdf
2. Lundahl BW, Kunz C, Brownell C, Tollefson D, Burk BL. A meta-analysis of motivational interviewing: twenty-five years of empirical studies. Res Soc Work Pract. 2010;20(2):137–60.
3. Hettema J, Steele J, Miller WR. Motivational interviewing. Annual Rev Clinical Psychol. 2005;1:91–111.
4. Martins RK, McNeil DW. Review of motivational interviewing in promoting health behaviors. Clin Psychol Rev. 2009;29(4):283–93.
5. Burke BL, Arkowitz H, Menchola M. The efficacy of motivational interviewing: a meta-analysis of controlled clinical trials. J Consult Clin Psychol. 2003;71(5):843–61.
6. Rubak S, Sandbaek A, Lauritzen T, Christensen B. Motivational interviewing: a systematic review and meta-analysis. Br J Gen Pract. 2005;55(513):305–12.

7. Barrett S, Begg S, O'Halloran P, Kingsley M. Integrated motivational interviewing and cognitive behaviour therapy for lifestyle mediators of overweight and obesity in community-dwelling adults: a systematic review and meta-analyses. BMC Public Health. 2018;18(1):1160.
8. Zhang Y, Mei S, Yang R, Chen L, Gao H, Li L. Effects of lifestyle intervention using patient-centered cognitive behavioral therapy among patients with cardio-metabolic syndrome: a randomized, controlled trial. BMC Cardiovasc Disord. 2016;16(1):227.
9. Miller WR, Rollnick S. Motivational interviewing: helping people change. 3rd ed. New York: Guilford Press; 2013.
10. Moyers T, Martin T. Therapist influence on patient language during motivational interviewing sessions. J Subst Abuse Treat. 2006;30(3):245-51.
11. Miller, WR, Moyers TB. Eight stages in learning motivational interviewing. J. Teach Addict. 2006;5(1):3-17.
12. Moyers TB, Miller WR, Hendrickson SML. How does motivational interviewing work? Therapist interpersonal skill predicts client involvement motivational interviewing sessions. J Consult Clin Psychol. 2005;73(4):590–8.

Capítulo 25
ALIMENTAÇÃO SAUDÁVEL DO ADULTO

Maria Laura da Costa Louzada
Patricia Constante Jaime

A alimentação adequada e saudável, atualmente denominada alimentação saudável, é um direito humano básico que envolve a garantia, de modo permanente, regular e socialmente justo, de uma prática alimentar que seja: adequada aos aspectos biológicos e sociais, atendendo às necessidades de diferentes fases do ciclo vital; referenciada pela cultura alimentar local e pelas dimensões de gênero, raça e etnia; acessível do ponto de vista físico e financeiro; harmônica em quantidade e qualidade, satisfazendo aos princípios de variedade, equilíbrio, moderação e prazer; e derivada de práticas de produção adequadas e com uso sustentável do ambiente.[1]

A promoção da alimentação saudável é um compromisso expresso na Política Nacional de Promoção da Saúde, e fundamenta-se em dimensões de incentivo, apoio e proteção da saúde, combinando iniciativas focadas em políticas públicas saudáveis, na criação de ambientes saudáveis, no desenvolvimento de habilidades pessoais e na reorientação dos serviços de saúde.[2] No escopo dessas ações, o Ministério da Saúde brasileiro publicou, em novembro de 2014, a segunda edição do Guia Alimentar para a População Brasileira.[3]

O Guia consiste em um documento oficial que aborda os princípios e as recomendações de uma alimentação saudável para a população brasileira, configurando-se como um instrumento de apoio às ações de educação alimentar e nutricional e norteador das ações no Sistema Único de Saúde e em outros setores. Ele traz importantes mudanças conceituais em relação à edição anterior, publicada em 2006, refletindo as alterações no padrão alimentar e nutricional da população, bem como um novo paradigma na ciência da nutrição. Em primeiro lugar, ele considera que a alimentação é mais que a ingestão de nutrientes e traz recomendações sobre alimentos e refeições saudáveis, e modos de comer adequados e sustentáveis. Além disso, suas recomendações gerais fundamentam-se em quatro grupos de alimentos definidos a partir de características do processamento industrial (TABELA 25.1), e não do seu perfil nutricional, e a abordagem é qualitativa, sem orientações quanto a porções e valores de recomendações de nutrientes.

Há também uma perspectiva realista e factível nas recomendações. Dados de consumo alimentar de 2 dias de mais de 30 mil brasileiros (Pesquisa de Orçamentos Familiares [POF] 2008-2009, realizada pelo Instituto Brasileiro de Geografia e Estatística) mostram que boa parcela da população brasileira tem uma alimentação que corrobora o que

TABELA 25.1 → Definição e exemplos dos grupos de alimentos da classificação utilizada no Guia Alimentar para a População Brasileira

GRUPO	DEFINIÇÃO E CARACTERÍSTICAS	EXEMPLOS
Grupo 1 – Alimentos *in natura* ou minimamente processados	Partes comestíveis de plantas (sementes, frutos, folhas, caules, raízes) ou de animais (músculos, vísceras, ovos, leite), cogumelos, algas, bem como a água logo após sua separação da natureza ou submetidos a processos como remoção de partes não comestíveis, desidratação, moagem, fermentação não alcoólica e outros processos que não envolvem a adição de novas substâncias ao alimento *in natura*.	Frutas *in natura*, secas ou desidratadas, sucos 100% integrais, hortaliças, cereais, leguminosas, tubérculos e raízes, carnes e vísceras, ovos, leites e iogurtes naturais, fungos, nozes e sementes.
Grupo 2 – Ingredientes culinários processados	Substâncias extraídas diretamente de alimentos do primeiro grupo ou da natureza e consumidas como itens de preparações culinárias.	Sal, açúcar, óleos vegetais e gorduras.
Grupo 3 – Alimentos processados	Produtos fabricados com a adição de sal ou açúcar e, eventualmente, óleo, vinagre ou outra substância do segundo grupo a um alimento do grupo 1.	Conservas de hortaliças, de cereais ou de leguminosas, carnes salgadas, peixe conservado em óleo ou água e sal, frutas em calda, queijos e pães.
Grupo 4 – Alimentos ultraprocessados	Formulações industriais tipicamente prontas para consumo feitas de inúmeros ingredientes, frequentemente obtidos a partir de colheitas de alto rendimento, como açúcares e xaropes, amidos refinados, óleos e gorduras, isolados proteicos, além de restos de animais de criação intensiva. Essas formulações são feitas para parecerem, cheirarem e terem gostos bons ou mesmo "irresistíveis", usando combinações sofisticadas de flavorizantes, corantes, emulsificantes, edulcorantes, espessantes e outros aditivos que modificam os atributos sensoriais, e os alimentos *in natura* ou minimamente processados representam proporção reduzida ou sequer estão presentes na sua lista de ingredientes.	Biscoitos, sorvetes, balas e guloseimas em geral, "cereais matinais", bolos e misturas para bolo, barras de cereal, sopas, macarrão e temperos "instantâneos", molhos, "salgadinhos de pacote", refrescos e refrigerantes, iogurtes e bebidas lácteas, "bebidas energéticas", produtos congelados e prontos para aquecimento como pratos de massas, pizzas, hambúrgueres e extratos de carne de frango ou peixe empanados do tipo *nuggets*, salsichas e outros embutidos, "pães de forma", pães para hambúrguer ou *hot dog*.

Fonte: Brasil[1] e Monteiro e colaboradores.[4]

o Guia preconiza, e essa parcela foi usada como exemplo para aproximar todos os outros brasileiros do que é recomendado. Com isso, o Guia traz uma grande valorização da experiência cultural, enaltecendo as variações que demarcam as diferentes regiões do País.

Por fim, o Guia reconhece que nem todas essas recomendações são fáceis de seguir e que existem diversas barreiras pessoais e ambientais a serem levadas em conta na hora de fazer as recomendações. Ele assume, ainda, que algumas dessas barreiras são intransponíveis sem políticas públicas, mas que outras começam a ser superadas quando são conhecidas.

RISCOS ASSOCIADOS AO CONSUMO DE ALIMENTOS ULTRAPROCESSADOS

Evidências consistentes de dezenas de artigos de instituições acadêmicas independentes em várias regiões do mundo e recentemente endossadas pela Organização das Nações Unidas para a Alimentação e a Agricultura (FAO) têm evidenciado o papel do ultraprocessamento de alimentos na epidemia das doenças crônicas.[4] Estudos prospectivos relacionaram a ingestão de alimentos ultraprocessados com um risco maior de sobrepeso e obesidade,[5,6] hipertensão,[7] dislipidemia,[8] câncer geral e de mama,[9] doenças cardiovasculares,[10] diabetes[11] e mortalidade por todas as causas.[12–14]

Os alimentos ultraprocessados são formulações de muitos ingredientes, vários de uso exclusivamente industrial, que resultam de uma sequência de processos físicos e químicos aplicados aos alimentos e seus constituintes. Eles são alimentos convenientes e altamente palatáveis e substituem refeições feitas na hora com base em alimentos *in natura* ou minimamente processados. Esse tipo de alimento tem maior densidade energética, mais açúcar livre e gorduras não saudáveis, e menos fibra dietética, proteína, vitaminas e minerais e compostos bioativos, do que alimentos não ultraprocessados, e seu consumo é sistematicamente associado à deterioração da qualidade nutricional da alimentação.[4] Seus ingredientes, que se caracterizam principalmente por açúcares, óleos e gorduras (muitas vezes simultaneamente e na sua forma acelular), somados a aditivos que realçam cores, sabores e texturas, bem como técnicas de processamento que utilizam a destruição da matriz alimentar e a retirada de água dos alimentos, fazem o seu conteúdo nutricional não ser transmitido com precisão ao cérebro, afetando, de forma sem precedentes na história da humanidade, a fisiologia dos sistemas de controle da saciedade. Evidências crescentes apontam que grande parte desse mecanismo pode estar associado a distúrbios na homeostase da microbiota intestinal causados pelo consumo de alimentos ultraprocessados, que aumentam a inflamação local e alteram o metabolismo da glicose e de hormônios que possuem importante papel no controle do apetite.

Recentemente, ensaio clínico randomizado do tipo *cross-over* conduzido pelo National Institutes of Health dos Estados Unidos comparou o efeito de dietas oferecidas *ad libitum* feitas com mais de 80% de energia de ultraprocessados com dietas sem ultraprocessados, ou seja, majoritariamente compostas por alimentos *in natura* ou minimamente processados e preparações culinárias feitas a partir desses alimentos. Mesmo com as refeições projetadas para terem igual número de calorias, densidade energética, macronutrientes, açúcar, sódio e fibra, os indivíduos expostos à dieta de alimentos ultraprocessados consumiram, em média, 508 calorias a mais por dia e, como esperado, ganharam, em média, 0,8 kg de peso no período.[15]

No Brasil, análises dos dados de consumo alimentar individual da POF 2008-2009 de uma amostra representativa de 34.003 pessoas de 10 anos ou mais documentaram que o consumo de alimentos ultraprocessados foi associado a maior média de índice de massa corporal (IMC) e maior prevalência de excesso de peso e obesidade. Em comparação àqueles no primeiro quintil de consumo de alimentos ultraprocessados, a média do IMC foi 0,94 kg/m² mais elevada entre aqueles no quintil superior. A razão de chances (RC) ajustada para a ocorrência de obesidade e excesso de peso foi de, respectivamente, 1,98 e 1,26 no quintil superior de ingestão de alimentos ultraprocessados.[16] Mais recentemente, um grande estudo longitudinal confirmou esses achados. O Estudo Longitudinal de Saúde do Adulto (Elsa) demonstrou que brasileiros no último quarto de consumo de alimentos ultraprocessados, em relação àqueles no primeiro quarto, tinham, respectivamente, 27 e 33% mais risco de ganho de peso e de cintura e 20% mais risco de incidência de sobrepeso ou obesidade entre aqueles inicialmente eutróficos.[6]

As recomendações do Guia estão resumidas em 10 passos:

1. Usar alimentos *in natura* ou minimamente processados como base da alimentação.
2. Utilizar óleos, gorduras, sal e açúcar em pequenas quantidades ao temperar e cozinhar alimentos e criar preparações culinárias.
3. Limitar o consumo de alimentos processados.
4. Evitar o consumo de alimentos ultraprocessados.
5. Comer com regularidade e atenção, em ambientes apropriados e, sempre que possível, com companhia.
6. Fazer compras em locais que ofertem variedades de alimentos *in natura* ou minimamente processados.
7. Desenvolver, exercitar e partilhar habilidades culinárias.
8. Planejar o uso do tempo para dar à alimentação o espaço que ela merece.
9. Dar preferência, quando fora de casa, para locais que servem refeições feitas na hora.
10. Ser crítico quanto a informações, orientações e mensagens sobre alimentação veiculadas em propagandas comerciais.

RECOMENDAÇÕES E ESTRATÉGIAS DE PROMOÇÃO DA ALIMENTAÇÃO SAUDÁVEL NA ATENÇÃO PRIMÁRIA À SAÚDE

Assim como em todas as práticas de cuidado em saúde, a promoção da alimentação saudável precisa necessariamente levar em conta seus determinantes sociais e ser permeada pela dimensão não técnica que se relaciona à sensibilidade e à percepção ao projeto de vida das pessoas e de como a alimentação faz parte dele. Decisões compartilhadas e compromissadas entre as pessoas e os profissionais, que promovam a consciência do autocuidado e a autonomia, podem gerar intervenções mais efetivas e resultados mais duradouros (ver Capítulo Abordagem para Mudança de Estilo de Vida).

Avaliação das práticas alimentares

A avaliação de práticas alimentares fornece subsídios importantes para direcionar o diagnóstico e as orientações. É importante que o profissional pergunte, de forma ampla, sem julgamentos e usando linguagem simples, sobre os hábitos de consumo de alimentos *in natura* ou minimamente processados, alimentos processados e ultraprocessados, variedade, ingestão de frutas, verduras e legumes, utilização de óleos, gorduras e sal (que podem ser estimados a partir do questionamento sobre a quantidade mensal comprada para o uso por todos os moradores do domicílio), uso de temperos industrializados (caldos e tabletes de carne, legumes e galinha; molhos prontos), modos de preparo (frito, cozido, assado, refogado) das preparações culinárias e consumo de sobremesas, guloseimas e bebidas ao longo do dia. Além disso, é importante entender como é o acesso físico e financeiro aos alimentos, o local, o tempo gasto, a frequência e companhia na realização de refeições, o planejamento das compras, o hábito de cozinhar e habilidades culinárias, os utensílios disponíveis para preparo e armazenamento dos alimentos, o consumo de "alimentos milagrosos" ou a realização de dietas, além de crenças, restrições e tradições alimentares.

O profissional também pode utilizar, como instrumento de apoio, o Formulário de Marcadores do Consumo Alimentar, disponível no Sistema de Vigilância Alimentar e Nutricional (Sisvan) e no e-SUS Atenção Básica, que objetiva identificar práticas alimentares por meio de nove marcadores de alimentação saudável e não saudável com base no Guia. O formulário tem caráter prático e pode ser aplicado por qualquer profissional treinado dentro dos serviços de saúde.[17]

Outra opção é utilizar um questionário validado e autoaplicável com 24 questões, baseadas nas recomendações do Guia. O questionário avalia a escolha dos alimentos, a realização de refeições, os hábitos em relação ao local de consumo e aquisição dos alimentos, bem como a organização doméstica e o planejamento. A cada resposta é atribuída uma pontuação, e a soma final resulta em um escore que varia de 0 a 72 e que pode ser usado para classificar a qualidade da alimentação.[18,19]

Cuidados nas orientações de uma alimentação saudável

Apesar da tendência crescente de consumo de alimentos ultraprocessados, o Brasil possui particularidades regionais resultantes de seu processo histórico, intercâmbio entre diferentes culturas, existência de rica biodiversidade com grande variedade de alimentos, que permitem que uma parcela expressiva da população ainda baseie sua alimentação em preparações culinárias tradicionais feitas a partir de alimentos *in natura* ou minimamente processados. Dessa forma, muitas pessoas podem precisar apenas de pequenas mudanças para que alcancem uma alimentação mais saudável. É preciso entender, contudo, que as recomendações se organizam em diferentes estágios de complexidade, partindo das mais gerais para as mais refinadas e que não é necessário e nem mesmo indicado que o profissional aborde todas de uma só vez.

Por exemplo, para pessoas que possuem um consumo muito elevado de alimentos ultraprocessados, a meta prioritária pode ser simplesmente aumentar o consumo de preparações culinárias feitas de alimentos *in natura* ou minimamente processados. Para aquelas que já possuem uma alimentação baseada em preparações culinárias, a meta prioritária pode ser qualificar essas preparações, adicionando mais alimentos de origem vegetal ou integrais. Orientar, por exemplo, sobre a importância do consumo de cereais integrais pode não fazer sentido para pessoas que sequer possuem preparações de cereais como base das suas refeições. Para essas, pode ser muito mais efetivo começar valorizando a importância do arroz (mesmo que branco) e, mais tarde, caso isso se torne factível, sugerir que a pessoa experimente também o arroz integral. Com base nisso, deve-se estabelecer metas prioritárias e estratégias factíveis em conjunto com o indivíduo e reavaliá-las como base nas mudanças efetivamente implementadas desde o último encontro, bem como nas dificuldades relatadas para alcançá-las.

Como será visto a seguir, não há orientações de cardápios fixos ou quantidades absolutas de alimento ou de calorias a serem consumidas. Essa omissão é proposital, uma vez que as necessidades nutricionais das pessoas, particularmente de calorias, são muito variáveis, dependendo de idade, sexo, tamanho (peso, altura) e nível de atividade física. A prescrição dietética quantitativa e as orientações alimentares específicas para o tratamento de doenças/agravos relacionados à alimentação e à nutrição ou para restrições alimentares devem ser realizadas por um nutricionista. Por outro lado, a promoção da alimentação saudável pode ser vista como uma prática colaborativa que envolve vários profissionais da equipe de atenção primária, desde que tenham conhecimento e se sintam capazes de apresentar as orientações alimentares.

Guia Alimentar para a População Brasileira: sugestões de estratégias para alcançar as recomendações

O QUADRO 25.2 apresenta as principais recomendações do Guia. Algumas sugestões e estratégias para alcançá-las são abordadas a seguir.

Usar alimentos *in natura* ou minimamente processados como base da alimentação

Os alimentos *in natura* ou minimamente processados, em grande variedade e predominantemente de origem vegetal, são a base para uma alimentação nutricionalmente

QUADRO 25.2 → Resumo das recomendações para uma alimentação saudável

- Consumir alimentos *in natura* ou minimamente em todas as refeições, seja isoladamente ou como parte de preparações culinárias. Consumir água pura ou "temperada" com rodelas de limão ou folhas de hortelã.
- Consumir majoritariamente alimentos de origem vegetal. Carnes, ovos e leites devem ser consumidos em quantidades pequenas e não em todas as refeições. Valorizar o arroz com feijão.
- Consumir diariamente diferentes grupos alimentares: cereais, leguminosas, frutas, verduras e legumes, tubérculos e raízes, nozes e outras sementes. Variações em torno dos alimentos de um mesmo grupo também são bem-vindas.
- Consumir diariamente verduras, legumes e frutas. Frutas devem ser consumidas preferencialmente na sua forma inteira (e não como sucos). Consumir versões menos processadas de cereais, como o arroz integral e a farinha de trigo integral, ao menos em algumas refeições.
- Quando factível, adquirir alimentos orgânicos e de base agroecológica.
- Utilizar óleos, gorduras, sal e açúcar em pequenas quantidades ao temperar e cozinhar alimentos e criar preparações culinárias. Limitar o consumo de preparações fritas em imersão de óleo (como batata ou mandioca fritas e alimentos à milanesa).
- Não deixar o saleiro na mesa de refeições.
- Utilizar irrestritamente temperos naturais e evitar temperos industrializados.
- Em sobremesas caseiras, adicionar frutas frescas maduras ou secas como forma de adoçar e diminuir a necessidade do uso de açúcar. O uso de adoçantes artificiais não é uma alternativa saudável para o açúcar.
- Consumir alimentos processados em pequenas quantidades e como ingredientes de preparações culinárias ou como parte de refeições baseadas em alimentos *in natura* ou minimamente processados (e não em lanches que as substituam).
- Evitar alimentos ultraprocessados. Atentar-se principalmente para aqueles que imitam alimentos *in natura* (sucos de caixinha, em lata, em pó e refrescos, iogurtes com sabor) e preparações culinárias (macarrão "instantâneo", *nuggets* ou bolo em pó) e que podem ser confundidos com versões menos processadas (pães empacotados ou de forma).
- Quando factível, ler a lista de ingredientes presentes nos rótulos dos alimentos para identificar substâncias que caracterizam os alimentos ultraprocessados. Alimentos ultraprocessados com alegações de saúde ("rico em fibras") ou modificados (versões *light* ou *diet*) não os tornam mais saudáveis.
- Valorizar as três principais refeições do dia - café da manhã, almoço e jantar.
- Realizar as refeições em horários semelhantes todos os dias, com atenção e, na medida do possível, sem pressa. Prestar atenção na mastigação e nos diferentes sabores e texturas dos alimentos e de suas preparações culinárias.
- Realizar as refeições em locais limpos, tranquilos, confortáveis e culturalmente apropriados.
- Evitar telefones celulares sobre a mesa e aparelhos de televisão ligados durante as refeições, bem como que comam na mesa de trabalho, em pé ou andando ou dentro de carros ou de transportes públicos.
- Quando possível, comer em companhia.
- Compartilhar parte ou todas as atividades que precedem e sucedem o consumo das refeições, como a aquisição e a limpeza dos utensílios.

Fonte: Ministério da Saúde, 2014.

balanceada, saborosa, culturalmente apropriada e que promove um sistema alimentar social e ambientalmente sustentável. Por isso, deve-se estimular que as pessoas consumam esses alimentos em todas as suas refeições, seja isoladamente (como frutas, leite, nozes e sementes) ou como parte de preparações culinárias (cereais, leguminosas, tubérculos e raízes, carnes).

Encoraje também o consumo de água pura ou, como preferido por algumas pessoas, "temperada" com rodelas de limão ou folhas de hortelã. Lembre-se, no entanto, de que não há uma recomendação universal de quantidade de água a ser consumida e que a maioria das pessoas (em especial aquelas sem doenças que influenciem esse sistema) são capazes de regular, de maneira eficiente, o balanço diário de água por meio dos sinais de sede.

Alimentos de origem animal não contêm fibras e podem apresentar elevada quantidade de calorias por grama e teor excessivo de gorduras saturadas. Além disso, sua produção implica notáveis emissões de gases de efeito estufa (grandes responsáveis pelo fenômeno do aquecimento global), desmatamento e uso intenso de água. Esses prejuízos são particularmente claros em relação às carnes vermelhas (boi e porco). Dessa forma, oriente as pessoas para que a maior parte da sua alimentação seja composta por alimentos de origem vegetal. Ou seja, que carnes, ovos e leites, mesmo *in natura* ou minimamente processados, sejam consumidos em quantidades pequenas e não em todas as refeições. O Guia Alimentar para a População Brasileira orienta que carnes vermelhas, cujo consumo é particularmente elevado na população brasileira, devem limitar-se a um terço das refeições realizadas na semana. Recomendações mais recentes fornecidas pela *EAT-Lancet Commission*, muito orientadas pelas preocupações com a sustentabilidade dos sistemas alimentares, são ainda mais restritivas, e sugerem que as carnes vermelhas estejam presentes em, no máximo, uma refeição por semana.[20]

Valorize o arroz e o feijão! Essa combinação, apreciada e consumida por grande parte da nossa população, é bastante acessível e tem excelente perfil nutricional. Ao contrário do que o senso comum aponta, eles fazem parte de padrões alimentares associados com menor ocorrência de obesidade e doenças crônicas não transmissíveis.

A alternância entre diferentes tipos de alimentos amplifica o aporte de nutrientes e, mais importante, traz novos sabores, aromas e texturas e para a alimentação. Portanto, estimule a diversidade, ou seja, que as pessoas consumam diariamente diferentes grupos alimentares: cereais, leguminosas, frutas, verduras e legumes, tubérculos e raízes, nozes e outras sementes. As variações em torno dos alimentos de um mesmo grupo também são indispensáveis para acomodar preferências regionais e pessoais e podem tornar a alimentação ainda mais saudável. Incentive, por exemplo, o consumo eventual de variedades de feijão (preto, branco, de corda, etc.) ou sua substituição por lentilhas ou grão-de-bico e o consumo das mais variadas frutas, legumes, verduras, raízes e tubérculos.

Enfatize a importância particular do consumo diário de verduras, legumes e frutas. Eles possuem excepcionais propriedades nutricionais, como alto teor de fibras e micronutrientes, compostos bioativos e papel protetor no desenvolvimento de obesidade e doenças crônicas não transmissíveis. Relembre que legumes e verduras (cujo consumo é particularmente baixo no País) possuem uma variedade imensa e que podem ser incorporados à alimentação de diversas maneiras: em saladas, em preparações quentes (cozidos, refogados, assados, gratinados, empanados, ensopados), em sopas e, em alguns casos, recheados ou na forma de purês. Frutas, por sua vez, podem tanto fazer parte de refeições principais quanto de pequenas refeições. Nas refeições principais, são componentes importantes do café da manhã e, no almoço e no jantar, podem ser usadas em saladas ou como sobremesas. Oriente consumir as frutas preferencialmente na sua forma inteira. Sucos naturais da fruta nem sempre proporcionam os mesmos benefícios da fruta inteira. Fibras e muitos nutrientes podem ser perdidos durante o preparo, e o poder de saciedade é sempre menor.

Cereais polidos excessivamente, como o arroz branco e os grãos de trigo usados na confecção da maioria das farinhas de trigo, apresentam menor quantidade de fibras e micronutrientes. Para pessoas que já possuem grande parte da alimentação baseada em alimentos *in natura* ou minimamente processados, tente estimular o consumo de versões menos processadas desses alimentos, como o arroz integral e a farinha de trigo integral, ao menos em algumas refeições. Para as pessoas com baixo consumo de alimentos *in natura* ou minimamente processados, essa orientação pode representar uma ruptura muito grande nos seus padrões alimentares e ter baixa adesão, devendo ser deixada para um estágio mais avançado de intervenção. O arroz parboilizado pode ser uma boa alternativa por seu conteúdo nutricional estar mais próximo do arroz integral e por ter propriedades sensoriais (aroma, sabor, textura) mais próximas do arroz branco.

Quando factível (considerando condições socioeconômicas dos indivíduos e características do território), estimule as compras de alimentos orgânicos e de base agroecológica. Esses alimentos, geralmente encontrados em feiras de produtores ou mercados menores, são derivados de sistemas de produção que promovem o uso sustentável dos recursos naturais, protegem a biodiversidade, contribuem para a desconcentração das terras produtivas e para a criação de trabalho, respeitam e aperfeiçoam saberes e formas de produção tradicionais, ao mesmo tempo que são livres de agrotóxicos.

Utilizar óleos, gorduras, sal e açúcar em pequenas quantidades ao temperar e cozinhar alimentos e criar preparações culinárias

Embora uma alimentação nutricionalmente balanceada possa conter apenas alimentos *in natura* ou minimamente processados, grãos, raízes e tubérculos, farinhas, legumes e verduras, carnes e pescados são habitualmente consumidos na forma de preparações culinárias (salgadas ou doces) feitas com óleos, gorduras, sal ou açúcar. Esses ingredientes são fundamentais para diversificar e tornar mais saborosa a alimentação e, quando consumidos de forma moderada, não deixam a alimentação desbalanceada nutricionalmente. Oriente sobre a importância do uso de óleos, gorduras, sal e açúcar em pequenas quantidades ao temperar e cozinhar alimentos e criar preparações culinárias.

Recomende que, em preparações culinárias, o óleo seja utilizado na menor quantidade possível. No preparo do feijão, por exemplo, uma colher de sopa de óleo (para uma xícara de feijão cru) é suficiente. Oriente consumir com moderação as preparações fritas em imersão de óleo (como batata ou mandioca fritas e alimentos à milanesa).

No Brasil, é particularmente recorrente o uso em excesso de sal de cozinha nas preparações culinárias e de açúcar de mesa nas bebidas como cafés e chás. Nesses casos, uma redução gradual da quantidade adicionada tende a ser uma estratégia mais factível e eficaz.

Oriente que as pessoas não deixem o saleiro na mesa de refeições. Esse hábito pode fazer com que adicionem mais sal na comida sem real necessidade. Por outro lado, estimule o uso irrestrito de temperos naturais, como louro, manjericão, tomilho e salsa, além dos tradicionais alho e cebola. Na salada, o uso do limão também agrega sabor e diminui a necessidade de uso de sal. Alerte os pacientes para o fato de que temperos industrializados, como caldos/tabletes vegetais, de carne e de galinha, margarina e outros molhos prontos – cada vez mais promovidos pela indústria de alimentos – são alimentos ultraprocessados e, como tal, devem ser evitados.

Como estratégia para diminuir o açúcar de mesa, sugira, em sobremesas caseiras como bolos e tortas, a adição de frutas frescas maduras (como a banana) ou secas (como a uva-passa) como forma de adoçar e diminuir a necessidade do seu uso. Informe as pessoas de que o uso de adoçantes artificiais não é uma alternativa saudável para o açúcar. Embora permitidos por lei, é crescente o número de estudos que os associam com alterações metabólicas.

Limitar o uso de alimentos processados

Os ingredientes e métodos usados na fabricação de alimentos processados – como conservas de legumes, compota de frutas, queijos e pães – alteram, de modo desfavorável, a composição nutricional dos alimentos dos quais derivam. Oriente o paciente para que esses alimentos sejam consumidos em pequenas quantidades e como ingredientes de preparações culinárias ou como parte de refeições baseadas em alimentos *in natura* ou minimamente processados. Para isso, dê exemplos de usos mais adequados dos alimentos processados, como no caso do queijo adicionado ao macarrão ou das conservas consumidas como sobremesa depois das refeições principais.

No Brasil, o alimento processado mais consumido é o pão francês. Sugira que o paciente consuma esse pão em refeições baseadas em alimentos *in natura* ou minimamente processados (acompanhando uma sopa, p. ex.) e que não seja utilizado em lanches ou sanduíches que substituam as grandes refeições. Recomendação semelhante vale para os queijos, que preferencialmente devem fazer parte das receitas de preparações culinárias, e não de lanches que as substituam. Atenção especial deve ser dada à limitação das carnes processadas, cujo consumo excessivo está associado ao risco aumentado de câncer de intestino.

Evitar alimentos ultraprocessados

Devido a seus ingredientes, alimentos ultraprocessados são nutricionalmente desbalanceados. Por conta de sua formulação e apresentação, tendem a ser consumidos em excesso e a substituir alimentos *in natura* ou minimamente processados. As formas de produção, distribuição, comercialização e consumo afetam, de modo desfavorável, a cultura, a vida social e o meio ambiente.

Oriente que as pessoas consumam com pouca frequência ou raramente os alimentos ultraprocessados. Para aqueles que possuem um consumo muito alto desses alimentos, vale a mesma máxima já descrita: a redução gradual é provavelmente mais factível e efetiva.

Dê exemplos concretos de alimentos ultraprocessados, principalmente daqueles que imitam alimentos *in natura* (sucos de caixinha, em lata, em pó e refrescos, iogurtes com sabor) e preparações culinárias (macarrão instantâneo, *nuggets* ou mistura para bolo), e que podem ser confundidos com versões menos processadas (pão empacotado ou de forma).

Esclareça que sucos e bebidas à base de fruta fabricados pela indústria são, em geral, feitos de extratos de frutas e têm adição de açúcar refinado, de concentrados de uva ou maçã (constituídos, predominantemente, de açúcares) ou de adoçantes artificiais. Com frequência, também têm adição de aromatizantes e outros aditivos. Tendem, portanto, a ser alimentos ultraprocessados e, como tal, devem ser evitados. Situação semelhante ocorre para bebidas lácteas e iogurtes adoçados e que têm adição de corantes e saborizantes, que, diferentemente dos iogurtes naturais feitos apenas de leite e fermento, são alimentos ultraprocessados.

Pães elaborados pela indústria podem ser processados ou ultraprocessados. São processados quando feitos com ingredientes iguais aos utilizados na preparação de pães caseiros, devendo ser consumidos em pequenas quantidades e como parte de refeições nas quais predominem alimentos *in natura* ou minimamente processados. São alimentos ultraprocessados os pães que, além de farinha de trigo, água, sal e leveduras, incluem, em seus ingredientes, gordura vegetal hidrogenada, açúcar, amido, soro de leite, emulsificantes e outros aditivos.

Confusão semelhante ocorre com os queijos. São processados aqueles compostos por leite, sal e micro-organismos usados na fermentação do leite, como fermento lácteo e coalho, como os queijos artesanais, o queijo muçarela e o queijo minas. Queijos que também incluem outras substâncias, como corantes, aromatizantes e estabilizantes (p. ex., *cheddar* e *catupiry*), são ultraprocessados.

Quando factível, oriente as pessoas a lerem a lista de ingredientes presentes nos rótulos dos alimentos. O uso de muitos ingredientes (frequentemente 5 ou mais) e, sobretudo, a presença de ingredientes com nomes pouco familiares e não usados em preparações culinárias indicam que o produto pertence à categoria de alimentos ultraprocessados.

> **Alguns ingredientes classificados como alimentos ultraprocessados são:** proteínas hidrolisadas, proteína de soja isolada, glúten, caseína, proteína de soro de leite, "carne separada mecanicamente", frutose, xarope de milho rico em frutose, concentrado de suco de fruta, açúcar invertido, maltodextrina, dextrose, lactose, fibra solúvel ou insolúvel, gordura hidrogenada ou interesterificada. Também podem ser utilizados aditivos cosméticos que alteram características sensoriais: sabores, realçadores de sabor, corantes, emulsificantes, edulcorantes, espessantes e antiespumantes, carbonatantes, agentes espumantes e gelificantes.

Alerte as pessoas para o fato de que alimentos ultraprocessados com alegações de saúde ("rico em fibras") ou modificados (versões *light* ou *diet*) não os tornam mais saudáveis. É comum, por exemplo, que o conteúdo de gordura de um produto seja reduzido à custa do aumento no conteúdo de açúcar ou vice-versa. A adição de fibras ou micronutrientes sintéticos aos produtos também não garante que o nutriente adicionado reproduza, no organismo, a função do nutriente naturalmente presente nos alimentos.

Comer com regularidade e atenção, em ambientes apropriados, e com companhia, sempre que possível

Refeições estruturadas, feitas com calma, em locais adequados e compartilhadas trazem inúmeros benefícios, incluindo melhor digestão dos alimentos, controle mais eficiente do quanto se come, maiores oportunidades de convivência com familiares e amigos, maior interação social e, de modo geral, mais prazer com a alimentação. Com base nisso, converse com as pessoas não somente sobre as escolhas dos alimentos, mas também sobre as refeições e o ato de comer.

Valorize as três principais refeições do dia – café da manhã, almoço e jantar! Para a grande maioria das pessoas, elas são suficientes para fornecer a maior parte das necessidades de energia e nutrientes. Orientações para que se coma de 3 em 3 horas ou que se façam obrigatoriamente 6 refeições ao dia não são adequadas.

Algumas pessoas, no entanto, podem sentir necessidade – ou até mesmo terem o hábito – de fazer pequenas refeições ao longo do dia. Oriente que essas refeições sejam planejadas previamente e que a escolha dos alimentos também privilegie alimentos *in natura* ou minimamente processados. Frutas frescas ou secas são excelentes alternativas, bem como leite, iogurte natural e castanhas ou nozes, na medida em que são alimentos com alto teor de nutrientes e grande poder de saciedade, além de serem práticos para transportar e consumir.

Sugira que todas as refeições sejam realizadas em horários semelhantes todos os dias e consumidas com atenção e, na medida do possível, sem pressa. Estimule as pessoas a prestarem atenção à sua mastigação e aos diferentes sabores e texturas dos alimentos e de suas preparações culinárias.

Oriente que as refeições sejam realizadas em locais limpos, tranquilos, confortáveis e culturalmente apropriados. Recomende evitar telefones celulares sobre a mesa e aparelhos de televisão ligados durantes as refeições, bem como comer na mesa de trabalho, em pé ou andando ou dentro de carros ou de transportes públicos.

Quando possível, incentive o paciente a comer em companhia e junto à mesa em pelo menos uma refeição ao dia. Isso pode ser realizado com familiares em casa ou com colegas de trabalho, por exemplo. Além de apenas comer em companhia, estimule compartilhar parte ou todas as atividades que precedem e sucedem o consumo das refeições, incluindo o planejamento da refeição, a aquisição dos alimentos, a preparação das refeições e as atividades de limpeza necessárias para que as próximas refeições possam ser preparadas, servidas e apreciadas. Para aqueles que possuem crianças na família, relembre da importância particular das refeições como um momento de educação e convivência.

O PROFISSIONAL DA ATENÇÃO PRIMÁRIA NO APOIO À SUPERAÇÃO DOS OBSTÁCULOS PARA A ALIMENTAÇÃO SAUDÁVEL

Como antecipado, seguir as recomendações para uma alimentação saudável nem sempre é uma tarefa fácil ou imediata para todos. Os profissionais de saúde possuem um papel relevante para auxiliar as pessoas a reconhecer e superar alguns obstáculos, seja por meio de ações de cuidado individual e coletivo, seja pelo apoio a políticas públicas, medidas regulatórias e outras ações que podem ser reivindicadas por parte da sociedade civil.

Informação e publicidade

Há muitas informações sobre alimentação e saúde, mas poucas são de fontes confiáveis. Além disso, a publicidade de alimentos ultraprocessados domina os anúncios comerciais de alimentos, veicula frequentemente informações incorretas ou incompletas sobre alimentação e atinge, sobretudo, crianças e jovens. Discuta, portanto, as informações e recomendações do Guia com os usuários do serviço. Materiais educativos elaborados pelo Ministério da Saúde trazem as suas recomendações de forma resumida e facilitada e podem ser importantes instrumentos de apoio para o profissional. Estes incluem, por exemplo, o Guia de Bolso,[21] o fôlder com os Dez Passos para uma Alimentação Adequada e Saudável[22–26] e os vídeos de curta duração.[27,28]

Além disso, é importante esclarecer às pessoas que grande parte das informações sobre alimentação que estão na internet, na televisão e em blogues, e mesmo em programas famosos, não é de boa qualidade e tem objetivo de aumentar a venda de produtos, e não informar ou, menos ainda, educar as pessoas. Alerte sobre promoções do tipo "leve mais, pague menos" para alimentos ultraprocessados e compras por impulso devido à propaganda desses alimentos.

Desconstrua as ideias hegemônicas sobre dietas "da moda" e os alimentos entendidos como milagrosos. O livro *Desmistificando dúvidas sobre alimentação e nutrição: material de apoio para profissionais de saúde*[29] é um bom subsídio para a prática dos profissionais de saúde ao abordar as evidências e os possíveis efeitos de temas geralmente abordados na mídia como "superalimentos" e dietas com promessa de efeitos rápidos no corpo e na saúde.

Oferta e custo

O acesso a alimentos saudáveis também pode ser um obstáculo para a adesão às recomendações do Guia. Nesse sentido, duas importantes dimensões do ambiente alimentar devem ser consideradas: o acesso físico e o financeiro. Alimentos ultraprocessados estão presentes em toda parte, sempre acompanhados de muita propaganda, descontos e promoções, enquanto alimentos *in natura* ou minimamente processados nem sempre são comercializados em locais próximos às casas dos consumidores. Para algumas pessoas, o custo de uma alimentação saudável também pode ser um empecilho, mas, ao contrário do que o senso comum aponta, isso nem sempre é verdade. No Brasil, embora alguns legumes, verduras e frutas possam ter preço superior ao de alguns alimentos ultraprocessados, o custo total de uma alimentação baseada em alimentos *in natura* ou minimamente processados e suas preparações culinárias ainda é menor do que o custo de uma alimentação baseada em alimentos ultraprocessados.[30]

Oriente os indivíduos para que façam ao menos parte das suas compras em locais que vendem majoritariamente *in natura* ou minimamente processados (como mercados e feiras) e que evitem fazer compras de alimentos em locais onde são comercializados apenas alimentos ultraprocessados (lojas de conveniência, *bombonieres*). Para reduzir custos e economizar na compra de legumes, verduras e frutas, oriente sobre as variedades que estão na safra e sobre locais em que há menos intermediários entre o agricultor e o consumidor final. Para isso, mapeie, no território do serviço de saúde, locais e dias em que são realizadas feiras livres, feiras de produtores e sacolões ou varejões, bem como se alguns deles fornecem também opções orgânicas e de base agroecológica. Em alguns territórios, é factível que os serviços de saúde apoiem a construção de hortas comunitárias.

Nas refeições fora de casa, oriente as pessoas para que prefiram restaurantes que sirvam refeições preparadas na hora, como "quilos", "*buffets*" ou "pratos feitos" e que evitem lanchonetes ou redes de comida *fast food*. Valorize refeitórios institucionais (em locais de trabalho e instituições de ensino) que servem comida fresca e os restaurantes populares, como o "bom prato". Com algumas pessoas, também pode ser interessante conversar sobre a possibilidade de levar marmita para o trabalho.

Naturalmente, para pessoas em situação de muita vulnerabilidade social, essas estratégias podem ser insuficientes e haverá necessidade de articulação com programas de assistência social, imprescindíveis para garantia do direito à alimentação saudável.

Habilidades culinárias e tempo

O enfraquecimento da transmissão de habilidades culinárias entre gerações e a falta de tempo (ou mesmo a desvalorização do tempo dedicado à alimentação) favorecem o consumo de alimentos ultraprocessados. É importante levar em conta que esses dois obstáculos estão relacionados: a falta de habilidades culinárias torna a preparação de refeições baseadas em alimentos *in natura* ou minimamente processados desnecessariamente demorada. E, embora muitas pessoas consigam consumir alimentos *in natura* ou minimamente processados preparados fora de casa, é muito difícil ter uma alimentação saudável de forma autônoma e sustentável ao longo do tempo sem nenhum envolvimento no preparo de alimentos, pelo menos em alguns momentos da vida.

Em suas consultas, valorize o tempo dedicado aos atos de comer e de cozinhar, fale sobre culinária e estimule que as pessoas (de todas as idades e gêneros), procurem desenvolver e partilhar os conhecimentos com as pessoas com quem convivem. Forneça sugestões de receitas. Os livros *Alimentos regionais brasileiros*[31] e *Na cozinha com as frutas, legumes e verduras*[32] trazem informações sobre compra, armazenamento e preparações saudáveis e acessíveis à base de frutas e hortaliças, e podem ser instrumentos úteis para a promoção do desenvolvimento de habilidades culinárias. Para algumas pessoas (em particular, idosos), estimule o resgate de memórias afetivas em receitas de família e valorize aquelas baseadas em alimentos *in natura* ou minimamente processados. O serviço de atenção primária à saúde também pode promover atividades que envolvem o exercício da culinária com a população, inclusive nas escolas e também em espaços para cozinhas comunitárias. Como desdobramentos do Guia, o Ministério da Saúde, com a Universidade Federal de Minas Gerais, publicou *Instrutivo: metodologia de trabalho em grupos para ações de alimentação e nutrição na atenção básica*, com várias propostas que envolvem o desenvolvimento e a valorização das habilidades culinárias.[33]

Ajude o indivíduo a planejar o tempo que ele destina para sua alimentação, como a compra, a organização, o preparo e o consumo dos alimentos. Incentive o planejamento do que e onde os alimentos serão comprados, preparados e consumidos. Por exemplo, oriente sobre a possibilidade de realizar as compras dos alimentos não perecíveis 1 vez por mês e dos alimentos frescos e perecíveis 1 ou 2 vezes na semana, e a utilidade de fazer uma lista de compras antes de adquirir os alimentos. Sugira a organização de um cardápio semanal para planejar a lista de compras, principalmente para os indivíduos que estão começando a se organizar no processo de compra e preparo dos alimentos.

Converse sobre os tipos de alimentos que o indivíduo costuma estocar em casa. Sugira que as pessoas tenham sempre disponíveis alimentos básicos (arroz, feijão, óleo) e alimentos que possam ser utilizados para preparar rapidamente uma refeição (macarrão, ovos). Exemplifique que o tempo de preparo de um prato de macarrão com molho de tomate (estocado no congelador) é de apenas 5 minutos a mais do tempo gasto para dissolver um pacote de macarrão instantâneo em água quente. Informe sobre a utilidade de armazenar legumes e verduras já higienizados no refrigerador ou picados no congelador, de manter preparações congeladas como carne moída, feijão, lasanha e sopas, e até mesmo porções de refeições individuais em marmitas.

CONCLUSÃO

Em síntese, a alimentação é um importante determinante da saúde de indivíduos e comunidades, e a promoção da alimentação saudável compõe eixo essencial na organização do cuidado no contexto da atenção primária à saúde. O Guia Alimentar para a População Brasileira, ao apresentar as recomendações oficiais sobre alimentação saudável, é um instrumento potente de apoio aos profissionais de saúde na incorporação organizada e progressiva da atenção nutricional.

REFERÊNCIAS

1. Brasil. Ministério da Saúde. Política nacional de alimentação e nutrição. 2. ed. Brasília: MS; 2013.
2. Brasil. Ministério da Saúde. Política nacional de promoção da saúde. 2. ed. Brasília: MS; 2015.
3. Brasil. Ministério da Saúde. Guia alimentar para a população brasileira. 2 ed. Brasília: MS; 2014.
4. Monteiro CA, Cannon G, Lawrence M, Louzada ML, Machado P. Ultra-processed foods, diet quality, and health using the NOVA classification system. Rome: FAO; 2019.
5. Mendonça RD, Pimenta AM, Gea A, de la Fuente-Arrillaga C, Martinez-Gonzalez MA, Lopes AC, et al. Ultraprocessed food consumption and risk of overweight and obesity: the University of Navarra Follow-Up (SUN) cohort study. Am J Clin Nutr 2016;104(5):1433-40.
6. Canhada SL, Luft VC, Giatti L, Duncan BB, Chor D, Fonseca MJMD, et al. Ultra-processed foods, incident overweight and obesity, and longitudinal changes in weight and waist circumference: the Brazilian Longitudinal Study of Adult Health (ELSA-Brasil).Public Health Nutr. 2019:1-11.
7. Mendonça RD, Lopes AC, Pimenta AM, Gea A, Martinez-Gonzalez MA, Bes-Rastrollo M. Ultra-processed food consumption and the incidence of hypertension in a mediterranean cohort: the seguimiento Universidad de Navarra Project. Am J Hypertens. 2017;30(4):358-66.
8. Rauber F, Campagnolo PD, Hoffman DJ, Vitolo MR. Consumption of ultra-processed food products and its effects on children's lipid profiles: a longitudinal study. Nutr Metab Cardiovasc Dis.2015;25(1):116-22.
9. Fiolet T, Srour B, Sellem L, Kesse-Guyot E, Allès B, Méjean C, et al. Consumption of ultra-processed foods and cancer risk: results from NutriNet-Santé prospective cohort. BMJ. 2018; 360:k322.
10. Srour B, Fezeu LK, Kesse-Guyot E, Allès B, Méjean C, Andrianasolo RM, et al. Ultra-processed food intake and risk of cardiovascular disease: prospective cohort study (NutriNet-Santé). BMJ. 2019;365:l1451.
11. Srour B, Fezeu LK, Kesse-Guyot E, Allès B, Debras C, Druesne-Pecollo N, et al. Ultra-processed food consumption and risk of type 2 diabetes among participants of the NutriNet-Santé prospective Cohort. JAMA Intern Med. 2020;180(2):283-91.
12. Rico-Campà A, Martínez-González MA, Alvarez-Alvarez I, Mendonça RD, de la Fuente-Arrillaga C, Gómez-Donoso C, et al. Association between consumption of ultra-processed foods and all cause mortality: SUN prospective cohort study. BMJ. 2019;365:l1949.
13. Kim H, Hu EA, Rebholz CM. Ultra-processed food intake and mortality in the USA: results from the Third National Health and Nutrition Examination Survey (NHANES III, 1988-1994). Public Health Nutr. 2019;22(10):1777-85.
14. Blanco-Rojo R, Sandoval-Insausti H, López-Garcia E, Graciani A, Ordovás JM, Banegas JR, et al. Consumption of ultra-processed foods and mortality: a national prospective cohort in Spain. Mayo Clin Proc. 2019;94(11):2178-88.
15. Hall KD, Ayuketah A, Brychta R, Cai H, Cassimatis T, Chen KY, et al. Ultra-processed diets cause excess calorie intake and weight gain: an inpatient randomized controlled trial of ad libitum food intake. Cell Metab. 2019;30(1):67-77.
16. Louzada ML, Baraldi LG, Steele EM, Martins AP, Canella DS, Moubarac JC, et al. Consumption of ultra-processed foods and obesity in Brazilian adolescents and adults. Prev Med. 2015;81:9-15.
17. Brasil. Ministério da Saúde. Orientações para avaliação de marcadores de consumo alimentar na atenção básica. Brasília: MS; 2015.
18. Brasil. Ministério da Saúde. Como está a sua alimentação? [Internet]. Brasília: MS; 2019 [capturado em 24 out. 2019]. Disponível em: http://189.28.128.100/dab/docs/portaldab/publicacoes/guiadebolso_folder.pdf.
19. Gabe K, Jaime PC. Development and testing of a scale to evaluate diet according to the recommendations of the Dietary Guidelines for the Brazilian Population. Public Health Nutr. 2019;22(5):785-96.
20. Willett W, Rockström J, Loken B, Springmann M, Lang T, Vermeulen S, et al. Food in the Anthropocene: the EAT-Lancet

20. Commission on healthy diets from sustainable food systems. Lancet. 2019;393(10170):447-92.
21. Brasil. Ministério da Saúde. Guia alimentar para a população brasileira: versão resumida [Internet]. Brasília: MS; 2018 [capturado em 24 out. 2019]. Disponível em: http://189.28.128.100/dab/docs/portaldab/publicacoes/guiadebolso2018.pdf.
22. Brasil. Ministério da Saúde. Guia alimentar para a população brasileira: dê a sua alimentação a importância que ela merece (folder) [Internet]. Brasília: MS; 2018 [capturado em 24 out. 2019]. Disponível em: http://189.28.128.100/dab/docs/portaldab/publicacoes/folder_habilidades_culinarias.pdf.
23. Brasil. Ministério da Saúde. Tenha mais atenção com a alimentação em seu dia a dia (folder) [Internet]. Brasília: MS; 2018 [capturado em 24 out. 2019]. Disponível em: http://189.28.128.100/dab/docs/portaldab/publicacoes/folder_alimentacao_dia_a_dia.pdf.
24. Brasil. Ministério da Saúde. Dez passos para uma alimentação adequada e saudável (folder) [Internet]. Brasília: MS; 2018 [capturado em 24 out. 2019]. Disponível em: http://189.28.128.100/dab/docs/portaldab/publicacoes/dez_passos_cartao.pdf.
25. Brasil. Ministério da Saúde. A escolha dos alimentos (folder) [Internet]. Brasília: MS; 2018. [capturado em 24 out. 2019]. Disponível em: http://189.28.128.100/dab/docs/portaldab/publicacoes/folder_escolha_alimentos.pdf.
26. Brasil. Ministério da Saúde. Obstáculos para uma alimentação adequada e saudável (folder) [Internet] Brasília: MS, 2018 [capturado em 24 out. 2019]. Disponível em: http://189.28.128.100/dab/docs/portaldab/publicacoes/folder_obstaculos_alimentacao.pdf.
27. Brasil. Ministério da Saúde. Guia alimentar para a população brasileira (playlist de vídeos) [Internet]. Brasília: MS; 2019 [capturado em 24 out. 2019]. Disponível em: https://www.youtube.com/watch?v=ZaOm7PrFkII&list=PLaS1ddLFkyk9iEfrnnHR3PMmf16qAUa41
28. Brasil. Ministério da Saúde. Guia alimentar para a população brasileira versão reduzida (playlist de vídeos) [Internet]. Brasília: MS; 2019 [capturado em 24 out. 2019]. Disponível em: https://www.youtube.com/watch?v=ZaOm7PrFkII&list=PLaS1ddLFkyk9iEfrnnHR3PMmf16qAUa41
29. Brasil. Ministério da Saúde, Universidade Federal de Minas Gerais. Desmistificando dúvidas sobre alimentação e nutrição: material de apoio para profissionais de saúde. Brasília: MS; 2016.
30. Claro RM, Maia EC, Costa BVL, Diniz DDP. Preço dos alimentos no Brasil: prefira preparações culinárias a alimentos ultraprocessados. Cad Saude Publ. 2016;32(8):e00104715.
31. Brasil. Ministério da Saúde. Alimentos regionais brasileiros. 2. ed. Brasília: MS; 2015.
32. Brasil. Ministério da Saúde, Universidade Federal de Minas Gerais. Na cozinha com as frutas, legumes e verduras. Brasília: MS 2016.
33. Brasil. Ministério da Saúde, Universidade Federal de Minas Gerais. Instrutivo: metodologia de trabalho em grupos para ações de alimentação e nutrição na atenção básica. Brasília: MS; 2016.

LEITURAS RECOMENDADAS

Louzada ML, Canella DS, Jaime PC, Monteiro, CA. Alimentação e saúde: a fundamentação científica do guia alimentar para a população brasileira. São Paulo: Faculdade de Saúde Pública da USP; 2019.

Livro eletrônico de acesso aberto que traz um compilado de todas as evidências científicas que embasaram as recomendações do Guia Alimentar para a População Brasileira.

Monteiro CA, Cannon G, Lawrence M, Louzada ML, Machado P. Ultra-processed foods, diet quality, and health using the NOVA classification system. Rome: FAO; 2019.

Artigo científico que descreve a classificação de alimentos NOVA e os potenciais prejuízos do consumo de alimentos ultraprocessados.

Brasil. Ministério da Saúde. Sistema de Vigilância Alimentar e Nutricional – SISVAN [Internet]. Brasília: MS; 201- [capturado em 28 nov. 2019]. Disponível em: http://sisaps.saude.gov.br/sisvan.

Página eletrônica do Sisvan, onde é possível acessar o Formulário de Marcadores de Consumo Alimentar (2015), útil para uma avaliação simples e rápida das práticas alimentares.

Brasil. Ministério da Saúde. Como está a sua alimentação? [Internet]. Brasília: MS [capturado em 28 nov. 2019]. Disponível em: http://saudebrasil.saude.gov.br/index.php?option=com_content&view=article&id=1447&catid=16&Itemid=125&fbclid=IwAR0R4dg0C6vY_pbhlpgeSDPsmKownxL3AQVZMweKVp8ktynSwSTh033IMB4.

Teste interativo do Ministério da Saúde com base na escala desenvolvida e validada por Gabe e Jaime, 2019. Após o seu preenchimento, o usuário recebe uma avaliação simples da sua alimentação e mensagens sobre recomendações para uma alimentação saudável.

Brasil. Ministério da Saúde. Guia Alimentar para a População Brasileira (playlist de vídeos) [Internet]. Brasília: MS; 201- [capturado em 24 out. 2019]. Disponível em: https://www.youtube.com/watch?v=ZaOm7PrFkII&list=PLaS1ddLFkyk9iEfrnnHR3PMmf16qAUa41.

Playlist de vídeos do canal da Secretaria de Atenção Primária à Saúde (SAPS), do Ministério da Saúde, que traz vídeos de curta duração sobre as mensagens do Guia Alimentar para a População Brasileira.

Capítulo 26
PROMOÇÃO DA ATIVIDADE FÍSICA

Maria Eugênia Bresolin Pinto
Angela M. V. Tavares
Marcelo Demarzo

É consenso que a prática regular de atividade física contribui para a saúde. A Organização Mundial da Saúde (OMS) atesta seu papel na prevenção e no tratamento das doenças crônicas não transmissíveis, como doença cardíaca, acidente vascular cerebral, diabetes, câncer de mama e câncer de cólon. É fundamental também na prevenção da hipertensão, do excesso de peso e da obesidade, contribuindo para a saúde mental, a qualidade de vida e o bem-estar de todos os indivíduos. Os custos globais da inatividade física estimados em 2013 são de 54 bilhões de dólares ao ano em custos diretos aos serviços de saúde, com um adicional de 14 bilhões de dólares atribuíveis à perda de produtividade. A inatividade física contribui com 1 a 3% dos custos nacionais dos serviços de saúde, o que não inclui custos associados à saúde mental e a problemas musculoesqueléticos. A OMS estabeleceu o Plano de Ação Global para Atividade Física 2018-2030,[1] preconizando que a inatividade física seja reduzida em até 10% até 2025 e em até 15% até 2030. Para tanto, publicou um kit de apoio chamado ACTIVE.[2]

Qualquer movimento corporal (atividade física) que resulte em gasto energético maior que os níveis de repouso já produz resultado preventivo. No entanto, o exercício físico, definido como qualquer atividade física que mantenha ou aumente a aptidão física de forma estruturada, pode proporcionar resultados mais abrangentes, e sua prescrição pode ser parte de um tratamento não farmacológico otimizado. As diretrizes de atividade física para norte-americanos reiteram que exercitar-se de qualquer forma é benéfico.[3]

Para que as equipes de saúde possam incorporar a prática da atividade física na rotina de atendimento aos pacientes, este capítulo abordará princípios de fisiologia do exercício, tipos de exercício, testes de avaliação inicial e acompanhamento, barreiras à prática regular de atividade física e protocolos para sua prescrição.

PRINCÍPIOS BÁSICOS DE FISIOLOGIA DO EXERCÍCIO

O exercício físico pode ser classificado conforme o consumo energético utilizado nos movimentos (aeróbico e anaeróbico), o componente da aptidão física envolvido (resistência, flexibilidade e força) e tipo de movimento muscular (estático ou dinâmico) empregado.

Metabolismo energético

Durante qualquer atividade física, a contração muscular depende de processos bioquímicos que convertem, essencialmente, energia química em mecânica. Para avaliar a capacidade funcional do indivíduo, foca-se no metabolismo aeróbico, que é dependente de oxigênio. A formação oxidativa ou produção aeróbica de trifosfato de adenosina (ATP, do inglês *adenosine triphosphate*) é fonte importante de energia para os exercícios de longa duração e de baixa ou moderada intensidade (caminhada, corrida, natação, hidroginástica).[3]

A necessidade de oxigênio para a liberação de energia em exercícios de longa duração é usada para avaliar a aptidão física (resistência) de um indivíduo. A estimativa mais utilizada é o consumo máximo de oxigênio ($VO_{2máx}$), definido como a maior quantidade de oxigênio que um indivíduo pode captar, transportar e utilizar, realizando exercícios físicos que envolvam grandes grupos musculares. O $VO_{2máx}$ de um indivíduo depende da idade, do sexo, do grau de condicionamento físico, de aspectos hereditários e da integridade do sistema de transporte de oxigênio. O $VO_{2máx}$ pode ser expresso em equivalentes metabólicos da atividade (METs, do inglês *metabolic equivalents of task*), que expressam o custo energético da atividade física como um múltiplo da taxa metabólica de repouso do indivíduo. É conhecido também como "energia normalizada". Um MET equivale ao consumo em condições de repouso, igual a 3,5 mL de O_2 por quilograma de peso corporal por minuto (mL de O_2/kg/min). Em termos calóricos, o MET pode ser considerado equivalente a 1 kcal/kg/min de gasto energético.

A intensidade do exercício físico pode ser definida em função do gasto energético estimado em termos de METs. Assim, atividades físicas que demandem até 3 METs são consideradas de baixa intensidade; de 3 a 6 METs, de moderada intensidade; e acima de 6 METs, de intensidade alta. Pacientes com grande limitação do sistema de captação e transporte de oxigênio, como indivíduos com insuficiência cardíaca (IC), que podem atingir um $VO_{2máx}$ de apenas 3 METs, apresentam elevado grau de limitação funcional, que pode ser correlacionado à gravidade da doença.

A frequência cardíaca (FC) é utilizada como parâmetro para controlar a intensidade do exercício e predizer o consumo de oxigênio. Isso porque existe uma relação muito estreita entre a FC, a demanda metabólica, o $VO_{2máx}$ e o consumo energético. Por ser uma medida direta e de fácil manejo pelo paciente, é largamente empregada na prescrição do exercício.

Além da via aeróbica (oxidativa), o metabolismo energético envolve mais duas vias distintas – a degradação de creatina-fosfato e a via glicolítica – ambas fontes de energia para exercícios de alta intensidade ou força (p. ex., corrida de até 400 metros, natação de velocidade, musculação, boliche), sem envolvimento de oxigênio (anaeróbicos), o que caracteriza os exercícios de curta duração.

As três vias metabólicas podem ser ativadas de forma integrada durante o exercício e fazem parte de treinamentos estruturados – por exemplo, o treinamento funcional, que, em uma mesma sessão, alterna exercícios aeróbicos e exercícios de força, podendo utilizar também variação de intensidade.

Testes de condicionamento físico

O teste de esforço de forma direta, pela ergoespirometria, é o padrão-ouro na busca da intensidade-alvo de treinamento, pois avalia diretamente o $VO_{2máx}$, determinando a capacidade física do paciente perante o exercício e sua tolerância ao esforço. A esteira ergométrica ou cicloergômetro é o instrumento mais utilizado para a avaliação do condicionamento cardiorrespiratório.

O teste de caminhada de 6 minutos (TC6M) é uma boa alternativa a testes mais sofisticados, pois pode indicar a condição do paciente e, quando reavaliado, sugerir qual tipo de alteração deve ser realizada no seu programa de exercícios. A utilização de cones ou outro material sinalizador que determine uma distância fixa (p. ex., 100 metros) permite a realização de um TC6M em qualquer local. Um parâmetro simples que pode ser utilizado é a FC de treinamento, calculada a partir da FC de reserva (FC_{res}), como será abordado posteriormente. Para os pacientes que fazem uso de betabloqueador, por exemplo, uma alternativa para o controle da intensidade do esforço é a utilização da tabela subjetiva de percepção do esforço de Borg **(TABELA 26.1)**. Segundo o American College of Sports Medicine (ACSM), para exercícios de baixa e moderada intensidades, é possível correlacionar a percepção subjetiva de esforço com os percentuais de FC e também o $VO_{2máx}$ **(TABELA 26.2)**.[4]

O objetivo do teste de esforço é avaliar os ajustes fisiológicos do organismo e as intensidades de exercício a serem aplicadas. Se a IC estiver presente, a classe funcional deve ser considerada, pois os parâmetros utilizados pela

TABELA 26.1 → Escala de percepção de esforço de Borg

ESCALA	NÍVEL DE PERCEPÇÃO DO ESFORÇO
6	Muito, muito leve
7-8	Extremamente leve
9-10	Muito leve
11	Leve
12-13	Moderado
14-15	Pesado
16-17	Muito pesado
18-19	Extremamente pesado
20	Esforço máximo

Fonte: Adaptada de Borg.[63]

TABELA 26.2 → Percepção subjetiva de esforço de acordo com a intensidade de treinamento (em 20-60 minutos de atividade aeróbica)

INTENSIDADE	BORG	$FC_{MÁX}$	$VO_{2MÁX}$
Muito leve	< 10	< 35	< 30
Leve	10-11	36-59	30-49
Moderada	12-13	60-79	50-74
Intensa	14-16	80-89	75-84
Muito intensa	> 16	> 90	> 85

$FC_{máx}$, frequência cardíaca máxima; $VO_{2máx}$, consumo máximo de oxigênio.
Fonte: American College of Sports Medicine.[64]

American Heart Association para classificar o grau de IC são determinados pela condição cardiopulmonar do paciente e descrevem a gravidade da doença de forma a limitar ou até mesmo contraindicar o esforço. Entre os parâmetros utilizados para classificação funcional estão o débito cardíaco, a FC, o $VO_{2máx}$ e a fração de ejeção.

Aptidão física

Expressa a capacidade funcional para realização de esforços físicos associados à prática de atividade física. É representada por um conjunto de componentes relacionados com a saúde e o desempenho atlético.[1] Durante um programa de exercícios físicos, as dimensões mais utilizadas para avaliar a aptidão física do paciente e seu progresso funcional são a flexibilidade, a força e a resistência.

→ **Flexibilidade** é a amplitude fisiológica máxima de uma articulação. Uma boa flexibilidade minimiza a dor muscular pós-exercício que ocorre, sobretudo, em um indivíduo que está iniciando um programa de exercícios pela primeira vez ou reiniciando suas atividades após longo período de inatividade. A flexibilidade é diminuída pela inatividade. Além disso, indivíduos mais velhos têm aumento da rigidez muscular e uma menor tolerância ao alongamento. A extensibilidade muscular é aumentada após uma única sessão de alongamento e após um prazo relativamente curto de treinamento (3-8 semanas) devido a um aumento na sensibilidade muscular obtido em programas de alongamento. Os exercícios de flexibilidade auxiliam na melhoria da amplitude dos movimentos articulares, componente importante na execução de atividades diárias (manter-se de pé, sentar-se, pegar objetos, etc.) que possibilitam independência para os idosos, por exemplo. Sempre que possível, exercícios aeróbicos e/ou anaeróbicos devem ser prescritos em associação com exercícios de flexibilidade.

→ **Força** é a capacidade de produzir tensão muscular em um determinado segmento corporal. O trabalho de força deve atingir um desenvolvimento global de todos os grupos musculares. A perda de força devido à perda de massa muscular é um fenômeno da idade, o qual também está associado a patologias degenerativas, crônico-sistêmicas e inatividade.[5] O trabalho de força deve ser iniciado a partir de uma carga confortável para o paciente, que deve ter condições de manter o movimento correto. O paciente deve poder executar um maior número de repetições, preferencialmente iniciando por grandes grupos musculares. Ao longo do tempo de treinamento, com o processo adaptativo observado pela falta de fadiga ao final da série de exercícios, o aumento de carga deve ser acompanhado pela diminuição do número de repetições.

→ **Resistência** é classicamente definida como capacidade funcional (cardiorrespiratória e de mecânica muscular) e psicológica de suportar a fadiga diante de esforço de relativa longa duração, com rápida recuperação. A resistência pode ser geral sistêmica (cardiovascular), cujo trabalho é predominantemente desenvolvido mediante exercícios aeróbicos, ou local (muscular), a qual é possível melhorar por meio de exercícios localizados para musculaturas específicas.

Tipos de exercícios e nível de esforço

Os exercícios podem ser estáticos (isométricos), em que o músculo desenvolve tensão sem que haja modificação do seu comprimento, ou dinâmicos (isotônicos), nos quais ocorre modificação do comprimento do músculo e as contrações musculares são alternadas com relaxamento do músculo ou grupo muscular em movimento. Embora o exercício dinâmico possa provocar aumento de FC – pois comporta maior gasto energético por tempo de exercício, exigindo mais trabalho cardíaco –, atividades diárias, de exercícios chamados não estruturados, também têm efeito benéfico na saúde dos pacientes **(TABELA 26.3)**. Independentemente da atividade realizada, a inatividade é o problema a ser combatido.[6,7]

PROMOÇÃO DA ATIVIDADE FÍSICA NA ATENÇÃO PRIMÁRIA À SAÚDE

A mensagem de que realizar atividade física pode ajudar a prevenir doenças cardiovasculares, degenerativas e neoplásicas, bem como melhorar diversas dimensões da qualidade de vida, deve ser incorporada nas ações da atenção primária à saúde (APS) e utilizada como estratégia para incentivar mudanças de hábitos nos indivíduos e na comunidade **B**.[8] Há dados contundentes que apoiam o fato de que a prática de atividade física é benéfica para a saúde e o bem-estar

TABELA 26.3 → Exemplos de atividades físicas classificadas de acordo com a intensidade

BAIXA INTENSIDADE (< 3 METS OU < 4 KCAL/MIN)	MODERADA INTENSIDADE (3-6 METS OU 4-7 KCAL/MIN)	ALTA INTENSIDADE (> 6 METS OU > 7 KCAL/MIN)
Caminhar lentamente (1,6-3,2 km/h)	Caminhar rapidamente (4,8-6,4 km/h)	Caminhar rapidamente com carga em plano inclinado, correr
Pedalar cicloergômetro (< 50 W)	Passear de bicicleta (< 16 km/h)	Pedalar rápido bicicleta (> 16 km/h)
Nadar muito lentamente	Nadar com moderado esforço	Nadar rápido
Exercícios de alongamento	Exercícios de calistenia. Esportes com raquete de duplas e tênis de mesa	Ginástica aeróbica, *step*
Varrer o chão da casa	Limpar a casa	Movimentar móveis
Trabalho de carpintaria	Pintar a casa	Caminhada em ritmo acelerado (> 6,5 km/h)
Sentado à mesa usando as mãos com ferramentas leves ou utilizando computador	Dançar	Corrida leve (8 km/h) Corrida acelerada (12 km/h)
Arrumar a cama, lavar, estender ou passar roupas	Basquete (lance livre)	Jogar basquete
Tocar algum instrumento musical	Jogar peteca	Futebol social

METs, equivalentes metabólicos da atividade.
Fonte: Modificada de Pate[7] e Ainsworth e colaboradores.[6]

(TABELA 26.4).[9-29] A aferição mais precisa de nível de atividade física quando feita por acelerometria ampliou as vantagens documentadas: adultos com idade > 40 anos cuja prática os coloca no quartil de maior atividade têm mortalidade por todas as causas 66% menor do que aqueles no quartil de menor atividade, mesmo após ajuste para múltiplos potenciais confundidores. Reduções de 33 e 49% foram vistas para aqueles no 2º e no 3º quartis.

A promoção da atividade física é uma das metas do Plano de Ação Global para Atividade Física 2018-2030 da

TABELA 26.4 → Benefícios da atividade física

PROBLEMAS DE SAÚDE		NATUREZA DA ASSOCIAÇÃO COM ATIVIDADE FÍSICA E TAMANHO DE EFEITO
Mortalidade		→ O tempo e a intensidade da prática de atividade física têm uma forte relação inversa com a mortalidade em pessoas de todas as idades **B**
		→ Entre adultos com idade > 40 anos, aqueles no quartil de maior atividade tiveram mortalidade menor (RRR = 66%, NNT = 11 comparados aos do quartil de menor atividade)
		→ A redução de risco é de aproximadamente 24% comparando os menos ativos com os que atingem a recomendação de 150 minutos/semana[9-11]
Saúde cardiorrespiratória		→ Há uma clara relação inversa entre atividade física e risco de doenças cardiorrespiratórias (RRR = 29%) **B**[9,16]
Saúde metabólica		→ Há uma clara relação inversa entre atividade física e risco de diabetes tipo 2 e síndrome metabólica **B**[17]
		→ Também pode ser observada redução na gordura abdominal[18]
Balanço energético		→ Efeito consistente e favorável de atividades aeróbicas na perda e na manutenção do peso, mas a atividade física é mais efetiva quando combinada com dieta **B**[19]
Saúde musculoesquelética	Ossos	→ Apesar de o benefício sobre redução de fraturas não ser demonstrado em ensaios clínicos,[12] acredita-se que a atividade física de impacto seja benéfica em pacientes com osteopenia/osteoporose, pois promove aumento de densidade óssea **C/D**[13,29]
	Articulações	→ Caminhadas melhoram dor (TE = −0,52) e incapacidade (TE = −0,46) de osteoartrite de joelho **B**[20]
		→ A participação em atividades físicas de intensidade moderada e de baixo impacto tem benefícios específicos em termos de dor, função, qualidade de vida e saúde mental para pessoas com osteoartrose, artrite reumatoide e fibromialgia
		→ Em adultos com osteoartrose do joelho, a atividade física apresenta efeito moderado para alívio de dor (TE = −0,49) **A** e para melhora funcional (TE = −0,52) **B**;[21] para melhora na qualidade de vida, o efeito é pequeno (TE = −0,28) **A**
		→ O benefício para osteoartrite do quadril é menor, para dor e para melhora funcional (TE= −0,38) **B**
	Musculatura	→ Maior exercício aumenta massa, força e ativação intrínseca neuromuscular da musculatura **A**; o efeito é altamente variável e dose-dependente
Saúde funcional		→ Intervenções para aumentar atividade física em idosos que praticam atividade física regular melhoram função física (TE = 0,45) **B**[22]
		→ A atividade física melhora a capacidade funcional, exercendo possível impacto positivo nas atividades do dia a dia
		→ Há RRR de aproximadamente 18% de limitações funcionais graves com atividade física (NNT = 19)[14]
		→ Idosos que praticam atividade física regular têm menos risco de quedas (RRR = 19%) **B**[23]
Câncer		→ A mortalidade específica por câncer é reduzida em aproximadamente 11%[9,24]
		→ Para câncer colorretal (RRR = 19%) e câncer de mama (RRR = 13%), a prática diária de atividade física tem relação com redução de incidência **B**[25]
Saúde mental		→ A atividade física confere proteção em relação a declínio cognitivo (RRR = 21%) **B**[26] e exerce efeito positivo, mas pequeno, sobre os sintomas depressivos (TE = 0,33) **B**[27]
		→ O exercício parece melhorar a qualidade do sono **B**[15]
		→ Exercício está associado à redução de sintomas de ansiedade (TE = −0,38) em adultos[28]

NNT, número necessário para tratar; RRR, redução do risco relativo; TE, tamanho de efeito.

OMS e do Plano Nacional de Enfrentamento de Doenças Crônicas Não Transmissíveis (ver Capítulo Estratégias Preventivas para as Doenças Crônicas Não Transmissíveis). Apesar disso, dados da pesquisa Vigilância de Fatores de Risco e Proteção para Doenças Crônicas por Inquérito Telefônico (Vigitel) estimam que, em 2019, apenas 39% dos adultos em capitais brasileiras praticavam o equivalente a 150 minutos/semana de atividade física leve ou moderada (ou pelo menos 75 minutos/semana de atividade física vigorosa) no seu tempo livre e 14% durante o seu deslocamento.[30] E pior: 63% ficaram mais de 3 horas/dia assistindo à televisão ou utilizando computadores, *tablets* e celulares; em 2011, essa porcentagem era de 27%.

A APS tem grande potencial para promover atividade física, pois suas características de assistência permitem um contato contínuo e longitudinal com os indivíduos, as famílias e as comunidades de forma contextualizada e acessível à população. Assim, pode influenciar positivamente na mudança do comportamento e do estilo de vida dos indivíduos, ajudando na implementação e potencialização das políticas públicas que estimulem a atividade física. O aconselhamento sobre atividade física em APS tem efeito benéfico (NNT = 12) **B**,[31,32] mas o desafio está na adesão em longo prazo do paciente aos protocolos prescritos. Em curto prazo, as intervenções parecem aumentar o tempo médio de atividade física semanal.[8,33] Entretanto, a oferta de aconselhamento sobre atividade física ainda é baixa na APS, principalmente pela baixa confiança na sua utilidade na mudança de hábito do paciente. Maior evidência desse benefício está na aplicação de intervenções multifacetadas, compostas por aconselhamento e atividades adicionais de apoio continuado, que visem, em especial, à adesão do paciente. Isso enfatiza a necessidade de organização dos serviços em prol de uma maior abordagem sobre atividade física nas redes de atenção do Sistema Único de Saúde (SUS), também engajando os Núcleos de Apoio à Saúde da Família (NASFs), que contemplam educadores físicos, e as organizações comunitárias.

Um bom exemplo do benefício de organizar o esforço é o programa *Green Prescription*, implementado na Nova Zelândia, em que adultos, durante a consulta de rotina, receberam orientações e uma prescrição escrita para um programa de exercício com suporte especializado e personalizado, por telefone ou carta, e aumentaram sua atividade física semanal; essa medida demonstrou custo-efetividade **B**.[34] Alguns programas com encaminhamento para educadores físicos adotam esse conceito. Eles demonstram benefício, mas, em avaliações internacionais, são de questionável custo-efetividade. No SUS, a interação entre as equipes de APS e os programas de incentivo à atividade física, como o Academia da Saúde[33] e o Agita São Paulo,[35] deveria ser estimulada. (Ver QR code.) Para ser efetivo, é necessário estruturar o atendimento e a distribuição do trabalho na equipe e, assim, enfrentar algumas barreiras apontadas pelas equipes de APS, como a falta de tempo, de recursos físicos e humanos e de treinamento para aconselhar a atividade física.

Barreiras individuais

Além das barreiras citadas pelas equipes de APS, há a resistência de muitos indivíduos em iniciar um programa de exercícios. A impossibilidade de praticar exercícios intensos está associada, principalmente, ao medo de lesões, à autoconfiança reduzida, à falta de vontade, à falta de tempo e ao custo elevado.

Outras barreiras perceptíveis que servem de impedimento para a incorporação da atividade física no deslocamento do dia a dia dos indivíduos são preocupação com a aparência (desconforto pelo aumento da sudorese, falta de roupas apropriadas ou o desgaste das roupas do dia a dia), calçado desconfortável, ausência de calçadas, volumes que carregam e falta de segurança. Em relação aos locais para a prática de exercícios e esportes, são apontados a falta de um local apropriado perto de sua residência, o tempo gasto no deslocamento até o local, a falta de local seguro e a falta de companhia. A TABELA 26.5 oferece sugestões de respostas para as barreiras levantadas.

Diante dessas barreiras, a caminhada deve ser a principal atividade física a ser prescrita na APS, sendo uma alternativa segura sustentada por vários fatores: socioeconômicos (pelo baixo custo, podendo ser realizada em locais públicos, ao ar livre ou dentro de casa), culturais e psicológicos (pela formação de grupos, estimulando o convívio social, a elevação da autoconfiança e a diminuição do medo de lesões).

A adoção de um estilo de vida ativo se deve a fatores diferentes em adultos e crianças. Nos adultos, os determinantes desse estilo de vida são multifatoriais, incluindo aspectos biológicos (gênero, idade, tipo corporal), psicológicos e culturais (crenças, percepções, intenções), socioambientais (ocupação laboral, grau de escolaridade, clima, acesso a locais e programas adequados para a prática de atividade física) e fatores relacionados com o tipo de atividade física (habilidades inerentes, intensidade, frequência, duração). Para os homens, menos idade e ambiente físico peridomiciliar mais favorável à atividade física são preditores positivos específicos de maior atividade, ao passo que maior grau de escolaridade e maior suporte familiar e fraterno são específicos para as mulheres. Assim, é possível que intervenções gênero-específicas devam ser mais efetivas, em especial para os grupos mais vulneráveis (homens idosos e mulheres com menor nível educacional). Dessa forma, as intervenções que enfatizem a melhora do suporte social podem ser mais efetivas para as mulheres, e outras que objetivem a melhora do ambiente físico da comunidade para a prática da atividade física provavelmente sejam mais efetivas para os homens.

A autoconfiança parece ser o preditor mais importante de adesão a um programa de atividade física para ambos os sexos, e está associada à autoeficácia (sucesso) em relação à prática da atividade física, sobremaneira no que se refere à intensidade e à frequência da atividade. Também é provável que as pessoas tenham melhor adesão a programas de atividade física que estimulem a prática nas áreas físicas próximo às suas casas, em comparação com programas baseados em grupos estruturados formais de atividade física

TABELA 26.5 → Estímulo ao paciente sedentário para a prática de atividade física

RAZÕES PARA NÃO PRATICAR ATIVIDADE FÍSICA	RESPOSTAS SUGERIDAS
Exercício é um trabalho pesado	Escolha uma atividade de que goste e será mais fácil para você realizá-la
Não tenho tempo	Você fará, por semana, apenas 3 a 5 sessões de 30 minutos
Em geral estou muito cansado para me exercitar	Diga a você mesmo: essa atividade me dará mais energia
Eu odeio falhar, então não começarei	Exercício não é um teste; comece devagar e opte por alguma atividade de que você goste
Não tenho ninguém para se exercitar comigo	Convide alguém, como um vizinho ou familiar, que possa estar disposto a acompanhá-lo, ou escolha uma atividade que você possa fazer sozinho
Não há locais adequados para fazer exercício	Escolha uma atividade que você possa fazer em local adequado, como caminhar pela vizinhança ou fazer exercício em casa
Tenho medo de cair e me machucar	Faça atividades que vão melhorar seu equilíbrio e use barras ou objetos que deem estabilidade enquanto você se exercita
O tempo não está bom (clima)	Há muitas atividades que você pode fazer em sua própria casa quando o tempo estiver ruim
Exercício é muito chato	Ouça música ou livro gravado para manter sua mente ocupada; uma caminhada ou uma corrida vigorosa pode trazer do seu passado muitos lugares interessantes
Também estou com sobrepeso	Você pode ter benefícios apesar do seu peso. Escolha uma atividade que seja confortável, como caminhadas vigorosas; isso vai ajudá-lo a perder peso
Estou muito velho	Nunca é tarde para começar; pessoas de qualquer idade podem se beneficiar com o exercício

em centros comunitários ou de saúde mais distantes, provavelmente pela possibilidade de conveniência e flexibilidade.

Conhecer o estágio de mudança de uma pessoa (ver Capítulo Abordagem para Mudança de Estilo de Vida) pode ser uma ferramenta interessante para o profissional ou a equipe que está planejando a intervenção, e contribui para uma abordagem mais específica e realista. Nos estágios de **pré-contemplação** e **contemplação**, deve-se fornecer informação sobre os riscos do sedentarismo e os benefícios de um estilo de vida ativo, negociar custos e benefícios da mudança, e identificar barreiras à prática da atividade física, buscando motivar a pessoa a atingir estágios mais avançados de prontidão para a mudança. O estágio de **preparação** inclui, além do reforço positivo, informações sobre a prática correta da atividade física, negociando o ingresso progressivo nos padrões adequados. Nos estágios de **ação** e **manutenção**, o reforço positivo e o acompanhamento longitudinal contínuo devem prevalecer, fornecendo suporte adequado se houver recaídas. No entanto, uma revisão sistemática demonstrou poucas evidências sugerindo que a abordagem centrada apenas no modelo transteórico de mudança fosse mais efetiva do que outras abordagens ou atenção tradicional.[36]

Em relação ao método de transmissão das informações, as estratégias mais efetivas para adultos incluem aconselhamentos breves (2-4 minutos) e a entrega concomitante de panfletos com informações sobre como manter uma vida ativa fisicamente.[8,37]

AVALIAÇÃO CLÍNICA PRÉ-PARTICIPAÇÃO EM PROGRAMAS DE EXERCÍCIO

Antes de prescrever o programa de exercícios físicos, é importante analisar a história do paciente, o uso de medicamentos, a história de atividade física ao longo da vida e a presença de fatores de risco. Existem diferenças na prescrição de atividade física para sedentários aparentemente saudáveis, sedentários portadores de patologias, e com algumas situações especiais, como gestantes, idosos e crianças.

> Os riscos associados à participação em atividade física são baixos. Entre pacientes com doença cardíaca coronariana conhecida que participam de programas de reabilitação cardíaca, a incidência média de parada cardíaca e infarto não fatal foi de 1 a cada 117 mil e 1 a cada 220 mil paciente-horas de participação, respectivamente. Em contrapartida, os benefícios nesse grupo de pacientes são importantíssimos para a sua qualidade de vida. Programas de reabilitação baseados em exercício, em pacientes com doença coronariana, são recomendados e reduzem em até 46% a mortalidade cardiovascular (NNT = 13-33) **B**.[38] Continuar com um estilo de vida inativo ou sedentário apresenta riscos maiores do que aumentar gradualmente os níveis de atividade física. É improvável que pessoas sedentárias que aumentam a sua atividade de forma gradual encontrem riscos significativos.

Eventos adversos ocorrem de modo predominante entre aqueles que fazem atividade física vigorosa ou que participam de esportes de contato, e a maioria desses acidentes é evitável. Embora não seja aconselhável iniciar um programa de atividade física com a intensidade vigorosa, é extremamente raro que pessoas – mesmo sedentárias – que façam isso apresentem eventos cardiovasculares.[39]

Para identificar o risco de eventos adversos decorrentes dos exercícios indicados, a anamnese deve ser direcionada. Seu foco está na presença de doenças cardiovasculares e seus fatores de risco, como diabetes e história familiar de morte súbita, bem como nos problemas ortopédicos e outras patologias que possam limitar a prática de exercício físico. O questionário de prontidão para atividade física (PAR-Q, do inglês *Physical Activity Readiness Questionnaire*) (TABELA 26.6), o qual visa identificar sintomas que sugerem eventos cardiovasculares ou musculoesqueléticos que podem limitar ou impedir o início de um programa de exercícios, pode facilitar a organização da anamnese. Quando o paciente responder "sim" a mais de uma questão, uma indagação mais detalhada é indicada.[40]

No exame clínico, devem-se contemplar aspectos do exame físico habitual (ausculta cardíaca e pulmonar e palpação de pulsos), bem como avaliação de parâmetros biomecânicos, como postura, peso, altura, força e flexibilidade.

TABELA 26.6 → Questionário de prontidão para atividade física (PAR-Q)

1. Algum médico já disse que você tem algum problema de coração e que só deveria realizar atividade física supervisionada por profissionais de saúde?
2. Você sente dores no peito quando pratica atividade física?
3. No último mês, você sentiu dores no peito quando praticou atividade física?
4. Você apresenta desequilíbrio devido à tontura e/ou à perda de consciência?
5. Você é portador de algum problema ósseo ou articular que poderia ser piorado pela atividade física?
6. Você toma atualmente algum medicamento para pressão arterial e/ou problema de coração?
7. Sabe de outra razão pela qual você não deve realizar atividade física?

Fonte: Adaptada de Thomas e colaboradores.[40]

A composição corporal, com percentual de gordura, pode ser estimada, servindo como elemento para monitoramento posterior. Outra opção para o monitoramento é a aferição da circunferência da cintura. Exames complementares podem ser requisitados de acordo com os achados da anamnese e do exame físico, particularizados para cada paciente.

Avaliação do nível de atividade física

Há diferentes questionários que quantificam a atividade física realizada pelos indivíduos; eentre eles, o questionário internacional de atividade física (IPAQ, do inglês *International Physical Activity Questionnaire*) é o mais comum. (Ver QR code.) Há duas versões desse questionário – longa e curta –, sem diferença significativa na sensibilidade e na especificidade das medidas. Validado no Brasil,[41] ele auxilia a quantificar a atividade física realizada pelo indivíduo, utilizando o tempo gasto em atividades do dia a dia, de lazer e ocupacionais. Embora uma quantificação precisa não seja necessária para orientar a prescrição de atividade, as sete questões da versão curta do IPAQ podem ser úteis na avaliação do atual nível de atividade física em adultos.

Avaliação de aptidão física

Resistência: testes de condicionamento físico

O condicionamento cardiorrespiratório é avaliado por teste de esforço de forma direta (análise de gases – ergoespirometria), indireta (pela FC) ou, ainda, pela tabela subjetiva de percepção de esforço de Borg (ver **TABELA 26.1**).[42] Durante a atividade física, solicita-se ao indivíduo que, olhando a escala de Borg, identifique o grau de esforço sentido por ele durante a atividade realizada. Esse esforço físico deve descrever o estresse físico e a fadiga geral, não devendo ser considerados sintomas isolados como dor nas pernas ou falta de ar. O teste de esforço, ou teste ergométrico, pode ser submáximo ou máximo, ou com a utilização de carga progressiva. Os instrumentos mais utilizados nesses testes para a avaliação do condicionamento cardiorrespiratório são o cicloergômetro e a esteira ergométrica.

O objetivo do teste de esforço é avaliar os ajustes fisiológicos do organismo às intensidades de exercício aplicadas. É utilizado para realizar o diagnóstico de cardiopatias em casos identificados no exame clínico como de alto risco. Seu uso deve ser evitado nos demais casos, tendo em vista o alto índice de exames falso-positivos, o que leva vários pacientes a investigações invasivas desnecessárias. É raramente necessário na prática de APS, a não ser que um paciente de maior risco cardiovascular pretenda iniciar atividade física vigorosa (para uma discussão mais detalhada, indicações e interpretação dos resultados do teste de esforço, ver Apêndice Eletrocardiograma: Interpretação, Principais Alterações e Uso na Prática Ambulatorial).

Testes de flexibilidade e força

Também podem ser realizados testes de flexibilidade e força (p. ex., utilizando o dinamômetro manual ou o esfigmomanômetro), de acordo com a demanda e a disponibilidade do local.[43] O teste mais usado para medir flexibilidade, em geral feito por educador físico, é o teste de sentar e alcançar, com utilização do banco de Wells, onde é observada basicamente a musculatura posterior do indivíduo. (Ver QR code.)

Avaliações periódicas

As avaliações periódicas dos testes de resistência, assim como de força e de flexibilidade, embora não sejam necessárias, permitem comparar o estado atual com aquele em momentos de avaliações prévias. Esse processo pode mostrar a melhora da capacidade física e incentivar a continuidade da prática de exercícios pelo paciente, bem como alertar para eventuais ajustes do treinamento, necessários para adequar o programa de exercícios ao indivíduo, tornando-o mais eficiente.

O PAPEL DO EDUCADOR FÍSICO

A ciência da educação física é complexa e envolve diferentes áreas do conhecimento, como anatomia, bioquímica, cinesiologia, física, fisiologia e metodologia de ensino. O educador físico, por sua vez, produz o elo entre a ciência e a dinâmica da prática baseada em evidências, no que se refere à prescrição do exercício.

A profissão de educador físico é regulamentada no Brasil pela Lei nº 9.696, de 1º de setembro de 1998. Cabe a esse profissional agir em todos os aspectos do conhecimento nas áreas da atividade física e do desporto, orientando e intervindo, segundo propósitos educacionais e terapêuticos de saúde e lazer. Assim, o educador físico, como parte da equipe multidisciplinar de saúde, é o profissional que detém o conhecimento para orientar a realização da avaliação, do planejamento e da prescrição, dentro de um programa estruturado de exercícios físicos que esteja incorporado à estrutura dos tratamentos não farmacológicos, com objetivos preventivos e/ou terapêuticos.

PRESCRIÇÃO DE EXERCÍCIOS

O exercício físico é uma atividade planejada e estruturada que deve ser incorporada na prática clínica sempre que possível. Exercícios regulares e estruturados garantem uma melhora das aptidões físicas, porém dependem de uma ótima inter-relação entre volume e intensidade. Essas variáveis se relacionam inversamente: para um volume de treinamento aumentado, a intensidade deve estar reduzida; por outro lado, quando se deseja aumentar a intensidade do exercício, o volume deve ser reduzido, o que é fundamental para causar adaptação sem sofrer sobrecarga, mantendo protegido o sistema circulatório.

Dentro de uma prescrição otimizada, realizar uma avaliação pré-exercício é importante para determinar o tipo de exercício, a intensidade, a frequência e a duração das sessões que devem ser adaptadas ao paciente, considerando o seu estado de saúde, o seu nível de risco ou doença, sua capacidade física e suas limitações individuais. Reavaliações periódicas também são fundamentais, pois permitem alterações no programa de treinamento, tanto para buscar uma melhora do condicionamento físico como para realizar ajustes de carga, intensidade ou até mesmo no tipo de exercício, trazendo benefícios fisiológicos ao paciente e fidelizando-o ao programa de treinamento.

Para a correta prescrição do exercício, devem ser consideradas a intensidade, a duração e a frequência de treinamento aplicado.[79] Sempre que possível e, na ausência de contraindicações, a prescrição do exercício deve ser realizada por um profissional – um educador físico. Quando a presença desse profissional não for possível, o médico, juntamente com a equipe multidisciplinar, deve orientar acerca da importância da atividade física e seguir protocolos previamente validados, observando os cuidados e as recomendações para a prática de exercício. A prescrição de exercício deve ser estruturada dentro de um programa e estar inserida em um contexto clínico e ambiental favorável, capaz de promover adesão e manutenção dos pacientes. Na operacionalização da prescrição, recomenda-se:[44]

→ os médicos de família devem reservar, no mínimo, cerca de 3 minutos para uma intervenção efetiva sobre a prescrição de atividade física;
→ a orientação à atividade física deve ser prescrita por educadores físicos, dividida e reforçada pelos membros da equipe multidisciplinar, principalmente enfermeiros e agentes comunitários, bem como, se possível, ser incentivada por pessoas da comunidade, em especial familiares e líderes comunitários;
→ a equipe deve realizar o acompanhamento contextualizado do plano de exercícios prescrito para o paciente, monitorando avanços e barreiras que possam interferir na sua execução, com base nas experiências positivas e negativas do paciente.

Os pacientes devem ser orientados a manter-se ativos sempre e ser encorajados a realizar atividade física, preferencialmente fazendo parte de programas estruturados de exercícios que preconizem a melhora do condicionamento físico e o convívio social. As recomendações gerais a seguir, acerca da participação dos pacientes em programas de exercícios, são básicas para qualquer indivíduo e podem ser realizadas por qualquer membro da equipe de saúde, desde que orientada de maneira adequada. Nas consultas, ao perguntar sobre o andamento da atividade física, o clínico deve mostrar-se preocupado com seu paciente e incentivar diretamente sua adesão a um programa de exercícios regulares.

Recomendações gerais ao paciente

→ Escolher os melhores momentos para exercitar-se, evitando a frase "não tenho tempo". Horários durante a manhã, no final da tarde e antes do jantar são bons para encaixar a atividade física na rotina diária.
→ Usar equipamentos e roupas adequados para a prática da atividade física escolhida, como tênis, roupas leves e de fácil transpiração (para locais de clima quente e/ou úmido) ou roupas que protejam contra o frio. Capacete e retrovisores são importantes para quem planeja andar de bicicleta.
→ Começar o programa de exercício devagar e progressivamente: poucos minutos por dia (pelo menos 10 minutos). O aumento da frequência de exercícios (número de vezes por semana, p. ex.) e da intensidade da atividade física (observado pelo aumento da frequência cardíaca ou ventilatória) deve ser gradual.
→ Evitar exercitar-se em jejum (> 8 horas) para que não haja risco de hipoglicemia ou hipotensão arterial durante ou após o exercício. Evitar ingerir grande quantidade de alimento antes de uma sessão de exercícios vigorosos.
→ Fazer aquecimento em intensidade leve antes de iniciar qualquer atividade física (5-10 minutos). Caminhada lenta ou estacionária, movimento de balanço para os braços, movimento de giro para o tronco e alongamento dos músculos posteriores da coxa (isquiotibiais) antes da atividade podem auxiliar na proteção contra possíveis lesões.
→ Manter-se sempre hidratado. É importante ingerir líquidos antes e depois da atividade física. Água e suco de fruta são ótimas alternativas. É recomendada a ingestão de 100 a 200 mL a cada 15 a 20 minutos de atividade física. Uma garrafa plástica pequena pode fazer parte da rotina de exercícios, sobretudo para idosos e diabéticos.
→ Durante a execução do exercício de intensidade moderada, o praticante sempre deve ser capaz de respirar e falar confortavelmente. A dificuldade pode ser entendida como sobrecarga de exercício e a intensidade deve ser diminuída.[4,8]
→ Exercícios de alongamento podem ser realizados antes e devem ser realizados após o término da atividade física.[4,8]
→ Ter cuidado adicional com os "atletas de final de semana", pois o risco de lesão aumenta, visto que 1 a 2 dias seguidos de exercícios não causam adaptação. A capacidade de suportar uma sobrecarga de exercícios sem prévia preparação é diminuída e o risco de lesão é maior.
→ Caso o praticante ou paciente não queira ou não tenha condições de frequentar uma academia, clube ou programas comunitários, como a Academia da Saúde, o clínico e a equipe multidisciplinar também podem sugerir atividades físicas básicas, como caminhar, andar de bicicleta ou dançar.

Como foi mencionado, a caminhada, quando realizada em intensidade baixa ou moderada, pode ser indicada com segurança, pois o aumento de sua duração não representa aumento do risco de lesão.[45] O aumento da frequência de atividades cotidianas, como capinar, pintar paredes, lavar o carro ou varrer, entre outras, também é válido para obter um efeito benéfico pela redução da inatividade. Também é muito importante incentivar o paciente a ser mais ativo em seu local de trabalho (p. ex., trocar o elevador pelas escadas) e optar por ir caminhando ou de bicicleta, pelo menos em parte da distância a ser percorrida entre a casa e o trabalho. Recomenda-se, também, minimizar a quantidade de tempo gasto de forma sedentária (sentado) por períodos prolongados.[39]

Recomendações específicas

As recomendações a seguir são organizadas por faixa etária e condições de saúde. Ver QR code para orientações para pacientes com doenças específicas (hipertensão, diabetes melito, pós-infarto, insuficiência cardíaca, asma, doença pulmonar obstrutiva crônica, câncer, infecção pelo HIV/Aids e artrites).

Adultos saudáveis

A recomendação geral para adultos é praticar 150 minutos (2,5 horas) ou mais por semana de atividade física de intensidade moderada ou vigorosa, em sessões de pelo menos 10 minutos.

Uma abordagem para alcançar essa meta é em sessões de 30 minutos, no mínimo 5 dias por semana. O exercício prescrito de acordo com a intensidade relativa é um recurso de rotina, cujo objetivo primário é produzir um estresse de adaptação que seja aproximadamente equivalente em indivíduos com diferentes capacidades absolutas de exercício. A abordagem tradicional tem sido prescrever a intensidade do exercício como percentual do $VO_{2máx}$ ou da FC máxima ($FC_{máx}$). Entretanto, a intensidade do exercício prescrita em percentual do $VO_{2máx}$ ou percentual da $FC_{máx}$ não necessariamente coloca os indivíduos em uma intensidade equivalente acima dos níveis de repouso. Além disso, alguns indivíduos podem estar acima, e outros, abaixo dos limiares metabólicos, como o limiar anaeróbico (LA) no mesmo percentual do $VO_{2máx}$ ou percentual da $FC_{máx}$.[46] Embora isso possa acontecer, em uma avaliação cardiorrespiratória, por meio de teste cardiopulmonar, é possível identificar a FC em etapas específicas do exercício, como no repouso, no LA ou no limite máximo do esforço (também chamado de pico do esforço, VO_2 de pico ou FC de pico). Sendo assim, para uma atividade moderada a vigorosa, que pode ser definida pelo tipo de atividade ou pela resposta fisiológica que produz, o ideal é verificar se a população a ser treinada possui algum cálculo específico que deva ser utilizado para estimar o percentual do consumo de oxigênio ou a FC dessa população. Em geral, não é praticável (nem necessária) a realização de teste para verificar o $VO_{2máx}$, pois medidas baseadas na FC têm sido utilizadas. Uma fórmula bastante utilizada, devido à sua praticidade, tem sido a prescrição utilizando percentuais da $FC_{máx}$ calculada como 220 – idade. Porém, para muitas populações, essa fórmula tem a tendência de superestimar o valor da $FC_{máx}$.[47] Outro método utilizado para estabelecer o nível de intensidade de esforço adequado é baseado na FC_{res} ou reserva de Karvonen para estimar a FC-alvo (FC_{alvo}).[48] A FC_{res} é calculada a partir da $FC_{máx}$: (FC_{res} = $FC_{máx}$ – FC de repouso [FC_{rep}]). Essa medida tem maior validade como parte do cálculo para estimar o percentual de esforço porque a FC_{rep} (parte considerável da $FC_{máx}$) varia bastante de indivíduo para indivíduo e está diretamente relacionada à capacidade cardiorrespiratória (em geral, quanto maior a capacidade cardiorrespiratória, menor a FC_{rep}).

$$FC_{alvo} = (FC_{máx} - FC_{rep}) \times (\% \text{ intensidade desejada}) + FC_{rep}$$

Segue um exemplo dos cálculos necessários para encontrar o intervalo de FC de treinamento.

Ao fazer anamnese e avaliar vários parâmetros em um indivíduo de 40 anos de idade, constatou-se que sua FC_{rep} é de 70 bpm. Segundo a fórmula $FC_{máx}$ = (220 – idade) bpm, o indivíduo possui $FC_{máx}$ de 180 bpm. Se sua FC_{rep} é 70 bpm e uma atividade moderada é aquela que produz um esforço entre 60 e 80% da FC_{res}, o cálculo para obter a FC_{alvo} será:

$$FC_{res} = (180 - 70) = 110 \text{ bpm}$$
$$FC_{alvo} = [(180 - 70) \times 0,6] + 70 = 136 \text{ bpm}$$
$$FC_{alvo} = [(180 - 70) \times 0,8] + 70 = 158 \text{ bpm}$$

Conclusão: o intervalo da FC_{alvo} para esse indivíduo deve estar entre 136 e 158 bpm para uma atividade de moderada intensidade (60-80%).

A aplicação desse método deve ser realizada somente em pessoas que não estejam fazendo uso de betabloqueadores, marca-passo, ritmo cardíaco irregular ou qualquer outra situação que afete os batimentos cardíacos. Outro limitante da prescrição que utiliza o parâmetro da FC é a capacidade de realizar o automonitoramento. A maioria dos celulares possui aplicativos para avaliação da FC; também é comum o uso de frequencímetro, embora não seja uma realidade viável para a maioria da população. Uma alternativa é a medida do número de batimentos observados a partir do pulso radial ou carotídeo, em 15 segundos, multiplicando o valor observado por quatro para obter o número de batimentos por minuto. No entanto, os resultados dessa equação não são fidedignos em relação aos resultados dos testes de esforço, porém podem ser utilizados como parâmetro aproximado.

Outra abordagem, mais simples, é definir atividade moderada como aquela que aumenta um pouco as frequências respiratória e cardíaca, e atividade vigorosa como aquela que aumenta muito as frequências respiratória (até o ponto em que é cada vez mais difícil manter uma conversa ou falar sem a necessidade de respirar no meio da frase) e cardíaca.[39]

Atividades e protocolos recomendados

Os protocolos para prescrição da atividade física estão evoluindo continuamente, à medida que são disponibilizadas novas evidências sobre novas modalidades de exercícios, intensidade, duração e frequência para a obtenção de um volume de exercício adequado capaz de promover a saúde. Em geral, esses protocolos são separados em cinco grupos ou estratégias (TABELA 26.7), de acordo com a capacidade e a fase de treinamento em que o indivíduo se encontra, as quais podem ser utilizadas para desenvolver programas específicos de exercício.

Algumas pessoas preferem seguir as estratégias em conjunto, enquanto outras aderem mais facilmente se seguirem apenas uma estratégia. Por exemplo, o exercício de baixa intensidade costuma ser mais bem aceito por pessoas que estão iniciando o programa de treinamento, entre aquelas que estão extremamente "descondicionadas" (fora da forma) e entre idosos. O treinamento resistido (p. ex., com pesos adaptados) – e, em particular, quando incorporado a um programa mais abrangente de exercícios – auxilia significativamente na redução de riscos para doença cardiovascular, diabetes tipo 2, obesidade, câncer de cólon e câncer de mama, previne osteoporose, preserva a capacidade funcional, além de promover bem-estar e melhora da qualidade de vida.[1]

Aos pacientes que referem falta de tempo e condicionamento para realizar sessões de 30 minutos, uma orientação mais voltada para a modificação de hábitos diários, a solicitação para que iniciem com pequenas sessões de atividade física (10 minutos, em média), acumuladas durante todo o dia, podem potencialmente auxiliar na adesão a um estilo de vida ativo.[49] Assim, a conveniência e a flexibilidade de um programa de atividade física baseado no ambiente peridomiciliar, associado ao incentivo a práticas de pequenas sessões acumuladas de atividade física, são importantes para a incorporação da atividade física como tratamento não farmacológico otimizado.[50]

Intervenções ou programas que promovam a caminhada como estratégia de promoção da atividade física têm tido maior adesão das pessoas, sobretudo quando não exigem a participação em grupos estruturados, deixando as pessoas mais livres para escolherem os locais onde vão praticar a atividade. Todavia, um acompanhamento regular e longitudinal dessas pessoas pelos profissionais da APS, por pequenos períodos de tempo (p. ex., por meio de ligações telefônicas ou visitas do agente comunitário), pode melhorar ainda mais a adesão e a manutenção das pessoas nesses programas.[50]

A caminhada rápida ou vigorosa (atividade física de intensidade moderada) tem grande potencial de promover o aumento da capacidade física da população em geral, a ponto de atingir os níveis recomendados, com efetiva melhora da condição cardiorrespiratória. Esse tipo de intervenção tem mais probabilidade de ser adotado pela população de todas as idades, independentemente de condição social e econômica, gênero e grupo étnico. A fim de aumentar a atratividade da caminhada como atividade de lazer ou como meio de locomoção, especial atenção deve ser dada às condições ambientais que influenciam a sensação de conveniência ou segurança das pessoas (p. ex., construindo praças com boa pavimentação e iluminação, e de fácil acesso às pessoas da comunidade).[50]

Uma alternativa para pacientes com capacidade física para fazer exercícios vigorosos é o treinamento intervalado de alta intensidade com volume baixo e alto. Ele oferece a vantagem de permitir manter o condicionamento físico, com menor gasto semanal de tempo. Isso ocorre com sessões de alta intensidade de exercícios de curta duração (30-60 segundos), com intervalos curtos de recuperação entre os exercícios. Esse tipo de treinamento promove benefícios de saúde em populações sedentárias semelhantes aos alcançados com as atividades moderadas. A prescrição desses treinamentos deve ser realizada pelo educador físico, podendo ser acompanhada e estimulada por toda a equipe de saúde.

Crianças e adolescentes

Atividades físicas, principalmente as dos tipos recreativo e de deslocamento (p. ex., casa-escola-casa), representam (ou deveriam representar) uma parte significativa do dia a dia de crianças e adolescentes. Os benefícios da prática regular de atividade física (incluindo os esportes recreacionais) para crianças e adolescentes, tanto sadios quanto portadores de patologias, são inúmeros e bem conhecidos: favorecimento da coordenação psicomotora, fortalecimento muscular, mineralização óssea, aptidão cardiopulmonar, bem-estar biopsicossocial, prevenção de doenças crônicas, espírito de equipe e responsabilidade.[1]

Em geral, a prática de exercícios físicos ou esportes se torna mais efetiva a partir dos 9 anos de idade, o que

TABELA 26.7 → Prescrições comuns de exercícios

TIPO	INTENSIDADE	DURAÇÃO	FREQUÊNCIA	EXEMPLOS
Exercício aeróbico				
Baixa intensidade (esforço leve)	30-39% da FC_{res} ou ~2-4 METs*	~60 minutos/dia	Na maioria dos dias da semana (de preferência, todos)	Jardinagem leve, caminhada leve
Moderada intensidade (esforço moderado)	40-59% da FC_{res} ou ~4-6 METs	20-60 minutos/dia	3-5 dias/semana	Caminhada vigorosa (9-12 minutos/km), dançar ativamente
Alta intensidade (esforço intenso)	60-84% da FC_{res} ou ~6-8 METs	20-60 minutos/dia	3-5 dias/semana	Corrida, natação
Exercícios de resistência (e flexibilidade): 8-10 diferentes modalidades de exercícios, que trabalhem os grandes grupos musculares		1-2 sessões (cada sessão com 8-12 repetições*)	2-4 dias/semana	
Exercícios de "alcançar, dobrar e esticar" que trabalhem os principais grupos musculares		Cada exercício mantido por 10-30 segundos	2-3 dias/semana (de preferência, 4-7 dias)	

*As pessoas com idade > 60 anos e os indivíduos mais frágeis podem necessitar de mais repetições (10-15) para compensar intensidades mais baixas de resistência.
FC_{res}, frequência cardíaca de reserva; METs, equivalentes metabólicos da atividade.

corresponde ao início da aquisição de habilidades técnicas, corporais e cognitivas que estarão completas por volta dos 12 anos. A faixa etária crítica vai dos 6 aos 8 anos, quando a criança começa a adquirir os conceitos de espaço e tempo e o refinamento do desenvolvimento corporal, possibilitando o incremento do desempenho de velocidade, força e flexibilidade. Até essa idade, as atividades físicas e esportivas devem privilegiar o lúdico e as brincadeiras em grupo.

Assim, as prescrições gerais do exercício para adultos parecem ser apropriadas, na maioria das circunstâncias, para crianças sadias com idade > 9 anos. Não se recomenda atingir os limites superiores de intensidade para crianças, apesar de apresentarem baixo risco cardiovascular, e de poderem ajustar a intensidade do exercício de acordo com seus níveis de tolerância. Deve-se ter cuidado especial com a manutenção de uma hidratação apropriada durante as sessões de atividade física, pois há tolerância menor ao calor. A supervisão de adultos, pais, profissionais de saúde ou educadores e a utilização de materiais e espaços físicos adequados são fundamentais para a minimização do risco de pequenos acidentes ou lesões. É importante ressaltar que os programas de atividade física são fundamentais também para crianças portadoras de patologias (p. ex., diabetes) ou necessidades especiais (p. ex., síndrome de Down), pois, além de todos os benefícios recém-descritos, tem-se, ainda, as vantagens de minimizar os estigmas relacionados com essas condições, favorecendo a integração adequada dessas crianças na comunidade. Nessas situações, a presença de uma equipe interdisciplinar especializada é imprescindível.

Conforme já foi dito, as crianças em geral preferem atividades lúdicas ou recreativas a programas de treinamento formais, preferindo também atividades esporádicas a atividades contínuas. Programas de atividade física com essas características devem ser incentivados dentro dos ambientes escolares e comunitários, e inseridos em projetos mais amplos de promoção de saúde nas escolas. Recomenda-se que as crianças participem de atividades aeróbicas que trabalhem os grandes grupos musculares, e que acoplem resistência cardiovascular e musculoesquelética, evitando atividades de alto impacto osteoarticular, prevenindo principalmente as lesões dos centros de crescimento epifisiais.

Gestantes

Durante a gestação, a mulher passa por várias modificações fisiológicas, anatômicas e hormonais para adaptar-se às necessidades de desenvolvimento do feto. Depois de engravidar, cerca de 2 a cada 3 mulheres referem reduzir os níveis de atividade física ao redor das 18 semanas de gestação. Isso ocorre com menos frequência entre as mulheres mais jovens, mais aptas fisicamente e de classes sociais mais baixas em comparação com as demais.[51] Embora intervenções nutricionais sejam mais efetivas, o ganho excessivo de peso pode ser amenizado pela prática de atividade física antes e durante as primeiras semanas de gestação. Resultados são conflitantes sobre seu benefício na prevenção do diabetes gestacional. Exercícios de fortalecimento dos músculos pélvicos realizados no pós-parto contribuem para diminuição do risco de incontinência urinária futura.

As gestantes fisicamente ativas antes da gravidez devem ser orientadas a tomar alguns cuidados com hidratação e alimentação para a manutenção da atividade. Além disso, deve-se modificar a FC_{alvo} de treinamento para uma intensidade não vigorosa. Já as gestantes previamente sedentárias devem passar por uma avaliação a fim de determinar a melhor prescrição da atividade física, devendo sempre iniciá-la de maneira gradual, e apenas aumentar intensidade, frequência e tempo de duração das sessões quando estiver absolutamente adaptada à fase atual do treinamento. Também é importante ressaltar a utilização de intensidade (FC) mais baixa nessas gestantes. Existem algumas situações que contraindicam absolutamente as gestantes de participarem de programas de exercícios:

→ ruptura de membranas pré-termo, trabalho de parto pré-termo durante gestação anterior ou atual;
→ trabalho de parto prematuro;
→ pré-eclâmpsia;
→ incompetência da cérvice;
→ retardo de crescimento intrauterino;
→ gestação múltipla;
→ placenta prévia depois da 28ª semana;
→ persistência de sangramento uterino no 2º ou 3º trimestre.

As gestantes que apresentam outras patologias (hipertensão arterial crônica ou doenças da tireoide, cardíacas, vasculares ou pulmonares), que não estejam descontroladas, devem passar por uma avaliação obstétrica cuidadosa para ser definido o melhor programa de atividade física.

Os exercícios aeróbicos com sessões de 25 a 30 minutos mostram-se seguros e efetivos na melhora da aptidão física da gestante, desde que realizados com intensidade moderada. A atividade física diminui o risco de ganho excessivo de peso durante a gestação **B**. Outros benefícios do exercício para a mulher grávida passam por menos risco de cesárea **B**[54] e menos diabetes gestacional **B**.[52] Em relação à frequência das sessões na semana, estudos apontam que as gestantes podem participar de atividades físicas moderadas todos os dias.[55] Além disso, exercícios durante a gravidez não aumentam a taxa de nascimento prematuro em mulheres de peso normal com gravidez única e sem complicações **B**.[56]

Estão indicados exercícios de baixo impacto como natação, hidroginástica, caminhada, ginástica localizada e bicicleta estacionária. Devem ser evitados exercícios de impacto ou que possam ter um risco maior de queda ou trauma direto, como basquete, ciclismo e vôlei. Também devem ser evitados exercícios em posição supina (deitada de costas) depois do 1º trimestre, pois eles podem comprimir a veia cava, bem como longos períodos em pé ou com pouca mobilidade. É importante orientar sobre o fato de que exercícios moderados durante a lactação não afetam a quantidade nem a composição do leite materno, tampouco têm impacto sobre o crescimento da criança.

Idosos

O envelhecimento é um processo contínuo durante o qual ocorre um progressivo declínio das funções fisiológicas. É importante evitar que isso gere um círculo vicioso negativo no qual o envelhecimento leva ao descondicionamento e ao sedentarismo, gerando maior fragilidade musculoesquelética, desencadeando um estilo de vida dependente, que pode reduzir a motivação e diminuir a autoestima, deixando o indivíduo mais propenso a desenvolver depressão e ansiedade, por exemplo. A prática de atividade física pode quebrar esse ciclo negativo, gerando maior aptidão musculoesquelética, promovendo um estilo de vida independente, aumentando a motivação e a autoestima, deixando o indivíduo mais ativo, com menor risco de desenvolver depressão e ansiedade. Tudo isso colabora para aumentar a qualidade de vida dos indivíduos nessa fase.

Os componentes de força muscular e flexibilidade são muito importantes em um programa de exercícios para a terceira idade, pois existe uma perda de 10% da força muscular a cada 10 anos após os 50 anos. Os exercícios resistidos devem fazer parte do programa de atividade física para idosos, podendo ser realizados com bandas elásticas, caneleiras, pesos livres, equipamentos específicos ou o peso do próprio corpo. Esse treinamento proporciona melhora no equilíbrio e na mobilidade, levando à realização das atividades diárias de forma mais segura e independente. Duas a 3 séries de 6 a 12 repetições, em cada grande grupo muscular, aumentam tanto a força quanto a resistência muscular nessa faixa etária. Recomendam-se sessões 2 a 3 vezes por semana, envolvendo grandes grupos musculares e com intensidade progressiva (carga) variando de 40 a 60% de uma repetição máxima conseguida no primeiro dia de treinamento, com reavaliações periódicas. A carga utilizada nos exercícios pode ser aumentada a cada 4 ou 6 semanas, enquanto nos indivíduos mais jovens isso poderia acontecer em 2 a 3 semanas. Em relação aos exercícios de alongamento, recomenda-se frequência diária, com a realização de exercícios envolvendo as articulações da coluna, dos ombros e dos quadris.[1]

Há três testes utilizados para avaliar o nível de condicionamento do paciente idoso sedentário (TABELA 26.8); eles podem ser feitos em ambulatório, sem tomar muito tempo, ou podem ser autoaplicados, em local e hora que o paciente achar mais adequado. Nesse caso, os resultados devem ser trazidos na próxima consulta para a conferência dos pontos, o que servirá de base para a recomendação do nível, da quantidade e do tipo de atividade física.[1]

Além da avaliação pré-participação já discutida antes, nos idosos deve-se avaliar o estado nutricional e de hidratação, tendo em vista as necessidades maiores de nutrientes e líquidos desses indivíduos durante a prática de atividade física. O idoso tem redução na produção de suor, no fluxo sanguíneo para a pele e na percepção de sede, que progridem com o passar da idade. A reposição de líquidos deve ser realizada independentemente da sede, e em uma quantidade de pelo menos 500 mL em torno de 2 horas antes do início da prática de atividade física, 125 mL a cada 15 a 20 minutos de exercício, e entre 600 e 1.200 mL depois de 1 hora.[57]

Outros cuidados devem ser observados nessa faixa etária, como terminar o exercício de modo lento e evitar exercitar-se em dias de calor ou frio intenso, se estiver com febre ou se não estiver se sentindo bem. O exercício deve ser parado imediatamente (diminuindo de forma lenta) se houver cãibra ou "pontada", ofegância, fadiga, dor no peito, tontura, náusea ou vômito, palpitações cardíacas ou ritmo cardíaco alterado, havendo ou não a sensação de estar suando frio. Com o aparecimento desses sintomas, o paciente pode ser instruído a procurar um médico, assim que possível.

Pacientes com obesidade

Os benefícios do exercício físico para a prevenção da obesidade, na manutenção de perda de peso e na prevenção de suas complicações são claros, principalmente se associado a programas de reeducação alimentar (ver Capítulo Obesidade: Prevenção e Tratamento). O maior condicionamento físico em pacientes obesos contrapõe, de forma significativa, os riscos cardiometabólicos de obesidade. Existem diversas recomendações a respeito da prescrição ótima para o sobrepeso e a obesidade. As pessoas com sobrepeso devem praticar pelo menos 30 minutos de atividade física de moderada intensidade na maioria dos dias da semana (de preferência, todos).

> **A atividade física é fundamental para prevenir o ganho de peso, para perder peso e para a posterior manutenção do peso B.[58] Exercícios aeróbicos de moderada intensidade (caminhada rápida ou vigorosa), que durem 45 a 60 minutos por dia, são necessários para o controle do peso corporal ou sua redução. O treinamento de força também é indicado, pois, apesar de não causar perda significativa de peso isoladamente, leva à melhora do perfil lipídico e à diminuição da pressão arterial, da resistência à insulina e da gordura abdominal.**

TABELA 26.8 → Testes para avaliação física de adultos idosos sedentários

TESTE	OBJETIVO	APLICAÇÃO
1. Sentar e levantar da cadeira durante 30 segundos	Avaliar a força dos membros inferiores	Sente-se em uma cadeira com as plantas dos pés tocando completamente o solo; cruze os braços sobre o peito e conte quantas vezes você pode se levantar e voltar a sentar durante 30 segundos
2. Dois minutos de marcha estacionária	Avaliar a resistência	Peça que alguém ache o ponto médio entre seu quadril e joelho e marque esse ponto em uma parede; faça uma marcha estacionária por 2 minutos e conte quantas vezes a sua perna direita consegue alcançar essa marca
3. Sentar e alcançar	Avaliar a flexibilidade	Posicione uma cadeira encostada na parede e sente-se na beira dela; coloque um pé no chão (toda a planta); estenda a outra perna e apoie apenas o calcanhar no chão; com os braços estendidos, tente alcançar o dedo do pé da perna que está estendida; observe quanto (em centímetros), mais ou menos, os dedos da mão deixam de alcançar ou vão além dos dedos do pé

O paciente deve receber os seguintes avisos:
→ Não faça esses testes se você tem tontura, hipertensão sem controle, dores no peito ou nas articulações.
→ Tenha alguém para acompanhá-lo no momento do teste e dê o melhor de si durante a sua realização, mas não entre em exaustão.
→ Antes de iniciar o teste, faça um aquecimento de 5 a 8 minutos, como caminhar e fazer movimentos de balanço com os braços.

Uma prescrição prática para o excesso de peso deve começar lenta e progressivamente para o aumento da adesão (p. ex., caminhar por 10 minutos), evoluindo para sessões de maior duração e frequência. Quando a obesidade está associada a outras condições crônicas, como diabetes, a prescrição também precisa ser adaptada aos objetivos terapêuticos dessas condições.

É fundamental lembrar que indivíduos com sobrepeso e obesidade têm maior risco de alterações musculoesqueléticas e articulares (e, em alguns casos, da marcha), de modo que uma avaliação ortopédica e postural se faz importante. Esse fato é essencial para a prescrição da atividade física nessa população, a fim de prevenir desconforto, dor, problemas articulares e outras lesões degenerativas indesejáveis, como a osteoartrose. Diante de anormalidades observadas na avaliação desses indivíduos, deve-se adaptar a prescrição (p.ex., reduzir o ritmo da caminhada ou incluir outros tipos de exercício que atenuem o efeito da gravidade sobre os músculos e as articulações, como as atividades na água).

LESÕES MUSCULOESQUELÉTICAS MENORES ASSOCIADAS À ATIVIDADE FÍSICA

A lesão musculoesquelética é o risco mais frequente da prática de atividade física. Em um estudo de coorte com adultos com idades entre 20 e 85 anos, com níveis de atividade acima da média, 25% relataram uma lesão ao longo de 1 ano; destes, um terço parou o exercício.[45]

No entanto, a maioria das pessoas que se exercitam moderadamente não corre o risco de acidentes ou de outros problemas durante a prática do exercício, sobretudo se houver supervisão, alongamento depois da atividade (volta à calma) e se forem utilizados equipamentos ou implementos de proteção específicos para a prática escolhida, como capacetes, cotoveleiras, joelheiras, calçados apropriados, etc. Na maioria das vezes, os problemas ocorrem devido à falta de preparo físico prévio ou ao excesso de atividade física realizada.[61] Portanto, os princípios de aumento gradual da intensidade, da frequência e da duração devem ser levados em consideração quando se deseja diminuir os riscos de lesão.

Vale ressaltar que o risco para acidentes ou lesões aumenta em pessoas obesas.[45] Entre os problemas de saúde mais comuns associados ao exercício, estão os que envolvem o sistema musculoesquelético. As ocorrências mais comuns são contusão, distensão, luxação e tendinite, que podem ser chamadas de traumatismos ou lesões leves. Os locais em que essas lesões acontecem com frequência são as articulações do joelho, do tornozelo, do ombro e do pulso. Os primeiros sinais são o inchaço e a deformidade, seguidos da diminuição da mobilidade local e adjacente, além de dor no local afetado. Quando o incidente for um traumatismo, a atividade física realizada deve ser imediatamente interrompida.

A volta à prática do exercício deve ser feita após a recuperação do paciente, na ausência de dor e com o movimento de amplitude normal do local afetado. Caso o repouso tenha sido prolongado, observar também a diminuição nos níveis de força, potência e resistência muscular, além da flexibilidade, coordenação e propriocepção que ocorrem com suspensão do exercício. A capacidade cardiovascular pode estar diminuída pelo afastamento das atividades práticas. Indica-se que esse retorno seja gradual, para evitar recorrência de lesões e para que o organismo possa readaptar-se ao estímulo recebido. Sobre o manejo de traumatismos específicos, ver indicações da American Orthopaedic Society for Sports Medicine (ver QR code) e o Capítulo Traumatismo Musculoesquelético.

PAPEL DO MÉDICO DE ATENÇÃO PRIMÁRIA À SAÚDE EM ATIVIDADES COMUNITÁRIAS

A maioria das intervenções para promover atividade física com enfoque individual, sem o apoio de ações comunitárias, tem pequeno efeito[62] em termos de aumentar os níveis de atividade física da população. O médico de APS tem papel importante nessas ações coletivas. Como voz respeitada na comunidade, o médico tem força para incentivar mudanças e deveria engajar-se em ações comunitárias, seja no seu território (p. ex., palestras e consultoria em escolas) ou na comunidade maior (p. ex., apoio à legislação visando a um ambiente mais apropriado construído para estimular atividade física; ver Capítulo Estratégias Preventivas para as Doenças Crônicas Não Transmissíveis). Espera-se que seja possível melhorar a aptidão física da população com a combinação de um crescente número de atividades clínicas e comunitárias.

REFERÊNCIAS

1. World Health Organization. Global recommendations on physical activity for health [Internet]. Geneva: WHO; 2010 [capturado em 7 out. 2020]. Disponível em: https://apps.who.int/iris/handle/10665/44399
2. World Health Organization. WHO launches ACTIVE: a toolkit for countries to increase physical activity and reduce noncommunicable diseases [Internet]. Geneva: WHO; 2018[capturado em 7 out. 2020]. Disponível em: http://www.who.int/ncds/prevention/physical-activity/active-toolkit/en/
3. Piercy KL, Troiano RP, Ballard RM, Carlson SA, Fulton JE, Galuska DA, et al. The Physical Activity Guidelines for Americans. JAMA. 2018;320(19):2020–8.
4. Borg E, Kaijser L. A comparison between three rating scales for perceived exertion and two different work tests. Scand J Med Sci Sports. 2006;16(1):57–69.
5. Glover EI, Phillips SM. Resistance exercise and appropriate nutrition to counteract muscle wasting and promote muscle hypertrophy. Curr Opin Clin Nutr Metab Care. 2010;13(6):630–4.
6. Ainsworth BE, Haskell WL, Whitt MC, Irwin ML, Swartz AM, Strath SJ, et al. Compendium of physical activities: an update of activity codes and MET intensities. Med Sci Sports Exerc. 2000;32(9 Suppl):S498-504.
7. Pate RR. Physical activity and health: dose-response issues. Res Q Exerc Sport. 1995;66(4):313–7.
8. Jennifer K, Fiscella K, Epstein RM, Jean-Pierre P, Figueroa-Moseley C, Williams GC, et al. Getting patients to exercise more: a systematic review of underserved populations. J Fam Pract. 2008;57(3):170–6, E1-3.
9. Mok A, Khaw K-T, Luben R, Wareham N, Brage S. Physical activity trajectories and mortality: population based cohort study. BMJ. 2019;365:l2323.

10. O'Donovan G, Lee I-M, Hamer M, Stamatakis E. Association of 'Weekend warrior' and other leisure time physical activity patterns with risks for all-cause, cardiovascular disease, and cancer mortality. JAMA Intern Med. 2017;177(3):335–42.

11. Ekelund U, Steene-Johannessen J, Brown WJ, Fagerland MW, Owen N, Powell KE, et al. Does physical activity attenuate, or even eliminate, the detrimental association of sitting time with mortality? A harmonised meta-analysis of data from more than 1 million men and women. Lancet. 2016;388(10051):1302–10.

12. Howe TE, Shea B, Dawson LJ, Downie F, Murray A, Ross C, et al. Exercise for preventing and treating osteoporosis in postmenopausal women. Cochrane Database Syst Rev. 2011;(7):CD000333.

13. Kelley GA, Kelley KS, Kohrt WM. Exercise and bone mineral density in premenopausal women: a meta-analysis of randomized controlled trials. Int J Endocrinol. 2013;2013:741639.

14. Pahor M, Guralnik JM, Ambrosius WT, Blair S, Bonds DE, Church TS, et al. Effect of structured physical activity on prevention of major mobility disability in older adults: the LIFE study randomized clinical trial. JAMA. 2014;311(23):2387–96.

15. Rubio-Arias JÁ, Marín-Cascales E, Ramos-Campo DJ, Hernandez AV, Pérez-López FR. Effect of exercise on sleep quality and insomnia in middle-aged women: a systematic review and meta-analysis of randomized controlled trials. Maturitas. 2017;100:49–56.

16. Nordengen S, Andersen LB, Solbraa AK, Riiser A. Cycling is associated with a lower incidence of cardiovascular diseases and death: Part 1 – systematic review of cohort studies with meta-analysis. Br J Sports Med. 2019;53(14):870–8.

17. Kyu HH, Bachman VF, Alexander LT, Mumford JE, Afshin A, Estep K, et al. Physical activity and risk of breast cancer, colon cancer, diabetes, ischemic heart disease, and ischemic stroke events: systematic review and dose-response meta-analysis for the Global Burden of Disease Study 2013. BMJ. 2016;354:i3857.

18. Ross R, Hudson R, Stotz PJ, Lam M. Effects of exercise amount and intensity on abdominal obesity and glucose tolerance in obese adults: a randomized trial. Ann Intern Med. 2015;162(5):325–34.

19. Shaw KA, Gennat HC, O'Rourke P, Del Mar C. Exercise for overweight or obesity. Cochrane Database Syst Rev. [Internet]. 2006 [capturado em 8 out. 2020]. Disponível em: http://doi.wiley.com/10.1002/14651858.CD003817.pub3

20. Roddy E, Zhang W, Doherty M. Aerobic walking or strengthening exercise for osteoarthritis of the knee? A systematic review. Ann Rheum Dis. 2005;64(4):544–8.

21. Fernandes L, Hagen KB, Bijlsma JWJ, Andreassen O, Christensen P, Conaghan PG, et al. EULAR recommendations for the non-pharmacological core management of hip and knee osteoarthritis. Ann Rheum Dis. 2013;72(7):1125–35.

22. Chase J-AD, Phillips LJ, Brown M. Physical activity intervention effects on physical function among community-dwelling older adults: a systematic review and meta-analysis. J Aging Phys Act. 2017;25(1):149–70.

23. Grossman DC, Curry SJ, Owens DK, Barry MJ, Caughey AB, Davidson KW, et al. Interventions to prevent falls in community-dwelling older adults: US preventive services task force recommendation statement. JAMA. 2018;319(16):1696–704.

24. Rezende LFM de, Sá TH de, Markozannes G, Rey-López JP, Lee I-M, Tsilidis KK, et al. Physical activity and cancer: an umbrella review of the literature including 22 major anatomical sites and 770 000 cancer cases. Br J Sports Med [Internet]. 2017 [capturado em 8 out. 2020]. Disponível em: https://bjsm.bmj.com/content/early/2017/11/16/bjsports-2017-098391

25. Hardefeldt PJ, Penninkilampi R, Edirimanne S, Eslick GD. Physical activity and weight loss reduce the risk of breast cancer: a meta-analysis of 139 prospective and retrospective studies. Clinical Breast Cancer. 2018;18(4):e601–12.

26. Xu W, Wang HF, Wan Y, Tan C-C, Yu J-T, Tan L. Leisure time physical activity and dementia risk: a dose-response meta-analysis of prospective studies. BMJ Open. 2017;7(10):e014706.

27. Cooney GM, Dwan K, Greig CA, Lawlor DA, Rimer J, Waugh FR, et al. Exercise for depression. Cochrane Database Syst Rev. 2013;(9):CD004366.

28. Rebar AL, Stanton R, Geard D, Short C, Duncan MJ, Vandelanotte C. A meta-meta-analysis of the effect of physical activity on depression and anxiety in non-clinical adult populations. Health Psychology Review. 2015;9(3):366–78.

29. Fransen M, McConnell S. Exercise for osteoarthritis of the knee. Cochrane Database Syst Rev. 2008;(4):CD004376.

30. Brasil. Ministério da Saúde. Secretaria de Vigilância em Saúde. Departamento de Análise em Saúde e Vigilância de Doenças Não Transmissíveis. Vigitel Brasil 2019: vigilância de fatores de risco e proteção para doenças crônicas por inquérito telefônico : estimativas sobre frequência e distribuição sociodemográfica de fatores de risco e proteção para doenças crônicas nas capitais dos 26 estados brasileiros e no Distrito Federal em 2019 [Internet]. Brasília: MS; 2020 [capturado em 8 out. 2020]. Disponível em: http://bvsms.saude.gov.br/bvs/publicacoes/vigitel_brasil_2019_vigilancia_fatores_risco.pdf

31. Orrow G, Kinmonth A-L, Sanderson S, Sutton S. Effectiveness of physical activity promotion based in primary care: systematic review and meta-analysis of randomised controlled trials. BMJ. 2012;344:e1389.

32. Lobelo F, Rohm Young D, Sallis R, Garber MD, Billinger SA, Duperly J, et al. Routine Assessment and Promotion of Physical Activity in Healthcare Settings: A Scientific Statement From the American Heart Association. Circulation. 2018;137(18):e495–522.

33. Brasil. Ministério da Saúde. Portaria nº 2681, 07 de novembro de 2013 [Internet]. Brasília: MS; 2013 [capturado em 8 out. 2020]. Disponível em: http://bvsms.saude.gov.br/bvs/saudelegis/gm/2013/prt2681_07_11_2013.html

34. Elley R, Kerse N, Arroll B, Swinburn B, Ashton T, Robinson E. Cost-effectiveness of physical activity counselling in general practice. N Z Med J. 2004;117(1207):U1216.

35. Portal Agita [Internet]. São Caetano do Sul: Agita São Paulo; c2020 [capturado em 10 ago. 2020]. Disponível em: http://portalagita.org.br/pt/

36. Carvalho de Menezes M, Bedeschi LB, Santos LCD, Lopes ACS. Interventions directed at eating habits and physical activity using the Transtheoretical Model: a systematic review. Nutr Hosp. 2016;33(5):586.

37. Peterson JA. Get moving! Physical activity counseling in primary care. J Am Acad Nurse Pract. 2007;19(7):349–57.

38. Anderson L, Thompson DR, Oldridge N, Zwisler A-D, Rees K, Martin N, et al. Exercise-based cardiac rehabilitation for coronary heart disease. Cochrane Database Syst Rev. 2016;(1):CD001800.

39. United Kingdom. Chief Medical Officers of England, Scotland, Wales, and Northern Ireland. Start active, stay active: report on physical activity in the UK [Internet]. London: Department of Health, Physical Activity, Health Improvement and Protection; 2019 [capturado em 8 out. 2020]. Disponível em: https://www.gov.uk/government/publications/physical-activity-guidelines-uk-chief-medical-officers-report

40. Thomas S, Reading J, Shephard RJ. Revision of the Physical Activity Readiness Questionnaire (PAR-Q). Can J Sport Sci. 1992;17(4):338–45.

41. Hallal PC, Victora CG. Reliability and validity of the International Physical Activity Questionnaire (IPAQ). Med Sci Sports Exerc. 2004;36(3):556.

42. Borg G. Psychophysical scaling with applications in physical work and the perception of exertion. Scand J Work Environ Health. 1990;16 Suppl 1:55–8.

43. Gonçalves LHT, Silva AH da, Mazo GZ, Benedetti TRB, Santos SMA dos, Marques S, et al. O idoso institucionalizado: avaliação da capacidade funcional e aptidão física. Cad Saúde Pública. 2010;26(9):1738–46.

44. Estabrooks PA, Glasgow RE. Translating effective clinic-based physical activity interventions into practice. Am J Prev Med. 2006;31(4 Suppl):S45-56.

45. Hootman JM, Macera CA, Ainsworth BE, Addy CL, Martin M, Blair SN. Epidemiology of musculoskeletal injuries among sedentary and physically active adults. Med Sci Sports Exerc. 2002;34(5):838–44.

46. Mann T, Lamberts RP, Lambert MI. Methods of prescribing relative exercise intensity: physiological and practical considerations. Sports Med. 2013;43(7):613–25.

47. Heinzmann-Filho JP, Zanatta LB, Vendrusculo FM, Silva JS da, Gheller MF, Campos NE, et al. Maximum heart rate measured versus estimated by different equations during the cardiopulmonary exercise test in obese adolescents. Rev Paul Pediatr. 2018;36(3):309–14.

48. Karvonen MJ, Kentala E, Mustala O. The effects of training on heart rate; a longitudinal study. Ann Med Exp Biol Fenn. 1957;35(3):307–15.

49. Dunn AL. Getting started--a review of physical activity adoption studies. Br J Sports Med. 1996;30(3):193–9.

50. Hillsdon M, Thorogood M, Foster C. A systematic review of strategies to promote physical activity. In: MacAuley D. Benefits and hazards of exercise. London: BMJ; 1999.

51. Liu J, Blair SN, Teng Y, Ness AR, Lawlor DA, Riddoch C. Physical activity during pregnancy in a prospective cohort of British women: results from the Avon longitudinal study of parents and children. Eur J Epidemiol. 2011;26(3):237–47.

52. Sanabria-Martínez G, García-Hermoso A, Poyatos-León R, Álvarez-Bueno C, Sánchez-López M, Martínez-Vizcaíno V. Effectiveness of physical activity interventions on preventing gestational diabetes mellitus and excessive maternal weight gain: a meta-analysis. BJOG. 2015;122(9):1167–74.

53. Elliott-Sale KJ, Barnett CT, Sale C. Exercise interventions for weight management during pregnancy and up to 1 year postpartum among normal weight, overweight and obese women: a systematic review and meta-analysis. Br J Sports Med. 2015;49(20):1336–42.

54. Wiebe HW, Boulé NG, Chari R, Davenport MH. The effect of supervised prenatal exercise on fetal growth: a meta-analysis. Obstet Gynecol. 2015;125(5):1185–94.

55. Zavorsky GS, Longo LD. Adding strength training, exercise intensity, and caloric expenditure to exercise guidelines in pregnancy. Obstet Gynecol. 2011;117(6):1399–402.

56. Di Mascio D, Magro-Malosso ER, Saccone G, Marhefka GD, Berghella V. Exercise during pregnancy in normal-weight women and risk of preterm birth: a systematic review and meta-analysis of randomized controlled trials. Am J Obstet Gynecol. 2016;215(5):561–71.

57. Nóbrega ACL da, Freitas EV de, Oliveira MAB de, Leitão MB, Lazzoli JK, Nahas RM. Posicionamento oficial da Sociedade Brasileira de Medicina do Esporte e da Sociedade Brasileira de Geriatria e Gerontologia: atividade física e saúde no idoso. Rev Bras Med Esporte. 1999;5(6):207–11.

58. US Preventive Services Task Force, Curry SJ, Krist AH, Owens DK, Barry MJ, Caughey AB, et al. Behavioral weight loss interventions to prevent obesity-related morbidity and mortality in adults: US Preventive Services Task Force Recommendation Statement. JAMA. 2018;320(11):1163–71.

59. Brochu M, Malita MF, Messier V, Doucet E, Strychar I, Lavoie J-M, et al. Resistance training does not contribute to improving the metabolic profile after a 6-month weight loss program in overweight and obese postmenopausal women. J Clin Endocrinol Metab. 2009;94(9):3226–33.

60. Nantel J, Mathieu M-E, Prince F. Physical activity and obesity: biomechanical and physiological key concepts. J Obes. 2011;2011:650230.

61. U. S. Department of Health and Human Services. National Center for Chronic Disease Prevention and Health Promotion. Physical activity and health: a report of the surgeon general [Internet]. Pittsburgh: HHS; 1999 [capturado em 8 out. 2020]. Disponível em: https://www.cdc.gov/nccdphp/sgr/index.htm

62. Heath GW, Parra DC, Sarmiento OL, Andersen LB, Owen N, Goenka S, et al. Evidence-based intervention in physical activity: lessons from around the world. Lancet. 2012;380(9838):272–81.

63. Borg GA. Perceived exertion. Exerc Sport Sci Rev. 1974;2:131–53.

64. American College of Sports Medicine. A quantidade e o tipo recomendados de exercícios para o desenvolvimento e a manutenção da aptidão cardiorrespiratória e muscular em adultos saudáveis. Rev Bras Med Esporte. 1998;4(3):96–106.

LEITURAS RECOMENDADAS

American College of Sports Medicine. Exercise is Medicine®: a Global Health Initiative [Internet]. Indianapolis: ACSM;c2021 [capturado em: 18 nov. 2021]. Disponível em: https://www.exerciseismedicine.org/.
Uma iniciativa internacional administrada pelo American College of Sports Medicine (ACSM), com o objetivo de tornar a avaliação e a promoção da atividade física uma iniciativa padrão no atendimento clínico, conectando o atendimento à saúde com recursos de atividade física baseados em evidências.

Centers for Disease Control and Prevention. General physical activities defined by level of intensity[Internet]. Atlanta: CDC; 2005 [capturado em 8 out. 2020]. Disponível em: http://www.cdc.gov/nccdphp/dnpa/physical/pdf/PA_Intensity_table_2_1.pdf.
Inúmeras atividades físicas classificadas em METs de acordo com suas respectivas intensidades.

Centers for Disease Control and Prevention (CDC). Resources and Publications.
https://www.cdc.gov/physicalactivity/index.html.
Fonte de diretrizes, dados, programas, campanhas, organizações, políticas, etc. do governo e sociedade norte-americana voltados para a promoção de atividade física.

Inter-Association Task Force on Exertional Heat Illnesses. Inter-Association Task Force on Exertional Heat Illnesses consensus statement. https://www.nata.org/sites/default/files/inter-association-task-force-exertional-heat-illness.pdf
Consenso desenvolvido por representantes de 16 diferentes associações objetivando orientar a atividade física segura em ambientes quentes.

International Physical Activity Questionnaire (IPAQ). https://sites.google.com/site/theipaq/scoring-protocol
Site oficial do IPAQ, com versões oficiais em várias línguas. Até o momento da presente publicação, não há versão oficial disponível em língua portuguesa.

Lancet (Series on Physical Activity).
http://www.thelancet.com/series/physical-activity.
Série temática da revista Lancet avaliando o impacto global de inatividade física e estratégias de promoção de atividade física baseadas em evidências.

National Institute of Aging (NIA). Featured Health Topic: Exercise. https://www.nia.nih.gov/health/exercise-physical-activity
Site de informações sobre atividade física para idosos.

NHS Get Active Your Way.
https://www.nhs.uk/live-well/exercise/get-active-your-way/
Recomendações para atividade física de acordo com diferentes situações ao longo da vida.

PE Central.
http://www.pecentral.org/.
Destinado a professores de educação física, com informações sobre saúde, exercícios para o desenvolvimento de crianças e adolescentes.

Saúde em Movimento.
http://www.saudeemmovimento.com.br/.
Voltado para a área da saúde. Informa sobre as posições oficiais da Sociedade Brasileira de Medicina do Esporte. Mostra testes para avaliação de aptidão física, de mensuração de capacidades energéticas, e disponibiliza artigos on-line. Responde a questionamentos sobre exercício.

US Preventive Services Task Force. Behavioral Counseling to Promote a Healthful Diet and Physical Activity for Cardiovascular Disease Prevention in Adults Without Cardiovascular Risk Factors: US Preventive Services Task Force Recommendation Statement [Internet]. JAMA. 2017 [capturado em 8 out. 2020];318(2):167–174. Disponível em: https://jamanetwork.com/journals/jama/fullarticle/2643315#:~:text=The%20USPSTF%20

concludes%20with%20moderate,glucose%20levels%2C%20and%20diabetes).

Recomendações de 2017 para profissionais de saúde sobre atividade física, elaboradas pela U.S. Preventive Services Task Force.

Capítulo 27
TABAGISMO

Juliana Dias Pereira dos Santos

Aloyzio Achutti

Thaís Soares Ferreira

Raquel Meira Franca

Desde a invenção, no final do século XIX, de máquinas de fabricação de cigarros, uma potente indústria cresceu e internacionalizou-se ao redor da venda de fumo. A descoberta, em meados do século passado, de que o fumo causa grandes danos à saúde, e a posterior confirmação de que também causa dependência química, levou essa indústria – em vez de diminuir a produção do tabaco e diversificar-se em atividades menos danosas à saúde – a adotar uma forte política de propaganda e de tráfico de interesse elaborada com o objetivo de confundir o público e comprar o apoio político necessário para manter seu lucro. Criou e difundiu estratégias para tornar menores de idade dependentes químicos enquanto critica seus adversários por não respeitarem "o direito do cidadão de escolher". O hábito de fumar em grande escala hoje no mundo existe por causa dessas abomináveis ações.[1]

Estima-se que existam 1,1 bilhão de fumantes no mundo todo, 80% vivendo em países de média e baixa renda. A metade dos fumantes morrem em consequência do uso do tabaco, o que deve somar mais de 8 milhões de mortes precoces ao ano no mundo todo – mais do que tuberculose, HIV, Aids e malária combinadas. Sete milhões resultam de seu uso direto e 1,2 milhão são de não fumantes, expostos ao fumo passivo.[2]

Em 2019, foram computadas 9 milhões de mortes e 237 milhões de anos saudáveis de vida perdidos (*disability-adjusted life-years*, DALYs) devido ao fumo. Apesar da diminuição do número de fumantes diários (indivíduos com 15 anos ou mais que fumam diariamente), o número total de fumantes continua a aumentar.[3]

EPIDEMIA TABÁGICA

O hábito tabágico está entre as principais causas de mortes prematuras evitáveis no mundo.[4] Apesar do declínio na prevalência geral em alguns países, há uma tendência alarmante no uso do tabaco entre jovens e entre pessoas de países de baixa renda.[5]

Segundo estimativas da Organização Mundial da Saúde (OMS), em 2015, 20,2% da população mundial de 15 anos ou mais eram tabagistas, indicando uma redução de 6,7% na taxa de consumo, quando comparado ao ano 2000. A projeção global, para 2020, é de prevalência de 18,7%, com importante variação entre países e regiões do mundo.[6]

O Brasil, apesar de ser o maior exportador de fumo no mundo, está relativamente bem no combate ao hábito tabágico. A Convenção-Quadro da OMS para controle do tabaco (CQCT/OMS), tratado internacional para adoção de políticas públicas de controle do tabagismo, ratificado pelo Brasil em 2005, tem contribuído para redução progressiva da prevalência de tabagistas no país[7] (FIGURA 27.1).[8] Nos últimos 12 anos, a redução do consumo do tabaco foi de 40%, o que reforça a tendência nacional observada, ano após ano, de queda constante desse hábito nocivo para a saúde.

A redução do tabagismo, no mundo e no Brasil, está relacionada à adoção de uma série de medidas, principalmente populacionais, eficazes para inibir o consumo. Sobre as diferentes formas de consumo de tabaco, o Brasil, em especial, passa por um período de intenso debate acerca da liberação de Dispositivos Eletrônicos para Fumar (DEFs), cuja comercialização, importação e propaganda são proibidas pela Anvisa desde 2009.

IMPACTO NA SAÚDE

Mais de 7.000 substâncias químicas podem ser identificadas na fumaça do cigarro, muitas delas irritantes e mais de 250 tóxicas ou carcinogênicas, provocando agravos à saúde pela exposição crônica ao ar poluído. Muitos malefícios e várias doenças em todas as faixas etárias têm sua origem no tabaco.[9]

O tabaco mata seus usuários – em média 10 anos prematuramente.[9] Afeta de forma importante cada um dos quatro principais grupos de doenças crônicas não transmissíveis – doenças cardiovasculares, neoplasias, doenças respiratórias crônicas e diabetes pelo tabaco (ver Capítulo Estratégias Preventivas para as Doenças Crônicas Não Transmissíveis).

São atribuídas ao tabagismo 40 a 45% de todas as mortes por câncer, 70 a 95% das mortes por câncer de pulmão, 75% das mortes por doença pulmonar obstrutiva crônica (DPOC) e cerca de 11% das mortes por doenças cardiovasculares.[10]

Estudos recentes compararam o efeito do tabagismo entre homens e mulheres, no que se refere ao aumento do risco de infarto. Fumar associou-se ao aumento do risco em ambos os grupos, mas de maneira muito mais importante nas mulheres.[11]

Há uma vasta literatura associando o fumo ativo à mortalidade por diversos tipos de câncer (pulmão, boca, faringe, laringe, esôfago, estômago, pâncreas, bexiga, rim, colo do útero e leucemia mieloide aguda), DPOC, doença coronariana, hipertensão arterial e acidente vascular encefálico.[10]

A estimativa de câncer no Brasil, em 2018, produzida pela Divisão de Vigilância e Análise de Situação da Coordenação de Prevenção e Vigilância (Conprev) do Instituto Nacional de Câncer (INCA) no Mato Grosso do Sul (MS), reflete o perfil de um país que possui entre os cânceres mais

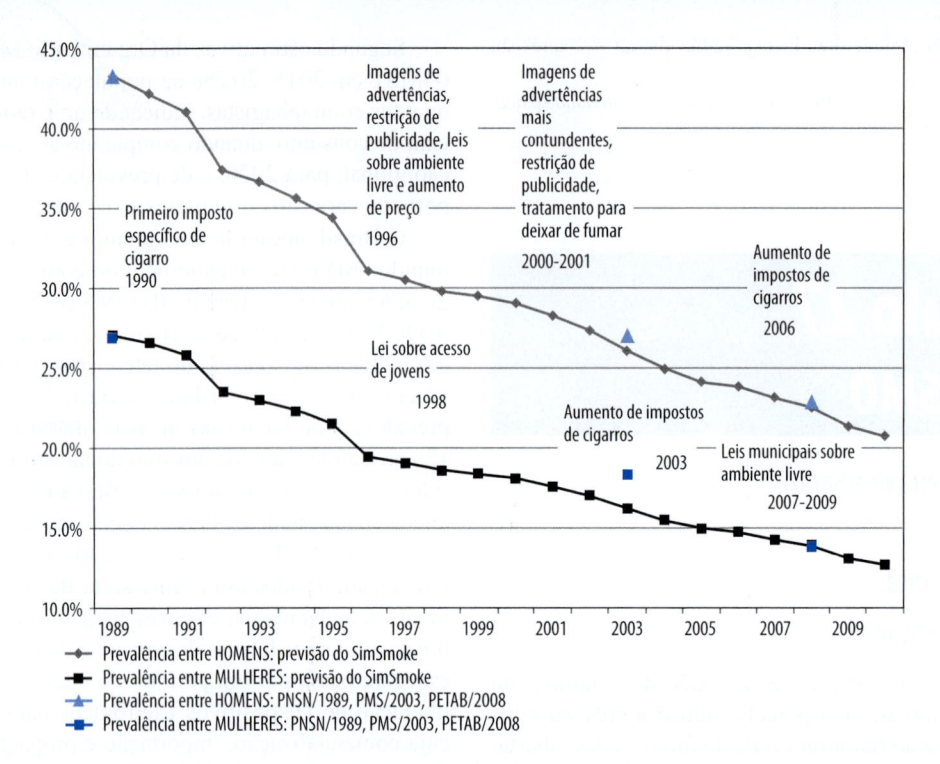

FIGURA 27.1 → Queda da prevalência de fumantes adultos que acompanhou ações governamentais de controle do tabagismo, 1989-2010.
Fonte: Instituto Nacional de Câncer.[8]

incidentes o de pulmão e ainda apresenta altas taxas para os cânceres do colo do útero, estômago, esôfago e de boca, sendo o tabagismo importante fator de risco para todas estas neoplasias.[12]

Além disso, o tabagismo está relacionado com periodontite e perda dentária, comprometimento do paladar, do olfato e da visão, osteoporose, problemas digestivos, impotência sexual, infertilidade, abortos espontâneos, prematuridade, atraso no desenvolvimento fetal, baixo peso ao nascer, síndrome da morte súbita do recém-nascido (doença do berço), defeitos congênitos e o agravamento de diversas doenças comuns que adquirem maior significado com o avançar da idade, quando se somam às perdas funcionais próprias do envelhecimento.

O risco para os fumantes de cigarro é dose-dependente: aumenta com a duração, a quantidade e o tempo de exposição. Em termos de doença cardiovascular, o risco aumenta com o avanço da doença aterosclerótica, tornando cada vez mais importante a cessação à medida que o indivíduo envelhece.[13]

Grupos de alto risco

Embora o tabagismo seja inconveniente para qualquer um, e cada vez menos aceito socialmente, alguns grupos podem ser considerados como de maior risco, merecendo cuidados especiais. Eles incluem grávidas, mulheres que tomam anticoncepcional oral, crianças e adolescentes, quem é exposto a outras substâncias cocarcinogênicas, como asbesto e álcool, e quem já tem doenças diretamente agravadas pelo tabagismo. Inclui também tanto fumantes ativos como indivíduos sujeitos à poluição ambiental da fumaça produzida pelo fumo.

Nas grávidas expostas ao fumo é maior o número de complicações da gestação. O feto de mãe fumante, na vida intrauterina, pode ser considerado um fumante passivo, sujeito a maior mortalidade perinatal, atraso no desenvolvimento físico e mental e malformações congênitas. Depois do nascimento, tem-se verificado maior número de infecções respiratórias, doenças bronco-constritivas, alterações da função pulmonar e síndrome de morte súbita infantil. A nocividade do cigarro na gravidez resulta de sua ação direta e, portanto, as ex-fumantes, quando engravidam, têm riscos semelhantes aos das que nunca fumaram. Assim, a gestação é oportunidade de ouro para intervenção em busca de cessação do hábito de fumar, pois, além de possibilitar o fim de um fator de risco para a saúde desta mulher, impacta na saúde do futuro bebê.

As mulheres que tomam anticoncepcional oral combinado e fumam podem ter um risco até 10 vezes maior de infarto do miocárdio, tromboembolismo e acidente vascular cerebral.

Crianças e adolescentes fumantes são especialmente vulneráveis devido aos efeitos deletérios sobre o organismo em desenvolvimento, à potencialidade de uma dependência de longa duração e à dificuldade que estes indivíduos terão de parar de fumar quando adultos, devido ao início precoce.

A ação carcinogênica do tabaco é aumentada pela exposição a outras substâncias cocarcinogênicas, interagindo de forma aditiva, sinérgica ou multiplicativa com diversos poluentes ocupacionais, como o asbesto. O consumo de grande quantidade de álcool e fumo aumenta de maneira substancial os riscos de câncer de boca, laringe e esôfago.

São também consideradas de alto risco as pessoas que já têm doenças diretamente agravadas pelo tabagismo, como doenças respiratórias crônicas e doenças cardiovasculares, bem como indivíduos com fatores de risco para doenças cardiovasculares, como hipertensão, dislipidemia, diabetes, obesidade, história familiar de morte súbita e sedentarismo.

Tabagismo passivo

Define-se como a inalação de derivados do tabaco produtores de fumaça, por indivíduos não fumantes, que convivem com fumantes em ambientes fechados. Os produtos decorrentes dessa fumaça em ambientes fechados são denominados poluição tabagística ambiental, e esta é a maior responsável pela poluição nesses ambientes. O tabagismo passivo é estimado como uma das principais causas de morte evitável no mundo, subsequente apenas ao tabagismo ativo e ao consumo excessivo de álcool.[14] A cada ano, cerca de 1,2 milhão de mortes ocorre em função da exposição passiva ao tabaco.[2]

Segundo a VIGITEL 2019, que acessou por inquérito telefônico população acima de 18 anos em 26 capitais brasileiras e Distrito Federal, o percentual de fumantes passivos no domicílio foi de 6,8%, sendo semelhante entre homens e mulheres. A frequência de fumantes passivos no local de trabalho foi de 6,6%. Para os homens, a frequência tendeu a diminuir com o aumento do nível de escolaridade, enquanto para as mulheres aumentou.[15]

A poluição tabagística ambiental causa os seguintes efeitos a curto prazo: irritação nos olhos, irritação nasal, tosse, cefaleia e aumento dos problemas alérgicos e cardíacos. A médio e longo prazos os efeitos são graves. A poluição tabagística ambiental pode causar redução da capacidade respiratória, risco aumentado em 30% para câncer de pulmão, 24% para infarto do miocárdio e até 50% para infecções respiratórias em crianças em relação aos não fumantes e não expostos a essa poluição.

CUSTOS ECONÔMICOS

A carga econômica gerada pelo tabagismo deriva dos custos com assistência médica e da perda de produtividade por morbidade e morte prematura.

Estima-se que o Brasil tenha prejuízo anual de R$ 56,9 bilhões com o tabagismo. Desse total, R$ 39,4 bilhões são gastos com despesas médicas e R$ 17,5 bilhões com custos indiretos ligados à perda de produtividade, causada por incapacitação de trabalhadores ou morte prematura.[12]

INICIAÇÃO E PREVALÊNCIA ENTRE JOVENS

O tabagismo na vida adulta tem forte correlação com o início na adolescência, uma vez que 90% dos fumantes adultos iniciaram antes dos 18 anos de idade. Através da experimentação, muitas vezes o cigarro casual torna-se dependência, ao passo que os jovens são especialmente vulneráveis à nicotina, comparados com a população adulta, com elevado risco de consolidação do hábito de fumar quando expostos mais precocemente ao tabaco.

Além disso, quanto mais precoce for o início do consumo, maior será a gravidade da dependência, mais intensos serão os sintomas de abstinência ao tentar parar e maior será a chance de ocorrência de recaídas.[16,17]

Os jovens iniciam o hábito tabágico por motivação psicossocial e pela propaganda. Em geral, começam experimentando e dizem que vão fumar por pouco tempo, porém, pelo contato regular com a nicotina que recebem, terminam em adicção.[18]

Dessa forma, promover a cessação do tabagismo nessa faixa etária é de particular importância, tanto no que diz respeito a evitar a dependência precoce à nicotina, quanto às consequências para a saúde ao longo da vida.

Além de motivá-los a parar de fumar, ofertando programas de cessação voltados para esses jovens, as demais políticas públicas, como restrição da propaganda, aumento dos impostos e fiscalização da venda, são fundamentais.

DEPENDÊNCIA DA NICOTINA E SÍNDROME DE ABSTINÊNCIA

O reconhecimento do tabagismo como uma adicção ocorreu no final da década de 1980, após terem se acumulado inúmeras evidências de que fumar não é um simples hábito, e sim uma dependência química. Concluiu-se que cigarros e outras formas de tabaco são aditivas, que a nicotina é a droga do cigarro que causa mais adicção e que as características farmacológicas e comportamentais relacionadas com essa dependência são semelhantes àquelas que determinam o consumo de heroína e cocaína. Em 1992, a OMS incluiu a dependência de tabaco na Classificação Internacional de Doenças (CID).

A nicotina é atualmente considerada uma droga psicotrópica ou psicoativa, e o uso frequente de cigarro ou outras formas de tabaco, mascado ou inalado (mesmo através do uso de narguilé), que contém nicotina, levam ao desenvolvimento de tolerância e dependência. Mesmo fumantes que não tragam também absorvem a nicotina e podem desenvolver dependência.[19]

As características e os sintomas dessa dependência podem ser resumidos em uso diário de nicotina por semanas, forte desejo ou compulsão para o consumo, sintomas de abstinência na descontinuação do uso (irritabilidade, agitação, transtornos do sono, dificuldades de concentração, ansiedade, distúrbios gastrintestinais, fome, aumento de peso e, mais notavelmente, fissura – desejo intenso de fumar), desenvolvimento de tolerância e dificuldade em controlar o consumo, bem como persistência no uso da substância apesar do conhecimento das consequências nocivas.

O processo da dependência envolve, além do fator básico farmacológico, fatores psicológicos e comportamentais.[20] A dependência fisiológica da nicotina envolve neuroadaptação, sensibilidade, tolerância e sintomas de abstinência.[21] Significa que uma vez iniciado o hábito, o fumante pode perder parte de sua liberdade de parar de fumar.

Os aspectos individuais da dependência incluem características genéticas, diferentes efeitos da nicotina na modulação do humor, estrutura de personalidade e comorbidades psiquiátricas. Em geral, a depressão torna mais difícil abandonar o tabaco e, nos que deixam de fumar, a frequência de recaídas é maior. Nos pacientes com transtorno de esquizofrenia, a prevalência tabágica pode atingir até 90%.[22,23] Além desses, somam-se os fatores socioambientais que contribuem para que o tabagismo seja instalado e sustentado: pais fumantes, acesso e disponibilidade de produtos de tabaco, baixo custo, forte promoção audiovisual por posicionamento de fumo em filmes e séries, falta de maiores proibições em relação ao consumo e remanescente aceitação social.

Estudos evidenciam que o início do tabagismo entre adolescentes está mais associado a fatores socioambientais, enquanto em adultos a influência da genética tem maior peso para o desenvolvimento da dependência.[24]

O teste de Fagerström (TABELA 27.1)[25] avalia o grau de dependência à nicotina. A soma dos pontos permite a avaliação do grau de dependência do fumante, que pode ajudar a prever desconforto mais intenso ao deixar de fumar (abstinência). Tal avaliação ajuda na decisão do profissional em incluir ou não apoio medicamentoso no tratamento a ser oferecido.[26]

As abordagens terapêuticas precisam levar em conta as três esferas da dependência:

→ Dependência física ou também denominada química ou fisiológica: gerada pela nicotina, que altera o funcionamento cerebral modificando o humor, a conduta e o estado emocional e cognitivo do indivíduo. A supressão dessa substância no organismo gera os sintomas de abstinência e a compulsão pela busca das alterações experimentadas pela droga. O quadro de dependência física geralmente ocorre após um a dois meses de uso, sendo acompanhado também pelo desenvolvimento da tolerância, com o aumento do consumo para se obter o mesmo resultado. Vale ressaltar que se não houvesse a nicotina no cigarro (ou qualquer outro produto do tabaco), não haveria dependência e o tabagismo poderia ser considerado apenas um hábito.[26] Este aspecto da dependência é o que leva à necessidade, na maioria dos casos, do uso de medicamentos de apoio para o sucesso na tentativa de parar de fumar.

→ Dependência psicológica: refere-se ao uso do cigarro enquanto apoio ou mecanismo de adaptação em situações de estresse, para alívio de sintomas ansiosos, sentimentos de frustração, solidão e outros. O ato de fumar pode ser mantido por crenças e pensamentos automáticos, que podem ser trabalhados através do modelo cognitivo comportamental de intervenção, ampliando a autoeficácia, empoderando a pessoa para obter o sucesso em parar de fumar.

→ Dependência comportamental ou condicionamento: é a associação de situações habituais com o comportamento de fumar. Um fumante de 20 cigarros por dia, tragando em média 10 vezes por cigarro, repetirá esse movimento 200 vezes em um dia e 73 mil vezes em um ano, construindo, dessa forma, o "hábito" de fumar.[19,27] Esse automatismo do comportamento se associa a inúmeras situações cotidianas e estados afetivos, como, por exemplo, fumar e tomar café ou bebida alcoólica. A intervenção nesse tipo de dependência é a identificação desses gatilhos (situações disparadoras de fissura ou vontade de fumar), facilitando o desenvolvimento de estratégias de enfrentamento para tais momentos, ensinando a modificar este comportamento aprendido.

É importante que o fumante compreenda esses componentes da dependência a fim de que possa planejar suas estratégias para a cessação de forma mais efetiva.

COMPORTAMENTO ESPERADO DO PROFISSIONAL DE SAÚDE

Com o crescente reconhecimento entre fumantes dos malefícios do hábito e do fato de que o prazer associado ao tragar é frequentemente apenas pela satisfação das demandas de uma dependência química, há enorme parcela da população que deseja parar de fumar. Em 2008, entre os fumantes brasileiros, 52% relataram interesse em parar; 45% relataram tentativas de parar nos últimos 12 meses, sendo que 15% utilizaram algum método de aconselhamento, e 7%, farmacoterapia. Entre ex-fumantes, 8% tinham deixado de fumar no último ano, e 17%, nos últimos cinco anos.[28]

Como abordado a seguir, várias ações do profissional de saúde são medidas efetivas em ajudar o fumante a cessar o tabagismo. A TABELA 27.2[29] apresenta o comportamento esperado do médico ou outro profissional de saúde neste contexto.

TABELA 27.1 → Teste de Fagerström para medir dependência da nicotina

PERGUNTAS	RESPOSTAS	PONTUAÇÃO
1. Em quanto tempo depois de acordar você fuma o seu primeiro cigarro?	Dentro de 5 minutos 6 a 30 minutos 31 a 60 minutos Depois de 60 minutos	3 2 1 0
2. Você acha difícil não fumar em lugares onde é proibido (p. ex., na igreja, no cinema, em bibliotecas, etc.)?	Sim Não	1 0
3. Que cigarro você mais sofreria em deixar?	O primeiro da manhã Qualquer um	1 0
4. Quantos cigarros você fuma por dia?	31 ou mais 21 a 30 11 a 20 10 ou menos	3 2 1 0
5. Você fuma mais durante as primeiras horas após acordar do que durante o resto do dia?	Sim Não	1 0
6. Você fuma mesmo estando tão doente que precise ficar de cama quase um dia inteiro?	Sim Não	1 0
	Pontuação total:	___

Interpretação de acordo com o grau de dependência:
0 a 2 pontos = muito baixo.
3 a 4 pontos = baixo.
5 pontos = médio.
6 a 7 pontos = elevado.
8 a 10 pontos = muito elevado.
Fonte: Santos e colaboradores.[25]

A postura do profissional ao tratar de dependência deve ser empática, acolhedora e respeitosa.

ABORDAGEM E TRATAMENTO DO FUMANTE
Programa de abordagem e tratamento do tabagismo

As recomendações para adequada abordagem do fumante sugerem um conjunto de intervenções, organizadas por meio de um programa estruturado e multiprofissional. Assim, cada instituição comprometida com o cuidado à saúde de determinada população, seja no sistema público de saúde, na saúde suplementar ou em um serviço de saúde de trabalhador de uma empresa, deve organizar-se para executar tanto ações de "*advocacy*" junto à sua comunidade, quanto para ofertar tratamento aos interessados em parar de fumar.

No Sistema Único de Saúde (SUS), as atividades podem e devem envolver equipe de saúde da família (incluindo os agentes comunitários), profissionais dos núcleos de apoio à saúde da família, demais funcionários do serviço, e até mesmo voluntários da comunidade treinados. Programas de treinamento e de organização, se ainda não implantados, devem ser fortemente considerados e podem buscar apoio na Coordenação Estadual do Programa Nacional de Controle do Tabagismo junto às Secretarias Estaduais de Saúde (ver Leituras Recomendadas). Em 2018, mais de 142 mil fumantes foram atendidos e tratados nos Centros de Saúde públicos do Brasil.

O modelo de tratamento no SUS, elaborado pelo INCA/MS, sugere abordagens de acordo com cada grau de motivação e apresenta um modelo intensivo de tratamento já realizado com sucesso em vários municípios brasileiros. As instituições de saúde cadastradas no programa seguem as etapas propostas que incluem a avaliação do fumante, os grupos de abordagem cognitivo-comportamental (com manuais de apoio para as quatro primeiras sessões em grupo) e apoio medicamentoso gratuito, quando necessário. Os medicamentos oferecidos pelo Programa Nacional de Tratamento do Tabagismo incluem gomas de mascar de 2 mg, pastilhas de 4 mg e adesivos de 7, 14 e 21 mg – alternativas de terapia de reposição nicotínica – e bupropiona (150 mg).[26]

Abordagem clínica

O tratamento da dependência ao tabaco reduz significativamente o risco de doenças relacionadas com o tabagismo a curto e médio prazos. O objetivo final do tratamento é a cessação do hábito de fumar.

A abordagem do tabagismo deve incluir desde orientações direcionadas à prevenção primária para maiores de 5 anos até a avaliação rotineira desse fator de risco em maiores de 15 anos com orientações e acompanhamento para a cessação daqueles que são fumantes.

A atenção primária proporciona cenário e oportunidade privilegiados para a abordagem do problema. As equipes de saúde da família atuam junto às populações mais vulneráveis ao tabagismo, têm vínculo com essas comunidades e podem, bem como devem, intervir e proporcionar aconselhamento e tratamento aos dependentes de tabaco. O tratamento do tabagismo na atenção primária tem alto potencial de redução de morbidade atribuída ao fumo, além de baixo custo; assim, é fortemente recomendável a adoção ampla da oferta deste tratamento.

Questionar e abordar o tabagismo deve fazer parte da rotina dos profissionais de saúde. A partir da avaliação do fumante, pode-se definir a abordagem adequada para cada paciente, conforme a **FIGURA 27.2**. O tabagismo deve ser encarado como uma doença crônica que requer avaliação contínua, repetidas intervenções e frequentemente múltiplas tentativas de parar de fumar.

A **TABELA 27.3**[30] mostra recomendações para ações clínicas. Aspectos importantes a serem abordados para estabelecer seu plano terapêutico são: história do tabagismo, tentativas anteriores (fatores de sucesso na cessação ou situações que levam à recaída), apoio social, dependência, grau de motivação e prontidão, doenças médicas e doenças psiquiátricas. A compreensão das últimas tentativas de parar de fumar, das terapêuticas já realizadas, das condições dos sucessos e das recaídas permite a elaboração de um plano terapêutico individualizado.

TABELA 27.2 → Tabagismo: comportamento esperado dos profissionais de saúde

- → Não fumar e, caso seja fumante, não fumar dentro das unidades de atendimento à saúde, promovendo ambientes 100% livres da fumaça do tabaco.
- → Perguntar na anamnese, entre outros riscos, sobre a exposição atual e pregressa ao fumo, ativo ou passivo, sua intensidade e duração.
- → Registrar as respostas na ficha clínica e dar destaque ao fumante como paciente de risco aumentado.
- → Buscar possíveis complicações relacionadas com o tabagismo em todo paciente ativa ou passivamente exposto ao fumo e aproveitar a oportunidade da manifestação dessas doenças para estimular a cessação do tabagismo.
- → Recomendar o abandono do uso do cigarro ou as medidas necessárias para prevenir a exposição passiva, sua e de circunstantes.
- → Dar o apoio necessário a seus pacientes acompanhando o processo de abandono, utilizando estratégias e técnicas adequadas.
- → Atualizar-se sobre recursos terapêuticos existentes, prescrevendo-os ou recomendando pacientes para profissionais ou serviços habilitados.
- → Cooperar com atividades comunitárias de controle do hábito de fumar.

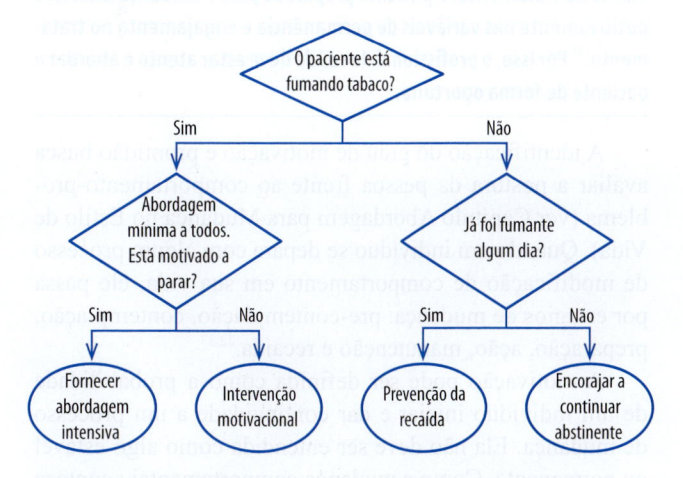

Fonte: Achutti.[29]

FIGURA 27.2 → Fluxograma de abordagem do fumo em atenção primária.

TABELA 27.3 → Recomendações selecionadas para a abordagem clínica

→ Todos os pacientes devem ser indagados sobre se fumam, e as respostas devem ser documentadas regularmente.
→ Cada paciente que fuma deveria ser alertado fortemente para deixar de fumar.
→ A dependência do tabaco é uma doença crônica e requer repetidas intervenções e múltiplas tentativas para parar.
→ Uma vez que o usuário de tabaco seja identificado e alertado para deixar de fumar, é preciso avaliar a vontade do paciente de atingir esse objetivo no momento atual. Caso o fumante não esteja desejando parar, deve-se realizar abordagem motivacional.
→ Intervenções breves, com duração inferior a três minutos, aumentam as taxas gerais de abstinência do fumo.
→ Há uma forte relação dose-resposta entre a duração do contato interpessoal e o sucesso do tratamento, justificando a preferência pelo uso de intervenções intensivas.
→ O tratamento com base no contato interpessoal, em quatro encontros ou mais, parece especialmente efetivo para aumentar a taxa de abstinência.
→ Aconselhamentos telefônicos proativos, bem como aconselhamentos em grupo e individuais, são efetivos.
→ Intervenções que utilizam múltiplos recursos promocionais aumentam a taxa de abstinência e deveriam ser encorajadas.
→ Dois tipos de aconselhamento e terapia comportamental têm obtido melhores taxas de abstinência: 1) oferecer aos fumantes treinamento em capacidade de resolução de problemas; 2) auxiliar o fumante a obter suporte social fora do tratamento.
→ Todos os pacientes que querem deixar de fumar devem ser encorajados a parar usando a combinação de aconselhamento e acompanhamento junto às medicações, exceto na presença de circunstâncias especiais (contraindicação às medicações, gravidez, adolescência ou fumantes de menos de 10 cigarros por dia).
→ O uso combinado de mais de uma forma de reposição de nicotina, em pacientes que não conseguem parar de fumar utilizando apenas uma forma, pode aumentar a taxa de sucesso.
→ Devido aos graves riscos que o fumo apresenta para a mulher grávida e para o feto, fumantes grávidas devem, sempre que possível, receber intervenções psicossociais mais prolongadas ou aumentadas, excedendo o aconselhamento breve para parar de fumar.
→ Usuários de charutos, cachimbos e formas não combustíveis de tabaco devem receber o mesmo tipo de aconselhamento recomendado para os fumantes de cigarros.
→ Todo profissional de saúde, bem como pessoal em treinamento, deveria ser treinado sobre estratégias efetivas para auxiliar o fumante que quer parar de fumar e para motivar aqueles que no momento não estão dispostos a deixar o vício. O treinamento parece ser mais efetivo quando associado a mudanças no sistema de saúde onde se incluem a oferta de programas de cessação.
→ Tratamentos para deixar de fumar são mais custo-efetivos do que o tratamento da hipertensão e outras intervenções preventivas, como mamografia, teste para detecção de câncer cérvico-uterino e tratamento de dislipidemia.

Fonte: Adaptada de Fiore e colaboradores.[30]

Avaliação da motivação

A motivação para a mudança é preditiva para boas taxas de cessação diante do tratamento. O paciente preparado para a mudança interfere positivamente nas variáveis de permanência e engajamento no tratamento.[31] Por isso, o profissional de saúde deve estar atento e abordar o paciente de forma oportuna.

A identificação do grau de motivação e prontidão busca avaliar a postura da pessoa frente ao comportamento-problema (ver Capítulo Abordagem para Mudança no Estilo de Vida). Quando um indivíduo se depara com algum processo de modificação de comportamento em sua vida, ele passa por estágios de mudança: pré-contemplação, contemplação, preparação, ação, manutenção e recaída.[32,33]

A motivação pode ser definida como a probabilidade de um indivíduo iniciar e dar continuidade a um processo de mudança. Ela não deve ser entendida como algo estável ou permanente. Como a mudança comportamental acontece ao longo de um processo, os indivíduos transitam por esses estágios. Ao identificar em qual estágio o paciente se encontra, é possível utilizar a intervenção mais adequada.

A **TABELA 27.4** apresenta as perguntas usadas para avaliar o estágio motivacional e as condutas a serem tomadas a partir dessa avaliação.

É fundamental para o início do tratamento que o paciente tenha clareza sobre os motivos que o estão levando a realizar essa mudança. Reforçar para o paciente a importância dessa modificação de comportamento facilita sua tomada de decisão. Outro conceito importante a ser verificado é a sua crença de autoeficácia. Esse conceito denota a crença que o indivíduo tem na sua própria capacidade de mudança. Se o paciente entender que é muito importante parar de fumar e, ao mesmo tempo, sentir-se capaz, sua motivação e prontidão para mudança serão afetadas positivamente.[31]

Todos os fumantes, em qualquer estágio motivacional, devem ser sensibilizados e orientados a parar de fumar. Desmistificar crenças sobre a cessação e preparar o paciente para esse momento aumentam o sucesso da abordagem.

Aqueles considerados preparados para interromper o uso (estágio motivacional: ação), ou seja, que aceitam prontamente escolher uma estratégia para realizar a mudança de comportamento, são bons candidatos a uma abordagem mais intensiva e um tratamento mais estruturado associado ou não a medicação.

O manual do INCA apresenta um entendimento fundamental: "É essencial que o profissional de saúde considere

TABELA 27.4 → Identificação do estágio de motivação e condutas decorrentes

PERGUNTA	RESPOSTA	ESTÁGIO	CONDUTA
Você está pensando em parar de fumar?	Negativa	Pré-contemplação. Nesse estágio, o paciente não considera a possibilidade de mudar seu comportamento. (Se está buscando tratamento, é provável que seja em função de coerção familiar.)	Fornecer informações e materiais educativos relacionados com o tabagismo (riscos a curto, médio e longo prazos; benefícios pós-parada e tabagismo passivo) e evitar a confrontação. O objetivo é fazer com que o paciente comece a pensar sobre o assunto e se aproxime da possibilidade de cessação e entenda que o profissional de saúde está disposto a ajudá-lo.
Você pensa em parar de fumar?	Afirmativa, mas ao mesmo tempo o paciente rejeita a ideia	Estágio de contemplação.	Identificar os receios do paciente sobre o parar de fumar e possíveis obstáculos para essa tomada de decisão. Trabalhar com o paciente sua ambivalência usando balança decisional entre vantagens e desvantagens de seguir fumando.
Você já pensa em alguma data para parar de fumar?	Afirmativa	Preparação para mudança (uma janela de oportunidade para tomada de decisão).	Verificar estratégias de mudança viáveis e efetivas e trabalhar a ambivalência do paciente nesse momento.
Você pensa em parar de fumar dentro de 30 dias?	Afirmativa	Ação.	Trabalhar os tipos de paradas (gradual ou abrupta), o planejamento do "dia D" (agendar o dia em que parará de fumar), crenças disfuncionais associadas ao fumar e ao parar de fumar e a ansiedade antecipatória. Engajar o paciente em grupo de cessação de fumar, se disponível.

sucesso o fato de conseguir que um fumante em pré-contemplação mude para a fase de contemplação ou para a fase de preparação, pois deixar de fumar é um processo que envolve tempo. Além disso, o profissional precisa estar preparado para ver o tabagismo como doença crônica na qual o processo pode envolver fases de remissão e de recidiva. Dessa forma, os fumantes que deixaram de fumar em uma abordagem anterior mas recaíram devem voltar a ser abordados sem censuras, procurando identificar os fatores que o levaram a recair para que estejam bem preparados para a próxima tentativa".[34]

Para aqueles que indicam desejo de parar de fumar, deve-se ofertar aconselhamento intensivo e, quando julgar necessário, farmacoterapia.

Abordagem cognitivo-comportamental

A abordagem cognitivo-comportamental se baseia na compreensão de crenças específicas e padrões de comportamento de cada paciente. O objetivo é de produzir mudanças cognitivas através da modificação no pensamento e no sistema de crenças, com intuito de levar a uma mudança emocional e comportamental duradoura. Esta intervenção baseia-se no conceito de que emoções, comportamentos e fisiologia são influenciados pela percepção da pessoa sobre determinada situação ou evento. Assim, à medida que as pessoas aprendem a avaliar seu pensamento de forma mais realista e adaptativa é possível obter melhora no comportamento e no estado emocional (ver capítulo Abordagem para Mudança no Estilo de Vida).

O tratamento baseado na combinação de intervenções cognitivas, com treinamento de habilidades comportamentais, mostrou efetividade na promoção da cessação do tabagismo **C/D**. Em atenção primária à saúde, foram observadas taxas de abstinência de 20% em um ano.[35-39]

Esse modelo de intervenção no tratamento da dependência química trabalha as crenças do fumante em relação ao tabagismo, buscando modificá-las. O fumante também aprende a identificar gatilhos ligados ao desejo de fumar e a manejá-los, visando interromper a associação entre a situação-gatilho e o comportamento de fumar. São utilizadas estratégias para lidar com estresse, emoções, solução de problemas, manejo de sintomas de abstinência, fissura e prevenção de recaídas.

A dependência do cigarro tem um elemento de comportamento aprendido. O efeito que a nicotina gera no sistema nervoso central, a rapidez com que aparecem os primeiros sintomas de abstinência e a frequência do comportamento de fumar criam e fortalecem as crenças aditivas. Tais crenças são impulsionadas por inúmeras situações do dia a dia, sejam situações internas (estado de humor e sintomas de abstinência) ou externas (situações sociais).

Modalidades de intervenção

Existem diferentes formas de intervenção para o tratamento do tabagismo usando as técnicas da abordagem cognitivo-comportamental. O INCA indica formatos de acompanhamento breves e mais prolongados, assim como individuais ou em grupo, conforme detalhamos a seguir.

Investigações em diversos países demonstram que tratamentos intensivos, que combinam aconselhamento comportamental com farmacoterapia, podem alcançar sucesso em 20 a 25% dos fumantes um ano após o início da intervenção.[30]

ACONSELHAMENTO BREVE E INTENSIVO

A abordagem breve consiste em perguntar e avaliar, aconselhar e preparar o fumante para que deixe de fumar sem, no entanto, acompanhá-lo nesse processo. Pode ser feita por qualquer profissional de saúde durante a consulta de rotina, sendo adequada para situações em que há dificuldade de garantir um acompanhamento do paciente (p. ex., abordagem no atendimento à demanda espontânea, visita domiciliar do agente comunitário de saúde, consulta de saúde bucal, etc.). Esse tipo de abordagem pode ser realizada em três minutos, durante o contato com o paciente.

> Uma intervenção breve, o mínimo que se pode esperar de qualquer profissional de saúde, como simplesmente alertar o fumante, pode produzir taxas de cessação de 5 a 10% por ano.

Em geral, o aconselhamento breve do médico aumenta em 66% a probabilidade de o paciente parar de fumar (NNT = 29-64) **B**.[40]

Para ampliar a oferta da abordagem breve, sugere-se treinar toda a equipe de profissionais de saúde para fazer seis perguntas (TABELA 27.5)[34] a todos os fumantes, as quais levam o paciente a refletir sobre questões fundamentais relacionadas ao tabagismo e o sensibilizam para tentar parar de fumar. Esquemas de aconselhamento de maior intensidade (consulta inicial com mais de 20 minutos e com mais encontros de seguimento) aumentam em 86% a probabilidade de o paciente cessar o hábito, quando comparados às consultas médicas sem qualquer tipo de aconselhamento **B**.[40] A comparação direta entre aconselhamento breve e intensivo sugere uma

TABELA 27.5 → Perguntas que levam o paciente a refletir sobre questões fundamentais relacionadas com o tabagismo e o sensibilizam para tentar parar de fumar

1. **Você fuma? Há quanto tempo?** (Diferencia a experimentação do uso regular; por exemplo, se o fumante diz fumar cinco cigarros por dia e ter começado a fumar há 15 dias, de acordo com a OMS ele ainda não é um fumante regular e encontra-se em fase de experimentação.)
2. **Quantos cigarros fuma por dia?** (Pacientes que fumam 20 ou mais cigarros por dia provavelmente terão uma chance maior de desenvolverem fortes sintomas de síndrome de abstinência na cessação de fumar.)
3. **Em quanto tempo após acordar acende o primeiro cigarro?** (Pacientes que fumam nos primeiros 30 minutos após acordar provavelmente terão uma chance maior de desenvolverem fortes sintomas de síndrome de abstinência na cessação de fumar.)
4. **O que você acha de marcar uma data para deixar de fumar?** (Permite avaliar se o fumante está pronto para iniciar o processo de cessação de fumar.)
Em caso de resposta afirmativa, perguntar: **Quando?**
5. **Já tentou parar?** Se a resposta for afirmativa, fazer a pergunta 6.
6. **O que aconteceu?** (Permite identificar o que ajudou e o que atrapalhou a deixar de fumar, para que esses dados sejam trabalhados na próxima tentativa.)

Fonte: Adaptada de Instituto Nacional de Câncer.[34]

pequena mas significante vantagem do segundo sobre o primeiro, aumentando em cerca de 49% a probabilidade de os pacientes pararem de fumar (NNT = 14-174) **B**.[41] O aconselhamento intensivo deve, portanto, ser oferecido sempre que possível **B**. Avaliação observacional do modelo de abordagem intensiva proposto pelo INCA para ser realizado especialmente pela atenção primária, com grupos e apoio medicamentoso, demonstrou cessação por mais de seis meses em 43% dos fumantes que ingressaram no programa oferecido no SUS. Do total de participantes, 36% tinham conseguido largar o hábito por mais de 15 meses **C/D**.[42]

O tratamento oferecido por profissionais de saúde não médicos também tem comprovado aumento nas taxas de cessação; o aconselhamento por enfermeiros aumenta em cerca de 29% a probabilidade de parar de fumar (NNT = 22-40) **B**.[43] O aconselhamento farmacêutico em pacientes submetidos a intervenções farmacológicas também aumenta as chances de abstinência **B**.[44] Uma abordagem multidisciplinar (p. ex., enfermeiro, psicólogo, odontólogo, entre outros) deve ser estimulada a fim de se obter melhores resultados.[30]

Intervenções de apoio ao fumante, utilizadas de forma autônoma pelo usuário, para parar de fumar – manuais, panfletos, livretos, vídeos e recursos para ouvir, além de programas de computador – parecem ser efetivas, mas apresentam resultados inconsistentes **C/D**.[45] Entretanto, tais intervenções podem ser facilmente distribuídas para quem deseja deixar de fumar, e sua efetividade pode aumentar com a ajuda de outros recursos de apoio.[30]

Aconselhamentos intensivos devem ser usados sempre que possível. Quanto maior o número de encontros, ou seja, a duração do acompanhamento, melhor é a efetividade do tratamento. Um total de 4 a 8 sessões obtém taxas de abstinência de 21%, e mais de 8 sessões, sucesso em 25% dos fumantes em média. Já avaliando o total de duração do contato (número de sessões multiplicado pela duração delas), observa-se que há aumento na taxa de cessação até 90 minutos, não havendo evidência para mais do que isso. É importante destacar que abordagens mais longas têm alcance menor (para poucos fumantes), seja por pouca disponibilidade de acesso a este serviço ou pouco interesse e disponibilidade do fumante. É fundamental adequar os programas ofertados às possibilidades dos serviços e dos usuários interessados.[30]

É importante os profissionais de saúde ficarem atentos às diversas oportunidades de abordarem os pacientes que desejam parar de fumar e ofertar, bem como explicar, os diferentes métodos disponíveis para se atingir esse objetivo. Quando o paciente manifestar esse desejo, qualquer profissional de saúde pode aproveitar a oportunidade e explicar sobre as diferentes formas de parar:
→ Parada abrupta (deixa de fumar de um dia para o outro).
→ Redução gradual (fuma um número menor de cigarros a cada dia, até chegar ao dia em que não fumará mais nenhum cigarro).
→ Adiamento gradual (adia a primeira hora em que fuma o primeiro cigarro, progressivamente, até o dia em que não fuma mais nenhum).

É importante sugerir que os métodos de redução gradual e adiamento gradual sejam planejados de forma que não se leve mais do que duas semanas para o fumante tragar seu último cigarro. Tal orientação visa aproveitar o momento de motivação para parar e restringir o período de sintomas de abstinência que podem ocorrer.

Além dessas, existem várias técnicas e estratégias, guias e recomendações para auxiliar profissionais de saúde no processo de ajudar pacientes a deixar de fumar. A maioria recomenda uma abordagem do tabagismo que trabalhe, além dos conceitos de dependência química, as questões psicológicas, comportamentais e sociais associadas ao fumo.

Outra questão a ser considerada é a abordagem às pessoas que desejam apenas a redução do consumo. Apesar de esta abordagem ser considerada por alguns profissionais, especialmente na rede de saúde mental de alguns municípios brasileiros, a recomendação clínica é ouvir e apoiar as pessoas construindo um plano de cuidados para melhoria da saúde, de forma individualizada, mas orientando que o desejável para os melhores resultados em saúde é parar de fumar.

INTERVENÇÃO EM GRUPO

Os trabalhos em grupo promovem abstinência ao tabagismo (NNT = 6-18) **B**.[46] A intervenção em grupo usa a interação entre os participantes para incentivar e apoiar as mudanças e conta com a participação ativa do fumante e do profissional de saúde. O objetivo de cada encontro é aprofundar a discussão de temas visando ajudar a identificar, avaliar e reestruturar crenças e pensamentos relacionados à dependência do tabagismo. O INCA sugere que cada sessão inclua um momento de atenção individual, estimulando a participação de todos, seguido de apresentação de informações sobre o tabagismo e estratégias para parar de fumar, revisão dos assuntos, verificando a compreensão dos participantes e, por fim, tarefas a serem realizadas.

Neste modelo, propõe quatro encontros iniciais que compreendem os seguintes objetivos: entender a dependência do cigarro e aprofundar o conhecimento sobre seus malefícios, planejar como parar de fumar e reforçar estratégias de manutenção da cessação desenvolvendo autocontrole e estratégias de enfrentamento para situações-gatilho e estresse.

Para a execução das sessões, sugere-se estabelecer um tempo limitado e estrutura predeterminada para abordar cada conteúdo e desenvolver encontros mesclando discussão temática e momentos de reflexão. A coordenação dos encontros ocorre de maneira mais produtiva quando executada por dois profissionais de nível superior, idealmente não fumantes. A postura dos coordenadores dos grupos deve ser empática, acolhedora e respeitosa. O período de acompanhamento pode variar, chegando até 12 meses, levando em consideração adesão, resultados e desejo do grupo. Os grupos funcionam bem com 12 a 15 pessoas. A proposta de periodicidade de encontros é de uma vez por semana nas quatro primeiras sessões e quinzenalmente no segundo mês. Os "encontros de manutenção" podem ser mensais e comuns a participantes de diferentes grupos, assim como ex-fumantes que desejem frequentar.

Farmacoterapia

A combinação da oferta de abordagens comportamentais, que ajudam a lidar com os sintomas de abstinência à nicotina, com a farmacoterapia é o formato mais útil para os pacientes que estão tentando parar e fumar.

Tanto o aconselhamento quanto a medicação são efetivos quando usados isoladamente, mas a combinação de ambos é ainda mais efetiva A.

Recomenda-se considerar prescrição medicamentosa para fumantes:[34]
→ pesados, ou seja, que fumam 20 ou mais cigarros por dia;
→ que fumam o primeiro cigarro até 30 minutos após acordar e fumam no mínimo 10 cigarros por dia;
→ com maior dependência pelo escore do teste de Fagerström igual ou maior do que 5, ou pela avaliação individual, a critério do profissional; ou
→ que já tentaram parar de fumar antes apenas com a abordagem cognitivo-comportamental, mas não obtiveram êxito devido a sintomas da síndrome de abstinência.

Outra avaliação essencial para uso de medicamentos é descartar contraindicações clínicas para isto.

Os métodos de tratamento medicamentoso preconizados como primeira linha são a terapia de reposição de nicotina, a bupropiona e a vareniclina.[30]

A reposição de nicotina, independentemente da via de administração, é efetiva em promover a abstinência ao tabagismo, aumentando a chance de sucesso em cerca de 55% (NNT = 17-21) B.[47] Para reposição de nicotina, existem goma de mascar, adesivos, pastilhas, nicotina para inalação e *spray* nasal, sendo que as primeiras duas formas atualmente estão disponíveis no Brasil.

A vareniclina, agonista do receptor da nicotina, é uma opção terapêutica que ainda tem custo elevado; é a intervenção medicamentosa com maior efeito, mais do que dobrando a probabilidade de abstinência em seis meses (NNT = 7-9) B.[48]

Entre os antidepressivos, a bupropiona é aquele com maior experiência de uso e qualidade de sua evidência, aumentando o sucesso da abstinência por mais de 6 meses em 62% (NNT = 9-19) B.[49]

Como segunda linha, existem opções de clonidina e nortriptilina B. A nortriptilina é uma alternativa de menor custo e sua efetividade é comparável à da bupropiona, mas possui menor evidência para seu uso e pior perfil de eventos adversos.[49]

A forma de prescrição dessas medicações está disponível na **TABELA 27.6**.[34,48-50]

Abordagens para minimizar o ganho de peso

Fumantes, quando efetivamente param de fumar, ganham, em média, 5 kg no primeiro ano e mais 3 kg nos quatro anos

TABELA 27.6 → Fármacos efetivos no tratamento de dependência da nicotina

FÁRMACO	POSOLOGIA	COMENTÁRIOS
Bupropiona (medicação antidepressiva que não é nicotínica)	Começar com dose de 150 mg, uma vez ao dia, durante três dias; depois, aumentar para 150 mg, duas vezes ao dia. Essa dose deve ser mantida até completar 12 semanas de tratamento. O paciente deve ser orientado a parar de fumar no oitavo dia de tratamento.	Pode ser usada simultaneamente com alguma forma de reposição de nicotina, se necessário. Diferente dos produtos de reposição, os pacientes devem iniciar o tratamento uma semana antes de deixar de fumar.
Goma de mascar de nicotina	Em apresentações de 2 e 4 mg. A dose de 2 mg é recomendada para pacientes que fumam até 20 cigarros/dia, enquanto a de 4 mg é recomendada para pacientes que fumam ≥20 cigarros/dia ou apresentam escore ≥8 no teste de Fagerström. Geralmente a goma deve ser usada por até 12 semanas, com não mais do que 15 gomas por dia.	Recomendar parar de fumar ao iniciar o tratamento. O médico deve ajustar as doses e a duração do tratamento para adequá-lo às necessidades de cada paciente. Inicia-se com intervalos de 1 a 2 horas entre cada goma por quatro semanas, intervalos de 2 a 4 horas entre a quinta e oitava semanas e intervalos de 4 a 8 horas nas últimas quatro semanas.
Adesivo de nicotina	Apresentações de 7, 14 e 21 mg. Pacientes com escore do teste de Fagerström ≥8 e/ou fumantes de mais de 20 cigarros/dia usam quatro semanas de adesivo de 21 mg, seguidas de quatro semanas de 14 mg e quatro semanas de 7 mg, totalizando 12 semanas de tratamento medicamentoso. Pacientes com escore do teste de Fagerström <8 e/ou fumantes de menos de 20 cigarros/dia usam quatro semanas de adesivos de 14 mg, seguidas de quatro semanas de 7 mg, totalizando oito semanas de tratamento medicamentoso.	Contém um depósito de nicotina que libera a substância de maneira constante para ser absorvida por via cutânea. Recomendar parar de fumar ao iniciar o tratamento. O adesivo deve ser aplicado apenas na região do tronco ou nos braços, fazendo um rodízio do local da aplicação a cada 24 horas. Inicia-se com o adesivo de maior quantidade de nicotina por quatro semanas, usando apresentações com menor quantidade progressivamente a cada quatro semanas.
Vareniclina (medicamento não nicotínico; funciona como agonista parcial de receptores de nicotina)	Começar com dose de 0,5 mg, uma vez ao dia, durante três dias; depois, aumentar para 0,5 mg duas vezes ao dia, durante quatro dias. Depois, usar comprimido de 1 mg duas vezes ao dia até completar 12 semanas de tratamento. O paciente deve ser orientado a parar de fumar no oitavo dia de tratamento.	Diferentemente dos produtos de reposição, os pacientes devem iniciar o tratamento uma semana antes de deixar de fumar. Reações adversas comuns são sonhos anormais, insônia, dor de cabeça, náuseas. Podem ocorrer eventos psiquiátricos graves.[64]
Clonidina	Apresentações de 0,10 mg, 0,15 mg e 0,20 mg. A dose recomendada é de 0,1 mg/dia, com incremento gradual de até 0,4 mg/dia. A medicação deve ser mantida durante três a quatro semanas ou até que se alcance o controle dos sintomas de abstinência.	O paciente deve ser orientado a parar de fumar de dois a três dias após o início da medicação. A retirada da droga deve ser gradual para evitar hipertensão-rebote e hipoglicemia. Pode servir como uma alternativa de tratamento, desde que se atente para os parefeitos, sobremaneira frente à sua suspensão abrupta. Pode provocar reações adversas como nervosismo, cefaleia e, quando interrompida abruptamente, crise hipertensiva.
Nortriptilina (antidepressivo, medicamento não nicotínico)	Iniciar o tratamento com dose de 25 mg, subindo de forma gradual até 75 a 100 mg/dia. A duração do tratamento é de 12 semanas.	Pode provocar efeitos colaterais, como sedação e secura de boca.

Fonte: Instituto Nacional de Câncer;[34] Cahill e colaboradores;[48] Hughes e colaboradores[49] e Gourlay e colaboradores.[50]

seguintes.⁵¹,⁵² O ganho de peso pode não acontecer e, quando ocorre, costuma estabilizar após um ano da cessação. Ex-fumantes, em média, não pesam mais do que nunca fumantes em estudos epidemiológicos, sugerindo que os recém ex-fumantes, nos anos subsequentes, perdem esse peso ganho.

O ganho de peso pode ser tanto barreira para a cessação quanto fator de recaída. Por esses motivos, algumas recomendações, listadas pelo INCA, podem ajudar o profissional a orientar o fumante C/D. São elas:³⁴

→ Não negar nem minimizar a possibilidade de ganho de peso, preparando o paciente que quer deixar de fumar para essa possibilidade.
→ Reforçar que parar de fumar é benefício mesmo com risco de ganho de peso.
→ Não orientar que seja feita uma dieta rigorosa para controlar o peso durante o processo de cessação. Lidar com duas mudanças comportamentais pode ser contraproducente e aumentar as taxas de recaída.
→ Recomendar uma dieta balanceada com consumo adequado de frutas, vegetais e grãos integrais, evitar alimentos ricos em gordura ou açúcar, fazer pelo menos três refeições por dia e dois lanches saudáveis, assim como beber dois litros de água.
→ Recomendar atividade física. As pessoas que têm receio de engordar devem ser motivadas a aumentar a atividade física, o que reduz de maneira significativa a tendência de ganho de peso após a cessação e pode servir como uma atividade alternativa para relaxar e ajudar a suportar a falta do cigarro.
→ Para aqueles em que o ganho de peso se mostrou como um importante fator de recaída em tentativas anteriores, mesmo orientados conforme citado, pode-se considerar incluir apoio farmacológico com bupropiona ou nicotina, sobretudo com a goma de mascar. Existem evidências de que esses medicamentos tenham o efeito de retardar, mas não evitar, o ganho de peso após a cessação de fumar B.⁵³

Uma metanálise da inclusão de intervenções comportamentais visando evitar ganho de peso sugere que intervenções apenas educacionais (conselhos sobre dietas, aumento da atividade física e estratégias de mudança comportamental como automonitoramento) não minimizam o ganho de peso e atrapalharam a tentativa de parar de fumar. Intervenções maiores com suporte personalizado de controle de peso (com estabelecimento e revisão de metas) minimizaram ganhos de peso, mas ainda com possível efeito danoso nas taxas de cessação C/D.⁵³

Prevenção de recaída

Não levar em consideração a natureza crônica do tabagismo pode prejudicar a motivação do profissional de saúde na abordagem ao fumante e dificultar a compreensão de que esse transtorno exige uma intervenção a longo prazo. A tendência é que, quando a fissura é ativada, as expectativas positivas do fumar sejam desencadeadas e, em paralelo, as consequências negativas decorrentes do uso ignoradas.

Junto à pessoa recentemente abstinente, deve-se trabalhar a prevenção da recaída. Nessas situações, é importante elogiar o sucesso, ressaltar benefícios da cessação e conquistas no manejo de dificuldades, verificar problemas encontrados e preparar para futuros obstáculos. Quanto mais longa a duração da abstinência na última tentativa, maior será a chance de sucesso na próxima.⁵⁴

Quando um lapso ou recaída ocorre, o profissional de saúde precisa trabalhar as reações cognitivas e afetivas decorrentes disso. Deve-se estar atento a possíveis pensamentos extremados ou exagerados relacionados com o lapso ou recaída (p. ex., "como tive uma recaída, significa que sou um fracasso e não conseguirei parar de fumar") para apoiar o paciente na compreensão desse evento e reforçar sua motivação em se manter abstinente. É interessante entender o lapso ou recaída como uma oportunidade de aprendizagem sobre o processo de parada. Sugere-se, nessas situações, revisar as circunstâncias e problemas encontrados: quando ocorreu, por que, como e de que forma evitar novas ocorrências.

O objetivo da prevenção da recaída é reduzir a necessidade de controles externos e aumentar o uso dos mecanismos internos para a manutenção da abstinência. O controle externo acontece evitando situações, pessoas ou lugares que servem de gatilho para fumar e buscando condições protetoras e mudança de estilo de vida. Os mecanismos internos consistem no reforço dos motivos que o levaram a parar de fumar e na importância que ele percebe em permanecer abstinente.

Existem situações típicas que exigem atenção por facilitarem a ocorrência de recaídas: estados emocionais negativos (frustração, raiva, ansiedade, depressão, aborrecimento), conflitos interpessoais (discussões ou confrontos com esposa/marido, amigo, familiar, chefe, funcionário), pressão social (influência direta ou indireta de pessoa ou de um grupo para que o indivíduo mantenha o hábito antigo), uso de álcool, exposição ao cigarro, ganho de peso, sintomas de abstinência, diminuição da motivação e sentimento de perda.

REFERÊNCIAS

1. Brandt AM. The cigarette century: The rise, fall, and deadly persistence of the product that defined America. New York: Basic Books; 2007. vii, 600.
2. World Health Organization. Tobacco fact sheet [Internet]. Geneva: WHO;2021 [capturado em 11 out. 2021]. Disponível em: https://www.who.int/news-room/fact-sheets/detail/tobacco
3. Oliveira GMM, Mendes M, Dutra OP, Achutt A, Fernandes M, Azevedo V, et al. 2019: Recomendações para a Redução do Consumo de Tabaco nos Países de Língua Portuguesa – Posicionamento da Federação das Sociedades de Cardiologia de Língua Portuguesa. Arq Bras Cardiol. 2019;112(4):477–86.
4. World Health Organization, Bloomberg Philanthropies. WHO report on the global tobacco epidemic, 2017: monitoring tobacco use and prevention policies. Geneva: WHO; 2017.
5. Drope J, Schluger N, Cahn Z, Drope J, Hamill S, Islami F, et al. The Tobacco Atlas. 6th ed. Atlanta: American Cancer Society and Vital Strategies; 2018.

6. Commar A, Prasad VK, Tursan d'Espaignet E, Wolfenden L, World Health Organization. WHO global report on trends in prevalence of tobacco smoking 2000-2025. Geneva: WHO; 2018.
7. Instituto Nacional de Câncer. Convenção-Quadro da Organização Mundial da Saúde para o controle do tabaco no Brasil: dez anos de história – 2005-2015. 2. ed. Rio de Janeiro: INCA; 2018. 84 p.
8. Instituto Nacional de Câncer. Observatório da Política Nacional de Controle do Tabaco. Dados e números da prevalência do tabagismo – [Internet]. Rio de Janeiro: INCA; 2021 [capturado em 11 out. 2021]. Disponível em: https://www.inca.gov.br/observatorio-da-politica-nacional-de-controle-do-tabaco/dados-e-numeros-prevalencia-tabagismo
9. World Health Organization. The tobacco body. Geneva: WHO; 2019 [capturado em 11 out. 2021]. Disponível em: https://apps.who.int/iris/handle/10665/324846
10. Instituto Nacional de Câncer, Pan American Health Organization, organizadores. Pesquisa especial de tabagismo – PETab: relatório Brasil. Rio de Janeiro: INCA; 2011. 199 p.
11. Palmer J, Lloyd A, Steele L, Fotheringham J, Teare D, Iqbal J, et al. Differential Risk of ST-Segment Elevation Myocardial Infarction in Male and Female Smokers. J Am Coll Cardiol. 2019;73(25):3259–66.
12. Instituto Nacional de Câncer. Coordenação de Prevenção e Vigilância. Estimativa 2018: Incidência de Câncer no Brasil. Rio de Janeiro: INCA; 2018.
13. Richey Sharrett A, Coady SA, Folsom AR, Couper DJ, Heiss G. Smoking and diabetes differ in their associations with subclinical atherosclerosis and coronary heart disease—the ARIC Study. Atherosclerosis. 2004;172(1):143–9.
14. World Health Organization. WHO Report on the Global Tobacco Epidemic, 2009. Implementing smoke-free environments. Geneva: WHO; 2009.
15. Brasil. Ministério da Saúde. Vigitel Brasil 2019: vigilância de fatores de risco e proteção para doenças crônicas por inquérito telefônico: estimativas sobre frequência e distribuição sociodemográfica de fatores de risco e proteção para doenças crônicas nas capitais dos 26 estados brasileiros e no Distrito Federal em 2019. Brasília: MS; 2020.
16. Lessov-Schlaggar CN, Hops H, Brigham J, Hudmon KS, Andrews JA, Tildesley E, et al. Adolescent Smoking Trajectories and Nicotine Dependence. Nicotine Tob Res. 2008;10(2):341–51.
17. Riggs NR, Chou C-P, Li C, Pentz MA. Adolescent to Emerging Adulthood Smoking Trajectories: When Do Smoking Trajectories Diverge, and Do They Predict Early Adulthood Nicotine Dependence? Nicotine Tob Res. 2007;9(11):1147–54.
18. Benowitz NL, Henningfield JE. Establishing a Nicotine Threshold for Addiction -- The Implications for Tobacco Regulation. N Engl J Med. 1994;331(2):123–5.
19. Rosemberg J. Nicotina – Droga Universal. Rio de Janeiro: INCA; 2003.
20. Marques ACPR, Campana A, Gigliotti A de P, Lourenço MTC, Ferreira MP, Laranjeira R. Consenso sobre o tratamento da dependência de nicotina. Braz J Psychiatry. 2001;23(4):200–14.
21. Heron J, Hickman M, Macleod J, Munafò MR. Characterizing Patterns of Smoking Initiation in Adolescence: Comparison of Methods for Dealing With Missing Data. Nicotine Tob Res. 2011;13(12):1266–75.
22. Goff DC, Henderson DC, Amico E. Cigarette smoking in schizophrenia: Relationship to psychopathology and medication side effects. Am J Psychiatry. 1992;149(9):1189–94.
23. de Leon J, Diaz FJ. A meta-analysis of worldwide studies demonstrates an association between schizophrenia and tobacco smoking behaviors. Schizophr Res. 2005;76(2):135–57.
24. Silberg J, Rutter M, D'Onofrio B, Eaves L. Genetic and environmental risk factors in adolescent substance use. J Child Psychol Psychiatry. 2003;44(5):664–76.
25. Santos JDP, Silveira DV, Oliveira DF de, Caiaffa WT. Instrumentos para avaliação do tabagismo: uma revisão sistemática. Ciênc Saúde Coletiva. 2011;16:4707–20.
26. Brasil. Ministério da Saúde. Secretaria de Atenção à Saúde. Departamento de Atenção Básica. Estratégias para o cuidado da pessoa com doença crônica : o cuidado da pessoa tabagista. Brasília: MS; 2015.
27. Hatsukami DK, Stead LF, Gupta PC. Tobacco addiction. Lancet. 2008;371(9629):2027–38.
28. Instituto Brasileiro de Geografia e Estatística, Coordenação de Trabalho e Rendimento. Tabagismo, 2008: Pesquisa Nacional por Amostra de Domicílios. Rio de Janeiro: IBGE; 2009.
29. Achutti A. Guia nacional de prevenção e tratamento do tabagismo. 2. ed. Rio de Janeiro: Vitrô Comunicação; 2001.
30. Tobacco Use and Dependence Guideline Panel. Treating Tobacco Use and Dependence: 2008 Update [Internet]. Rockville: US Department of Health and Human Services; 2008 [capturado em 11 out. 2021]. Disponível em: https://www.ncbi.nlm.nih.gov/books/NBK63952/
31. DiClemente CC, Schlundt D, Gemmell L. Readiness and Stages of Change in Addiction Treatment. Am J Addict. 2004;13(2):103–19.
32. Oliveira M da S, Laranjeira R, Araujo RB, Camilo RL, Schneider DD. Estudo dos estágios motivacionais em sujeitos adultos dependentes do álcool. Psicol Reflex Crit. 2003;16(2):265–70.
33. Miller WR, Rollnick S. Entrevista motivacional: preparando as pessoas para a mudança de comportamentos adictivos. Porto Alegre: Artmed; 2000.
34. Instituto Nacional de Câncer. Coordenação de Prevenção e Vigilância. Abordagem e Tratamento do Fumante – Consenso 2001. Rio de Janeiro: INCA; 2001.
35. Hall SM, Humfleet GL, Muñoz RF, Reus VI, Prochaska JJ, Robbins JA. Using Extended Cognitive Behavioral Treatment and Medication to Treat Dependent Smokers. Am J Public Health. 2011;101(12):2349–56.
36. Wittchen H-U, Hoch E, Klotsche J, Muehlig S. Smoking cessation in primary care – a randomized controlled trial of bupropione, nicotine replacements, CBT and a minimal intervention. Int J Methods Psychiatr Res. 2011;20(1):28–39.
37. Webb MS, de Ybarra DR, Baker EA, Reis IM, Carey MP. Cognitive–behavioral therapy to promote smoking cessation among African American smokers: A randomized clinical trial. J Consult Clin Psychol. 2010;78(1):24–33.
38. Killen JD, Fortmann SP, Schatzberg AF, Arredondo C, Murphy G, Hayward C, et al. Extended cognitive behavior therapy for cigarette smoking cessation. Addiction. 2008;103(8):1381–90.
39. Schnoll RA, Rothman RL, Wielt DB, Pedri H, Wang H, Babb J, et al. A randomized pilot study of cognitive-behavioral therapy versus basic health education for smoking cessation among cancer patients. Ann Behav Med. 2005;30(1):1.
40. Stead L, Buitrago D, Preciado N, Sanchez G, Hartmann-Boyce J, Lancaster T. Physician advice for smoking cessation. Cochrane Database Syst Rev. 2013;2013(5): CD000165.
41. Mottillo S, Filion KB, Bélisle P, Joseph L, Gervais A, O'Loughlin J, et al. Behavioural interventions for smoking cessation: a meta-analysis of randomized controlled trials. Eur Heart J. 2009;30(6):718–30.
42. Santos JDP. Avaliação da efetividade do programa de tratamento do tabagismo no Sistema Único de Saúde. [Dissertação]. Porto Alegre: UFRGS; 2011.
43. Rice V, Heath L, Livingstone-Banks J, Hartmann-Boyce J. Nursing interventions for smoking cessation. Cochrane Database Syst Rev. 2017;12(12):CD001188.
44. Dent LA, Harris KJ, Noonan CW. Tobacco interventions delivered by pharmacists: a summary and systematic review. Pharmacotherapy. 2007;27(7):1040–51.
45. Lancaster T, Stead L. Self-help interventions for smoking cessation. Cochrane Database Syst Rev. 2005;(3): CD001118.
46. Stead L, Carroll A, Lancaster T. Group behaviour therapy programmes for smoking cessation. Cochrane Database Syst Rev. 2017;3(3):CD001007.

47. Hartmann-Boyce J, Chepkin S, Ye W, Bullen C, Lancaster T. Nicotine replacement therapy versus control for smoking cessation. Cochrane Database Syst Rev. 2018;5(5):CD000146.
48. Cahill K, Lindson-Hawley N, Thomas K, Fanshawe T, Lancaster T. Nicotine receptor partial agonists for smoking cessation. Cochrane Database Syst Rev. 2016;2016(5): CD006103.
49. Hughes J, Stead L, Hartmann-Boyce J, Cahill K, Lancaster T. Antidepressants for smoking cessation. Cochrane Database Syst Rev. 2014;2014(1):CD000031.
50. Gourlay SG, Stead LF, Benowitz N. Clonidine for smoking cessation. Cochrane Database Syst Rev. 2004;2004(3):CD000058.
51. O'Hara P, Connett JE, Lee WW, Nides M, Murray R, Wise R. Early and Late Weight Gain following Smoking Cessation in the Lung Health Study. Am J Epidemiol. 1998;148(9):821–30.
52. Aubin H-J, Farley A, Lycett D, Lahmek P, Aveyard P. Weight gain in smokers after quitting cigarettes: meta-analysis. BMJ. 2012;345:e4439.
53. Farley AC, Hajek P, Lycett D, Aveyard P. Interventions for preventing weight gain after smoking cessation. Cochrane Database Syst Rev. 2012;(1):CD006219.
54. Grandes G, Cortada JM, Arrazola A, Laka JP. Predictors of long-term outcome of a smoking cessation programme in primary care. Br J Gen Pract. 2003;53(487):101.

LEITURAS RECOMENDADAS

Achutti A. AMICOR: Vaping and heart [Internet]. AMICOR; 2019 [capturado em 11 out. 2021]. Disponível em: https://amicor.blogspot.com/2019/11/vaping-and-heart.html
Informações sobre os malefícios do cigarro eletrônico (vaping).

ACT BR. Controle do tabagismo [Internet]. São Paulo: ACT; c2021 [capturado em 11 out. 2021]. Disponível em: https://actbr.org.br/controle-do-tabagismo

Instituto Nacional de Câncer. Tabagismo: causas e prevenção [Internet]. Rio de Janeiro: INCA; 2021 [capturado em 11 out. 2021]. Disponível em: https://www.inca.gov.br/tabagismo

Pan American Health Organization. Tobacco control [Internet]. Washington: PAHO; 2021 [capturado em 11 out. 2021]. Disponível em: https://www.paho.org/en/topics/tobacco-prevention-and-control

World Health Organization. Tobacco [Internet]. Geneva; WHO; 2021[capturado em 11 out. 2021]. Disponível em: https://www.who.int/tobacco/en/
Fontes oficiais com informações sobre tabagismo e abordagens nacionais e internacionais para eliminar o hábito.

Capítulo 28
PROBLEMAS RELACIONADOS AO CONSUMO DE ÁLCOOL

Mauro Soibelman
Paola Bell Felix de Oliveira
Lisia von Diemen

Cerca de 2 bilhões de pessoas ao redor do mundo consomem álcool,[1] prática adaptada à maioria das culturas ao redor do globo e associada a celebrações, eventos sociais e de negócios, cerimônias religiosas e eventos culturais. No entanto, essa alta prevalência tem consequências importantes e graves no contexto da saúde pública mundial.

O consumo prejudicial de álcool esteve associado a cerca de 5,3% de todas as mortes no planeta em 2016, mais do que o HIV/Aids, diabetes ou dislipidemia.[2] No Brasil, o uso de álcool é o quarto fator de risco para mortes prematuras e incapacidades, responsável por 6,7% da carga de doença. Uma revisão recente, considerando não apenas doença cardiovascular, sugere que o nível de consumo de álcool que minimiza os danos à saúde é zero doses/dia.[3]

> Dados apontam que 50% dos brasileiros acima de 18 anos bebem pelo menos 1 vez ao ano, cerca de 4% apresentam transtorno por uso de álcool (TUA) leve, e 14%, TUA moderado a grave. Entre a população que consumiu álcool com frequência, as mulheres apresentaram crescimento relativo maior, passando de 27% em 2006 para 38% em 2012. Na adolescência, foi observada maior precocidade na experimentação de álcool, chegando a 22% da população abaixo dos 15 anos em 2012.[4]

O uso precoce de álcool também é um fator de alto impacto sobre o prognóstico futuro, sendo associado a risco aumentado de dependência da substância na vida adulta quando se inicia antes dos 14 anos.[5] O uso prejudicial é considerado o maior fator de risco evitável para transtornos neuropsiquiátricos, bem como fator de risco para outras doenças não transmissíveis, como cirrose hepática, vários tipos de câncer e certas doenças cardiovasculares.[6,7] A maior parte do dano relacionado com álcool ocorre não apenas naqueles que apresentam TUA moderado a grave, mas também, e principalmente, nos casos com TUA leve e no consumo em *binge*.

Em razão desses números, a Organização Mundial da Saúde (OMS)[8] lançou, em 2018, uma iniciativa chamada de SAFER, visando à redução do consumo prejudicial de álcool em 10% até 2025. Trata-se de um pacote de medidas comprovadamente eficazes para reduzir os danos provocados pelo álcool. São 5 medidas preconizadas: reforçar a restrição na disponibilidade de álcool, reforçar e fiscalizar as medidas para evitar dirigir sob efeito de álcool, fazer restrições em relação a propagandas e à promoção do uso de álcool, praticar aumento do preço e das taxas na venda de álcool e facilitar o acesso ao rastreamento, à intervenção breve e ao tratamento dos problemas relacionados ao álcool. Neste último, o médico da atenção primária tem um papel essencial, e as formas de rastreamento e de intervenção breve nesse contexto serão abordados adiante.

CONCEITOS

O conceito de *alcoolismo* tem-se modificado desde seu primeiro uso no século XIX. Tornou-se popular e se vulgarizou, ao passo que os conhecimentos científicos foram ampliados, de forma que seu emprego tem sido abandonado em contextos técnicos. A nomenclatura para descrever os problemas associados com consumo de álcool continua sendo modificada. Em 2013, o *Manual diagnóstico e estatístico de transtornos mentais*, 5ª edição (DSM-5)[9], unificou os diagnósticos de abuso e dependência de álcool para TUA, com diferentes níveis de gravidade: leve (equivalente ao antigo abuso), moderado e grave (os dois últimos refletindo a dependência). A *Classificação estatística internacional de doenças e problemas relacionados à saúde*, 10ª revisão (CID-10)[10], apresenta diagnósticos de uso nocivo e dependência, sendo que o CID-11 está propondo substituir o uso nocivo por padrão de uso prejudicial de álcool. Considerando que os critérios diagnósticos do DSM-5[9] estão mais atualizados, optamos por utilizá-los neste capítulo.

O TUA leve **(TABELA 28.1)** é um padrão de uso de bebida alcoólica que contempla de 2 a 3 dos 11 critérios diagnósticos para TUA descritos no DSM-5.[9] Diferentemente da CID-10[10] e do antigo diagnóstico de abuso, a presença de somente um sintoma não é suficiente para fechar o diagnóstico. Conceitualmente, trata-se do contexto em que o consumo de álcool está trazendo prejuízos e consequências negativas à vida do paciente em uma fase inicial.

Já o TUA moderado (4 a 5 critérios) a grave (6 ou mais critérios) **(TABELA 28.1)** caracteriza-se por um conjunto de fenômenos fisiológicos, comportamentais e cognitivos no qual o uso de bebidas alcoólicas, para um determinado indivíduo, alcança prioridade muito maior do que outros comportamentos que antes eram priorizados. Uma característica descritiva central desses quadros mais graves é o desejo (frequentemente forte, algumas vezes irresistível) de consumir álcool.

O consumo de risco refere-se aos indivíduos cujo consumo de álcool excede determinado limite considerado seguro. Esse limite varia muito de país para país, seja na quantia diária, na quantia semanal ou em quantos gramas de álcool contém uma dose-padrão.[11] No Brasil, não há uma diretriz nacional sobre esses valores. Na maioria dos países, o limite é menor para mulheres e idosos em relação aos homens. Nos Estados Unidos, os limites utilizados são o consumo semanal de mais de 21 unidades de álcool (1 unidade = 14 gramas de etanol) para homens, 14 unidades para mulheres e não mais de 4 unidades por dia para homens e 3 para mulheres **(TABELA 28.2)**. Entretanto, estudos recentes sugerem que esses limites devem ser revistos, pois quantidades muito menores estão associadas a aumento de riscos.[12]

Outro conceito importante é o de consumo em *binge*. O *binge* é definido como o consumo de álcool em uma quantidade suficiente para atingir uma alcoolemia de 0,08 g/dL, o que acontece geralmente após 5 doses para homens e 4 doses para mulheres em cerca de 2 horas. Esse padrão de consumo está associado com riscos agudos, como acidentes de trânsito, violência e exposição sexual, entre outros.[13] O consumo pesado de álcool é considerado quando o consumo em *binge* ocorre em 5 ou mais dias no último mês. Esse consumo prediz consequências negativas importantes na saúde imediata e futura, mesmo quando não acompanhado de critérios para uso nocivo, uso problemático ou dependência de álcool.[6,14] O Brasil encontra-se entre os países com maior índice de consumo do tipo *binge* no mundo.[1]

METABOLISMO DO ETANOL

O etanol é uma substância de baixo peso molecular, hidrossolúvel e rapidamente absorvida no estômago (20%), no intestino grosso e no intestino delgado (80%). Alguns fatores aumentam a absorção do etanol, como o esvaziamento gástrico acelerado, a ausência de alimentos no trato gastrintestinal e a ingestão de bebidas gaseificadas (p. ex., espumante). Apenas 5 a 10% do etanol é excretado diretamente pelos dois

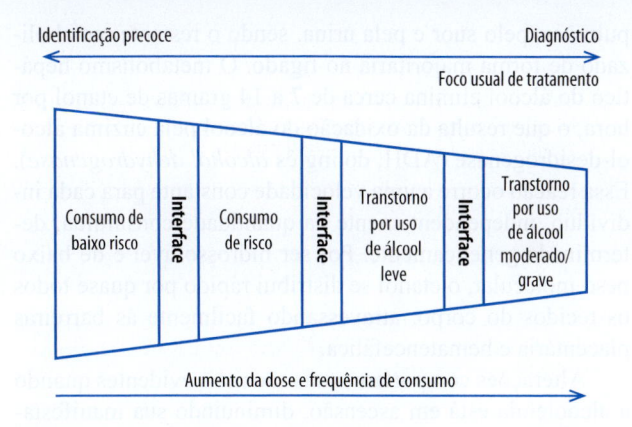

FIGURA 28.1 → Esquematização das diferentes fases no processo de instalação do transtorno por uso de álcool.
Fonte: Adaptada de Skinner e Holt[34] e Ramos e Bertolote.[66]

TABELA 28.1 → Diretrizes diagnósticas na identificação de pacientes com transtorno por uso de álcool*

Padrão problemático de uso de substâncias, levando ao comprometimento ou sofrimento clinicamente significativo. É manifestado por pelo menos dois dos seguintes critérios, ocorridos durante um período de 12 meses:
1. Consumo de álcool em quantidade ou tempo maiores do que o pretendido
2. Desejo persistente ou esforços malsucedidos para reduzir ou controlar o uso de álcool
3. Tempo gasto em obtenção ou utilização do álcool, bem como na recuperação de seus efeitos
4. Fissura ou um forte desejo de usar álcool
5. Fracasso em desempenhar papéis sociais importantes em decorrência do uso recorrente do álcool
6. Uso continuado do álcool, apesar dos problemas sociais e interpessoais recorrentes causados pela substância
7. Abandono ou redução de atividades sociais ou profissionais
8. Uso de álcool em situações em que isso representa perigo para a integridade física
9. Manter uso de álcool apesar da consciência de ter problema físico ou psicológico causado pela substância
10. Tolerância (quantidades gradativamente maiores para obter intoxicação ou redução do efeito em uso de quantidade de álcool usual)
11. Abstinência (síndrome de abstinência característica do álcool ou paciente consome substâncias estritamente relacionadas para aliviar ou evitar os sintomas da abstinência)

*Classificação:
→ Transtorno por uso de álcool **leve**: 2 a 3 pontos
→ Transtorno por uso de álcool **moderado**: 4 a 5 pontos
→ Transtorno por uso de álcool **grave**: 6 ou mais pontos
Fonte: Adaptada de American Psychiatric Association.[9]

TABELA 28.2 → Teor alcoólico médio, medida padronizada e unidades de álcool para um drinque-padrão de vinho, cerveja e destilados

TIPO DE BEBIDA	CONCENTRAÇÃO ALCOÓLICA (%)	MEDIDA (ML)	VOLUME DE ÁLCOOL (G)	UNIDADES
Vinho	12	1 cálice (100)	9,6	0,7
Cerveja	5	1 lata (350)	17	1,3
Destilados	40	1 dose (35)	12	1

pulmões, pelo suor e pela urina, sendo o restante metabolizado de forma majoritária no fígado. O metabolismo hepático do álcool elimina cerca de 7 a 14 gramas de etanol por hora, o que resulta da oxidação do álcool pela enzima álcool-desidrogenase (ADH, do inglês *alcohol dehydrogenase*). Essa reação ocorre a uma velocidade constante para cada indivíduo, independentemente da quantidade consumida, determinada geneticamente. Por ser hidrossolúvel e de baixo peso molecular, o etanol se distribui rápido por quase todos os tecidos do corpo, atravessando facilmente as barreiras placentária e hematencefálica.

Alterações comportamentais são mais evidentes quando a alcoolemia está em ascensão, diminuindo sua manifestação na fase de declínio. Mulheres apresentam peculiaridades que parecem resultar em maior efeito deletério do álcool, como níveis séricos da enzima ADH mais baixos, maior proporção de gordura em relação à água corporal – elas alcançam maior alcoolemia do que os homens para uma mesma dose corrigida pelo peso, além de variações da metabolização do álcool nas diferentes fases do ciclo menstrual.[15]

Intoxicação aguda

O sistema nervoso central é o órgão mais rapidamente afetado pelo álcool, que produz sedação, diminuição da ansiedade, fala pastosa, ataxia, prejuízo da capacidade de julgamento e desinibição do comportamento. A intoxicação aguda é um fenômeno transitório, cuja intensidade diminui com o tempo e cujos efeitos desaparecem na ausência de uso posterior de álcool. A recuperação é completa, exceto quando surgem lesões teciduais ou complicações.

As alterações no comportamento, nas funções cognitivas e nas funções motoras dependem de vários fatores, como a dose ingerida, a velocidade de absorção, o peso corporal e a genética do indivíduo, assim como o aumento da tolerância aos efeitos do álcool que ocorre com o beber sistemático. Existe relação entre os níveis sanguíneos de etanol e os efeitos clínicos. Porém, nos indivíduos que fazem uso crônico de etanol, esses sinais de intoxicação aparecem apenas com alcoolemias maiores.

Em geral, no manejo de um indivíduo com intoxicação aguda pelo álcool, quando não se constata perda da consciência, é suficiente aguardar a metabolização da substância pelo organismo, como ocorre em grande proporção dos casos que não buscam serviços de saúde. Não existem substâncias de utilidade clínica para acelerar a taxa de metabolização do etanol. Sendo assim, o emprego indiscriminado de glicose hipertônica para esse fim não tem fundamentação científica, e sua reposição deve ser reservada aos casos que apresentam hipoglicemia constatada por dosagem no sangue capilar ou outra técnica. Além disso, deve-se sempre realizar reposição de tiamina (pelo menos 100 mg parenteral) em pacientes que vão receber soro glicosado, em função do risco de induzir a encefalopatia de Wernicke. Pacientes em coma alcoólico devem receber todas as medidas de suporte apropriadas, em regime de internação hospitalar.

Alguns indivíduos podem tornar-se agressivos. Nesses casos, pode ser usado o haloperidol, 5 mg por via oral ou intramuscular, ou o lorazepam, 1 a 2 mg por via oral. Devem ser usados com cautela, pois há risco de redução do limiar convulsivante com o haloperidol (embora este seja um dos neurolépticos associados com menor redução do limiar)[16] e de potencialização dos efeitos depressores do álcool com o uso de benzodiazepínicos.

É importante salientar que – possivelmente pelo aumento da disforia, da agressividade e da impulsividade – a intoxicação aguda por álcool, especialmente em altas doses, esteja associada com aumento do risco de suicídio.[17]

ETIOLOGIA E FATORES DE RISCO

Todas as pessoas que consomem bebidas alcoólicas estão em risco de apresentar algum tipo de complicação associada a esse hábito ao longo de suas vidas. A maior ou menor probabilidade de que isso ocorra depende da interação entre os diferentes fatores de risco e de proteção que podem ser divididos em socioculturais e biológicos.

Os fatores de risco socioculturais incluem maior disponibilidade de bebidas alcoólicas, alto grau de estresse coletivo, estímulo social (pressão social) para beber, postura ética ambivalente diante do álcool, inexistência de sanções sociais contra a embriaguez e contra o abuso de álcool e costumes tradicionais que incluem consumo frequente de álcool.

Quanto aos fatores de risco biológicos, há evidência de predisposição genética aos problemas relacionados com o uso de álcool, que parece estar associada a diferenças nas composições enzimáticas e a algumas características da personalidade. Um aspecto importante é o fato de que o risco aumentado de desenvolver problema com substâncias não se expressa de forma direta, mas, sim, por meio de características intermediárias chamadas de *endofenótipos*.

Uma característica é considerada endofenótipo se estiver associada ao transtorno, se puder ser identificada antes do desenvolvimento do transtorno e se for capaz de predizer um alto risco para a condição no futuro. Pelo menos quatro endofenótipos foram identificados para problemas relacionados ao uso do álcool. São três de risco – alta tolerância ao álcool, comportamentos externalizantes (impulsividade, busca de novidades, desinibição comportamental) e comorbidades psiquiátricas (esquizofrenia, transtornos de ansiedade, transtornos afetivos, transtornos de personalidade, transtorno de déficit de atenção e hiperatividade) –, e um de proteção: vermelhidão após uso de bebidas alcoólicas.[18]

Outro fator importante a ser considerado são as comorbidades psiquiátricas com os TUAs. Há grande risco de outros diagnósticos psiquiátricos, em particular de transtorno de humor e ideação suicida, em indivíduos com TUA. Além disso, os indivíduos que apresentam algum diagnóstico psiquiátrico podem desenvolver consumo em *binge* ou TUA.[19] Indivíduos com comorbidades psiquiátricas também apresentam pior prognóstico em comparação a controles que apresentam somente um dos transtornos.[20,21]

DIAGNÓSTICO

Considerando a alta prevalência de TUA na população geral e, mais ainda, na população clínica, todo paciente deve ser questionado sobre o seu padrão de consumo de álcool e problemas relacionados. Isso pode ser feito durante a anamnese, por meio de instrumentos de rastreamento específicos ou de marcadores bioquímicos. O objetivo é detectar precocemente o consumo de risco, prevenindo a evolução para TUA. Todavia, mesmo quando já há evidências de complicações relacionadas ao álcool, é comum que a complicação seja tratada sem que se dê um encaminhamento para o problema com o álcool. Há grande probabilidade de novas complicações surgirem com crescente frequência e, se for o caso, de a doença de base seguir seu curso para os estágios mais avançados sem ter sido abordada.

TABELA 28.3 → Indicadores clínicos de consumo excessivo de bebidas alcoólicas

CLASSE	INDICADOR
Físicos	
Gastrintestinais	→ Dor abdominal
	→ Náuseas e vômitos, especialmente matinais
	→ Dispepsia
	→ Diarreia recorrente
	→ Hemorragia digestiva
	→ Diminuição do apetite
	→ Dano hepático (hepatomegalia, icterícia, aranhas vasculares)
	→ Aumento do volume das glândulas parótidas
	→ Neoplasias do tubo digestivo
Cardiovasculares	→ Hipertensão arterial
	→ Palpitações
	→ Arritmias
	→ Acidente vascular cerebral
	→ Miocardiopatia
Neurológicos	→ "Apagamentos" (*blackouts*)
	→ Tremores
	→ Mialgia (miopatia)
	→ Convulsões/quedas
	→ Polineuropatia
	→ Demência
	→ Problemas com a memória
	→ Ataxia
Trauma	→ Acidentes e ferimentos
	→ Queimaduras frequentes
	→ Cicatrizes múltiplas
Outros	→ Aparência descuidada
	→ Irritabilidade
	→ Hálito alcoólico
	→ Obesidade (sobretudo em homens jovens) ou emagrecimento
	→ Impotência sexual
	→ Poliúria
	→ Amenorreia
	→ Tuberculose
Psicológicos	
Ansiedade	→ Sudorese, tremores
Depressão	→ Risco de suicídio, intoxicações medicamentosas
Disfunção sexual	→ Impotência, desvios
Abuso de drogas	→ Benzodiazepínicos e outras
Distúrbios do sono	→ Insônia, pesadelos
Familiares	
Problemas psicológicos	→ Dificuldades no relacionamento com o cônjuge ou filhos
Violência	→ Agressões ao cônjuge ou filhos
Sociais	
Problemas financeiros	→ Dívidas
Problemas legais	→ Transgressões às leis, dirigir alcoolizado
Problemas no trabalho	→ Faltas e atrasos (em especial às segundas-feiras, após feriados, dias de pagamento e intervalo de almoço)
Isolamento	→ Desemprego prolongado
Brigas e agressões	→ Acidentes do trabalho
	→ Restrição do círculo de amizades
	→ Ocorrências policiais
	→ Traumatismos

Anamnese

Cada profissional deve encontrar momentos e maneiras mais adequados de abordar o consumo de bebidas alcoólicas. Deve-se ter o cuidado de não colocar a questão de uma forma preconceituosa e de não encerrar o assunto ao escutar "bebo socialmente, Dr.". Uma sugestão é introduzir questões sobre o consumo de álcool no contexto de perguntas sobre hábitos alimentares. De toda forma, deve-se conhecer o padrão de consumo de bebidas alcoólicas de qualquer indivíduo para o qual se assuma a responsabilidade de cuidados continuados.

Ao avaliar um paciente, a presença de certas queixas e sinais clínicos, incluindo elementos da síndrome de abstinência (TABELA 28.3), reforça a hipótese de consumo crônico excessivo de álcool ou de outros diagnósticos associados ao seu padrão de uso de bebidas alcoólicas.

Instrumentos de rastreamento

Na tentativa de simplificar e abreviar a elaboração diagnóstica das categorias de risco – TUA leve, moderado e grave –, muitos questionários padronizados e entrevistas estruturadas foram desenvolvidos, sendo alguns deles validados no Brasil. Esses instrumentos têm seu melhor emprego como testes de triagem, quando há limitação de tempo, selecionando pacientes que merecem uma abordagem mais detalhada. Dos mais utilizados, destaca-se o CAGE,[22] sigla formada pelas iniciais em inglês das palavras-chave de cada uma das quatro perguntas que o compõem: *cutdown* (diminuir), *annoyed* (aborrecido), *guilty* (culpado) e *eye-opener* (beber pela manhã) (TABELA 28.4), que detecta uso nocivo e dependência de álcool (CID-10),[10] com sensibilidade entre 43 e 94% e especificidade entre 70 e 97%, respectivamente, para duas ou mais respostas positivas.[23]

Nos últimos anos, novos instrumentos de triagem vêm sendo desenvolvidos e testados com objetivo de aumentar a sensibilidade e a especificidade para a detecção de indivíduos com consumo de risco. Entre eles, pode-se destacar o AUDIT (*Alcohol Use Disorders Identification Test*),[24] que consiste em 10 perguntas sobre três domínios diferentes relacionados ao uso de álcool: avaliação do uso problemático, TUA leve e TUA moderado a grave[25] e cuja validação em

TABELA 28.4 → O teste CAGE

(C)	Alguma vez você sentiu que deveria diminuir (*cut down*) a quantidade de bebida ou parar de beber?
(A)	As pessoas o aborrecem (*annoyed*) porque criticam o seu modo de beber?
(G)	Você se sente culpado (*guilty*)/chateado consigo mesmo pela maneira como costuma beber?
(E)	Você costuma beber pela manhã (*eye-opener*) para diminuir o nervosismo ou a ressaca?

Fonte: Mayfield e colaboradores.[22]

TABELA 28.5 → O teste AUDIT

1. Com que frequência consome bebidas que contêm álcool? (Escreva o número que melhor corresponde à sua situação.)
   0 = nunca
   1 = uma vez por mês ou menos
   2 = duas a quatro vezes por mês
   3 = duas a três vezes por semana
   4 = quatro ou mais vezes por semana

2. Quando bebe, quantas bebidas contendo álcool consome em um dia normal?
   0 = uma ou duas
   1 = três ou quatro
   2 = cinco ou seis
   3 = de sete a nove
   4 = dez ou mais

3. Com que frequência consome seis bebidas ou mais em uma única ocasião?
   0 = nunca
   1 = uma vez por mês ou menos
   2 = duas a quatro vezes por mês
   3 = duas a três vezes por semana
   4 = quatro ou mais vezes por semana

4. Nos últimos 12 meses, com que frequência se deu conta de que não conseguia parar de beber depois de começar?
   0 = nunca
   1 = uma vez por mês ou menos
   2 = duas a quatro vezes por mês
   3 = duas a três vezes por semana
   4 = quatro ou mais vezes por semana

5. Nos últimos 12 meses, com que frequência não conseguiu cumprir as tarefas que habitualmente lhe exigem por ter bebido?
   0 = nunca
   1 = uma vez por mês ou menos
   2 = duas a quatro vezes por mês
   3 = duas a três vezes por semana
   4 = quatro ou mais vezes por semana

6. Nos últimos 12 meses, com que frequência precisou beber logo de manhã para "curar" uma ressaca?
   0 = nunca
   1 = uma vez por mês ou menos
   2 = duas a quatro vezes por mês
   3 = duas a três vezes por semana
   4 = quatro ou mais vezes por semana

7. Nos últimos 12 meses, com que frequência teve sentimentos de culpa ou de remorso por ter bebido?
   0 = nunca
   1 = uma vez por mês ou menos
   2 = duas a quatro vezes por mês
   3 = duas a três vezes por semana
   4 = quatro ou mais vezes por semana

8. Nos últimos 12 meses, com que frequência não se lembrou do que aconteceu na noite anterior por ter bebido?
   0 = nunca
   1 = uma vez por mês ou menos
   2 = duas a quatro vezes por mês
   3 = duas a três vezes por semana
   4 = quatro ou mais vezes por semana

9. Alguma vez já ficou ferido ou alguém ficou ferido por você ter bebido?
   0 = não
   1 = sim, mas não nos últimos 12 meses
   2 = sim, aconteceu nos últimos 12 meses

10. Alguma vez um familiar, amigo, médico ou profissional de saúde já manifestou preocupação pelo seu consumo de álcool ou sugeriu que deixasse de beber?
    0 = não
    1 = sim, mas não nos últimos 12 meses
    2 = sim, aconteceu nos últimos 12 meses

português já foi realizada (TABELA 28.5).[26] O AUDIT foi desenvolvido pela OMS com a participação de diversos países no intuito de ser um instrumento transcultural.

Tanto o CAGE quanto o AUDIT são amplamente utilizados, e o desempenho de cada um depende da população em que é aplicado. As questões contidas no CAGE estão relacionadas com aspectos associados ao TUA moderado a grave, enquanto as do AUDIT são mais abrangentes, buscando identificar quadros mais leves e padrões de consumo de risco. Assim, o desempenho do CAGE tende a ser melhor em populações nas quais o risco de TUA moderado a grave é maior, como emergências e internações, e o AUDIT, para identificar indivíduos de alto risco.[27] A OMS disponibiliza um manual para aplicação do AUDIT na atenção primária e orienta níveis de intervenção de acordo com o escore obtido,[25] conforme a **TABELA 28.6**. A versão reduzida do AUDIT (AUDIT-C), com as 3 primeiras questões do instrumento, possui boa sensibilidade e especificidade, podendo ser incorporada na anamnese. Utilizando, como ponto de corte, escore 3 para mulheres e 4 para homens, é possível detectar, com boa acurácia, consumo de risco e TUA.[28]

Marcadores biológicos

Alterações em diversas provas laboratoriais também são sugestivas de consumo excessivo e de problemas associados ao uso de álcool, sendo usadas em diferentes contextos:

→ **alterações hepáticas:** elevação da gamaglutamil-transferase (GGT), das transaminases (razão aspartato-transaminase/alanina-transaminase [AST/ALT] ou, dependendo da terminologia, transaminase glutâmico-oxalacética/transaminase glutâmico-pirúvica [TGO/TGP] de 1,5:1 a 2:1, mesmo quando não elevadas) e das bilirrubinas, e diminuição da atividade da protrombina;

TABELA 28.6 → Intervenção de acordo com a pontuação do AUDIT

PONTUAÇÃO DO AUDIT	SIGNIFICADO	INTERVENÇÃO
0 a 7	Consumo de baixo risco	**Psicoeducação:** Pacientes que pontuam baixo no AUDIT podem receber uma intervenção psicoeducacional. Eles devem ser valorizados pela ausência de problemas por abuso de bebidas, ao mesmo tempo em que devem ser ensinados sobre o que é consumo abusivo e sobre os riscos que advêm disso.
8 a 15	Consumo com risco	**Aconselhamento simples:** Apontar os possíveis riscos a que o paciente pode estar se expondo ao manter esse padrão de consumo de álcool; explicar sobre as consequências de um consumo mais problemático; discutir limites e maneiras de controlar o uso do álcool; realizar encorajamento para um consumo com menos risco.
16 a 19	Provável transtorno por uso de álcool leve	**Aconselhamento mais elaborado e monitoramento:** Consiste na introdução de mudanças diretas no padrão de consumo de álcool; discute com o paciente os problemas que estão decorrendo de um transtorno por uso de álcool leve, riscos aos quais ele está se expondo e estratégias de mudança; valoriza o encorajamento, a facilitação do tratamento e a diminuição de barreiras; também preconiza o acompanhamento para observar a evolução do processo de mudança.
20 a 40	Provável transtorno por uso de álcool moderado a grave	Encaminhamento ao especialista para avaliação de diagnóstico e tratamento.

→ **alterações hematológicas:** anemia, trombocitopenia, elevação de volume corpuscular médio (VCM) indicando macrocitose sem anemia;
→ elevação da **transferrina deficiente de carboidrato** (CDT);
→ **outras:** elevação de triglicerídeos, colesterol, ácido úrico, creatinofosfoquinase e aldolase, hipoproteinemia.

Esses marcadores são, como mencionado, apenas sugestivos do uso excessivo recente ou crônico de álcool, podendo ter seus valores alterados por outras situações clínicas. Apesar da ampla variedade de dosagens laboratoriais alteradas que podem ocorrer em indivíduos usuários de álcool, até o presente momento, nenhuma delas mostrou acurácia diagnóstica adequada para a identificação dos indivíduos com problemas relacionados ao uso de álcool.[29] Os biomarcadores têm um papel complementar em relação à investigação do consumo de álcool, podendo aumentar a suspeita do uso problemático em alguns casos.

A elevação do nível sérico da GGT, marcador mais consagrado de problemas com álcool, apresenta sensibilidade apenas intermediária (30 a 50%) para identificação de consumo de risco na população geral,[30] além de baixa sensibilidade (33%) para situações agudas, como recaídas.[31] A especificidade desse marcador também é baixa, uma vez que outras condições clínicas, como obesidade e diabetes, também elevam o seu nível sérico. Entretanto, um valor baixo de GGT indica baixa probabilidade de consumo prolongado e excessivo de álcool e consequentemente de síndrome de abstinência de álcool.

A relação AST/ALT (TGO/TGP) maior do que 2 é menos útil do que a GGT na identificação de uso excessivo de álcool, sendo mais relevante para identificar dano hepático já instalado.[32]

O VCM elevado associa-se a hábito de beber pesado crônico, mas tem sua utilidade clínica limitada, uma vez que tende a permanecer elevado por meses após a pessoa interromper o uso de bebidas alcoólicas. Assim, apresenta sensibilidade baixa tanto para identificação de uso excessivo como de recaídas.[32]

Os demais exames podem estar alterados em pacientes com transtornos relacionados ao uso de álcool, mas não têm papel definido na estratégia de rastreamento. São importantes na avaliação do paciente quando o problema já foi detectado. Em resumo, na atenção primária à saúde, o ideal é que o rastreamento seja feito por meio de instrumentos como o AUDIT ou o CAGE, complementados, em alguns casos, pelo uso cauteloso de marcadores biológicos (GGT, VCM, AST/ALT). Uma anamnese cuidadosa pode ser usada para triagem ou após suspeita clínica com base em outros métodos de rastreamento.

Investigação adicional

Diante de um paciente com suspeita de uso problemático de bebidas alcoólicas – seja como resultado de alguma estratégia de rastreamento, por relato de quantidade ou variabilidade no consumo, ou por sua apresentação –, a investigação deve ser suficientemente aprofundada para esclarecer de forma adequada o padrão de ingestão e identificar eventuais problemas associados. É possível, assim, reunir os elementos necessários para classificar esse padrão conforme as categorias e seus critérios diagnósticos apresentados anteriormente.

Na prática, um dos erros mais frequentes é tentar determinar com exatidão o momento em que o beber social deve passar a ser considerado TUA, para, somente então, intervir no caso. Mais importante do que rotular um indivíduo é ter clara a noção de continuidade, fundamental para o manejo do paciente com problemas relacionados ao álcool. Em geral, os problemas e o transtorno instalam-se e agravam-se progressivamente, e o profissional da atenção primária é quem melhor pode detectá-los e intervir precocemente, evitando sua evolução.[33,34]

CONDUTA

A estratégia básica para alcançar bons resultados é utilizar intervenções breves antes que o paciente tenha desenvolvido TUA moderado a grave e uma variedade de problemas associados.

O impacto cumulativo dessa estratégia deve resultar em maior número de indivíduos sofrendo intervenção de baixo custo ainda na fase de consumo de risco ou em estágio de TUA leve. São justamente esses os períodos em que o prognóstico é mais favorável.

Independentemente de seu diagnóstico, ao discutir questões relacionadas ao consumo de álcool, todo paciente deve ser informado sobre os riscos de dirigir intoxicado, assim como de operar diversos tipos de máquinas e equipamentos. Com as mulheres em idade fértil, deve-se abordar o risco da síndrome alcoólica fetal – um conjunto de alterações graves no desenvolvimento fetal e pós-natal decorrentes do consumo de bebidas alcoólicas durante a gestação. O tipo de intervenção indicada varia de acordo com o diagnóstico realizado, com os indivíduos dependentes necessitando de outro tipo de abordagem.

Consumo de risco e transtorno por uso de álcool leve

Apesar do nítido pessimismo de alguns profissionais de saúde a respeito de sua capacidade para intervir efetivamente nos casos com problemas relacionados ao consumo de álcool, a intervenção breve é prática e efetiva em muitas situações, incluindo os consumidores de risco e aqueles com TUA leve.[35] Suas características são:[36]

→ é estruturada, focal e objetiva;
→ é desenvolvida em curto espaço de tempo (as sessões variam de 5 a 45 minutos);
→ raras vezes ultrapassa 5 encontros;
→ pode ser realizada por profissionais com diferentes tipos de formação (médicos, enfermeiros, psicólogos, auxiliares de enfermagem, nutricionistas, assistentes sociais, agentes comunitários e outros profissionais de saúde), bastando que recebam um rápido treinamento para isso;

→ é centrada no cliente, com objetivo de ajudar no desenvolvimento da autonomia das pessoas, atribuindo-lhes a capacidade de assumir a iniciativa e a responsabilidade por suas escolhas.

Ela é eficaz em reduzir o consumo e os problemas ligados ao consumo de álcool (sem critérios para TUA moderado a grave) na atenção primária.[37] Em geral, materiais impressos são usados para reduzir o envolvimento do terapeuta e o tempo do tratamento, sendo de grande utilidade para o paciente.[38]

Componentes das intervenções breves incluem aconselhamento estruturado, aconselhamento com técnica motivacional, terapia cognitivo-comportamental e realização de diários de consumo de álcool, entre outros.[36]

Intervenções breves no nível de atenção primária, aliadas a consultas de revisão, são efetivas na redução do consumo de álcool B e podem levar consumidores de risco ou portadores de TUA leve a reduzir seu consumo, em média, para o equivalente a 4 drinques por semana, com resultado mais duradouro nos homens.[39]

Na **TABELA 28.7**, encontra-se um exemplo de aconselhamento utilizado na intervenção breve, que pode ser aplicado em um ou mais contatos (ver Leituras Recomendadas para maiores detalhes sobre intervenções breves).

No caso do consumo de risco, o profissional deve esclarecer o que se considera um padrão de ingestão "seguro" ou "de baixo risco" e fazer recomendações diretas e simples:[40,41]
→ intercalar dias sem consumo de álcool com os dias em que bebe;
→ nos dias em que beber, tentar limitar-se a 3 ou 4 unidades, para mulheres e homens, respectivamente; e
→ não exceder a 14 e 21 unidades por semana, para mulheres e homens, respectivamente.

O médico precisa esclarecer, tanto para o paciente quanto para seus familiares, a associação entre o álcool e os problemas a ele relacionados. É preciso explicar o estado atual de saúde, os riscos a que estará exposto o paciente se nada for feito em relação ao seu padrão de consumo, o que pode ser feito e estratégias para fazê-lo. Evidências de dano orgânico (p. ex., alterações bioquímicas relacionadas com disfunção hepática) mostram ser, com frequência, elementos de grande papel motivacional para a modificação dos hábitos de consumo do álcool.

O paciente deve entender claramente a relação entre o consumo de bebidas alcoólicas e as complicações associadas. É necessário enfatizar sua condição de complicação associada ao TUA, e não de um problema isolado, explicando que o tratamento envolve a modificação do padrão de consumo que colaborou para o agravamento ou que foi a causa do problema. Para várias das complicações na área da saúde, a única conduta prática é a abstinência do álcool, como na maioria dos casos de hepatite alcoólica e de episódios transitórios de depressão após crises de ingestão. Quando algum manejo específico está indicado, como reposição de enzimas pancreáticas para determinados casos de pancreatite crônica, deve ser feito concomitantemente com uma abordagem visando à abstinência do álcool.

Outros procedimentos incluem o estabelecimento de metas, a automonitorização do consumo, a identificação e a antecipação, para cada pessoa, de situações de risco para a recaída, o ensino de habilidades e estratégias de enfrentamento dessas situações, a modificação de crenças e expectativas acerca do uso de bebidas alcoólicas e a promoção de modificações no estilo de vida.

A organização de um esquema para contatos de rotina que garanta o seguimento do atendimento é vital para a monitorização e o reforço dos sucessos alcançados em direção às metas previamente estabelecidas em conjunto, demonstrando a preocupação continuada do terapeuta com o progresso de seu paciente. Nessas ocasiões, revisam-se todas as etapas já percorridas, os registros trazidos pelo paciente e os níveis de GGT, que devem ser dosados sistematicamente. A frequência das sessões, que podem e devem ser breves, é estabelecida em função das características de cada caso.

A terapia cognitivo-comportamental está associada a uma discreta melhora em desfechos como abstinência e dias de consumo pesado de álcool, mas clinicamente pouco significativa (TE = 0,09) em pacientes com abuso ou dependência de álcool B.[42]

Transtorno por uso de álcool moderado a grave

A abordagem desses pacientes é semelhante à das pessoas com qualquer outro problema de saúde. É necessária uma boa explicação sobre o diagnóstico e, a partir daí, sobre a doença: suas causas, noções sobre a fisiopatologia, sua história natural, prognóstico e opções de tratamento.

Cabe ao profissional que presta o atendimento no nível primário de atenção a abordagem inicial, mesmo dos casos mais graves, e o acompanhamento compartilhado com os outros níveis de atenção quando for necessário o encaminhamento. Utilizando variadas abordagens teóricas, profissionais especializados podem indicar diferentes modalidades de psicoterapia individual ou de grupo, precedidas ou não por um período de internação em unidades especializadas em adicção. Princípios semelhantes aos expostos nos itens anteriores devem nortear o manejo dos pacientes com TUA moderado a grave (ver *Alcohol Use in Adults* nas Leituras Recomendadas).

TABELA 28.7 → Exemplos de aconselhamentos utilizados na intervenção breve

INTERVENÇÃO	EXEMPLO
Chamar à reflexão	"Qual é a sua opinião sobre o seu consumo de álcool?"
Dar responsabilidade	"O que você pretende fazer em relação ao seu consumo?"
Dar retorno sobre a avaliação	"A sua pressão arterial está elevada, e o álcool está agravando o seu problema."
Dar opções de escolha	"Vamos discutir as alternativas de que você dispõe para não beber antes do trabalho."
Demonstrar interesse	"Conte-me sobre a sua semana. Como foram as suas tentativas para manter-se abstinente?"
Facilitar o acesso	"Vamos tentar encontrar um horário no qual você possa retornar."
Evitar o confronto	"Em vez de procurar culpados, podemos juntos buscar soluções para o seu problema."

Fonte: Adaptada de Marques e Ribeiro.[65]

O contato com a família ou grupo social é sempre desejável (ver Capítulo Abordagem Familiar). Em considerável parcela dos casos, a garantia de um suporte familiar adequado pode evitar a internação e, assim, afastar o menos possível o indivíduo de sua rotina, trabalho e ambiente familiar. Muitas vezes, grupos de ajuda mútua, como os Alcoólicos Anônimos, podem auxiliar na reabilitação, quer como intervenção única ou como adjuvante da terapia principal.

Outro aspecto a considerar é avaliar a existência de mais familiares com problemas com substâncias. Nesses casos, o envolvimento desses familiares no atendimento é muito importante, com foco em motivá-los para buscar tratamento. Há, também, famílias nas quais um ou mais integrantes organizam suas vidas em função do indivíduo com problema relacionado a substâncias. As famílias se adaptam e tendem a integrar a doença na sua rotina, acompanhando o padrão de negação, minimização e racionalização do paciente. O termo codependência reflete uma estratégia da família em manter um funcionamento "normal". Quando isso acontece, a melhora do paciente pode desestruturar o funcionamento familiar, ocorrendo, muitas vezes, o boicote ao tratamento pela família.[43]

O profissional deve determinar se o encaminhamento inicial será para atendimento ambulatorial ou Centro de Atenção Psicossocial – Álcool e Drogas (CAPS-AD), ou, ainda, se o paciente deve realizar a desintoxicação em um hospital. A indicação de internação é baseada no risco de uma síndrome de abstinência grave (detalhada adiante), falha no tratamento ambulatorial ou outros riscos que indiquem internação (risco de suicídio e de agressão, entre outros).

Tratamento

Existem três fármacos disponíveis para o tratamento da síndrome de dependência: dissulfiram, que provoca aversão ao álcool, e as chamadas substâncias antifissura (*anticraving*) – naltrexona e acamprosato.

O dissulfiram age inibindo a aldeído-desidrogenase, enzima que metaboliza o primeiro metabólito do etanol, o acetaldeído. Dessa forma, quando o indivíduo ingere álcool sob o efeito da medicação, há acúmulo de acetaldeído no organismo, provocando reações desagradáveis como palpitação, náusea e sensação de morte iminente.

O principal mecanismo de ação do dissulfiram é, primariamente, psicológico, pelo temor dos efeitos colaterais.[33] Dessa forma, os estudos controlados por placebo não mostram eficácia do dissulfiram, pois o placebo acaba tendo um efeito grande. Esse resultado foi demonstrado em uma metanálise em que os resultados do tratamento com dissulfiram foram visíveis apenas nos estudos abertos.[33] O dissulfiram é uma excelente opção para tratamento em pacientes altamente motivados para permanecerem abstinentes, devido ao baixo custo do tratamento para pacientes com dificuldades financeiras. Antes de prescrever dissulfiram, comorbidades e interações medicamentosas devem ser avaliadas, e o paciente deve estar abstinente de álcool ao iniciar o tratamento.[44]

O dissulfiram é efetivo em promover, de forma importante, a redução da frequência de consumo alcoólico, reduzindo em cerca de 40% o número de dias com consumo de álcool. Além disso, parece ser superior aos demais fármacos utilizados no tratamento, como naltrexona e acamprosato.[33]

A dose inicial é de 250 mg/dia, em uma única tomada por via oral, devendo ser aumentada caso o indivíduo refira ter ingerido álcool e não tenha apresentado as reações esperadas. O paciente sempre deve ser informado sobre o uso e os efeitos e riscos dessa medicação. Muitas vezes, com a sua concordância, pode ser administrada por algum familiar ou colega de trabalho, com apoio do agente comunitário de saúde, se disponível. Recentemente o dissulfiram deixou de ser comercializado no Brasil por decisão do laboratório que o fabricava. Há esforços dos profissionais da saúde para que volte a ser fabricado e comercializado.

A naltrexona (50 mg/dia, em dose única tomada por via oral, com duração recomendada de até 3 meses) é um antagonista opiáceo. Sabe-se que o álcool atua nos receptores opiáceos e que sua estimulação estaria envolvida na sensação de euforia produzida por essa substância. A naltrexona, apesar de ser medicação segura, apresenta efeitos modestos no tratamento da dependência. Ela reduz o risco de beber em excesso (*heavy drinking*) em 17% (número necessário para tratar [NNT] = 7-17) e o número de dias de consumo alcoólico em cerca de 8,8% **B**. Há evidências de que o uso crônico é seguro, devendo o tempo de utilização ser definido caso a caso. Uma elevação importante de transaminases (cinco vezes acima do limite da normalidade) pode ocorrer em cerca de 2% dos pacientes, motivo pelo qual se sugere dosagem periódica de enzimas hepáticas durante o tratamento.[45]

O acamprosato, assim como a naltrexona, produz efeito modesto, reduzindo em 10% (NNT = 8-26) o risco de qualquer consumo de álcool (*any drinking*) **B**.[46] As doses mais utilizadas são de 1.300 mg ou 2.000 mg por via oral, divididos em três tomadas diárias, por um período de 3 a 12 meses seguindo a desintoxicação. Não há evidência suficiente apontando que a combinação de fármacos seja superior à monoterapia em termos clínicos. Além disso, a politerapia pode diminuir a adesão devido à ocorrência de maior número de efeitos colaterais.[47]

Intervenções psicossociais podem contribuir para o tratamento dos pacientes com TUA, aumentando o uso das medicações prescritas, a manutenção da abstinência e a adesão ao tratamento de forma geral.[48] Em nível de atenção primária à saúde, além do rastreamento para consumo de risco de álcool, intervenções breves – que duram de 5 a 10 minutos e podem ser realizadas por diversos profissionais da equipe multidisciplinar – têm grande impacto no tratamento desses pacientes, bem como na identificação de casos graves de TUA que necessitam ser encaminhados para serviço especializado[49] (ver Leituras Recomendadas para mais informações sobre intervenção breve na atenção primária).

SÍNDROME DE ABSTINÊNCIA

Em pacientes com TUA moderado a grave, a síndrome de privação ou de abstinência é esperada, com intensidades variáveis, toda vez que a alcoolemia cai. Seu curso e gravidade são de difícil previsão, mas, em casos nos quais vem ocorrendo repetidamente, pode-se esperar um padrão semelhante ao dos últimos episódios. Os primeiros sinais e sintomas, como tremores, ansiedade, insônia, náuseas e inquietação, costumam aparecer cerca de 6 horas após a diminuição ou interrupção do uso de álcool. Sintomas mais graves ocorrem em cerca de 10% dos indivíduos e incluem febre baixa, taquipneia, tremores intensos e sudorese profusa. Podem ocorrer alucinações ou ilusões transitórias visuais, táteis ou auditivas e agitação psicomotora. As convulsões desenvolvem-se 12 a 24 horas depois da última ingestão ou diminuição importante do consumo em cerca de 5% dos pacientes não tratados.

Outra complicação possível é o *delirium tremens*, definido como um estado confusional breve, mas ocasionalmente com risco de vida, acompanhado de perturbações somáticas, que costuma manifestar-se com mais frequência nas primeiras 72 horas de abstinência. Em geral, os sintomas prodrômicos incluem insônia, tremores e medo. A clássica tríade de sintomas inclui obnubilação da consciência e confusão, alucinações e ilusões vívidas, afetando qualquer modalidade sensorial, acompanhados de tremores marcantes. Delírios, agitação, insônia ou inversão do ciclo do sono e hiperatividade autonômica em geral também estão presentes. Sua mortalidade é de 5 a 25%.[50]

Prognóstico

A escala CIWA-Ar (FIGURA 28.2 e QR code) é constituída de 10 itens, e seu escore final permite classificar a gravidade da síndrome de abstinência do álcool, fornecendo subsídios para planejar o tratamento. O escore da CIWA-Ar auxilia na determinação do melhor ambiente de tratamento: com escore ≥ 20, o paciente deve ser encaminhado para internação em unidade hospitalar; já escores menores permitem a desintoxicação domiciliar ou ambulatorial, dependendo dos recursos locais, clínicos, psiquiátricos e sociais.[11]

No entanto, outros fatores podem ser particularmente relevantes na escolha do melhor ambiente de tratamento para a abstinência. Preditores de maior gravidade da síndrome de abstinência alcoólica, que sugerem a necessidade da desintoxicação hospitalar, são história prévia de abstinência grave (sintomas de difícil manejo, convulsões ou *delirium tremens*), idade avançada, uso concomitante de hipnóticos e sedativos, problemas clínicos agudos ou crônicos, alcoolemia elevada com poucos sintomas de intoxicação, e presença de sintomas de privação mesmo na vigência de alcoolemia elevada (> 300 mg%).[51]

Nome: _____ Data: _____
Pulso ou frequência cardíaca: _____ Pressão arterial: _____ Hora: _____

1. Você sente um mal-estar no estômago (enjoo)? Você tem vomitado? ☐
- 0 Não
- 1 Náusea leve e sem vômito
- 4 Náusea recorrente com ânsia de vômito
- 7 Náusea constante, ânsia de vômito e vômito

2. Tremor com os braços estendidos e os dedos separados: ☐
- 0 Não
- 1 Não visível, mas sente
- 4 Moderado, com os braços estendidos
- 7 Severo, mesmo com os braços estendidos

3. Sudorese: ☐
- 0 Não
- 4 Facial
- 7 Profusa

4. Tem sentido coceiras, sensação de insetos andando no corpo, formigamentos, pinicações? Código da questão 8 ☐

5. Você tem ouvido sons à sua volta? Algo perturbador, sem detectar nada por perto? Código da questão 8 ☐

6. As luzes têm parecido muito brilhantes? De cores diferentes? Incomodam os olhos? Você tem visto algo que tem lhe perturbado? Você tem visto coisas que não estão presentes? ☐
- 0 Não
- 1 Muito leve
- 2 Leve
- 3 Moderado
- 4 Alucinações moderadas
- 5 Alucinações graves
- 6 Extremamente graves
- 7 Contínuas

7. Você se sente nervoso(a)? (observação) ☐
- 0 Não
- 1 Muito levemente
- 4 Levemente
- 7 Ansiedade grave, um estado de pânico, semelhante a um episódio psicótico agudo?

8. Você sente algo na cabeça? Tontura, dor, apagamento? ☐
- 0 Não
- 1 Muito leve
- 2 Leve
- 3 Moderado
- 4 Moderado/grave
- 5 Grave
- 6 Muito grave
- 7 Extremamente grave

9. Agitação: (observação) ☐
- 0 Normal
- 1 Um pouco mais do que a atividade normal
- 4 Moderadamente
- 7 Constante

10. Que dia é hoje? Onde você está? Quem sou eu? (observação) ☐
- 0 Orientado
- 1 Incerto sobre a data; não responde seguramente
- 2 Desorientado com a data, mas não mais do que dois dias
- 3 Desorientado com a data, com mais de dois dias
- 4 Desorientado com lugar e pessoa

Escore _____

FIGURA 28.2 → Escala de gravidade da síndrome de abstinência do álcool (SAA) – *Clinical Withdrawal Assessment Revised* (CIWA-Ar).
Critérios diagnósticos: 0 a 9, SAA leve; 10 a 18, SAA moderada; > 18, SAA grave.
Fonte: Brewer e Swahn.[67]

O estigma e o preconceito vivenciados por essa população leva a maiores taxas de sofrimento mental e suicídio, com pesquisas demonstrando que até 40% dos homens não heterossexuais apresentam algum episódio de depressão maior durante a vida e também apresentam maior prevalência de transtornos ansiosos e distúrbios alimentares que heterossexuais, além de maior insatisfação com o corpo e com a vida.[13] A visão binária de uma masculinidade estereotipada, aos moldes da heteronormatividade imposta, faz os homens *gays* com uma expressão de gênero mais feminina sofrerem maior preconceito e violências, dentro e fora do universo LGBTI+.

Os homens *gays*, embora apresentem menos risco de serem obesos que os homens heterossexuais, apresentam maior risco cardiovascular devido às maiores taxas de tabagismo, consumo de álcool e outras drogas e maior incidência de vírus da imunodeficiência humana (HIV)/síndrome da imunodeficiência adquirida (Aids) e de câncer de canal anal entre os que praticam penetração anal (principalmente naqueles que convivem com HIV/Aids).[14]

No campo das práticas sexuais seguras, o desafio é o da abordagem que disputa a narrativa com base nas suas vulnerabilidades com relação às ISTs, sem reproduzir estigma e discriminação, e também sem negligenciar a prevalência dessas condições de saúde. É importante considerar, ainda, na abordagem de homens trans, especificidades relacionadas a rastreamento de câncer de colo uterino e uso de contraceptivos.

Pessoas bissexuais

Muitas pessoas que vivenciam atração por pessoas de mais de um gênero identificam-se como bissexuais, mas algumas se sentem mais à vontade identificando-se com outras palavras (como heteroflexibilidade ou bicuriosidade) por diversos motivos – diferentes concepções sobre os termos, questões culturais ou até mesmo preconceito em relação à própria bissexualidade.

A população de pessoas bissexuais é maior do que a de lésbicas ou *gays* (homossexuais), porém é mais invisibilizada, motivo pelo qual está mais sujeita a sofrimentos mentais e adoecimentos.[15] Concepções erradas, estigmatizadoras e patologizadoras sobre a bissexualidade são frequentemente reproduzidas, inclusive por profissionais de saúde,[16] ao deslegitimá-la, entendendo-a como "sintoma" de transtornos de saúde mental (como bipolaridade) ou falta de coragem em assumir-se homossexual. Essa bifobia que ocorre também dentro do movimento LGBTI+ desencoraja que as pessoas revelem sua orientação sexual ou que procurem por atendimento em serviços de saúde.[17]

A discriminação no local de trabalho é outra realidade vivenciada por pessoas bissexuais, que são expostas a piadas bifóbicas, assediadas ou até demitidas por causa de sua orientação sexual, e por isso tendem a revelar sua orientação com menos frequência do que pessoas que se identificam como lésbicas ou *gays*. Violências (especificamente física, estupros e perseguições) são mais relatadas por pessoas bissexuais.[15]

O estigma e o estresse de minorias ao qual essas pessoas estão submetidas geram piores condições de saúde mental, com taxas de ideação e tentativa de suicídio também maiores. Nos Estados Unidos, pessoas bissexuais representam a maior parcela de pessoas negras e com pior condição econômica dentro da população LGBTI+, o que soma vulnerabilidades a essa população.[15] Mulheres bissexuais têm menores taxas de bem-estar emocional e mental, com menor apoio social e pior qualidade de vida do que lésbicas ou mulheres heterossexuais. Percebe-se taxa de estresse emocional na adolescência maior do que em mulheres heterossexuais, o dobro da taxa de transtornos alimentares em relação a lésbicas, maiores taxas de consumo e abuso de álcool e outras drogas e maior ideação suicida em mulheres bissexuais que não revelaram sua orientação sexual.[17]

A saúde física de pessoas bissexuais também é afetada, em consequência à pior saúde mental, à dificuldade em acessar os serviços de saúde e à vulnerabilidade social a que estão submetidas. Estudos nos Estados Unidos demonstraram que mulheres cisgênero bissexuais enfrentam maiores taxas de câncer de mama e de todos os outros cânceres em relação à população geral, maior incidência de cardiopatias e de obesidade em relação a mulheres heterossexuais, além de maior taxa de comportamentos sexuais com risco de infecção por HIV. Homens bissexuais buscam menos testagem por HIV e têm maiores taxas de infecção por papilomavírus humano (HPV).[17]

Pessoas trans (travestis, mulheres transexuais, homens trans, pessoas não binárias e pessoas com variações de gênero)

Pessoas trans são aquelas que se identificam e/ou vivenciam um gênero diferente do qual foi designado a elas ao nascimento (ver "Identidade de gênero"). Correspondem a 0,5 a 1,3% da população geral, de acordo com levantamentos em diversas populações ao redor do mundo.[18]

Em 2016, o movimento de pessoas trans do Brasil definiu que os seguintes termos fossem usados para referir-se oficialmente a essa população: **travestis**, **mulheres transexuais** (identificam-se como mulher e não foram designadas mulher ao nascimento) e **homens trans** (identificam-se como homem e não foram assim designados ao nascer).[19] Outras identidades trans também são atualmente reconhecidas científica e socialmente, como **pessoas não binárias** (que se identificam com um gênero diferente de mulher ou homem), **pessoas agênero**, **pessoas de gênero fluido**, etc.

Pessoas transfemininas (vivenciam aspectos da feminilidade e não foram designadas mulheres ao nascer) e **transmasculinas** (vivenciam masculinidade e não foram designadas homem) não necessariamente identificam-se como mulheres ou homens e podem identificar-se com outros gêneros. O termo **travesti** representa uma identidade brasileira que teve origem na diferenciação de classes socioeconômicas entre pessoas transfemininas, apesar de ter sido utilizado pela medicina para tentar diferenciar pessoas transfemininas que não desejam cirurgia de redesignação genital das que desejam (de maneira inadequada, pois o desejo de transformação corporal de uma pessoa não ressoa necessariamente no seu gênero). Atualmente, muitas pessoas transfemininas utilizam os termos travesti e mulher transexual como sinônimos, muitas vezes inclusive para reivindicar politicamente sua ressignificação e denunciar a marginalização dessa população.

O gênero e o nome social (aquele escolhido pela própria pessoa, independentemente do seu registro civil) devem ser respeitados em todo o âmbito do Sistema Único de Saúde (SUS) (da recepção ao consultório, assim como em qualquer documento emitido pelo serviço de saúde, como receitas, exames e no cartão do SUS). Sabe-se que o respeito ao nome social é um fator determinante para a diminuição de ideação e comportamentos suicidas entre jovens trans.[20] Desde 2018, as pessoas trans podem retificar o registro civil em cartório (alterar o prenome e o gênero nos documentos) sem a necessidade de uma decisão judicial, porém nenhum serviço pode exigir a retificação de registro para que nome ou gênero sejam respeitados.

Como resultado do movimento de despatologização das identidades de gênero, a Organização Mundial da Saúde (OMS) retirou a transexualidade do capítulo de "Transtornos mentais" da *Classificação estatística internacional de doenças e problemas relacionados à saúde* (CID) em 2018, após fortes recomendações de movimentos sociais e de profissionais da saúde, motivadas por evidências científicas que apontam que a transexualidade não é um transtorno mental e tampouco decorre de processos de adoecimentos mentais.[21] Em substituição ao termo da CID-10 *transexualismo* (no qual o sufixo *-ismo* denota doença), na CID-11 o termo foi atualizado para "Incongruência de gênero" e alocado no capítulo denominado "Condições relacionadas à saúde sexual". Embora possa não ser um termo ideal e seja passível de críticas, possui a intenção de referir-se a indivíduos que possuem um gênero identitário diferente daquele atribuído ao nascimento, porém sem o viés patológico.

Uma forma particular de sofrimento vivenciado pela população trans é conhecida como disforia de gênero e é definida como a angústia e o desconforto causados pela sensação de inconformidade entre o gênero identitário e o atribuído ao nascimento (seja pelo papel de gênero associado a este e/ou pelas características corporais). É importante ressaltar que, embora a 5ª edição do *Manual diagnóstico e estatístico de transtornos mentais* (DSM-5) utilize o termo "disforia de gênero" em substituição ao termo anterior "transtorno de identidade de gênero" (com o mesmo sentido de desmedicalização proposto pela OMS), a disforia de gênero não é sinônimo de transexualidade.[3] Isso se confirma pelo fato de que nem todas as pessoas trans apresentam esse sofrimento, que pode ser agravado por características corporais reconhecidas como marcadores de gênero (mamas, "gogó", barba e pelos corporais, timbre da voz, contornos faciais, etc.).

Na avaliação da disforia, é importante discernir esse sofrimento específico de sintomas psicóticos ou de dismorfias corporais que não estejam relacionadas à identidade de gênero. Durante o acompanhamento, é importante coletar a história individual, checar possíveis sintomas disfóricos e avaliá-los (intensidade, idade de início, piora ao longo do tempo, percepção das pessoas próximas, se agravou quadros de saúde mental, etc.).

O acompanhamento de saúde mental na APS deve ser ofertado, porém não pode ser um condicionante de qualquer atendimento de pessoas trans. Ele inclui a triagem de condições de saúde mental preexistentes, tratamentos anteriores, histórico de comportamentos suicidas e autolesivos, sintomas de estresse pós-traumático, abuso de substâncias, presença de sintomas de disforia, assim como o manejo de condições prevalentes pela equipe multidisciplinar. O encaminhamento para serviços secundários deve ser realizado apenas se necessário, em quadros graves de saúde mental, e não apenas baseado na transexualidade.

A integralidade da assistência, com ofertas de atenção a todas as questões de saúde, é uma das maiores necessidades das pessoas trans, que são estigmatizadas e sofrem violências institucionais diversas. Quando as transformações corporais são desejadas, a oferta de estratégias seguras e seu acompanhamento pelo serviço de saúde geram oportunidade de reduzir danos e criar vínculo com a pessoa.

As transformações corporais podem envolver ações independentes dos serviços de saúde (como hipertrofia muscular, alterações posturais, ocultações de partes do corpo, próteses externas, depilação ou indução do crescimento de pelos). Existem diversos procedimentos cirúrgicos que podem ser desejados como parte dessas transformações corporais, e algumas cirurgias são oferecidas pelo SUS (descritas pela portaria do "Processo Transexualizador do SUS": mamoplastia masculinizadora, histerectomia, cirurgia de redesignação genital, prótese mamária, tireoidoplastia). A aplicação de silicone industrial deve ser desencorajada, mas, caso seja realizada, o serviço de saúde pode avaliar periodicamente o local acometido. Crianças trans, principalmente as que demonstram disforia de gênero, são beneficiadas com a supressão puberal realizada por serviços especializados e, posteriormente, com hormonização que induza características corporais desejadas.[3]

A hormonização cruzada, realizada em pessoas que já passaram pela puberdade, pode ser realizada na APS. Para pessoas transmasculinas, utiliza-se formulação de testosterona, que deve ser receitada em duas vias, com endereço da pessoa atendida, Cadastro de Pessoas Físicas (CPF) da pessoa prescritora e código CID que justifique (CID-10: F64). Para pessoas transfemininas, estrogênio pode ser utilizado isoladamente ou em associação com substância antiandrógena. Estrogênios sintéticos e, principalmente, o etinilestradiol estão associados a alto risco de acidentes cardiovasculares, sendo preferíveis os estrogênios bioidênticos.[3]

Para detalhes, acesse o QR code com o texto de Cuidados Relacionados a Transformações Corporais em Pessoas Trans e o QR code para o Protocolo do Município de São Paulo.

De acordo com uma importante metanálise,[52] hipocalemia e trombocitopenia também são preditores de síndrome de abstinência alcoólica grave.

Manejo

Caso se opte pelo tratamento ambulatorial, as consultas devem ser frequentes. Paciente e familiares devem ser devidamente esclarecidos sobre os sinais e sintomas da síndrome, incluindo orientações para encaminhamento a um serviço de emergência caso sobrevenham desorientação ou diminuição do nível de consciência. A supervisão familiar é fundamental, e o repouso em ambiente tranquilo está indicado.

Os benzodiazepínicos são usados para alívio dos sintomas de abstinência. São também efetivos na prevenção de convulsões devido à síndrome de abstinência (RRR = 84%; NNT = 15).[53] Conforme o quadro clínico, deve-se prescrever diazepam por via oral (20-40 mg/dia divididos em tomadas até de 6/6 horas) ou lorazepam (4-8 mg/dia), se existir hepatopatia grave. Para todos os pacientes com síndrome de abstinência, deve-se indicar reposição de vitamina B_1 (tiamina) na dose de 100 a 300 mg/dia por via intramuscular por 3 a 5 dias; após, a mesma dose deve ser administrada por via oral durante algumas semanas C/D.[11,54,55]

São medidas gerais de suporte o repouso, a alimentação e a hidratação, assim como ventilação (diminui a saturação do ar com o álcool exalado) e iluminação adequadas (diminui a probabilidade de ocorrerem alucinações visuais – zoopsias, predominantemente).

Manejo das complicações

As principais complicações que podem ocorrer na vigência da síndrome de privação do álcool são convulsões, alucinose alcoólica, síndrome de Wernicke e *delirium tremens*. Com exceção da alucinose alcoólica, o manejo mais apropriado e seguro dos pacientes que apresentam esses quadros é realizado em ambiente hospitalar, após atendimento inicial.

A maioria das crises convulsivas é do tipo tônico-clônica generalizada. São uma manifestação relativamente precoce da síndrome da abstinência e, em mais de 90% dos casos, ocorrem nas primeiras 48 horas após a interrupção do uso de álcool (pico entre 13 e 24 horas). Elas estão relacionadas com as formas mais graves de abstinência. Cerca de um terço das convulsões, se não tratadas de forma adequada, evolui para *delirium tremens*. Além dos demais cuidados, o fármaco indicado nas crises é o diazepam, administrado por via intravenosa na dose de 10 mg a cada 10 a 15 minutos, enquanto persistirem as convulsões e desde que exista suporte de atendimento para eventual depressão respiratória A.[56]

A alucinose alcoólica é um quadro alucinatório predominantemente auditivo, com sons do tipo cliques, rugidos, barulho de sinos, cânticos e vozes. As alucinações podem ser também de natureza visual e tátil. O quadro ocorre na ausência de rebaixamento do nível de consciência e evolui sem alterações autonômicas óbvias. O diagnóstico diferencial pode ser difícil, sendo necessário encaminhar os pacientes com suspeita dessa complicação para avaliação especializada.

O tratamento envolve uso de neurolépticos (haloperidol até 5 mg/dia, devido ao seu menor potencial de induzir convulsões), e o prognóstico é favorável na maioria dos casos C/D.[57]

A síndrome de Wernicke resulta da deficiência de vitamina B_1 (tiamina), que é uma coenzima essencial para vários mecanismos bioquímicos do cérebro. É caracterizada por nistagmo e oftalmoplegia, alteração do estado mental e alteração do equilíbrio e da marcha. Porém, a tríade completa é observada em apenas 16% dos pacientes com a síndrome. É uma emergência médica e, se não tratada, leva à morte em 20% dos casos, ou à síndrome de Korsakoff (estado crônico de amnésia anterógrada e retrógrada, e, muito comumente, com presença de confabulação e desorientação temporoespacial) em 85% dos sobreviventes. Sendo assim, pacientes com quadro sugestivo dessa complicação devem receber uma dose inicial de tiamina (300 mg por via intramuscular) e ser encaminhados para tratamento em ambiente hospitalar, no qual são utilizadas altas doses dessa vitamina por via parenteral (500 mg por via intravenosa, 3 ×/dia por 3 dias e após 150 mg, IV ou IM, por mais 3 a 5 dias).[58]

O desenvolvimento de *delirium tremens* também exige o encaminhamento do paciente para ambiente hospitalar. Se o paciente apresentar condições, devem ser administrados imediatamente 10 a 20 mg de diazepam por via oral, incentivando-se hidratação adequada. Caso contrário, é necessário garantir acesso venoso e administrar 10 a 20 mg de diazepam por via intravenosa. Doses elevadas de benzodiazepínicos são necessárias (diazepam 10 a 20 mg até de hora em hora) para controlar as manifestações clínicas. O uso associado de neurolépticos pode ser indicado (haloperidol 5 mg/dia por via oral).[57]

Erros comuns no manejo desses pacientes são apresentados na TABELA 28.8.

Outra complicação possível em pacientes com TUA de longa duração é a ocorrência de pelagra, causada pela deficiência de vitamina B_3 (niacina). Essa síndrome pode ter apresentações clínicas polimórficas, envolvendo lesões de pele eritematosas e descamativas, especialmente em regiões de exposição solar, alterações do trato gastrintestinal e sintomas neuropsiquiátricos – especialmente quadros de *delirium*, sintomas extrapiramidais e ataxias. O diagnóstico presuntivo pode ser feito sem que o paciente apresente a tríade

TABELA 28.8 → O que não fazer: algumas condutas frequentes no manejo da síndrome de privação do álcool e explicações para sua inadequação

CONDUTA INADEQUADA	MOTIVO
Administrar glicose de maneira indiscriminada	Risco de precipitação da síndrome de Wernicke; a glicose só deve ser aplicada parenteralmente após a administração de tiamina, se houver constatação de hipoglicemia grave e se não for possível a reposição por via oral
Usar rotineiramente fenitoína por via parenteral	Não parece ser eficaz no controle de crises convulsivas da síndrome de privação do álcool
Administrar clorpromazina e outros neurolépticos sedativos de baixa potência para controle de agitação	Reduzem o limiar para convulsões; o haloperidol, pelo menor risco, é a opção mais adequada
Contenção física inadequada e indiscriminada	Risco de lesões físicas e constrangimentos desnecessários aos pacientes

completa; portanto, sempre que um paciente crônico apresentar qualquer sintoma neuropsiquiátrico ou gastrintestinal, a deficiência de vitamina B_3 pode ser presumida e tratada, mesmo sem confirmação diagnóstica.[59,60]

A Organização Mundial da Saúde[61] recomenda tratar a pelagra com nicotinamida 300 mg por via oral divididos em 3 doses, ou 100 mg por via parenteral, também em 3 doses. O tratamento deve ser mantido por 3 a 4 semanas.

PREVENÇÃO EM JOVENS

Os fatores de risco e de proteção são os principais alvos dos programas de prevenção eficazes utilizados na família, na escola e na comunidade. O objetivo desses programas é estabelecer novos fatores de proteção e fortalecer os já existentes, além de anular ou reduzir fatores de risco em jovens.[62]

Os programas de prevenção podem ser descritos para o público a que se destinam:

→ universais, quando projetados para a população em geral – por exemplo, para todos os estudantes em uma escola;
→ seletivos, quando projetados para grupos de risco ou subgrupos da população em geral, como crianças com problemas de aprendizagem ou filhos de abusadores de álcool ou outras drogas;
→ indicados, quando projetados para pessoas que já estão experimentando substâncias psicoativas.

Na família

Os programas de prevenção podem fortalecer os fatores de proteção entre as crianças, ensinando aos pais melhores habilidades de comunicação dentro da família, estilos adequados de disciplina, aplicação de regras firmes e consistentes, além de outras abordagens de manejo familiar. Os pais podem ser ensinados a melhorar o suporte emocional, social, cognitivo e material, que inclui, por exemplo, assistir às necessidades de saúde, transporte ou curriculares de seus filhos. Devem estabelecer regras consistentes e disciplina, conversar com as crianças sobre as substâncias, acompanhar suas atividades, conhecer seus amigos, seus problemas e preocupações, e estar envolvidos em sua aprendizagem. A importância da relação pais-filhos continua ao longo da adolescência e além dela.

Na escola

Os programas de prevenção nas escolas concentram-se nas habilidades sociais e acadêmicas das crianças, incluindo melhora nas relações entre colegas, no autocontrole, no enfrentamento e nas habilidades de recusa às drogas. Reduz início do uso de álcool em 29% (NNT = 10-42) **C/D**.[63] Se possível, os programas de prevenção nas escolas devem ser integrados ao programa acadêmico. Grande parte do currículo preventivo envolve um componente de educação normativa elaborado para corrigir percepções errôneas de que muitos estudantes estão abusando de álcool ou outras drogas.

PREVENÇÃO COMUNITÁRIA

Como toda prioridade em saúde, os problemas relacionados ao consumo de bebidas alcoólicas merecem campanhas permanentes para esclarecimento da população, feitas a partir da livre iniciativa de elementos da sociedade ou patrocinadas pelos órgãos responsáveis pela saúde coletiva. O apoio de médicos a essas campanhas é fundamental para o seu sucesso. Algumas medidas restritivas, como o controle sobre a propaganda nos meios de comunicação e sobre a venda de bebidas alcoólicas em estradas e para menores de idade, assim como o aumento do preço das bebidas e da idade mínima para dirigir, têm-se mostrado efetivas na diminuição do consumo e, consequentemente, de diversos problemas associados.[64] Intervenções comunitárias e em escolas, e campanhas visando à prevenção da síndrome alcoólica fetal, são outros exemplos de abordagens que ainda precisam ser exploradas (ver Capítulo Estratégias Preventivas para as Doenças Crônicas Não Transmissíveis).

REFERÊNCIAS

1. World Health Organization. Global Status Report on Alcohol 2004. Geneva: WHO; 2004.
2. Institute for Metrics and Evalution Metrics. GBD Compare. IHME Viz Hub [Internet]. Washington: University of Washington; 2017 [capturado em 24 mar. 2020]. Disponível em: http://vizhub.healthdata.org/gbd-compare
3. Griswold MG, Fullman N, Hawley C, Arian N, Zimsen SRM, Tymeson HD, et al. Alcohol use and burden for 195 countries and territories, 1990–2016: a systematic analysis for the Global Burden of Disease Study 2016. Lancet. 2018;392(10152):1015–35.
4. Laranjeira R, organizador. II Levantamento Nacional de Drogas e Álcool 2012 (LENAD) [Internet]. São Paulo: UNIFESP; 2014 [capturado em 24 mar. 2020]. Disponível em: https://inpad.org.br/wp-content/uploads/2014/03/Lenad-II-Relat%C3%B3rio.pdf
5. Hingson RW, Heeren T, Winter MR. Age at drinking onset and alcohol dependence: age at onset, duration, and severity. Arch Pediatr Adolesc Med. 2006;160(7):739–46.
6. O'Donnell MJ, Xavier D, Liu L, Zhang H, Chin SL, Rao-Melacini P, et al. Risk factors for ischaemic and intracerebral haemorrhagic stroke in 22 countries (the INTERSTROKE study): a case-control study. Lancet. 2010;376(9735):112–23.
7. World Health Organization. Global strategy to reduce the harmful use of alcohol. Geneva: WHO; 2010.
8. World Health Organization. WHO launches SAFER alcohol control initiative to prevent and reduce alcohol-related death and disability [Internet]. Geneva: WHO; 2018 [capturado em 24 mar. 2020]. Disponível em: https://www.who.int/substance_abuse/safer/launch/en/
9. American Psychiatric Association. Manual diagnóstico e estatístico de transtornos mentais: DSM-5. 5. ed. Porto Alegre: Artmed; 2014.
10. Organização Mundial da Saúde. Classificação de transtornos mentais e de comportamento da CID-10. Porto Alegre: Artmed; 1993.
11. Dawson DA. Defining risk drinking. Alcohol Res Health. 2011;34(2):144–56.
12. Wood AM, Kaptoge S, Butterworth AS, Willeit P, Warnakula S, Bolton T, et al. Risk thresholds for alcohol consumption: combined analysis of individual-participant data for 599 912 current drinkers in 83 prospective studies. Lancet. 2018;391(10129):1513–23.
13. Wilsnack RW, Wilsnack SC, Gmel G, Kantor LW. Gender differences in binge drinking. Alcohol Res. 2018;39(1):57–76.

14. Ruidavets J-B, Ducimetière P, Evans A, Montaye M, Haas B, Bingham A, et al. Patterns of alcohol consumption and ischaemic heart disease in culturally divergent countries: the Prospective Epidemiological Study of Myocardial Infarction (PRIME). BMJ. 2010;341:c6077.
15. Zilberman ML, Hochgraf PB, Brasiliano S, Milharcic SI. Drug-dependent women: demographic and clinical characteristics in a brazilian sample. Subst Use Misuse. 2001;36(8):1111–27.
16. Lenehan GP, Gastfriend DR, Stetler C. Use of haloperidol in the management of agitated or violent, alcohol-intoxicated patients in the emergency department: a pilot study. J Emerg Nurs. 1985;11(2):72–9.
17. Borges G, Bagge CL, Cherpitel CJ, Conner KR, Orozco R, Rossow I. A meta-analysis of acute use of alcohol and the risk of suicide attempt. Psychol Med. 2017;47(5):949–57.
18. Schuckit MA. A brief history of research on the genetics of alcohol and other drug use disorders. J Stud Alcohol Drugs Suppl. 2014;75 Suppl 17:59–67.
19. Stein MB, Campbell-Sills L, Gelernter J, He F, Heeringa SG, Nock MK, et al. Alcohol Misuse and Co-Occurring Mental Disorders Among New Soldiers in the U.S. Army. Alcohol Clin Exp Res. 2017;41(1):139–48.
20. Erfan S, Hashim AH, Shaheen M, Sabry N. Effect of Comorbid Depression on Substance Use Disorders. Substance Abuse. 2010;31(3):162–9.
21. Moss HB, Chen CM, Yi H-Y. Prospective Follow-up of empirically derived alcohol dependence subtypes in wave 2 of the National Epidemiologic Survey on Alcohol and Related Conditions (NESARC): recovery status, alcohol use disorders and diagnostic criteria, alcohol consumption behavior, health status, and treatment seeking. Alcohol Clin Exp Res. 2010;34(6):1073-83.
22. Mayfield D, Mcleod G, Hall P. The CAGE questionnaire: validation of a new alcoholism screening instrument. Am J Psychiatry. 1974;131(10):1121–3.
23. Fiellin DA, Reid MC, O'Connor PG. Screening for Alcohol Problems in Primary Care: A Systematic Review. Arch Intern Med. 2000;160(13):1977–89.
24. Saunders JB, Aasland OG, Babor TF, Fuente JRDL, Grant M. Development of the Alcohol Use Disorders Identification Test (AUDIT): WHO Collaborative Project on Early Detection of Persons with Harmful Alcohol Consumption-II. Addiction. 1993;88(6):791–804.
25. Babor TF, Higgins-Biddle JC, Saunders JB, Monteiro MG. Alcohol Use Disorders Identification Test (AUDIT). Guidelines for use in primary care. 2nd ed. Geneva: WHO; 2001.
26. Lima CT, Freire ACC, Silva APB, Teixeira RM, Farrell M, Prince M. Concurrent and construct validity of the audit in an urban brazilian sample. Alcohol Alcohol. 2005;40(6):584–9.
27. Richoux C, Ferrand I, Casalino E, Fleury B, Ginsburg C, Lejoyeux M. Alcohol use disorders in the emergency ward: choice of the best mode of assessment and identification of at-risk situations. Int J Emerg Med. 2011;4(1):27.
28. Friedmann PD. Alcohol use in adults. N Engl J Med. 2013;368(4):365-73.
29. Hietala J, Koivisto H, Anttila P, Niemelä O. Comparison of the combined marker GGT–CDT and the conventional laboratory markers of alcohol abuse in heavy drinkers, moderate drinkers and abstainers. Alcohol Alcohol. 2006;41(5):528–33.
30. Conigrave KM, Davies P, Haber P, Whitfield JB. Traditional markers of excessive alcohol use. Addiction. 2003;98(s2):31–43.
31. Schmidt LG, Schmidt K, Dufeu P, Ohse A, Rommelspacher H, Müller C. Superiority of carbohydrate-deficient transferrin to gamma- glutamyltransferase in detecting relapse in alcoholism. Am J Psychiatry. 1997;154(1):75-80.
32. Andresen-Streichert H, Müller A, Glahn A, Skopp G, Sterneck M. Alcohol biomarkers in clinical and forensic contexts. Dtsch Arztebl Int. 2018;115(18):309–15.
33. Skinner MD, Lahmek P, Pham H, Aubin H-J. Disulfiram efficacy in the treatment of alcohol dependence: a meta-analysis. PLoS ONE. 2014;9(2):e87366.
34. Ramos S, Bertolote J. Alcoolismo hoje. Porto Alegre: Artmed; 1997.
35. U.S. Preventive Services Task Force. Screening and behavioral counseling interventions in primary care to reduce alcohol misuse: recommendation statement. Ann Intern Med. 2004;140(7):554.
36. Kaner EFS, Dickinson HO, Beyer F, Pienaar E, Schlesinger C, Campbell F, et al. The effectiveness of brief alcohol interventions in primary care settings: a systematic review. Drug Alcohol Rev. 2009;28(3):301-23.
37. Kaner EFS, Beyer F, Dickinson HO, Pienaar E, Campbell F, Schlesinger C, et al. Effectiveness of brief alcohol interventions in primary care populations. Cochrane Database Syst Rev. 2007;(2):CD004148.
38. Knapp P, Bertolote J, Woitowitz A, Monti M. Prevenção da recaída: um manual para pessoas com problemas pelo uso do álcool e drogas. Porto Alegre: Artmed; 1994.
39. Kaner EF, Beyer FR, Muirhead C, Campbell F, Pienaar ED, Bertholet N, et al. Effectiveness of brief alcohol interventions in primary care populations. Cochrane Database Syst Rev. 2018;2:CD004148.
40. National Institute on Alcohol Abuse and Alcoholism (NIAAA) [Internet]. Bethesda: NIH; c2020 [citado 4 de novembro de 2019]. Disponível em: https://www.niaaa.nih.gov/
41. Sanchez-Craig M. Brief didactic treatment for alcohol and drug-related problems: an approach based on client choice. Br J Addict. 1990;85(2):169–77.
42. Magill M, Ray LA. Cognitive-behavioral treatment with adult alcohol and illicit drug users: a meta-analysis of randomized controlled trials. J Stud Alcohol Drugs. 2009;70(4):516–27.
43. Stellato-Kabat D, Stellato-Kabat J, Garrett J. Treating chemical-dependent couples and families. In: Washton AM, editor. Psychotherapy and substance abuse: a practitioner's handbook. New York: The Guilford Press; 1995. p. 314–36.
44. Mutschler J, Grosshans M, Soyka M, Rösner S. Current findings and mechanisms of action of disulfiram in the treatment of alcohol dependence. Pharmacopsychiatry. 2016;49(4):137–41.
45. Anton RF, O'Malley SS, Ciraulo DA, Cisler RA, Couper D, Donovan DM, et al. Combined pharmacotherapies and behavioral interventions for alcohol dependence: the COMBINE study: a randomized controlled trial. JAMA. 2006;295(17):2003–17.
46. Jonas DE, Amick HR, Feltner C, Bobashev G, Thomas K, Wines R, et al. Pharmacotherapy for adults with alcohol use disorders in outpatient settings: a systematic review and meta-analysis. JAMA. 2014;311(18):1889–900.
47. Rösner S, Hackl-Herrwerth A, Leucht S, Vecchi S, Srisurapanont M, Soyka M. Opioid antagonists for alcohol dependence. Cochrane Database Syst Rev. 2010;(12):CD001867.
48. The Substance Abuse and Mental Health Services Administration. Medication for the treatment of alcohol use disorder: a brief guide [Internet] Rockville: SAMHSA; 2019 [capturado em 24 mar. 2020]. Disponível em: https://store.samhsa.gov/product/Medication-for-the-Treatment-of-Alcohol-Use-Disorder-A-Brief-Guide/SMA15-4907
49. Anderson P, O'Donnell A, Kaner E. Managing alcohol use disorder in primary health care. Curr Psychiatry Rep. 2017;19(11):79.
50. Schuckit MA. Recognition and management of withdrawal delirium (delirium tremens). N Engl J Med. 2014;371(22):2109–13.
51. Malbergier A, Amaral R. Emergências associadas ao álcool e as drogas de abuso. In: Quevedo J, Carvalho AF, organizadores. Emergências psiquiátricas. 3. Ed. Porto Alegre: Artmed; 2013. p. 146–64.
52. Goodson CM, Clark BJ, Douglas IS. Predictors of severe alcohol withdrawal syndrome: a systematic review and meta-analysis. Alcohol Clin Exp Res. 2014;38(10):2664-77.
53. Amato L, Minozzi S, Vecchi S, Davoli M. Benzodiazepines for alcohol withdrawal. Cochrane Database Syst Rev. 2010;(3):CD005063.
54. Mayo-Smith MF. Pharmacological management of alcohol withdrawal. A meta-analysis and evidence-based practice guideline. American Society of Addiction Medicine Working Group on

Pharmacological Management of Alcohol Withdrawal. JAMA. 1997;278(2):144–51.

55. Williams D, McBride AJ. The drug treatment of alcohol withdrawal symptoms: a systematic review. Alcohol Alcohol. 1998;33(2):103–15.

56. Sachdeva A, Choudhary M, Chandra M. Alcohol withdrawal syndrome: benzodiazepines and beyond. J Clin Diagn Res. 2015;9(9):VE01–7.

57. Laranjeira R, Nicastri S, Jerônimo C, Marques AC. Consenso sobre a Síndrome de Abstinência do Álcool (SAA) e o seu tratamento. Rev Bras Psiquiatr. 2000;22(2):62–71.

58. Sechi G, Serra A. Wernicke's encephalopathy: new clinical settings and recent advances in diagnosis and management. Lancet Neurol. 2007;6(5):442–55.

59. Ishii N, Nishihara Y. Pellagra among chronic alcoholics: clinical and pathological study of 20 necropsy cases. J Neurol Neurosurg Psychiatry. 1981;44(3):209–15.

60. Oldham MA, Ivkovic A. Pellagrous encephalopathy presenting as alcohol withdrawal delirium: a case series and literature review. Addict Sci Clin Pract. 2012;7(1):12.

61. World Health Organization. Pellagra and its prevention and control in major emergencies [Internet]. Geneva: WHO; 2000 [capturado em 24 mar. 2020]. Disponível em: https://www.who.int/nutrition/publications/emergencies/WHO_NHD_00.10/en/

62. National Institute on Drug Abuse. Preventing drug abuse among children and adolescents. A research-based guide for parents, educators and community leaders [Internet]. 2nd ed. Bethesda: NIDA; 2003 [capturado em 24 mar. 2020]. Disponível em: https://www.drugabuse.gov/sites/default/files/preventingdruguse_2.pdf

63. Thomas RE, Lorenzetti D, Spragins W. Mentoring adolescents to prevent drug and alcohol use. Cochrane Database Syst Rev. 2011;(11):CD007381.

64. National Institute for Health and Clinical Excellence. Alcohol-use disorders: preventing [Internet]. London: NICE; 2010 [capturado em 24 mar. 2020]. (Public health guideline [PH24]). Disponível em: https://www.nice.org.uk/guidance/ph24

65. Marques A, Ribeiro M. Abordagem geral do usuário de substâncias com potencial de abuso [Internet].São Paulo: AMB; 2008 [capturado em 20 jun. 2020]. Disponível em: https://diretrizes.amb.org.br/_BibliotecaAntiga/abordagem-geral-do-usuario-de-substencias-com-potencial-de-abuso.pdf

66. Skinner HA, Holt S. The alcohol clinical index: strategies for identifying patients with alcohol problems. Toronto: Addiction Research Foundation; 1987.

67. Brewer RD, Swahn MH. Binge Drinking and Violence. JAMA. 2005;294(5):616–8.

LEITURAS RECOMENDADAS

Friedmann P. Alcohol Use in Adults. N Engl J Med 2013;368(4):365-73.
Disponibiliza orientações a respeito do screening de consumo de risco de álcool na população, bem como sugestões de intervenções breves e tratamento para Transtorno por Uso de Álcool.

Anderson P, O'Donnell A, Kaner E. Managing alcohol use disorder in primary health care. Curr Psychiatry Rep. 2017;19(11):79.
Aborda a implementação de screening para identificar consumo de risco de álcool na atenção primária à saúde e programas destinados a esse grupo de pessoas.

Berger D, Bradley KA. Primary care management of alcohol misuse. Med Clin North Am. 2015;99(5):989-1016.
Discute a identificação de pacientes com problemas associados ao álcool na população, bem como o manejo em nível de atenção primária à saúde.

Babor T, Higgins-Biddle J. Brief intervention for hazardous and harmful drinking: a manual for use in primary care [Internet]. Geneva: WHO; 2001 [capturado em 24 mar. 2020]. Disponível em: https://apps.who.int/iris/handle/10665/67210
Disponibiliza orientações a respeito de intervenções breves que podem ser aplicadas em pacientes com consumo de risco de álcool ainda em nível de atenção primária à saúde, bem como orienta a respeito da identificação de casos graves que devem ser encaminhados ao tratamento especializado.

Associação Brasileira de Estudos do Álcool e outras Drogas (ABEAD). Disponível em: http://www.abead.com.br
Portal brasileiro que fornece informações atualizadas, importantes links e publicações recentes.

Centro Brasileiro de Informações Sobre Drogas Psicotrópicas (CEBRID). Disponível em: https://www.cebrid.com.br/
Variedade de materiais informativos atualizados e publicações de levantamentos nacionais sobre o tema.

National Institute on Alcohol Abuse and Alcoholism (NIAAA). Disponível em: https://www.niaaa.nih.gov/
Órgão governamental norte-americano dedicado às pesquisas sobre o assunto; inclui informações de diversos níveis de complexidade.

Capítulo 29
OBESIDADE: PREVENÇÃO E TRATAMENTO

Gabriela Wünsch Lopes
Michael Schmidt Duncan
Bruce B. Duncan
Maria Inês Schmidt

A urbanização e a industrialização mudaram a dinâmica de vida nas últimas décadas, trazendo novos hábitos de locomoção e alimentação. Mudanças importantes no dia a dia das pessoas, como o uso do automóvel ou do transporte público, criaram formas sedentárias de trabalho e lazer. Modos de processamento, conservação, *marketing* e comercialização de alimentos, com oferta abundante e visando consumo rápido para poupar tempo, produziram novos modos de alimentação, com comidas prontas e industrializadas. Preferências alimentares desenvolvidas no processo evolutivo da espécie agora são saciadas sob a forma de refrigerantes, *fast-food*, frituras, pequenos lanches industrializados (*snacks*) e outros alimentos ultraprocessados. Esses produtos são hipercalóricos e pouco nutritivos, hiperpalatáveis e, em geral, de baixo custo.[1] Sua ingestão frequente pode ser aditiva,[2] contribuindo para a perpetuação de hábitos alimentares inadequados, especialmente quando iniciados na infância.

Esse novo modo de viver obesogênico resultou em aumento expressivo e contínuo na prevalência mundial de obesidade, que dobrou em cerca de 40 anos, emergindo como um problema de saúde pública.[3] No Brasil, em 2017, a carga de doença atribuída ao excesso de peso era cerca de 20 vezes maior do que a produzida pela subnutrição.[4] Dados da Pesquisa Nacional de Saúde (PNS) para o Brasil em 2019 mostram que mais de 60% dos adultos brasileiros apresentam excesso de peso, sendo que 23% dos homens e 30% das mulheres apresentam obesidade.[5]

Antes mais predispostas à desnutrição, hoje as populações socioeconomicamente menos favorecidas evidenciam maiores prevalências de obesidade.[6] Embora vários fatores possam explicar essa vulnerabilidade, novos hábitos formados pelo forte *marketing* de alimentos ultraprocessados, bem como pelo acesso limitado a opções alimentares saudáveis e a espaços seguros e adequados para prática de atividade física, estão entre os mais importantes. Isso dificulta o tratamento que visa reverter o excesso de peso e o manejo das complicações crônicas associadas.

Outros fatores que também parecem contribuir para a pandemia de obesidade são a privação de sono, a redução do tabagismo, a exposição a poluentes, as alterações observadas na microbiota intestinal e fatores psicológicos predisponentes, muitas vezes resultantes das iniquidades sociais e da insegurança na sociedade.[7]

O discurso de que é fácil evitar/tratar a obesidade e de que as pessoas que têm excesso de peso são assim porque querem, além de outros fatores, vem gerando gordofobia na sociedade, com sensação de repulsa ou desconforto em relação a essas pessoas, manifestando-se por meio de violência emocional e física e assédio moral. O estigma e os rótulos associados ao excesso de peso afetam negativamente outras dimensões da vida de quem vive com sobrepeso ou obesidade, incluindo escolaridade, nível socioeconômico e estado civil, contribuindo para piora da qualidade de vida. Pessoas com sobrepeso e obesidade têm piores condições de trabalho, menores salários e menores chances de serem contratadas.[8]

Em suma, nesse ambiente obesogênico, se nada for feito, quase todos ganharão peso excessivo.

Cientes disso, os estados-membros da Organização Mundial da Saúde (OMS) pactuaram uma meta voluntária de interromper o aumento da obesidade no mundo até 2025. (Ver Capítulo Estratégias Preventivas para as Doenças Crônicas Não Transmissíveis.)

PATOGENIA DA OBESIDADE

Balanço energético

O balanço energético é a diferença entre a ingestão de alimentos e o gasto de energia. O gasto energético é composto pela taxa metabólica basal (a energia gasta pelo corpo em repouso para manter os órgãos em funcionamento), pelo gasto energético na metabolização do alimento e pelo gasto com a atividade física (associado ou não ao exercício físico).

Se a energia da ingestão é inferior à do gasto, ocorre um balanço negativo, com depleção dos depósitos energéticos, como o glicogênio armazenado no fígado e os triglicerídeos armazenados no tecido adiposo, e há perda de peso. Se a ingestão excede o gasto, ocorre um balanço positivo, e a energia se acumula nos tecidos com ganho de peso.

A obesidade resulta de um balanço positivo crônico da energia corporal combinado a uma falha nos mecanismos homeostáticos que deveriam confrontar o ganho de peso.[9] O processo é influenciado, de forma complexa, por fatores genéticos, epigenéticos, ambientais e comportamentais.

Regulação do peso corporal

O peso corporal é regulado por mecanismos fundamentais para a sobrevivência da espécie.

Na Pré-História, manter uma adequada massa magra, constituída sobretudo pelos músculos, permitiu escapar de predadores e mover-se para buscar alimento. A ingestão maior em fase de fartura permitia o armazenamento de massa gorda corporal para ser utilizada em momentos de escassez.

Essa regulação, coordenada pelo cérebro, envolve sinais aferentes que informam esse órgão sobre as necessidades corporais e respostas eferentes para os tecidos que regulam o apetite, o gasto energético e outros aspectos como eficiência digestiva e metabolismo celular.[10] O objetivo da regulação é manter o peso corporal constante, em uma faixa estreita chamada de *set point*. Cada vez que o peso sai dessa faixa, tanto por perda quanto por aumento, são ativados mecanismos compensatórios para recuperar o peso original.

Na presença de um balanço positivo crônico, o *set point* é restabelecido em uma faixa mais elevada de peso, e o corpo passa a defender a manutenção de um peso mais alto. Esse distúrbio na regulação, além de dificultar a perda de peso, prejudica sobremaneira a manutenção do peso perdido após o emagrecimento.[11]

Diferenças individuais no processo de regulação do peso corporal podem influenciar nessa regulação, como influências na vida intrauterina, privação de sono, trabalho noturno e medicamentos.[10]

Adiposidade

A ingestão excessiva crônica, não contrabalançada por aumento do gasto energético, leva a um aumento de tecido adiposo que armazena o excesso de energia na forma de gordura. A gordura pode depositar-se no tecido adiposo subcutâneo (p. ex., gordura abdominal, glútea ou femoral), no tecido adiposo visceral (gordura omental, mesentérica, epicárdica, perirrenal ou retroperitoneal) ou em tecidos não adiposos, como músculo, fígado e pâncreas, o que é chamado de deposição ectópica.

Além de atuar como repositório da energia corporal, o tecido adiposo sintetiza vários mediadores do sistema imune, necessários para a defesa corporal contra micróbios. No entanto, com o acúmulo excessivo de gordura visceral e ectópica, ocorre recrutamento de macrófagos para o tecido adiposo, além de produção aumentada de mediadores pró-inflamatórios e supressão de adipocitocinas anti-inflamatórias. Esse processo leva ao estabelecimento de um estado de inflamação sistêmica crônica branda, que se associa a maior risco de diabetes melito, síndrome metabólica e doença cardiovascular.[10]

Por motivos ainda não desvendados completamente, os locais preferenciais para depósito do excesso de gordura diferem entre os indivíduos, podendo explicar riscos de saúde desiguais em indivíduos com índices de massa corporal (IMCs) semelhantes.

Interocepção, comportamento alimentar e padrões emocionais de alimentação

A patogenia do ganho de peso e da obesidade requer uma visão mais ampla, que relacione as questões energéticas e metabólicas com questões psicológicas, sociais e culturais. A interocepção, entendida como o processo pelo qual o sistema nervoso detecta, interpreta e integra sinais corporais visando ao funcionamento homeostático, à regulação corporal e à sobrevivência, pode ser um caminho para compreender essas inter-relações.

A maneira como as pessoas interpretam os sinais interoceptivos e promovem respostas para restaurar a homeostase tem componentes genéticos, mas também é, em grande parte, aprendida, sofrendo influências da cultura e dos ambientes familiar e social. Disfunções interoceptivas na percepção dos sinais de fome, saciedade e reservas metabólicas de energia estão presentes em pessoas com tendência a ganho de peso e dificuldade para perdê-lo. Exemplos incluem sensibilidade exagerada aos sinais interoceptivos de fome e dificuldade de identificar com precisão os sinais interoceptivos de saciedade ou de balanço energético positivo.[12] Disfunções interoceptivas também estão presentes em comorbidades do excesso de peso, como transtornos de ansiedade, transtornos do humor, transtornos alimentares, transtornos aditivos e transtornos de sintomas somáticos.[13] Embora seja difícil avaliar o que é causa, o que é consequência e o que é coocorrência, é possível que disfunções interoceptivas primárias, algumas delas mediadas pelas comorbidades, predisponham ao ganho excessivo de peso; da mesma forma, o aumento da adiposidade também pode levar a uma disfunção interoceptiva secundária, especialmente em pacientes com maior obesidade.

Em situações em que há maior expectativa de comer, como ocorre no horário da refeição ou após jejum prolongado, aumenta a atenção que é destinada a determinados alimentos, que passam a ser vistos como mais atraentes. Por outro lado, em situações de baixa expectativa de comer, como ocorre quando a pessoa recém ingeriu alimentos ou em situações de doença aguda, os alimentos perdem sua capacidade de atração. Múltiplos fatores podem modular esse direcionamento da atenção, como aqueles relacionados à interocepção, gatilhos emocionais e busca por prazer. A busca por alimentos altamente palatáveis devido à sua capacidade de gerar prazer, e não por necessidades metabólicas, é referida como fome hedônica. Alguns autores consideram-na como vício alimentar (adicção), um conceito ainda em debate, especialmente pelo risco de reforçar o estigma associado ao excesso de peso e à obesidade.

Outro conceito relevante é o da alimentação emocional, em que a pessoa busca alimento não porque está com fome, mas para satisfazer necessidades emocionais (p. ex., angústia, tristeza). A gordofobia e o humor gordo, pelo sofrimento que causam às pessoas que vivem com obesidade, contribuem para aumentar a ingesta emocional ou para desenvolver comportamentos alimentares restritivos não sustentáveis no longo prazo, que podem resultar em ciclagem de peso. A situação oposta é a alimentação intuitiva, guiada pela percepção dos sinais interoceptivos fisiológicos de fome e saciedade, também chamada de alimentação com atenção plena (em inglês, *mindful eating*). Esses conceitos são relevantes na abordagem psicológica do comportamento alimentar, como será visto mais adiante.

Obesidade: uma compreensão sistêmica e planetária

A pandemia de obesidade iniciada no final do século passado exige uma reflexão maior sobre a extensão planetária de suas causas e consequências. Os padrões atuais de alimentação e o sistema alimentar como um todo são ambientalmente insustentáveis e exigem urgente reconsideração do papel da sociedade na construção de caminhos mais saudáveis para viver, o que inclui alimentação, mobilidade e meio ambiente.[14]

Já estamos na terceira década do século XXI,[12] e esse enfrentamento, contemplado nos Objetivos de Desenvolvimento Sustentável (ODS), ainda é muito tímido.[13]

COMPLICAÇÕES DA OBESIDADE E SUAS COMORBIDADES

A obesidade aumenta o risco de mortalidade de forma crescente, de acordo com níveis crescentes de IMC. Comparado a um IMC normal, o risco associado ao grau I de obesidade é 45% maior; ao grau II, 94% maior; e, ao grau III, 176% maior. O sobrepeso associa-se a um aumento menor de risco, 7% até um IMC de 27,5 kg/m^2, e 20% acima disso.[15]

Indivíduos com obesidade, especialmente quando apresentam deposição central de gordura, desenvolvem um conjunto de anormalidades, agrupadas sob o rótulo de síndrome metabólica. Entre elas, estão a hiperglicemia, a pressão arterial elevada e a dislipidemia (hipertrigliceridemia e baixo colesterol HDL). Em parte por esse mecanismo, o risco de diabetes em indivíduos vivendo com obesidade é cerca de 5 vezes maior em relação a indivíduos com IMC normal.[16] Da mesma forma, o risco cardiovascular também é maior. Por exemplo, o risco de acidente vascular cerebral (AVC) é quase 50% maior em indivíduos vivendo com obesidade em relação a indivíduos com IMC normal, enquanto o risco de doença arterial coronariana é quase 70% maior.[17] A incidência de doença renal crônica (DRC) também é aumentada.

Mulheres com obesidade costumam apresentar irregularidades menstruais e hirsutismo, em especial quando apresentam deposição central de gordura. Podem apresentar síndrome dos ovários policísticos, com oligomenorreia, anovulação e hiperandrogenismo ovariano. Gestantes com obesidade apresentam maior risco de diabetes gestacional e pré-eclâmpsia, parto cesariano e diversas outras complicações do parto.

Homens vivendo com obesidade podem apresentar níveis reduzidos de testosterona e elevados de estrogênios. Às vezes, podem apresentar ginecomastia. No entanto, sua masculinização, libido e espermatogênese são, em geral, preservadas.

A função pulmonar e o risco de asma são afetados negativamente pela obesidade. Pacientes com obesidade mais acentuada podem apresentar apneia obstrutiva do sono e síndrome de hipoventilação. A interrupção do sono noturno e os episódios repetidos de hipoxemia levam à sonolência diurna, à cefaleia matinal e à hipertensão arterial sistêmica e, em alguns casos, podem resultar em hipertensão pulmonar e insuficiência cardíaca direita.

Pessoas com excesso de peso também apresentam problemas gastrintestinais. A secreção do colesterol aumenta, podendo haver supersaturação da bile e aumento na incidência de cálculos biliares. A obesidade e outros componentes da síndrome metabólica são fatores de risco para ocorrência e progressão de doença hepática gordurosa não alcoólica (DHGNA), espectro de doenças que resultam do acúmulo de gordura em hepatócitos na ausência de consumo excessivo de álcool (ver Capítulo Icterícia, Alteração de Transaminases e Outras Manifestações de Problemas Hepáticos Comuns). Sua ocorrência é 2 vezes maior em indivíduos com sobrepeso e 3 a 4 vezes maior em indivíduos vivendo com obesidade do que naqueles com IMC normal. A DHGNA está presente em 50 a 90% dos indivíduos vivendo com obesidade.[18] Pacientes com DHGNA, sobretudo aqueles com a forma mais avançada, a esteato-hepatite não alcoólica (EHNA), apresentam maior risco de cirrose e mortalidade por doença hepática. A obesidade também é um fator de risco para doença do refluxo gastresofágico.

A pele dos indivíduos com obesidade é mais friável, sobretudo as dobras, com tendência a infecções fúngicas. São frequentes as queixas dermatológicas decorrentes de estase venosa de membros inferiores. Observa-se também acantose nigricante – um escurecimento das dobras da pele no pescoço, nos cotovelos e espaços interfalângicos dorsais, que reflete a resistência à insulina associada à obesidade.

Indivíduos com obesidade têm queixas frequentes de osteoartrite, provavelmente, em parte, pelo estresse articular advindo da sustentação do excesso de peso. Apresentam também hiperuricemia e maior incidência de gota. A dor lombar é muito comum, sobretudo em mulheres com obesidade.

A obesidade aumenta o risco de vários tipos de câncer, como câncer do trato biliar, do pâncreas, do rim, do esôfago (adenocarcinoma), de cólon e reto (em homens) e endometrial.[19]

Depressão, ansiedade generalizada e transtornos alimentares têm sido descritos em associação com a obesidade e serão abordados mais adiante.[20] A estigmatização e a discriminação por causa do excesso de peso contribuem para o mal-estar emocional associado à obesidade e devem ser consideradas na abordagem de quem tem excesso de peso.

CLASSIFICAÇÃO CLÍNICA DO SOBREPESO E DA OBESIDADE

O grau de excesso de peso é avaliado por meio do índice de massa corporal (IMC), calculado dividindo-se o peso (em kg) pelo quadrado da altura (m^2). (Ver QR code.) O peso e a altura são aferidos com roupas leves e sem sapatos. A estatura deve ser aquela apresentada no momento da consulta, mesmo que tenha havido redução relacionada a problemas musculoesqueléticos. Em média, 1 unidade de IMC corresponde a cerca de 3 kg (variando de 2,3 kg, em pessoas com altura de 1,50 m, a 3,5 kg, em pessoas com 1,90 m de altura). O IMC fornece uma estimativa da massa corporal total, sem distinguir massa corporal magra de massa gordurosa, e não reflete o padrão de distribuição corporal da adiposidade.

A circunferência da cintura reflete o acúmulo de gordura visceral, que confere risco adicional ao excesso de peso. A circunferência da cintura se relaciona com o risco de mortalidade por todas as causas, de mortalidade cardiovascular e de diabetes tipo 2. Vários locais anatômicos podem ser empregados na sua medida, sem aparente vantagem, mas os valores obtidos diferem entre si, os mais altos sendo os tomados na cicatriz umbilical. Um dos locais mais utilizados nas pesquisas é o ponto médio entre a crista ilíaca e a margem costal. A fita é passada rente à pele, observando para que fique paralela ao solo e não vire (um espelho é útil para verificar isso). Ao tomar a medida, a fita deve estar firme, mas sem comprimir a pele e lida ao final da expiração.

Segundo a OMS, a obesidade é definida como um acúmulo excessivo ou anormal de gordura corporal capaz de trazer prejuízos à saúde. A **TABELA 29.1** apresenta a classificação dos estados nutricionais do adulto, com categorias de excesso de peso divididas conforme o risco de complicações.[21] Valores de IMC ≥ 25 kg/m^2, mas < 30 kg/m^2, definem uma categoria de risco intermediária à normalidade e à obesidade, chamada de sobrepeso. O diagnóstico de obesidade é feito a partir de um IMC ≥ 30 kg/m^2, com três graus crescentes de risco (grau I, 30-34,9 kg/m^2; grau II, 35-39,9 kg/m^2; e grau III, ≥ 40 kg/m^2). Para indivíduos com grande quantidade de massa muscular, como atletas, um maior limiar de

TABELA 29.1 → Classificação nutricional de adultos de acordo com níveis do índice de massa corporal (IMC) e dos níveis da circunferência da cintura para as categorias de IMC

CLASSIFICAÇÃO NUTRICIONAL	IMC (kg/m^2)	CIRCUNFERÊNCIA DA CINTURA (CM) AUMENTADA	
		HOMENS	MULHERES
Peso normal	18,5-24,9	≥ 90	≥ 80
Sobrepeso	25-29,9	≥ 100	≥ 90
Obesidade grau I	30-34,9	≥ 110	≥ 105
Obesidade grau II	35-39,9	≥ 125	≥ 115
Obesidade grau III	≥ 40		

Fonte: Organização Mundial da Saúde e Ross.[21,23]

IMC pode ser tolerado. Em populações asiáticas, pontos de corte indicativos de excesso de peso podem ser mais baixos, por exemplo, 23 kg/m².[22] Em idosos, a perda de massa muscular relacionada ao envelhecimento deve ser considerada na avaliação de sobrepeso e obesidade.

A TABELA 29.1 também mostra pontos de corte para cintura conforme categorias de IMC, indicativos de obesidade central e maior risco cardiovascular. Apesar de as atuais diretrizes não recomendarem avaliação de circunferência da cintura em indivíduos eutróficos, nestes, uma circunferência aumentada também pode indicar maior risco cardiometabólico.[23]

Outras classificações, como a de obesidade metabolicamente normal ou anormal, não apresentam vantagens adicionais para aplicação na estratificação de risco da obesidade.

PREVENÇÃO POPULACIONAL E CLÍNICA DO EXCESSO DE PESO

Ações populacionais, fundamentais para interromper o crescimento da obesidade, como pactuado globalmente,[12] são abordadas no Capítulo Estratégias Preventivas para as Doenças Crônicas Não Transmissíveis. Alguns exemplos dessas ações podem ser aplicados na comunidade, como atividades de promoção nas escolas e nas igrejas, organização de grupos para caminhadas, feiras com produtos locais e hortas comunitárias. Medidas regulatórias para evitar propaganda danosa e para oferecer rotulagem informativa são peças fundamentais no enfrentamento da obesidade.

Sem um ambiente que encoraje e oportunize alimentação saudável e mobilização segura, as estratégias clínicas de controle de peso, abordadas neste capítulo, serão dificultadas. Além disso, prevenir ganho excessivo de peso pode ser a estratégia principal para o controle da obesidade no médio prazo, diante da notória dificuldade para perder peso e manter o peso perdido. Nesse sentido, aconselhamento sobre a importância de manter peso normal para a saúde, dada a dificuldade de perder peso excessivo uma vez adquirido, pode ser feito no âmbito clínico da atenção primária à saúde (APS).[24]

Ações clínicas preventivas sobre hábitos mais saudáveis de alimentação e atividade física devem ser promovidas ao longo do curso da vida, desde a vida intrauterina.[25] Gestantes são muitas vezes levadas, culturalmente, a ganhar mais peso do que o necessário. Grande parte desse ganho de peso é de gordura corporal, e sua retenção após o parto contribui para a incidência de obesidade e sobrepeso em mulheres e seus descendentes. Nas consultas pré-natais, devem-se promover hábitos saudáveis, prevenir ganho excessivo de peso e estimular amamentação no peito para auxiliar o retorno ao peso pré-gravídico. A menopausa também predispõe ao ganho de peso. Mulheres entre a 5ª e a 6ª décadas de vida têm aumentos de cerca de 0,7 kg por ano.[26]

Outros fatores de risco, como duração insuficiente do sono e cessação do tabagismo, também são comuns; este último pode resultar em ganho de peso de cerca de 5 kg no primeiro ano.[27] Transições no ciclo de vida e mudanças de ambientes de vida – por exemplo, jovens que saem de casa – podem predispor ao ganho excessivo de peso, provavelmente pelo estresse envolvido e/ou pela inabilidade de se ajustar ao novo contexto alimentar e de atividade física.

Alimentação saudável

O *Guia alimentar para a população brasileira*, discutido no Capítulo Alimentação Saudável do Adulto, apresenta recomendações adaptadas à realidade alimentar do Brasil. Sua regra de ouro é preferir alimentos *in natura* ou minimamente processados e preparações culinárias a alimentos ultraprocessados.[28]

Alimentos ultraprocessados são densos em calorias e apresentam composição nutricional desbalanceada (rica em sal e açúcar e pobre em fibras). Seu consumo se relaciona ao risco de obesidade e a outras doenças crônicas, incluindo diabetes e câncer. Em uma alimentação saudável, os alimentos ou bebidas ultraprocessados (refrigerantes e outras bebidas adoçadas artificialmente, biscoitos recheados, produtos congelados prontos para aquecer, salgadinhos de pacote, macarrão instantâneo) devem ser evitados sempre que possível.

Uma alimentação saudável prioriza a escolha de alimentos variados, ao sabor preferencial, sempre que possível *in natura* (frutas, legumes, verduras, ovos) ou minimamente processados (leite, farinha, arroz, feijão, carnes resfriadas), sobretudo de origem vegetal. As preparações culinárias incluem mínima adição de óleos, gorduras em geral, sal e açúcar. Comer de forma saudável significa também comer com tranquilidade, servir-se de um prato não muito cheio, evitar repetições de prato e tomar mais água com as refeições. Inclui, ainda, valorizar técnicas culinárias e o gosto por troca de receitas entre amigos e familiares.

Um aspecto, mais reconhecido recentemente, é a importância da sincronização da alimentação com os ritmos circadianos – isto é, alimentar-se em períodos de luz e jejuar à noite. Alguns estudos sugerem que pessoas que comem mais no final do dia tendem a ganhar peso. O hábito de comer habitualmente mais à noite é mais recente na história. Muitas pessoas estão jantando mais tarde e comendo mais à noite do que no período matutino e almoço, e isso poderia predispor ao ganho de peso. No entanto, apenas redistribuir o conteúdo energético do jantar para refeições diurnas não se mostrou efetivo na redução de peso.[29]

O uso de adoçantes artificiais não faz parte de uma alimentação saudável, mas em pessoas muito acostumadas com o sabor doce, sua utilização, no curto prazo, pode ajudar a reduzir o aporte calórico. No entanto, isso mantém a pessoa habituada ao mesmo teor de doçura. Em uma perspectiva de prevenção de ganho de peso em longo prazo, pode ser melhor uma estratégia alternativa – adotar novos hábitos; por exemplo, a redução progressiva da quantidade de açúcar adicionada ao café ou chá ou a redução do açúcar empregado nas preparações de bolos e sobremesas. Em poucos meses, o prazer associado a comer alimentos muito doces muda, crescendo a preferência por doces com menor teor de açúcar. Especialmente quando os doces são muito valorizados, não há necessidade de omiti-los, apenas de habituar-se a comê-los de forma menos doce, menos frequente e em menor quantidade.

Prática regular de atividade física

Hábitos ativos de vida, além de ajudar a prevenir sobrepeso, reduzem a gordura abdominal, melhoram o bem-estar e aumentam a qualidade de vida e a longevidade. (Orientações mais específicas podem ser obtidas no Capítulo Promoção da Atividade Física.)

Dois objetivos podem ser trabalhados: a redução de hábitos sedentários (tempo de televisão/computador) e o aumento de atividade física (p. ex., fazer caminhadas ao trabalho/compras, cuidar do jardim, dançar).

Para quem é sedentário, o aumento da atividade física deve ser progressivo, com atividades ao gosto do paciente e em momentos adequados de modo a se sustentarem ao longo do tempo. Uma estratégia poderia ser iniciar com 5 a 10 minutos por dia, ao menos 5 dias por semana, e aumentar 5 minutos a cada semana, até alcançar um mínimo de 150 minutos por semana (p. ex., 30 minutos, 5 dias por semana; ou 50 minutos, 3 dias por semana).

Monitoramento de peso

O monitoramento regular do peso permite perceber precocemente variações no peso e suas causas, identificando situações específicas (alimentares e de atividade física) que levaram à mudança de peso. Oscilações pequenas de peso em adultos com peso normal (20-25 kg/m^2) são normais. Ganhos entre 2 e 3 kg alertam para a necessidade de rever o que poderia explicar esse aumento de peso, como pequenas mudanças que tenham ocorrido na alimentação ou na atividade física. Sua identificação e pronta correção podem prevenir ganho progressivo de peso.

Quando houver uma mudança mais duradoura no ambiente de vida, ocasionando práticas alimentares diferentes (mudança para outro lugar, mudança de trabalho) ou menor mobilidade (lesão física, ter suspendido caminhadas diárias para usar meio de transporte, isolamento físico na pandemia, estação prolongada de chuva), deve ser dada atenção à mudança para poder fazer as adaptações necessárias.

Não há uma regra de monitoramento de peso para pessoas com peso normal, mas é prudente fazê-lo mensalmente ou mais frequentemente quando possível. No entanto, ganhos de peso de 3 kg ou mais em geral são percebidos, porque as roupas usuais ficam apertadas. Esse é o momento de parar para ver o que pode ser feito para melhorar alimentação ou mobilidade e, se necessário, buscar suporte para fazer essas mudanças.

Dispositivos móveis apresentam muitas opções para monitoramento e tomada de ação sobre peso, atividade física e alimentação.[30]

ORGANIZAÇÃO DOS SERVIÇOS DE SAÚDE PARA ATENDER PESSOAS COM SOBREPESO OU OBESIDADE

O aumento crescente na frequência da obesidade e do sobrepeso tornou seu manejo e prevenção uma prioridade na APS. O desafio é grande e não há receita pronta nem protocolo único que sirva para todos. A população de pessoas com excesso de peso, ou em risco de desenvolvê-lo, é heterogênea, o que determina diferentes metas e demanda estratégias personalizadas para cada paciente. A forma de organizar o cuidado longitudinal dependerá dos recursos disponíveis em cada serviço e das diretrizes vigentes localmente e se beneficia de adotar a lógica do modelo de atenção às condições crônicas, como descrito no Capítulo Cuidados Longitudinais e Integrais a Pessoas com Condições Crônicas. A equipe deve oferecer uma abordagem acolhedora, o que envolve linguagem verbal e não verbal mais apropriados, evitando estigma, rótulo, discriminação, gordofobia e humor gordo. O engajamento também requer cuidado com o ambiente, por exemplo, evitando portas estreitas e dispondo de uma cadeira mais larga.[31]

Diversas modalidades de atendimento podem ser úteis para a abordagem de pessoas com excesso de peso, podendo ser desenvolvidas e oferecidas de acordo com os recursos e com o planejamento da equipe. Deve ser oferecido atendimento individual para os que assim desejarem, porém programas estruturados de perda de peso, de diferentes intensidades, geralmente em grupo, podem trazer benefícios adicionais, além de otimizar o tempo. Os serviços de saúde podem promover sessões estruturadas de exercício físico, grupos de caminhada, bem como atividades esportivas na comunidade. Também podem ser oferecidas oficinas de culinária na própria unidade de saúde, em escolas, igrejas ou praças, bem como organizadas hortas comunitárias. Pacientes com graus extremos de obesidade ou com outras barreiras para o acesso ou para as intervenções terapêuticas podem beneficiar-se de acompanhamento domiciliar. As atividades presenciais na unidade de saúde podem ser complementadas por ferramentas como contato telefônico ou por aplicativos de mensagens e consultas por telemedicina.

Devido à complexidade do acompanhamento de pessoas com sobrepeso/obesidade, pode ser útil incorporar tecnologias de *e-health* em seu cuidado. Além de diminuir a sobrecarga da equipe, essas tecnologias aumentam a adesão das pessoas à intervenção. Por exemplo, intervenções por celular evitam a necessidade de ir ao serviço de saúde e podem produzir perdas de peso de 2,4 kg, que poderão ser maiores com duração da intervenção superior a 6 meses; a continuidade além de 1 ano é importante para minimizar reganho de peso.[32] Algumas ferramentas de *e-health* potencialmente úteis incluem: diário alimentar, programas estruturados de atividade física, mensagens motivacionais, entre outros. As oportunidades de *e-health* estão crescendo exponencialmente, não se pretendendo aqui apresentar um modelo, mas sim estimular seu uso de forma criativa e atualizada no acompanhamento de pessoas com sobrepeso e obesidade.[30]

ABORDAGEM TERAPÊUTICA DO SOBREPESO E DA OBESIDADE

As mudanças de vida requeridas no tratamento do sobrepeso e da obesidade não são fáceis, embora o discurso propagado na sociedade contenha mensagens de que as pessoas ganham peso por preguiça ou gula e de que é fácil perder peso rapidamente comendo menos e se movendo mais. Na verdade, a obesidade é um problema complexo, para o qual não há uma solução linear simples que sirva bem a todos. O melhor é levar em conta a multidimensionalidade e os princípios do cuidado centrado na pessoa, priorizando o que for mais importante ou viável naquele momento. Alguns pontos aplicam-se à maioria das pessoas com sobrepeso ou obesidade:

→ a abordagem deve promover o engajamento, evitando interrogatórios e respeitando o tempo do paciente;
→ os objetivos da mudança e os benefícios esperados devem ser claros, realistas e conter significado ao paciente;
→ as mudanças propostas devem ser sustentáveis no longo prazo;
→ o paciente deve sentir-se bem com o novo estilo de vida, desenvolvendo novos valores para si e para sua família.

Abordagem multidimensional e cuidado longitudinal

O tratamento do sobrepeso e da obesidade envolve mudanças de vida, perda/manutenção de peso de variadas intensidades, suporte psicológico e, algumas vezes, tratamento farmacológico e/ou cirúrgico. As escolhas terapêuticas e a intensidade do tratamento dependem de uma avaliação multidimensional, que abrange a caracterização clínica do excesso de peso, a motivação das pessoas para realizar as mudanças e o contexto biopsicossocial que norteará a intervenção.

Os principais domínios compreendidos na avaliação e as ações a serem tomadas, com sua justificativa, são apresentados na TABELA 29.2.

Avaliação clínica inicial

A razão da consulta pode ser o desejo de perder peso ou a presença de uma complicação da obesidade. Outras vezes, a questão do excesso de peso surge no decorrer de uma consulta feita por outro motivo.

A depender do tempo disponível, já na primeira consulta podem ser explorados domínios da abordagem multidimensional – por exemplo, história de ganho de peso, tentativas de perda de peso e hábitos alimentares e de atividade física atuais. Esses elementos podem ser obtidos também em uma sequência de consultas.

Sobre a história de ganho de peso, é importante saber se a pessoa nasceu grande ou se o ganho de peso começou na infância, na adolescência, na vida adulta, durante uma gestação, na menopausa, em uma transição de ciclo de vida ou se coincidiu com evento estressante, como uma perda ou um episódio depressivo. Uma pergunta aberta como "Conte-me a história do seu peso ao longo da vida" pode fornecer os elementos-chave da trajetória do peso, poupando a necessidade de uma sequência de perguntas fechadas.

TABELA 29.2 → Componentes da abordagem multidimensional

DOMÍNIO	AÇÕES	JUSTIFICATIVA
CARACTERIZAÇÃO CLÍNICA DO EXCESSO DE PESO E A INTENSIDADE DA INTERVENÇÃO		
1. Composição corporal e graus de obesidade/obesidade central	→ Calcular IMC e classificar em peso normal, sobrepeso e obesidade graus I, II e III → Medir a cintura abdominal e classificar conforme o IMC	→ Maior IMC associa-se a maior morbimortalidade, maior complexidade terapêutica e maior necessidade de intervenção para perda de peso → Maior circunferência abdominal associa-se a maior risco cardiovascular
2. Presença de comorbidades que definem necessidade e intensidade do tratamento; condições predisponentes	Pesquisar comorbidades: → Diabetes → Dor articular → Apneia do sono → Hipertensão Pesquisar condições predisponentes: → Hipotireoidismo → Doença de Cushing → Uso de fármacos	→ Para algumas comorbidades, a perda de peso pode ser prioritária no curto prazo e a intensidade do tratamento poderá ser maior; nesses casos, o foco do tratamento é a comorbidade, e o controle do peso é parte integrante de seu tratamento → Condições predisponentes podem indicar causa reversível, o que altera o manejo da obesidade
3. História do peso ao longo da vida	Pesquisar: → Quando surgiu o excesso de peso → Em que momentos da vida houve maior ganho ou perda de peso	→ A duração da obesidade deve ser considerada ao planejar metas e tratamentos → Pessoas com excesso de peso recente em geral têm maior facilidade para perder peso e manter o peso perdido → Pessoas com obesidade de longa duração em geral já tiveram experiências múltiplas de perda de peso e tendem a estabelecer metas não realistas, difíceis de serem mantidas no médio e longo prazo; com frequência, têm obesidade mais acentuada, com relatos de comportamentos alimentares inadequados
CONTEÚDO MOTIVACIONAL PARA A MUDANÇA		
4. Motivação e atitude atual diante da necessidade de controlar o excesso de peso	→ Registrar elementos da conversa a favor da mudança verbalizados pelo paciente, bem como barreiras para a mudança → Se houver pouca motivação, avaliar se elementos psicológicos e/ou sociais podem estar contribuindo (itens 7, 8 e 9 desta tabela) → Estabelecer metas realistas, que podem envolver metas de perda de peso e/ou metas mais específicas de mudanças de estilo de vida	→ O estabelecimento de metas e planos terapêuticos dependem do grau de motivação e preparo da pessoa para o tratamento, o que reforça a importância de fazê-lo de forma compartilhada → A intensidade do tratamento será estabelecida de acordo com as metas acordadas, mas deverá priorizar alguma mudança de estilo de vida, mesmo que pequena

(continua)

TABELA 29.2 → Componentes da abordagem multidimensional   *(Continuação)*

DOMÍNIO	AÇÕES	JUSTIFICATIVA
CONTEXTO BIOPSICOSSOCIAL QUE INSTRUMENTALIZA A INTERVENÇÃO		
Biológico		
5. Balanço energético	Pesquisar: → Marcadores de grande ingesta alimentar (refeições grandes, beliscar entre refeições, grande teor de carboidratos e gorduras); escolhas de alimentos de acordo com grau de processamento (ultraprocessados *vs.* hortaliças, p. ex.) → Grau de atividade física por semana, exercícios preferidos, barreiras para realização de práticas de atividade física	→ Esse é o elemento central da intervenção terapêutica da obesidade; contudo, considerando sua abrangência e relevância, pode não ser estratégico aprofundar na primeira consulta, especialmente para os casos de obesidade de longa duração
6. Capacidade física e incapacidade funcional (temporária ou permanente)	Elementos relevantes: → Traumatismos que exigem imobilização → Pessoas acamadas → Dores no joelho ou no quadril	→ Manejar essas situações pode ser prioritário e ajustes podem ser necessários no plano de exercício físico e na forma de acesso ao atendimento no serviço de saúde
Psicológico e comportamental		
7. Aspectos relacionados a comportamentos alimentares relevantes, incluindo transtornos alimentares	Pesquisar: → Relação com sinais interoceptivos de fome/saciedade (como identifica que está com fome ou quando já comeu o suficiente?) → Velocidade com que come → Contexto social em que come (p. ex., sozinho assistindo à televisão, sentado à mesa interagindo com a família) → Alimentação de padrão emocional (i.e., come quando está ansioso/triste/com raiva) ou de padrão intuitivo (come estimulado pelos sinais interoceptivos de fome)? → Impulsividade alimentar, compulsão alimentar periódica (*binge eating*) → Se pistas relevantes surgirem nos itens acima, pesquisar se preenche critério diagnóstico para bulimia nervosa ou compulsão alimentar periódica	→ Para muitos pacientes, a simples conscientização sobre seus padrões de comportamento alimentar já pode promover mudanças comportamentais que facilitam a perda de peso, como saborear mais os alimentos, comer mais devagar, não repetir o prato e comer as refeições em família, não assistindo à televisão → Intervenções baseadas em *mindfulness* podem contribuir para essas mudanças de comportamento, especialmente quando está presente um padrão de impulsividade → Em caso de transtorno alimentar, considerar encaminhar para equipe especializada em saúde mental, devendo-se exercitar cautela na aplicação do tratamento baseado no balanço energético
8. Comprometimento psicológico, incluindo experiências de estigma/discriminação, depressão e ansiedade	Pesquisar: → Sofrimento mental e estigma associados à obesidade → Presença de depressão → Presença de transtornos ansiosos	→ A presença de sofrimento relacionado ao estigma/discriminação, bem como de ansiedade e/ou depressão, pode levar à desesperança ou a metas pouco realistas → Na maioria das vezes, o episódio depressivo leva à perda de peso, e o seu tratamento pode levar ao novo ganho de peso, que deverá ser tolerado, inicialmente → No entanto, hiperfagia e consequente ganho de peso ocorrem em casos de depressão atípica; esses casos são mais frequentes em pessoas com transtorno bipolar, o que levanta a suspeita para esse diagnóstico → Os transtornos ansiosos, por si só, não se associam ao ganho de peso, mas a alimentação emocional motivada por ansiedade, sim
Social		
9. Contexto social e familiar	Pesquisar: → Contexto social e familiar associado ao estilo de vida obesogênico → Família como recurso terapêutico → Necessidade de intervenções mais amplas no contexto familiar	→ A família e o contexto social do paciente (incluindo trabalho, escola, faculdade, vizinhança) podem ser barreiras, bem como recursos terapêuticos importantes na abordagem clínica da obesidade

IMC, índice de massa corporal.

O excesso de peso pode estar associado a algum evento recente, ou a outros fatores como uso de medicamentos, gravidez recente e mudanças de vida. Fármacos de uso regular que poderiam levar ao excesso de peso, com possíveis alternativas, são apresentados na **TABELA 29.3**.

A revisão dos sistemas deve ser direcionada para condições que potencialmente contribuíram para o ganho de peso. Podem ser pesquisados sintomas de hipotireoidismo (pele seca, fadiga, intolerância ao frio), síndrome de Cushing e síndrome de ovários policísticos. Devem ser avaliados também outros elementos que contribuem para o prognóstico ou morbidade e consequentemente alteram a priorização terapêutica, como mostrado na **TABELA 29.4**.

O exame físico ajuda a caracterizar a suspeita de excesso de peso secundário a outro problema de saúde. A palpação de camada subcutânea com consistência de mixedema ("borrachenta") é sugestiva de hipotireoidismo. Fácies "em lua cheia" e pletórica, pescoço em ogiva e petéquias são sugestivos de síndrome de Cushing. A presença de cacifo indica que, ao menos em parte, o excesso de peso resulta de edema. A presença de hirsutismo pode indicar síndrome de ovários policísticos, e a acantose pode apontar para a presença de importante resistência à insulina.

Exames complementares

Exames complementares são solicitados com base na avaliação clínica. Exames que costumam fazer parte da rotina

TABELA 29.3 → Fármacos que podem levar a ganho de peso e suas alternativas

CLASSE	FÁRMACOS OBESOGÊNICOS	ALTERNATIVAS: FÁRMACOS QUE PROMOVEM PERDA DE PESO OU SÃO NEUTROS
Antidepressivos	→ Antidepressivos tricíclicos → Mirtazapina → Paroxetina	→ Fluoxetina → Bupropiona → Venlafaxina → Desvenlafaxina → Sertralina
Antipsicóticos	→ Olanzapina → Risperidona → Clozapina → Quetiapina	→ Aripiprazol → Haloperidol → Ziprasidona
Anticonvulsivantes	→ Valproato → Carbamazepina → Gabapentina	→ Lamotrigina → Topiramato
Antidiabéticos	→ Insulina → Sulfonilureias → Tiazolidinedionas	→ Metformina → Análogos do GLP-1
Anti-inflamatórios	→ Corticoides	→ AINEs → Uso de corticoides por curto prazo
Anticoncepcionais	→ Medroxiprogesterona de depósito	→ Contraceptivos combinados → Pílula de progestagênio → Dispositivo intrauterino
Anti-histamínicos	→ De primeira geração	→ De segunda e terceira gerações

AINEs, anti-inflamatórios não esteroides; GLP-1, peptídeo semelhante ao glucagon 1.

TABELA 29.4 → Comorbidades e fatores de risco que influenciam na priorização terapêutica

COMORBIDADES
→ Doença arterial coronariana clínica e outra doença aterosclerótica → Diabetes tipo 2 → Problemas do sono, especialmente apneia do sono → Problemas do sistema digestório: doença hepática gordurosa não alcoólica, doença do refluxo gastresofágico e cálculos biliares → Alterações reprodutivas → Problemas musculoesqueléticos associados ao excesso de peso → Problemas de pele
FATORES DE RISCO
→ Tabagismo → Hipertensão → Colesterol LDL elevado e/ou baixo colesterol HDL → Glicemia de jejum alterada → Circunferência da cintura elevada (ver **TABELA 29.1**) → História familiar de doença arterial coronariana prematura (homens: ≤ 45 anos; mulheres: ≤ 55 anos) → História familiar de diabetes

HDL, lipoproteína de alta densidade; LDL, lipoproteína de baixa densidade.

de avaliação de adultos com excesso de peso são glicemia de jejum, perfil lipídico (colesterol total, colesterol HDL, colesterol LDL, triglicerídeos), função hepática (aspartato-aminotransferase [AST], alanina-aminotransferase [ALT], gamaglutamiltransferase [gama-GT]), função renal (creatinina) e função tireoidiana (hormônio estimulante da tireoide [TSH]).

Exames de menos valor na avaliação clínica rotineira são a insulina de jejum para estimativa da resistência à insulina e a ultrassonografia de abdome superior para investigação de esteatose. Indivíduos com alto risco de diabetes (glicemia de jejum entre 110-125 mg/dL) ou com alto risco de doença cardiovascular (ver Capítulo Prevenção Clínica das Doenças Cardiovasculares) são avaliados com um teste de tolerância à glicose.

Exames que podem ser solicitados conforme a história individual incluem a investigação de apneia do sono e a investigação endócrina ou reprodutiva (Cushing, hipotireoidismo, síndrome de ovários policísticos).[33]

Lista de problemas

Os elementos-chave identificados na avaliação multidimensional são registrados na lista de problemas de modo a facilitar o acompanhamento do plano terapêutico.

A **TABELA 29.5** ilustra um exemplo para acompanhamento longitudinal de uma paciente que não está engajada em processo estruturado de perda de peso no momento, mas está disposta a realizar pequenas mudanças.

A partir do momento em que se inicia um programa de perda de peso, elementos adicionais na lista podem incluir: meta de perda de peso, divisão de tarefas, periodicidade de consultas, barreiras para a mudança e formas de lidar com ela e recursos de *e-health* utilizados.

Abordagem motivacional

O engajamento no processo é peça fundamental para o sucesso na mudança, e a linguagem adotada na conversa é crucial.[31]

A **TABELA 29.6** apresenta frases úteis em uma conversa sobre mudança, indicando a pergunta a ser feita e a técnica motivacional empregada. Essas habilidades de comunicação podem ser inicialmente praticadas em contextos gerais fora da clínica, em casa, com amigos ou na própria equipe, para

TABELA 29.5 → Exemplo de lista de problemas para cuidado longitudinal

Juliana, 32 anos, professora de educação infantil, mora com esposo e 2 filhos.
→ # Menarca aos 13 anos, ciclos menstruais regulares, G2P2. MAC: DIU de cobre.
→ # Transtorno de ansiedade generalizada. Episódio depressivo na segunda gestação, tendo utilizado fluoxetina naquele período. Sem uso de psicotrópico no momento.
→ # Dor recorrente em região lombar direita, sem irradiação, com alívio com uso intermitente de dipirona, em torno de 2 dias/mês.
→ # Obesidade grau II, IMC 37,5 kg/m². Peso normal até o final da adolescência, progredindo para sobrepeso no início da faculdade e para obesidade grau II após a segunda gestação. Nunca tentou perder peso. Sem motivação para iniciar processo de perda de peso no momento.
→ # Sedentária. Considera iniciar caminhadas 2 ×/semana.
→ # Faz refeições grandes, "beliscando" doces entre refeições. Pouco consumo de frutas/verduras/legumes. Alimentação de padrão emocional. Come quando fica ansiosa; não saboreia os alimentos; para de comer quando percebe a distensão gástrica. Já foram discutidas estratégias alternativas para lidar com gatilhos de ansiedade além de "beliscar" alimentos entre refeições. Sem motivação no momento para grandes mudanças alimentares. Plano de psicoeducação sobre padrões emocionais de alimentação e conscientização sobre velocidade com que come.
→ # Nega tabagismo. Bebe cerveja nos finais de semana, raramente mais do que 1 lata por vez.
→ # HF: pai tem HAS e mãe tem diabetes. Avô materno teve IAM. Nega HF de câncer.

DIU, dispositivo intrauterino; HAS, hipertensão arterial sistêmica; HF, história familiar; IAM, infarto agudo do miocárdio; IMC, índice de massa corporal; MAC, método anticoncepcional.

TABELA 29.6 → Questões úteis para a comunicação com pessoas que têm excesso de peso

PERGUNTA	PEDIR LICENÇA, ESCUTAR, OUVIR-SE, DAR ESCALA OU FAZER OUTRA PERGUNTA MOTIVACIONAL
Podemos falar sobre seu peso?	Pedir licença
Como está se sentindo sobre seu peso hoje?	Escutar
É importante fazer alguma mudança em seu estilo de vida agora?	Ouvir-se afirmativamente
Em uma escala de 0 a 10, que nota você daria para essa importância? Por que não zero?	Táticas motivacionais
Sente-se confiante para fazer a mudança agora?	Ouvir-se afirmativamente
Em uma escala de 0 a 10, que nota você daria para essa importância? Por que não zero?	Táticas motivacionais
Quais são as barreiras para conseguir isso?	Escutar
Quais seriam 2 ou 3 vantagens de fazer isso agora?	Ouvir-se afirmativamente
Se fosse fazer a mudança agora, como faria?	Escutar
Nossa fala ajudou a avançar na mudança? Como você imagina que podemos seguir para avançar mais?	Ouvir-se afirmativamente; escutar
O que significa "alimentação saudável" para você?	Escutar
Você sente fome e saciedade?	Escutar
Você come quando está entediado, estressado ou desanimado/triste?	Escutar
O que significa atividade física para você?	Escutar
Qual seria o melhor momento para fazer atividade física?	Escutar
Qual tipo de atividade física você prefere hoje ou já gostou de fazer no passado?	Escutar; ouvir-se afirmativamente
Quais metas de peso seriam razoáveis fazer agora para os próximos 2 anos? E para os próximos 2 meses?	Escutar; ouvir-se afirmativamente
Quais mudanças você poderia começar a fazer agora?	Escutar; ouvir-se afirmativamente
Que ajuda você gostaria de ter para fazer isso? (Pense na equipe de saúde, na família, nos amigos, nos colegas de trabalho, na comunidade.)	Escutar; ouvir-se afirmativamente

Fonte: Adaptada de Durrer Schutz e colaboradores.[33]

desenvolver maior familiaridade.[33] (Ver Capítulo Abordagem para Mudança de Estilo de Vida.)

A entrevista motivacional utiliza técnicas cognitivo-comportamentais, promovendo motivação para a mudança e evitando resistências. Destacam-se os seguintes aspectos:

1. a comunicação deve ter uma linguagem colaborativa, evitando discursos e aulas sobre obesidade e seu tratamento. Quando o motivo da consulta for relacionado ao excesso de peso, isso pode ser um bom pretexto para iniciar uma conversa sobre mudança. Quando não for, o ideal é esgotar o motivo da consulta antes de introduzir a questão do excesso de peso. Pedir permissão para iniciar a discussão evita resistências, e isso pode ser feito com perguntas abertas, como "O que acha de falarmos um pouco sobre seu peso hoje?"; depois: "Como acha que está em relação a isso?"; e na sequência: "O que poderia fazer neste momento para isso?";
2. a linguagem (verbal e não verbal) deve ser sensível às dificuldades que o paciente enfrenta, sem fazer recriminações. Em geral, as pessoas preferem falar sobre peso e IMC, desgostando de termos mais estigmatizantes como obesidade, sobrepeso e excesso de gordura. Devem-se evitar rótulos como obesos, gordos ou assemelhados e zelar para que a equipe toda não tenha conduta estigmatizante;[33]
3. a avaliação inicial compreende o grau de **motivação e prontidão** que o paciente tem para iniciar as mudanças pretendidas; o grau de **importância** que o paciente percebe sobre a necessidade das mudanças; o grau de **confiança** que ele tem sobre sua capacidade de fazer as mudanças; e o grau de **prioridade** que ele dá às mudanças neste momento. Uma forma de levar o paciente a ouvir-se afirmando que quer fazer a mudança é perguntar:
   → em uma escala de 0 a 10, qual é a importância de perder peso agora? (Em geral, as respostas indicam valores > 1.) Pode-se usar a mesma escala para confiança e prontidão;
   → a pergunta pode ser seguida de "E por que não zero (*ou outro número bem inferior*)?", o que leva as pessoas a se ouvirem dizendo "Porque quero muito". Essa pergunta não deve ser usada mais de uma vez na mesma consulta;
4. em uma conversa sobre mudança, evitam-se suposições acerca de hábitos alimentares e de atividade física. Perguntas diretas e abertas fluem melhor, por exemplo: "O que lhe dá mais prazer de comer? E menos prazer?";
5. conversas sobre mudança permitem que a pessoa se ouça dizendo o que quer fazer ou acredita que pode fazer em direção à mudança. Perguntas sobre valores associados à mudança, objetivos, metas e alvos, barreiras e tentativas de resolução suscitam conversas sobre mudança. Perguntas fechadas, recriminações, cobranças e "aulas" não solicitadas suscitam conversas de resistência;
6. se o paciente decidir iniciar a mudança, lembre-se de que ele é o "especialista" em si próprio. Você pode saber muito sobre obesidade em geral, mas ele sabe mais sobre como fazer a mudança em sua vida. Com seu suporte, ele saberá definir as mudanças mais pertinentes e a sequência que dará no plano terapêutico.

Em resumo, a comunicação deve direcionar a conversa para uma fala de mudança e não de resistência. O paciente deve ouvir-se afirmando opiniões e planos na direção da mudança, não contra ela. Ao sermos confrontados com a possibilidade de uma mudança, nossa tendência é de ter um pensamento ambivalente, porque sempre haverá razões para fazer e para não fazer a mudança (quero, mas é difícil; quero, mas não agora; quero, mas não vou conseguir; quero, mas minha família não apoia, etc.). A resolução adequada dessa ambivalência é essencial para que a mudança seja bem-sucedida. A entrevista motivacional reconhece a ambivalência e a usa para promover a mudança.

Estabelecimento de metas e plano individualizado de acompanhamento

A pressão para o controle da obesidade tem estimulado pessoas com excesso de peso a fazerem múltiplas tentativas de tratamento, com expectativas infundadas de que resolverão rapidamente o seu problema. Como não há programas mágicos, elas se sentem frustradas e sofrem devido às expectativas não alcançadas e à ciclagem de peso.

A solução para o problema (da obesidade) tornou-se seu problema atual: para contorná-lo, as metas devem ser individualizadas e realistas. Algumas pessoas terão metas de perda de peso. Outras, apenas de mudanças alimentares e/ou de atividade física. Pode-se perguntar:
→ Como você gostaria de estar em 1 ano? E em 3 meses? Dependendo da reposta, pergunta-se:
→ O que você poderia estabelecer como meta para seu peso?
→ O que você poderia estabelecer como meta para sua alimentação?
→ O que você poderia estabelecer como meta para sua atividade física?

Para algumas pessoas, a meta poderá ser perder peso prontamente para aliviar algum problema de saúde (dor articular, p. ex.) ou como tratamento de uma doença como diabetes tipo 2. Para essas pessoas, a meta mais realista é perder 5 a 7% do peso corporal.

Para outras, a meta poderá ser apenas monitorar o peso e evitar ganho posterior de peso, incorporando gradualmente hábitos alimentares saudáveis e hábitos ativos de vida, como abordado anteriormente no item Prevenção Populacional e Clínica do Excesso de Peso.

Para aqueles com comportamentos alimentares disfuncionais (episódios de compulsão alimentar periódica ou uso de mecanismos compensatórios para eliminar o excesso de alimento ingerido), a meta poderá ser minimizar esses comportamentos.

Para muitos, a meta poderá ser mudar hábitos de vida e perder peso gradualmente. Essa abordagem receberá maior ênfase neste capítulo.

Seja qual for a meta escolhida, é preciso contextualizar o processo de perda/manutenção de peso em um plano de longo prazo. O plano deve ser dinâmico, isto é, prever possíveis mudanças no contexto de vida do paciente, sua rotina alimentar e de atividade física, seu estado emocional, sua relação com seu corpo e sua motivação para mudanças. Isso exige reavaliações periódicas das metas com ajustes nas estratégias adotadas. Nesses casos, devem ser revisadas as metas estabelecidas para o peso, para melhora do problema clínico e para mudança de hábitos de vida.

O intervalo entre as consultas é variável, dependendo das metas almejadas, das estratégias terapêuticas elencadas, dos recursos disponíveis e das condições clínicas do paciente. A consulta com o médico é planejada de acordo com a comorbidade apresentada. Para os que não apresentam comorbidade, as consultas são planejadas de acordo com a distribuição das tarefas de acompanhamento da equipe. Idealmente, o paciente deve pesar-se semanalmente nos primeiros 2 a 3 meses. Quando necessário, isso pode ser providenciado no serviço de saúde. As pesagens posteriores podem ser mensais no primeiro ano e trimestrais no segundo ano. Para os que apresentam comorbidade, as frequências serão norteadas pela doença apresentada. Além das metas estabelecidas para o peso, deve-se monitorar a melhora do problema clínico e das mudanças de hábitos de vida. Além do peso, é importante monitorar também a circunferência da cintura.

Um período crítico e frequentemente negligenciado em planos de perda de peso é a fase de manutenção do peso perdido. Não precisam necessariamente ser estipuladas consultas específicas para a manutenção, mas ela deve ser integrada ao acompanhamento longitudinal do paciente, empoderando-o para cuidar de sua própria manutenção, com checagens nas consultas subsequentes por outros motivos.

Em resumo, a abordagem terapêutica é individualizada e multidimensional, como discutido a seguir. Seja qual for a abordagem escolhida, o suporte e a revisão das dificuldades encontradas no processo de mudança podem ser feitas por telefone, por visita domiciliar e presencialmente por membro da equipe treinado para esse fim.

Alteração do balanço energético e perda de peso

As abordagens tradicionais para perda de peso visam alterar o balanço energético, seja produzindo um déficit calórico alimentar, aumentando a atividade física ou ambos.

Um déficit calórico diário de cerca de 500 kcal pode induzir perdas de peso de cerca de 4 kg (500 g/semana) em um período de 8 semanas. Nos primeiros dias, a perda é maior, sendo constituída principalmente de água e glicogênio. Após a primeira semana, a perda se dá fundamentalmente por perda de gordura corporal. Gradualmente, o emagrecimento requer maior déficit calórico, por conta de adaptações metabólicas para confrontar a perda de peso – entre elas, estão a redução da taxa metabólica basal, o aumento na eficiência muscular e o aumento da fome, associado a mudanças hormonais, como redução da leptina, da tri-iodotironina (T_3) e do peptídeo semelhante ao glucagon 1 (GLP-1, do inglês *glucagon-like peptide-1*) (que promovem saciedade) – e de alterações psicológicas, com aumento do apetite.[34]

Após cerca de 8 semanas, para manter o grau de perda de peso anteriormente obtido, será necessário ampliar significativamente o déficit calórico e/ou aumentar a atividade física. Em torno de 24 semanas, a perda de peso alcançará um platô; a partir desse ponto, o melhor é focar a manutenção do peso perdido. A compreensão desses mecanismos compensatórios ainda não está suficientemente clara. Mas, considerando o sofrimento envolvido com o reganho e a ciclagem de peso, metas de perda de peso mais realistas e sustentáveis vêm sendo recomendadas.

Planos para perdas de peso de 4 a 8 kg podem ser contemplados para períodos de 2 a 6 meses, sempre acompanhados de um plano para manutenção do peso perdido, que se estenderá por 1 a 2 anos. Em períodos de 12 a 18 meses, comparadas aos controles, pessoas em intervenções alimentares e de atividade física convencionais mostram perdas de peso de 2,4 kg e menor reganho de peso (1,6 kg) **B**.[35] Em média, essas perdas de peso parecem pequenas, mas é preciso lembrar que muitos pacientes apresentam perdas grandes de peso, bem acima das médias de grupos. Além disso, esses valores já contabilizam reganhos eventuais de peso.

A **TABELA 29.7** resume, de forma simplificada, os pontos centrais de um plano de perda/manutenção de peso,

TABELA 29.7 → Orientações para perda de peso (meta de 4 a 8 kg em 8 a 16 semanas) e para manutenção do peso perdido

SEMANAS DESDE O INÍCIO DA DIETA HIPOCALÓRICA	PERDA DE PESO	DÉFICIT CALÓRICO ALIMENTAR	ORIENTAÇÃO, SUPORTE E PLANO DE ATIVIDADE FÍSICA
			PERDA DE PESO
0-8 semanas	4 kg (500 g/semana)	Déficit calórico de 500 kcal: reduzir alimentos e bebidas ultraprocessados; reduzir doces e gorduras	→ A fome pode ser aliviada por lanches de legumes como cenoura, salsão, brócolis; alimentos com fibras (p. ex., pão integral no desjejum; feijão no almoço; grão de bico no jantar)
9-23 semanas	4 kg a mais (perda semanal variável)	Déficit calórico de 800-1.000 kcal: incrementar déficit com redução das porções de alimentos e aumento daqueles com baixo valor calórico (salsão, tomate, couve-flor, brócolis e folhas verdes em geral)	→ Conversas sobre a percepção de fome como sinais positivos do corpo e sobre mecanismos para aliviar os sinais negativos da fome, como sair da mesa quando ingeriu o que tinha planejado; caminhada leve; ligar para alguém para conversar; escutar música, dançar → Redução do sedentarismo e aumento gradual de atividade física
			MANUTENÇÃO DE PESO
24 semanas em diante	0	Déficit discreto, com base nos itens aos quais a pessoa já se acostumou (menos açúcar no café, água para aliviar a sede e acompanhar as refeições; porções menores de pão, macarrão e arroz branco)	→ Déficit calórico de 200 kcal e/ou aumento progressivo da atividade física até alcançar 200-300 minutos/semana de atividades moderadas ou 100-150 minutos/semana de atividades vigorosas → Fazer plano para lidar com deslizes (p. ex., estabelecer um limite permitido de ganho de peso de 2 kg para retomar o plano alimentar; aumentar a atividade física por 1 semana; procurar atendimento se passar de 3 kg)

Perdas associadas à atividade física: em média, pode-se perder ~4 kcal para cada minuto de caminhada com passos firmes (um pouco mais que 100 kcal para cada 30 minutos caminhados), ~5-6 kcal para cada minuto de atividade física moderada e ~7-10 kcal para cada minuto de atividade física vigorosa

utilizando valores médios aproximados. Uma revisão excelente com essas considerações está disponível,[11] e uma abordagem mais quantitativa e individualizada dos ajustes energéticos para as várias etapas do tratamento pode ser feita utilizando a calculadora Body Weight Planner, por meio da opção "Metric Units".[36] (Ver QR code.)

A perda de peso mais lenta, em comparação com perda mais rápida, parece produzir maior redução de massa gorda e do percentual de gordura corporal. Além disso, perdas mais graduais parecem preservar mais a taxa metabólica basal. Entretanto, não parece haver diferença em relação à massa livre de gordura e aos parâmetros antropométricos (peso e circunferência da cintura).[37] As repercussões clínicas desses achados ainda não estão claramente estabelecidas, mas parecem apoiar uma sequência gradativa de intervenções pequenas e pontuais, o que é bastante adequado ao cenário clínico da APS. O consenso é priorizar as mudanças alimentares e depois intensificar as mudanças de atividade física, a depender das preferências e prioridades de cada pessoa.

Seja qual for a escolha, o plano é sempre de longo prazo e inclui perda de peso e manutenção de peso perdido. Metas de longo prazo com significado particular (sentir-se mais forte, melhorar o diabetes) são altamente motivacionais. Porém, desdobrar o caminho em metas de curto e médio prazos torna o trajeto da mudança mais concreto e factível (reduzir o açúcar no café, usar escadas em vez do elevador, etc.).

Intervenções alimentares

Intervenções alimentares são, em geral, o elemento central na perda de peso. Não parece haver vantagens no médio e longo prazos entre as várias modalidades de dieta descritas na literatura. É provável que as que diferem muito de um padrão saudável habitual, mesmo apresentando benefícios no curto prazo, exijam mais esforço na transição para um plano de manutenção de peso, aumentando a tendência a ganho de peso após a perda.

Orientações com déficit calórico aproximado

Para pessoas com hábitos alimentares pouco saudáveis e que não precisam perder peso rapidamente, um bom caminho é iniciar por uma orientação mais qualitativa sobre o padrão alimentar saudável, focando no *Guia alimentar para a população brasileira*, como descrito na seção no item Prevenção Populacional e Clínica do Excesso de Peso no Capítulo Alimentação Saudável do Adulto.

Essas orientações podem ser fornecidas pelo médico e/ou enfermeiro durante o acompanhamento longitudinal do paciente e podem incluir entrega de material informativo. Essa estratégia é especialmente útil para aqueles pacientes que não estão motivados para mudanças mais intensivas do seu estilo de vida, mas estão abertos a experimentar pequenas modificações no seu padrão alimentar. Mesmo para pacientes motivados para mudanças mais intensivas, utilizar essa estratégia como passo inicial tem a vantagem de ter foco mais educativo do que prescritivo, o que aumenta a autonomia do paciente no estágio inicial.

Pequenas perdas de peso podem ser obtidas a partir dessas orientações, desde o início ou mais tarde, dependendo da motivação da pessoa. Essas abordagens vêm crescendo na clínica e, em geral, são bem aceitas por produzirem menor tensão e, consequentemente, apresentarem o potencial de alcançar mudanças mais duradouras.

Para obter perda inicial de peso, é necessário reduzir o aporte calórico em cerca de 400 a 500 kcal (ou menos, se acompanhado de aumento de atividade física). Não há necessidade de quantificar essas calorias, o que torna a estratégia mais simples para ser orientada por profissional da equipe que tenha empatia e habilidade de comunicação.

Inicia-se pedindo um recordatório simples do que a pessoa comeu nos últimos dias e, juntos, o profissional e o paciente avaliam o que poderia ser reduzido no plano alimentar. Orientações seguindo o mnemônico RASO (reduzir, aumentar, substituir e observar) facilitam e organizam as formas de fazer as mudanças pretendidas para hábitos alimentares e atividade física (TABELA 29.8). O mnemônico RASO faz lembrar um prato raso, que também pode transmitir a ideia da qualidade sobre a quantidade – comer pouco, mas comer bem:

→ **reduzir** o consumo de alimentos ultraprocessados e outros alimentos de alta densidade energética. Reduzir as porções alimentares;
→ **aumentar** o consumo de alimentos não processados ou minimamente processados e/ou de baixo valor energético, aumentando o caráter saudável da dieta;
→ **substituir** alimentos por versões menos processadas e mais saudáveis – por exemplo, grãos refinados por grãos integrais, sobremesas industrializadas por sobremesas caseiras, frituras por versões assadas ou grelhadas, refrigerante por água ou chá;
→ **observar** a qualidade da alimentação, o comportamento e a forma de se alimentar. Por exemplo, comer devagar, mastigando bem e reconhecendo os sinais de fome e saciedade; se está comendo sem pensar, por exemplo, assistindo à televisão ou verificando o telefone celular. (Ver, mais adiante, a seção Comportamentos alimentares que predispõem ao ganho de peso.)

Orientações com dietas hipocalóricas específicas

Para pacientes motivados para uma perda maior de peso, pode estar indicado prescrever dieta hipocalórica. Normalmente, isso é feito por nutricionista ou por médico com treinamento específico.

Uma revisão sistemática que avaliou 14 dietas populares distintas concluiu que, após 6 meses, todas apresentavam perda substancial de peso e melhora nos fatores de risco cardiovasculares, mas aos 12 meses o efeito cardiovascular havia reduzido substancialmente, à exceção da dieta mediterrânea. Embora, aos 6 meses, o efeito na perda de peso tenha sido superior a 3 kg para a maioria das dietas avaliadas, algumas alcançando perdas médias superiores a 5 kg, aos 12 meses a perda de peso foi menor, mas a dieta paleolítica manteve perdas médias de 7 kg. Em geral, dietas com restrição de carboidratos (*low carb*) ou de gorduras (*low fat*) mostraram efeitos semelhantes no curto e no médio prazos.[38] Isso sugere que, pelo menos com as evidências disponíveis até o momento, as preferências das pessoas e da equipe podem ser os fatores mais importantes na escolha da modalidade a ser adotada.

Mais recentemente, dietas com períodos intermitentes de jejum se popularizaram, conhecidas pelo nome de jejum intermitente (*intermittent fasting*) ou redução do tempo de alimentação (*time-restricted eating*). No jejum intermitente, por 1 a 3 dias/semana, é feita restrição severa ou total do consumo de energia (50-100% do valor energético total [VET]), e os resultados são semelhantes aos de dietas restritivas contínuas **B**.[39] Na redução do tempo de alimentação, há uma janela de tempo diária de alimentação (4-14 horas) e uma janela de tempo de jejum ampliada (10-20 horas). Ensaios iniciais de curta duração mostram perdas de aproximadamente

TABELA 29.8 → Como reduzir calorias diárias (RASO)

→ **R**eduzir/eliminar alimentos e bebidas ultraprocessados. Reduzir as quantidades ingeridas nas refeições principais: as porções de arroz e feijão podem ocupar metade do prato. Reduzir lanches entre as refeições, fazendo apenas no máximo 1 a 2 por dia. Reduzir/eliminar açúcar no café, no chá e nos sucos. Reduzir manteiga/margarina no pão. Reduzir carne, pão e macarrão. A carne pode ser um ingrediente no preparo das verduras e legumes, em vez de uma porção importante na composição do prato.

→ **A**dicionar legumes, verduras e frutas variadas, que poderão ocupar a outra metade do prato. Adicionar água às refeições.

→ **S**ubstituir alimentos e bebidas ou comportamentos menos saudáveis por mais saudáveis. Por exemplo: ultraprocessados por não processados ou minimamente processados; frituras por grelhados; refrigerantes por água; sobremesas por frutas; pão branco por pão integral (alimentos ricos em fibra mantêm a saciedade por mais tempo); lanches com salgadinhos por fruta, cenoura crua, iogurte sem açúcar, sementes, castanhas; carne vermelha por carnes brancas com pouca gordura, ovo, iogurte natural ou queijo. Em caso de múltiplos lanches entre as refeições, substituí-los por outras atividades que podem trazer prazer e atenção, como checar o celular, escutar música, caminhar.

→ **O**bservar:
  → Se come rapidamente, sem mastigar bem, até não ter mais fome: procurar comer com mais calma, mastigando bem, até ter ingerido o suficiente; observar que suficiente é o que foi planejado e que é possível parar de comer antes de sentir saciedade, completando a refeição com um copo d'água; sair da mesa, se necessário, quando outros ainda estiverem comendo.
  → Se come alimentos muito calóricos (vermelhos): substituí-los pelos alimentos referidos em Adicionar e/ou Substituir (verdes).
  → Se ingere alimentos com fibra (feijão, pão integral): aumentam o período de saciedade, melhoram o hábito intestinal e são mais nutritivos.
  → Se o prato é colorido com verduras, legumes e frutas e se é variado: isso confere maior valor nutritivo.
  → Se algum gatilho estimula consumo compulsivo de alimento: nesse caso, fazer planos de ação.
  → Se omite o café da manhã: tentar líquidos como café com leite e iogurte natural, fruta ou queijo.
  → Se tem algo de que não está gostando: anotar e fazer um plano para mudar isso.
  → Os progressos alcançados: planejar para que eles se perpetuem; influenciar amigos e familiares.

3% do peso corporal quando a janela de alimentação era restrita a 4 a 10 horas, com alimentação livre **C/D**.[40]

Intervenções alimentares mais intensivas

Em algumas situações, reduções maiores do peso corporal são desejáveis, o que exige medidas mais intensivas.

Uma modalidade de dieta que está retornando em importância nos últimos anos é a substituição temporária das refeições por dietas previamente preparadas, as chamadas "substituição total da dieta" (TDR, do inglês *total diet replacement*), com resultados promissores nos Estados Unidos e no Reino Unido em pessoas com obesidade e diabetes tipo 2.[41,42]

O estudo DROPLET mostrou que a TDR é viável e efetiva no tratamento rotineiro de pessoas com obesidade atendidas na APS no Reino Unido. O grupo que recebia TDR tinha suporte semanal para mudanças comportamentais por 12 semanas, e mensais por 3 meses, recebendo fórmula alimentar (810 kcal/dia = 3.389 kJ/dia) como único alimento nas primeiras 8 semanas, seguidas por reintrodução de alimentos. O cuidado usual compreendia suporte comportamental para perda de peso com enfermeira e um plano para redução calórica moderada. Perdas > 10% foram observadas em 45% dos participantes do grupo TDR e em 15% do grupo de cuidados usuais **B**.[43]

No Brasil, ainda há poucas opções disponíveis para a TDR, que apresentam elevado custo, geralmente prescritas por médicos certificados pelo fabricante.

As diretrizes para o atendimento de pessoas com obesidade na Itália preveem formas mais intensivas de atendimento, incluindo programas para realização de refeições supervisionadas ou atendimento domiciliar para casos de obesidade e/ou transtornos alimentares mais graves.[44]

Planos para aumento de atividade física

O efeito do aumento isolado da atividade física na perda de peso é modesto – em média, de 1,6 kg.[45,46] No entanto, a atividade física traz outros benefícios importantes, como redução do percentual de gordura, melhora do controle pressórico e melhora da resistência à insulina. Após a perda de peso, o treinamento físico evita a diminuição no gasto energético.[47]

O sedentarismo não é fácil de ser quebrado no dia a dia. Pessoas com muito excesso de peso apresentam dificuldades especiais que precisam ser consideradas. Para essas pessoas e para outros grupos (p. ex., idosos com limitação de mobilidade), *sites* e aplicativos específicos estão amplamente disponíveis e podem ser úteis.

Diversas modalidades de exercício podem ser usadas, mas as preferências do paciente e sua condição clínica são os fatores mais importantes na escolha. De forma geral, a caminhada acaba sendo a principal modalidade. Para pacientes com quadros dolorosos, pode ser necessário iniciar com exercícios de menor intensidade ou hidroginástica, ou associar ao início do programa de exercícios medidas adicionais para controle da dor, como fisioterapia, aplicação de gelo antes do exercício e uso de analgésicos.

O mnemônico RASO pode ajudar na orientação da atividade física:

→ **reduzir** hábitos sedentários – por exemplo, assistir à televisão por menos tempo, reduzir o tempo que fica sentado sem levantar;
→ **aumentar** períodos regulares de atividade física – por exemplo, fazer compras a pé, caminhar diariamente, descer do transporte público regularmente antes do destino e caminhar o restante do trajeto, participar de atividades em academias, dançar, jogar bola, fazer atividades esportivas;
→ **substituir** atividades sedentárias por atividades físicas – por exemplo, fazer o churrasco de domingo em parques para fazer atividades esportivas associadas;
→ **observar** – facilitadores, barreiras, alternativas possíveis.

Para a fase de perda de peso, não há orientação padronizada sobre a duração e a intensidade do exercício. Recomenda-se lazer mais ativo, como caminhadas progressivas em grupos, passeios em parques, danças, jogo de bola, e trabalho mais ativo, como subir pela escada em vez de usar o elevador, levantar-se a cada 30 minutos para quem trabalha sentado.

Para a fase de manutenção, a maioria das pessoas necessita de pelo menos 60 minutos por dia de exercício de intensidade moderada; ou 30 minutos de atividade vigorosa por dia por 5 dias da semana. A falta de tempo é uma barreira comum para as pessoas fazerem atividade física mais prolongada. Para essas pessoas, um programa intervalado de alta intensidade, amplamente disponível na internet, pode ser útil.

Para obter os valores calóricos despendidos em diversos tipos de atividades físicas e exercícios, ver tabelas do Centers for Disease Control and Prevention (CDC).

Manutenção do peso perdido

Mudar hábitos gera tensão, e o insucesso em alcançar a meta desejada leva as pessoas a retomar hábitos antigos. O suporte visa ajudar a reconhecer situações de risco para reganho de peso e desenvolver estratégias para superá-las[48] **(TABELA 29.9)**. Algumas das barreiras na manutenção de peso perdido são:[49]

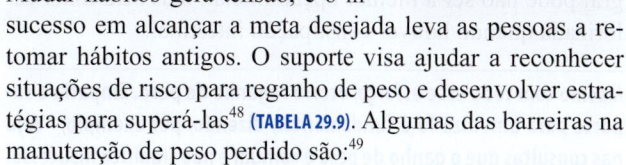

→ impulso em retornar para antigos hábitos alimentares e para o sedentarismo;
→ necessidade de aliviar emoções negativas com alimentos pouco saudáveis;
→ visão negativa do período de manutenção como um processo rígido e restritivo.

Na conversa inicial com pessoas que iniciam ações para perder/manter peso, deve-se falar sobre as possíveis barreiras e traçar planos conjuntos para seu enfrentamento. Quando surgirem deslizes, eles devem ser tratados naturalmente, refletindo sobre suas causas, sem recriminações e lamentos.

Indivíduos que mantiveram peso de forma satisfatória conseguiram reconhecer essas dificuldades e criar estratégias para lidar com situações de alto risco para recaídas, aliviar emoções negativas de modo mais saudável e investir em comportamentos mais prováveis de serem mantidos no longo prazo. Técnicas de terapia cognitivo-comportamental (TCC), em especial a terapia de aceitação e compromisso (ACT, do inglês *acceptance and commitment therapy*), e a entrevista motivacional podem auxiliar nesse processo.[50,51]

Programas para manutenção de peso incluem um plano alimentar e um plano de atividade física. Em geral, o plano alimentar é mais flexível que o utilizado para perda de peso. O plano de atividade física, em geral, é mais intensivo e visa, progressivamente, alcançar uma meta de 300 minutos de atividade física moderada por semana ou 150 minutos de atividade física vigorosa. A intensificação da atividade

TABELA 29.9 → Barreiras encontradas na manutenção do peso e estratégias para superá-las

BARREIRAS PARA MANTER O PESO	ESTRATÉGIAS PARA REDUZIR A TENSÃO
Exposição a situações que levam a comer mais ou a retornar aos velhos hábitos alimentares; resposta impulsiva diante da oferta de comida não saudável	Reconhecer quando estiver em uma situação de risco para recaída e parar para pensar conscientemente em uma solução, sem adotar comportamento automático
Necessidade emocional ligada à comida: comer para conforto emocional, alívio de emoções negativas ou para obter prazer	Descobrir meios de satisfazer suas necessidades emocionais de maneira saudável; por exemplo, aliviar o estresse praticando atividade física
Visão da fase de manutenção de peso como muito rígida; pensamentos catastróficos em relação a recaídas e ao reganho de peso	Escolher hábitos que sejam prazerosos; estar ciente de que deslizes acontecem, mas estabelecer limite para ganho de peso
Conflito dos novos hábitos com a identidade do indivíduo	Renovar fontes de motivação, pensando em benefícios em longo prazo
Necessidades sociais e culturais não satisfeitas; falta de apoio de amigos e familiares	Comunicação assertiva com amigos e familiares para conseguir suporte na perda de peso

física apresenta frequentemente barreiras como falta de tempo, pouca motivação e medo de assalto ou de acidentes. É preciso buscar caminhos para contorná-las e desenvolver planos para lidar com eventualidades – por exemplo, dias de chuva. Preferências e necessidades pessoais devem ser valorizadas; por exemplo: a dança pode ser mais aceitável para muitas pessoas; substituir o pão branco pelo pão integral pode não ser a melhor opção inicial, mas será mais valorizada quando houver constipação intestinal.

> Mesmo com todo esse esforço, ocorre reganho de peso. Empatia e suporte para amenizá-lo é fundamental, dizendo, por exemplo, "Vejo nas consultas que o ganho de peso é comum e não significa insucesso. O sucesso está em manter-se antenado para as barreiras e aberto para descobrir novas formas de contorná-las".

As pessoas podem propor um limite aceitável para eventuais ganhos de peso, usando o peso aferido (p. ex., aumento de 2 kg) ou sua impressão ao vestir as roupas diárias ou as de que mais gostam. Ao atingir o limite, é dado o sinal para retornar ao plano alimentar ou de atividade física – o que a pessoa achar mais efetivo.

Pode ser útil manter um diário de hábitos, identificando os gatilhos para comportamentos disfuncionais e os motivadores para manutenção de hábitos saudáveis. Os pacientes podem ser orientados a se pesarem pelo menos a cada 1 a 2 semanas e procurar atendimento em caso de ganhos rápidos de 3 a 4 kg.

Comportamentos alimentares que predispõem ao ganho de peso

O ganho de peso e a obesidade estão intimamente associados a comportamentos alimentares não saudáveis, como comer rápido demais,[52] não saborear os alimentos, ingerir grandes porções, beliscar entre refeições, comer enquanto assiste à televisão e comer tarde da noite. Esses comportamentos têm efeito cumulativo sobre o risco de obesidade e obesidade central,[53] e intervenções sobre eles podem ajudar na perda de peso.

Eles podem ocorrer meramente por hábito, mas frequentemente estão associados a padrões de alimentação emocional, isto é, a comer em resposta a emoções, como felicidade, raiva, ansiedade e vergonha. Nesse caso, a ingesta alimentar ocorre não motivada por sinais de fome, mas como forma de regular emoções desagradáveis ou amplificar emoções agradáveis. O oposto da alimentação de padrão emocional é a alimentação intuitiva, ou com atenção plena (*mindful eating*).

Cabe especial destaque para a fome de padrão hedônico,[54] isto é, quando a fome é motivada pela busca por prazer, mesmo na ausência de necessidade calórica. Nessa situação, determinadas características dos alimentos, geralmente presentes em alimentos ultraprocessados, os tornam altamente palatáveis. A exposição a estímulos relacionados a esses alimentos desencadeia um desejo intenso de ingeri-los, podendo levar à compulsão alimentar.

Ter esses comportamentos alimentares e padrões de alimentação emocional não configura necessariamente um transtorno alimentar, porém essa possibilidade deve ser suspeitada quando os comportamentos alimentares incluem medidas compensatórias como jejum para compensar ingesta excessiva e o hábito de provocar vômitos, bem como quando a pessoa passa a ter dificuldade de controlar a compulsão alimentar.

A abordagem terapêutica desses comportamentos alimentares na APS inicia pela psicoeducação, conscientizando o paciente sobre os hábitos associados à maior ingesta calórica e sobre os diferentes padrões emocionais da alimentação. Com base nesses conhecimentos, é possível explorar seus comportamentos alimentares não saudáveis e os gatilhos que podem intensificar esses comportamentos, propondo estratégias alternativas para lidar com esses gatilhos. Podem ser ensinadas técnicas de autorregulação emocional para o paciente conseguir lidar melhor com essas situações, com especial destaque para aquelas baseadas em *mindfulness* e aceitação.[55] A TABELA 29.10 resume algumas orientações que podem ser úteis. Além dessas orientações gerais, uma técnica útil para auxiliar o paciente a usar todos os sentidos para saborear o alimento, o que ajuda a reduzir a velocidade com que se come, é o exercício da uva-passa, em que o paciente coloca uma uva-passa na boca e atenta à sua textura, tamanho, sutilezas no sabor antes de mordê-la, experiência sensorial ao morder, bem como quais mudanças no sabor isso desencadeia; somente após ter explorado bem a uva-passa, o paciente pode degluti-la.

Transtornos alimentares

Pessoas com sobrepeso e obesidade apresentam, com frequência, transtornos alimentares, caracterizados por comportamentos alimentares disfuncionais como os citados na seção anterior, e por distúrbios da imagem corporal. Os transtornos alimentares mais associados ao excesso de peso são o transtorno da compulsão alimentar periódica e a bulimia nervosa.

Pessoas com esses transtornos apresentam episódios repetidos de compulsão alimentar, com grande sofrimento e prejuízo ao funcionamento pessoal, familiar,

TABELA 29.10 → Estratégias de alimentação com atenção plena (*mindfulness*) que promovem comportamentos alimentares mais saudáveis

PRINCÍPIO	COMO FAZER
Reduzir a velocidade com que se come	Mastigar completamente antes de engolir, comer garfadas menores, pausar entre as garfadas e/ou ingerir água entre as garfadas
Avaliar os sinais de fome e saciedade	Avaliar os motivos para comer (se é motivado por emoções ou por fome) e usar uma escala de fome para avaliar o seu nível
Reduzir o tamanho das porções	Servir-se de menos alimentos, usar pratos menores ou solicitar porções menores nos restaurantes
Reduzir distrações enquanto se come	Desligar televisão e música, sentar-se à mesa, focar em aproveitar a comida
Saborear o alimento	Tornar o ato de comer agradável, usar todos os sentidos para saborear a comida e criar um ambiente positivo e agradável para comer

Fonte: Traduzida de Monroe JT. Mindful eating: principles and practice.[56]

social, educacional, ocupacional ou em outras áreas. Frequentemente estão associados com transtornos de depressão atípica.

Os transtornos são mais comuns em mulheres e em pessoas com obesidade. Em geral, iniciam no final da adolescência. A prevalência da compulsão alimentar ao longo da vida varia de 1 a 5% dos adultos em diferentes países; da bulimia nervosa, de 0,5 a 2%.[57] Alguns fatores de risco são: obesidade na infância, problemas de conduta, uso de drogas, preocupações familiares com excesso de peso e problemas alimentares, conflitos familiares, psicopatologia materna e paterna, abuso sexual ou físico, problemas mentais, fenótipos de risco (OPRM1, DRD2), distorção da imagem corporal e alterações da microbiota.[58]

Os critérios diagnósticos, como visto a seguir, são baseados nas recomendações da 5ª edição do *Manual diagnóstico e estatístico de transtornos mentais* (DSM-5) e da *Classificação estatística internacional de doenças e problemas relacionados à saúde* (CID-11). Mesmo as pessoas que não atendem aos critérios diagnósticos desses dois transtornos, mas que apresentam comportamentos disfuncionais, requerem atenção e suporte específico (ver seção anterior).

Bulimia nervosa

A bulimia nervosa caracteriza-se pela presença de episódios compulsivos alimentares e pela utilização de comportamentos inadequados para obter compensação do peso.

Durante episódios compulsivos alimentares, as pessoas comem muito mais do que outras pessoas comeriam em tempo semelhante (em geral, menos de 2 horas) e em condições comparáveis. As pessoas sentem que não conseguem controlar o que está ocorrendo e sentem-se incapazes de parar de consumir os alimentos. Esses episódios são seguidos de comportamentos compensatórios para prevenir ganho de peso, tais como vômito autoinduzido, uso abusivo de laxativos, uso de diuréticos, atividade física extrema e jejum.

A frequência mínima de episódios de compulsão alimentar é de, ao menos, 1 vez por semana. O DSM-5 exige um período de 3 meses, e a CID-11, considerando os riscos associados aos comportamentos compensatórios inadequados, especialmente diante do risco de insegurança alimentar, exige um período de 1 mês.[59]

Transtorno de compulsão alimentar

Caracteriza-se pela presença de episódios recorrentes de compulsão alimentar, com sofrimento acentuado, mas na ausência de comportamentos compensatórios inadequados para controle de peso. Os episódios devem ter ocorrido, em média, ao menos 1 vez por semana nos últimos 3 meses. Apresentam pelo menos 3 das seguintes características:
→ comer mais rapidamente do que o normal;
→ comer até sentir-se desconfortavelmente cheio;
→ comer grandes quantidades de alimentos mesmo sem ter fome;
→ comer sozinho por vergonha da quantidade (forma) de alimento consumido;
→ sentir-se enojado de si mesmo, deprimido ou com intensa sensação de culpa depois de comer demais.

Os episódios duram cerca de 2 horas, e os pacientes referem não conseguir controlar a situação. Segundo a CID-11, os episódios não precisam ser de grandes quantidades de alimento, mas a experiência subjetiva (notavelmente a sensação de perda de controle) é o ponto fundamental.[59]

A gravidade do transtorno é baseada no número de episódios por semana de ingestão compulsiva de alimentos, variando de leve (1-3 episódios por semana) a grave ($\geq$ 8 episódios por semana).

Tratamento do transtorno de compulsão alimentar e da bulimia nervosa

Os objetivos terapêuticos para pessoas com bulimia ou transtorno de compulsão alimentar são reduzir os episódios de compulsão alimentar e alcançar hábitos alimentares saudáveis, evitando o emprego de mecanismos compensatórios inadequados. O tratamento pode abordar também outros problemas de saúde mental associados, como a depressão e a ansiedade. Além disso, essas pessoas frequentemente apresentam sentimentos de vergonha, problemas de autoimagem e outras emoções negativas, e dar atenção a isso pode ajudá-las a vencer barreiras no tratamento. Frequentemente, essas pessoas requerem acompanhamento especializado de saúde mental.

A TCC pode aumentar a abstinência de episódios compulsivos (58% *vs.* 10% nos em lista de espera). O topiramato (*vs.* placebo) aumenta a abstinência de episódios compulsivos (58% *vs.* 29%) e reduz o número de episódios por semana (5% *vs.* 3,4%). Os antidepressivos de segunda geração reduzem em 0,6 o número de episódios de compulsão alimentar por semana **B**.[60]

Em relação ao peso corporal, as TCCs e os antidepressivos de segunda geração tiveram efeito mínimo, mas o topiramato mostrou perda adicional de 4,3 kg **B**.[60]

Transtornos mentais comuns: depressão e ansiedade

Depressão e ansiedade são comorbidades frequentes em pessoas com obesidade ou que estão apresentando ganho excessivo de peso,[61] mas a direção causal nem sempre fica clara. A situação em que a associação causal é mais consistente é em episódios depressivos atípicos,[62] que incluem hiperfagia e desregulação emocional como elementos centrais no ganho de peso. Embora os transtornos ansiosos não estejam associados ao ganho de peso na maioria dos pacientes com esse diagnóstico, alimentar-se em situações de ansiedade é um padrão de alimentação emocional que pode contribuir para a obesidade, como discutido anteriormente.[63]

Mesmo nas situações em que não há clara associação causal, considerar a comorbidade psiquiátrica tem grande relevância no manejo. Primeiramente, pacientes com quadros depressivos/ansiosos requerem habilidades específicas de comunicação do profissional de saúde. Em segundo lugar, essas condições amplificam o estigma e a autoimagem negativa associados à obesidade. Por fim, pacientes com ansiedade/depressão podem ter expectativas irreais em relação ao seu peso e ao tratamento, seja por não vislumbrarem possibilidade de mudança, seja por se apegarem intensamente a metas pouco realistas, gerando comportamentos disfuncionais e frustração quando as metas não são alcançadas.

Em pacientes com depressão moderada a grave ou transtornos ansiosos com grande repercussão funcional, pode ser estratégico dar prioridade para o alívio desses quadros, que inclusive podem constituir uma barreira para a perda de peso. Durante o manejo dessas condições, é possível começar a abordar sua interface com a obesidade ou com o ganho de peso excessivo. Muitas das intervenções psicossociais utilizadas para ansiedade/depressão são parte integrante do processo de adoção de um estilo de vida mais saudável, como o aumento da atividade física, o envolvimento em novas atividades prazerosas e a ativação da rede de apoio social. É necessário cautela na escolha dos fármacos a serem utilizados, pois os antidepressivos apresentam diferentes tendências a perda ou ganho de peso (ver TABELA 29.3). Por fim, há que se considerar que a depressão frequentemente está associada à importante redução do apetite e, consequentemente, à perda de peso. É necessário sensibilidade por parte da equipe de saúde para priorizar a melhora dos sintomas depressivos e recuperação de padrões mais normais de alimentação, mesmo que isso leve, inicialmente, a um pequeno reganho de peso.

Contexto social e familiar

As intervenções terapêuticas para o manejo da obesidade frequentemente exigem importantes mudanças na rotina dos pacientes, esbarrando, muitas vezes, em fatores sistêmicos que podem dificultar a perda de peso. Fatores sistêmicos mais amplos, como os fatores culturais, exigem intervenções em nível da sociedade. Já o contexto familiar, a vizinhança, a escola, a faculdade e o trabalho estão mais próximos do indivíduo e são mais passíveis de intervenção. Por exemplo, quando o paciente almoça no trabalho, frequentemente tem um menu restrito de opções alimentares, sendo importante orientar como escolher alimentos mais saudáveis dentre as opções disponíveis, ou buscar alternativas, como levar comida de casa. Quando há pouco tempo disponível para exercício físico, incorporar o trajeto para o trabalho na rotina do exercício pode ser uma boa estratégia. Caminhar em grupo pode ser uma alternativa mais segura quando a vizinhança onde o paciente mora tem problemas de violência.[64]

Intervenções familiares, embora mais estudadas para a obesidade infantil, têm grande potencial de aumentar a adesão às mudanças de estilo de vida (ver Capítulo Abordagem Familiar).

MANEJO FARMACOLÓGICO DO EXCESSO DE PESO

Medicamentos podem complementar mudanças de estilo de vida quando é necessária maior perda de peso. Isso pode ocorrer em pessoas com IMC ≥ 30 kg/m^2 ou na presença de comorbidades que se beneficiem de perda de peso.

Como bem sintetizado por revisão sistemática em rede, ainda não há um medicamento ideal para a perda de peso (efetivo e com poucos efeitos colaterais). Assim, quando indicado, o medicamento ideal para cada pessoa precisa ser avaliado caso a caso. Fármacos eficazes para perda de peso incluem o orlistate, a lorcasserina, as combinações naltrexona-bupropiona e fentermina-topiramato, além da liraglutida. Comparados com placebo, eles produzem perda adicional de peso de ao menos 5% do peso corporal em até 52 semanas, mas cada um deles tem sua própria lista de efeitos colaterais. A liraglutida e a combinação fentermina-topiramato apresentaram a melhor chance de obter ao menos 5% de perda de peso. A liraglutida e a combinação naltrexona-bupropiona apresentaram a maior chance de descontinuação do tratamento por efeito colateral.[65]

As diretrizes da Associação Brasileira para o Estudo da Obesidade e da Síndrome Metabólica (Abeso), publicadas em 2016, revisaram as opções farmacológicas disponíveis no Brasil. O orlistate e a liraglutida têm seu uso aprovado para indivíduos com IMC ≥ 30 kg/m^2, ou IMC ≥ 27 kg/m^2 na presença de comorbidades relacionadas à obesidade. A sibutramina, devido a seus riscos cardiovasculares, tem seu uso liberado apenas para pacientes com IMC ≥ 30 kg/m^2.[66]

Entre os fármacos que não têm uso aprovado para o tratamento da obesidade, mas têm potencial benefício na perda de peso, está o topiramato. Uma revisão sistemática avaliou benefícios e efeitos colaterais do topiramato para perda de peso. Em monoterapia de 96 a 200 mg/dia por mais do que 28 semanas, o topiramato produziu perda média de 6,6 kg a mais que o placebo em pacientes com sobrepeso ou obesidade. Em ensaios com duração de 28 semanas ou menos, o efeito foi menor (perda média de 4,1 kg). Os efeitos colaterais mais frequentes foram parestesias, alterações do paladar e distúrbios psicomotores. As chances de suspensão do medicamento por efeito colateral foram 94% maiores que com o placebo.[67] Seu benefício na presença de compulsão alimentar já foi discutido anteriormente.

O relatório de recomendação para elaboração do Protocolo Clínico e Diretrizes Terapêuticas (PCDT) para Sobrepeso e Obesidade em Adultos da Comissão Nacional de Incorporação de Tecnologias no Sistema Único de Saúde (Conitec), publicado em 2020, pronunciou-se contrário à incorporação de sibutramina e orlistate ao Sistema Único de Saúde (SUS), devido à sua modesta eficácia do ponto de vista clínico às custas de potenciais efeitos colaterais graves e elevado impacto orçamentário. Não foi realizada avaliação da liraglutida.[8]

Os próximos anos poderão mostrar maior experiência no Brasil com novos fármacos, em especial, talvez, com a liraglutida e a semaglutida (atualmente limitadas pelo custo elevado) ou com a combinação fentermina-topiramato (hoje disponível apenas o topiramato, separadamente), especialmente na presença de comorbidades como o diabetes tipo 2, ou ainda outros fármacos não liberados no País.

Ao decidir sobre a necessidade de um fármaco, a escolha é baseada na comorbidade, nas contraindicações e nos efeitos colaterais. Contraindicações gerais para o uso desses medicamentos incluem gestação e aleitamento materno, mas há contraindicações específicas para os vários fármacos. Informações adicionais sobre sua utilização clínica encontram-se na TABELA 29.11.

TABELA 29.11 → Fármacos disponíveis para o tratamento da obesidade no Brasil

CLASSE E NOME GENÉRICO	VIA E ESQUEMA DE ADMINISTRAÇÃO	EFEITOS COLATERAIS	CONTRAINDICAÇÕES
Inibidor da lipase Orlistate	VO, 1 comprimido de 120 mg, 3 ×/dia	Flatulência, urgência ou incontinência fecal, esteatorreia, aumento da frequência de defecação, má absorção de vitaminas lipossolúveis Menos comuns: colelitíase, nefrolitíase por oxalato Eventos adversos graves, mas raros, incluem lesão hepática grave (necrose hepatocelular ou insuficiência hepática aguda) e nefropatia por oxalato com insuficiência renal	Síndrome de má absorção crônica e colestase
	O orlistate inibe as lipases gastrintestinais, reduzindo a absorção e aumentando a excreção fecal de gorduras consumidas na dieta; associado à mudança de estilo de vida, promove perda média de 2,7 kg a mais que o placebo **B**.[8] No longo prazo, seu uso é relativamente seguro, mas muitas vezes limitado pelos efeitos gastrintestinais; quando utilizado por mais tempo, recomenda-se suplementar vitaminas lipossolúveis; pacientes que recebem varfarina exigem monitoramento especial de anticoagulação		
Serotoninérgico Sibutramina	VO, 1 cápsula de 10 mg, 1 ×/dia, podendo progredir para 1 cápsula de 15 mg, 1 ×/dia (dose máxima)	Insônia, náusea, boca seca, constipação; aumento da frequência cardíaca e da pressão arterial Menos comuns: aumento de eventos cardiovasculares (infarto do miocárdio não fatal e AVC não fatal) em indivíduos com alto risco cardiovascular	IMC < 30 kg/m², diabetes associado a outro fator de risco, idade > 65 anos, hipertensão não controlada, doença arterial coronariana ou outras alterações cardiovasculares, doença cerebrovascular, transtornos alimentares, uso de medicamentos de ação central para perda de peso ou para tratamento de transtornos psiquiátricos
	A sibutramina age no sistema nervoso central inibindo a recaptação da noradrenalina e da serotonina; apresenta duplo mecanismo de ação: aumento da saciedade e aumento do gasto energético; exerce redução de peso de 3,9 kg a mais que o placebo **C/D**;[8] frequência cardíaca e pressão arterial devem ser monitoradas durante o tratamento		
Agonista do GLP-1 Liraglutida	SC, até 3 mg, 1 ×/dia; iniciar com 0,6 mg e acrescentar 0,6 mg a cada semana, usando o seletor de dose do sistema de aplicação	Náusea, vômitos, diarreia, constipação, cefaleia, hipoglicemia, reações no local da injeção, aumento da frequência cardíaca Menos comuns: colecistite, colelitíase, pancreatite, insuficiência renal aguda, anafilaxia, ideação suicida, maior risco de tumores da tireoide em animais	História pessoal ou familiar de câncer medular da tireoide ou neoplasia endócrina múltipla tipo 2
	→ A liraglutida é um agonista do receptor do GLP-1, produzido pelo trato gastrintestinal; atua reduzindo o esvaziamento gástrico e promovendo a saciedade; além disso, age em regiões cerebrais que regulam o apetite e ligadas a prazer e recompensa → O tratamento de cerca de 3 anos com liraglutida 3 mg/dia em pacientes sem diabetes promove redução média de 4,6 kg a mais que o placebo[68] **B** → Em pacientes com diabetes, além de perda de peso, a liraglutida demonstrou outros benefícios, como a redução de eventos cardiovasculares, podendo ser o medicamento de escolha nesse grupo de pacientes → Deve ser usada com cautela em pacientes com doença renal crônica, com disfunção hepática e em pacientes com alto risco de colelitíase; monitoramento da glicemia, da frequência cardíaca, de nódulos de tireoide e de comportamento suicida é indicado durante o tratamento; pessoas com diabetes tipo 2 podem requerer reajuste de dose de outros antidiabéticos		
Anticonvulsivante Topiramato	VO; iniciar com 15 ou 25 mg 1 ×/dia e aumentar a dose, se necessário, a cada 2 semanas, distribuindo a dose em 2 tomadas diárias; evitar ultrapassar de 75 a 100 mg para evitar efeitos colaterais	Parestesia, alteração do paladar, distúrbios psicomotores, alteração de memória, dificuldade de concentração, disfunção cognitiva com dificuldade de encontrar palavras, alterações do humor, teratogenicidade, litíase renal, aumento leve do pH urinário Menos comuns: acidose metabólica, miopia aguda	Gravidez ou suspeita de gravidez, acidose metabólica com uso concomitante de metformina e uso de álcool recente (dentro de 6 horas antes ou 6 horas após uso de topiramato); quando detectado glaucoma de ângulo fechado, deve ser descontinuado Mulheres em idade fértil devem ser alertadas sobre a potencial toxicidade fetal
	O topiramato age sobre diversos neurotransmissores, e seu uso é mais conhecido no tratamento da epilepsia e da migrânea; estudos com topiramato em monoterapia, em variadas doses (65-400 mg/dia) e durações de tratamento (16-60 semanas), mostraram perda adicional de peso média de 5,3 kg comparada ao placebo, sendo maior com maior duração do tratamento e maior dose[67] **C/D**; todavia, sua utilização para o tratamento da obesidade não está aprovada no Brasil Pela sua interferência com a farmacocinética de contraceptivos orais, deve-se recomendar métodos anticoncepcionais de barreira seguros; recomenda-se que mulheres em idade fértil façam um teste de gravidez antes de iniciar seu uso		

AVC, acidente vascular cerebral; GLP-1, peptídeo semelhante ao glucagon 1; IMC, índice de massa corporal; SC, subcutâneo; VO, via oral.

MANEJO CIRÚRGICO

A cirurgia bariátrica é um método efetivo para perdas substanciais, rápidas e duradouras de peso e para melhora de algumas comorbidades. As duas técnicas de maior uso são o *by-pass* gástrico (gastroplastia com desvio intestinal em "Y de Roux") e gastrectomia vertical (também denominada cirurgia de *sleeve* ou gastrectomia "em manga de camisa"). Uma terceira técnica utilizada é a banda gástrica ajustável (FIGURA 29.1).

A perda de peso com a cirurgia de *by-pass* é de 31% do peso original após 1 ano, e de 26% após 5 anos. As perdas correspondentes para a cirurgia de *sleeve* são de 25% e 19%. A banda gástrica ajustável, embora tenha a vantagem de ser reversível, leva a perdas menores, respectivamente, 13% e 11% **B**.[69]

Um dos problemas com a cirurgia bariátrica permanece sendo suas complicações maiores – a principal delas, a necessidade de novas intervenções cirúrgicas. Nos primeiros 30 dias, a taxa de complicações maiores é de 5% dos casos na cirurgia de *by-pass*, 3% dos casos na cirurgia de *sleeve* e 3% dos casos na banda gástrica ajustável. A mortalidade em 30 dias devido ao procedimento cirúrgico, calculada a partir de dados de grande coorte (material suplementar),[69] é de 1,7

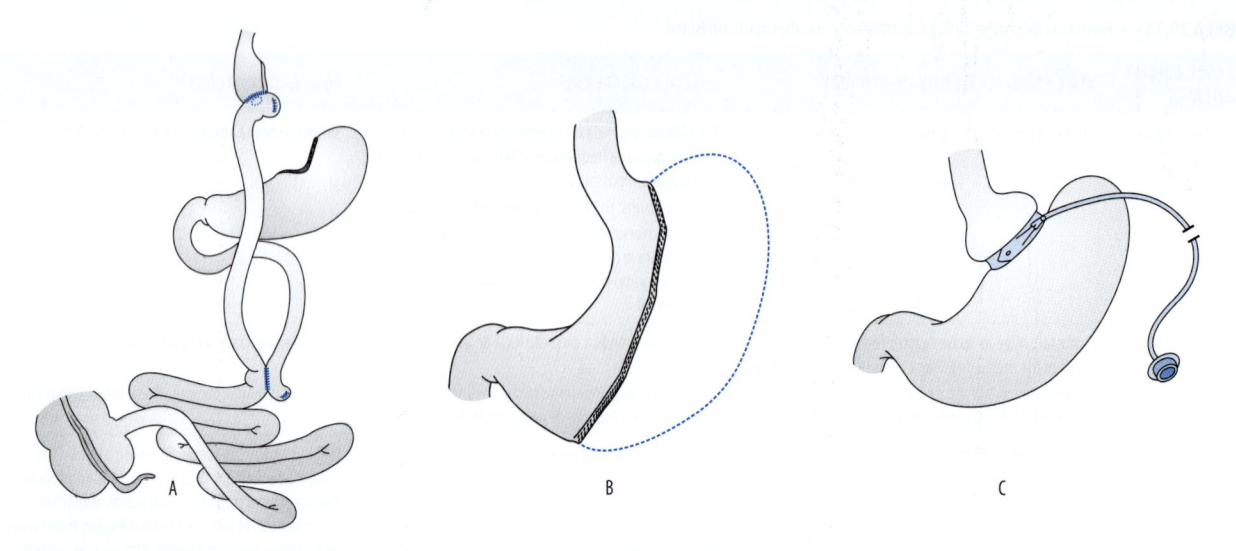

FIGURA 29.1 → (A) *Bypass* gástrico em Y de Roux. (B) Gastrectomia vertical (*sleeve gastrectomy*). (C) Banda gástrica ajustável.

a cada 1.000 para a cirurgia de *by-pass*, de 0,6 a cada 1.000 para a cirurgia de *sleeve*, e de 0,3 a cada 1.000 para a banda gástrica **B**.

Além disso, os pacientes têm maior risco de complicações gastrintestinais, como obstrução intestinal, úlcera péptica, cálculos biliares, estenose intestinal e vazamento de conteúdo gástrico ou intestinal. A síndrome de *dumping* pode ocorrer em ~10%, com sudorese, ansiedade e irritabilidade, fome, fraqueza e cansaço, tontura, tremores e dificuldade de concentração. Os sintomas de *dumping* podem ter início precoce (30-60 minutos após refeições), em decorrência da carga hiperosmótica no intestino, ou, mais raramente, tardio (1-3 horas após), provavelmente devido à hipoglicemia. O manejo do *dumping* precoce envolve limitação da carga de carboidratos ingeridos de uma vez.[70] Os pacientes requerem vigilância ao longo da vida para complicações de desnutrição, seja de macro ou micronutrientes.[71]

Em pacientes com diabetes, o *by-pass*, após 5 anos de acompanhamento, reduziu a hemoglobina glicada (HbA1c) em 2,1 pontos percentuais e levou à remissão de diabetes em 31 a 37% dos casos **B**; para a cirurgia de *sleeve*, a melhora na HbA1c foi semelhante, mas a remissão do diabetes foi menor, de apenas 23%.[72]

Dados observacionais sugerem que a cirurgia bariátrica reduz em 41% a mortalidade no longo prazo **B**.[73] Outros benefícios descritos são a melhora importante (tamanho de efeito [TE] = 1,04 após 12 meses) na função física geral **B**,[74] e a redução de 70% dos sintomas de dor no joelho e no quadril **B**.[75] Além disso, ocorre resolução da esteatose hepática em 66% e da fibrose hepática em 40% **C/D**.[76] Os índices de apneia melhoram em mais de 50% **C/D**.[77] No entanto, o risco de depressão aumenta em 50% (NNH = 42) **C/D**.[71]

Segundo a Portaria nº 424 de 19 de março de 2013 do Ministério da Saúde,[78] a cirurgia é indicada para:

→ indivíduos com IMC ≥ 50 kg/m²;
→ indivíduos com IMC ≥ 40 kg/m² sem sucesso no tratamento clínico convencional por no mínimo 2 anos;
→ indivíduos com IMC > 35 kg/m² na presença de comorbidades (como alto risco cardiovascular, diabetes melito, hipertensão arterial sistêmica de difícil controle, apneia do sono, doenças articulares degenerativas) e com insucesso no tratamento clínico convencional realizado por no mínimo 2 anos.

Contraindicações para o procedimento incluem: limitação intelectual significativa e ausência de suporte familiar adequado; transtorno psiquiátrico não controlado (incluindo uso de substâncias); doença cardiopulmonar grave e descompensada; doenças que predisponham o indivíduo a sangramento digestivo ou outras condições de risco e síndrome de Cushing por hiperplasia suprarrenal não tratada e tumores endócrinos.

É necessário interconsulta com equipe especializada no pós-operatório e na vigilância de complicações, com ênfase em mudança comportamental para minimizar o reganho de peso e monitoramento para suplementação de micronutrientes ajustados conforme o procedimento realizado.

REFERÊNCIAS

1. Monteiro CA, Cannon G, Moubarac J-C, Levy RB, Louzada MLC, Jaime PC. The UN decade of nutrition, the NOVA food classification and the trouble with ultra-processing. Public Health Nutr. 2018;21(1):5–17.
2. Schulte EM, Avena NM, Gearhardt AN. Which foods may be addictive? The roles of processing, fat content, and glycemic load. PloS One. 2015;10(2):e0117959.
3. NCD Risk Factor Collaboration. Trends in adult body-mass index in 200 countries from 1975 to 2014: a pooled analysis of 1698 population-based measurement studies with 19·2 million participants. Lancet. 2016;387(10026):1377–96.
4. Institute for Health Metrics and Evaluation. GBD Compare – IHME Viz Hub [Internet]. Seatle: IHME, University of Washington; 2017 [capturado em 4 nov. 2020]. Disponível em: http://vizhub.healthdata.org/gbd-compare.
5. Instituto Brasileiro de Geografia e Estatística. Pesquisa Nacional de Saúde : 2019: atenção primária à saúde e informações antropométricas – Brasil. Rio de Janeiro: IBGE; 2020.

6. Conde WL, Monteiro CA. Nutrition transition and double burden of undernutrition and excess of weight in Brazil. Am J Clin Nutr. 2014;100(6):1617S-22S.

7. Davis RAH, Plaisance EP, Allison DB. Complementary hypotheses on contributors to the obesity epidemic. Obesity. 2018;26(1):17–21.

8. Brasil. Ministério da Saúde. Protocolo clínico e diretrizes terapêuticas do sobrepeso e obesidade em adultos [Internet]. Brasília: Conitec; 2020 [capturado em 16 mar. 2021]. Disponível em: http://conitec.gov.br/images/Consultas/Relatorios/2020/Relatorio_PCDT_Sobrepeso_Obesidade_em_Adultos_CP_25_2020.pdf

9. Schwartz MW, Seeley RJ, Zeltser LM, Drewnowski A, Ravussin E, Redman LM, et al. Obesity pathogenesis: an endocrine society scientific statement. Endocr Rev. 2017;38(4):267–96.

10. González-Muniesa P, Mártinez-González M-A, Hu FB, Després J-P, Matsuzawa Y, Loos RJF, et al. Obesity. Nat Rev Dis Primer. 2017;3:17034.

11. Hall KD, Kahan S. Maintenance of lost weight and long-term management of obesity. Med Clin North Am. 2018;102(1):183–97.

12. Rosa W. Appendix: transforming our world: the 2030 agenda for sustainable development. In: A new era in global health: nursing and the United Nations 2030 agenda for sustainable development. New York: Springer; 2017. p. 529–68.

13. Fullman N, Barber RM, Abajobir AA, Abate KH, Abbafati C, Abbas KM, et al. Measuring progress and projecting attainment on the basis of past trends of the health-related Sustainable Development Goals in 188 countries: an analysis from the Global Burden of Disease Study 2016. The Lancet. 2017;390(10100):1423–59.

14. Tufford AR, Calder PC, Van't Veer P, Feskens EF, Ockhuizen T, Kraneveld AD, et al. Is nutrition science ready for the twenty-first century? Moving towards transdisciplinary impacts in a changing world. Eur J Nutr. 2020;59(1):1–10.

15. Angelantonio ED, Bhupathiraju SN, Wormser D, Gao P, Kaptoge S, Gonzalez AB de, et al. Body-mass index and all-cause mortality: individual-participant-data meta-analysis of 239 prospective studies in four continents. The Lancet. 2016;388(10046):776–86.

16. Cloostermans L, Wendel-Vos W, Doornbos G, Howard B, Craig CL, Kivimäki M, et al. Independent and combined effects of physical activity and body mass index on the development of Type 2 Diabetes – a meta-analysis of 9 prospective cohort studies. Int J Behav Nutr Phys Act. 2015;12:147.

17. Global Burden of Metabolic Risk Factors for Chronic Diseases Collaboration (BMI Mediated Effects), Lu Y, Hajifathalian K, Ezzati M, Woodward M, Rimm EB, et al. Metabolic mediators of the effects of body-mass index, overweight, and obesity on coronary heart disease and stroke: a pooled analysis of 97 prospective cohorts with 1·8 million participants. The Lancet. 2014;383(9921):970–83.

18. Divella R, Mazzocca A, Daniele A, Sabbà C, Paradiso A. Obesity, nonalcoholic fatty liver disease and adipocytokines network in promotion of cancer. Int J Biol Sci. 2019;15(3):610–6.

19. Kyrgiou M, Kalliala I, Markozannes G, Gunter MJ, Paraskevaidis E, Gabra H, et al. Adiposity and cancer at major anatomical sites: umbrella review of the literature. BMJ. 2017;356:j477.

20. Rubino F, Puhl RM, Cummings DE, Eckel RH, Ryan DH, Mechanick JI, et al. Joint international consensus statement for ending stigma of obesity. Nat Med. 2020;26(4):485–97.

21. World Health Organization. Obesity: preventing and managing the global epidemic. Geneva: WHO; 2000.

22. WHO Expert Consultation. Appropriate body-mass index for Asian populations and its implications for policy and intervention strategies. Lancet. 2004;363(9403):157–63.

23. Ross R, Neeland IJ, Yamashita S, Shai I, Seidell J, Magni P, et al. Waist circumference as a vital sign in clinical practice: a Consensus Statement from the IAS and ICCR Working Group on Visceral Obesity. Nat Rev Endocrinol. 2020;16(3):177–89.

24. Lombard CB, Deeks AA, Teede HJ. A systematic review of interventions aimed at the prevention of weight gain in adults. Public Health Nutr. 2009;12(11):2236–46.

25. Patnode CD, Evans CV, Senger CA, Redmond N, Lin JS. Behavioral counseling to promote a healthful diet and physical activity for cardiovascular disease prevention in adults without known cardiovascular disease risk factors: updated evidence report and systematic review for the us preventive services task force. JAMA. 2017;318(2):175–93.

26. Kapoor E, Collazo-Clavell ML, Faubion SS. Weight gain in women at midlife: a concise review of the pathophysiology and strategies for management. Mayo Clin Proc. 2017;92(10):1552–8.

27. Aubin HJ, Farley A, Lycett D, Lahmek P, Aveyard P. Weight gain in smokers after quitting cigarettes: meta-analysis. BMJ. 2012;345:e4439.

28. Brasil. Ministério da Saúde. Guia alimentar para a população brasileira. 2. ed. Brasília: MS; 2014.

29. Fong M, Caterson ID, Madigan CD. Are large dinners associated with excess weight, and does eating a smaller dinner achieve greater weight loss? a systematic review and meta-analysis. Br J Nutr. 2017;118(8):616–28.

30. Cavero-Redondo I, Martinez-Vizcaino V, Fernandez-Rodriguez R, Saz-Lara A, Pascual-Morena C, Álvarez-Bueno C. Effect of behavioral weight management interventions using lifestyle mhealth self-monitoring on weight loss: a systematic review and meta-analysis. Nutrients. 2020;12(7):1977.

31. Albury C, Strain WD, Brocq SL, Logue J, Lloyd C, Tahrani A, et al. The importance of language in engagement between health-care professionals and people living with obesity: a joint consensus statement. Lancet Diabetes Endocrinol. 2020;8(5):447–55.

32. Park S-H, Hwang J, Choi Y-K. Effect of mobile health on obese adults: a systematic review and meta-analysis. Healthc Inform Res. 2019;25(1):12–26.

33. Durrer Schutz D, Busetto L, Dicker D, Farpour-Lambert N, Pryke R, Toplak H, et al. European practical and patient-centred guidelines for adult obesity management in primary care. Obes Facts. 2019;12(1):40–66.

34. Thom G, Dombrowski SU, Brosnahan N, Algindan YY, Rosario Lopez-Gonzalez M, Roditi G, et al. The role of appetite-related hormones, adaptive thermogenesis, perceived hunger and stress in long-term weight-loss maintenance: a mixed-methods study. Eur J Clin Nutr. 2020;74(4):622–32.

35. LeBlanc ES, Patnode CD, Webber EM, Redmond N, Rushkin M, O'Connor EA. Behavioral and pharmacotherapy weight loss interventions to prevent obesity-related morbidity and mortality in adults: updated evidence report and systematic review for the US preventive services task force. JAMA. 2018;320(11):1172–91.

36. U. S. Department of Health and Human Services. About the body weight planner [Internet]. Washington: National Institute of Diabetes and Digestive and Kidney Diseases; 2012 [capturado em 8 fev. 2021]. Disponível em: https://www.niddk.nih.gov/health-information/weight-management/body-weight-planner.

37. Ashtary-Larky D, Bagheri R, Abbasnezhad A, Tinsley GM, Alipour M, Wong A. Effects of gradual weight loss v. rapid weight loss on body composition and RMR: a systematic review and meta-analysis. Br J Nutr. 2020;124(11):1121–32.

38. Ge L, Sadeghirad B, Ball GDC, da Costa BR, Hitchcock CL, Svendrovski A, et al. Comparison of dietary macronutrient patterns of 14 popular named dietary programmes for weight and cardiovascular risk factor reduction in adults: systematic review and network meta-analysis of randomised trials. BMJ. 2020;369:m696.

39. Schwingshackl L, Zähringer J, Nitschke K, Torbahn G, Lohner S, Kühn T, et al. Impact of intermittent energy restriction on anthropometric outcomes and intermediate disease markers in patients with overweight and obesity: systematic review and meta-analyses. Crit Rev Food Sci Nutr. 2020;1–12.

40. Cienfuegos S, Gabel K, Kalam F, Ezpeleta M, Wiseman E, Pavlou V, et al. Effects of 4- and 6-h time-restricted feeding on weight and cardiometabolic health: a randomized controlled trial in adults with obesity. Cell Metab. 2020;32(3):366-378.e3.

41. Wing RR, Lang W, Wadden TA, Safford M, Knowler WC, Bertoni AG, et al. Benefits of modest weight loss in improving cardiovascular risk factors in overweight and obese individuals with type 2 diabetes. Diabetes Care. 2011;34(7):1481–6.
42. Lean ME, Leslie WS, Barnes AC, Brosnahan N, Thom G, McCombie L, et al. Primary care-led weight management for remission of type 2 diabetes (DiRECT): an open-label, cluster-randomised trial. The Lancet. 2018;391(10120):541–51.
43. Astbury NM, Aveyard P, Nickless A, Hood K, Corfield K, Lowe R, et al. Doctor Referral of Overweight People to Low Energy total diet replacement Treatment (DROPLET): pragmatic randomised controlled trial. BMJ. 2018;362:k3760.
44. Donini LM, Dalle Grave R, Caretto A, Lucchin L, Melchionda N, Nisoli E, et al. From simplicity towards complexity: the Italian multidimensional approach to obesity. Eat Weight Disord EWD. 2014;19(3):387–94.
45. Thorogood A, Mottillo S, Shimony A, Filion KB, Joseph L, Genest J, et al. Isolated aerobic exercise and weight loss: a systematic review and meta-analysis of randomized controlled trials. Am J Med. 2011;124(8):747–55.
46. Verheggen RJHM, Maessen MFH, Green DJ, Hermus ARMM, Hopman MTE, Thijssen DHT. A systematic review and meta-analysis on the effects of exercise training versus hypocaloric diet: distinct effects on body weight and visceral adipose tissue. Obes Rev. 2016;17(8):664–90.
47. Hunter GR, Fisher G, Neumeier WH, Carter SJ, Plaisance EP. Exercise training and energy expenditure following weight loss. Med Sci Sports Exerc. 2015;47(9):1950–7.
48. Poltawski L, van Beurden SB, Morgan-Trimmer S, Greaves C. The dynamics of decision-making in weight loss and maintenance: a qualitative enquiry. BMC Public Health. 2020;20(1):573.
49. Greaves C, Poltawski L, Garside R, Briscoe S. Understanding the challenge of weight loss maintenance: a systematic review and synthesis of qualitative research on weight loss maintenance. Health Psychol Rev. 2017;11(2):145–63.
50. Lawlor ER, Islam N, Bates S, Griffin SJ, Hill AJ, Hughes CA, et al. Third-wave cognitive behaviour therapies for weight management: a systematic review and network meta-analysis. Obes Rev. 2020;21(7):e13013.
51. Dombrowski SU, Knittle K, Avenell A, Araújo-Soares V, Sniehotta FF. Long term maintenance of weight loss with non-surgical interventions in obese adults: systematic review and meta-analyses of randomised controlled trials. BMJ. 2014;348:g2646.
52. Ohkuma T, Hirakawa Y, Nakamura U, Kiyohara Y, Kitazono T, Ninomiya T. Association between eating rate and obesity: a systematic review and meta-analysis. Int J Obes 2005. 2015;39(11):1589–96.
53. Ishida Y, Yoshida D, Honda T, Hirakawa Y, Shibata M, Sakata S, et al. Influence of the accumulation of unhealthy eating habits on obesity in a general japanese population: the Hisayama Study. Nutrients. 2020;12(10):3160.
54. Espel-Huynh HM, Muratore AF, Lowe MR. A narrative review of the construct of hedonic hunger and its measurement by the Power of Food Scale. Obes Sci Pract. 2018;4(3):238–49.
55. Forman EM, Butryn ML. A new look at the science of weight control: how acceptance and commitment strategies can address the challenge of self-regulation. Appetite. 2015;84:171–80.
56. Monroe JT. Mindful eating: principles and practice. Am J Lifestyle Med. 2015;9(3):217–20.
57. Kessler RC, Berglund PA, Chiu WT, Deitz AC, Hudson JI, Shahly V, et al. The prevalence and correlates of binge eating disorder in the World Health Organization World Mental Health Surveys. Biol Psychiatry. 2013;73(9):904–14.
58. Iqbal A, Rehman A. Binge eating disorder [Internet]. Treasure Island: StatPearls; 2021 [capturado em 17 mar. 2021]. Disponível em: http://www.ncbi.nlm.nih.gov/books/NBK551700/.
59. Stein DJ, Szatmari P, Gaebel W, Berk M, Vieta E, Maj M, et al. Mental, behavioral and neurodevelopmental disorders in the ICD-11: an international perspective on key changes and controversies. BMC Med. 2020;18(1):21.
60. Brownley KA, Berkman ND, Peat CM, Lohr KN, Cullen KE, Bann CM, et al. Binge-eating disorder in adults. Ann Intern Med. 2016;165(6):409–20.
61. Rajan TM, Menon V. Psychiatric disorders and obesity: a review of association studies. J Postgrad Med. 2017;63(3):182–90.
62. Lasserre AM, Glaus J, Vandeleur CL, Marques-Vidal P, Vaucher J, Bastardot F, et al. Depression with atypical features and increase in obesity, body mass index, waist circumference, and fat mass: a prospective, population-based study. JAMA Psychiatry. 2014;71(8):880–8.
63. Braden A, Musher-Eizenman D, Watford T, Emley E. Eating when depressed, anxious, bored, or happy: are emotional eating types associated with unique psychological and physical health correlates? Appetite. 2018;125:410–7.
64. Kelley CP, Sbrocco G, Sbrocco T. Behavioral modification for the management of obesity. Prim Care. 2016;43(1):159–75, x.
65. Khera R, Murad MH, Chandar AK, Dulai PS, Wang Z, Prokop LJ, et al. Association of pharmacological treatments for obesity with weight loss and adverse events: a systematic review and meta-analysis. JAMA. 2016;315(22):2424–34.
66. Associação Brasileira para o Estudo da Obesidade e da Síndrome Metabólica. Diretrizes [Internet]. São Paulo: ABESO; 2016 [capturado em 17 mar. 2021]. Disponível em: https://abeso.org.br/diretrizes/.
67. Kramer CK, Leitão CB, Pinto LC, Canani LH, Azevedo MJ, Gross JL. Efficacy and safety of topiramate on weight loss: a meta-analysis of randomized controlled trials. Obes Rev. 2011;12(5):e338-347.
68. le Roux CW, Astrup A, Fujioka K, Greenway F, Lau DCW, Van Gaal L, et al. 3 years of liraglutide versus placebo for type 2 diabetes risk reduction and weight management in individuals with prediabetes: a randomised, double-blind trial. The Lancet. 2017;389(10077):1399–409.
69. Arterburn D, Wellman R, Emiliano A, Smith SR, Odegaard AO, Murali S, et al. Comparative effectiveness and safety of bariatric procedures for weight loss: a pcornet cohort study. Ann Intern Med. 2018;169(11):741–50.
70. Kizy S, Jahansouz C, Wirth K, Ikramuddin S, Leslie D. Bariatric surgery: a perspective for primary care. Diabetes Spectr. 2017;30(4):265–76.
71. Jakobsen GS, Småstuen MC, Sandbu R, Nordstrand N, Hofsø D, Lindberg M, et al. Association of Bariatric Surgery vs medical obesity treatment with long-term medical complications and obesity-related comorbidities. JAMA. 2018;319(3):291–301.
72. Pareek M, Schauer PR, Kaplan LM, Leiter LA, Rubino F, Bhatt DL. Metabolic surgery: weight loss, diabetes, and beyond. J Am Coll Cardiol. 2018;71(6):670–87.
73. Cardoso L, Rodrigues D, Gomes L, Carrilho F. Short- and long-term mortality after bariatric surgery: a systematic review and meta-analysis. Diabetes Obes Metab. 2017;19(9):1223–32.
74. Adil MT, Jain V, Rashid F, Al-Taan O, Whitelaw D, Jambulingam P. Meta-analysis of the effect of bariatric surgery on physical function. Br J Surg. 2018;105(9):1107–18.
75. King WC, Chen J-Y, Belle SH, Courcoulas AP, Dakin GF, Elder KA, et al. Change in pain and physical function following bariatric surgery for severe obesity. JAMA. 2016;315(13):1362–71.
76. Lee Y, Doumouras AG, Yu J, Brar K, Banfield L, Gmora S, et al. Complete resolution of nonalcoholic fatty liver disease after bariatric surgery: a systematic review and meta-analysis. Clin Gastroenterol Hepatol. 2019;17(6):1040-1060.e11.
77. Quintas-Neves M, Preto J, Drummond M. Assessment of bariatric surgery efficacy on Obstructive Sleep Apnea (OSA). Rev Port Pneumol. 2016;22(6):331–6.
78. Brasil. Ministério da Saúde. Portaria nº 424, de 19 de março de 2013 [Internet]. Brasília: MS; 2013 [capturado em 16 mar. 2021]. Disponível em: http://bvsms.saude.gov.br/bvs/saudelegis/gm/2013/prt0424_19_03_2013.html.

Capítulo 30
PREVENÇÃO DO DIABETES TIPO 2

Maria Inês Schmidt
Bruce B. Duncan

A prevalência de diabetes está aumentando em proporções epidêmicas ao redor do mundo, embora alguns países de alta renda já mostrem uma tendência para estabilização.[1] O aumento da prevalência resultou predominantemente de um aumento na incidência da doença (casos novos na população no tempo). É difícil precisar exatamente quais fatores teriam causado o aumento na incidência. Contudo, é consensual o entendimento de que mudanças estruturais que ocorreram na sociedade produziram um ambiente com novos comportamentos e exposições que, por sua vez, propiciariam ganho de peso/obesidade e, em decorrência, aumento na incidência de diabetes tipo 2.[2,3]

Além de produzir sintomas e complicações agudas diretamente relacionadas à hiperglicemia, o diabetes tipo 2 pode causar complicações crônicas como neuropatia, retinopatia, nefropatia, vasculopatia, entre outras, que, junto com alterações metabólicas e vasculares, podem produzir complicações graves como doença renal, cegueira, cardiopatia isquêmica, miocardiopatia e acidente vascular cerebral. O conjunto de tais complicações explica a elevada carga de doença associada ao diabetes, no Brasil, ocupando a 5ª posição em termos de causa de anos de vida perdidos ajustados por incapacidade (DALYs).[4]

Para enfrentar a carga crescente de diabetes são necessárias ações preventivas em todos os estágios da doença (prevenção primordial, prevenção primária, prevenção secundária e prevenção terciária). Neste capítulo serão abordadas as prevenções primordial, primária e secundária no contexto clínico. A prevenção terciária será abordada nos Capítulos Diabetes Melito: Diagnóstico, Classificação e Organização do Cuidado e Diabetes Melito: Cuidado Longitudinal. Mesmo abordando aqui predominantemente as estratégias clínicas, estratégias populacionais serão destacadas inicialmente, com o intuito de mostrar sua importância e como elas complementam as ações clínicas no enfrentamento da epidemia de diabetes em curso.

ESTRATÉGIAS POPULACIONAIS

As estratégias populacionais promovem ações intersetoriais para evitar (prevenção primordial) ou para remover/atenuar (prevenção primária) fatores causais na população. Como os fatores de risco são muitas vezes comuns a várias doenças, essas estratégias podem produzir benefícios para a prevenção de um conjunto de doenças crônicas. Além disso, por serem dirigidas a toda população, as estratégias populacionais podem reduzir iniquidades em saúde, especialmente quando requererem pouco ou nenhum esforço individual (*agency*),[5] como, por exemplo, a redução do açúcar nos alimentos industrializados, a taxação dos produtos do tabaco e a redução das porções de alimentos prontos.

Digno de nota, embora as estratégias populacionais sejam potencialmente muito custo-efetivas,[6] por demandarem vontade política e participação de atores de diferentes setores, ainda têm sido pouco utilizadas na prevenção do diabetes. A força-tarefa designada pela ONU para conter as DCNTs, denominada Mecanismos de Coordenação Global para DCNTs, enfatiza essas ações intersetoriais, a exemplo das bem-sucedidas ações no enfrentamento ao tabagismo. O site da Organização Pan Americana da Saúde (OPS) mostra a situação dos países das Américas quanto a esse enfrentamento, incluindo políticas como a taxação de bebidas açucaradas. (Ver QR code.)

A natureza das ações envolvidas e as evidências que apoiam ações populacionais diferem das que apoiam ações clínicas. Para as últimas, sob o paradigma da medicina baseada em evidências, a efetividade das ações fundamenta-se em estudos experimentais. Para as ações populacionais, a evidência fundamenta-se mais em estudos observacionais, julgados a partir de critérios de causalidade – por exemplo, os de Bradford Hill –, que apoiaram as ações iniciais e bem-sucedidas contra o tabagismo. Uma vez implementadas, seu sucesso corrobora a causalidade presumida, fortalecendo a evidência para sua efetividade.[7,8]

Entre as intervenções populacionais com maior potencial de reduzir a incidência de diabetes tipo 2 estão aquelas que promovem alimentação saudável, prática regular de atividade física e redução de ganho de peso. Alguns exemplos são a criação de espaços urbanos para a prática de atividade física, impostos sobre alimentos não saudáveis e subsídios para alimentos saudáveis, e a rotulagem dos alimentos com advertência frontal, entre outros.[9–11] A utilização dessas estratégias será abordada em maior detalhe nos Capítulos Estratégias Preventivas para as Doenças Crônicas Não Transmissíveis e Saúde Pública Baseada em Evidências. O site da OPS mostra a evolução de tais intervenções nas Américas.

ESTRATÉGIAS CLÍNICAS

As estratégias clínicas de prevenção são dirigidas aos indivíduos de maior risco para o diabetes tipo 2. Essas estratégias, amplamente investigadas nas duas últimas décadas, foram movidas a partir de três estudos clássicos, na China (Da Qing IGT and Diabetes Study), na Finlândia (Diabetes Prevention Study – DPS) e nos Estados Unidos (Diabetes Prevention Program – DPP). Os indivíduos de maior risco identificados para esses estudos foram pessoas com tolerância à glicose diminuída, que foram então randomizadas para receber ou não intervenções intensivas de estilo de vida. Ao final, os estudos demonstraram que as intervenções reduziam cerca de 50% do risco de diabetes em cerca de 3 anos.

Detecção de quem tem alto risco de diabetes

A maior parte dos ensaios clínicos randomizados de prevenção identificaram pessoas em alto risco a partir de um teste de tolerância à glicose (TTG). Outros exames, como a glicemia em jejum ou a hemoglobina glicada (HbA1c) também poderiam ser utilizados. Esses testes identificam uma hiperglicemia intermediária (anormal, mas não diabetes) e há ao menos cinco definições em uso para caracterizá-la. Suas definições são apresentadas na **TABELA 30.1**. Revisão sistemática abrangente mostrou que a predição prognóstica dessas cinco definições em 10 anos é baixa: apenas 23 a 31% das pessoas identificadas como de alto risco progrediram para diabetes; outros 42%, na verdade, regrediram para valores normais.[12] Estudo com dados brasileiros mostrou que nenhuma das cinco definições, por si só, apresentava boas propriedades prognósticas de diabetes para rastreamento de risco. No entanto, combinadas com informações clínicas (escores clínicos), as definições alcançavam sensibilidade e especificidade prognósticas de maior utilidade clínica.[13] É importante lembrar que há grande variabilidade nas medidas laboratoriais utilizadas para caracterizar hiperglicemia. Em reteste 14 dias após a medida inicial, 22% daqueles com glicose em jejum ≥100mg/dL regrediram para valores abaixo do ponto de corte, e 28% daqueles com glicemia de 2h (TTG) ≥140 mg/dL regrediram para valores abaixo deste ponto de corte.[14] Esses dados ilustram a importância de não rotular um estado pré-diabético sem confirmação.

O processo de detecção das pessoas em alto risco pode ser otimizado com estratégias escalonadas, iniciando com escores de risco simples (sem envolver teste laboratorial), para então testar aqueles de maior risco com um TTG, glicemia de jejum ou HbA1c. A incorporação desses dados pessoais, além dos dados laboratoriais, melhora a precisão da classificação.

A **FIGURA 30.1** ilustra uma forma de realizar essa investigação em adultos, o questionário FINDRISC. Pessoas que alcançam um escore[3] 12 realizam um teste glicêmico. A **FIGURA 30.1** apresenta um questionário para rastreamento comunitário e promoção de saúde bastante empregado mundialmente. O questionário tem sido utilizado no Brasil, e uma das suas adaptações foi pré-testada no Sistema Único de Saúde (SUS), permitindo aplicação domiciliar por agentes comunitários de saúde.[15] Adultos identificados como em risco pelo escore clínico e que apresentam hiperglicemia intermediária ou risco mais alto em escores de risco baseados em informação clínica e exame laboratorial poderiam receber a intervenção preventiva. Casos de diabetes identificados **(TABELA 30.2)** precisam ser acolhidos no serviço de saúde para confirmação e atendimento. Por isso, antes de iniciar qualquer tipo de detecção sistemática ou rastreamento, é imperioso estar preparado para oferecer o tratamento adequado – cuidado integral para os casos confirmados de diabetes (tratamento sintomático e prevenção de complicações) e suporte para mudança de estilo de vida para os identificados com maior risco.

Intervenções intensivas em estilos de vida para prevenção de diabetes

As principais metas e abordagens das intervenções adotadas nos estudos DPP[16] e DPS[17] são apresentadas na **TABELA 30.2**. Os dois programas ofereceram sessões individualizadas presenciais para orientação de mudanças de hábitos alimentares a partir de diários de registros do que foi ingerido, com sugestões de como efetuar adaptações necessárias e como vencer os obstáculos encontrados. A perda de peso obtida nos dois estudos foi pequena, 3,5 kg[5] e 5,6 kg,[6] respectivamente, mas, mesmo assim, logrou uma redução de 58% na incidência do diabetes em três anos.

Revisão sistemática com metanálise de 43 estudos conduzidos em diversos contextos e populações nas duas últimas décadas (49.029 homens e mulheres, média de idade 57 anos) estimaram uma redução de 39% (NNT = 25). **A** Digno de nota, os efeitos das intervenções de estilo de vida se sustentaram no médio prazo (média dos estudos 7 anos), sugerindo um efeito metabólico duradouro. Em contraposição, os medicamentos para diabetes investigados (em geral a metformina), embora reduzindo o risco de diabetes em magnitude semelhante (36%), **C/D** não mantinham seus efeitos após sua suspensão.[18]

Se a efetividade na redução da incidência de diabetes (ou no seu retardo) está bem-estabelecida (ao menos para

TABELA 30.1 → Exames glicêmicos disponíveis e critérios diagnósticos de diabetes e outros estados de hiperglicemia

EXAME	CONDIÇÃO	DEFINIÇÃO
Glicemia em jejum	Diabetes	≥126 mg/dl
	Glicemia de jejum alterada (ADA)	≥100 mg/dl (<126 mg)
	Glicemia de jejum alterada (OMS)	≥110 mg/dl (<126 mg)
Glicemia 2h (teste oral de tolerância à glicose)	Diabetes	≥200 mg/dl
	Tolerância à glicose diminuída	≥140 mg/dl (<200 mg)
Hemoglobina glicada	Diabetes	≥6,5%
	Elevada (ADA)	≥5,7% (<6,5%)

ADA, Associação Americana de Diabetes; OMS, Organização Mundial da Saúde.

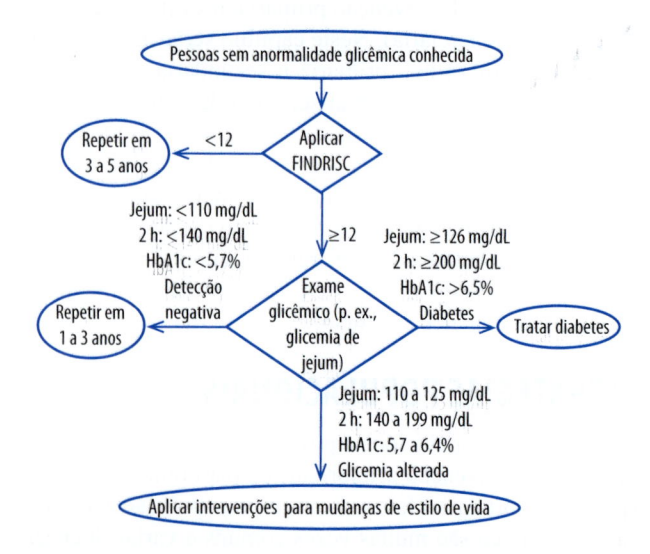

FIGURA 30.1 → Fluxograma para identificação e tratamento das pessoas identificadas como portadoras de diabetes (se confirmado) ou de alto risco de desenvolver diabetes.

TABELA 30.2 → Metas principais na modificação do estilo de vida no Diabetes Prevention Study (DPS), da Finlândia, e no estudo Diabetes Prevention Program (DPP), dos Estados Unidos

META	DPS	DPP
Redução de peso e dieta	Perda de peso ≥5%. Redução da ingestão energética diária com redução da ingestão de gordura: totais < 30%; saturadas <10% (do valor energético diário). Aumento na ingestão de fibras para ao menos 15 g por 1.000 calorias	Perda de peso ≥7%. Redução da ingestão energética diária com redução de gordura total para cerca de 25% do valor energético diário
Exercício	30 minutos/dia ou mais, intensidade leve a moderada; foram oferecidas sessões supervisionadas em academia para melhorar força muscular	150 minutos/semana, intensidade moderada; sessões em grupo disponibilizadas
Esquema, incluindo reforços e monitoramento	Mensal por três meses, depois a cada três meses	16 encontros (individuais ou em pequeno grupo) em seis meses; contato mensal; aulas opcionais a cada três meses sobre dieta, exercício físico, mudanças de estilo de vida

Fontes: Tuomilehto e colaboradores; Knowler e colaboradores.[16,17]

QUESTÃO	RESPOSTA		PONTOS
Idade (anos)	<45		0
	45 a 54		2
	55 a 64		3
	>65		4
Índice de massa corporal (kg/m^2)	<25		0
	25 a 30		1
	>30		3
Circunferência abdominal (cm)	*Homens*	*Mulheres*	
	<94	<80	0
	94 a <102	80 a <88	3
	>102	>88	4
Pratica atividade física por, no mínimo, 30 minutos, diariamente?	Sim		0
	Não		2
Com que frequência come verduras e/ou frutas?	Come todo dia		0
	Não come todo dia		1
Toma alguma medicação para hipertensão regularmente?	Não		0
	Sim		1
Já teve glicose alta no sangue (em exames de rotina, durante alguma doença ou durante a gravidez)?	Não		0
	Sim		5
Algum de seus familiares tem diabetes melito tipo 1 ou 2?	Não		0
	Sim: avós, tios, primos		3
	Sim: pais, irmãos ou filhos		5

	Pontuação total
RISCO DE DESENVOLVER DIABETES MELITO EM 10 ANOS	**PONTUAÇÃO DO TESTE**
Baixo: estima que 1 de cada 100 pessoas desenvolverá a doença	<7
Leve a moderado: estima que 1 de 25 pessoas desenvolverá a doença	7 a 11
Moderado: estima que 1 de cada 6 pessoas desenvolverá a doença	12 a 14
Alto: estima que 1 de cada 3 pessoas desenvolverá a doença	15 a 20
Muito alto: estima que 1 de cada 2 pessoas desenvolverá a doença	>20

FIGURA 30.2 → Questionário FINDRISC.
Fonte: Adaptada de Marinho.[15]

intervenções de estilo de vida), o mesmo não ocorre em relação à efetividade na prevenção de complicações do diabetes. Os resultados de vários ensaios-clínicos randomizados apontam a necessidade de um seguimento mais longo para a observação de tais efeitos.[19] O estudo com maior seguimento (30 anos) mostrou redução de 33% com NNT = 11 na mortalidade cardiovascular. **C/D**. Como essas intervenções demandam recursos e podem acarretar riscos, especialmente quando forem usados medicamentos, o longo período requerido para seus efeitos limita seu custo-efetividade.

Intervenções menos intensivas para prevenção de diabetes

Estudos baseados em contextos menos experimentais documentam a viabilidade de intervenções de estilo de vida para a prevenção de diabetes. Revisão sistemática com metanálise em rede de 63 estudos controlados e não controlados (n = 17.272, média de idade 49,7 anos) seguindo pacientes por cerca de 20 meses, mostrou que, em estudos controlados (n = 7), a perda de peso foi de 1,5 kg a mais no grupo da intervenção, com redução na incidência de diabetes (RRR = 29%; NNT = 33) B. Intervenções realizadas em grupo ou individualmente, e lideradas por membros da comunidade treinados ou por profissionais de saúde, mostraram efeitos semelhantes.[20]

Com a tendência atual em desenvolver orientações menos baseadas em nutrientes e mais fundamentadas em alimentos e padrões alimentares saudáveis, as intervenções em estilo de vida podem seguir essa linha. Revisão guarda-chuva de revisões sistemáticas sumarizou efeitos protetores e de risco de padrões alimentares, alimentos e bebidas (TABELA 30.3), julgando a qualidade da evidência pelo NutriGrade (semelhante ao GRADE para estudos de coorte). A revisão mostrou que diversos padrões alimentares saudáveis se associaram com menor risco de diabetes (padrões não saudáveis, com maior risco). Mostrou também que alguns alimentos estão associados a maior risco, como as carnes vermelhas, as carnes processadas, o arroz branco e a batata, e outros, a menor risco, como grãos integrais, chocolate, farelo de trigo, iogurte, produtos lácteos, legumes e verduras amarelos, cereais integrais, grãos e arroz integral.[19]

Em suma, a magnitude do efeito na redução do diabetes, o efeito promissor na prevenção das complicações cardiovasculares e a qualidade da evidência, no conjunto, apoiam a implementação de intervenções de estilo de vida aos indivíduos de alto risco, na dependência de recursos financeiros e logísticos.

Orientações mais detalhadas sobre intervenções para mudanças de estilo de vida são encontradas nos Capítulos Alimentação Saudável do Adulto, Obesidade: Prevenção e Tratamento e Promoção da Atividade Física.

Programas nacionais para prevenção de diabetes tipo 2

Programas nacionais de prevenção clínica estruturada de diabetes vêm sendo implementados em muitos países. A maior experiência relatada é a dos Estados Unidos. Iniciado em 2010, o programa nacional de prevenção de diabetes tipo 2 (DPP-US) tem como alvo pessoas em alto risco e oferece intervenções em estilo de vida por 12 meses baseadas no DPP. A meta de perda de peso é de um mínimo de 5% do peso corporal, e a de aumento de atividade física, de ≥ 150 min./sem. Ênfase é dada para autoeficácia focada na habilidade de resolução de problemas, busca de suporte social, uso de espaços disponíveis para atividade física e de estratégias de adaptações às mudanças. Diversas organizações fora dos serviços de saúde integram-se ao programa, fornecendo estrutura e suporte para as mudanças de estilo de vida.

Até abril de 2019, o DPP-US alcançou 324.000 participantes, envolvendo >3.000 organizações. Cerca de 60% participaram apenas via modalidade *on-line*, 40% via presencial. Cerca de 40% cumpriram ao menos 17 sessões, 31% alcançaram a meta de peso de 5% do peso corporal, e 45%, a meta de ≥ 150 min./sem. de atividade física.[11]

Apesar desse grande esforço nacional, dados mostraram que apenas 5% dos indivíduos elegíveis entraram em algum programa de prevenção,[21] e apenas 2,4% efetivamente completaram o programa.[22] Isso ilustra a dificuldade em alcançar a população-alvo com estratégias clínicas, ressaltando a importância de complementar ações clínicas com intervenções populacionais, de maior alcance na população.[9–11]

TABELA 30.3 → Padrões alimentares, alimentos, bebidas e nutrientes associados ao risco de diabetes tipo 2

	AUMENTAM O RISCO	ARR (%)	QE	DIMINUEM O RISCO	RRR (%)	QE
Padrões	Carga dietética ácida	4	**	Dieta saudável (combinação de vários índices)	21	**
	Carga glicêmica	11	**	Índice alternativo para dieta saudável (AHEI)	21	**
	Padrão alimentar não saudável	44	**	Dieta vegetariana	33	*
	Índice glicêmico	13	*	Dieta DASH	20	*
	Pula café da manhã	21	*	Dieta mediterrânea	15	*
				Índice para dieta saudável (HEI)	14	*
Alimentos	Carne vermelha	17	***	Grãos integrais	13	***
	Carne processada	37	***	Chocolate	25	**
	Bacon	107	***	Farelo de trigo	21	**
	Carne	12	**	Iogurte	6	**
	Arroz branco	23	**	Produtos lácteos	4	**
	Carne vermelha processada	44	**	Legumes e verduras amarelos	38	*
	Batata frita	66	**	Cereais integrais	27	*
	Salsicha	92	**	Pão integral	26	*
	Batata (não frita)	9	*	Grãos totais	17	*
				Arroz integral	13	*
Bebidas	Bebidas açucaradas	26	***	Consumo moderado de álcool	25	***
	Bebidas com adoçantes	24	***	Consumo leve de álcool	18	**
	Sucos de fruta	10	*	Consumo moderado de cerveja	10	**
	Sucos de frutas adoçados	28	*	Café ou chá	6	**
				Consumo leve ou moderado de vinho	15	*
				Consumo leve de cerveja ou de destilados	7	*

ARR, Aumento Relativo de Risco; RRR, Redução Relativa de Risco; QE, Qualidade da Evidência Baseada no NutriGrade.[23]
*** alta qualidade; ** moderada qualidade; * baixa qualidade.
Fonte: Neuenschwander.[24]

O sistema inglês implementou um programa nacional para indivíduos de alto risco com bons resultados iniciais.[25] Análise de custo-efetividade mostra que intervenções para mudança de estilo de vida (intensivas e menos intensivas) são custo-efetivas. No entanto, aplicadas no sistema nacional inglês, pessoas com 50-59 anos reduziriam a incidência de diabetes de forma modesta: < 3,5% em 50 anos a um custo de 0,2-5,2% do orçamento atual de diabetes para 2-9 anos.[26]

Intervenções farmacológicas para prevenção do diabetes

Não há evidências convincentes que justifiquem o tratamento continuado dos estados intermediários de hiperglicemia com fármacos. Além de serem menos efetivos que intervenções no estilo de vida em cerca de 3 anos de seguimento, seus efeitos cessam com a suspensão do medicamento.[11] Ao iniciar um tratamento medicamentoso prolongado para uma condição subclínica é preciso considerar primeiro os custos e os possíveis efeitos colaterais envolvidos. Além disso, é preciso considerar que sua efetividade está estabelecida apenas quanto à redução do risco de diabetes, não havendo base de evidência confiável sobre possíveis benefícios na redução de complicações do diabetes[10] (uma exceção é a prevenção secundária de acidente vascular cerebral em análises *post-hoc* sobre a pioglitazona em pessoas com estado intermediário de hiperglicemia, especialmente quando houve boa aderência ao tratamento.[27,28]

Mesmo na presença de diabetes, a redução de doenças cardiovasculares tem sido questionável para vários medicamentos, entre eles a metformina, a glargina e a rosigliazona. Novos remédios, como os agonistas dos receptores de GLP1 e os inibidores da SGLT2, estão mostrando reduções nas doenças cardiovasculares e renais, embora o benefício dos inibidores da SGLT2 tenha aparecido apenas naqueles com doença cardiovascular manifesta.[29,30] Novos ensaios para avaliar o efeito preventivo do diabetes desses remédios estão em curso, mas os resultados não estão ainda disponíveis.

Outros fármacos que reduzem ou aumentam a conversão bioquímica para diabetes

Como os pacientes em risco para diabetes frequentemente apresentam outra anormalidade metabólica/vascular, os efeitos de alguns fármacos na conversão bioquímica de um estado de hiperglicemia intermediária para diabetes precisam ser considerados na escolha terapêutica. A conversão para diabetes foi reduzida pelos inibidores da conversão enzimática da angiotensina (RRR=19%, NNT=21), pelos bloqueadores dos receptores II da angiotensina (RRR=10%, NNT=33), e pelo orlistat (RRR=81%, NNT=6) **B**.

No entanto, a conversão para diabetes aumentou com o uso de estatinas (RRR=10%, NNH=40) **B**.[29] Considerando as vantagens que elas conferem na redução do risco cardiovascular, quando indicadas para esse fim, os benefícios preventivos superam os riscos, como abordado no Capítulo Prevenção Clínica das Doenças Cardiovasculares.

Monitoramento da efetividade das intervenções

Não está bem estabelecido como deveria ser o monitoramento glicêmico (glicemia de jejum, TTG ou HbA1c) de pacientes para os quais foram prescritas atividades com vistas à prevenção do diabetes. A indicação de um teste ou outro depende das políticas locais vigentes. Recomenda-se revisão frequente das mudanças alimentares e de atividade física, do peso e da cintura, dos riscos cardiovascular e de diabetes. A cada 1 a 3 anos, a depender do grau de risco, devem ser realizados testes glicêmicos.

Ampliando as formas de suporte para mudanças de estilo de vida

Mudanças comportamentais são difíceis mesmo para os mais motivados, razão pela qual é necessário dispor de formas variadas para oferecer suporte aos que iniciam as mudanças. A seguir são citados alguns elementos importantes a considerar.

Suporte

A interação entre quem inicia as mudanças e quem lhe dá suporte precisa se desenvolver de forma parceira, não autoritária nem julgadora, compreendendo resistências e ambivalências, respeitando o ritmo e as prioridades de cada um. Sobretudo, o terapeuta precisa treinar-se a escutar e refletir sobre o que é informado – motivações, dificuldades, receios, frustrações, tentativas prévias.

O Capítulo Abordagem para Mudança de Estilo de Vida fornece bases para uma comunicação parceira com as pessoas que contemplam fazer mudanças.

Tecnologias

Tecnologias digitais podem complementar ações clínicas de prevenção de diabetes.[31] Essas tecnologias incluem desde aplicativos simples para celular até plataformas complexas envolvendo grupos e profissionais de saúde. Revisão sistemática mostrou que essas intervenções são viáveis e efetivas na prevenção do diabetes, incluindo mensagens regulares pelo celular, plataformas acessadas por celular, aplicativos para celular, programas variados de telessaúde, entre outros. Alguns sistemas conseguem captar medidas digitais domiciliares remotas, como peso e glicemia, e fornecem *feedback* ao participante.[32]

Espaços para prevenção e grupos especiais

Além do serviço de saúde, suporte pode ser oferecido em outros espaços, como escola, farmácia, trabalho, igreja, parques, comunidades, agremiações, entre outros. Crianças e adolescentes em risco podem receber suporte via escola. Mulheres com diabetes gestacional podem ser orientadas a manter acompanhamento após o parto. Idosos, cuja prevalência de estados intermediários de hiperglicemia é muito alta, podem receber suporte complementar para adoção de estilos saudáveis por meios digitais (p. ex., mensagens de apoio e lembretes).[28]

Recomendações

Pessoas identificadas por seu risco elevado de diabetes devem receber aconselhamento para mudança de estilo de vida para prevenção de diabetes **B**. Efetuar as mudanças de estilo de vida por toda a vida requer grande motivação e muito apoio de todos os envolvidos. Por essa razão, os serviços precisam estar capacitados para dar suporte, promover autoeficácia, orientar a busca de metas realísticas e de formas práticas e efetivas para enfrentar os obstáculos. Todos os mecanismos disponíveis nas redes de atenção à saúde precisam ser considerados. Espaços disponíveis devem ser pensados – escola, igreja, trabalho, comunidade, agremiação etc.

Os programas estruturados para prevenção do diabetes nos serviços de saúde dependem de políticas locais ou nacionais e de recursos financeiros para sua efetivação. A inexistência de dados sobre sua efetividade na prevenção de complicações do diabetes, e a ausência de estudos de custo-efetividade no contexto brasileiro, impedem uma recomendação mais ampla para sua implementação.

OPORTUNIDADES DE DETECÇÃO DO DIABETES DESCONHECIDO

Uma proporção razoável das pessoas que têm diabetes não sabe que tem a doença e, como tal, está privada de receber terapias preventivas de suas complicações. No entanto, não há evidência direta de que a busca dessas pessoas na comunidade (prevenção secundária) para iniciar tratamento precoce seja efetiva quando comparada à sua detecção convencional **C/D**.[33]

No contexto clínico, são recomendadas as seguintes formas de detecção rotineira:

→ Detecção de casos não diagnosticados em adultos obesos em qualquer idade, na presença de um fator de risco adicional para diabetes tipo 2. Ver Capítulo Diabetes Melito: Diagnóstico, Classificação e Organização do Cuidado.

→ Detecção de casos não diagnosticados de diabetes para caracterizar risco cardiovascular em adultos com mais de 40 anos, ou antes, na presença de tabagismo, obesidade ou hipertensão. (Ver Capítulo Prevenção Clínica das Doenças Cardiovasculares.)

→ Identificação de hiperglicemia na gravidez para tratamento e prevenção de suas complicações (ver Capítulo Diabetes na Gestação) e rastreamento a cada 1 a 3 anos em mulheres com diabetes gestacional prévio.

→ Rastreamento de diabetes tipo 2 em crianças e adolescentes de alto risco. (Ver Capítulo Excesso de Peso em Crianças.)

→ Investigação de diabetes em pessoas suspeitas (sintomas). (Ver Capítulo Diabetes Melito: Diagnóstico, Classificação e Organização do Cuidado.)

REFERÊNCIAS

1. NCD Risk Factor Collaboration (NCD-RisC). Worldwide trends in diabetes since 1980: a pooled analysis of 751 population-based studies with 4.4 million participants. Lancet. 2016;387(10027):1513-30.
2. Popkin BM. Nutrition Transition and the Global Diabetes Epidemic. Curr Diab Rep. 2015;15(9):64.
3. Alderete TL, Chen Z, Toledo-Corral CM, Contreras ZA, Kim JS, Habre R, et al. Ambient and Traffic-Related Air Pollution Exposures as Novel Risk Factors for Metabolic Dysfunction and Type 2 Diabetes. Curr Epidemiol Rep. 2018;5(2):79-91.
4. Institute for Health Metrics and Evaluation. GBD Compare Data Visualization [Internet]. Washington: IHME; 2019 [capturado em 15 ago. 2021]. Disponível em: https://vizhub.healthdata.org/gbd-compare/.
5. Adams J, Mytton O, White M, Monsivais P. Why Are Some Population Interventions for Diet and Obesity More Equitable and Effective Than Others? The Role of Individual Agency. PLoS Med. 2016;13(4):e1001990.
6. Organization WH. Tackling NCDs: "best buys" and other recommended interventions for the prevention and control of noncommunicable diseases [Internet]. 2017 [capturado 26 ago. 2018]. Disponível em: https://apps.who.int/iris/handle/10665/259232.
7. Howick J, Kelly P, Kelly M. Establishing a causal link between social relationships and health using the Bradford Hill Guidelines. SSM – Popul Health. 2019;8:100402.
8. Brownson RC, Chriqui JF, Stamatakis KA. Understanding evidence-based public health policy. Am J Public Health. 2009;99(9):1576-83.
9. Wareham NJ, Herman WH. The Clinical and Public Health Challenges of Diabetes Prevention: A Search for Sustainable Solutions. PLoS Med. 2016;13(7):e1002097.
10. Shaw JE. Prediabetes: lifestyle, pharmacotherapy or regulation? Ther Adv Endocrinol Metab. 2019;10: 2042018819863020.
11. Gruss SM, Nhim K, Gregg E, Bell M, Luman E, Albright A. Public Health Approaches to Type 2 Diabetes Prevention: the US National Diabetes Prevention Program and Beyond. Curr Diab Rep. 2019;19(9):78.
12. Richter B, Hemmingsen B, Metzendorf M-I, Takwoingi Y. Development of type 2 diabetes mellitus in people with intermediate hyperglycaemia. Cochrane Database Syst Rev. 2018;10:CD012661.
13. Schmidt MI, Bracco PA, Yudkin JS, Bensenor IM, Griep RH, Barreto SM, et al. Intermediate hyperglycaemia to predict progression to type 2 diabetes (ELSA-Brasil): an occupational cohort study in Brazil. Lancet Diabetes Endocrinol. 2019;7(4):267-77.
14. Selvin E, Crainiceanu CM, Brancati FL, Coresh J. Short-term variability in measures of glycemia and implications for the classification of diabetes. Arch Intern Med. 2007;167(14):1545–51.
15. Marinho NBP. Avaliação do risco para diabetes Mellitus tipo 2 entre adultos de Itapipoca-Ceará [Internet]. 2010 [capturado 16 set. 2019]. Disponível em: http://www.repositorio.ufc.br/handle/riufc/1984.
16. Knowler WC, Barrett-Connor E, Fowler SE, Hamman RF, Lachin JM, Walker EA, et al. Reduction in the incidence of type 2 diabetes with lifestyle intervention or metformin. N Engl J Med. 2002;346(6):393-403.
17. Tuomilehto J, Lindstrom J, Eriksson JG, Valle TT, Hamalainen H, Ilanne-Parikka P, et al. Prevention of type 2 diabetes mellitus by changes in lifestyle among subjects with impaired glucose tolerance. NEnglJMed. 2001;344(0028-4793):1343-50.
18. Haw JS, Galaviz KI, Straus AN, Kowalski AJ, Magee MJ, Weber MB, et al. Long-term Sustainability of Diabetes Prevention Approaches: A Systematic Review and Meta-analysis of Randomized Clinical Trials. JAMA Intern Med. 2017;177(12):1808-17.
19. Nathan DM, Bennett PH, Crandall JP, Edelstein SL, Goldberg RB, Kahn SE, et al. Does diabetes prevention translate into reduced long-term vascular complications of diabetes? Diabetologia. 2019;62(8):1319-28.
20. Galaviz KI, Weber MB, Straus A, Haw JS, Narayan KMV, Ali MK. Global Diabetes Prevention Interventions: A Systematic Review and Network Meta-analysis of the Real-World Impact on Incidence, Weight, and Glucose. Diabetes Care. 2018;41(7):1526-34.
21. Ali MK, McKeever Bullard K, Imperatore G, Benoit SR, Rolka DB, Albright AL, et al. Reach and Use of Diabetes Prevention Services in the United States, 2016-2017. JAMA Netw Open. 2019;2(5):e193160.
22. Venkataramani M, Pollack CE, Yeh H-C, Maruthur NM. Prevalence and Correlates of Diabetes Prevention Program Referral and Participation. Am J Prev Med. 2019;56(3):452-7.

23. Schwingshackl L, Knüppel S, Schwedhelm C, Hoffmann G, Missbach B, Stelmach-Mardas M, et al. Perspective: NutriGrade: A Scoring System to Assess and Judge the Meta-Evidence of Randomized Controlled Trials and Cohort Studies in Nutrition Research. Adv Nutr Bethesda Md. 2016;7(6):994-1004.
24. Neuenschwander M, Ballon A, Weber KS, Norat T, Aune D, Schwingshackl L, et al. Role of diet in type 2 diabetes incidence: umbrella review of meta-analyses of prospective observational studies. BMJ. 2019;366:l2368.
25. Valabhji J, Barron E, Bradley D, Bakhai C, Fagg J, O'Neill S, et al. Early Outcomes From the English National Health Service Diabetes Prevention Programme. Diabetes Care. 2020;43(1):152-60.
26. Roberts S, Craig D, Adler A, McPherson K, Greenhalgh T. Economic evaluation of type 2 diabetes prevention programmes: Markov model of low- and high-intensity lifestyle programmes and metformin in participants with different categories of intermediate hyperglycaemia. BMC Med. 2018;16(1):16.
27. Kernan WN, Viscoli CM, Furie KL, Young LH, Inzucchi SE, Gorman M, et al. Pioglitazone after Ischemic Stroke or Transient Ischemic Attack. N Engl J Med. 2016;374(14):1321-31.
28. Spence JD, Viscoli CM, Inzucchi SE, Dearborn-Tomazos J, Ford GA, Gorman M, et al. Pioglitazone Therapy in Patients With Stroke and Prediabetes: A Post Hoc Analysis of the IRIS Randomized Clinical Trial. JAMA Neurol. 2019;76(5):526-35.
29. Domecq JP, Prutsky G, Elraiyah T, Wang Z, Mauck KF, Brito JP, et al. Medications Affecting the Biochemical Conversion to Type 2 Diabetes: A Systematic Review and Meta-Analysis. J Clin Endocrinol Metab. 2019;104(9):3986–95.
30. Zelniker TA, Wiviott SD, Raz I, Im K, Goodrich EL, Bonaca MP, et al. SGLT2 inhibitors for primary and secondary prevention of cardiovascular and renal outcomes in type 2 diabetes: a systematic review and meta-analysis of cardiovascular outcome trials. Lancet Lond Engl. 2019;393(10166):31-9.
31. Sheeran D. How technology can make CMS' Diabetes Prevention Program viable. Am J Manag Care. 2018;24(4 Spec No.):SP112-3.
32. Grock S, Ku J-H, Kim J, Moin T. A Review of Technology-Assisted Interventions for Diabetes Prevention. Curr Diab Rep. 2017;17(11):107.
33. Simmons RK, Griffin SJ, Witte DR, Borch-Johnsen K, Lauritzen T, Sandbæk A. Effect of population screening for type 2 diabetes and cardiovascular risk factors on mortality rate and cardiovascular events: a controlled trial among 1,912,392 Danish adults. Diabetologia. 2017;60(11):2183-91.

Capítulo 31
PREVENÇÃO CLÍNICA DAS DOENÇAS CARDIOVASCULARES

Bruce B. Duncan
Karine Margarites Lima[†]
Carisi Anne Polanczyk

Os pilares da prevenção cardiovascular são os elementos de um estilo de vida saudável: fazer refeições ricas em alimentos cardioprotetores, realizar atividade física regular, manter o peso corporal ideal e viver em ambiente livre do tabaco, incluindo, nesses pilares, moradia e trabalho.

A doença cardiovascular (DCV) aterosclerótica é, em termos proporcionais, a principal causa de mortalidade em países de alta renda e em muitos países de média renda como o Brasil.[1] Mesmo após expressivos avanços no controle de fatores de risco, as doenças cardiovasculares, especialmente doença isquêmica do coração, permanecem como primeira causa de morte e incapacidade no País. Nas últimas décadas, ensaios clínicos randomizados (ECRs) e revisões sistemáticas apontaram para importantes avanços na prevenção e no controle dessas doenças. Entretanto, o imenso número de evidências e a complexidade e multiplicidade de orientações quanto à estratificação de risco cardiovascular e medidas preventivas geram confusão e corroboram a distância entre a evidência e a prática clínica. Além disso, cada vez mais se reconhece a importância do entendimento social, cultural e econômico da saúde dos indivíduos para auxiliar nas decisões sobre as melhores estratégias de prevenção.

Dois níveis de prevenção cardiovascular devem ser considerados: o populacional, a partir de intervenções orientadas à promoção da saúde da população (ver Capítulo Estratégias Preventivas para as Doenças Crônicas Não Transmissíveis), e o individual, a partir do contexto clínico. Este capítulo aborda especificamente a prevenção clínica, visando à identificação de indivíduos de alto risco e à intervenção precoce de forma individualizada. Ênfase é dada à história clínica e ao exame físico, complementados, quando necessário, por exames laboratoriais. Muitas intervenções aqui recomendadas, inclusive as farmacológicas, também oferecem benefício para a prevenção do diabetes melito e suas complicações. Neste capítulo, são abordados exclusivamente aspectos relacionados com a prevenção primordial e primária de risco vascular e as incapacidades relacionadas.

O CONCEITO DE RISCO CARDIOVASCULAR GLOBAL

Mais importante do que simplesmente taxar um indivíduo como fumante ou portador de hipertensão ou dislipidemia, é caracterizá-lo em termos de seu risco cardiovascular global.

Essa assertiva encontra respaldo no resultado de diversos ECRs de grande porte, que demonstraram o benefício de intervenções farmacológicas e não farmacológicas em pacientes de alto risco cardiovascular, mesmo quando não há indicação considerando isoladamente o alvo da terapia. O benefício do uso de estatinas se estende mesmo a pacientes com níveis de colesterol normais,[2] e anti-hipertensivos reduzem eventos cardiovasculares mesmo em pacientes sem hipertensão.[3,4]

Uma prevenção baseada no conceito de risco cardiovascular global significa orientar esforços preventivos não pelos riscos atribuíveis à elevação de fatores isolados como pressão arterial (PA) ou colesterol sérico, mas pelo somatório de riscos decorrentes de múltiplos fatores, estimado pelo risco absoluto global em cada indivíduo. Sob esse enfoque, quanto maior for o risco, maior será o potencial benefício de uma intervenção terapêutica ou preventiva.

O benefício de uma terapia na prevenção de desfechos indesejáveis pode ser expresso em termos relativos (p. ex., pela redução do risco relativo [RRR]), ou em termos absolutos, que levam em conta o risco individual (p. ex., pelo número necessário para tratar [NNT]; ver Capítulo Aplicando Evidências em Decisões Clínicas: Conceitos Básicos de Epidemiologia Clínica). Na prática, o que vale é o risco absoluto.

Por exemplo, quando administradas para homens sem história clínica de eventos cardiovasculares mas com múltiplos fatores de risco,[5] as estatinas reduziram o risco relativo de eventos coronarianos em cerca de 31%, e, quando administradas em indivíduos com cardiopatia isquêmica manifesta – portanto, com maior risco cardiovascular –,[6] essa redução foi de 34%, sugerindo falsamente que o benefício das estatinas é semelhante nos dois grupos. No entanto, quando analisados por meio de parâmetros absolutos, para prevenir um caso de infarto agudo do miocárdio (infarto), seria necessário tratar um número quatro vezes menor de indivíduos com doença isquêmica manifesta do que indivíduos sem doença isquêmica manifesta – NNT = 12 e 44, respectivamente.

Com várias opções de terapias preventivas de benefício comprovado e uma capacidade crescente de identificar quem detém maior risco cardiovascular, muitas vezes não é adequado prescrever tudo para todos. Terapias individualizadas devem ser o foco da abordagem preventiva, com ênfase maior para aqueles que têm maior risco e, portanto, maior potencial de benefício. Como apresentado na **FIGURA 31.1**, maior risco e maior disponibilidade de recursos permitem estratégias de classificação de risco mais complexas e intervenções mais intensas. Por não terem o mesmo montante de recursos de que dispõem os provedores de saúde nos países norte-americanos e europeus, os sistemas de saúde brasileiros precisam priorizar estratégias preventivas que se mostram mais eficientes para as doenças crônicas.

CLASSIFICAÇÃO DE RISCO CARDIOVASCULAR

Diversas sociedades médicas, gestores de saúde e grupos de especialistas têm desenvolvido diretrizes relacionadas à classificação de risco cardiovascular[7-11] e estratégias preventivas populacionais e individuais para diminuição da carga de DCV.[12,13] Houve redução da incidência e mortalidade por doenças cardiovasculares em todo o mundo, sugerindo que, entre outras causas, a maior implementação de intervenções preventivas clínicas está tendo efeito em nível populacional.[14-16]

A intensidade das intervenções preventivas deve ser determinada pela estimativa do risco cardiovascular para cada paciente. Em termos práticos, os indivíduos podem ser classificados em cinco níveis estimados de risco total, para eventos cardiovasculares: muito baixo, baixo, moderado, alto e muito alto. O risco cardiovascular global é definido como a probabilidade de um indivíduo ter um evento vascular maior (infarto, acidente vascular cerebral [AVC] ou morte cardiovascular) durante um período de, por exemplo, 10 anos.

A classificação inicial baseia-se na anamnese e no exame clínico, complementado, na maioria dos casos, com exames complementares (**FIGURA 31.2**). A classificação pode ser repetida a cada 3 a 5 anos ou sempre que eventos clínicos apontarem a necessidade de reavaliação.

Pacientes identificados nessa avaliação por apresentarem sinais e sintomas de doença aterosclerótica, como angina ou claudicação intermitente, ou aqueles que já possuem DCV estabelecida, como infarto, AVC ou ataque isquêmico transitório, doença vascular periférica e insuficiência renal crônica não dialítica (**TABELA 31.1**), são considerados de alto risco. Esses pacientes devem receber intervenções de alta intensidade.

A avaliação oportuna de risco cardiovascular nos demais pacientes por meio da história clínica e de exames laboratoriais – lipídeos, glicemia e creatinina – deve ser considerada em todos os indivíduos com idade ≥ 40 anos e em adultos de qualquer idade com história de DCV em parente de primeiro grau do sexo masculino antes dos 50 anos ou feminino antes dos 60 anos, história de dislipidemia familiar, fumantes, portadores de hipertensão arterial, diabetes e obesidade (índice de massa corporal [IMC] ≥ 30 kg/m²). Além disso, indagação e investigação sobre os principais fatores de risco comportamentais – tabagismo, atividade física, alimentação saudável, e suas decorrências em termos de peso, trajetória de peso e PA – devem ser consideradas em adultos entre 20 e 39 anos de idade.[10] Não existem evidências a respeito da idade indicada para suspender o rastreamento de doenças cardiovasculares, e essa decisão deve ser tomada de maneira individualizada para cada paciente. Vale lembrar que indivíduos com idade > 75 anos têm maior risco basal para DCV e, portanto, maior benefício absoluto de receber intervenções preventivas se comparados com indivíduos mais jovens.

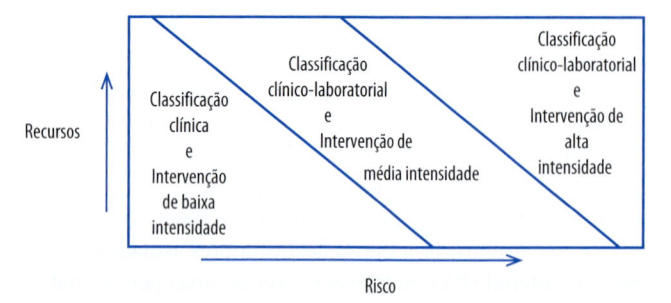

FIGURA 31.1 → Intensidade preventiva (classificação e intervenção): a figura ilustra que a intensidade aumenta com a disponibilidade de recursos e o grau de risco individual.

TABELA 31.1 → Critérios indicativos de alto risco cardiovascular e indicação de medidas de prevenção secundária

- → Doença aterosclerótica clínica: síndrome coronariana aguda, angina de peito, AVC ou ataque isquêmico transitório, doença arterial periférica, revascularização miocárdica prévia, endarterectomia prévia
- → Dislipidemia grave (colesterol total > 320 mg/dL, colesterol LDL > 240 mg/dL ou relação colesterol total/HDL > 8) ou dislipidemia familiar
- → Doença aneurismática de aorta ou doença vascular periférica
- → Doença renal crônica, TFGe < 60 mL/min/1,73 m² ou albuminúria

AVC, acidente vascular cerebral; HDL, lipoproteína de alta densidade; LDL, lipoproteína de baixa densidade; TFGe, taxa de filtração glomerular estimada.

```
┌─────────────────────────────────────────────────────┐
│              Avaliação clínica inicial              │
│  Idade e sexo, história clínica de manifestações    │
│  cardiovasculares, exame físico com base em         │
│  manifestações de aterosclerose, medida da PA,      │
│  circunferência abdominal, peso e altura, IMC       │
└─────────────────────────────────────────────────────┘
                        │
                        ▼
              ┌──────────────────┐      Sim    ┌──────────────────────────┐
              │   Indicadores de │────────────▶│   Prevenção secundária de│
              │ alto risco       │             │  DCV ou primária de      │
              │ cardiovascular?  │             │  alta intensidade        │
              │   (TABELA 33.1)  │             └──────────────────────────┘
              └──────────────────┘
                        │ Não
                        ▼
              ┌──────────────────┐      Não    ┌──────────────────────────┐
              │ Pacientes ≥ 40   │────────────▶│  Baixo risco cardiovascular│
              │ anos ou de idade │             │ (intervenções de baixa    │
              │ menor mas com    │             │  intensidade)             │
              │ pelo menos 1     │             └──────────────────────────┘
              │ fator de risco   │
              └──────────────────┘
                        │ Sim
                        ▼
              ┌──────────────────┐
              │    Avaliação     │
              │ laboratorial     │
              │ inicial:         │
              │ colesterol total │
              │ e HDL,           │
              │ triglicerídeos,  │
              │ glicemia de      │
              │ jejum, função    │
              │ renal            │
              └──────────────────┘
                        │
                        ▼
              ┌──────────────────┐
              │   Cálculo do     │
              │ risco            │
              │ cardiovascular   │
              │ em 10 anos       │
              └──────────────────┘
                        │
                        ▼
                 Risco moderado
                 Risco de 5 a 20% em
                 10 anos
                        │
             ┌──────────┼──────────┐
             │   Agravantes de risco │
             │   (TABELA 31.2)       │
             ▼          ▼          ▼
      Alto risco                 Baixo risco
      Risco ≥ 20%                Risco ≤ 5%
      em 10 anos                 em 10 anos
             │          │          │
             ▼          ▼          ▼
      Intervenções  Intervenções  Intervenções
      de alta       de média      de baixa
      intensidade   intensidade   intensidade
```

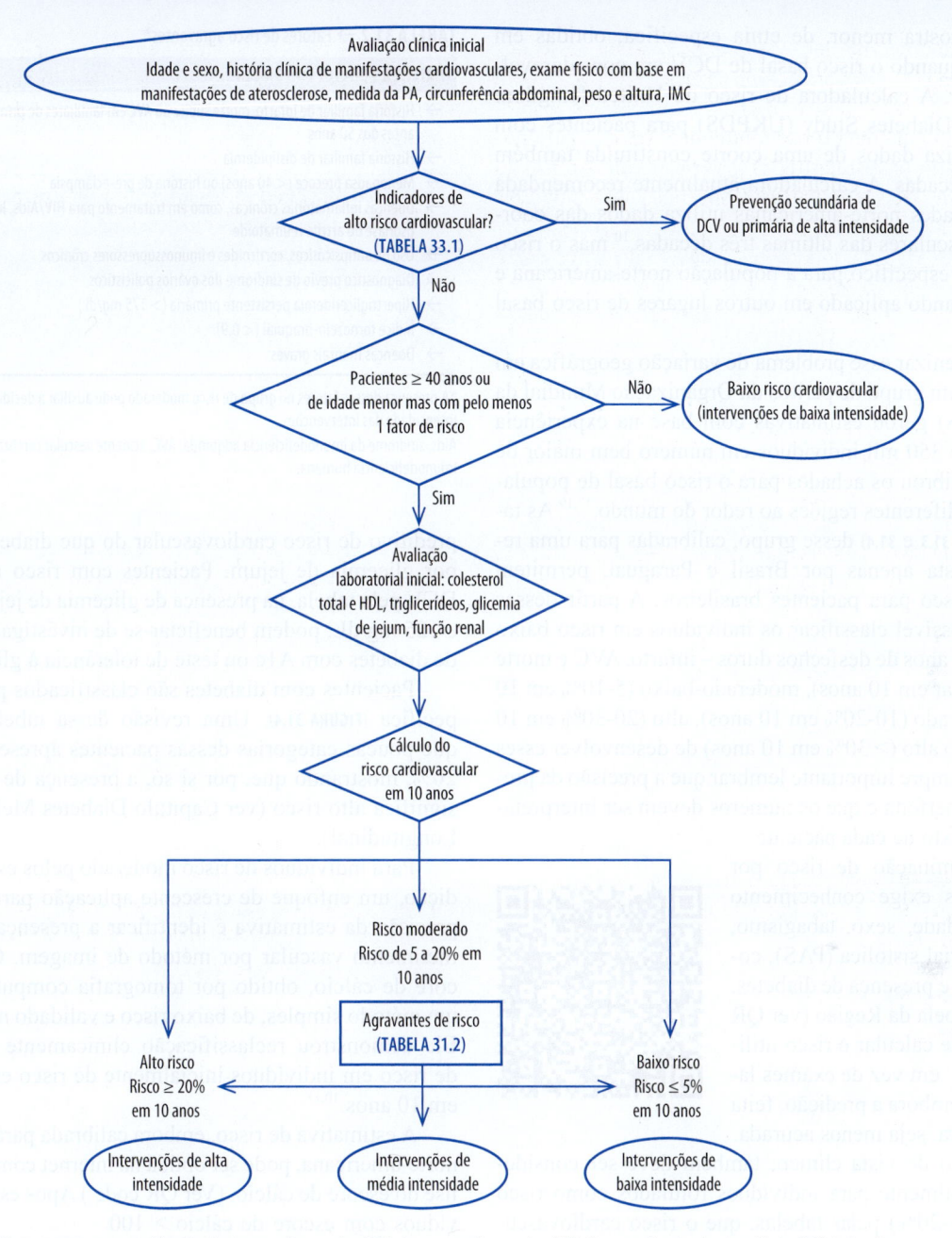

FIGURA 31.2 → Fluxograma para estratificação do risco cardiovascular. DCV, doença cardiovascular; HDL, lipoproteína de alta densidade; IMC, índice de massa corporal; PA, pressão arterial.

Em pacientes sem DCV estabelecida, o risco é bastante heterogêneo. Para estimá-lo, recomenda-se aplicar escores de predição de risco, apresentados em tabelas de estimativas de risco e calculadoras clínicas interativas disponíveis on-line ou como aplicativos em dispositivos móveis.[10–13,17–19] A maioria deles exige dados como idade, sexo, PA, tabagismo ou diabetes e o perfil lipídico do paciente por meio da coleta dos exames de colesterol total e colesterol HDL (lipoproteína de alta densidade [do inglês high-density lipoprotein]). Há diferenças importantes entre os escores. Talvez a mais importante seja o desfecho utilizado na expressão de risco, variando de muito restrito (p. ex., desfechos coronarianos duros [morte por doença coronariana ou infarto não fatal] ou mortalidade por doenças cardiovasculares) até bastante inclusivo (p. ex., DCV geral, que inclui angina, AVC, insuficiência cardíaca e doença vascular periférica, com probabilidade bem maior de desfechos).

A maioria das estimativas de risco contemporâneas tem sido construída em populações específicas, apesar do fato de que se sabe que o impacto dos fatores de risco é diferente dependendo da etnia, das condições de saúde, da combinações dos fatores, além de aspectos socioeconômicos.[20,21] Até o momento, nenhum instrumento foi desenvolvido ou adaptado para o contexto brasileiro.

As regras de Framingham, a classificação mais bem conhecida, não são mais recomendadas, por serem baseadas em uma amostra menor, de etnia específica, obtidas em uma época quando o risco basal de DCV era consideravelmente maior. A calculadora de risco do United Kingdom Prospective Diabetes Study (UKPDS) para pacientes com diabetes utiliza dados de uma coorte constituída também há muitas décadas. A calculadora atualmente recomendada pelas sociedades norte-americanas utiliza dados das coortes cardiovasculares das últimas três décadas,[10] mas o risco acaba sendo específico para a população norte-americana e gera viés quando aplicado em outros lugares de risco basal diferente.

Para amenizar esse problema de variação geográfica em risco basal, um grupo de peritos da Organização Mundial da Saúde (OMS) gerou estimativas com base na experiência com mais de 350 mil indivíduos em número bem maior de coortes e calibrou os achados para o risco basal de populações em 21 diferentes regiões ao redor do mundo.[17,19] As tabelas (FIGURAS 31.3 e 31.4) desse grupo, calibradas para uma região composta apenas por Brasil e Paraguai, permitem calcular o risco para pacientes brasileiros. A partir dessas tabelas, é possível classificar os indivíduos em risco baixo (< 5% em 10 anos de desfechos duros – infarto, AVC e morte cardiovascular em 10 anos), moderado-baixo (5-10% em 10 anos), moderado (10-20% em 10 anos), alto (20-30% em 10 anos) e muito alto (> 30% em 10 anos) de desenvolver esses eventos. É sempre importante lembrar que a precisão da predição não é perfeita e que os números devem ser interpretados no contexto de cada paciente.

A determinação de risco por essas tabelas exige conhecimento apenas de idade, sexo, tabagismo, pressão arterial sistólica (PAS), colesterol total e presença de diabetes. A terceira tabela da Região (ver QR code) permite calcular o risco utilizando o IMC em vez de exames laboratoriais, embora a predição, feita dessa maneira, seja menos acurada.

Do ponto de vista clínico, também deve ser considerado, especialmente para indivíduos rotulados como risco moderado (5-20%) pelas tabelas, que o risco cardiovascular pode ser mais elevado em determinadas situações agravantes (TABELA 31.2). Talvez a mais importante destas, pela sua prevalência, seja a privação socioeconômica.[22] Um estudo brasileiro ecológico investigou morte por doenças cardiovasculares em adultos de 45 a 64 anos documentou risco 163% maior em moradores de 25% dos bairros menos privilegiados em relação aos moradores de 25% dos bairros mais privilegiados.[23] Apenas parte desse risco adicional é mediado pela maior prevalência de fatores de risco. Por outro lado, como visto, privilégio social diminui o risco. Outras situações nas quais o risco pode ser subestimado pela tabela incluem pacientes em uso de anti-hipertensivos ou estatinas, ou que pararam recentemente de fumar. Níveis de triglicerídeos elevados e níveis extremos de colesterol HDL (< 30 e > 90 mg/dL) podem auxiliar na estratificação de risco.[24,25]

Diabetes detectado por glicemia de 2 horas após carga glicêmica[26] ou por hemoglobina glicada (A1c)[27] é mais preditivo de risco cardiovascular do que diabetes detectado por glicemia de jejum. Pacientes com risco moderado de DCV pela tabela, na presença de glicemia de jejum entre 100 e 125 mg/dL, podem beneficiar-se de investigação adicional de diabetes com A1c ou teste de tolerância à glicose (TTG).

Pacientes com diabetes são classificados por tabela específica (FIGURA 31.4). Uma revisão dessa tabela demonstra que poucas categorias dessas pacientes apresentam risco > 20%, mostrando que, por si só, a presença de diabetes não significa alto risco (ver Capítulo Diabetes Melito: Cuidado Longitudinal).

Para indivíduos de risco moderado pelos escores de predição, um enfoque de crescente aplicação para aumentar a precisão da estimativa é identificar a presença de comprometimento vascular por método de imagem. O uso do escore de cálcio, obtido por tomografia computadorizada, é um método simples, de baixo risco e validado nesse cenário. Ele demonstrou reclassificação clinicamente significativa de risco em indivíduos inicialmente de risco entre 5 e 20% em 10 anos.[10,11]

A estimativa de risco, embora calibrada para a população norte-americana, pode ser obtida na internet com e sem a análise do escore de cálcio. (Ver QR code.) Após esse teste, indivíduos com escore de cálcio > 100 unidades de Agatston são considerados com risco > 10%, suficiente para orientar ações preventivas, e aqueles com escore zero são considerados de risco muito baixo para os próximos 10 anos. Isso pode ser repetido em 5 anos para reavaliação de risco se inicialmente for normal.

No entanto, é importante atentar-se à limitada disponibilidade e custo adicional do teste. Não há análise da sua custo-efetividade considerando o contexto brasileiro. Essa avaliação em países desenvolvidos sugere que a estratégia de rastrear e reclassificar todos os pacientes de risco moderado com base no escore de cálcio resultaria em menos eventos. A identificação de indivíduos com escore zero talvez seja a maior utilidade do teste, uma vez que 200 pacientes adicionais cujo risco aumentou com essa estratégia

TABELA 31.2 → Fatores de risco agravantes*

PRIVAÇÃO SOCIOECONÔMICA
→ História familiar de infarto, morte súbita ou AVC em familiares de primeiro grau ocorridos antes dos 50 anos
→ História familiar de dislipidemia
→ Menopausa precoce (< 40 anos) ou história de pré-eclâmpsia
→ Doenças inflamatórias crônicas, como em tratamento para HIV/Aids, lúpus sistêmico, psoríase ou artrite reumatoide
→ Uso de antipsicóticos, corticoides e imunossupressores crônicos
→ Diagnóstico prévio de síndrome dos ovários policísticos
→ Hipertrigliceridemia persistente primária (> 175 mg/dL)
→ Índice tornozelo-braquial (< 0,9)
→ Doenças mentais graves

*A presença desses fatores no grupo de risco moderado pode auxiliar a decidir sobre o nível da intensidade das intervenções.
Aids, síndrome da imunodeficiência adquirida; AVC, acidente vascular cerebral; HIV, vírus da imunodeficiência humana.

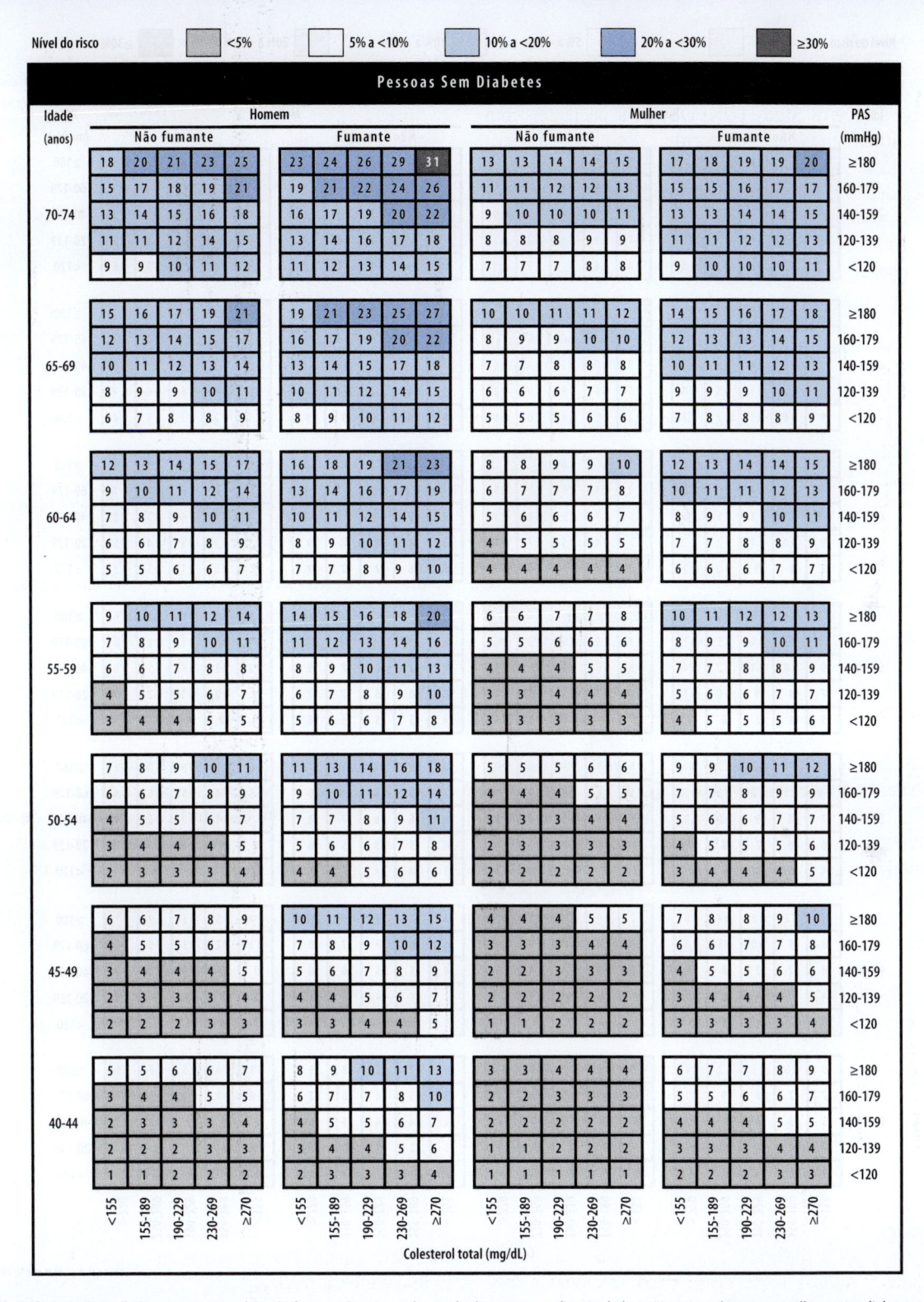

FIGURA 31.3 → Risco de desfechos coronarianos duros (infarto, acidente vascular cerebral ou morte cardiovascular) em 10 anos em homens e mulheres sem diabetes. PAS, pressão arterial sistólica.
Fonte: Adaptada de World Health Organization.[17,19]

teriam que tomar estatinas por 10 anos para cada evento cardiovascular evitado. Por todas essas considerações, a recomendação de rotina do uso do escore de cálcio coronariano fica restrita.[28-30]

A inclusão dos novos marcadores bioquímicos de risco aos escores de predição clínica melhora muito pouco a predição, embora esse assunto tenha atraído bastante atenção nos últimos anos. A inclusão dos biomarcadores proteína

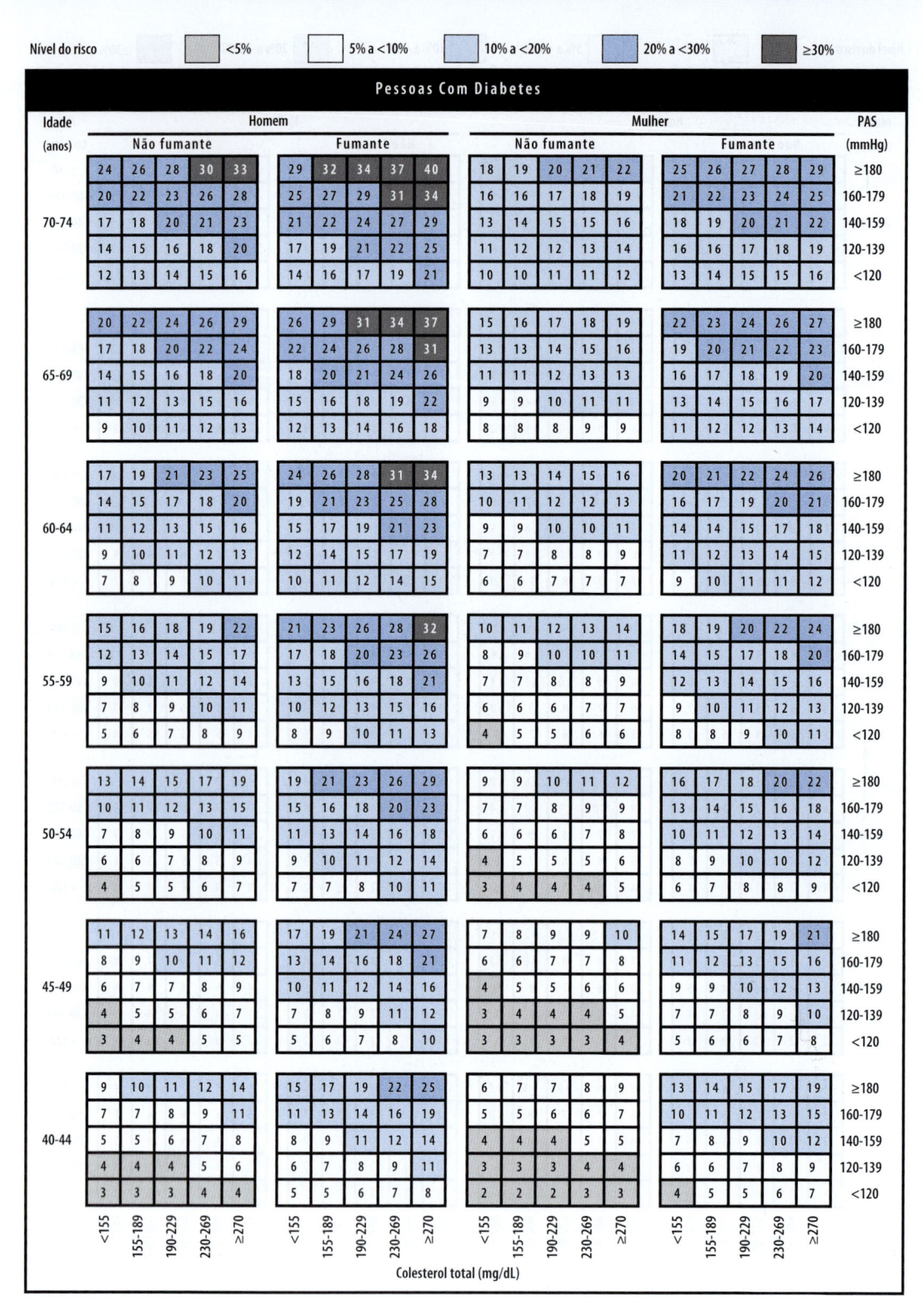

FIGURA 31.4 → Risco de desfechos coronarianos duros (infarto, acidente vascular cerebral ou morte cardiovascular) em 10 anos em homens e mulheres com diabetes.
PAS, pressão arterial sistólica.
Fonte: Adaptada de World Health Organization.[17,19]

C-reativa ultrassensível, fosfolipase 2 associada à lipoproteína, cistatina C e peptídeo natriurético tipo-B na predição de risco cardiovascular reclassificou apenas 8% para risco de DCV e 5% para risco coronariano,[31] sugerindo que, por enquanto, a adição dos novos biomarcadores de risco pode onerar o processo de classificação de risco, sem agregar relevantes melhorias na capacidade preditiva.

INTERVENÇÕES

Um estilo de vida saudável considerando os fatores atividade física, cessação do tabagismo, alimentação saudável, consumo leve ou moderado de álcool e peso adequado (vs. apenas 0 a 1 desses fatores saudáveis) está associado com redução de 66% de DCV, 60% de AVC e 69% de insuficiência cardíaca.[32] Inúmeras intervenções cardioprotetoras preventivas de benefício comprovado por ECRs com metodologia e poder estatístico adequados foram identificadas, como descrito a seguir. São abordadas também algumas intervenções apoiadas fundamentalmente por estudos observacionais, mas que merecem consideração pelo seu baixo custo, facilidade de execução e potencial impacto.

Alimentação saudável

Um dos pilares da prevenção cardiovascular é a alimentação saudável, cujas diretrizes foram estabelecidas por painel da OMS e da Organização das Nações Unidas (ONU) para a Alimentação e a Agricultura. Ao longo das últimas décadas, houve a mudança de uma ênfase em nutrientes, especialmente gorduras saturadas, para uma ênfase em alimentos, favorecendo o consumo maior de alimentos derivados de plantas – grãos integrais, nozes e castanhas, leguminosas, verduras e frutas – e diminuição no consumo de alimentos ultraprocessados.[10,33] O caminho para seu alcance é indicado pelo *Guia alimentar para a população brasileira* do Ministério da Saúde.[34,35] (Para mais detalhes, ver Capítulo Alimentação Saudável do Adulto.) A seguir, são apresentadas algumas abordagens nutricionais avaliadas especificamente para a prevenção das doenças cardiovasculares ou seus fatores de risco.

Alimentos cardioprotetores

Algumas intervenções nutricionais mostraram-se efetivas na redução de eventos cardiovasculares. Dietas à base de plantas protegem contra doenças cardiovasculares.[36–39]

A tradicional dieta mediterrânea é caracterizada por alta ingestão de gordura monoinsaturada, proteínas, vegetais, grãos integrais e peixe; consumo moderado de álcool; baixo consumo de carne vermelha, cereais refinados e doces; e consumo de azeite de oliva e óleo de canola como as principais fontes de gordura (a manteiga e os cremes são substituídos por margarina à base de óleo de canola).[40]

Um ECR com 7.447 participantes da Espanha demonstrou que a dieta mediterrânea e a suplementação diária com azeite de oliva extravirgem ou nozes e castanhas variadas reduziram a incidência de doenças cardiovasculares em 30% e 28%, respectivamente.[41] Esse benefício tem sido confirmado em outros estudos, tanto em prevenção primária quanto secundária **B**.[42] Salienta-se que o padrão alimentar mediterrâneo é rico em fibras e pobre em alimentos com carboidratos simples refinados e em comidas ultraprocessadas. Além disso, a substituição ou escolha de carnes brancas e alimentos de origem vegetal parece adicionar benefício na redução da mortalidade total.

O consumo de café associa-se ao menor risco cardiovascular (RRR ~10% para consumo de até 4 xícaras/dia e ~5% para consumo maior) **C/D**.[43] No entanto, os grãos de café contêm as substâncias cafestol e *kahweol*, que elevam o colesterol LDL (lipoproteína de baixa densidade [do inglês *low-density lipoprotein*]). O filtro de papel retém essas substâncias. Uma metanálise demonstrou aumento de 10 a 30 mg/dL de LDL em pacientes que bebem várias xícaras de café por dia preparado sem filtro de papel, e o efeito é maior nos indivíduos com hipercolesterolemia.[44] Assim, recomenda-se o uso de filtro de papel no preparo do café para pacientes com hipercolesterolemia ou alto risco cardiovascular. Salienta-se que café expresso, café descafeinado ou café instantâneo não elevam os níveis de colesterol LDL.

Estudos observacionais sugerem que o consumo de chocolate, especialmente chocolate amargo, com maior teor de cacau, reduz eventos cardiovasculares (RRR ~10%).[45]

Os ácidos graxos ômega-3 de particular interesse para a prevenção das doenças cardiovasculares são o ácido eicosapentaenoico (EPA) e o ácido docosa-hexaenoico (DHA), encontrados predominantemente em peixes como atum, salmão, truta e sardinha e óleos de peixe. O ácido graxo encontrado em óleos vegetais como canola, soja, linhaça e nas nozes e castanhas é do tipo alfalinoleico (ALA).[46] No entanto, não existe evidência de que a suplementação de ômega-3 apresente um efeito protetor com redução de eventos cardiovasculares, mesmo em indivíduos de mais alto risco ou com doença estabelecida.[47,48] A suplementação com margarina enriquecida com ômega-3 não reduziu eventos cardiovasculares, mesmo em pacientes com infarto prévio **B**.[48] Como parte de uma dieta saudável, os indivíduos devem ser encorajados a ingerir alimentos ricos nesse nutriente (p. ex., peixes como atum, salmão, truta e sardinha) **C/D**.[49]

No Brasil, muitos alimentos básicos (feijão, óleo de soja, peixes – sobretudo os de água fria –, castanha-do-pará, verduras e frutas) ou amplamente disponíveis (óleo de canola, grãos integrais, produtos à base de soja) encaixam-se dentro do paradigma dessas dietas e das orientações do *Guia alimentar*. Para tanto, a ingestão precisa apenas ser incentivada.[35]

Dietas hipocolesterolêmicas e anti-hipertensivas

Dietas com redução de ácidos graxos saturados (por meio de redução da ingesta de gordura e/ou substituição de gordura saturada por gordura insaturada) podem ser protetoras para a ocorrência de eventos cardiovasculares maiores[47,50] **B**. Isso explica, em parte, o benefício para a recomendação de dietas ricas em proteína de origem vegetal (leite de soja, proteína texturizada de soja, tofu, leguminosas, ovos), fibras solúveis, sementes e grãos (nozes, amêndoas, castanha-de-caju, etc.), pois, além de reduzir os níveis de colesterol total e sua fração LDL, contribuem para proteção de risco de eventos.

Também se deve evitar alguns alimentos específicos que aumentam o colesterol. Um importante risco está associado aos ácidos graxos *trans*, presentes em margarinas e outros alimentos processados que contêm óleos vegetais hidrogenados (alimentos industrializados como biscoitos, bolos confeitados e salgadinhos, sorvetes e *fast-food*), e, com frequência, não é possível identificar sua presença pela leitura do rótulo.[51] A ingestão desses alimentos deve ser minimizada devido ao efeito danoso no perfil lipídico, que eleva de maneira clinicamente importante os níveis de colesterol LDL e reduz os níveis de colesterol HDL. Embora tenha havido importante redução na introdução de ácidos graxos *trans* em alimentos ultraprocessados na última década, evitar esses alimentos é a ação mais importante para evitar o consumo desses ácidos.

A relação entre a ingestão diária de sal e a incidência de hipertensão está bem estabelecida. Em média, a redução da ingestão de sal para 6 g/dia está relacionada com a redução de 2,9 e 5,5 mmHg da pressão arterial diastólica (PAD) e da PAS em pacientes hipertensos e de 0,3 e 1,1 mmHg, respectivamente, em pacientes sem hipertensão. Esse efeito é maior em indivíduos afrodescendentes e de origem asiática[52] (ver Capítulos Hipertensão Arterial Sistêmica e Alimentação Saudável do Adulto).

Tabagismo

A recomendação para o abandono do tabagismo deve ser universal. O uso de qualquer produto derivado do tabaco, mesmo em doses baixas, está relacionado com aumento do risco cardiovascular.[53] Há redução significativa na incidência de doença coronariana e AVC com a cessação do tabagismo (RRR = 36%) B.[54,55]

O benefício de parar de fumar é muito grande, especialmente para o paciente com risco moderado ou alto de DCV. Intervenções farmacológicas e não farmacológicas possuem benefício comprovado em relação ao desfecho de abandono do tabagismo. Quando apresentadas em programas estruturados, apresentam taxas de sucesso de 30 a 50% em pacientes motivados, e devem ser empregadas para alcançar esse objetivo (ver Capítulo Tabagismo).

Álcool

Diversos estudos observacionais demonstram que indivíduos que ingerem quantidades moderadas de álcool, independentemente do tipo de bebida, apresentam redução de cerca de 25% na incidência de doença arterial coronariana B.[56,57] A quantidade de álcool associada a uma menor mortalidade coronariana é de 10 a 30 g (1 a 3 drinques) por dia para homens e metade dessa quantidade para mulheres.

Vale lembrar, entretanto, que o uso prejudicial de álcool, por ser fator de risco para violência, acidentes de trânsito, AVC, insuficiência cardíaca e uma proporção de casos de câncer,[58] é um dos principais fatores de risco para morbimortalidade em países como o Brasil. Considerando esses aspectos, tanto do ponto de vista clínico quanto populacional, não existe espaço para promover o consumo de álcool como uma estratégia de prevenção.[58] Estratégias para minimizar o risco de um bebedor moderado passar a beber de forma prejudicial são apresentadas no Capítulo Problemas Relacionados ao Consumo de Álcool.

Atividade física

A maior frequência na realização de atividade física traz benefícios cardiovasculares em dois níveis – no primeiro, por evitar excesso de tempo sedentário e, no segundo, por aumento em atividades físicas de intensidade moderada ou vigorosa.

Evidências consistentes de estudos observacionais demonstram que a realização de atividade moderada a intensa durante o tempo livre está associada à redução do risco de eventos cardiovasculares tanto em homens como em mulheres, independentemente da idade (RRR = 40% para ≥ 150 min/semana) B.[59] Quando comparados com sedentários, mesmo indivíduos com níveis de atividade física abaixo do recomendado já apresentam redução do risco cardiovascular. O benefício é progressivamente maior com o aumento da quantidade e da intensidade cumulativa da atividade física.[60,61] Esses achados apoiam as recomendações de que qualquer atividade física é melhor do que nenhuma e de que pacientes que já realizam atividade física devem ser incentivados a aumentar sua intensidade. Dessa forma, a recomendação é praticar atividade física regular por pelo menos 150 minutos por semana acumulados de atividade de intensidade moderada ou 75 minutos por semana de atividade intensa. Períodos curtos (< 10 minutos) e esparsos parecem ser tão benéficos que os de longa duração[59,61,62] (ver Capítulo Promoção da Atividade Física).

A importância de considerar, além da quantia de atividade física exercida, também o tempo sedentário pode ser vista na **FIGURA 31.5**,[63] que mostra a fração irrisória do dia ocupada por atividades moderadas ou vigorosas.

Maior tempo em atividades sedentárias (sentado, p. ex., assistindo à televisão ou utilizando o celular ou o computador) confere maior risco de eventos cardiovasculares (ARR = 14%, comparando grupos de maior e menor tempo sentado), especialmente naqueles que não praticam a quantia recomendada de atividade física.[64]

Perda e manutenção do peso

A obesidade, caracterizada tanto pelo aumento do IMC quanto da circunferência abdominal, está associada a aumento da incidência de diabetes, hipertensão arterial e eventos cardiovasculares.[65] Desde a infância, esforços devem

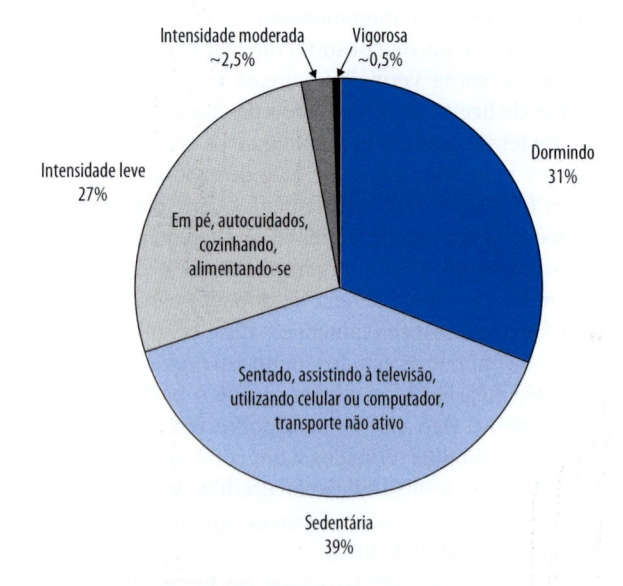

FIGURA 31.5 → Padrão típico de atividades diárias.
Fonte: Adaptada de Norton e colaboradores.[63]

ser despendidos para manter o peso total e abdominal ideal. (Ver Capítulos Excesso de Peso em Crianças e Obesidade: Prevenção e Tratamento.)

As dietas para perda de peso têm benefício comprovado na redução da PA, do IMC e, talvez, da mortalidade precoce em indivíduos obesos.[66] Embora provavelmente haja benefício em pacientes de maior risco,[67] os estudos clínicos ainda não demonstraram, de modo claro, a relação em desfechos cardiovasculares duros.[68,69] Independentemente da comprovação do benefício na redução de risco cardiovascular, indivíduos não obesos devem receber orientação para manutenção do peso. Aqueles com maior risco cardiovascular com IMC ≥ 25 kg/m^2 ou medidas de circunferência abdominal > 102 cm para homens e > 88 cm para mulheres devem ser incentivados a reduzir o peso mediante orientação de dieta e aumento da atividade física.

O uso da terapia farmacológica para redução de peso sempre é motivo de preocupação pelos estudos anteriores mostrando risco com alguns fármacos. A sibutramina, por exemplo, apesar da redução média de peso de 4,3 kg em 3 anos, aumentou em 16% o risco de eventos cardiovasculares (número necessário para causar dano [NNH, do inglês *number needed to harm*] = 72 em 3,4 anos) em pacientes de alto risco e com idade > 55 anos **B**.[70] Avanços recentes com agonistas de GLP-1 oferecem a possibilidade de revolucionar o tratamento não cirúrgico de obesidade, embora seu preço atual limite em muita sua aplicabilidade. (Ver Capítulo Obesidade: Prevenção e Tratamento).

Anti-hipertensivos

A hipertensão arterial é um importante fator de risco modificável de doenças cardiovasculares. O benefício da redução dos níveis pressóricos, por meio de terapia farmacológica específica, foi extensamente estudado em revisões sistemáticas e ECRs envolvendo milhares de pacientes. Estima-se que 51% dos AVCs e 45% da mortalidade por doença coronariana sejam atribuídos à elevação da PAS.[71]

Em pacientes hipertensos, o uso de anti-hipertensivos comprovadamente reduz o risco de eventos cardiovasculares, independentemente da história pregressa de DCV A.[71,72]

Na ausência de doença clínica, é necessário tratar cerca de 20 pessoas com hipertensão moderada a grave ($\geq 160/90$ mmHg) por 5 anos para evitar um evento cardiovascular maior (eventos e mortalidade por infarto ou AVC, hospitalização, morte por insuficiência cardíaca e outras mortes por DCV).[71] Cada redução de 10 mmHg na PAS reduz em 20% o risco de DCV, em 17% o risco de doença coronariana, em 27% o risco de AVC, em 28% o risco de insuficiência cardíaca e em 13% o risco de mortalidade total. Esse benefício é maior em indivíduos com doença prévia, diabetes melito e doença renal crônica.

Em prevenção primária, além das medidas não farmacológicas, a terapia anti-hipertensiva deve ser considerada se os níveis de PA se mantêm $\geq 130/80$ mmHg em indivíduos de risco moderado a alto ($> 10\%$ em 10 anos), naqueles com diabetes melito e múltiplos fatores de risco ou com doença renal crônica.[73,74] No entanto, a intensificação do tratamento em pacientes com diabetes com PAS inicial < 140 mmHg, embora reduza AVCs (RRR = 31%, NNT = 1.047), não reduz os eventos cardiovasculares de maneira geral (RRR = 4%) ou a mortalidade (RRA = 7%).[73] Nesse grupo de indivíduos, a decisão de alcançar a PA mais baixa também deve ser guiada pelo risco basal individual de eventos cardiovasculares; aqueles de maior risco parecem ter benefício em manter níveis $< 130/80$ mmHg.

Em indivíduos de baixo risco cardiovascular, o impacto do uso de terapia farmacológica em pacientes com níveis $< 140/90$ mmHg para redução do risco cardiovascular ainda é desconhecido.[72,75] Diferentemente do benefício demonstrado em ensaios com a média de PAS ≥ 140 mmHg, uma metanálise de ensaios de pacientes que, em média, tinham PAS < 140 mmHg não demonstrou benefício em termos de eventos cardiovasculares (RRR = 3%), mortalidade cardiovascular (RRA = 3%) ou mortalidade geral (RRR = 2%) **B**.[75]

Em prevenção secundária, o uso de alguns fármacos anti-hipertensivos está associado a uma redução de eventos cardiovasculares mesmo em pacientes sem hipertensão. Existem evidências consistentes para recomendação do uso de betabloqueadores pós-infarto do miocárdio, inibidores da enzima conversora da angiotensina (IECAs) e bloqueadores de receptores da angiotensina (BRAs) em pacientes com diabetes, insuficiência cardíaca e cardiopatia isquêmica **A**.[9,12,72]

Em decorrência do benefício, do custo relativamente baixo e da taxa pequena de efeitos colaterais na maioria dos pacientes, os anti-hipertensivos formam a linha de frente para o manejo farmacológico do risco cardiovascular em pacientes hipertensos (ver Capítulos Hipertensão Arterial Sistêmica e Cardiopatia Isquêmica).

Ácido acetilsalicílico

O uso de antiplaquetários, em especial o ácido acetilsalicílico em dose baixa (75-150 mg/dia), reduz a morbimortalidade cardiovascular em pacientes que apresentaram doença vascular oclusiva, como cardiopatia isquêmica em suas manifestações agudas e crônicas, AVC e doença vascular periférica. O ácido acetilsalicílico em prevenção secundária reduziu em 17% o risco de evento combinado, infarto, AVC e mortalidade cardiovascular (NNT = 67 em 1 ano) **A**.[76]

O uso do ácido acetilsalicílico foi reavaliado em vários ensaios clínicos em indivíduos sem doença estabelecida, mas com risco moderado, e não demonstrou efeito na mortalidade total ou cardiovascular. O uso de ácido acetilsalicílico reduziu eventos cardiovasculares combinados (RRR = 11%, NNT = 241 em 7 anos) devido, principalmente, à redução de infarto (RRR = 15%, NNT = 361) e AVCs não fatais (RRR = 19%, NNT = 540).[77] Entretanto, em todos os estudos, a incidência de sangramento, especialmente gastrintestinal, dobrou com o uso de ácido acetilsalicílico.[78,79] Em pacientes com diabetes melito e sem DCV, o uso de ácido acetilsalicílico reduz a incidência de eventos vasculares (RRR = 12% e NNT = 90 em 7 anos), mas as custas de aumento de 30% na taxa de sangramentos maiores (NNH = 111 em

7 anos) **A**.⁸⁰,⁸¹ A decisão de usar o ácido acetilsalicílico na prevenção primária, incluindo pacientes com diabetes, deve considerar risco vascular e de sangramento; a decisão deve ser compartilhada com o paciente, se possível. Aplicativos de apoio à decisão estão disponíveis para uso em ácido acetilsalicílico, mas infelizmente ainda não são adequados ao risco basal da população brasileira.[82]

> Considerando que o risco de eventos cardiovasculares aumenta com a idade, pacientes de mais alto risco cardiovascular (> 20% em 10 anos) entre 50 e 69 anos e com baixo risco de eventos hemorrágicos podem se beneficiar do uso de ácido acetilsalicílico. O uso de ácido acetilsalicílico é desaconselhado em indivíduos de menor risco, naqueles com idade > 70 anos e com alto risco de sangramento.

Outros agentes antiplaquetários estão disponíveis com mecanismos de ação distintos aos do ácido acetilsalicílico e menor incidência de hemorragia gastrintestinal **A**, entre eles clopidogrel (75 mg, 1 ×/dia), ticagrelor (90 mg, 2 ×/dia) e prasugrel (10 mg, 1 ×/dia). O clopidogrel é uma opção ao ácido acetilsalicílico, mas é reservado para pacientes de risco cardiovascular elevado e que apresentam contraindicações ou intolerância ao uso do ácido acetilsalicílico.[10–12] Os outros antiplaquetários não foram avaliados em indivíduos sem doença vascular conhecida.

Estatinas e outros fármacos hipolipemiantes

O colesterol sérico tem relação direta com o risco de DCV e é um dos principais fatores de risco modificáveis. As estatinas são fármacos de escolha para redução dos níveis de colesterol em prevenção primária e secundária de eventos vasculares. Estudos avaliando o efeito do tratamento com estatinas têm demonstrado que a redução de 40 mg/dL do colesterol LDL está associada à redução de 23% para 12% na mortalidade por eventos cardiovasculares, sendo o efeito duplicado com redução maior de colesterol.[83,84]

Pela relação entre colesterol e risco cardiovascular, fármacos hipolipemiantes são classificados pelo efeito na redução de colesterol LDL, que pode ser alcançado por diferentes doses de estatinas. As estatinas são classificadas como de alta, moderada ou baixa intensidade pela redução de colesterol LDL, em média ≥ 50%, entre 30 e 49% e < 30%, respectivamente (TABELA 31.3). A progressão da aterosclerose pode ocorrer com níveis de colesterol LDL de apenas 20 a 60 mg/dL. Não há risco de eventos adversos significativos relacionados ao tratamento que obtém nível de colesterol LDL de apenas 25 mg/dL.[8,9,85] A escolha da intensidade da terapia deve ser baseada no risco cardiovascular estimado; quanto mais alto for o risco, maior será a chance de benefício com redução mais intensa do colesterol.

Em prevenção secundária, as estatinas foram eficazes na redução de eventos cardiovasculares maiores (RRR = 22%, NNT = 27 em 5 anos), com risco de eventos adversos, em especial rabdomiólise, não diferente daquele do placebo.[86] Em estudo avaliando apenas pacientes com infarto prévio, o uso da estatina reduziu o risco de infarto fatal e não fatal (RRR = 25%, NNT = 26 em 2 anos), mortalidade por doença coronariana (RRR = 23%, NNT = 71 em 2 anos) e mortalidade geral (RRR = 16%, NNT = 55 em 2 anos) **A**.[86]

Devido ao seu baixo risco e benefício bem-estabelecido, as estatinas são recomendadas como parte do arsenal terapêutico em todos os pacientes adultos para prevenção secundária de DCV, mesmo para aqueles que não apresentam alteração significativa do perfil lipídico.[8,9,11] Nesses pacientes, recomenda-se tratamento intensivo, com objetivo de maior redução nos níveis de colesterol. O tratamento deve ser iniciado com atorvastatina 40 a 80 mg/dia ou rosuvastatina 20 a 40 mg, e o aumento da dose ou a substituição da estatina devem ser considerados se a meta de redução do colesterol não for alcançada (níveis ideais de colesterol LDL < 70 mg/dL) ou se houver contraindicação. A terapia mais intensa mostrou maior benefício, especialmente em indivíduos que tiveram evento agudo, como infarto, angina ou AVC.[87,88] Para indivíduos que não toleram estatinas ou que não alcançam redução desejada no nível de colesterol LDL, a ezetimiba pode ser considerada. Quando associada com estatina, a ezetimiba mostrou redução adicional de eventos vasculares maiores (RRR = 6%; NNT = 50 em 7 anos em pacientes com história de síndrome coronariana aguda) **A**.[86]

As estatinas, suas doses e efeitos, em termos de capacidade de baixar o colesterol LDL, estão apresentados na TABELA 31.2.[84,89]

Em indivíduos sem DCV prévia, os resultados são semelhantes em termos relativos, mas de menor magnitude, tornando a decisão de uso mais complexa.[89,90]

> O uso de estatina em prevenção primária foi eficaz na redução de eventos cardiovasculares maiores (RRR = 26%), mortalidade geral (RRR = 11%) e AVC não fatal (RRR = 17%) **A**.[86] Assumindo um risco global basal > 15% ou > 10% em 10 anos, a estatina é efetiva na redução de eventos coronarianos principais (RRR = 29%, NNT = 29 e NNT = 43 em 10 anos, respectivamente) **A**.[86,87] Portanto, em prevenção primária, o uso de estatina deve estar fundamentado na estimativa do risco cardiovascular global do indivíduo.

São candidatas ao uso de estatina as pessoas com risco de eventos coronarianos duros ≥ 20% em 10 anos

TABELA 31.3 → Potência dos principais fármacos hipocolesterolemiantes em ensaios clínicos

FÁRMACO	CAPACIDADE DE DIMINUIR O COLESTEROL LDL			
	FAIXA DE DOSE (MG)	DOSE (MG)	REDUÇÃO (MG/DL)	(%)
Atorvastatina	10-20	10	70	37
Atorvastatina	40-80	80	100	55
Pravastatina	20-80	40	55	29
Pitavastatina	2-4	2	28	31
Rosuvastatina	5-40	40	100	55
Sinvastatina	10-40*	40	30	37
Ezetimiba	5-10	10	17	10

* O uso de sinvastatina 80 mg deve ser evitado devido ao aumento do risco de rabdomiólise.[83,87]
LDL, lipoproteína de baixa densidade.

independentemente dos níveis de colesterol LDL. Para esses indivíduos, são considerados alvos terapêuticos válidos um colesterol < 160 mg/dL ou colesterol LDL < 70 mg/dL, ou redução de 25 a 30%. Embora não seja mandatório, o monitoramento anual é aconselhado como forma de controle da adesão e estímulo ao tratamento. Outros agentes hipolipemiantes não são recomendados, tanto como alternativa à estatina quanto como adição a eles para prevenção primária cardiovascular. Antes de oferecer tratamento com estatina, recomenda-se intensificar o controle dos outros fatores de risco modificáveis.

Em caso de níveis elevados de colesterol total ou de colesterol LDL, deve-se também considerar possíveis causas tratáveis de hipercolesterolemia secundária. Entre elas, destacam-se hipotireoidismo (sugerido pela presença de pele áspera, com evidência de diminuição da sudorese, reflexos lentos e lentidão de movimentos, intolerância ao frio e fadiga; e confirmado por elevação do hormônio estimulante da tireoide [TSH]), doença renal crônica, hepatopatias crônicas e uso de hormônios – progestagênios, corticoides e esteroides anabólicos – e isotretinoína. É importante lembrar que outros fármacos, como ciclosporina e inibidores de protease, também podem elevar o colesterol total. Em geral, essas causas podem ser facilmente descartadas pelo exame clínico dos pacientes ou até mesmo por exames laboratoriais simples.

O tratamento com estatina em prevenção primária de DCV pode ser iniciado com sinvastatina 40 mg/dia. Na presença de contraindicações ou interações com o uso de sinvastatina, recomenda-se o uso de pravastatina em dose baixa ou outra estatina.

Os efeitos colaterais devem ser monitorados mediante investigação de sintomas musculares como dor, sensibilidade e fraqueza. Apenas na presença desses sintomas é indicada a avaliação da creatinofosfoquinase (CPK). Na suspeita clínica forte de mialgia secundária, o medicamento deve ser suspenso para confirmar a hipótese diagnóstica. As enzimas hepáticas (alanino-aminotransferase [ALT] e aspartato-aminotransferase [AST]) devem ser avaliadas antes do início do tratamento, 3 meses após e sempre que houver aumento de dose. A estatina deve ser suspensa somente quando os níveis de transaminases aumentarem > 3 vezes os níveis considerados normais. Se o paciente estiver em uso de fármacos metabolizados pelas mesmas isoenzimas do sistema do citocromo P-450 (TABELA 31.4),[8,84,91] o risco de paraefeitos é maior. Em termos absolutos, a ocorrência de eventos adversos é muito baixa em comparação ao benefício vascular. Em prevenção primária, o tratamento de 2 mil pessoas por 5 anos pode prevenir 100 eventos vasculares maiores, causar 1 caso de miopatia e 10 a 20 novos casos de diabetes.[90]

Estudos avaliando fibratos ou ácidos nicotínicos não demonstraram benefício na redução de mortalidade por DCV. Portanto, esses medicamentos não são recomendados com objetivo de prevenção primária de doenças cardiovasculares A.[92]

Em indivíduos com níveis de triglicerídeos > 500 mg/dL após o manejo de causas secundárias (p. ex., diabetes com glicemia fora de controle), dieta específica (basicamente substituição de carboidratos, em especial os refinados, por gorduras vegetais, sobretudo ácidos graxos monoinsaturados, e ingesta mínima de álcool) e exercícios, pode ser considerada a associação de fibratos, com objetivo de prevenir pancreatite aguda. Quando associados ao uso de estatinas, há aumento do risco de rabdomiólise, o que deve ser monitorado. Tratamento com icosapent ethyl (Vascepa®), ainda não disponível no Brasil, reduz eventos cardiovasculares em 25% (NNT = 21) em prevenção secundária em pacientes já tratados com estatinas, mas com triglicerídeos entre 135 e 499 mg/dL B.[93]

Hipercolesterolemia familiar confere risco 20 vezes maior para desenvolvimento de doença aterosclerótica prematura, sendo frequentemente subdiagnosticada. A suspeita clínica deve ser levantada em pacientes jovens, com altos níveis de colesterol LDL ou não HDL e história familiar de DCV prematura.[94,95] Portadores de dislipidemias familiares ou suspeita (TABELA 31.5)[8,9,94,95] e pacientes com colesterol total > 350 mg/dL após repetição ou triglicerídeos > 885 mg/dL (10 mmol/L) após modificações alimentares, mesmo sem história de DCV prematura na família, devem ser encaminhados para avaliação com especialista.

Tratamento farmacológico combinado

Considerando que entre os fatores de risco modificáveis das doenças cardiovasculares estão hipertensão, dislipidemia e disfunção plaquetária, foi formulada a hipótese de que uma pílula composta (polipílulas) por múltiplos fármacos em baixas doses, entre eles diuréticos tiazídicos, IECAs, estatina e ácido acetilsalicílico, poderia aumentar a adesão dos pacientes ao tratamento, minimizando efeitos colaterais e evitando inúmeros eventos cardiovasculares. O impacto de polipílulas na prevenção de eventos cardiovasculares foi testada em estudos clínicos tanto em prevenção primária quanto secundária. Eles demonstraram redução da PA e do colesterol LDL, bem como tolerabilidade semelhante ao uso dos medicamentos, com eventos adversos esperados

TABELA 31.4 → Interações medicamentosas das estatinas com substratos ou inibidores de isoenzimas do sistema do citocromo P-450

ESTATINA*	ISOENZIMA	FÁRMACOS
Atorvastatina, sinvastatina e lovastatina	CYP3A4	Genfibrozila, amiodarona, varfarina, ciclosporina, inibidores da protease, eritromicina, claritromicina, antifúngicos imidazólicos, nefazodona, niacina, verapamil e diltiazém
Fluvastatina	CYP2C9	Genfibrozila, varfarina, ciclosporina, niacina, glibenclamida, colchicina, eritromicina, claritromicina, antifúngicos imidazólicos e fenitoína
Pravastatina		Interação baixa; recomenda-se cuidado na administração simultânea com amprenavir, ciclosporina, eritromicina e genfibrozila
Rosuvastatina	Parcialmente metabolizada em CYP2C9 e 2C19	Interação baixa; entretanto, é um medicamento novo, e efeitos colaterais podem ser desconhecidos; recomenda-se cuidado na administração simultânea com ciclosporina e genfibrozila

* A associação de fibratos com estatinas deve ser evitada, em especial a genfibrozila. Se necessário, deve-se optar por outro fibrato. Os efeitos colaterais devem ser monitorados por meio de avaliação clínica (sinais e sintomas de miopatia) e, em casos suspeitos, pelo nível sérico de creatinofosfoquinase (CPK). O medicamento deve ser suspenso na presença de alterações.
Fonte: Brasil.[91]

TABELA 31.5 → Critérios para suspeita clínica e diagnóstico de dislipidemia familiar

SUSPEITA CLÍNICA
Colesterol total > 260 mg/dL ou colesterol LDL > 155 mg/dL em crianças com idade < 16 anos, ou colesterol total > 290 mg/dL ou colesterol LDL > 190 mg/dL em adultos*
MAIS
História familiar de infarto: < 50 anos em familiar de segundo grau e < 60 anos em familiar de primeiro grau **OU**
História familiar de colesterol total > 290 mg/dL em familiar adulto de primeiro ou segundo grau ou > 260 mg/dL em filho, irmão ou irmã com idade < 16 anos
DEFINIÇÃO DIAGNÓSTICA†
Alterações nos níveis de colesterol conforme definido na suspeita clínica
MAIS
Xantomas tendíneos em paciente ou familiar de primeiro ou segundo grau, ou xantelasma palpebral **OU**
Arco corneal < 45 anos
Evidência de mutação no receptor LDL, apo B-100 ou mutação PCSK9 em exame de DNA

* Realizar pelo menos duas avaliações laboratoriais para confirmação.
† Após a exclusão de causas secundárias de dislipidemias.
DNA, ácido desoxirribonucleico; LDL, lipoproteína de baixa densidade.
Fonte: National Institute for Health and Clinical Excellence[94] e Nordestgaard e colaboradores.[95]

para os compostos utilizados.[85,86] Em relação aos desfechos cardiovasculares principais, o uso do composto hidroclorotiazida 12,5 mg, ácido acetilsalicílico 81 mg, atorvastatina 20 mg e enalapril 5 mg, adicionado a hábitos saudáveis, reduziu eventos combinados cardiovasculares isquêmicos e AVC em 34%, embora sem efeito na mortalidade total **B**.[96] É importante destacar que se trata de uma estratégia de tratamento, e as polipílulas testadas são diferentes das disponíveis atualmente no Brasil, algumas com fármacos não mais recomendados de rotina, como ácido fólico e ácido acetilsalicílico. Outros estudos estão em andamento e devem auxiliar na adoção rotineira dessa estratégia, a qual é dependente da disponibilidade de diferentes combinações de prevenção e de um posicionamento de saúde pública.[97]

Outras intervenções

Terapia de reposição hormonal

Estudos observacionais demonstraram que mulheres usuárias de terapia de reposição hormonal (TRH) possuíam risco notavelmente menor de apresentar eventos cardiovasculares. Contudo, ECRs demonstraram, ao contrário, um aumento na incidência de eventos isquêmicos cardiovasculares, bem como de tromboembolismo venoso e de neoplasia ginecológica em usuárias de TRH **A**.[98,99] É importante destacar que estudos mais recentes sugerem que, para mulheres saudáveis de baixo risco cardiovascular, nos primeiros anos pré-menopausa (< 10 anos), não parece haver risco cardiovascular aumentado, e pode existir um benefício no controle de sintomas.[100,101]

No presente momento, não existe indicação para o uso de qualquer forma ou dosagem de TRH como medida de prevenção cardiovascular. Pelo contrário, pacientes de risco vascular devem suspender o medicamento, em especial após eventos agudos. Entretanto, para pacientes de baixo risco cardiovascular, o manejo dos sintomas ou risco aumentado de fraturas requer uma avaliação de risco-benefício para decisão individual (ver Capítulo Climatério).

Vitaminas, agentes antioxidantes e suplementação de cálcio

Apesar do destaque atual do papel do estresse oxidativo no desenvolvimento de aterosclerose e da associação de baixos níveis de vitaminas antioxidantes com doença coronariana em estudos observacionais, diversos ensaios clínicos de grande porte demonstraram aumento no risco com o uso das vitaminas antioxidantes A e E na prevenção de desfechos cardiovasculares maiores. Assim, é contraindicada sua prescrição, mesmo quando são suplementos vitamínicos pelos pacientes.[102] Da mesma forma, a suplementação vitamínica com vitaminas B, C ou ácido fólico não se mostrou efetiva em reduzir eventos cardiovasculares, não sendo recomendada como estratégia de prevenção **A**.[103]

O cálcio e a vitamina D são utilizados na prevenção e no tratamento de osteoporose. No entanto, o uso do cálcio, independentemente da associação com vitamina D, foi associado ao aumento de 20% no risco de DCV e 21% no risco de infarto **C/D**.[104] A suplementação com vitamina D também não resulta em benefício na redução de câncer[105] (ver Capítulo Osteoporose).

Anti-inflamatórios não esteroides

Os anti-inflamatórios não esteroides (AINEs) são medicamentos amplamente usados no controle da dor osteomuscular e da cefaleia.

Como grupo, os AINEs produzem aumento clinicamente significativo no risco de infarto B.[106,107] Uma metanálise avaliando sete classes de AINEs em comparações diretas e indiretas com placebo estimou que todos (ibuprofeno, diclofenaco e vários AINEs seletivos) – salvo o naproxeno – produziram aumento, de 43 a 126%, no risco de infarto, AVC ou morte cardiovascular. Esse efeito foi maior em pacientes com doença coronariana e em uso de altas doses de AINEs. Eles também causaram aumento superior a duas vezes no risco de insuficiência cardíaca.[107]

Apesar da limitação da avaliação para outros AINEs, acredita-se que o risco se estenda para todas as classes, com provável exceção do naproxeno. Como para qualquer tratamento sintomático, os riscos e benefícios devem ser considerados antes da prescrição dos anti-inflamatórios. Caso haja indicação, deve-se optar pelo naproxeno, se possível.

ELEMENTOS PARA A TOMADA DE DECISÃO SOBRE PREVENÇÃO

Idealmente, para que o uso de intervenções preventivas e terapêuticas possa ser justificado, deveriam estar disponíveis evidências de qualidade metodológica adequada indicando efeitos clinicamente relevantes em desfechos cardiovasculares maiores, com razões de custo-efetividade favoráveis para o contexto brasileiro. Essas exigências assumem maior importância no tratamento de indivíduos assintomáticos, nos quais o princípio *primum non nocere* (primeiro não ferir) é de suma importância.

Nunca é demais enfatizar que, para serem justificadas, essas terapias preventivas – em especial quando aplicadas a indivíduos de menor risco, frequentemente apresentando NNTs muito altos – devem significar melhor uso dos recursos disponíveis do que as demais demandas. A partir de uma perspectiva social, esses usos alternativos incluem, dentro do setor de saúde, melhorar o cuidado de outras condições médicas sintomáticas, melhorar a infraestrutura e melhorar a remuneração dos profissionais de saúde. Incluem também, fora do setor de saúde, em termos genéricos, o cumprimento de outras demandas sociais, como educação, segurança e moradia. A partir de uma perspectiva individual, intervenções que implicam gastos financeiros pessoais competem por recursos com outras demandas legítimas, como reservas financeiras para o futuro, educação para os filhos, melhorias da casa e férias.

Além disso, é importante levar em consideração a perspectiva de cada paciente em relação à prevenção. Pouco se ganha, e muito se pode perder, quando se rotula e prescreve tratamento preventivo a indivíduos que não demonstram interesse em atividades voltadas ao cuidado de sua saúde futura.

Deve-se também considerar que a efetividade de intervenções sobre estilo de vida é limitada pelas definições socioculturais de dieta saudável, de nível adequado de atividade física e da presença de outros fatores de risco como o tabagismo. Nesse sentido, mudanças importantes no risco cardiovascular dependem de mudanças nessas definições socioculturais. Repetidos aconselhamentos, mesmo aos indivíduos de alto risco, são incapazes de efetuar mudanças limitadas pelo ambiente sociocultural. A adoção dessas medidas pelos profissionais de saúde é um passo importante nesse processo de mudança de padrões sociais. Um ECR conduzido em diferentes cenários no Brasil demonstrou que intervenções multifacetadas aumentam a adesão a mudanças no estilo de vida e de terapias farmacológicas em grupos de alto risco.[16]

Para garantir a efetividade das intervenções, o paciente, sempre que possível, deve participar ativamente da tomada de decisões, sobretudo na escolha daquelas que exigem mudanças de comportamento (ver Capítulo Método Clínico Centrado na Pessoa).

A ESCOLHA DE INTERVENÇÕES

A TABELA 31.6 lista intervenções com evidências convincentes para recomendação, agrupadas em quatro níveis de intensidade. É necessário observar que nem todas são apoiadas pelo mesmo nível de evidência. Em geral, para recomendar intervenções farmacológicas de longa duração, exigiram-se benefícios clínicos substanciais apoiados por alto nível de evidência; para recomendar intervenções não farmacológicas, exigiram-se benefícios clínicos substanciais apoiados por moderado nível de evidência, por apresentarem menor custo e menor risco de paraefeitos. A exigência de mudanças comportamentais indica que as intervenções não farmacológicas deveriam ser prescritas principalmente a pacientes motivados a fazê-las. (Ver Capítulos Método Clínico Centrado na Pessoa e Abordagem para Mudança de Estilo de Vida.)

As intervenções recomendadas para os pacientes de maior risco incluem também as oferecidas aos de menor risco.

Ações de intensidade baixa

As intervenções de intensidade baixa incluem aconselhamento quanto à realização de atividade física regular de intensidade moderada a intensa, na maioria dos dias; orientações gerais sobre dieta saudável; abandono do tabagismo; e manutenção de peso e cintura nas faixas consideradas saudáveis.

Sempre que possível, os indivíduos hipertensos de baixo risco global devem ter seus níveis pressóricos tratados inicialmente a partir de medidas não farmacológicas. (Ver Capítulo Hipertensão Arterial Sistêmica para indicações de farmacoterapia.)

Ações de intensidade moderada

As intervenções de intensidade moderada, indicadas para pacientes com risco de eventos cardiovasculares duros, entre 5 e 20% em 10 anos, iniciam-se com a intensificação de hábitos de vida saudáveis. Recomendações nutricionais incluem uma dieta com características nutricionais semelhantes às da dieta mediterrânea e estímulo ao aumento nas quantidades ingeridas de alimentos como proteínas de

TABELA 31.6 → Intervenções utilizadas em prevenção primária de eventos cardiovasculares

RISCO CARDIOVASCULAR	INTERVENÇÃO
Baixo	Aconselhamento quanto a: → Cessação do tabagismo → Alimentação saudável → Manutenção de peso/circunferência da cintura → Atividade física → Ênfase em medidas não farmacológicas e diurético de baixa dose para hipertensão, estágio 1, quando presente
Moderado	Adicionar: → Intensificação de conselhos sobre estilo de vida → Dieta com características cardioprotetoras → Considerar farmacoterapia contra tabagismo → Considerar estatinas → Cautela no uso de AINEs → Ênfase no controle efetivo da hipertensão arterial sistêmica
Alto	Adicionar: → Estatinas → Ácido acetilsalicílico em homens com idade > 55 anos e mulheres com idade > 65 anos*
Risco muito alto ou doença estabelecida	→ Considerar estatina de alta intensidade → Ácido acetilsalicílico como prevenção secundária

* Em indivíduos com baixo risco de hemorragia digestiva. O risco de hemorragia é maior naqueles com sintomas dispépticos, história de úlcera péptica ou usuários crônicos de AINEs.
AINEs, anti-inflamatórios não esteroides.

origem vegetal, restrição de gordura *trans* e de carne vermelha ou processada. Aumenta-se a indicação de tratamento farmacológico de hipertensão, quando presente.

Estratégias motivacionais e intervenções farmacológicas destinadas à cessação do tabagismo são indicadas, caso o simples aconselhamento do médico não tenha sido efetivo. O uso de antiplaquetários (ácido acetilsalicílico) não está indicado nessa categoria devido ao potencial risco de dano e pequeno benefício observado. Pode ser considerada uma estatina para adultos com idade > 40 anos de maior risco nessa categoria. A decisão de iniciar a administração de estatina deve levar em consideração a presença de fatores agravantes. Estima-se, nesse grupo de indivíduos, pressupondo uma RRR de 30% com tratamento, que o NNT para evitar um evento cardiovascular com 10 anos de tratamento seria 17 para quem tem risco de 15% de desfecho coronariano duro em 10 anos e 25 para quem tem risco de 10%.

Ações de intensidade alta

As intervenções de intensidade alta, indicadas em pacientes com DCV clínica ou risco de eventos coronarianos duros > 20% em 10 anos, são, em prevenção primária, centradas em controle adequado dos níveis tensionais, farmacoterapia com estatinas e, para casos selecionados, ácido acetilsalicílico. Para pacientes de muito alto risco (> 30%) ou doença vascular identificada, é recomendável o uso de estatinas de alta intensidade. O tratamento de insuficiência cardíaca, quando presente, precisa ser otimizado (ver Capítulo Insuficiência Cardíaca). O uso de antiplaquetários está indicado em pacientes com DCV estabelecida. Em prevenção primária, o uso do ácido acetilsalicílico somente oferece mais benefícios do que malefícios em homens ou mulheres cujo risco de infarto seja alto o suficiente para compensar o risco de hemorragia, principalmente gastrintestinal.

REFERÊNCIAS

1. GBD 2016 Brazil Collaborators. Burden of disease in Brazil, 1990-2016: a systematic subnational analysis for the Global Burden of Disease Study 2016. Lancet. 2018;392(10149):760–75.
2. Heart Protection Study Collaborative Group. MRC/BHF Heart Protection Study of cholesterol lowering with simvastatin in 20,536 high-risk individuals: a randomised placebo-controlled trial. Lancet Lond Engl. 2002;360(9326):7–22.
3. Heart Outcomes Prevention Evaluation Study Investigators, Yusuf S, Sleight P, Pogue J, Bosch J, Davies R, et al. Effects of an angiotensin-converting-enzyme inhibitor, ramipril, on cardiovascular events in high-risk patients. N Engl J Med. 2000;342(3):145–53. Erratum in: N Engl J Med 2000;342(10):748.
4. PROGRESS Collaborative Group. Randomised trial of a perindopril-based blood-pressure-lowering regimen among 6,105 individuals with previous stroke or transient ischaemic attack. Lancet. 2001;358(9287):1033–41. Erratum in: Lancet 2002 Jun 15;359(9323):2120.
5. Shepherd J, Cobbe SM, Ford I, Isles CG, Lorimer AR, MacFarlane PW, et al. Prevention of coronary heart disease with pravastatin in men with hypercholesterolemia. West of Scotland Coronary Prevention Study Group. N Engl J Med. 1995;333(20):1301–7.
6. Pedersen TR, Olsson AG, Faergeman O, Kjekshus J, Wedel H, Berg K, et al. Lipoprotein changes and reduction in the incidence of major coronary heart disease events in the Scandinavian Simvastatin Survival Study (4S). Circulation. 1998;97(15):1453–60.
7. Précoma DB, Oliveira GMM de, Simão AF, Dutra OP, Coelho OR, Izar MCO, et al. Updated Cardiovascular Prevention Guideline of the Brazilian Society of Cardiology – 2019. Arq Bras Cardiol. 2019;113(4):787–891.
8. Faludi AA, Izar MCO, Saraiva JFK, Chacra APM, Bianco HT, Afiune Neto A et al. Atualização da diretriz brasileira de dislipidemias e prevenção da aterosclerose – 2017. Arq Bras Cardiol. 2017;109(2 Supl 1):1–76.
9. Wilson PWF, Polonsky TS, Miedema MD, Khera A, Kosinski AS, Kuvin JT. Systematic Review for the 2018 AHA/ACC/AACVPR/AAPA/ABC/ACPM/ADA/AGS/APhA/ASPC/NLA/PCNA Guideline on the management of blood cholesterol: a report of the American College of Cardiology/American Heart Association Task Force on Clinical Practice Guidelines. J Am Coll Cardiol. 2019;73(24):3210-27. Erratum in: J Am Coll Cardiol. 2019;73(24):3242.
10. Arnett DK, Blumenthal RS, Albert MA, Buroker AB, Goldberger ZD, Hahn EJ, et al. 2019 ACC/AHA Guideline on the Primary Prevention of Cardiovascular Disease: a report of the American College of Cardiology/American Heart Association Task Force on Clinical Practice Guidelines. Circulation. 2019;140(11):e596–646.
11. Cosentino F, Grant PJ, Aboyans V, Bailey CJ, Ceriello A, Delgado V, et al. 2019 ESC Guidelines on diabetes, pre-diabetes, and cardiovascular diseases developed in collaboration with the EASD. Eur Heart J. 2020;41(2):255–323.
12. Arps K, Pallazola VA, Cardoso R, Meyer J, Jones R, Latina J, et al. Clinician's Guide to the Updated ABCs of Cardiovascular Disease Prevention: a review part 1. Am J Med. 2019;132(6):e569–80.
13. Arps K, Pallazola VA, Cardoso R, Meyer J, Jones R, Latina J, et al. Clinician's Guide to the Updated ABCs of Cardiovascular Disease Prevention: a review part 2. Am J Med. 2019;132(7):e599–609.
14. Nascimento BR, Brant LCC, Oliveira GMM, Malachias MVB, Reis GMA, Teixeira RA, et al. Cardiovascular Disease Epidemiology in Portuguese-Speaking Countries: data from the Global Burden of Disease, 1990 to 2016. Arq Bras Cardiol. 2018;110(6):500–11.
15. Nowbar AN, Gitto M, Howard JP, Francis DP, Al-Lamee R. Mortality from ischemic heart disease. Circ Cardiovasc Qual Outcomes. 2019;12(6):e005375.
16. Machline-Carrion MJ, Soares RM, Damiani LP, Campos VB, Sampaio B, Fonseca FH, et al. Effect of a multifaceted quality improvement intervention on the prescription of evidence-based treatment in patients at high cardiovascular risk in Brazil: the BRIDGE cardiovascular prevention cluster randomized clinical trial. JAMA Cardiol. 2019;4(5):408–17.
17. WHO CVD Risk Chart Working Group. World Health Organization cardiovascular disease risk charts: revised models to estimate risk in 21 global regions. Lancet Glob Health. 2019;7(10):e1332–45.
18. SIGN 149 Risk estimation and the prevention of cardiovascular disease [Internet]. Edinburgh: Scottish Intercollegiate Guidelines Network; 2017 [capturado em 16 maio 2020]. Disponível em: https://www.sign.ac.uk/sign-149-risk-estimation-and-the-prevention-of-cardiovascular-disease.
19. World Health Organization. Hearts: technical package for cardiovascular disease management in primary health care [Internet]. Geneva: WHO; 2016 [capturado em 16 maio 2020]. Disponível em: https://apps.who.int/iris/bitstream/handle/10665/252661/9789241511377-eng.pdf;jsessionid=CEDCE35DB60EB3EA5D9A6DC7E7F6FACC?sequence=1.
20. Rana JS, Tabada GH, Solomon MD, Lo JC, Jaffe MG, Sung SH, et al. Accuracy of the atherosclerotic cardiovascular risk equation in a large contemporary, multiethnic population. J Am Coll Cardiol. 2016;67(18):2118–30.
21. DeFilippis AP, Young R, Carrubba CJ, McEvoy JW, Budoff MJ, Blumenthal RS, et al. An analysis of calibration and discrimination

among multiple cardiovascular risk scores in a modern multiethnic cohort. Ann Intern Med. 2015;162(4):266–75.

22. Wang SY, Tan ASL, Claggett B, Chandra A, Khatana SAM, Lutsey PL, et al. Longitudinal associations between income changes and incident cardiovascular disease: the atherosclerosis risk in communities study. JAMA Cardiol. 2019;4(12):1203-12.

23. Bassanesi SL, Azambuja MI, Achutti A. Premature mortality due to cardiovascular disease and social inequalities in Porto Alegre: from evidence to action. Arq Bras Cardiol. 2008;90(6):370–9.

24. Madsen T, Erlangsen A, Orlovska S, Mofaddy R, Nordentoft M, Benros ME. Association between traumatic brain injury and risk of suicide. JAMA. 2018;320(6):580–8.

25. Mach F, Baigent C, Catapano AL, Koskinas KC, Casula M, Badimon L, et al. 2019 ESC/EAS Guidelines for the management of dyslipidaemias: lipid modification to reduce cardiovascular risk. Eur Heart J. 2020;41(1):111–88.

26. DECODE Study Group, the European Diabetes Epidemiology Group. Glucose tolerance and cardiovascular mortality: comparison of fasting and 2-hour diagnostic criteria. Arch Intern Med. 2001;161(3):397–405.

27. Selvin E, Steffes MW, Zhu H, Matsushita K, Wagenknecht L, Pankow J, et al. Glycated hemoglobin, diabetes, and cardiovascular risk in nondiabetic adults. N Engl J Med. 2010;362(9):800–11.

28. Budoff MJ, Young R, Burke G, Jeffrey Carr J, Detrano RC, Folsom AR, et al. Ten-year association of coronary artery calcium with atherosclerotic cardiovascular disease (ASCVD) events: the multi-ethnic study of atherosclerosis (MESA). Eur Heart J. 2018;39(25):2401–8.

29. Nasir K, Bittencourt MS, Blaha MJ, Blankstein R, Agatson AS, Rivera JJ, et al. Implications of coronary artery calcium testing among statin candidates according to American College Of Cardiology/American Heart Association Cholesterol Management Guidelines: MESA (Multi-Ethnic Study of Atherosclerosis). J Am Coll Cardiol. 2015;66(15):1657–68.

30. Lin JS, Evans CV, Johnson E, Redmond N, Coppola EL, Smith N. Nontraditional risk factors in cardiovascular disease risk assessment: updated evidence report and systematic review for the us preventive services task force. JAMA. 2018;320(3):281–97.

31. Melander O, Newton-Cheh C, Almgren P, Hedblad B, Berglund G, Engström G, et al. Novel and conventional biomarkers for prediction of incident cardiovascular events in the community. JAMA. 2009;302(1):49–57.

32. Barbaresko J, Rienks J, Nöthlings U. Lifestyle indices and cardiovascular disease risk: a meta-analysis. Am J Prev Med. 2018;55(4):555–64.

33. Srour B, Fezeu LK, Kesse-Guyot E, Allès B, Méjean C, Andrianasolo RM, et al. Ultra-processed food intake and risk of cardiovascular disease: prospective cohort study (NutriNet-Santé). BMJ. 2019;365:l1451.

34. Nishida C, Uauy R, Kumanyika S, Shetty P. The joint WHO/FAO expert consultation on diet, nutrition and the prevention of chronic diseases: process, product and policy implications. Public Health Nutr. 2004;7(1A):245–50.

35. Brasil. Ministério da Saúde. Guia alimentar para a população brasileira. 2. ed. Brasília: MS; 2014.

36. Afshin A, Micha R, Khatibzadeh S, Mozaffarian D. Consumption of nuts and legumes and risk of incident ischemic heart disease, stroke, and diabetes: a systematic review and meta-analysis. Am J Clin Nutr. 2014;100(1):278–88.

37. Luo C, Zhang Y, Ding Y, Shan Z, Chen S, Yu M, et al. Nut consumption and risk of type 2 diabetes, cardiovascular disease, and all-cause mortality: a systematic review and meta-analysis. Am J Clin Nutr. 2014;100(1):256–69.

38. Mayhew AJ, de Souza RJ, Meyre D, Anand SS, Mente A. A systematic review and meta-analysis of nut consumption and incident risk of CVD and all-cause mortality. Br J Nutr. 2016;115(2):212–25.

39. Wang X, Ouyang Y, Liu J, Zhu M, Zhao G, Bao W, et al. Fruit and vegetable consumption and mortality from all causes, cardiovascular disease, and cancer: systematic review and dose-response meta-analysis of prospective cohort studies. BMJ. 2014;349:g4490.

40. Sofi F, Abbate R, Gensini GF, Casini A. Accruing evidence on benefits of adherence to the Mediterranean diet on health: an updated systematic review and meta-analysis. Am J Clin Nutr. 2010;92(5):1189–96.

41. Estruch R, Ros E, Salas-Salvadó J, Covas M-I, Corella D, Arós F, et al. primary prevention of cardiovascular disease with a mediterranean diet supplemented with extra-virgin olive oil or nuts. N Engl J Med. 2018;378(25):e34.

42. Rees K, Takeda A, Martin N, Ellis L, Wijesekara D, Vepa A, et al. Mediterranean-style diet for the primary and secondary prevention of cardiovascular disease. Cochrane Database Syst Rev. 2019;3(3):CD009825.

43. Ding M, Bhupathiraju SN, Satija A, van Dam RM, Hu FB. Long-term coffee consumption and risk of cardiovascular disease: a systematic review and a dose-response meta-analysis of prospective cohort studies. Circulation. 2014;129(6):643–59.

44. Jee SH, He J, Appel LJ, Whelton PK, Suh I, Klag MJ. Coffee consumption and serum lipids: a meta-analysis of randomized controlled clinical trials. Am J Epidemiol. 2001;153(4):353–62.

45. Larsson SC, Åkesson A, Gigante B, Wolk A. Chocolate consumption and risk of myocardial infarction: a prospective study and meta-analysis. Heart Br Card Soc. 2016;102(13):1017–22.

46. Wang C, Harris WS, Chung M, Lichtenstein AH, Balk EM, Kupelnick B, et al. n-3 Fatty acids from fish or fish-oil supplements, but not alpha-linolenic acid, benefit cardiovascular disease outcomes in primary- and secondary-prevention studies: a systematic review. Am J Clin Nutr. 2006;84(1):5–17.

47. Abdelhamid AS, Brown TJ, Brainard JS, Biswas P, Thorpe GC, Moore HJ, et al. Omega-3 fatty acids for the primary and secondary prevention of cardiovascular disease. Cochrane Database Syst Rev. 2018;11(11):CD003177.

48. ASCEND Study Collaborative Group, Bowman L, Mafham M, Wallendszus K, Stevens W, Buck G, et al. Effects of n-3 Fatty acid supplements in Diabetes Mellitus. N Engl J Med. 2018;379(16):1540–50.

49. Chowdhury R, Warnakula S, Kunutsor S, Crowe F, Ward HA, Johnson L, et al. Association of dietary, circulating, and supplement fatty acids with coronary risk: a systematic review and meta-analysis. Ann Intern Med. 2014;160(6):398–406.

50. Clifton PM, Keogh JB. A systematic review of the effect of dietary saturated and polyunsaturated fat on heart disease. Nutr Metab Cardiovasc Dis. 2017;27(12):1060–80.

51. Mozaffarian D, Katan MB, Ascherio A, Stampfer MJ, Willett WC. Trans fatty acids and cardiovascular disease. N Engl J Med. 2006;354(15):1601–13.

52. Adler AJ, Taylor F, Martin N, Gottlieb S, Taylor RS, Ebrahim S. Reduced dietary salt for the prevention of cardiovascular disease. Cochrane Database Syst Rev. 2014;(12):CD009217.

53. Teo KK, Ounpuu S, Hawken S, Pandey MR, Valentin V, Hunt D, et al. Tobacco use and risk of myocardial infarction in 52 countries in the INTERHEART study: a case-control study. Lancet. 2006;368(9536):647–58.

54. Critchley JA, Capewell S. Mortality risk reduction associated with smoking cessation in patients with coronary heart disease: a systematic review. JAMA. 2003;290(1):86–97.

55. Pan A, Wang Y, Talaei M, Hu FB. Relation of smoking with total mortality and cardiovascular events among patients with Diabetes Mellitus: a meta-analysis and systematic review. Circulation. 2015;132(19):1795–804.

56. Ronksley PE, Brien SE, Turner BJ, Mukamal KJ, Ghali WA. Association of alcohol consumption with selected cardiovascular disease outcomes: a systematic review and meta-analysis. BMJ. 2011;342:d671.

57. Schütze M, Boeing H, Pischon T, Rehm J, Kehoe T, Gmel G, et al. Alcohol attributable burden of incidence of cancer in eight European countries based on results from prospective cohort study. BMJ. 2011;342:d1584.

58. GBD 2016 Alcohol Collaborators. Alcohol use and burden for 195 countries and territories, 1990-2016: a systematic analysis for the Global Burden of Disease Study 2016. Lancet. 2018;392(10152):1015-35. Erratum in: Lancet. 2019;393(10190):e44.

59. Kraus WE, Powell KE, Haskell WL, Janz KF, Campbell WW, Jakicic JM, et al. Physical activity, all-cause and cardiovascular mortality, and cardiovascular disease. Med Sci Sports Exerc. 2019;51(6):1270–81.

60. Sattelmair J, Pertman J, Ding EL, Kohl HW, Haskell W, Lee I-M. Dose response between physical activity and risk of coronary heart disease: a meta-analysis. Circulation. 2011;124(7):789–95.

61. Blond K, Brinkløv CF, Ried-Larsen M, Crippa A, Grøntved A. Association of high amounts of physical activity with mortality risk: a systematic review and meta-analysis. Br J Sports Med. 2019; bjsports-2018-100393.

62. Haskell WL, Lee I-M, Pate RR, Powell KE, Blair SN, Franklin BA, et al. Physical activity and public health: updated recommendation for adults from the American College of Sports Medicine and the American Heart Association. Circulation. 2007;116(9):1081–93.

63. Norton K, Norton L, Sadgrove D. Position statement on physical activity and exercise intensity terminology. J Sci Med Sport. 2010;13(5):496–502.

64. Bailey DP, Hewson DJ, Champion RB, Sayegh SM. Sitting time and risk of cardiovascular disease and diabetes: a systematic review and meta-analysis. Am J Prev Med. 2019;57(3):408–16.

65. Larsson SC, Bäck M, Rees JMB, Mason AM, Burgess S. Body mass index and body composition in relation to 14 cardiovascular conditions in UK Biobank: a Mendelian randomization study. Eur Heart J. 2020;41(2):221–6.

66. Look AHEAD Research Group, Wing RR, Bolin P, Brancati FL, Bray GA, Clark JM, et al. Cardiovascular effects of intensive lifestyle intervention in type 2 diabetes. N Engl J Med. 2013;369(2):145–54.

67. de Vries TI, Dorresteijn JAN, van der Graaf Y, Visseren FLJ, Westerink J. Heterogeneity of treatment effects from an intensive lifestyle weight loss intervention on cardiovascular events in patients with Type 2 Diabetes: data from the look AHEAD trial. Diabetes Care. 2019;42(10):1988–94.

68. Ma C, Avenell A, Bolland M, Hudson J, Stewart F, Robertson C, et al. Effects of weight loss interventions for adults who are obese on mortality, cardiovascular disease, and cancer: systematic review and meta-analysis. BMJ. 2017;359:j4849.

69. LeBlanc ES, Patnode CD, Webber EM, Redmond N, Rushkin M, O'Connor EA. Behavioral and pharmacotherapy weight loss interventions to prevent obesity-related morbidity and mortality in adults: updated evidence report and systematic review for the US Preventive Services Task Force. JAMA. 2018;320(11):1172–91.

70. James WPT, Caterson ID, Coutinho W, Finer N, Van Gaal LF, Maggioni AP, et al. Effect of sibutramine on cardiovascular outcomes in overweight and obese subjects. N Engl J Med. 2010;363(10):905–17.

71. Law MR, Morris JK, Wald NJ. Use of blood pressure lowering drugs in the prevention of cardiovascular disease: meta-analysis of 147 randomised trials in the context of expectations from prospective epidemiological studies. BMJ. 2009;338:b1665.

72. Ettehad D, Emdin CA, Kiran A, Anderson SG, Callender T, Emberson J, et al. Blood pressure lowering for prevention of cardiovascular disease and death: a systematic review and meta-analysis. Lancet Lond Engl. 2016;387(10022):957–67.

73. Emdin CA, Rahimi K, Neal B, Callender T, Perkovic V, Patel A. Blood pressure lowering in type 2 diabetes: a systematic review and meta-analysis. JAMA. 2015;313(6):603–15.

74. SPRINT Research Group, Wright JT, Williamson JD, Whelton PK, Snyder JK, Sink KM, et al. A Randomized Trial of Intensive versus Standard Blood-Pressure Control. N Engl J Med. 2015;373(22):2103–16.

75. Brunström M, Carlberg B. Association of blood pressure lowering with mortality and cardiovascular disease across blood pressure levels: a systematic review and meta-analysis. JAMA Intern Med. 2018;178(1):28–36.

76. Antithrombotic Trialists' (ATT) Collaboration, Baigent C, Blackwell L, Collins R, Emberson J, Godwin J, et al. Aspirin in the primary and secondary prevention of vascular disease: collaborative meta-analysis of individual participant data from randomised trials. Lancet Lond Engl. 2009;373(9678):1849–60.

77. Zheng SL, Roddick AJ. Association of aspirin use for primary prevention with cardiovascular events and bleeding events: a systematic review and meta-analysis. JAMA. 2019;321(3):277–87.

78. McNeil JJ, Wolfe R, Woods RL, Tonkin AM, Donnan GA, Nelson MR, et al. Effect of aspirin on cardiovascular events and bleeding in the healthy elderly. N Engl J Med. 2018;379(16):1509–18.

79. Gaziano JM, Brotons C, Coppolecchia R, Cricelli C, Darius H, Gorelick PB, et al. Use of aspirin to reduce risk of initial vascular events in patients at moderate risk of cardiovascular disease (ARRIVE): a randomised, double-blind, placebo-controlled trial. Lancet. 2018;392(10152):1036–46.

80. Saito Y, Okada S, Ogawa H, Soejima H, Sakuma M, Nakayama M, et al. Low-dose Aspirin for primary prevention of cardiovascular events in patients with Type 2 Diabetes Mellitus: 10-year follow-up of a randomized controlled trial. Circulation. 2017;135(7):659–70.

81. ASCEND Study Collaborative Group, Bowman L, Mafham M, Wallendszus K, Stevens W, Buck G, et al. Effects of aspirin for primary prevention in persons with Diabetes Mellitus. N Engl J Med. 2018;379(16):1529–39.

82. Mora S, Manson J, Ames J. Aspirin guide [Internet]. Boston: Brigham and Women's Hospital; 2016 [capturado em 16 maio 2020]. Disponível em: http://www.aspiringuide.com/nav/1.

83. Cholesterol Treatment Trialists' (CTT) Collaboration, Baigent C, Blackwell L, Emberson J, Holland LE, Reith C, et al. Efficacy and safety of more intensive lowering of LDL cholesterol: a meta-analysis of data from 170,000 participants in 26 randomised trials. Lancet. 2010;376(9753):1670–81.

84. Yebyo HG, Aschmann HE, Kaufmann M, Puhan MA. Comparative effectiveness and safety of statins as a class and of specific statins for primary prevention of cardiovascular disease: A systematic review, meta-analysis, and network meta-analysis of randomized trials with 94,283 participants. Am Heart J. 2019;210:18–28.

85. Robinson JG, Rosenson RS, Farnier M, Chaudhari U, Sasiela WJ, Merlet L, et al. Safety of very low low-density lipoprotein cholesterol levels with alirocumab: pooled data from randomized trials. J Am Coll Cardiol. 2017;69(5):471–82.

86. Silverman MG, Ference BA, Im K, Wiviott SD, Giugliano RP, Grundy SM, et al. Association between lowering ldl-c and cardiovascular risk reduction among different therapeutic interventions: a systematic review and meta-analysis. JAMA. 2016;316(12):1289–97.

87. Vale N, Nordmann AJ, Schwartz GG, de Lemos J, Colivicchi F, den Hartog F, et al. Statins for acute coronary syndrome. Cochrane Database Syst Rev. 2014;(9):CD006870.

88. Tramacere I, Boncoraglio GB, Banzi R, Del Giovane C, Kwag KH, Squizzato A, et al. Comparison of statins for secondary prevention in patients with ischemic stroke or transient ischemic attack: a systematic review and network meta-analysis. BMC Med. 2019;17(1):67.

89. Statin use for the primary prevention of cardiovascular disease in adults: Recommendation Statement. Am Fam Physician. 2017;95(2):Online.

90. Collins R, Reith C, Emberson J, Armitage J, Baigent C, Blackwell L, et al. Interpretation of the evidence for the efficacy and safety of statin therapy. Lancet. 2016;388(10059):2532–61.

91. Brasil. Ministério da Saúde. Agência Nacional de Vigilância Sanitária. Bulário eletrônico – Anvisa [Internet]. Brasília: ANVISA; 2020 [capturado em 23 jul. 2020]. Disponível em: http://portal.anvisa.gov.br/bulario-eletronico1.

92. Jakob T, Nordmann AJ, Schandelmaier S, Ferreira-González I, Briel M. Fibrates for primary prevention of cardiovascular disease events. Cochrane Database Syst Rev. 2016;11(11):CD009753.

93. Bhatt DL, Steg PG, Miller M, Brinton EA, Jacobson TA, Ketchum SB, et al. Cardiovascular risk reduction with icosapent ethyl for hypertriglyceridemia. N Engl J Med. 2019; 380(1):11–22.

94. National Institute for Health and Care Excellence. Familial hypercholesterolaemia: identification and management. Guidance NICE [Internet]. London: NICE; 2019 [capturado em 16 maio 2020]. Disponível em: https://www.nice.org.uk/guidance/cg71.

95. Nordestgaard BG, Chapman MJ, Humphries SE, Ginsberg HN, Masana L, Descamps OS, et al. Familial hypercholesterolaemia is underdiagnosed and undertreated in the general population: guidance for clinicians to prevent coronary heart disease: consensus statement of the European Atherosclerosis Society. Eur Heart J. 2013;34(45):3478-90a.

96. Roshandel G, Khoshnia M, Poustchi H, Hemming K, Kamangar F, Gharavi A, et al. Effectiveness of polypill for primary and secondary prevention of cardiovascular diseases (PolyIran): a pragmatic, cluster-randomised trial. Lancet. 2019;394(10199):672-83.

97. Sosa-Liprandi Á, Sosa Liprandi MI, Alexánderson E, Avezum Á, Lanas F, López-Jaramillo JP, et al. Clinical impact of the polypill for cardiovascular prevention in Latin America: a consensus statement of the Inter-American Society of Cardiology. Glob Heart. 2019;14(1):3-16.e1.

98. Toh S, Hernández-Díaz S, Logan R, Rossouw JE, Hernán MA. Coronary heart disease in postmenopausal recipients of estrogen plus progestin therapy: does the increased risk ever disappear? A randomized trial. Ann Intern Med. 2010;152(4):211-7.

99. Oliver-Williams C, Glisic M, Shahzad S, Brown E, Pellegrino Baena C, Chadni M, et al. The route of administration, timing, duration and dose of postmenopausal hormone therapy and cardiovascular outcomes in women: a systematic review. Hum Reprod Update. 2019;25(2):257-71.

100. Harman SM, Black DM, Naftolin F, Brinton EA, Budoff MJ, Cedars MI, et al. Arterial imaging outcomes and cardiovascular risk factors in recently menopausal women: a randomized trial. Ann Intern Med. 2014;161(4):249-60.

101. Hodis HN, Mack WJ, Henderson VW, Shoupe D, Budoff MJ, Hwang-Levine J, et al. Vascular effects of early versus late postmenopausal treatment with estradiol. N Engl J Med. 2016;374(13):1221-31.

102. Kim J, Choi J, Kwon SY, McEvoy JW, Blaha MJ, Blumenthal RS, et al. Association of multivitamin and mineral supplementation and risk of cardiovascular disease: a systematic review and meta-analysis. Circ Cardiovasc Qual Outcomes. 2018;11(7):e004224.

103. Jenkins DJA, Spence JD, Giovannucci EL, Kim Y-I, Josse R, Vieth R, et al. Supplemental vitamins and minerals for cvd prevention and treatment. J Am Coll Cardiol. 2018;71(22):2570-84.

104. Yang C, Shi X, Xia H, Yang X, Liu H, Pan D, et al. The evidence and controversy between dietary calcium intake and calcium supplementation and the risk of cardiovascular disease: a systematic review and meta-analysis of cohort studies and randomized controlled trials. J Am Coll Nutr. 2020;39(4):352-70.

105. Manson JE, Cook NR, Lee I-M, Christen W, Bassuk SS, Mora S, et al. Vitamin D supplements and prevention of cancer and cardiovascular disease. N Engl J Med. 2019;380(1):33-44.

106. Trelle S, Reichenbach S, Wandel S, Hildebrand P, Tschannen B, Villiger PM, et al. Cardiovascular safety of non-steroidal anti-inflammatory drugs: network meta-analysis. BMJ. 2011;342:c7086.

107. Scott PA, Kingsley GH, Scott DL. Non-steroidal anti-inflammatory drugs and cardiac failure: meta-analyses of observational studies and randomised controlled trials. Eur J Heart Fail. 2008;10(11):1102-7.

LEITURAS RECOMENDADAS

ASCVD Risk Calculator Plus
http://tools.acc.org/ASCVD-Risk-Estimator-Plus/#!/calculate/estimate/
Calculador das sociedades de cardiologia norte-americanos que permite estimar o benefício de introdução de diferentes terapias. No entanto, os riscos calculados não são calibrados para Brasil, apresentando risco maior daquele obtido das tabelas do grupo de peritos da OMS. Mesmo assim, permite estimativa relativa do benefício das terapias.

Clinician's Guide to the Updated ABCs of cardiovascular disease prevention: a review part 1 and part 2. Am J Med. 2019;132(6).
Revisão atualizada sobre estratégias de prevenção de doenças cardiovasculares.

Sociedade Brasileira de Cardiologia. Disponível em: https://www.cardiol.br
Apresenta diretrizes brasileiras sobre medidas preventivas, baseadas em evidências e com recomendações práticas.

Sociedade Europeia de Cardiologia (ESC). http://www.escardio.org/Pages/index.aspx.
Fornece diretrizes, informações para pacientes e tabelas de risco europeu.

WHO Cardiovascular Risk Charts.
https://www.who.int/docs/default-source/cardiovascular-diseases/tropical-latin-america.pdf?sfvrsn=551667d0_2
Site das tabelas de risco para Brasil do grupo de peritos da OMS, incluindo tabela que utiliza índice de massa corporal, obviando a necessidade de exames laboratoriais.

World Health Organization. Cardiovascular diseases. http://www.who.int/topics/cardiovascular_diseases/en/.
Fornece diretrizes e materiais para orientar a prevenção clínica de doenças cardiovasculares em países em desenvolvimento.

Capítulo 32
HIPERTENSÃO ARTERIAL SISTÊMICA

Flávio Danni Fuchs

Hipertensão arterial sistêmica (HAS) é causa ou fator de risco dominante para grande parte das doenças cardiovasculares.[1] Cardiopatias hipertensiva, isquêmica e valvar e suas consequências, como infarto do miocárdio, angina de peito, insuficiência cardíaca, arritmias – com destaque para fibrilação atrial – e morte súbita são decorrentes de hipertensão arterial. O sistema nervoso central é outro órgão acometido pela elevação crônica da pressão arterial (PA), levando a dano que se expressa por acidentes vasculares cerebrais (AVCs) isquêmicos e hemorrágicos, déficits cognitivos e demências, incluindo a doença de Alzheimer. Doença de grandes vasos, como dissecção e aneurisma aórtico, e doença arterial periférica são, muitas vezes, ocasionadas por hipertensão arterial. Insuficiência renal crônica é outra grave consequência de elevação crônica da PA. Há evidências recentes de que hipertensão arterial é fator de risco para diabetes melito. Disfunção erétil e maculopatia degenerativa da senilidade completam a longa lista de consequências de valores pressóricos cronicamente elevados. Evidências de participação de hipertensão na etiopatogênese das doenças apontadas, incluindo as apresentadas nos últimos anos, foram recentemente revisadas.[2] Vale destacar a identificação do risco de hipertensão para doenças com maior tempo de exposição, mesmo que com valores menos altos de pressão arterial, como insuficiência cardíaca com fração de ejeção preservada, fibrilação atrial, estenose e insuficiência aórtica.[1]

Algumas vezes, é possível detectar uma causa para a elevação crônica da PA, como uma nefropatia parenquimatosa ou um tumor suprarrenal, casos reconhecidos como **hipertensão arterial secundária**. Na ausência dessas anormalidades, costuma-se rotular a hipertensão como **primária** ou **essencial**, um conceito que denota desconhecimento da causa. Esse entendimento não é adequado, pois a grande maioria dos casos de hipertensão arterial tem sua ocorrência explicada por interação entre predisposição genética (história familiar de hipertensão) e excessiva ingestão de sódio. Exposição a outros fatores ambientais potencializam esse risco, como excesso de adiposidade, especialmente na cintura, uso abusivo de bebidas alcoólicas, transtornos do sono e uso de anticoncepcionais hormonais. Sedentarismo favorece a obesidade e, portanto, hipertensão, mas o estresse, popularmente reconhecido como causa maior, tem menor importância.[2]

DIAGNÓSTICO E CLASSIFICAÇÃO

Risco para as doenças listadas são diretamente proporcionais aos valores pressóricos usuais dos indivíduos, ou seja, não há um ponto que delimite claramente valores anormais de PA. Em metanálise de estudos de coorte que incluiu 1 milhão de indivíduos sob risco (12,7 milhões de pessoas/ano), com incidência de 56 mil mortes por cardiopatia isquêmica ou AVC,[3] identificou-se que o risco para eventos cardiovasculares aumenta de forma constante a partir de 75 mmHg de pressão diastólica usual e de 115 mmHg de pressão sistólica usual, dobrando a cada 10 mmHg no primeiro caso e a cada 20 mmHg no segundo caso (**FIGURA 32.1**: acima, com transformação logarítmica da ordenada, permitiu identificar o risco em valores muito baixos de PA; abaixo, com valores reais na ordenada, demonstra o risco exponencial). O menor risco absoluto em valores mais baixos e em adultos jovens impediu que estudos individuais, com menor amostra, identificassem o real risco.

Nos últimos 100 anos, houve lenta progressão de valores diagnósticos de hipertensão para valores mais baixos de PA sistólica e diastólica, mas não há consenso atualmente sobre os valores diagnósticos e alvos pressóricos. Valores > 115/75 mmHg não são aceitos como diagnóstico, requerendo-se evidência de que a redução de valores mais elevados se traduza por redução do risco cardiovascular. Interpretando os mesmos estudos, diretrizes estabelecem limites diagnósticos de 150/90 mmHg para pacientes idosos, pela American Academy of Family Physicians e American College of Physicians,[4] passando por 140/90 mmHg pela European Society of Cardiology[5] e National Institute for Health and Care Excellence (NICE), Reino Unido,[6] e chegando a 130/80 mmHg para todos os indivíduos adultos pelas diretrizes das sociedades de cardiologia norte-americanas, referendadas por um conjunto de sociedades de especialidades profissionais dos Estados Unidos.[7]

Os valores diagnósticos e de classificação de hipertensão arterial apresentados pelas sociedades de cardiologia

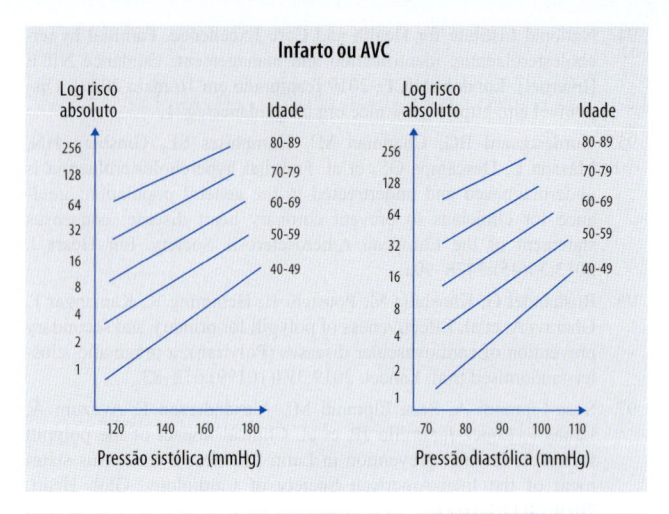

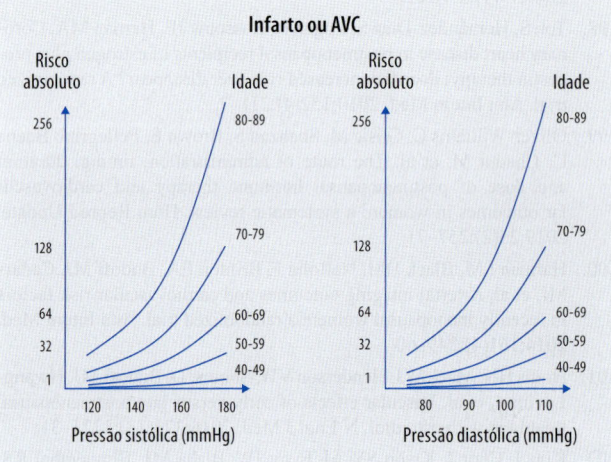

FIGURA 32.1 → Pressão arterial e risco absoluto para infarto e acidente vascular cerebral (AVC): acima, com o logaritmo do risco absoluto, abaixo, com o risco absoluto.
Fonte: Adaptada de Lewington S. e colaboradores.[2,3]

dos Estados Unidos devem ser seguidos.[7] A **TABELA 32.1** apresenta os valores diagnósticos para a pressão aferida em consultório, por monitorização ambulatorial de PA (MAPA) e monitorização residencial de PA (MRPA). Revisão detalhada das razões que fundamentam essa recomendação pode ser encontrada em publicação recente.[2] Os críticos de propostas diagnósticas e alvos terapêuticos mais baixos sustentam a ideia de não haver evidência experimental (ensaios clínicos randomizados) de que a redução a valores mais baixos se traduza por redução de eventos. Deve-se considerar, no entanto, o longo período de desenvolvimento de dano cardíaco, vascular e renal decorrente de PA cronicamente elevada, que pode exceder a 60 anos. A despeito dessa limitação, há um conjunto consistente de ensaios clínicos e suas metanálises que demonstram a eficácia de intervenções hipotensoras em prevenir diversos desfechos clínicos e até a mortalidade por todas as causas, mesmo em períodos de apenas 3 anos.

Estudos clássicos demonstraram a eficácia de tratamento anti-hipertensivo em reduzir a incidência de infarto do miocárdio, AVC, insuficiência cardíaca e mortalidade por qualquer causa.[8-10] Os resultados do Systolic Blood Pressure Intervention Trial (SPRINT) são os que, individualmente, mais

TABELA 32.1 → Valores diagnósticos para a classificação de pressão arterial em adultos com mais de 18 anos

	SISTÓLICA (mmHg)		DIASTÓLICA (mmHg)
No consultório			
Normal	< 120	E	< 80
PA elevada	120-129	E	< 80
Hipertensão			
Estágio 1	130-139	OU	80-89
Estágio 2	≥ 140	OU	≥ 90
MRPA	≥ 130	OU	≥ 80
MAPA*			
24 h	≥ 125	OU	≥ 75
Vigília	≥ 130	OU	≥ 80
Sono	≥ 110	OU	≥ 65

*Anormalidade em qualquer uma das 3 medidas estabelece o diagnóstico de hipertensão.
MAPA, monitorização ambulatorial de pressão arterial; MRPA, monitorização residencial de pressão arterial.

contribuem para a recomendação de reduzir a PA dos pacientes hipertensos a valores < 130/80 mmHg.[11] Nesse estudo, o tratamento ao alvo de PA sistólica a valores < 120 mmHg (vs. 140 mmHg) reduziu eventos cardiovasculares (RRR = 25%; NNT = 61 em 3,3 anos), mortalidade cardiovascular (RRR = 43%; NNT = 90) e mortalidade total (RRR = 27%; NNT = 172) na mortalidade por qualquer causa. A redução da mortalidade por qualquer causa foi também observada nos participantes com idade > 75 anos (33%), incluindo aqueles com estigmas de fragilidade.[12] O breve período de observação dos pacientes sob tratamento no estudo (3,3 anos em média) seguiu-se por mais 2 anos, em média, de avaliação aberta da incidência de déficit cognitivo e demência, demonstrando-se, pela primeira vez, que uma intervenção é capaz de prevenir a incidência dos desfechos combinados.[13]

Mais de uma centena de ensaios clínicos randomizados foram incluídos em metanálises de boa qualidade, demonstrando o benefício de reduzir a PA a valores pelo menos < 130 mmHg de PA sistólica, em pacientes adultos com qualquer idade, em pacientes com diabetes e em pacientes com doença renal crônica.[14–16] A intensidade do benefício relativo se deu na magnitude prevista pelos estudos de coorte.[14] Na metanálise em rede de Bundy e colaboradores,[16] participantes randomizados para PA < 120 a 124 mmHg, comparativamente a alvo > 140 mmHg, tiveram redução de 42% na incidência de desfechos cardiovasculares, próximo à redução de risco estimada pelos estudos de coorte. Comparativamente a um alvo > 160 mmHg, a redução foi de 64%. A redução de eventos pelo tratamento anti-hipertensivo na magnitude estimada pelos estudos de coorte é a evidência de maior hierarquia na demonstração de causalidade de doença cardiovascular decorrente da elevação da PA.[1]

Vale mencionar, contudo, que o benefício absoluto, representado pelo NNT para prevenir um evento, depende do risco basal dos pacientes incluídos nos ensaios clínicos. Por exemplo, no primeiro ensaio clínico que demonstrou os benefícios do tratamento medicamentoso,[8] os participantes tinham PA diastólica de ingresso 115 mmHg. Nesse caso, o NNT para prevenir um evento cardiovascular foi de aproximadamente 6 pacientes, sendo detectado com somente 75 pacientes em cada braço do ensaio clínico. No estudo SPRINT,[11] o NNT para prevenir desfecho cardiovasculares foi de 61 participantes, sendo detectado com mais de 4.500 participantes em cada braço. Os participantes tinham, no SPRINT, PA diastólica no ingresso < 80 mmHg. Cabe considerar que NNTs aferidos em curto período de tempo não demonstram adequadamente os benefícios da redução da PA (ou da prevenção, se intervenções forem implementadas anteriormente à elevação da PA), dado o longo tempo de maturação dos riscos decorrentes da elevação da PA. O NNT de 100 indivíduos em 1 ano pode reduzir a menos de 10 em 10 anos, e assim subsequentemente.

AFERIÇÃO DA PRESSÃO ARTERIAL

A correta aferição da PA, procedimento central para o estabelecimento do diagnóstico e do prognóstico, deve seguir os cuidados técnicos listados na **TABELA 32.2**.

Requer-se utilização de manguitos com câmara inflável (*cuff*) adequada para a circunferência do braço de cada paciente, ou seja, a largura deve ser de pelo menos 40% do comprimento do braço (distância entre o olécrano e o acrômio) e o comprimento pelo menos 80% de sua circunferência. Assim, para o braço de um adulto não obeso, com musculatura normal e estatura mediana, a câmara ideal tem 23 cm de comprimento (para 30 cm de circunferência) e 12 cm de largura (para 30 cm de comprimento do braço). Quando se aferir a PA de indivíduos com braço de maior circunferência do que a indicada para o manguito, a tendência será a de superestimar os valores pressóricos e vice-versa. Recomendam-se seis tamanhos de manguitos para clínicas que atendem crianças e adultos (**TABELA 32.3**).

Métodos auscultatório e oscilométrico

A aferição da PA por esfigmomanômetro convencional requer a ausculta de sons gerados pelo início e pelo fim da

TABELA 32.2 → Condições padronizadas para a medida da pressão arterial

→ Sentar o paciente com o braço apoiado e na altura do precórdio
→ Medir após 5 minutos de repouso
→ Evitar o uso de cigarro e de bebidas com cafeína nos 30 minutos precedentes
→ A câmara inflável deve cobrir pelo menos 2/3 da circunferência do braço
→ Palpar o pulso braquial e inflar o manguito até 30 mmHg acima do valor em que o pulso deixar de ser sentido
→ Desinsuflar o manguito lentamente (2-4 mmHg/s)
→ A pressão sistólica corresponde ao valor em que começarem a ser ouvidos os ruídos de Korotkoff (fase I)
→ A pressão diastólica corresponde ao desaparecimento dos batimentos (fase V)*
→ Registrar valores com intervalos de 2 mmHg, evitando-se arredondamentos
→ A média de duas aferições deve ser considerada como a PA do dia; se os valores observados diferirem em mais de 5 mmHg, medir novamente
→ Na primeira vez, medir a pressão nos dois braços; se discrepantes, considerar o valor mais alto; nas vezes subsequentes, medir no mesmo braço (o direito, de preferência)

*No caso em que se ouvirem os batimentos até zero, considerar o abafamento do som (fase IV).

TABELA 32.3 → Dimensões da bolsa de borracha para diferentes circunferências de braço em crianças e adultos[4]

DENOMINAÇÃO DO MANGUITO	CIRCUNFERÊNCIA DO BRAÇO (CM)	BOLSA DE BORRACHA (CM)	
		LARGURA	COMPRIMENTO
Recém-nascido	≤ 10	4	8
Criança	11-15	6	12
Infantil	16-22	9	18
Adulto pequeno	20-26	10	17
Adulto	27-34	12	23
Adulto grande	35-45	16	32

TABELA 32.4 → Métodos de aferição da pressão arterial usual

→ Medidas repetidas no consultório
→ Aferição automática em consultório
→ Monitorização residencial de PA (MRPA)
→ Monitorização ambulatorial de PA (MAPA)

turbulência do fluxo sanguíneo decorrente da compressão vascular pelo manguito (fases I e V dos sons de Korotkoff).

A turbulência também pode ser percebida pela oscilação do próprio manguito, gerando sinal que é digitalizado e exposto em *display* de manômetros digitais. A aferição da PA sistólica e diastólica é derivada da medida da PA média, que se correlaciona precisamente com a PA intra-arterial. Os aparelhos oscilométricos são validados contra os auscultatórios convencionais, em protocolos validados por instituições nos Estados Unidos, na Inglaterra e na Comunidade Europeia.

O método auscultatório deve ser progressivamente abandonado, pois, a despeito de ter sido usado em praticamente todos os estudos seminais, é muito suscetível a erros. Entre eles, está a necessidade de usar vários sentidos para aferir a PA, como o auditivo, a visão e até o tátil, na abertura da válvula do manguito. O método oscilométrico elimina esses erros potenciais. Em geral, os aparelhos oscilométricos validados são de braço. Independentemente do método empregado, recomenda-se aferir a calibração desses aparelhos pelo menos 1 vez ao ano em locais designados pelo Instituto Nacional de Metrologia, Qualidade e Tecnologia (Inmetro).

Caracterização da pressão normal

O dano decorrente da elevação da PA relaciona-se à pressão que cada batimento cardíaco gera, na ordem de mais de 100 mil em 24 horas. Cunhou-se o conceito de sobrecarga pressórica de 24 horas, correspondendo teoricamente à soma da sobrecarga de cada batimento cardíaco.[2] Na impossibilidade, por hora, de aferir essa sobrecarga, estima-se sua magnitude pela aferição de pelo menos algumas das pressões ocorridas durante o dia, com o intuito de caracterizar a pressão normal do indivíduo diante das condições do dia a dia (atividade física, emoções, sono, alimentação, entre outros). Quanto maior o número de aferições, melhor será a estimativa da PA normal. A aferição ocasional de PA, que frequentemente gera uma sensação de alerta, caracteriza-se como PA casual, que pode ser menos representativa da PA normal.

Os métodos de aferição da PA são apresentados na TABELA 32.4.

Em consultório, é recomendável aferir a PA em pelo menos três momentos, descartando-se a primeira medida.

Em situações de PA limítrofe, é recomendável aferir a PA em nova consulta. Essas medidas tentam contornar a típica reação de alerta diante da aferição da PA, particularmente se feita por médico (hipertensão do avental branco).

A aferição automática em consultório é feita por aparelhos programados para medidas repetidas, em pacientes sem acompanhamento presencial de profissionais de saúde no momento da aferição. Esse método demonstrou ser capaz de diminuir ou abolir o fenômeno do avental branco.[17] Ele foi usado em aproximadamente 50% dos pacientes do estudo SPRINT, mas o benefício do tratamento foi independente da aferição não presencial.[18]

A MRPA abole o fenômeno do avental branco, provendo boa estimativa da PA normal durante o período da vigília. Deve ser feita com protocolos de aferição de 3 vezes pela manhã e 3 vezes à noite, por 5 dias, mas protocolos com menos dias podem propiciar resultados similares.[2]

A MAPA é hoje o padrão-ouro da aferição da PA. Além de aferir a PA por inúmeras vezes (geralmente mais de 50 vezes no período de 24 horas), destaca-se por aferir a PA no período do sono. A PA elevada nesse período é fator de risco independente da PA de 24 horas.[19]

Os valores recomendados para o diagnóstico de hipertensão pelos valores aferidos por MRPA e MAPA diurna são equivalentes às medidas de consultório recomendadas pelas diretrizes norte-americanas (ver TABELA 32.1). Os valores para a PA noturna na MAPA – e, por decorrência, na média de 24 horas – são menores do que os diurnos.

Interpretação conjunta de PA aferida em consultório e fora de consultório

O cruzamento entre o diagnóstico de hipertensão arterial feito com base em aferições de consultório e fora dele, por MRPA ou MAPA, gera os diagnósticos apresentados na FIGURA 32.2. Indivíduos com pressão anormal no consultório, devido à reação de alerta, e normal na MAPA ou na MRPA, têm a síndrome do avental branco. Por algum tempo se imaginou que essa condição fosse benigna, mas de fato já embute aumento de risco. Os indivíduos com hipertensão do avental branco não estão com PA elevada somente no consultório, mas também em outras condições de alerta durante o dia. Estima-se que quase um terço dos indivíduos hipertensos em consultório tem síndrome de avental branco. Indivíduos com pressão normal no consultório e anormal na MAPA ou na MRPA têm a denominada hipertensão mascarada. Estima-se que aproximadamente 12% dos indivíduos com pressão normal em consultório tenham hipertensão mascarada. Hipertensão do avental branco e mascarada não são condições benignas, propiciando risco cardiovascular próximo à elevação da PA no consultório e fora dele.[20]

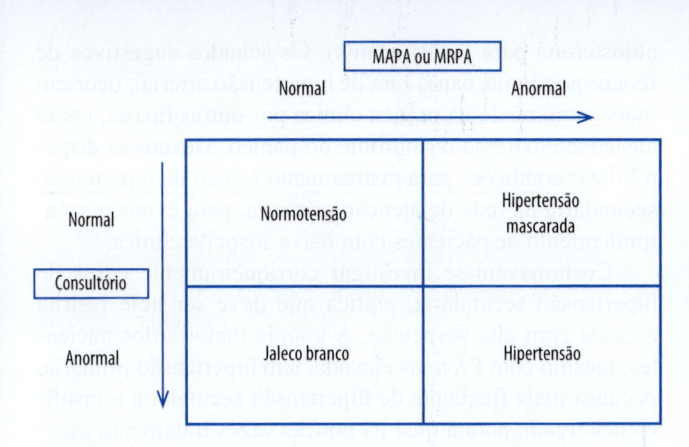

FIGURA 32.2 → Condições classificatórias da pressão arterial considerando a aferição em consultório e fora dele. MAPA, monitorização ambulatorial da pressão arterial; MRPA, monitorização residencial da pressão arterial.

a prevenção e o tratamento requerem, portanto, manutenção de PA normal nas duas situações.

O rastreamento de PA elevada pode ser feito com medidas de consultório ou até fora dele, em campanhas e em serviços de saúde capacitados. Os diagnósticos apresentados na FIGURA 32.2, no entanto, só podem ser feitos com aferição fora do consultório. Europeus[5] e estadunidenses[7] convergem na recomendação de aferir a PA fora do consultório.

AVALIAÇÃO DO PACIENTE HIPERTENSO

Na história de um paciente hipertenso, deve se destacar a pesquisa de fatores de risco para hipertensão arterial (obesidade, abuso de bebidas alcoólicas, predisposição familiar, uso de contraceptivos hormonais, transtornos do sono), achados sugestivos de hipertensão arterial secundária, fatores de risco cardiovascular associados (ver Capítulo Prevenção Clínica das Doenças Cardiovasculares), evidências de dano em órgão-alvo e doença cardiovascular clínica (TABELA 32.5).

História familiar positiva para HAS é geralmente encontrada em pacientes hipertensos. Sua ausência, especialmente em pacientes jovens, é um alerta para o diagnóstico de HAS secundária.

Muitos pacientes com PA elevada têm queixas inespecíficas, como cefaleia, epistaxe e outras, que, na ausência de síndromes clínicas características, provavelmente são associações casuais ou queixas decorrentes de crenças de médicos e pacientes.[2] Muitas vezes, a causalidade é reversa, principalmente em emergências, ou seja, a PA eleva-se diante de cefaleia ou epistaxe, particularmente em pacientes que já são hipertensos. Portanto, não se deve basear a suspeita de hipertensão pela presença de sintomas, sendo o diagnóstico feito pela aferição de PA.

TABELA 32.5 → Rotina complementar mínima para pacientes hipertensos

- → Exame de urina: bioquímica e sedimento
- → Creatinina sérica
- → Potássio sérico
- → Colesterol total
- → Glicemia em jejum
- → Eletrocardiograma de repouso

Na avaliação de doença cardiovascular clínica, deve-se dar especial atenção a síndromes clínicas (descompensação funcional de órgão-alvo), como insuficiência cardíaca, angina de peito, infarto do miocárdio prévio, episódio isquêmico transitório ou AVC prévios, condições também consideradas para a decisão terapêutica.

Além de diagnosticar e classificar a hipertensão arterial e obesidade, o exame físico busca identificar achados de hipertrofia miocárdica, reconhecida pela característica impulsiva do *ictus cordis*, mas sem desvios da linha hemiclavicular até ocorrer dilatação ventricular, e pela presença de quarta bulha e de hiperfonese da segunda bulha. Especial atenção deve ser dada atualmente à identificação de doença valvar, dado o alto risco de hipertensão arterial para estenose e insuficiência aórtica e insuficiência mitral em pacientes idosos.[2] Estenose aórtica, a valvulopatia mais frequente, pode ser identificada por pulso *parvus-tardus* (amortecido e prolongado) e sopro sistólico em formato de diamante (crescendo e decrescendo) em área aórtica.

A palpação dos rins e a ausculta de sopros em área renal objetivam detectar hipertensão secundária a rins policísticos e obstrução de artérias renais. O exame dos pulsos periféricos avalia a repercussão da hipertensão sobre esses vasos. Quando se detectar diminuição dos pulsos de membros inferiores, particularmente femorais, deve ser medida a PA nos membros inferiores, para afastar o diagnóstico de coarctação da aorta.

A rotina complementar mínima indicada na avaliação de pacientes hipertensos, com o intuito de rastrear indicadores de hipertensão secundária e avaliar danos em órgãos-alvo, está descrita na TABELA 32.5.

A presença de proteinúria leve a moderada no sedimento urinário é geralmente secundária à repercussão de hipertensão sobre os rins. Proteinúria mais acentuada, leucocitúria e hematúria (excluídas outras causas), especialmente se acompanhadas dos cilindros correspondentes, indicam hipertensão grave ou hipertensão secundária à nefropatia (Ver Capítulo Doença Renal Crônica).

O potássio sérico anormalmente baixo sugere o uso prévio de diuréticos. Excluída essa causa, o paciente deve realizar, em geral via encaminhamento, investigação de hiperaldosteronismo primário. A dosagem do colesterol e da glicemia visa detectar outros fatores que potencializam o risco cardiovascular da hipertensão.

O eletrocardiograma (ECG) é um exame bastante sensível para demonstrar repercussões miocárdicas de hipertensão, como sobrecarga de ventrículo esquerdo. Arritmia progressivamente mais frequente com o envelhecimento populacional é a fibrilação atrial, muitas vezes decorrente de cardiopatia hipertensiva. Sua detecção é importante, pois pode requerer o uso de anticoagulantes para prevenir fenômenos embólicos sistêmicos, particularmente cerebrais.

A radiografia de tórax não tem mais indicação para a avaliação do paciente hipertenso, sendo necessária somente diante de suspeita clínica de outra natureza.

Além do ECG, há diversas estratégias propostas para avaliar a repercussão de hipertensão sobre órgãos-alvo e estratificar o prognóstico (TABELA 32.6).

TABELA 32.6 → Métodos complementares propostos para avaliar repercussão de hipertensão arterial e aprimorar o estabelecimento do prognóstico

- → Ecocardiograma
- → Exame de fundo de olho
- → Avaliação de rigidez arterial (velocidade de onda de pulso)
- → Aferição da pressão central (diversos métodos)
- → Índice tornozelo-braquial
- → Avaliação da variabilidade da PA (diversos métodos)

O ecocardiograma é o método mais útil, pois pode estimar mais precisamente o comprometimento cardíaco por cardiopatia hipertensiva, aferindo as espessuras do septo e parede posterior do ventrículo esquerdo, aumento de átrio esquerdo e déficits de relaxamento ventricular.

Os métodos apontados na **TABELA 32.6** podem ser capazes de estratificar o risco de pacientes hipertensos além da PA periférica. Não há, entretanto, qualquer evidência de que achados nesses exames orientem tratamentos diversos daqueles propostos com base nos valores da PA periférica.

Hipertensão secundária

Os achados sugestivos de hipertensão secundária detectáveis na história, no exame físico e na rotina complementar padrão estão listados juntamente com outros indicadores na **TABELA 32.7**. Resistência ao tratamento com pelo menos três medicamentos, incluindo um diurético, é a razão de suspeita clínica mais corriqueira. Doença renal parenquimatosa é diagnosticada pela creatinina sérica e por anormalidades de sedimento urinário. Síndrome de apneia do sono, fator de risco maior para hipertensão resistente, pode ser suspeitada pelo questionário de Berlin. A difusão do uso de monitores portáteis de avaliação de distúrbios do sono pode aumentar a facilidade de investigação de síndrome de apneia obstrutiva do sono.[2]

Hiperaldosteronismo primário pode ser suspeitado por potássio sérico baixo, especialmente se o paciente não estiver usando diurético, mas pode ocorrer com potássio sérico normal. O rastreamento pode ser feito pela relação aldosterona/renina desproporcionalmente elevada (muita aldosterona para pouca renina). Os achados sugestivos de feocromocitoma, causa rara de hipertensão arterial, ocorrem mais comumente na prática clínica por outras razões, como ansiedade extrema e síndrome do pânico. Devem-se disponibilizar condições para rastreamento básico de hipertensão secundária na rede de atenção primária, para evitar o encaminhamento de pacientes com baixa suspeita clínica.

Costumavam-se investigar corriqueiramente casos de hipertensão secundária, prática que deve ser hoje restrita a casos com alta suspeição. A grande maioria dos pacientes, mesmo com PA mais elevada, tem hipertensão primária. A causa mais frequente de hipertensão secundária é insuficiência renal, para a qual há poucas vezes tratamento específico. Doença renovascular pouco se beneficiou de tratamento. Síndrome de apneia do sono pode ser tratada com pressão positiva contínua na via aérea (CPAP, do inglês *continuous positive airway pressure*), mas é um tratamento não disponível no Sistema Único de Saúde (SUS) e muitos pacientes não conseguem utilizá-lo.

PREVENÇÃO PRIMÁRIA E TRATAMENTO DE HIPERTENSÃO ARTERIAL

Prevenção primária de HAS e tratamento de pacientes hipertensos devem ser realizados dentro da perspectiva de risco absoluto para doenças cardiovasculares (ver Capítulo Prevenção Clínica das Doenças Cardiovasculares). Pode ser feita mediante controle de seus fatores de risco, principalmente por meio da prática de hábitos alimentares saudáveis, em especial com restrição do consumo excessivo de sódio e calorias e com aumento de consumo de frutas, verduras e laticínios. Duas estratégias de prevenção são consideradas: a populacional e a dirigida a grupos de risco. A primeira advoga redução da exposição populacional a fatores de risco, principalmente de sais de sódio, em geral o cloreto de sódio. Restrição à adição de sal na preparação de alimentos, identificação da quantidade de cloreto de sódio presente nos alimentos industrializados, educação nutricional, entre outras, são algumas das estratégias recomendadas.

A redução da quantidade de sódio para preservação de alimentos está em andamento em muitos países, inclusive no Brasil. Na Inglaterra, uma avaliação ecológica demonstrou que a redução de sódio nos alimentos industrializados foi acompanhada de redução dos valores pressóricos e da incidência de eventos cardiovasculares.[21]

A estratégia dirigida a grupos de risco propõe intervenção em indivíduos com valores de PA limítrofes, predispostos à hipertensão, com medidas equivalentes às propostas para tratamento não medicamentoso da hipertensão arterial.

MEDIDAS NÃO MEDICAMENTOSAS

São raros os estudos com desfechos primordiais desenhados para avaliar a eficácia de medidas não medicamentosas na prevenção de doença cardiovascular em pacientes com diferentes fatores de risco cardiovascular e, particularmente, com hipertensão arterial. O *Look Ahead* é o maior estudo com desfechos primordiais, tendo sido desenhado para avaliar a eficácia de

TABELA 32.7 → Achados clínicos sugestivos dos principais diagnósticos de hipertensão secundária

ANORMALIDADE	SUSPEITA CLÍNICA
Ausência de história familiar Resistência ao tratamento	Quaisquer das suspeitas a seguir
Elevação da creatinina, proteinúria acentuada, hematúria	Doença renal parenquimatosa
Início súbito de hipertensão após os 55 anos, sopro abdominal, edema pulmonar súbito, alteração de função renal por medicamentos que bloqueiam o sistema renina-angiotensina	Doença renovascular
Hipopotassemia moderada sem uso de diuréticos e grave em uso de diuréticos	Hiperaldosteronismo primário
Ronco, sonolência diurna, obesidade	Síndrome da apneia obstrutiva do sono
Pulsos em femorais reduzidos ou retardados, radiografia de tórax anormal, pressão mais baixa nos membros inferiores	Coarctação aórtica
Acentuada oscilação de PA, acompanhada de rubor facial, sudorese e palpitações	Feocromocitoma

uma dieta hipocalórica e da prática de exercícios na prevenção de desfechos cardiovasculares em pacientes com diabetes melito.[22] Apesar do longo seguimento, grande amostra e demonstração de que a intervenção não medicamentosa melhorou parâmetros de controle metabólico e capacidade funcional, não houve qualquer tendência de redução na incidência de eventos primordiais. Ressalte-se que a PA era relativamente baixa (foram excluídos participantes com PA > 160/100 mmHg) e praticamente não houve efeitos sobre a PA.

Recomendações para vida saudável devem ser sempre apresentadas a pacientes hipertensos e há evidências de que auxiliam no controle da PA. Em estudo de efetividade realizado pelo nosso grupo, pacientes que informaram seguir a recomendação de reduzir a ingestão de sódio e de calorias apresentaram redução clinicamente relevante da PA, comparativamente aos pacientes que não seguiram as recomendações.[23]

A restrição salina tem apresentado discreta eficácia na redução da PA em ensaios clínicos, especialmente em estudos com mais de 6 meses de duração C/D.[2] Agregando estudos experimentais e observacionais, revisão sistemática demonstrou que dietas hipossódicas são desprovidas de efeitos colaterais metabólicos e contribuem para a redução da PA.[24] A despeito disso, é a única medida não medicamentosa que se demonstrou eficaz para reduzir a incidência de doença cardiovascular. Metanálise de ensaios clínicos identificou redução de 20% de eventos cardiovasculares em indivíduos randomizados para dietas hipossódicas B.[25]

Ensaios clínicos antigos demonstraram que a perda de peso é efetiva na redução da PA e na incidência de HAS C/D. Poucos pacientes, no entanto, mantêm redução prolongada de peso e, portanto, de PA C/D.[26] Intervenções medicamentosas têm eficácia transitória, e um medicamento ainda disponível no mercado brasileiro, a sibutramina, aumentou a PA e a incidência de eventos cardiovasculares B.[27] Cirurgia bariátrica tem reduzido a PA em ensaios clínicos realizados para o controle do diabetes B.[2] Ensaio clínico brasileiro demonstrou significativa melhora no controle da PA com cirurgia bariátrica realizado em pacientes com hipertensão arterial B.[28]

A dieta DASH – rica em vegetais e laticínios com parcas gorduras saturadas – mostrou-se eficaz na redução de PA e na prevenção de hipertensão,[29] particularmente quando acompanhada de dieta hipossódica B.[30] As intervenções dietéticas comentadas anteriormente foram avaliadas em conjunto em metanálise, demonstrando que todas têm alguma eficácia, com superioridade discreta da dieta DASH.[31]

Dietas com suplementação de potássio ou recomendação para aumentar sua ingestão demonstraram efeito hipotensor C/D.[32] Recentemente demonstrou-se que esta estratégia promoveu redução de eventos cardiovasculares e mortalidade (ver Leitura Recomendada). Esse benefício pode ser obtido com a substituição de parte do cloreto de sódio em sal alimentar por cloreto de potássio.[33]

Atividade física regular associa-se com benefícios para a saúde, mas não se demonstrou sua eficácia na redução da incidência de doenças cardiovasculares em ensaios clínicos. Seu efeito sobre a PA é discreto C/D e não foi observado em todos os estudos.[2] Em nosso estudo de efetividade,[23] pacientes em tratamento ambulatorial que informaram seguir as recomendações de praticar exercícios não tiveram maior redução de PA do que aqueles que não seguiram as recomendações.

A redução do consumo de álcool associou-se à discreta redução da PA em ensaios clínicos mais antigos C/D.[2]

A substituição de anticoncepcionais hormonais orais por outros métodos contraceptivos promove a redução da PA em pacientes hipertensas C/D.[2]

O tratamento da síndrome de apneia obstrutiva do sono com CPAP tem mostrado discreto efeito anti-hipertensivo, mais intenso em pacientes com hipertensão resistente B.[34]

Há diversas outras intervenções não medicamentosas propostas para o tratamento de hipertensão arterial, incluindo suplementação de cálcio e magnésio, nutracêuticos (nutrientes com presumível efeito farmacêutico), chocolate e outros produtos do cacau, fitoquímicos, probióticos e diversas terapias de relaxamento e controle de estresse C/D. Os ensaios clínicos publicados tendem a demonstrar algum efeito hipotensor, mas são de menor qualidade e heterogêneos.[2] A possibilidade de haver viés de publicação (estudos negativos não são submetidos ou publicados) deve ser considerada. Muitos entendem que, mesmo que não reduzam a PA, essas terapias não devem ser contraindicadas, pois são isentas de efeitos colaterais maiores. Se forem desprovidas de efeito hipotensor, no entanto, devem ser contraindicadas, pois pacientes imaginariam estar se tratando efetivamente com essas abordagens, descurando do emprego de anti-hipertensivos eficazes.

TRATAMENTO MEDICAMENTOSO

A diretriz norte-americana recomenda tratar com medicamentos pacientes com PA ≥ 130/80 mmHg e risco cardiovascular aumentado (doença cardiovascular prévia ou risco de eventos cardiovasculares em 10 anos ≥ 10%) B.[7] Para os demais pacientes com PA ≥ 130/80 mmHg, recomendam tratamento não medicamentoso e reavaliação em 6 meses. Para pacientes sem doença cardiovascular ou alto risco, recomendam tratamento medicamentoso para PA ≥ 140/90 mmHg A.

À luz do apresentado na definição dos níveis diagnósticos de hipertensão arterial, justifica-se o uso de fármacos anti-hipertensivos em todos os pacientes com PA ≥ 130/80 mmHg que não responderem efetivamente a tratamento não medicamentoso em 6 meses B. Em metanálise de ensaios clínicos, pacientes que alcançaram PAS média de 120 a 124 mmHg apresentaram redução relativa em risco de mortalidade geral de 27% em comparação aos que alcançaram PAS de 130 a 134 mmHg, e 41% aos que alcançaram PAS 140 a 144 mmHg, 49% aos que alcançaram PAS 150 a 154 mmHg e 53% aos com PAS 160 mmHg ou mais.[16] Pressupondo constância ao longo do tempo na redução absoluta de risco demonstrado no ensaio SPRINT, o NNT para prevenir um evento cardiovascular com 10 anos de tratamento seria 19, e para prevenir um óbito, 27.

Os desfechos avaliados no SPRINT e em metanálises focaram as consequências mais estudadas de hipertensão arterial, como mortalidade cardiovascular, infarto, AVC e insuficiência cardíaca. Vale considerar, no entanto, os riscos a longo prazo de hipertensão. O emprego de tratamento anti-hipertensivo de modo mais precoce muito provavelmente se traduziria pela prevenção de consequências tardias, ainda não avaliadas em ensaios clínicos de muito longa duração. Exemplos são doença valvar e cardiopatia hipertensiva, com a decorrente incidência de insuficiência cardíaca com fração de ejeção preservada e fibrilação atrial. Cabe lembrar, também, que, sem qualquer fator de risco adicional, um homem com qualquer ascendência africana atinge risco cardiovascular superior a 10% em torno dos 60 anos.

Há sólidas evidências de que pacientes com PA entre 120 e 139 ou 80 e 89 mmHg (anteriormente denominada pré-hipertensão arterial) evoluem rapidamente para valores > 140/90 mmHg, incluindo achados de coorte brasileira.[35] Pacientes com a anteriormente denominada pré-hipertensão (PA 80-89 ou 120-139 mmHg) já têm evidências de dano em órgão-alvo.[2] E, por fim, intervenções medicamentosas nessa faixa de PA demonstraram-se capazes de prevenir parte da incidência de hipertensão arterial em curto prazo C/D.[36-38] O estudo PREVER-prevenção,[38] realizado em 22 centros distribuídos pelo Brasil, demonstrou que, além de prevenir a incidência de hipertensão arterial em uma proporção dos participantes com pré-hipertensão, a associação de clortalidona com amilorida em baixas doses promoveu diminuição de massa de ventrículo esquerdo estimada por ECG comparativamente a placebo C/D.

Escolha de agentes anti-hipertensivos

Os fármacos anti-hipertensivos classificados pelos mecanismos de ação e com doses e intervalos de dose recomendados estão apresentados na TABELA 32.8.

Os objetivos terapêuticos guiam-se por pressão-alvo. Pelas recomendações da diretriz norte-americana,[7] são cabíveis praticamente todas as opções para atingir a PA-alvo. Restringem somente betabloqueadores como primeira escolha em pacientes que não tenham indicação específica para seu uso, como pacientes com cardiopatia isquêmica ou insuficiência cardíaca B. Contraindicam, também, a associação entre inibidores da enzima conversora da angiotensina (IECAs) e bloqueadores de receptores de angiotensina (BRAs), que se demonstrou deletéria em ensaio clínico de grande porte A.[39] Sustentam as recomendações em metanálises em rede especificamente realizadas para a diretriz. Essa proposta tem o mérito de desconsiderar eventuais preferências por anti-hipertensivos, motivadas predominantemente pelo viés corporativo[40] e pela propaganda de que os mais recentes anti-hipertensivos tivessem efeitos benéficos independentes do efeito anti-hipertensivo (efeitos pleiotróficos).

Alguns medicamentos, no entanto, foram menos comparados com placebo e outras opções quanto à eficácia em prevenir eventos cardiovasculares. Diversas metanálises demonstraram a menor eficácia de alguns grupos, particularmente BRA B,[2] a despeito de serem os medicamentos preferenciais em muitos países, incluindo o Brasil, onde losartana é distribuída a baixo custo pelo programa de Farmácia Popular. O ensaio clínico PREVER-tratamento, realizado em 22 centros no Brasil, demonstrou a superioridade hipotensora

TABELA 32.8 → Representantes, doses e intervalos de doses de fármacos anti-hipertensivos

REPRESENTANTES	DOSE DIÁRIA (MG)	INTERVALO DE DOSE (HORAS)
DIURÉTICOS		
Hidroclorotiazida*	12,5-50	24
Clortalidona*	12,5-50	24-48
Indapamida*	1,5-5,0	24
Furosemida	20-320	24
Espironolactona†	12,5-100	24
Triantereno†	50-150	24
Amilorida†	2,5-5	24
BETABLOQUEADORES		
Propranolol	40-240	12
Metoprolol	100-400	12 ou 24‡
Bisoprolol	2,5-10	24
Carvedilol	6,25-25	12
Nebivolol	5-40	24
OUTROS ANTAGONISTAS ADRENÉRGICOS		
Metildopa	500-2.000	12-24
Clonidina	0,1-1,2	12
BLOQUEADORES DOS CANAIS DE CÁLCIO§		
Nifedipino de liberação lenta	20-60	24
Anlodipino	2,5-10	24
Felodipino	5-20	24
Nitrendipino	10-40	24
Isradipino	2,5-10	12
Verapamil	120-480	12-24
Diltiazem	120-360	12-24
ANTAGONISTAS DO SISTEMA RENINA-ANGIOTENSINA		
Inibidores da enzima conversora da angiotensina (IECAs)		
Captopril	25-150	12
Enalapril	10-40	12
Lisinopril	5-40	24
Fosinopril	10-40	12-24
Ramipril	1,25-20	12-24
Perindopril	4-8	24
Bloqueadores dos receptores da angiotensina (BRAs)		
Losartana	25-100	12-24
Ibesartana	150-300	24
Candesartana	8-16	24
Telmisartana	40-80	24
Valsartana	80-160	24
VASODILATADORES DIRETOS		
Hidralazina	50-200	8-12
Minoxidil	2,5-40	12-24
Nitroprusseto de sódio	0,5-1,0 µg/kg/min	Infusão IV contínua

*Doses mais altas somente associadas a diurético poupador de potássio.
†Poupadores de potássio.
‡Estearato: 12 horas; succinato: 24 horas.
§Exclusivamente apresentações de liberação retardada; os diferentes intervalos correspondem a diferentes apresentações comerciais.
IV, intravenosa.

da associação de clortalidona com amilorida sobre losartana ao longo de 18 meses de seguimento.[41] Pacientes com diabetes também se beneficiaram da superioridade da associação de diuréticos.

Detalhamento das razões que demonstram que BRAs não devem ser medicamentos preferenciais no manejo da hipertensão foge ao escopo deste livro e pode ser encontrado em artigos de revisão,[42] metanálises[43,44] e em outras publicações recentes.[2,45]

A primeira escolha entre fármacos anti-hipertensivos foi a única adequadamente avaliada por ensaios clínicos randomizados. Nesse contexto, o fármaco presente como primeira opção em ensaios clínicos seminais, como o SHEP,[9] ALLHAT[46] e SPRINT[11], foi o diurético clortalidona **A**. Hidroclorotiazida demonstrou-se eficaz em prevenir desfechos primordiais **B** comparativamente a placebo,[47] e o nifedipino,[48] somente quando associado à amilorida. Há evidências consistentes de que hidroclorotiazida tem efeito anti-hipertensivo, tanto em intensidade, quanto em duração, menor do que clortalidona **B**.[2] Possivelmente em dose aumentada (50 mg) reproduza os efeitos da clortalidona. Clortalidona, preferencialmente, ou hidroclorotiazida (cuidando-se do aspecto da dose) constituem a primeira escolha para o tratamento de hipertensão arterial **C/D**.

Um efeito colateral de diuréticos é a hipopotassemia **B**, que se associa com aumento de glicemia **B**. Amilorida, diurético poupador de potássio, previne hipopotassemia[49] e a consequente elevação da glicemia **B**.[50]

Fármacos do grupo dos IECAs têm boas evidências em estudos de prevenção secundária de cardiopatia isquêmica **B** e em insuficiência cardíaca **B**.[2] Além disso, poupam potássio quando associados a diuréticos. Betabloqueadores, particularmente metoprolol, têm boas evidências de eficácia em prevenção secundária de infarto do miocárdio **B** e em insuficiência cardíaca **B**.[2,45] Anlodipino teve desempenho aproximado ao de clortalidona no estudo ALLHAT,[46] sendo menos eficaz do que clortalidona somente na prevenção de insuficiência cardíaca. Além disso, age por mecanismo de ação diverso dos anteriores, promovendo vasodilatação.

A sequência de anti-hipertensivos a ser adicionada a diuréticos quando não se controla a PA com somente um fármaco não foi avaliada por ensaios clínicos de qualidade. Assim, evidência de eficácia de fármacos avaliados como primeira opção, combinada com aspectos farmacodinâmicos e efeitos colaterais, orientam a escolha de sequência de adição de medicamentos. Na **FIGURA 32.3**, apresenta-se proposta que contempla os aspectos comentados.

O passo 1 consiste no emprego de diurético – se possível, clortalidona. Se não houver controle de PA ou houver evidências de espoliação de potássio, deve-se associar amilorida ou um representante dos IECAs. No primeiro caso, há opções comerciais relativamente de baixo custo. Associações fixas de diuréticos com representante dos IECAs também existem comercialmente, mas pode-se adicionar o agente de maneira isolada. Pacientes com insuficiência cardíaca ou cardiopatia isquêmica têm indicação de IECA **B**. BRAs podem ser considerados substitutivos de IECA nesse passo, quando houver intolerância a esses agentes (sobretudo tosse, relativamente frequente) **B**. Pacientes em estágio II podem iniciar o tratamento com dois fármacos.

O passo 2 deve consistir em betabloqueador, preferencialmente metoprolol. Atenolol deve ser evitado, pois não foi mais eficaz que placebo em pacientes idosos **B**.[47] Não há evidências de que betabloqueadores de maior custo e com efeito bloqueador de receptores alfa, como carvedilol ou nebivolol, sobrepujem o metoprolol. A indicação de betabloqueador é particularmente desejável em pacientes com cardiopatia isquêmica **B**, insuficiência cardíaca **A** e fibrilação atrial **A**. Os betabloqueadores impedem a taquicardia reflexa muitas vezes induzida por anlodipino, se este tiver que ser empregado no terceiro passo.

O passo 3 consiste no emprego de anlodipino, o antagonista do cálcio com melhores evidências de eficácia em prevenir desfechos primordiais **B**.

Alternativamente à sequência proposta, podem ser tentadas todas as associações entre os fármacos sugeridos com o objetivo de atingir o alvo terapêutico como tolerabilidade. As exceções são IECAs e BRAs, que não podem ser associados **A**.

Hipertensão resistente

Pacientes que não têm PA controlada com três medicamentos de classes diferentes, ou que requerem quatro medicamentos para controlar a PA, são categorizados como resistentes ao tratamento.[51] Pacientes com hipertensão não controlada, mas sem uma investigação para excluir a não adesão ou a hipertensão do avental branco, têm hipertensão aparentemente resistente, enquanto os pacientes resistentes após a exclusão de não adesão e hipertensão do avental branco têm hipertensão resistente verdadeira. A prevalência de hipertensão resistente tem sido estimada entre 10 e 15%, mas menos de um terço destes são verdadeiramente resistentes.[52] Pacientes com hipertensão resistente verdadeira[53] ou aparente[54] têm risco aproximadamente 40% maior de apresentar eventos cardiovasculares do que pacientes com PA controlada, demonstrando que o valor de PA é o determinante do risco.

Na ausência de complicações clínicas relevantes, pacientes com hipertensão resistente devem ser manejados na atenção primária, visto que na maior parte das vezes têm

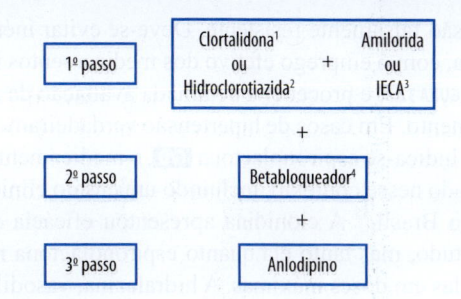

FIGURA 32.3 → Sequência de escolha de fármacos anti-hipertensivos.
1. 12,5 a 25 mg usualmente
2. 25 a 50 mg
3. BRA pode substituir IECA em caso de intolerância
4. Metoprolol preferencialmente

1º passo: Clortalidona¹ ou Hidroclorotiazida² + Amilorida ou IECA³
+
2º passo: Betabloqueador⁴
+
3º passo: Anlodipino

hipertensão falsamente resistente. Deve-se evitar inércia terapêutica, com o emprego efetivo dos medicamentos indicados na FIGURA 32.3, e proceder à detalhada avaliação da adesão ao tratamento. Em casos de hipertensão verdadeiramente resistente, indica-se espironolactona C/D, o medicamento mais investigado nesse contexto, incluindo um ensaio clínico realizado no Brasil.[55] A clonidina apresentou eficácia similar nesse estudo, mas tanto ela quanto espironolactona não foram usadas em doses máximas. A hidralazina, vasodilatador empregado em estudos clássicos, é outra opção.

Estratégias para aumento da adesão ao tratamento

A reiterada dificuldade de pacientes seguirem adequadamente os tratamentos indicados, com ou sem medicamentos, tem sido reconhecida em todo o mundo. Diversas estratégias para aumentar a adesão ao tratamento têm sido propostas. Atenção farmacêutica mostrou-se eficaz em ensaio clínico realizado em nosso Serviço,[56] contribuindo para metanálise que identificou um efeito de 7,6 mmHg (IC 95% 6,3-9,0) em relação ao controle C/D.[57] De forma similar, demonstrou-se o benefício de um programa de automonitorização de PA,[58] confirmado em metanálise C/D.[59] Mensagens de texto, telemonitorização e outras estratégias mostraram-se eficazes em metanálise C/D.[60] Mais recentemente, no entanto, estudos de maior porte não identificaram benefício de um sistema eletrônico de suporte de decisão no controle de hipertensão e diabetes[61] e de um aplicativo com estratégias combinadas.[62]

Risco de redução excessiva da PA: o fenômeno da curva J

Estudos observacionais antigos relacionaram a redução excessiva da PA a aumento do risco de eventos cardiovasculares, particularmente de infarto em pacientes com cardiopatia isquêmica prévia. A essas evidências se associaram análises *post-hoc* de ensaios clínicos randomizados que também evidenciavam a associação. Descrições desse fenômeno ainda são frequentes, mas são absolutamente distorcidas. As pressões mais baixas associam-se com risco de eventos, pois identificam pacientes mais frágeis, com risco aumentado de eventos. O erro de análise é evidente em estudos de coorte e está presente nas análises secundárias de ensaios clínicos, em que os participantes são reagrupados pela pressão atingida.[63] O estudo SPRINT é uma forte evidência contrária à existência do fenômeno, pois o benefício da estratégia de reduzir a PA sistólica a menos de 120 mmHg promoveu consistente benefício.[11] Metanálise que preservou a randomização na comparação de desfechos associados a reduções mais acentuadas de PA reforçou a inexistência de curva J.[16]

Manejo de PA muito elevada em emergências e pronto-atendimento

Salas de emergência atendem muitos pacientes com PA muito elevada, geralmente acompanhando queixas clínicas, como cefaleia e epistaxe, ou síndromes clínicas agudas, como AVC e edema agudo de pulmão. Houve tendência em atribuir as situações clínicas à elevação da PA e enfocá-las como alvo terapêutico. Foram cunhadas as expressões "crise", "urgência" e "emergência" hipertensivas para designar a associação entre a PA elevada e as diferentes condições clínicas e orientar o tratamento.

Emergências são as condições mais graves, e exigiriam a imediata redução da PA (encefalopatia hipertensiva, AVC, edema pulmonar, infarto do miocárdio, dissecção aórtica, hemorragia intracraniana, eclâmpsia, sangramento pós-operatório, queimaduras extensas, crise de feocromocitoma e hipertensão maligna). As urgências incluem angina instável, anticoagulação, intoxicação por cocaína, e até casos de elevação isolada e acentuada da PA.

Nas situações clínicas consideradas, a elevação da PA é muitas vezes consequência da doença aguda. As denominações comentadas devem ser abandonadas em favor dos diagnósticos da doença de base, como infarto e AVC, que determinam o prognóstico e as abordagens terapêuticas. Em algumas condições, a redução da PA faz parte do protocolo terapêutico, como no edema agudo de pulmão. O manejo da PA no AVC agudo foi avaliado em ensaio clínico realizado no Hospital de Clínicas de Porto Alegre,[64] demostrando que o prognóstico não é modificado por intervenções que visam reduzir ou elevar a PA nesse contexto B.

Elevação isolada da PA não requer tratamento imediato, como demonstrado em coorte brasileira B.[65] Para facilitar a alta dos pacientes, pode-se iniciar a administração de anti-hipertensivos. Captopril é uma opção consagrada na prática assistencial, mas o comprimido deve ser deglutido, pois o fármaco não é absorvido pela mucosa oral.

SITUAÇÕES ESPECIAIS

Pacientes idosos

Os pacientes idosos hipertensos constituíam, no passado, grupo em que se questionava instituir tratamento anti-hipertensivo. Além das dúvidas sobre eficácia do tratamento, havia o entendimento de que hipotensão induzida pelo tratamento poderia induzir quedas e fraturas, condição de alta morbidade e até mortalidade nessa faixa etária. Dois ensaios clínicos eliminaram qualquer dúvida sobre a indicação de tratamento. O estudo HYVET,[10] com participantes com 80 anos ou mais, foi o primeiro ensaio clínico a demonstrar, isoladamente, a redução de mortalidade por qualquer causa com tratamento baseado em diurético (RRR = 21%; NNT = 80 em 2 anos). Houve redução de mais de 60% na incidência de insuficiência cardíaca com o tratamento. A PA-alvo era inferior a 150/80 mmHg. No estudo SPRINT,[12] pacientes com mais de 75 anos de idade alocados à pressão-alvo < 120 mmHg (sistólica), comparativamente a 140 mmHg, tiveram redução de mais de 30% na mortalidade por qualquer causa (RRR = 33; NNT = 41). Traumas por queda ocorreram em 4,9% dos participantes tratados intensivamente e 5,5% dos tratados com alvo de PA mais elevado B.

Os resultados do estudo SPRINT-MIND se somam às evidências comentadas. Houve redução da incidência combinada de déficit cognitivo leve e demência B[13] e de lesões de substância branca típicas da doença de Alzheimer.[66] Em síntese, o diagnóstico de hipertensão e o alvo terapêutico em idosos deve ser igual ao de adultos jovens (130/80 mmHg) **B**.

Pacientes com doença cardiovascular prévia

A eficácia de diversos medicamentos foi documentada em pacientes com cardiopatia isquêmica conhecida, particularmente pós-infarto (betabloqueadores e IECAs), com insuficiência cardíaca (idem) e AVC (diurético associado a IECAs). Os ensaios clínicos incluíam, muitas vezes, pacientes com PA normal segundo antigos paradigmas, presumindo-se que os benefícios decorriam de efeitos diversos do hipotensor, denominados de pleiotrópicos. Metanálises[15,67] evidenciaram que o benefício se explica praticamente na totalidade pelo efeito hipotensor **B**. Talvez haja um discreto benefício adicional ao hipotensor com o uso de betabloqueadores após infarto do miocárdio.[14] Assim, cabe seguir as recomendações baseadas em diretrizes para o manejo daquelas condições, com PA-alvo inferior a 130/80 mmHg.

Pacientes com diabetes

O estudo ACCORD,[68] realizado exclusivamente com pacientes com diabetes, teve desenho similar ao do SPRINT. Seus resultados diferem do SPRINT quanto à incidência de mortalidade por qualquer causa e à redução da incidência de infarto do miocárdio (que não foi significativa no ACCORD). A redução de AVC, no entanto, deu-se na magnitude estimada por estudos observacionais. Houve interação entre os tratamentos anti-hipertensivo e antidiabético,[69] com benefício restrito a pacientes alocados ao alvo mais elevado de hemoglobina glicada.

A maior entre todas as metanálises até hoje publicadas[15] demonstrou ausência de benefício de redução mais acentuada de PA em pacientes com diabetes em termos de mortalidade e doença cardiovascular como um todo. A despeito disso, a recomendação das diretrizes norte-americanas[7] para pacientes com diabetes é similar à de pacientes sem diabetes: diagnóstico com PA ≥ 130/80 mmHg, e que deve ser também a meta terapêutica **B**.

Pacientes com insuficiência renal

Ensaios clínicos com pacientes com insuficiência renal tiveram resultados frustrantes, pois os indivíduos tratados mais intensamente tiveram redução da filtração glomerular (mas sem maior incidência de insuficiência renal terminal) e sem evidência clara de proteção cardiovascular.[2] Mesmo que adequadamente desenhados, muitos desses ensaios clínicos não tinham poder para demonstrar a proteção cardiovascular. Subamostra do estudo SPRINT é a maior amostra de pacientes com doença renal crônica. O benefício na prevenção de doença cardiovascular e mortalidade por qualquer causa foi similar ao observado em todo o estudo.[70] Não houve prevenção ou risco para insuficiência renal terminal. Assim, o alvo de 130/80 mmHg se aplica também a pacientes com doença renal crônica **B**.

Crianças e adolescentes

Não há estudos de coorte que tenham identificado os valores pressóricos em crianças e adolescentes associados com desfechos primordiais. O risco para hipertensão futura em crianças e adolescentes com PA mais elevada e a associação entre valores pressóricos elevados e dano em órgão-alvo embasa o diagnóstico de hipertensão nessa faixa etária **C/D**.

Os valores diagnósticos de hipertensão arterial foram redefinidos por diretriz norte-americana.[71] Os conceitos se alinham com o da diretriz para adultos.[7] Uma mudança importante foi considerar os valores diagnósticos de adultos para adolescentes com 13 anos ou mais, independentemente da altura. Na TABELA 32.9, estão os critérios diagnósticos; os percentis de altura empregados para classificação da PA são encontrados na diretriz.[71] Rastreamento de hipertensão secundária não é recomendada em crianças com mais de 6 anos com definida história familiar de hipertensão arterial.

A diretriz recomenda iniciar o tratamento com medidas não medicamentosas, similares às recomendadas para adultos.[71] Se não houver controle, indicam tratamento medicamentoso em pacientes com hipertensão estágio I e estágio II sem um fator claramente modificável (p. ex., obesidade) **C/D**. Indicam, também, tratamento medicamentoso para qualquer estágio de hipertensão associada à doença renal crônica ou diabetes melito.

Todas as classes de agentes utilizados no tratamento de adultos são indicadas, recomendando sempre iniciar com monoterapia e em doses baixas. A única preferência seria por diuréticos **C/D** ou antagonistas do cálcio **C/D** em pacientes negros.

Hipertensão na gestação

Ver Capítulo Hipertensão Arterial na Gestação.

PRESCRIÇÃO DE ANTI-HIPERTENSIVOS

Prescrição dos anti-hipertensivos

Com exceção de nitroprusseto de sódio, utilizado por via parenteral em emergências hipertensivas, todos os agentes anti-hipertensivos têm adequada biodisponibilidade oral.

TABELA 32.9 → Classificação da PA para crianças e adolescentes*

CLASSIFICAÇÃO	1 A 13 ANOS	≥ 13 ANOS
Normal	< percentil 90	< 120/80 mmHg
PA elevada	≥ percentil 90 a < 95 ou 120/80 mmHg a percentil < 95 (o que for menor)	120/< 80 a 129/< 80 mmHg
Hipertensão estágio 1	Percentil ≥ 95 a percentil ≥ 95 + 12 mmHg ou 130/80 a 139/89 (o que for menor)	130/80 a 139/89 mmHg
Hipertensão estágio 2	Percentil ≥ 95 + 12 mmHg ou ≥ 140/90 mmHg (o que for menor)	≥ 140/90 mmHg

*Pontos de corte (expressos em percentil de pressão arterial) são apresentados por estrato de idade, sexo e percentil de estatura na diretriz.[71]

Mesmo com meias-vidas variáveis, seu intervalo entre doses é geralmente de 12 a 24 horas. Isso decorre da duração de efeito (meia-vida biológica), que frequentemente excede ao $t_{1/2}$ plasmático. Para fármacos sem efeito prolongado, como nifedipino, existem apresentações de absorção lenta que permitem espaçamento entre doses de pelo menos 12 horas. Hidralazina era recomendada a intervalos de 8 horas, mas no estudo ALLHAT foi utilizada, como terceiro agente, a cada 12 horas.

O horário de tomada dos medicamentos é tradicionalmente pela manhã para intervalos de 24 horas, repetindo-se em 12 horas para os administrados 2 vezes ao dia. No entanto, ensaio recente de 19.084 pacientes hipertensivos demonstrou que administração no momento de deitar produziu grande redução em eventos cardiovasculares (RRR = 45%; NNT = 19 com tratamento para ~6 anos) **B**.[72] A importância da PA noturna e a falta de cobertura de 24 horas para muitos anti-hipertensivos usados no estudo (BRA, preferencialmente) fornecem subsídios para a maior eficácia noturna.

A quantificação de dose orienta-se pelo efeito hipotensor e não por níveis plasmáticos. A **TABELA 32.8** apresenta doses e intervalos de administração dos agentes anti-hipertensivos de uso corrente.

SEGUIMENTO

Efeitos terapêuticos

São monitorizados pelos valores de PA, que devem ser reduzidos a menos de 130/80 mmHg em todos os pacientes.

Pacientes em tratamento medicamentoso devem ser reavaliados pelo menos mensalmente até que a PA normalize e se ajustem esquemas terapêuticos. Após, pode-se espaçar a revisão para 3 ou 6 meses. É indispensável atentar-se para adesão continuada ao tratamento, buscando-se estratégias de aumento da adesão anteriormente comentadas.

Efeitos colaterais

Os anti-hipertensivos são geralmente bem tolerados, apresentando baixa incidência de efeitos colaterais em ensaios clínicos randomizados comparativos com placebo. O efeito nocebo (evento adverso placebo), entretanto, é comum. Cerca de um terço dos doentes atribui sintomas a fármacos anti-hipertensivos, quando em tratamento de longo prazo.[73] Reconhecimento dessas queixas e adequada orientação são necessários, pois eventos indesejáveis são causa frequente de falta de adesão a tratamento. Um exemplo é a queixa de tontura, atribuída a excesso de efeito hipotensor do tratamento. A pesquisa de hipotensão postural (queda de mais de 20 mmHg na pressão sistólica ao levantar da posição deitada) deve ser feita nesses casos, mas poucas vezes confirma essa hipótese. Se houver real hipotensão postural, devem-se titular as doses em uso, evitando-se o não controle da PA.

Os efeitos colaterais dos diversos grupos farmacológicos, classificados por frequência, estão apresentados na **TABELA 32.10**. Betabloqueadores podem exacerbar doença pulmonar obstrutiva crônica, especialmente em casos de asma, distúrbios de condução atrioventricular e insuficiência circulatória periférica. Sua contraindicação relativa em diabéticos do tipo 1 decorre de mascaramento dos sinais de hipoglicemia e bloqueio da glicogenólise. Diuréticos tiazídicos podem acentuar quadros de hiperuricemia e espoliar potássio. Os níveis séricos de potássio devem ser aferidos após 3 a 6 meses do início do tratamento. A hipopotassemia, mesmo discreta, reduz a eficácia da terapia, provavelmente porque aumenta o risco de arritmias, e é determinante de hiperglicemia. Diuréticos poupadores de potássio, como

TABELA 32.10 → Efeitos colaterais de fármacos anti-hipertensivos

REPRESENTANTES	EFEITOS COLATERAIS MAIS COMUNS	EFEITOS COLATERAIS RAROS
DIURÉTICOS		
Tiazídicos	Hiperuricemia e aumento de crises de gota; hipocalemia	Intolerância aos carboidratos
De alça	Hipopotassemia, hipovolemia (podendo incluir síncope)	Ototoxicidade Efeitos metabólicos similares aos de tiazídicos
Poupadores de potássio	Hiperpotassemia	Ginecomastia e diminuição da libido com espironolactona
ANTAGONISTAS ADRENÉRGICOS		
Betabloqueadores*	Em pacientes predispostos: broncoespasmo, insuficiência circulatória periférica, bradiarritmias, mascaramento de hipoglicemia em diabéticos	Rebote em pacientes com cardiopatia isquêmica
Bloqueadores centrais	Sedação, boca seca, rebote na retirada	Hepatite, anemia hemolítica (metildopa)
BLOQUEADORES DOS CANAIS DE CÁLCIO		
Di-hidropiridínicos	Palpitações, edema de membros inferiores, hipotensão, cefaleia, eritema, rubor facial	Necrólise epidérmica tóxica, síndrome de Stevens-Johnson,
Verapamil e diltiazem	Constipação, rubor facial, diminuição de contratilidade miocárdica	Eritema multiforme, hiperplasia gengival
INIBIDORES DA ENZIMA CONVERSORA DA ANGIOTENSINA (IECAs)		
	Tosse; efeitos teratogênicos hiperpotassemia, diminuição da função renal em presença de estenose bilateral de artéria renal ou unilateral em rim único	Angioedema, proteinúria, eczemas de hipersensibilidade
BLOQUEADORES DOS RECEPTORES DA ANGIOTENSINA 2		
	Hiperpotassemia, diminuição de função renal em presença de estenose bilateral de artéria renal ou unilateral em rim único	
VASODILATADORES DIRETOS		
Hidralazina, minoxidil	Hipotensão postural, palpitações, cefaleia, hipertricose com minoxidil	Indução de lúpus eritematoso sistêmico

*Betabloqueadores seletivos produzem efeitos menos intensos sobre brônquios e circulação periférica.

amilorida, diminuem a hipopotassemia e previnem a elevação da glicemia. IECAs também diminuem a hipopotassemia. Se esta persistir, o paciente deve ser referido para investigar hipertensão secundária. Hiperpotassemia pode decorrer de associação de agentes poupadores de potássio (IECA ou diuréticos poupadores) ou de insuficiência renal. Ao empregar IECA e BRA ou aumentar a dose, deve-se aferir creatinina em 3 a 6 meses, pois podem deteriorar acentuadamente a função renal de pacientes com obstrução de artérias renais, pois a dilatação que provocam em arteríolas eferentes não pode ser compensada por aumento de fluxo sanguíneo renal. Esses pacientes, em geral, têm pobre resposta a esses agentes, e o potássio e a pressão podem aumentar. A elevação abrupta de creatinina (mais do que 50% do valor basal) requer suspensão desses agentes e encaminhamento ao especialista para investigar hipertensão secundária.

A indução de disfunção sexual é preocupação frequente durante o tratamento anti-hipertensivo. Antagonistas do sistema adrenérgico, principalmente clonidina e metildopa, são os mais implicados, seguidos por betabloqueadores e diuréticos. Até 30% dos pacientes que os usam referem problemas de desempenho sexual. Há tendência a atribuí-los à terapia, mesmo porque existe conhecimento leigo de que anti-hipertensivos podem influenciar a potência sexual, mas que é, em grande parte, atribuída ao efeito nocebo. Impotência sexual é queixa referida em questionários anônimos por muitos pacientes, independentemente do uso de medicamentos. No estudo TOMHS,[74] 16,5% dos pacientes que receberam placebo por 4 anos referiram alguma disfunção sexual, comparativamente a 13,1% dos tratados com medicamentos, não havendo diferença substancial de incidência entre os fármacos dos cinco grupos testados. No estudo PREVER-prevenção,[38] mais participantes queixaram-se de disfunção sexual quando tratados com placebo do que com diuréticos em baixa dose.

Interações medicamentosas

A **TABELA 32.11** apresenta as interações clinicamente relevantes de anti-hipertensivos. Muitas têm menor importância, pois ocorrem com fármacos que poucas vezes são empregados simultaneamente. Destacam-se interações sinérgicas entre anti-hipertensivos, antagonismo de atividade anti-hipertensiva por anti-inflamatórios não esteroides (AINEs) e hiperpotassemia pelo uso simultâneo de qualquer combinação entre inibidores da convertase, bloqueadores de receptores de angiotensina, diuréticos poupadores de potássio e suplementos de potássio. Interações com lítio aumentam sua toxicidade.

ENCAMINHAMENTO

Pacientes com hipertensão arterial raramente precisam ser referidos ao especialista. A condição mais frequente para encaminhamento é pressão não controlada com pelo menos três fármacos, mas, mesmo nesse caso, é necessário conferir adesão ao tratamento e o uso de doses adequadas dos agentes, incluindo um diurético. Outras suspeitas de hipertensão secundária (ver anteriormente) também são indicações para encaminhamento, assim como pacientes com doença clínica grave, não controlável em atenção primária.

TABELA 32.11 → Principais interações medicamentosas de fármacos anti-hipertensivos

ANTI-HIPERTENSIVOS	FÁRMACOS	EFEITOS
DIURÉTICOS		
Tiazídicos e de alça	Digitálicos	Predisposição à intoxicação por hipopotassemia
	AINEs	Antagonismo do efeito diurético
	Lítio	Aumento dos níveis séricos do lítio
Poupadores de potássio	Inibidores da convertase e suplemento de potássio	Hiperpotassemia
ANTAGONISTAS ADRENÉRGICOS		
Betabloqueadores	Insulina e hipoglicemiantes orais	Mascaramento de sinais de hipoglicemia e bloqueio da mobilização de glicose
	Cimetidina	Redução da depuração hepática do propranolol e metoprolol
	Lidocaína	Depuração diminuída por redução do fluxo plasmático hepático
	Vasoconstritores nasais	Aumento do efeito hipertensor por ausência de anteposição do bloqueio beta
	Diltiazem e verapamil	Depressão de atividade dos nódulos sinusal e atrioventricular
ANTAGONISTAS DOS CANAIS DE CÁLCIO		
Verapamil e diltiazem	Digoxina	Aumento de níveis plasmáticos de digoxina
	Bloqueadores H2	Aumento de níveis plasmáticos de antagonistas do cálcio
	Indutores microssomais (fenobarbital, rifampicina, carbamazepina)	Aumento da depuração dos antagonistas do cálcio
Verapamil	Teofilina, prazosina, ciclosporina	Aumento do nível sérico desses fármacos
ANTAGONISTAS DO SISTEMA RENINA-ANGIOTENSINA		
	Diuréticos poupadores de potássio e suplementos de potássio	Hiperpotassemia
	AINEs	Antagonismo do efeito anti-hipertensivo em curto prazo
	Antiácidos	Redução da biodisponibilidade
	Lítio	Diminuição da depuração do lítio

AINEs, anti-inflamatórios não esteroides.

REFERÊNCIAS

1. Fuchs FD, Whelton PK. High blood pressure and cardiovascular disease. Hypertension. 2020;75(2):285-92.
2. Fuchs FD. Essentials of hypertension: the 120/80 paradigm. Cham: Springer; 2018.
3. Lewington S, Clarke R, Qizilbash N, Peto R, Collins R. Age-specific relevance of usual blood pressure to vascular mortality: a

meta-analysis of individual data for one million adults in 61 prospective studies. Lancet. 2002;360(9349):1903-13.

4. Qaseem A, Wilt TJ, Rich R, Humphrey LL, Frost J, Forciea MA, et al. Pharmacologic treatment of hypertension in adults aged 60 years or older to higher versus lower blood pressure targets: a clinical practice guideline from the american college of physicians and the american academy of family physicians. Ann Intern Med. 2017;166(6):430-7.

5. Williams B, Mancia G, Spiering W, Agabiti Rosei E, Azizi M, Burnier M, et al. 2018 ESC/ESH Guidelines for the management of arterial hypertension. Eur Heart J. 2018;39(33):3021-104.

6. National Institute for Health and Care Excellence. Hypertension in adults: diagnosis and management [Internet]. London: NICE guideline; 2019 [capturado em 02 dez. 2019]. Disponível em: www.nice.org.uk/guidance/ng136.

7. Whelton PK, Carey RM, Aronow WS, Casey DE Jr, Collins KJ, Himmelfarb CD, et al. 2017 ACC/AHA/AAPA/ABC/ACPM/AGS/APhA/ASH/ASPC/NMA/PCNA guideline for the prevention, detection, evaluation, and management of high blood pressure in adults: a report of the American College of Cardiology/American Heart Association Task Force on clinical practice guidelines. J Am Coll Cardiol. 2018;71(19):e127-248.

8. Veterans Administration Cooperative Study Group on Antihypertensive Agents. Effects of treatment on morbidity in hypertension: results in patients with diastolic blood pressures averaging 115 through 129 mmHg. JAMA. 1967;202(11):1028–34.

9. SHEP Cooperative Research Group. Prevention of stroke by antihypertensive drug treatment in older persons with isolated systolic hypertension. JAMA 1991;265(24):3255–64.

10. Beckett NS, Peters R, Fletcher AE, Staessen JA, Liu L, Dumitrascu D, et al. Treatment of hypertension in patients 80 years of age or older. N Engl J Med. 2008;358(18):1887-98.

11. SPRINT Research Group. A randomized trial of intensive versus standard blood-pressure control. N Engl J Med. 2015;373:2103-16.

12. Williamson JD, Supiano MA, Applegate WB, Berlowitz DR, Campbell RC, Chertow GM, et al. Intensive vs standard blood pressure control and cardiovascular disease outcomes in adults aged ≥75 years: a randomized clinical trial. JAMA 2016;315(24):2673-82.

13. SPRINT MIND Investigators for the SPRINT Research Group. Effect of intensive vs standard blood pressure control on probable dementia: a randomized clinical trial. JAMA. 2019; 321:553-61.

14. Law MR, Morris JK, Wald NJ. Use of BP lowering drugs in the prevention of cardiovascular disease: meta-analysis of 147 randomised trials in the context of expectations from prospective epidemiological studies. BMJ. 2009;338:B1665.

15. Ettehad D, Emdin CA, Kiran A, Anderson SG, Callender T, Emberson J, et al. Blood pressure lowering for prevention of cardiovascular disease and death: a systematic review and meta-analysis. Lancet. 2016;387(10022):957–67.

16. Bundy JD, Li C, Stuchlik P, Bu X, Kelly TN, Mills KT, et al. Systolic blood pressure reduction and risk of cardiovascular disease and mortality: a systematic review and network meta-analysis. JAMA Cardiol. 2017;2(7):775-81.

17. Myers MG, Kaczorowski J, Dolovich L, Tu K, Paterson JM. Cardiovascular risk in hypertension in relation to achieved blood pressure using automated office blood pressure measurement. Hypertension. 2016;68(4):866-72.

18. Johnson KC, Whelton PK, Cushman WC, Cutler JA, Evans GW, Snyder JK, et al. Blood Pressure Measurement in SPRINT (Systolic Blood Pressure Intervention Trial). Hypertension. 2018;71(5):848-57.

19. Salles GF, Reboldi G, Fagard RH, Cardoso CRL, Pierdomenico SD, Verdecchia P, et al. Prognostic effect of the nocturnal blood pressure fall in hypertensive patients: the Ambulatory Blood Pressure Collaboration in Patients with Hypertension (ABC-H) meta-analysis. Hypertension. 2016;67(4):693–700.

20. Banegas JR, Ruilope LM, de la Sierra A, Vinyoles E, Gorostidi M, de la Cruz JJ, et al. Relationship between Clinic and Ambulatory Blood-Pressure Measurements and Mortality. N Engl J Med. 2018;378(16):1509-20.

21. He FJ, Pombo-Rodrigues S, Macgregor GA. Salt reduction in England from 2003 to 2011: its relationship to blood pressure, stroke and ischaemic heart disease mortality. BMJ Open. 2014;4(4):e004549.

22. Look AHEAD Research Group. Cardiovascular effects of intensive lifestyle intervention in type 2 diabetes. N Engl J Med. 2013;369(2):145–54.

23. Riegel G, Moreira LB, Fuchs SC, Gus M, Nunes G, Correa V Jr, et al. Long-term effective- ness of non-drug recommendations to treat hypertension in a clinical setting. Am J Hypertens. 2012;25(11):1202–8.

24. Aburto NJ, Ziolkovska A, Hooper L, Elliott P, Cappuccio FP, Meerpohl JJ. Effect of lower sodium intake on health: systematic review and meta-analyses. BMJ. 2013;346:f1326.

25. He FJ, MacGregor GA. Salt reduction lowers cardiovascular risk: meta-analysis of outcome trials. Lancet. 2011;378(9789):380-2.

26. Horvath K, Jeitler K, Siering U, Stich AK, Skipka G, Gratzer TW, et al. Long-term effects of weight-reducing interventions in hypertensive patients: systematic review and meta-analysis. Arch Intern Med. 2008;168(6):571-80.

27. James WP, Caterson ID, Coutinho W, Finer N, Van Gaal LF, Maggioni AP, et al. Effect of sibutramine on cardiovascular outcomes in overweight and obese subjects. N Engl J Med. 2010;363:905-17.

28. Schiavon CA, Bersch-Ferreira AC, Santucci EV, Oliveira JD, Torreglosa CR, Bueno PT, et al. Effects of bariatric surgery in obese patients with hypertension: The GATEWAY randomized trial (Gastric Bypass to Treat Obese Patients With Steady Hypertension). Circulation. 2018;137(11):1132-42.

29. Appel LJ, Moore TJ, Obarzanek E, Vollmer WM, Svetkey LP, Sacks FM, et al. A clinical trial of the effects of dietary patterns on blood pressure. DASH Collaborative Research Group. N Engl J Med. 1997;336(16):1117–24.

30. Sacks FM, Svetkey LP, Vollmer WM, Appel LJ, Bray GA, Harsha D, et al. Effects on blood pressure of reduced dietary sodium and the Dietary Approaches to Stop Hypertension (DASH) diet. DASH-Sodium Collaborative Research Group. N Engl J Med 2001;344(1):3–10.

31. Gay HC, Rao SG, Vaccarino V, Ali MK. Effects of different dietary interventions on blood pressure systematic review and meta-analysis of randomized controlled trials. Hypertension. 2016;67(4):733–9.

32. Binia A, Jaeger J, Hu Y, Singh A, Zimmermann D. Daily potassium intake and sodium-to- potassium ratio in the reduction of blood pressure: a meta-analysis of randomized controlled trials. J Hypertens. 2015;33(8):1509–20.

33. Zhou B, Wang HL, Wang WL, Wu XM, Fu LY, Shi JP. Long-term effects of salt substitution on blood pressure in a rural north Chinese population. J Hum Hypertens. 2013;27(7):427–33.

34. Oliveira AC, Martinez D, Massierer D, Gus M, Gonçalves SC, Ghizzoni F, et al. The anti- hypertensive effect of positive airway pressure on resistant hypertension of patients with obstructive sleep apnea: a randomized, double-blind, clinical trial. Am J Respir Crit Care Med. 2014;190(3):345–7.

35. Moreira LB, Fuchs SC, Wiehe M, Gus M, Moraes RS, Fuchs FD. Incidence of hypertension in Porto Alegre, Brazil: a population-based study. J Hum Hypertens. 2008;22(1):48–50.

36. Julius S, Nesbitt SD, Egan BM, Weber MC, Michelson EL, Naciroti N, et al. Feasibility of treating prehypertension with an angiotensin-receptor blocker. N Engl J Med. 2006; 354:1685–97.

37. Lüders S, Schrader J, Berger J, Unger T, Zidek W, Böhm M. The PHARAO study: prevention of hypertension with the angiotensin-converting enzyme inhibitor ramipril in patients with high-normal BP: a prospective, randomized, controlled prevention trial of the German Hypertension League. J Hypertens. 2008;26(7):1487–96.

38. Fuchs SC, Poli-de-Figueiredo CE, Figueiredo Neto JA, Scala LC, Whelton PK, Mosele F, et al. Effectiveness of chlorthalidone plus

amiloride for the prevention of hypertension: the PREVER-Prevention randomized clinical trial. J Am Heart Assoc. 2016;5(2):e004248.
39. Investigators ONTARGET, Yusuf S, Teo KK, Pogue J, Dyal L, Copland I, Schumacher H, et al. Telmisartan, ramipril, or both in patients at high risk for vascular events. N Engl J Med. 2008;358(15):1547–59.
40. Fuchs FD. The corporate bias and the molding of prescription practices: the case of hypertension. Braz. J Med Biol Res. 2009;42(3):224–8.
41. Fuchs FD, Scala LC, Vilela-Martin JF, Bandeira-de-Mello R, Mosele F, Whelton PK, et al. Effectiveness of chlorthalidone/amiloride versus losartan in patients with stage I hypertension: results from the PREVER-Treatment randomized trial. J Hypertens. 2016;34(4):798–806.
42. Fuchs FD. The role of angiotensin receptor blockers in the prevention of cardiovascular and renal disease: time for reassessment? Evid Based Med. 2013;18(2):44–7.
43. van Vark LC, Bertrand M, Akkerhuis KM, Brugts JJ, Fox K, Mourad JJ, et al. Angiotensin-converting enzyme inhibitors reduce mortality in hypertension: a meta- analysis of randomized clinical trials of renin–angiotensin–aldosterone system inhibitors involving 158 998 patients. Eur Heart J. 2012;33(16):2088–97.
44. Cheng J, Zhang W, Zhang X, Han F, Li X, He X, et al. Effect of angiotensin- converting enzyme inhibitors and angiotensin II receptor blockers on all-cause mortality, cardiovascular deaths, and cardiovascular events in patients with diabetes mellitus: a meta- analysis. JAMA Intern Med. 2014;174(5):773–85.
45. Fuchs FD. Hipertensão Arterial Sistêmica. In Fuchs FD, Wannmacher L. Farmacologia clínica e terapêutica. 5. ed. Rio de Janeiro: Guanabara Koogan; 2017. p. 537–58.
46. ALLHAT Officers and Coordinators for the ALLHAT Collaborative Research Group. The Antihypertensive and Lipid-Lowering Treatment to Prevent Heart Attack Trial. Major outcomes in high-risk hypertensive patients randomized to angiotensin-converting enzyme inhibitor or calcium channel blocker vs diuretic: the Antihypertensive and Lipid-Lowering Treatment to Prevent Heart Attack Trial (ALLHAT). JAMA. 2002;288(23):2981–97.
47. Working Party MRC. Medical Research Council trial of treatment of hypertension in older adults: principal results. Br Med J. 1992;304:405–12.
48. Brown MJ, Palmer CR, Castaigne A, Leew PW, Mancia G, Rosenthal T, et al. Morbidity and mortality in patients randomised to double-blind treatment with a long-acting calcium- channel blocker or diuretic in the International Nifedipine GITS Study (INSIGHT). Lancet. 2000;356(9227):366–72.
49. Guerrero P, Fuchs FD, Moreira LM, Martins VM, Bertoluci C, Fuchs SC, et al. Blood pressure-lowering efficacy of amiloride versus enalapril as add-on drugs in patients with uncontrolled blood pressure receiving hydrochlorothiazide. Clin Exp Hypertens. 2008;30(7):553–64.
50. Brown MJ, Williams B, Morant SV, Webb DJ, Caulfield MJ, Cruickshank JK, et al. Effect of amiloride, or amiloride plus hydrochlorothiazide, versus hydrochlorothiazide on glucose tolerance and blood pressure (PATHWAY-3): a parallel-group, double-blind randomised phase 4 trial. Lancet Diabetes Endocrinol. 2016;4(2):136–47.
51. Carey RM, Calhoun DA, Bakris GL, Brook RD, Daugherty SL, Dennison-Himmelfarb CR, et al. Resistant hypertension: detection, evaluation, and management: a scientific statement from the American Heart Association. Hypertension. 2018;72(5):e53-e90.
52. Massierer D, Oliveira AC, Steinhorst AM, Gus M, Ascoli AM, Gonçalves SC, et al. Prevalence of resistant hypertension in non-elderly adults: prospective study in a clinical setting. Arq Bras Cardiol. 2012;99(1):630–5.
53. Daugherty SL, Powers JD, Magid DJ, Tavel HM, Masoudi FA, Margolis KL, et al. Incidence and prognosis of resistant hypertension in hypertensive patients. Circulation. 2012;125(13):1635–42.
54. Muntner P, Davis BR, Cushman WC, Bangalore S, Calhoun DA, Pressel SL, et al. Treatment- resistant hypertension and the incidence of cardiovascular disease and end-stage renal disease: results from the Antihypertensive and Lipid-Lowering Treatment to Prevent Heart Attack Trial (ALLHAT). Hypertension. 2014;64(5):1012–21.
55. Krieger EM, Drager LF, Giorgi DMA, Pereira AC, Barreto-Filho JAS, Nogueira AR, et al. Spironolactone versus clonidine as a fourth-drug therapy for resistant hypertension: the ReHOT randomized study (Resistant Hypertension Optimal Treatment). Hypertension. 2018;71(4):681-90.
56. Castro MS, Fuchs FD, Santos MC, Maximiliano P, Gus M, Moreira LB, et al. Pharmaceutical care program for patients with uncontrolled hypertension. report of a double-blind clinical trial with ambulatory blood pressure monitoring. Am J Hypertens. 2006;19(5):528–33.
57. Santschi V, Chiolero A, Colosimo AL, Platt RW, Taffé P, Burnier M, et al. Improving blood pressure control through pharmacist interventions: a meta-analysis of randomized controlled trials. J Am Heart Assoc. 2014;3(2):e000718.
58. Fuchs SC, Ferreira-da-Silva AL, Moreira LB, Neyeloff JL, Fuchs FC, Gus M, et al. Efficacy of isolated home blood pressure monitoring for blood pressure control: randomized controlled trial with ambulatory blood pressure monitoring – MONITOR study. J Hypertens. 2012;30(1):75–80.
59. Uhlig K, Patel K, Ip S, Kitsios GD, Balk EM. Self-measured blood pressure monitoring in the management of hypertension: a systematic review and meta-analysis. Ann Intern Med. 2013;159(3):185–94.
60. Conn VS, Ruppar TM, Chase JA, Enriquez M, Cooper PS. Interventions to improve medication adherence in hypertensive patients: systematic review and meta-analysis. Curr Hypertens Rep. 2015;17(12):94.
61. Prabhakaran D, Jha D, Prieto-Merino D, Roy A, Singh K, Ajay VS, et al. Effectiveness of an mHealth-based electronic decision support system for integrated management of chronic conditions in primary care: the mWellcare cluster-randomized controlled trial. Circulation. 2019;139(3):380-91.
62. Morawski K, Ghazinouri R, Krumme A, Lauffenburger JC, Lu Z, Durfee E, et al. Association of a smartphone application with medication adherence and blood pressure control: the MedISAFE-BP randomized clinical trial. JAMA Intern Med. 2018;178(6):802-9.
63. Fuchs FD, Fuchs SC. Blood pressure targets in the treatment of high BP: a reappraisal of the J-shaped phenomenon. J Hum Hypertens. 2014;28:80–4.
64. Nasi LA, Martins SCO, Gus M, Weiss G, de Almeida AG, Brondani R, et al. Early Manipulation of Arterial Blood Pressure in Acute Ischemic Stroke (MAPAS): results of a randomized controlled trial. Neurocrit Care. 2019;30(2):372-379.
65. Sobrinho S, Correia LC, Cruz C, Santiago M, Paim AC, Meireles B, et al. Occurrence rate and clinical predictors of hypertensive pseudocrisis in emergency room care. Arq Bras Cardiol. 2007; 88(5):579–84.
66. The SPRINT MIND Investigators for the SPRINT Research Group. Association of intensive versus standard blood pressure control with cerebral write matter lesions. JAMA. 2019;322(6):524-34.
67. Thompson AM, Hu T, Eshelbrenner CL, Reynolds K, He J, Bazzano LA. Antihypertensive treatment and secondary prevention of cardiovascular disease events among persons without hypertension: a meta-analysis. JAMA. 2011;305(9):913–22.
68. ACCORD Study Group. Effects of intensive blood-pressure control in type 2 diabetes mellitus. N Engl J Med. 2010;362:1575–85.
69. Beddhu S, Chertow GM, Greene T, Whelton PK, Ambrosius WT, Cheung AK, et al. Effects of intensive systolic blood pressure lowering on cardiovascular events and mortality in patients with type 2 diabetes mellitus on standard glycemic control and in those without diabetes mellitus: reconciling results from ACCORD BP and SPRINT. J Am Heart Assoc. 2018;7(18): e009326.
70. Cheung AK, Rahman M, Reboussin DM, Craven TE, Greene T, Kimmel PL, et al. Effects of intensive BP control in CKD. J Am Soc Nephrol. 2017;28(9):2812-23.

71. Flynn JT, Kaelber DC, Baker-Smith CM, Blowey D, Carroll AE, Daniels SR et al. Clinical practice guideline for screening and management of high blood pressure in children and adolescents. Pediatrics. 2017;140(3):e20171904.
72. Hermida RC, Crespo JJ, Domínguez-Sardiña M, Otero A, Moyá A, Ríos MT, et al. Bedtime hypertension treatment improves cardiovascular risk reduction: the Hygia Chronotherapy Trial. Eur Heart J. 2019:ehz754.
73. Gonçalves CBC, Moreira LB, Gus M, Fuchs FD. Adverse events of blood-pressure-lowering drugs: evidence of high incidence in a clinical setting. Eur J Clin Pharmacol 2007;63(10):973–8.
74. Neaton JD, Grimm RH Jr, Prineas RJ, Stamler J, Grandits GA, Elmer PJ, et al. Treatment of Mild Hypertension Study. final results. JAMA. 1993;270(6):713–24.

LEITURAS RECOMENDADAS

Fuchs FD. Essentials of hypertension. Cham: Springer; 2018.
Aborda todos os aspectos contidos no presente capítulo, estendendo a fundamentação das recomendações apresentadas.

Whelton PK, Carey RM, Aronow WS, Casey DE Jr, Collins KJ, Himmelfarb CD, et al. 2017 ACC/AHA/AAPA/ ABC/ACPM/AGS/APhA/ASH/ ASPC/NMA/PCNA guideline for the prevention, detection, evaluation, and management of high blood pressure in adults: a report of the American College of Cardiology/ American Heart Association Task Force on clinical practice guidelines. J Am Coll Cardiol. 2018;71(19):e127-248.
Diretriz que aborda todos os aspectos relevantes para o diagnóstico e manejo de hipertensão arterial; destaca-se pela iniciativa pioneira de propor níveis pressóricos mais baixos do que os tradicionais para o diagnóstico de hipertensão em todos adultos com mais de 18 anos, independentemente da presença de doenças associadas.

SPRINT Research Group. A randomized trial of intensive versus standard blood-pressure control. N Engl J Med. 2015;373:2103-16.
Ensaio clínico randomizado que forneceu os subsídios mais consistentes para a mudança de valores diagnósticos e alvos terapêuticos em adultos

Ettehad D, Emdin CA, Kiran A, Anderson SG, Callender T, Emberson J, et al. Blood pressure lowering for prevention of cardiovascular disease and death: a systematic review and meta- analysis. Lancet. 2016;387(10022):957–67.
A metanálise mais completa até hoje realizada, demonstrando o benefício de reduzir-se a PA a menos de 130/80 mmHg como forma de prevenir eventos cardiovasculares

Flynn JT, Kaelber DC, Baker-Smith CM, Blowey D, Carroll AE, Daniels SR et al. Clinical practice guideline for screening and management of high blood pressure in children and adolescents. Pediatrics. 2017;140(3):e20171904.
Diretriz de diagnóstico e tratamento de hipertensão em crianças e adolescentes, recomendando valores de PA mais baixos para o diagnóstico de hipertensão nesta faixa etária.

Neal B, Wu Y, Feng X, Zhang R, Zhang Y, Shi J, et al. Effect of salt substitution on cardiovascular events and death. N Engl J Med. 2021;385(12):1067-77.
Ensaio clínico tipo cluster que demonstrou que a substituição de 25% do cloreto de sódio por cloreto de potássio no sal da dieta reduziu a taxa de AVC (RRR=14%), de eventos cardíacos maiores (RRR=13%) e de mortalidade global (RRR=12%) em adultos hipertensos com mais de 60 anos ou AVC prévia.

INMETRO. Esfigmomanômetro (aparelho de pressão) [Internet]. Rio de Janeiro: IMETRO; [1998] (capturado em 20 dez. 2019). Disponível em: http://www.inmetro.gov.br/consumidor/produtos/esfigmo2.asp.
Site fonte de endereços para calibração de manômetros digitais

Capítulo 33
RASTREAMENTO DE ADULTOS PARA TRATAMENTO PREVENTIVO

Airton Tetelbom Stein
Daniel Costi Simões
Alice de M. Zelmanowicz
Maicon Falavigna

O surgimento constante de novas tecnologias em saúde induz uma visão otimista sobre a eficácia de sua utilização. Nas tecnologias de rastreamento, esse otimismo geralmente esbarra na realidade de sua aplicação, pois um teste de rastreamento deve ser capaz de identificar pessoas assintomáticas que de fato se beneficiariam de um tratamento precoce sem causar dano, o que raramente acontece. Na verdade, muitos testes de rastreamento foram incorporados na prática clínica antes de estimar, a partir da literatura, a qualidade da evidência, o potencial benefício e a possibilidade de dano.

Além disso, a experiência pessoal e a intuição, muito importantes no processo de seleção de um exame diagnóstico em pessoas sintomáticas, não auxiliam na seleção de testes de rastreamento.[1] Muitas vezes, o que induz à solicitação de testes de rastreamento é a lembrança sobre o sofrimento de pacientes com a doença em pauta e a esperança de que sua detecção precoce possa levar a um melhor prognóstico. Com frequência, essa intuição clínica contrapõe-se a evidências de pesquisas sobre rastreamento. A dissonância cognitiva (conflito psicológico) resultante das evidências científicas e as crenças e atitudes acabam gerando um estresse muito grande no médico e no paciente e, muitas vezes, acarretando um problema ético.[2] Como sumarizado por Muir Gray, "[...] todos os programas de rastreamento causam danos, alguns causam também benefícios".[3]

A boa prática clínica pressupõe que pacientes sintomáticos recebam pronto diagnóstico e efetivo tratamento de doenças com potencial de evolução clínica rápida. Exemplos disso são vários tipos de câncer de rápida evolução e com boa perspectiva de cura, como o câncer de mama ou de cólon.

Isso não deve ser confundido com detecção precoce e tratamento efetivo em pessoas assintomáticas, como é o caso do rastreamento de doenças. O rastreamento é um processo que visa identificar pessoas aparentemente saudáveis, mas com maior risco de desenvolver uma doença ou maior probabilidade de ter uma determinada condição clínica que poderia ser efetivamente tratada. Uma vez identificadas, se confirmadas com segurança (teste de elevada especificidade), essas pessoas deveriam receber o tratamento capaz de, efetivamente, reduzir o risco e/ou complicação da doença ou condição clínica.

CRITÉRIOS PARA JUSTIFICAR O RASTREAMENTO

Para avaliar se determinado rastreamento está bem justificado, é preciso examinar as características da *doença* (ou condição clínica) que se quer prevenir, do *teste* que pode ser utilizado e do *tratamento* que deve ser oferecido.

Alguns princípios, apresentados a seguir, norteiam essa análise.[4] Derivações desses princípios têm sido largamente utilizadas na implementação de programas e políticas de rastreamento.

→ A doença deve ser relativamente frequente e importante do ponto de vista clínico.
→ A doença deve ter uma fase pré-clínica conhecida.
→ O teste de rastreamento deve ser capaz de detectar tal doença nessa fase, com baixos índices de falsos-negativos e falsos-positivos.
→ Caso a doença seja diagnosticada corretamente, um tratamento efetivo deve estar disponível com capacidade de alterar a história natural dessa doença.
→ A alteração na história natural da doença deve se traduzir em diminuição da mortalidade total do grupo de indivíduos rastreados.
→ O teste deve ter custo aceitável (financeiro, social, físico).
→ O tratamento, na sua fase precoce, não deve ser pior do que a própria doença.

> O rastreamento está justificado quando todas essas condições podem ser garantidas e as evidências científicas são de qualidade aceitável. Além disso, como ocorre com qualquer outra intervenção, o rastreamento pode causar dano, e essa possibilidade precisa ser criteriosamente avaliada antes de submeter pessoas assintomáticas a potenciais riscos do rastreamento. Uma maneira objetiva de cotejar benefícios contra riscos e custos é a análise de custo-efetividade.

Estudos de custo-efetividade estimam, para cada ano de vida com saúde ganho, os custos totais do programa, desde o rastreamento até o tratamento, subtraindo-se os custos poupados por minimizarem despesas futuras com complicações evitadas.

São considerados danos possíveis no rastreamento:
→ risco intrínseco aos procedimentos diagnósticos;
→ risco de resultados falso-positivos com procedimentos subsequentes, progressivamente mais invasivos, e custos associados;
→ diagnósticos excessivos que podem acontecer quando o diagnóstico é realizado na fase pré-clínica da doença. Esses casos não evoluem para uma fase clínica nem afetam a qualidade e a expectativa de vida do indivíduo;[5]
→ risco associado a resultados falso-negativos, que ocorre quando um exame assegura erroneamente que o indivíduo está livre de desenvolver determinada doença, atrasando um eventual diagnóstico.

Em suma, o rastreamento é apenas a primeira etapa de uma eventual investigação diagnóstica mais específica, que pode levar a determinado tratamento capaz de mudar a história natural da doença. Os testes de rastreamento apenas categorizam as pessoas em grupos de risco. Para que o rastreamento seja efetivo, ele deve envolver uma sequência de ações diagnósticas e terapêuticas que precisam ser bem planejadas e adequadamente implementadas.

AVALIAÇÃO DA EVIDÊNCIA QUE APOIA O RASTREAMENTO

Não há dúvida de que muitas vidas podem ser salvas e grande sofrimento pode ser reduzido em decorrência de programas de rastreamento. No entanto, são poucos os programas vigentes que mostram benefícios claros, e muitos podem causar mais dano do que benefício. Como já apontado, isso é contrário à intuição dos pacientes e de muitos clínicos: "se bem não faz, mal não deve fazer".

Avaliações econômicas em saúde demonstram que centenas de bilhões de dólares são gastos a cada ano em procedimentos médicos que não demonstram benefício clínico real e/ou apresentam risco importante de dano.[6] Isso vale não apenas para exames sofisticados de imagem, mas também para testes de baixa complexidade tecnológica, cujo uso rotineiro deve ser evitado em pacientes assintomáticos e sem indicação específica, como o eletrocardiograma, o eletrocardiograma de esforço, a espirometria e a radiografia.[7]

É importante lembrar que, se a definição de um exame alterado é apresentar um valor entre os 5% mais extremos da distribuição de resultados entre não doentes, para cada 20 exames solicitados (de sangue ou outros), um dos resultados pode estar "alterado" tão somente pelo acaso. Resultados falso-positivos podem acabar gerando um dilema ético – realizar ou não investigação posterior (que pode ser invasiva) e tratar ou não (com tratamento que pode ser de efetividade questionável e de potencial elevado de risco).

Vieses em estudos de rastreamento

Estudos sobre rastreamento apresentam potenciais vieses, alguns deles bem específicos a esse contexto de investigação, como o viés de tempo ganho de doença (em inglês, *lead time bias*), o viés de duração variável de doença (em inglês, *length time bias*) e o viés de adesão (em inglês, *compliance bias*). Esses vieses frequentemente levam a interpretações equivocadas, mesmo por pessoas com grande experiência no assunto.

O viés de tempo ganho de doença resulta da interpretação errônea de que o rastreamento traz mais anos de vida, quando, na verdade, traz apenas maior tempo de diagnóstico de doença (FIGURA 33.1). Como o rastreamento visa prolongar a vida (mortalidade mais tardia; segunda seta na FIGURA 33.1), é importante questionar se o rastreamento aumenta apenas o tempo de doença sem alterar a sobrevida (terceira seta na FIGURA 33.1). Isso ocorre em estudos que comparam a sobrevida de pacientes rastreados com a de não rastreados, concluindo (falsamente) que o tempo ganho após a detecção da doença indicaria um benefício do rastreamento. A comparação que permitiria essa conclusão sobre benefício é baseada em ensaio clínico randomizado (ECR) que compara a sobrevida a

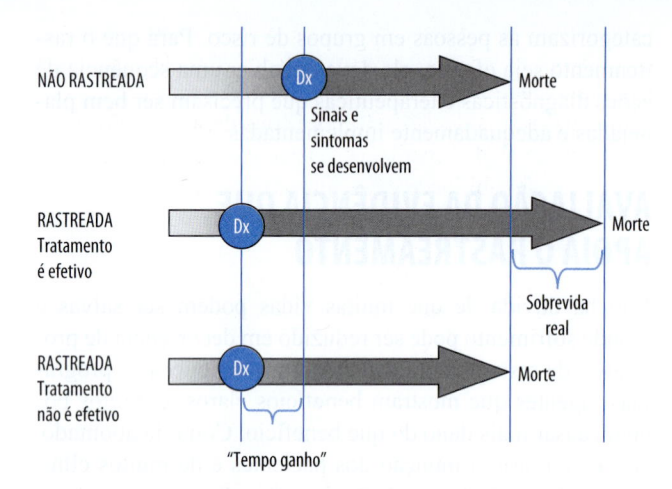

FIGURA 33.1 → Viés de tempo de doença ganho. O tempo ganho com a doença não pode ser interpretado como um ganho real de sobrevida (ver texto). Dx, diagnóstico clínico.

partir da randomização (rastreamento vs. não rastreamento) e não a partir da detecção da doença.

O viés de duração variável de doença pode ocorrer quando a doença tem evolução variável, desde casos pouco agressivos até casos muito agressivos. Por exemplo, alguns tipos de câncer podem desenvolver-se lentamente, permanecendo por um tempo mais prolongado de forma assintomática e tornando-se, assim, mais propensos à detecção por um teste de rastreamento **(FIGURA 33.2)**. Ao comparar o prognóstico de casos rastreados com o de não rastreados, pessoas diagnosticadas por meio do rastreamento mostram prognóstico mais favorável porque a natureza menos agressiva do câncer propiciou sua detecção na fase pré-clínica. Assim, a comparação do prognóstico de rastreados com o de não rastreados pode levar à falsa impressão de que o rastreamento produziu um benefício no prognóstico das pessoas rastreadas. A comparação mais adequada aqui também é a de um ECR (rastreamento vs. não rastreamento).

O viés de adesão também pode levar a falsas interpretações em estudos de rastreamento porque as pessoas com hábitos de vida mais saudáveis tendem a aderir melhor às recomendações médicas e a realizar mais regularmente os testes de rastreamento. Dessa forma, um benefício associado ao rastreamento poderia, de fato, ser o resultado dos hábitos saudáveis de vida ou da melhor adesão a outras recomendações médicas. Mais uma vez, a randomização evita o viés.

Em suma, o ECR assegura o controle desses tipos de vieses (e de outros), sendo o delineamento de escolha na avaliação da efetividade de um programa de rastreamento. Os estudos devem ser metodologicamente adequados e baseados em desfechos de relevância clínica (mortalidade, morbidade e qualidade de vida), e não apenas em desfechos substitutos ou intermediários (p. ex., resultado laboratorial, mudança no estadiamento). O desfecho preferencial é a mortalidade por qualquer causa. A análise desses estudos deve mostrar que o benefício do programa de rastreamento é maior do que o dano; e a análise de custo-efetividade que deriva deles deve ser adequada ao contexto em questão.

PREVENÇÃO QUATERNÁRIA

O conceito de prevenção quaternária surgiu do cenário de incorporação crescente de tecnologias de diagnóstico e rastreamento, muitas vezes pouco embasadas. Esse tipo de prevenção foi descrito inicialmente em relação à aplicação excessiva de exames diagnósticos e em pacientes que se sentem doentes, mas que de fato não têm a doença em questão **(FIGURA 33.3)**. O conceito pode ser estendido também ao rastreamento de doenças: pacientes sem manifestação clínica de determinada doença, mas que se sentem em risco de apresentá-la de forma subclínica. Assim, a prevenção quaternária pode ser definida de forma mais ampla, como o conjunto de ações que visam evitar a iatrogenia associada às intervenções médicas, como a sobremedicalização ou os excessos preventivos.[8]

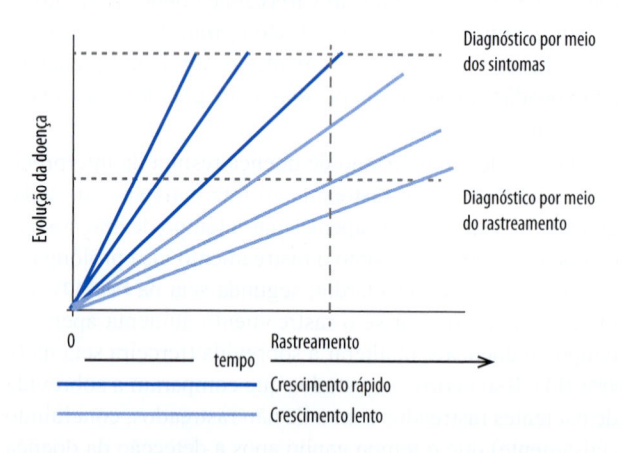

FIGURA 33.2 → Viés de duração variável de doença. Devido a diferenças na velocidade de crescimento dos tumores, o rastreamento detecta, neste exemplo, apenas um dos três cânceres de rápido crescimento, mas todos os três de lento crescimento.

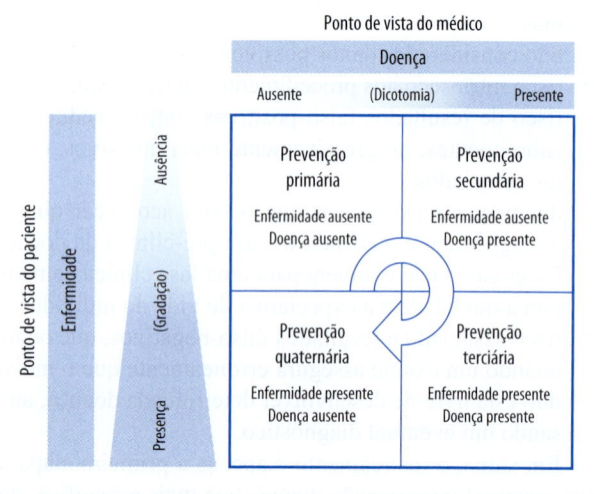

FIGURA 33.3 → Ilustração da prevenção quaternária no contexto da prevenção clínica.

O sobrediagnóstico, também definido como pseudodoença, transforma, desnecessariamente, pessoas saudáveis em pacientes. Neste cenário, são identificadas anormalidades, marcadores biológicos e patologias que nunca causariam qualquer desfecho de dano (incapacidades ou morte), mas podem causar ansiedade e outros danos relativos ao estigma de uma doença que não tem prognóstico desfavorável. Além do mais, o sobrediagnóstico acarreta um gasto de recursos financeiros desnecessários, assim como efeitos colaterais e sequelas associados ao procedimento diagnóstico ou terapêutico.

Esse conceito é de suma importância para decisões sobre rastreamento, pois os esforços para a detecção precoce de doenças em pessoas saudáveis podem trazer risco de dano. Como não é possível ter certeza de que o rastreamento trará benefício, é preciso avaliar o contrabalanço (em inglês, *trade-off*) entre potenciais benefícios e danos.

Os danos mais frequentemente identificados no rastreamento em adultos assintomáticos relacionam-se ao sobrediagnóstico – complicações relacionadas ao acompanhamento das investigações diagnósticas e à indicação desnecessária de exames complementares e tratamentos –, e ao estigma psicológico (efeito de rótulo) de um evento falso-positivo.

O aumento do rastreamento por imagem traz um problema adicional – a detecção incidental de anormalidades. Em rastreamentos por imagem (p. ex., para averiguar o nível de cálcio coronariano), bem como em outros contextos clínicos, alterações não esperadas podem ser detectadas (p. ex., um nódulo no pulmão), as quais, apesar de, na maioria das vezes, não apresentarem relevância clínica, acarretam uma série de decisões problemáticas sobre a necessidade de maior investigação, causando insegurança e intranquilidade ao paciente. Ocasionalmente, essas descobertas podem ser benéficas e até salvar a vida, mas, quando investigadas, sempre acarretam maior despesa e podem causar dano.[9,10]

O movimento Choosing Wisely, crescente em vários países (incluindo o Brasil), tem o intuito de aumentar o alerta sobre exames, procedimentos e tratamentos que não deveriam ser feitos e propõe listagem, por especialidade médica, para reduzir sua indicação e incorporar o grau de recomendação para seu uso na tomada de decisão clínica (ver Leituras Recomendadas).

RECOMENDAÇÕES PARA RASTREAMENTO

Fazer recomendação sobre programas e estratégias de rastreamento é complexo e controverso. Há diversas forças-tarefa internacionais e grupos especializados que desenvolveram diretrizes, muitas vezes com diferentes abordagens (algumas delas estão citadas na lista de Leituras Recomendadas). As últimas diretrizes globais do Ministério da Saúde sobre rastreamento no contexto da atenção primária à saúde (APS) no Brasil foram feitas em 2019,[11] levando a mudanças importantes em algumas condutas quando reexaminadas posteriormente.[12,13]

Não há uma única forma correta para conduzir um exame periódico de saúde, tampouco para selecionar estratégias a serem adotadas, seja quanto à sua forma ou periodicidade. Por isso, é difícil gerar recomendações gerais para toda a população, e os profissionais de saúde precisam contextualizar as decisões (p. ex., considerando a probabilidade pré-teste das condições, as características clínicas do paciente, a factibilidade e a aceitação do paciente) antes de colocá-las em prática.

Na TABELA 33.1, são apresentadas as recomendações de rastreamento para a população adulta que apresentam melhor custo-efetividade e que, em geral, são consideradas adequadas ao contexto brasileiro.

Diretrizes internacionais frequentemente recomendam a tomada de decisões compartilhadas nessas situações.[14] (Ver Capítulo Método Clínico Centrado na Pessoa.)

Avaliação geral anual

Não há apoio para avaliação geral de saúde em adultos, ou seja, o *check-up* anual. Uma revisão sistemática, embora baseada em estudos bastante datados, sugere que a avaliação geral de saúde em adultos tem pouco ou nenhum efeito na incidência de doença cardíaca isquêmica (RRR = 2%) e provavelmente tem pequeno ou nenhum efeito na incidência de acidente vascular cerebral.[1]

Rastreamento de fatores de risco

O enfrentamento das doenças crônicas não transmissíveis, liderado pela Organização Mundial da Saúde (OMS), está focado na prevenção de cinco principais doenças (cardiovascular, respiratória crônica, câncer, diabetes e transtornos mentais) e no controle de cinco principais fatores de risco (tabagismo, sedentarismo, hábitos alimentares inadequados, consumo prejudicial de álcool e poluição atmosférica) (ver Capítulo Estratégias Preventivas para as Doenças Crônicas Não Transmissíveis).[15] O rastreamento aqui abordado é dirigido predominantemente para essas doenças e fatores de risco.

> É importante indagar periodicamente sobre hábitos de vida relacionados ao tabagismo, ao consumo de bebidas alcoólicas, ao sedentarismo e à alimentação inadequada, bem como sobre a motivação/prontidão para fazer as mudanças necessárias (ver Capítulo Abordagem para Mudança de Estilo de Vida).

O ganho resultante da modificação desses fatores de risco, seja por alterações de estilo de vida ou por uso de medicamentos,[16] pode ser bem maior do que os benefícios do rastreamento de uma doença (p. ex., de um câncer).[17] Abordagens específicas para os que apresentam cada um desses fatores de risco podem ser encontradas nos Capítulos Tabagismo, Promoção da Atividade Física, Alimentação Saudável do Adulto e Problemas Relacionados ao Consumo de Álcool.

Outros fatores de risco para doenças crônicas, cuja importância vem crescendo mundialmente, são o excesso de peso e a obesidade. A medida do peso ou da cintura no momento de consulta, em casa ou no trabalho permite traçar o

TABELA 33.1 → Recomendações para rastreamento em adultos

	POPULAÇÃO	MEIO UTILIZADO	PERIODICIDADE
Tabagismo	População geral	Anamnese	Não estabelecida
Atividade física	População geral	Anamnese	Não estabelecida
Hábitos alimentares	População geral	Anamnese	Não estabelecida
Uso prejudicial de álcool	População geral	AUDIT ou CAGE	Não estabelecida
Controle de peso	População geral	Peso/índice de massa corporal ou cintura	Na maioria das consultas
Alto risco de desenvolver diabetes	> 45 anos ou, na presença de sobrepeso/obesidade e outro fator de risco para diabetes, em qualquer idade	Questionário; se positivo, avaliação glicêmica (glicemia de jejum, TTG ou HbA1c)	3/3 anos
Hipertensão	População geral (ver Capítulo Hipertensão Arterial Sistêmica)	Aferição da pressão arterial	5/5 anos para aqueles com níveis pressóricos normais; 3/3 anos para aqueles com pressão arterial elevada (120-129/< 80 mmHg)
Risco cardiovascular	> 40 anos, ou antes na presença de fatores de risco* (ver Capítulo Prevenção Clínica das Doenças Cardiovasculares)	Tabelas da OMS para América Latina tropical	A cada 3-5 anos
Câncer de mama	50-59 anos: os possíveis benefícios e danos provavelmente são semelhantes 60-69 anos: os possíveis benefícios provavelmente superam os possíveis danos Recomendações favoráveis ao rastreamento (fracas)	Mamografia	2/2 anos, na idade de 50-69 anos
Câncer de colo do útero	Mulheres sexualmente ativas, de 25-64 anos, sem histerectomia	Citopatológico	Após 2 exames normais consecutivos no intervalo de 1 ano, rastrear 3/3 anos; sem história prévia de lesão pré-invasiva, pode-se interromper o rastreamento quando ao menos 2 exames consecutivos forem negativos nos últimos 5 anos
	Mulheres em grupos de risco (imunodeprimidas e HIV-positivas)		Anual
Câncer de cólon	50-74 anos; maior benefício na idade > 60 anos	Teste de sangue oculto nas fezes ou	Anual ou bianual
		Sigmoidoscopia	5/5 anos
Osteoporose	Mulheres com idade ≥ 65 anos; com idade < 65 anos, na pós-menopausa, quando houver maior risco	Densitometria óssea	Não estabelecida; em geral, 5/5 anos

* A solicitação de mamografia entre 40-49 anos, assim como a sua realização anual, deverá ser individualizada para cada paciente.
AUDIT, *Alcohol Use Disorder Identification Test* (teste para identificação de problemas relacionados ao uso de álcool); HbA1c, hemoglobina glicada; HIV, vírus da imunodeficiência humana; OMS, Organização Mundial da Saúde; TTG, teste de tolerância à glicose.

trajeto de ganhos, mesmo em pacientes com peso normal. Aqueles com ganho de peso expressivo (p. ex., ≥ 3 kg) em intervalo recente devem ser alertados sobre esse ganho e receber apoio para mudança de hábitos de vida para melhor controle de peso **C/D**. (Ver Capítulo Obesidade: Prevenção e Tratamento.)

Não há periodicidade definida para o rastreamento desses fatores de risco e do ganho de peso.

Rastreamento do alto risco de diabetes

O estímulo para rastrear hiperglicemias intermediárias com o intuito de prevenir diabetes cresce com as epidemias de obesidade e de diabetes. A possibilidade de prevenir ou no mínimo retardar o diagnóstico clínico do diabetes, definido bioquimicamente, foi estabelecida por ECRs, mas a utilidade dessa prevenção em termos de evitar desfechos clínicos como doenças cardiovasculares ainda não está clara.

É necessário lembrar que o rastreamento para detecção do alto risco de diabetes leva também à identificação de pessoas com diabetes que desconheciam a doença e que, caso sejam confirmadas, precisam ser acolhidas no serviço de saúde para tratamento.

Para mais detalhes, ver Capítulo Prevenção do Diabetes Tipo 2.

Rastreamento da hipertensão e do risco global cardiovascular

A hipertensão é altamente prevalente e um dos mais importantes fatores de morbimortalidade para doenças crônicas. A aferição periódica da pressão arterial é recomendada para todos os indivíduos adultos.

A periodicidade do rastreamento recomendada para adultos saudáveis com pressão arterial < 120/80 mmHg é a cada 5 anos. Para aqueles com níveis pressóricos elevados (entre 120-129/< 80 mmHg), pelo menos a cada 3 anos[18] (ver Capítulo Hipertensão Arterial Sistêmica).

A partir dos 40 anos (e mais cedo na presença de fatores de risco), são recomendadas, a cada 3 a 5 anos, calcular o risco cardiovascular, utilizando as tabelas de risco da

OMS. Para isso, é necessário saber se o paciente fuma e tem diabetes, e quais são seus valores de pressão arterial e colesterol total. (Ver Capítulo Prevenção Clínica das Doenças Cardiovasculares.)

Rastreamento do câncer

O sofrimento associado ao diagnóstico clínico de casos terminais de câncer agressivos e invasivos leva ao desejo de diagnosticar qualquer tipo de câncer em seu estágio mais inicial possível para aumentar a chance de cura. No entanto, é preciso distinguir pronto diagnóstico/tratamento de pessoas com manifestações clínicas de câncer de detecção precoce de câncer em pessoas assintomáticas.

O tratamento do câncer avançou muito, melhorando sobremaneira seu prognóstico. Além do mais, os tratamentos oferecidos em estágios clínicos iniciais são menos agressivos e potencialmente deixam menos sequelas do que os oferecidos em estágios mais avançados. Por essas razões, todo esforço possível deve ser despendido para o pronto diagnóstico de casos sintomáticos. (Ver Capítulo Câncer.)

Por outro lado, detectar e tratar precocemente câncer em pessoas assintomáticas justifica-se apenas quando os potenciais benefícios são favoravelmente cotejados contra os potenciais danos. Os danos possíveis de um rastreamento de câncer são:

→ risco intrínseco do teste de rastreamento (p. ex., perfuração do cólon em colonoscopia);
→ risco de resultados falso-positivos com procedimentos subsequentes, progressivamente mais invasivos, e seus custos associados (p. ex., o risco de ter um resultado falso-positivo após 10 anos de rastreamento bianual de câncer de mama é > 25%);[19]
→ diagnósticos excessivos que acontecem quando o câncer é diagnosticado na sua fase pré-clínica, mas nunca evoluiria para uma fase clínica ou afetaria a qualidade e a expectativa de vida do indivíduo. O tratamento desses casos é desnecessário e, em alguns casos, pode trazer efeitos danosos, como é o caso de uma proporção dos cânceres de próstata diagnosticados na sua fase pré-clínica;[20]
→ risco associado a resultados falso-negativos, quando um exame assegura erroneamente que o indivíduo está livre de desenvolver tal doença, atrasando um eventual diagnóstico (p. ex., o exame citológico de colo do útero).

A seguir, são apresentados os métodos de rastreamento mais utilizados para os quatro tipos de câncer cujo rastreamento é menos controverso. Essas informações devem ser revisadas periodicamente, visto que o assunto está em contínuo desenvolvimento (ver Leituras Recomendadas).

Os benefícios e os danos, em termos de mortes, procedimentos e paraefeitos do rastreamento para cânceres que geram maior debate sobre a utilidade do rastreamento, podem ser vistos utilizando o *1000-Person Tool* do Canadian Task Force on Preventive Health Care. Um exemplo dessa ferramenta, para câncer de próstata, é apresentado na FIGURA 33.4. Resultados semelhantes são mostrados para câncer de mama e câncer do pulmão na TABELA 33.2.

Rastreamento do câncer de mama

A partir da revisão das evidências disponíveis em 2015, o Ministério da Saúde recomenda que o rastreamento do câncer de mama seja realizado por meio do exame de mamografia em mulheres com idade entre 50 e 69 anos a cada 2 anos. Entre 50 e 59 anos, a relação entre possíveis benefícios e danos é equilibrada, mas entre 60 e 69 anos os possíveis benefícios provavelmente superam os possíveis danos. O Ministério da Saúde é contrário ao rastreamento com mamografia em mulheres com idade < 50 anos e ≥ 75 anos, bem como é contrário ao rastreamento por meio dos exames de ressonância magnética, ultrassonografia, termografia e tomossíntese, sejam estes utilizados de forma isolada ou em conjunto com a mamografia.

O rastreamento do câncer de mama em outras faixas etárias deve ser avaliado individualmente, sobretudo na

TABELA 33.2 → Benefícios e riscos de rastreamento para diferentes cânceres

TIPO DE CÂNCER	NNS	PERIODICIDADE	PARA CADA 1.000 PESSOAS RASTREADAS PARA CÂNCER					
			TESTE NEGATIVO	TESTE POSITIVO: NÃO CONFIRMADO		TESTE POSITIVO: CONFIRMADO			
			N	N	OBSERVAÇÕES	N	MORTE PREVENIDA	SEM MELHORA	COMPLICAÇÕES DO TRATAMENTO
Próstata	~1.000	Anual por 11 anos	720	178	4 casos de complicações por procedimentos, exigindo internação	102	1	33	Agudas: infecções, cirurgias adicionais e transfusões (11-21%) Crônicas: disfunção erétil (13-44%); incontinência urinária (até 18%); morte (0,4-0,5%)
Mama, 40-49	1.724	2/2 anos por 11 anos	706	287	43 biópsias desnecessárias	7	1	3	
Mama, 50-59	1.333	2/2 anos por 11 anos	706	282	37 biópsias desnecessárias	12	1	2	
Mama, 60-69	1.087	2/2 anos por 11 anos	744	235	35 biópsias desnecessárias	21	1	?	
Pulmão, 55-74[‡]	~333	Anual por 3 anos	609	341	3 complicações maiores de testes invasivos com 1 morte	40	3	7	

NNS, número necessário para rastrear (*screen*) para prevenir uma morte.
Fonte: Canadian Task Force on Preventive Health Care.[19]

RESULTADOS DE RASTREAMENTO DE MIL HOMENS COM EXAME DE PSA
(idades entre 55-69 anos, rastreados em um período acima de 13 anos e com limite de triagem PSA de 3,0 ng/mL)

Quais são meus riscos se eu não realizo o exame?

- Entre os homens que foram rastreados com o exame de PSA, o risco de morrer de câncer de próstata é de **5 em 1.000**.
- Entre os homens que não foram rastreados com o exame de PSA, o risco de morrer de câncer de próstata é de **6 em 1.000**.

- **720** homens terão exame de PSA negativo
- **178** homens com PSA positivo e cujo teste de seguimento não identifica câncer de próstata
- **4** destes 178 terão complicações da biópsia, tais como infecção e sangramento severo o suficiente para requerer hospitalização
- **102** homens serão diagnosticados com câncer de próstata
- **33** destes 102 cânceres de próstata poderiam não ter causado doença ou morte. Devido à incerteza sobre se o câncer irá progredir, a maioria dos homens escolherá tratamento e poderá experimentar suas complicações
- **5** homens morrerão de câncer de próstata apesar fazer o PSA
- **1** homem escapará da morte decorrente do câncer de próstata porque ele fez rastreamento com PSA

Complicações do tratamento para câncer de próstata

Para todo conjunto de mil homens que recebem tratamento para câncer de próstata:
- 114-214 terão complicações a curto prazo, tais como infecções, cirurgia adicional e transfusão de sangue
- 127-442 experimentarão disfunção erétil a longo prazo
- Mais de 178 experimentarão incontinência urinária
- 4-5 morrerão de complicações do tratamento para câncer de próstata

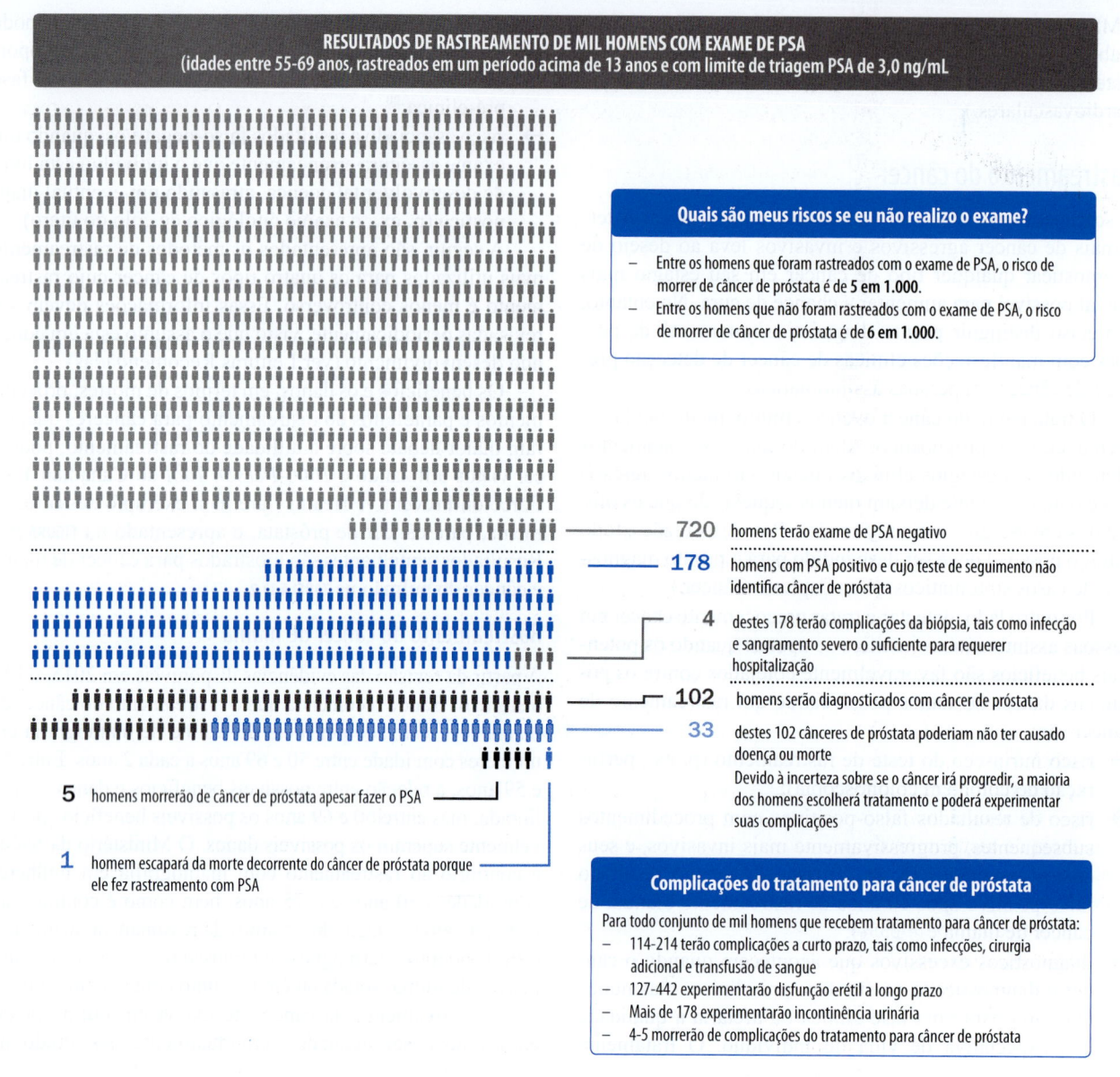

FIGURA 33.4 → Benefícios e riscos em 1.000 homens rastreados para câncer de próstata.
Fonte: Canadian Task Force on Preventive Health Care.[42]

vigência de uma história familiar sugestiva de câncer hereditário.[13] Não há recomendação do Ministério da Saúde sobre o exame clínico das mamas no rastreamento, pois o balanço entre os possíveis danos e benefícios é incerto. O autoexame das mamas também não é indicado como método de rastreamento (recomendação contrária fraca: os possíveis danos provavelmente superaram os possíveis benefícios) **B**.[21]

O autoexame regular da mama não é efetivo como teste de rastreamento de câncer de mama, além de aumentar o número de biópsias desnecessárias.

Rastreamento do câncer de colo do útero

Conforme as recomendações do Instituto Nacional de Câncer (Inca), o método de rastreamento do câncer do colo do útero e de suas lesões precursoras é o exame citopatológico.

Os dois primeiros exames devem ser realizados com intervalo anual e, se os resultados de ambos forem negativos, os próximos devem ser realizados a cada 3 anos **A**. O início da coleta deve ser aos 25 anos de idade para as mulheres que já tiveram ou têm atividade sexual **A**. O rastreamento antes dos 25 anos deve ser evitado **D**. Os exames periódicos devem seguir até os 64 anos de idade; mulheres sem história prévia de doença neoplásica pré-invasiva podem interromper o rastreamento quando ao menos dois exames consecutivos forem negativos nos últimos 5 anos **B**. Para mulheres com idade > 64 anos que nunca se submeteram ao exame citopatológico, deve-se realizar dois exames com intervalo de 1 a 3 anos. Se ambos os exames forem negativos, pode ser dispensado rastreamento adicional **B**.[12,22]

Não há evidências suficientes para recomendar novas tecnologias de rastreamento como citologia líquida; estudos falharam em mostrar sua superioridade diante do Papanicolau. A pesquisa de papilomavírus humano por meio de ácido desoxirribonucleico pode ser útil em cenários clínicos em que a colposcopia para diferenciar lesões escamosas atípicas de significado incerto não é de fácil acesso. Acompanhamento e avaliação diagnóstica de testes anormais e pronto tratamento, caso confirmados, são fundamentais para atingir uma boa efetividade terapêutica.

Rastreamento do câncer de cólon

As principais recomendações de triagem para populações assintomáticas, com risco médio de desenvolver câncer de cólon, em áreas de alta incidência e com idade entre 50 e 75 anos, são: teste altamente sensível de sangue oculto nas fezes utilizando guáiaco a cada 1 (preferencialmente) ou 2 anos (RRR = 18%, número necessário para rastrear [screen] para prevenir uma morte [NNS] = 377) **A** ou teste fecal imunoquímico, que tem maior sensibilidade e semelhante especificidade do teste empregando guáiaco a cada 1 (preferencialmente) ou 2 anos **B**, ou sigmoidoscopia flexível a cada 5 anos (RRR = 26%, NNS = 864) **A**, ou sigmoidoscopia flexível a cada 10 anos com um dos testes de sangue oculto nas fezes realizado anualmente **B**. Outras opções possíveis para o rastreamento, menos avaliadas em amplos ensaios clínicos **C**,[23] são a colonoscopia a cada 10 anos, a colonografia por tomografia computadorizada e o teste fecal imunoquímico com DNA.[23]

O benefício do rastreamento é maior em pacientes com idade > 60 anos. Uma sugestão recente para maximizar a eficiência do rastreamento é rastrear apenas pacientes com risco > 3%,[24] estimado a partir de calculadora disponível na internet.[25]

O rastreamento iniciado por colonoscopia carece de avaliação adequada em ECRs, podendo trazer maior risco de paraefeitos e inconveniência, além de ser de baixa disponibilidade. Análise de custo-efetividade sugere que o rastreamento com teste fecal imunoquímico anual poderia reduzir o risco de morte por câncer de cólon em 71% de forma custo-poupadora.[23,26] O intervalo de 10 anos é baseado em estudos sobre a história natural de progressão do adenoma. A realização anual do teste fecal imunoquímico, embora mais cara do que com o teste de guáiaco, é também apoiada por ser um exame não invasivo, de baixo custo e de alta sensibilidade para o câncer colorretal.[27,28]

Pacientes positivos em rastreamento inicial devem receber avaliação adicional por colonoscopia (preferencial) ou sigmoidoscopia; caso estes não estejam disponíveis, utilizar enema de bário com duplo contraste.[29]

Rastreamento de outros cânceres

O rastreamento do câncer de próstata por meio do exame de toque retal ou do antígeno prostático específico permite o diagnóstico de lesões em estágios mais precoces do que as diagnosticadas a partir de manifestações clínicas. No entanto, pelas razões expostas na **FIGURA 33.4**, o rastreamento em homens com idade entre 55 e 69 anos possui poucas vantagens e, em homens com idade ≥ 70 anos, os riscos superam os benefícios. Por essas razões, o rastreamento de câncer de próstata não é recomendado para pacientes assintomáticos sem história familiar de câncer.[30,31]

Não há evidência consistente quanto à efetividade do rastreamento do câncer de pulmão por meio de exames de imagem como radiografia de tórax e tomografia computadorizada de tórax, ou de citologia de escarro, em diminuir a mortalidade específica ou geral **B**.[32] Além disso, esses procedimentos estão associados a um alto custo e sua relação custo-efetividade inadequada decorre de resultados falso-positivos, com subsequentes procedimentos diagnósticos invasivos e com diagnósticos e tratamentos excessivos.

Não há evidências consistentes para recomendar rastreamento de outros tipos de câncer como os de endométrio, ovário ou esôfago, carcinoma hepatocelular, câncer de pele ou câncer de cabeça e pescoço, nem para solicitar marcadores tumorais como o antígeno carcinoembrionário e o CA-125 para rastreamento de neoplasias.[33]

Pessoas com alto risco de desenvolver algum tipo de câncer decorrente de sua história familiar, exposição excessiva a carcinógenos ou história pregressa podem beneficiar-se de acompanhamento mais intensivo. Porém, são poucos os estudos que determinam a idade de início e a periodicidade do rastreamento para essas situações.[34]

Rastreamento de outras doenças

Osteoporose

Ensaios clínicos demonstraram benefício do rastreamento da osteoporose apenas para fratura de fêmur em mulheres com idade > 75 anos (RRR = 28%, número necessário para tratar [NNT] = 111) **B**, mas diretrizes norte-americanas recomendam rastreamento para mulheres com idade ≥ 65 anos e para mulheres na pós-menopausa com idade < 65 anos quando houver maior risco.(35) Na presença de tabagismo, uso de corticoides, fratura prévia, baixo peso (< 58 kg), história familiar de fratura de quadril e artrite reumatoide, há indicação para rastreamento em mulheres pré-menopáusicas. Em homens, a indicação é controversa, e deve ser individualizada.

O rastreamento é feito por densitometria óssea. Não há consenso quanto à necessidade de repetição do exame em pacientes não candidatos a tratamento; estudos de custo-efetividade apontam eficiência da estratégia com repetição a cada 5 anos.[36,37] A repetição do exame deve ser individualizada, oferecida em especial para quem tem osteopenia e para aqueles com fator de risco, casos em que a repetição não deve ser realizada em um período < 2 anos. (Ver Capítulo Osteoporose.)

Depressão

As recomendações são discordantes em relação ao rastreamento para depressão.[38,39] O pressuposto para rastreamento é a existência de profissionais capacitados e um sistema que consiga realizar o acompanhamento desses pacientes caso seja constatado um quadro depressivo. As evidências atuais sugerem que o rastreamento isoladamente não é uma estratégia efetiva para melhorar a qualidade e os desfechos do cuidado, mas que, na APS, acarreta benefícios importantes quando as práticas da APS podem apoiar o diagnóstico preciso, o tratamento efetivo e o acompanhamento apropriado. Intervenções baseadas em sistemas que complementam o rastreamento são necessárias para o tratamento adequado da depressão, assim como para outras doenças crônicas.[38] (Ver Capítulo Depressão.)

Outras doenças

Apesar do benefício incerto, o rastreamento de outras patologias, como hepatites e hipotireoidismo, e do uso de outras drogas deve ser considerados e individualizado de acordo com o perfil de risco do indivíduo e com os recursos assistenciais disponíveis. Por exemplo, pode ser válido indagar e aconselhar quanto ao uso de drogas em uma comunidade onde sua prevalência é alta. Recomenda-se o rastreamento de hepatite C apenas em indivíduos[40,41] com fatores de risco para infecção; por exemplo, história de transfusão sanguínea antes de 1992, história recente ou pregressa de uso de drogas injetáveis ou hemodiálise, ou indivíduos que sofreram ferimentos por picada de agulha ou que são prisioneiros, desde que haja recursos disponíveis para estadiamento da doença e tratamento antiviral caso necessário.

REFERÊNCIAS

1. Krogsbøll LT, Jørgensen KJ, Gøtzsche PC. General health checks in adults for reducing morbidity and mortality from disease. Cochrane Database of Systematic Reviews. 2019;1(1):CD009009.
2. Malm HM. Medical screening and the value of early detection: when unwarranted faith leads to unethical recommendations. Hastings Center Report. 1999;29(1):26–37.
3. Gray JAM. New concepts in screening. Br J Gen Pract. 2004;54(501):292–8.
4. Wilson JMG, Jungner G. Principles and practice of screening for disease. Geneva: World Health Organization; 1968. p. 31–46.
5. Kale MS, Korenstein D. Overdiagnosis in primary care: framing the problem and finding solutions. BMJ. 2018;362:k2820.
6. World Health Organization. WHO-CHOICE (CHOosing Interventions that are Cost-Effective) [Internet]. Geneva: WHO; 2014. [capturado em 18 ago. 2020]. Disponível em: https://www.who.int/choice/cost-effectiveness/en/
7. Good Stewardship Working Group. The "top 5" lists in primary care: meeting the responsibility of professionalism. Arch Intern Med. 2011;171(15):1385–90.
8. Kuehlein DT, Sghedoni D, Visentin G, Gérvas J, Jamoulle M. [Prevenção quaternária, uma tarefa do clínico geral] [Tradução]. [Internet]. 2012 [capturado em 18 ago. 2020]. Disponível em: https://atencaoemdor.files.wordpress.com/2012/01/prevencao-quaternaria.pdf.
9. O'Sullivan JW, Muntinga T, Grigg S, Ioannidis JPA. Prevalence and outcomes of incidental imaging findings: umbrella review. BMJ. 2018;361:k2387.
10. Booth TC. Incidental findings on imaging. BMJ. 2018;361:k2611.
11. Brasil. Rastreamento [Internet]. Brasília: Ministério da Saúde; 2010 [capturado em 18 ago. 2020]. Disponível em: http://bvsms.saude.gov.br/bvs/publicacoes/caderno_atencao_primaria_29_rastreamento.pdf.
12. Brasil. Diretrizes Brasileiras para o Rastreamento do Câncer do Colo do Útero. Rio de Janeiro: INCA, SAS, MS; 2016. 118 p.
13. Santos AMR dos, Dias MBK, Instituto Nacional de Câncer José de Alencar Gomes da Silva, organizadores. Diretrizes para a detecção precoce do câncer de mama no Brasil. Rio de Janeiro: INCA; 2015. 168 p.
14. Légaré F, Adekpedjou R, Stacey D, Turcotte S, Kryworuchko J, Graham ID, et al. Interventions for increasing the use of shared decision making by healthcare professionals. Cochrane Database Syst Rev. 2018;7(7):CD006732.
15. World Health Organization. NonCommunicable diseases (NCDs) And mental health: challenges and solutions. [Internet]. Geneva: WHO; 2014 [capturado em 18 ago. 2020]. Disponível em: https://www.who.int/nmh/publications/ncd-infographic-2014.pdf?ua=1
16. Hennekens CH, Pfeffer MA. Guidelines and guidance in lipid modification. Trends Cardiovasc Med. 2015;25(4):348–50.
17. Ewald B, Del Mar C, Hoffmann T. Quantifying the benefits and harms of various preventive health activities. Aust J Gen Pract. 2018;47(12):842–5.
18. U.S. Department of Health and Human Services. The Seventh Report of the Joint National Committee on Prevention, Detection, Evaluation and Treatment of High Blood Pressure [Internet]. 2004 [capturado em 18 ago. 2020]. Disponível em: https://www.nhlbi.nih.gov/files/docs/guidelines/jnc7full.pdf
19. Canadian Task Force on Preventive Health Care. Tools & Resources [Internet]. 2019 [capturado em 18 ago. 2020]. Disponível em: https://canadiantaskforce.ca/tools-resources/
20. Black, William C. Overdiagnosis: an underrecognized cause of confusion and harm in cancer screening. J Natl Cancer Inst. 2000;92(16):1280–2.
21. Kösters JP, Gøtzsche PC. Regular self-examination or clinical examination for early detection of breast cancer. Cochrane Database Syst Rev. 2003;2003(2):CD003373.
22. Instituto Nacional de Câncer José de Alencar Gomes da Silva. Câncer do colo do útero – versão para profissionais de saúde [Internet]. Rio de Janeiro: INCA; 2018 [capturado em 18 ago. 2020]. Disponível em: https://www.inca.gov.br/tipos-de-cancer/cancer-do-colo-do-utero/profissional-de-saude
23. Fitzpatrick-Lewis D, Ali MU, Warren R, Kenny M, Sherifali D, Raina P. Screening for colorectal cancer: a systematic review and meta-analysis. Clin Colorectal Cancer. 2016;15(4):298–313.
24. Helsingen LM, Vandvik PO, Jodal HC, Agoritsas T, Lytvyn L, Anderson JC, et al. Colorectal cancer screening with faecal immunochemical testing, sigmoidoscopy or colonoscopy: a clinical practice guideline. BMJ. 2019;367:l5515.
25. ClinRisk. QCancer(15yr, colorectal) [Internet]. 2019 [capturado em 18 ago. 2020]. Disponível em: https://qcancer.org/15yr/colorectal/index.php
26. Canadian Task Force on Preventive Health Care. Recommendations on screening for colorectal cancer in primary care. CMAJ. 2016;188(5):340–8.
27. Lee JK, Liles EG, Bent S, Levin TR, Corley DA. Accuracy of fecal immunochemical tests for colorectal cancer: systematic review and meta-analysis. Ann Intern Med. 2014;160(3):171.
28. Allison J. Why what you may not know about fecal immunochemical testing matters. Ann Intern Med. 05 de 2019;170(5):342–3.
29. Lopes G, Stern MC, Temin S, Sharara AI, Cervantes A, Costas-Chavarri A, et al. Early detection for colorectal cancer: ASCO Resource-Stratified Guideline. JGO. 2019;(5):1–22.
30. Grossman DC, Curry SJ, Owens DK, Bibbins-Domingo K, Caughey AB, Davidson KW, et al. Screening for prostate cancer: US Preventive Services Task Force Recommendation Statement. JAMA. 2018;319(18):1901–13.
31. Naji L, Randhawa H, Sohani Z, Dennis B, Lautenbach D, Kavanagh O, et al. Digital rectal examination for prostate cancer screening in primary care: a systematic review and meta-analysis. Ann Fam Med. 2018;16(2):149–54.
32. Mazzone PJ, Silvestri GA, Patel S, Kanne JP, Kinsinger LS, Wiener RS, et al. Screening for Lung Cancer: CHEST Guideline and Expert Panel Report. Chest. 2018;153(4):954–85.

33. U.S. Department of Health and Human Services. National Institutes of Health. Screening and testing to detect cancer. Maryland: National Cancer Institute; 2015 [capturado em 18 ago. 2020]. Disponível em: https://www.cancer.gov/about-cancer/screening/screening-tests
34. U.S. Department of Health and Human Services. National Institutes of Health. Cancer Genetics Overview (PDQ®) – Health Professional Version. Maryland: National Cancer Institute; 2020 [capturado em 18 ago. 2020]. Disponível em: https://www.cancer.gov/about-cancer/causes-prevention/genetics/overview-pdq
35. Viswanathan M, Reddy S, Berkman N, Cullen K, Middleton JC, Nicholson WK, et al. Screening to prevent osteoporotic fractures: updated evidence report and systematic review for the US Preventive Services Task Force. JAMA. 2018;319(24):2532–51.
36. Nayak S, Roberts MS, Greenspan SL. Impact of generic alendronate cost on the cost-effectiveness of osteoporosis screening and treatment. PLOS One. 2012;7(3):e32879.
37. Nayak S, Roberts MS, Greenspan SL. Cost-effectiveness of different screening strategies for osteoporosis in postmenopausal Women. Ann Intern Med. 2011;155(11):751–61.
38. Ferenchick EK, Ramanuj P, Pincus HA. Depression in primary care: part 1 – screening and diagnosis. BMJ. 2019;365:l794.
39. Keshavarz H, Fitzpatrick-Lewis D, Streiner DL, Maureen R, Ali U, Shannon HS, et al. Screening for depression: a systematic review and meta-analysis. CMAJ Open. 2013;1(4):E159–67.
40. Ghany MG, Morgan TR; AASLD-IDSA Hepatitis C Guidance Panel. Hepatitis C Guidance 2019 Update: American Association for the Study of Liver Diseases-Infectious Diseases Society of America Recommendations for Testing, Managing, and Treating Hepatitis C Virus Infection. Hepatology. 2020;71(2):686-721.
41. World Health Organization. Global Hepatitis Programme. Guidelines for the care and treatment of persons diagnosed with chronic hepatitis C virus infection. [Internet]. Geneva: WHO; 2018 [capturado em 18 ago. 2020]. Disponível em: https://www.ncbi.nlm.nih.gov/books/NBK531733/
42. Canadian Task Force on Preventive Health Care. Prostate Cancer Screening Recommendations 2014. Benefits and Harms of PSA Screening [Internet]. Calgary: University of Calgary; 2014 [capturado em 18 ago. 2020]. Disponível em: https://canadiantaskforce.ca/wp-content/uploads/2016/12/CTFPHC_Prostate-Cancer_HarmsBenefits_FINAL.pdf

LEITURAS RECOMENDADAS

Tikkinen KAO, Dahm P, Lytvyn L, Heen AF, Vernooij RWM, Siemieniuk RAC, et al. Prostate cancer screening with prostate-specific antigen (PSA) test: a clinical practice guideline. BMJ. 2018;362:k3581.

Roland M, Neal D, Buckley R. What should doctors say to men asking for a PSA test? BMJ. 2018; 362.

Analisam as evidências da triagem do câncer de próstata, que não mostrou diferença na mortalidade por câncer de próstata após 10 anos. Há poucas evidências de que a triagem reduziria as mortes por câncer de próstata. No entanto, sugere-se que as decisões sobre o teste de câncer de próstata possibilite discussões entre os médicos com cada paciente sobre os possíveis benefícios e malefícios do teste.

Klarenbach S, Sims-Jones N, Lewin G, Singh H, Thériault G, Tonelli M, et al. Recommendations on screening for breast cancer in women aged 40-74 years who are not at increased risk for breast cancer. CMAJ. 2018;190(49):E1441-E1451.

Evidências de certeza baixa indicam que a triagem para o câncer de mama com mamografia resulta em uma redução modesta na mortalidade por mulheres com idades entre 40 e 74 anos; o benefício absoluto é mais baixo para mulheres com menos de 50 anos. Nenhuma evidência foi identificada sobre os benefícios e malefícios da triagem de mulheres com 75 anos ou mais.

Qaseem A, Alguire P, Dallas P, Feinberg LE, Fitzgerald FT, Horwitch C, et al. Appropriate use of screening and diagnostic tests to foster high-value, cost-conscious care. Ann Intern Med. 2012;156(2):147-9.

Revisão salientando uma lista de exames frequentemente solicitados de rastreamento ou frente condições clínicas comuns mas sem justificação adequada.

ECRI Institute
https://guidelines.ecri.org/
Em 2018, o ECRI Institute, uma organização sem fins lucrativos de pesquisa em saúde, criou e lançou o ECRI Guidelines Trust, cujo objetivo é verificar diretrizes de acordo com os padrões estabelecidos pelo Institute of Medicine.

National Cancer Institute (NCI).
www.cancer.gov.
Site do governo americano com informações sobre cânceres, seus tratamentos, bem como sobre atividades de prevenção, incluindo rastreamento.

Canadian Task Force on Preventive Health Care | Tools & Resources
https://canadiantaskforce.ca/tools-resources/
Fonte atualizada de recomendações e ferramentas para assistir na decisão de rastreamento para diversas condições.

U.S. Preventative Services Task Force.
https://www.uspreventiveservicestaskforce.org/Page/Name/recommendations
Painel norte-americano independente de especialistas em atenção primária e prevenção que analisa sistematicamente as evidências de efetividade e desenvolve recomendações para serviços de prevenção clínica. Recomendações são limitadas pelo fato que, por lei, o painel não pode tomar em consideração questões de custo-efetividade.

Choosing Wisely.
http://proqualis.net/choosing-wisely-brasil
Iniciativa de Proqualis (Fiocruz/Ministério da Saúde) em parceria com ONG iniciado pelo American Board of Internal Medicine que alerta sobre exames, procedimentos e tratamentos com benefício duvidoso, para diminuir a sua indicação e incorporar grau de recomendação na tomada de decisão clínica

Canadian Task Force on Preventive Health Care
https://canadiantaskforce.ca/tools-resources/
Fonte canadense de recomendações governamentais sobre procedimentos periódicos de rastreamento em pessoas assintomáticos. Oferece tabelas demonstrando de maneira simples os efeitos de rastreamento para vários tipos de câncer.

MAGIC Evidence Ecosystem Foundation
http://magicproject.org/
MAGIC, uma fundação sem fins lucrativos, tem como objetivo aumentar o valor e reduzir o desperdício na área da saúde por meio de um ecossistema de evidências digitais e confiáveis. Oferece, gratuitamente, o MAGICapp, uma plataforma trazendo diretrizes estruturadas digitalmente, resumos de evidências e auxílios à decisão para clínicos e pacientes, vários destes sobre o rastreamento de câncer.

SEÇÃO IV

Coordenadores: *Michael Schmidt Duncan*
Marcelo Rodrigues Gonçalves
Patricia Sampaio Chueiri

Doenças Crônicas Não Transmissíveis

34. Cuidados Longitudinais e Integrais a Pessoas com Condições Crônicas 358
    Michael Schmidt Duncan, Marcos Adams Goldraich, Patricia Sampaio Chueiri

35. Diabetes Melito: Diagnóstico, Classificação e Avaliação para Manejo Clínico 371
    Danilo de Paula Santos, Michael Schmidt Duncan, Bruce B. Duncan, Maria Inês Schmidt

36. Diabetes Melito: Cuidado Longitudinal 379
    Maria Inês Schmidt, Michael Schmidt Duncan, Bruce B. Duncan

37. Cardiopatia Isquêmica 408
    Carisi Anne Polanczyk, Mariana Vargas Furtado, Jorge Pinto Ribeiro†

38. Insuficiência Cardíaca 419
    Murilo Foppa, Luis E. Rohde, Michael Schmidt Duncan

39. Arritmias Cardíacas 435
    Maurício Pimentel, Carisi Anne Polanczyk, Luis E. Rohde

40. Doenças do Sistema Arterial Periférico 445
    Adamastor Humberto Pereira, Alexandre Araujo Pereira, Renata Rosa De Carvalho

41. Doenças Venosas dos Membros Inferiores 453
    Adamastor Humberto Pereira, Alexandre Araujo Pereira, Renata Rosa De Carvalho

42. Manejo Ambulatorial do Paciente Anticoagulado 460
    Marcelo Basso Gazzana

43. Doença Renal Crônica 480
    Patricia Ferreira Abreu, Maria Inês Schmidt, Bruce B. Duncan, Lúcio R. Requião-Moura

44. Asma 491
    Paulo de Tarso Roth Dalcin, Gilberto Bueno Fischer, Helena Mocelin

45. Doença Pulmonar Obstrutiva Crônica 516
    Mara Rúbia André Alves de Lima, Danilo C. Berton, José Carlos Prado Junior

46. Câncer 531
    Gustavo Cartaxo de Lima Gössling, Fábio Silva Leal, Andre T. Brunetto, Gilberto Schwartsmann

47. Doenças da Tireoide 554
    José Miguel Dora, Rafael Selbach Scheffel, Ana Luiza Maia

48. Epilepsia 566
    José Augusto Bragatti, Carolina Machado Torres, Kelin Cristine Martin, Frederico A. D. Kliemann†

Capítulo 34
CUIDADOS LONGITUDINAIS E INTEGRAIS A PESSOAS COM CONDIÇÕES CRÔNICAS

Michael Schmidt Duncan
Marcos Adams Goldraich
Patricia Sampaio Chueiri

As equipes de atenção primária à saúde (APS) prestam cuidados de saúde integrais a um grupo de pessoas ao longo do tempo, e, consequentemente, são responsáveis pelo acompanhamento longitudinal de um grande número de condições crônicas na população sob seu cuidado, desde diabetes, hipertensão, rinite alérgica, esquizofrenia, osteoartrite, passando por estados fisiológicos, como sintomas de fogachos em mulheres no climatério, até situações de vulnerabilidade familiar ou sofrimento psíquico.

A Seção Doenças Crônicas Não Transmissíveis apresenta um conjunto de 15 capítulos que abordam doenças crônicas prevalentes e com grande potencial de cuidado na APS, concentrando-se em doenças do sistema circulatório, endócrinas, respiratórias, neurológicas e no câncer. Um desses capítulos aborda o manejo ambulatorial do paciente anticoagulado, que, embora não caracterize uma doença crônica, é uma situação associada a doenças crônicas que requer acompanhamento longitudinal. Outras doenças crônicas prevalentes na APS, como problemas osteomusculares crônicos, doenças otorrinolaringológicas e oftalmológicas, problemas específicos do idoso, doenças infecciosas crônicas e problemas mentais, são abordadas em suas respectivas seções.

O Capítulo A Atenção às Condições Crônicas, na seção Ferramentas para a Prática Clínica na Atenção Primária à Saúde descreve o modelo de atenção às condições crônicas de maneira mais ampla e conceitual. Esse capítulo apresenta conceitos e ferramentas adicionais importantes para organizar o atendimento às pessoas com condições crônicas. O foco está nas intervenções clínicas individuais, mas consultas coletivas e gestão da população sob responsabilidade da equipe também são abordadas. Muitas mudanças de estilo de vida necessárias para o manejo das doenças crônicas se beneficiam enormemente de ações populacionais, mais no campo da promoção da saúde, o que é abordado no Capítulo Estratégias Preventivas para as Doenças Crônicas Não Transmissíveis.

Muitos dos princípios abordados neste capítulo podem ser aplicados a situações crônicas que não configuram uma doença, como fatores de risco biopsicossociais (p. ex., tabagismo, sedentarismo e sobrepeso), bem como pré-natal e puericultura. Por essa razão, será usado aqui o termo "condições crônicas".

CONDIÇÕES AGUDAS E CONDIÇÕES CRÔNICAS

As condições agudas em geral têm início abrupto, podendo ser autolimitadas ou responder rapidamente a tratamento curativo. Raras vezes duram mais de 3 meses e costumam ter etiologia bem-definida, frequentemente infecciosa. Condições crônicas são aquelas que têm consequências recorrentes ou persistentes, com duração mínima de 3 a 12 meses, dependendo da definição.[1] Seu processo causal em geral é mais complexo e multifatorial, e, na maioria das situações, seu tratamento não é curativo, restringindo-se a controlar a evolução da doença e de suas complicações e/ou a aliviar os sintomas.

Com frequência, entretanto, a distinção entre condições agudas e crônicas não é tão nítida. A condição aguda pode, na verdade, ser uma exacerbação de uma doença crônica (p. ex., insuficiência cardíaca descompensada) ou constituir um evento agudo decorrente de uma situação crônica (p. ex., doença oportunista em paciente com infecção pelo vírus da imunodeficiência humana [HIV, do inglês *human immunodeficiency virus*]). Ademais, algumas condições com abordagem curativa podem ter curso prolongado (p. ex., tuberculose), beneficiando-se de estratégias semelhantes àquelas das condições crônicas.

Historicamente, os sistemas de saúde têm-se preparado mais para atender às condições agudas, que dependem fortemente de consultas médicas breves, não planejadas, do que para atender às condições crônicas, que requerem manejo em longo prazo, com importante participação do paciente, abordagem multidisciplinar e gestão do cuidado individual e da população sob responsabilidade da equipe, em redes integradas de atenção à saúde.

EPISÓDIOS DE CUIDADO E EPISÓDIOS DE DOENÇA

O episódio de cuidado é um conceito usado desde a década de 1960, primariamente na gestão e na pesquisa sobre a organização de serviços de saúde. Refere-se ao intervalo que inicia quando uma pessoa começa a ser acompanhada por um profissional ou serviço de saúde por um determinado problema e encerra no final do acompanhamento por esse problema.[2] Faz um paralelo com o episódio de doença, o qual se refere ao intervalo iniciado no diagnóstico da doença e que vai até a sua cura ou óbito do paciente. O episódio de cuidado é frequentemente utilizado como unidade de referência para pagamento dentro dos sistemas de saúde, em substituição ao modelo de pagamento por procedimento. Desde a década de 1980, passou a ser incorporado na Classificação Internacional de Atenção Primária, atualmente em sua segunda edição (CIAP2), servindo para integrar os motivos para a consulta, o diagnóstico e as intervenções ao longo de uma sequência de consultas referentes a um mesmo problema. Os profissionais de APS frequentemente acompanham simultaneamente múltiplos episódios de cuidado.

Apesar de normalmente não ser utilizado como ferramenta clínica, o conceito de episódio de cuidado pode ajudar a estruturar a atenção ambulatorial em uma perspectiva longitudinal, organizando as informações de acordo com a perspectiva temporal da equipe que está acompanhando o paciente. Quando um profissional diagnostica uma doença nova em um paciente, é natural que faça uma avaliação mais ampla da doença, visando organizar o acompanhamento longitudinal. Entretanto, um paciente pode já apresentar uma ou mais doenças no início do acompanhamento, requerendo um conjunto mínimo de informações que precisam ser obtidas para estruturar o acompanhamento. Essas informações costumam ser buscadas de forma superficial, o que leva a um acompanhamento insatisfatório da doença. Além disso, essas informações muitas vezes se perdem ao longo de uma sequência de consultas, não sendo utilizadas estrategicamente para a estruturação do cuidado.

A obtenção criteriosa desses dados, o que pode ser feito ao longo de uma sequência de consultas, e sua atualização continuada, permitem estabelecer metas e parâmetros para o monitoramento, adequando as diretrizes gerais para a realidade de cada paciente. Idealmente, na maior parte do acompanhamento, a doença estará estável, sendo as consultas focadas apenas em monitorar os parâmetros e o autocuidado. Entretanto, haverá momentos de exacerbação de uma doença, com necessidade de reavaliar os tratamentos instituídos e as metas, bem como de oferecer maior apoio para o autocuidado.

Uma boa estruturação de todo o episódio de cuidado também explicita o que se espera em cada momento, permitindo identificar as lacunas no cuidado (em inglês, *care gaps*) e intervir sobre elas de forma sistemática.

COMORBIDADES E MULTIMORBIDADES

Muitas vezes, um mesmo indivíduo apresenta mais de uma condição crônica simultaneamente, o que tem repercussões na evolução clínica e no manejo. Ao dar um olhar preferencial para uma determinada doença, as demais doenças que a pessoa apresenta recebem o nome de comorbidades. Entretanto, quando se avalia a ocorrência simultânea de mais de uma doença, fala-se em multimorbidade.[3] A definição de quais morbidades são consideradas nas pesquisas sobre multimorbidade geralmente parte de uma lista previamente definida, mas não há consenso sobre essa lista, o que dificulta a comparação entre os estudos. Uma metanálise de 72 estudos observacionais de diferentes países mostrou uma prevalência comunitária de multimorbidade de 33%, a qual é maior em mulheres e aumenta com a idade.[4] No Brasil, a prevalência autorreferida de multimorbidade é de 24%.[5] Em comparação com outros países, a população brasileira apresenta multimorbidade em uma idade mais jovem, e as mulheres, em média, 10 anos antes dos homens. Além disso, enquanto em países de alta renda a prevalência aumenta de forma progressiva com a idade, no Brasil e em outros países de baixa e média renda, esse aumento ocorre apenas até a faixa entre 65 e 70 anos, estabilizando daí em diante.

Em um grande estudo de coorte escocês, os fatores de risco tradicionais para doenças crônicas (tabagismo, sedentarismo, dieta inadequada, consumo excessivo de álcool e sobrepeso) explicaram apenas em torno de 40% do excesso de multimorbidade em áreas de maior privação socioeconômica;[6] os demais 60% podem, em parte, ser explicados pelos fatores psicossociais associados à privação socioeconômica. Essa associação também pode ser vista com o número de morbidades presentes. Por exemplo, o número de morbidades físicas aumenta em pessoas com problemas de saúde mental, bem como naquelas em maior vulnerabilidade social.[7,8]

A presença de multimorbidade está associada a menor qualidade de vida, maior perda funcional, maior suscetibilidade à depressão e maior necessidade de múltiplas prescrições medicamentosas, com consequente dificuldade na adesão aos tratamentos prescritos e maior possibilidade de interações medicamentosas indesejáveis. Além disso, pessoas com multimorbidade morrem mais cedo, requerem mais internações e têm internações mais longas.[9]

Digno de nota, a maioria dos ensaios clínicos randomizados exclui pessoas com multimorbidades, sendo realizados predominantemente com pacientes mais jovens. Em parte por essa razão, a maioria das diretrizes clínicas ignora o impacto das outras morbidades.[10] Embora pessoas com multimorbidade costumem receber maior atenção médica, a coordenação do cuidado é mais difícil, com maior risco de erro médico. O cuidado complica-se pelo fato de que o que é melhor para uma doença pode ser deletério para outra, e a carga combinada dos múltiplos exames e medicamentos produz seus próprios efeitos indesejáveis.

Apesar disso, a atenção às condições crônicas tem-se organizado em torno de doenças individuais. O risco de erros é especialmente alto quando o cuidado é realizado por múltiplos especialistas, cada um concentrado em uma doença individual, de sua especialidade. Assegurar uma coordenação do cuidado, centrada na APS, como discutido adiante, pode reduzir essas dificuldades.

Tem sido questionado até que ponto as diferentes doenças que um paciente apresenta constituem entidades distintas ou se são parte do mesmo processo fisiopatológico. Um campo em que a pesquisa sobre multimorbidade tem avançado é na compreensão de certos agrupamentos de doenças, que frequentemente compartilham fatores de risco e processos fisiopatológicos, sendo que muitas vezes alguns fatores parecem ter papel preponderante nesses agrupamentos. Por exemplo, hipertensão, diabetes, obesidade e osteoartrite de joelhos se influenciam mutuamente. A obesidade aumenta o risco de hipertensão e de diabetes, situação com frequência caracterizada como síndrome metabólica, mas também aumenta a carga sobre os joelhos, predispondo à osteoartrite. Por sua vez, a osteoartrite de joelhos estimula o sedentarismo, que tem consequências adversas para essas comorbidades. O tratamento da obesidade traz repercussões positivas para as demais condições; e o controle sintomático da osteoartrite facilita a atividade física, o que é benéfico para a obesidade, o diabetes e a hipertensão.

Quando se examina a multimorbidade sob uma perspectiva de curso de vida, fatores ocorridos na infância, como privação socioeconômica e eventos estressantes, aumentam a probabilidade de multimorbidade em idosos.[11] Os mecanismos para essa associação ainda estão longe de estarem esclarecidos, mas estudos preliminares apontam para a possível participação da inflamação.[12] Esses fatores de risco psicossociais associados à situação socioeconômica parecem promover um envelhecimento biológico mais precoce.[13]

Diferentes medidas podem ser usadas para avaliar o impacto da multimorbidade, desde medidas simples como a contagem de doenças, até medidas mais complexas, que levam em conta outros fatores, como o impacto funcional de cada doença, idade e outras variáveis, muitas vezes obtidas por meio do prontuário eletrônico.[14] Essas medidas refletem o que se denomina carga de morbidade, isto é, a carga que as doenças de um paciente trazem para sua saúde e sua funcionalidade. Na prática ambulatorial, uma medida simples que prediz maior frequência de consultas e aumento de mortalidade é o número de medicamentos utilizados.[15]

IMPACTO PSICOSSOCIAL DAS DOENÇAS CRÔNICAS

O diagnóstico de uma doença crônica frequentemente é um momento dramático na vida de uma pessoa.[16] Embora para os profissionais de saúde o processo de investigação diagnóstica pareça algo rotineiro, para os pacientes o resultado da investigação poderá mudar suas vidas, sobremaneira no caso de doenças associadas a maior estigma, como infecção pelo HIV, epilepsia e câncer.

Quando questionados sobre sua saúde e sobre comportamentos que constituem fatores de risco, como tabagismo, sedentarismo, práticas sexuais de risco e uso abusivo de álcool, muitas vezes há sentimento de vergonha e de culpa. Há, frequentemente, uma sensação de perda de privacidade, em especial quando a investigação é feita por profissionais sem contato prévio com o paciente. O processo diagnóstico pode ser demorado, o que aumenta a ansiedade da pessoa, e muitos exames diagnósticos são desconfortáveis, invasivos, ou têm importante significado simbólico para os pacientes.

Além disso, a partir do momento em que uma pessoa é diagnosticada com uma doença crônica, ela precisa abrir espaço na sua rotina para consultas médicas mais frequentes, realização de exames e tomada de medicamento, somadas à necessidade de mudança de hábitos de vida, o que em geral não é simples de realizar. Muitas pessoas incorporam esse papel de doente com tanta intensidade que passam a tornar-se altamente vulneráveis a iatrogenias.

Passada essa crise inicial desencadeada pelo diagnóstico da doença crônica, comumente vem um período de estabilidade, no qual o impacto psicossocial é menor.[17] Nesse período, é importante estar atento para a possibilidade de menor adesão ao tratamento e recaída em comportamentos de risco. Os períodos de estabilidade podem ser interrompidos por novas crises devido a exacerbações da doença ou à piora progressiva do estado funcional.

Há grande heterogeneidade na forma como as pessoas se adaptam a diferentes doenças crônicas, que tem pouco a ver com as diferenças do ponto de vista fisiopatológico. Para compreender essa heterogeneidade, foi proposta uma tipologia psicossocial das doenças que leva em conta a forma de aparecimento (súbito ou gradual), o curso (progressivo, constante ou intermitente), o desfecho (não fatal, redução da expectativa de vida ou fatal) e o grau de incapacitação (nenhum, leve, moderado ou grave).[17] A FIGURA 34.1 resume essa tipologia.

Assim, no caso de uma pessoa com diagnóstico recente de uma neoplasia com mau prognóstico, a adaptação que essa pessoa e seus familiares terão de enfrentar envolve principalmente o tema perda/separação (aparecimento gradual, curso progressivo, desfecho fatal, grau de incapacitação moderado). No caso de uma pessoa com episódio recente de acidente vascular cerebral (AVC) com hemiparesia, a adaptação tem mais a ver com uma urgente redefinição de tarefas na família e com o aprimoramento da capacidade de resolução de problemas (aparecimento súbito, curso constante, desfecho não fatal, grau de incapacitação moderado).

Já uma pessoa com diabetes melito tipo 2 de diagnóstico recente, sem complicações crônicas, terá uma adaptação mais focada em adaptar-se ao uso crônico de medicamentos e às mudanças de estilo de vida requeridas (aparecimento gradual, curso constante ou progressivo, desfecho não fatal, grau de incapacitação nenhum ou leve). Embora aparentemente mais fácil, a necessidade de implementar mudanças drásticas no estilo de vida pode ser muito difícil, especialmente quando a pessoa não se considera doente por não apresentar sintomas.

Aspectos da personalidade também interferem no impacto psicossocial das doenças crônicas. Pessoas pessimistas, com menor resiliência, e que reagem de forma mais intensa quando confrontadas com estresse, demonstrando mais sintomas emocionais, têm maior tendência a apresentar sintomas psicossomáticos e menor capacidade de acessar a rede de apoio social e, inclusive, há evidências de alterações na resposta imunológica e progressão mais rápida de doenças como a infecção pelo HIV.[16] Por outro lado, pessoas otimistas tendem a apresentar melhores desfechos de saúde, estando mais bem documentados os desfechos positivos em doenças cardiovasculares e no câncer.[18]

A DOENÇA CRÔNICA EM UMA PERSPECTIVA SISTÊMICA

Sob uma perspectiva sistêmica, a pessoa com uma doença crônica influencia e sofre influência do ambiente onde vive, ou seja, da família, do círculo de amigos, da vizinhança, do trabalho, entre outros.

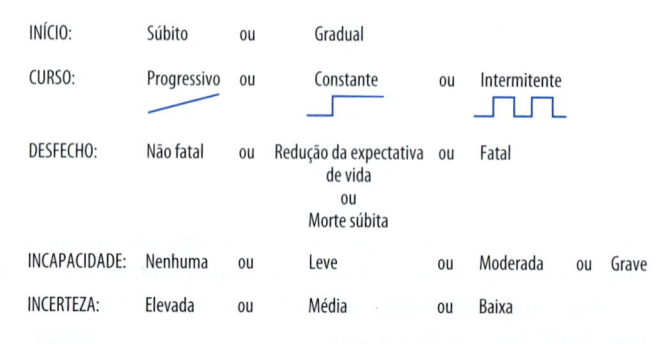

INÍCIO:	Súbito	ou	Gradual		
CURSO:	Progressivo	ou	Constante	ou	Intermitente
DESFECHO:	Não fatal	ou	Redução da expectativa de vida ou Morte súbita	ou	Fatal
INCAPACIDADE:	Nenhuma	ou	Leve	ou	Moderada	ou	Grave
INCERTEZA:	Elevada	ou	Média	ou	Baixa

FIGURA 34.1 → Tipologia psicossocial das doenças crônicas.
Fonte: Rolland.[17]

Muitas vezes, a influência familiar transcende gerações. Ela começa pela herança genética, presente em muitas doenças crônicas, geralmente havendo interação entre múltiplos genes e fatores ambientais. Esses fatores ambientais também tendem a agregar-se nas famílias, havendo maior predisposição a alimentação inadequada, sedentarismo, tabagismo e uso abusivo de álcool quando membros da família apresentam esses fatores de risco. Fatores da vida intrauterina também impactam no desenvolvimento de doenças crônicas na vida adulta, como hipertensão, obesidade, diabetes e doenças cardiovasculares.[19] Por fim, padrões cognitivos, emocionais e comportamentais na família determinam o comportamento relacionado à saúde e à doença.

Além da família, a comunidade no entorno, incluindo amigos, vizinhança e trabalho, influencia o desenvolvimento de uma doença crônica. A comunidade é importante como influência para fatores de risco, como iniciação precoce do tabagismo, maus hábitos alimentares, sedentarismo, estresse, sofrimento psíquico, além de exposição a poluentes ambientais. Da mesma forma, também essa comunidade pode ser importante como rede de apoio para estímulo a hábitos saudáveis e para apoio psicossocial no adoecer. Essa rede de apoio pode ser mapeada por meio de um ecomapa (ver Capítulo Abordagem Familiar), e intervenções podem ser elaboradas para ampliá-la.

COMO QUALIFICAR O ATENDIMENTO ÀS CONDIÇÕES CRÔNICAS NA ATENÇÃO PRIMÁRIA À SAÚDE

O atendimento a pessoas com condições crônicas requer uma APS bem-organizada e que atenda, de forma adequada, aos seus atributos: acesso (primeiro contato), longitudinalidade, integralidade, coordenação do cuidado, orientação na família e orientação comunitária (ver Capítulo A Organização de Serviços de Atenção Primária à Saúde).[20] Para tanto, o planejamento dos serviços deve ser centrado nas pessoas que os utilizam.

Diversas ferramentas foram desenvolvidas para apoiar o cuidado de pessoas com condições crônicas. Destacam-se as propostas do modelo de atenção crônica (CCM, do inglês *chronic care model*), que foram adaptadas para a realidade brasileira por Eugênio Vilaça Mendes no modelo de atenção às condições crônicas (MACC), e são descritas em mais detalhes no Capítulo A Atenção às Condições Crônicas.

Algumas ferramentas conceituais e práticas, ancoradas nos atributos da APS, são descritas a seguir.

Registro orientado por problemas

Uma ferramenta de grande valor é a organização de um registro das consultas que permita o acompanhamento dos pacientes ao longo do tempo, seja para cuidados preventivos, para consultas de rotina relacionadas com as suas condições crônicas ou para intercorrências ou condições agudas. Esse registro das consultas deve, de preferência, ser feito em um prontuário eletrônico equipado com ferramentas que tornem mais prático o cuidado longitudinal dos pacientes, como renovação de receitas, visualização rápida dos exames prévios, alertas para cuidados preventivos pendentes, acompanhamento das referências e contrarreferências, bem como registro de atividades coletivas das quais o paciente participou (ver Capítulo Informação, Prontuário Eletrônico e Telemedicina em APS).

Um componente importante do registro é a elaboração de uma lista de problemas, que se beneficia da lógica do episódio de cuidado. Alguns elementos do episódio de cuidado que podem ser registrados para cada problema da lista são listados a seguir:

→ ano do diagnóstico e, se relevante, como foi feito;
→ tratamento atual e, se relevante, tratamentos prévios;
→ parâmetros de monitoramento, metas estabelecidas, valores mais recentes desses parâmetros e aprazamento para novo monitoramento;
→ registro da situação do autocuidado, barreiras e intervenções para remover barreiras.

Idealmente, o registro desses elementos deve ocorrer de forma parametrizada no prontuário eletrônico e ser de fácil visualização. A FIGURA 34.2 ilustra uma forma de organizar a lista de problemas com esses elementos quando o prontuário eletrônico não permite esse registro parametrizado. Atualizar cada problema à medida que as situações mudam é de grande relevância para o cuidado continuado.

Definição dos serviços a serem ofertados e divisão de tarefas

É importante sempre manter um olhar atento para o quanto os serviços ofertados à população estão dando conta das necessidades das pessoas atendidas. Por exemplo, para os pacientes com diabetes, há oferta dos exames necessários para o diagnóstico e acompanhamento? Está sendo ofertado

---

Lista de problemas (24/4/2021): Maria da Silva, 65 anos

1. Hipertensão não controlada (pressão arterial 146/92 mmHg). Solicitadas aferições domiciliares, com plano de reavaliação no início de maio de 2021.
2. Diabetes melito (DM) tipo 2, sem complicações. Em dose máxima de metformina e glibenclamida. Última HbA1c 7,4%, em março de 2021. Meta de HbA1c individualizada para 7,5%. Repetir exames laboratoriais do DM em setembro de 2021.
3. Gonartrose à direita. Fazendo fisioterapia. Boa resposta à infiltração intra-articular de corticoide realizada em dezembro de 2020.
4. Tabagista em fase pré-contemplativa. Plano de prosseguir com abordagem motivacional.
5. Morte do marido em dezembro de 2019 por câncer de pulmão. Luto não complicado.
6. Obesidade grau 1 (IMC 32 kg/m² em março de 2021): implementando mudanças na dieta e atividade física. Monitorar adesão e parâmetros antropométricos.
7. Mamografia com Bi-RADS 2 por calcificações de aspecto benigno em março de 2020. Repetir em março de 2022.

FIGURA 34.2 → Exemplo de lista de problemas.
Bi-RADS, Breast Imaging-Reporting and Data System; HbA1c, hemoglobina glicada; IMC, índice de massa corporal.

apoio para mudanças de estilo de vida? A equipe está capacitada para prescrever e orientar o uso correto de insulina? Os pacientes com diabetes que têm úlcera neuropática no pé poderão ter seu atendimento inicial prestado por membro de sua própria equipe de APS? Se houver necessidade de encaminhar, há serviço específico para o manejo do pé diabético? Para mulheres diabéticas em idade fértil, estão sendo ofertados métodos contraceptivos? Se pessoas com diabetes procurarem o serviço por outras queixas, como gripe, serão atendidas com facilidade?

Esse olhar atento pode permitir identificar necessidades de atualização clínica ou de capacitação em novas competências. Além disso, a partir do momento em que os serviços ofertados pela equipe estão claramente definidos, é possível dividir tarefas de forma mais estratégica, assegurando, entretanto, que todos os membros da equipe tenham uma resolutividade suficiente para que o cuidado não fique fragmentado.

Gestão da população em risco ou gestão populacional

Complementando o monitoramento da lista de problemas e do plano de cuidado que é feito nas consultas individuais, as equipes de APS podem ir além e desenvolver um olhar populacional, isto é, realizar a vigilância simultânea de toda a subpopulação de pacientes com uma determinada condição crônica. Isso recebe o nome de gestão populacional, ou gestão da população em risco, e é um dos princípios da medicina de família e comunidade.[21] Para isso, é importante escolher variáveis-chave para serem monitoradas, o que pode ser feito por meio de planilhas que mostram o valor de cada variável para cada paciente com a condição. Por exemplo, para pacientes com diabetes, é importante que a planilha inclua a medida e a data da última aferição da pressão arterial, hemoglobina glicada (HbA1c), microalbuminúria e avaliação dos pés. A planilha deve indicar também os pacientes que estão com os exames em dia e aqueles que estão com exames em atraso, que podem exigir busca ativa para nova solicitação de exames.

A planilha também deve permitir a estratificação dos pacientes em subgrupos de risco para elaborar estratégias específicas a cada subgrupo – por exemplo, a estratificação do risco cardiovascular ou o estágio de mudança para a cessação do tabagismo. Em um campo complementar, podem ser registradas observações pertinentes ao caso (p. ex., particularidades do plano do paciente devido a preferências ou comorbidades). Idealmente, essas planilhas devem ser geradas pelo próprio prontuário eletrônico. Na ausência de prontuário eletrônico ou quando este não permite a vigilância adequada dessas patologias, é possível criar e alimentar essas planilhas por meio de programas de computador (p. ex., Excel ou Calc) ou on-line (p. ex., Planilhas Google). Nesse caso, podem ser usadas fórmulas para gerar alertas, como consultas ou exames em atraso.

Não é possível realizar essa vigilância para todas as doenças que acometem a população, devendo ser selecionadas aquelas mais prevalentes ou com maior impacto (p. ex., hipertensão, diabetes, asma, tuberculose). Essa mesma estratégia pode ser usada para monitorar cuidados preventivos (p. ex., realização de exame citopatológico do colo do útero) ou para pré-natal ou puericultura.

Organização do acesso

É um equívoco frequente imaginar que organizar o acesso para acomodar o acompanhamento de condições crônicas significa transformá-lo em algo rígido, programático e não individualizado. Tampouco significa deixar de lado as outras ações da equipe de APS, como consultas de demanda espontânea, questões administrativas, grupos de educação em saúde e acompanhamento de outras condições. Significa apenas incluir esse cuidado na rotina da APS, fortalecendo sua capacidade de cumprir seus princípios de forma flexível e com competência cultural.

Uma organização ideal do acesso permite conciliar consultas marcadas com o propósito específico de monitorar as condições crônicas, bem como ter flexibilidade para incluir o cuidado dessas condições em consultas solicitadas por outros motivos, inclusive aquelas por condições agudas. Permite também minimizar os componentes burocráticos dos cuidados crônicos, por exemplo antecipando a entrega da solicitação de exames, para que o paciente não precise comparecer a uma nova consulta apenas para que sejam solicitados os exames de rotina, e ampliando a validade da receita quando o paciente apresenta parâmetros de monitoramento consistentemente estáveis.

Para organizar a agenda, a equipe precisa conhecer seus pacientes com condições crônicas, reconhecer suas demandas individuais e estratificá-los segundo riscos e controle da condição crônica (p. ex., risco cardiovascular, controle da pressão arterial, controle da HbA1c, controle das crises de asma/epilépticas e grau motivacional para mudança de hábito). Também é importante que a equipe trabalhe com alguns parâmetros de cuidado (p. ex., periodicidade de exames, grupos e consultas) de acordo com as estratificações realizadas. Por exemplo, para pacientes com diabetes controlado, a HbA1c deve ser repetida a cada 6 meses, e para pacientes fora do alvo de 7% para a HbA1c, a cada 3 meses.

Os parâmetros ajudam a estimar o número necessário de consultas individuais ou coletivas para o cuidado continuado e auxiliam a equipe a dimensionar sua capacidade instalada e a avaliar a necessidade de criar outros tipos de ofertas, caso a agenda não suporte as necessidades para o cuidado continuado dos pacientes. Além das necessidades de consultas individuais ou coletivas, os parâmetros também ajudam a estimar o apoio diagnóstico e consultas especializadas necessários para o cuidado integral, facilitando que a equipe de APS cumpra o princípio da integralidade e o seu papel de ordenadora das Redes de Atenção à Saúde.

É útil manter uma planilha atualizada contendo todos os pacientes com necessidade de cuidados continuados e com as datas previstas para a próxima revisão ou retorno para mostrar exames. Essa planilha segue os mesmos moldes descritos no tópico anterior e permite agendar, de forma ágil, os pacientes com necessidades de cuidados continuados quando chegar próximo do momento em que eles devem consultar. O ideal é que essa planilha possa ser gerada pelo próprio prontuário eletrônico a partir dos planos e prazos estabelecidos nas consultas individuais. A vantagem de uma planilha única para organizar esse agendamento, em vez de usar as planilhas de pacientes com cada doença, é que ela permite levar em conta as multimorbidades e particularidades de cada paciente, em vez de apenas concentrar-se nas necessidades relacionadas com uma doença específica. Quando o prontuário eletrônico não puder gerar essa planilha única, pode-se programar integração entre as diferentes planilhas com o uso de *softwares* como o Excel ou o Calc, de forma que não precise haver entrada duplicada de informações.

Alguns princípios devem ser levados em conta no momento de organizar a agenda para contemplar as pessoas com necessidades de cuidados continuados:

→ deve-se cuidar para que as consultas agendadas não tomem o tempo reservado para as consultas de demanda espontânea. O equilíbrio na agenda entre condições agudas e crônicas depende das características da população atendida. Por exemplo, equipes que atendem um grande número de crianças devem reservar espaço maior na agenda para o atendimento de condições agudas, já que infecções respiratórias são motivo muito frequente de consulta nessa faixa etária. Já equipes que atendem um número maior de idosos devem reservar mais espaço para consultas programadas. Em geral, as equipes de APS têm 40 a 60% da sua agenda de consultas para demanda espontânea e 60 a 40% para cuidado continuado;

→ o espaço na agenda para as consultas programadas deve ser em horário em que a pressão assistencial por demandas agudas não seja grande, para não acarretar grande tempo de espera para atendimento às condições agudas e para que o profissional disponha de tempo suficiente para as avaliações e as orientações necessárias para as condições crônicas;

→ deve-se evitar agendar as consultas com muita antecedência (mais de 2-4 semanas), pois os pacientes frequentemente têm mais dificuldade para programar-se em longo prazo e faltam mais às consultas agendadas com muita antecedência. O prazo máximo para agendamento das consultas deve ser definido pela equipe levando em conta as características do serviço e da população atendida;

→ para pacientes que precisam retornar após um espaço de tempo maior do que aquele possível de agendar, deve-se combinar que ele procure a equipe próximo da data da consulta para fazer o agendamento, ou a própria equipe pode fazer essa vigilância e agendar a consulta. Por exemplo, para um paciente com condição crônica controlada e com os exames em dia e sem necessidade de retorno breve, o uso de alertas, para nova consulta ou por atraso no acompanhamento, e a busca ativa são ferramentas que podem ajudar a equipe a manter o cuidado;

→ solicitação e verificação de exames, avaliação de parâmetros antropométricos e avaliações como a do pé diabético podem ser feitas durante consultas por outros motivos (como nas consultas devido a condições agudas), mas atividades de educação em saúde não relacionadas com o motivo da consulta devido a uma condição aguda, orientação mais aprofundada para mudança de estilo de vida ou avaliações que consomem mais tempo (como avaliação cognitiva) devem, de preferência, ocorrer em consulta programada, na qual se dispõe de mais tempo e de maior atenção do paciente;

→ deve-se oferecer, sempre que possível e adequado, que as orientações educativas e para mudança de estilo de vida ocorram em grupo (ver tópico Consultas Coletivas), pois isso permite maior otimização do tempo e o confronto de experiências de diferentes pessoas com a mesma condição. Entretanto, atividades em grupo não se adéquam a todos os pacientes, devendo ser oferecidas consultas individuais para os pacientes que assim preferirem;

→ é fundamental a divisão de tarefas na equipe. Muito do cuidado de pacientes com condições crônicas pode e deve ser compartilhado com enfermeiros e outros profissionais de saúde. Agentes comunitários de saúde e técnicos de enfermagem também podem desempenhar importante papel no apoio ao autocuidado.

Consultas coletivas

A consulta coletiva é uma forma inovadora de atenção clínica que vai além da consulta médica tradicional. É especialmente indicada para pessoas que necessitam de monitoramento contínuo, com necessidades intensas de apoio emocional ou psicossocial, em especial os hiperutilizadores do serviço. Ela permite mostrar à pessoa que ela não é a única com aquela condição, oferecendo a oportunidade de conhecer outras pessoas que tiveram sucesso ou que têm dificuldades semelhantes às suas no manejo da sua condição crônica.

A consulta coletiva não deve ser confundida com as atividades em grupo tradicionalmente feitas na Estratégia Saúde da Família (ESF), voltadas para hipertensos, diabéticos e gestantes, entre outros, em geral sob a forma de palestras expositivas, que não estimulam a participação ativa dos pacientes no processo.

Para justificar o investimento de tempo e recursos na consulta coletiva, ela deve atingir um objetivo estabelecido pela equipe, seja ele ampliar acesso, fortalecer a adesão ao tratamento, apoiar o autocuidado e a mudança de hábitos, aumentar a satisfação da equipe e dos pacientes ou melhorar desfechos clínicos. Também deve ser adequada às realidades locais, assim como ao perfil dos profissionais da equipe.

Existem diversas variações no formato das consultas coletivas.[22,23] No formato mais comum, os participantes são somente pacientes convidados, todos com a mesma condição crônica (p. ex., asma), que devem confirmar sua participação previamente, para que a equipe possa revisar seu prontuário antes do encontro. Em geral, 30 a 50% dos convidados aceitam participar do grupo, fato que pode permitir à equipe convidar um número grande de usuários (em torno de 50). Participam do grupo: médico e/ou enfermeiro e, opcionalmente, os outros membros da equipe.

A **TABELA 34.1** apresenta um exemplo de uma forma de estruturar uma consulta coletiva. A sessão tem duração média de 2 horas e 30 minutos, somando-se a isso um período para os profissionais fazerem a avaliação conjunta da atividade e o registro em prontuário.

Já foram descritos relatos de grupos com idosos frágeis, gestantes, bem como com pessoas com diabetes, hipertensão, insuficiência cardíaca, câncer, asma, depressão, dor crônica, fibromialgia e obesidade.[24] Existem trabalhos que mostram que pacientes que participaram de consultas coletivas tiveram, em comparação com grupo-controle, menos consultas em emergências, menos encaminhamentos a especialistas, menos internações hospitalares, menos contatos telefônicos com seus médicos, maior satisfação com seu tratamento, além de melhor controle em doenças específicas como dislipidemias e diabetes **C/D**.[25,26] Outro trabalho mostrou redução de HbA1c em pacientes com diabetes com mau controle glicêmico.[25]

Além das consultas coletivas estruturadas para pacientes com condições específicas, existe também a possibilidade de a equipe disponibilizar horários para atendimento coletivo sem agendamento prévio, em que pessoas com diferentes condições crônicas podem participar, com o objetivo de renovar receita, informar sobre sua situação atual, bem como trocar experiências. Na literatura internacional, esse modelo é denominado DIGMA (*drop-in group medical appointment*, que, em tradução livre, significaria consulta coletiva por demanda espontânea).[22,23]

Abordagem familiar e acionamento da rede de apoio social

Como descrito nos tópicos Impacto Psicossocial das Doenças Crônicas e A Doença Crônica em uma Perspectiva Sistêmica, conhecer a situação familiar tem muito a contribuir na abordagem das condições crônicas, tanto pelo papel da família no desenvolvimento de fatores de risco que devem ser manejados quanto pelo seu potencial de apoiar ou dificultar o autocuidado. Além disso, muitas vezes a equipe de APS acompanha toda a família, e envolver o grupo no manejo da doença crônica de um dos integrantes pode permitir abordar conjuntamente problemas que afetam mais membros da família.

Um conceito importante para compreender por que diferentes famílias reagem de forma diferente a uma doença crônica é a resiliência familiar, ou seja, a capacidade que uma família tem de superar as adversidades sem grandes consequências ou saindo delas ainda mais fortalecida. Os profissionais de saúde, portanto, devem sempre buscar fortalecer a resiliência familiar, identificando as forças e vulnerabilidades da família e planejando intervenções para potencializar as forças e superar as fragilidades. Os componentes da resiliência familiar são o sistema de crenças da família, seus padrões organizacionais e a capacidade de comunicação.[27]

A **TABELA 34.2** apresenta intervenções que podem ser feitas para aprimorar cada um desses componentes e ajudar a família a ajustar-se a uma doença crônica quando se identifica baixa resiliência. Frequentemente, é útil envolver algum profissional de saúde mental quando essas intervenções se tornam mais complexas.

Em algumas famílias, há importante ganho secundário no papel de doente, de forma que a doença e seus sintomas passam a estruturar a dinâmica familiar. Quando o paciente começa a melhorar, os problemas familiares que estavam acobertados pela doença vêm à tona, o que muitas vezes faz ele e seus familiares conspirarem para o retorno dos sintomas. Assim, os pacientes param de tomar os medicamentos, recaem em comportamentos de risco ou passam a hipervalorizar sintomas que já apresentaram melhora. Nesse caso, é

TABELA 34.1 → Exemplo de estrutura de uma consulta coletiva

- → Período inicial de apresentação da equipe, dos participantes e dos objetivos do grupo
- → Tempo para interação e questões dos participantes; ao contrário de dar aulas, a equipe deve valorizar a experiência do grupo, redirecionando as perguntas para os integrantes ("Alguém já teve esse problema antes? Como lidou com ele?")
- → Intervalo; nesse período, o médico conversa individualmente com os pacientes, fazendo receitas ou solicitando exames, conforme a necessidade, e o enfermeiro ou técnico de enfermagem passa revisando os sinais vitais
- → Novo momento de perguntas ou algum tópico de educação em saúde
- → Momento para que a equipe e os participantes criem planos de ação de mudanças de hábitos, com objetivos estabelecidos pelo grupo
- → Definição do tema da próxima reunião, sempre privilegiando a escolha dos pacientes
- → Agradecer a presença de cada um dos participantes e reforçar a presença deles no próximo encontro, informando data e local
- → Depois do encontro, os profissionais podem atender individualmente pacientes que, por problemas mais complexos, necessitem de mais tempo; é muito importante um período para os profissionais fazerem a avaliação conjunta da atividade e o registro em prontuário

TABELA 34.2 → Intervenções para fortalecer a resiliência familiar na doença crônica

DOMÍNIO	COMPONENTES	INTERVENÇÕES
Sistema de crenças	→ Busca de sentido na adversidade → Visão positiva das coisas → Transcendência e espiritualidade	→ Estimular que a família busque dar sentido aos acontecimentos (incluindo aspectos religiosos, mas não se limitando a estes) → Explorar experiências prévias da família com a doença e o adoecer → Explorar os valores dos diferentes integrantes da família a respeito de temas relevantes à doença em questão (p. ex., sobre grau de investimento em recursos diagnósticos e terapêuticos)
Padrões organizacionais	→ Flexibilidade → Ligação entre os membros da família → Recursos sociais e econômicos	→ Realizar um genograma e ecomapa → Identificar o papel desempenhado por cada integrante da família (provedor, cuidador, bode expiatório, etc.) → Identificar padrões disfuncionais de relacionamento e buscar intervenções (p. ex., por meio de entrevistas familiares, para trabalhar esses padrões, quando eles interferirem no cuidado da pessoa com a condição crônica) → Buscar aumentar a rede de apoio
Capacidade de comunicação	→ Clareza → Expressão emocional aberta → Processo colaborativo de resolução de problemas	→ Estimular que os integrantes da família conversem aberta e claramente sobre a doença e sobre os aspectos que ela envolve → Estimular a capacidade de resolução de problemas em conjunto → Evitar triangulação (p. ex., o profissional de saúde fazer aliança com um integrante da família em detrimento do outro)

Fonte: Adaptada de Walsh.[27]

importante reunir a família e avaliar quais problemas familiares podem estar desencadeando essa piora (ver Capítulo Abordagem Familiar).

Além disso, quando uma pessoa é diagnosticada com uma doença crônica com maior comprometimento funcional, os papéis dos integrantes da família frequentemente mudam. Por exemplo, quando um homem de meia-idade que era o provedor da casa sofre um AVC e apresenta hemiparesia, ele passa a depender de pessoas que antes dependiam dele. Seja de forma abrupta ou gradual, desejada ou imposta, planejada ou assumida implicitamente, pessoas que antes desempenhavam outros papéis passam a atuar como cuidadores. Os novos cuidadores precisam abdicar de muitas das funções que desempenhavam até então para assumir esse novo papel, que carrega consigo uma enorme carga de sofrimento e estresse. Uma tarefa importante na abordagem de pessoas com condições crônicas que geram maior dependência é ajudar os familiares a assumirem esse papel de cuidadores e a aliviarem sua carga de sofrimento (ver Capítulo O Cuidado do Paciente Idoso). Uma compreensão da tipologia psicossocial das Doenças Crônicas, conforme descrito no tópico Impacto Psicossocial das Doenças Crônicas, pode ajudar a equipe a apoiar os cuidadores nesse novo papel.

Embora a família seja o principal componente da rede de apoio psicossocial, é importante estar atento para outros atores que podem contribuir nesse apoio. Alguns exemplos são associações de pacientes, além de recursos comunitários como associações de moradores, igrejas, organizações não governamentais (ONGs) e serviços de assistência social. A realização de um ecomapa (ver Capítulo Abordagem Familiar) pode auxiliar a mapear essa rede de apoio e a pensar em estratégias para acioná-la.

Coordenação do cuidado na rede de atenção à saúde

As equipes de APS devem coordenar os cuidados das pessoas que utilizam o serviço, o que é uma habilidade essencial especialmente para cuidar de pessoas com condições crônicas. Isso inclui estar atento aos protocolos e às linhas de cuidado locais, fazer a vigilância das listas de pacientes com determinadas doenças crônicas para monitorar se estão recebendo os cuidados que deveriam estar recebendo, assegurar que conseguiram as consultas ou exames especializados para os quais foram encaminhados, bem como garantir uma boa comunicação com os demais especialistas. Quando diferentes especialistas estão envolvidos no acompanhamento, é tarefa da APS integrar as intervenções em um plano único de cuidado, que leve em conta as particularidades de cada paciente. Durante e após uma alta hospitalar, uma tarefa essencial da coordenação do cuidado é garantir que a transição hospital-domicílio seja feita de forma adequada, com fluxo apropriado de informações, ajustes nas prescrições e apoio psicossocial para eventuais sequelas relacionadas com o motivo da internação.

A coordenação do cuidado centrada na APS auxilia na prevenção quaternária, já que pode evitar solicitação duplicada de exames, interações medicamentosas, erros e complicações. A coordenação é importante também economicamente, pois pode evitar gastos desnecessários tanto para o sistema de saúde como para o paciente.

Intervenções específicas para populações com elevada carga de morbidade

As pessoas com multimorbidade são um grupo heterogêneo, e é importante levar em conta o quanto o somatório das morbidades impacta a capacidade das pessoas de viver com suas doenças e o manejo clínico. As diversas opções devem ser discutidas de forma mais ampla com o paciente, desenvolvendo um plano de cuidado dirigido principalmente para as metas expressas por ele (p. ex., manter interação social), em vez de buscar atingir uma série de metas direcionadas a problemas específicos.[28]

Os resultados também podem ser melhores quando se foca em determinados fatores de risco de maior relevância ou de mais fácil intervenção ou em dificuldades funcionais específicas.[29] Investir em mudanças de estilo de vida é de particular utilidade, pois, além de aumentar a autoconfiança e a autoestima da pessoa, isso impacta em mais de uma condição crônica de forma simultânea, já que, em geral, estas possuem fatores de risco em comum. Um exemplo poderia ser estimular caminhada diária, que poderia ter múltiplos benefícios físicos e na esfera emocional – exposição ao sol e absorção de vitamina D, socialização, redução de dose de anti-hipertensivos, antidiabéticos, estatinas ou broncodilatadores.

Quanto maior a carga de morbidade, mais as pessoas acreditam que o controle de sua saúde depende mais de fatores externos do que dela própria,[30] e, entre os pacientes com maior carga de morbidade, ter menor confiança na sua capacidade de realizar tarefas está associado a uma pior qualidade de vida.[31] Por isso, é de grande utilidade investir fortemente em medidas de autocuidado apoiado nesses pacientes e em intervenções voltadas para o letramento em saúde, para que aumentem a confiança de que podem interferir positivamente na sua própria saúde (ver tópico Trabalhando o Autocuidado).

Cuidar de pessoas com multimorbidade pode ser mais difícil quando esse quadro está associado a uma doença mental, cuja presença deve ser sempre considerada, em especial quando o manejo de problemas físicos é mais problemático do que o usual. Nessas situações, são particularmente úteis as abordagens sinergísticas como o exercício físico, que ao mesmo tempo melhoram as saúdes física e mental.[32]

Reconhecendo as dificuldades envolvidas no acompanhamento de pessoas com multimorbidade, um grupo de especialistas de diferentes países, a maioria composta por médicos de família, desenvolveu um conjunto de orientações sobre como melhor transitar pelos múltiplos caminhos possíveis para organizar o cuidado desses pacientes. Essas orientações foram fruto de um simpósio internacional sobre o tema seguido por métodos informais e formais de consenso. O conjunto de orientações recebeu o nome de Princípios de Ariadne (TABELA 34.3), fazendo referência à personagem da mitologia grega que ajudou Teseu a encontrar o caminho de volta no labirinto do Minotauro, utilizando um novelo de lã.[33]

TABELA 34.3 → Princípios de Ariadne: sugestões práticas para qualificar o acompanhamento de pessoas com multimorbidade na atenção primária à saúde

AVALIAR POTENCIAIS INTERAÇÕES – ENTRE CONDIÇÕES CLÍNICAS, TRATAMENTOS, CONSTITUIÇÃO E CONTEXTO

→ Manter uma lista de todas as condições clínicas, avaliar sua gravidade e impacto, e revisar os medicamentos atualmente em uso
→ Monitorar ativamente sinais de ansiedade, sofrimento mental e depressão, ou disfunção cognitiva, incluindo problemas de dependência química e sinais ou sintomas não específicos, como problemas de sono, perda de apetite e problemas de hidratação
→ Explorar e considerar circunstâncias sociais, limitações financeiras, condições de vida e suporte social, letramento em saúde, autonomia funcional e estratégias para lidar com problemas
→ Listar outros médicos e terapeutas envolvidos no cuidado do paciente e avaliar o impacto global da carga de tratamento sobre a vida do paciente

EXPLORAR PREFERÊNCIAS E PRIORIDADES – QUAIS DESFECHOS SÃO MAIS E MENOS DESEJADOS PELO PACIENTE

→ Explorar preferências por desfechos genéricos de saúde, como sobrevivência, independência, dor e alívio de sintomas, incluindo necessidades de cuidados paliativos, e atentar para as próprias preferências (implícitas) do profissional, pois elas podem não ser as mesmas que as do paciente
→ Se aplicável, considerar as preferências dos cuidadores informais ou da família
→ Acordar uma meta terapêutica realista com o paciente (e com os cuidadores, se apropriado)

INDIVIDUALIZAR O MANEJO PARA ALCANÇAR AS METAS TERAPÊUTICAS

→ Avaliar se os benefícios esperados do tratamento (e da prevenção) superam os prováveis inconvenientes e danos associados, levando em consideração o nível de risco individual do paciente e suas preferências
→ Avaliar o ônus incremental e combinado do tratamento sobre o paciente (e cuidador, se aplicável)
→ Considerar adequar o plano de autocuidado de acordo com as necessidades e as capacidades do paciente
→ Fornecer instruções de rede de segurança (p. ex., orientações sobre os sintomas de possíveis efeitos colaterais e como proceder em relação a eles)
→ Acordar com o paciente sobre o cronograma de consultas de acompanhamento para avaliar o alcance das metas e reavaliar interações
→ Consultar outros profissionais de saúde e cuidadores informais que estão envolvidos no cuidado do paciente; idealmente, todos os profissionais de saúde envolvidos devem estar informados sobre as decisões terapêuticas ou ter acesso às informações

Fonte: Traduzida de Muth e colaboradores.[33]

TRABALHANDO O AUTOCUIDADO

Autocuidado é a habilidade individual para lidar com sintomas, tratamentos e com as consequências físicas e sociais de uma condição crônica, bem como com as mudanças de hábitos necessárias para viver com ela. O autocuidado apoiado é um dos elementos centrais do MACC (ver Capítulo A Atenção às Condições Crônicas) e visa, mediante intervenções, individuais e coletivas, apoiadas por material impresso ou virtual, ampliar a autonomia do usuário em relação a tomar conta de sua própria saúde. Para que esse objetivo seja atingido, as pessoas precisam conhecer sobre sua condição crônica, além de ter treinamento de habilidades específicas relacionadas com a sua doença. O autocuidado deve ser apoiado pelos profissionais por meio de um conjunto de intervenções, uma vez que não há uma única intervenção que dê conta sozinha dessa tarefa.

As principais tarefas do autocuidado são:
→ manejar a doença propriamente dita: implementar as mudanças de estilo de vida necessárias, saber quando e como tomar medicamentos, seguir o plano de acompanhamento clínico necessário, fazer exames de controle periodicamente, conhecer as complicações, reconhecer os momentos de agudização e, quando eles ocorrerem, saber os primeiros cuidados e quais recursos buscar;
→ manter (na medida do possível) os demais papéis e atividades da vida diária;
→ lidar com o impacto emocional da condição crônica.

Para cumprir cada uma dessas tarefas, o paciente precisa de apoio da equipe de saúde que o acompanha.

Um princípio importante no manejo de uma condição crônica é que o paciente precisa ser o protagonista do seu cuidado. Sendo assim, é fundamental compartilhar com ele as decisões. No início de cada consulta, deve-se negociar a agenda para a consulta, pois se o paciente tiver algum motivo para consultar, e este não for esclarecido, provavelmente sairá frustrado. No momento de elaborar o plano terapêutico, em vez de apenas dizer aos pacientes como será seu tratamento, é mais útil fazer sugestões e perguntar a opinião do paciente, pois assim ele se sente parte atuante no seu próprio tratamento. Isso se aplica inclusive a intervenções aparentemente mais simples, como prescrição de medicamentos. Por exemplo: "Eu acho que é importante para você tomar 1 comprimido de metformina, 3 ×/dia, pois sua glicose está muito alta. O que você acha disso?". (Ver Capítulo Método Clínico Centrado na Pessoa.)

Identificando facilitadores e barreiras para o autocuidado

Diversos fatores interagem entre si e podem comportar-se tanto como barreiras quanto como facilitadores do autocuidado **(TABELA 34.4)**.[34]

TABELA 34.4 → Facilitadores e barreiras para o autocuidado

CATEGORIA	FATORES	COMO ABORDAR
Características pessoais e estilo de vida	→ Conhecimento sobre a doença (letramento em saúde) → Crenças → Motivação → Padrão de vida → Estado psicológico	Intervenções psicossociais, de educação em saúde e de entrevista motivacional
Estado de saúde	→ Gravidade da doença → Impacto da doença na qualidade de vida da pessoa	Reconhecimento e abordagem do impacto físico e psicossocial da doença crônica
Recursos	→ Recursos financeiros → Equipamentos → Apoio psicológico, familiar e de pessoas com a mesma doença	Identificar dificuldades financeiras, ausência de equipamentos necessários e baixa resiliência familiar
Características do ambiente	→ Casa → Trabalho → Comunidade	Identificar fatores sistêmicos relacionados aos ambientes em que o paciente circula que podem estar contribuindo para dificuldades no autocuidado ou que podem ser facilitadores
Organização do sistema de saúde	→ Acesso → Coordenação → Continuidade do cuidado → Relação com a equipe	A maneira como os serviços de saúde são organizados pode afetar positiva ou negativamente o autocuidado dos pacientes; é importante estar atento aos atributos da atenção primária à saúde (APS)

Fonte: Adaptada de Schulman-Green e colaboradores.[34]

Vários itens dessa tabela foram abordados ao longo deste e em outros capítulos. A seguir, serão destacados alguns itens em especial.

Aspectos psicológicos

Entre as barreiras de ordem psicológica, destacam-se a depressão e o sofrimento mental inespecífico. A depressão é a barreira mais estudada, estando fortemente associada ao mau autocuidado em pessoas com diabetes, doença pulmonar obstrutiva crônica e doenças cardíacas, na medida em que diminui a autoeficácia e a motivação para o tratamento.

Deve-se, portanto, buscar ativamente a presença de sintomas depressivos em pacientes com doença crônica e forte necessidade de melhorar o autocuidado (ver Capítulo Depressão). Entretanto, mesmo quando não se consegue estabelecer o diagnóstico de depressão, outras manifestações de sofrimento mental, muitas vezes subsindrômicas, devem ser buscadas, em geral associadas a crises vitais, a dificuldades interpessoais no dia a dia ou ao processo de adoecer, podendo ser altamente limitantes para o autocuidado. Na presença de uma barreira de ordem psicológica, intervenções psicossociais realizadas na APS podem ajudar a melhorar o autocuidado (ver Capítulo Intervenções Psicossociais na Atenção Primária à Saúde). Em caso de depressão moderada a grave, pode ser necessário tratamento farmacológico (ver Capítulo Depressão).

Por outro lado, características psicológicas positivas da pessoa, como otimismo, estão associadas a um maior engajamento em comportamentos saudáveis.[18]

Aspectos cognitivos

As barreiras cognitivas comprometem fortemente a capacidade do paciente de compreender sua doença, saber tomar os medicamentos da maneira correta e realizar as mudanças de estilo de vida necessárias. Elas incluem distúrbios cognitivos propriamente ditos, como retardo mental (na maioria das vezes, leve e não diagnosticado) e demências ou comprometimento cognitivo leve, bem como baixa escolaridade, dificuldades de aprendizado e dificuldades linguísticas. Essas pessoas podem requerer muito apoio dos profissionais de saúde para simplificar o tratamento, adequar as informações sobre a doença ao seu nível de compreensão e para remover barreiras inerentes ao sistema de saúde (p. ex., facilitar ainda mais o acesso desses pacientes, auxiliar na marcação de exames e aumentar a frequência das visitas domiciliares de agentes comunitários de saúde).

Barreiras físicas

As barreiras físicas se referem à limitação funcional associada às doenças que o paciente apresenta. Sintomas como dor, dispneia, cansaço, dificuldade de locomoção, dificuldades para o sono e fraqueza podem ser altamente comprometedores do autocuidado. Isso reforça a importância de monitorar ativamente esses sintomas, que em geral devem ter maior prioridade para intervenção do que outros problemas com menor repercussão funcional. Muitas vezes, é útil usar diários de sintomas para realizar esse monitoramento e identificar estratégias para otimizar o seu manejo (p. ex., diário de sono, diário de dor, como o de cefaleia, etc.).

Barreiras econômicas e sociais

Condições crônicas estão altamente ligadas à baixa renda, e esse fator piora o controle das condições, muitas vezes limitando o acesso a procedimentos, medicamentos e equipamentos necessários. O profissional responsável deve avaliar se há condição financeira que interfira no cuidado e, caso necessário, encaminhar a pessoa a um serviço de assistência social. Muitas condições crônicas graves, como insuficiência cardíaca e câncer, dão direito a benefícios previdenciários, o que pode ser de grande auxílio para o autocuidado do paciente.

As barreiras sociais (frequentemente com importante componente econômico e cultural) costumam estar associadas a suporte familiar insuficiente e a dificuldades no trabalho. Sabe-se que a família é de vital importância no sucesso do tratamento de condições crônicas. Por esse motivo, a equipe de saúde deve fortalecer os vínculos familiares e estimular a rede de apoio dos pacientes, tanto intrafamiliar quanto comunitária.

Letramento em saúde e estratégias de educação em saúde

Letramento em saúde é definido pela Organização Mundial da Saúde (OMS) como um conjunto de competências cognitivas que torna o indivíduo capaz de obter, interpretar e compreender informações básicas sobre sua saúde, e sobre os serviços e a forma de utilizá-los.[35] O nível do letramento em saúde de uma população tem relação com o uso dos serviços de saúde e também com os desfechos em saúde.[36,37] Quanto pior o letramento em saúde, menor é a adesão a medicamentos ou ações preventivas, maior é o uso de serviços de urgência/emergência, maior é o número de internações e maior a taxa de mortalidade.[38,39] Nesse sentido, é essencial que as equipes de APS lancem mão de estratégias que aprimorem o letramento em saúde da sua população, principalmente daqueles com doenças crônicas.

A educação em saúde é o uso de uma combinação de estratégias de avaliação e intervenção que influenciam o conhecimento, as atitudes ou os comportamentos dos pacientes,[40] buscando ampliar o letramento em saúde. Essas estratégias podem ser implementadas de inúmeras formas, como em consultas individuais, atividades em grupo e visitas domiciliares realizadas por qualquer integrante da equipe multiprofissional, com ou sem o uso de materiais educativos (impressos ou virtuais), com ou sem o apoio de tecnologias da informação (p. ex., aplicativos, mensagens diretas), bem como em atividades de promoção da saúde realizadas na comunidade, geralmente mais focadas em prevenção primária.

O fornecimento adequado de informações tem um papel fundamental no autocuidado. Por exemplo, pessoas com diabetes devem saber como medir glicemia capilar (se forem usuárias de insulina), quais são os valores adequados de glicemia capilar pré e pós-prandiais, a importância da atividade física e da dieta adequada, como realizar o autoexame dos pés, entender os significados e alvos da HbA1c e da pressão arterial e ter conhecimento acerca das complicações crônicas da sua doença.

> Devido à importância desse conhecimento sobre a saúde, as atividades de educação em saúde tradicionais partem do princípio de que quanto mais uma pessoa sabe sobre sua doença, mais apta e motivada ela estará para mudar comportamentos e aderir às orientações médicas. No entanto, o conhecimento por si não é suficiente, sendo necessária uma abordagem colaborativa e individualizada de autocuidado apoiado, na qual a equipe de saúde atua junto do paciente, para saber quais são seus objetivos principais e suas motivações e, a partir desses elementos, buscar a melhor estratégia de apoio.

Para que o processo de informar tenha esse caráter colaborativo, podem ser usadas técnicas de entrevista motivacional. Nessa abordagem, evita-se o estilo diretivo de comunicação ("eu sei o que você precisa saber, vou lhe ensinar"), e adota-se um estilo mais próximo ao de um guia do processo de aprender – como um bom guia de viagem, que escuta o que os visitantes querem ver ou saber e oferece seus conhecimentos quando necessário. Algumas vezes, equivocadamente, pensa-se que a entrevista motivacional não visa dar informações e/ou conselhos ao paciente. É claro que, quando ele solicita, deve ser dada informação ou conselho de forma clara e direta. Informações/conselhos não solicitados, contudo, devem ser dados de forma guiada, não diretiva. Para tanto, é importante ter a permissão do paciente para dar a informação/conselho e então dá-la segundo as perspectivas e as necessidades do paciente, para que ele possa concluir sobre a relevância do material fornecido.

Por exemplo, utilizando a técnica elicitar-fornecer-elicitar, pergunta-se inicialmente: "O que você sabe sobre diabetes?". Ouve-se a resposta e pergunta-se: "O que mais você gostaria de saber sobre o seu diabetes?". Isso porque as pessoas tendem a reter as informações que elas gostariam de saber, e não fatos desconectados de sua realidade. Então, apresenta-se a informação, priorizando o que o paciente mais quer saber e de forma clara. Observa-se sua reação e, dependendo dela, pode ser dito: "O que mais você gostaria de saber?" ou "Fui claro?".[41] Ao final, deve-se pedir para que ele repita, com as próprias palavras, o que recorda do encontro e do plano acordado. Fazer essa simples pergunta final associou-se a melhor controle glicêmico em pacientes com diabetes.[42]

Outros aspectos importantes no processo de informar consistem em fornecer informações na dose certa (evitar excesso de informação) e verificar se o paciente compreendeu o que foi informado. Deve-se cuidar também para não fornecer apenas informações negativas, que assustem o paciente. Mensagens negativas como "se você continuar a fumar será mais difícil respirar" podem ser reenquadradas de forma positiva, como "se você parar de fumar, verá que será mais fácil respirar". Uma forma particularmente eficaz de informar é dizer ao paciente o que funcionou para outros pacientes em situações semelhantes à dele, em vez de apenas sugerir o que fazer. Usar histórias ou vinhetas pode ser de mais fácil compreensão que dados estatísticos. Se for necessário passar muitas informações, deve-se falar as mais importantes primeiro e programar a oferta de novas informações ao longo dos diferentes momentos de cuidado. Por fim, para aumentar a autonomia do paciente, é bom oferecer sempre várias opções para que ele possa escolher a opção mais relevante para si.[43]

Imagens podem ser usadas como apoio ao explicar determinado assunto, e elas podem ser obtidas em livros, ou mesmo na internet durante a consulta, e devem ser culturalmente adequadas. Algumas situações em que elas são úteis: ao explicar a fisiopatologia de uma determinada doença, ao orientar exercícios para serem realizados em casa para algum problema musculoesquelético, e ao esclarecer sobre o modo de usar espaçadores. Podem ser usados também outros materiais auxiliares, como modelos anatômicos, tubos de ensaio contendo a quantidade de açúcar presente em diferentes alimentos industrializados, entre outros.

Simular situações relacionadas com a doença também pode ser de grande valia, como uso de medicação (p. ex., aplicação de insulina em almofada; ou uso de espaçador), exacerbação da doença (p. ex., conduta diante de insuficiência cardíaca congestiva descompensada), efeitos colaterais (p. ex., conduta diante de hipoglicemia) e escolha de refeições mais saudáveis em cardápios simulados de restaurante.

O uso de materiais complementares para o paciente ler ou assistir em casa, além de poupar tempo, torna mais efetivos os esforços para a aquisição e a fixação de conhecimentos, já que o paciente não retém grande parte das informações passadas verbalmente na consulta. Esses materiais complementares incluem *sites*, livros ou vídeos que abordem os temas de interesse (p. ex., *sites* de redes sociais de pacientes ou vídeos sobre o uso de insulina, espaçadores para medicação de asma ou sobre alongamentos), panfletos explicativos (p. ex., sobre exames de rastreamento ou orientação alimentar) ou cadernetas de acompanhamento (p. ex., de pré-natal, de condição crônica ou de metas para mudança de hábitos).

Promovendo mudanças de estilo de vida

Diversas condições crônicas exigem dos pacientes mudanças em estilos de vida deletérios, como alimentação inadequada, sedentarismo, tabagismo e consumo de álcool e outras drogas. A promoção de mudanças de estilo de vida requer uma atenção centrada na pessoa, em vez de focada na doença, buscando um cuidado colaborativo, ao contrário do tradicional cuidado prescritivo, no qual o profissional estabelece metas de tratamento. Quando o cuidado se torna prescritivo, os confrontos entre profissional e paciente são frequentes por este último não atingir as metas, que geralmente são definidas pelo profissional (ver Capítulo Método Clínico Centrado na Pessoa). Os objetivos, portanto, devem ser traçados em conjunto com os pacientes, e aqui também podem ser úteis as técnicas de comunicação da entrevista motivacional.

Para cada objetivo traçado, recomenda-se avaliar a importância que a pessoa atribui à mudança de comportamento, bem como a confiança de que conseguirá fazê-la, por meio de uma escala de 0 a 10.[43] Então, investiga-se o motivo para esse número e não outro mais alto ou mais baixo. Por exemplo, "por que você atribuiu uma nota 3 e não 0 para a importância de parar de fumar?", ou "por que 3 e não 6?". A partir dessa estratégia, é possível explorar as pequenas motivações do paciente e, por meio da escuta reflexiva, tentar amplificá-las. Permite também identificar barreiras para a mudança e elaborar estratégias para removê-las. Quando a pessoa dá pouca importância à mudança de comportamento, os focos da abordagem são a informação e a conscientização sobre a importância da mudança, ou seja, concentrar-se em por que mudar. Quando a pessoa tem pouca confiança de que conseguirá fazer a mudança, o foco da abordagem é aumentar a autoeficácia, explorando como mudar, pois a mudança só ocorrerá se essa pessoa sentir-se confiante de que conseguirá fazê-la.

Outra medida importante nas abordagens visando mudanças de estilos de vida é a construção de um plano individual, em conjunto com o paciente, que detalha como ele atingirá uma determinada mudança de comportamento. É interessante detalhar o plano no registro do paciente e entregar-lhe uma cópia escrita do plano.

Na **FIGURA 34.3**, há um exemplo de plano para aumentar a prática de exercício físico.

Intervenções visando a mudanças de estilos de vida se beneficiam muito do cuidado multiprofissional. Muitas vezes, o médico não tem tempo para fazer uma abordagem completa dos pacientes, sendo importante a capacitação dos outros membros da equipe nos princípios da entrevista motivacional, técnicas de resolução de problemas, decisão compartilhada e atenção colaborativa.

Plano de ação para o autocuidado nas condições crônicas

A utilização de um plano de ação possibilita ao paciente maior conhecimento e controle da sua condição crônica ao orientar a pessoa como monitorar sintomas, ajustar medicamentos e determinar quando algum cuidado adicional é necessário. Essa ferramenta deve incluir orientações sobre o autocuidado diário, medicamentos básicos, como o paciente deve identificar e lidar com as exacerbações, orientá-lo quanto a sintomas de alerta, devendo descrever também as metas relacionadas com mudanças de estilo de vida. O plano de ação deve ser simples e objetivo, adequado ao grau de alfabetização do paciente, sendo indicado mesmo para pessoas com baixo grau de instrução. O plano deve ser estabelecido e individualizado durante as consultas iniciais, e revisado em cada encontro.

Há evidências de que o plano de ação diminui exacerbações e hospitalizações por asma[44,45] **B** e doença pulmonar obstrutiva crônica **C/D**,[46] e alguns estudos demonstram benefício no controle de doenças crônicas como diabetes[47] **C/D**, melhorando a adesão ao tratamento. Entretanto, os planos de ação também podem ser úteis para diversas outras condições crônicas, como insuficiência cardíaca, gota, angina, dor crônica, dermatite atópica, epilepsia, tabagismo e reeducação alimentar.

Na **FIGURA 34.4**, há um exemplo de um plano de ação para insuficiência cardíaca.

Mudança: praticar mais atividade física
Objetivo: fazer 30 minutos de exercícios por dia
Comportamento: ir e voltar do trabalho de bicicleta
Exatamente o que você vai fazer: pedalar na ida e na volta para o trabalho
Quanto você irá fazer: percursos casa-trabalho e trabalho-casa (aproximadamente 20 minutos)
Quando você irá fazer isso: 3 vezes por semana
Potenciais dificuldades: chuva, motoristas mal-educados, perigos do trânsito, chegar suado ao trabalho, preguiça, ter de acordar mais cedo
Como superar essas dificuldades: levar mochila com outra roupa, deixar material de banho no trabalho, tomar uma ducha ao chegar, usar capacete, dormir mais cedo
Plano de acompanhamento: nova consulta em 1 mês para reavaliação do plano

FIGURA 34.3 → Exemplo de plano para aumento de atividade física.

ZONA VERDE	ZONA VERDE QUER DIZER:
Seu peso normal é _____ kg – Sem falta de ar – Sem edema nas pernas – Sem aumento de peso – Sem dor no peito – Sem diminuição da capacidade física	– Seus sintomas estão controlados – Continue a tomar suas medicações como combinado na consulta – Continue a se pesar diariamente – Coma pouco sal – Não falte às consultas – Medicações em uso: _____ _____ _____ _____
ZONA AMARELA Se você tem algum dos seguintes sintomas: – Aumento de 1,5 kg ou mais em 2 dias – Piora da tosse – Piora do edema nas pernas – Piora da falta de ar – Aumento no número de travesseiros – Ligue para seu médico ou enfermeira para agendar consulta breve NOME: _____ TELEFONE: _____	**ZONA AMARELA QUER DIZER:** – Seus sintomas indicam que você precisa de um ajuste na dose de suas medicações – Mude a dose das seguintes medicações: _____ _____ _____ _____
ZONA VERMELHA Se você está tendo os seguintes sintomas: – Falta de ar em repouso – Dor no peito que não alivia – Chiado no peito em repouso – Está dormindo sentado – Aumento de peso de 3 kg em 2 dias – Confusão mental	**ZONA VERMELHA QUER DIZER:** Que você está com sua doença descompensada! Ligue imediatamente para seu médico ou enfermeira. Caso não consiga contato, procure um serviço de urgência. NOME: _____ TELEFONE: _____

FIGURA 34.4 → Exemplo de plano de ação para insuficiência cardíaca.

REFERÊNCIAS

1. O'Halloran J, Miller GC, Britt H. Defining chronic conditions for primary care with ICPC-2. am Pract. 2004;21(4):381-6.
2. Gentil L, Vanasse A, Xhignesse M. Episódios de cuidados: um conceito em saúde pública. Ciênc. saúde coletiva. 2013;18(1):138-44.
3. Nicholson K, Makovski TT, Griffith LE, Raina P, Stranges S, van den Akker M. Multimorbidity and comorbidity revisited: refining the concepts for international health research. J Clin Epidemiol. 2019;105:142-6.
4. Nguyen H, Manolova G, Daskalopoulou C, Vitoratou S, Prince M, Prina AM. Prevalence of multimorbidity in community settings: A systematic review and meta-analysis of observational studies. J Comorb. 2019;9:2235042X19870934-2235042X.
5. Rzewuska M, de Azevedo-Marques JM, Coxon D, Zanetti ML, Zanetti AC, Franco LJ, et al. Epidemiology of multimorbidity within the Brazilian adult general population: evidence from the 2013 National Health Survey (PNS 2013). PLoS One. 2017;12(2):e0171813.
6. Katikireddi SV, Skivington K, Leyland AH, Hunt K, Mercer SW. The contribution of risk factors to socioeconomic inequalities in multimorbidity across the lifecourse: a longitudinal analysis of the Twenty-07 cohort. BMC Med. 2017;15(1):152.
7. Pathirana TI, Jackson CA. Socioeconomic status and multimorbidity: a systematic review and meta-analysis. Aust N Z J Public Health. 2018;42(2):186-94.
8. Cassell A, Edwards D, Harshfield A, Rhodes K, Brimicombe J, Payne R, et al. The epidemiology of multimorbidity in primary care: a retrospective cohort study. Br J Gen Pract. 2018;68(669):e245-e51.
9. Xu X, Mishra GD, Jones M. Evidence on multimorbidity from definition to intervention: an overview of systematic reviews. Ageing Res Rev. 2017;37:53-68.
10. Guthrie B, Boyd CM. Clinical Guidelines in the Context of Aging and Multimorbidity. Public Policy Aging Rep. 2018;28(4):143-9.
11. Henchoz Y, Seematter-Bagnoud L, Nanchen D, Büla C, von Gunten A, Démonet JF, et al. Childhood adversity: a gateway to multimorbidity in older age? Arch Gerontol Geriatr. 2019;80:31-7.
12. Ferreira GD, Simões JA, Senaratna C, Pati S, Timm PF, Batista SR, et al. Physiological markers and multimorbidity: A systematic review. J Comorb. 2018;8(1):2235042X18806986.
13. Calderón-Larrañaga A, Vetrano DL, Ferrucci L, Mercer SW, Marengoni A, Onder G, et al. Multimorbidity and functional impairment–bidirectional interplay, synergistic effects and common pathways. J Intern Med. 2019;285(3):255-71.
14. Huntley AL, Johnson R, Purdy S, Valderas JM, Salisbury C. Measures of multimorbidity and morbidity burden for use in primary care and community settings: a systematic review and guide. Ann Fam Med. 2012;10(2):134-41.
15. Brilleman SL, Salisbury C. Comparing measures of multimorbidity to predict outcomes in primary care: a cross sectional study. Fam Pract. 2013;30(2):172-8.
16. Greenberg T. The psychological impact of acute and chronic illness: a practical guide for primary care physicians. New York: Springer; 2007.
17. Rolland JS. Helping couples and families navigate illness and disability: an integrated approach. New York: Guilford; 2018.
18. Schiavon CC, Marchetti E, Gurgel LG, Busnello FM, Reppold CT. Optimism and hope in chronic disease: a systematic review. Front Psychol. 2017;7:2022.
19. Kwon EJ, Kim YJ. What is fetal programming? A lifetime health is under the control of in utero health. Obstet Gynecol Sci. 2017;60(6):506.
20. Starfield B. Atenção primária: equilíbrio entre necessidades de saúde, serviços e tecnologia. Brasília: UNESCO, MS; 2002.
21. Freeman TR. Manual de Medicina de Família e Comunidade de McWhinney. 4. ed. Porto Alegre: Artmed; 2018.
22. Nuovo J. Chronic disease management. New York: Springer; 2010.
23. Bodenheimer TS, Grumbach K. Improving primary care: strategies and tools for a better practice. New York: McGraw-Hill Education; 2012.
24. Theobald M, McMullen S, Barnett D, Hughes C. A guide to group visits for chronic conditions affected by overweight and obesity. Leawood: American Academy of Family Physicians; 2009.
25. Housden L, Wong ST, Dawes M. Effectiveness of group medical visits for improving diabetes care: a systematic review and meta-analysis. CMAJ. 2013;185(13):E635-E44.
26. Brennan J, Hwang D, Phelps K. Group visits and chronic disease management in adults: a review. Am J Lifestyle Med. 2011;5(1):69-84.
27. Walsh F. Strengthening family resilience. 3rd. ed. New York: Guilford; 2015.
28. De Maeseneer J, Boeckxstaens P. James Mackenzie Lecture 2011: multimorbidity, goal-oriented care, and equity. Br J Gen Pract. 2012;62(600):e522-e4.
29. Smith SM, Wallace E, O'Dowd T, Fortin M. Interventions for improving outcomes in patients with multimorbidity in primary care and community settings. Cochrane Database Syst Rev. 2021;1(1):CD006560.
30. Henninger DE, Whitson HE, Cohen HJ, Ariely D. Higher medical morbidity burden is associated with external locus of control. J Am Geriatr Soc. 2012;60(4):751-5.
31. Peters M, Potter CM, Kelly L, Fitzpatrick R. Self-efficacy and health-related quality of life: a cross-sectional study of primary care patients with multi-morbidity. Health Qual Life Outcomes. 2019;17(1):37.
32. Mercer SW, Gunn J, Bower P, Wyke S, Guthrie B. Managing patients with mental and physical multimorbidity. BMJ. 2012;345:e5559.
33. Muth C, van den Akker M, Blom JW, Mallen CD, Rochon J, Schellevis FG, et al. The Ariadne principles: how to handle multimorbidity in primary care consultations. BMC Medicine. 2014;12(1):223.
34. Schulman-Green D, Jaser SS, Park C, Whittemore R. A metasynthesis of factors affecting self-management of chronic illness. J Adv Nurs. 2016;72(7):1469-89.
35. Nutbeam D. Health promotion glossary. Health Promot Int.1998;13(4):349-64.
36. Berkman ND, Sheridan SL, Donahue KE, Halpern DJ, Crotty K. Low health literacy and health outcomes: an updated systematic review. Ann Intern Med. 2011;155(2):97-107.
37. Mackey LM, Doody C, Werner EL, Fullen B. Self-management skills in chronic disease management: what role does health literacy have? Med Decis Making. 2016;36(6):741-59.
38. Schaffler J, Leung K, Tremblay S, Merdsoy L, Belzile E, Lambrou A, et al. The effectiveness of self-management interventions for individuals with low health literacy and/or low income: a descriptive systematic review. J Gen Intern Med. 2018;33(4):510-23.
39. World Health Organization. Health literacy: the solid facts. Geneva: WHO; 2013.
40. Fiebach NH, Barker LR, Burton JR, Zieve PD. Principles of ambulatory medicine. Lippincott Williams & Wilkins; 2007.
41. Miller WR, Rollnick S. Motivational interviewing: helping people change. New York: Guilford; 2013.
42. Schillinger D, Piette J, Grumbach K, Wang F, Wilson C, Daher C, et al. Closing the loop: physician communication with diabetic patients who have low health literacy. Arch Intern Med. 2003;163(1):83-90.
43. Butler SRWRMCC. Entrevista motivacional no cuidado da saúde: ajudando pacientes a mudar o comportamento. Porto Alegre: Artmed; 2009.
44. Zemek RL, Bhogal SK, Ducharme FM. Systematic review of randomized controlled trials examining written action plans in children: what is the plan? Arch Pediatr Adolesc Med. 2008;162(2):157-63.
45. Bhogal SK, Zemek RL, Ducharme F. Written action plans for asthma in children. Cochrane Database Syst Rev. 2006;(3):CD005306.

46. Bischoff EW, Hamd DH, Sedeno M, Benedetti A, Schermer TR, Bernard S, et al. Effects of written action plan adherence on COPD exacerbation recovery. Thorax. 2011;66(1):26-31.
47. Farmer A, Hardeman W, Hughes D, Prevost AT, Kim Y, Craven A, et al. An explanatory randomised controlled trial of a nurse-led, consultation-based intervention to support patients with adherence to taking glucose lowering medication for type 2 diabetes. BMC Family Practice. 2012;13(1):30.

Capítulo 35
DIABETES MELITO: DIAGNÓSTICO, CLASSIFICAÇÃO E AVALIAÇÃO PARA MANEJO CLÍNICO

Danilo de Paula Santos
Michael Schmidt Duncan
Bruce B. Duncan
Maria Inês Schmidt

O diabetes melito é definido pela presença de hiperglicemia; porém, engloba tipos distintos, cada um com uma etiologia específica que determina defeitos da secreção e/ou da ação da insulina. Inclui alterações no metabolismo dos carboidratos, proteínas e gorduras, e pode evoluir para complicações como vasculopatia, neuropatia, retinopatia e nefropatia diabéticas, que levam a elevada morbimortalidade.

O diabetes acarreta um estresse enorme ao paciente e à sua família. Ser portador de uma doença crônica com possíveis complicações graves, por si só, já é um peso considerável. Essa carga se eleva quando são consideradas as marcantes mudanças necessárias na rotina diária que deverão perdurar por toda a vida. O diabetes também causa ônus significativo à sociedade em decorrência de perda de produtividade no trabalho, aposentadoria precoce, dependência de cuidador e mortalidade prematura. Os gastos diretos relacionados ao diabetes em 2015 no mundo foram estimados em 1,3 trilhão de dólares, correspondendo a 1,8% do produto interno bruto (PIB) mundial. As projeções são de que, até 2030, essa parcela apenas aumente.[1]

Dados da Pesquisa Nacional de Saúde (PNS), um inquérito domiciliar de abrangência nacional realizado em 2013, estimam que 6,2% dos adultos brasileiros sabem ter diabetes (cerca de 9 milhões; 3,5 milhões com idade ≥ 65 anos).[2] Esses dados não contabilizam as pessoas que têm diabetes, mas desconhecem esse fato. Dados em subamostra sugerem que a prevalência seria de 8,4% dos adultos, quando, além do relato de diabetes (medicamento antidiabético), fosse considerada também a presença de hemoglobina glicada (HbA1c) ≥ 6,5%. O sistema de vigilância de fatores de risco e proteção para doenças crônicas por inquérito telefônico (Vigitel) de 2019 estimou que a prevalência de diabetes autorreferido nas 26 capitais e no Distrito Federal foi de 7,4%, variando entre 4,6% e 8,9%, a depender do local.[3] Dados brasileiros indicam custos da doença em aproximadamente 0,52% do PIB brasileiro e em 5,9% de todo o orçamento da saúde.[4,5] Portanto, reduzir a carga do diabetes e suas complicações tornou-se prioridade de saúde no Brasil e no mundo.[6]

Nesta edição do *Medicina ambulatorial*, abordamos a prevenção (primária e secundária) do diabetes tipo 2 no Capítulo Prevenção do Diabetes Tipo 2. Neste capítulo, serão abordados o diagnóstico, a classificação e a avaliação multidimensional para manejo na atenção primária à saúde (APS). O próximo capítulo abordará o cuidado longitudinal do diabetes, com foco maior no diabetes tipo 2, incluindo a prevenção de suas complicações (prevenção terciária).

DIAGNÓSTICO

Como suspeitar de diabetes

A **TABELA 35.1** apresenta os sinais e sintomas principais que levantam a suspeita de diabetes. Poliúria, polidipsia, polifagia e perda inexplicada de peso (os quatro "Ps") são os sintomas clássicos, apresentando alta especificidade diagnóstica. Sintomas mais vagos também podem estar presentes, como visão turva, fadiga e prurido. Com frequência, a suspeita de diabetes tipo 2 é dada pela presença de uma complicação tardia da doença, como proteinúria, retinopatia, neuropatia periférica ou doença aterosclerótica. Algumas infecções associadas ao diabetes também podem levar à suspeição de diabetes, entre elas a tuberculose e a síndrome da imunodeficiência adquirida (Aids, do inglês *acquired immunodeficiency syndrome*).

Muitas vezes, a suspeita de diabetes é levantada em pessoas sem sintomas, apenas pela presença de fatores de risco, como os apresentados na **TABELA 35.2**, os quais norteiam o rastreamento clínico.

TABELA 35.1 → Elementos clínicos que levantam a suspeita de diabetes

SINAIS E SINTOMAS CLÁSSICOS
→ Poliúria
→ Polidipsia
→ Perda inexplicada de peso
→ Polifagia
SINTOMAS MENOS ESPECÍFICOS
→ Fadiga, fraqueza e letargia
→ Visão turva (ou melhora temporária da visão para perto)
→ Prurido vulvar ou cutâneo, balanopostite
COMPLICAÇÕES CRÔNICAS
→ Proteinúria
→ Neuropatia diabética (cãibras, parestesias e/ou dor nos membros inferiores, mononeuropatia de nervo craniano)
→ Retinopatia diabética, catarata
→ Doença aterosclerótica (infarto agudo do miocárdio, acidente vascular cerebral, doença vascular periférica)
INFECÇÕES COMO Aids, TUBERCULOSE, HEPATITES B OU C

TABELA 35.2 → Recomendações de rastreamento para diabetes de acordo com a presença de fatores de risco

Nas seguintes situações, testar independentemente da idade:
1. IMC elevado (IMC ≥ 25 kg/m²) e um dos seguintes fatores de risco:
    → História de pai ou mãe com diabetes
    → História de doença cardiovascular
    → Hipertensão arterial (≥ 140/90 mmHg ou uso de anti-hipertensivos em adultos)
    → Dislipidemia: hipertrigliceridemia (> 250 mg/dL) ou colesterol HDL baixo (< 35 mg/dL)
    → Obesidade grave, acantose *nigricans*
    → Síndrome dos ovários policísticos
    → Inatividade física
2. Exame prévio de hiperglicemia intermediária (HbA1c elevada, tolerância diminuída à glicose ou glicemia de jejum alterada)
3. História de diabetes gestacional
4. HIV (ver Capítulo Infecção pelo HIV em Adultos)

Nos demais indivíduos, testar a partir dos 40 anos, como parte da avaliação de risco cardiovascular

Resultados normais devem ser repetidos a cada 3 anos, mais frequentemente em caso de maior risco

HbA1c, hemoglobina glicada; HDL, lipoproteína de alta densidade; HIV, vírus da imunodeficiência humana; IMC, índice de massa corporal.
Fonte: Adaptada de American Diabetes Association.[7]

Como diagnosticar

O diagnóstico de diabetes é definido pela presença de hiperglicemia, que pode ser identificada a partir da glicemia casual, glicemia de jejum, teste de tolerância à glicose com sobrecarga de 75 g em 2 horas (TTG) ou hemoglobina glicada (HbA1c). As características desses quatro exames e suas exigências de padronização são descritas na **TABELA 35.3**. Os critérios diagnósticos para cada exame são apresentados na **TABELA 35.4**.

Na ausência de hiperglicemia inequívoca, o diagnóstico requer dois exames alterados na mesma amostra (em geral, glicemia de jejum e HbA1c) ou em amostras diferentes (em geral, em outro dia).

Em caso de crise hiperglicêmica, o diagnóstico é feito de imediato para pronto tratamento. Na presença de sintomas clássicos de hiperglicemia (polidipsia, poliúria, polifagia e perda inexplicada de peso), acompanhados de glicemia casual ≥ 200 mg/dL, o diagnóstico de diabetes também não exige confirmação. No entanto, se realizado por tiras reagentes em glicemia capilar, devido à maior chance de erro, é recomendável confirmação com exame laboratorial.[9] A HbA1c *point of care* coletada no mesmo momento pode ser utilizada como teste de confirmação se o método for certificado pela International Federation of Clinical Chemistry and Laboratory Medicine (IFCC) ou pelo National Glycohemoglobin Standardization Program (NGSP). É preciso lembrar, ainda, que a hiperglicemia associada a estresse agudo infeccioso, traumático ou circulatório não deve ser considerada diagnóstica de diabetes, pois muitas vezes decorre do aumento transitório da resistência à insulina.

Na rotina clínica, o método diagnóstico mais utilizado é a glicemia plasmática de jejum, pela sua ampla disponibilidade e conveniência e pelo baixo custo. A coleta deve ser feita com ao menos 8 horas de jejum em tubo fluoretado, centrifugado logo após a coleta, ou mantido em gelo para dosagem pelo laboratório.[10] Um valor ≥ 126 mg/dL é indicativo de diabetes.

O uso do TTG é menos frequente pela maior complexidade, menor tolerância (duas amostras de sangue, ingestão de solução glicosada) e maior variabilidade, sendo necessária padronização das condições de realização (ver **TABELA 35.3**). Contudo, pessoas diagnosticadas pelo TTG apresentam maior risco de mortalidade cardiovascular do que as diagnosticadas pela glicemia de jejum isoladamente.[11]

O uso da HbA1c para o diagnóstico de diabetes aumentou muito na última década, especialmente por dispensar jejum, mas deve-se ter cuidado para que o método utilizado seja certificado pela IFCC ou pelo NGSP. O diagnóstico é feito a partir de uma HbA1c ≥ 6,5%.[7,10]

TABELA 35.3 → Exames de glicemia empregados no diagnóstico do diabetes

EXAME	CARACTERÍSTICAS E PADRONIZAÇÃO
Glicemia casual	→ Coletada em qualquer horário do dia, sem considerar o momento da última refeição
Glicemia de jejum	→ Coletada após um período mínimo de jejum de 8 horas
Teste de tolerância à glicose com sobrecarga de 75 g (TTG) → glicemia de jejum e → glicemia de 2 horas	→ Ao menos 3 dias antes do exame não pode haver restrição alimentar (a dieta deve conter pelo menos 150 g de carboidratos diários) ou restrição de atividade física → O exame é realizado após jejum noturno de 8-14 horas, não sendo permitido fumo e exercício físico durante o teste; água é permitida; quando houver infecção ou uso de medicamentos que alterem o teste ou inatividade física, isso deve ser considerado → Diluir 75 g de glicose anidra (na criança, 1,75 g/kg, até um máximo de 75 g) ou 82,5 g de glicose monoidratada em 250-300 mL de água; servir logo após a coleta de sangue em jejum, o tempo zero sendo o início da ingestão; a solução deve ser bebida em cerca de 5 minutos → Coletar o sangue em tubo fluoretado ou em *buffer* citrato; centrifugar imediatamente ou manter refrigerado até a dosagem, que deve ser feita por método enzimático
Hemoglobina glicada (HbA1c)	→ Não é necessário jejum; o método deve ser calibrado internacionalmente e o laboratório deve ser monitorado por painel externo de controle de qualidade*

*International Federation of Clinical Chemistry and Laboratory Medicine (IFCC) ou National Glycohemoglobin Standardization Program (NGSP).
Fonte: Adaptada de Sacks e colaboradores.[8]

TABELA 35.4 → Critérios diagnósticos do diabetes e outros distúrbios hiperglicêmicos segundo a Organização Mundial da Saúde (OMS), a American Diabetes Association (ADA) e o International Expert Committee (IEC)

DISTÚRBIO GLICÊMICO	CRITÉRIO DIAGNÓSTICO*
Diabetes melito (consensual)	→ Glicemia casual ≥ 200 mg/dL → Glicemia de jejum ≥ 126 mg/dL → Glicemia de 2 horas após sobrecarga de 75 g ≥ 200 mg/dL → HbA1c ≥ 6,5%
Tolerância à glicose diminuída (consensual)	→ Glicemia de 2 horas após sobrecarga de 75 g ≥ 140 mg/dL e < 200 mg/dL
Glicemia de jejum alterada	→ OMS: glicemia de jejum ≥ 110 mg/dL e < 126 mg/dL → ADA: glicemia de jejum ≥ 100 mg/dL e < 126 mg/dL[7]
Hemoglobina glicada (HbA1c) elevada	→ IEC: HbA1c entre 6-6,4%[15] → ADA: HbA1c entre 5,7-6,4%[7]

*Na ausência de hiperglicemia inequívoca, deve-se confirmar com outro teste na mesma amostra ou em amostra distinta.
Fonte: Adaptada de World Health Organization,[13,14] American Diabetes Association[7] e International Expert Committee.[15]

Casos que não atendem aos critérios diagnósticos de diabetes podem apresentar resultados intermediários de hiperglicemia, cujas definições e critérios estão descritos na TABELA 35.4. A American Diabetes Association (ADA) denomina esses casos como pré-diabetes, mas, neste capítulo, seguimos a orientação da Organização Mundial da Saúde (OMS), e eles foram denominados hiperglicemia intermediária. Primeiro, porque a conversão dos estados intermediários para diabetes não é tão alta, especialmente quando definidos pela ADA, embora a agregação de dados clínicos aos valores glicêmicos em escores de predição amplie a capacidade de identificar alto risco.[12] Segundo, porque estados intermediários podem, com frequência, regredir à normalidade no reteste.[13] Por fim, é importante lembrar que a justificativa principal para detecção clínica e rotulagem é a prevenção do diabetes, mas que a eficácia preventiva foi demonstrada apenas para quem apresenta tolerância diminuída à glicose, e não para as demais categorias diagnósticas.[14]

CLASSIFICAÇÃO DO DIABETES

A classificação do diabetes, em geral, é feita de acordo com tipos etiológicos (por defeitos ou processos específicos), embora tentativas de classificação prognóstica para o desenvolvimento de complicações estejam sendo desenvolvidas.

A **TABELA 35.5** adapta as classificações atualmente recomendadas para a prática clínica pela ADA[7] e por grupo de peritos da OMS.[16]

Diabetes tipo 1

O termo "tipo 1" indica o processo de destruição das células β pancreáticas, que leva ao estágio de deficiência absoluta de insulina. Essa condição faz a administração de insulina ser necessária para prevenir cetoacidose, coma e morte. A destruição das células β é causada, na maioria dos casos, por processo autoimune, que pode ser detectado por autoanticorpos circulantes, como antidescarboxilase do ácido glutâmico (anti-GAD), anti-ilhotas e anti-insulina. Em geral, a destruição das células β é rapidamente progressiva em crianças e adolescentes (pico de incidência entre 10-14 anos), mas pode ocorrer também em adultos, que frequentemente apresentam perda mais lenta.

Outro mecanismo, mais raro, é o diabetes tipo 1 idiopático, em que não há evidência de autoimunidade para a célula β.

Diabetes tipo 2

O termo "tipo 2" é usado para designar uma deficiência relativa de insulina. Esse estado decorre de elevação da resistência à ação da insulina associada a um defeito na secreção de insulina, o qual é menos intenso do que o observado no diabetes tipo 1. Nesses casos, se for necessário, o uso de insulina visa alcançar o controle da glicemia. A cetoacidose é rara e, quando presente, é precipitada por infecção, estresse muito grave ou uso de inibidores do SGLT2. A hiperglicemia desenvolve-se lentamente e costuma permanecer assintomática por vários anos, levando a um diagnóstico tardio, muitas vezes já na presença de complicações. Em grande parcela dos casos, o diagnóstico é suspeitado pela presença de fatores de risco (ver **TABELA 35.2**).

Formas híbridas

A OMS incluiu nessa categoria dois tipos de diabetes: casos de diabetes tipo 1 iniciado em adultos de forma mais lenta (diabetes autoimune de progressão lenta) e casos de diabetes tipo 2 com propensão à cetose.

O diabetes autoimune de progressão lenta é frequentemente confundido com diabetes tipo 2 em decorrência de seu aparecimento em adultos e de sua progressão mais lenta. No entanto, a presença de autoanticorpos pancreáticos como anti-GAD, anti-insulina, anti-ZnT8 e antitirosina-fosfatase IA2 caracteriza sua etiologia autoimune. É conhecido

TABELA 35.5 → Classificação do diabetes melito

TIPOS DE DIABETES	CARACTERÍSTICAS BÁSICAS
Tipo 1	Destruição das células β (predominantemente autoimune), e deficiência absoluta de insulina; início mais comum na infância e no início da vida adulta
Tipo 2	Mais comum, apresenta graus variados de disfunção da célula β e de resistência à insulina; associado com excesso de peso
Formas híbridas	
Diabetes autoimune com início tardio (LADA)	Início na fase adulta, frequentemente com características da síndrome metabólica, mas com perda mais rápida de função da célula β e subsequente necessidade de insulina; apresenta maior retenção de função de célula β que o diabetes tipo 1, mas tem positividade ao anticorpo GAD
Diabetes tipo 2 com propensão à cetose	Apresentação inicial com cetose e deficiência de secreção de insulina, requerendo insulina; mais tarde pode normalizar; não ocorre positividade a anticorpos
Não classificado	Classificação transitória; em geral, ocorre em jovens com obesidade em que a distinção entre tipo 1 e tipo 2 pode ser mais difícil no início
Outros tipos	
Diabetes monogênico	MODY (GCK, HNF1A, HNF4A, ABCC8), HNF1B RCAD, etc.
Defeitos monogênicos na ação da insulina	Resistência à insulina tipo A, leprechaunismo
Doenças do pâncreas exócrino	Trauma, pancreatectomia, pancreatite crônica, diabetes pancreático tropical, tumor, fibrose cística, hemocromatose, etc.
Endocrinopatias	Síndrome de Cushing, acromegalia, feocromocitoma, hipertireoidismo, glucagonoma, somatostatinoma, etc.
Induzido por fármacos ou químicos	Ácido nicotínico, glicocorticoides, agonistas α-adrenérgicos, agonistas β-adrenérgicos, tiazidas, dilantina, pentamidina, vacor, alfainterferona, diazóxido
Induzido por infecções	Rubéola congênita, citomegalovírus, etc.
Formas raras de diabetes autoimune	Com autoanticorpos para insulina, anticorpos antirreceptores de insulina, síndrome da pessoa rígida, etc.
Síndromes genéticas associadas ao diabetes	Síndrome de Down, síndrome de Klinefelter, síndrome de Turner, síndrome de Prader-Willi, síndrome de Laurence-Moon-Biedl, etc.
Outras descrições clínicas	Diabetes associado à hipertrigliceridemia
Hiperglicemia detectada na gravidez	Diabetes gestacional Diabetes detectado na gravidez

MODY, do inglês *maturity onset diabetes of the young*; RCAD, do inglês *renal cysts and diabetes syndrome*.
Fonte: Adaptada das classificações da American Diabetes Association (ADA)[7] e da Organização Mundial da Saúde (OMS).[16]

também como LADA (em inglês, *latent autoimmune diabetes in adults*), embora a denominação seja mais controversa. A classificação requer três critérios: positividade para anticorpos, idade > 35 anos ao diagnóstico e não necessidade de insulinoterapia nos primeiros 6 a 12 meses após o diagnóstico.

O diabetes tipo 2 com propensão à cetose é uma forma menos comum de diabetes não imune e sem marcadores genéticos estabelecidos, mas que apresenta suscetibilidade à cetose. Sua patogênese ainda não está esclarecida. Em geral, a apresentação se dá com um quadro de cetose e deficiência grave de insulina, mas após um período entra em remissão, não necessitando mais de insulinoterapia crônica. A recorrência acontece em até 90% dos pacientes em 10 anos.

Diabetes não classificado

Nessa categoria, a OMS incluiu uma classificação transitória, que ocorre especialmente em pacientes jovens com obesidade. Em decorrência do aumento da prevalência de obesidade e de diabetes tipo 2 em crianças e adolescentes nas últimas décadas, tem sido cada vez mais comum a associação do diabetes tipo 1 com obesidade. Essa alteração da epidemiologia da doença tem gerado, em alguns casos, dificuldade de definição diagnóstica entre diabetes tipo 1 e diabetes tipo 2.

Outros tipos de diabetes

À medida que um determinado processo patogênico específico é estabelecido, os casos assim identificados passam a ser classificados como "outros tipos de diabetes". A TABELA 35.5 mostra vários exemplos, como o diabetes monogênico, defeitos monogênicos na ação da insulina, endocrinopatias, diabetes induzido por fármacos, químicos ou infecções. Essa tabela também mostra algumas formas raras de diabetes autoimune, de síndromes genéticas associadas ao diabetes e descrições clínicas de associações com diabetes.

O diabetes supostamente desencadeado pelo SARS-CoV-2 poderia ser classificado como diabetes induzido por infecção. Um registro internacional em desenvolvimento acompanhará casos novos e investigará possíveis descompensações relacionadas à Covid-19, o que poderá identificar processos patológicos e caracterizar sua evolução clínica.

Hiperglicemia detectada durante a gestação

A hiperglicemia detectada na gestação compreende o diabetes gestacional e o diabetes manifestado na gravidez (ver Capítulo Diabetes na Gestação).

Diabetes gestacional é um estado de hiperglicemia menor que diabetes, que pode remitir após a gravidez, mas associa-se a maior risco de diabetes tipo 2 ao longo da vida. Os critérios diagnósticos são: glicemia de jejum entre 92 e 125 mg/dL, glicemia de 1 hora em TTG com sobrecarga de 75 g ≥ 180 mg/dL ou glicemia de 2 horas em TTG com sobrecarga de 75 g entre 153 e 199 mg/dL.[17]

O diabetes manifestado na gestação caracteriza-se por hiperglicemia sustentada, em níveis de diabetes, cuja identificação deu-se pela primeira vez durante a gestação. Ao contrário do diabetes gestacional, esses casos não remitem após o parto. Os critérios diagnósticos são os mesmos do diabetes melito fora da gestação.

AVALIAÇÃO CLÍNICA INICIAL

A avaliação clínica inicial de pessoas com diabetes é resumida na TABELA 35.6, incluindo anamnese, exame físico e exames laboratoriais iniciais.

AVALIAÇÃO MULTIDIMENSIONAL DE PESSOAS COM DIABETES

O diabetes é uma doença complexa e seu manejo envolve a avaliação de múltiplas dimensões. Os dados clínicos obtidos desde o início permitem essa caracterização multidimensional, cujo caráter dinâmico de vários aspectos exige reavaliações periódicas ao longo do acompanhamento. As dimensões compreendidas vão desde os aspectos biológicos relacionados ao diabetes, passando pelo risco cardiovascular e presença de excesso de peso, até o comprometimento psicológico e a vulnerabilidade social, como apresentado na TABELA 35.7.

Aspectos relacionados ao diabetes

Tipo de diabetes

Diferenciar entre diabetes tipo 1 e diabetes tipo 2 é o primeiro passo, porque aqueles com suspeita de diabetes tipo 1

TABELA 35.6 → Avaliação clínica inicial de pacientes com diabetes recém-diagnosticado

HISTÓRIA	EXAME FÍSICO
→ Exames glicêmicos prévios	→ Peso e altura
→ Sintomas de diabetes	→ Desenvolvimento puberal em crianças e adolescentes
→ Frequência, gravidade e causa de cetose e cetoacidose	
→ História ponderal, padrões alimentares, estado nutricional atual; em crianças e adolescentes, crescimento e desenvolvimento	→ Pressão arterial
	→ Tireoide
→ História familiar	→ Coração
→ Infecções prévias e atuais (pele, pés, trato urinário)	→ Pulsos periféricos
→ Medicamentos que alteram a glicemia (corticoides, betabloqueadores, tiazídicos)	→ Pés (tipo 2 e tipo 1) – monofilamento, diapasão
→ Complicações crônicas do diabetes	→ Pele (acantose *nigricans*)
→ Tratamentos prévios	
→ História de atividade física	
→ Padrão alimentar	
→ Fatores de risco para aterosclerose	
→ História obstétrica	
→ Problemas que podem afetar o manejo do diabetes	
EXAMES COMPLEMENTARES	
→ Glicemia de jejum	→ Exame de urina
→ Hemoglobina glicada (HbA1c)	→ Infecção urinária
→ Colesterol total, LDL e HDL; triglicerídeos	→ Proteinúria
→ Creatinina sérica (e estimativa da taxa de filtração glomerular) em adultos	→ Corpos cetônicos
	→ Sedimento
→ Hormônio estimulante da tireoide (diabetes tipo 1)	→ Microalbuminúria em amostra (diabetes tipo 2)
→ Eletrocardiograma em adultos	→ Avaliação oftalmológica (diabetes tipo 2)

HDL, lipoproteína de alta densidade; LDL, lipoproteína de baixa densidade.

TABELA 35.7 → Avaliação multidimensional de pessoas com diabetes

Aspectos associados ao diabetes	
→ Tipo de diabetes	
→ Idade de início e duração da doença	
→ Grau de hiperglicemia	Avaliar as várias dimensões que afetam o diabetes e seu manejo e considerá-las periodicamente nas decisões compartilhadas sobre o manejo do diabetes e seu autocuidado
→ Risco de hipoglicemia	
→ Presença de complicações	
Excesso de peso	
Fatores de risco cardiovascular	
Comprometimento psicológico	
Vulnerabilidade biopsicossocial	

devem ser monitorados de perto e encaminhados ao especialista. Alguns dados ajudam nessa diferenciação:

→ a apresentação do diabetes tipo 1 é, em geral, abrupta, acometendo principalmente crianças e adolescentes sem excesso de peso. Na maioria dos casos, a hiperglicemia é acentuada, evoluindo rapidamente para cetoacidose. O quadro hiperglicêmico é, com frequência, precipitado por infecção ou outra forma de estresse. O traço clínico que mais define o diabetes tipo 1 é a tendência à hiperglicemia grave e à cetoacidose, e, muitas vezes, isso só fica evidente no acompanhamento, algumas vezes após meses de evolução. Um quadro de melhora ou estabilidade metabólica transitória ocorre frequentemente e é oriundo de secreção insulínica residual por células β remanescentes, referida com frequência como "lua de mel";

→ o diabetes tipo 2, em geral, tem início insidioso e os sintomas são mais brandos. Manifesta-se principalmente em adultos com longa história de excesso de peso e história familiar de diabetes tipo 2. No entanto, com o aumento da obesidade em todos os grupos, observa-se um aumento na incidência de diabetes tipo 2 em adultos jovens, crianças e adolescentes. Após o diagnóstico, o diabetes tipo 2 pode evoluir por muitos anos antes de requerer insulina para controle da glicemia. Quando a evolução para a necessidade de insulina for mais rápida ou o paciente não apresentar excesso de peso, suspeita-se de diabetes autoimune com início tardio (LADA).

Em algumas circunstâncias, a diferenciação clínica entre o diabetes tipo 1 e o diabetes tipo 2 não é simples, especialmente em crianças ou adolescentes com excesso de peso. Em caso de dúvida, podem ser solicitados níveis de anticorpos anti-GAD e avaliação da secreção pancreática de insulina por meio da medida de peptídeo-C plasmático. Anticorpos positivos e peptídeo-C < 0,9 ng/mL sugerem o diagnóstico de diabetes tipo 1; anticorpos negativos e peptídeo-C elevado, de diabetes tipo 2. Quando o diabetes ocorre em paciente jovem (idade < 25 anos) e há forte história familiar em várias gerações (pelo menos duas gerações), suspeita-se de MODY (do inglês *maturity onset diabetes of the young*), um tipo de diabetes monogênico.

Idade de início do diabetes tipo 2 e duração da doença

O diabetes tipo 2 está se manifestando mais cedo na vida e há evidências que sugerem que pessoas afetadas mais cedo apresentam um diabetes mais grave.[6] Independentemente disso, essas pessoas certamente estarão expostas ao diabetes por muitos anos, o que também aumenta as chances de complicações agudas e crônicas. Por essas razões, esses pacientes devem dar maior ênfase ao autocuidado e ao monitoramento, bem como maior intensidade no escalonamento terapêutico.

Por outro lado, um tipo tardio de diabetes tipo 2 está sendo visto de forma crescente, em decorrência do aumento da longevidade nas últimas décadas. Em geral, esses casos são mais benignos e requerem monitoramento mais flexível quanto à prevenção de complicações crônicas.

A duração da doença acarreta maior tempo de exposição à hiperglicemia, sendo, por si só, um fator de instabilidade. Além disso, o diabetes tipo 2 em geral tem evolução progressiva, com deterioração da função pancreática, podendo chegar a estágios em que é necessário o uso de insulina.

Grau de hiperglicemia

A glicemia é monitorada periodicamente para orientar o tratamento para alívio dos sintomas e para prevenção das complicações. Os alvos glicêmicos são discutidos mais adiante neste capítulo.

Risco de hipoglicemia

Fatores como idade > 75 anos, doença renal terminal, hipoglicemia severa prévia e hábitos alimentares irregulares aumentam o risco de hipoglicemia, devendo ser considerados nos cuidados terapêuticos e preventivos.

Presença de complicações crônicas

A presença de complicações crônicas pode afetar a intensidade de monitoramento, o escalonamento terapêutico e a escolha do agente terapêutico. A presença de doença cardiovascular ou renal sinaliza a necessidade de priorizar antidiabéticos que efetivamente melhoram o prognóstico dessas complicações, como os inibidores da SGLT2 e os agonistas do GLP-1.

A presença de complicações do diabetes, como a doença renal, pode requerer intensificação de controle glicêmico, até mesmo com insulina. Por outro lado, a presença de outras complicações, multimorbidade, fragilidade, demência, câncer atual, entre outras, pode sinalizar a necessidade de priorizar opções terapêuticas adicionais e, muitas vezes, flexibilizar os alvos glicêmicos.

Presença de excesso de peso

É importante caracterizar os padrões alimentar e de atividade física da pessoa e sua família pois eles podem ser a chave para o tratamento bem-sucedido. Pode ser necessário suporte para perda/manutenção do peso corporal. Muitas vezes, essas pessoas apresentam certos comportamentos alimentares que contribuem para o ganho de peso e o descontrole do diabetes, causando grande estresse emocional, o que pode requerer atenção especializada. (Ver Capítulo Obesidade: Prevenção e Tratamento.)

Na escolha terapêutica, na medida do possível, deve-se evitar o uso de insulina e, em menor grau, das sulfonilureias, pela propensão ao ganho de peso.

Fatores de risco cardiovascular

Os fatores de risco para doenças cardiovasculares, além de contribuir para essas doenças, também são fatores de risco para as demais complicações do diabetes. Considerando que as doenças cardiovasculares são a maior causa de morbimortalidade, o risco cardiovascular deve ser estimado na avaliação inicial e em consultas subsequentes para definir e priorizar as intervenções terapêuticas e preventivas necessárias. (Ver Capítulo Diabetes Melito: Cuidado Longitudinal.)

Comprometimento psicológico

Fatores psicossociais interagem com o viver com diabetes, influenciando o desenvolvimento dos desfechos de diabetes e o bem-estar emocional. Esses fatores são complexos, envolvem questões sociais, emocionais e comportamentais e desafiam pacientes e suas famílias na integração do cuidado ao diabetes no convívio diário.

Pessoas com diabetes também apresentam, frequentemente, transtornos mentais como ansiedade e depressão, transtornos alimentares e até mesmo transtornos mentais mais graves, cuja detecção e manejo são importantes para o bem-estar da pessoa e para seu controle metabólico.

O momento crítico para abordar essas questões está no diagnóstico, periodicamente em consultas subsequentes, em hospitalizações, no início de complicações, em transição importante de cuidado, ou quando são identificados problemas no controle metabólico, no autocuidado ou na qualidade de vida. Algumas perguntas básicas incluem: mudança persistente no humor e fatores desencadeantes, barreiras ao tratamento e ao autocuidado como sentimentos de sobrecarga ou estresse por ter diabetes, e mudanças financeiras ou conflitos com outras demandas de saúde. Instrumentos padronizados podem ser utilizados para o paciente e/ou seus familiares e cuidadores.[18]

Vulnerabilidade biopsicossocial

A situação socioeconômica de cada paciente e as características de sua vida familiar são determinantes dos desfechos clínicos e das escolhas terapêuticas. Pobreza extrema, limitações funcionais (mobilidade, audição, visão), limitações cognitivas, falta de suporte social e familiar são situações que podem requerer atendimento específico, muitas vezes domiciliar.

MONITORAMENTO

Monitoramento da glicemia

Formas de monitoramento

O controle glicêmico pode ser monitorado por meio da glicemia capilar (jejum, pré-prandial e pós-prandial), uma ferramenta muito útil para ajustes da medicação, principalmente da insulina, bem como pela HbA1c, que fornece medida de controle dos últimos 3 meses (embora o período mais recente possa pesar mais na medida). O monitoramento contínuo da glicemia facilita o ajuste de dose de insulina, fornecendo também parâmetros como média glicêmica e frequência de graus de controle no tempo, mas infelizmente ainda é muito caro para uso amplo.

O monitoramento com glicemias capilares pode ser feito por automonitoramento ou no serviço de saúde. Para quem faz uso de múltiplas doses de insulina, independentemente do tipo de diabetes, as glicemias de jejum e antes das 3 principais refeições orientam os momentos em que ocorre falta ou excesso de ação insulínica. Pacientes com HbA1c elevada, mas bom controle pré-prandial, podem beneficiar-se de medidas de glicemia 2 horas após as 3 principais refeições para avaliar a necessidade de intervir no descontrole pós-prandial. Pacientes que não usam insulina podem beneficiar-se de monitorização frequente da glicemia quando são feitas alterações na dieta, na atividade física e/ou nas medicações, particularmente quando podem causar hipoglicemia.[19]

A HbA1c deve ser medida no início do tratamento e a cada 3 meses, enquanto o controle estiver inadequado, ou quando houver ajuste ou troca de medicamento. Quando o controle se encontrar dentro do alvo estabelecido e com tratamento estabilizado, as medições podem ser realizadas semestralmente. A requisição da medida da HbA1c pode ser entregue em cada consulta trimestral ou semestral para evitar consulta adicional para solicitação do exame. Pode ser solicitada, juntamente, uma glicemia de jejum, especialmente quando o paciente não faz automonitoramento. Quando os resultados da HbA1c e das glicemias capilares dos últimos 2 a 3 meses não forem compatíveis, deve-se considerar fatores que podem interferir na medida da HbA1c, como hemólise, sangramento, anemia e hemoglobinas variantes.[19]

A cetonúria deve ser aferida em pacientes com diabetes tipo 1 em caso de estresse agudo ou descompensação (glicemia > 300 mg/dL ou sintomas de hiperglicemia/cetose). Não há indicação de seu uso no diabetes tipo 2.[19]

Metas (alvos) de controle glicêmico

Para a HbA1c, o alvo geral é alcançar um valor ≤ 7% **A**. Esse alvo foi estabelecido por dois estudos clássicos: um conduzido em pessoas com diabetes tipo 1, o *Diabetes Control and Complications Trial* (DCCT),[20] e outro em pessoas com diabetes tipo 2, o *United Kingdom Prospective Diabetes Study* (UKPDS).[21]

No entanto, as metas glicêmicas devem ser definidas caso a caso, levando em conta o perfil multidimensional de cada pessoa. A decisão sobre qual buscar deve ser compartilhada entre paciente e equipe de saúde, pesando possíveis benefícios, riscos e disponibilidade de recursos técnicos e financeiros. A **FIGURA 35.1** sintetiza os principais pontos a serem considerados no estabelecimento do alvo.[19]

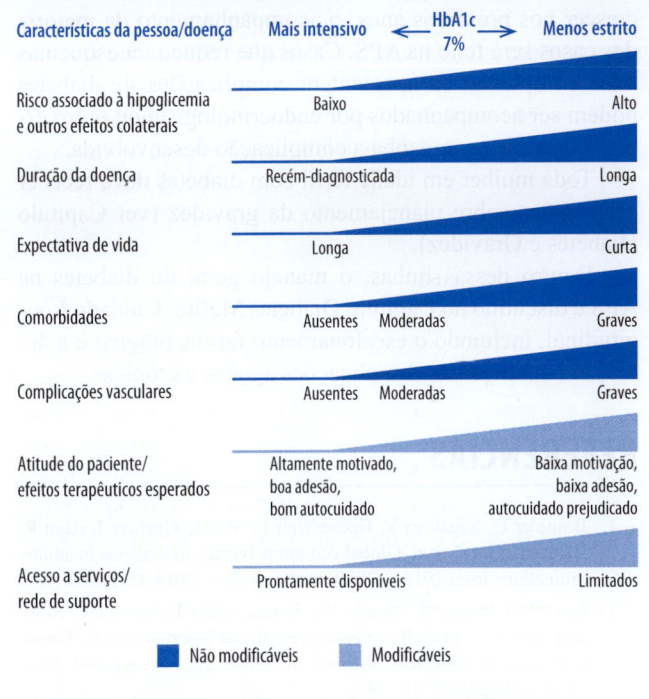

Características da pessoa/doença	Mais intensivo ← HbA1c 7% → Menos estrito
Risco associado à hipoglicemia e outros efeitos colaterais	Baixo — Alto
Duração da doença	Recém-diagnosticada — Longa
Expectativa de vida	Longa — Curta
Comorbidades	Ausentes — Moderadas — Graves
Complicações vasculares	Ausentes — Moderadas — Graves
Atitude do paciente/ efeitos terapêuticos esperados	Altamente motivado, boa adesão, bom autocuidado — Baixa motivação, baixa adesão, autocuidado prejudicado
Acesso a serviços/ rede de suporte	Prontamente disponíveis — Limitados

■ Não modificáveis ■ Modificáveis

FIGURA 35.1 → Fatores que definem metas de controle metabólico.
HbA1c, hemoglobina glicada.
Fonte: Adaptada de American Diabetes Association[19] e Inzucchi e colaboradores.[22]

Metas mais intensivas (~6,5%) foram avaliadas em três ensaios clínicos em pessoas com diabetes tipo 2 – ADVANCE,[23] ACCORD[24] e VADT[25] –, utilizando múltiplos hipoglicemiantes orais e/ou insulina em comparação com metas de controle menos intensivas (< 7%). Observou-se redução das complicações microvasculares,[26,27] mas não de eventos cardiovasculares, apenas redução marginal do risco de infarto do miocárdio, mas com aumento do número de hipoglicemias graves.[28] Dessa forma, essas metas mais rígidas (HbA1c ~6,5%) não se justificam para a maioria dos pacientes, considerando o pequeno potencial benefício e os possíveis danos **A**.[19] Alguns exemplos de quando essas metas poderiam ser tentadas são: pessoas recém-diagnosticadas, pessoas sob tratamento com medidas de estilo de vida ou metformina, e pessoas com longa expectativa de vida e sem doença cardiovascular manifesta.

Um alvo menos rigoroso (HbA1c <8%) pode ser considerado em pacientes com história de hipoglicemias frequentes, início tardio do diabetes (60-65 anos; e, dessa forma, com provável tempo de vida menor para o aparecimento de complicações microvasculares), doença micro ou macrovascular avançada, ou quando houver dificuldade em manter bom controle glicêmico apesar da associação de diversos medicamentos hipoglicemiantes.[19]

A relação entre níveis de HbA1c e mortalidade em pessoas com diabetes tipo 2 (média de 5 anos de acompanhamento) mostrou formato de U, em que a faixa de menor risco dos valores de HbA1c estavam próximos a 7,5%.[29] Um alvo mais flexível também se justifica pelo modesto benefício observado com tratamentos intensivos por aproximadamente 5 anos, como mostram parâmetros estimados em revisão sistemática dos grandes ensaios clínicos conduzidos em pacientes com diabetes tipo 2:[28,30] número necessário para tratar (NNT) = 140 para cardiopatia isquêmica; NNT = 768 para acidente vascular cerebral; NNT = 272 para cegueira monocular; e NNT = 627 para insuficiência renal terminal. Parâmetros indicativos de dano também apoiam essa conduta: o número necessário para causar dano (NNH, do inglês *number needed to harm*) é 328 para mortalidade total e 21 para hipoglicemia grave **A**.

Em idosos, um alvo de HbA1c < 7,5% é considerado razoável, mas metas mais flexíveis são consideradas diante de situações mais complexas de manejo **B**.[31] Em crianças, as metas de controle glicêmico tendem a ser mais permissivas (HbA1c < 7,5%) após avaliação do contexto familiar e da criança **C/D**. Deve ser considerado o risco de hipoglicemias já que, principalmente em crianças mais novas, a capacidade de reconhecimento e automanejo do quadro é limitada.[32]

Os alvos para as glicemias capilares pré-prandiais estão entre 80 e 130 mg/dL; para as pós-prandiais (1-2 horas após a refeição), < 180 mg/dL.[19] Esses valores podem ser mais baixos (glicemia pré-prandial ≤ 110 mg/dL e glicemia pós-prandial ≤ 140 mg/dL), se for possível alcançá-los com segurança;[19] ou podem ser mais altos, nas condições já discutidas e resumidas na **FIGURA 35.1**. Para gestantes, ver Capítulo Diabetes na Gestação.

Metas no serviço

O alcance das metas no serviço deve ser monitorado para alcançar maior efetividade terapêutica. Esforço máximo deve ser dirigido aos pacientes que apresentem HbA1c > 8,5%, pelo inquestionável melhor risco-benefício-custo e pela maior chance de obter controle, uma vez oferecido o suporte adequado.

Alcançar metas abaixo desses valores também é importante, e requer intensificação escalonada das opções terapêuticas disponíveis, como detalhado no Capítulo Diabetes Melito: Cuidado Longitudinal. Isso pode requerer treinamento adicional da equipe para maior familiarização com as opções terapêuticas, cuja escolha deve ser compartilhada com o paciente.

Monitoramento do risco cardiovascular e detecção de complicações crônicas

Além do monitoramento glicêmico, também é necessário monitorar o risco cardiovascular e intervir para redução dos fatores de risco, itens importantes na prevenção de complicações. Além disso, deve-se avaliar periodicamente a presença de complicações, para detecção precoce de potenciais gravidades que podem ser prevenidas/tratadas com abordagem terapêutica específica – por exemplo, o pé diabético, a doença renal ou a retinopatia grave.

Esse monitoramento é abordado no Capítulo Diabetes Melito: Cuidado Longitudinal, incluindo os alvos pressóricos e lipídicos e a detecção e o manejo das complicações

TABELA 35.8 → Organização do cuidado ao paciente com diabetes ou em estágios intermediários de hiperglicemia nas redes de atenção primária à saúde (APS)

TIPO DE DIABETES	APS	SERVIÇO ESPECIALIZADO
Diabetes tipo 1	Suporte, especialmente em descompensações agudas leves	Cuidado longitudinal do diabetes
Diabetes tipo 2	Cuidado integral, incluindo planejamento da gravidez Rastreamento do diabetes	Manejo e acompanhamento de certas complicações Manejo de casos mais complexos (p. ex., que requerem insulinização plena, alto risco de hipoglicemia, multimorbidade)
Estágios intermediários de hiperglicemia	Suporte para mudanças alimentares/atividade física e para controle de peso	IMC > 40 kg/m² em pacientes motivados para perda de peso
Diabetes preexistente em gestante	Suporte na gestão Planejamento da gravidez	Manejo e acompanhamento na gestação
Diabetes gestacional	Cuidado integral quando não requer medicamentos, especialmente insulina Promoção e suporte para aleitamento materno Após o parto, rastreamento de diabetes e controle de peso	Manejo e acompanhamento quando requer medicamentos, especialmente insulina
Diabetes detectado na gravidez	Suporte	Manejo e acompanhamento
Diabetes sem classificação, classificação híbrida ou suspeita de outros tipos de diabetes	Suporte	Avaliação diagnóstica e, quando necessário, acompanhamento

IMC, índice de massa corporal.

crônicas no âmbito da APS, cuja detecção, no caso do diabetes tipo 2, já inicia no momento do diagnóstico.

COORDENAÇÃO DO CUIDADO NA REDE

Cada município pode estabelecer um protocolo específico que contemple seus contextos de ação. Algumas linhas de cuidado são mais consensuais, como resumido na **TABELA 35.8**.

Os casos classificados como diabetes tipo 1 são, em geral, acompanhados em serviço especializado e multidisciplinar. O tratamento sempre envolve administração de insulina, prescrita em esquema de 3 a 4 doses/dia, divididas em insulina basal e insulina pré-prandial, com doses ajustadas de acordo com as glicemias capilares, realizadas ao menos 3 ×/dia. Isso requer que o paciente coordene, com precisão, a dose de insulina com a alimentação e a atividade física realizada. A equipe multidisciplinar especializada deve dar o suporte para que o paciente possa aderir ao seu esquema terapêutico e alcançar suas metas, promovendo autoeficácia. A equipe da APS pode complementar o suporte necessário, por exemplo, realizando glicemia capilar/cetonúria e pronto-atendimento em casos de descompensação aguda inicial.

Os casos de diabetes tipo 2, especialmente quando não apresentam complicações, são atendidos pela equipe da APS. O tratamento é quase sempre realizado com antidiabéticos orais, eventualmente complementados com injeções de agonista do receptor de GLP-1 (arGLP-1) ou insulina basal. Como a prevalência de diabetes tipo 2 é alta e tende a crescer nos próximos anos, o acompanhamento da maioria dos casos será feito na APS. Casos que requeiram esquemas mais complexos ou apresentem complicações de diabetes podem ser acompanhados por endocrinologista ou outro especialista que acompanha a complicação desenvolvida.

Toda mulher em idade fértil com diabetes deve receber orientações sobre planejamento da gravidez (ver Capítulo Diabetes e Gravidez).

Dentro dessas linhas, o manejo geral do diabetes na APS é discutido no Capítulo Diabetes Melito: Cuidado Longitudinal, incluindo o escalonamento farmacológico e a detecção e manejo das complicações agudas e crônicas.

REFERÊNCIAS

1. Bommer C, Sagalova V, Heesemann E, Manne-Goehler J, Atun R, Bärnighausen T, et al. Global economic burden of diabetes in adults: projections from 2015 to 2030. Diabetes Care. 2018;41(5):963–70.
2. Iser BPM, Stopa SR, Chueiri PS, Szwarcwald CL, Malta DC, Monteiro HO da C, et al. Prevalência de diabetes autorreferido no Brasil: resultados da Pesquisa Nacional de Saúde 2013. Epidemiol. Serv. Saúde. 2015;24(2):305–14.
3. Conselho Federal de Nutricionistas. Ministério da Saúde divulga resultado da pesquisa Vigitel 2019 [Internet]. Brasília: CFN. 2020 [capturado em 11 maio. 2021]. Disponível em: https://www.cfn.org.br/index.php/noticias/ministerio-da-saude-divulga-resultado-da-pesquisa-vigitel-2019/.
4. Bahia LR, da Rosa MQM, Araujo DV, Correia MG, Dos Rosa RDS, Duncan BB, et al. Economic burden of diabetes in Brazil in 2014. Diabetol Metab Syndr. 2019;11:54.
5. Rosa MQM, Rosa RDS, Correia MG, Araujo DV, Bahia LR, Toscano CM. Disease and economic burden of hospitalizations attributable to diabetes mellitus and its complications: a nationwide study in Brazil. Int J Environ Res Public Health. 2018;15(2):17.
6. Chan JCN, Lim L-L, Wareham NJ, Shaw JE, Orchard TJ, Zhang P, et al. The Lancet Commission on diabetes: using data to transform diabetes care and patient lives. Lancet. 2020;396(10267):2019–82.
7. American Diabetes Association. 2. Classification and diagnosis of diabetes: standards of medical care in diabetes—2021. Diabetes Care. 2021;44(Supplement 1):S15–33.
8. Sacks DB, Arnold M, Bakris GL, Bruns DE, Horvath AR, Kirkman MS, et al. Executive summary: guidelines and recommendations for laboratory analysis in the diagnosis and management of diabetes mellitus. Clin Chem. 2011;57(6):793–8.
9. The DECODE study group on behalf of the Europe an Diabetes Epidemiology Group. Glucose tolerance and mortality: comparison of WHO and American Diabetes Association diagnostic criteria. Lancet. 1999;354(9179):617–21.
10. Schmidt MI, Bracco PA, Yudkin JS, Bensenor IM, Griep RH, Barreto SM, et al. Intermediate hyperglycaemia to predict progression to type 2 diabetes (ELSA-Brasil): an occupational cohort study in Brazil. Lancet Diabetes Endocrinol. 2019;7(4):267–77.
11. Schmidt MI, Bracco P, Canhada S, Guimarães JMN, Barreto SM, Chor D, et al. Regression to the mean contributes to the apparent improvement in glycemia 3.8 years after screening: the ELSA-Brasil study. Diabetes Care. 2021;44(1):81–8.
12. Campbell MD, Sathish T, Zimmet PZ, Thankappan KR, Oldenburg B, Owens DR, et al. Benefit of lifestyle-based T2DM prevention is influenced by prediabetes phenotype. Nat Rev Endocrinol. 2020;16(7):395–400.
13. World Health Organization, International Diabetes Federation. Definition and diagnosis of diabetes mellitus and intermediate hyperglycaemia: report of a WHO/IDF consultation. Geneva: WHO; 2006.

14. World Health Organization. Use of glycated haemoglobin (HbA1c) in the diagnosis of diabetes mellitus: abbreviated report of a WHO Consultation. Geneva: WHO; 2011.
15. The International Expert Committee. International Expert Committee Report on the role of the A1C assay in the diagnosis of diabetes. Diabetes Care. 2009;32(7):1327–34.
16. World Health Organization. Classification of diabetes mellitus: 2019. Geneva: WHO; 2019.
17. Diagnostic criteria and classification of hyperglycaemia first detected in pregnancy: a World Health Organization Guideline. Diabetes Res Clin Pract. 2014;103(3):341–63.
18. American Diabetes Association. 5. Facilitating behavior change and well-being to improve health outcomes: standards of medical care in diabetes—2021. Diabetes Care. 2021;44(Supplement 1):S53–72.
19. American Diabetes Association. 6. Glycemic targets: standards of medical care in diabetes—2021. Diabetes Care. 2021;44(Supplement 1):S73–84.
20. Diabetes Control and Complications Trial Research Group, Nathan DM, Genuth S, Lachin J, Cleary P, Crofford O, et al. The effect of intensive treatment of diabetes on the development and progression of long-term complications in insulin-dependent diabetes mellitus. N Engl J Med. 1993;329(14):977–86.
21. Intensive blood-glucose control with sulphonylureas or insulin compared with conventional treatment and risk of complications in patients with type 2 diabetes (UKPDS 33). Lancet. 1998;352(9131):837–53.
22. Inzucchi SE, Bergenstal RM, Buse JB, Diamant M, Ferrannini E, Nauck M, et al. Management of hyperglycemia in type 2 diabetes, 2015: a patient-centered approach: update to a position statement of the American Diabetes Association and the European Association for the Study of Diabetes. Diabetes Care. 2015;38(1):140–9.
23. ADVANCE Collaborative Group, Patel A, MacMahon S, Chalmers J, Neal B, Billot L, Woodward M, et al. Intensive blood glucose control and vascular outcomes in patients with type 2 diabetes. N Engl J Med 2008;358(24):2560–72.
24. ACCORD Study Group, Gerstein HC, Miller ME, Genuth S, Ismail-Beigi F, Buse JB, et al. Long-term effects of intensive glucose lowering on cardiovascular outcomes. N Engl J Med. 2011;364(9):818–28.
25. Duckworth W, Abraira C, Moritz T, Reda D, Emanuele N, Reaven PD, et al. Glucose control and vascular complications in veterans with type 2 diabetes. N Engl J Med. 2009;360(2):129–39.
26. Zoungas S, Arima H, Gerstein HC, Holman RR, Woodward M, Reaven P, et al. Effects of intensive glucose control on microvascular outcomes in patients with type 2 diabetes: a meta-analysis of individual participant data from randomised controlled trials. Lancet Diabetes Endocrinol. 2017;5(6):431–7.
27. Hasan R, Firwana B, Elraiyah T, Domecq JP, Prutsky G, Nabhan M, et al. A systematic review and meta-analysis of glycemic control for the prevention of diabetic foot syndrome. J Vasc Surg. 2016;63(2 Suppl):22S-28S.e1-2.
28. Turnbull FM, Abraira C, Anderson RJ, Byington RP, Chalmers JP, Duckworth WC, et al. Intensive glucose control and macrovascular outcomes in type 2 diabetes. Diabetologia. 2009;52(11):2288–98.
29. Currie CJ, Peters JR, Tynan A, Evans M, Heine RJ, Bracco OL, et al. Survival as a function of HbA(1c) in people with type 2 diabetes: a retrospective cohort study. Lancet. 2010;375(9713):481–9.
30. Yudkin JS, Richter B, Gale E a. M. Intensified glucose lowering in type 2 diabetes: time for a reappraisal. Diabetologia. 2010;53(10):2079–85.
31. American Diabetes Association. 12. Older adults: standards of medical care in diabetes—2021. Diabetes Care. 2021;44(Supplement 1):S168–79.
32. American Diabetes Association. 13. Children and adolescents: standards of medical care in diabetes—2021. Diabetes Care. 2021;44(Supplement 1):S180–99.

Capítulo 36
DIABETES MELITO: CUIDADO LONGITUDINAL

Maria Inês Schmidt
Michael Schmidt Duncan
Bruce B. Duncan

O diabetes melito é uma doença muito frequente e que acompanha as pessoas acometidas por muito tempo. Estima-se que 28% das mulheres jovens brasileiras desenvolverão diabetes ao longo da vida; se ocorrer aos 35 anos, viverão com diabetes por cerca de 29 anos e perderão 2,1 anos de vida devido ao diabetes. Para homens, o risco de desenvolver diabetes ao longo da vida é de 26%; se ocorrer aos 35 anos, viverão cerca de 32 anos com a doença, perdendo 5,5 anos de vida.[1] Estima-se, também, que cerca de 9% de todas as mortes ocorridas no Brasil em 2013 possam ser atribuídas ao diabetes.[2]

As principais causas de mortalidade em pessoas com diabetes, como mostram estimativas nos Estados Unidos, são doenças cardiovasculares (DCVs) (34%) e câncer (20%). O restante (46%) é atribuído a doenças renais, hepáticas, infecciosas e neurológicas, entre outras, muitas vezes diretamente associadas à hiperglicemia.[3] A morbidade associada ao diabetes também é alta, em consequência de complicações macrovasculares (doença arterial coronariana, doença arterial periférica e doença cerebrovascular), microvasculares (renais, retinianas, neurológicas) e mistas, incluindo o pé diabético e a insuficiência cardíaca. Pessoas com diabetes apresentam, ainda, alto risco de desenvolver outros problemas de saúde, como demência, apneia do sono, cirrose e infecções crônicas, entre elas, tuberculose e vírus da imunodeficiência humana (HIV, do inglês *human immunodeficiency virus*)/síndrome da imunodeficiência adquirida (Aids, do inglês *acquired immunodeficiency syndrome*). O diabetes também causa complicações agudas, caracterizadas por descompensação hiperglicêmica aguda, especialmente o diabetes tipo 1, ou por hipoglicemia. Como aprendeu-se mais recentemente, o diabetes piora o prognóstico da doença do coronavírus 2019 (Covid-19, do inglês *coronavirus disease 2019*) em sua manifestação aguda, e a Covid-19 pode desencadear um quadro de descompensação hiperglicêmica aguda, incluindo cetoacidose.[4,5] A multimorbidade resultante das complicações do diabetes é onerosa e, muitas vezes, contribui para um pior prognóstico de eventos específicos, como pneumonia e trauma.

Esses dados ilustram a dimensão do problema e a complexidade do cuidado longitudinal multidimensional e centrado na pessoa, na medida em que requer acesso a múltiplas intervenções custo-efetivas, ao suporte para mudanças de estilo de vida e à educação para o autocuidado.

Algumas intervenções são consensuais e aplicam-se a todos que têm diabetes, como o suporte e a educação para o autocuidado e o suporte para mudanças de estilo de vida. Outras dependem do tipo de diabetes e dos demais aspectos da avaliação multidimensional de cada paciente, que nortearão as prioridades terapêuticas em cada momento.

A TABELA 36.1 apresenta os principais componentes do cuidado para pessoas com diabetes. Neste capítulo, o enfoque é dado às intervenções para pessoas com diabetes tipo 2 (cerca de 90% dos casos). No entanto, quando pertinentes, são mencionados vários aspectos relacionados às intervenções para prevenção e manejo das complicações do diabetes tipo 1.

EDUCAÇÃO E SUPORTE PARA O AUTOCUIDADO

Estratégias de educação e suporte para o autocuidado habilitam as pessoas com diabetes a tomar decisões informadas e a assumir responsabilidade no manejo diário do diabetes. Estudos mostram melhora em grau de conhecimento e autoeficácia, controle glicêmico, qualidade de vida, risco de mortalidade, formas de lidar com a doença, peso corporal e custos associados à doença. Quatro momentos são cruciais para a educação e o suporte para o autocuidado: no diagnóstico, nas reavaliações periódicas, quando surgirem necessidades específicas (suporte adicional para perda de peso e presença de complicações de saúde, limitação física, fatores emocionais ou de vulnerabilidade) e quando ocorrer transição significativa na forma de cuidado. Um currículo mínimo é apresentado a seguir. Adaptações devem ser feitas de acordo com as necessidades individuais de cada momento:[6]
→ entendimento da fisiopatologia do diabetes;
→ alimentação saudável e atividade física;
→ uso de medicamentos e automonitoramento;
→ prevenção e detecção de complicações agudas e crônicas;
→ manejo de situações psicológicas, preocupações e técnicas para resolução de problemas.

EDUCAÇÃO E SUPORTE PARA MUDANÇAS DE ESTILO DE VIDA

Mudanças no estilo de vida são parte fundamental do tratamento de quem tem diabetes tipo 1 e tipo 2. O estudo Look AHEAD mostrou que mudanças intensivas do estilo de vida (alimentação e atividade física) em pessoas com diabetes tipo 2 promovem perda de peso e melhoram o controle glicêmico, a capacidade funcional, o controle pressórico e o colesterol sérico, com redução do número de medicamentos utilizados e dos anos de vida com incapacidade **B**.[7]

Mais detalhes sobre cuidados centrados na pessoa e estratégias para mudança comportamentais e adesão a recomendações, bem como técnicas de comunicação para conversas sobre mudança, podem ser vistos nos Capítulos Método Clínico Centrado na Pessoa e Abordagem para Mudança de Estilo de Vida.

TABELA 36.1 → Cuidado longitudinal de pessoas com diabetes: intervenções essenciais

Educação e suporte para o autocuidado: 4 momentos	1. No diagnóstico 2. Nas reavaliações periódicas 3. Quando houver necessidade específica (complicações de saúde, limitação física, fatores emocionais ou necessidades básicas de vida) 4. Quando ocorrer mudança na equipe responsável pelo cuidado ou na alta hospitalar
Educação e suporte para mudanças de estilo de vida	→ Alimentação saudável → Suporte nutricional → Atividade física (150-300 minutos/semana de atividades moderadas; ou 75-150 minutos/semana de atividades vigorosas) → Cessação do tabagismo
Educação e suporte para perda de peso	Se IMC > 27 kg/m², perder 5 % do peso corporal; perdas de peso maiores podem ser recomendadas, especialmente se IMC > 30 kg/m² e na presença de complicações; casos resistentes e com obesidade mais grave, se não houver equipe treinada disponível, podem requerer atendimento especializado e, eventualmente, cirurgia bariátrica
Detecção e suporte para problemas psicossociais	Ver texto
Monitoramento dos fatores de risco cardiovasculares	Pressão arterial a cada consulta; colesterol LDL (anualmente); cálculo de risco cardiovascular (a cada 3-5 anos)
Tratamento da hiperglicemia com alvos glicêmicos	HbA1c a cada 3 meses até alcançar o alvo; após, a cada 3-6 meses Diabetes tipo 1: tratamento sempre com insulina, em geral sob cuidado especializado Diabetes tipo 2: tratamento escalonado, de acordo com avaliação multidimensional

Detecção e manejo de complicações do diabetes e seus fatores de risco
→ Complicações agudas (hipoglicemia e hiperglicemia)
→ Complicações crônicas
  → Doença cardiovascular aterosclerótica
  → Insuficiência cardíaca
  → Doença renal
  → Neuropatia diabética
  → Pé diabético
  → Retinopatia diabética e outras alterações oculares
	Diabetes tipo 1: em geral, realizado no cuidado especializado
	Diabetes tipo 2: no diagnóstico e nas avaliações subsequentes

HbA1c, hemoglobina glicada; IMC, índice de massa corporal; LDL, lipoproteína de baixa densidade.

Alimentação saudável

A adoção de uma alimentação saudável é benéfica também para pessoas com diabetes.

Não parece haver benefício em alterar o percentual de macronutrientes na alimentação diária. O melhor é adaptar um plano alimentar saudável às preferências das pessoas com diabetes e suas famílias. O típico prato brasileiro de arroz com feijão, complementado com verduras, legumes e/ou saladas variadas, um pouco de carne ou peixe (não necessariamente todos os dias), é um bom exemplo de uma alimentação saudável. As dietas mediterrânea e vegetariana (ou baseada em plantas [plant-based]), também são exemplos de padrões saudáveis de alimentação.

O ideal é que toda a equipe tenha noção dos princípios de uma alimentação saudável para poder dar o suporte necessário. (Ver Capítulo Alimentação Saudável do Adulto.)

Suporte nutricional

Diabetes tipo 1

Pessoas com diabetes tipo 1 devem ser orientadas sobre os ajustes da dieta, da atividade física e do esquema de insulina nos vários contextos do dia a dia. O suporte nutricional para essas pessoas deve ser mais intensivo desde o início e requer o envolvimento direto de nutricionista.

Diabetes tipo 2

O suporte nutricional para quem tem diabetes tipo 2 é semelhante ao realizado para pessoas obesas (ver Capítulo Obesidade: Prevenção e Tratamento). No entanto, a janela de tempo para alcançar alvos terapêuticos é geralmente menor, pois o diabetes tipo 2 pode evoluir para um quadro de deterioração metabólica associado a complicações crônicas e perda de qualidade de vida.

Os principais objetivos do suporte nutricional são destacados a seguir.[6]

Promover e dar suporte para a adoção de alimentação saudável, enfatizando diversidade, priorizando padrões saudáveis e evitando o foco em nutrientes ou alimentos específicos. Algumas orientações sobre o consumo de alimentos doces e salgados e de bebidas alcoólicas são apresentadas a seguir.

A preferência pelo sabor doce é comum em quem tem diabetes, e a restrição absoluta de alimentos e produtos doces pode ser problemática. O uso rotineiro de adoçantes não calóricos para satisfazer essa preferência não é aconselhável. Revisões sistemáticas mostram apenas efeito modesto nos indicadores de obesidade[8,9] e talvez até mesmo aumento de peso em longo prazo e maior risco de diabetes.[10] O melhor é permitir pequenas quantidades de adoçantes calóricos (5% do valor energético diário de açúcar, ou mel, em média equivalente a 25 g de açúcar, cerca de 6 colheres de chá), distribuídas entre as 3 refeições principais. Para chegar nesse limite, orientam-se reduções gradativas (diárias, semanais) com ampliação do leque de opções doces mais saudáveis (p. ex., doces caseiros de frutas com pouco açúcar, sorvete de banana congelada sem açúcar). Reduções progressivas de açúcar no café, chá ou suco (p. ex., 3, 2 e então, 1 colher de chá) e do prato de sobremesa ou da porção de geleia sobre o pão (⅔, ½ e, então, ⅓) são bem toleradas. Com o tempo, as pessoas "aprendem" a gostar de alimentos menos doces.

A orientação sobre o consumo de sódio é a mesma que a orientação para quem não tem diabetes – não exceder 2,3 g/dia –,[6] aproximadamente 5,8 g de sal (cerca de 1 colher de chá). O objetivo da recomendação é reduzir a pressão arterial (PA) e prevenir DCV e acidente vascular cerebral (AVC). É importante notar que buscar padrões saudáveis de alimentação, como a redução de alimentos ultraprocessados e de carnes processadas, em geral ricos em sal, já contribui para a redução do consumo de sódio. Isso vale também para a redução do consumo de carnes em geral, pois seu preparo costuma envolver maior conteúdo de sal que o de verduras e legumes.

O consumo de bebidas alcoólicas, quando valorizado pelos pacientes, deve ser orientado para que seja moderado, como também preconizado a pessoas sem diabetes: para mulheres, 1 dose (contém 14 g de álcool) ao dia e, para homens, 2 doses ao dia. Os riscos possíveis são hipoglicemia ou hipoglicemia tardia (especialmente quando em uso de insulina ou de secretagogos de insulina). Uso excessivo pode levar a ganho de peso e hiperglicemia.[6]

Contribuir para o alcance das metas de peso, controle glicêmico, PA e lipídeos séricos. As orientações devem considerar as necessidades e preferências individuais, as experiências prévias frustradas e os possíveis obstáculos. Ao recomendar restrições, evitar mensagens com julgamento de valor e não orientar a retirada completa de algum alimento importante para o paciente, a não ser quando a evidência científica for consolidada.

Como visto anteriormente, o açúcar pode ser ingerido em quantidades pequenas (5% do valor energético diário),[6] em geral 25 g de açúcar (6 colheres de chá de açúcar), distribuído entre as 3 refeições principais, evitando seu consumo entre as refeições. É importante lembrar que alguns alimentos, como *ketchup*, molho de tomate pronto, pão, etc., têm "açúcar escondido".

Dietas com baixo teor de carboidratos (*low carb*), mais difíceis de serem seguidas em longo prazo, podem ser utilizadas quando um paciente não alcançar os alvos glicêmicos com o medicamento prescrito.[11] Deve-se evitar dietas *low carb* em gestantes, lactantes, pessoas com transtornos alimentares e insuficiência renal. Devem ser usadas com cautela em quem faz uso de inibidores do cotransportador sódio-glicose 2 (ISGLT2) pelo risco de cetoacidose. Dietas com alimentos de menor índice glicêmico e carga glicêmica mostram pequenas reduções de hemoglobina glicada (HbA1c) (0,15%), com resultados ainda controversos, em grande parte, pelas variadas definições de índice glicêmico.[6]

Atividade física

O termo "atividade física" engloba qualquer movimento que aumente o gasto energético. Exercício físico é uma forma de estruturar atividades físicas, visando aumentar a capacidade física e o condicionamento físico. O exercício físico aumenta a captação de glicose pelo tecido muscular, melhorando o controle glicêmico. Além disso, reduz os fatores de risco, contribui para a perda e a manutenção de peso, e melhora o bem-estar geral. O exercício físico contribui também para a prevenção de DCV, retinopatia e demais complicações do diabetes.

Para contribuir no controle glicêmico do diabetes tipo 2, exercícios regulares com atividades aeróbicas, de resistência ou combinações podem reduzir níveis de HbA1c em cerca de 0,67% **B**. Quando realizados durante ao menos 150 minutos por semana, a redução pode ser 0,89% de HbA1c; por menos de 150 minutos, apenas 0,36% **B**. Nota-se que esses níveis de redução são comparáveis aos de muitos antidiabéticos orais.[12] É bom lembrar que os valores são médios e, para muitos pacientes, poderão ser bem maiores. A meta, como a de pessoas sem diabetes, é alcançar ao menos 150 minutos por semana de atividades moderadas ou 75 minutos de atividades vigorosas. Um índice ainda melhor seria o dobro disso: 300 minutos e 150 minutos, respectivamente.[13] Algumas orientações são apresentadas a seguir; para mais detalhes, ver Capítulo Promoção da Atividade Física.

As atividades devem ser do agrado do paciente, podendo variar entre caminhar, andar de bicicleta e dançar, ou ser mais estruturadas, quando possível. Para pessoas sedentárias, a atividade física deve ser iniciada de forma gradual, como caminhadas rápidas por 5 a 10 minutos em terreno plano, aumentando semanalmente até alcançar 30 a 60 minutos por dia, 5 a 7 dias por semana. Nesse processo, qualquer aumento de atividade física deve ser valorizado como um ganho de saúde, e não como uma frustração por meta não alcançada. Algumas pessoas não querem fazer exercícios mais vigorosos neste momento. O importante nesses casos é fazer o exercício possível de forma regular (a cada 1-2 dias) e alcançar ao menos a meta de 150 minutos por semana de atividades moderadas.

Caminhar é um método simples e ancestral de fazer exercício, e é uma ferramenta terapêutica útil para o manejo glicêmico de pessoas com diabetes tipo 2 **B**.[14] (Ver QR code, para detalhes sobre a receita de caminhadas.) O ideal é caminhar 30 a 60 minutos por dia, todos os dias. Quando o paciente fica sentado por períodos prolongados, caminhadas de 3 minutos a cada 30 minutos também podem auxiliar no controle glicêmico. Antes de começar um programa de exercício de intensidade vigorosa, deve-se considerar sempre a idade, o exercício prévio e a presença de algum tipo de complicação.

Pacientes assintomáticos não precisam fazer exames de rastreamento de DCV para iniciar exercícios físicos **C/D**. Os assintomáticos de maior risco cardiovascular devem ser encorajados a iniciar exercícios físicos de baixa intensidade e em períodos curtos, buscando incrementos progressivos **C/D**.[6]

Orientações quanto ao risco de hipoglicemia e hiperglicemia

Risco de hipoglicemia. Pacientes que usam insulina ou secretagogos requerem cuidados extras para evitar hipoglicemia causada pelo exercício. Os demais fármacos em geral não requerem maiores precauções. Orientações básicas para prevenir hipoglicemia são: reduzir a dose de insulina; ingerir um alimento contendo carboidrato se a glicemia antes do exercício for inferior a 90 mg/dL; carregar consigo um alimento contendo carboidrato para ser usado em caso de eventual hipoglicemia; e estar alerta para sintomas de hipoglicemia durante e após o exercício, pois ele pode prolongar a hipoglicemia pelo efeito de melhora da sensibilidade à insulina **C/D**.[15]

Risco de hiperglicemia. Não há necessidade de postergar exercícios quando o paciente apresenta pequenos desvios de suas metas de controle glicêmico mas se sente bem e não apresenta quadro de descompensação aguda (glicemia > 250 mg/dL) ou evidência de cetose (urina ou sangue) **C/D**.[6,15]

Cuidados com pacientes que apresentam complicações

Pacientes que apresentam condições que poderiam contraindicar certos tipos de exercício ou predispor a dano, como retinopatia proliferativa não tratada, neuropatia autonômica, neuropatia periférica, história de úlcera nos pés ou pé de Charcot e hipertensão arterial sistêmica (HAS) não controlada, precisam ser avaliados/tratados.

Cuidados específicos são mencionados nas orientações a seguir, ou no manejo de cada uma das complicações, mais adiante neste capítulo. A idade e o nível prévio de atividade física devem ser considerados ao fazer um plano personalizado que atenda às necessidades individuais de cada paciente.

Orientações para quem tem doença cardiovascular **C/D**

→ Angina de esforço: é permitido todo tipo de atividade, mas a frequência cardíaca (FC) deve ser mantida em 10 batimentos por minuto (bpm) abaixo do nível que desencadeia sintomas.
→ Pós-infarto e pós-AVC: o exercício deve ser iniciado com atividades de baixa intensidade, avançando para atividades de intensidade moderada, preferencialmente em programa supervisionado.
→ Insuficiência cardíaca: evitar atividades que causem aumento excessivo na FC.
→ Claudicação intermitente: são recomendadas caminhadas regulares e progressivas.

Orientações para quem tem outra complicação do diabetes **C/D**

→ Na presença de doença renal, embora o exercício físico aumente agudamente a excreção de albumina, não há restrição específica a ser feita ao exercício físico.
→ Para pessoas com retinopatia proliferativa ou não proliferativa grave, está contraindicado exercício vigoroso pelo risco de hemorragia do vítreo ou descolamento de retina. Devem-se evitar exercícios com movimentos bruscos da cabeça (p. ex., saltos), que aumentam a pressão intra-abdominal ou que oferecem risco de traumatismo ocular. Avaliação com oftalmologista para orientação está indicada nesses casos.
→ Na presença de neuropatia diabética:
   → Pacientes com neuropatia periférica (perda de sensação dolorosa ou aumento do limiar da dor) estão em maior risco de lesão de pele, infecção e destruição articular de Charcot. Evitar corridas, favorecendo caminhadas de moderada intensidade com calçado apropriado e atividades que não exigem sustentação do peso do corpo (exercícios na posição sentada, na água).
   → Pacientes com neuropatia autonômica estabelecida exigem alguns cuidados. Na presença de

→ hipotensão postural, evitar mudanças rápidas de posição. Tomar líquidos para evitar desidratação ou hiperaquecimento. Pode ser necessária investigação cardiológica.
→ Pessoas com problemas articulares e ortopédicos podem beneficiar-se de exercícios regulares de alongamento e aumento progressivo de atividades físicas, incluindo reforço muscular.

Cessação do tabagismo

Deve-se orientar sobre os benefícios da cessação do tabagismo e do consumo de todos os produtos do tabaco, e dar suporte para que isso seja alcançado. O ganho de peso associado não deve desencorajar, pois o ganho com a prevenção cardiovascular compensa esse problema. A perda de peso pode ser alcançada mais tarde.

Para quem passou a usar cigarro eletrônico, deve-se desencorajar o uso (ver Capítulo Tabagismo).

EDUCAÇÃO E SUPORTE PARA PERDA DE PESO

A perda de peso é parte integral do tratamento de quem tem diabetes tipo 2 com sobrepeso ou obesidade. A orientação do plano alimentar pode ser feita a partir de porções em um prato. Alguém da equipe ou o próprio paciente podem desenhar o prato e suas porções durante a consulta, organizando mentalmente as múltiplas e coloridas formas de planejar pratos saudáveis. A orientação pode ser feita por meio de um prato raso, que remete ao acrônimo RASO com as principais táticas de mudança, apresentadas a seguir e detalhadas no Capítulo Obesidade: Prevenção e Tratamento:

→ **R:** reduzir o consumo de alimentos de alta densidade calórica (frituras, doces em geral) e alimentos ultraprocessados (refrigerantes, salgadinhos, salsicha e outras carnes processadas). Para facilitar a mudança desses hábitos, às vezes muito arraigados, pode-se propor reduções gradativas;
→ **A:** aumentar o consumo de alimentos menos processados e de menor valor calórico (saladas, legumes, verduras, frutas, feijão);
→ **S:** substituir alimentos menos saudáveis por alimentos mais saudáveis (pão industrializado por pão artesanal; pão branco por pão integral; frituras por outros métodos de preparo; refrigerante por água; doce por fruta; geleia doce por pastas variadas [p. ex., cenoura com gengibre, ricota com tempero verde, banana amassada com canela]);
→ **O:** observar como se alimenta (devagar, de maneira consciente, de acordo com o plano alimentar), o que desencadeia fome desenfreada, o que dá mais prazer ao comer.

Uma perda de 5% do peso corporal é aconselhável a todos que têm sobrepeso ou obesidade, mas as vantagens de reduções maiores devem ser apresentadas aos pacientes. Todo esforço deve ser feito para manter o peso perdido (ou a maior parte dele). Uma revisão sistemática (5 ensaios clínicos randomizados [ECRs], com 912 participantes) mostrou que a redução de peso com terapia nutricional por 6 meses a 1 ano foi de 2,1 kg (índice de massa corporal [IMC] de 0,5 kg/m^2), em média, quando comparada à orientação dietética, com redução correspondente de HbA1c de 0,45% **B**.[16] É importante esclarecer desde o início que a perda de peso deve ser mantida em sua quase totalidade. Para tanto, o aumento da atividade física no período de manutenção para até 300 minutos por semana de atividades moderadas ou 150 minutos por semana de atividades vigorosas são de grande ajuda. (Ver Capítulo Obesidade: Prevenção e Tratamento.)

Em alguns casos com comorbidade (apneia do sono, problemas articulares), perdas maiores podem trazer benefícios, como evidenciado nos dois seguintes estudos. O Look AHEAD, realizado nos Estados Unidos, com 10 anos de acompanhamento, mostrou que o grupo intensivo manteve perda de peso de 4,7%, com maior taxa de remissão do diabetes (7% em 4 anos), com redução do número de medicamentos e da incidência de doença renal (redução relativa do risco [RRR] = 31%), apneia do sono e incapacidade física (RRR = 12% após 12 anos) **B**.[17] O estudo DiRECT, desenvolvido na atenção primária à saúde (APS) no Reino Unido, avaliou uma forma de terapia de substituição total da dieta (TDR, do inglês *total diet replacement*) a ser oferecida nas semanas iniciais, com suporte para a transição à alimentação saudável padrão e manutenção de peso perdido. Com acompanhamento de 2 anos, o grupo intensivo perdeu 10 kg no primeiro ano, com remissão de diabetes de 46%; em 2 anos, a remissão manteve-se em 41% **B**.[18]

Esses dois estudos abrem novas possibilidades para que pessoas com diabetes tipo 2 em fase inicial busquem perdas maiores de peso. Menos invasivas que a cirurgia bariátrica, intervenções como essas podem ser desenvolvidas na APS. No entanto, o esforço envolverá treinamento e organização da equipe, e muito empenho por parte do paciente e de sua família. Além disso, *expertise* deverá ser desenvolvida, especialmente considerando a reduzida experiência no Brasil desse tipo de intervenção no contexto da APS.

DETECÇÃO E SUPORTE PARA PROBLEMAS PSICOSSOCIAIS

Avaliações psicossociais podem ser relevantes no diagnóstico, quando for necessária intensificação do controle ou quando surgirem complicações. A avaliação pode iniciar de maneira informal, perguntando sobre como se sentiu nas últimas 2 semanas, se algo em especial desencadeia mudanças no humor, e se encontrou novas barreiras ou dificuldades para o autocuidado.

É comum uma condição referida como distresse (para distinguir de estresse), em que a pessoa reage de forma disfuncional por ter que viver com diabetes e ter que manejar suas múltiplas demandas. Perguntas abertas como "Como o diabetes está afetando sua vida?" podem revelar dificuldades pessoais na forma de lidar com a doença, produzindo conversas enriquecedoras sobre como melhorar o controle da doença.

Formas mais estruturadas de avaliação podem ser encontradas em artigo feito por peritos da American Diabetes Association (ADA).[19] Testes para depressão e ansiedade e seu manejo podem ser encontrados na Seção Saúde Mental, neste livro.

MONITORAMENTO DOS FATORES DE RISCO CARDIOVASCULARES

Os fatores de risco cardiovasculares, além de contribuir para essas doenças, também são fatores de risco para as demais complicações do diabetes. Considerando que as DCVs são a maior causa de morbimortalidade, o risco cardiovascular deve ser estimado na avaliação inicial e em consultas subsequentes para definir e priorizar as intervenções terapêuticas e preventivas necessárias (ver tópico Doença Cardiovascular Aterosclerótica, adiante neste capítulo). (Ver QR code.)

TRATAMENTO DA HIPERGLICEMIA NO DIABETES TIPO 2

O tratamento da hiperglicemia visa melhorar os sintomas de diabetes, prevenir descompensações agudas e prevenir ou retardar o desenvolvimento de complicações crônicas. Esses objetivos terapêuticos, junto com outros fatores, devem ser considerados no estabelecimento de metas glicêmicas (HbA1c) com o paciente (ver Capítulo Diabetes Melito: Diagnóstico, Classificação e Organização do Cuidado).

O plano terapêutico envolve intensificação de medidas não farmacológicas, acréscimo progressivo de fármacos e suporte para autocuidado, considerando a avaliação multidimensional de cada paciente, as vantagens e desvantagens das opções terapêuticas disponíveis, e as preferências pessoais (TABELA 36.2). A escolha da opção terapêutica deve ser compartilhada com o paciente.

É importante estar atento ao risco de inércia terapêutica, isto é, não avançar na busca de maior controle glicêmico, seja por meio do acréscimo de novos fármacos, seja pela intensificação de medidas não farmacológicas, especialmente da atividade física.

Avaliação multidimensional do paciente

Caraterísticas do diabetes tipo 2

Idade de início do diabetes. Diabetes que inicia em pacientes mais jovens (< 40 anos) apresenta maior gravidade e maior risco de complicações, requerendo intervenções mais intensivas e metas mais rígidas de controle, e muitas vezes uso mais precoce de insulina. Quando o diabetes inicia mais tardiamente (> 70 anos), as metas de controle podem ser flexibilizadas. Primeiro, porque o diabetes é geralmente mais benigno e, segundo, porque, considerando a menor expectativa de vida, o risco de as complicações impactarem na qualidade de vida do paciente é menor.

Graus de hiperglicemia e duração da doença. Graus mais severos de hiperglicemia podem sinalizar presença de infecção, muitas vezes requerendo tratamento insulínico até a sua resolução. Isso pode ser constatado em consultas iniciais ou

TABELA 36.2 → Escolha compartilhada das opções terapêuticas para quem tem diabetes tipo 2

AVALIAÇÃO MULTIDIMENSIONAL	
Aspectos associados ao diabetes	
Idade de início	Início do diabetes tipo 2 antes dos 40 anos sinaliza a necessidade de tratamento mais intensivo; após os 70, menos intensivo
Grau de hiperglicemia e duração da doença	Graus mais severos de hiperglicemia sinalizam descompensação aguda com ou sem infecção, requerendo atenção imediata, em geral insulina; ou, então, sinalizam maior duração de diabetes ou presença de LADA, também requerendo insulina
Risco de hipoglicemia	Evitar o uso de insulina naqueles com história de hipoglicemia grave, em idosos, em quem mora sozinho ou naqueles que têm hábitos muito irregulares
Presença de complicações	Pacientes com doença cardiovascular ou renal podem beneficiar-se de fármacos com proteção cardiorrenal; a presença de complicações pode sinalizar a necessidade de intensificação ou "desintensificação" do controle glicêmico; ver texto específico
Excesso de peso	Sulfonilureias e insulina devem ser evitadas ou prescritas com cautela nessas pessoas para evitar ganho adicional de peso; considerar perda de peso ≥ 5% se possível; fármacos antiobesidade e cirurgia bariátrica podem ser considerados em situações específicas
Fatores de risco cardiovascular	Considerar alvos preventivos para os fatores de risco presentes e priorizar seu alcance
Vulnerabilidade biopsicossocial	Considerar outras prioridades de vida que competem com o plano terapêutico
VANTAGENS E DESVANTAGENS DAS ESCOLHAS TERAPÊUTICAS DISPONÍVEIS	
Metformina	Excelente perfil benefício/risco/custo; em geral, é a primeira escolha terapêutica no diabetes tipo 2
Acarbose	Bom perfil benefício/risco/custo; pode substituir a metformina em caso de intolerância ou contraindicação
Sulfonilureias	Bom perfil benefício/risco/custo; considerar após a metformina
Pioglitazona	Considerar após a metformina
iDPP4	Considerar após a metformina
Glinidas	Considerar após a metformina
ISGLT2	Maior proteção cardiovascular e renal; alto custo
arGLP1	Maior proteção cardiovascular e renal; alto custo; em geral, injetável
Insulina basal	Injetável; bom perfil benefício/risco/custo (NPH); efeitos colaterais são risco de hipoglicemia (menor com análogos) e ganho de peso; considerar após a metformina
Insulina basal + insulina de ação curta	Injetável; indicada para diabetes tipo 2 de longa duração, especialmente quando houver complicação que requer intensificação de controle glicêmico, e transitoriamente na presença de infecções; indicada também em casos de LADA
PREFERÊNCIAS PESSOAIS	
Fatores como medicação injetável, tomadas múltiplas por dia, efeitos colaterais, custo e acesso ao medicamento	

arGLP1, agonistas do receptor de peptídeo semelhante ao glucagon 1; iDPP4, inibidores da dipeptidil-peptidase-4; ISGLT2, inibidores do cotransportador sódio-glicose 2; LADA, diabetes autoimune de início tardio; NPH, protamina neutra de Hagedorn.

mais tarde, com o agravamento do diabetes devido ao curso progressivo na falha da função das células β. Pacientes com diabetes tipo 2 de longa duração podem evoluir para falha completa da função pancreática, requerendo insulinização plena para seu manejo. Deve-se considerar também que o paciente pode apresentar outro tipo de diabetes, como o diabetes autoimune de início tardio (LADA, do inglês *latent autoimmune diabetes in adults*) (ver Capítulo Diabetes Melito: Diagnóstico, Classificação e Organização do Cuidado).

Risco de hipoglicemia. Evitar uso de insulina e de sulfonilureias em pacientes com história de hipoglicemia grave, pessoas que moram sozinhas ou que apresentam outra situação de vulnerabilidade (pessoas com risco de queda ou pessoas cujo trabalho envolve dirigir veículos ou operar máquinas) e naqueles com hábitos de vida muito irregulares.

Presença de DCV ou doença renal ou de outras complicações do diabetes. A presença de DCV ou doença renal sinaliza a importância da proteção cardiovascular-renal que pode ser obtida com a metformina e com os ISGLT2 ou os agonistas do receptor de peptídeo semelhante ao glucagon 1 (arGLP1), quando disponíveis. A presença de complicações do diabetes pode sinalizar a necessidade de intensificação do controle glicêmico, muitas vezes com insulina – por exemplo, na neuropatia ou na doença renal em evolução. Em alguns casos, especialmente na presença de multimorbidade em idosos, pode ser necessária a "desintensificação".[20,21]

Fatores de risco cardiovascular. Intervenções sobre outros fatores de risco cardiovascular são, em geral, mais efetivas que o controle glicêmico na prevenção cardiovascular – por exemplo, o controle da HAS e do tabagismo. Isso deve ser levado em conta ao considerar o acréscimo de fármacos no plano terapêutico, porque flexibilizar o alvo glicêmico para intensificar o alcance de outro alvo também pode ser uma opção terapêutica.

Presença de sobrepeso ou obesidade. Para pessoas com excesso de peso, além de reforçar as mudanças de estilo de vida para controle do peso, deve-se procurar utilizar fármacos que não promovem ganho de peso (p. ex., inibidores da dipeptidil-peptidase-4 [iDPP4]) e, quando possível, fármacos que reduzem o peso corporal (p. ex., arGLP1, acarbose, ISGLT2).

Vulnerabilidade biopsicossocial. As possibilidades financeiras e o acesso aos medicamentos são fatores determinantes na escolha, especialmente para aqueles de maior vulnerabilidade social.

Características do fármaco

Devem ser avaliados o potencial para alcançar alvo glicêmico, a propensão à hipoglicemia e ao ganho de peso, a possibilidade de prevenção cardiorrenal, e o custo e disponibilidade. Os arGLP1 e os ISGLT2 são caros e poucos estão disponíveis no País. A metformina e as sulfonilureias são amplamente disponíveis e de baixo custo.

Preferências pessoais

Em geral, a escolha da opção medicamentosa pelos pacientes considera se é injetável, se é tomado apenas uma vez ao dia, se tem efeitos colaterais e se é acessível. Por serem injetáveis, a insulina e a maioria dos arGLP1 não são bem aceitos inicialmente. Os antidiabéticos orais em dose única diária são preferidos, especialmente quando há uso múltiplo de fármacos.

Escalonamento

Visando evitar a inércia terapêutica, isto é, deixar de avançar no escalonamento terapêutico, são recomendadas reavaliações a cada 3 a 6 meses, até alcançar a meta glicêmica estipulada.

Iniciar o tratamento farmacológico com metformina, na ausência de contraindicações, é a melhor opção para a maioria dos pacientes, mas o escalonamento a partir daí é individualizado. O leque atual de opções farmacológicas para escalonar o tratamento é amplo, embora os novos agentes sejam pouco disponíveis no Sistema Único de Saúde (SUS) e seu custo seja frequentemente proibitivo. Os mais antigos, pelo contrário, são amplamente disponíveis e de baixo custo.

A **FIGURA 36.1** desenha um escalonamento simplificado a partir do esquema proposto pela ADA,[22] iniciando pela metformina e, depois, orientando escolha dos agentes farmacológicos a partir da presença ou não de DCV aterosclerótica, insuficiência cardíaca e doença renal, considerando também outros aspectos da avaliação multidimensional de cada paciente e as vantagens/desvantagens de cada agente. A simplificação aqui proposta considera também a disponibilidade atual dos medicamentos no SUS, o alto custo de alguns medicamentos que precisariam ser adquiridos pelo próprio paciente, e a indisponibilidade atual de algumas opções no Brasil.

Primeira etapa: mudança de estilo de vida e metformina

Pacientes com sintomas importantes de descompensação (poliuria, polidipsia, perda de peso) ou com hiperglicemia acentuada (> 300 mg/dL; HbA1c > 10%), muitas vezes associados com infecção, podem requerer insulina até sua resolução. Uma vez compensado o quadro, a maioria pode manter-se com hipoglicemiantes orais. Aos que apresentarem níveis de HbA1c muito acima da meta de controle (> 1,5-2%), uma combinação de fármacos pode ser recomendada já nesta etapa (metformina mais outro hipoglicemiante oral ou insulina).[22]

Para todos os pacientes, desde o diagnóstico, é fundamental informar o potencial para melhora do diabetes com a adoção de alimentação saudável e hábitos ativos de vida, bem como da perda de peso (cerca de 5% do peso corporal quando houver excesso de peso). Se houver motivação, especialmente no início da doença, podem ser recomendadas perdas de peso mais acentuadas,

```
┌─────────────────────────────────────────────────────────────────────────────┐
│ (1)   Pacientes com diagnóstico confirmado de diabetes e provável diabetes tipo 2* │
│                                                                             │
│       – Metformina e estilo de vida saudável (alimentação saudável, prática │
│         de atividade física)                                                │
│         E/OU                                                                │
│       – Perda de peso (5-10% do peso corporal) quando houver sobrepeso ou   │
│         obesidade                                                           │
└─────────────────────────────────────────────────────────────────────────────┘
```

(2) Em caso de HbA1c acima do alvo, reavaliar em 3-6 meses e administrar metformina em dose máxima†

Sem DCV aterosclerótica, insuficiência cardíaca ou doença renal crônica

Com DCV aterosclerótica: IAM, AVC, angina instável, revascularização arterial, angina estável e claudicação intermitente
– Com insuficiência cardíaca: baixa fração de ejeção
– Com doença renal crônica: TFG 30-60 mL/min/1,73 m² ou albuminúria > 30 mg/g de creatinina

(3)

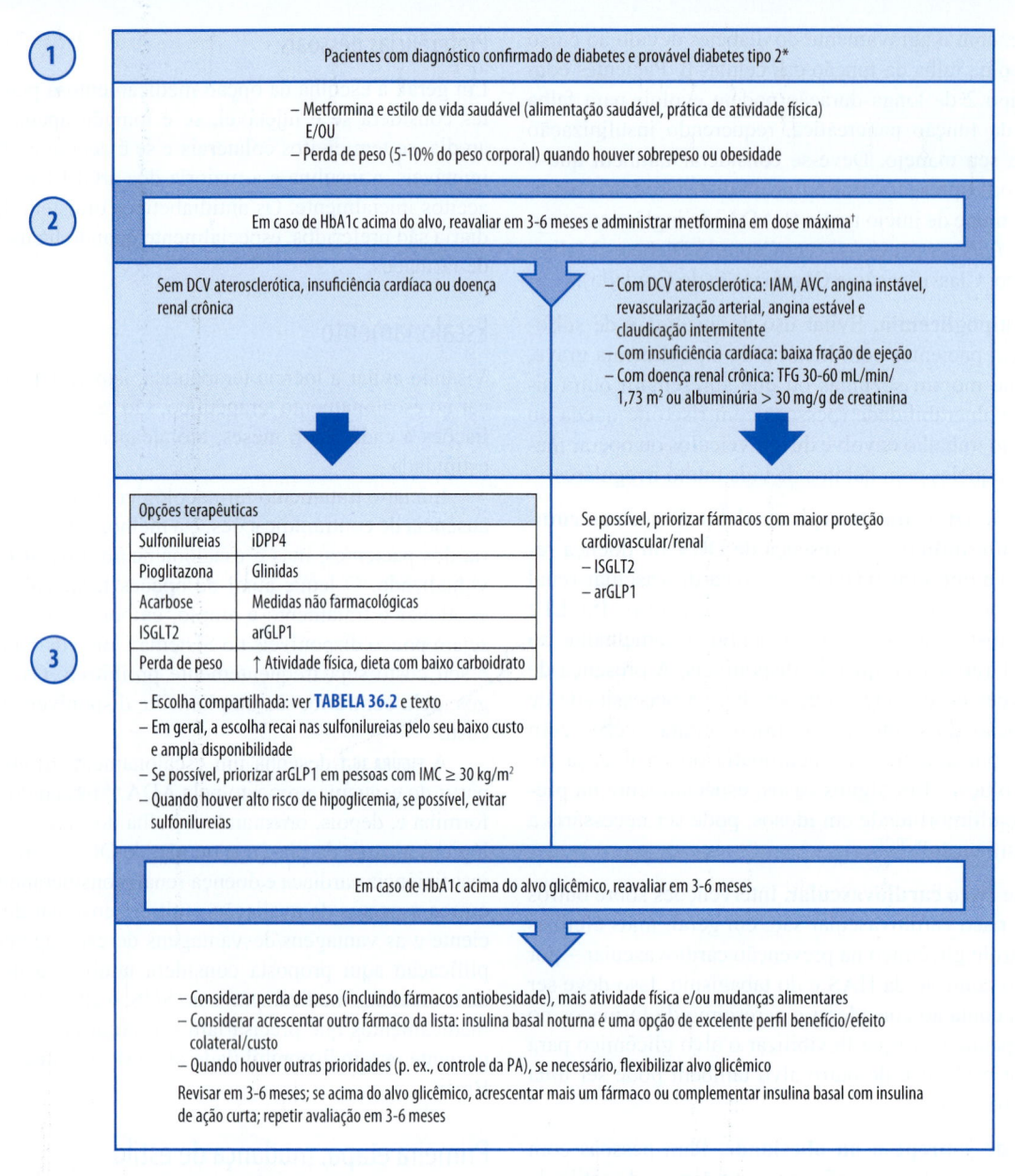

Opções terapêuticas	
Sulfonilureias	iDPP4
Pioglitazona	Glinidas
Acarbose	Medidas não farmacológicas
iSGLT2	arGLP1
Perda de peso	↑ Atividade física, dieta com baixo carboidrato

Se possível, priorizar fármacos com maior proteção cardiovascular/renal
– iSGLT2
– arGLP1

– Escolha compartilhada: ver **TABELA 36.2** e texto
– Em geral, a escolha recai nas sulfonilureias pelo seu baixo custo e ampla disponibilidade
– Se possível, priorizar arGLP1 em pessoas com IMC ≥ 30 kg/m²
– Quando houver alto risco de hipoglicemia, se possível, evitar sulfonilureias

Em caso de HbA1c acima do alvo glicêmico, reavaliar em 3-6 meses

– Considerar perda de peso (incluindo fármacos antiobesidade), mais atividade física e/ou mudanças alimentares
– Considerar acrescentar outro fármaco da lista: insulina basal noturna é uma opção de excelente perfil benefício/efeito colateral/custo
– Quando houver outras prioridades (p. ex., controle da PA), se necessário, flexibilizar alvo glicêmico

Revisar em 3-6 meses; se acima do alvo glicêmico, acrescentar mais um fármaco ou complementar insulina basal com insulina de ação curta; repetir avaliação em 3-6 meses

FIGURA 36.1 → Tratamento escalonado da hiperglicemia no diabetes tipo 2.
*Pacientes com sintomas importantes de descompensação ou com hiperglicemia acentuada (> 300 mg/dL; HbA1c > 10%) devem ser avaliados para identificar a possível causa da descompensação. Alguns casos podem requerer insulina até a resolução da causa da descompensação; ver texto.
†Se a metformina não estiver em dose máxima e se ainda estiver distante do alvo, sugere-se colocar em dose máxima e reavaliar em 3 meses.
arGLP1, agonistas do receptor de peptídeo semelhante ao glucagon 1; AVC, acidente vascular cerebral; DCV, doença cardiovascular; HbA1c, hemoglobina glicada; IAM, infarto agudo do miocárdio; iDPP4, inibidores da dipeptidil-peptidase-4; IMC, índice de massa corporal; iSGLT2, inibidores do cotransportador sódio-glicose 2; PA, pressão arterial; TFG, taxa de filtração glomerular.
Fonte: Adaptada de American Diabetes Association.[22]

considerando a possibilidade de remissão do diabetes, ao menos transitoriamente.[18]

O tratamento farmacológico inicia no diagnóstico. A melhor opção inicial para a maioria dos pacientes é a metformina, pelo seu perfil excelente de benefício/risco/custo. Comparada ao placebo, a metformina reduz a HbA1c em 0,9%, tem efeito neutro ou até mesmo de redução do peso, não produz hipoglicemia e reduz mortalidade e eventos cardiovasculares (RRR = 33% e 19%, respectivamente, em pacientes de alto risco) **B**.[23]

A **TABELA 36.3** apresenta parâmetros básicos para sua prescrição, considerando as duas formas de apresentação: a de liberação rápida (pico em 3 horas) e a de liberação estendida (pico em 7 horas).

Para evitar os principais efeitos colaterais da metformina (distensão ou desconforto abdominal e diarreia), o ideal é titular a dose. Pode-se iniciar com 1 comprimido de 500 mg após uma refeição principal; após 7 dias, acrescentar mais 1 comprimido após outra refeição principal.

Se bem tolerados, podem ser feitos aumentos até a dose máxima diária de 2.000 mg, sempre após as refeições.[24]

TABELA 36.3 → Metformina: primeira escolha no tratamento do diabetes tipo 2

FÁRMACO	DOSE	DOSE MÁXIMA DIÁRIA	FREQUÊNCIA	VIA DE ADMINISTRAÇÃO
BIGUANIDAS				
Metformina	500-1.000 mg	2.000 mg	2-3 ×/dia	VO
Metformina	850 mg	2.550 mg	2-3 ×/dia	VO
Metformina XR	500 mg	2.000 mg	1 ×/dia	VO

Esquema terapêutico: para minimizar os efeitos gastrintestinais, iniciar com 1 comprimido de 500 mg, 1 ×/dia (ou ½ comprimido de 850 mg), após a refeição, e aumentar gradualmente (a cada 7 dias) até chegar à dose máxima diária em 3-6 meses.
Efeitos colaterais: náusea, diarreia e dor abdominal, presentes em até 30% dos pacientes e responsáveis pela descontinuação do fármaco em 10%; a metformina XR apresenta menor incidência de náuseas e de suspensão do tratamento. Pode ocorrer anemia e deficiência de vitamina B_{12}. Pode ser considerado monitoramento de níveis séricos, especialmente em pessoas com neuropatia ou anemia.
Contraindicações: insuficiência renal (TFG < 30 mL/min/1,73 m²). A incidência de acidose láctica associada à metformina é rara e seu uso é considerado seguro.

TFG, taxa de filtração glomerular; VO, via oral; XR, liberação estendida.
Fonte: American Diabetes Association[22] e Vaughan e colaboradores.[24]

Esquemas progressivos semelhantes podem ser feitos com o uso de meio comprimido de 850 mg (até a dose máxima de 2.550 mg). Um plano inicial poderia ser aumentar a dose até 1.000 mg/dia em 7 dias e avaliar a HbA1c após 3 meses. Se não alcançar a meta, aumentar a dose gradualmente até a dose máxima e reavaliar em 3 meses. Se a dose máxima não for tolerada, manter a dose tolerável e tentar estratégias não farmacológicas e/ou adicionar outro fármaco. Em caso de insuficiência renal ou quando houver efeitos colaterais intoleráveis, pode-se optar por outro hipoglicemiante oral geralmente usado em etapas subsequentes.

Segunda etapa: mudança de estilo de vida e acréscimo de outro fármaco

Quando o tratamento com metformina não for suficiente para alcançar a meta de controle glicêmico, pode ser necessário acrescentar outro fármaco antidiabético, considerando os parâmetros da **TABELA 36.2**. É importante revisar antes se as mudanças de estilo de vida prescritas estão sendo seguidas e qual a motivação para perda adicional de peso quando houver ainda excesso de peso.

O potencial para alcançar o alvo glicêmico após a metformina não difere muito entre as opções farmacológicas disponíveis (reduções de 0,5-0,9%), como visto na **TABELA 36.4**. O efeito é, em geral, modesto, sendo maior para a insulina. Essa tabela também mostra o risco de hipoglicemia associado a sulfonilureias, glinidas e insulina.[25] Quando o risco de hipoglicemia grave for alto (hipoglicemia grave prévia, idade avançada, morar sozinho, hábitos irregulares de alimentação e/ou atividade física), devem-se evitar esses fármacos, especialmente a insulina. Essa tabela mostra, ainda, que o ganho de peso é maior com o uso de insulina, sulfonilureias, glinidas e pioglitazona, com ganhos médios de 2 a 6 kg, em geral maiores com insulinização plena. Em pessoas com excesso de peso, na medida do possível, devem-se utilizar outros fármacos que sejam neutros para ganho de peso

TABELA 36.4 → Potenciais benefícios e riscos de fármaco de segunda linha (após a metformina)

FÁRMACO	REDUÇÃO DE HbA1c (%) VS. PLACEBO[28]	HIPOGLICEMIA (VS. PLACEBO; RR)[25]	MUDANÇA DE PESO VS. PLACEBO (kg)[29]	OUTROS EFEITOS COLATERAIS	ESQUEMA TERAPÊUTICO
1ª LINHA					
Metformina	−0,92	0,78	−2,9 a 1,5	Gastrintestinais; deficiência de vitamina B_{12}	1-3 ×/dia, com refeições, VO
2ª E 3ª linhas					
Sulfonilureia	−0,57	7,1	2 a 2,3		1-3 ×/dia, VO
Acarbose	−0,5	0,9	−1,8 a −0,4	Gastrintestinais	Antes das 3 refeições, VO
TZD: pioglitazona	−0,6	1	2,3 a 4,2	Edema; insuficiência cardíaca; fraturas ósseas	1 ×/dia, VO
Glinidas	−0,64	3,9	0,9 a 2,7		Antes das 3 refeições, VO
iDPP4	−0,53	0,9	−0,1 a 1,1	Angioedema; urticária; pancreatite aguda; internação por insuficiência cardíaca	1 ×/dia, com ou sem refeições, VO
arGLP1	−0,6 a 1,33	1,4	−6,9 a −1,1	Gastrintestinais; frequência cardíaca; pancreatite aguda; câncer de tireoide	SC: Ação curta: 2 ×/dia Ação longa: 1 ×/dia Liberação lenta: 1 ×/semana VO: Semaglutida: 1 ×/dia
ISGLT2: Canagliflozina	−0,51 a 0,63	0,9	−2,5 a −0,9	Infecções urogenitais; poliúria; depleção de volume, tontura, hipotensão; cetoacidose; fratura Amputação na presença de DCV	1 ×/dia, VO
Insulina basal	−0,71	4	1,6 a 5,8		1-2 ×/dia, SC
Insulina basal e prandial	−0,89				2-4 ×/dia, SC

arGLP1, agonistas do receptor de peptídeo semelhante ao glucagon 1; DVC, doença cardiovascular; HbA1c, hemoglobina glicada; iDPP4, inibidores da dipeptidil-peptidase-4; ISGLT2, inibidores do cotransportador sódio-glicose 2; RR, risco relativo; SC, subcutâneo; TZD, tiazolidinediona; VO, via oral.

(os iDPP4) ou que promovam perda de peso (os arGLP1 e os ISGLT2).

Outro fator importante na escolha é a efetividade preventiva geral, cardiovascular e renal de vários fármacos antidiabéticos após a metformina. A **TABELA 36.5** apresenta parâmetros para essa avaliação. São notórias as proteções cardiorrenais de alguns ISGLT2 (empagliflozina e dapagliflozina, mas não canagliflozina, que aumenta o risco de amputação) e a proteção cardiovascular de alguns arGLP1 (semaglutida oral, exenatida LP e liraglutida; esta última confere proteção também contra amputação). Alguns arGLP1 são particularmente benéficos para os que apresentam excesso de peso, mas o alto custo limita sua prescrição para a maioria dos pacientes, especialmente nas fases mais iniciais do diagnóstico.

A **TABELA 36.6** mostra os parâmetros para prescrição das opções farmacológicas com bom perfil benefício/efeito colateral/custo. As sulfonilureias, conhecidas de longa data, são uma boa opção, pelo seu perfil benefício/risco/custo. Seu maior efeito colateral é a hipoglicemia, que ocorre na incidência de 0,2 a 1,8 evento a cada 100 pessoas por ano em graus variáveis de gravidade. O risco é menor com as sulfonilureias de nova geração, como a gliclazida, que já foi incluída entre os medicamentos essenciais pela OMS. Se utilizada em doses submáximas em pessoas sem risco evidente de hipoglicemia, pode ser considerada segura.[26] A glibenclamida e a clorpropamida, por induzirem hipoglicemia de longa duração, se possível, devem ser evitadas,

TABELA 36.5 → Aumento ou diminuição (em %) de risco para complicações com o acréscimo de um fármaco após a metformina, na presença de alto risco para doença cardiovascular*

FÁRMACO	MORTALIDADE GERAL	MORTALIDADE CARDIOVASCULAR	AVC	IC	AMPUTAÇÃO	DOENÇA RENAL TERMINAL
Sulfonilureia	9	−4	14	−13	4	
Pioglitazona	0	−3	−18	**42**	1	
iDPP4	1	−1	−1	6	−9	−1
ISGLT2						
Empagliflozina	**−33**	**−39**	19	**−35**	2	**−54**
Dapagliflozina	**−11**	−9		**−25**	11	**−68**
Canagliflozina	−2	−4	−7	**−28**	61	**−31**
arGLP1						
Liraglutida	**−16**	**−22**	−13	−13	**−35**	−13
Semaglutida (oral)	**−50**	**−49**	−22	−15		
Dulaglutida	−11	−9	**−24**	−6		−24
Exenatida LP	**−14**	−11	−14	−5	1	0
Insulina basal[†]	−27	−20	−16	9	−59	

Observação: associações com significância estatística estão destacadas **em negrito**.
*Doença cardiovascular ou renal estabelecida ou presença de múltiplos fatores de risco cardiovasculares.
[†]Dados disponíveis apenas para pacientes com baixo risco cardiovascular.
arGLP1, agonistas do receptor de peptídeo semelhante ao glucagon 1; AVC, acidente vascular cerebral; IC, internação por insuficiência cardíaca; iDPP4, inibidores da dipeptidil-peptidase-4; ISGLT2, inibidores do cotransportador sódio-glicose 2.
Fonte: Tsapas e colaboradores, 2020.[28]

TABELA 36.6 → Fármacos de segunda linha no tratamento do diabetes tipo 2: opções orais e de menor custo

FÁRMACO	DOSE	DOSE MÁXIMA DIÁRIA	FREQUÊNCIA
SULFONILUREIAS			
Gliclazida	30-120 mg	120 mg	1×/dia, com o café da manhã
Glimepirida	1-6 mg	6 mg	1×/dia, com o café da manhã
Glipizida	2,5-15 mg	40 mg	1×/dia 2×/dia (> 15 mg)
Glibenclamida	2,5-10 mg	20 mg	1×/dia 2×/dia (quando ≥ 10 mg)

Aumentam a secreção pancreática de insulina. Na presença de insuficiência renal, reajustar a dose. Uso cuidadoso na insuficiência hepática. Boa opção em pacientes sem doença cardiovascular ou renal e com baixo risco de hipoglicemia grave.
Os efeitos colaterais mais frequentes são hipoglicemia e ganho de peso. Para prevenir hipoglicemia grave, especialmente quando outras opções estiverem disponíveis, evitar a glibenclamida e a clorpropamida, notadamente em situações de maior risco (idosos, mora sozinho ou tem hábitos muito irregulares).

INIBIDOR DA α-GLICOSIDASE INTESTINAL			
Acarbose	25-50 mg	300 mg	3×/dia

Inibe a degradação dos polissacarídeos em monossacarídeos na luz intestinal, retardando sua absorção, com consequente redução da glicemia pós-prandial. Pode ser a primeira opção em pacientes com intolerância à metformina.
Deve ser ingerida nas refeições, com doses iniciais baixas e aumentos a cada 4 semanas para diminuir efeitos colaterais gastrintestinais (flatulência, diarreia e dor abdominal).
É contraindicada na cirrose, em doenças gastrintestinais (doença inflamatória intestinal, má absorção, obstrução) e em pacientes com TFG < 25 mL/min/1,73 m².

TIAZOLIDINEDIONA			
Pioglitazona	15-30 mg	45 mg	1×/dia

Melhora a sensibilidade à insulina nos tecidos periféricos (músculo esquelético e tecido adiposo). Está associada a ganho de peso, edema, insuficiência cardíaca (principalmente em associação com insulina) e fraturas ósseas.
É contraindicada na doença hepática ativa (transaminases > 2,5 × o valor de referência) e na insuficiência cardíaca classes III e IV, mas pode ser utilizada na presença de insuficiência renal. Devido à associação dessa classe de medicamentos com hepatotoxicidade, recomenda-se monitorização de transaminases antes do início do tratamento e regularmente depois, conforme julgamento clínico.

INIBIDORES DA DIPEPTIDIL-PEPTIDASE-4 (iDPP4)			
Vildagliptina	50 mg	100 mg	1-2×/dia
Sitagliptina	100 mg	100 mg	1×/dia
Saxagliptina	2,5 mg	5 mg	1×/dia

Inibem a enzima que degrada o peptídeo semelhante ao glucagon 1 (GLP-1) com consequente aumento da secreção de insulina e inibição do glucagon.
Os efeitos colaterais são artralgia, pancreatite aguda, urticária/angioedema, insuficiência cardíaca (saxagliptina).
Podem ser usados na insuficiência renal, mas a dose deve ser ajustada. A vildagliptina está contraindicada em pacientes com disfunção hepática.

GLINIDAS			
Repaglinida	0,5-4 mg	16 mg	3×/dia
Nateglinida	120 mg	360 mg	3×/dia

Aumentam a secreção de insulina. Como o mecanismo de ação é similar ao das sulfonilureias, sua combinação não é recomendada.
Podem ser utilizadas em pacientes com TFG < 30 mL/min/1,73 m², sem necessidade de ajuste da dose. São contraindicadas na insuficiência hepática.

TFG, taxa de filtração glomerular.
Fonte: American Diabetes Association,[22] Vaughan e colaboradores[24] e Harris e colaboradores.[30]

especialmente em indivíduos com idade > 60 anos. Outros fármacos de bom perfil benefício/risco/custo são os iDPP4, a acarbose, a pioglitazona e as glinidas.

A **TABELA 36.7** mostra os parâmetros para prescrição dos ISGLT2 e dos arGLP1, cuja vantagem é seu potencial benefício no curso da DCV e da doença renal, além de não causarem hipoglicemia nem ganho de peso.

Já nos primeiros 2 anos de doença, muitos pacientes requerem fármacos adicionais ou trocam algum dos fármacos prescritos. Um estudo que avaliou a adição de sulfonilureia, iDPP4 ou ISGLT2 após a metformina mostrou que, após 18 meses, mais de 40% dos pacientes requeriam troca de regime farmacológico devido a efeito colateral ou resistência terapêutica (47% com sulfonilureia ou iDPP4 e 42% com ISGLT2).[27]

A insulina NPH (protamina neutra de Hagedorn), apesar do baixo custo e da ampla disponibilidade no SUS, é em geral considerada mais tarde, especialmente por ser injetável, produzir ganho de peso e aumentar o risco de hipoglicemia. A exceção seria casos de diabetes com início antes dos 40 anos ou casos com controle glicêmico muito acima da meta (1,5-2% ou mais acima da meta).

Terceira etapa e etapas subsequentes

Se intervenções anteriores não alcançaram o alvo terapêutico, redução de 5% de peso, maior atividade física e dietas baixas em carboidratos podem contribuir para a redução da HbA1c. Para a maioria dos pacientes, deve-se considerar o acréscimo de outro antidiabético de acordo com a avaliação multidimensional de cada paciente.

Na presença de sobrepeso ou obesidade, o ideal seria tentar um fármaco de ação neutra (acarbose, iDPP4) ou que reduza o peso corporal (arGLP1), embora seu custo elevado limite sua utilização. Fármacos antiobesidade podem ser úteis, especialmente na presença de transtornos alimentares. Estão disponíveis no Brasil o orlistate (diminui a absorção de gordura da dieta, sendo eliminada nas fezes), a sibutramina, a liraglutida e o topiramato, este último não aprovado para uso na obesidade, mas com bom potencial para perda de peso.[31] Programas intensificados para perdas de peso (> 10% do peso corporal), em geral utilizando terapia de TDR, são mais complexos, mas podem ser considerados, especialmente nos primeiros 5 anos do diagnóstico. Cirurgia metabólica pode ser considerada em casos específicos pela sua eficácia na perda de peso e melhora metabólica. Após 5 anos, a gastroplastia em Y de Roux reduziu a HbA1c em 2,1% e levou à remissão de diabetes em 31 a 37% dos casos **B**; para a gastrectomia em manga (*sleeve*), a melhora da HbA1c foi semelhante, mas a remissão de diabetes foi menor, de apenas 23%.[32] (Ver Capítulo Obesidade: Prevenção e Tratamento.)

Insulina basal

Se houver hiperglicemia em jejum importante, pode-se iniciar insulina basal noturna (ao deitar-se) para complementar o efeito de hipoglicemiantes orais.[22] A dose inicial é, em geral, de 10 UI (ou 0,1-0,2 UI/kg), mas, em caso de hiperglicemia severa com evidência de catabolismo, pode ser de 0,3 a 0,4 UI/kg. Se após 1 semana a glicemia capilar em jejum apresentar valor > 130 mg/dL, aumentar 1 a 2 UI (3-4 UI se > 180 mg/dL); se < 70 mg/dL, diminuir 2 a 4 UI. Ajustes semanais podem ser feitos até doses máximas de 1 UI/kg/dia, mas com o cuidado para evitar hipoglicemia noturna. Para alcançar a dose efetiva, podem ser necessárias 8 a 12 semanas, com redução média de 1,4% de HbA1c, e doses finais variando de 23 a 71 UI.[33]

Para minimizar o risco de hipoglicemia noturna com a insulina NPH, pode-se titular a dose mais lentamente (1 UI a cada semana). Um lanche leve ao dormir (leite, iogurte, queijo) também pode minimizar o risco. Ao alcançar doses de 0,7 UI/kg/dia, pode-se desdobrar a dose total em matinal (50-70% da dose) e noturna.[34]

Devem-se evitar doses basais excessivas ("hiperbasalização"). A hiperbasalização pode ser suspeitada quando, em dose diária > 0,5 UI/kg, houver diferença grande entre a glicemia noturna e a matinal (> 50 mg/dL), houver evidência de hipoglicemia noturna (sintomática ou não) ou houver grande variabilidade glicêmica.[35]

A insulina utilizada pode ser um análogo de insulina ou insulina NPH. Os análogos de insulina, em ensaios clínicos randomizados (ECRs) não duplo-cegos, parecem reduzir modestamente a hipoglicemia noturna autorrelatada. No entanto, análogos de insulina e NPH apresentam taxas semelhantes de hipoglicemias que necessitam de atendimento em

TABELA 36.7 → Fármacos de segunda linha no tratamento do diabetes tipo 2 com maior efeito na redução de risco cardiovascular e renal

FÁRMACO	VIA DE ADMINISTRAÇÃO	DOSE	DOSE MÁXIMA DIÁRIA	FREQUÊNCIA
arGLP1				
Exenatida	SC; caneta	5 mg	20 mg	2 ×/dia, antes das refeições
Liraglutida	SC; caneta	0,6-1,8 mg	1,8 mg	1 ×/dia
Dulaglutida	SC; caneta	0,75 mg	1,5 mg	1 ×/semana
Semaglutida	SC; caneta	0,25 mg	1 mg	1 ×/semana

Estimulam a secreção de insulina, reduzem a hiperglucagonemia, retardam o esvaziamento gástrico e reduzem o apetite.
Promovem perda de peso e apresentam baixo risco de hipoglicemias. Náuseas são frequentes.
Apresentam maior risco de pancreatite. A exenatida está associada a câncer de pâncreas e de tireoide.
As contraindicações são hipersensibilidade à medicação, cetoacidose, doenças gastrintestinais sintomáticas e TFG < 30 mL/min/1,73 m².

ISGLT2				
Dapagliflozina	VO	5-10 mg	10 mg	1 ×/dia
Empagliflozina	VO	10-25 mg	25 mg	1 ×/dia
Canagliflozina	VO	100-300 mg	300 mg	1 ×/dia

Inibem a reabsorção de glicose nos túbulos primários do néfron.
Os efeitos colaterais são maior risco de infecções urogenitais (moniliíase vaginal, vulvovaginite, balanite), risco de desidratação em idosos, insuficiência renal aguda, cetoacidose diabética, amputações dos pés com a canagliflozina.
A contraindicação é TFG < 30 mL/min/1,73 m².

arGLP1, agonistas do receptor de peptídeo semelhante ao glucagon 1; ISGLT2, inibidores do cotransportador sódio-glicose 2; SC, subcutâneo; TFG, taxa de filtração glomerular; VO, via oral.
Fonte: American Diabetes Association.[22]

serviço de saúde.[36] É possível que os análogos sejam mais eficazes na redução de hipoglicemias mais leves.

Práticas seguras para preparo e aplicação de insulina podem ser vistas mais adiante neste capítulo, incluindo um *link* para detalhamento das diretrizes da Sociedade Brasileira de Diabetes.

Combinações com insulina

A maioria dos pacientes que inicia o uso de insulina basal usa metformina, e é boa prática mantê-la. Quanto ao uso combinado com outros antidiabéticos, algumas recomendações podem ser feitas:[37]

→ o uso de sulfonilureias e glinidas deve ser interrompido para evitar hipoglicemia;
→ o uso de tiazolidinedionas (TZDs), por aumentar o risco de edema e insuficiência cardíaca, deve ser descontinuado em pacientes de maior risco (p. ex., com insuficiência cardíaca, infarto prévio ou com idade mais avançada);
→ o uso de ISGLT2 e de arGLP1, pelas suas vantagens adicionais, pode ser mantido, mas é importante titular a dose de insulina com maior cuidado para evitar hipoglicemia. O monitoramento de cetonúria em quem faz uso de ISGLT2 para evitar cetoacidose diabética é semelhante ao indicado para quem não faz uso de insulina;
→ o uso de iDPP4 pode ser mantido, a menos que sejam usados em combinação com arGLP1.

A insulina é o mais potente agente hipoglicemiante e sua introdução pode ser uma oportunidade para interromper fármacos usados anteriormente, reduzindo a polifarmácia. Isso deve ser julgado caso a caso de acordo com as necessidades e prioridades individuais.

Esquemas mais intensivos

Se a meta não for alcançada em outros 3 a 6 meses, podem ser necessários esquemas mais complexos adicionando insulina de ação rápida ou ultrarrápida à insulina basal.[38] Esses esquemas produzem maior ganho de peso e maior risco de hipoglicemia e, em geral, são manejados em serviço especializado.[39]

A **TABELA 36.8** apresenta os principais aspectos para a prescrição das insulinas disponíveis do Brasil. A **TABELA 36.9** apresenta as principais recomendações para seu armazenamento e aplicação. A utilização de canetas (recarregáveis ou descartáveis) vem crescendo no País, e o Ministério da Saúde (MS) já está disponibilizando canetas para grupos prioritários.[40]

Considerações sobre intensificação e "desintensificação"

Alguns pacientes com quadro hiperglicêmico inicial mais grave requerem escalonamento mais rápido ou, muitas vezes, recomendação para maior perda de peso. Intensificação maior pode ser necessária no curso da doença, com o cuidado de evitar inércia. Por essa razão, as metas de controle

TABELA 36.8 → Parâmetros farmacológicos para as insulinas mais utilizadas no Brasil

INSULINA	INÍCIO DE AÇÃO	PICO DE AÇÃO	DURAÇÃO DA AÇÃO	MODO DE ADMINISTRAÇÃO
INSULINA BASAL				
Ação intermediária				
NPH (turva)	1-3 horas	4-8 horas	12-16 horas	1-3 ×/dia, SC
Longa duração (análogos)				
Glargina	60-90 minutos	Sem pico	20-26 horas	1-2 ×/dia, SC
Detemir	60-90 minutos	Sem pico	20-26 horas	1-2 ×/dia, SC
Degludeca	30-90 minutos	Sem pico	42 horas	1 ×/dia, SC
INSULINA PRÉ-PRANDIAL				
Ação rápida				SC
Regular	30-60 minutos	2-4 horas	5-8 horas	30 minutos antes das refeições
Ação ultrarrápida				SC
Lispro	10-20 minutos	30-90 minutos	3-5 horas	Imediatamente antes das refeições
Asparte	10-20 minutos	30-90 minutos	3-5 horas	
Glulisina	10-20 minutos	30-90 minutos	3-5 horas	

A via de administração é SC (seringas ou canetas), mas a velocidade de absorção varia conforme o local de aplicação (mais rápida no abdome, intermediária nos braços e mais lenta nas coxas e nas nádegas). A absorção da glargina independe do sítio de aplicação. A insulina regular também pode ser aplicada por vias intravenosa e intramuscular, em situações que requerem um efeito clínico imediato.

As insulinas de ação ultrarrápida são administradas logo antes da refeição, e a insulina regular, 30 minutos antes. A correção da hiperglicemia de jejum ou pré-prandial é realizada com uma insulina basal (intermediária ou lenta). A correção da hiperglicemia associada à refeição é feita com uma insulina de ação curta ou rápida.

NPH, protamina neutra de Hagedorn; SC, subcutânea.
Fonte: Bahendeka e colaboradores.[41]

e o escalonamento proposto (ver **FIGURA 36.1**) devem ser reavaliados periodicamente.

O acompanhamento também pode correr o risco de não desintensificação, com potenciais riscos ao paciente, o que deve ser avaliado caso a caso, de acordo com a avaliação multidimensional. A desintensificação é necessária em pessoas com grande carga de doença e vulnerabilidade, como avaliada em série histórica,[21] e seus pontos principais são:

→ risco de hipoglicemia severa (idade avançada, doença renal terminal, hipoglicemia severa prévia, irregularidade alimentar e/ou de atividade física): preferir fármaco que não produz hipoglicemia ou flexibilizar alvo glicêmico;
→ carga de doença (demência, cegueira, infarto, acidente vascular, câncer, depressão, entre outros) vivida pelo paciente: considerar flexibilização de alvo glicêmico;
→ outros aspectos da avaliação multidimensional de cada paciente (vulnerabilidade social, mora sozinho);
→ quando outras prioridades terapêutico-preventivas forem maiores que o alvo glicêmico – por exemplo, os alvos pressóricos –, também pode ser necessária flexibilização do alvo glicêmico, especialmente quando o paciente já estiver utilizando múltiplos fármacos.

Revisões periódicas sobre intensificação e "desintensificação" são úteis no manejo de cada paciente. São úteis também para avaliar a qualidade do serviço e revisar abordagens estratégicas, visando um cuidado baseado em evidências seguro e efetivo.

TABELA 36.9 → Recomendações para armazenamento e aplicação da insulina*

Armazenamento	→ As insulinas devem ser mantidas refrigeradas, respeitando-se a data de validade indicada → O frasco ou caneta em uso pode ser mantido em temperatura ambiente para minimizar dor no local da injeção; devem ser evitados extremos de temperatura (< 2 °C ou > 36 °C); após 1 mês do início do uso, a insulina perde sua potência, especialmente se mantida fora da geladeira → O paciente deve verificar a transparência das insulinas (apenas a NPH tem aparência leitosa), e descartar frascos de insulina turva
Aplicação	→ Antes de iniciar a preparação da injeção, lavar as mãos; o frasco deve ser rolado gentilmente entre as mãos para misturá-la, antes de aspirar seu conteúdo; em caso de combinação de dois tipos de insulina, aspirar antes a insulina de ação curta para que o frasco não se contamine com a insulina de ação intermediária → *Atenção:* a insulina glargina não pode ser misturada com outro tipo de insulina → O local de aplicação não precisa ser limpo com álcool; pinçar o local da injeção entre 2 dedos e introduzir a agulha completamente, em ângulo de 90 graus (em ângulo de 45 graus em crianças e indivíduos magros para evitar aplicação intramuscular, com absorção mais rápida, ou usar agulhas mais curtas); não é necessário puxar o êmbolo para verificar a presença de sangue; retirar a agulha do subcutâneo 5 segundos após a aplicação para garantir injeção da dose completa → Para prevenir lipodistrofia, deve-se evitar reaplicação no mesmo local em menos de 15-20 dias: manter distância mínima de 1,5 cm entre cada sítio de injeção e alternar regularmente braço, perna, nádega e abdome → Para aplicação com canetas, diante da diversidade das preparações disponíveis, seguir a orientação dos fabricantes
Canetas, seringas e agulhas	→ As agulhas são descartáveis, mas podem ser reutilizadas pelo próprio paciente, desde que a agulha e sua capa protetora não tenham sido contaminadas; o número de reutilizações pode variar de 4-8, trocando a agulha quando começar a causar desconforto na aplicação; em geral, agulhas de 4 mm são adequadas → A seringa e a agulha em uso podem ser mantidas em temperatura ambiente; após o uso, devem ser "recapadas" pelo paciente; não se recomenda higienização da agulha com álcool → As agulhas e seringas podem ser substituídas por canetas aplicadoras com agulhas específicas

*Ver também as recomendações da Sociedade Brasileira de Diabetes em seu portal.
NPH, protamina neutra de Hagedorn.
Fonte: Brasil[40] e Bahendeka e colaboradores.[41]

PREVENÇÃO E MANEJO DAS COMPLICAÇÕES AGUDAS DO DIABETES

As complicações agudas do diabetes incluem a descompensação hiperglicêmica aguda e a hipoglicemia, ambas com grande potencial de gravidade.

Descompensação hiperglicêmica aguda

A descompensação hiperglicêmica aguda pode evoluir para complicações graves, como cetoacidose diabética e síndrome hiperosmolar hiperglicêmica não cetótica.

A cetoacidose é uma emergência endocrinológica decorrente da deficiência absoluta ou relativa de insulina, potencialmente letal, com índices de mortalidade em torno de 5%. Ocorre sobretudo em pacientes com diabetes tipo 1, sendo, diversas vezes, a primeira manifestação da doença. Pacientes com diabetes tipo 2 em geral têm reserva pancreática de insulina e, por isso, raramente desenvolvem cetoacidose, o que pode ocorrer em intercorrências como infarto agudo do miocárdio (IAM), AVC ou infecção grave.

Durante a pandemia de Covid-19, casos de cetoacidose vêm sendo descritos em pacientes com diabetes tipo 1 e tipo 2[42] e em pacientes com diabetes previamente desconhecido.[4,5]

O quadro clínico da cetoacidose consiste em polidipsia, poliuria, enurese, hálito cetônico, fadiga, visão turva, náuseas e dor abdominal, além de vômitos, desidratação, hiperventilação e alterações do estado mental. O diagnóstico é realizado por hiperglicemia (> 250 mg/dL), cetonemia e acidose metabólica (pH < 7,3 e bicarbonato < 15 mEq/L). O quadro pode agravar-se, levando a complicações como choque, distúrbio hidreletrolítico, insuficiência renal, pneumonia de aspiração, síndrome de angústia respiratória do adulto e edema cerebral em crianças.

Os principais fatores precipitantes da cetoacidose são infecção, má adesão ao tratamento (omissão da aplicação de insulina, abuso alimentar), uso de medicamentos hiperglicemiantes e outras intercorrências graves (AVC, IAM ou trauma). Indivíduos em mau controle – hiperglicêmicos ou instáveis – são particularmente vulneráveis a essa complicação.

O uso de ISGLT2 pode levar à cetoacidose (< 0,1%). O quadro é diferente, ocorre sem hiperglicemia, provavelmente decorrente do estímulo ao uso de ácidos graxos como fonte de energia desencadeado pelas mudanças hormonais e metabólicas induzidas pelos ISGLT2. Ocorre em resposta a reduções inadequadas das doses de insulina ou a qualquer fator que aumente a demanda para insulina, como estresse, doença ou até mesmo a ingestão de álcool. Pacientes tratados com um ISGLT2 devem testar para cetonas quando não se sentirem bem ou apresentarem náusea e/ou vômito, independentemente dos níveis de glicemia. O tratamento consiste em interromper temporariamente o ISGLT2, ingerir líquidos vigorosamente, consumir carboidratos sem medo de hiperglicemia e manter o uso de insulina, se fizer parte da terapia do paciente, até a resolução da cetose `C/D`.[43]

Prevenção de cetoacidose

A automonitorização glicêmica e a disponibilidade de um serviço de pronto-atendimento (telefônico ou presencial) são essenciais para a prevenção de cetoacidose.

A TABELA 36.10 apresenta os cuidados para a prevenção da cetoacidose no serviço de saúde e para os pacientes com diabetes. A TABELA 36.11 fornece as orientações para o diagnóstico e o manejo ambulatorial inicial dos pacientes com hiperglicemia acentuada. O tratamento inicial pode ser feito pelo paciente ou familiar, desde que estejam habituados com a automonitorização da cetonúria e da glicemia, e com o autoajuste da dose de insulina. Já a cetoacidose em evolução (com sinais e sintomas como náusea, vômito, dor abdominal, desidratação, alterações do estado mental, hiperventilação) requer pronto-atendimento em serviço especializado.

Prevenção de síndrome hiperosmolar hiperglicêmica não cetótica

A síndrome hiperosmolar hiperglicêmica não cetótica é um quadro de hiperglicemia grave (> 600-800 mg/dL)

TABELA 36.10 → Prevenção da cetoacidose

SERVIÇO DE SAÚDE

- → Garantir a disponibilidade de insulina, seringas e monitoramento glicêmico
- → Incluir a prevenção das complicações agudas no programa educativo
- → Planejar serviços de pronto-atendimento da descompensação aguda (contato telefônico ou consulta)
  - → Na unidade de APS, ter insumos para avaliar a cetonúria, administrar insulina e fazer hidratação venosa, enquanto se aguarda a ambulância
  - → Identificar na rede qual é o local de referência para atendimento de urgência de descompensações; se o paciente já apresenta sinais de cetoacidose em casa, se possível, deve ir direto ao serviço de urgência
- → Vigiar casos recidivantes, de controle insatisfatório, ou com dificuldades emocionais ou de aprendizagem

PACIENTES: ORIENTAÇÕES PARA QUANDO ESTIVER DOENTE (GRIPE, RESFRIADO, DIARREIA, "RESSACA DE FESTA")

- → Medir a temperatura axilar; em caso de febre, tomar 1 copo de água ou chá a cada 1-2 horas; revisar temperatura a cada 4 horas
- → Não parar insulina nem alimentação; em caso de enjoo, ingerir alimentos líquidos caseiros de sua preferência (caldo de galinha, mingau de arroz, mingau de farinha, suco de frutas)
- → Medir glicemia (e cetonúria no diabetes tipo 1) a cada 4 horas
- → Se as 2 últimas glicemias tiverem valor > 250 mg/dL, ou os 2 últimos testes de cetonúria forem positivos, procurar o médico ou serviço de pronto-atendimento
- → Se, além dessas alterações, houver vômitos, dificuldade respiratória ou sonolência excessiva, procurar logo o serviço de emergência indicado pelo clínico

APS, atenção primária à saúde.

TABELA 36.11 → Avaliação e tratamento da descompensação hiperglicêmica aguda

AVALIAÇÃO DIAGNÓSTICA

- → História: causa da descompensação (mudança e não adesão ao esquema de insulina, doenças intercorrentes, abuso alimentar)
- → Exame físico: pressão arterial, frequência cardíaca e respiratória, temperatura axilar, avaliação do estado mental e hidratação, hálito cetônico, boca, garganta e ouvidos, ausculta respiratória, exame abdominal, gânglios linfáticos, pele, exame neurológico
- → Exames complementares: glicemia capilar, cetonúria; em caso de sintomas ou sinais de infecção: exame comum de urina, radiografia de tórax, hemograma, etc.

CONDUTA

- → Glicemia > 250 mg/dL, sem cetonúria, mas com manifestações clínicas de descompensação: administrar insulina regular, em dose de 10% da dose total de insulina, e observar a cada 4 horas até estabilização; quando isso ocorre com pessoas com diabetes tipo 2, avaliar a necessidade de insulinização; havendo piora do quadro, encaminhar para serviço de emergência; se disponível, administrar soro fisiológico a 0,9% intravenoso
- → Glicemia > 250 mg/dL, com cetonúria, mas sem vômitos e sinais de desidratação: administrar insulina regular, em dose de 20% da dose de insulina diária, e revisar a glicemia em 4 horas; repetir a dose em caso de glicemia > 250 mg/dL; se não melhorar no próximo teste ou mostrar agravantes, encaminhar prontamente ao serviço de emergência; administrar hidratação oral ou soro fisiológico a 0,9% intravenoso
- → Glicemia > 250 mg/dL, com cetonúria e hálito cetônico, desidratação ou vômitos: **encaminhar para serviço de emergência prontamente**

acompanhada de desidratação e alteração do estado mental, na ausência de cetose. Ocorre apenas no diabetes tipo 2, porque o mínimo de secreção de insulina preservada previne cetogênese. A mortalidade é mais elevada do que nos casos de cetoacidose diabética, especialmente devido à idade mais elevada e à gravidade dos fatores precipitantes.

Os indivíduos de maior risco são os idosos (> 60 anos), cronicamente doentes, debilitados ou institucionalizados, com mecanismos de sede ou acesso à água prejudicados. Fatores precipitantes são doenças agudas (AVC, IAM ou infecções, em particular pneumonia), uso de glicocorticoides ou diuréticos, cirurgia, ou elevadas doses de glicose (nutrição enteral ou parenteral ou, ainda, diálise peritoneal).

A prevenção da descompensação aguda que leva à síndrome hiperosmolar é semelhante à apresentada em relação à cetoacidose diabética. Casos com suspeita ou diagnóstico de síndrome hiperosmolar hiperglicêmica não cetótica devem ser encaminhados prontamente para manejo em emergência.

Hipoglicemia

A hipoglicemia é uma queixa frequente nos atendimentos às pessoas com diabetes, especialmente quando fazem uso de insulina ou sulfonilureias. Considerando seu potencial de gravidade, é importante saber prevenir e tratar precocemente quando ocorrer hipoglicemia. As principais causas são suspensão da alimentação, atividade física não usual, dosagem excessiva de insulina, além de consumo de álcool.

A identificação dos episódios de hipoglicemia é realizada pela presença da tríade de Whipple: sintomas decorrentes da ativação simpática e da neuroglicopenia (alterações comportamentais, confusão ou coma); hipoglicemia; e resolução dos sintomas após ingerir glicose/comida. No entanto, pessoas com episódios frequentes podem apresentar hipoglicemia assintomática.

A gravidade da hipoglicemia pode ser avaliada nos seguintes três níveis, segundo a classificação da ADA:
- → **nível 1:** 54 a 69 mg/dL;
- → **nível 2:** < 54 mg/dL;
- → **nível 3:** grave – o paciente precisa de ajuda para manejar a hipoglicemia por incapacidade física ou mental.

A educação do paciente, da família e do cuidador é um importante passo no manejo da hipoglicemia. As principais medidas de educação são descritas na **TABELA 36.12**. As demais medidas para o tratamento de episódios de hipoglicemia podem ser encontradas na **TABELA 36.13**.

PREVENÇÃO DAS COMPLICAÇÕES CRÔNICAS DO DIABETES

A prevenção das complicações crônicas é um dos objetivos principais do tratamento do diabetes. Suas estratégias, conhecidas como de prevenção terciária, consistem em: identificar e controlar fatores de risco para o desenvolvimento das

TABELA 36.12 → Conteúdo de programa educativo sobre prevenção de hipoglicemia e autocuidado

- → Não deixar de fazer as 3 refeições principais; cuidados ao fazer atividade física
- → Sobretudo quem usa sulfonilureias ou insulina deve ser instruído sobre sintomas de hipoglicemia e necessidade de detecção e tratamento precoce para evitar danos; carregar consigo carboidratos de absorção rápida (tabletes de glicose, gel de glicose, ou balas)
- → Especialmente quem faz uso de insulina deve ser treinado no automonitoramento da glicemia capilar
- → Evitar consumo de álcool em doses maiores do que o permitido na dieta (> 2 doses de álcool/dia)
- → Fornecer orientação especial aos pacientes que não enxergam bem, para evitar erros de dose de insulina
- → Os pacientes com maior risco para hipoglicemia devem ser instruídos a usar um bracelete e/ou portar uma carteira informando que têm diabetes
- → Os pacientes com alto risco para hipoglicemia devem ter glucagon disponível em casa e planejar com a família e/ou amigos um esquema de ação em caso de hipoglicemia grave

TABELA 36.13 → Instruções para tratamento da hipoglicemia

Paciente	Ingerir 10-20 g de carboidrato de absorção rápida (tabletes de glicose, gel de glicose, suco adoçado com açúcar, ou balas); repetir em 10-15 minutos se necessário
Amigo ou familiar	Se o paciente não conseguir engolir, não forçar: injetar glucagon 1 mg, SC ou IM (para crianças com idade < 3 anos, dar ½ dose); se não disponível, colocar açúcar ou mel embaixo da língua ou entre a gengiva e a bochecha e levar o paciente imediatamente a um serviço de saúde
Serviço de saúde	Em caso de sinais de hipoglicemia grave, administrar glucagon SC ou IM ou 20 mL de glicose a 50% e manter veia com glicose a 10% até recuperar plenamente a consciência ou glicemia > 60 mg/dL; então, manter esquema oral, observando o paciente enquanto perdurar o pico da insulina; pacientes que recebem sulfonilureias (em especial, clorpropamida e glibenclamida) devem ser observados por 48-72 horas para detectar possível recorrência
Clínico	Revisar as metas de controle em pacientes que não reconhecem sintomatologia precoce, não atendem aos princípios básicos do tratamento ou têm padrões de vida incompatíveis com as normas preventivas

IM, intramuscular; SC, subcutâneo.

complicações; e rastrear estágios de seu desenvolvimento em que um tratamento efetivo possa parar a progressão e reduzir a incapacidade.

Alvos chamados de ABC (A1c, pressão arterial [em inglês, *blood pressure*] e colesterol) têm sido preconizados para o controle de fatores de risco, como indicado na **TABELA 36.14**, a qual também resume as estratégias e os procedimentos para detectar cada uma das complicações. Em relação ao controle glicêmico, dados representativos da população adulta brasileira indicam que 42% das pessoas com diabetes (HbA1c ≥ 6,5%) têm valores ≥ 8%, a maioria ≥ 9%.[44] Embora os alvos glicêmicos devam ser personalizados, valores de HbA1c ≥ 8% são consensualmente considerados inadequados. No planejamento do serviço, ou na escolha individual de ações terapêutico-preventivas, deve-se priorizar o controle de hiperglicemias > 8%, uma vez que os ganhos preventivos são maiores a partir desse patamar.

Doença cardiovascular aterosclerótica

As DCVs são a principal causa de mortalidade em pessoas com diabetes. O manejo clínico da DCV aterosclerótica é abordado em capítulos específicos (ver Capítulos Cardiopatia Isquêmica, Doenças Cerebrovasculares e Doenças do Sistema Arterial Periférico) e no tópico Pé Diabético deste capítulo.

Neste capítulo, a ênfase é dada à prevenção das DCVs em pessoas com diabetes. Sua abordagem preventiva baseia-se no controle dos principais fatores de risco e é semelhante à preconizada para a população em geral (ver Capítulo Prevenção Clínica das Doenças Cardiovasculares). O rastreamento rotineiro da doença (p. ex., com escore de cálcio coronariano) não está indicado. O controle de cinco fatores de risco – tabagismo e valores elevados de PA, HbA1c, colesterol LDL (do inglês *low density lipoprotein* [lipoproteína de baixa densidade]) e albuminúria – pode reduzir o risco cardiovascular aos patamares de pessoas sem diabetes (risco relativo [RR] = 1,06), como demonstrado em um grande estudo na Suécia **B**.[45] No entanto, o benefício modesto observado em ensaios clínicos de intensificação multifatorial[46] apoia dar maior ênfase para pacientes em pior controle. O hábito de fumar é o principal fator de risco para mortalidade;[45] sua cessação, quando presente, deve ser priorizada, especialmente naqueles em maior risco.[47] Deve ser oferecido suporte para a cessação do tabagismo (ver Capítulo Tabagismo).

A intensidade de controle é orientada pelo risco cardiovascular global, pois modelagens mostram que essa abordagem traz mais benefício a um menor custo do que a prevenção orientada apenas em alvos individuais de cada fator de risco.[48] Com base nesse risco, neste tópico serão abordados o controle da HAS, o controle glicêmico, o uso de estatinas e o uso de ácido acetilsalicílico.

Mudanças de estilo de vida, como a adoção de uma alimentação mais saudável, de hábitos de vida menos sedentários, da prática regular de atividade física, da redução do consumo excessivo de bebidas alcoólicas e da higiene do sono, podem contribuir para a prevenção cardiovascular, além de melhorar o controle glicêmico e a saúde em geral.

Controle da hipertensão arterial sistêmica

A HAS deve ser tratada intensivamente, embora o alvo terapêutico seja controverso. Alguns sustentam que, se alcançável sem maior esforço, o alvo deveria ser um valor < 130/80 mmHg.[49] No entanto, não está bem estabelecido qual é o benefício para essa meta mais estrita, comparativamente a um alvo ≥ 140 mmHg,[50] em pessoas com valores iniciais ≥ 140 mmHg (ver Capítulo Prevenção Clínica das Doenças Cardiovasculares).

Controle glicêmico

O controle glicêmico inadequado foi o fator mais importante no desenvolvimento de infarto do miocárdio e um dos mais importantes na morte prematura em registro de diabetes na Suécia.[45]

Alguns antidiabéticos reduzem o risco cardiovascular (ver **TABELA 36.4**). A metformina, como tratamento inicial, reduz a mortalidade cardiovascular (RRR = 19%) e geral (RRR = 33%) em pacientes com DCV estabelecida **B**.[23] A nova geração de medicamentos antidiabéticos – os arGLP1 e os ISGLT2 – também mostra redução de eventos cardiovasculares na prevenção secundária, embora com efeito modesto (RRR = 12%, com número necessário para tratar [NNT] = 75 para 3,2 anos de tratamento para arGLP1; e RRR = 14%, com NNT variando de 63-104 em dois estudos sobre ISGLT2) **B**.[51,52,40,30] Na prevenção primária, em termos absolutos, os efeitos dos arGLP1 também são pequenos (p. ex., NNT = 58 para 5,1 anos de tratamento com dulaglutida) **B**.[53] Para os ISGLT2, esses efeitos ainda são desconhecidos.

O benefício da intensificação do controle glicêmico (alvos de HbA1c < 7%) com outros fármacos, em termos absolutos, é consideravelmente menor do que o benefício obtido com anti-hipertensivos e estatinas. Ensaios de controle glicêmico intensivo na era anterior à dos fármacos arGLP1 e ISGLT2 mostraram apenas discreto benefício da intensificação do controle glicêmico na prevenção de doença arterial coronariana (NNT = 140 para 5 anos de tratamento), e nenhum benefício em termos de mortalidade por DCV ou

TABELA 36.14 → Estratégias de prevenção de complicações crônicas do diabetes

CONTROLE DE FATORES DE RISCO

FATOR	ALVOS*
HAS	< 130/80 mmHg; < 140/90 mmHg se originalmente ≥ 140/90 mmHg
Hiperglicemia	HbA1c < 7%; se necessário flexibilização, considerar alvo na faixa de 7-8%†
Tabagismo	Não fumar
Inatividade física	≥ 150-300 minutos/semana de atividade física moderada ou > 75-150 minutos/semana de atividade física vigorosa
Obesidade	Se apresentar sobrepeso ou obesidade, perda de 5% ou mais de peso
Dislipidemia	Na presença de DCV ou doença renal ou de alto risco cardiovascular, estatina com alvo de colesterol LDL < 70 mg/dL
Álcool	Se consumir bebida alcoólica, orientar consumo leve a moderado (≤ 1 dose/dia para mulheres, ≤ 2 doses/dia para homens)

RASTREAMENTO DE COMPLICAÇÕES

COMPLICAÇÃO	TESTE	QUEM FAZ	PERIODICIDADE
DCV aterosclerótica	Escore de risco (WHO CVD Risk Chart Working Group) Rastreamento rotineiro de doença (p. ex., com escore de cálcio, não é recomendado)	Indivíduos com idade > 20 anos	3-5 anos
Insuficiência cardíaca	Não é recomendado rastreamento, apenas diagnóstico clínico e tratamento		
Doença renal	Albuminúria (RAC) e TFG	Diabetes tipo 2: todos; diabetes tipo 1: 5 anos após o diagnóstico	Anualmente
		RAC > 300 mg/g de creatinina e/ou TFG 30-60 mL/1,73 m² (se confirmado)	Semestralmente
		TFG < 30 mL/1,73 m²	Referência para especialista
Neuropatia	Não é recomendado rastreamento com exame, mas deve ser feita busca ativa de sintomas	Diabetes tipo 2: todos; diabetes tipo 1: 5 anos após o diagnóstico	
Pé diabético	Risco de ulceração: história dirigida e teste com monofilamento 10 g	Todos	Anualmente ou com mais frequência, conforme risco (ver **TABELA 36.17**)
	Evidência de perda sensorial		A cada consulta
Retinopatia	Fundoscopia com dilatação por oftalmologista ou imagem analisada por oftalmologista	Diabetes tipo 2: todos; diabetes tipo 1: 5 anos após o diagnóstico	A cada 1-2 anos
		Retinopatia presente	A cada ano ou com mais frequência (ver **TABELA 36.21**)
		Planejamento de gravidez	Pré-gravidez; 1º trimestre e, após, trimestralmente; 1 ano após o parto

*Baseados principalmente na prevenção de DCV.
†No planejamento do serviço, ou na escolha individual de ações terapêutico-preventivas, priorizar o controle de hiperglicemias > 8%, uma vez que os ganhos preventivos são maiores a partir desse patamar.
DCV, doença cardiovascular; HAS, hipertensão arterial sistêmica; HbA1c, hemoglobina glicada; LDL, lipoproteína de baixa densidade; RAC, razão albumina/creatinina; TFG, taxa de filtração glomerular.

por todas as causas, com notável aumento no risco de hipoglicemia grave (número necessário para causar dano [NNH, do inglês *number needed to harm*] = 21) **A**. Comparativamente, o benefício dos anti-hipertensivos (NNT = 34) e das estatinas (NNT = 45), por tempo igual de tratamento, foi bem superior **A**.[54]

Estatinas

A indicação para o uso de estatinas é definida pelo risco global, e não pelo valor de colesterol LDL ou colesterol total.

O risco global em 10 anos de um evento cardiovascular (infarto do miocárdio, AVC ou morte cardiovascular), calibrado para adultos brasileiros com diabetes, pode ser avaliado pela tabela de peritos do WHO CVD Risk Chart Working Group[55] para a Região Tropical da América Latina (Brasil e Paraguai). (Ver QR code.) Para definir o grau de risco, é necessário obter informações apenas sobre idade, sexo, pressão arterial sistólica (PAS), tabagismo e nível de colesterol total.

O Capítulo Prevenção Clínica das Doenças Cardiovasculares discute as formas de tratamento com estatinas a partir dessa definição de risco, pressupondo como alto um risco ≥ 20%. Pontos de corte mais baixos vêm sendo recomendados por sociedades médicas, o que resultaria em uma população maior a receber tratamento.

Uma vez prescrita uma estatina, o alvo terapêutico é o nível de colesterol LDL alcançado (≤ 70 mg/dL) ou, como alternativa em prevenção primária, a redução de 25 a 30% no valor de colesterol LDL pré-tratamento. Para alcançar o alvo, pode ser necessário substituir a estatina por outra mais potente.

Ácido acetilsalicílico

O ácido acetilsalicílico está indicado na prevenção secundária para pacientes com diabetes e DCV conhecida (RRR = 12%) **A**.[56]

Na prevenção primária cardiovascular, seu uso é menos justificado. Nessa situação, o uso de ácido acetilsalicílico reduz a incidência de eventos vasculares (RRR = 11%, NNT = 95 com 5 anos de tratamento), mas aumenta em 30% a taxa de sangramentos maiores (NNH = 111 em 7 anos) **A**. (Ver Capítulo Prevenção Clínica das Doenças Cardiovasculares.)

Insuficiência cardíaca

A insuficiência cardíaca em pessoas com diabetes em geral é secundária à cardiopatia isquêmica e à HAS. Contudo, fatores associados ao diabetes também podem contribuir para sua fisiopatologia, e, em geral, ela é referida como "cardiomiopatia diabética". Na maioria dos casos, o quadro inicia com uma disfunção diastólica, que progride para insuficiência cardíaca diastólica grave com fração de ejeção preservada e que, depois, evolui, em proporção significativa de casos, para disfunção sistólica e insuficiência cardíaca com fração de ejeção reduzida.

Em pessoas com diabetes, a insuficiência cardíaca aumenta o risco de internação e de mortalidade em cerca de 2 vezes.[57] Os fatores de risco mais importantes são duração do diabetes (> 6 anos), idade avançada, doença renal, doença arterial coronariana, obesidade, HAS e mau controle glicêmico.

O controle da HAS faz parte do manejo em todas as fases da doença (ver Capítulo Hipertensão Arterial Sistêmica). O manejo farmacológico mais específico da insuficiência cardíaca não difere muito em pessoas com diabetes (ver Capítulo Insuficiência Cardíaca). Em caso de fração de ejeção reduzida, está bem documentado o benefício real dos inibidores da enzima conversora da angiotensina (IECAs) e dos β-bloqueadores **A**.[58] O carvedilol (um antagonista $β_1$/$β_2$ combinado), por melhorar não apenas a fração de ejeção, mas também o controle glicêmico, pode ser o β-bloqueador de escolha **C/D**.[59] Em relação à insuficiência cardíaca com fração de ejeção preservada (> 50%), ainda não há evidência de que reduzam eventos clínicos, incluindo mortalidade. Nesses casos, o objetivo do tratamento deve ser focado na redução dos sintomas, em geral, com diuréticos. Os demais medicamentos são recomendados apenas quando houver indicações específicas, como o controle da HAS.[60] Ao utilizar os bloqueadores dos receptores de angiotensina II (BRAs), é preciso estar atento para o risco de hipercalemia, iniciando com doses baixas e aumentando com monitoramento dos níveis de potássio. (Ver Capítulo Insuficiência Cardíaca.)

O controle glicêmico se associa a menor risco de insuficiência cardíaca, mas o controle rígido (HbA1c < 7%) em casos com fração de ejeção reduzida de moderada a grave se associa a maior taxa de mortalidade.[58]

A escolha do antidiabético na presença de insuficiência cardíaca é importante, como mostram os dados da **TABELA 36.4**. Os ISGLT2 têm efeitos favoráveis **B**, e já estão sendo utilizados até mesmo em pessoas sem diabetes.[58] As TZDs **A** e os iDPP4 **B** são prejudiciais, embora a evidência de um efeito de classe para os iDPP4 seja menos clara. A metformina, as sulfonilureias, a insulina e os arGLP1 têm efeitos neutros **B**.

Doença renal

Cerca de 20 a 40% dos pacientes com diabetes desenvolvem algum grau de doença renal, sendo que 3% alcançam taxa de filtração glomerular (TFG) < 30 mL/min/1,73 m².[61] Fatores de risco incluem controle inadequado da hiperglicemia, tabagismo, sedentarismo, HAS, dislipidemia e duração de diabetes.

A mortalidade prematura em pessoas com diabetes e nefropatia associa-se à uremia e à DCV. Em muitos países, é a principal causa de início de diálise. É chamada, em geral, de nefropatia diabética, embora a avaliação histológica nem sempre apresente achados clássicos dessa condição. Por essa razão, é importante considerar causas não diabéticas de doença renal crônica, especialmente na presença das seguintes situações:[62]

→ ausência de retinopatia diabética;
→ TFG com rápido declínio;
→ aumento rápido de proteinúria ou síndrome nefrótica;
→ hipertensão refratária;
→ sedimento urinário ativo;
→ sinais ou sintomas de outra doença sistêmica.

Rastreamento e diagnóstico

O rastreamento da doença renal crônica em pacientes com diabetes tipo 2 já inicia no diagnóstico, e, em pessoas com diabetes tipo 1, 5 anos após o diagnóstico.

A progressão da nefropatia é evitável em estágios iniciais, podendo haver inclusive regressão. O acompanhamento é feito pela TFG e pela albuminúria. Estágios de risco progressivo foram definidos por valores crescentes de razão albumina/creatinina (RAC < 30, 30-300 e > 300 mg/g) urinária e por perda progressiva da TFG (TFG > 90, 60-89, 45-59, 30-44, 15-29, < 15 mL/min/1,73 m²), referidos segundo a classificação KDIGO (Kidney Disease: Improving Global Outcomes) (ver QR code).

A albuminúria é analisada em amostra urinária matinal (primeira da manhã) ou casual e é expressa pelo índice albumina/creatinina (normal < 30 mg/g de creatinina), que ajusta para variações dependentes de diferentes graus de hidratação.[63]

A TFG é calculada pela fórmula da CKD-EPI (Chronic Kidney Disease Epidemiology Collaboration) a partir da dosagem de creatinina sérica (valor normal > 60 mL/min/1,73 m²). (Ver QR code.)

A excreção diária de albumina urinária é muito variável. Resultados falso-positivos podem ocorrer nas seguintes situações: exercício físico intenso nas últimas 24 horas, doença aguda febril, hematúria e/ou leucocitúria, contaminação com secreção vaginal, descompensação diabética, crise hipertensiva e insuficiência cardíaca congestiva. Resultados falso-negativos podem ocorrer pelo uso de anti-inflamatórios não esteroides (AINEs) em doses elevadas e de IECAs; sua suspensão para realização do exame deve ser julgada caso a caso. A presença de bacteriúria não interfere, de forma apreciável, nas medidas de albuminúria, não sendo necessário, como rotina, realizar urocultura concomitante.[64] Exames anormais de albuminúria requerem confirmação com 2 resultados alterados em 3 amostras colhidas em intervalo de 3 a 6 meses.

Pessoas com exames normais são reavaliadas anualmente. Pessoas com exames anormais são acompanhadas a cada 6 meses.

Considera-se como **doença renal crônica** a presença de TFG < 60 mL/min/1,73 m² ou evidência de lesão na estrutura renal (p. ex., albuminúria) por 3 meses ou mais. Em idosos, a distinção entre um estado fisiológico e um processo patológico é mais difícil, e não está claro se uma perda pequena de função renal representa doença ou não.

Prognóstico

Quando a perda da função renal começa a se manifestar, observa-se um declínio contínuo em direção à insuficiência renal crônica, terapia de substituição renal, ou morte. Com base em estudos anteriores à disponibilidade atual de tratamentos, a taxa de perda de TFG era da ordem de 7 a 12 mL/min/1,73 m^2 por ano. O tratamento com inibidores do sistema renina-angiotensina reduz essa taxa de declínio para 3 a 6 mL/min/1,73 m^2 por ano. Na fase de proteinúria clínica, o maior preditor de deterioração é o grau de proteinúria.[65]

A queda da mortalidade por DCV vem alterando o perfil de complicações em pacientes com nefropatia diabética, aumentando o risco de progressão para doença renal terminal em 100% e de mortalidade devida à doença renal em 50%.[66] Além disso, em pacientes com TFG < 60 mL/min/1,73 m^2, o risco de eventos cardiovasculares é 79% maior, e o risco de mortalidade geral, 41% maior que o risco em pacientes com TFG ≥ 60 mL/min/1,73 m^2.[67]

Acompanhamento e manejo

Para mais detalhes, ver Capítulo Doença Renal Crônica.

Controle metabólico e anti-hipertensivo

O controle metabólico e anti-hipertensivo, bem como o uso de IECAs, ISGLT2 (RRR = 30-45%) **A**[68,69] e alguns dos arGLP1 (RRR = 17%) **A**,[70] além de prevenir/retardar o aparecimento da nefropatia, retardam sua progressão.

O controle glicêmico intensivo em pacientes com diabetes tipo 1 reduz em 40% a progressão da nefropatia **A**.[71] Em pacientes com diabetes tipo 2, o efeito do controle intensivo (HbA1c < 7%) é menor, tanto na prevenção de nefropatia **B** quanto na progressão para doença renal terminal **B** (NNT = 627 para 5 anos de tratamento intensivo em ensaios clínicos),[54] permitindo alvos glicêmicos mais flexíveis (HbA1c < 8%) e foco em outros meios de proteção renal.

O controle da PA é muito efetivo. Na ausência de albuminúria, o risco de progressão é baixo e a proteção alcançada pelos IECAs e BRAs não é superior àquela obtida por diuréticos ou bloqueadores dos canais de cálcio.[72]

No entanto, na presença de microalbuminúria persistente ou em estágios mais avançados da nefropatia, recomenda-se alvo pressórico < 130/80 mmHg **B**, utilizando esquemas terapêuticos com IECAs ou outros fármacos que atuam no sistema renina-angiotensina-aldosterona (SRAA).[73,74] Os IECAs e os bloqueadores dos receptores da angiotensina são igualmente eficazes em reduzir a albuminúria. Reduzem em 27% o risco de insuficiência renal terminal **B** e em 25% o risco de progressão da nefropatia (duplicação da creatinina sérica) **A** na presença de albuminúria.[75] Recomenda-se iniciar com um IECA, deixando os BRAs para quando houver intolerância aos IECAs (p. ex., tosse). Inicia-se com doses-padrão, aumentando-as de forma gradativa com o objetivo de atingir níveis de PA ≤ 130/80 mmHg **C/D**. Como em outras situações de intensificação terapêutica, a qualidade de vida precisa ser considerada, sendo muitas vezes necessário usar alvos pressóricos mais flexíveis.

A combinação de IECAs com BRAs não está indicada, pois há indícios de que esteja associada a um aumento na mortalidade em pacientes com doença renal crônica **A**.[76] A espironolactona reduz a albuminúria **C/D**, mas não tem efeito na TFG. O alisquireno aumenta o risco de hipercalemia e hipoglicemia, e seu uso não está indicado em pessoas com diabetes **B**.[77]

Os IECAs, mas não os BRAs, reduzem a mortalidade geral e o risco de albuminúria em pacientes hipertensos com diabetes, mas sem doença renal. Como nenhum dos dois reduz o risco de doença renal terminal em pacientes normotensos sem doença renal **B**,[78] seu uso preventivo não é recomendado nessa situação **B**.[63]

Outras intervenções

A restrição proteica (< 0,8 g/kg/dia) reduz a albuminúria e a proteinúria, mas não tem efeito sobre a TFG em pacientes com diabetes tipo 2 **C/D**. A substituição da carne vermelha pela carne de galinha, esta rica em ácidos graxos poli-insaturados, pode reduzir a excreção urinária de albumina em pacientes com diabetes tipo 2 com micro ou macroalbuminúria **C/D**.[79,80] A redução da proteína dietética para valor < 0,8 g/kg/dia não é recomendada.[6]

A suspensão do tabagismo associou-se a menor risco de progressão para macroalbuminúria e a menor queda da TFG **C/D**.[81]

As estatinas reduzem a albuminúria e conferem um pequeno benefício na queda da TFG, mas não na prevenção da progressão à doença renal terminal **A**.[82] Dessa forma, o tratamento da dislipidemia deve seguir as recomendações usuais e não deve ter como objetivo a prevenção da nefropatia. Em pacientes em diálise, o uso de estatinas não reduz eventos cardiovasculares globais e pode aumentar o risco de AVC **C/D**.[83]

Encaminhamento

O encaminhamento para um especialista com experiência no manejo da nefropatia diabética é recomendado nas seguintes situações:

→ suspeita de nefropatia por outras causas, incluindo estenose da artéria renal. A biópsia renal não é necessária rotineiramente para o diagnóstico, só sendo indicada se houver suspeita forte de outra causa de doença renal;
→ RAC > 70 mg/g (a menos que tenha sido claramente causada por diabetes);
→ RAC > 30 mg/g com hematúria;
→ TFG < 30 mL/min/1,73 m^2;
→ perda rápida de função renal (> 15 mL/min/1,73 m^2 por ano);
→ HAS malcontrolada apesar do uso de pelo menos 4 medicamentos anti-hipertensivos em doses terapêuticas;
→ outras situações de manejo mais complicado.

Neuropatia diabética: diagnóstico e manejo

A neuropatia diabética é uma complicação muito comum. Estima-se que cerca da metade dos casos de diabetes desenvolverá neuropatia ao longo da vida. Em pacientes com diabetes tipo 2, cerca de 13% já apresentam neuropatia diabética logo após o diagnóstico. Entre os demais, com bom controle, apenas 10% desenvolvem neuropatia em 13 anos. No entanto, em pessoas de maior risco, como aqueles com doença arterial coronariana, cerca da metade apresenta neuropatia diabética; entre os que não apresentam, 70% desenvolvem neuropatia em 4 anos.[84]

O controle glicêmico estrito em pacientes com diabetes tipo 1 reduz em 54% a incidência de neuropatia clínica (NNT = 56 por ano) **B**.[84] Esse efeito no diabetes tipo 2 é menos claro **B**.[85] Além do controle glicêmico, outras medidas preventivas também são importantes, como maior atividade física e controle da PA, dos lipídeos séricos e do peso **C/D**.[84]

Formas clínicas

O quadro clínico da neuropatia diabética é variado, desde formas assintomáticas até quadros fisicamente incapacitantes. (Ver QR code.) Os sinais e sintomas dependem de sua localização, que pode ocorrer em fibras nervosas sensoriais, motoras e/ou autonômicas.

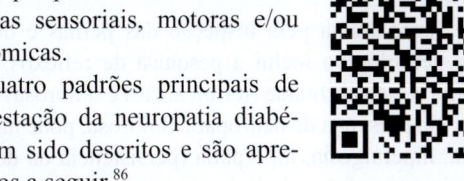

Quatro padrões principais de manifestação da neuropatia diabética têm sido descritos e são apresentados a seguir.[86]

Localização em membros inferiores, mãos e punhos

É a forma mais comum de neuropatia diabética periférica, sendo chamada de **polineuropatia distal simétrica** (PNDS), e pode manifestar-se já no diagnóstico de diabetes tipo 2. Seu estágio inicial é assintomático, evoluindo de forma lenta, simétrica e progressiva com perda de sensibilidade, dormência e, muitas vezes, parestesias e/ou dor. Inicialmente, manifesta-se nos membros inferiores, mas depois também em membros superiores, podendo apresentar sintomas autonômicos. Compromete inicialmente fibras sensitivas finas, depois largas e, por fim, as motoras e autonômicas. Em estágios avançados, pode ocorrer limitação funcional com alto risco para ulceração nos membros inferiores.

Com esse padrão de localização, também pode ocorrer neuropatia induzida por tratamento, causada por controle glicêmico agressivo, que tende a resolver com o tempo.[86]

Neuropatia do plexo radicular

Na neuropatia do plexo radicular (também chamada de polirradiculopatia lombossacral e amiotrofia motora), o padrão de apresentação é sensitivo-motor assimétrico. O início é insidioso, com um quadro clínico de dor e atrofia muscular intensa na cintura pélvica, nas nádegas e coxas, podendo apresentar sintomas autonômicos. Pode comprometer segmentos cervicobraquiais, torácicos, abdominais ou lombossacrais isoladamente ou de forma concomitante.

É importante afastar doenças da coluna vertebral ou da medula espinal, e pode ser necessária a avaliação de um neurologista. O prognóstico geralmente é favorável, podendo resolver mesmo sem intervenção terapêutica.

Formas focais ou multifocais assimétricas

As formas de mononeuropatias focais devem ser diferenciadas de tumor, aneurisma e hipertensão intracraniana. Sua recuperação é quase total em um período de 2 semanas a 18 meses.

A **mononeurite compressiva** tem início insidioso, com sintomas sensitivos, podendo ter acometimento motor em locais específicos de compressão, como o nervo mediano do punho (síndrome do túnel do carpo), o nervo ulnar no cotovelo, o nervo fibular e nervos plantares (síndrome do túnel do tarso). Manifesta-se por dor e parestesias nas mãos, nos antebraços ou nos pés e por hipotrofia dos pequenos músculos das mãos e/ou dos pés. É causada por múltiplos microtraumas associados a edema e hiperglicemia. Seu curso é geralmente progressivo, podendo haver algumas formas mais graves que requerem intervenção cirúrgica.

Uma forma rara de manifestação é a **mononeuropatia aguda**. Seu início é súbito, de natureza assimétrica e curso autolimitado (6-8 semanas). Em geral, ocorre em pessoas idosas em associação à isquemia vascular. Os sintomas são sensitivos (dor e parestesias) e motores, decorrentes do território suprimido pelo nervo afetado. Afetam nervos cranianos (oculomotor, facial e troclear) e nervos periféricos (ulnares e fibulares). Podem levar a déficit motor como paralisia facial, oculomotora e ciático-poplítea. Também pode ocorrer uma manifestação com forte dor na região intercostal.

Neuropatia autonômica e neuropatia associada ao tratamento

A neuropatia autonômica pode comprometer os sistemas cardiovascular, gastrintestinal, urogenital, sudomotor, da motilidade pupilar e da resposta à hipoglicemia. Envolve fibras finas amielínicas (fibras C) periféricas e resulta de alterações metabólicas. Em geral, os casos são assintomáticos e subdiagnosticados, mas estima-se que aproximadamente 50% dos pacientes com diabetes tipo 1 e 70% dos pacientes com diabetes tipo 2 apresentem algum envolvimento autonômico, embora apenas 14% apresentem formas moderadas a graves.[86]

No **sistema cardiovascular**, a neuropatia autonômica pode permanecer assintomática durante muito tempo e então manifestar-se por uma resposta anormal da FC a diferentes estímulos, como a respiração profunda, levantar-se do decúbito e a manobra de Valsalva. Pessoas com esse tipo de neuropatia apresentam maior risco de hipoglicemia grave (RR = 2,4) e maior mortalidade cardiovascular (RR = 3,6),[87] provavelmente por arritmias ou isquemia silenciosa. Deve-se suspeitar de neuropatia autonômica cardiovascular na presença de taquicardia de repouso e/ou hipotensão postural. A hipotensão postural é comum e pode ser suspeitada quando, ao levantar, o paciente se queixa de náuseas, astenia, tonturas, alterações visuais ou síncope. Esses sintomas se acentuam com o uso de diuréticos, vasodilatadores e fenotiazinas. O diagnóstico é confirmado quando há redução da PAS em valor ≥ 20 mmHg e/ou da pressão arterial diastólica (PAD) em valor ≥ 10 mmHg 3 minutos após a mudança da posição deitada para a posição em pé. Pode ser diferenciada da hipovolemia ou do efeito de alguns fármacos pela ausência de taquicardia reflexa.

No **trato gastrintestinal**, são comuns alterações do hábito intestinal, mas sua ocorrência é subestimada na clínica. As duas formas mais graves são a gastroparesia e a enteropatia. A gastroparesia associa-se a anorexia, emagrecimento, dispepsia, náuseas e vômitos de estase. A enteropatia manifesta-se por diarreia noturna, incontinência fecal e constipação; a diarreia pode ser muito intensa e sua duração pode variar de horas a semanas. O diagnóstico é sempre de exclusão, sendo necessária investigação de lesão estrutural do trato gastrintestinal, má absorção ou até mesmo exclusão da causa por uso de opioides, metformina, arGLP1, laxativos ou adoçantes (sorbitol).

No **trato urinário**, pode ocorrer a chamada bexiga neurogênica, com retenção, incontinência e infecções urinárias. O diagnóstico baseia-se na demonstração de resíduo vesical após a micção espontânea e deve ser considerado na presença de infecções urinárias de repetição, dilatação do sistema coletor renal ou perda de função renal. A disfunção erétil pode ser a primeira manifestação da neuropatia autonômica, compartilhando outros mecanismos patogênicos, como aterosclerose da artéria pudenda interna. Acarreta grande impacto psicossocial e importante redução da qualidade de vida.[86] (Ver Capítulo Problemas Urológicos Comuns.)

A **neuropatia sudomotora** manifesta-se pela anidrose plantar, com pele seca, fissuras e hiperqueratose nos pés, favorecendo o surgimento das úlceras neuropáticas.

A **neuropatia pupilar** causa dificuldade para visão noturna ou quando se acende a luz em um quarto escuro, o que exige cuidados ao conduzir veículos à noite.

A **neuropatia com perda ou deficiência na percepção da hipoglicemia** pode resultar em perda da consciência ou convulsões por hipoglicemia, sem que sejam percebidos os sinais clássicos de alerta (sintomas adrenérgicos).

Por fim, citam-se ainda **neuropatias associadas ao tratamento**, que incluem casos raros de neurite insulínica, neuropatia hipoglicêmica, neuropatia pós-cetoacidose e neuropatia da caquexia.

Rastreamento e diagnóstico

Não há evidências de que o diagnóstico precoce da neuropatia diabética possibilite intervenções que mudem sua progressão. Contudo, avaliar os sintomas no diagnóstico e depois, periodicamente, é importante para auxiliar no manejo de cada paciente. Por exemplo, a identificação de seu acometimento nos membros inferiores possibilita a caracterização do risco de lesões que podem evoluir para casos graves de amputação em membros inferiores.

O diagnóstico de neuropatia diabética é, em geral, de exclusão. Em casos com suspeita de neuropatia diabética periférica, devem-se considerar outras causas de neuropatia, incluindo toxinas (p. ex., álcool), medicamentos neurotóxicos (p. ex., quimioterapia), deficiência de vitamina B_{12}, hipotireoidismo, doença renal, câncer (p. ex., mieloma múltiplo, câncer do pulmão), infecções (p. ex., HIV), polineuropatia desmielinizante inflamatória crônica, neuropatias hereditárias e vasculites.

História clínica

Os sintomas mais frequentes são dor, parestesias, fraqueza muscular, insensibilidade nas extremidades, tonturas posturais, diminuição ou perda dos sinais de alerta para hipoglicemia, diarreias frequentes, náuseas, vômitos, disfunção sexual e de esfíncteres.

Em geral, a dor é distal, afetando uma área em formato de bota e luva, e é descrita como "em queimação", profunda, com exacerbação no repouso; algumas vezes é difusa, com parestesias e cãibras. Os sintomas começam nos dedos dos pés e se espalham em direção proximal, depois alcançando os dedos das mãos quando os sintomas dos membros inferiores tiverem alcançado os joelhos. Geralmente as dores ocorrem em repouso.

Se não relatados, revisar também sintomas negativos, como perda de sensibilidade no membro envolvido ou redução de resposta a um determinado estímulo (tato, calor ou dor).

Exame físico

O exame físico inicia pela inspeção das pernas e dos pés. O exame neurológico inclui a pesquisa de reflexos, sensação vibratória, sensibilidade (térmica, tátil e dolorosa) e força muscular. Na presença de neuropatia dolorosa, pode haver hiperestesia, hiperalgesia, hiperpatia (persistência da dor após remoção do estímulo) e alodinia (dor com estímulos não dolorosos). A neuropatia pode evoluir para perda das sensações dolorosa (picada de agulha), térmica (principalmente do frio), vibratória e de propriocepção. Quando estabelecida, apresenta-se em distribuição de bota e luva. Indivíduos com casos graves apresentam dificuldade para caminhar nos calcanhares.

Testes para identificação de neuropatia autonômica cardiovascular, apesar de simples, não estão disponíveis rotineiramente, exigindo uma pessoa treinada para sua aplicação e interpretação.[87] O diagnóstico, portanto, depende muito da suspeita clínica. As medidas da PA e da FC com o paciente deitado e em pé podem ser úteis para identificar hipotensão postural em casos mais graves. A preservação da capacidade de identificar a temperatura e a picada de agulha em ambas as pernas sugere preservação da função autonômica cardíaca (sensibilidade e especificidade para detecção de neuropatia autonômica cardíaca de 89% e 73%, respectivamente).[88]

Consulta neurológica para testes adicionais deve ser solicitada se um paciente com dormência, formigamento, dor e/ou fraqueza apresentar características atípicas, como apresentação aguda ou subaguda da neuropatia, sintomas menores perifericamente, e predominância motora e/ou assimetria de sinais e/ou sintomas neuropáticos (ver Leitura Recomendada). Estudo eletromiográfico com avaliação da velocidade de condução pode ajudar nos casos mais atípicos.

Tratamento

Neuropatias sensitivas

O controle glicêmico pode evitar a progressão da neuropatia em pessoas com diabetes tipo 2 **C/D**.[84] Além disso, o controle glicêmico pode melhorar sinais e sintomas da neuropatia.[85]

Dependendo da gravidade dos sintomas, podem-se utilizar medicamentos, como os listados na **TABELA 36.15**. Há poucos estudos que comparam a eficácia dos fármacos entre si para poder avaliar melhor suas vantagens e desvantagens. A escolha baseia-se na gravidade da neuropatia e no custo e/ou frequência de efeitos colaterais de cada medicamento.[84] Na ausência de resposta com um dos medicamentos, pode-se tentar outro da lista. Na resposta parcial, pode-se combinar outro dentre os fármacos listados.

Em geral, os antidepressivos inibidores da recaptação da serotonina e da norepinefrina (IRSNs), como a duloxetina e a venlafaxina, apresentam os melhores resultados. Seus eventos adversos são leves ou moderados e incluem náusea, sonolência, sudorese, tontura, constipação, fadiga, insônia, vômitos, boca seca e anorexia. Embora antidepressivos tricíclicos (ADTs) também apresentem benefícios, devem ser usados com cautela na presença de neuropatia autonômica ou distúrbios de condução cardíaca. As taxas de efeitos colaterais são altas (> 60%), os mais comuns sendo boca seca, tontura postural e fadiga. É frequente a descontinuação de seu uso. A amitriptilina o ADT mais estudado, apresenta também sonolência.

Os anticonvulsivantes em geral apresentam benefício modesto. Entre seus efeitos colaterais mais comuns estão a tontura e a sonolência. O ácido valproico não se mostrou mais efetivo que o placebo.[89]

Entre outros medicamentos, uma opção adicional é o ácido lipoico, um suplemento dietético que apresenta poucos paraefeitos. O creme de capsaicina também pode ser utilizado. Outra modalidade terapêutica é a estimulação eletromagnética, que traz benefício de curto prazo (TE = −1,31 e −2,62; período < 12 semanas), mas não de longo prazo C/D.[89]

Devem-se evitar analgésicos opioides (tapentadol, tramadol, oxicodona), cujo efeito é apenas modesto (TE = −0,57) C/D e cujos paraefeitos são frequentes, incluindo o risco de dependência.

Sistema cardiovascular

Não existe tratamento específico para a cardiopatia autonômica neuropática. Algumas orientações são úteis:

→ medicamentos que agravam a hipotensão, como os ADTs e as fenotiazinas, devem ser evitados C/D;
→ medidas gerais, como elevação da cabeceira do leito, manter hidratação e uso de meias elásticas, podem atenuar os sintomas;
→ alimentação frequente e em pequenas quantidades pode evitar a hipotensão pós-prandial;
→ atividade física (aeróbica ou de resistência) melhora os índices fisiológicos;
→ levantar devagar e tensionar os músculos das pernas pode ajudar a evitar sintomas de hipotensão ortostática C/D.[90]

Casos muito sintomáticos que não respondem a essas medidas podem beneficiar-se de fludrocortisona (mineralocorticoide, 0,05 mg ao deitar-se, com aumento gradual até 0,2 mg/dia) C/D.[87,90] Seu uso em pacientes com HAS deve ser feito com cautela porque aumenta os valores pressóricos.

Trato gastrintestinal

Uma vez excluídas outras causas, o tratamento de neuropatia autonômica do trato gastrintestinal é sintomático.

Para casos de gastroparesia, recomenda-se ingestão de refeições pequenas, bem antes da hora de deitar-se, e controle de fatores que possam exacerbar os sintomas (hiperglicemia, alterações hidreletrolíticas, e antagonistas do cálcio, clonidina e ADTs). Pode-se optar pelo uso de agentes pró-cinéticos/antieméticos, como dimenidrinato 50 mg, 3 ×/dia, ou metoclopramida, este por um período máximo de 12 semanas devido aos paraefeitos com o uso crônico. Uma alternativa para tratamento mais demorado, mas que exige monitoramento do intervalo QT no eletrocardiograma, é a domperidona, 5 mg, 15 minutos antes das refeições, dose máxima de 10 a 20 mg, 3 ×/dia C/D.[91]

No caso de enteropatia com predomínio de constipação, recomenda-se dieta com alto teor de fibras, agentes formadores de bolo fecal e laxantes osmóticos (ver Capítulo Problemas Digestivos Baixos). Se a diarreia for a principal queixa, deve-se considerar uso de antibiótico para tratamento de má absorção por supercrescimento bacteriano (amoxicilina 500 mg + clavulanato 125 mg, de 8/8 horas;

TABELA 36.15 → Fármacos utilizados no tratamento de neuropatia

FÁRMACO	DOSE	FREQUÊNCIA	DOSE MÁXIMA DIÁRIA	VIA DE ADMINISTRAÇÃO	EFEITO CONTRADOR (TE)
ANTIDEPRESSIVOS TRICÍCLICOS					
Amitriptilina	10-25 mg	1×/dia	25-100 mg	VO	−0,72 C/D
Imipramina	25 mg	1×/dia	200 mg	VO	NS
Nortriptilina	10-25 mg	1×/dia	25-100 mg	VO	NS
Desipramina	10-25 mg	1×/dia	25-100 mg	VO	NS
ANTICONVULSIVANTES					
Oxcarbazepina	300 mg	3×/dia	1.600 mg	VO	−0,45 C/D
Gabapentina	100-300 mg	1-3×/dia	900-3.600 mg	VO	NS C/D
Pregabalina	25-75 mg	1-3×/dia	300-600 mg	VO	−0,34 C/D
Carbamazepina	300 mg	3×/dia	1.600 mg	VO	C/D *
ANTIDEPRESSIVOS INIBIDORES DA RECAPTAÇÃO DA SEROTONINA E DA NOREPINEFRINA					
Duloxetina	20-30 mg	1×/dia	120 mg	VO	−1,33 B
Venlafaxina	37,5 mg	1×/dia	75-225 mg	VO	−1,53 B
OUTROS					
Ácido α-lipoico	600 mg	1×/dia	1.800 mg	VO	−0,54 a −2,64 C/D
Capsaicina Creme	0,075%	3-4×/dia		Tópico	C/D NS

*Efeito incerto, apenas um estudo de qualidade baixa.[89]
NS, diferença em ensaios clínicos randomizados sem significância clínica; TE, tamanho de efeito; VO, via oral.
Fonte: Adaptada de Dy e colaboradores[89] e Feldman e colaboradores.[84]

metronidazol 250 mg, de 8/8 horas; ou norfloxacino 400 mg, de 12/12 horas, por 14 dias) e emprego de agentes constipantes (p. ex., loperamida) C/D.[91]

Trato urogenital

Casos de bexiga neurogênica devem ser orientados a realizar manobras regulares de esvaziamento completo da bexiga, como a manobra de Credé. Essa manobra consiste em colocar as mãos logo abaixo da área umbilical (uma mão acima da outra) e pressioná-las firmemente para baixo e em direção ao arco pélvico, repetindo-se o procedimento 6 ou 7 vezes até que não seja expelida mais urina; espera-se alguns minutos e repete-se o procedimento mais uma vez para garantir o esvaziamento completo C/D.

Havendo dificuldade com esse procedimento ou na presença de infecções urinárias recidivantes/persistentes (ver Capítulo Infecção do Trato Urinário), deve-se encaminhar o paciente ao urologista.

Pode haver necessidade de cateterismo intermitente (ver Capítulo Problemas Urológicos Comuns).

Para o manejo de impotência no homem e dispareunia e redução da libido na mulher, ver Capítulo Abordagem da Sexualidade e Suas Alterações.

Pé diabético

O pé diabético é responsável por 20% das internações em pessoas com diabetes. Do total de amputações não traumáticas de membros inferiores, 40 a 70% são associadas ao pé diabético; 85% delas são precedidas de ulcerações, com neuropatia periférica, deformidades no pé e traumatismos. Além da alta morbidade associada ao pé diabético, a condição também gera altos custos sociais e econômicos.

Deformidades dos pés (como dedos "em garra" e aumento do arco plantar), associadas à perda sensorial por neuropatia periférica e à diminuição da mobilidade articular, levam a um aumento da pressão em áreas de apoio corporal e em proeminências ósseas, ocasionando dano tecidual. Esse dano por lesões repetidas gera calos, bolhas, ferimentos superficiais e, em último caso, úlceras de pele. A incidência de úlcera ao longo da vida em paciente com diabetes varia entre 19 e 34%. A reincidência, após cicatrização, é de 40% em 1 ano e 65% em 3 anos.[92]

> A implementação de medidas preventivas e a identificação do pé em risco e seu manejo inicial são ações fundamentais na APS. As ulcerações nos membros inferiores exigem um atendimento complexo e multidisciplinar, podendo ser necessário envolver também outros especialistas. O *Manual do pé diabético* do MS inclui todos esses aspectos. (Ver QR code.)

As úlceras no pé podem ter um componente predominantemente isquêmico ou neuropático, e a caracterização de um pé como isquêmico ou neuropático pode ser útil para a prevenção e o manejo das úlceras.

O **pé isquêmico** caracteriza-se por história de claudicação intermitente e dor em repouso, que piora com o exercício ou a elevação do membro. À inspeção, observam-se rubor postural do pé e palidez à elevação do membro inferior. Ao exame físico, o pé apresenta-se frio, com ausência dos pulsos tibial posterior e pedioso dorsal. A presença de um dos pulsos sugere não haver insuficiência vascular importante. A presença de ulceração, necrose de pele ou gangrena caracteriza insuficiência vascular grave, que deve ser manejada com urgência.

O **pé neuropático** caracteriza-se por alteração da sensibilidade dos membros inferiores. Na história, o paciente pode referir sintomas como formigamentos, sensação de queimação que melhora com exercício ou diminuição da sensibilidade, como perder o sapato sem notar ou lesões traumáticas assintomáticas. No entanto, muitos pacientes com perda de sensação detectada clinicamente são assintomáticos. Ao exame, o pé neuropático pode apresentar temperatura elevada por aumento do fluxo sanguíneo, podendo ser difícil diferenciá-lo de um pé com infecção de tecidos moles. O achado mais importante é a diminuição da sensibilidade protetora. Pode-se observar também atrofia da musculatura interóssea, aumento do arco plantar, dedos "em garra" e calos em áreas de aumento de pressão.

Diagnóstico

O exame abrangente do pé é feito no diagnóstico de diabetes e depois periodicamente de acordo com o grau de risco de ulceração. As partes do pé com maior risco de ulceração são apresentadas na FIGURA 36.2. (Ver também FIGURA 3.9 do QR code.)

No diagnóstico, deve-se avaliar se há insuficiência vascular, neuropatia periférica com perda de sensibilidade, deformidades e presença de úlcera. O exame inclui teste de sensibilidade protetora, palpação dos pulsos dos pés, inspeção para detecção de calo abundante, falta de mobilidade ou qualquer deformidade, e inspeção dos sapatos.

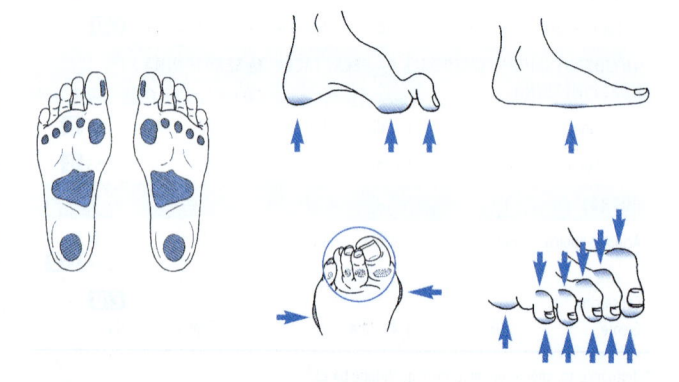

FIGURA 36.2 → Áreas do pé em maior risco de ulceração.
Fonte: International Working Group on the Diabetic Foot.[92]

A perda de sensibilidade protetora aferida pelo teste com monofilamento de 10 g (estesiômetro) está associada a maior risco de ulceração. O teste pode ser feito rotineiramente com o cuidado de não utilizar os monofilamentos mais de 10 vezes em uma sessão e para deixá-los em repouso por 24 horas para retornar à tensão entre as sessões. O teste é realizado com 3 repetições, intercalando aplicações do monofilamento com aplicações falsas. O teste é considerado normal em um determinado ponto quando o paciente afirma corretamente que sente no mínimo 2 das 3 aplicações. As aplicações são feitas nos locais de maior pressão, em geral 8 a 10 dos locais indicados na FIGURA 36.2.

Na indisponibilidade do monofilamento, um diapasão de 128 Hz pode ser aplicado na parte onde o osso é superficial no dorso da falange distal do hálux e nos maléolos. Na falta desses instrumentos, indica-se tocar levemente nas pontas dos dedos dos pés do paciente com a ponta do dedo indicador por 1 a 2 segundos. O teste de Ipswich padronizou esse procedimento com bons resultados.[93] Pode ser feito em 6 locais (hálux, terceiro dedo e dedo mínimo dos pés) ou 8 locais (adicionalmente no dorso dos 2 hálux). Se o paciente não detectar pressão em dois ou mais locais, isso significa maior risco de ulceração.

Avaliação de risco

Os aspectos principais da avaliação de risco estão apresentados na TABELA 36.16. Uma versão simplificada para exame em 3 minutos está disponível. (Ver QR code.) O risco é maior quando houver perda de sensibilidade protetora, presença de doença arterial periférica ou deformidades, e especialmente quando houver história prévia de úlcera, amputação ou doença renal.

O monitoramento periódico pode ser feito anualmente ou a cada consulta, de acordo com a classificação do risco (TABELA 36.17). Outras condições que indicam aumento de risco e necessidade de maior frequência do rastreamento são:

→ calos, calosidades nos pés, micoses (interdigital ou ungueal), unhas encravadas, deformidades nos pés e pododáctilos;
→ limitação da mobilidade articular;
→ limitações físicas (p. ex., cegueira ou redução da visão) ou cognitivas para o autocuidado;
→ baixo nível de conhecimento sobre cuidados preventivos do paciente e da equipe de saúde;
→ péssimas condições de higiene;
→ baixo nível de escolaridade e pobreza;
→ pouco apoio familiar ou de amigos no dia a dia;
→ residência em instituição de longa permanência.

Manejo de pacientes em risco

O manejo depende do grau de risco de cada paciente.[92]

Risco muito baixo

Monitorar anualmente os aspectos principais já avaliados na ocasião do diagnóstico de diabetes, incluindo teste de sensibilidade protetora, palpação dos pulsos pediosos e tibiais posteriores, inspeção para detecção de calo abundante, falta de mobilidade ou qualquer deformidade, e inspeção dos sapatos.

Risco baixo ou moderado

A cada consulta, fazer a avaliação abrangente dos pés (ver TABELA 36.16). Enfatizar a importância dos cuidados com os pés, revisando com o paciente um plano de cuidados.

TABELA 36.16 → Avaliação abrangente do pé em risco: inicial e no monitoramento periódico

História	Indagar sobre úlceras, e quando apropriado, amputações, doença renal em estágio terminal, educação anterior sobre pé em risco, isolamento social, acesso precário a cuidados de saúde e restrições financeiras, dor (ao caminhar ou em repouso) ou dormência no pé, claudicação
Estado vascular	Palpar os pulsos pedioso e tibial posterior
Pele	Avaliar cor da pele, temperatura, presença de calo ou edema, sinais pré-ulcerativos
Osso/articulação	Verificar se há deformidades (p. ex., dedos em garra ou martelo), proeminências ósseas anormalmente grandes, ou mobilidade articular limitada. Examinar os pés com o paciente deitado e em pé
Perda de sensação de proteção	Avaliar contra exame anterior se a sensibilidade protetora estava intacta
Calçados	Identificar calçados mal-ajustados, inadequados ou se anda sem calçados
Má higiene dos pés	Por exemplo, unhas dos pés cortadas indevidamente, pés sujos, infecção fúngica superficial, meias sujas
Limitações físicas que podem dificultar o autocuidado com os pés	Identificar problemas como perda da acuidade visual, obesidade
Conhecimento sobre cuidados com os pés	Indagar

TABELA 36.17 → Estratificação de risco e frequência correspondente de exame do pé segundo o International Working Group on the Diabetic Foot (IWGDF)

CATEGORIA	RISCO DE ÚLCERA	CARACTERÍSTICAS	FREQUÊNCIA
0	Muito baixo	Sem PSP e sem DAP	1×/ano
1	Baixo	PSP ou DAP	A cada 6-12 meses
2	Moderado	PSP + DAP ou PSP + deformidades no pé ou DAP + deformidades no pé	A cada 3-6 meses
3	Alto	PSP ou DAP mais qualquer um dos seguintes: → História de úlcera no pé → Amputação em membro inferior (menor ou maior) → Doença renal terminal	A cada 1-3 meses

DAP, doença arterial periférica; PSP, perda da sensibilidade protetora.
Fonte: International Working Group on the Diabetic Foot.[92]

Para pacientes com risco moderado, deve-se marcar revisões mais frequentes, orientando a identificar os momentos de risco e a necessidade de cuidados regulares C/D[92] (TABELA 36.18). O ideal é que os calçados tenham biqueira larga e quadrada, atacadores (cadarços) com 3 ou 4 orifícios de cada lado e lingueta acolchoada, e sejam feitos de materiais leves de qualidade e tamanho suficiente para acomodar uma palmilha acolchoada.

Sinais pré-ulcerativos, como calo abundante, unha encravada e infecção por fungo, devem receber pronto tratamento C/D.

Alto risco

Pacientes em alto risco, além do monitoramento e dos cuidados para um risco moderado, devem, de preferência, ter seus pés avaliados por profissionais com treinamento especializado, com revisões mais frequentes. Equipes de enfermagem em APS podem fazer esse acompanhamento, seguindo as definições locais de competências para cada nível de atenção. Os cuidados incluem:

→ investigar e tratar insuficiência vascular quando presente;
→ iniciar e supervisionar o manejo de feridas;
→ usar curativos especiais e debridamentos, se necessário;
→ usar antibióticos sistêmicos no manejo da celulite ou osteomielite conforme necessidade;
→ fornecer meios efetivos de distribuir as pressões do pé, incluindo avaliação por especialista, sapatos adequados, ortóticos e imobilizações C/D.[92]

Manejo de pacientes com úlcera

O manejo detalhado das lesões ulceradas na APS e as indicações para encaminhamento estão apresentados no *Manual do pé diabético* do MS. Os fluxogramas da Secretaria de Saúde do Distrito Federal (DF) (ver p. 1-6 no QR code) e o manual que os acompanha apresentam abordagem semelhante, mas pressupõem disponibilidade de equipe especializada com profissionais específicos para manejo do pé diabético, o que é raro em nosso meio. (Ver QR code.)

Controle glicêmico adequado, otimização do estado nutricional, interrupção total do tabagismo e melhora na circulação da extremidade são coadjuvantes importantes no manejo da úlcera.[94]

Cuidados imediatos

Os cuidados imediatos para lesões ulceradas no pé são resumidos na TABELA 36.19 (ver Quadro 4.5 no QR code). É importante manter a ferida limpa, úmida e coberta, realizando curativos frequentes. Se houver tecidos inviáveis

TABELA 36.18 → Pontos-chave na educação do paciente sobre pé diabético

TODOS OS PACIENTES, INCLUSIVE AQUELES COM BAIXO RISCO DE DESENVOLVER ÚLCERAS (CATEGORIA 1)

Cuidados pessoais e automonitorização do pé
Exame diário do pé para identificação de modificações: mudança de cor, edema, dor, parestesias, rachaduras na pele
Sapatos: reforçar importância de sapato adequado, que deve adaptar-se ao pé; evitar pressão em áreas de apoio ou extremidades ósseas; checar regularmente os sapatos para áreas de atrito
Meias: usar meias sem costuras ou com as costuras do avesso; não usar meias justas ou até o joelho; trocar as meias diariamente
Caminhadas: evitar andar de pés descalços ou apenas de meias ou de pantufas de solado fino, seja dentro ou fora de casa
Higiene: lavar todos os dias e secar cuidadosamente; usar hidratantes para lubrificar pele seca (mas não entre os dedos)
Cuidados com as unhas: cortar as unhas em linha reta
Cuidado com traumas externos: animais, pregos, pedra no sapato, etc.
Não usar qualquer tipo de aquecedor ou bolsa de água quente para aquecer os pés
Não usar agentes químicos ou emplastros para remover calosidades; consultar o profissional de saúde apropriado para esses problemas
Métodos auxiliares para autoexame/monitorização (p. ex., uso de espelhos)
Orientar sobre quando procurar um profissional de saúde: qualquer alteração de cor, edema ou rachaduras na pele, ou dor ou perda de sensibilidade

PACIENTES COM RISCO MODERADO OU ALTO DE DESENVOLVER ÚLCERAS (CATEGORIAS 2 E 3)

Além dos pontos já citados, os seguintes devem ser abordados:
→ Na presença de neuropatia, a perda de sensibilidade pode não ser percebida, e cuidados extras de vigilância devem ser reforçados
→ Toda ruptura de continuidade da pele é grave
→ Procurar ajuda profissional para manejo de calos e ceratose
→ Lembrar do potencial de queimar pés dormentes:
  → Verificar a temperatura da água em banhos
  → Evitar aquecedores dos pés (bolsa de água quente, lençol térmico, fogueiras ou lareiras)
  → Se estiver disponível termômetro infravermelho, checar temperatura da pele dos pés diariamente para identificar sinais precoces de inflamação e prevenir úlceras plantares B; se uma diferença > 2,2 °C persistir em 2 dias consecutivos, diminuir ambulação e procurar avaliação
→ Cuidar especialmente na seleção de calçados e considerar uso de calçados terapêuticos e ortóticos
→ Procurar atendimento quando houver sinais pré-ulcerativos, calo abundante, unha encravada ou infecção por fungo
→ Ter os pés examinados regularmente por um profissional de saúde
→ Recomendações adicionais para situações especiais (feriados, passeios longos, ocasiões sociais tipo casamentos e formaturas):
  → Não utilizar sapatos novos por períodos prolongados
  → Planejar períodos de repouso para os pés
  → Amaciar os sapatos com uso por períodos curtos antes de utilizá-los rotineiramente
  → Usar protetor solar nos pés

PACIENTES COM ÚLCERAS

Abordar também os seguintes pontos:
→ As infecções podem ocorrer e progredir rapidamente
→ A detecção e o tratamento precoce aumentam as chances de um bom desfecho
→ Repouso apropriado do pé/perna doente
→ Sinais e sintomas que devem ser comunicados aos profissionais de saúde envolvidos no manejo desses pacientes:
  → Alterações nas úlceras
    → Aumento de tamanho
    → Alteração da coloração
  → Vermelhidão da pele ao redor da úlcera
  → Marcas azuladas tipo hematomas
  → Escurecimento da pele
  → Secreção
  → Úlcera úmida onde antes era seca
  → Sangramento ou secreção purulenta
  → Novas úlceras ou bolhas
  → Dor (a úlcera fica dolorosa ou desconfortável ou o pé lateja)
  → Odor (pé cheira diferente, fétido)
  → Edema
  → Sensação de mal-estar (febre, sintomas tipo resfriado, diabetes malcontrolado)

Fonte: Adaptada do International Working Group on the Diabetic Foot.[92]

TABELA 36.19 → Cuidados imediatos em lesões ulceradas nos pés de pacientes com diabetes

- → Coleta de material para cultura nos ferimentos infectados (base da úlcera)
- → Na fase inicial do tratamento das lesões infeccionadas, pode-se usar solução fisiológica a 0,9%; não se deve usar, em nenhuma fase dos curativos, solução furacinada, permanganato de potássio ou pomadas com antibióticos
- → Em caso de crosta ou calosidades, o debridamento deve ser diário, e a avaliação e o acompanhamento devem ser feitos por profissional treinado
- → Nos curativos, podem ser usados preparados enzimáticos que não contenham antibióticos (p. ex., papaína); na fase inicial, a limpeza da lesão deve ser feita 2 ×/dia; não se deve usar esparadrapo sobre a pele das pernas ou dos pés de pacientes diabéticos (pode-se usar fita adesiva)
- → Úlceras infectadas e superficiais que não tenham comprometimento ósseo ou de tendões devem ser tratadas com antibióticos por via oral (ver texto)
- → Providenciar a retirada da carga de apoio sobre o pé

Fonte: Adaptada de Lipsky e colaboradores[95] e Ferreira.[94]

(necrose seca e úmida), devem ser debridados. Os tecidos desejados são de granulação (avermelhado) e de epitelização **C/D**. Havendo excesso de queratina nas bordas da lesão, removê-la para expor a base da úlcera. A ausência de sensibilidade permite que o debridamento seja feito, em geral, sem anestesia.

Lesões causadas por estresse biomecânico requerem redistribuição da carga pressórica, o que pode ser obtido pelo uso de botas, que corrigem as alterações biomecânicas e protegem as áreas ulceradas. Úlceras plantares do antepé ou mediopé podem beneficiar-se de um dispositivo para aliviar a pressão (*offload*) colocado até o joelho **A**. As melhores opções são imobilização com gesso de contato total e botas não removíveis. Se uma bota removível for escolhida, deve-se orientar o paciente a usá-la o máximo possível **C/D**.

Úlceras superficiais com frequência são infectadas por gram-positivos e podem ser tratadas ambulatorialmente com antibióticos orais.

A presença de osteomielite deve ser considerada na presença de:

- → úlcera > 2 cm;
- → teste *probe to bone* positivo (sentir que atingiu o osso através da úlcera com uma sonda romba metálica estéril);
- → velocidade de hemossedimentação (VHS) > 70 mm/h;
- → radiografia anormal.

Não é recomendada antibioticoterapia profilática para as úlceras. Na presença de infecção, deve ser instituída antibioticoterapia empírica **B**. A escolha do antibiótico depende da gravidade da infecção. Com infecções leves (úlcera superficial, com celulite < 2 cm ao redor da úlcera, sem osteomielite e sem comprometimento sistêmico), o tratamento é ambulatorial. O antibiótico de primeira escolha é amoxicilina + clavulanato (500 mg, de 8/8 horas, ou 875 mg + 125 mg, de 12/12 horas), por via oral (VO), durante 1 a 2 semanas; a segunda escolha é cefalexina (500 mg, de 6/6 horas) ou clindamicina (300 mg, de 8/8 horas), VO, durante 1 a 2 semanas.[95] (Ver Leituras Recomendadas e Fluxogramas da Secretaria de Saúde do DF.)

Nestas situações, o paciente deve ser encaminhado imediatamente para internação:

- → úlcera profunda com suspeita de comprometimento ósseo ou de articulação;
- → febre ou condições sistêmicas desfavoráveis;
- → celulite (> 2 cm ao redor da úlcera);
- → isquemia crítica;
- → quando o paciente não tem condições de realizar tratamento domiciliar adequado.

É importante lembrar que, por conta de resposta imunológica comprometida, o paciente pode não apresentar sinais e sintomas típicos de infecção grave, como mal-estar geral, torpor, náusea, anorexia e febre.

Na presença de osteomielite, o tratamento deve ser prolongado por até 6 semanas após o debridamento cirúrgico. Algumas infecções moderadas e todas as infecções profundas e graves necessitam de internação hospitalar imediata para início do tratamento o mais rápido possível a fim de reduzir o risco de amputação.[94]

Prognóstico

O prognóstico da cicatrização é favorável se tiver ocorrido redução de pelo menos 50% no diâmetro da úlcera após 4 semanas; caso contrário, o potencial de cicatrização espontânea da ferida é baixo.[94]

Retinopatia diabética

A retinopatia diabética é a primeira causa de cegueira adquirida após a puberdade. Embora a cegueira seja um evento raro em pacientes com diabetes, a perda de acuidade visual em 10 anos é comum. Aproximadamente 1 a cada 3 pessoas com diabetes tem retinopatia diabética, e 1 a cada 10 tem retinopatia proliferativa (o estágio mais avançado) ou edema macular diabético (manifestação da retinopatia diabética que ameaça a visão).[96]

A retinopatia diabética é assintomática nas suas fases iniciais, podendo ser detectada apenas pela fundoscopia. Alguns sintomas associados podem ser visão borrada ou distorcida no centro do campo de visão, cores mais desbotadas, pontos ou manchas pretas flutuantes no campo de visão e visão noturna prejudicada. Visão borrada transitória pode ocorrer mesmo sem comprometimento da retina, por conta de flutuações da glicemia.

A fundoscopia permite identificar e classificar a retinopatia de acordo com graus de gravidade, o primeiro sendo a retinopatia não proliferativa (leve, moderada ou grave) e o segundo, a retinopatia proliferativa (TABELA 36.20).[96]

Os principais fatores de risco modificáveis são a hiperglicemia crônica, a HAS e a dislipidemia, e seu controle deve ser buscado. A duração do diabetes aumenta o risco de retinopatia. A presença de nefropatia também sinaliza maior risco.[63]

Rastreamento

O objetivo do rastreamento é o diagnóstico precoce da retinopatia grave, uma vez que existe intervenção preventiva efetiva para evitar seu agravamento.

TABELA 36.20 → Classificação de retinopatia diabética e edema macular diabético

RETINOPATIA DIABÉTICA	
Não proliferativa	
Leve	Apenas microaneurismas
Moderada	Microaneurismas MAIS outros sinais (hemorragias, exsudatos, manchas em flocos de algodão)
Grave	20 ou mais hemorragias em cada um dos 4 quadrantes Veias definitivamente em rosário em ≥ 2 quadrantes Anormalidades microvasculares intrarretinianas proeminentes em ≥ 1 quadrante Sem neovascularização
Proliferativa	Neovasos definitivos Hemorragia pré-retiniana e/ou do vítreo
EDEMA MACULAR DIABÉTICO	
Leve	Algum espessamento retiniano ou exsudatos duros no polo posterior, mas distante da mácula
Moderado	Espessamento retiniano ou exsudatos duros próximos do centro da mácula, mas sem envolvimento desta
Grave	Espessamento retiniano ou exsudatos duros envolvendo o centro da mácula

Fonte: Wong e colaboradores.[96]

TABELA 36.21 → Recomendações para retinopatia diabética e edema macular diabético e encaminhamentos decorrentes

CLASSIFICAÇÃO	REAVALIAÇÃO OU NOVO RASTREAMENTO	CONSULTA OFTALMO-LÓGICA
Retinopatia não proliferativa leve	1-2 anos	Não necessária
Retinopatia não proliferativa moderada	6-12 meses	Necessária
Retinopatia não proliferativa grave	< 3 meses	Necessária
Retinopatia proliferativa	< 1 mês	Necessária
Edema macular não envolvendo o centro (fóvea)	3 meses	Não necessária
Edema macular envolvendo o centro (fóvea)	1 mês	Necessária

Fonte: Adaptada de Wong e colaboradores.[96]

No diabetes tipo 1, o rastreamento deve iniciar após a puberdade, ou, se o diabetes iniciou após a puberdade, após 5 anos do diagnóstico do diabetes. No diabetes tipo 2, o rastreamento deve iniciar no momento do diagnóstico. A periodicidade do rastreamento visa garantir a relação de custo-efetividade da intervenção preventiva. Embora preconizada como anual por quase todas as diretrizes, um estudo de custo-efetividade sugere intervalos de até 3 anos quando o exame anterior não tiver demonstrado presença de retinopatia.[97] Na presença de retinopatia, o intervalo de avaliação é menor, como visto na TABELA 36.21.

O exame de rastreamento inclui a acuidade visual (ver Capítulo Alteração da Visão) e a avaliação da retina, que pode ser realizada de duas maneiras:

1. por especialista, utilizando oftalmoscopia direta ou indireta ou exame biomicroscópico da retina com lâmpada de fenda;
2. por fotografia da retina com leitura por pessoa adequadamente treinada, o que pode ser feito via telemedicina.[96]

Para ser efetivo, o rastreamento deve prever acesso ao atendimento oftalmológico quando indicado. Quando o rastreamento rotineiro não estiver disponível e houver acesso ao oftalmologista para encaminhamento dos casos detectados, o médico de APS, treinado para esse fim, poderá realizar a fundoscopia sob dilatação da pupila.

Antes de uma cirurgia de catarata, deve ser feita avaliação da retina, porque a retinopatia diabética e o edema macular diabético podem progredir mais rapidamente após essa cirurgia. Se for detectada retinopatia, o planejamento da cirurgia deve ser feito em paralelo ao controle da retinopatia.[96]

Mulheres que planejam engravidar devem ser alertadas sobre os riscos de piora da retinopatia diabética e sobre a importância do bom controle antes de engravidar. A avaliação deve ser feita antes da gravidez, após a primeira consulta de pré-natal, após 28 semanas de gravidez e 1 ano após o parto. Se qualquer grau de retinopatia diabética estiver presente nos exames iniciais, avaliação adicional da retina deve ser realizada em 16 a 20 semanas. A presença de retinopatia não é contraindicação para otimização rápida do controle glicêmico em gestantes com níveis elevados de HbA1c, mas o monitoramento da retina é essencial. O parto vaginal não está contraindicado. Mulheres com diabetes gestacional não precisam ser rastreadas para retinopatia diabética.[63,96]

Tratamento

O tratamento baseia-se no controle dos fatores de risco, com ênfase no controle glicêmico e pressórico.

O controle metabólico intensivo (HbA1c < 7%) reduz a taxa de progressão subclínica da retinopatia leve em 58% e previne em 76% o surgimento de retinopatia em pacientes com diabetes tipo 1 **B**.[98] Já em pacientes com diabetes tipo 2, o efeito do controle glicêmico intensivo na retinopatia diabética é pequeno.[54] Por exemplo, estima-se que, no caso de uma pessoa diagnosticada com diabetes aos 65 anos de idade e com HbA1c de 8%, seria necessário tratar 500 a 1.000 pacientes semelhantes por 5 anos e obter diminuição de 1% na HbA1c para prevenir retinopatia grave em um olho.[99]

O manejo da HAS diminui a progressão da retinopatia **B**.[98] Como não há benefício estabelecido para uma classe anti-hipertensiva específica, o tratamento deve ser guiado como na prevenção das demais complicações. O uso de fenofibrato aumentou a proteção contra a progressão da retinopatia em pacientes com diabetes tipo 2 **C/D**,[98] mas a aplicabilidade prática dessa intervenção está sendo questionada em razão do tamanho pequeno do benefício clínico.

Atividade física protege contra retinopatia diabética (RRR = 6%), e seu impacto é mais pronunciado em pacientes com risco de perda de visão (RRR = 11%). O nível moderado de atividade parece ser o mais benéfico (RRR = 24%). O sedentarismo pode aumentar o risco de desenvolver retinopatia (redução do risco absoluto [RRA] = 18%). No entanto, se estiver presente retinopatia não proliferativa grave ou proliferativa, os exercícios de intensidade vigorosa (aeróbicos ou de resistência) devem ser evitados para reduzir o risco de desencadear hemorragia de vítreo ou descolamento de retina C/D.[100]

Consulta oftalmológica

Os pacientes com retinopatia proliferativa ou com suspeita de edema macular diabético (TABELA 36.22) devem ser encaminhados ao oftalmologista para avaliar a necessidade de tratamento oftalmológico. Consulta oftalmológica está indicada também em casos de retinopatia não proliferativa moderada a grave, má adesão ao acompanhamento oftalmológico, extração iminente de catarata, gravidez e estado problemático do outro olho (p. ex., cegueira ou retinopatia avançada).

Em casos de retinopatia proliferativa, a fotocoagulação panretiniana reduz o risco de cegueira em 5 anos em 90% e a taxa de desenvolvimento da perda de visão por edema de mácula em cerca de 50%.[101] Esse efeito é primariamente preventivo, pois não reverte a perda visual já ocorrida. O efeito é maior naqueles considerados de maior risco – isto é, com hemorragia de vítreo e neovascularização próxima ao disco óptico.

Injeções de anti-VEGF (fator de crescimento do endotélio vascular) são uma alternativa segura e eficaz para o tratamento da retinopatia proliferativa, sendo a terapia-padrão na prevenção de perda de visão em pacientes com edema macular. No entanto, o custo limita sua maior disponibilidade no momento. A aplicação intravítrea de corticoides pode ser uma alternativa.

Devem ser encaminhados também pacientes que se queixam de visão turva por mais de 1 ou 2 dias, não relacionada à oscilação glicêmica no período.

Outras alterações oculares

Além da retinopatia e do edema macular diabético, outras doenças oculares são encontradas com maior frequência em pessoas com diabetes, como catarata e glaucoma de ângulo aberto.

Também pode haver oftalmoplegia, com paralisia de músculos extraoculares, envolvendo o III, IV e VI pares cranianos – respectivamente, nervo oculomotor, nervo troclear e nervo abducente. Em casos de paralisia, deve ser feito o diagnóstico diferencial com outras neuropatias e até mesmo com AVC. A paralisia, em geral, regride em alguns meses. Caso isso não ocorra em 6 meses, é provável que a causa não seja o diabetes.

Como os índices de refração se alteram agudamente conforme os níveis glicêmicos, a prescrição de lentes corretivas só deve ser realizada quando o paciente estiver com bom controle por pelo menos 3 a 4 semanas.

REFERÊNCIAS

1. Bracco PA, Gregg EW, Rolka DB, Schmidt MI, Barreto SM, Lotufo PA, et al. Lifetime risk of developing diabetes and years of life lost among those with diabetes in Brazil. J Glob Health. 2021;in press.
2. Bracco PA, Gregg EW, Rolka DB, Schmidt MI, Barreto SM, Lotufo PA, et al. A nationwide analysis of the excess death attributable to diabetes in Brazil. J Glob Health. 2020;10(1):010401.
3. Gregg EW, Cheng YJ, Srinivasan M, Lin J, Geiss LS, Albright AL, et al. Trends in cause-specific mortality among adults with and without diagnosed diabetes in the USA: an epidemiological analysis of linked national survey and vital statistics data. Lancet. 2018;391(10138):2430–40.
4. Boddu SK, Aurangabadkar G, Kuchay MS. New onset diabetes, type 1 diabetes and Covid-19. Diabetes Metab Syndr. 2020;14(6):2211–7.
5. Rubino F, Amiel SA, Zimmet P, Alberti G, Bornstein S, Eckel RH, et al. New-onset diabetes in Covid-19. N Engl J Med. 2020;383(8):789–90.
6. American Diabetes Association. 5. Facilitating behavior change and well-being to improve health outcomes: standards of medical care in diabetes—2021. Diabetes Care. 2021;44(Suppl 1):S53–72.
7. Gregg EW, Lin J, Bardenheier B, Chen H, Rejeski WJ, Zhuo X, et al. Impact of intensive lifestyle intervention on disability-free life expectancy: the look AHEAD study. Diabetes Care. 2018;41(5):1040–8.
8. Miller PE, Perez V. Low-calorie sweeteners and body weight and composition: a meta-analysis of randomized controlled trials and prospective cohort studies. Am J Clin Nutr. 2014;100(3):765–77.
9. Rogers PJ, Hogenkamp PS, Graaf CD, Higgs S, Lluch A, Ness AR, et al. Does low-energy sweetener consumption affect energy intake and body weight? A systematic review, including meta-analyses, of the evidence from human and animal studies. Int J Obes. 2016;40(3):381–94.
10. Azad MB, Abou-Setta AM, Chauhan BF, Rabbani R, Lys J, Copstein L, et al. Nonnutritive sweeteners and cardiometabolic health: a systematic review and meta-analysis of randomized controlled trials and prospective cohort studies. CMAJ. 2017;189(28):E929–39.
11. Ojo O, Ojo OO, Adebowale F, Wang X-H. The effect of dietary glycaemic index on glycaemia in patients with type 2 diabetes: a systematic review and meta-analysis of randomized controlled trials. Nutrients. 2018;10(3):E373.
12. Umpierre D, Ribeiro PAB, Kramer CK, Leitão CB, Zucatti ATN, Azevedo MJ, et al. Physical activity advice only or structured exercise training and association with HbA1c levels in type 2 diabetes: a systematic review and meta-analysis. JAMA. 2011;305(17):1790–9.

TABELA 36.22 → Motivos de encaminhamento relacionados à retinopatia

AVALIAÇÃO DE EMERGÊNCIA PELO OFTALMOLOGISTA:
→ Perda súbita de visão
→ Hemorragia pré-retiniana ou vítrea
→ Descolamento de retina (percepção de luzes piscando, aparência súbita de vários corpos flutuantes e/ou percepção de sombra ou cortina sobre parte do campo da visão)

AVALIAÇÃO PELO OFTALMOLOGISTA:
→ Retinopatia proliferativa ou pré-proliferativa grave
→ Suspeita de maculopatia, pela presença de:
→ Exsudatos próximos à fóvea, ou seja, a uma distância menor do que um diâmetro de disco óptico do centro da fóvea ou
→ Exsudatos circinados (de formato circular ou em anel) ou em grupo dentro da mácula
→ Qualquer perda de acuidade visual
→ Pontos negros fixos (escotomas) novos

13. World Health Organization. WHO guidelines on physical activity and sedentary behaviour. Geneva: WHO; 2020.
14. Moghetti P, Balducci S, Guidetti L, Mazzuca P, Rossi E, Schena F, et al. Walking for subjects with type 2 diabetes: A systematic review and joint AMD/SID/SISMES evidence-based practical guideline. Nutr Metab Cardiovasc Dis. 2020;30(11):1882–98.
15. Colberg SR, Sigal RJ, Yardley JE, Riddell MC, Dunstan DW, Dempsey PC, et al. Physical activity/exercise and diabetes: a position statement of the American Diabetes Association. Diabetes Care. 2016;39(11):2065–79.
16. Møller G, Andersen HK, Snorgaard O. A systematic review and meta-analysis of nutrition therapy compared with dietary advice in patients with type 2 diabetes. Am J Clin Nutr. 2017;106(6):1394–400.
17. Gregg EW, Chen H, Wagenknecht LE, Clark JM, Delahanty LM, Bantle J, et al. Association of an intensive lifestyle intervention with remission of type 2 diabetes. JAMA. 2012;308(23):2489–96.
18. Lean ME, Leslie WS, Barnes AC, Brosnahan N, Thom G, McCombie L, et al. Primary care-led weight management for remission of type 2 diabetes (DiRECT): an open-label, cluster-randomised trial. Lancet. 2018;391(10120):541–51.
19. Young-Hyman D, de Groot M, Hill-Briggs F, Gonzalez JS, Hood K, Peyrot M. Psychosocial care for people with diabetes: a position statement of the American Diabetes Association. Diabetes Care. 2016;39(12):2126–40.
20. McCoy RG, Lipska KJ, Van Houten HK, Shah ND. Association of cumulative multimorbidity, glycemic control, and medication use with hypoglycemia-related emergency department visits and hospitalizations among adults with diabetes. JAMA Netw Open. 2020;3(1):e1919099.
21. McCoy RG, Lipska KJ, Houten HKV, Shah ND. Paradox of glycemic management: multimorbidity, glycemic control, and high-risk medication use among adults with diabetes. BMJ Open Diabetes Research and Care. 2020;8(1):e001007.
22. American Diabetes Association. 9. pharmacologic approaches to glycemic treatment: standards of medical care in diabetes-2021. Diabetes Care. 2021;44(Suppl 1):S111–24.
23. Han Y, Xie H, Liu Y, Gao P, Yang X, Shen Z. Effect of metformin on all-cause and cardiovascular mortality in patients with coronary artery diseases: a systematic review and an updated meta-analysis. Cardiovasc Diabetol. 2019;18(1):96.
24. Vaughan EM, Rueda JJ, Samson SL, Hyman DJ. Reducing the burden of diabetes treatment: a review of low-cost oral hypoglycemic medications. Curr Diabetes Rev. 2020;16(8):851–8.
25. Palmer SC, Mavridis D, Nicolucci A, Johnson DW, Tonelli M, Craig JC, et al. Comparison of clinical outcomes and adverse events associated with glucose-lowering drugs in patients with type 2 diabetes: a meta-analysis. JAMA. 2016;316(3):313–24.
26. World Health Organization. Guidelines on second- and third-line medicines and type of insulin for the control of blood glucose levels in non-pregnant adults with diabetes mellitus. Geneva: WHO; 2018.
27. Wilding J, Godec T, Khunti K, Pocock S, Fox R, Smeeth L, et al. Changes in HbA1c and weight, and treatment persistence, over the 18 months following initiation of second-line therapy in patients with type 2 diabetes: results from the United Kingdom Clinical Practice Research Datalink. BMC Med. 2018;16(1):116.
28. Tsapas A, Avgerinos I, Karagiannis T, Malandris K, Manolopoulos A, Andreadis P, et al. Comparative effectiveness of glucose-lowering drugs for type 2 diabetes: a systematic review and network meta-analysis. Ann Intern Med. 2020;173(4):278–86.
29. Apovian CM, Okemah J, O'Neil PM. Body Weight Considerations in the Management of Type 2 Diabetes. Adv Ther. 2019;36(1):44–58.
30. Harris SB, Cheng AYY, Davies MJ, Gerstein HC, Green JB, Skolnik N. Person-centered, outcomes-driven treatment: a new paradigm for type 2 diabetes in primary care. Arlington: American Diabetes Association; 2020.
31. Kramer CK, Leitão CB, Pinto LC, Canani LH, Azevedo MJ, Gross JL. Efficacy and safety of topiramate on weight loss: a meta-analysis of randomized controlled trials. Obes Rev. 2011;12(5):e338-347.
32. Pareek M, Schauer PR, Kaplan LM, Leiter LA, Rubino F, Bhatt DL. Metabolic surgery: weight loss, diabetes, and beyond. J Am Coll Cardiol. 2018;71(6):670–87.
33. Dailey G, Admane K, Mercier F, Owens D. Relationship of insulin dose, A1c lowering, and weight in type 2 diabetes: comparing insulin glargine and insulin detemir. Diabetes Technol Ther. 2010;12(12):1019–27.
34. Lipska KJ, Hirsch IB, Riddle MC. Human insulin for type 2 diabetes: an effective, less-expensive option. JAMA. 2017;318(1):23–4.
35. Cowart K. Overbasalization: addressing hesitancy in treatment intensification beyond basal insulin. Clin Diabetes. 2020;38(3):304–10.
36. Lipska KJ, Parker MM, Moffet HH, Huang ES, Karter AJ. Association of initiation of basal insulin analogs vs neutral protamine hagedorn insulin with hypoglycemia-related emergency department visits or hospital admissions and with glycemic control in patients with type 2 diabetes. JAMA. 2018;320(1):53–62.
37. Forst T, Choudhary P, Schneider D, Linetzky B, Pozzilli P. A practical approach to the clinical challenges in initiation of basal insulin therapy in people with type 2 diabetes. Diabetes Metab Res Rev. 2020;e3418.
38. Lipska KJ. Insulin analogues for type 2 diabetes. JAMA. 2019;321(4):350–1.
39. Ali MK, Siegel KR, Chandrasekar E, Tandon N, Montoya PA, Mbanya J-C, et al. Diabetes: an update on the pandemic and potential solutions. In: Prabhakaran D, Anand S, Gaziano TA, Mbanya J-C, Wu Y, Nugent R, organizadores. Cardiovascular, respiratory, and related disorders. 3rd ed. Washington: The International Bank for Reconstruction and Development, The World Bank; 2017.
40. Brasil. Ministério da Saúde. Protocolo clínico e diretrizes terapêuticas do diabete melito tipo 2. Brasília: CONITEC; 2020.
41. Bahendeka S, Kaushik R, Swai AB, Otieno F, Bajaj S, Kalra S, et al. EADSG guidelines: insulin storage and optimisation of injection technique in diabetes management. Diabetes Ther. 2019;10(2):341–66.
42. Goldman N, Fink D, Cai J, Lee Y-N, Davies Z. High prevalence of Covid-19-associated diabetic ketoacidosis in UK secondary care. Diabetes Res Clin Pract. 2020;166:108291.
43. Rosenstock J, Ferrannini E. Euglycemic diabetic Ketoacidosis: a predictable, detectable, and preventable safety concern with SGLT2 inhibitors. Diabetes Care. 2015;38(9):1638–42.
44. Malta DC, Duncan BB, Schmidt MI, Machado ÍE, Silva AG, Bernal RTI, et al. Prevalence of diabetes mellitus as determined by glycated hemoglobin in the Brazilian adult population, National Health Survey. Rev Bras Epidemiol. 2019; 22 (Suppl 2): E190006. SUPL.2
45. Rawshani A, Rawshani A, Franzén S, Sattar N, Eliasson B, Svensson A-M, et al. Risk factors, mortality, and cardiovascular outcomes in patients with type 2 diabetes. N Engl J Med. 2018;379(7):633–44.
46. Seidu S, Achana FA, Gray LJ, Davies MJ, Khunti K. Effects of glucose-lowering and multifactorial interventions on cardiovascular and mortality outcomes: a meta-analysis of randomized control trials. Diabet Med. 2016;33(3):280–9.
47. Sharrett AR, Coady SA, Folsom AR, Couper DJ, Heiss G. Smoking and diabetes differ in their associations with subclinical atherosclerosis and coronary heart disease—the ARIC Study. Atherosclerosis. 2004;172(1):143–9.
48. Basu S, Shankar V, Yudkin JS. Comparative effectiveness and cost-effectiveness of treat-to-target versus benefit-based tailored

treatment of type 2 diabetes in low-income and middle-income countries: a modelling analysis. Lancet Diabetes Endocrinol. 2016;4(11):922–32.

49. Whelton PK, Carey RM, Aronow WS, Casey DE, Collins KJ, Dennison Himmelfarb C, et al. 2017 ACC/AHA/AAPA/ABC/ACPM/AGS/APhA/ASH/ASPC/NMA/PCNA guideline for the prevention, detection, evaluation, and management of high blood pressure in adults: executive summary: a report of the American College of Cardiology/American Heart Association Task Force on clinical practice guidelines. Hypertension. 2018;71(6):1269–324.

50. Emdin CA, Rahimi K, Neal B, Callender T, Perkovic V, Patel A. Blood pressure lowering in type 2 diabetes: a systematic review and meta-analysis. JAMA. 2015;313(6):603–15.

51. Cefalu WT, Kaul S, Gerstein HC, Holman RR, Zinman B, Skyler JS, et al. Cardiovascular outcomes trials in type 2 diabetes: where do we go from here? Reflections from a diabetes care editors' expert forum. Diabetes Care. 2018;41(1):14–31.

52. Ludwig L, Darmon P, Guerci B. Computing and interpreting the number needed to treat for cardiovascular outcomes trials. Cardiovasc Diabetol. 2020;19(1):65.

53. Gerstein HC, Colhoun HM, Dagenais GR, Diaz R, Lakshmanan M, Pais P, et al. Dulaglutide and cardiovascular outcomes in type 2 diabetes (REWIND): a double-blind, randomised placebo-controlled trial. Lancet. 2019;394(10193):121–30.

54. Yudkin JS, Richter B, Gale E a. M. Intensified glucose lowering in type 2 diabetes: time for a reappraisal. Diabetologia. 2010;53(10):2079–85.

55. Kaptoge S, Pennells L, Bacquer DD, Cooney MT, Kavousi M, Stevens G, et al. World Health Organization cardiovascular disease risk charts: revised models to estimate risk in 21 global regions. Lancet Glob Health. 2019;7(10):e1332–45.

56. Antithrombotic Trialists' (ATT) Collaboration, Baigent C, Blackwell L, Collins R, Emberson J, Godwin J, et al. Aspirin in the primary and secondary prevention of vascular disease: collaborative meta-analysis of individual participant data from randomised trials. Lancet. 2009;373(9678):1849–60.

57. Standl E, Schnell O, McGuire DK. Heart failure considerations of antihyperglycemic medications for type 2 diabetes. Circ Res. 2016;118(11):1830–43.

58. Bowes CD, Lien LF, Butler J. Clinical aspects of heart failure in individuals with diabetes. Diabetologia. 2019;62(9):1529–38.

59. Kenny HC, Abel ED. Heart failure in type 2 diabetes mellitus: impact of glucose lowering agents, heart failure therapies and novel therapeutic strategies. Circ Res. 2019;124(1):121–41.

60. Del Buono MG, Iannaccone G, Scacciavillani R, Carbone S, Camilli M, Niccoli G, et al. Heart failure with preserved ejection fraction diagnosis and treatment: An updated review of the evidence. Prog Cardiovasc Dis. 2020;63(5):570–84.

61. Afkarian M, Zelnick LR, Hall YN, Heagerty PJ, Tuttle K, Weiss NS, et al. Clinical manifestations of kidney disease among US adults with diabetes, 1988-2014. JAMA. 2016;316(6):602–10.

62. Kidney Disease Improving Global Outcomes. Diabetes in CKD [Internet]. KDIGO; 2020 [capturado em 3 out. 2021]. Disponível em: https://kdigo.org/guidelines/diabetes-ckd/.

63. American Diabetes Association. 11. microvascular complications and foot care: standards of medical care in diabetes-2021. Diabetes Care. 2021;44(Suppl 1):S151–67.

64. Kramer CK, Camargo J, Ricardo ED, Almeida FK, Canani LH, Gross JL, et al. Does bacteriuria interfere with albuminuria measurements of patients with diabetes? Nephrology Dialysis Transplantation. 2009;24(4):1193–6.

65. Umanath K, Lewis JB. Update on diabetic nephropathy: core curriculum 2018. Am J Kidney Dis. 2018;71(6):884–95.

66. Packham DK, Alves TP, Dwyer JP, Atkins R, de Zeeuw D, Cooper M, et al. Relative incidence of ESRD versus cardiovascular mortality in proteinuric type 2 diabetes and nephropathy: results from the DIAMETRIC (Diabetes Mellitus Treatment for Renal Insufficiency Consortium) database. Am J Kidney Dis. 2012;59(1):75–83.

67. Targher G, Zoppini G, Mantovani W, Chonchol M, Negri C, Stoico V, et al. Comparison of two creatinine-based estimating equations in predicting all-cause and cardiovascular mortality in patients with type 2 diabetes. Diabetes Care. 2012;35(11):2347–53.

68. Ingelfinger JR, Rosen CJ. Clinical credence – SGLT2 inhibitors, diabetes, and chronic kidney disease. N Engl J Med. 2019;380(24):2371–3.

69. Zelniker TA, Wiviott SD, Raz I, Im K, Goodrich EL, Bonaca MP, et al. SGLT2 inhibitors for primary and secondary prevention of cardiovascular and renal outcomes in type 2 diabetes: a systematic review and meta-analysis of cardiovascular outcome trials. Lancet. 2019;393(10166):31–9.

70. Kristensen SL, Rørth R, Jhund PS, Docherty KF, Sattar N, Preiss D, et al. Cardiovascular, mortality, and kidney outcomes with GLP-1 receptor agonists in patients with type 2 diabetes: a systematic review and meta-analysis of cardiovascular outcome trials. Lancet Diabetes Endocrinol. 2019;7(10):776–85.

71. Diabetes Control and Complications Trial Research Group, Nathan DM, Genuth S, Lachin J, Cleary P, Crofford O, et al. The effect of intensive treatment of diabetes on the development and progression of long-term complications in insulin-dependent diabetes mellitus. N Engl J Med. 1993;329(14):977–86.

72. Bangalore S, Fakheri R, Toklu B, Messerli FH. Diabetes mellitus as a compelling indication for use of renin angiotensin system blockers: systematic review and meta-analysis of randomized trials. BMJ. 2016;352:i438.

73. Farmer AJ, Stevens R, Hirst J, Lung T, Oke J, Clarke P, et al. Optimal strategies for identifying kidney disease in diabetes: properties of screening tests, progression of renal dysfunction and impact of treatment – systematic review and modelling of progression and cost-effectiveness. Health Technol Assess. 2014;18(14):1–128.

74. Strippoli GFM, Bonifati C, Craig M, Navaneethan SD, Craig JC. Angiotensin converting enzyme inhibitors and angiotensin II receptor antagonists for preventing the progression of diabetic kidney disease. Cochrane Database Syst Rev. 2006;(4):CD006257.

75. Sarafidis PA, Stafylas PC, Kanaki AI, Lasaridis AN. Effects of renin-angiotensin system blockers on renal outcomes and all-cause mortality in patients with diabetic nephropathy: an updated meta-analysis. Am J Hypertens. 2008;21(8):922–9.

76. Mann JFE, Schmieder RE, McQueen M, Dyal L, Schumacher H, Pogue J, et al. Renal outcomes with telmisartan, ramipril, or both, in people at high vascular risk (the ONTARGET study): a multicentre, randomised, double-blind, controlled trial. Lancet. 2008;372(9638):547–53.

77. Parving H-H, Brenner BM, McMurray JJV, de Zeeuw D, Haffner SM, Solomon SD, et al. Cardiorenal end points in a trial of aliskiren for type 2 diabetes. N Engl J Med. 2012;367(23):2204–13.

78. Lv J, Perkovic V, Foote CV, Craig ME, Craig JC, Strippoli GFM. Antihypertensive agents for preventing diabetic kidney disease. Cochrane Database Syst Rev. 2012;12:CD004136.

79. de Mello VDF, Zelmanovitz T, Perassolo MS, Azevedo MJ, Gross JL. Withdrawal of red meat from the usual diet reduces albuminuria and improves serum fatty acid profile in type 2 diabetes patients with macroalbuminuria. Am J Clin Nutr. 2006;83(5):1032–8.

80. de Mello VDF, Zelmanovitz T, Azevedo MJ, de Paula TP, Gross JL. Long-term effect of a chicken-based diet versus enalapril on albuminuria in type 2 diabetic patients with microalbuminuria. J Ren Nutr. 2008;18(5):440–7.

81. Phisitkul K, Hegazy K, Chuahirun T, Hudson C, Simoni J, Rajab H, et al. Continued smoking exacerbates but cessation ameliorates progression of early type 2 diabetic nephropathy. Am J Med Sci. 2008;335(4):284–91.

82. Geng Q, Ren J, Song J, Li S, Chen H. Meta-analysis of the effect of statins on renal function. Am J Cardiol. 2014;114(4):562–70.
83. Holdaas H, Holme I, Schmieder RE, Jardine AG, Zannad F, Norby GE, et al. Rosuvastatin in diabetic hemodialysis patients. J Am Soc Nephrol. 2011;22(7):1335–41.
84. Feldman EL, Callaghan BC, Pop-Busui R, Zochodne DW, Wright DE, Bennett DL, et al. Diabetic neuropathy. Nat Rev Dis Primers. 2019;5(1):41.
85. Callaghan BC, Little AA, Feldman EL, Hughes RAC. Enhanced glucose control for preventing and treating diabetic neuropathy. Cochrane Database Syst Rev. 2012;(6):CD007543.
86. Nascimento OJM do, Pupe CCB, Cavalcanti EBU. Neuropatia diabética. Rev dor. 2016;17(suppl 1):46–51.
87. Spallone V. Update on the impact, diagnosis and management of cardiovascular autonomic neuropathy in diabetes: what is defined, what is new, and what is unmet. Diabetes Metab J. 2019;43(1):3–30.
88. Pafili K, Trypsianis G, Papazoglou D, Maltezos E, Papanas N. Clinical tools for peripheral neuropathy to exclude cardiovascular autonomic neuropathy in type 2 diabetes mellitus. Diabetes Ther. 2020;11(4):979–86.
89. Dy SM, Bennett WL, Sharma R, Zhang A, Waldfogel JM, Nesbit SA, et al. Preventing complications and treating symptoms of diabetic peripheral neuropathy. Rockville: Agency for Healthcare Research and Quality; 2017. (AHRQ Comparative Effectiveness Reviews).
90. Mills PB, Fung CK, Travlos A, Krassioukov A. Nonpharmacologic management of orthostatic hypotension: a systematic review. Arch Phys Med Rehabil. 2015;96(2):366-375.e6.
91. Asha MZ, Khalil SFH. Pharmacological approaches to diabetic gastroparesis: a systematic review of randomised clinical trials. Sultan Qaboos Univ Med J. 2019;19(4):e291–304.
92. International Working Group on the Diabetic Foot. Guidelines [Internet]. IWGDF Guidelines; 2021 [capturado em 3 out. 2021]. Disponível em: https://iwgdfguidelines.org/guidelines/guidelines/.
93. Hu A, Koh B, Teo M-R. A review of the current evidence on the sensitivity and specificity of the Ipswich touch test for the screening of loss of protective sensation in patients with diabetes mellitus. Diabetol Int. 2021;12(2):145–50.
94. Ferreira RC. Pé diabético. parte 1: úlceras e infecções. Rev bras ortop. 2020;55(4):389–96.
95. Lipsky BA, Senneville É, Abbas ZG, Aragón-Sánchez J, Diggle M, Embil JM, et al. Guidelines on the diagnosis and treatment of foot infection in persons with diabetes (IWGDF 2019 update). Diabetes Metab Res Rev. 2020;36(Suppl 1):e3280.
96. Wong TY, Sun J, Kawasaki R, Ruamviboonsuk P, Gupta N, Lansingh VC, et al. Guidelines on diabetic eye care: the international council of ophthalmology recommendations for screening, follow-up, referral, and treatment based on resource settings. Ophthalmology. 2018;125(10):1608–22.
97. Vijan S, Hofer TP, Hayward RA. Cost-utility analysis of screening intervals for diabetic retinopathy in patients with type 2 diabetes mellitus. JAMA. 2000;283(7):889–96.
98. Elkjaer AS, Lynge SK, Grauslund J. Evidence and indications for systemic treatment in diabetic retinopathy: a systematic review. Acta Ophthalmol. 2020;98(4):329–36.
99. Vijan S, Hofer TP, Hayward RA. Estimated benefits of glycemic control in microvascular complications in type 2 diabetes. Ann Intern Med. 1997;127(9):788–95.
100. Ren C, Liu W, Li J, Cao Y, Xu J, Lu P. Physical activity and risk of diabetic retinopathy: a systematic review and meta-analysis. Acta Diabetol. 2019;56(8):823–37.
101. Preliminary report on effects of photocoagulation therapy. The Diabetic Retinopathy Study Research Group. Am J Ophthalmol. 1976;81(4):383–96.

LEITURA RECOMENDADA

Distrito Federal. Secretaria de Saúde. Protocolo de manejo do pé diabético na atenção primária e especializada de saúde. Brasília; 2018.
Protocolo brasileiro atualizado para o manejo de pé diabético no SUS.

Capítulo 37
CARDIOPATIA ISQUÊMICA

Carisi Anne Polanczyk
Mariana Vargas Furtado
Jorge Pinto Ribeiro[†]

A cardiopatia isquêmica é uma importante causa de morbidade e mortalidade no Brasil e no mundo. Nas últimas décadas, tem-se observado diminuição da mortalidade por cardiopatia isquêmica (formalmente denominada doença isquêmica do coração na *Classificação internacional de doenças e problemas relacionados à saúde*, 10ª edição [CID-10]) em países da Europa e da América do Norte e em partes do Brasil, sugerindo que os avanços no entendimento das técnicas diagnósticas e da terapêutica e as ações preventivas têm tido real impacto no combate a essa patologia.[1–3]

Na maioria dos casos, a isquemia miocárdica está associada à aterosclerose, com redução do aporte de oxigênio ao miocárdio por obstrução das artérias coronárias. Entretanto, o aporte de oxigênio ao miocárdio pode ser comprometido por outros mecanismos, como espasmo coronariano, alteração da reserva vasodilatadora coronariana ou trombose.

A cardiopatia isquêmica possui amplo espectro de apresentação clínica, podendo manifestar-se por morte súbita, infarto do miocárdio, angina instável, angina estável, insuficiência cardíaca, arritmias e isquemia silenciosa (alteração em testes funcionais sem sintomas). O médico que presta cuidados primários à saúde pode defrontar-se com qualquer uma dessas apresentações.

Na abordagem do paciente, são recomendáveis a confirmação diagnóstica e a avaliação da gravidade da doença, para que se possa estabelecer o prognóstico e melhor orientar a terapêutica. A partir desses dados, é possível buscar os objetivos gerais do tratamento, que são o controle dos sintomas, a diminuição da morbidade e o aumento da sobrevida. Neste capítulo, são apresentadas as recomendações básicas para diagnóstico, avaliação prognóstica e manejo terapêutico de pacientes com cardiopatia isquêmica.

AVALIAÇÃO DIAGNÓSTICA

Conforme discutido no Capítulo Dor Torácica, o diagnóstico de angina de peito é baseado fundamentalmente na história clínica. Para todos os casos em avaliação sem diagnóstico estabelecido, deve ser estimada a probabilidade clínica (com base em idade, gênero, características da dor e fatores de risco) de doença arterial coronariana. Naqueles pacientes que apresentam angina típica e probabilidade > 80%, não há necessidade absoluta de confirmação diagnóstica, e o médico que presta cuidados primários à saúde pode iniciar o tratamento clínico. Embora essa estratégia seja acessível e de baixo custo, é importante prosseguir com a avaliação prognóstica para a identificação de pacientes de maior risco, que possam beneficiar-se de outras formas de tratamento.

Quando o clínico precisa manejar o paciente sem a disponibilidade de métodos diagnósticos instrumentados, é fundamental que os pacientes de maior risco sejam identificados e encaminhados para centros de referência. Utilizando critérios clínicos, os pacientes de maior risco são aqueles que não respondem à terapêutica farmacológica convencional, com angina de início recente ou piora da classe funcional, e aqueles que apresentam disfunção e/ou arritmias ventriculares.[4]

A probabilidade do diagnóstico de angina aumenta com a presença de fatores de risco cardiovasculares, sobretudo na presença de tabagismo, hipertensão arterial, diabetes, história familiar de doença coronariana precoce, aumento dos lipídeos ou manifestação de doença aterosclerótica em outros órgãos. A avaliação desses fatores de risco deve ser sempre conduzida e acompanhada plenamente em atenção primária à saúde (APS), quando intervenções devem ser adotadas. Além dos fatores de risco, os pacientes devem ser avaliados para índice de massa corporal (IMC) e circunferência abdominal, anormalidades do exame cardiovascular, nível de hemoglobina sérica, glicemia de jejum, função tireoidiana, isolamento social, depressão e nível de atividade física.

Exames complementares

Muitas vezes, é necessária a confirmação objetiva do diagnóstico de cardiopatia isquêmica. A obtenção de um eletrocardiograma (ECG) de repouso durante um episódio espontâneo de dor torácica pode confirmar o diagnóstico; porém, isso é pouco frequente na prática clínica da atenção básica de saúde. A maioria dos pacientes terá ECG normal, que não exclui a doença. A presença de alterações como bloqueios (completo de ramo esquerdo, segundo e terceiro grau), infarto prévio ou arritmias aumenta as chances do diagnóstico de cardiopatia isquêmica.

Pacientes com hipótese diagnóstica de cardiopatia isquêmica, via de regra, devem realizar um teste funcional, não apenas com o objetivo de confirmar o diagnóstico, mas, sobretudo, para avaliar a gravidade da isquemia (FIGURA 37.1). A indução da isquemia é feita, em geral, pela realização de um teste de esforço, e sua documentação, pelo ECG. Um ECG de esforço normal é indicador de bom prognóstico, mas não afasta o diagnóstico de doença arterial coronariana. Pacientes com achados de alto risco em exames funcionais devem realizar avaliação anatômica. A TABELA 37.1 apresenta os achados de um teste de esforço que sugerem isquemia miocárdica grave. Além da avaliação de isquemia, a maioria dos pacientes deve ser avaliada quanto à função ventricular.

O teste ergométrico costuma ser o exame de mais fácil acesso e de menor custo, possuindo, no máximo, moderada acurácia diagnóstica. Além disso, esse teste apresenta limitações para alguns subgrupos de pacientes, entre eles: pacientes com dificuldades para deambular, presença de marca-passos, ECG de repouso com bloqueio completo do ramo esquerdo, presença de infradesnivelamento do segmento ST > 1 mm e síndromes de pré-excitação. Nessas situações, o paciente poderá ser encaminhado a um serviço que disponha de técnicas de medicina nuclear para realização de cintilografia miocárdica, a um laboratório que possa realizar ecocardiografia de estresse ou a um laboratório que realize ressonância magnética cardíaca de estresse. Para pacientes com doença isquêmica conhecida, revascularização miocárdica prévia ou moderada a alta probabilidade prévia de doença coronariana, a escolha do teste de esforço com imagem apresenta maior acurácia em comparação ao teste ergométrico isolado. Como a maioria dos testes diagnósticos, esses exames não têm um desempenho perfeito para o diagnóstico de cardiopatia isquêmica quando comparados ao ainda considerado padrão-ouro – a cineangiocoronariografia.

> O médico que solicita esses testes funcionais deve ter bem claras a probabilidade pré-teste de presença (ver Capítulo Dor Torácica) e a gravidade da isquemia ao encaminhar o paciente, bem como a interpretação do resultado do teste diante dessa probabilidade.

A acurácia dos testes não invasivos para detecção de cardiopatia isquêmica está descrita na TABELA 37.2 (ver Capítulo Conceitos de Epidemiologia Clínica para a Tomada de Decisões Clínicas na Atenção Primária.

Em alguns poucos casos em que restarem dúvidas diagnósticas importantes após a realização dos testes não invasivos, ou no subgrupo com probabilidade clínica intermediária e alta de doença, e sintomáticos após manejo inicial, pode-se encaminhar o paciente para realização de cineangiocoronariografia com o objetivo de estabelecer a confirmação diagnóstica, prognóstica e definição terapêutica. Porém, deve ficar claro, para o médico e para o paciente, que esse exame só deve ser solicitado visando ao planejamento de procedimentos de revascularização cirúrgica ou por cateter, discutidos no fim deste capítulo.

A angiotomografia, um método menos invasivo para avaliar a anatomia coronariana, tem melhor desempenho por sua capacidade de excluir doença, ou seja, tem alto valor preditivo negativo. Portanto, ela pode ser utilizada em pacientes com baixa ou moderada probabilidade de doença coronariana e que apresentam exames funcionais com resultados não conclusivos. A estratégia de avaliação funcional (ergometria, cintilografia ou ecocardiografia) *versus* anatômica, com angiotomografia de coronárias, mostrou ser

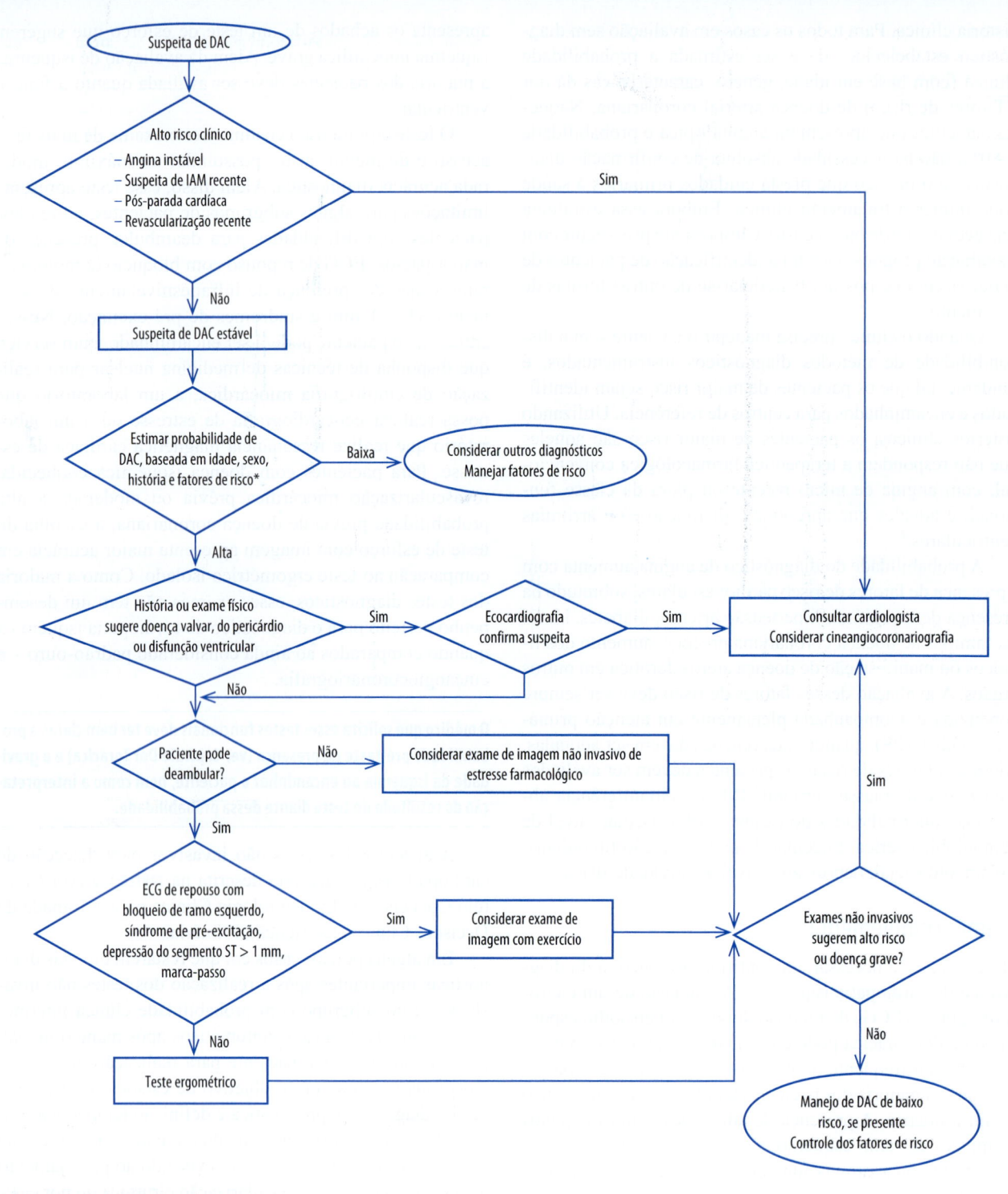

FIGURA 37.1 → Algoritmo para avaliação de suspeita de doença arterial coronariana (DAC).
*Ver Capítulo Dor Torácica.
ECG, eletrocardiograma; IAM, infarto agudo do miocárdio.

equivalente quando considerado risco de morte, infarto ou outros eventos clínicos em longo prazo.[5,6]

A ressonância magnética cardíaca possui excelente acurácia diagnóstica na avaliação de pacientes com angina estável, sendo o método não invasivo de melhor resultado diagnóstico quando comparado a outros métodos de avaliação funcional. Entretanto, possui alto custo e dificuldade de acesso no contexto de saúde pública.

A mudança de característica da angina de peito, principalmente o seu aparecimento em condições de repouso ou o prolongamento da duração dos episódios sem alívio com repouso, ou uso de nitrato sublingual, deve alertar o

TABELA 37.1 → Achados dos testes não invasivos que sugerem isquemia miocárdica grave e alto risco para eventos

TESTE DE ESFORÇO

→ Baixa capacidade funcional (< 4 METs)
→ Isquemia que ocorre em baixa intensidade
→ Diminuição da pressão arterial sistólica com aumento de carga
→ Infradesnivelamento do segmento ST de 2 mm ou mais
→ Envolvimento de múltiplas derivações eletrocardiográficas
→ Alterações do segmento ST que persistem na recuperação

MÉTODOS DE IMAGEM

→ Disfunção ventricular esquerda (FE < 35%) ou queda da FE com estresse
→ Múltiplos defeitos de perfusão/contratilidade ou área de isquemia > 10%

FE, fração de ejeção; MET, unidade metabólica correspondente ao consumo de oxigênio de repouso.

TABELA 37.2 → Sensibilidade e especificidade dos testes não invasivos para detecção de doença arterial coronariana

TESTE DIAGNÓSTICO	SENSIBILIDADE (%)	ESPECIFICIDADE (%)
Eletrocardiograma de esforço	68	77
Cintilografia miocárdica computadorizada (SPECT) com exercício	88	72
Cintilografia miocárdica computadorizada (SPECT) com estresse farmacológico	90	82
Ecocardiografia de esforço (exercício)	85	81
Ecocardiografia de estresse com dobutamina	81	79
Ressonância magnética cardíaca com avaliação de isquemia	89	80

Fonte: Adaptada de Lee e Boucher.[4]

médico para o diagnóstico de síndrome coronariana aguda, exigindo imediato encaminhamento para centros que disponham de unidade de terapia intensiva (UTI). Todos os pacientes e seus familiares devem ser orientados sobre quando e como procurar atendimento de emergência em suspeita de instabilização clínica, visando ao atendimento imediato nos casos de infarto agudo do miocárdio. No acompanhamento dos pacientes estáveis, é importante a avaliação da classe funcional no início do atendimento e a cada reconsulta (ver a classificação da Canadian Cardiovascular Society no Capítulo Dor Torácica), pois mudanças de classe funcional podem indicar progressão da doença e necessidade de estratificação de risco adicional.

Nos indivíduos com alterações na ausculta cardíaca sugestivas de doença valvar ou miocardiopatia hipertrófica, suspeita de insuficiência cardíaca, infarto do miocárdio prévio ou alterações eletrocardiográficas importantes, é recomendada a realização de ecocardiograma em repouso (ver **FIGURA 37.1**).

FATORES PROGNÓSTICOS

Pacientes com doença arterial coronariana apresentam incidência anual média de eventos cardíacos de 6 a 8%, ou seja, incidência cumulativa de 60 a 70% em 10 anos.

O prognóstico da cardiopatia isquêmica depende da função ventricular esquerda, da gravidade das lesões coronarianas, da indução de isquemia miocárdica e da presença de arritmias.

Pacientes com comprometimento da função sistólica do ventrículo esquerdo, obstruções coronarianas envolvendo vários vasos epicárdicos, obstruções de segmentos proximais das coronárias, isquemia documentada em testes funcionais e arritmias ventriculares apresentam pior prognóstico. A identificação de pacientes de alto risco tem particular importância quando se considera que a revascularização do miocárdio é capaz de aumentar, de modo significativo, a sobrevida de pacientes com lesão de tronco de coronária esquerda e de pacientes com lesões de múltiplos vasos associadas à disfunção ventricular esquerda. Clinicamente, pacientes de maior risco podem apresentar angina e dispneia com ou sem sinais de insuficiência cardíaca. Quando disponíveis, o ECG de esforço ou outros testes não invasivos proporcionam melhor avaliação prognóstica.

MANEJO

O tratamento da cardiopatia isquêmica objetiva reduzir a sintomatologia, evitar a necrose miocárdica e prolongar a vida do paciente.

O manejo de pacientes com cardiopatia isquêmica inclui uma ação contínua sobre os fatores de risco, o tratamento farmacológico com antiagregantes plaquetários, hipolipemiantes e antianginosos e a indicação de procedimentos de revascularização miocárdica. Além disso, o reconhecimento da angina instável e do infarto agudo do miocárdio deve resultar em imediato encaminhamento a um centro hospitalar para tratamento intensivo e consideração do uso de agentes trombolíticos ou procedimentos de revascularização coronariana.

Fatores de risco

Durante todo o curso clínico da cardiopatia isquêmica, o médico tem papel importante na orientação de pacientes quanto ao controle da hipertensão arterial sistêmica e da hipercolesterolemia, à manutenção do peso ideal, à ingesta de dieta saudável cardioprotetora, à prática de atividade física regular e à interrupção do tabagismo. A evidência inequívoca da relação entre redução dos níveis de colesterol e diminuição da incidência de cardiopatia isquêmica e da progressão de lesões coronarianas indica que um grande esforço seja realizado para o controle da hipercolesterolemia em pacientes portadores de doença isquêmica do coração com dieta, exercício e tratamento farmacológico.

Metanálises envolvendo mais de 150 mil pacientes, incluindo aqueles com angina estável, demonstraram benefício da terapia com estatinas na redução de mortalidade total (redução relativa do risco [RRR] = 10%; número necessário para tratar [NNT] = 105), em especial devido à redução na mortalidade cardiovascular (RRR = 20%; NNT = 98), em um período médio de acompanhamento de 2 anos e meio a

3 anos **A**.⁷ Além disso, mostraram consistente redução nas taxas de infarto agudo do miocárdio não fatal (RRR = 26%; NNT = 79) e de necessidade de revascularização (RRR = 24%; NNT = 52) **A**.⁷

Na escolha da estatina, estudos demonstram que estatinas de alta potência possuem maior benefício quando comparadas às de baixa potência, devendo ser preferencialmente prescritas para pacientes com doença coronariana e idade < 75 anos **A**.⁸ Aqueles com idade > 75 anos ou que não toleram doses com maior intensidade devem receber doses menores, e a terapia é individualizada.

Assim, independentemente dos níveis de colesterol, as estatinas devem ser prescritas para todos os indivíduos com cardiopatia isquêmica documentada⁹ **A** (para mais detalhes, ver Capítulo Prevenção Clínica das Doenças Cardiovasculares).

Dieta

Alguns alimentos parecem estar relacionados com uma proteção contra eventos cardiovasculares **C**.

Dietas do tipo mediterrâneo, ricas em frutas, legumes, verduras, cereais, pães e grãos, pobres em carne vermelha, substituída por porco e peixe, além de reduzirem os níveis de colesterol e triglicerídeos, estão relacionadas com redução de 8% na mortalidade total e de 10% na mortalidade cardiovascular, tanto para prevenção primária quanto secundária **B**.¹⁰⁻¹²

A efetividade dessas dietas em nosso meio e o impacto adicional nas terapias vigentes para o manejo da cardiopatia isquêmica são limitados. Considerando o potencial efeito sem riscos adicionais, essas dietas devem ser sugeridas aos indivíduos portadores de cardiopatia isquêmica.

A ingestão de alimentos ricos em ácido graxo ômega-3 e ácido linoleico também tem sido associada à redução de mortalidade por causas cardiovasculares.¹³ Deve-se reforçar o uso preferencial de alimentos ricos em ômega-3 e ácido linoleico, como peixes gordurosos, 2 vezes por semana, e óleo de canola, derivados de soja e nozes.

Embora ensaios clínicos randomizados iniciais tenham demonstrado redução de infarto não fatal e risco de morte súbita com suplementação de ômega-3 ou ômega-6, dados consistentes de inúmeros ensaios apontam para ausência de benefício na redução de eventos cardiovasculares em pacientes com doença arterial coronariana, não devendo ser considerados para essa população **A**.¹⁴⁻¹⁶

O grande desafio das orientações alimentares é a adesão por períodos prolongados. Mesmo com suporte de profissionais dedicados, nutricionistas e adaptação cultural para a dieta brasileira, o efeito dessas práticas não mostrou benefício que consiste em redução de eventos cardiovasculares ou melhor controle dos fatores de risco.¹⁷

Atividade física

Programas de reabilitação cardíaca, com base em exercícios, têm efeito benéfico em pacientes com doença isquêmica cardíaca. Programas de atividade física de 12 meses ou mais reduziram, em cerca de 10%, a mortalidade total (RRR = 10; NNT = 57) **B**, em especial devido à redução de mortalidade cardiovascular (RRR = 29%; NNT = 26).¹⁸⁻¹⁹

Embora a maior parte dessas evidências seja proveniente de estudos pós-infarto do miocárdio ou pós-revascularização, é esperado que os resultados sejam extrapoláveis aos demais grupos de risco. O treinamento continuado aumenta a capacidade física e a tolerância ao esforço, aumenta os limiares de angina e isquemia em testes não invasivos e também pode promover uma melhora da sensação global de bem-estar.¹⁹

Idealmente, todos os pacientes deveriam ser submetidos a uma avaliação com teste ergométrico antes do início de um programa com exercícios, para adequar as recomendações de exercício aos seus sintomas, frequência cardíaca e pressão arterial. Os componentes de uma prescrição de exercício consistem em: 30 a 60 minutos ao dia, de preferência mais de 5 dias na semana; o exercício deve envolver atividade física aeróbica moderada, como caminhada rápida, e deve ser acompanhado de aumento nas atividades comuns (como caminhadas até o trabalho, jardinagem, trabalhos domésticos) **B**. Esse tipo de exercício mostrou redução de morte cardiovascular de 36% e possível efeito na mortalidade total em pacientes com doença coronariana. No entanto, exercício de intensidade baixa pode ser iniciado sem o teste, a não ser que produza sintomas (ver Capítulo Promoção da Atividade Física).

Fármacos

Antiagregantes plaquetários

O ácido acetilsalicílico (100 mg/dia) é efetivo na prevenção de mortalidade e eventos cardiovasculares em indivíduos de alto risco **A**.

Efeitos favoráveis têm sido documentados de forma consistente na prevenção secundária de infarto e de morte cardiovascular para um amplo espectro de pacientes com manifestação clínica ou laboratorial (p. ex., com anormalidades eletrocardiográficas) de doença cardiovascular, com redução de 13% na mortalidade cardiovascular (NNT = 294/ano), de 31% em infarto agudo do miocárdio não fatal (NNT = 151/ano) e de 19% em acidente vascular cerebral (AVC) (NNT = 217/ano).²⁰ Para pacientes que apresentam intolerância gástrica ou risco de sangramento digestivo, o uso associado de inibidores da bomba de prótons (p. ex., omeprazol 20 mg/dia) pode trazer melhores resultados do que a substituição por clopidogrel **A**.

Ensaios randomizados indicam que o clopidogrel é uma alternativa em alguns subgrupos de pacientes que não toleram o ácido acetilsalicílico, apresentando resultados pelo menos tão bons quanto o ácido acetilsalicílico, mas seu alto custo é um fator limitante **A**.[18,20,21] A dupla antiagregação plaquetária, em geral incluindo ácido acetilsalicílico (100 mg, 1 ×/dia) e clopidogrel (75 mg, 1 ×/dia), pode ser considerada em pacientes de muito alto risco, uma vez que diminui infarto (RRR = 22%; NNT = 80) e AVC (RRR = 27%; NNT = 44), em comparação com o ácido acetilsalicílico **C/D**,[21] apesar de aumentar a incidência de eventos hemorrágicos maiores (redução do risco absoluto [RRA] = 44%; número necessário para causar dano [NNH, do inglês *number needed to harm*] = 110) **B**.[22] Seu benefício está bem documentado quando utilizada no primeiro ano depois de um episódio de síndrome coronariana aguda. Além disso, diminui eventos trombóticos quando usada após implante de *stents*, sendo recomendado por 1 mês até 6 meses, dependendo das características angiográficas e do risco de sangramento.

Outros antiagregantes plaquetários mais potentes se mostraram pelo menos tão eficazes quanto o clopidogrel quando usados em combinação com ácido acetilsalicílico após síndromes coronarianas agudas. O prasugrel (dose de ataque de 60 mg; dose de manutenção de 10 mg, 1 ×/dia) diminuiu eventos isquêmicos, porém com aumento de sangramento,[23] e o ticagrelor (dose de ataque de 180 mg; dose de manutenção de 90 mg, 2 ×/dia) mostrou-se eficaz na redução de eventos isquêmicos, sem induzir sangramento maior.[24] Seu alto custo e dados limitados a alguns ensaios clínicos para avaliar potenciais paraefeitos não desejados limitam seu uso, por enquanto.[25,26]

Nitratos

Esses medicamentos resultam em redução da demanda de oxigênio do miocárdio por diminuição da pré-carga e do estresse miocárdico, além de resultarem em alguma redução da pós-carga e provocarem vasodilatação coronariana. O tratamento de episódios de angina é classicamente realizado com nitratos de uso sublingual, sendo efetivo na melhora da dor **B**.[27]

Os pacientes devem ser assegurados de que o medicamento pode ser usado sempre que necessário. Recomenda-se que o fármaco seja administrado com o paciente sentado ou deitado. Além disso, nitratos de uso sublingual podem ser administrados como profilaxia quando o paciente antecipa a ocorrência de angina. Deve-se recomendar aos pacientes com angina que costumem levar consigo nitratos de uso sublingual.

Nitratos de uso oral e transdérmico são utilizados no tratamento da angina de peito, sendo efetivos na redução do número de episódios de dor e no aumento da tolerância ao exercício **C/D**.[27] Porém, têm efeito limitado devido ao rápido desenvolvimento de tolerância. Para evitá-la, dosagens de apenas 3 vezes ao dia ou a retirada do preparado transdérmico durante a noite são medidas a serem implementadas. O uso contínuo de preparações orais de liberação lenta deve ser desaconselhado, sendo necessário um intervalo de 10 a 12 horas sem cobertura do fármaco para evitar o desenvolvimento de tolerância. A **TABELA 37.3** descreve as diferentes apresentações de nitratos disponíveis no Brasil.

Betabloqueadores

Os betabloqueadores estão indicados na redução de morbimortalidade da cardiopatia isquêmica.

Estudos pós-infarto com reperfusão <50% demonstram que os betabloqueadores reduzem o risco de mortalidade, sendo efeito mais neutro em estudos recentes. Permanecendo um efeito na redução de reinfarto de 18% (NNT=196/ano)[28] e efeitos positivos na morbimortalidade da angina pectoris **B**.[28-30] Em pacientes sem infarto prévio ou disfunção ventricular, as evidências apontam para efeito nulo na mortalidade. Agem fundamentalmente na redução da demanda de oxigênio do miocárdio, por diminuírem a frequência cardíaca e a contratilidade miocárdica. Os betabloqueadores podem ser seletivos para receptores β_1, com efeito no cronotropismo, no inotropismo e na condução atrioventricular, ou não seletivos, com bloqueio também de receptores β_2 que controlam a musculatura brônquica e artérias periféricas.

Todos os betabloqueadores parecem ter eficácia semelhante no alívio da angina de peito **B**.[29] Para aqueles pacientes que tiveram síndrome coronariana aguda ou infarto do miocárdio ou têm disfunção ventricular esquerda, o uso de betabloqueadores está indicado por seu impacto prognóstico **A**. A **TABELA 37.4** descreve as diferentes apresentações de betabloqueadores disponíveis no Brasil. A solubilidade em água de alguns betabloqueadores dificulta a passagem desses medicamentos pela barreira hematencefálica, resultando em menor incidência de efeitos colaterais no sistema nervoso central. Além disso, um dos agentes betabloqueadores, o sotalol, apresenta atividade antiarrítmica de classe III.

Bloqueadores de cálcio

Esses agentes diminuem o fluxo de íons cálcio nas células miocárdicas e de músculos lisos, resultando em aumento do fluxo sanguíneo coronariano e diminuição da resistência vascular periférica. Os bloqueadores de cálcio podem ser utilizados no tratamento e na prevenção do espasmo coronariano, assim como na angina de limiar fixo. Ao contrário dos betabloqueadores, não são efetivos na redução

TABELA 37.3 → Preparações, vias de administração, posologia e tempo de ação dos nitratos de uso oral

COMPOSTO	VIA	POSOLOGIA	AÇÃO		
			INÍCIO	PICO	DURAÇÃO
Nitroglicerina	SL	0,8 mg	1 min	3 min	60 min
	Transdérmica	5-10 mg/24 h	60 min	4-8 h	24 h
Dinitrato de isossorbida	SL	2,5-5 mg	1-2 min	3-5 min	1-2 h
	Oral	10-20 mg	20-30 min	60 min	2-4 h
	Oral AP	40 mg	30 min	1-2 h	6-8 h
Propatilnitrato	SL	10 mg	2-3 min	5 min	1-2 h
	Oral	10-20 mg	30 min	60 min	2-4 h
Mononitrato de isossorbida	SL	5 mg	1-2 min	3-5 min	1-2 h
	Oral	20-40 mg	20-30 min	1-2 h	8-12 h

AP, ação prolongada; SL, sublingual.

da mortalidade mesmo em prevenção secundária **A**.[27] No manejo da angina, possuem efetividade semelhante à dos betabloqueadores, podendo ser utilizados quando estes não forem tolerados, ou em associação em caso de angina em vigência de tratamento otimizado com betabloqueador **B**.[29,31]

Os derivados di-hidropiridínicos nifedipino, nitrendipino, anlodipino, felodipino e isradipino têm maior efeito vasodilatador, menor efeito inotrópico negativo e, quando usados isoladamente, podem resultar em taquicardia reflexa. O verapamil tem maior efeito no bloqueio de condução atrioventricular e também maior efeito inotrópico negativo. Por fim, o diltiazém apresenta características intermediárias. Os bloqueadores de cálcio de segunda geração (anlodipino, felodipino) ou verapamil e diltiazém devem ser preferidos no manejo da angina.[32] A **TABELA 37.5** descreve as apresentações dos bloqueadores de cálcio disponíveis no Brasil.

Outros agentes antianginosos

A trimetazidina é um medicamento de ação metabólica, que aumenta a oxidação de glicose e diminui a oxidação de ácidos graxos mediante inibição da 3-cetoacil-coenzima A tiolase de cadeia longa. É efetiva no controle sintomático da angina, reduzindo em cerca de 40% o número de crises e o uso de nitrato **B**.[32] Por desviar a utilização de substratos pelo miocárdio para uma rota mais eficiente, diminui a isquemia miocárdica, sem agir hemodinamicamente. Apresenta efeito antianginoso quando administrada sozinha e também em associação com outros agentes antianginosos de efeito hemodinâmico.[33,34]

A ivabradina é um inibidor específico da corrente If do nodo sinusal, exercendo efeito bradicardizante em pacientes em ritmo sinusal, sem atuar na pressão arterial, na condução atrioventricular ou na contratilidade ventricular. Tem comprovado efeito antianginoso em pacientes com angina estável utilizada isoladamente ou mesmo em associação com outros antianginosos em pacientes que apresentam frequência cardíaca de repouso > 60 batimentos por minuto (bpm). Em ensaios clínicos de pacientes com angina estável, mostrou ter efeito equivalente ao dos betabloqueadores no controle sintomático **B**.

Em pacientes com disfunção ventricular e doença arterial, a administração de ivabradina não reduziu eventos combinados de infarto, morte e hospitalizações por insuficiência cardíaca **A**.[35] A ivabradina em pacientes com doença arterial coronariana sem disfunção ventricular não mostrou efeito em desfechos cardiovasculares maiores, mesmo em pacientes com frequência cardíaca em repouso > 70 bpm.[36]

Inibidores da enzima conversora da angiotensina

Os inibidores da enzima conversora da angiotensina reduzem eventos isquêmicos em pacientes com doença arterial coronariana, independentemente dos níveis de pressão arterial.

Essa classe de medicamentos não tem indicação no manejo sintomático da angina. Os inibidores da enzima conversora da angiotensina têm um efeito maior e independente naqueles pacientes com risco de morte cardiovascular mais elevado. A redução é de 16% na mortalidade total (NNT = 93), em especial devido à redução na mortalidade cardiovascular (RRR = 26%), além da redução de outros eventos cardiovasculares, como infarto agudo do miocárdio não fatal (RRR = 18%), revascularização (RRR = 7%) e AVC (RRR = 21%), para um período médio de 3,2 anos A.[37,38]

O efeito parece ser mais marcante nos pacientes com diabetes melito e insuficiência renal crônica,[39,40] e um ensaio clínico em pacientes com doença estável de mais baixo risco não mostrou benefício.[41] As evidências reforçam o uso rotineiro de inibidores da enzima conversora da angiotensina em pacientes com cardiopatia isquêmica e disfunção ventricular,

TABELA 37.4 → Preparações, propriedades, frequência de administração e dosagem diária dos betabloqueadores

PREPARAÇÃO	PROPRIEDADES	FREQUÊNCIA	DOSAGEM
Propranolol	NS	8/8 h	40-320 mg
Metoprolol			
Tartarato	S	12/12 h	100-400 mg
Succinato	S	24/24 h	50-200 mg
Atenolol	S HS	24/24 h	50-200 mg
Sotalol	NS A-A	12/12 h	120-640 mg
Bisoprolol*	S	24/24 h	5-20 mg
Carvedilol*	NS	12/12 h	6,25-100 mg
Labetalol	NS A1	12/12 h	200-800 mg

*Esses fármacos têm sido prescritos para pacientes com insuficiência cardíaca associada.
A1, bloqueio alfa 1; A-A, atividade antiarrítmica de classe III; HS, hidrossolúvel; NS, não seletivo; S, seletivo.

TABELA 37.5 → Preparações, vias de administração, frequência e dosagem diária dos bloqueadores de cálcio

PREPARAÇÃO	VIA	FREQUÊNCIA	DOSAGEM
Di-hidropiridínicos			
Nifedipino	SL	SN	10 mg
	Oral	8/8 h	30-90 mg/dia
	Oral Retard	12/12 h	20-80 mg/dia
	Oral ER	24/24 h	20-100 mg/dia
	Oral Oros	24/24 h	30-60 mg/dia
Nitrendipino	Oral	12/12 h	10-40 mg/dia
Anlodipino	Oral	24/24 h	5-10 mg/dia
Isradipino	Oral	12/12 h	5 mg/dia
	Oral SRO	24/24 h	5 mg/dia
Felodipino	Oral	24/24 h	5-10 mg/dia
Verapamil	Oral	8/8 h	80-480 mg/dia
	Oral AP	12/12 h	120-480 mg/dia
	Oral Retard	24/24 h	240-480 mg/dia
Diltiazém	Oral	8/8 h	90-240 mg/dia
	Oral SR	12/12 h	180-240 mg/dia
	Oral SR	24/24 h	240 mg/dia

SL, sublingual; SN, se necessário. ER, Oros, SRO, AP, Retard e SR são siglas de mecanismos de liberação prolongada.

pós-infarto do miocárdio e pós-procedimentos de revascularização miocárdica, além dos indivíduos de alto risco, com diabetes, hipertensão ou insuficiência renal crônica.

Escolha do regime terapêutico

Todos os pacientes devem receber orientações sobre dieta e atividade física (ver Capítulos Alimentação Saudável do Adulto e Promoção da Atividade Física).

Os antiagregantes plaquetários e as estatinas devem ser utilizados indefinidamente na cardiopatia isquêmica A. Em relação aos antianginosos, a experiência atual permite que todos os agentes sejam empregados no manejo de pacientes com angina de peito.

Ensaios clínicos que comparam os fármacos antianginosos não avaliaram efeito em desfechos maiores, e ensaios que compararam betabloqueadores e antagonistas do cálcio não mostraram diferença no controle dos sintomas C/D. Apesar dessas considerações, os betabloqueadores têm sido recomendados como primeira linha no manejo de angina estável. Pacientes que tiveram um infarto do miocárdio devem receber betabloqueadores pelo efeito adicional de melhorar sintomas e reduzir mortalidade B. Além disso, subanálises de alguns ensaios clínicos mostraram redução na mortalidade pós-infarto naqueles pacientes em uso prévio de betabloqueadores. Para os demais, pode-se tentar o manejo inicial dos pacientes com apenas um bloqueador de cálcio (verapamil e diltiazém) que não resulta em taquicardia reflexa.

Quando, mesmo com aumento da dose, não se obtém um controle adequado dos sintomas, associações dos diversos grupos podem ser feitas. Com frequência, utiliza-se a associação de nitrato com betabloqueador ou nitrato com bloqueador de cálcio, sendo o controle dos sintomas mais eficaz com a combinação. Uma associação bastante utilizada em esquema tríplice é a de um bloqueador de cálcio di-hidropiridínico com betabloqueador e nitrato. A associação de betabloqueador e verapamil ou diltiazém, embora potente, é pouco utilizada, devido ao efeito na condução atrioventricular, enquanto a associação de diferentes bloqueadores de cálcio fica reservada para casos de espasmo coronariano de difícil controle.

Em pacientes com frequência cardíaca e pressão arterial sistólica baixas, a trimetazidina (35 mg, 2 ×/dia) e a ranolazina (500 a 1.000 mg 1-2 ×/dia) são opções terapêuticas, por não terem efeito hemodinâmico B.[42] Em pacientes sintomáticos com doença isquêmica e disfunção ventricular (fração de ejeção [FE] < 35%), com frequência cardíaca de repouso elevada com o uso de betabloqueadores ou naqueles que não podem usá-los, a ivabradina (5-7,5 mg, 2 ×/dia) é uma alternativa terapêutica, embora aumente em 18% o risco de infarto não fatal ou morte cardiovascular A.[43,44] A **TABELA 37.6** apresenta sugestões de manejo em diferentes condições clínicas.

A efetividade do tratamento costuma ser avaliada pela resposta clínica ou pelo teste de esforço. A carga isquêmica, estabelecida por sintomas, alterações eletrocardiográficas em baixa carga e a extensão da isquemia em métodos de imagem estão relacionadas com pior prognóstico, sendo recomendada investigação adicional e acompanhamento por especialistas nesses casos.

Indicações de procedimentos de revascularização

Um dos aspectos fundamentais na atividade de cuidados primários ao paciente cardiopata isquêmico é a seleção de potenciais candidatos a procedimentos de revascularização. Embora a indicação de procedimentos de revascularização implique a participação de especialistas, o médico não cardiologista deve conhecer as situações nas quais o paciente deve ser encaminhado para avaliação em centros de referência.

Os objetivos da revascularização cirúrgica ou por cateter são o controle dos sintomas e o aumento da sobrevida. Quando o tratamento clínico não é capaz de controlar satisfatoriamente a sintomatologia, o paciente deve ser encaminhado para cateterismo cardíaco com vistas a um procedimento de revascularização.

Quando o objetivo é aumentar a sobrevida, estudos randomizados prévios às terapias contemporâneas demonstraram que a cirurgia de revascularização miocárdica tem efeito favorável em pacientes com angina estável B ou instável e função ventricular esquerda comprometida, sobretudo quando a isquemia miocárdica contribui para a disfunção ventricular A.[45] Entretanto, evidências recentes questionam o benefício da revascularização em pacientes considerados estáveis e sem sintomas importantes. Em relação à capacidade de controle dos sintomas, as evidências demonstram que os procedimentos de revascularização por cateter são mais eficazes do que o tratamento clínico A[46,47] e têm efeitos semelhantes aos da cirurgia em relação à incidência de infarto e à mortalidade A.[46,48]

Assumindo a necessidade de novas intervenções devido à reestenose pós-procedimento por cateter, essas

TABELA 37.6 → Sugestões para o manejo da cardiopatia isquêmica em função das condições clínicas

CONDIÇÃO CLÍNICA	MANEJO PREFERENCIAL
Todos os pacientes	Controle dos fatores de risco, atividade física e dieta
	Ácido acetilsalicílico ou outro antiagregante plaquetário
	Estatinas
Pacientes com disfunção ventricular, pós-infarto e pós-revascularização, diabetes melito e hipertensão arterial sistêmica	Inibidores da enzima conversora da angiotensina (ECA)
Angina de limiar fixo	Betabloqueadores
Angina de limiar variável	Bloqueadores de cálcio e nitratos
Arritmia associada	Considerar sotalol
Insuficiência cardíaca	Betabloqueadores, se estável
	Inibidores da ECA
	Nitratos e considerar cateterismo
Pós-infarto do miocárdio	Betabloqueadores, inibidores da ECA
Doença pulmonar obstrutiva crônica	Bloqueadores de cálcio, nitratos, trimetazidina, ivabradina
Diabetes melito	Betabloqueadores e nitratos
Doença vascular periférica	Bloqueadores de cálcio, nitratos, trimetazidina, ivabradina
Evidência de isquemia grave	Encaminhar para cateterismo

intervenções também têm resultados semelhantes aos da cirurgia quanto ao controle dos sintomas. Portanto, uma estratégia de seleção de pacientes para avaliação invasiva pode ser baseada na função ventricular esquerda (estimada pela FE) de repouso e no resultado do teste provocativo de isquemia. Se o paciente apresentar disfunção ventricular em repouso e/ou evidência de isquemia grave induzida por exercício em carga baixa (ver TABELA 37.1), o cateterismo cardíaco deve ser realizado. Como salientado, esses pacientes podem apresentar-se clinicamente com angina e dispneia, associada ou não a sinais de insuficiência cardíaca, ou mesmo sintomas de arritmias com palpitações e síncope.

Os seguintes achados resultantes da avaliação invasiva seriam indicativos de procedimentos de revascularização miocárdica com objetivo de melhora de prognóstico:
→ lesão de tronco de coronária esquerda;
→ lesão de três vasos em pacientes com disfunção ventricular esquerda ou isquemia extensa (> 10% do ventrículo esquerdo) induzida por estresse;
→ lesão de dois vasos com envolvimento do segmento proximal da artéria descendente anterior esquerda e isquemia induzível;
→ lesão crítica de um vaso associada à indução de isquemia extensa e limitação funcional.

Nos casos com lesões multiarteriais, de dois e três vasos, sem as condições citadas, a sobrevida livre de eventos tem-se mostrado semelhante com revascularização percutânea ou cirúrgica.[46,47] A escolha entre revascularização cirúrgica ou por cateter baseia-se nas características das lesões e nos resultados dos grupos responsáveis pelos procedimentos.[49]

Manejo do paciente pós-infarto do miocárdio

No passado, eram impostas limitações aos pacientes que se recuperavam de infarto do miocárdio. Na era da trombólise ou recanalização mecânica das coronárias e da estratificação do risco pós-infarto, a melhor avaliação do prognóstico do paciente, aliada a uma internação hospitalar curta, sem repouso prolongado no leito, tornou essas limitações desnecessárias.

Em pacientes com angina instável, a avaliação clínica, junto com o resultado do teste de esforço pré-alta e da avaliação da função ventricular esquerda, permite selecionar pacientes de alto risco que necessitam de avaliação invasiva para considerar procedimentos de revascularização ou tratamento farmacológico mais agressivo. Pacientes que não apresentam isquemia induzida e com boa função ventricular têm bom prognóstico e podem ser manejados clinicamente. Esses pacientes podem manter as atividades comuns logo após a alta hospitalar. Caminhadas diárias podem ser imediatamente encorajadas. Uma vez que a atividade sexual resulta em gasto energético pequeno, pacientes de baixo risco podem reassumir a atividade sexual em 1 semana a 10 dias. A decisão de retorno ao trabalho depende de outros fatores além do físico, como financeiro, legal e satisfação pessoal. Do ponto de vista de segurança clínica, em pacientes estáveis o retorno pode ocorrer em menos de 2 semanas.

Na recuperação do infarto do miocárdio, os pacientes devem ser orientados para ações focadas no controle dos fatores de risco, incluindo interrupção do tabagismo, programa de atividade física regular, alimentação cardioprotetora e controle do peso corporal. Uma vez que esse grupo se caracteriza por ser de maior risco, a farmacoterapia preconizada para todos os indivíduos com cardiopatia isquêmica tem benefício definitivo nesses pacientes, incluindo dupla antiagregação plaquetária, estatinas de alta potência, betabloqueadores e inibidores da enzima conversora da angiotensina. A TABELA 37.7 apresenta os inibidores da enzima conversora da angiotensina utilizados no Brasil.

Da mesma forma, a evidência de vários ensaios prospectivos, multicêntricos e randomizados tem demonstrado efeito benéfico do uso de betabloqueadores (com utilização durante pelo menos 1 ano) na prevenção secundária pós-infarto do miocárdio.[50-53]

ACOMPANHAMENTO AMBULATORIAL

Embora muitas evidências reforcem a prática médica no manejo da cardiopatia isquêmica, são escassos os estudos sobre o acompanhamento desses pacientes. É recomendada uma avaliação periódica pelo médico, em geral a cada 4 a 12 meses, dependendo dos sintomas, da adesão ao tratamento e da gravidade do caso. Em cada avaliação, deve-se questionar sobre a presença e a intensidade de angina ou sintomas sugestivos de isquemia, determinar a classe funcional, verificar a adesão ao controle dos fatores de risco e fazer a revisão de outras comorbidades que podem interferir na doença ou apresentar interação com múltiplos fármacos.

Em relação aos exames laboratoriais, exceto pelo controle do perfil lipídico, não é recomendada a solicitação de outros testes de rotina. A decisão de solicitar um hemograma, provas de função tireoidiana, função renal e eletrólitos deve ser baseada na história clínica, nos achados do exame físico ou na presença de outras doenças crônicas em acompanhamento.

Da mesma forma, testes não invasivos cardiológicos não precisam ser realizados periodicamente. O ECG de repouso deve ser realizado quando fármacos que afetam o sistema de condução (betabloqueadores, antagonistas do cálcio, digoxina, antiarrítmicos, antidepressivos tricíclicos, entre outros) são iniciados ou modificados, quando há mudança do padrão de angina ou quando ocorrem outros eventos cardíacos (infarto, arritmias, insuficiência cardíaca).

TABELA 37.7 → Preparações, frequência de administração e dosagem diária dos inibidores da enzima conversora da angiotensina

PREPARAÇÃO	FREQUÊNCIA	DOSAGEM
Captopril	8/8 h	37,5-75 mg
Enalapril	12/12 h	5-20 mg
Ramipril	24/24 h	2,5-10 mg
Lisinopril	24/24 h	5-20 mg
Fosinopril	24/24 h	10-20 mg
Perindopril	24/24 h	2-8 mg
Benazepril	24/24 h	5-20 mg
Quinapril	24/24 h	10-20 mg

Pacientes de risco mais alto (disfunção ventricular, presença de doença coronariana significativa não revascularizada, com diabetes melito) provavelmente se beneficiam de uma avaliação não invasiva de isquemia mais frequente (a cada 1-2 anos), devendo ser acompanhados com especialistas.

FATORES EXACERBANTES E DESCOMPENSAÇÃO

O manejo e o acompanhamento das diversas condições clínicas que podem agravar a isquemia miocárdica são importantes. Entre elas, hipertensão arterial sistêmica, taquiarritmia (p. ex., fibrilação atrial), febre, hipertireoidismo, anemia ou policitemia, hipoxemia ou doenças valvares são as mais frequentes. Em geral, um descontrole de outras condições, como hemorragia digestiva ou descompensação de insuficiência cardíaca, pode ser suficiente para instabilizar a cardiopatia isquêmica, além das situações externas de maior demanda, como exercício físico, estresse emocional, frio intenso ou refeições pesadas.

MANEJO DE COMORBIDADES FREQUENTES

Várias doenças coexistem nos pacientes com doença aterosclerótica e podem afetar a estabilidade do quadro, por alterar aspectos fisiopatológicos, agravar fatores de risco, aumentar o consumo de oxigênio ou interferir na terapia farmacológica. Entre elas, destacam-se doença isquêmica cerebral, insuficiência cardíaca, doença renal crônica, doença vascular periférica, depressão maior e sintomas depressivos, anemia, doença pulmonar obstrutiva crônica, apneia do sono e impotência.

Sintomas depressivos e depressão são bastante prevalentes, estando presentes em 20 a 40% dos pacientes com doença coronariana;[54] estão relacionados com pior prognóstico e devem ser investigados (ver Capítulo Depressão).[55] Os inibidores da recaptação da serotonina são a classe de antidepressivos mais estudada nesses pacientes, devendo ser utilizados como primeira opção farmacológica em pacientes com doença coronariana. Eles melhoram a sensação de bem-estar e sintomas depressivos; ainda, os efeitos sobre eventos cardiovasculares e hospitalizações são pequenos ou inexistentes B.[56,57]

É importante também lembrar que o consumo de cocaína está relacionado com manifestações de doença isquêmica, sobretudo infarto agudo do miocárdio e espasmo coronariano, devendo ser investigado em todos os pacientes com sintomas sugestivos. Isso também se aplica ao uso de anabolizantes, testosterona e uso de anticoncepcional oral em mulheres tabagistas.

ENCAMINHAMENTO

Existem algumas situações de difícil manejo ou de mais alto risco que exigem encaminhamento para médicos especialistas ou emergências – as indicações para esses encaminhamentos são apresentadas na TABELA 37.8. Como regra, os pacientes que persistem com sintomas após manejo inicial, identificados como não de baixo risco pela história clínica ou exames subsidiários, têm indicação para avaliação por médico cardiologista. É importante destacar que alguns pacientes apresentam sintomas persistentes recentes (< 24 horas) que necessitam de investigação em unidades de pronto-atendimento ou emergência com suporte para realização de exames imediatos e internação em hospital de referência.

TABELA 37.8 → Indicações para encaminhamento

PARA EMERGÊNCIA
- → Dor torácica aguda em repouso prolongada nas últimas 12 horas
- → Dor torácica aguda entre 12 e 72 horas com sintomas e/ou alterações eletrocardiográficas
- → Suspeita de angina instável ou infarto agudo do miocárdio em evolução
- → Taquiarritmias ventriculares ou supraventriculares com instabilidade clínica

PARA CARDIOLOGISTA
- → Angina estável de classe II ou superior após tratamento inicial
- → Doença isquêmica estável com disfunção ventricular moderada/grave, arritmia ou exames não invasivos sugestivos de alto risco
- → Dificuldade de manejo com os fármacos de primeira linha
- → Síncope ou suspeita de arritmia de início recente

REFERÊNCIAS

1. Polanczyk CA, Ribeiro JP. Coronary artery disease in Brazil: contemporary management and future perspectives. Heart. 2009; 95(11):870-6.
2. Ribeiro AL, Duncan BB, Brant LC, Lotufo PA, Mill JG, Barreto SM. Cardiovascular health in Brazil: trends and perspectives. Circulation. 2016;133(4):422-33.
3. Brant LCC, Nascimento BR, Passos VMA, Duncan BB, Benseñor IJM, Malta DC, et al. Variations and particularities in cardiovascular disease mortality in Brazil and Brazilian states in 1990 and 2015: estimates from the Global Burden of Disease. Rev Bras Epidemiol. 2017;20(suppl 1):116-28
4. Lee TH, Boucher CA. Clinical practice: noninvasive tests in patients with stable coronary artery disease. N Engl J Med. 2001;344(24):1840-5.
5. Douglas PS, Hoffmann U, Patel MR, Mark DB, Al-Khalidi HR, Cavanaugh B, et al. Outcomes of anatomical versus functional testing for coronary artery disease. N Engl J Med. 2015;372(14):1291-300.
6. Bertoldi E, Stella SF, Rohde LE, Polanczyk CA. Long-term cost-effectiveness of diagnostic tests for assessing stable chest pain: modeled analysis of anatomical and functional strategies. Clin Cardiol. 2016;39(5):249-56.
7. Mills EJ, Wu P, Chong G, Ghement I, Singh S, Akl EA, et al. Efficacy and safety of statin treatment for cardiovascular disease: a network meta-analysis of 170,255 patients from 76 randomized trials. QJM. 2011;104(2):109-24.
8. Cholesterol Treatment Trialists' Collaboration, Baigent C, Blackwell L, Emberson J, Holland LE, Reith C, et al. Efficacy and safety of more intensive lowering of LDL cholesterol: a meta-analysis of data from 170,000 participants in 26 randomised trials. Lancet. 2010;376(9753):1670–81.
9. Heart Protection Study Collaborative Group. MRC/BHF Heart Protection Study of cholesterol lowering with simvastatin in 20,536 high-risk individuals: a randomised placebo-controlled trial. Lancet. 2002;360(9326):7-22.
10. de Lorgeril M, Salen P, Martin JL, Monjaud I, Delaye J, Mamelle N. Mediterranean diet, traditional risk factors, and the rate of cardiovascular complications after myocardial infarction: final report of the Lyon Diet Heart Study. Circulation. 1999;99(6):779-85.

11. Rees K, Takeda A, Martin N, Ellis L, Wijesekara D, Vepa A, et al. Mediterranean-style diet for the primary and secondary prevention of cardiovascular disease. Cochrane Database Syst Rev. 2019;3:CD009825.

12. Singh RB, Dubnov G, Niaz MA, Ghosh S, Singh R, Rastogi SS, et al. Effect of an Indo-Mediterranean diet on progression of coronary artery disease in high risk patients (Indo-Mediterranean Diet Heart Study): a randomised single-blind trial. Lancet. 2002;360(9344):1455-61.

13. Kris-Etherton PM, Harris WS, Appel LJ. Fish consumption, fish oil, omega-3 fatty acids, and cardiovascular disease. Circulation. 2002;106(21):2747-57.

14. Galan P, Kesse-Guyot E, Czernichow S, Briancon S, Blacher J, Hercberg S. Effects of B vitamins and omega 3 fatty acids on cardiovascular diseases: a randomised placebo controlled trial. BMJ. 2010;341:c6273.

15. Filion KB, El Khoury F, Bielinski M, Schiller I, Dendukuri N, Brophy JM. Omega-3 fatty acids in high-risk cardiovascular patients: a meta-analysis of randomized controlled trials. BMC Cardiovasc Disord. 2010;10:24-32.

16. Hooper L, Al-Khudairy L, Abdelhamid AS, Rees K, Brainard JS, Brown TJ et al. Omega-6 fats for the primary and secondary prevention of cardiovascular disease. Cochrane Database Syst Rev. 2018;11:CD011094.

17. Weber B, Bersch-Ferreira ÂC, Torreglosa CR, Marcadenti A, Lara ES, Silva JT, et al. Implementation of a Brazilian Cardioprotective Nutritional (BALANCE) Program for improvement on quality of diet and secondary prevention of cardiovascular events: a randomized, multicenter trial. Am Heart J. 2019;215:187-97.

18. Anderson L, Thompson DR, Oldridge N, Zwisler AD, Rees K, Martin N, et al. Exercise-based cardiac rehabilitation for coronary heart disease. Cochrane Database Syst Rev. 2016;(1):CD001800.

19. Thompson PD, Buchner D, Pina IL, Balady GJ, Williams MA, Marcus BH, et al. Exercise and physical activity in the prevention and treatment of atherosclerotic cardiovascular disease: a statement from the Council on Clinical Cardiology (Subcommittee on Exercise, Rehabilitation, and Prevention) and the Council on Nutrition, Physical Activity, and Metabolism (Subcommittee on Physical Activity). Circulation. 2003;107(24):3109-16.

20. Baigent C, Blackwell L, Collins R, Emberson J, Godwin J, Peto R, et al. Aspirin in the primary and secondary prevention of vascular disease: collaborative meta-analysis of individual participant data from randomised trials. Lancet. 2009;373(9678):1849-60.

21. Greenhalgh J, Bagust A, Boland A, Martin Saborido C, Oyee J, Blundell M, et al. Clopidogrel and modified-release dipyridamole for the prevention of occlusive vascular events (review of Technology Appraisal No. 90): a systematic review and economic analysis. Health Technol Assess. 2011;15(31):1-178.

22. Squizzato A, Keller T, Romualdi E, Middeldorp S. Clopidogrel plus aspirin versus aspirin alone for preventing cardiovascular disease. Cochrane Database Syst Rev. 2011;(1):CD005158.

23. Wiviott SD, Braunwald E, McCabe CH, Montalescot G, Ruzyllo W, Gottlieb S, et al. Prasugrel versus clopidogrel in patients with acute coronary syndromes. N Engl J Med. 2007;357(20):2001-15.

24. Wallentin L, Becker RC, Budaj A, Cannon CP, Emanuelsson H, Held C, et al. Ticagrelor versus clopidogrel in patients with acute coronary syndromes. N Engl J Med. 2009;361(11):1045-57.

25. Jones WS, Mulder H, Wruck LM, Pencina MJ, Kripalani S, Muñoz D, et al. Comparative Effectiveness of Aspirin Dosing in Cardiovascular Disease. N Engl J Med. 2021;384(21):1981-90.

26. Kim BK, Hong SJ, Cho YH, Yun KH, Kim YH, Suh Y, et al. Effect of Ticagrelor Monotherapy vs Ticagrelor With Aspirin on Major Bleeding and Cardiovascular Events in Patients With Acute Coronary Syndrome: The TICO Randomized Clinical Trial. JAMA. 2020; 323(23):2407-16.

27. Sei J, Wu T, Yang Q, Chen M, Ni J, Huang D. Nitrates for stable angina: a systematic review and meta-analysis of randomized clinical trials. Int J Cardiol. 2011;146(1):4-12.

28. Teo KK, Yusuf S, Furberg CD. Effects of prophylactic antiarrhythmic drug therapy in acute myocardial infarction: an overview of results from randomized controlled trials. JAMA. 1993;270(13):1589-95.

29. Shu DF, Dong BR, Lin XF, Wu TX, Liu GJ. Long-term beta blockers for stable angina: systematic review and meta-analysis. Eur J Prev Cardiol. 2012;19(3):330-41.

30. Safi S, Sethi NJ, Nielsen EE, Feinberg J, Jakobsen JC, Gluud C. Beta-blockers for suspected or diagnosed acute myocardial infarction. Cochrane Database Syst Rev. 2019;12(12):CD012484.

31. Heidenreich PA, McDonald KM, Hastie T, Fadel B, Hagan V, Lee BK, et al. Meta-analysis of trials comparing beta-blockers, calcium antagonists, and nitrates for stable angina. JAMA. 1999;281(20):1927-36.

32. Ferrari R, Pavasini R, Camici PG, Crea F, Danchin N, Pinto F, et al. Anti-anginal drugs-beliefs and evidence: systematic review covering 50 years of medical treatment. Eur Heart J. 2019;40(2):190-194.

33. Ciapponi A, Pizarro R, Harrison J. Trimetazidine for stable angina. Cochrane Database Syst Rev. 2017;3:CD003614.

34. Ribeiro LW, Ribeiro JP, Stein R, Leitão C, Polanczyk CA. Trimetazidine added to combined hemodynamic antianginal therapy in patients with type 2 diabetes: a randomized crossover trial. Am Heart J. 2007;154(1):78.e1-7.

35. Fox K, Ford I, Steg PG, Tendera M, Ferrari R. Ivabradine for patients with stable coronary artery disease and left-ventricular systolic dysfunction (BEAUTIFUL): a randomised, double-blind, placebo-controlled trial. Lancet. 2008;372(9641):807-16.

36. Fox K, Ford I, Steg PG, Tardif JC, Tendera M, Ferrari R; SIGNIFY Investigators. Ivabradine in stable coronary artery disease without clinical heart failure. N Engl J Med. 2014;371(12):1091-9.

37. Bangalore S, Fakheri R, Wandel S, Toklu B, Wandel J, Messerli FH. Renin angiotensin system inhibitors for patients with stable coronary artery disease without heart failure: systematic review and meta-analysis of randomized trials. BMJ. 2017;356:j4.

38. Al-Mallah MH, Tleyjeh IM, Abdel-Latif AA, Weaver WD. Angiotensin-converting enzyme inhibitors in coronary artery disease and preserved left ventricular systolic function: a systematic review and meta-analysis of randomized controlled trials. J Am Coll Cardiol. 2006;47(8):1576-83.

39. Yusuf S, Sleight P, Pogue J, Bosch J, Davies R, Dagenais G. Effects of an angiotensin-converting-enzyme inhibitor, ramipril, on cardiovascular events in high-risk patients. The Heart Outcomes Prevention Evaluation Study Investigators. N Engl J Med. 2000;342(3):145-53.

40. Fox KM. Efficacy of perindopril in reduction of cardiovascular events among patients with stable coronary artery disease: randomised, double-blind, placebo-controlled, multicentre trial (the EUROPA study). Lancet. 2003;362(9386):782-8.

41. Braum MM, Stevens WA, Bastow CH. Stable coronary artery disease: treatment. Am Fam Physician. 2018;97(6):376-384.

42. Wilson SR, Scirica BM, Braunwald E, Murphy SA, Karwatowska-Prokopczuk E, Buros JL, et al. Efficacy of ranolazine in patients with chronic angina observations from the randomized, double-blind, placebo-controlled MERLIN-TIMI (Metabolic Efficiency With Ranolazine for Less Ischemia in Non-ST-Segment Elevation Acute Coronary Syndromes) 36 Trial. J Am Coll Cardiol. 2009;53(17):1510-6.

43. Fox K, Ford I, Steg PG, Tardif JC, Tendera M, Ferrari R; SIGNIFY Investigators. Ivabradine in stable coronary artery disease without clinical heart failure. N Engl J Med. 2014;371(12):1091-9.

44. Maagaard M, Nielsen EE, Sethi NJ, Ning L, Yang SH, Gluud C, et al. Effects of adding ivabradine to usual care in patients with angina pectoris: a systematic review of randomised clinical trials with meta-analysis and Trial Sequential Analysis. Open Heart. 2020;7(2):e001288.

45. Emond M, Mock MB, Davis KB, Fisher LD, Holmes DR Jr, Chaitman BR, et al. Long-term survival of medically treated patients in

the Coronary Artery Surgery Study (CASS) Registry. Circulation. 1994;90(6):2645-57.
46. Pursnani S, Korley F, Gopaul R, Kanade P, Chandra N, Shaw RE, et al. Percutaneous coronary intervention versus optimal medical therapy in stable coronary artery disease: a systematic review and meta-analysis of randomized clinical trials. Circ Cardiovasc Interv. 2012;5(4):476-90.
47. Hlatky MA, Boothroyd DB, Bravata DM, Boersma E, Booth J, Brooks MM, et al. Coronary artery bypass surgery compared with percutaneous coronary interventions for multivessel disease: a collaborative analysis of individual patient data from ten randomised trials. Lancet. 2009;373(9670):1190-7.
48. Ujueta F, Weiss EN, Shah B, Sedlis SP. Effect of percutaneous coronary intervention on survival in patients with stable ischemic heart disease. Curr Cardiol Rep. 2017;19(2):17.
49. Ohman EM. Chronic stable angina. N Engl J Med. 2016;374(12):1167-76.
50. Pfeffer MA, Braunwald E, Moyé LA, Basta L, Brown EJ Jr, Cuddy TE, et al. Effect of captopril on mortality and morbidity in patients with left ventricular dysfunction after myocardial infarction: results of the survival and ventricular enlargement trial. The SAVE Investigators. N Engl J Med. 1992;327(10):669-77.
51. The Acute Infarction Ramipril Efficacy (AIRE) Study Investigators. Effect of ramipril on mortality and morbidity of survivors of acute myocardial infarction with clinical evidence of heart failure. Lancet. 1993;342(8875):821-8.
52. Gruppo Italiano per lo Studio della Sopravvivenza nell'infarto Miocardico. GISSI-3: effects of lisinopril and transdermal glyceryl trinitrate singly and together on 6-week mortality and ventricular function after acute myocardial infarction. Lancet. 1994;343(8906):1115-22.
53. ISIS-4 (Fourth International Study of Infarct Survival) Collaborative Group. ISIS-4: a randomised factorial trial assessing early oral captopril, oral mononitrate, and intravenous magnesium sulphate in 58,050 patients with suspected acute myocardial infarction. Lancet. 1995;345(8951):669-85.
54. Celano CM, Huffman JC. Depression and cardiac disease: a review. Cardiol Rev. 2011;19(3):130-42.
55. Hoen PW, Whooley MA, Martens EJ, Na B, van Melle JP, de Jonge P. Differential associations between specific depressive symptoms and cardiovascular prognosis in patients with stable coronary heart disease. J Am Coll Cardiol. 2010;56(11):838-44.
56. Ostuzzi G, Turrini G, Gastaldon C, Papola D, Rayner L, Caruso R et al. Efficacy and acceptability of antidepressants in patients with ischemic heart disease: systematic review and meta-analysis. Int Clin Psychopharmacol. 2019;34(2):65-75.
57. Berkman LF, Blumenthal J, Burg M, Carney RM, Catellier D, Cowan MJ, et al. Effects of treating depression and low perceived social support on clinical events after myocardial infarction: the Enhancing Recovery in Coronary Heart Disease Patients (ENRICHD) Randomized Trial. JAMA. 2003;289(23):3106-16.

LEITURAS RECOMENDADAS

Amsterdam EA, Wenger NK, Brindis RG, Casey DE Jr, Ganiats TG, Holmes DR Jr, et al. 2014 AHA/ACC Guideline for the Management of Patients with Non-ST-Elevation Acute Coronary Syndromes: a report of the American College of Cardiology/American Heart Association Task Force on Practice Guidelines. J Am Coll Cardiol. 2014;64(24):e139-e228
Recomendações das duas maiores associações norte-americanas de cardiologia para o manejo da síndrome coronariana aguda sem supradesnível do segmento ST.

Task Force Members, Montalescot G, Sechtem U, Achenbach S, Andreotti F, Arden C, et al. 2013 ESC guidelines on the management of stable coronary artery disease: the Task Force on the management of stable coronary artery disease of the European Society of Cardiology. Eur Heart J. 2013;34(38):2949-3003.
Força-tarefa da European Society of Cardiology para manejo da doença coronariana estável.

Fihn SD, Blankenship JC, Alexander KP, Bittl, JA, Byrne JG, Fletcher BJ, et al. 2014 ACC/AHA/AATS/PCNA/SCAI/STS focused update of the guideline for the diagnosis and management of patients with stable ischemic heart disease: a report of the American College of Cardiology/American Heart Association Task Force on Practice Guidelines, and the American Association for Thoracic Surgery, Preventive Cardiovascular Nurses Association, Society for Cardiovascular Angiography and Interventions, and Society of Thoracic Surgeons. Circulation. 2014;130(19):1749-67.
Recomendações das duas maiores associações norte-americanas de cardiologia para o manejo de angina estável.

Cesar LA, Ferreira JF, Armaganijan D, Gowdak LH, Mansur AP, Bondanese, et al. Guideline for stable coronary artery disease. Arq Bras Cardiol. 2014;103(2 suppl 2):1-56.
Recomendações da Sociedade Brasileira de Cardiologia para avaliação e manejo da doença arterial coronariana crônica.

Sousa-Uva M, Neumann FJ, Ahlsson A, Alfonso F, Banning AP, Benedetto U, et al. 2018 ESC/EACTS Guidelines on myocardial revascularization. Eur J Cardiothorac Surg. 2019;55(1):4-90.
Recomendações das maiores associações de cardiologia sobre procedimentos de revascularização miocárdica.

Stergiopoulos K, Boden WE, Hartigan P, Möbius-Winkler S, Hambrecht R, Hueb W, et al. Percutaneous coronary intervention outcomes in patients with stable obstructive coronary artery disease and myocardial ischemia: a collaborative meta-analysis of contemporary randomized clinical trials. JAMA Intern Med. 2014;174(2):232-40.

American College of Cardiology (ACC). Disponível em: http://www.cardiosource.org/acc

American Heart Association (AHA). Disponível em: http://www.heart.org/HEARTORG/
Páginas oficiais de sociedades de cardiologia norte-americanas que disponibilizam diretrizes para avaliação e manejo de síndromes isquêmicas agudas e angina estável.

European Society of Cardiology (ESC). Disponível em: http://www.escardio.org/Pages/index.aspx
Página oficial da European Society of Cardiology com acesso livre a pesquisa, revistas e diretrizes.

Sociedade Brasileira de Cardiologia (SBC). Disponível em: http://www.cardiol.br/
Página oficial da Sociedade Brasileira de Cardiologia com pesquisa livre para profissionais e pacientes, incluindo diretrizes da sociedade sobre dor torácica, infarto do miocárdio e procedimentos de revascularização.

Capítulo 38
INSUFICIÊNCIA CARDÍACA

Murilo Foppa
Luis E. Rohde
Michael Schmidt Duncan

Insuficiência cardíaca é caracterizada clinicamente por dispneia, congestão e limitação funcional, sendo a apresentação clínica de diferentes doenças que afetam o coração. Dados do Sistema Único de Saúde (SUS)[1] mostram que as internações por insuficiência cardíaca representaram 17% das internações por doenças circulatórias no ano de 2018, sendo mais de 70% dessas internações de pacientes com idade > 60 anos. O número de internações vem diminuindo substancialmente nas últimas décadas; em contrapartida, a letalidade hospitalar quase dobrou no mesmo período, chegando atualmente a 12%.[2] Essas mudanças no perfil epidemiológico podem ser atribuídas a diversas causas, como melhoras na prevenção e no manejo ambulatorial dos pacientes, com internações ocorrendo em estágios mais avançados da doença.

ETIOPATOGENIA

Diversas doenças afetam o coração funcional e estruturalmente, levando à insuficiência cardíaca (FIGURA 38.1).[3] No Brasil, cardiopatia isquêmica e hipertensão arterial estão entre as causas mais frequentes;[2] além disso, doença de Chagas e febre reumática apresentam distribuição endêmica em algumas regiões. A identificação da presença de cardiopatia isquêmica como causa da insuficiência cardíaca é importante, por ter implicações específicas na investigação e no tratamento. O diagnóstico etiológico, apesar de importante, é, muitas vezes, difícil de ser elaborado, particularmente nos casos mais avançados de cardiopatia não isquêmica, em que podem existir causas concomitantes e os achados clínicos são menos específicos.

O equilíbrio circulatório depende da função contrátil e da complacência do coração, das pressões de enchimento (pré-carga/volume) e da resistência ao esvaziamento do coração (pós-carga/resistência). Insuficiência cardíaca é a manifestação clínica da incapacidade do coração de manter a perfusão adequada dos tecidos, ou de mantê-la à custa de mecanismos de compensação, como taquicardia, aumento das pressões de enchimento ou do volume circulatório. Como resultado, observam-se sinais de congestão pulmonar e sistêmica, assim como adaptações cardíacas estruturais (dilatação e hipertrofia ventricular, dilatação atrial) e funcionais (redução da fração de ejeção, insuficiências valvares, aumento das pressões de enchimento e da pressão pulmonar).

A redução da contratilidade do ventrículo esquerdo é o achado fenotípico mais característico da insuficiência cardíaca, geralmente medida por meio da fração de ejeção (FE) do ventrículo esquerdo. Entretanto, aproximadamente metade dos pacientes apresentam insuficiência cardíaca com fração de ejeção preservada (ICFEP),[4] evidenciando, de forma mais clara nesse grupo, a relevância do aumento das pressões de enchimento e da pós-carga como mecanismos desencadeadores dos sintomas e da congestão. Além da adaptação mecânica, ocorre simultaneamente uma adaptação neuro-humoral local e sistêmica para compensar as alterações de perfusão dos demais órgãos, envolvendo o sistema renina-angiotensina-aldosterona, o sistema nervoso autônomo, o endotélio, a atividade imunoinflamatória, o estresse oxidativo e os neuropeptídeos natriuréticos.

PROGNÓSTICO

A história natural dos pacientes com insuficiência cardíaca foi substancialmente modificada com a instituição de tratamentos avaliados em ensaios clínicos randomizados, mas a mortalidade anual ainda é elevada – entre 5 e 30%. A morte em insuficiência cardíaca ocorre por dois mecanismos: disfunção de bomba, com redução progressiva do débito cardíaco e da perfusão dos tecidos, frequente nos estágios mais avançados de congestão e dispneia; ou morte súbita, em geral por arritmias ventriculares, cuja incidência também varia no curso da doença. Além da mortalidade, a morbidade causada pela doença é elevada devido aos sintomas, à incapacidade funcional e ao acesso intensivo ao sistema de saúde, impactando na qualidade de vida dos pacientes e no uso de recursos da saúde, de forma mais evidente nos pacientes com ICFEP.[4]

Os principais fatores de mau prognóstico são pior classe funcional, etiologia isquêmica, idade avançada, grau de disfunção sistólica e de remodelamento cardíaco, presença de hiponatremia e anemia, e necessidade de uso de múltiplos medicamentos para controle dos sintomas.[5] Entre todos esses, um fator prognóstico central é a limitação funcional, quantificada pela classificação funcional da New York Heart Association (NYHA) (TABELA 38.1). Diversos escores clínicos para estimativa de prognóstico têm sido desenvolvidos,[6] entre eles o MAGGIC e o Seattle Heart Failure Model (ver QR codes). Deve-se ressaltar que, mesmo validados em várias populações, os escores não estão calibrados para a estimativa do risco absoluto no Brasil.

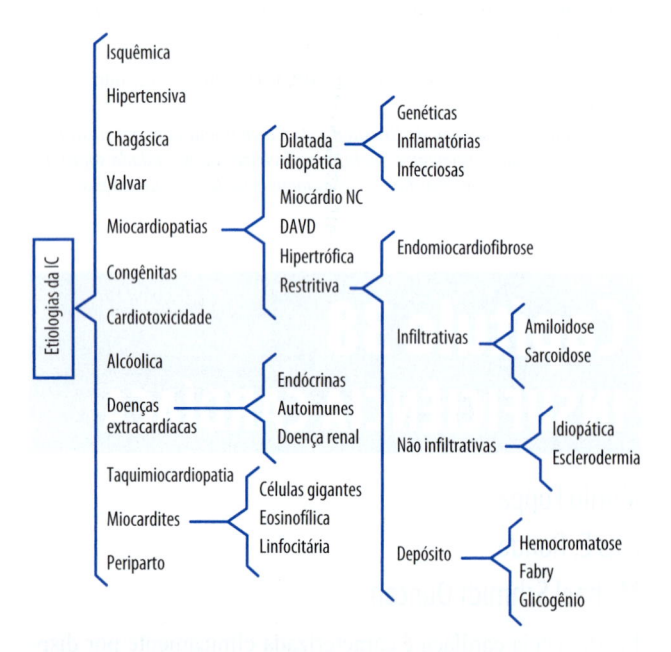

FIGURA 38.1 → Principais etiologias da insuficiência cardíaca (IC).
DAVD, displasia arritmogênica do ventrículo direito; NC, não compactado.
Fonte: Adaptada de Rohde e colaboradores.[3]

TABELA 38.1 → Classificação funcional da New York Heart Association

CLASSE FUNCIONAL	DEFINIÇÃO
Classe I	Sem limitações; a atividade física rotineira não causa fadiga exagerada, dispneia, palpitações ou angina
Classe II	Pequena limitação na atividade física; esses pacientes permanecem confortáveis em repouso; a atividade física rotineira resulta em fadiga, palpitações, dispneia ou angina
Classe III	Limitação importante na atividade física; atividades menores do que as rotineiras produzem sintomas; pacientes permanecem confortáveis em repouso
Classe IV	Incapacidade de desempenhar qualquer atividade física sem desconforto; sintomas de insuficiência cardíaca ou angina presentes mesmo em repouso; agravamento do desconforto com qualquer atividade física

Apesar das particularidades na fisiopatogenia e no tratamento, a morbimortalidade dos pacientes com ICFEP, em especial os mais idosos, é similar à daqueles com comprometimento da função sistólica.[4]

Cabe também ressaltar o aspecto dinâmico dos sintomas e das alterações morfofuncionais. Pacientes tratados ou que tiveram descompensação aguda podem recuperar a FE. Contudo, em um pequeno ensaio clínico, a suspensão dos medicamentos nesses pacientes associou-se ao reaparecimento dos achados em 6 meses.[7]

DIAGNÓSTICO

Avaliação clínica

O diagnóstico de insuficiência cardíaca é principalmente clínico e visa identificar primariamente sintomas de dispneia ou limitação funcional, associados a sinais clínicos que sugiram congestão pulmonar ou sistêmica, baixo débito cardíaco ou hipoperfusão tecidual.

Esses achados clínicos são consequência de alterações cardíacas estruturais e funcionais por diferentes causas. Sua instalação pode ser aguda (após um infarto do miocárdio ou episódio de miocardite, p. ex.), mas geralmente é progressiva, com uma fase pré-clínica, antes de surgirem os sintomas, até seus estágios mais avançados (TABELA 38.2),[8] o que aponta para a necessidade de medidas preventivas e terapêuticas diferenciadas em cada estágio.

Anamnese

As queixas mais comuns na síndrome são dispneia ao realizar esforços e fadiga. Dispneia paroxística noturna e ortopneia são mais específicas e estão associadas à congestão (ver Capítulo Dispneia). Noctúria e anorexia estão frequentemente presentes. A percepção dos sintomas da dispneia e fadiga pelos pacientes é, muitas vezes, limitada, podendo não ser percebida devido à sua instalação insidiosa ou por ser atribuída às comorbidades. Dessa forma, para classificar o grau de limitação funcional do paciente, é importante questionar objetivamente quais são as atividades diárias que ele é capaz de desempenhar sem apresentar cansaço (FIGURA 38.2)[9] e há quanto tempo ele apresenta esse grau de limitação funcional.

Além disso, é necessário obter informações que auxiliem na identificação de fatores de risco para o desenvolvimento de insuficiência cardíaca (estágios A e B) e sua etiologia. Esses fatores incluem história de infarto do miocárdio ou angina de peito (ver Capítulo Cardiopatia Isquêmica), hipertensão arterial, sopros cardíacos, febre reumática, moradia em áreas endêmicas de doença de Chagas, gestação recente, uso de bebidas alcoólicas e de medicamentos cardiotóxicos, como quimioterápicos e imunomoduladores, e antecedentes pessoais que possam sugerir doença cardíaca prévia ou cardiopatia congênita. Medicamentos em uso, como anti-inflamatórios, antiarrítmicos, betabloqueadores, bloqueadores de canais de cálcio e glitazonas, medicamentos neuropsiquiátricos (tricíclicos, venlafaxina, estimulantes, inibidores da monoaminoxidase, clozapina) e drogas ilícitas, como cocaína/crack, podem causar insuficiência cardíaca ou exacerbar os sintomas.

A história familiar deve ser investigada, principalmente nas miocardiopatias dilatada e hipertrófica, perguntando sobre morte súbita, história de insuficiência cardíaca, arritmias ou miocardiopatias em parentes de primeiro e segundo graus.

Deve-se também atentar para o diagnóstico diferencial com outras doenças que causam dispneia e cansaço, particularmente em idosos e mulheres e na presença de obesidade mórbida, doenças pulmonares e da tireoide. Nos idosos com suspeita de insuficiência cardíaca, ser do sexo feminino, a presença de ortopneia, noctúria, perda de peso/inapetência ou arritmias e a ausência de sibilos auxiliam no diagnóstico de insuficiência cardíaca.[10] Essas características são mais prevalentes em pacientes com ICFEP e, mesmo que ocorram dificuldades no estabelecimento do diagnóstico diferencial, o emprego de medidas terapêuticas pode melhorar os sintomas.

TABELA 38.2 → Estágios da insuficiência cardíaca (American Heart Association/American College of Cardiology)

ESTÁGIO	DESCRIÇÃO	EXEMPLOS
A	Ausência de sintomas, sem alterações funcionais ou estruturais identificáveis, porém com risco elevado de desenvolver insuficiência cardíaca	Pacientes com hipertensão arterial sistêmica, coronariopatia, diabetes melito, emprego de fármacos cardiotóxicos, abuso de álcool, história de febre reumática, história familiar de miocardiopatia
B	Doença estrutural do coração associada à insuficiência cardíaca sem a presença de sintomas	Pacientes com hipertrofia, dilatação ou hipocinesia ventricular, valvulopatia assintomática, infarto do miocárdio prévio
C	Sintomas atuais ou passados associados à cardiopatia subjacente	Pacientes com sintomas de insuficiência cardíaca ou assintomáticos com sintomas prévios, incluindo aqueles em classe funcional I a IV
D	Doença avançada e sintomas em repouso na vigência de tratamento clínico adequado, havendo necessidade de intervenções especializadas	Pacientes com hospitalizações frequentes, em lista de transplante, em uso de auxílio circulatório contínuo (intravenoso ou mecânico), incluindo aqueles em classe funcional IV

Fonte: Adaptada de Yancy e colaboradores.[8]

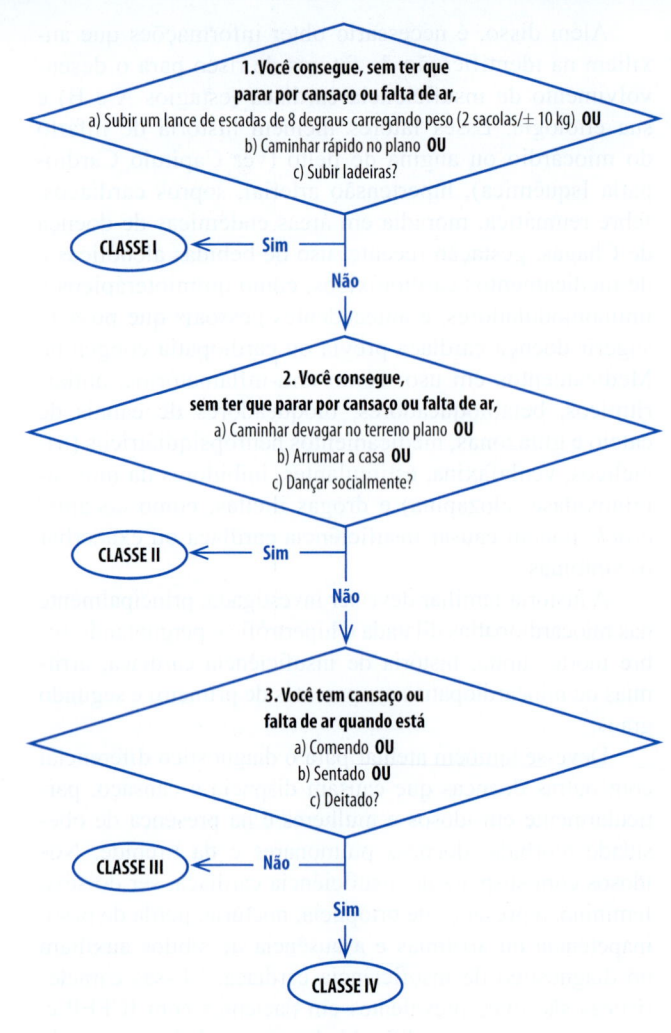

FIGURA 38.2 → Avaliação da capacidade funcional.
Fonte: Adaptada de Goldman e colaboradores.[9]

Exame físico

Embora os achados classicamente descritos no exame físico apresentem limites de reprodutibilidade e acurácia, sobretudo quanto à sensibilidade, a busca diligente por eles auxilia na confirmação do diagnóstico e na avaliação do estado clínico para ajuste terapêutico.

No exame físico, buscam-se achados relacionados com a presença de congestão pulmonar ou sistêmica e sinais de hipoperfusão sistêmica por baixo débito cardíaco. A associação dessas duas características do exame físico permite classificar o paciente de acordo com os perfis hemodinâmicos[11] **(FIGURA 38.3)**, auxiliando na determinação do prognóstico e do tratamento.

A congestão pulmonar pode ser identificada por taquipneia, ortopneia, hipoxemia, estertores pulmonares e derrame pleural. Estertores pulmonares são indicativos de congestão pulmonar, mas muitas vezes não são encontrados em pacientes crônicos, mesmo que graves. Turgência jugular visível com decúbito de 45 graus indica pressão venosa central elevada. Hepatomegalia, refluxo hepatojugular, ascite e edema periférico são outros sinais indicativos de congestão sistêmica.

Os sinais de hipoperfusão sistêmica e baixo débito tendem a ser menos acurados. Os sinais mais marcados são prostração e sonolência, pele fria e pegajosa, cianose e redução do débito urinário. Achados clínicos mais sutis relacionados ao baixo débito também devem ser investigados, como taquicardia sinusal (que pode não estar presente pelo uso de medicamentos), hipotensão postural (medindo a pressão com o paciente deitado e em posição ortostática) e pressão de pulso reduzida (avaliada como diferença entre a pressão arterial sistólica e a diastólica < 25% da pressão sistólica).[12]

O exame físico também é importante para a identificação da etiologia e de alterações estruturais. Um *ictus cordis* desviado e amplo indica cardiomegalia ou disfunção sistólica. Um ritmo cardíaco irregular pode indicar fibrilação atrial (achado frequente, principalmente em ICFEP) ou extrassistolia frequente. A presença de terceira bulha está associada à disfunção ventricular. Já uma quarta bulha pode estar presente em pacientes clinicamente compensados ou naqueles com disfunção diastólica e hipertensão arterial, embora com acurácia diagnóstica limitada. A identificação de sopros auxilia no diagnóstico de valvulopatias, como estenose aórtica e insuficiência mitral. Entretanto, sopros de regurgitação valvular são bastante frequentes de forma secundária à dilatação das cavidades, sem que sejam a causa primária da síndrome.

A avaliação do estado nutricional e dos dados antropométricos é essencial na análise do estado geral. A obesidade está frequentemente relacionada com os sintomas de dispneia e fadiga e pode diminuir a sensibilidade do exame físico. Nos casos mais avançados, sinais constitucionais como caquexia estão presentes. O monitoramento do peso deve ser realizado de forma sistemática e rotineira, principalmente para a identificação de descompensações agudas por hipervolemia.

Exames complementares

Eletrocardiograma

O eletrocardiograma (ECG) auxilia na identificação etiológica e é um exame bastante acessível, devendo fazer parte da investigação de todos os pacientes. Apesar de não existirem

		Congestão	
		Não	Sim
Hipoperfusão	Não	Quente e seco **A**	Quente e úmido **B**
	Sim	Frio e seco **D**	Frio e úmido **C**

Sinais de hipoperfusão	Sinais de congestão
Pressão de pulso diminuída	Turgência jugular
Hipotensão e taquicardia	Ortopneia
Extremidades frias	Hepatomegalia
Oligúria	Edema
Irritabilidade e sonolência	Ascite

FIGURA 38.3 → Avaliação clínica dos perfis hemodinâmicos em pacientes com insuficiência cardíaca.
Fonte: Adaptada de Nohria e colaboradores.[11]

alterações típicas de insuficiência cardíaca, anormalidades no ECG (TABELA 38.3) podem indicar alterações estruturais ou funcionais que auxiliam na identificação de potenciais causas e complicações de insuficiência cardíaca.

Radiografia de tórax

A radiografia de tórax é empregada tanto no diagnóstico inicial como na identificação de descompensações clínicas (FIGURA 38.4). Um índice cardiotorácico > 0,5, que é a razão entre o diâmetro transversal do coração e o maior diâmetro interno do tórax, sugere a presença de cardiomegalia. O que melhor corresponde à síndrome clínica é a presença de achados relacionados com a congestão venosa pulmonar, como redistribuição do fluxo sanguíneo pulmonar para os ápices, congestão hilar, infiltrados intersticiais, linha B de Kerley e derrame pleural.

Ecocardiografia

O exame ecocardiográfico é necessário na avaliação diagnóstica na maioria dos pacientes com insuficiência cardíaca. Ele fornece informações sobre as características morfológicas e funcionais, além do perfil hemodinâmico no momento do exame (TABELA 38.4 e QR code). Neste exemplo de um ecocardiograma transtorácico (janela paraesternal longitudinal), observam-se dilatação das câmaras

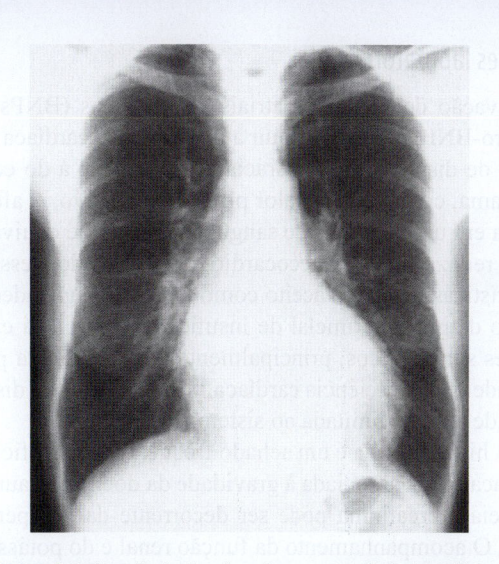

FIGURA 38.4 → Radiografia de tórax de paciente com insuficiência cardíaca, demonstrando cardiomegalia, redistribuição do fluxo sanguíneo pulmonar para os ápices e infiltrado intersticial.
Fonte: Mettler.[13]

TABELA 38.3 → Alterações eletrocardiográficas na insuficiência cardíaca

- → Sobrecargas
- → Zonas inativas
- → Arritmias
- → Distúrbios de condução atrioventricular
- → Distúrbios de condução intraventricular
    - → Bloqueio de ramo esquerdo
    - → Bloqueio de ramo direito com hemibloqueio anterior esquerdo
    - → Bloqueios inespecíficos
- → Alterações da repolarização ventricular

TABELA 38.4 → Principais critérios ecocardiográficos relacionados à insuficiência cardíaca

ESTRUTURA CARDÍACA	EXEMPLOS DE ACHADOS
Ventrículo esquerdo	
Avaliação estrutural	Dilatação
	Hipertrofia
Função sistólica	Alteração da contratilidade segmentar
	Fração de ejeção:
	Preservada (> 50%)
	Intermediária/disfunção leve (40-50%)
	Reduzida (< 40%)
Pressões de enchimento	Disfunção diastólica moderada com relação E:e' aumentada
Ventrículo direito	Dilatação
	Disfunção sistólica
Átrios	Dilatação
Pressão venosa central elevada	Veia cava inferior dilatada
Pressão arterial sistólica pulmonar	Hipertensão pulmonar (> 35 mmHg)
Regurgitações valvares	Regurgitações mitral e tricúspide funcionais

esquerdas e disfunção sistólica grave com acinesia da parede anterosseptal de etiologia isquêmica.

A FE é o principal critério usado para a classificação fenotípica dos pacientes. Atualmente, recomenda-se classificar os pacientes como insuficiência cardíaca com fração de ejeção reduzida (ICFER: FE < 40%), preservada (ICFEP: FE > 50%) e intermediária (ICFEI: FE entre 40-50%).[14] Essa classificação fenotípica tem implicações práticas no manejo dos pacientes. A FE é uma medida conhecida e relativamente simples de ser obtida, mas sua acurácia e reprodutibilidade podem depender de características clínicas do paciente ou da execução do exame. Novos métodos de quantificação da função contrátil derivados do ecocardiograma têm sido propostos. O *strain* longitudinal global (GLS, do inglês *global longitudinal strain*) tem demonstrado ser promissor na detecção e na estratificação de disfunção sistólica precoce em algumas situações clínicas específicas, como cardiotoxicidade por quimioterapia.

Para o diagnóstico de ICFEP, é necessário identificar sinais que indiquem aumento das pressões de enchimento ou de congestão pulmonar, os quais também são úteis no estabelecimento do perfil hemodinâmico dos pacientes com ICFER. Esses sinais são a presença de disfunção diastólica de grau moderado ou grave, aumento da pressão do átrio esquerdo e hipertensão arterial pulmonar. O aumento dos átrios e da veia cava inferior também auxiliam na determinação das pressões de enchimento.[15]

Alterações estruturais podem estar presentes em pacientes assintomáticos (estágio B) e sintomáticos (estágios C e D). Essas alterações podem sugerir a etiologia da doença, como alterações da contratilidade segmentar em cardiopatia isquêmica, valvulopatias, doenças do pericárdio, *cor pulmonale* e miocardiopatias primárias (ver FIGURA 38.1). O remodelamento das câmaras cardíacas (dilatação e hipertrofia) e as regurgitações valvares são menos específicos e, muitas vezes, refletem um mecanismo de adaptação, independentemente da etiologia.

Exames laboratoriais

A elevação de peptídeos atriais natriuréticos (BNPs ou o NT-pro-BNP) permite atribuir a insuficiência cardíaca como causa de dispneia. Sua acurácia é equivalente à do ecocardiograma, com elevado valor preditivo negativo. A aferição é feita em uma amostra de sangue e seu custo é equivalente ao da realização de um ecocardiograma. Devido a essas características, tem sido aceito como uma estratégia adequada para o diagnóstico inicial de insuficiência cardíaca em pacientes sintomáticos, principalmente com moderada probabilidade de insuficiência cardíaca.[16] Entretanto, sua disponibilidade ainda é limitada no sistema de saúde.

A hiponatremia é um achado frequente em insuficiência cardíaca e está associada à gravidade da doença. O aumento de ureia e creatinina pode ser decorrente da hipoperfusão renal. O acompanhamento da função renal e do potássio sérico é indispensável, tanto pelas alterações fisiopatológicas causadas pela insuficiência cardíaca quanto para o monitoramento dos efeitos colaterais do tratamento farmacológico (ver tópico Acompanhamento).

Exames laboratoriais adicionais podem ser solicitados para avaliar comorbidades, muitas vezes frequentes, como anemia, diabetes e alterações da função tireóidea (principalmente em idosos), da função hepática e do metabolismo do ferro.

Exames diagnósticos adicionais

A ergoespirometria permite não só a avaliação objetiva da capacidade funcional, mas também fornece informações diagnósticas e prognósticas relevantes nos casos avançados. O exame, entretanto, é pouco disponível. Informações menos acuradas, porém objetivas, da capacidade funcional podem ser obtidas no teste ergométrico convencional (com protocolos de exercício adaptados à insuficiência cardíaca) e no teste de caminhada de 6 minutos, sendo ferramentas úteis principalmente nos casos em que há dúvidas sobre a qualidade da informação da capacidade funcional. Testes para avaliação de doenças pulmonares como espirometria (ver Capítulos Dispneia e Doença Pulmonar Obstrutiva Crônica) podem auxiliar no diagnóstico etiológico e diferencial de dispneia.

Pacientes com angina, equivalente anginoso, história de infarto (ver Capítulo Cardiopatia Isquêmica) ou presença de ondas Q no ECG devem realizar uma investigação complementar formal para identificação e avaliação de cardiopatia isquêmica, utilizando modalidades invasivas (cineangiocoronariografia) ou exames não invasivos com imagem (cintilografia miocárdica, ecocardiografia de estresse, ressonância magnética cardíaca, angiotomografia de coronárias), com a finalidade de diagnosticar a causa e definir terapias específicas para a cardiopatia isquêmica.

A ressonância magnética cardíaca permite a avaliação estrutural e funcional do coração e sua caracterização tecidual. Dessa forma, é possível identificar miocardiopatias primárias e secundárias e fornecer informações etiológicas relevantes em uma proporção significativa dos casos. A detecção da presença e do padrão de fibrose miocárdica pela técnica de realce tardio auxilia na definição etiológica e fornece informações prognósticas robustas em diversos cenários clínicos independentemente dos outros critérios.[17] Quando houver necessidade de investigação adicional de cardiopatia isquêmica, é possível complementar o exame com avaliação funcional de isquemia por meio de estresse farmacológico. É um exame de menos disponibilidade, sendo mais apropriado utilizá-lo quando o ecocardiograma for inconclusivo e houver suspeita de etiologias específicas identificáveis pelo exame. Em alguns casos, a biópsia endomiocárdica é útil, principalmente nas suspeitas de doenças infiltrativas e inflamatórias.

A investigação de arritmias pode ser realizada por monitoramento com Holter e, em alguns casos, pelo estudo eletrofisiológico após avaliação pelo especialista. Essas informações servem de subsídio para a decisão de implantes de dispositivos de estimulação elétrica cardíaca e outras terapias antiarrítmicas.

Nos casos mais avançados, instáveis ou quando há dúvida em relação ao perfil hemodinâmico, pode-se realizar a avaliação hemodinâmica invasiva com cateterização da artéria pulmonar para medida direta das pressões e do débito cardíaco. Também é possível, em algumas situações específicas, realizar uma avaliação do perfil hemodinâmico sob estresse, tanto de forma invasiva como não invasiva, a fim de elucidar a causa dos sintomas.

A doença de Chagas é uma causa importante de insuficiência cardíaca congestiva em algumas regiões do Brasil. Ocasionalmente, é detectada pela síndrome clínica aguda, mas na maioria das vezes é detectada na fase crônica ao longo dos anos, passando por diferentes estágios. A forma cardíaca é diagnosticada pela presença de anticorpos para Chagas, achados no eletrocardiograma e ecocardiograma, complementado em situações específicas por Holter, teste ergométrico, ressonância ou cintilografia miocárdica[18] (ver Capítulo Doença de Chagas).

Estratégia para avaliação diagnóstica

A sistematização da insuficiência cardíaca em estágios auxilia na compreensão das variações na apresentação clínica e na evolução da síndrome, facilitando a seleção de ferramentas mais apropriadas para avaliação e decisão terapêutica para cada paciente (FIGURA 38.5).

Uma vez que é difícil diagnosticar a partir de um critério isolado, têm-se sugerido estratégias diagnósticas a partir da estimativa da probabilidade clínica de insuficiência cardíaca (FIGURA 38.6), a qual é estimada com o emprego dos achados da anamnese, do exame físico e dos exames diagnósticos já realizados, podendo ser eventualmente sistematizadas em escores clínicos para diagnóstico (TABELA 38.5). O escore H2PEF é especialmente útil na identificação de ICFEP em pacientes sintomáticos.[19] (Ver QR code.)

A definição da presença de disfunção sistólica, estimada pela FE, é central para a priorização de opções de tratamento. Ressalta-se que a maioria das estratégias com sólida evidência científica de benefício se restringe à ICFER (FE < 40%).

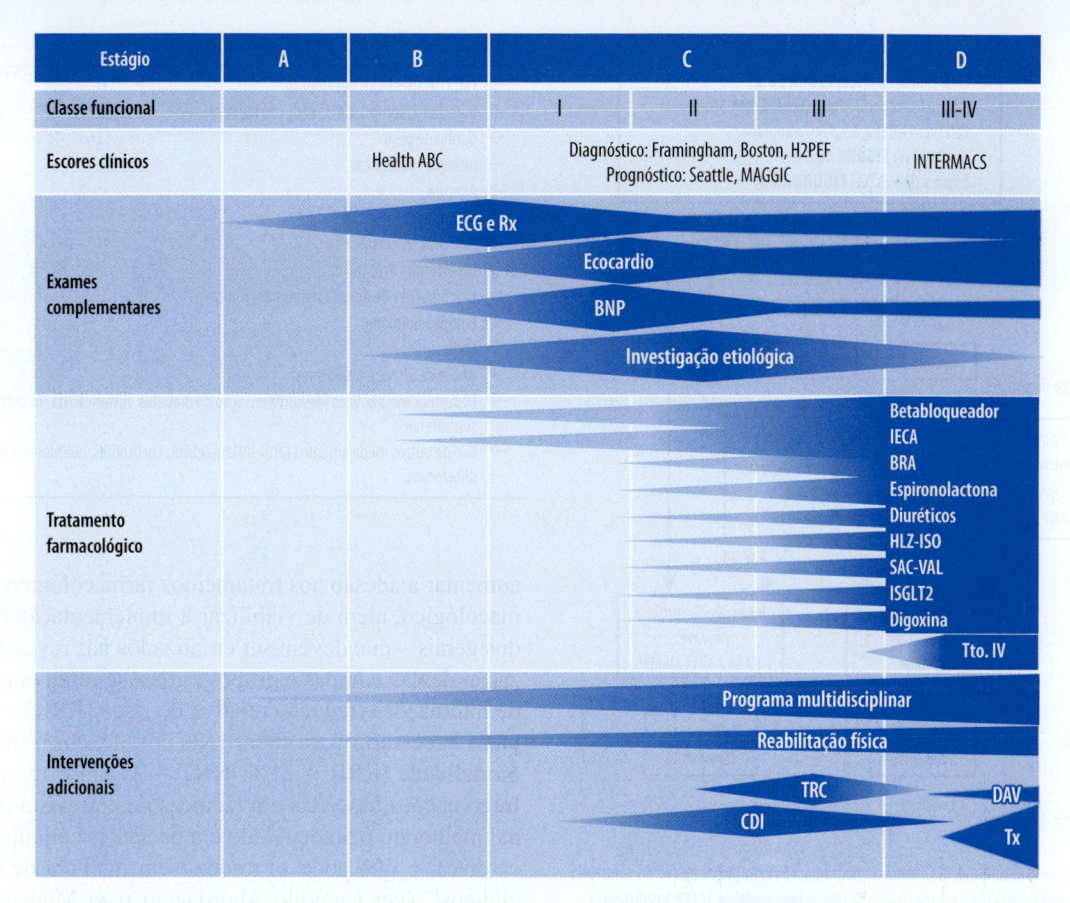

FIGURA 38.5 → Quadro conceitual de avaliação e escolha de intervenções de acordo com a gravidade da insuficiência cardíaca.
BNP e NT-pro-BNP, peptídios atriais natiuréticos; BRA, bloqueador do receptor de angiotensina; CDI, cardioversor desfibrilador implantável; DAV, dispositivos de assistência ventricular implantáveis; ECG, eletrocardiograma; HLZ-ISO, hidralazina + isossorbida; IECA, inibidor da enzima conversora da angiotensina; ISGLT2, inibidores de SGLT2 (cotransportadores de sódio e glicose); Rx, radiografia de tórax; SAC-VAL, sacubitril + valsartana; Tto. IV, tratamento intravenoso com vasodilatadores e/ou inotrópicos; TRC, terapia de ressincronização cardíaca; Tx, transplante cardíaco.
Fonte: Adaptada de Nohria e colaboradores.[10]

Quando o ecocardiograma não estiver disponível, pode ser adequado fazer um diagnóstico presuntivo de insuficiência cardíaca sem confirmação ecocardiográfica. Nesse caso, o tratamento deve abordar os sintomas e o manejo dos fatores de risco como hipertensão, preferindo sempre fármacos e doses associados à redução de morbimortalidade. Contudo, essa estratégia aumenta consideravelmente a possibilidade de erro diagnóstico e priva o paciente e o médico de informações relevantes para o diagnóstico etiológico, ajuste de tratamento e estabelecimento de prognóstico.

Com o surgimento ou a exacerbação dos sintomas, é importante fazer uma avaliação clínica cuidadosa para identificar possíveis fatores precipitantes (TABELA 38.6). A realização de exames complementares periódicos passa a ser útil também para o monitoramento de terapias implementadas, identificação de comorbidades e planejamento de terapias adicionais.

TRATAMENTO

Os objetivos do tratamento da insuficiência cardíaca são reduzir os sintomas, melhorar a capacidade funcional e diminuir a mortalidade. O aspecto crônico e evolutivo da doença pressupõe o uso contínuo e criterioso de medicamentos e a implementação de medidas não farmacológicas (FIGURA 38.5), para que sejam atingidos os objetivos terapêuticos.

Medidas não farmacológicas

As medidas não farmacológicas merecem atenção contínua e recorrente, visando à orientação, ao controle e à educação.

É de vital importância que os pacientes aprendam a reconhecer sinais de congestão e descompensação por meio do controle da diurese, do edema periférico, do aumento rápido de peso e da piora dos sintomas. A educação envolve não somente o reconhecimento de sinais de alerta, mas também conhecimento sobre a doença e orientações sobre a importância do uso adequado de medicamentos. A educação face a face, com reforços, entrega de material escrito, contatos telefônicos e acompanhamento periódico, auxilia os pacientes a se manterem estáveis e livres de internações. A atuação de uma equipe multidisciplinar é considerada a estratégia ideal para acompanhamento de pacientes com insuficiência cardíaca e suas múltiplas comorbidades. Esse tipo de abordagem pode

Avaliação clínica
- Classe funcional (ver **FIGURA 38.2**)
- Exame físico/perfil clínico (ver **FIGURA 38.4**)
- ECG (ver **TABELA 38.3**) e radiografia de tórax (ver **FIGURA 38.3**)
- Escores clínicos (ver **FIGURA 38.5**)

↓

Suspeita de insuficiência cardíaca

↓ ↓ ↓
Baixa / Intermediária / Alta

Se disponível → Peptídeos natriuréticos
BNP ≥ 35-50 pg/mL* ou NT-pro-BNP ≥ 125 pg/mL

Sim → Ecocardiograma
Avaliação estrutural, FEVE e função diastólica

Não → Insuficiência cardíaca improvável: reavaliar → Diagnóstico alternativo

Normal → Insuficiência cardíaca improvável: reavaliar

Alterado → Insuficiência cardíaca provável: ICFER / ICFEI / ICFEP → Implementar tratamento

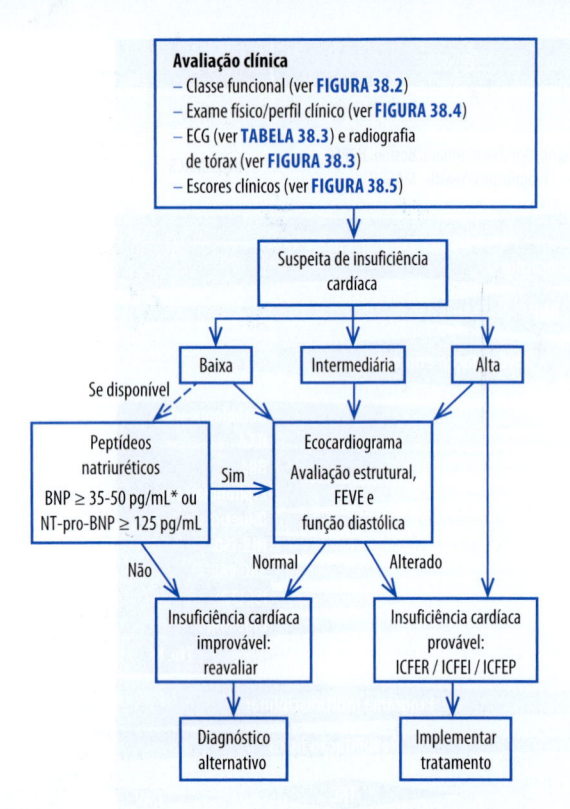

FIGURA 38.6 → Estratégia para avaliação diagnóstica da insuficiência cardíaca sintomática.
BNP, peptídeo natriurético cerebral; ECG, eletrocardiograma; FEVE, fração de ejeção do ventrículo esquerdo; ICFEI, insuficiência cardíaca com fração de ejeção intermediária; ICFEP, insuficiência cardíaca com fração de ejeção preservada; ICFER, insuficiência cardíaca com fração de ejeção reduzida.
Fonte: Adaptada de Rohde e colaboradores.[3]

TABELA 38.5 → Escores clínicos para diagnóstico de insuficiência cardíaca

ESCORE DE FRAMINGHAM	ESCORE DE BOSTON
Critérios maiores → Dispneia paroxística noturna → Ortopneia → Turgência jugular → Crepitações pulmonares → Terceira bulha cardíaca → Cardiomegalia (radiografia de tórax) **Critérios menores** → Tosse noturna → Perda > 4,5 kg em 5 dias com diuréticos → Hepatomegalia → Derrame pleural → Frequência cardíaca > 120 bpm → Dispneia aos esforços	**História clínica** → Dispneia → Nenhuma (0), cansaço nas pernas para caminhar (1), dispneia para caminhar (2), dispneia paroxística noturna (3), ortopneia (4), dispneia em repouso (5) **Exame físico** → Frequência cardíaca (bpm): → < 90 (0), 91-110 (1), > 110 (2) → Turgência jugular (estimada em mmHg): → < 6 (0), > 6 (2), > 6 e hepatomegalia ou edema de pernas (3) → Crepitantes pulmonares → Nenhum (0), bases (1), maior que nas bases (2) → Sibilos → Não (0), sim (3) → Terceira bulha cardíaca → Não (0), sim (3) **Radiografia de tórax** → Normal (0), redistribuição cranial do fluxo venoso (2), cardiomegalia (3), edema intersticial (3), derrame pleural bilateral (3), edema alveolar (4)
O diagnóstico é firmado na presença de: → 2 critérios maiores; OU → 1 critério maior e 2 menores.	O diagnóstico pode ser considerado definitivo (8-12), possível (5-7) ou improvável (< 5).

Fonte: Adaptada de McKee e colaboradores;[20] Harlan e colaboradores.[21]

TABELA 38.6 → Fatores precipitantes e de descompensação

→ Falta de adesão ao tratamento
→ Ingestão inapropriada de sódio ou líquidos
→ Ganho de peso
→ Infecções sistêmicas
→ Anemia
→ Arritmias
→ Isquemia miocárdica
→ Hipertensão arterial
→ Exacerbações de doença pulmonar crônica
→ Embolia pulmonar
→ Endocardite
→ Abuso de álcool e tabagismo
→ Distúrbios metabólicos (descompensação do diabetes, disfunção da tireoide e glândulas suprarrenais)
→ Uso de outros medicamentos (anti-inflamatórios, corticoides, quimioterápicos, glitazonas)

aumentar a adesão aos tratamentos farmacológico e não farmacológico, além de viabilizar a implementação dos cuidados gerais – que devem ser enfatizados nas revisões. A utilização dessas equipes e grupos parece ser efetiva na redução de internações (redução relativa do risco [RRR] = 17%; número necessário para tratar [NNT] = 18 em 6 meses) e de mortalidade (RRR = 21%; NNT = 25 em 6 meses) **A**.[22-25] Intervenções baseadas em técnicas de entrevista motivacional melhoram o autocuidado em pacientes com insuficiência cardíaca, o que pode se traduzir em melhora de desfechos clínicos[26] (ver Capítulo Abordagem para Mudança no Estilo de Vida). Os profissionais considerados fundamentais na equipe multidisciplinar são médicos e enfermeiros que tenham ou desenvolvam vivência com a doença. Outros profissionais, como nutricionista, fisioterapeuta, farmacêutico, educador físico, psicólogo e assistente social, quando disponíveis, devem ser agregados à equipe multidisciplinar.

Existe grande controvérsia sobre qual recomendação adotar quanto à ingesta de líquidos e à quantidade ideal de sódio na dieta. Parece razoável solicitar aos pacientes que mantenham um controle sobre o consumo diário de líquidos (água, sucos, refrigerantes, frutas, etc.) e alimentos ricos em sódio, tanto regular como esporádico (feijoada, churrasco, festas de fim de ano, etc.), assim como treiná-los para identificar a quantidade de sódio no rótulo de alimentos industrializados. Como regra geral para a maioria dos pacientes, recomenda-se a ingestão de quantidade de sódio semelhante à da população saudável, evitando-se os extremos. A restrição hídrica (20-25 mL/kg/dia) pode ser empregada na presença de hiponatremia, nos casos mais avançados ou naqueles muito congestos e sintomáticos.

A atividade física deve ser encorajada como método de reabilitação. Uma metanálise de ensaios clínicos randomizados mostrou que o exercício supervisionado, com atividades regulares e de incremento gradual, é capaz de melhorar os sintomas, aumentar a capacidade física e reduzir o risco de reinternação (RRR = 30%; NNT = 12-24 em até 1 ano, com reinternação em 24% do grupo que recebeu tratamento usual), sem impacto na mortalidade **C/D**.[27] No entanto, esses programas ainda estão pouco disponíveis em nosso meio. Para pacientes assintomáticos ou com sintomas leves (NYHA classes I e II) que na avaliação médica apresentam pressão arterial controlada, baixa suspeita clínica de angina ou arritmias e com tratamento estabilizado há pelo menos 3 meses, é adequado orientar a prática de exercício físico não supervisionado, devendo haver suspensão da atividade e reavaliação com o médico no caso de sintomas desencadeados pelo exercício C/D (ver Capítulo Promoção da Atividade Física).

Cuidados do estado geral e nutricional devem ser proporcionados. A vacinação contra a gripe e pneumococo é uma medida sugerida para prevenir descompensações C/D.[28]

A insuficiência cardíaca está frequentemente associada à diminuição da capacidade cognitiva,[29] o que reforça a importância de medidas educativas direcionadas ao paciente e a seus familiares para melhorar a compreensão sobre a doença e seu tratamento e aumentar a adesão.

Tratamento medicamentoso

Fármacos de diversas classes foram testados em ensaios clínicos, mostrando benefício clínico consistente, particularmente na ICFER. Na maioria dos pacientes, empregam-se associações de diversas dessas classes, sendo necessário conhecer as principais indicações, contraindicações e efeitos colaterais para a adequada prescrição. O tratamento é frequentemente escalonado, baseado na persistência de sintomas. Um exemplo de ordenamento da terapia farmacológica está descrito no algoritmo proposto pela diretriz da Sociedade Brasileira de Cardiologia (FIGURA 38.7).[30] Inibidores da enzima conversora da angiotensina (ou bloqueadores dos receptores da angiotensina II, nos intolerantes), betabloqueadores e antagonistas mineralocorticoides devem ser utilizados pela maioria dos pacientes com ICFER pois têm impacto contundente na morbidade e na mortalidade relacionadas à síndrome.[31] Naqueles que permanecem sintomáticos, novas classes de medicamentos podem ser administradas sequencialmente (TABELAS 38.7 a 38.17).

Estratégias racionais para a escolha dos fármacos facilitam o uso correto dos medicamentos, geralmente complexo em função da polifarmácia, dos efeitos colaterais, do monitoramento dos efeitos terapêuticos e dos custos. A individualização dos tratamentos, considerando a rotina e os sintomas do paciente na decisão das doses, dos intervalos e da distribuição dos horários de administração durante o dia, pode facilitar a adesão.

O tratamento de pacientes com diagnóstico de ICFEP é mais desafiador e controverso. Os resultados de grandes ensaios clínicos nesse cenário não reproduziram os mesmos benefícios em mortalidade supradescritos. Discute-se se esse fenômeno é consequência de uma limitação metodológica nos delineamentos e nas populações estudadas (como as diferenças na sua definição) ou se é um fenômeno real, devido à presença de mecanismos fisiopatogênicos independentes nessa condição.

A escolha dos fármacos para tratamento da ICFEP deve ser baseada em dois critérios distintos. Primariamente, pela presença de condições clínicas em que exista a indicação do uso de fármacos específicos, como betabloqueadores em pacientes com infarto prévio ou cardiopatia isquêmica, e o

TABELA 38.7 → Betabloqueadores (classes I a IV)

PRINCÍPIO ATIVO	DOSE INICIAL	DOSE-ALVO
Succinato de metoprolol	12,5-25 mg, 1×/dia	200 mg, 1×/dia
Carvedilol	12,5 mg, 2×/dia	25-50 mg, 2×/dia
Bisoprolol	1,25 mg, 1×/dia	5-10 mg, 1×/dia

Ensaios clínicos mostram redução de mortalidade (redução relativa do risco [RRR] = 38%; número necessário para tratar [NNT] = 20 em 1 ano) e de internações (RRR = 34%; NNT = 16 em 1 ano) para carvedilol, succinato de metoprolol e bisoprolol A.[34] Outros betabloqueadores são benéficos em situações relacionadas com o estágio B, como pós-infarto do miocárdio, e também foram usados em insuficiência cardíaca sintomática. Atualmente, sugere-se escolher os fármacos para os quais foi demonstrada redução de mortalidade. A melhora prognóstica não foi demonstrada nos pacientes com insuficiência cardíaca com fração de ejeção preservada (ICFEP),[35] e os benefícios clínicos aparecem apenas após 3 a 6 meses de uso.[36]

Os betabloqueadores devem ser iniciados somente quando o paciente estiver clinicamente compensado e sem sinais de congestão. A dose deve ser aumentada de forma gradual, ao longo de várias semanas, ajustando-se a dose de diuréticos quando houver piora dos sintomas. O monitoramento dos efeitos colaterais é essencial. Nas primeiras 2 a 4 semanas de tratamento, em até 30% dos pacientes, pode haver fadiga, hipotensão, retenção hídrica assintomática e piora da insuficiência cardíaca. Nesse caso, deve-se retardar o aumento da dose, orientar o monitoramento diário do peso e ajustar o uso de diuréticos. Se os sintomas não melhorarem, reduz-se a dose do betabloqueador pela metade. Em caso de frequência cardíaca < 50 bpm, deve-se reduzir a dose pela metade ou avaliar a possibilidade de suspender outros medicamentos cronotrópicos negativos. Pacientes em uso crônico de betabloqueador com quadros de descompensação por congestão podem manter o uso ou reduzir parcialmente a dose B, desde que não apresentem sinais de baixo débito ou indicação clínica de inotrópicos.[37,38] Deve-se evitar suspender o betabloqueador de modo abrupto, a não ser quando estritamente necessário, pois isso pode aumentar o risco de isquemia miocárdica ou arritmias. O uso deve ser evitado quando houver história de asma moderada a grave ou de bloqueio atrioventricular de segundo ou terceiro grau C/D.

adequado tratamento da hipertensão arterial (ver Capítulo Hipertensão Arterial Sistêmica), condição que parece mediar grande parte do benefício clínico observado no tratamento da ICFEP. O segundo critério deve ter como objetivo a redução de sintomas, privilegiando a escolha de diuréticos e demais medicamentos relacionados com a redução de morbidade.

A redução de hospitalizações foi descrita especificamente com o uso do bloqueador dos receptores da angiotensina II candesartana[31] e com a espironolactona.[32] Em análise *post hoc* que estudou variações regionais deste último

TABELA 38.8 → Inibidores da enzima conversora da angiotensina (IECA) (New York Heart Association [NYHA] classes I a IV)

PRINCÍPIO ATIVO	DOSE INICIAL	DOSE-ALVO
Enalapril	2,5 mg, 1-2×/dia	10-20 mg, 2×/dia
Captopril	6,25-12,5 mg, 3×/dia	50 mg, 3×/dia

O uso de IECAs reduz mortalidade (redução relativa do risco [RRR] = 28%; número necessário para tratar [NNT] = 27), reinfarto (RRR = 23%; NNT = 48) e internações hospitalares (RRR = 27%; NNT = 20), referentes a um período médio de 35 meses A,[39] com melhoras significativas da classe funcional nas primeiras semanas.[40] Parece haver um efeito de classe, sendo possível empregar doses equivalentes de diferentes IECAs. Aumenta-se gradualmente até a dose-alvo, se possível, ou até a dose máxima tolerada. O captopril deve ser administrado longe das refeições, pois estas diminuem sua absorção; isso não ocorre com o enalapril.[41] Monitorar ureia, creatinina e potássio séricos 1 a 2 semanas após início do tratamento ou após ajuste de dose. Elevações da creatinina até 30 ou 50% do basal e elevações de potássio até 5,5 mmol/L são aceitas após iniciar o IECA, mas indicam um grupo de pacientes de pior prognóstico.[42] Acima desses valores, reduz-se a dose pela metade e reavalia-se em 1 a 2 semanas. Se retornarem à faixa aceitável e permanecerem estáveis, o medicamento pode ser mantido. A função renal e os eletrólitos devem ser monitorados periodicamente (pelo menos 2×/ano). Se houver hipotensão sintomática, deve-se avaliar primeiro a possibilidade de redistribuir os horários dos medicamentos, reduzir outros fármacos, como nitratos, bloqueadores dos canais de cálcio e diuréticos. Não havendo melhora, considerar encaminhamento ao cardiologista. Na presença de tosse não tolerada, considerar substituição por bloqueadores dos receptores da angiotensina II (BRA). Associação hidralazina-isossorbida deve ser considerada em pacientes intolerantes aos IECAs e aos BRAs.

Insuficiência Cardíaca com Fração de Ejeção Reduzida
(NYHA II-IV/Estágio C)

```
                    ┌──────────┬─────────────┬──────────────────┐
                    │ iECA/BRA │Betabloqueador│  Antagonista    │
                    │  INRA*   │             │ Mineralocorticóide│
                    └──────────┴─────────────┴──────────────────┘
                                    │
                                NYHA ≥ II
                    ┌───────────┐        ┌──────────┐
                    │  INRA**   │◄──────►│ ISGLT2†  │
                    └───────────┘        └──────────┘
                                │
                    ┌─────────────────────────┐
                    │ Reavaliação clínica e   │
                    │ funcional em 3-6 meses  │
                    └─────────────────────────┘
```

Diuréticos para controle de congestão

- Manter tratamento ← Assintomático
- NYHA ≥ II → Estratégias terapêuticas adicionais
- NYHA III/IV → Encaminhamento para centro especializado (IC Avançada)

Estratégias terapêuticas adicionais:

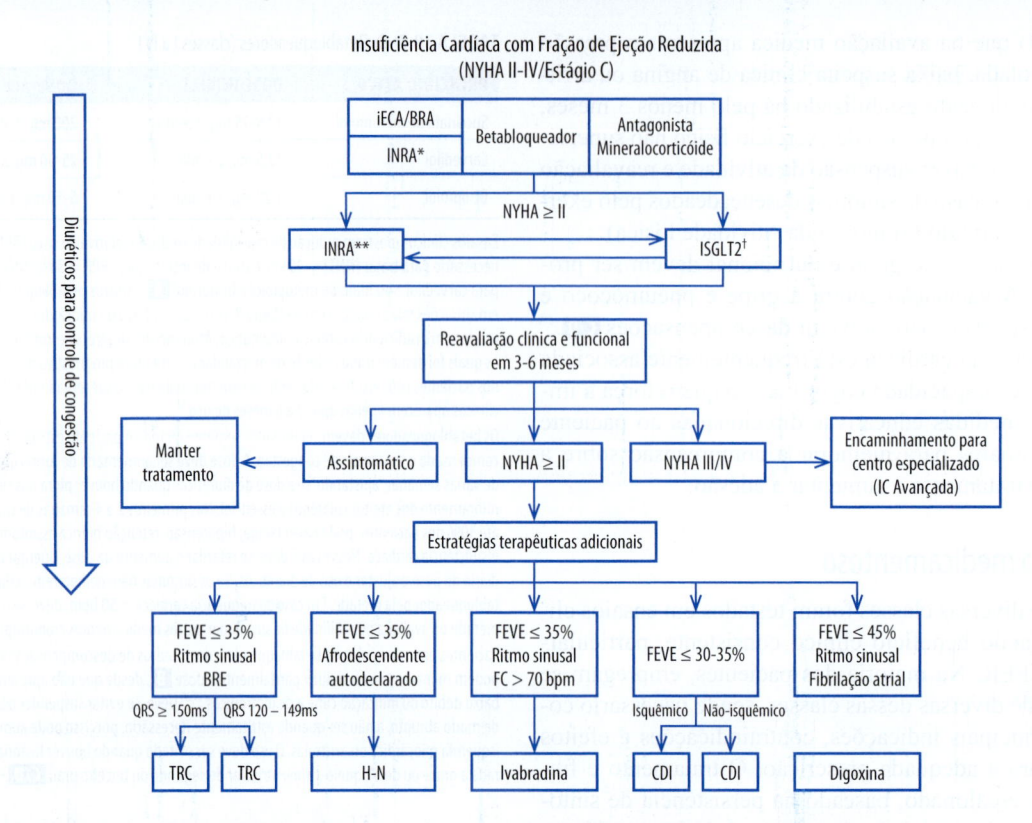

FEVE ≤ 35% Ritmo sinusal BRE	FEVE ≤ 35% Afrodescendente autodeclarado	FEVE ≤ 35% Ritmo sinusal FC > 70 bpm	FEVE ≤ 30-35%	FEVE ≤ 45% Ritmo sinusal Fibrilação atrial
QRS ≥ 150ms / QRS 120–149ms			Isquêmico / Não-isquêmico	
TRC / TRC	H-N	Ivabradina	CDI / CDI	Digoxina

FIGURA 38.7 → Algoritmo de tratamento de insuficiência cardíaca com fração de ejeção reduzida (ICFER) proposto pela Sociedade Brasileira de Cardiologia.
BRA, bloqueador do receptor da angiotensina; BRE, bloqueio do ramo esquerdo; CDI, cardiodesfibrilador implantável; FA, fibrilação atrial; FC, frequência cardíaca; FE, fração de ejeção; FEVE, fração de ejeção do ventrículo esquerdo; IC, insuficiência cardíaca; IECA, inibidor da enzima conversora da angiotensina; INRA, inibidor da neprilisina e dos receptores de angiotensina; NYHA, New York Heart Association; TRC, terapia de ressincronização cardíaca; VE, ventrículo esquerdo.
*Em lugar de iECA/BRA
**Em substituição a iECA/BRA
†Ver **TABELA 38.14** para diferenças entre agentes de mesma classe.
Fonte: Marcondes-Braga e colaboradores.[30]

TABELA 38.9 → Bloqueadores dos receptores de angiotensina II (BRAs) (classes II a IV)

PRINCÍPIO ATIVO	DOSE INICIAL	DOSE MÁXIMA
Losartana	25 mg/dia	100 mg/dia
Candesartana	8 mg/dia	32 mg/dia
Valsartana	80 mg/dia	320 mg/dia

Os BRAs assumiram um papel de substitutos nos pacientes com tosse ou intolerância aos IECA, com um benefício clínico possivelmente menor mas equivalente ao contexto dos IECAs **A**.[43] Apesar de a associação dos dois grupos mostrar uma redução de internações por insuficiência cardíaca, o pequeno tamanho do benefício e o aumento dos efeitos colaterais não justificam essa associação de forma sistemática **A**.[44] Com exceção da tosse, os demais efeitos colaterais, como perda de função renal e hipercalemia, são semelhantes aos dos IECAs.

TABELA 38.10 → Espironolactona (classes II a IV)

PRINCÍPIO ATIVO	DOSE INICIAL	DOSE-ALVO
Espironolactona	12,5 mg/dia	25-50 mg/dia

É um diurético antagonista mineralocorticoide, bloqueador da aldosterona, que auxilia a inibição do sistema renina-angiotensina-aldosterona. O ensaio clínico RALES[45] estudou pacientes com insuficiência cardíaca avançada (classes funcionais III e IV) em uso de iECA, diuréticos e digoxina. Nesse estudo, a espironolactona, em doses de 25-50 mg/dia, diminuiu a mortalidade em 24% (número necessário para tratar [NNT] = 18 pacientes/ano), podendo ser empregada em pacientes com as mesmas características clínicas do ensaio clínico **A**.

O estudo EMPHASIS-HF[46] expandiu essa indicação para pacientes com insuficiência cardíaca em classes funcionais menos graves, testando 25-50 mg/dia de eplerenona (um antagonista mineralocorticoide seletivo), adicionados ao tratamento clínico otimizado, levando à redução de 24% na mortalidade geral. Na ausência de eplerenona no mercado nacional, considera-se esse benefício como efeito de classe. Espironolactona 25 mg/dia pode reduzir internações e melhorar a capacidade funcional em pacientes com insuficiência cardíaca com fração de ejeção preservada (ICFEP).[47] Os efeitos colaterais mais frequentes da espironolactona são ginecomastia e mastodinia (10%). A incidência de hipercalemia com seu uso em pacientes com insuficiência cardíaca é de 5,9% em 15 meses (número necessário para causar dano [NNH] = 35) **B**.[48] É fundamental monitorar a função renal e o potássio sérico na 1ª semana, mensalmente no 1º trimestre de tratamento e sempre que houver suspeita de perda de função renal, sobretudo em caso de depuração de creatinina endógena (DCE) < 30 mL/min e uso de dose elevada de IECAs, anti-inflamatórios não esteroides (AINEs) ou suplementos de potássio. Deve-se restringir seu uso em caso de creatinina > 2 mg/dL ou potássio > 5 mmol/L.

ensaio,[33] o tratamento com espironolactona nas Américas causou redução estatisticamente significativa de 26% da mortalidade cardiovascular; porém, esse efeito não foi observado nos pacientes alocados na Rússia e na Geórgia.

ACOMPANHAMENTO

Acompanhamento do autocuidado

Além da avaliação clínica durante as consultas, é importante avaliar a adesão do paciente às medidas não farmacológicas e medicamentosas. Devem-se identificar as barreiras para a implementação e a manutenção do controle domiciliar dessas medidas e discutir com o paciente ou com a família as estratégias para sua implementação efetiva.

TABELA 38.11 → Diuréticos (classes II a IV)

PRINCÍPIO ATIVO	DOSE DIÁRIA	FREQUÊNCIA	INÍCIO DE AÇÃO	PICO DE AÇÃO	DURAÇÃO DO EFEITO
Hidroclorotiazida	25-100 mg	1-2 ×/dia	2 horas	4-6 horas	6-12 horas
Furosemida	20-160 mg	1-3 ×/dia	30-60 minutos	1-2 horas	6-8 horas

É a classe de medicamentos com efeito mais rápido sobre sintomas C/D. O objetivo é aliviar os sinais e sintomas de congestão (dispneia, edema, turgência jugular, crepitantes, fadiga, ganho de peso), e a meta é atingir e manter o peso seco, isto é, o peso livre de edema. Iniciar em dose baixa, com incrementos graduais até aumento do débito urinário ou redução do peso de até 1 kg/dia. Após atingir o peso seco, ajustar a dose adequada para mantê-lo. Reduzir a dose na presença de sinais de desidratação (hipotensão, mucosas secas, tontura) ou insuficiência renal pré-renal. Atentar para mudanças ambientais, podendo ser necessário reduzir a dose nos períodos de calor intenso. Em casos leves (New York Heart Association [NYHA] classe II) e com função renal preservada (depuração de creatinina endógena [DCE] > 30 mL/min), pode-se iniciar com tiazídico (p. ex., hidroclorotiazida). Em casos mais graves (NYHA³ classe III) ou com perda de função renal importante (DCE < 30-40 mL/min), usar diurético de alça (p. ex., furosemida).

Nunca se deve administrar como tratamento isolado para a insuficiência cardíaca sistólica. Associar sempre a betabloqueadores e/ou inibidores da enzima conversora da angiotensina (IECAs) C/D.

Os horários de administração devem ser definidos em conjunto com o paciente levando em conta o aumento da diurese logo após sua administração (ver parâmetros farmacocinéticos acima). Em geral, administra-se pela manhã, em 2 ou até 3 doses/dia nos casos de maior congestão. É possível suspender o diurético por 1 dia em situações nas quais o paciente está bem controlado e a diurese será inconveniente, como em viagens ou ocasiões especiais. Em casos selecionados, é possível ensinar o paciente ou os familiares a fazerem o ajuste da dose do diurético com base no monitoramento dos sinais de congestão (ver tópico Acompanhamento).

Diurese excessiva pode resultar em hipotensão postural, insuficiência renal pré-renal e hipocalemia. Além disso, doses elevadas de furosemida podem ter efeito ototóxico.

Monitorar regularmente eletrólitos (K^+, Na^+ e, em caso de dose elevada de diuréticos, Mg^{++}), ureia e creatinina (ver **TABELA 38.16** para manejo das alterações de eletrólitos). A diurese e a eliminação renal de eletrólitos são máximas no início do uso de diuréticos ou no aumento de dose, estabilizando em até 2 semanas.

Em casos refratários ao uso de doses altas de diurético de alça, considerar associação de tiazídico e/ou espironolactona (ver **TABELA 38.10**), com efeito sinergístico e aumento importante da diurese C/D. Nesse caso, o risco de distúrbios hidreletrolíticos é maior, e os eletrólitos devem ser monitorados com mais regularidade.

TABELA 38.12 → Hidralazina + isossorbida (classes II a IV)

PRINCÍPIO ATIVO	DOSE INICIAL	DOSE MÁXIMA
Hidralazina	12,5 mg, 3 ×/dia	50 mg, 4 ×/dia
Dinitrato de isossorbida	10 mg, 3 ×/dia	40 mg, 3 ×/dia

A associação hidralazina + isossorbida foi o primeiro esquema terapêutico avaliado em ensaio clínico (V-HeFT)[49] a mostrar uma redução de morbimortalidade em insuficiência cardíaca B. Apesar de o benefício ser menor do que aquele obtido com o uso de enalapril,[50] justifica-se o emprego da associação nos pacientes sintomáticos já em uso dos demais medicamentos e naqueles que têm contraindicação ou intolerância a inibidores da enzima conversora da angiotensina (IECAs) ou bloqueadores dos receptores da angiotensina II (BRAs). É possível que possua um efeito benéfico adicional nos pacientes que já fazem uso de IECAs, principalmente em afrodescendentes (A-Heft) B.[51] Também é uma associação terapêutica racional nos pacientes hipertensos não controlados com os fármacos de primeira linha. Pode ocorrer hipotensão postural com hidralazina, mas ela pode ser manejada com distribuição do medicamento (4 ×/dia) ou redução da dose. Já os nitratos podem causar tolerância, minimizada com a manutenção de um maior intervalo entre as doses (2 ou 3 ×/dia).

TABELA 38.13 → Sacubitril + valsartana

PRINCÍPIO ATIVO	DOSE INICIAL	DOSE MÁXIMA
Sacubitril + valsartana	24 + 26 mg, 2 ×/dia	97 + 103 mg, 2 ×/dia

A combinação de valsartana (bloqueadores dos receptores da angiotensina II) com sacubitril (inibidor da neprilisina) aumenta, de forma sinérgica, a disponibilidade de peptídeos natriuréticos e vasoativos endógenos. Atualmente, é recomendada como medicamento substituto de inibidores da enzima conversora da angiotensina (IECAs) ou bloqueadores do receptor da angiotensina (BRAs) em pacientes com disfunção sistólica (fração de ejeção do ventrículo esquerdo [FEVE] < 40%) e ainda sintomáticos apesar de tratamento otimizado. Não pode ser usado de forma concomitante com IECAs.

No estudo PARADIGM, sacubitril/valsartana foi superior ao IECA, na redução das internações por piora da IC (NNT=36), mortalidade cardiovascular (NNT=32), morte súbita e mortalidade geral (NNT=36) B.[52] Naqueles pacientes com pressão arterial reduzida, em idosos ou naqueles que toleram apenas doses baixas de IECA/BRA, a dose inicial deve ser 24/26 mg a cada 12 horas. É muito importante respeitar um período de 36 horas livres de tomada de IECA antes de se iniciar o sacubitril/valsartana. Nos pacientes que estavam utilizando BRA, não é necessário período de *washout*. Deve-se realizar controle de função renal e eletrólitos de forma periódica.

TABELA 38.14 → Inibidores do cotransportador de sódio e glicose tipo 2 (SGLT2)

PRINCÍPIO ATIVO	DOSE
Dapagliflozina	10 mg/dia (sem titulação)
Empagliflozina	10 mg/dia (sem titulação)

O uso dos inibidores de SGLT2, inicialmente desenvolvidos como fármacos antidiabéticos orais, emergiu recentemente como terapia para insuficiência cardíaca com fração de ejeção reduzida (ICFER) (fração de ejeção do ventrículo esquerdo [FEVE] < 40%) em pacientes sintomáticos apesar de tratamento otimizado, mesmo em pacientes não diabéticos.

No estudo DAPA-HF, dapagliflozina reduziu os desfechos de piora da insuficiência cardíaca ou mortalidade cardiovascular (número necessário para tratar [NNT] = 21) e mortalidade geral (NNT = 44).[53]

No estudo EMPEROR-Reduced, empagliflozina também reduziu o desfecho combinado de hospitalizações por insuficiência cardíaca ou mortalidade cardiovascular (NNT = 19), mas teve efeito neutro para mortalidade total B.[54] O uso de ambos os fármacos é feito em dose única, não necessita de titulação e não se associou a risco de hipoglicemia, inclusive em pacientes não diabéticos. A frequência de infecção do trato genital não complicada foi maior com o uso da empagliflozina no estudo EMPEROR-Reduced.

TABELA 38.15 → Digoxina (classes II a IV)

PRINCÍPIO ATIVO	DOSE INICIAL	DOSE MÁXIMA
Digoxina	0,125 mg/dia	0,125-0,25 mg/dia

A digoxina pode ser empregada em pacientes com disfunção sistólica já em uso de inibidores da enzima conversora da angiotensina (IECAs), betabloqueadores e diuréticos, com o objetivo de melhorar os sintomas. Outro uso comum em insuficiência cardíaca é para controlar a frequência cardíaca em pacientes com fibrilação atrial.

O estudo DIG identificou melhora dos sintomas e redução do número de internações hospitalares (razão de chances [RC] = 0,68; número necessário para tratar [NNT] = 10-17) B.[55] Entretanto, não há redução de mortalidade com o uso de digoxina,[56] sendo de maior risco nos pacientes com fibrilação atrial ou com níveis séricos elevados. Atualmente, recomenda-se o uso de uma dose de 0,125 mg/dia para a maioria dos pacientes para os quais a digoxina está indicada,[57] dispensando dose de ataque. Doses maiores devem ser reservadas para o tratamento concomitante de arritmias ou sob monitorização de níveis séricos. A digoxina apresenta uma janela terapêutica pequena, com maior potencial de intoxicação em mulheres, idosos, pacientes com baixo índice de massa corporal (IMC), disfunção renal, hipocalemia, hipotireoidismo ou em uso concomitante de medicamentos com potencial interação farmacológica (p. ex., amiodarona). É necessário monitorar cuidadosamente sinais de intoxicação como arritmias, distúrbios gastrintestinais e visuais, bem como alterações eletrocardiográficas. No caso de suspeita de intoxicação, se a monitorização dos níveis séricos estiver disponível, deve-se ajustar a dose para manter nível sérico < 1 mg/dL.

Os pacientes devem ser informados de que mudanças de sintomas e dos sinais vitais ou o aumento de 1 a 2 kg em poucos dias são frequentemente associados à hipervolemia e à descompensação clínica. Os pacientes podem ter resposta adequada dos sintomas com o aumento da dose de furosemida por curtos períodos (2-3 vezes a dose usual por 1 semana), com reavaliação clínica, da função renal e do potássio nesse período. Pacientes bem-orientados podem, muitas vezes, realizar ajustes mais brandos na dose de diuréticos.

TABELA 38.16 → Suplementação de potássio

PRINCÍPIO ATIVO	DOSE DIÁRIA	FORMA FARMACÊUTICA
Cloreto de potássio	600-1.800 mg/dia (8-24 mEqs)	Drágeas, solução oral

Apesar do efeito retentor de potássio com o uso de inibidores da enzima conversora da angiotensina (IECAs), bloqueadores dos receptores da angiotensina II (BRAs) e espironolactona, ainda pode ocorrer hipocalemia, principalmente com o uso de doses elevadas de diuréticos. A atitude primária na prevenção da hipocalemia é alcançar a dose-alvo dos medicamentos recém-citados. Se insuficiente, a manutenção dos níveis séricos pode ser obtida com a reposição de cloreto de potássio por via oral, ou com o emprego de diuréticos retentores de potássio, como amilorida, triantereno ou até mesmo espironolactona, devendo-se sempre manter a vigilância dos níveis séricos de potássio **C/D**. Deve-se também monitorar os níveis de magnésio, sobretudo nos pacientes em que a hipocalemia for pouco responsiva à reposição de potássio. É preferível o emprego dos diuréticos retentores de potássio, mas a reposição oral de magnésio pode ser realizada de forma intermitente (aproximadamente 50 mEq/dia) até a normalização do quadro.

TABELA 38.17 → Anticoagulantes orais

A anticoagulação oral com cumarínicos ou anticoagulantes diretos deve ser considerada em pacientes com risco elevado de embolização, como aqueles com fibrilação atrial, pós-infarto agudo do miocárdio, miocardiopatia dilatada grave, aneurismas ventriculares ou áreas discinéticas extensas (ver Capítulos Arritmias Cardíacas e Manejo Ambulatorial do Paciente Anticoagulado).

Pressão arterial

Deve ser aferida regularmente, devendo permanecer abaixo do alvo terapêutico em pacientes com hipertensão arterial (ver Capítulo Hipertensão Arterial Sistêmica) **C/D**. Enquanto se busca atingir as doses-alvo dos medicamentos e aliviar os sintomas com o uso de diuréticos, frequentemente já se atinge essa meta para controle pressórico, e, muitas vezes, a pressão arterial fica muito inferior a ela. Não há valor mínimo claramente definido para a pressão arterial, e as doses dos medicamentos devem ser reduzidas apenas na presença de hipotensão sintomática ou sinais de hipoperfusão.

Frequência cardíaca

Deve ser monitorada para evitar bradicardia excessiva com o uso de betabloqueadores, devendo permanecer acima de 50 bpm **C/D**. Por outro lado, taquicardia pode significar descompensação clínica, arritmias ou uso inadequado do medicamento.

Monitoramento de eletrólitos (sódio, potássio e magnésio) e da função renal

Os intervalos para os monitoramentos devem ser individualizados com base nos fármacos em uso (ver **TABELAS 38.7** a **38.17**), na função renal basal e nas comorbidades do paciente. De forma geral, nos pacientes estáveis há mais de 6 meses com a mesma dose de diuréticos e IECAs e com função renal normal, o monitoramento dos eletrólitos pode ser feito semestralmente.

Ecocardiograma

Deve ser feito no diagnóstico inicial da insuficiência cardíaca e quando houver mudança clínica significativa, não devendo ser usado para monitorar o tratamento em pacientes com bom controle da doença.

Intervalo entre as consultas

Depende do estágio da doença e da estabilidade do quadro. Pacientes com classe funcional II ou III, ou em ajuste de medicamento, necessitam de revisões frequentes (mensais ou a cada 2-3 meses), podendo ser mais espaçadas se houver melhora dos sintomas e estabilidade na dose dos medicamentos. A detecção de sinais clínicos de descompensação e as alternativas locais de acesso aos serviços médicos de urgência devem ser previamente discutidas com o paciente.

PREVENÇÃO

A prevenção deve ser dirigida aos indivíduos com risco aumentado de desenvolver insuficiência cardíaca. O escore Health ABC Heart Failure pode ser empregado para identificar indivíduos com maior risco de desenvolver insuficiência cardíaca,[58] mas ainda não foi validado no nosso meio. O risco é maior nos indivíduos com risco cardiovascular elevado (estágio A) e naqueles com alterações miocárdicas estruturais (estágio B), presente em aproximadamente 25% dos idosos.[59] Disfunção sistólica ventricular assintomática está presente em até 5% dos idosos[60] e aumenta quatro vezes o risco de apresentar insuficiência cardíaca.[61] Esse risco pode ser diminuído com o uso de IECAs **A**.[62,63] Além disso, há um aumento recente da proporção de indivíduos com disfunção diastólica.[64] Os betabloqueadores, quando iniciados após um infarto agudo do miocárdio em pacientes com disfunção ventricular sistólica assintomática, diminuem o risco de o paciente evoluir para insuficiência cardíaca **A**.[65]

As intervenções preventivas são focadas na identificação e no tratamento específico das cardiopatias existentes. Além disso, a utilização de escores que estimam o risco cardiovascular global ajuda a definir as intervenções de prevenção primária (ver Capítulo Prevenção Clínica das Doenças Cardiovasculares).

INSUFICIÊNCIA CARDÍACA AGUDA E INSUFICIÊNCIA CARDÍACA AVANÇADA

Alguns pacientes apresentam um curso de doença em que, apesar da implementação das medidas terapêuticas adequadas, há progressão da condição com múltiplas internações por congestão e hipoperfusão. Nesses casos, o encaminhamento ao cardiologista é apropriado para manejo farmacológico otimizado, avaliação da utilidade da implementação de terapias avançadas, ou até mesmo investigação de causas menos comuns **(TABELA 38.18)**.[66] Informações relevantes a serem descritas para o encaminhamento ao especialista estão na **TABELA 38.19**.

A internação hospitalar está indicada quando há piora clínica súbita ou progressão dos sintomas não responsiva ao ajuste adequado do tratamento. Nessas situações, é necessária a avaliação do perfil hemodinâmico atual[11] para a adequada implementação terapêutica. Medidas como repouso relativo, controle intensivo do peso e balanço hídrico, uso de medicamento intravenoso e intervenção sobre a causa da piora, quando identificada, são geralmente implementadas.

TABELA 38.18 → Níveis de atenção à saúde para pacientes com insuficiência cardíaca e encaminhamento para serviço especializado

Atenção primária à saúde (APS)	→ Suspeita clínica de insuficiência cardíaca OU → Classe funcional I e II OU → Pacientes com diagnóstico recente, em otimização do tratamento
Serviço especializado*	→ Classe funcional (New York Heart Association [NYHA]) III e IV em pacientes já com tratamento clínico otimizado em uso de doses maximamente toleradas de inibidor da enzima conversora de angiotensina/bloqueador do receptor da angiotensina, betabloqueador e espironolactona OU → Episódio de internação hospitalar devido à insuficiência cardíaca descompensada no último ano OU → Suspeita de insuficiência cardíaca sem possibilidade de investigação com ecocardiografia ou peptídeo natriurético cerebral → Congestão recorrente, sinais de hipoperfusão, síncope e arritmias de começo recente → Dificuldade de administração dos fármacos de primeira linha (intolerância ou efeitos colaterais) → Disfunção ventricular grave, sintomáticos com terapia otimizada, candidatos a dispositivos ou transplante cardíaco
Serviço de emergência	→ Pacientes com insuficiência cardíaca com sinais de hipoperfusão, síncope ou com piora recente de sintomas e sinais de congestão

*Nestes casos, a APS é responsável pelo comanejo desses pacientes e atenção a demais problemas em saúde.
Fonte: Adaptada de Brasil.[66]

TABELA 38.19 → Informações clínicas relevantes para encaminhamento ao serviço de referência especializado

→ Sinais e sintomas (classe funcional, tempo de evolução, perfil hemodinâmico, estado geral e nutricional e sinais vitais)
→ Resultados e data de exames complementares (eletrocardiograma, radiografia de tórax, ecocardiografia, função renal e eletrólitos)
→ Investigação etiológica realizada
→ Medicamentos em uso com posologia e medicamentos prévios suspensos por efeitos colaterais
→ Número de descompensações e internações hospitalares nos últimos 12 meses
→ Comorbidades

A insuficiência cardíaca aguda pode se apresentar como uma descompensação de insuficiência cardíaca crônica ou como insuficiência cardíaca aguda nova. O edema agudo de pulmão se manifesta com a instalação súbita de dispneia com ortopneia, associadas a sinais de sudorese e/ou tosse. Ao exame, podem estar presentes taquicardia, taquipneia, crepitantes, terceira bulha, elevação ou redução da pressão arterial e roncos ou sibilos. A avaliação inicial dos pacientes com insuficiência cardíaca aguda deve procurar identificar situações específicas de alto risco imediato de vida e considerar os diagnósticos alternativos de outras doenças agudas de alto risco (que podem eventualmente ser a causa da insuficiência cardíaca ou até se apresentar forma concomitante), seguido de uma avaliação clínica incluindo o perfil hemodinâmico (FIGURA 38.3) e realizar os exames complementares disponíveis, enquanto se implementa imediatamente as medidas terapêuticas disponíveis (FIGURA 38.8) até o apropriado encaminhamento para o serviço de urgência.

Para os casos crônicos muito graves e refratários, há alternativas terapêuticas mais complexas. Revascularização coronariana para pacientes com cardiopatia isquêmica, cirurgias valvulares em condições específicas e transplante cardíaco estão disponíveis em centros de referência e podem trazer benefícios a uma pequena parcela de pacientes que preenchem critérios de seleção bem-definidos.[67] Alguns dispositivos cardíacos de emprego restrito em centros especializados podem ser úteis em casos específicos, como terapia de ressincronização cardíaca (TRC) com o uso de marca-passo multissítio naqueles com bloqueio de ramo esquerdo e dissincronia ventricular, cardiodesfibrilador implantável (CDI) naqueles com elevado risco de morte súbita e implante de dispositivos de assistência ventricular (DAVs) naqueles em quadros de choque cardiogênico avançado. Nos casos muito avançados, após avaliação cardiológica, pode-se optar por medidas domiciliares de suporte ou internações intermitentes para compensação com medicamento intravenoso.

MANEJO DE COMORBIDADES FREQUENTES EM PACIENTES COM INSUFICIÊNCIA CARDÍACA

Depressão maior

Está presente em aproximadamente 20% dos pacientes com insuficiência cardíaca e associada ao aumento de mortalidade nessa população,[68] justificando seu rastreamento. Os sintomas da insuficiência cardíaca avançada podem se misturar com sintomas depressivos, confundindo sua avaliação. Embora os critérios diagnósticos da depressão permaneçam os mesmos em pessoas com condições crônicas sintomáticas como a insuficiência cardíaca, uma estratégia possível quando os sintomas da doença se confundem com os sintomas somáticos da depressão é usar a Hospital Anxiety and Depression Scale (HADS), que aborda apenas os sintomas afetivos e comportamentais da depressão e da ansiedade. Devem-se evitar antidepressivos tricíclicos como primeira escolha, devido ao risco de prolongamento do intervalo QT, bem como inibidores seletivos da recaptação da serotonina e da noradrenalina (ISRSNs), devido ao risco de elevação da pressão arterial. É importante dar preferência aos inibidores seletivos da recaptação da serotonina (ISRSs)[69] C/D (ver Capítulo Depressão).

Dificuldades sexuais

A insuficiência cardíaca e os fármacos envolvidos no seu tratamento estão associados à diminuição do interesse e do prazer sexual, bem como à disfunção erétil.[70] Em caso de disfunção erétil, pode-se usar sildenafila C/D,[71] desde que o paciente não esteja fazendo uso de nitratos. Existem poucos dados sobre o risco de exacerbação da insuficiência cardíaca associado ao ato sexual; porém, em pacientes de elevado risco, sugere-se aguardar até melhor compensação da doença (ver Capítulo Abordagem da Sexualidade e suas Alterações).

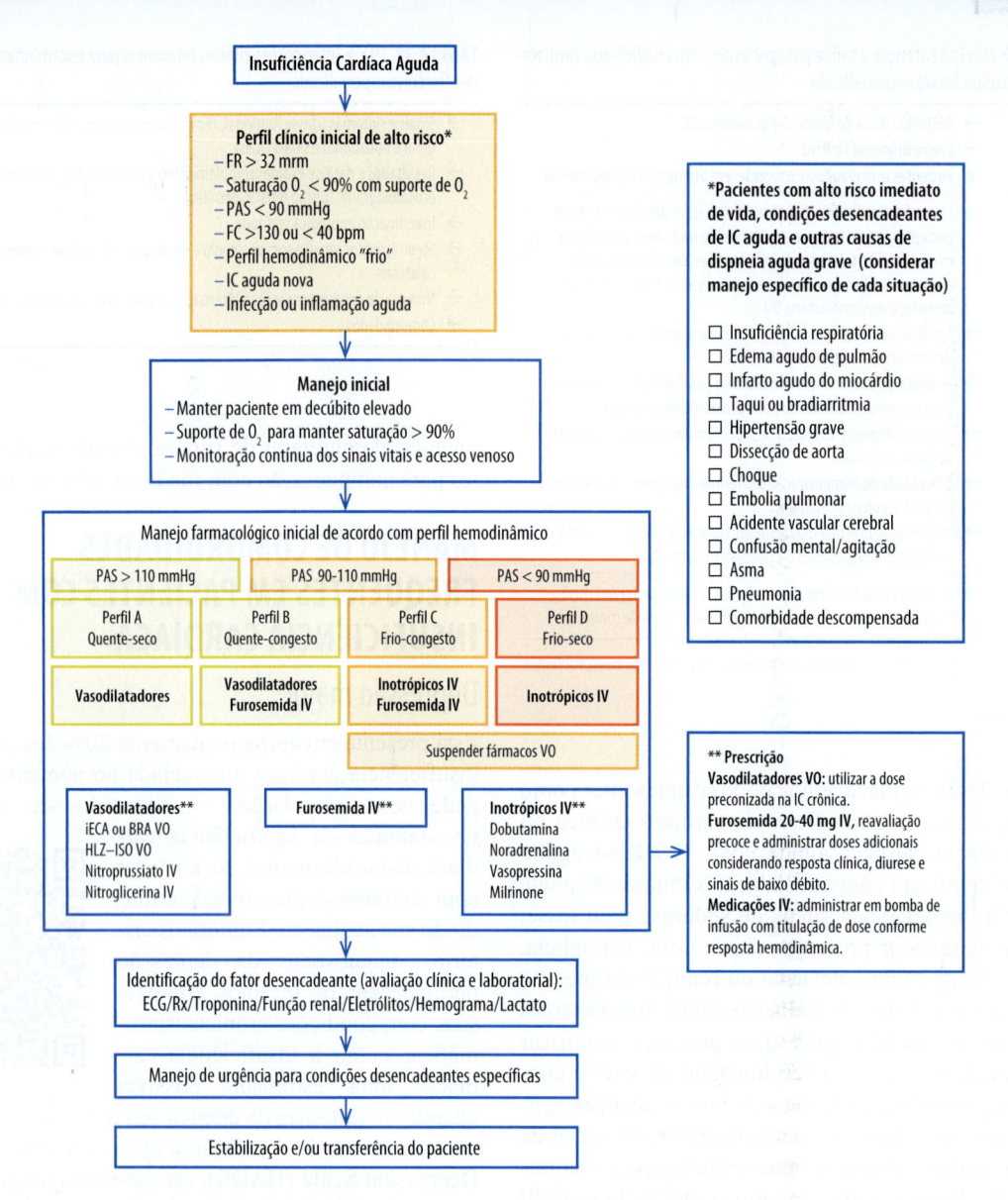

```
                    ┌─────────────────────────────┐
                    │ Insuficiência Cardíaca Aguda │
                    └──────────────┬──────────────┘
                                   ▼
                    ┌─────────────────────────────┐
                    │ Perfil clínico inicial de alto risco* │
                    │ – FR > 32 mrm               │
                    │ – Saturação O₂ < 90% com suporte de O₂ │
                    │ – PAS < 90 mmHg             │
                    │ – FC >130 ou < 40 bpm       │
                    │ – Perfil hemodinâmico "frio" │
                    │ – IC aguda nova             │
                    │ – Infecção ou inflamação aguda │
                    └──────────────┬──────────────┘
                                   ▼
                    ┌─────────────────────────────┐
                    │       Manejo inicial        │
                    │ – Manter paciente em decúbito elevado │
                    │ – Suporte de O₂ para manter saturação > 90% │
                    │ – Monitoração contínua dos sinais vitais e acesso venoso │
                    └──────────────┬──────────────┘
                                   ▼
          Manejo farmacológico inicial de acordo com perfil hemodinâmico
```

FIGURA 38.8 → Avaliação e manejo inicial de pacientes com insuficiência cardíaca aguda.
FR: frequência respiratória; VO: via oral; IV: via intravenosa; IECA: inibidor da enzima conversora de angiotensina; BRA: bloqueador do receptor de aldosterona; HLZ-ISO: hidralazina--isossorbida; ECG: eletrocardiograma; Rx: raio X; FC: frequência cardíaca; PAS: pressão arterial sistêmica; IC, insuficiência cardíaca; IV: intravenosa.

Perfis hemodinâmicos:
- PAS > 110 mmHg — Perfil A (Quente-seco) — Vasodilatadores
- PAS 90-110 mmHg — Perfil B (Quente-congesto) — Vasodilatadores + Furosemida IV
- PAS < 90 mmHg — Perfil C (Frio-congesto) — Inotrópicos IV + Furosemida IV
- Perfil D (Frio-seco) — Inotrópicos IV

Suspender fármacos VO

Vasodilatadores**: iECA ou BRA VO, HLZ–ISO VO, Nitroprussiato IV, Nitroglicerina IV
Furosemida IV**
Inotrópicos IV**: Dobutamina, Noradrenalina, Vasopressina, Milrinone

Identificação do fator desencadeante (avaliação clínica e laboratorial): ECG/Rx/Troponina/Função renal/Eletrólitos/Hemograma/Lactato

Manejo de urgência para condições desencadeantes específicas

Estabilização e/ou transferência do paciente

*Pacientes com alto risco imediato de vida, condições desencadeantes de IC aguda e outras causas de dispneia aguda grave (considerar manejo específico de cada situação)
- ☐ Insuficiência respiratória
- ☐ Edema agudo de pulmão
- ☐ Infarto agudo do miocárdio
- ☐ Taqui ou bradiarritmia
- ☐ Hipertensão grave
- ☐ Dissecção de aorta
- ☐ Choque
- ☐ Embolia pulmonar
- ☐ Acidente vascular cerebral
- ☐ Confusão mental/agitação
- ☐ Asma
- ☐ Pneumonia
- ☐ Comorbidade descompensada

** Prescrição
Vasodilatadores VO: utilizar a dose preconizada na IC crônica.
Furosemida 20-40 mg IV, reavaliação precoce e administrar doses adicionais considerando resposta clínica, diurese e sinais de baixo débito.
Medicações IV: administrar em bomba de infusão com titulação de dose conforme resposta hemodinâmica.

Anemia e ferropenia

Pode ser devida à hemodiluição ou à insuficiência renal. Muitas vezes a causa é incerta. Está associada a um pior prognóstico. Em casos de anemia grave, é importante a investigação diagnóstica (ver Capítulo Anemias no Adulto). O tratamento da anemia ferropênica ou da ferropenia (ferritina < 100 ng/mL ou entre 100-300 ng/mL se saturação de transferrina < 20%), mesmo na ausência de anemia, pode ser necessário em alguns pacientes. As terapias de reposição oral com ferro ou eritropoietina não mostraram benefício, enquanto o uso intravenoso de preparações farmacêuticas de ferro pode reduzir hospitalizações, melhorar a capacidade funcional e reduzir morbidade.[72] Entretanto, seu uso ainda é limitado, e sugere-se a implementação de protocolos locais específicos para a administração intravenosa.

Doença pulmonar obstrutiva crônica

A doença pulmonar obstrutiva crônica (DPOC) é uma comorbidade frequente que pode complicar a avaliação diagnóstica e o acompanhamento dos sintomas. O uso de betabloqueadores não aumenta o risco de exacerbações de DPOC, mas, na presença de broncospasmo, deve-se dar preferência aos β_1 seletivos. O uso de broncodilatadores agonistas β_2 e de anticolinérgicos pode agravar a insuficiência cardíaca, devendo-se pesar risco/benefício ao indicar seu uso. Ao optar pelo seu uso, broncodilatadores de longa duração parecem seguros e benéficos na população geral de pacientes com DPOC. A presença concomitante de ambas as doenças aumenta o risco de atrofia muscular em pacientes idosos (ver Capítulo Doença Pulmonar Obstrutiva Crônica).[73]

Apneia do sono

Está presente em 40 a 70% dos pacientes com insuficiência cardíaca, associada à piora da qualidade de vida e do controle da hipertensão. Pode resultar em fadiga, hipertensão pulmonar e edema de membros inferiores, confundindo a avaliação da insuficiência cardíaca (ver Capítulo Alterações do Sono).

Doença renal crônica

Está presente em até um terço dos pacientes. Quando a taxa de filtração glomerular (TFG) > 30 mL/min/1,73 m², o tratamento permanece o mesmo. Quando TFG < 30 mL/min/1,73 m², ou quando houver um aumento > 30% da creatinina basal, deve-se passar a monitorar regularmente a função renal e o potássio sérico e considerar redução de dose ou suspensão do IECA e de bloqueadores da aldosterona (ver **TABELAS 38.8** e **38.10** e Capítulo Doença Renal Crônica).

Gota

Diuréticos podem elevar o ácido úrico e precipitar crise de gota, mas em geral não devem ser suspensos. Deve-se evitar o uso de anti-inflamatórios não esteroides (AINEs), associados a maior risco de internação e morte em pacientes com insuficiência cardíaca **B**.[74] Deve-se controlar a crise com infiltrações intra-articulares de corticoides ou com o uso cuidadoso de colchicina e, após, suspendê-la e iniciar tratamento profilático com hipouricemiante. As doses da colchicina e do alopurinol devem ser corrigidas em caso de insuficiência renal (ver Capítulo Gota e Outras Monoartrites).

Incontinência urinária

A incontinência urinária está presente em 35 a 50% dos pacientes com insuficiência cardíaca, estando associada a prejuízo funcional. Pode ser agravada pela noctúria da insuficiência cardíaca descompensada ou pelo uso de diuréticos. O manejo inclui restrição hídrica, evitar consumo de cafeína e realizar exercícios pélvicos.[75] Deve-se tentar planejar o uso de diuréticos em horário que facilite o acesso do paciente ao banheiro (ver Capítulo O Cuidado do Paciente Idoso).

Hipotensão postural

Pode ser agravada pelo uso de diuréticos e demais fármacos utilizados no tratamento da insuficiência cardíaca. Deve-se considerar ajuste da dose e orientação para prevenção de quedas (ver Capítulos Vertigens e Tonturas e Avaliação Multidimensional do Idoso).

REFERÊNCIAS

1. Brasil. Ministério da Saúde. DATASUS. Morbidade Hospitalar do SUS. Brasília: MS; 2019 [capturado em 13 jun. 2020]. Disponível em: http://tabnet.datasus.gov.br/cgi/tabcgi.exe?sih/cnv/niuf.def
2. Albuquerque DC, Neto JD, Bacal F, Rohde LE, Bernardez-Pereira S, Berwanger O, et al. I Brazilian registry of heart failure – clinical aspects, care quality and hospitalization outcomes. Arq Bras Cardiol. 2015;104(6):433-42.
3. Rohde LEP, Montera MW, Bocchi EA, Clausell NO, Albuquerque DC, Rassi S, et al. Diretriz Brasileira de Insuficiencia Cardiaca Cronica e Aguda. Arq Bras Cardiol. 2018;111(3):436-539.
4. Dunlay SM, Roger VL, Redfield MM. Epidemiology of heart failure with preserved ejection fraction. Nat Rev Cardiol. 2017;14(10):591-602.
5. Mozaffarian D, Anker SD, Anand I, Linker DT, Sullivan MD, Cleland JG, et al. Prediction of mode of death in heart failure: the Seattle Heart Failure Model. Circulation. 2007;116(4):392-8.
6. Ferrero P, Iacovoni A, D'Elia E, Vaduganathan M, Gavazzi A, Senni M. Prognostic scores in heart failure – Critical appraisal and practical use. Int J Cardiol. 2015;188:1-9.
7. Halliday BP, Wassall R, Lota AS, Khalique Z, Gregson J, Newsome S, et al. Withdrawal of pharmacological treatment for heart failure in patients with recovered dilated cardiomyopathy (TRED-HF): an open-label, pilot, randomised trial. Lancet. 2019;393(10166):61-73.
8. Yancy CW, Jessup M, Bozkurt B, Butler J, Casey DE, Jr., Drazner MH, et al. 2013 ACCF/AHA guideline for the management of heart failure: a report of the American College of Cardiology Foundation/American Heart Association Task Force on practice guidelines. Circulation. 2013;128(16):e240-327.
9. Goldman L, Hashimoto B, Cook EF, Loscalzo A. Comparative reproducibility and validity of systems for assessing cardiovascular functional class: advantages of a new specific activity scale. Circulation. 1981;64(6):1227-34.
10. Oudejans I, Mosterd A, Bloemen JA, Valk MJ, van Velzen E, Wielders JP, et al. Clinical evaluation of geriatric outpatients with suspected heart failure: value of symptoms, signs, and additional tests. Eur J Heart Fail. 2011;13(5):518-27.
11. Nohria A, Lewis E, Stevenson LW. Medical management of advanced heart failure. JAMA. 2002;287(5):628-40.
12. Thibodeau JT, Drazner MH. The role of the clinical examination in patients with heart failure. JACC Heart Fail. 2018;6(7):543-51.
13. Mettler F. Essentials of radiology. 4th. ed. Philadelphia: Elsevier; 2018.
14. Ponikowski P, Voors AA, Anker SD, Bueno H, Cleland JGF, Coats AJS, et al. 2016 ESC Guidelines for the diagnosis and treatment of acute and chronic heart failure: The Task Force for the diagnosis and treatment of acute and chronic heart failure of the European Society of Cardiology (ESC)Developed with the special contribution of the Heart Failure Association (HFA) of the ESC. Eur Heart J. 2016;37(27):2129-200.
15. Nagueh SF, Smiseth OA, Appleton CP, Byrd BF, 3rd, Dokainish H, Edvardsen T, et al. Recommendations for the evaluation of left ventricular diastolic function by echocardiography: an update from the American Society of Echocardiography and the European Association of Cardiovascular Imaging. J Am Soc Echocardiogr. 2016;29(4):277-314.
16. Brasil. Ministério da Saúde. Secretaria de Ciência Tecnologia e Insumos Estratégicos. Peptídeos natriuréticos tipo B (BNP e NT-ProBNP) para o diagnóstico de insuficiência cardíaca [Internet]. Brasília: MS; 2018 [capturado em 13 jan. 2021]. Disponível em: http://conitec.gov.br/images/Consultas/2018/Relatorio_PeptideosNatriureticosB_DiagnosticoIC_CP31_2018.pdf
17. Ganesan AN, Gunton J, Nucifora G, McGavigan AD, Selvanayagam JB. Impact of Late Gadolinium Enhancement on mortality, sudden death and major adverse cardiovascular events in ischemic and nonischemic cardiomyopathy: a systematic review and meta-analysis. Int J Cardiol. 2018;254:230-7.
18. Nunes MCP, Badano LP, Marin-Neto JA, Edvardsen T, Fernandez-Golfin C, Bucciarelli-Ducci C, et al. Multimodality imaging evaluation of Chagas disease: an expert consensus of Brazilian Cardiovascular Imaging Department (DIC) and the European Association of Cardiovascular Imaging (EACVI). Eur Heart J Cardiovasc Imaging. 2018;19(4):459-60n.
19. Reddy YNV, Carter RE, Obokata M, Redfield MM, Borlaug BA. A Simple, evidence-based approach to help guide diagnosis of heart failure with preserved ejection fraction. Circulation. 2018;138(9):861-70.
20. McKee PA, Castelli WP, McNamara PM, Kannel WB. The natural history of congestive heart failure: the framingham study. N Engl J Med. 1971;285(26):1441-6.

21. Harlan WR, Ooberman A, Grimm R, Rosati RA. Chronic congestive heart failure in coronary artery disease: clinical criteria. Ann Intern Med. 1977;86(2):133-8.

22. Holland R, Battersby J, Harvey I, Lenaghan E, Smith J, Hay L. Systematic review of multidisciplinary interventions in heart failure. Heart. 2005;91(7):899-906.

23. Vedel I, Khanassov V. Transitional care for patients with congestive heart failure: a systematic review and meta-analysis. Ann Fam Med. 2015;13(6):562-71.

24. de Souza EN, Rohde LE, Ruschel KB, Mussi CM, Beck-da-Silva L, Biolo A, et al. A nurse-based strategy reduces heart failure morbidity in patients admitted for acute decompensated heart failure in Brazil: the HELEN-II clinical trial. Eur J Heart Fail. 2014;16(9):1002-8.

25. Bocchi EA, Cruz F, Guimaraes G, Pinho Moreira LF, Issa VS, Ayub Ferreira SM, et al. Long-term prospective, randomized, controlled study using repetitive education at six-month intervals and monitoring for adherence in heart failure outpatients: the REMADHE trial. Circ Heart Fail. 2008;1(2):115-24.

26. Poudel N, Kavookjian J, Scalese MJ. Motivational interviewing as a strategy to impact outcomes in heart failure patients: a systematic review. Patient. 2020;13(1):43-55.

27. Long L, Mordi IR, Bridges C, Sagar VA, Davies EJ, Coats AJ, et al. Exercise-based cardiac rehabilitation for adults with heart failure. Cochrane Database Syst Rev. 2019;1(1):CD003331.

28. Bhatt AS, DeVore AD, Hernandez AF, Mentz RJ. Can vaccinations improve heart failure outcomes? Contemporary data and future directions. JACC Heart Fail. 2017;5(3):194-203.

29. Cannon JA, Moffitt P, Perez-Moreno AC, Walters MR, Broomfield NM, McMurray JJ, et al. Cognitive impairment and heart failure: systematic review and meta-analysis. J Card Fail. 2017;23(6):464-75.

30. Marcondes-Braga FG, Moura LAZ, Issa VS, Vieira JL, Rohde LE, Simões MV, et al. Emerging Topics Update of the Brazilian Heart Failure Guideline - 2021. Arq Bras Cardiol. 2021;116(6):1174-1212.

31. Burnett H, Earley A, Voors AA, Senni M, McMurray JJ, Deschaseaux C, et al. Thirty years of evidence on the efficacy of drug treatments for chronic heart failure with reduced ejection fraction: a network meta-analysis. Circ Heart Fail. 2017;10(1):e003529.

32. Yusuf S, Pfeffer MA, Swedberg K, Granger CB, Held P, McMurray JJ, et al. Effects of candesartan in patients with chronic heart failure and preserved left-ventricular ejection fraction: the CHARM-Preserved Trial. Lancet. 2003;362(9386):777-81.

33. Pitt B, Pfeffer MA, Assmann SF, Boineau R, Anand IS, Claggett B, et al. Spironolactone for heart failure with preserved ejection fraction. N Engl J Med. 2014;370(15):1383-92.

34. Pfeffer MA, Claggett B, Assmann SF, Boineau R, Anand IS, Clausell N, et al. Regional variation in patients and outcomes in the Treatment of Preserved Cardiac Function Heart Failure with an Aldosterone Antagonist (TOPCAT) trial. Circulation. 2015;131(1):34-42.

35. Shibata MC, Flather MD, Wang D. Systematic review of the impact of beta blockers on mortality and hospital admissions in heart failure. Eur J Heart Fail. 2001;3(3):351-7.

36. Cleland JGF, Bunting KV, Flather MD, Altman DG, Holmes J, Coats AJS, et al. Beta-blockers for heart failure with reduced, mid-range, and preserved ejection fraction: an individual patient-level analysis of double-blind randomized trials. Eur Heart J. 2018;39(1):26-35.

37. Goldman L, Schafer AI. Goldman-Cecil Medicine. 26. ed. Philadelphia: Elsevier; 2019.

38. Jondeau G, Neuder Y, Eicher JC, Jourdain P, Fauveau E, Galinier M, et al. B-CONVINCED: Beta-blocker CONtinuation Vs. INterruption in patients with Congestive heart failure hospitalizED for a decompensation episode. Eur Heart J. 2009;30(18):2186-92.

39. Fonarow GC, Abraham WT, Albert NM, Stough WG, Gheorghiade M, Greenberg BH, et al. Influence of beta-blocker continuation or withdrawal on outcomes in patients hospitalized with heart failure: findings from the OPTIMIZE-HF program. J Am Coll Cardiol. 2008;52(3):190-9.

40. Flather MD, Yusuf S, Kober L, Pfeffer M, Hall A, Murray G, et al. Long-term ACE-inhibitor therapy in patients with heart failure or left-ventricular dysfunction: a systematic overview of data from individual patients. ACE-Inhibitor Myocardial Infarction Collaborative Group. Lancet. 2000;355(9215):1575-81.

41. Abdulla J, Pogue J, Abildstrøm SZ, Køber L, Christensen E, Pfeffer MA, et al. Effect of angiotensin-converting enzyme inhibition on functional class in patients with left ventricular systolic dysfunction--a meta-analysis. Eur J Heart Fail. 2006;8(1):90-6.

42. Lexicomp. Captopril Drug Information and Enalapril Drug Information. Hudson: Lexi-Comp;2013.

43. Schmidt M, Mansfield KE, Bhaskaran K, Nitsch D, Sørensen HT, Smeeth L, et al. Adherence to guidelines for creatinine and potassium monitoring and discontinuation following renin-angiotensin system blockade: a UK general practice-based cohort study. BMJ Open. 2017;7(1):e012818.

44. Tai C, Gan T, Zou L, Sun Y, Zhang Y, Chen W, et al. Effect of angiotensin-converting enzyme inhibitors and angiotensin II receptor blockers on cardiovascular events in patients with heart failure: a meta-analysis of randomized controlled trials. BMC Cardiovasc Disord. 2017;17(1):257.

45. Silva AR, Martini AG, Canto GDL, Guerra ENdS, Neves FdAR. Effects of dual blockade in heart failure and renal dysfunction: Systematic review and meta-analysis. J Renin Angiotensin Aldosterone Syst. 2019;20(4):1470320319882656-.

46. Pitt B, Zannad F, Remme WJ, Cody R, Castaigne A, Perez A, et al. The effect of spironolactone on morbidity and mortality in patients with severe heart failure. Randomized aldactone evaluation study investigators. N Engl J Med. 1999;341(10):709-17.

47. Zannad F, McMurray JJ, Krum H, van Veldhuisen DJ, Swedberg K, Shi H, et al. Eplerenone in patients with systolic heart failure and mild symptoms. N Engl J Med. 2011;364(1):11-21.

48. Kosmas CE, Silverio D, Sourlas A, Montan PD, Guzman E. Role of spironolactone in the treatment of heart failure with preserved ejection fraction. Ann Transl Med. 2018;6(23):461.

49. Ezekowitz JA, McAlister FA. Aldosterone blockade and left ventricular dysfunction: a systematic review of randomized clinical trials. Eur Heart J. 2009;30(4):469-77.

50. Cohn JN, Archibald DG, Ziesche S, Franciosa JA, Harston WE, Tristani FE, et al. Effect of vasodilator therapy on mortality in chronic congestive heart failure. Results of a Veterans Administration Cooperative Study. N Engl J Med. 1986;314(24):1547-52.

51. Cohn JN, Johnson G, Ziesche S, Cobb F, Francis G, Tristani F, et al. A comparison of enalapril with hydralazine-isosorbide dinitrate in the treatment of chronic congestive heart failure. N Engl J Med. 1991;325(5):303-10.

52. Taylor AL, Ziesche S, Yancy C, Carson P, D'Agostino R, Jr., Ferdinand K, et al. Combination of isosorbide dinitrate and hydralazine in blacks with heart failure. N Engl J Med. 2004;351(20):2049-57.

53. McMurray JJ, Packer M, Desai AS, Gong J, Lefkowitz MP, Rizkala AR, et al. Angiotensin-neprilysin inhibition versus enalapril in heart failure. N Engl J Med. 2014;371(11):993-1004.

54. McMurray JJV, Solomon SD, Inzucchi SE, Køber L, Kosiborod MN, Martinez FA, et al. Dapagliflozin in Patients with heart failure and reduced ejection fraction. N Engl J Med. 2019;381(21):1995-2008.

55. Packer M, Anker SD, Butler J, Filippatos G, Pocock SJ, Carson P, et al. Cardiovascular and Renal outcomes with empagliflozin in heart failure. N Engl J Med. 2020;383(15):1413-24.

56. Digitalis Investigation Group. The effect of digoxin on mortality and morbidity in patients with heart failure. N Engl J Med. 1997;336(8):525-33.

57. Vamos M, Erath JW, Hohnloser SH. Digoxin-associated mortality: a systematic review and meta-analysis of the literature. Eur Heart J. 2015;36(28):1831-8.

58. Ahmed A, Pitt B, Rahimtoola SH, Waagstein F, White M, Love TE, et al. Effects of digoxin at low serum concentrations on mortality and

hospitalization in heart failure: a propensity-matched study of the DIG trial. International journal of cardiology. 2008;123(2):138-46.
59. Butler J, Kalogeropoulos A, Georgiopoulou V, Belue R, Rodondi N, Garcia M, et al. Incident heart failure prediction in the elderly: the health ABC heart failure score. Circ Heart Fail. 2008;1(2):125-33.
60. Xanthakis V, Enserro DM, Larson MG, Wollert KC, Januzzi JL, Levy D, et al. Prevalence, neurohormonal correlates, and prognosis of heart failure stages in the community. JACC Heart Fail. 2016;4(10):808-15.
61. van Riet EE, Hoes AW, Wagenaar KP, Limburg A, Landman MA, Rutten FH. Epidemiology of heart failure: the prevalence of heart failure and ventricular dysfunction in older adults over time. A systematic review. Eur J Heart Fail. 2016;18(3):242-52.
62. Echouffo-Tcheugui JB, Erqou S, Butler J, Yancy CW, Fonarow GC. Assessing the risk of progression from asymptomatic left ventricular dysfunction to overt heart failure: a systematic overview and meta-analysis. JACC Heart Fail. 2016;4(4):237-48.
63. Arnold JM, Yusuf S, Young J, Mathew J, Johnstone D, Avezum A, et al. Prevention of heart failure in patients in the Heart Outcomes Prevention Evaluation (HOPE) study. Circulation. 2003;107(9):1284-90.
64. Yusuf S, Pitt B, Davis CE, Hood WB, Jr., Cohn JN. Effect of enalapril on mortality and the development of heart failure in asymptomatic patients with reduced left ventricular ejection fractions. N Engl J Med. 1992;327(10):685-91.
65. Vasan RS, Xanthakis V, Lyass A, Andersson C, Tsao C, Cheng S, et al. Epidemiology of left ventricular systolic dysfunction and heart failure in the framingham study: an echocardiographic study over 3 decades. JACC Cardiovasc Imaging. 2018;11(1):1-11.
66. Dargie HJ. Effect of carvedilol on outcome after myocardial infarction in patients with left-ventricular dysfunction: the CAPRICORN randomised trial. Lancet. 2001;357(9266):1385-90.
67. Brasil. Ministério da Saúde, Universidade Federal do Rio Grande do Sul. Protocolos de encaminhamento da atenção básica para a atenção especializada: cardiologia [Internet]. Brasília: MS; 2016 [capturado em 13 jan. 2021]. v. 2. Disponível em: https://www.ufrgs.br/telessauders/documentos/protocolos_resumos/protocolo_ms_cardiologia_janeiro_2016.pdf
68. Kittleson MM, Shah P, Lala A, McLean RC, Pamboukian S, Horstmanshof DA, et al. INTERMACS profiles and outcomes of ambulatory advanced heart failure patients: a report from the REVIVAL Registry. J Heart Lung Transplant. 2020;39(1):16-26.
69. Sokoreli I, de Vries JJG, Pauws SC, Steyerberg EW. Depression and anxiety as predictors of mortality among heart failure patients: systematic review and meta-analysis. Heart Fail Rev. 2016;21(1):49-63.
70. Piña IL, Di Palo KE, Ventura HO. Psychopharmacology and cardiovascular disease. J Am Coll Cardiol. 2018;71(20):2346.
71. Jaarsma T. Sexual function of patients with heart failure: facts and numbers. ESC Heart Failure. 2017;4(1):3-7.
72. Katz SD, Parker JD, Glasser DB, Bank AJ, Sherman N, Wang H, et al. Efficacy and safety of sildenafil citrate in men with erectile dysfunction and chronic heart failure. Am J Cardiol. 2005;95(1):36-42.
73. Anand IS, Gupta P. Anemia and iron deficiency in heart failure: current concepts and emerging therapies. Circulation. 2018;138(1):80-98.
74. Nothl, Schmidt GA. Management of the patient with COPD and cardiovascular disease [Internet]. UpToDate. Waltham: UpToDate; 2020 [capturado em 13 jan. 2021]. Disponível em: https://www.uptodate.com/contents/management-of-the-patient-with-copd-and-cardiovascular-disease.
75. Mouradjian MT, Plazak ME, Gale SE, Noel ZR, Watson K, Devabhakthuni S. Pharmacologic management of gout in patients with cardiovascular disease and heart failure. Am J Cardiovasc Drugs. 2020;20(5):431-45.

LEITURA RECOMENDADA

Education modules on heart failure. Disponível em: http://www.hfsa.org/heart_failure_education_modules.asp.
Módulos educativos para pacientes e cuidadores, elaborados pela Heart Failure Society of America.

Capítulo 39
ARRITMIAS CARDÍACAS

Maurício Pimentel

Carisi Anne Polanczyk

Luis E. Rohde

As arritmias cardíacas são eventos clínicos frequentes em âmbito ambulatorial. Sua detecção pode ser feita a partir de sintomas ou sob a forma de diagnóstico casual no exame clínico ou eletrocardiograma (ECG). Embora a maioria das arritmias não seja grave, o potencial de uma morte súbita e o possível risco para eventos tromboembólicos exige um diagnóstico cuidadoso que permita uma definição clara do prognóstico e da necessidade de terapia.

O papel do médico de atenção primária à saúde (APS) consiste na detecção de arritmias, na avaliação da sua gravidade, no encaminhamento das arritmias não benignas e daquelas muito sintomáticas, na prestação de primeiros socorros em emergências e no manejo da terapia de manutenção em situações definidas. Dependendo do tipo de arritmia e dos recursos disponíveis, além da detecção da presença de uma arritmia, é possível também caracterizá-la de maneira específica.

No manejo de uma arritmia, deve-se sempre procurar causas reversíveis (em sua maioria, fatores extracardíacos) e causas cardíacas primárias (lesões valvulares, disfunção ventricular, cardiopatia isquêmica e hipertensão arterial), que podem ser fatores etiológicos e prognósticos da arritmia.

As arritmias cardíacas devem ser avaliadas dentro de um contexto clínico, pois os parâmetros a serem valorizados incluem dados relacionados com estados mórbidos pregressos e/ou atuais e com o uso de determinadas substâncias. A simples presença de arritmias não representa, necessariamente, manifestação de cardiopatia, podendo ocorrer em um coração normal.

As manifestações clínicas de arritmias são bastante variáveis, podendo ou não causar sintomas. Os sintomas, quando ocorrem, estão relacionados com os seguintes fatores: ritmo irregular (palpitações), redução do débito cardíaco com hipotensão, tontura e síncope, descompensação clínica de uma cardiopatia subjacente e até mesmo um quadro de choque circulatório.

As palpitações, acompanhadas ou não de tonturas, mal-estar e sudorese, são as manifestações clínicas predominantemente referidas pelo paciente. A presença de cardiopatia conhecida e de sintomas que acordam o paciente ou que acontecem durante o trabalho aumenta a chance de a palpitação ser de origem arrítmica, ao passo que história de pânico e duração < 5 segundos reduzem a probabilidade.[1]

Aspectos importantes a serem estabelecidos na história incluem modo de início da arritmia (exercício, ansiedade ou descarga de catecolaminas), fatores desencadeantes e de término (tosse, Valsalva ou outras manobras vagais). O paciente deve ser questionado sobre doenças sistêmicas relacionadas com arritmias, como doença pulmonar obstrutiva crônica (DPOC), tireotoxicose, insuficiência cardíaca, pericardite e uso de fármacos. História familiar de arritmias e, em particular, história de morte súbita em familiar de primeiro grau são fatores que sugerem risco aumentado de arritmias clinicamente relevantes.

No exame físico, as arritmias são detectadas por ausculta cardíaca, palpação do pulso e exame da veia jugular. A palpação do pulso avalia o ritmo, a amplitude e a frequência. A inspeção da veia jugular auxilia na avaliação da atividade atrial. O exame do pulso venoso pode ser particularmente útil na identificação de dissociação atrioventricular ou no bloqueio completo, quando existe contração atrial dissociada da sístole ventricular, levando ao aparecimento de ondas "a" tipo canhão na jugular.

É essencial a obtenção de um ECG na avaliação de um paciente com suspeita de arritmia, pois ele amplia o potencial de diagnóstico e de manejo (ver Apêndice Eletrocardiograma: Interpretação, Principais Alterações e Uso na Prática Ambulatorial, para uma sistematização passo a passo para interpretação dos ECGs, critérios para o diagnóstico eletrocardiográfico de cada alteração, exames adicionais possíveis diante de situações específicas e traçados exemplificando as principais arritmias). Em geral, um ECG simples de repouso é o único exame necessário.

De acordo com os sintomas do paciente e a presença de cardiopatia, outros testes podem ser úteis no diagnóstico e na avaliação da arritmia. O monitoramento eletrocardiográfico ambulatorial de 24 horas auxilia na correlação de sintomas como tontura ou síncope a episódios de alteração do ritmo cardíaco, bem como na determinação da existência de arritmias graves em pacientes com cardiopatia. É importante destacar que se os sintomas foram pouco frequentes, o valor preditivo negativo do teste é muito baixo.

O ECG de esforço é útil na avaliação de sintomas associados a exercício físico ou relacionados com cardiopatia isquêmica. Na suspeita de cardiopatia adjacente, sobretudo nos casos de taquiarritmias, o ecocardiograma pode ser útil para avaliar função ventricular, tamanho de cavidades, valvulopatias e presença de trombos cardíacos.

MANEJO DE ARRITMIAS COMUNS NO NÍVEL PRIMÁRIO

As informações diagnósticas necessárias para o manejo do paciente envolvem, além do tipo de arritmia, a caracterização de sua frequência, duração, relação com esforço e consequências hemodinâmicas e sua morbidade cardíaca. É também importante identificar fatores não cardíacos agravantes.

Deve-se sempre investigar fatores predisponentes associados – xantinas (café, chá), álcool, tabagismo, estresse e anfetaminas –, que podem ser responsáveis pelo desencadeamento das crises, na sua maioria paroxísticas e em geral com aumento da frequência cardíaca (FC). Também deve ser investigado o uso de fármacos como digitálicos, teofilina, diuréticos, betabloqueadores, antidepressivos, psicotrópicos e anti-hipertensivos.

A caracterização dos sintomas e o quadro clínico do paciente auxiliam na determinação da gravidade das arritmias.

> **Presença de dispneia e angina, evidências de baixo débito cardíaco ou FC > 140 bpm exigem manejo imediato e encaminhamento para serviços de emergência.**

A presença de cardiopatia subjacente pode influenciar o manejo, pois a doença coronariana é fator prognóstico importante nos diversos tipos de arritmias.

Arritmia sinusal

É muito frequente, sobremaneira em crianças e adolescentes, e encontra-se, na maioria das vezes, associada à chamada arritmia respiratória, que é fisiológica e está diretamente relacionada com o ciclo respiratório. A arritmia sinusal é diagnosticada quando a variação entre o ciclo mais curto e o mais longo no ECG for maior do que 0,12 segundo. Na inspiração, por aumento do volume de retorno venoso ao coração, ocorre elevação da FC, enquanto na expiração, ao contrário, há redução dessa frequência. A maioria dos pacientes é assintomática; em alguns casos, pode haver queixas de palpitações e/ou tonturas passageiras. A arritmia sinusal é um dos grandes motivos de encaminhamento desnecessário ao cardiologista. Não existe indicação para tratamento com antiarrítmico.

Bradiarritmias

São arritmias com FC < 50 bpm, em geral assintomáticas. Porém, quando ocorrem de maneira abrupta, com alterações hemodinâmicas, podem manifestar-se com palpitações, tonturas ou até mesmo síncope. O diagnóstico diferencial inclui bradicardia sinusal, bloqueio atrioventricular de segundo ou terceiro graus e doença do nodo sinusal. A avaliação do ritmo pelo ECG é de grande valor no diagnóstico diferencial dessas arritmias.

A bradicardia sinusal tem ritmo regular. Pode surgir em indivíduos normais, como atletas e vagotônicos, durante o sono, episódios de dor, vômitos e em outras situações, bem como em indivíduos com patologia associada, seja ela cardíaca ou não. Pode desenvolver-se secundariamente a fatores extracardíacos, como distúrbios hidreletrolíticos (hipercalemia, alcalose metabólica) ou devido aos efeitos de determinados tipos de medicamentos (digitálicos, betabloqueadores, parassimpaticomiméticos, simpaticolíticos).[2]

A bradicardia sinusal assintomática descoberta de forma incidental em geral não requer tratamento. Torna-se clinicamente relevante em caso de FC < 45 bpm com o indivíduo acordado. Se ocorrer na vigência de fármacos cronotrópicos negativos, deve ser considerada a sua redução ou suspensão. Os pacientes sintomáticos, em particular os idosos, com bradicardia sinusal devem ser encaminhados ao cardiologista para realizar um ECG de 24 horas com a finalidade de correlacionar os sintomas com a presença de arritmia e instituir tratamento, se necessário.

A bradicardia vagalmente induzida (p. ex., por dor) pode ser grave e resultar em assistolia (com perda da consciência); nesses casos, o médico deve administrar imediatamente atropina na dose de 0,5 a 3 mg intravenoso (IV). A bradicardia sinusal causada por medicamentos pode ser resolvida com a simples interrupção do seu uso.[2]

Os bloqueios atrioventriculares podem ser a causa de bradiarritmias. No bloqueio de segundo grau, ocorre um bloqueio variável na condução do estímulo atrial para os ventrículos – ondas P sem complexos QRS correspondentes intermitentes ou fixos, em intervalos regulares ou irregulares (Mobitz tipo I ou tipo II). Podem ser causados por medicamentos (digitálicos, betabloqueadores), alterações degenerativas da condução atrioventricular ou associados à cardiopatia isquêmica.

No bloqueio de terceiro grau, ocorre uma falha total de condução do impulso atrial pela junção atrioventricular para os ventrículos. A FC depende do ritmo de escape ventricular (30-60 bpm). Embora indivíduos com bloqueio de segundo grau tipo I sem outros tipos de bloqueios tenham um curso relativamente benigno, é recomendado que todos os pacientes portadores de bloqueio de segundo grau sejam encaminhados para avaliação cardiológica. Aqueles com bloqueio de segundo grau sintomáticos e de terceiro grau devem ser avaliados em caráter de urgência para decisão sobre implante de marca-passo cardíaco C/D.[3-5]

A doença do nodo sinusal é um distúrbio generalizado na formação e na condução do impulso cardíaco, que consiste em episódios de bradicardia sinusal, com ou sem escape juncional e com graus variados de bloqueio. Pode manifestar-se por uma combinação de bradiarritmias e taquiarritmias. Em geral, os pacientes são assintomáticos ou apresentam sintomas leves e não requerem tratamento específico, exceto acompanhamento periódico. Em pacientes idosos, quando esse distúrbio é mais frequente, os sintomas podem ser vagos, como cansaço, fadiga e diminuição da capacidade funcional. Quando sintomáticos, devem ser acompanhados com um cardiologista. Fármacos com efeito cronotrópico negativo devem ser evitados ou suspensos.[2,3]

Taquiarritmias

As taquiarritmias caracterizam-se por FC > 100 bpm. As taquiarritmias mais frequentes em ambulatórios são a taquicardia sinusal, a fibrilação atrial (FA), as taquicardias supraventriculares (ou atriais) e o *flutter* atrial.

Taquicardia sinusal

A taquicardia sinusal é comum, podendo ocorrer em indivíduos hígidos (após esforços ou estresse emocional), em estados hipercinéticos fisiológicos ou patológicos (anemia, febre, beri béri, gravidez, hipertireoidismo, hipovolemia, pós-operatório, etc.), na presença de doenças cardíacas primárias (p. ex., insuficiência cardíaca) ou em indivíduos que utilizam substâncias de ação central (xantinas, álcool, antidepressivos, anfetaminas, fenotiazinas). A frequência máxima varia com a idade, mas em geral não ultrapassa 140 a 150 bpm nos adultos.

Ao exame clínico, a veia jugular e a primeira bulha são normais. O ECG apresenta apenas aumento da frequência e um intervalo PR apropriado para ela. O tratamento é dirigido à causa subjacente, quando necessário. Não há indicação de antiarrítmicos para o controle da FC.

Fibrilação atrial

A prevalência de FA é progressivamente maior nas faixas etárias mais avançadas, superando 5 a 10% em indivíduos com idade > 70 anos. Do ponto de vista eletrocardiográfico, caracteriza-se por ausência de ondas P, linha de base com ondas irregulares na frequência e na amplitude, bem como ritmo irregular com resposta ventricular variável. O ritmo de pulso é também irregular, com enchimento variável.

Habitualmente, a FA é assintomática. Na maioria dos pacientes, a presença de sintomas (palpitações, fadiga ou descompensação hemodinâmica) está associada à alta resposta ventricular ou à presença de FA aguda. O maior risco dessa arritmia são os eventos isquêmicos cerebrovasculares. A presença de FA aumenta em 5 vezes o risco de acidente vascular cerebral (AVC) isquêmico.[6] A mortalidade é duas vezes maior do que em indivíduos sem fibrilação, sendo determinada sobretudo pela cardiopatia adjacente. Entre as doenças cardíacas associadas à FA, destacam-se as doenças hipertensiva, reumática e aterosclerótica.

O hipertireoidismo também é doença frequente e deve ser lembrado, em especial nos pacientes idosos. Indivíduos jovens, com episódios isolados, devem ser questionados sobre ingesta abusiva de bebidas alcoólicas. O ECG de repouso deve ser obtido em todos os pacientes para confirmação do diagnóstico. Em casos de suspeita de FA paroxística, pode ser necessária monitorização eletrocardiográfica de 24 horas.

Tratamento

Os objetivos do tratamento do paciente portador de FA envolvem (FIGURA 39.1):

→ controle da resposta ventricular nos pacientes que se encontram estáveis do ponto de vista hemodinâmico;
→ reversão do ritmo em pacientes com instabilidade hemodinâmica (hipotensão, angina, insuficiência cardíaca descompensada);
→ reversão de situações precipitantes ou que possam estar contribuindo para a perpetuação da arritmia;
→ determinação do risco de complicações tromboembólicas;
→ instituição de medidas que visem à prevenção de embolia sistêmica com regimes anticoagulantes adequados a cada caso;
→ avaliação da melhor estratégia em longo prazo: cardioversão e manutenção do ritmo sinusal *versus* controle da resposta ventricular e prevenção de eventos embólicos;

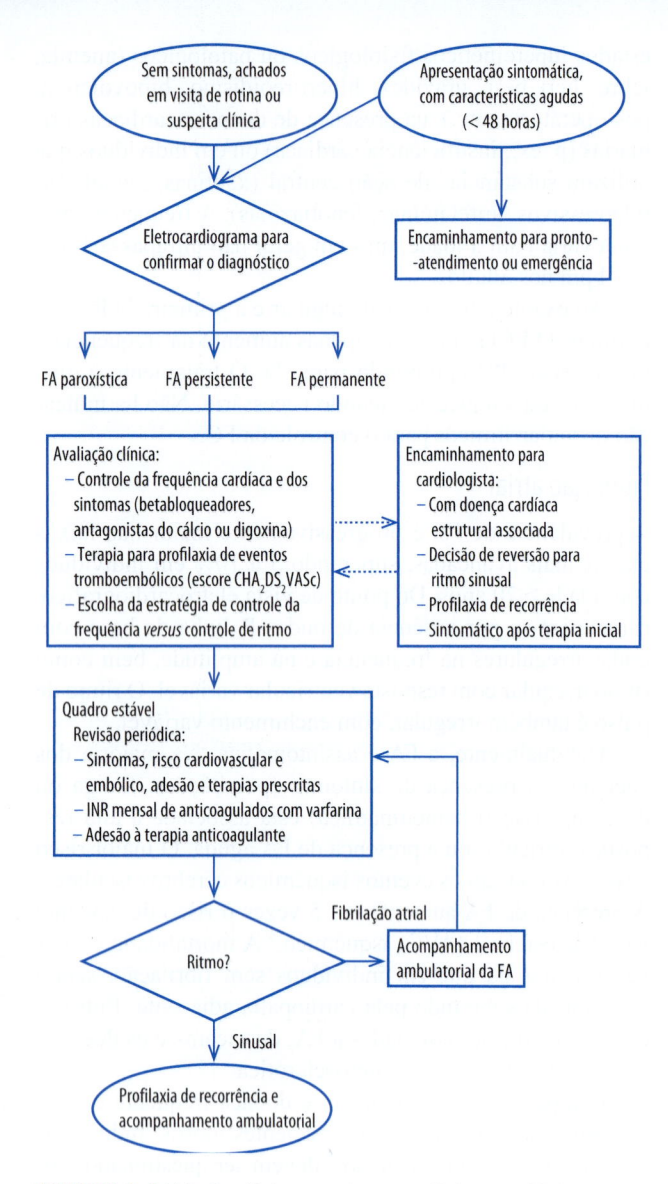

FIGURA 39.1 → Linha de cuidado para pacientes com fibrilação atrial (FA).

ventricular, mesmo em momentos de grande carga adrenérgica **B**.⁸ Podem ser usados por via oral (VO) ou IV, e são especialmente indicados na presença de cardiopatia isquêmica ou insuficiência cardíaca. Nesta última, deve-se ter cuidado com a dose e a forma de administração quando há disfunção ventricular grave **C/D**.⁸ Devido ao potencial risco de broncospasmo, deve ser evitado na presença de asma brônquica **C/D**;

→ **bloqueadores dos canais de cálcio não di-hidropiridínicos C/D:** verapamil e diltiazém apresentam bons resultados, com descrição de melhoria de qualidade de vida.⁸ Podem ser usados VO ou IV, mas deve-se ter cuidado com o efeito inotrópico negativo. Por essa razão, não devem ser usados em pacientes com disfunção ventricular sistólica;

→ **digoxina:** por ter pouco efeito em situações de alta carga adrenérgica, tem sido cada vez menos usada como fármaco de preferência.⁸ Além disso, estudos recentes têm associado o uso da digoxina a aumento do risco de mortalidade, especialmente se não houver controle adequado do seu nível sérico.⁹ Pode ser considerada, ainda, como opção para pacientes com pressão arterial mais baixa, idosos ou sedentários **B**;

→ **amiodarona:** por seu efeito bloqueador do nó atrioventricular, pode ser usada para controle da FC, mesmo que este não seja o seu uso habitual **B**.⁸ Tanto no uso IV como na VO, é eventualmente usada com esse fim sobretudo em pacientes com insuficiência cardíaca **C/D**.¹⁰ Deve-se considerar a possibilidade de reversão a ritmo sinusal.

Os betabloqueadores e os bloqueadores dos canais de cálcio não di-hidropiridínicos são os fármacos de escolha para controle da FC em pacientes sem cardiopatia estrutural significativa **B**.¹⁰ Quando for necessário o estabelecimento de controle mais rápido da FC, esses fármacos podem ser administrados por via IV. Em muitas situações, a associação de fármacos pode ser útil para o controle adequado da FC. Em pacientes com insuficiência cardíaca, por

→ se restaurado o ritmo sinusal, escolha da medicação antiarrítmica, quando necessária.

O médico de APS tem papel fundamental em várias dessas etapas, necessitando, entretanto, da parceria do especialista em situações específicas. A opinião do cardiologista deve ser buscada nos casos em que existe uma posição para cardioversão e nos pacientes sintomáticos ou com resposta ventricular de difícil controle após o tratamento inicial.

O controle da FC geralmente constitui-se na medida terapêutica inicial para pacientes com FA estáveis, tanto em situações agudas como crônicas.⁷ O controle da FC melhora sintomas e reduz o risco de desenvolvimento de taquicardiomiopatia. A seleção do fármaco deve levar em conta o quadro clínico do paciente e a presença de comorbidades, como insuficiência cardíaca, DPOC e pré-excitação ventricular.

Em relação aos fármacos para controle da FC, várias são as opções **(TABELA 39.1)**:

→ **betabloqueadores:** são bastante usados com essa finalidade, pois geram um bom controle da resposta

TABELA 39.1 → Terapia antiarrítmica mais utilizada para manejo de arritmias e indicações de uso ambulatorial

FÁRMACO	DOSE USUAL DE MANUTENÇÃO	INDICAÇÕES
Tartarato de metoprolol*	25-100 mg, 2 ×/dia	Controle da frequência ventricular na FA Manutenção do ritmo sinusal Supressão de extrassístoles
Propranolol	20-80 mg, 3-4 ×/dia	Controle da frequência ventricular na FA Supressão de extrassístoles
Verapamil	40-120 mg, 3 ×/dia	Controle da frequência ventricular na FA Reversão aguda de taquicardia atrial paroxística
Digoxina	0,125-0,25 mg/dia	Controle da frequência ventricular na FA
Amiodarona	100-600 mg/dia	Cardioversão da FA Manutenção do ritmo sinusal
Sotalol	80-320 mg, 2 ×/dia	Manutenção do ritmo sinusal
Propafenona	150-300 mg, 2-3 ×/dia	Manutenção do ritmo sinusal

*O succinato de metoprolol tem a mesma indicação e dosagem que o tartarato de metoprolol, mas o esquema posológico é 1 ×/dia.
FA, fibrilação atrial.

exemplo, a associação de carvedilol com digoxina pode ser efetiva B.¹⁰

O valor da FC considerado como ideal para o controle de pacientes com FA ainda não é estabelecido. Em ensaio clínico randomizado que comparou estratégias de controle estrito (FC < 80 bpm em repouso) ou leniente (FC < 110 bpm), não houve diferença na análise combinada de eventos clinicamente significativos B.¹¹ A definição do controle ideal da FC deve ser individualizada para cada paciente, levando-se em consideração sintomas e comorbidades. Nas situações em que o controle adequado da FC não é obtido, mesmo com uso combinado de fármacos, a ablação do nó atrioventricular e o implante de marca-passo definitivo podem ser considerados B.

A opção de realizar cardioversão para ritmo sinusal *versus* controle da frequência foi testada em vários ensaios clínicos randomizados,¹²⁻¹⁴ o maior deles demonstrando que não houve diferença em eventos maiores, mortalidade e qualidade de vida com ambas as estratégias. Entretanto, esse tema ainda é bastante controverso, e a decisão de cardioversão deve ser individualizada, levando em consideração natureza, frequência e gravidade dos sintomas, tempo de FA, tamanho do átrio esquerdo, comorbidades e adequação para terapia anticoagulante. O controle de ritmo, no entanto, associou-se com maior risco de eventos adversos graves, como infarto agudo do miocárdio (IAM) e insuficiência cardíaca B.¹⁵

A maioria dos especialistas recomenda que, para pacientes assintomáticos ou oligossintomáticos, com idade > 65 anos, o controle da frequência seria adequado B.¹⁶,¹⁷ Da mesma forma, para pacientes com FA persistente há mais de 1 ano e átrio esquerdo grande (> 5 cm), a chance de manter ritmo sinusal é baixa. Nesses casos, a tendência atual é uma aceitação maior da arritmia crônica associada ao controle da frequência ventricular e à prevenção de eventos embólicos B.¹⁸

Por outro lado, pacientes com FA de início recente, com idade < 65 anos e/ou sintomáticos devem ser encaminhados a um cardiologista para avaliar a possibilidade de cardioversão, seja ela química ou elétrica C/D.¹⁰ A decisão de cardioversão (ao contrário de controlar a frequência, permitindo que a fibrilação persista) tem como objetivos aliviar os sintomas, prevenir eventos tromboembólicos e miocardiopatia induzida por taquicardia. No entanto, as evidências não sugerem vantagem de uma estratégia em relação à outra quanto à mortalidade total e a outros desfechos como eventos embólicos, hospitalizações, qualidade de vida ou novas arritmias.¹²⁻¹⁴

Essa decisão, todavia, deve ser tomada caso a caso, pois existem subgrupos que podem beneficiar-se da manutenção do ritmo sinusal, o qual tem sido preconizado após o primeiro episódio de FA. São indícios de probabilidade de sucesso de cardioversão e de manutenção de ritmo sinusal a presença de um átrio esquerdo de dimensões normais e a curta duração da arritmia (< 6-12 meses). O encaminhamento imediato para o especialista, no caso de FA aguda (se < 48 horas), pode tornar desnecessária a anticoagulação prévia à cardioversão.

Pacientes com FA paroxística têm vários episódios assintomáticos de arritmia e devem receber terapia para prevenir eventos tromboembólicos da mesma forma que aqueles com FA persistente B.

A manutenção do ritmo sinusal é relevante em pacientes com fibrilação paroxística ou persistente naqueles em que se optou pela cardioversão C/D.¹⁹ A FA é um distúrbio crônico com elevada recorrência em curto prazo. A maioria desses pacientes, portanto, necessitará de tratamento profilático para manutenção do ritmo sinusal, especialmente nos casos recorrentes e com fatores de risco (hipertensão, idade > 70 anos, fibrilação com duração > 3 meses, átrio esquerdo aumentado, insuficiência cardíaca e doença reumática).

Vários ensaios clínicos avaliaram o efeito de antiarrítmicos na supressão de episódios de FA e no controle dos sintomas, embora nenhum tenha avaliado o efeito em outros desfechos de significado clínico.²⁰,²¹ Amiodarona, metoprolol, sotalol e propafenona se mostraram efetivos na prevenção de recorrências de arritmias B.²²

A primeira opção para FA paroxística são os betabloqueadores; para aqueles que continuarem sintomáticos, outros antiarrítmicos como sotalol e propafenona (para aqueles sem doença cardíaca estrutural) ou amiodarona podem ser testados C/D. A amiodarona apresenta vantagem em relação aos outros fármacos, embora seus efeitos colaterais sejam mais frequentes.²³

Os efeitos colaterais do uso de amiodarona mais comuns são intolerância gastrintestinal, alterações de cor da pele, microdepósitos corneanos, alterações de provas de função tireoidiana (na maioria das vezes, assintomáticas) e pneumonite. A incidência dessas complicações não é consensual entre as diferentes coortes de pacientes avaliadas, sendo mais comum com o uso de doses elevadas (≥ 400 mg/dia). Por exemplo, a fibrose pulmonar, que é a complicação mais temida, é pouco frequente nas doses administradas atualmente para FA (200 mg/dia) C/D.²⁴,²⁵

O monitoramento das outras complicações também não é consensual, mas envolve dosagem de provas de função tireoidiana, avaliação oftalmológica e difusão de gases respiratórios, de acordo com os sintomas clínicos. O uso concomitante de amiodarona ou varfarina eleva, de maneira significativa, os níveis séricos da digoxina, sendo, em geral, necessária a redução das doses diárias desses fármacos, sobretudo digoxina e varfarina.

Mais recentemente, terapias não farmacológicas com ablação por cateter para o manejo da FA têm sido perseguidas e testadas. Ensaios clínicos randomizados recentes demonstram que essa opção terapêutica apresenta elevado índice de sucesso, com baixa incidência de complicações em comparação com fármacos antiarrítmicos B.²⁶ Casos de difícil manejo, com contraindicação aos tratamentos farmacológicos ou por opção do paciente e médico, podem ser encaminhados a centros de referência para avaliação de sua indicação.

Prevenção de eventos tromboembólicos

O principal objetivo do tratamento de pacientes com FA é a prevenção de eventos tromboembólicos. O risco da ocorrência de eventos tromboembólicos no paciente com FA depende da presença de uma série de fatores clínicos. Considerando os riscos relativos de cada um desses fatores, escores de risco foram criados com o intuito de quantificar e facilitar a avaliação do risco individual. Atualmente, o escore de risco recomendado para indicação da terapia antitrombótica na FA não valvular é o escore CHA_2DS_2VASc[27] (TABELAS 39.2 e 39.3). Todos os pacientes com FA valvular (estenose mitral moderada a grave ou prótese valvular metálica) têm indicação de anticoagulação oral B.[10]

É importante ressaltar que o risco é considerado o mesmo em pacientes com FA paroxística, persistente ou permanente, embora recentemente esse dado esteja sendo questionado. As indicações de terapia antitrombótica de acordo com o escore de risco CHA_2DS_2VASc estão colocadas na TABELA 39.4.

Pacientes homens com FA não valvular com escore $CHA_2DS_2VASc \geq 2$ ou mulheres com escore $CHA_2DS_2VASc \geq 3$ têm indicação de anticoagulação oral. Para homens com escore $CHA_2DS_2VASc = 1$ e mulheres com escore $CHA_2DS_2VASc = 2$, a utilização de anticoagulação oral pode ser considerada. Para homens com escore $CHA_2DS_2VASc = 0$ ou mulheres com escore $CHA_2DS_2VASc = 1$, é razoável não indicar a utilização de terapia antitrombótica.

Como o principal risco da terapia anticoagulante são as complicações hemorrágicas, também existem escores de risco para sangramento, sendo que o mais utilizado é o escore

TABELA 39.2 → Escore CHA_2DS_2VASc

CONDIÇÃO CLÍNICA	PONTOS
ICC/disfunção ventricular	1
Hipertensão arterial	1
Idade ≥ 75 anos	2
Diabetes melito	1
AVC/AIT/TEP	2
Doença vascular (IAM prévio, doença arterial periférica, placa em aorta)	1
Idade 65-74 anos	1
Sexo feminino	1

AIT, acidente isquêmico transitório; AVC, acidente vascular cerebral; IAM, infarto agudo do miocárdio; ICC, insuficiência cardíaca congestiva; TEP, tromboembolismo pulmonar.
Fonte: Lip e colaboradores.[27]

TABELA 39.3 → Risco anual de acidente vascular cerebral (AVC) de acordo com o escore CHA_2DS_2VASc

ESCORE TOTAL	AVC/ANO (%)
0	0,0
1	1,3
2	2,2
3	3,2
4	4,0
5	6,7
6	9,8
7	9,6
8	6,7
9	15,2

Fonte: Lip e colaboradores.[27]

TABELA 39.4 → Indicações de terapia antitrombótica de acordo com o escore CHA_2DS_2VASc

ESCORE CHA_2DS_2VASc	TERAPIA RECOMENDADA
0	Ácido acetilsalicílico 81-300 mg ou preferencialmente nada
Mulher = 1	Ácido acetilsalicílico 81-300 mg ou preferencialmente nada
Homem = 1 Mulher = 2	Considerar anticoagulação oral
Homem ≥ 2 Mulher ≥ 3	Anticoagulação oral

Fonte: Adaptada de January e colaboradores.[7]

HAS-BLED[28] (TABELA 39.5). Em caso de pontuação ≥ 3, a anticoagulação oral deve ser utilizada com maior cautela C/D.

Seleção da terapia antitrombótica

A seleção da terapia antitrombótica para o paciente deve ter como objetivo a redução do risco de eventos tromboembólicos sem aumento do risco de sangramento. As opções farmacológicas para prevenção do AVC e eventos tromboembólicos na FA incluem anticoagulação oral (varfarina ou novos anticoagulantes) ou uso de antiagregantes plaquetários.

Varfarina

A varfarina é o fármaco com maior experiência de uso na prevenção de fenômenos tromboembólicos na FA, reduzindo o risco de AVC em 64% A.[29] Na comparação com terapia antiplaquetária, a varfarina reduziu o risco de AVC em 39% B.[29,30] Houve pequeno aumento em sangramento maior extracraniano (< 0,3%/ano), que foi significativamente menor que a redução absoluta de AVC.

Novos anticoagulantes

As limitações ao uso da varfarina levaram ao desenvolvimento de uma nova classe de fármacos, os chamados novos anticoagulantes, que incluem inibidores diretos da trombina (dabigatrana) e inibidores do fator Xa (rivaroxabana, apixabana e edoxabana). Os novos anticoagulantes apresentam, como vantagens, a ausência de necessidade de monitorização da anticoagulação pelo tempo de protrombina expresso pela razão normalizada internacional (INR, do inglês *international normalized ratio*), menor interação com alimentos

TABELA 39.5 → Escore de risco de sangramento HAS-BLED

CONDIÇÃO CLÍNICA	PONTOS
Hipertensão (PAS > 160 mmHg)	1
Alteração da função renal (1 ponto) ou hepática (1 ponto)	1-2
AVC prévio	1
Sangramento prévio ou predisposição para sangramento	1
Labilidade INR	1
Idade > 65 anos	1
Fármacos: AINE, antiplaquetários, corticoide (1 ponto) Álcool: uso abusivo (> 8 doses/semana) (1 ponto)	1-2

AINE, anti-inflamatório não esteroide; AVC, acidente vascular cerebral; INR, razão normalizada internacional; PAS, pressão arterial sistólica.
Fonte: Pisters e colaboradores.[28]

e outros fármacos, início de ação rápido e meia-vida curta. A eficácia e a segurança desses novos fármacos foram testadas em comparação à varfarina em grandes ensaios clínicos randomizados de pacientes com FA não valvar.[31-34] Os novos anticoagulantes apresentaram eficácia maior ou não inferior à varfarina, com menor risco de sangramento **A**.[35,36]

Antiagregantes plaquetários

O uso do ácido acetilsalicílico na FA desenvolveu-se a partir do conceito de que ele seria a alternativa para pacientes que não podem utilizar anticoagulante oral. O uso de terapia antiagregante plaquetária foi inferior à varfarina, mas reduziu o risco de AVC em 22% na comparação com placebo ou grupo-controle **B**.[37] Em pacientes considerados não elegíveis para varfarina, a associação de ácido acetilsalicílico + clopidogrel foi superior ao uso do ácido acetilsalicílico na prevenção de AVC, porém com maior risco de sangramento.[38] Em outro estudo que avaliou pacientes com FA considerados não elegíveis para varfarina, o uso da apixabana apresentou maior eficácia que o ácido acetilsalicílico para prevenção de AVC e embolia sistêmica, sem aumento significativo da ocorrência de sangramento maior ou intracraniano.[39]

Qual terapia antitrombótica escolher?

A indicação e a escolha da terapia antitrombótica adequada constituem os aspectos mais importantes na abordagem terapêutica de pacientes com FA. Com base nos sólidos resultados de ensaios clínicos e metanálises e na larga experiência de uso, o uso de antagonistas da vitamina K como a varfarina sempre foi considerado como a opção de escolha para pacientes com FA estratificados como de risco para ocorrência de AVC e fenômenos tromboembólicos. No entanto, há uma série de dificuldades para o seu uso diário: início de ação lento, interação importante com fármacos e alimentos (especialmente folhas verdes) e necessidade de coletas de sangue regulares para monitorização de seu efeito terapêutico. Essas dificuldades levam a uma subutilização da varfarina, tanto por decisões do médico como dos pacientes. Dados observacionais mostram que menos de 50% dos pacientes com FA recebem varfarina.[40] Além disso, existe uma dificuldade em manter a anticoagulação com varfarina dentro da janela terapêutica ideal com INR entre 2 e 3. A anticoagulação excessiva aumenta o risco de sangramento e, por outro lado, níveis subterapêuticos não oferecem a proteção adequada. O chamado tempo na faixa terapêutica encontra-se em torno de 60% em ensaios clínicos randomizados e 50% no "mundo real".

As dificuldades com o uso da varfarina e o resultado de grandes ensaios clínicos randomizados sugerem que os novos anticoagulantes têm o potencial de tornar-se a terapia de primeira escolha para anticoagulação crônica de pacientes com FA não valvar. Uma metanálise que avaliou 42.411 pacientes que receberam novos anticoagulantes e 29.272 que receberam varfarina mostrou que os novos fármacos reduziram significativamente em 19% o risco de AVC ou evento embólico sistêmico na comparação com varfarina, principalmente em função da redução do AVC hemorrágico.[41] Os novos anticoagulantes também reduziram mortalidade total, mas aumentaram o risco de sangramento gastrintestinal.

As Diretrizes Brasileiras de Antiagregantes Plaquetários e Anticoagulantes em Cardiologia recomendam os novos anticoagulantes como alternativa à varfarina para pacientes com FA não valvar nos quais a anticoagulação oral é indicada.[42] A mais recente publicação do American College of Cardiology já coloca os novos anticoagulantes como primeira opção em relação à varfarina.[10]

Não há ensaio clínico realizando comparação direta entre os novos anticoagulantes. Os fármacos são diferentes, cada um com suas características e resultados específicos nos grandes ensaios clínicos. A dabigatrana, por exemplo, é a única que reduziu AVC isquêmico, quando usada em sua dose de 150 mg, 2 ×/dia. A rivaroxabana, que apresentou resultado de não inferioridade em relação à varfarina, tem a vantagem de ser usada em dose única diária. A apixabana conseguiu demonstrar redução de mortalidade, AVC ou embolia e de sangramento, associada com redução de eventos tromboembólicos. A edoxabana foi não inferior à varfarina para prevenção de AVC ou embolia, reduziu mortalidade de causa cardiovascular e sangramento e pode ser usada em dose única diária. Para pacientes em uso de novos anticoagulantes, não há recomendação de realização de exames para monitorização do nível de anticoagulação. Recomenda-se avaliação de hematócrito, função renal e hepática em intervalos de 6 meses ou 1 ano.[43] O uso dos novos anticoagulantes ainda apresenta limitações relacionadas ao custo, embora um estudo de custo-efetividade já tenha demonstrado vantagem com a utilização dessa opção terapêutica.[44]

Para os pacientes com FA valvular (estenose mitral moderada a grave, prótese metálica), a varfarina permanece como fármaco de escolha na prevenção de eventos relacionados à FA. O uso de antiagregantes plaquetários como terapia antitrombótica na FA vem cada vez sendo menos recomendado, ainda que estudos tenham demonstrado eficácia superior ao placebo. Uma alternativa para a prevenção de fenômenos tromboembólicos é o uso de estratégias não farmacológicas, como a oclusão de apêndice atrial esquerdo ou sua retirada cirúrgica.

Na **TABELA 39.6**, estão descritas as dosagens para os fármacos antitrombóticos. A anticoagulação oral crônica em âmbito ambulatorial é uma opção terapêutica que, mesmo quando formalmente indicada, deve ser avaliada em um contexto amplo e discutida com o paciente. Essa avaliação envolve uma estimativa prévia da adesão ao esquema de tratamento proposto e às frequentes visitas de controle que são necessárias. O paciente precisa compreender os riscos inerentes aos fármacos utilizados e as orientações quanto ao manejo de sinais de alerta (como pequenos sangramentos). Esse processo envolve um julgamento clínico individual que vai além dos critérios clássicos socioeconômicos ou de instrução, para definição de quem está apto a iniciá-la, uma vez que a intervenção apresenta riscos consideráveis e deverá ser realizada por tempo prolongado.

Taquicardias supraventriculares

As taquicardias supraventriculares que envolvem a junção atrioventricular são um conjunto de arritmias que apresentam complexo QRS estreito e intervalo R-R normal e podem ou não

TABELA 39.6 → Fármacos utilizados para prevenção de eventos tromboembólicos na fibrilação atrial

FÁRMACO	DOSAGEM
Ácido acetilsalicílico	81-300 mg, 1×/dia
Clopidogrel	75 mg, 1×/dia
Varfarina	Dose ajustada para manter INR = 2-3
Dabigatrana	150 mg, de 12/12 h ou 110 mg, de 12/12 h Se DCE = 30-50 mL/min, considerar dose de 110 mg
Rivaroxabana	20 mg, 1×/dia Se DCE = 15-50 mL/min: 15 mg, 1×/dia Ingestão com alimento
Apixabana	5 mg, de 12/12 h Se estiverem presentes 2 destes 3 critérios: → Creatinina 1,5 mg/dL → Idade ≥ 80 anos → Peso ≤ 60 kg Reduzir para 2,5 mg, de 12/12 h
Edoxabana	60 mg, 1×/dia Se estiver presente 1 destes 3 critérios: → Peso < 60 kg → DCE = 15-50 mL/min → Uso de inibidores da glicoproteína-P Reduzir para 30 mg, 1×/dia

DCE, depuração da creatinina endógena; INR, razão normalizada internacional.

estar associadas a síndromes de pré-excitação. Compreendem a conhecida taquicardia atrial paroxística, a taquicardia atrial e a taquicardia do nó atrioventricular por reentrada.

Costumam manifestar-se por FC em torno de 120 a 220 bpm, ritmo regular e ondas P em geral não visualizadas. Na maioria dos casos, ocorrem por um mecanismo de reentrada no nó atrioventricular. Os sintomas estão na dependência direta da FC, da presença de cardiopatia e das condições emocionais do paciente, incluindo palpitações, tonturas e até mesmo quadros de baixo débito. Recorrência e início abrupto são características diagnósticas importantes. Em cerca de 50% dos casos, os pacientes não apresentam nenhuma cardiopatia. As doenças cardíacas associadas à taquicardia supraventricular são as síndromes de pré-excitação (Wolff-Parkinson-White e Lown-Ganong-Levine), prolapso da válvula mitral e defeito septal atrial.

O ritmo cardíaco costuma apresentar-se regular ou com discreta irregularidade, com as bulhas de intensidade variável. Na palpação do pulso, observa-se, em geral, a mesma frequência de ausculta, porém com amplitude bastante reduzida, devido ao quadro de baixo débito.

As manobras vagais devem ser imediatamente aplicadas **B**.[45] A mais utilizada (feita com muito cuidado nos pacientes idosos e apenas após verificação de ausência de sopro na carótida) é a massagem do seio carotídeo à direita, em movimentos de pressão longitudinal, sempre unilateral, durante alguns segundos, com o paciente deitado.[46] A manobra pode ser repetida depois de alguns minutos. Podem ser tentadas também a manobra de Valsalva (aumento de pressão intratorácica por esforço expiratório com a glote fechada, semelhante ao esforço evacuatório), manobras de agachamento, tosse e/ou vômito.

Não havendo resposta às manobras vagais, pode-se pensar em utilizar fármacos,[1] de preferência em um local equipado para tratamento de emergências. Sempre que possível, deve-se questionar o paciente sobre uso atual de fármacos. O fármaco de escolha é adenosina 6 a 12 mg em bólus rápido **B**.[4,45] Se não houver sucesso, administra-se betabloqueador IV (metoprolol 5-15 mg ou propranolol 1 mg a cada 5 minutos até dose de 0,1 mg/kg) ou bloqueadores do cálcio IV (verapamil 2,5-10 mg ou diltiazém 15-20 mg) **C/D**.[45] Fármacos que bloqueiam a condução pelo nó atrioventricular não devem ser utilizados na presença de Wolff-Parkinson-White e FA.

Um paciente que apresenta crises de curta duração, infrequentes e bem-toleradas não necessita de tratamento em longo prazo. Aqueles com episódios mais frequentes e sintomáticos podem ter a gravidade e a frequência dos ataques reduzidas com tratamento em longo prazo com verapamil ou um betabloqueador **B**.[45] Pacientes com ataques sintomáticos frequentes, sem resposta ao tratamento profilático inicial, ou associados à descompensação hemodinâmica, devem ser encaminhados ao cardiologista. A ablação por cateter da taquicardia é uma opção com taxa de cura superior a 95%, devendo ser considerada em pacientes sintomáticos e refratários à terapia farmacológica ou com contraindicações para ela **B**.[45]

Flutter atrial

O *flutter* atrial é uma taquiarritmia regular com frequência atrial alta, em torno de 250 a 350 bpm. Na maioria das vezes, há um bloqueio atrioventricular do tipo 2:1 ou 4:1, resultando em frequência ventricular menor, em torno de 150 ou 75 bpm, mais regular. O ECG apresenta ondas F regulares, com aspecto em dente de serra na linha de base. As queixas dos pacientes são semelhantes às da taquicardia supraventricular. Os pacientes quase sempre têm doença cardíaca ou respiratória (doença cardíaca congênita, valvulopatias, insuficiência cardíaca), ingesta de álcool ou hipertireoidismo subjacente. O *flutter* pode descompensar a cardiopatia preexistente.

O *flutter* atrial pode apresentar-se como arritmia sustentada ou paroxística, com ou sem instabilidade hemodinâmica. Em alguns casos, o *flutter* atrial pode coexistir com a FA. A manobra de massagem do seio carotídeo pode facilitar a realização do diagnóstico eletrocardiográfico pela redução da resposta ventricular. O controle da FC pode ser obtido com betabloqueadores, bloqueadores do cálcio ou digoxina (ver **TABELA 39.1**) **B**.[8] O controle do ritmo e da frequência é mais difícil de ser obtido em comparação com a FA. Existe também risco aumentado de evento embólico, sendo indicada anticoagulação nas mesmas bases da FA **C/D**.[47] O uso de outros fármacos antiarrítmicos para cardioversão e manejo da arritmia requer a avaliação de um especialista.

Extrassístoles

Extrassístole é toda contração prematura originada em foco ectópico. É a mais comum das arritmias. Pode ocorrer em indivíduos hígidos ou doentes. As extrassístoles podem ser supraventriculares (atriais ou juncionais) ou ventriculares, o que pode ser caracterizado pelo ECG na maioria das vezes. Podem ser isoladas, em salvas (duas extrassístoles juntas) ou com ritmo (como no bigeminismo ou trigeminismo). Às vezes, provocam palpitações e, excepcionalmente, ocorre um quadro de baixo débito.

As extrassístoles atriais e juncionais são arritmias muito comuns, mesmo em indivíduos jovens e saudáveis, podendo estar relacionadas com estimulantes, presença de cardiopatia ou doenças não cardíacas. Os pacientes costumam ser assintomáticos ou referem palpitações. Pacientes clinicamente saudáveis não necessitam de tratamento. Assegurar-lhes a natureza benigna da arritmia e remover os fatores agravantes (café, cigarro, álcool) pode ser suficiente. Entretanto, se os sintomas são frequentes e desconfortáveis, um betabloqueador, geralmente em dose baixa, pode reduzir a frequência das extrassístoles C/D.[48]

As extrassístoles ventriculares ocorrem esporadicamente em indivíduos normais, com maior frequência nos idosos. Em geral, estão associadas a doenças cardíacas subjacentes (cardiopatia isquêmica, insuficiência cardíaca) e são uma manifestação comum de intoxicação digitálica. A frequência das extrassístoles também aumenta com estimulantes.

Os pacientes sadios jovens e assintomáticos com extrassístoles ventriculares não necessitam de tratamento. Aqueles com sintomas leves (como palpitações) provavelmente também não exijam tratamento. Se os sintomas interferirem na qualidade de vida, pode-se tentar tratamento inicial com betabloqueador B.[49] Não havendo resposta clínica adequada, pode ser considerada outra classe de antiarrítmicos ou ablação por radiofrequência.

Pacientes com cardiopatia subjacente – insuficiência cardíaca, cardiopatia isquêmica, cardiopatia hipertensiva – devem ser inicialmente compensados do quadro clínico e, se ainda sintomáticos, encaminhados para avaliação e acompanhamento. A necessidade de exames complementares, como Holter 24 horas e ecocardiograma, poderá ser orientada pelo especialista. Os pacientes com cardiopatia e mais de 10 extrassístoles ventriculares por hora, em salvas ou associadas a episódios de taquicardia ventricular não sustentada (em especial, na presença de disfunção ventricular), em função de seu maior risco de morte súbita, também devem ser encaminhados ao cardiologista.

Bloqueios cardíacos

Os bloqueios cardíacos não implicam necessariamente alteração do ritmo cardíaco, mas podem ocorrer devido a um atraso de condução do impulso cardíaco por meio do feixe de His e seus ramos, sendo relativamente comuns e podendo ser reconhecidos e avaliados pelo médico não especialista. Os bloqueios de segundo e terceiro graus foram discutidos no tópico Bradiarritmias.

O bloqueio de ramo direito completo pode ser visto em indivíduos com coração normal ou, com mais frequência, associado à cardiopatia congênita, chagásica, hipertensiva ou isquêmica. O bloqueio de ramo esquerdo completo quase sempre está associado à doença cardíaca. Quando identificado por acaso no ECG, devem-se investigar, basicamente via anamnese e exame físico, possíveis cardiopatias associadas (isquêmica, hipertensiva, alcoólica, idiopática, entre outras). Para aqueles com alguma alteração ou probabilidade de cardiopatia, pelo menos um ecocardiograma está indicado.

Essas alterações de condução não exigem tratamento ou avaliação específica. Da mesma forma, os hemibloqueios anterior e posterior esquerdos estão associados a cardiopatias e não necessitam de maior cuidado. Entretanto, a presença de bloqueio bifascicular – bloqueio de ramo direito completo e um hemibloqueio esquerdo – indica uma situação de maior risco, podendo evoluir para bloqueio total (terceiro grau), com risco estimado de 5 a 6% ao ano. Especialmente se associado a sintomas, como tonturas ou síncope, o bloqueio bifascicular requer encaminhamento a um especialista, pois pode estar relacionado com períodos de bloqueios mais avançados e exigir implante de marca-passo.

Intoxicação digitálica

A intoxicação digitálica é um evento relativamente comum na prática clínica, dada a frequência com que os digitálicos ainda são prescritos e a sua estreita faixa terapêutica. Como sua apresentação clínica mais comum é a arritmia, a intoxicação digitálica deve sempre ser lembrada na avaliação de um paciente com alterações do ritmo cardíaco.

São fatores predisponentes para a intoxicação: uso inadvertido de doses excessivas de digitálicos, perda de função renal e hipocalemia (distúrbio, em geral, associado ao uso de diuréticos). Os pacientes idosos são particularmente vulneráveis, uma vez que podem apresentar vários desses fatores. O uso simultâneo de quinidina ou verapamil diminui a excreção dos digitálicos, predispondo também à intoxicação.

As manifestações clínicas incluem alterações neurológicas (confusão, letargia, agitação, psicose, delírio), distúrbios visuais (escotomas e alteração da percepção de cores), gastrintestinais (náuseas, vômitos e diarreia) e cardiológicos.

A cardiotoxicidade pode traduzir-se por meio de inúmeras formas de arritmia, que, muitas vezes, são a única manifestação da intoxicação. São comuns as extrassístoles ventriculares, em geral em padrão bigeminado, e os bloqueios atrioventriculares de segundo grau. O surgimento de taquicardia atrial paroxística associada a bloqueio atrioventricular e a regularização do ritmo em presença de FA sugerem fortemente a possibilidade de intoxicação. Na maioria das vezes, o paciente não precisa ser encaminhado. Deve-se suspender a medicação e corrigir fatores predisponentes (em geral, a depleção de potássio), procedendo-se a uma reavaliação ambulatorial em um curto intervalo de tempo. Uma vez resolvido o quadro de intoxicação, cabe reavaliar as indicações do uso do digitálico e, se necessário, reinstituí-lo em doses adequadas.

Sugestões de quando engajar um cardiologista nos cuidados do paciente são sumarizadas na TABELA 39.7.

TABELA 39.7 → Resumo de sugestões de quando engajar cardiologista no manejo do paciente

BRADIARRITMIAS
- → Sintomáticas
- → Bloqueios de segundo ou terceiro grau sintomáticos ou assintomáticos

TAQUIARRITMIAS
- → Fibrilação atrial com indicação de cardioversão
- → Fibrilação atrial sintomática ao manejo inicial ou escolha de terapia profilática
- → Fibrilação atrial com dificuldade de anticoagulação
- → *Flutter* atrial ou taquicardias sintomáticas após manejo inicial
- → Extrassístoles frequentes em pacientes com cardiopatia estrutural
- → Taquicardia ventricular sustentada ou não sustentada

BLOQUEIOS CARDÍACOS

Bloqueio bifascicular (ramo direito e um hemibloqueio esquerdo) sintomático

REFERÊNCIAS

1. Thavendiranathan P, Bagai A, Khoo C, Dorian P, Choudhry NK. Does this patient with palpitations have a cardiac arrhythmia? JAMA. 2009;302(19):2135–43.
2. Mangrum JM, DiMarco JP. The evaluation and management of bradycardia. N Engl J Med. 2000;342(10):703–9.
3. Tomaselli GF, Zipes DP. Approach to patients with cardiac arrhythmias. In: Zipes DP, Libby P, Bonow RO, Mann DL, Tomaselli GF, editors. Braunwald's heart disease: a textbook of cardiovascular medicine. 11th ed. Philadelphia: Elsevier; 2018. p. 597–603.
4. Link MS, Berkow LC, Kudenchuk PJ, Halperin HR, Hess EP, Moitra VK, et al. Part 7: Adult Advanced Cardiovascular Life Support. Circulation. 2015;132(18 Suppl 2):S444-64.
5. Epstein AE, DiMarco JP, Ellenbogen KA, Estes NAM, Freedman RA, Gettes LS, et al. 2012 ACCF/AHA/HRS focused update incorporated into the ACCF/AHA/HRS 2008 guidelines for device-based therapy of cardiac rhythm abnormalities: a report of the American College of Cardiology Foundation/American Heart Association Task Force on Practice Guidelines and the Heart Rhythm Society. J Am Coll Cardiol. 2013;61(3):e6-75.
6. Lin HJ, Wolf PA, Kelly-Hayes M, Beiser AS, Kase CS, Benjamin EJ, et al. Stroke severity in atrial fibrillation. The Framingham Study. Stroke. 1996;27(10):1760–4.
7. January CT, Wann LS, Calkins H, Chen LY, Cigarroa JE, Cleveland JC, et al. 2019 AHA/ACC/HRS Focused Update of the 2014 AHA/ACC/HRS guideline for the management of patients with atrial fibrillation: a report of the American College of Cardiology/American Heart Association Task Force on Clinical Practice Guidelines and the Heart Rhythm Society. J Am Coll Cardiol. 2019;74(1):104–32.
8. January CT, Wann LS, Alpert JS, Calkins H, Cigarroa JE, Cleveland JC, et al. 2014 AHA/ACC/HRS guideline for the management of patients with atrial fibrillation: a report of the American College of Cardiology/American Heart Association Task Force on practice guidelines and the Heart Rhythm Society. Circulation. 2014;130(23):e199-267.
9. Lopes RD, Rordorf R, De Ferrari GM, Leonardi S, Thomas L, Wojdyla DM, et al. Digoxin and mortality in patients with atrial fibrillation. j Am Coll Cardiol. 2018;71(10):1063–74.
10. January CT, Wann LS, Calkins H, Chen LY, Cigarroa JE, Cleveland JC, et al. 2019 AHA/ACC/HRS Focused Update of the 2014 AHA/ACC/HRS guideline for the management of patients with atrial fibrillation: a report of the American College of Cardiology/American Heart Association Task Force on Clinical Practice Guidelines and the Heart Rhythm Society in Collaboration With the Society of Thoracic Surgeons. Circulation. 2019;140(2):e125–51.
11. Van Gelder IC, Groenveld HF, Crijns HJGM, Tuininga YS, Tijssen JGP, Alings AM, et al. Lenient versus strict rate control in patients with atrial fibrillation. N Engl J Med. 2010;362(15):1363–73.
12. Hohnloser SH, Kuck K-H, Lilienthal J. Rhythm or rate control in atrial fibrillation – Pharmacological Intervention in Atrial Fibrillation (PIAF): a randomised trial. Lancet. 2000;356(9244):1789–94.
13. Corley SD, Epstein AE, DiMarco JP, Domanski MJ, Geller N, Greene HL. Relationships between sinus rhythm, treatment, and survival in the Atrial Fibrillation Follow-Up Investigation of Rhythm Management (AFFIRM) Study. Circulation. 2004;109(12):1509–13.
14. Wyse DG, Waldo AL, DiMarco JP, Domanski MJ, Rosenberg Y, Schron EB. A Comparison of rate control and rhythm control in patients with atrial fibrillation. N Engl J Med. 2002;347(23):1825–33.
15. Sethi NJ, Feinberg J, Nielsen EE, Safi S, Gluud C, Jakobsen JC. The effects of rhythm control strategies versus rate control strategies for atrial fibrillation and atrial flutter: a systematic review with meta-analysis and Trial Sequential Analysis. PLOS ONE. 2017;12(10):e0186856.
16. Al-Khatib SM, Allen LaPointe NM, Chatterjee R, Crowley MJ, Dupre ME, Kong DF, et al. rate- and rhythm-control therapies in patients with atrial fibrillation: a systematic review. Ann Intern Med. 2014;160(11):760.
17. National Clinical Guide Centre. Atrial fibrillation: the management of atrial fibrillation [Internet]. London: NICE; 2014 [capturado em 25 mar. 2020]. Disponível em: https://www.nice.org.uk/guidance/cg180/evidence/atrial-fibrillation-update-full-guideline-243739981
18. Van Gelder IC, Hagens VE, Bosker HA, Kingma JH, Kamp O, Kingma T, et al. A comparison of rate control and rhythm control in patients with recurrent persistent atrial fibrillation. N Engl J Med. 2002;347(23):1834–40.
19. Verma A, Cairns JA, Mitchell LB, Macle L, Stiell IG, Gladstone D, et al. 2014 Focused update of the Canadian Cardiovascular Society guidelines for the management of atrial fibrillation. Can J Cardiol. 2014;30(10):1114–30.
20. Doyle JF, Ho KM. Benefits and Risks of Long-term amiodarone therapy for persistent atrial fibrillation: a meta-analysis. Mayo Clin Proc. 2009;84(3):234–42.
21. Kochiadakis GE, Igoumenidis NE, Marketou ME, Kaleboubas MD, Simantirakis EN, Vardas PE. Low dose amiodarone and sotalol in the treatment of recurrent, symptomatic atrial fibrillation: a comparative, placebo controlled study. Heart. 2000;84(3):251–7.
22. Lafuente-Lafuente C, Valembois L, Bergmann J-F, Belmin J. Antiarrhythmics for maintaining sinus rhythm after cardioversion of atrial fibrillation. Cochrane Database Syst Rev. 2015;(3):CD005049.
23. Roy D, Talajic M, Dorian P, Connolly S, Eisenberg MJ, Green M, et al. Amiodarone to prevent recurrence of atrial fibrillation. Canadian Trial of Atrial Fibrillation Investigators. N Engl J Med. 2000;342(13):913–20.
24. DailyMed. Label: amiodarone hydrochloride tablet [Internet]. Bethesda: NIH; c2020 [capturado em 25 mar. 2020]. Disponível em: https://dailymed.nlm.nih.gov/dailymed/drugInfo.cfm?setid=7ae393d1-7469-432a-9f21-f5ebab1207d1#Section_5.2
25. Alonso A, MacLehose RF, Lutsey PL, Konety S, Chen LY. Association of amiodarone use with acute pancreatitis in patients with atrial fibrillation: a nested case-control study. JAMA Intern Med. 2015;175(3):449–50.
26. Morillo CA, Verma A, Connolly SJ, Kuck KH, Nair GM, Champagne J, et al. Radiofrequency Ablation vs Antiarrhythmic Drugs as First-Line Treatment of Paroxysmal Atrial Fibrillation (RAAFT-2): A Randomized Trial. JAMA. 2014;311(7):692–700.
27. Lip GYH, Nieuwlaat R, Pisters R, Lane DA, Crijns HJGM. Refining clinical risk stratification for predicting stroke and thromboembolism in atrial fibrillation using a novel risk factor-based approach: the euro heart survey on atrial fibrillation. Chest. 2010;137(2):263–72.
28. Pisters R, Lane DA, Nieuwlaat R, de Vos CB, Crijns HJGM, Lip GYH. A Novel User-Friendly Score (HAS-BLED) to assess 1-year risk of major bleeding in patients with atrial fibrillation: the Euro Heart Survey. Chest. 2010;138(5):1093-100.
29. Hart RG, Pearce LA, Aguilar MI. Adjusted-dose warfarin versus aspirin for preventing stroke in patients with atrial fibrillation. Ann Intern Med. 2007;147(8):590.

30. Andersen LV, Vestergaard P, Deichgraeber P, Lindholt JS, Mortensen LS, Frost L. Warfarin for the prevention of systemic embolism in patients with non-valvular atrial fibrillation: a meta-analysis. Heart. 2008;94(12):1607–13.
31. Connolly SJ, Ezekowitz MD, Yusuf S, Eikelboom J, Oldgren J, Parekh A, et al. Dabigatran versus warfarin in patients with atrial fibrillation. N Engl J Med. 2009;361(12):1139–51.
32. Patel MR, Mahaffey KW, Garg J, Pan G, Singer DE, Hacke W, et al. Rivaroxaban versus warfarin in nonvalvular atrial fibrillation. N Engl J Med. 2011;365(10):883–91.
33. Granger CB, Alexander JH, McMurray JJV, Lopes RD, Hylek EM, Hanna M, et al. Apixaban versus warfarin in patients with atrial fibrillation. N Engl J Med. 2011;365(11):981–92.
34. Giugliano RP, Ruff CT, Braunwald E, Murphy SA, Wiviott SD, Halperin JL, et al. Edoxaban versus warfarin in patients with atrial fibrillation. N Engl J Med. 2013;369(22):2093–104.
35. López-López JA, Sterne JAC, Thom HHZ, Higgins JPT, Hingorani AD, Okoli GN, et al. Oral anticoagulants for prevention of stroke in atrial fibrillation: systematic review, network meta-analysis, and cost effectiveness analysis. The BMJ. 2017;359:j5058.
36. Dentali F, Sironi AP, Gianni M, Orlandini F, Guasti L, Grandi AM, et al. Gender difference in efficacy and safety of nonvitamin k antagonist oral anticoagulants in patients with nonvalvular atrial fibrillation or venous thromboembolism: a systematic review and a meta-analysis of the literature. Semin Thromb Hemost. 2015;41(7):774–87.
37. Hart RG, Pearce LA, Aguilar MI. Meta-analysis: antithrombotic therapy to prevent stroke in patients who have nonvalvular atrial fibrillation. Ann Intern Med. 2007;146(12):857.
38. Connolly SJ, Hart RG, Hohnloser SH, Pfeffer M, Chrolavicius S, Yusuf S. Effect of clopidogrel added to aspirin in patients with atrial fibrillation. N Engl J Med. 2009;360(20):2066–78.
39. Connolly SJ, Eikelboom J, Joyner C, Diener H-C, Hart R, Golitsyn S, et al. Apixaban in patients with atrial fibrillation. N Engl J Med. 2011;364(9):806–17.
40. Ogilvie IM, Newton N, Welner SA, Cowell W, Lip GYH. Underuse of oral anticoagulants in atrial fibrillation: a systematic review. Am J Med. 2010;123(7):638-645.e4.
41. Ruff CT, Giugliano RP, Braunwald E, Hoffman EB, Deenadayalu N, Ezekowitz MD, et al. Comparison of the efficacy and safety of new oral anticoagulants with warfarin in patients with atrial fibrillation: a meta-analysis of randomised trials. Lancet. 2014;383(9921):955–62.
42. Lorga Filho AM, Azmus A, Soeiro A, Quadros A, Avezum Junior A, Marques A, et al. Diretrizes brasileiras de antiagregantes plaquetários e anticoagulantes em cardiologia. Arq Bras Cardiol. 2013;101(3):01–93.
43. Heidbuchel H, Verhamme P, Alings M, Antz M, Hacke W, Oldgren J, et al. EHRA practical guide on the use of new oral anticoagulants in patients with non-valvular atrial fibrillation: executive summary. Eur Heart J. 2013;34(27):2094–106.
44. Marcolino MS, Polanczyk CA, Bovendorp ACC, Marques NS, Silva LA da, Turquia CPB, et al. Economic evaluation of the new oral anticoagulants for the prevention of thromboembolic events: a cost-minimization analysis. Sao Paulo Med J. 2016;134(4):322–9.
45. Page RL, Joglar JA, Caldwell MA, Calkins H, Conti JB, Deal BJ, et al. 2015 ACC/AHA/HRS Guideline for the management of adult patients with supraventricular tachycardia: a report of the American College of Cardiology/American Heart Association Task Force on Clinical Practice Guidelines and the Heart Rhythm Society. J Am Coll Cardiol. 2016;67(13):e27–115.
46. Diagnostic approaches to possible pulmonary embolism. Am Fam Physician. 2001;64(5):844–8.
47. Stiell IG, Macle L. Canadian Cardiovascular Society Atrial Fibrillation Guidelines 2010: management of recent-onset atrial fibrillation and flutter in the emergency department. Can J Cardiol. 2011;27(1):38–46.
48. Raviele A, Giada F, Bergfeldt L, Blanc JJ, Blomstrom-Lundqvist C, Mont L, et al. Management of patients with palpitations: a position paper from the European Heart Rhythm Association. Europace. 2011;13(7):920-34.
49. Raviele A, Giada F, Bergfeldt L, Blanc JJ, Blomstrom-Lundqvist C, Mont L, et al. 2017 AHA/ACC/HRS guideline for management of patients with ventricular arrhythmias and the prevention of sudden cardiac death: executive summary. Circulation. 2018;138(13):e210–71.

LEITURAS RECOMENDADAS

Zimetbaum P. Cardiac arrythmias with supraventricular origin. In: Goldman L, Shafer AI, editors. Goldman Cecil medicine. 25th ed. Philadelphia: Elsevier; 2016. p. 356-67.
Capítulo de arritmia em livro-texto de medicina ambulatorial.

Carneiro EF. O eletrocardiograma. Rio de Janeiro: Antônio AP Melo; 1977.
Livro-texto básico de eletrocardiografia.

Freedman B, Potpara TS, Lip GYH. Stroke prevention in atrial fibrillation. Lancet 2016;388(10046):806-17.
Artigo de revisão sobre manejo da fibrilação atrial.

Zipes DP, Libby P, Bonow RO, Mann DL, Tomaselli GF, editors. Braunwald's heart disease: a textbook of cardiovascular medicine. 11th ed. Philadelphia: Elsevier; 2018.
Livro-texto de referência em cardiologia, com enfoque prático, contendo vários capítulos sobre arritmias.

American College of Cardiology (ACC). Disponível em: http://www.acc.org.
Portal oficial da sociedade, com acesso às recentes diretrizes sobre arritmias.

American Heart Association (AHA). Disponível em: http://www.americanheart.org.
Portal oficial da sociedade, com acesso às recentes diretrizes sobre arritmias.

European Society of Cardiology – Novel oral anticoagulants for atrial fibrillation. Disponível em: http://www.noacforaf.eu.
Orientações práticas sobre uso dos novos anticoagulantes orais.

ECG Library. Disponível em: http://www.ecglibrary.com/.
Portal de dois especialistas na área, com reprodução parcial de um livro publicado: "ECGs by example".

Capítulo 40
DOENÇAS DO SISTEMA ARTERIAL PERIFÉRICO

Adamastor Humberto Pereira
Alexandre Araujo Pereira
Renata Rosa De Carvalho

As arteriopatias englobam um grupo de doenças que comprometem a estrutura da parede arterial, produzindo estenoses, oclusões ou dilatações arteriais.

Reserva-se atualmente o termo doença arterial obstrutiva periférica para o envolvimento aterosclerótico da aorta abdominal e das artérias tronculares dos membros inferiores, determinando redução da luz arterial e isquemia tecidual de grau variável. Acomete mais os membros inferiores.

Entretanto, na avaliação do paciente com doença arterial periférica, é sempre importante lembrar a natureza sistêmica da aterosclerose, afetando de maneira simultânea vários leitos arteriais, como o coronariano e o cerebrovascular, responsáveis pelos elevados índices de morbimortalidade nesse grupo de pacientes.[1]

Os fatores de risco para a doença arterial periférica são similares aos associados à aterosclerose coronariana e cerebral: idade, tabagismo, diabetes, dislipidemias, hipertensão arterial sistêmica e hiper-homocisteinemia. Particularmente, o tabagismo e o diabetes são os fatores mais importantes para o desenvolvimento da doença arterial periférica sintomática.[2]

Os aneurismas arteriais são dilatações focais da parede arterial que também representam um risco significativo à saúde. O maior risco do aneurisma da aorta é a ruptura, com consequente hemorragia interna e óbito. Por outro lado, o aneurisma da artéria poplítea – o aneurisma periférico mais comum – apresenta um risco maior de trombose, podendo causar isquemia aguda da extremidade e ameaçar a viabilidade do membro. A frequente associação da doença aneurismática com a doença arterial periférica, coronariana e cerebrovascular impõe a necessidade de considerar a probabilidade de doença aterosclerótica nesses sítios arteriais, mesmo em pacientes assintomáticos.

As doenças vasoespásticas formam um grupo distinto de doenças arteriais, pois o fator desencadeante dos sintomas é o espasmo arterial. As doenças arteriais inflamatórias como a tromboangeíte obliterante (doença de Buerger), a arterite inespecífica da aorta e seus ramos (arterite de Takayasu) e as arterites associadas às colagenoses são entidades menos frequentes na prática clínica diária e, portanto, fogem do escopo deste capítulo.

DOENÇA ARTERIAL PERIFÉRICA

Oclusão arterial crônica

De modo geral, os sintomas da oclusão arterial crônica decorrem da isquemia regional de músculos, pele e nervos. Na imensa maioria dos casos, a aterosclerose é o fator causal e muito mais raramente as arterites, como a tromboangeíte obliterante. A intensidade dos sintomas depende da localização, da extensão, da multiplicidade das lesões arteriais e, sobretudo, do grau de circulação colateral existente. Uma avaliação clínica adequada deve incluir a definição correta dos sintomas, seu início, progressão e alteração de suas características, bem como os fatores que provocam a sua melhora ou o seu agravamento. Também deve ser avaliado o efeito de tratamentos anteriores, a presença de fatores de risco associados e as comorbidades presentes.

O início dos sintomas costuma ocorrer entre a quinta e a sétima décadas de vida, sendo duas vezes mais comum em homens. Os segmentos arteriais mais atingidos são a aorta abdominal, as artérias ilíacas e as femorais. Em indivíduos mais idosos, e em especial naqueles com diabetes, as artérias mais distais, como as tibiais e a fibular, também podem apresentar lesões oclusivas.

A doença arterial obstrutiva periférica é um marcador de aterosclerose sistêmica. Sua prevalência tem sido definida, em diversos estudos epidemiológicos, pela presença de claudicação intermitente como um marcador sintomático da doença ou de um índice de pressão sistólica tornozelo-braquial (ITB) anormal, o teste não invasivo mais frequentemente usado. O ITB compara a pressão sanguínea sistólica na artéria tibial posterior ou pediosa com a da artéria braquial, utilizando-se um aparelho Doppler portátil de onda contínua. A prevalência da doença tem sido estimada em torno de 3 a 10% na população norte-americana, atingindo 15 a 20% da população com idade > 70 anos quando se utiliza um método objetivo como o ITB.[3]

Em pacientes com suspeita de doença arterial periférica, deve-se aferir o ITB, realizando a razão entre pressão arterial no tornozelo e pressão arterial no braço. Deve-se aferir a pressão arterial em ambos os braços e registrar a maior medida, após deitar o paciente por 10 minutos e aferir a pressão arterial em cada tornozelo, na artéria tibial posterior e na artéria pediosa dorsal. O ITB direito é calculado dividindo a pressão arterial mais alta do tornozelo direito pela pressão arterial mais alta do braço, e o ITB esquerdo, pela razão entre a pressão arterial mais alta do tornozelo esquerdo e a pressão arterial mais alta do braço. O diagnóstico de doença arterial periférica é estabelecido em pacientes com suspeita clínica quando ITB ≤ 0,9 e/ou índice hálux-braquial (IHB) ≤ 0,7.[3]

A gravidade da doença pode ser definida com base nos valores do ITB (TABELAS 40.1 e 40.2). Um ITB < 0,9, mesmo em paciente assintomático, significa que já existe uma estenose arterial (sensibilidade de 79% e especificidade de 96% para detectar estenoses > 50%)[3] e é utilizado como definição hemodinâmica de doença arterial obstrutiva periférica. Um ITB alterado prediz mortalidade cardiovascular maior (RR = 4,2 em homens e 3,5 em mulheres) *versus* um ITB normal (de baixo risco, i.e., de 1,11-1,40).[4] Entretanto,

TABELA 40.1 → Uso diagnóstico do índice tornozelo-braquial (ITB)

Obter índice na presença de um dos seguintes:
→ Claudicação intermitente
→ Ferimentos que não cicatrizam

Mensurar o ITB (ver texto e **FIGURAS S40.1 a S40.4** no QR code):

→ Fazer em ambas as pernas, utilizando aparelho de Doppler vascular portátil
→ Registrar pressão em posição supina em ambos os braços e considerar a pressão maior (se existir diferença)
→ Registrar pressão na artéria dorsal do pé e na tibial posterior e considerar a maior pressão (se existir diferença) colocando o manguito de pressão no terço distal da perna
→ ITB direito = pressão mais alta no tornozelo direito dividida pela pressão mais alta no braço
→ ITB esquerdo = pressão mais alta no tornozelo esquerdo dividida pela pressão mais alta no braço

Fonte: Adaptada de Rooke e colaboradores.[4]

TABELA 40.2 → Interpretação do índice tornozelo-braquial (ITB)

ITB	INTERPRETAÇÃO
> 1,3	Não compressível (falsamente elevado)
0,91-1,29	Normal
0,41-0,90	Doença arterial obstrutiva periférica leve a moderada
0-0,4	Doença arterial obstrutiva periférica grave

indivíduos com diabetes de longa data, pacientes com insuficiência renal crônica e idosos com artérias muito calcificadas podem apresentar artérias incompressíveis e ITB falsamente elevado. Nesses casos, diferentes alternativas devem ser utilizadas, como o IHB, o exame das pressões segmentares ou a ultrassonografia (US) com Doppler arterial para confirmar o diagnóstico.[5]

O ITB < 0,9 é um fator de risco independente para eventos cardiovasculares.[6] Os pacientes com doença arterial obstrutiva periférica apresentam múltiplos fatores de risco para aterosclerose, o que os predispõem a maior chance de apresentar eventos cardiovasculares, situação similar à dos pacientes com doença coronariana clinicamente manifesta, e deveriam receber intervenção para evitar eventos isquêmicos (ver Capítulo Prevenção Clínica das Doenças Cardiovasculares).[5,7]

Os fatores de risco para aterosclerose tão bem conhecidos, como tabagismo, diabetes, dislipidemia, hipertensão e hiper-homocisteinemia, aumentam a probabilidade de doença arterial obstrutiva periférica, assim como de outras manifestações da aterosclerose. Além disso, é importante ressaltar que o prognóstico do paciente com doença arterial obstrutiva periférica está relacionado com um risco aumentado de eventos isquêmicos coronarianos ou cerebrais, eventos estes mais frequentes do que os eventos isquêmicos em membros inferiores.

Manifestações clínicas

A claudicação intermitente é um sintoma que pode ser considerado patognomônico da lesão arterial oclusiva crônica. A dor da claudicação é descrita como constritiva, em cãibra ou cansaço, e acomete determinado grupamento muscular (com mais frequência, a panturrilha). É desencadeada sempre pelo exercício do membro, desaparece minutos após o repouso e piora em aclives. O caráter intermitente da claudicação é o aspecto da história clínica que melhor sugere o diagnóstico.

A dor isquêmica de repouso aparece normalmente quando as oclusões arteriais são extensas e múltiplas, e o sistema de vasos colaterais não consegue manter o metabolismo aeróbico, mesmo em repouso. Aparece, então, dor contínua, muitas vezes descrita como "em queimação" e localizada no dorso do pé e/ou nos pododáctilos. A extremidade está fria e pálida, mas pode tornar-se cianótica ou hiperemiada, se o paciente mantiver o membro em posição pendente em relação ao corpo durante todo o dia na tentativa de aliviar a dor. A "cianose fixa", que não desaparece com a compressão digital, pode ocorrer nas polpas digitais e precede o aparecimento das lesões tróficas (úlceras e placas de necrose).

As úlceras isquêmicas apresentam fundo pálido, tendem a expor tendões e localizam-se com mais frequência na região pré-tibial ou em áreas de pressão, sendo extremamente dolorosas. As úlceras isquêmicas costumam acompanhar áreas de necrose cutânea (gangrena). As lesões tróficas associadas à isquemia muscular e à infecção secundária podem evoluir para gangrena de toda a extremidade.

As placas de necroses em geral ocorrem nos pés (polpas de pododáctilos ou áreas de pressão), sendo seu aspecto característico o tecido enegrecido indolor, às vezes circundado por área isquêmica hiperemiada muito dolorosa. Quando a necrose está associada à infecção local (necrose úmida), a evolução pode ser rapidamente desfavorável e o encaminhamento de urgência se impõe como tentativa de salvamento de membro.[5]

Avaliação clínica

A palpação dos pulsos periféricos, para determinar a sua intensidade e a presença de frêmitos, e a ausculta dos trajetos arteriais à procura de sopros fazem parte rotineira do exame físico desses pacientes. A presença de sopro ou frêmito indica fluxo turbilhonar naquele segmento arterial que, na maioria das vezes, deve-se a uma estenose. A ausência ou diminuição de pulsos indica doença oclusiva proximal, mesmo que assintomática. Devem ser examinadas rotineiramente a aorta abdominal, artérias ilíacas externas, femorais, poplíteas, pediosas e tibiais posteriores. É importante lembrar que a artéria pediosa é ausente em até 8% dos indivíduos normais. Com a cronicidade da isquemia, podem ser observados sinais de atrofia da pele, das unhas e da musculatura da panturrilha, bem como rarefação dos pelos. Em pacientes com isquemia grave e de longa data, pode-se também observar anquilose da articulação do joelho.

Outro recurso semiológico consiste em colocar o paciente em decúbito dorsal, elevar suas pernas em um ângulo de 45 graus e esperar 30 segundos. A ocorrência de palidez na planta do(s) pé(s) denota insuficiência arterial. Colocando as pernas em posição pendente, em relação à linha da cintura, aparecerá uma hiperemia reativa nos pés. Tempo > 20 segundos para o enchimento das veias no dorso do(s) pé(s) também revela circulação colateral inadequada, desde que o paciente não tenha varizes.[5]

O uso do ITB vem crescendo em atenção primária à saúde (APS) como teste diagnóstico. Atualmente, é feito por aparelho Doppler, que exige treinamento específico para obter determinações com qualidade (ver **TABELA 40.1**).

Diagnóstico por imagem

Vários métodos de imagem podem ser utilizados para determinar a extensão do comprometimento arterial, permitindo melhor avaliação anatômica da topografia das lesões. Apesar de o diagnóstico poder ser firmado em quase todos os casos pela anamnese e pelo exame físico, os métodos de imagem são necessários quando se pretende uma avaliação pré-operatória nas situações mais graves.[5]

A US com Doppler arterial dos membros inferiores é útil para confirmar a localização, a morfologia e a extensão das lesões com sensibilidade e especificidade superiores a 90%.[2] Trata-se de um exame não invasivo e de relativo baixo custo que fornece informações anatômicas e funcionais da lesão aterosclerótica. As limitações incluem a menor acurácia para a avaliação do segmento aortoilíaco em pacientes obesos ou com cirurgias abdominais prévias, artérias grosseiramente calcificadas que impedem a avaliação pelo Doppler e a reduzida sensibilidade para avaliar estenoses significativas em pacientes com lesões sequenciais. Por ser um exame aparelho e operador-dependente, há necessidade de conhecer a procedência e a confiabilidade do exame.[8]

A angiotomografia computadorizada é um exame de maior custo que fornece excelentes imagens do sistema vascular. Entretanto, há necessidade de exposição à radiação e do uso de contraste potencialmente nefrotóxico. Artérias muito calcificadas também interferem no exame.[8] A angiotomografia computadorizada deve ser solicitada em pacientes sintomáticos candidatos à revascularização, não sendo indicada sua solicitação rotineira na APS.[8]

A angiorressonância magnética é um exame menos invasivo e que não expõe o paciente à radiação. Entretanto, pacientes com marca-passos permanentes, desfibriladores e clipes de aneurismas cerebrais não devem ser expostos ao campo magnético; e o uso do contraste paramagnético gadolínio tem sido evitado em pacientes com insuficiência renal crônica. É de custo ainda maior. Cerca de 10% dos indivíduos não completam o exame devido à claustrofobia.

A angiografia por subtração digital é considerada o padrão-ouro no diagnóstico da doença arterial obstrutiva periférica. Todavia, é um exame invasivo, que emprega contrastes potencialmente nefrotóxicos e que raras vezes é utilizado com finalidade diagnóstica.

Prognóstico

Cerca de 85% dos pacientes com claudicação intermitente tendem a apresentar melhora ou estabilização do quadro em um período de 6 a 12 meses, quando seus fatores de risco são controlados e o indivíduo passa a deambular regularmente.[5] Contudo, 10% dos pacientes pioram clinicamente para dor isquêmica de repouso e/ou lesões tróficas, evoluindo para a amputação do membro, número este que é cinco vezes maior na concomitância de diabetes. A mortalidade nesses pacientes é de 15 a 20% em 2 anos, em geral em função de complicações cardiovasculares.

Os pacientes que já se encontram em quadro de isquemia crítica (dor isquêmica de repouso e/ou lesões tróficas) apresentam prognóstico muito pior do que os pacientes claudicantes. Em geral, após 1 ano de evolução do quadro isquêmico, apenas 50% desses pacientes estarão vivos ou sem uma amputação maior (considera-se amputação maior aquela que não envolve apenas os pododáctilos ou o antepé).

Tratamento

O paciente cujo único sintoma é a claudicação intermitente não limitante deve ser instruído a realizar caminhadas diárias até o ponto de desconforto, várias vezes ao dia, em percursos planos e progressivamente mais longos, a fim de estimular a circulação colateral (deambulação programada). Essa conduta está fortemente associada à melhora da capacidade funcional do paciente B.[8,9]

Recomenda-se registrar em prontuário a distância percorrida até o desconforto ou dor, pois a quantificação dessa distância é um recurso importante no acompanhamento do paciente, tendo-se uma medida objetiva da melhora ou piora do quadro.

Em pacientes clinicamente estáveis, a deambulação programada aumenta a distância total percorrida e o tempo livre de claudicação. O cilostazol, um inibidor da fosfodiesterase 3, na dose de 50 a 100 mg, por via oral, de 12/12 horas, é útil para o manejo da claudicação intermitente, aumentando a distância de marcha e os escores de qualidade de vida B.[8,10] O ácido acetilsalicílico está indicado em doses que variam de 100 a 200 mg/dia. Apesar de os agentes antiplaquetários não estarem relacionados com melhora sintomática em pacientes com doença arterial periférica, eles são efetivos na prevenção de eventos cardiovasculares nessa população, incluindo redução de mortalidade A.[8,11]

Pacientes com indicação de tratamento intervencionista, seja por claudicação intermitente limitante ou mesmo isquemia crítica, devem ser encaminhados para avaliação cirúrgica. Em razão do desenvolvimento tecnológico e por sua natureza menos invasiva, os métodos endovasculares são cada vez mais utilizados.[12,13]

Orientação e tratamento para a cessação do tabagismo devem ser oferecidos a pacientes tabagistas, pois o tabaco provoca vasospasmo e acelera a aterogênese (ver Capítulo Tabagismo) A.[8,14]

A avaliação e o controle de outros fatores de risco tratáveis, como dislipidemias,[8,14] diabetes e hipertensão arterial sistêmica, devem ser encorajados (ver Capítulos Prevenção Clínica das Doenças Cardiovasculares, Prevenção e Manejo das Complicações Crônicas do Diabetes, Hipertensão Arterial Sistêmica e Cardiopatia Isquêmica) A (FIGURA 40.1). Para todos os pacientes com doença arterial periférica, recomenda-se a prescrição de estatina. Nos pacientes hipertensos, sugere-se também otimizar tratamento anti-hipertensivo e, em pacientes diabéticos, estimular o autoexame e os cuidados dos pés.

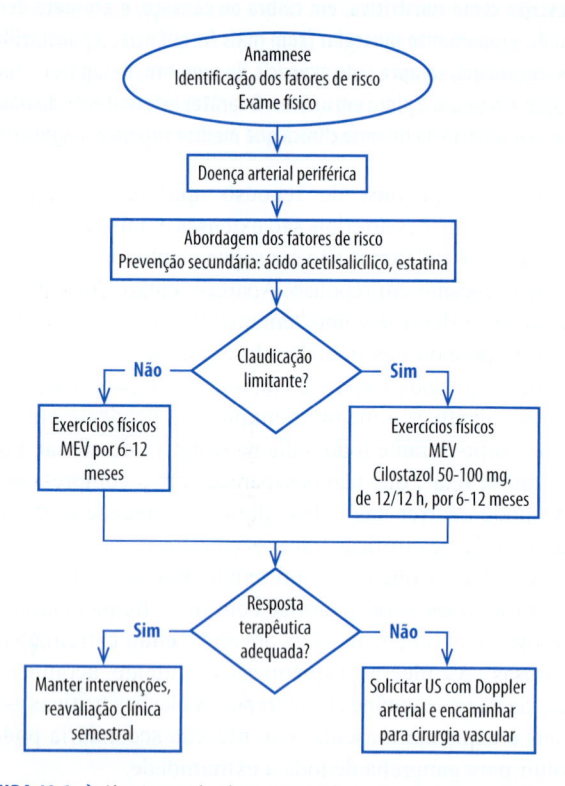

FIGURA 40.1 → Algoritmo utilizado no acompanhamento e no tratamento da doença arterial obstrutiva periférica.
MEV, mudança de estilo de vida; US, ultrassonografia.

As úlceras e as áreas de necrose devem merecer atenção especial desde o primeiro atendimento, sendo mais bem manejadas em conjunto com profissionais com treinamento específico. O debridamento de placas de necrose e de úlceras não deve ser realizado até que o estado da perfusão da extremidade esteja definido, já que, muitas vezes, o trauma adicional pode aumentar a área de necrose. Deve-se restringir a deambulação e instruir o paciente a inspecionar a lesão. As úlceras devem ser limpas diariamente com soro fisiológico. Nas áreas de necrose, a aplicação de solução de álcool iodado a 1% permite a chamada "mumificação" do tecido e diminui o risco de infecção local C/D.

Em geral, as úlceras são colonizadas por bactérias presentes na pele normal, que incluem sobretudo cocos gram-positivos, aeróbios e, às vezes, anaeróbios. Dessa forma, os patógenos isolados com mais frequência são os estreptococos, os estafilococos e os peptostreptococos. Por outro lado, em pacientes com diabetes, existe prevalência maior de outros patógenos, bem como resistência maior aos antibióticos usuais, devido, em parte, ao maior contato desses pacientes com profissionais e centros médicos.[15,16]

A escolha da terapia antimicrobiana empírica dependerá basicamente do tempo de evolução do quadro e da gravidade da infecção. As infecções são classificadas em leves ou sem risco de perda do membro e moderadas ou graves com risco de perda do membro.[13] Para ambos os tipos de infecção, deverá ser solicitada coleta de amostra de tecido para realização de cultura e antibiograma.

Embora a terapêutica antimicrobiana inicial seja empírica, a identificação do patógeno será essencial no caso de o paciente não apresentar evolução clínica favorável em 48 a 72 horas.

Nas infecções leves, sugere-se uso de clindamicina 450 mg, de 8/8 horas, ou sulfametoxazol + trimetoprima 400 mg + 160 mg, 2 comprimidos, de 12/12 horas, ou doxiciclina 100 mg, de 12/12 horas, por 5 a 14 dias, conforme reavaliação clínica C/D.[13]

Nas infecções moderadas e graves, há necessidade de cobertura de bacilos gram-negativos e anaeróbios. Nesse sentido, as fluoroquinolonas (p. ex., ciprofloxacino 500 mg, de 12/12 horas) associadas à clindamicina (450 mg, de 8/8 horas) ou a amoxicilina + clavulanato (875 mg + 175 mg, de 8/8 horas) representam uma excelente opção, bem como a sua utilização inicial por via intravenosa. Nas infecções graves, provavelmente haverá necessidade de internação hospitalar. Na realidade, existem várias opções terapêuticas cuja escolha depende, entre outros fatores, do tipo de infecção presente, se esta foi adquirida em ambiente domiciliar ou hospitalar, e das condições clínicas do paciente C/D.[13]

Deve-se, também, levar em conta que o envolvimento de tendões e ossos nos pés não é raro e, nesses casos, há necessidade de considerar o diagnóstico de osteomielite. Esta pode ser confirmada pela presença de material purulento em local de exposição óssea e pela presença de lesões osteolíticas à radiografia simples do pé. Na presença de osteomielite, o debridamento cirúrgico precisa ser agressivo, deve haver cobertura para *Staphylococcus aureus* e o tratamento antimicrobiano deve ser prolongado.[1] A necrose, quando seca e envolvendo apenas os pododáctilos, pode ser tratada com álcool iodado a 1% ou iodofor aquoso para desidratar o tecido e promover a autoamputação. Se a necrose se tornar úmida ou aparecer infecção secundária, o risco de perda da extremidade é considerável. Em qualquer caso em que exista necrose ou úlcera da extremidade, por menor que seja a área afetada, o paciente deve ser encaminhado imediatamente para avaliação com cirurgião vascular.

Oclusão arterial aguda

Conceitualmente, a oclusão arterial aguda de membro refere-se à diminuição súbita ou à piora na perfusão arterial de um membro com ameaça potencial à sua viabilidade. A oclusão arterial aguda pode ocorrer devido à trombose ou à embolia.

A trombose arterial aguda *in situ* caracteristicamente ocorre por progressão da doença aterosclerótica em determinado leito arterial, em geral a artéria femoral superficial ao nível do canal dos adutores, com consequente oclusão total da luz vascular. A oclusão arterial aguda por trombose seria, assim, a agudização de um processo aterosclerótico prévio.

A embolia arterial costuma ocorrer em um leito arterial sem estímulo prévio para o desenvolvimento de artérias colaterais. A fonte embolígena é cardíaca em 60 a 70% dos casos, devido a arritmias cardíacas como fibrilação atrial, infarto do miocárdio com trombo mural, valvulopatias (estenose mitral), miocardiopatias ou endocardite bacteriana (liberação de êmbolos sépticos). A oclusão arterial súbita pelo êmbolo é clinicamente dramática. Contudo, pacientes com lesões ateroscleróticas já estabelecidas também podem desenvolver um quadro de oclusão arterial aguda embólica, e, nesses casos, a sintomatologia pode ser mais discreta. Aneurismas aórticos ou poplíteos e placas de ateroma ulceradas também podem originar êmbolos. Raras vezes, tumores cardíacos (mixoma atrial) ou comunicações atrioventriculares podem ser a causa de uma oclusão arterial embólica.[5]

Manifestações clínicas

Os sintomas decorrentes de uma oclusão arterial aguda do membro inferior dependem basicamente da localização, da extensão da oclusão pelo êmbolo ou trombo e da capacidade da circulação colateral de suprir os tecidos distais isquêmicos. No caso clássico da oclusão arterial aguda, o paciente refere dor excruciante de início súbito, muitas vezes acompanhada de impotência funcional (pela isquemia muscular) e parestesias, ou mesmo anestesia, nas regiões mais distais da extremidade (pela isquemia nervosa). Em poucas horas, pode aparecer rigidez muscular secundária à isquemia irreversível dos músculos e, por fim, necrose. Ao exame físico, os pulsos distais à oclusão estão ausentes. A palidez seguida de cianose e a diminuição da temperatura local acompanham o quadro clínico.

Quando a oclusão arterial aguda ocorre devido à trombose, em dois terços dos casos o paciente relata história de claudicação intermitente prévia, e o exame físico geralmente demonstra alteração na amplitude dos pulsos no membro contralateral ou em outros segmentos arteriais. No caso de uma oclusão arterial aguda embólica, o paciente em geral não apresenta história prévia de claudicação, o exame dos pulsos arteriais contralaterais é normal e não existem sinais de doença arterial periférica. Entretanto, em cerca de 15% dos pacientes, não é possível determinar, pelo quadro clínico, se a oclusão é trombótica ou embólica.[5]

Como já referido, a apresentação clínica nem sempre é tão grave se houver estabelecimento prévio de circulação colateral. Dessa forma, o examinador deve estar atento a sinais de isquemia crônica, como rarefação de pelos, adelgaçamento de pele e unhas, atrofia muscular e alterações de pulsos em outros segmentos arteriais.

Tratamento emergencial e encaminhamento

No momento em que se estabelece o diagnóstico clínico de uma oclusão arterial aguda, a conduta imediata é a anticoagulação sistêmica com a infusão de 5.000 a 10.000 UI de heparina intravenosa (100 UI/kg), com o objetivo de impedir a progressão da trombose secundária adjacente ao êmbolo ou trombo **C/D**.[5] A seguir, o membro afetado pode ser envolvido em algodão laminado e atadura, a fim de manter calor, sem a colocação de bolsas quentes ou fontes similares de calor externo, e o paciente deve ser encaminhado para atendimento de emergência.

As decisões terapêuticas serão tomadas considerando-se a duração e a gravidade clínica da oclusão arterial aguda. A revascularização cirúrgica imediata é indicada, de preferência, em membros gravemente isquêmicos. Nos casos de embolia, a tromboembolectomia imediata com o cateter de Fogarty é o procedimento de eleição; no entanto, mesmo tromboembolectomias tardias podem apresentar resultados aceitáveis. Nos casos de trombose, a tromboembolectomia não será efetiva, e procedimentos adicionais, como angioplastias e derivações arteriais (*by-pass*), serão necessários. O uso de trombolíticos intra-arteriais pode ser considerado em pacientes com sinais de isquemia aguda sem risco imediato à viabilidade do membro, em centros de referência com cirurgiões vasculares com experiência nessa modalidade de tratamento.[15]

ANEURISMAS ARTERIAIS

Aneurisma é uma dilatação circunscrita da parede arterial que excede em pelo menos 50% o diâmetro normal do vaso. O termo ectasia é considerado para as dilatações menores. Aproximadamente dois terços dos aneurismas são abdominais; destes, 90% estão localizados na aorta abdominal abaixo das artérias renais. A aterosclerose é considerada o fator responsável por mais de 90% dos aneurismas que ocorrem na aorta abdominal e seus ramos até a artéria poplítea; entretanto, essa relação causa-efeito ainda é discutida.

As demais causas de aneurisma comprometem, com maior frequência, a aorta torácica e seus ramos: dissecção da aorta, degeneração da túnica média, traumas e vasculites (ou arterites). Os aneurismas ditos micóticos (causados por infecção da parede arterial) e os pseudoaneurismas (em geral, secundários a trauma) apresentam características distintas dos outros, mas o tratamento é, em linhas gerais, o mesmo.

Aneurisma da aorta abdominal

Os aneurismas da aorta abdominal ocorrem mais frequentemente entre a sexta e a sétima décadas de vida, e a incidência cumulativa estimada ao longo da vida é de 6%. São quatro vezes mais comuns em homens.[16]

Manifestações clínicas

Os aneurismas da aorta abdominal são, na maioria das vezes, assintomáticos no momento do diagnóstico.[16] Com o advento da ultrassonografia, da tomografia computadorizada e da ressonância magnética, o diagnóstico desses aneurismas tornou-se mais frequente durante a investigação de várias doenças abdominais.

A presença de dor abdominal associada ao aneurisma sempre deve sugerir a possibilidade de ruptura. A expansão aguda pode manifestar-se com dor lombar e sensibilidade à palpação do aneurisma. A presença de dor sinaliza a ruptura da aorta em um período variável de dias a semanas; por isso, a indicação cirúrgica é a regra, independentemente das suas dimensões.

A ruptura do aneurisma de aorta é um quadro dramático que, se não tratado com cirurgia, invariavelmente conduz ao óbito do paciente. Entretanto, a tríade clássica de dor abdominal ou lombar súbita, massa pulsátil e hipotensão arterial é aparente em menos de 50% dos casos, justificando a suspeita de aneurisma roto de aorta em todo paciente idoso com sinais agudos de hipovolemia sem causa aparente.[24] Uma apresentação clínica menos frequente do aneurisma da aorta abdominal é a microembolização distal, sugerida clinicamente pela presença de livedo reticular e cianose de pododáctilos (síndrome do dedo azul).[16]

Avaliação

O exame físico convencional do abdome e das extremidades pode levar ao diagnóstico quando se detecta massa pulsátil e expansiva na região periumbilical, muitas vezes acompanhada de um sopro arterial. O diagnóstico é confirmado pela US, que também está indicada no acompanhamento de pacientes assintomáticos com aneurismas pequenos (< 5 cm). A US deve ser realizada anualmente nos aneurismas < 4 cm e a cada 6 meses se o diâmetro do aneurisma estiver entre 4 e 5 cm.[17]

Tratamento

A cirurgia eletiva dos aneurismas abdominais não rotos está associada a uma mortalidade < 5%, mas a mortalidade no aneurisma roto varia de 50 a 70% nos melhores centros. Os pacientes assintomáticos, com aneurismas de diâmetro ≥ 5,5 cm, apresentam, ao fim de 5 anos, uma mortalidade ao redor de 80%, sendo que a ruptura do aneurisma é a causa do óbito em metade deles. Por outro lado, a sobrevida em 5 anos dos pacientes operados é superior a 60%.[17]

> Devem-se encaminhar pacientes com aneurismas da aorta abdominal com diâmetro transverso ≥ 5,5 cm, mesmo que assintomáticos, para avaliação cirúrgica. Os pacientes que apresentam múltiplas comorbidades ou que têm expectativa de vida < 2 anos devem ser selecionados caso a caso para estabelecer o escore de risco.[17,18] Outra indicação é a expansão rápida do aneurisma, que é considerada significativa quando há crescimento do diâmetro > 10 mm em 1 ano.

O reparo dos aneurismas da aorta abdominal entre 4 e 5 cm de diâmetro ainda é controverso.[17] Em pacientes de alto risco para cirurgia convencional, a correção endovascular surge como a melhor opção. Devido à menor morbidade e mortalidade perioperatória, o tratamento endovascular vem sendo utilizado com maior frequência mesmo para pacientes com menor risco cirúrgico.

Aneurisma da artéria poplítea

O aneurisma da artéria poplítea é considerado o protótipo dos aneurismas periféricos, representando mais de 90% dos aneurismas não localizados na aorta.

A apresentação clínica e a história natural do aneurisma da artéria poplítea são diferentes das do aneurisma da aorta. O aneurisma de artéria poplítea costuma ser identificado no exame clínico dos pulsos periféricos quando se encontra um pulso poplíteo facilmente palpável e expansivo ou uma massa tumoral pulsátil na fossa poplítea. São bilaterais em cerca de 50% dos pacientes e associados a aneurisma de aorta em um terço dos casos.

Diferentemente do aneurisma da aorta abdominal, cujo maior risco é a ruptura, o aneurisma da artéria poplítea mais comumente se apresenta com um quadro de isquemia aguda da extremidade, devido à trombose do aneurisma ou ao tromboembolismo distal. Não existe tratamento clínico. Deve-se encaminhar o paciente com aneurisma da artéria poplítea sintomático, independentemente do diâmetro, e aneurismas assintomáticos com diâmetro ≥ 2 cm para avaliação cirúrgica.[3]

DOENÇAS VASOESPÁSTICAS

Trata-se de um grupo de doenças que se distingue por apresentar anormalidades do tônus vasomotor de artérias de pequeno calibre. No espectro das doenças arteriais periféricas, as doenças vasoespásticas são relativamente incomuns. Contudo, quando dor, dormência, esfriamento ou úlceras envolvem os dedos e as mãos, os pacientes em geral procuram atenção médica pelo medo do significado desses sintomas.

Doença de Raynaud

A doença de Raynaud, ou fenômeno de Raynaud primário, é caracterizada por alterações simétricas na cor das extremidades, geralmente nas mãos, sendo desencadeada por exposição ao frio ou estímulo emocional. Apresenta três fases: palidez (vasoconstrição), cianose (estase capilar) e hiperemia (vasodilatação compensatória). Afeta, sobretudo, mulheres jovens. As alterações da cor podem estar associadas a parestesias, mas o aparecimento de dor intensa é incomum. Não ocorre necrose tecidual, ulceração ou gangrena.

Fenômeno de Raynaud secundário é o termo aplicado quando essa manifestação está associada a uma doença sistêmica ou local, como doença do tecido conectivo (esclerodermia, lúpus eritematoso sistêmico, artrite reumatoide), doença arterial obstrutiva (aterosclerose, tromboangeíte obliterante, arterites em geral), doença ocupacional (traumas vibracionais repetitivos), medicamentos (derivados do ergot, bloqueadores β-adrenérgicos, anticoncepcionais) e neoplasias. É importante ter em mente que o diagnóstico de doença de Raynaud só é firmado após a exclusão das outras condições recém-descritas.

O tratamento envolve medidas gerais, como proteção contra o frio, não apenas das mãos, mas de todo o corpo. Outra medida importante é parar de fumar, já que o fumo pode reduzir o fluxo sanguíneo digital. No momento da ocorrência dos sintomas, o paciente pode obter alívio colocando as mãos em água morna. Caso essas medidas não sejam suficientes, recomendam-se fármacos como os bloqueadores dos canais de cálcio[19,20] (p. ex., nifedipino 10-30 mg, 3 ×/dia) **B** ou simpaticolíticos (prazosina 1-5 mg, 2 ×/dia) **B**.[19,21]

O tratamento específico deve ser direcionado ao controle da doença básica. Os vasodilatadores em geral não estão indicados nos casos de Raynaud primário porque não há evidências de que promovam qualquer melhora **C/D**.[22,23] Os bloqueadores de canais de cálcio reduzem o número de crises por semana em pacientes com fenômeno de Raynaud (redução média em 6 crises/semana), a gravidade e a duração das crises (em média, 1,7 minuto).[22–24]

Nos casos de Raynaud secundário, em especial naqueles ligados à esclerodermia, o tratamento das úlceras digitais e áreas de necrose envolve o uso dos bloqueadores de canais de cálcio (nas doses recomendadas anteriormente) **C/D**. Mais recentemente, vem sendo proposto o uso de um antagonista dos receptores da endotelina, a bosentana (nas doses de 62,5-125 mg, 2 ×/dia) **C/D**.[22–24] É uma medicação promissora, em especial no tratamento das complicações associadas à esclerose sistêmica, mas o alto custo e a pouca experiência de uso limitam sua utilização. Deve-se considerar encaminhamento para avaliação cirúrgica em situações específicas, como úlceras digitais por fenômeno de Raynaud em pacientes com esclerose sistêmica.[25]

Acrocianose

É a presença de cianose nas extremidades após exposição ao frio, podendo estar acompanhada de edema. Afeta principalmente mulheres jovens magras ou que perderam peso recentemente. As hipóteses fisiopatológicas atuais sugerem a vasoespasticidade como o fator responsável pelo quadro clínico. O manejo é similar ao da doença de Raynaud, enfatizando-se a proteção contra o frio **C/D**.[26] A acrocianose não está associada à ulceração da pele; entretanto, pode ser uma das manifestações cutâneas em pacientes com anticorpos antifosfolipídeos.

Eritromelalgia

Também chamada de eritermalgia, apresenta-se com intensa hiperemia das mãos e/ou pés, acompanhada de dor "em queimação". De maneira oposta ao fenômeno de Raynaud, a sintomatologia é provocada pela exposição ao calor seguida de vasodilatação exagerada. O paciente busca alívio na imersão em água fria. A etiologia é desconhecida e os sintomas podem ser aliviados com ácido acetilsalicílico na dose de 500 mg, de 6/6 horas, carbamazepina 200 mg, 2 ×/dia, ou um betabloqueador **C/D**.

Livedo reticular

Constitui-se normalmente em um problema estético e, em geral, está restrito às extremidades inferiores (coxas e pernas) em pacientes de pele clara. Como o nome sugere, o fenômeno caracteriza-se pelo aspecto rendado ou marmoriforme da pele, em tons esbranquiçados e azulados, que piora com a exposição ao frio. O tratamento consiste na proteção à exposição ao frio. Não responde a fármacos. Pode estar associado à ulceração de pele quando uma doença sistêmica está presente (p. ex., colagenoses). Por outro lado, em pacientes com a chamada síndrome do êmbolo de colesterol, o livedo reticular é a manifestação cutânea da microembolização aterosclerótica que envolve frequentemente os pododáctilos e/ou a planta dos pés.

REFERÊNCIAS

1. Banerjee A, Fowkes FG, Rothwell PM. Associations Between Peripheral Artery Disease and Ischemic Stroke. Stroke. 2010;41(9):2102–7.
2. Liu Y, Chen K. Atherosclerosis, vascular aging and therapeutic strategies. Chin J Integr Med. 2012;18(2):83–7.
3. Hirsch AT, Haskal ZJ, Hertzer NR, Bakal CW, Creager MA, Halperin JL, et al. ACC/AHA 2005 guidelines for the management of patients with peripheral arterial disease (lower extremity, renal, mesenteric, and abdominal aortic): executive summary a collaborative report from the American Association for Vascular Surgery/Society for Vascular Surgery, Society for Cardiovascular Angiography and Interventions, Society for Vascular Medicine and Biology, Society of Interventional Radiology, and the ACC/AHA Task Force on Practice Guidelines (Writing Committee to Develop Guidelines for the Management of Patients With Peripheral Arterial Disease) endorsed by the American Association of Cardiovascular and Pulmonary Rehabilitation; National Heart, Lung, and Blood Institute; Society for Vascular Nursing; TransAtlantic Inter-Society Consensus; and Vascular Disease Foundation. J Am Coll Cardiol. 2006;47(6):1239–312.
4. Rooke TW, Hirsch AT, Misra S, Sidawy AN, Beckman JA, Findeiss LK, et al. 2011 ACCF/AHA Focused Update of the Guideline for the Management of Patients With Peripheral Artery Disease (Updating the 2005 Guideline): A Report of the American College of Cardiology Foundation/American Heart Association Task Force on Practice Guidelines. Circulation. 2011;124(18):2020–45.
5. Norgren L, Hiatt WR, Dormandy JA, Nehler MR, Harris KA, Fowkes FGR. Inter-Society Consensus for the Management of Peripheral Arterial Disease (TASC II). Eur J Vasc Endovasc Surg. 2007;33(1, Supplement):S1–75.
6. Fowkes FGR, Murray GD, Butcher I, Heald CL, Lee RJ, Chambless LE, et al. Ankle brachial index combined with Framingham Risk Score to predict cardiovascular events and mortality: a meta-analysis. JAMA. 2008;300(2):197–208.
7. British Medical Journal Publishing Group. Collaborative meta-analysis of randomised trials of antiplatelet therapy for prevention of death, myocardial infarction, and stroke in high risk patients. BMJ. 2002;324(7329):71–86.
8. Gerhard-Herman MD, Gornik HL, Barrett C, Barshes NR, Corriere MA, Drachman DE, et al. 2016 AHA/ACC Guideline on the Management of Patients With Lower Extremity Peripheral Artery Disease. Circulation. 2017;135(12):e726–79.
9. Lane R, Ellis B, Watson L, Leng GC. Exercise for intermittent claudication. Cochrane Database Syst Rev. 2014;(7):CD000990.
10. Bedenis R, Stewart M, Cleanthis M, Robless P, Mikhailidis DP, Stansby G. Cilostazol for intermittent claudication. Cochrane Database Syst Rev. 2014;(10):CD003748.
11. Wong PF, Chong LY, Mikhailidis DP, Robless P, Stansby G. Antiplatelet agents for intermittent claudication. Cochrane Database Syst Rev. 2011;(11):CD001272.
12. Berger JS, Krantz MJ, Kittelson JM, Hiatt WR. Aspirin for the prevention of cardiovascular events in patients with peripheral artery disease: a meta-analysis of randomized trials. JAMA. 2009;301(18):1909–19.
13. Stevens DL, Bisno AL, Chambers HF, Dellinger EP, Goldstein EJC, Gorbach SL, et al. Practice guidelines for the diagnosis and management of skin and soft tissue infections: 2014 update by the Infectious Diseases Society of America. Clin Infect Dis. 2014;59(2):e10-52.
14. Whelton PK, Carey RM, Aronow WS, Casey DE, Collins KJ, Himmelfarb CD, et al. 2017 ACC/AHA/AAPA/ABC/ACPM/AGS/APhA/ASH/ASPC/NMA/PCNA Guideline for the Prevention, Detection, Evaluation, and Management of High Blood Pressure in Adults: A Report of the American College of Cardiology/American Heart Association Task Force on Clinical Practice Guidelines. Hypertension. 2018;71(6):e13–115.
15. Working Party on Thrombolysis in the Management of Limb Ischemia. Thrombolysis in the management of lower limb peripheral arterial occlusion – a consensus document. J Vasc Interv Radiol. 2003;14(9 Pt 2):S337-349.
16. Sakalihasan N, Limet R, Defawe OD. Abdominal aortic aneurysm. Lancet. 2005;365(9470):1577–89.
17. Chaikof EL, Dalman RL, Eskandari MK, Jackson BM, Lee WA, Mansour MA, et al. The Society for Vascular Surgery practice guidelines on the care of patients with an abdominal aortic aneurysm. J Vasc Surg. 2018;67(1):2-77.e2.
18. Kent KC. Abdominal Aortic Aneurysms. N Engl J Med. 2014;371(22):2101–8.
19. Wigley FM, Flavahan NA. Raynaud's Phenomenon. N Engl J Med. 2016;375(6):556–65.
20. Belch J, Carlizza A, Carpentier PH, Constans J, Khan F, Wautrecht J-C, et al. ESVM guidelines – the diagnosis and management of Raynaud's phenomenon. Vasa. 2017;46(6):413–23.
21. Wollersheim H, Thien T, Fennis J, Eiteren PV, Laar AV. Double-blind, placebo-controlled study of prazosin in Raynaud's phenomenon. Clin Pharmacol Ther. 1986;40(2):219–25.
22. Ennis H, Hughes M, Anderson ME, Wilkinson J, Herrick AL. Calcium channel blockers for primary Raynaud's phenomenon. Cochrane Vascular Group, organizador. Cochrane Database Syst Rev. 2016;CD002069.
23. Cayley Jr W. In people with primary Raynaud's phenomenon, how do calcium channel blockers affect outcomes? Cochrane Clin Answ. 2016;cca.1242.
24. Stewart M, Morling JR. Oral vasodilators for primary Raynaud's phenomenon. Cochrane Database Syst Rev. 2012;(7):CD006687.
25. Goundry B, Bell L, Langtree M, Moorthy A. Diagnosis and management of Raynaud's phenomenon. BMJ. 2012;344:e289.
26. Kurklinsky AK, Miller VM, Rooke TW. Acrocyanosis: The Flying Dutchman. Vasc Med. 2011;16(4):288–301.

LEITURAS RECOMENDADAS

Brito CJ de, Murilo R, Duque A, Loureiro E, Merlo I, Filho VLF. Cirurgia Vascular: Cirurgia Endovascular – Angiologia. 3. ed. São Paulo: Thieme Revinter; 2014.

Livro-texto nacional que discute a cirurgia vascular como um todo, não se limitando apenas a procedimentos cirúrgicos, mas também considerando a importância do diagnóstico clínico e dos vários métodos de imagem empregados na investigação das doenças vasculares periféricas.

Stanley JC, Veith F, Wakefield TW. Current Therapy in Vascular and Endovascular Surgery. 5th ed. Philadelphia: Saunders; 2014.

Revisão atual abrangendo discussão sobre diagnóstico e conduta em doenças vasculares periféricas.

Nectoux JL, Cunha SS, Paglioli S, Souza GG, Pereira AH. Doenças vasculares periféricas. Rio de Janeiro: Revinter; 1994.

Indicado para consulta rápida sobre métodos diagnósticos nas doenças vasculares periféricas.

Cronenwett JL, Johnston KW. Rutherford's Vascular Surgery. 8th ed. Philadelphia: Saunders; 2014.
Trata-se de um dos principais livros-texto da especialidade. É recomendado ao leitor que necessita de informações sobre doenças não incluídas neste capítulo ou que deseja aprofundar-se em um tópico específico.

Wigley FM. Raynaud's phenomenon. N Engl J Med. 2002;347(13):1001-8.
Revisão clara e concisa sobre diagnóstico e conduta no fenômeno de Raynaud.

Sociedade Brasileira de Angiologia e Cirurgia Vascular (SBACV). Disponível em: http://www.sbacv.com.br/.
Portal da SBACV, que oferece links para sociedades médicas, centros de pesquisa, educação e treinamento, publicações e outras fontes de informações médicas da área.

Cochrane Vascular. Disponível em: https://vascular.cochrane.org/.
Cochrane Vascular é um dos 52 grupos de revisão em todo o mundo pertencentes à Cochrane. Produz revisões sistemáticas que abrangem todas as intervenções cirúrgicas e médicas para o diagnóstico, prevenção e tratamento de doenças arteriais e venosas periféricas.

Capítulo 41
DOENÇAS VENOSAS DOS MEMBROS INFERIORES

Adamastor Humberto Pereira
Alexandre Araujo Pereira
Renata Rosa De Carvalho

O sistema venoso dos membros inferiores é constituído por três sistemas que funcionam sinergicamente: o sistema venoso profundo, o sistema venoso superficial (presente no tecido subcutâneo) e, interligando-os, o sistema venoso perfurante (ou comunicante).

O sistema venoso profundo apresenta o mesmo nome das artérias que o acompanham e se localiza dentro de compartimentos musculoaponeuróticos. Nos membros inferiores, ele é responsável por 85 a 90% da drenagem sanguínea, ficando o restante (10-15%) a cargo do sistema venoso superficial. Este último é composto pelas seguintes veias: safena magna, safena parva e suas tributárias. As veias perfurantes (chamadas assim porque "perfuram" a aponeurose muscular) variam em quantidade e localização, sendo que as de maior significado clínico localizam-se na face interna da perna, em número de 4 a 10.

Cabe citar também dois componentes de grande importância para o correto funcionamento do sistema venoso: a presença de válvulas nas veias (no ortostatismo, estas se fecham e impedem, em parte, o aumento da pressão hidrostática nos segmentos distais) e a função da musculatura da panturrilha, que propele o sangue presente nos segmentos distais para o átrio direito a cada contração muscular.

A importância do sistema venoso não se restringe apenas ao retorno sanguíneo: em virtude de sua elevada capacitância, possui função de armazenamento e controle do volume sanguíneo, permitindo manter a pressão em níveis normais e, devido à proximidade das veias superficiais com a pele, atua como regulador térmico.

VARIZES

As varizes são veias dilatadas, tortuosas e superficiais que acometem predominantemente os membros inferiores. As varizes dos membros inferiores se constituem em uma doença da civilização ocidental, com mais da metade dos homens e dois terços das mulheres apresentando pelo menos algum grau de varizes identificáveis ao exame físico. Na maioria das vezes (75%), a doença é bilateral, sendo o sistema da safena magna 5 a 6 vezes mais acometido do que o sistema da safena parva. Os fatores de risco descritos são: sexo feminino, idade avançada, obesidade, história familiar, gravidez e permanecer por tempo prolongado em pé, sendo importante questionar sobre situações ocupacionais.[1]

Quanto à etiologia, as varizes são classificadas em primárias ou secundárias. As varizes primárias ou essenciais, que correspondem a mais de 95% dos casos, estão associadas à predisposição familiar, e sua etiologia é determinada pela degeneração da parede venosa que resulta em dilatação e incompetência valvular. As varizes secundárias estão associadas à trombose venosa no passado (síndrome pós-flebítica), à compressão venosa proximal (p. ex., tumor ou fibrose retroperitoneal), a fístulas arteriovenosas congênitas ou adquiridas e a malformações venosas congênitas.

Sinais e sintomas

As varizes podem ser assintomáticas, constituindo-se apenas em problema estético. Quando presentes, os sintomas mais comuns são dor de intensidade leve a moderada, sensação de peso, parestesias, câimbras e fadiga dos membros inferiores, sendo agravados pelo ortostatismo prolongado e aliviados com a elevação dos membros. Esse quadro pode exacerbar-se com calor, ganho de peso, gestação, uso de anticoncepcional oral e no período pré-menstrual. As queixas podem ser desproporcionais ao calibre e à quantidade das varizes.[1]

Ao exame físico, realizado em ortostatismo e em ambiente bem-iluminado, identificam-se, com facilidade, veias dilatadas e tortuosas. Em pacientes obesos ou com edema associado, a visualização das varizes pode ser difícil e, por vezes, essa alteração é evidenciada somente à palpação. Nos pacientes com varizes volumosas, a palpação da região inguinal pode identificar uma dilatação da junção safenofemoral.

As tromboflebites superficiais costumam complicar as veias varicosas após traumatismo local ou até espontaneamente nas grandes varizes de longa evolução. Outros sinais como dermatite ocre, eczemas, lipodermatoesclerose e úlceras podem estar associados em casos com insuficiência venosa grave, sendo descritos adiante.

Diagnóstico

O diagnóstico é clínico e confirmado pelo achado de veias varicosas ≥ 3 mm de diâmetro ao exame físico. A ultrassonografia (US) com Doppler de veias superficiais e profundas é recomendada para complementar a avaliação clínica em pacientes com doença venosa crônica associada.[1]

Tratamento

O tratamento pode variar desde medidas clínicas conservadoras até escleroterapia e cirurgia. Essas modalidades podem ser utilizadas em associação para obtenção de resultados mais satisfatórios.

Elevar intermitentemente os membros inferiores, fazer exercícios aeróbicos, evitar períodos prolongados de ortostatismo e evitar uso de roupas constritivas são medidas que melhoram o retorno venoso e diminuem os sintomas **C/D**.[1]

O uso de meias elásticas de compressão moderada (20-30 mmHg) até o nível do joelho ou da coxa pode ser prescrito para pacientes sintomáticos e deve ser a primeira linha de tratamento para gestantes **C/D**.[1] Quando utilizadas, as meias devem ser colocadas pela manhã, antes de levantar da cama, quando os membros inferiores ainda não estão edemaciados. O controle da obesidade e a hidratação da pele devem ser estimulados. Não se deve recomendar uso de meias elásticas compressivas como primeira linha de tratamento para pacientes com veias varicosas sintomáticas que são candidatos à ablação venosa **B**.[1]

A escleroterapia por meio da injeção de substâncias lesivas ao endotélio está indicada para pacientes com veias varicosas reticulares, telangiectasias e veias safenas incompetentes **A**, sendo efetiva para pacientes sintomáticos e para finalidades estéticas **B**.[1,2] Também pode ser realizada em veias varicosas de origem pélvica, veias varicosas próximo a úlceras de membros inferiores, veias varicosas tributárias, veias perfurantes incompetentes ou malformações venosas **B**. Existe uma extensa gama de agentes esclerosantes, como polidocanol, tetradecilsulfato de sódio e glicose hipertônica a 50 ou 75%.

A cirurgia pode ser indicada por questões estéticas ou sintomáticas, na presença de trajetos varicosos > 3 mm. Ela oferece benefício estético melhor do que a escleroterapia para veias maiores, já que, nesses casos, a escleroterapia pode provocar hiperpigmentação da pele pela tromboflebite química resultante. O índice de complicações é muito baixo, e o procedimento pode ser realizado em nível ambulatorial (ver Leituras Recomendadas, *on-line*).

A cirurgia visa corrigir os pontos de refluxo e extrair os segmentos varicosos. A veia safena magna deve ser preservada sempre que possível, pois pode ser necessária no futuro como enxerto arterial. Assim, a US com Doppler do sistema venoso exerce papel fundamental no planejamento cirúrgico, devendo o examinador demonstrar os pontos de refluxo com clareza. Pacientes com varizes sintomáticas e presença de refluxo evidenciado pelo US com Doppler devem ser atendidos em conjunto com o cirurgião vascular, para que sejam realizados a avaliação e o planejamento cirúrgico.[1]

TROMBOFLEBITE SUPERFICIAL

É um processo secundário à trombose e à inflamação de veias superficiais caracterizado por dor, calor, hiperemia, edema e presença de estrutura palpável semelhante a um cordão endurecido que ocorre geralmente em membros inferiores, mas pode afetar qualquer veia superficial do corpo. Pode ser decorrente da atuação de um agente físico, químico ou biológico sobre a parede venosa. Constitui-se, na maioria das vezes, em complicação das varizes dos membros inferiores.[3] Os fatores de risco associados incluem condições que aumentam a estase sanguínea ou provocam mudanças nas paredes venosas, como presença de veias varicosas, imobilização recente devido a trauma ou cirurgia, gestação, obesidade, infusões intravenosas (IV), trauma, infecções e situações clínicas que cursam com hipercoagulabilidade, como malignidade, uso de contraceptivos orais, deficiência de antitrombina, mutação no fator V de Leiden, deficiência de proteína C ou S, entre outros.

A tromboflebite migratória envolve episódios recorrentes de tromboflebites superficiais e pode ser sintoma de uma síndrome paraneoplásica, mais frequentemente secundária a tumores de pâncreas, pulmão, estômago, colo de útero, endométrio, linfoma, genitourinário excluindo próstata. O diagnóstico é baseado nos achados clínicos, mas recomenda-se realizar US com Doppler venosa na avaliação pois cerca de 18% dos pacientes acometidos têm trombose venosa profunda (TVP) no momento do diagnóstico.[3,4] Em geral, a anamnese e o exame físico detalhados são suficientes para descartar os diagnósticos diferenciais, que incluem celulite, erisipela, eczema de estase e eritema nodoso.

Tratamento

O tratamento da tromboflebite superficial é clínico na maioria das vezes, e, em geral, o quadro segue um curso benigno com remissão dentro de 7 a 10 dias. O objetivo do tratamento é promover alívio dos sintomas e prevenir progressão da tromboflebite superficial para uma TVP. Todos os pacientes devem ser orientados sobre a necessidade de terapia compressiva local e sobre manter-se ativo, evitando repouso prolongado **C/D**.[1,5] A prescrição de anticoagulação ou de anti-inflamatórios depende dos achados da US e da presença de fatores de risco para TVP. Recomenda-se anticoagulação em pacientes com tromboflebite superficial nas seguintes situações **B**:[6,7]

→ presença de pelo menos um fator de risco (sexo masculino, história prévia de TVP, malignidade, ausência de veias varicosas ou insuficiência venosa crônica grave);
→ tromboflebite superficial com extensão ≥ 5 cm; ou
→ tromboflebite superficial localizada a até 3 cm da junção safenofemoral.

As evidências são limitadas para determinar o fármaco de escolha para anticoagulação, assim como dose e tempo de uso.[8] Sugere-se fondaparinux subcutâneo (SC) 2,5 mg/dia, enoxaparina 40 mg/dia ou rivaroxabana 10 mg/dia por 40 a 45 dias **B**.[9–11] Pacientes de baixo risco para progressão para TVP, isto é, sem indicação de anticoagulação, devem fazer uso de anti-inflamatório não esteroide (AINE) por 8 a 12 dias, a menos que haja contraindicação **A**.[7] Não utilizar AINEs em associação com anticoagulantes.[5]

A abordagem cirúrgica não é recomendada de rotina mas pode ser considerada em pacientes com insuficiência venosa crônica associada à tromboflebite em pacientes que persistam sintomáticos por mais de 2 semanas a despeito do tratamento clínico otimizado ou com episódios recorrentes no mesmo segmento venoso.[12] Quando o processo flebítico se localiza próximo à junção safenofemoral (terço médio da coxa ou acima) ou safenopoplítea (terço proximal da perna), pode-se realizar ligadura cirúrgica para evitar a propagação do processo para o sistema venoso profundo. Pacientes com potencial indicação de cirurgia devem ser encaminhados para o cirurgião vascular.

TROMBOSE VENOSA PROFUNDA

A trombose venosa profunda (TVP) é uma doença frequente em pacientes clínicos e cirúrgicos e caracteriza-se pela oclusão total ou parcial de uma ou mais veias do sistema venoso profundo por trombos. Em 80% dos casos, o processo origina-se em veias musculares da panturrilha. Destes, 25% podem propagar-se para as veias poplítea e femoral.

A etiopatogenia da TVP está relacionada com estase venosa, lesão endotelial e hipercoagulabilidade (tríade de Virchow). Assim, todas as situações clínicas em que ocorrem uma ou mais dessas alterações constituem fatores de risco para trombose (TABELA 41.1).

Os principais fatores de risco para tromboembolismo venoso (TEV) são: TEV prévio, trombofilia, cirurgia ou internação recente, gestação, puerpério, imobilização, trauma, malignidade, sepse, presença de acesso venoso central, doenças inflamatórias/autoimunes, medicamentos (contraceptivos hormonais, terapia hormonal, antipsicóticos, fibratos), viagens prolongadas (voos de avião > 6-8 horas e qualquer viagem > 4 horas), história familiar positiva para TEV e obesidade.[13]

A principal complicação da TVP é a embolia pulmonar, enquanto a sequela mais importante, em médio e longo prazo, é a insuficiência venosa. A ocorrência desta é de 70 a 95% em 10 anos nas tromboses iliacofemorais e em torno de 20% nas tromboses que acometem as veias da panturrilha.

Sinais e sintomas

O paciente costuma queixar-se de dor, principalmente na panturrilha, e "inchaço" da perna. Os sinais mais frequentes são edema, aumento da temperatura do membro, empastamento e hipersensibilidade à compressão da panturrilha ou à dorsiflexão do pé. Outros menos comuns são turgência venosa cutânea, cianose, hipertermia e taquicardia. As tromboses que acometem o segmento iliacofemoral provocam as manifestações mais intensas. Há sempre a necessidade de considerar outros processos como artropatia, neuropatia, tendinite, cisto de Baker, celulite, linfangite, arteriopatia e tromboflebite superficial durante a história e o exame físico.

Exames diagnósticos

Nenhuma manifestação clínica é suficientemente sensível ou específica para o diagnóstico de TVP. No entanto, um escore composto por diversos elementos diagnósticos permite razoável classificação do risco do paciente (TABELA 41.2).[14] Devido à alta frequência de casos de diagnóstico incerto após o exame clínico e ao custo e à morbidade associados ao tratamento, os exames complementares exercem papel fundamental. A FIGURA 41.1 apresenta o algoritmo que deve ser seguido para diagnóstico.[15]

TABELA 41.1 → Fatores de risco para trombose venosa profunda (TVP)

RISCO MUITO ALTO
→ História prévia de TVP ou embolia pulmonar
→ Coagulopatias sanguíneas congênitas ou adquiridas
→ Neoplasia maligna
RISCO ALTO
→ Paraplegia ou tetraplegia
→ Presença de cateter intravenoso
→ Cirurgia, principalmente ortopédica e pélvica
RISCO MODERADO
→ Trauma, principalmente fratura
→ Quimioterapia
→ Viagem aérea prolongada
→ Imobilidade prolongada
→ Queimaduras
→ Doença cardíaca
→ Síndrome nefrótica
→ Varizes
RISCO BAIXO
→ Idade > 40 anos
→ Obesidade
→ Uso de estrogênio
→ Doença inflamatória intestinal
→ Tabagismo

Fonte: Rogers e colaboradores[23] e Panucci e colaboradores.[24]

TABELA 41.2 → Risco de trombose venosa profunda (TVP) com base na anamnese e no exame físico

ELEMENTOS CLÍNICOS	ESCORE
Câncer ativo (tratamento em andamento ou nos últimos 6 meses ou paliativo)	1
Paralisia, paresia ou recente imobilização em gesso de membro inferior	1
Recentemente restrito ao leito por mais de 3 dias por cirurgia maior nas últimas 4 semanas	1
Dor localizada sobre a região onde se localizaria o sistema venoso profundo	1
Edema de todo o membro inferior	1
Aumento do diâmetro da panturrilha (> 3 cm em comparação com a outra, medido 10 cm abaixo da tuberosidade da tíbia)*	1
Edema depressível (cacifo) maior na perna sintomática	1
Veias colaterais superficiais (não varicosas)	1
Diagnóstico alternativo de mesma ou maior probabilidade que TVP	−2

Graus de risco
→ Alto: escore ≥ 3
→ Moderado: escore 1 ou 2
→ Baixo: escore ≤ 0

Probabilidade pré-teste para pacientes de:
→ Alto risco: 49%
→ Risco moderado: 14%
→ Baixo risco: 3%

*Com sintomas em ambas as pernas, usa-se a mais sintomática.
Fonte: Anderson e colaboradores.[14]

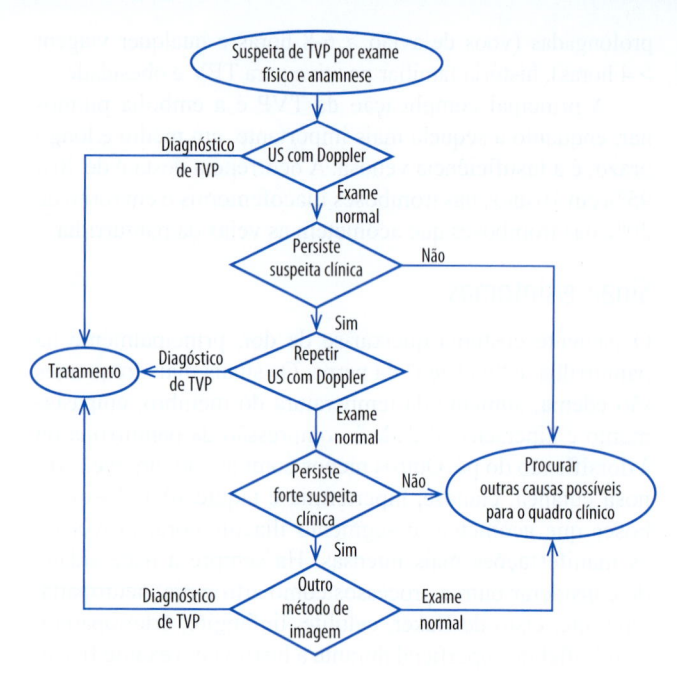

FIGURA 41.1 → Algoritmo do diagnóstico de trombose venosa profunda (TVP). US, ultrassonografia.
Fonte: Adaptada de Brito.[15]

A flebografia ascendente contrastada é o padrão-ouro para o diagnóstico, mas é um exame caro, com risco de alergia pelo contraste e até mesmo trombose venosa induzida pelo contraste iodado. A US com Doppler venosa, por sua alta sensibilidade (95%) e especificidade (95%), facilidade de execução, morbidade nula e baixo custo, tornou-se o exame de primeira escolha e indispensável para o diagnóstico de certeza. Um teste negativo de D-dímero quantitativo em pacientes com risco baixo ou moderado pelo escore elimina a necessidade de investigação adicional.

Tratamento

O objetivo do tratamento para TVP é prevenir a recorrência e o desenvolvimento de complicações, como tromboembolismo pulmonar e síndrome pós-trombótica. O manejo inicial consiste em anticoagulante precoce e deve-se recomendar deambulação precoce, evitando o repouso absoluto **B**.[6] O uso rotineiro de meias compressivas para prevenir síndrome pós-trombótica em pacientes com TVP agudo é controverso, com metanálises mostrando alto grau de heterogeneidade, e alguns ensaios relatando benefícios clinicamente relevantes; outros relatam ausência de efeito. Entretanto, o uso de compressão elástica pode reduzir o edema em pacientes com TVP proximal **C/D**.[1] A anticoagulação reduz a incidência de embolia pulmonar fatal e diminui a progressão da trombose, minimizando as alterações secundárias no membro afetado. Quando a confirmação do diagnóstico não é imediata, o tratamento deve ser mantido até o esclarecimento da dúvida.

A heparina não fracionada (HNF) IV na dose de 24.000 a 36.000 UI/dia é o tratamento tradicional inicial de tromboses extensas, exigindo internação hospitalar. Uma alternativa é a heparina de baixo peso molecular (HBPM), que é pelo menos tão eficaz quanto a HNF no tratamento da TVP **A**. Embora a HBPM seja de maior custo, tem a vantagem de não exigir monitorização laboratorial e pode ser administrada pela via SC. Quando o tratamento pode ser realizado no domicílio, a efetividade é semelhante, além de os custos serem inferiores ao do tratamento no hospital **C/D**.[1]

Assim, alguns pacientes poderiam ser tratados com HBPM em nível domiciliar, sem que, com isso, ocorra aumento na incidência de eventos tromboembólicos ou sangramento. Contudo, essa estratégia é restrita a pacientes em bom estado geral, sem comorbidades significativas e com condições financeiras de arcar com os altos custos do fármaco. A **TABELA 41.3**[16] mostra o comparativo entre as duas heparinas no que se refere a doses, via de administração, biodisponibilidade, meia-vida e exames de controle.

Cerca de 24 a 48 horas após o início da heparina, deve-se começar a anticoagulação oral com cumarínicos, objetivando razão normalizada internacional (INR, do inglês *international normalized ratio*) entre 2 e 3 **B**,[6] com inibidores da vitamina K ou com inibidores do fator Xa, como rivaroxabana, apixabana, betrixabana e dabigatrana, que possuem eficácia similar aos antagonistas da vitamina K com a vantagem de menor risco de sangramento **B**.[17] (Ver Capítulo Manejo Ambulatorial do Paciente Anticoagulado.) A rivaroxabana (15 mg, 2 ×/dia, por 3 semanas, e 20 mg, 1 ×/dia, por 3 meses) é o primeiro inibidor do fator Xa liberado para uso clínico pela Food and Drug Administration (FDA) como monoterapia por via oral para o tratamento da TVP. Os anticoagulantes orais diretos (rivaroxabana, apixabana e dabigatrana) apresentam custo semelhante ou menor que a HBPM, sendo possível o tratamento ambulatorial sem necessidade de monitorização da INR, e apresentam menor risco de sangramento. O tratamento prolongado com os novos anticoagulantes orais já foi estudado e mostrou-se

TABELA 41.3 → Comparação entre heparina não fracionada e heparina de baixo peso molecular no tratamento da trombose venosa profunda

	HEPARINA NÃO FRACIONADA	HEPARINA DE BAIXO PESO MOLECULAR
Dose utilizada	24.000-36.000 UI (dose IV diária por, no mínimo, 5 dias) Corresponde a 18 UI/kg/h	1 mg/kg, SC, 2 ×/dia por, no mínimo, 5 dias
Local de administração	SC ou IV	SC
Biodisponibilidade	SC: 10-30% em baixas doses; 90% em altas doses IV: 100%	> 90%
Meia-vida	SC: 1,5 hora IV: 30 minutos	4 horas
Monitorização laboratorial	Deve ser realizada	Não é necessária
Efeitos colaterais	Complicações hemorrágicas e trombocitopenia são os principais	Menor tendência hemorrágica e incidência menos frequente de trombocitopenia
Associação a proteínas	Proteínas do plasma e endotélio	Reduzida em relação à heparina não fracionada

IV, intravenoso; SC, subcutâneo.
Fonte: Adaptada de Holbrook e colaboradores.[16]

superior ao placebo na prevenção de novos eventos trombóticos em grupos específicos de pacientes. Em pacientes com síndrome do anticorpo antifosfolipídeo, doença renal crônica grave, doença hepática grave ou gestantes, o uso dos anticoagulantes orais diretos não é recomendado.

O período de manutenção do tratamento é variável, sendo recomendada a anticoagulação por 3 meses, no caso de pacientes com fatores de risco facilmente reversíveis, como uso de estrogênios ou imobilização transitória, ou 6 meses, para pacientes que, por exemplo, sofrerão imobilização prolongada. Pacientes com eventos recorrentes, coagulopatias ou câncer devem receber tratamento mais prolongado.

Existem estudos com resultados conflitantes sobre o uso dos fibrinolíticos no tratamento para TVP, sendo sua indicação bastante individualizada e restrita a uso hospitalar.[18] As indicações ficam reservadas a pacientes com TVP maciça recente (< 2-4 semanas) em bom estado geral e que não apresentam maior risco com o uso de um fibrinolítico, que é introduzido diretamente no trombo por meio de cateteres multiperfurados no sistema venoso.[12]

Outras medidas profiláticas não farmacológicas também podem ser associadas no tratamento da TVP, como elevação dos membros, deambulação, mobilização ativa e passiva das extremidades, meias de compressão graduada e compressão pneumática intermitente.

INSUFICIÊNCIA VENOSA CRÔNICA

A insuficiência venosa crônica é uma síndrome provocada pela hipertensão venosa crônica como resultado de alterações estruturais e funcionais das veias dos membros inferiores. Sua prevalência na população adulta ocidental varia de 25 a 33% nas mulheres e 10 a 20% nos homens, aumentando com a idade.

A insuficiência venosa crônica está associada à doença valvular primária ou secundária, à obstrução venosa ou à combinação das duas. A síndrome pós-flebítica é a insuficiência secundária a um episódio prévio de TVP.

Manifestações clínicas

Além dos sinais e sintomas da presença de varizes, os pacientes com insuficiência venosa crônica apresentam um ou mais dos seguintes sinais: edema, hiperpigmentação da pele, lipodermatoesclerose, eczema ou úlcera venosa.

O edema, também conhecido por flebedema, é depressível e atinge a região perimaleolar inicialmente. Nas formas mais avançadas, atinge o pé e a perna, cedendo somente com repouso prolongado. A TABELA 41.4 distingue o flebedema do linfedema (insuficiência linfática, muitas vezes secundária à linfangite), do edema ortostático (por doenças sistêmicas que resultam em retenção de líquidos) e do lipedema (lipodistrofia por acúmulo de gordura no tornozelo) (ver também Capítulo Avaliação do Edema em Membros Inferiores).

O eczema de estase ocorre próximo ao maléolo interno, apresentando-se como uma área de hiperemia com pele ressecada e pruriginosa. A hiperpigmentação ou dermatite ocre (pele escurecida em decorrência do extravasamento de hemácias que são degradadas em hemossiderina) se dá nas áreas sujeitas à hipertensão venosa prolongada, ou seja, a região maleolar e o terço distal da perna.

A lipodermatoesclerose, isto é, a presença de fibrose e atrofia do tecido subcutâneo e da pele, está sempre associada, em maior ou menor grau, à dermatite ocre. A úlcera corresponde à evolução máxima da hipertensão venosa, localizada em torno do maléolo medial, com evolução progressiva que pode comprometer toda a circunferência da perna. A úlcera venosa é pouco dolorosa, rasa e com fundo formado por tecido de granulação. A TABELA 41.5 apresenta o diagnóstico diferencial entre os diversos tipos de úlceras dos membros inferiores. O paciente com lesões tróficas,

TABELA 41.4 → Diagnóstico diferencial do edema de membros inferiores

ACHADOS	FLEBEDEMA	LINFEDEMA	EDEMA ORTOSTÁTICO	LIPEDEMA
Espessamento da pele	Ocasional	Marcado	Não	Não
Ulceração	Comum	Rara	Não	Não
Pigmentação	Sim	Não	Não	Não
Bilateralidade	Ocasional	Frequente	Sempre	Sempre
Cacifo	Sim	Ocasional	Sim	Mínimo
Envolvimento do pé e da perna	Sim	Sim	Sim	Não

TABELA 41.5 → Diagnóstico diferencial das úlceras de membros inferiores

TIPO	CAUSA	LOCALIZAÇÃO	DOR	QUANTIDADE	OUTROS DADOS
Isquêmica	Arteriosclerose obliterante, tromboangeíte, oclusão arterial aguda	Dedos do pé, pé, calcâneo, terço distal da perna	Intensa	Única	Bordas irregulares com base pálida
Venosa	Estase venosa, fístulas arteriovenosas, malformações vasculares	Perimaleolar e medial	Leve	Única	Bordas irregulares, base com granulação, pigmentação
Isquêmica focal	Angeítes sistêmicas, microembolismo, Raynaud	Terço médio da perna e dedos do pé	Moderada a intensa	Várias	Inicia com infartos únicos ou múltiplos da pele
Hipertensiva	Hipertensão arterial sistêmica	Perna distal posterolateral	Extremamente intensa	Única e grande com satélites	Inicia com infartos, progride com áreas purpúricas
Neurotrófica	Neuropatia e trauma repetido	Sob calos plantares e proeminências ósseas	Ausente	Única	Indolente, profunda e infectada
Hematológica	Anemia falciforme, talassemia, esferocitose	Tornozelo e pé	Ausente a leve	Única recorrente	Pode ocorrer em áreas de pigmentação, anemia crônica

sobretudo com ulcerações crônicas, pode desenvolver processos de linfangite secundária à entrada de bactérias no tecido subcutâneo, gerando sequelas que pioram o quadro.

A palpação dos pulsos periféricos deve ser parte rotineira do exame em caso de úlcera, na tentativa de identificar uma lesão arterial associada. Além disso, o médico de atenção primária à saúde (APS), devidamente treinado, pode realizar a medida do índice tornozelo-braquial (ITB; ver Capítulo Doenças do Sistema Arterial Periférico).

Em casos de pacientes com úlcera em membros inferiores, por exemplo, o ITB < 0,9 indica que existe componente de insuficiência arterial influenciando o desenvolvimento da úlcera. Em caso de ITB < 0,7 e se não há qualquer anormalidade venosa, deve-se pensar que a insuficiência arterial é a única causa da úlcera. Em muitos casos, porém, mesmo com ITB abaixo do valor normal, a doença venosa pode ser a causa principal de uma úlcera, sendo difícil determinar qual fator está desempenhando o papel principal na patogenia da úlcera.

Para pacientes com insuficiência venosa crônica, sugere-se utilizar a classificação CEAP (sinais **c**línicos, **e**tiologia, **a**natomia, fisiopatologia [***p**athophysiology*]) **(TABELA 41.6)**[19] para realizar a avaliação do estágio clínico da doença. Para a definição da conduta inicial, o parâmetro mais amplamente utilizado será correspondente à clínica. A avaliação clínica deve ser complementada por US com Doppler venosa, sempre que possível.

Tratamento

O tratamento da insuficiência venosa crônica depende da sua gravidade, do tempo de evolução e da etiologia. A terapia de compressão venosa, por meio de meias elásticas de moderada compressão (20-30 mmHg), é considerada o manejo conservador padrão para pacientes com insuficiência venosa crônica sintomática (CEAP C3-C6).[20] A terapia de compressão é efetiva para alívio dos sintomas mas é incapaz de corrigir a causa do refluxo, por isso deve-se sempre oferecer tratamento definitivo cirúrgico para pacientes com refluxo venoso comprovado, exceto se houver contraindicação ou recusa do paciente ao procedimento **A**. Não se devem prescrever meias elásticas para insuficiência venosa crônica como pré-requisito para tratamentos definitivos **A**.

TABELA 41.6 → Estágios de insuficiência venosa crônica conforme suas manifestações clínicas, de acordo com a classificação CEAP

CLASSIFICAÇÃO	MANIFESTAÇÕES CLÍNICAS (C)
C0	Ausência de sinais visíveis ou palpáveis de doença venosa
C1	Presença de telangiectasias e/ou veias reticulares
C2	Presença de veias varicosas
C3	Presença de edema
C4	Presença de alterações cutâneas (hiperpigmentação, eczema e lipodermatoesclerose)
C5	Presença de úlcera venosa cicatrizada
C6	Presença de úlcera venosa ativa

CEAP, sinais **c**línicos, **e**tiologia, **a**natomia, fisiopatologia (***p**athophysiology*).
Fonte: Rio de Janeiro.[19]

Não se recomenda a prescrição rotineira de medicamentos venoativos para insuficiência venosa crônica pois há informação limitada sobre seu uso. Possivelmente, existe leve benefício na prescrição de fármacos venoativos, como diosmina e hesperidina, quando associados à compressão elástica **C/D**.[1]

O eczema de estase é tratado com o uso de compressas com solução de Thiersch diluída a 50% ou permanganato de potássio 1:15.000, por 1 hora, 3 ×/dia, seguidos de aplicação de creme com hidrocortisona a 0,5% se as lesões forem exsudativas. Se não houver exsudação, utiliza-se apenas o creme com hidrocortisona a 0,5% após higiene local por 7 a 10 dias **C/D** (ver Capítulo Eczemas e Reações Cutâneas Medicamentosas).

Os antifúngicos tópicos, como o clotrimazol a 1% ou o miconazol a 2%, devem ser utilizados na presença de micose interdigital como porta de entrada para infecções (ver Capítulo Micoses Superficiais). Além disso, os pacientes com alterações tróficas também devem receber orientação para o uso de terapias compressivas.

O paciente com úlcera venosa é tratado com repouso e elevação do membro, como descrito antes. Deve-se lavar a úlcera com água ou soro fisiológico e secá-la. O uso de meias elásticas é recomendado, uma vez que a compressão mecânica acelera a melhora das úlceras **C/D**,[21] desde que elas sejam devidamente protegidas com curativo. Nos pacientes com edema exacerbado do membro, é possível utilizar ataduras elásticas. Estas têm o mesmo princípio de funcionamento das meias elásticas, porém são mais fáceis de colocar.

Outro recurso, nos casos de úlceras refratárias, e desde que o paciente compareça às revisões ambulatoriais necessárias, é a utilização de bandagens compressivas inelásticas. A mais conhecida é a bota de Unna (ver Leituras Recomendadas), que consiste em uma pasta composta por óxido de zinco, loção de calamina e glicerina, envolta em uma atadura de gaze.

Para a sua colocação, a perna deve ficar elevada durante toda a noite anterior e o tecido necrótico deve ser previamente debridado. A bota é aplicada diretamente sobre a pele, estendendo-se da articulação metatarsofalângica até um pouco abaixo do joelho. O tempo de existência da úlcera e seu tamanho permitem estimar a probabilidade de que ela cicatrize com o uso da bota de Unna. Um estudo de validação diagnóstica conduzido em centro de referência mostrou que apenas 37% das úlceras com duração > 6 meses e área > 5 cm^2 cicatrizaram com a bota versus 73% com somente uma dessas duas características, e 95% com nenhuma delas.[21] A permanência da bota varia de 1 a 2 semanas, até a próxima troca. Nesse ínterim, o paciente deve ser incentivado a deambular tanto quanto possível. Na suspeita de arteriopatia periférica ou infecção local, está contraindicada a aplicação da bota de Unna.

Os pacientes que não apresentam comprometimento do sistema venoso profundo (ou este apresenta mínimas alterações de sequelas de trombose) e com US com Doppler identificando refluxo significativo na veia safena magna devem ser tratados com cirurgia (ligadura ou ressecção da veia safena), ablação intravenosa com *laser* ou radiofrequência, ou escleroterapia ambulatorial com espuma de polidocanol a 1 a 3%. Nessas situações, a cirurgia se associa a um alto índice de cura da úlcera. Em alguns casos, as úlceras alcançam um tamanho expressivo, e é necessário o enxerto de pele no local.[1,22]

Na vigência da síndrome pós-flebítica ou incompetência valvular profunda primária, a terapêutica conservadora leva, em geral, a uma regressão da sintomatologia durante o seu emprego. Os casos leves podem necessitar apenas de medidas para aumentar o retorno venoso, como uso de meias elásticas, elevação intermitente dos membros e hidratação da pele. A avaliação conjunta com o cirurgião vascular ajuda a definir a melhor conduta nesses casos.

Nas situações em que não houver melhora com a terapêutica conservadora, o paciente deve ser encaminhado para avaliação com cirurgião vascular, com vistas ao procedimento cirúrgico. Nos pacientes em que a causa são varizes primárias, o tratamento é cirúrgico.

REFERÊNCIAS

1. Gloviczki P, Comerota AJ, Dalsing MC, Eklof BG, Gillespie DL, Gloviczki ML, et al. The care of patients with varicose veins and associated chronic venous diseases: clinical practice guidelines of the Society for Vascular Surgery and the American Venous Forum. J Vasc Surg. 2011;53(5 Suppl):2S-48S.
2. Rabe E, Breu FX, Cavezzi A, Coleridge Smith P, Frullini A, Gillet JL, et al. European guidelines for sclerotherapy in chronic venous disorders. Phlebology. 2014;29(6):338–54.
3. Kalodiki E, Stvrtinova V, Allegra C, Andreozzi G, Antignani P-L, Avram R, et al. Superficial vein thrombosis: a consensus statement. Int Angiol. 2012;31(3):203–16.
4. Di Minno MND, Ambrosino P, Ambrosini F, Tremoli E, Di Minno G, Dentali F. Prevalence of deep vein thrombosis and pulmonary embolism in patients with superficial vein thrombosis: a systematic review and meta-analysis. J Thromb Haemost. 2016;14(5):964–72.
5. Di Nisio M, Wichers IM, Middeldorp S. Treatment for superficial thrombophlebitis of the leg. Cochrane Database Syst Rev. 2018 25;2(2):CD004982.
6. Guyatt GH, Norris SL, Schulman S, Hirsh J, Eckman MH, Akl EA, et al. Methodology for the development of antithrombotic therapy and prevention of thrombosis guidelines: Antithrombotic Therapy and Prevention of Thrombosis, 9th ed: American College of Chest Physicians Evidence-Based Clinical Practice Guidelines. Chest. 2012;141(2 Suppl):53S-70S.
7. Tait C, Baglin T, Watson H, Laffan M, Makris M, Perry D, et al. Guidelines on the investigation and management of venous thrombosis at unusual sites. Br J Haematol. 2012;159(1):28–38.
8. Duffett L, Kearon C, Rodger M, Carrier M. Treatment of superficial vein thrombosis: a systematic review and meta-analysis. Thromb Haemost. 2019;119(3):479–89.
9. Leizorovicz A, Becker F, Buchmüller A, Quéré I, Prandoni P, Decousus H, et al. Clinical relevance of symptomatic superficial-vein thrombosis extension: lessons from the CALISTO study. Blood. 2013;122(10):1724–9.
10. Superficial Thrombophlebitis Treated By Enoxaparin Study Group. A pilot randomized double-blind comparison of a low-molecular-weight heparin, a nonsteroidal anti-inflammatory agent, and placebo in the treatment of superficial vein thrombosis. Arch Intern Med. 2003;163(14):1657–63.
11. Cosmi B, Filippini M, Tonti D, Avruscio G, Ghirarduzzi A, Bucherini E, et al. A randomized double-blind study of low-molecular-weight heparin (parnaparin) for superficial vein thrombosis: STEFLUX (Superficial ThromboEmbolism and Fluxum). J Thromb Haemost. 2012;10(6):1026–35.
12. Kearon C, Akl EA, Comerota AJ, Prandoni P, Bounameaux H, Goldhaber SZ, et al. Antithrombotic therapy for VTE disease: antithrombotic therapy and prevention of thrombosis, 9th ed: American College of Chest Physicians Evidence-Based Clinical Practice Guidelines. Chest. 2012;141(2 Suppl):e419S-96S.
13. Heit JA, Spencer FA, White RH. The epidemiology of venous thromboembolism. J Thromb Thrombolysis. 2016;41(1):3–14.
14. Anderson DR, Wells PS, Stiell I, MacLeod B, Simms M, Gray L, et al. Thrombosis in the emergency department: use of a clinical diagnosis model to safely avoid the need for urgent radiological investigation. Arch Intern Med. 1999;159(5):477–82.
15. Brito CJ, Murilo R, Loureiro E, Fonseca Filho VL, Merlo I. Cirurgia vascular: cirurgia endovascular, angiologia. 4. ed. Rio de Janeiro: Thieme Revinter; 2019. v. 1.
16. Holbrook A, Schulman S, Witt DM, Vandvik PO, Fish J, Kovacs MJ, et al. Evidence-based management of anticoagulant therapy: Antithrombotic Therapy and Prevention of Thrombosis, 9th ed: American College of Chest Physicians Evidence-Based Clinical Practice Guidelines. Chest. 2012;141(2 Suppl):e152S-184S.
17. Robertson L, Kesteven P, McCaslin JE. Oral direct thrombin inhibitors or oral factor Xa inhibitors for the treatment of deep vein thrombosis. Cochrane Database Syst Rev. 2015;(6):CD010956.
18. Vedantham S, Goldhaber SZ, Julian JA, Kahn SR, Jaff MR, Cohen DJ, et al. Pharmacomechanical catheter-directed thrombolysis for deep-vein thrombosis. N Engl J Med. 2017;377(23):2240–52.
19. Rio de Janeiro. Secretaria Municipal de Saúde, Subsecretaria de Promoção, Atenção primária e vigilância à Saúde, Superintendência de Atenção Primária. Guia de referência rápida insuficiência venosa crônica de membros inferiores. Guia de boas práticas e qualidade no manejo clínico da atenção primária à saúde – versão preliminar. Rio de Janeiro: SMSRJ; 2019.
20. Sachdeva A, Dalton M, Amaragiri SV, Lees T. Graduated compression stockings for prevention of deep vein thrombosis. Cochrane Database Syst Rev. 2014;(12):CD001484.
21. O'Meara S, Cullum N, Nelson EA, Dumville JC. Compression for venous leg ulcers. Cochrane Database Syst Rev. 2012;11(11):CD000265.
22. Brittenden J, Cotton SC, Elders A, Tassie E, Scotland G, Ramsay CR, et al. Clinical effectiveness and cost-effectiveness of foam sclerotherapy, endovenous laser ablation and surgery for varicose veins: results from the Comparison of LAser, Surgery and foam Sclerotherapy (CLASS) randomised controlled trial. Health Technol Assess. 2015;19(27):1–342.
23. Rogers Jr SO, Kilaru RK, Hosokawa P, Henderson WG, Zinner MJ, Khuri SF. Multivariable predictors of postoperative venous thromboembolic events after general and vascular surgery: results from the patient safety in surgery study. J Am Coll Surg. 2007;204(6):1211-21.
24. Pannucci CJ, Bailey SH, Dreszer G, Fisher Wachtman C, Zumsteg JW, et al. Validation of the Caprini risk assessment model in plastic and reconstructive surgery patients. J Am Coll Surg. 2011;212(1):105-12.

LEITURAS RECOMENDADAS

Maffei FHA, Lastória S, Yoshida WB, Rollo HA. Doenças vasculares periféricas. 4. ed. Rio de Janeiro: Guanabara-Koogan; 2008.
Livro-texto abordando principais temas em cirurgia vascular.

Nectoux JL, Pereira AH, Wender OCB, Costa LFM, Maguilnik I. Doenças vasculares periféricas. Rio de Janeiro: Revinter; 1994.
Indicado para consulta sobre métodos diagnósticos nas doenças vasculares periféricas.

Pereira AH. Manual de cirurgia vascular. Rio de Janeiro: Revinter; 1998.
Manual com as rotinas do Serviço de Cirurgia Vascular do Hospital de Clínicas de Porto Alegre.

American Venous Forum (AVF). Disponível em: http://www.veinforum.org/.
Atualizações e discussões de casos clínicos sobre doenças venosas.

Sociedade Brasileira de Angiologia e de Cirurgia Vascular (SBACV). Disponível em: http://www.sbacv.com.br/.
Portal da SBACV, oferecendo links para sociedades médicas, centros de pesquisa, educação e treinamento, publicações e outras fontes de informações médicas da área.

Vascular Web. Disponível em: http://www.vascularweb.org/Pages/default.aspx.
Portal organizado pelas mais importantes sociedades mundiais de cirurgia vascular, com acesso aos principais periódicos e discussões de casos clínicos.

Capítulo 42
MANEJO AMBULATORIAL DO PACIENTE ANTICOAGULADO

Marcelo Basso Gazzana

Na prática ambulatorial, é frequente o acompanhamento de pacientes portadores de doenças tromboembólicas e suas condições predisponentes. Muitos doentes que são hospitalizados por eventos tromboembólicos necessitam de manutenção da terapia anticoagulante em longo prazo, ou mesmo por tempo indeterminado. Entre esses eventos, destacam-se o tromboembolismo venoso (TEV; engloba trombose venosa profunda e/ou tromboembolismo pulmonar [TEP]), a fibrilação atrial (FA), as valvopatias e o respectivo uso de próteses cardíacas, a cardiopatia isquêmica, a insuficiência cardíaca, a doença cerebrovascular e a doença arterial periférica. Eventualmente, há necessidade de manejar pacientes na fase aguda de um evento tromboembólico e/ou complicações de sua terapêutica.

O conhecimento dessas indicações de anticoagulação e a habilidade de prescrever e orientar os ajustes necessários são itens cada vez mais frequentes para a boa prática da medicina ambulatorial.

FUNDAMENTOS PARA O USO DE ANTICOAGULANTES

No século XIX, Virchow reconheceu os três pré-requisitos para a trombogênese: fluxo sanguíneo anormal, alterações na parede vascular e anormalidades nos constituintes do sangue. Esse conceito tem sido ampliado pelo conhecimento moderno da função endotelial, das características do fluxo sanguíneo, dos fatores hemorreológicos, dos fatores de coagulação e da fisiologia plaquetária.

O trombo consiste em plaquetas e fibrina (e, com frequência, hemácias circulantes aprisionadas), sendo que a terapia antitrombótica deve ser direcionada para ambos os componentes. Fundamentalmente, os anticoagulantes são um braço desse armamentário, complementados pelos antiplaquetários e pelos trombolíticos.[1–3]

Diversos fármacos estão disponíveis para realizar anticoagulação em nível ambulatorial. Na **TABELA 42.1**, são apresentados os medicamentos orais comercializados no Brasil.

Por muitos anos, os antagonistas da vitamina K (AVKs), também chamados de cumarínicos, foram o tratamento anticoagulante preferencial por sua disponibilidade por via

TABELA 42.1 → Anticoagulantes orais disponíveis para uso em nível ambulatorial*

CLASSE	FÁRMACO	APRESENTAÇÃO	DOSE PARA PROFILAXIA DE EMBOLIA ARTERIAL NA FA	DOSE PARA TRATAMENTO DO TEV	DOSE PARA PROFILAXIA DO TEV§
AVK†	Varfarina	Varfarina genérica Comprimidos de 2,5, 5 e 7,5 mg	2,5-10 mg – após ajuste para INR-alvo de 2,5 (2-3)	2,5-10 mg – após ajuste para INR-alvo de 2,5 (2-3)	Raramente utilizado para esta indicação
Inibidor direto da trombina	Dabigatrana	Comprimidos de 75, 110 e 150 mg	150 mg, de 12/12 horas	Heparina pelo menos 5 dias e, então, 150 mg, de 12/12 horas	110 mg no 1º dia e, então, 220 mg, de 24/24 horas
Inibidores diretos do fator Xa	Apixabana	Comprimidos de 2,5 e 5 mg	5 mg, de 12/12 horas	10 mg, de 12/12 horas, por 7 dias; após, 5 mg, de 12/12 horas‡	2,5 mg, de 12/12 horas
	Edoxabana	Comprimidos de 15, 30 e 60 mg	60 mg, de 24/24 horas	Heparina pelo menos 5 dias e, então, 60 mg, de 24/24 horas	30 mg, de 24/24 horas¶
	Rivaroxabana	Comprimidos de 10, 15 e 20 mg	20 mg, de 24/24 horas	15 mg, de 12/12 horas, por 21 dias; após, 20 mg, de 24/24 horas‡	10 mg, de 24/24 horas

*Para mais detalhes e situações específicas, ver texto.
†A femprocumona foi retirada do mercado brasileiro.
‡Apixabana e rivaroxabana não necessitam de uso inicial de heparinas (esquema de monoterapia oral).
§Dose profilática para TEV no contexto de cirurgias ortopédicas de quadril e joelho.
¶A dose profilática da edoxabana ainda não está plenamente definida, havendo estudos que utilizam doses de 5-90 mg, de 24/24 horas. A dose de 30 mg, de 24/24 horas, é a mais comumente utilizada nos estudos.5

AVK, antagonista da vitamina K; FA, fibrilação atrial; INR, razão normalizada internacional; TEV, tromboembolismo venoso.

oral, baixo custo, possibilidade de reversão do efeito, confirmação do efeito terapêutico (pela medida do tempo de protrombina) mesmo em situações especiais (extremos de peso, insuficiência renal avançada, fármacos interferentes) e ampla evidência de benefício em diversas situações. No entanto, por apresentarem múltiplas interações com medicações e com alimentos e exigirem monitoração e ajustes frequentes, tornam esse tratamento bastante trabalhoso. Como escreveram Askey e Cherry, ainda na década de 1950, "O sucesso do uso dos anticoagulantes depende da tríade – médico vigilante, paciente cooperativo e laboratório disponível e acurado".[4]

Convém ressaltar que realizar um acompanhamento inadequado (p. ex., repetir a medida do tempo de protrombina em intervalos muito longos) ou prescrever indicações ou posologias *off-label* pode levar à perda do benefício da terapêutica anticoagulante, fazendo os riscos de sangramento suplantarem os potenciais benefícios.

Nos últimos anos, foram disponibilizados novos anticoagulantes orais, chamados de anticoagulantes orais diretos (ACODs), que incluem os inibidores diretos da trombina e os inibidores diretos do fator Xa. Com menos interações medicamentosas, dosagem fixa e sem necessidade de ajustes de dose frequentes, em adição a diversas evidências de não inferioridade ou mesmo superioridade em relação ao tratamento com a varfarina, têm-se tornado a primeira opção em muitos contextos.[5,6] Seu custo mais elevado e o fato de ainda não serem disponibilizados pelo Sistema Único de Saúde (SUS) (não incorporados pela Comissão Nacional de Incorporação de Tecnologias no SUS [Conitec]) limitam seu uso.[7]

Antes do início da administração de qualquer anticoagulante, é importante obter alguns exames laboratoriais basais: hemograma, plaquetas, tempo de protrombina (TP), tempo de tromboplastina parcial ativada (TTPa), função hepática, função renal e teste de gravidez (se aplicável).

Em casos nos quais seja necessário investigar trombofilias, deve-se atentar para o momento da coleta, tendo em vista as alterações relacionadas ao próprio efeito da trombose aguda e/ou do anticoagulante em si nos testes de coagulação. Entretanto, as avaliações de anticorpos antifosfolipídeos, da mutação do gene da protrombina e da mutação do fator V de Leiden não sofrem essa interferência e podem ser feitas em casos selecionados.

INDICAÇÕES

As **TABELAS 42.2** e **42.3** resumem as principais indicações para o uso de anticoagulantes em nível ambulatorial e os benefícios dos diferentes anticoagulantes.[1,6,8–16]

A decisão de iniciar e/ou manter uma terapia anticoagulante deve ser discutida com o paciente em relação aos seus benefícios e riscos.

TABELA 42.2 → Indicações para uso de anticoagulantes e estimativa do benefício em relação ao placebo

DOENÇA	ESQUEMA UTILIZADO E DURAÇÃO	DESFECHO ESPERADO	NNT
FA	AVK, INR 2-3 Contínuo	Prevenção de tromboembolismo sistêmico em 1 ano	33
Tratamento do TEV	AVK, INR 2-3 6 meses	Prevenção de recorrência de TEV em 3 meses	4,5
AVC isquêmico recorrente na FA	AVK, INR 2-3 Contínuo	Prevenção de recorrência em 1 ano	12,5
Prótese valvar metálica (posição mitral)	AVK, INR 2,5-3,5 Contínuo	Prevenção de tromboembolismo sistêmico em 1 ano	16,6
Prótese valvar biológica	AVK, INR 2-3 3 meses	Prevenção de tromboembolismo sistêmico em 3 meses	20
Cardiopatia valvar (doença valvar mitral com ritmo sinusal)	AVK, INR 2-3 Contínuo	Prevenção de tromboembolismo sistêmico em 1 ano	16,6
Após síndrome coronariana aguda	AVK, INR 2-3 Contínuo	Prevenção de reinfarto em 1 ano	25

AVC, acidente vascular cerebral; AVK, antagonista da vitamina K; FA, fibrilação atrial; INR, razão normalizada internacional; NNT, número necessário para tratar; TEV, tromboembolismo venoso.
Fonte: Adaptada de Guyatt e colaboradores [1] e Schulman.[8]

TABELA 42.3 → Comparação entre anticoagulantes orais diretos e tratamento-padrão em relação a eventos tromboembólicos, sangramentos e recomendação de uso por diretrizes

INDICAÇÃO	RRR DE MORTALIDADE	RRR DE EVENTO TE	RRR DE SANGRAMENTO	RECOMENDAÇÃO DAS DIRETRIZES
Prevenção primária em pacientes com FA não valvular[9,10]*	12%	14%	–	ACODs preferenciais em relação aos AVKs **A**
Prevenção secundária de eventos TEs em pacientes com FA[11,12]*	–	18%	15%	ACODs preferenciais em relação aos AVKs **A**
Tratamento para TEV[13,14]*	–	–	38%	ACODs preferenciais em relação aos AVKs **A**
Tratamento para TEV – fase estendida[13,14]†	61%	81%	–	ACODs preferenciais em relação ao placebo **A**
Tratamento para TEV em pacientes com câncer[15,16]‡	–	38%	–	HBPM, rivaroxabana ou edoxabana preferenciais aos AVKs **A**

*ACOD *versus* AVK.
†ACOD *versus* placebo.
‡ACOD *versus* HBPM.
ACOD, anticoagulante oral direto; AVK, antagonista da vitamina K; FA, fibrilação atrial; HBPM, heparina de baixo peso molecular; RRR, redução relativa do risco; TE, tromboembólico; TEV, tromboembolismo venoso.

Por exemplo, no TEV não provocado, o uso de anticoagulante deve ser feito por pelo menos 3 meses **A**.[14] Além desse período, há redução dos eventos tromboembólicos durante o uso do anticoagulante (à custa de mais sangramento). Entretanto, independentemente do tempo que se fique anticoagulado, o índice de recorrência de trombose é semelhante após a suspensão da terapia anticoagulante, não importando se esta foi utilizada por 3 meses, 6 meses ou 1 ano. A decisão depende do risco de recorrência de tromboembolismo, dividido em baixo (< 3% ao ano), intermediário (3-8% ao ano) e alto (> 8% ao ano) **B**.[14]

O uso de anticoagulantes ambulatorialmente, mesmo em condições agudas, tem sido ampliado. Pacientes com baixo risco de evolução desfavorável podem ser tratados no domicílio a partir do diagnóstico, não havendo diferença em termos de mortalidade, recorrência ou sangramento em relação ao tratamento hospitalar **B**.[17,18] Há potencial indicação de tratamento domiciliar do TEP em pacientes normotensos, normoxêmicos, sem sinais de disfunção ventricular direita (por imagem e/ou biomarcadores), sendo recomendada a utilização de escores de risco (índice de gravidade do tromboembolismo pulmonar [PESI, do inglês *pulmonary embolism severity index*] ou PESI simplificado) e/ou critérios do estudo Hestia para respaldar essa conduta.[19]

Outra indicação que costuma ser esquecida é a manutenção da profilaxia do TEV em nível ambulatorial após a alta hospitalar. O risco do TEV não acaba subitamente após o paciente sair do hospital. No contexto de pacientes cirúrgicos com risco alto de TEV, o uso de profilaxia estendida até 28 a 30 dias reduz significativamente a incidência de eventos (número necessário para tratar [NNT] = 13), não sendo observado aumento no risco de sangramento **B**.[20] Recomenda-se estender a profilaxia até 14 dias após colocação de prótese de joelho, até 30 dias após prótese ou fratura de quadril, e até 21 a 28 dias após cirurgia maior abdominal ou pélvica, sobretudo por neoplasia maligna **B**.[21,22] Recente ensaio clínico randomizado, multicêntrico e duplo-cego demonstrou que, após uso de inicial de rivaroxabana (10 mg/dia) por 5 dias, a administração de ácido acetilsalicílico (81 mg/dia) por 30 dias não foi inferior ao uso nesse período de rivaroxabana (10 mg/dia) em incidência de TEV ou de sangramentos clinicamente significativos **B**.[23] O benefício de profilaxia estendida para pacientes clínicos após alta hospitalar ou mesmo profilaxia primária em pacientes clínicos ambulatoriais ainda é incerto.

CONTRAINDICAÇÕES

A maioria das contraindicações ao uso de anticoagulantes refere-se a situações de risco potencial de complicações, sobretudo hemorrágicas. Em geral, esses contextos foram critérios de exclusão dos ensaios clínicos, e, portanto, em muitos casos, o benefício da intervenção não foi validado nessa situação de maior risco.[1,2,14,24]

Enfim, não há contraindicação absoluta ao uso de anticoagulantes, devendo-se levar em conta a razão risco-benefício individualizada, principalmente em pacientes com situações não rotineiras **C/D**.

A **TABELA 42.4** apresenta as principais contraindicações ao uso de anticoagulantes.

ANTICOAGULANTES ORAIS

Antagonistas da vitamina K (cumarínicos)

Os anticoagulantes orais do grupo dos AVKs (composto 4-hidroxicumarínico) são, há décadas, os fármacos mais prescritos para anticoagulação ambulatorial dos pacientes, estando disponível em nosso meio somente a varfarina.

A varfarina produz seu efeito anticoagulante inibindo o ciclo de conversão da vitamina K.[2,25] É um fármaco com alta biodisponibilidade, que circula ligado a proteínas plasmáticas e tem meia-vida de 36 a 48 horas, o que leva a um tempo médio para estabilização de 10 dias. É metabolizada no fígado pela via do citocromo P450.

TABELA 42.4 → Contextos geralmente não testados nos ensaios clínicos com uso de anticoagulantes (contraindicações relativas)

→ Sangramento ativo*
→ Doença ulcerosa péptica ativa
→ Defeitos conhecidos na coagulação (INR basal > 1,2 ou TTPa > 1,3 vez o controle)
→ Trombocitopenia (< 50.000) ou disfunção plaquetária
→ AVC hemorrágico recente*
→ História de adesão inadequada a terapias
→ Condição social desfavorável
→ Demência ou deficiência cognitiva grave
→ História de quedas (3 dentro do último ano ou lesão por queda recorrente)
→ Consumo excessivo de álcool
→ HAS não controlada (> 180/110 mmHg)
→ Extremos de peso
→ Uso diário de AINE
→ Cirurgia maior ou politraumatismo nos últimos 3 meses
→ Cirurgia maior ou procedimento invasivo planejado
→ Anestesia neuroaxial
→ Endocardite bacteriana
→ Doença intracerebral ativa (p. ex., metástase cerebral confirmada)
→ Anemia grave ou de causa não explicada
→ Insuficiência renal grave (TFG < 30 mL/min/1,73m²)
→ Tumores ulcerados (de qualquer tipo)
→ Neoplasia intracraniana ou intraespinal
→ Alergia conhecida ao anticoagulante
→ Gestação†
→ Trombocitopenia induzida por heparina‡

*Recomenda-se aguardar pelo menos 4-6 semanas para reiniciar a anticoagulação em hemorragias fora do sistema nervoso central. Em hemorragia intracraniana, deve-se esperar mais tempo. Caso haja opção não farmacológica eficaz, esta deve ser instituída nesse período (p. ex., uso de filtro de veia cava em paciente com tromboembolismo pulmonar grave e recorrente). Entretanto, a decisão deve ser individualizada caso a caso, já que essa conduta não foi formalmente testada.
†Gestação é contraindicação somente para os AVKs e os ACODs (ver tópico Situações Especiais).
‡Contraindicação somente ao uso de heparina, seja não fracionada ou de baixo peso molecular.
ACOD, anticoagulante oral direto; AINE, anti-inflamatório não esteroide; AVC, acidente vascular cerebral; AVK, antagonista da vitamina K; HAS, hipertensão arterial sistêmica; INR, razão normalizada internacional; TFG, taxa de filtração glomerular; TTPa, tempo de tromboplastina parcial ativada.
Fonte: Adaptada de Guyatt e colaboradores[1]; Hirsch e colaboradores[2]; Madali e colaboradores[3]; Konstantinides e colaboradores[14] e Anderson e colaboradores.[23]

Monitoração do uso de antagonistas da vitamina K

O TP é o teste mais usado para monitorar a terapia anticoagulante oral.[24] Tromboplastinas de origens distintas diferem em responsividade ao efeito anticoagulante da varfarina, que pode ser avaliada pelo seu índice de sensibilidade internacional (ISI [do inglês, *international sensitivity index*]).[26] Por causa disso, foi desenvolvido um sistema uniforme para avaliar a intensidade de anticoagulação, chamado de razão normalizada internacional (INR [do inglês, *international normalized ratio*]):[26]

$$INR = (TP\ do\ paciente\ /\ TP\ normal\ médio)^{ISI}$$

A presença inadvertida de heparina durante a coleta bem como a positividade para anticoagulante lúpico, como em pacientes com síndrome antifosfolipídeo, podem ser responsáveis por INR erroneamente elevada.

Alvo terapêutico

A segurança e a efetividade do tratamento anticoagulante dependem criticamente da manutenção da INR dentro da faixa terapêutica. Os riscos de hemorragias ou eventos tromboembólicos aumentam de forma expressiva quando a INR está acima ou abaixo do alvo, respectivamente.[27,30] A qualidade da anticoagulação geralmente é medida pelo tempo dentro do alvo terapêutico (TTR [do inglês, *time in therapeutic range*]), sendo que se considera um bom controle quando o TTR está acima de 65 a 70%.[28] Em pacientes em tratamento para TEV, o TTR < 40% (comparado a TTR > 65%) aumentou o risco de eventos tromboembólicos em 180% **C/D**.[29] Além disso, a variabilidade da INR, independentemente de estar na faixa terapêutica, é um fator adicional para predizer efeitos colaterais da varfarina **C/D**.[30]

Na maioria das indicações, a INR-alvo é 2,5 (entre 2-3), como na FA crônica, nas próteses valvares cardíacas metálicas em posição aórtica sem fatores de risco adicional para tromboembolismo e no TEV,[1,10,12,14] **conferindo menor risco absoluto de eventos combinando eventos tromboembólicos e sangramentos (4,3% ao ano).**[31]

Em pacientes com prótese aórtica metálica e fatores de risco adicional para tromboembolismo (FA, tromboembolismo prévio, disfunção ventricular esquerda, hipercoagulabilidade) ou prótese metálica em posição mitral, a INR-alvo é 3 (entre 2,5-3,5) **B**.[32] Pacientes com síndrome antifosfolipídeo, condição rara muitas vezes associada a doenças reumatológicas e que apresenta maior risco de tromboses, podem ter, como objetivo terapêutico, a faixa usual de anticoagulação (INR-alvo de 2,5, entre 2-3) **C/D**.[33]

Administração e acompanhamento

Pode-se iniciar o tratamento com doses de 5 ou 10 mg de varfarina sem que haja diferenças no risco de sangramento ou eventos tromboembólicos **C/D**.[34] Atinge-se a INR-alvo geralmente em 4 ou 5 dias. Em pacientes sensíveis à varfarina ou naqueles em que se espera uma dose de manutenção menor, incluindo os idosos, desnutridos, portadores de doença hepática, hipertireoidismo, diarreia crônica ou insuficiência cardíaca, e naqueles com maior risco de sangramento, pode-se iniciar com doses mais baixas.[34,35-39] Recomenda-se que a varfarina seja ingerida às 18 horas para que o TP seja coletado às 8 horas da manhã do dia seguinte.[3]

Doses de ataque mais altas de varfarina (> 10 mg) podem gerar um estado de hipercoagulabilidade e agravar a doença tromboembólica.[2,36,37]

Se houver necessidade de um rápido efeito anticoagulante (p. ex., em casos de TEV agudo **B**), deve-se iniciar a administração de heparina concomitantemente à varfarina.[2,14,34,36,38] A heparina poderá ser suspensa após 24 horas (ou 2 medidas consecutivas) com a INR na faixa terapêutica, com no mínimo 5 dias de sobreposição.

A INR é dosada diariamente após a 2ª ou 3ª dose de varfarina até que o alvo seja atingido e mantido por 2 dias consecutivos **(TABELA 42.5)**.[39] Em nível ambulatorial, esse é um esquema ainda difícil de ser executado no SUS. Por isso, em geral, pacientes com TEV agudo são hospitalizados, pelo menos nesse período inicial de sobreposição dos AVKs com heparina. No entanto, em áreas que dispõem de estrutura para internação domiciliar, essas intervenções podem ser implementadas, possibilitando a não internação ou a alta precoce para prosseguimento do início da anticoagulação na casa do paciente. Essa estratégia reduziu muito com o advento dos ACODs.[14,19]

Quando a anticoagulação não é urgente, o tratamento pode ser iniciado ambulatorialmente, como na FA crônica em que o risco de ocorrerem eventos tromboembólicos não é alto. Nesse caso, a possibilidade de se criar um ambiente protrombótico é baixa, não havendo, portanto, a necessidade do uso concomitante de heparina. Pode-se iniciar varfarina 5 mg, 1 ×/dia, e dosar a INR no 5º dia **C/D** (FIGURA 42.1).[1,2,34,40]

TABELA 42.5 → Algoritmo para ajuste inicial dos antagonistas da vitamina K em pacientes com tromboembolismo venoso agudo*

DIA	VALOR DA INR	DOSE (mg)
1		5
2		5
3	< 1,5	10
	1,5-1,9	5
	2-3	2,5
	> 3	0
4	< 1,5	10
	1,5-1,9	7,5
	2-3	5
	> 3	0
5	< 2	10
	2-3	5
	> 3	0
6	< 1,5	12,5
	1,5-1,9	10
	2-3	7,5
	> 3	0

*Pelo menos nos primeiros 5 dias, esses pacientes devem receber concomitantemente heparina em dose terapêutica (heparina não fracionada ou heparina de baixo peso molecular).
INR, razão normalizada internacional.
Fonte: Adaptada de Kovacs e colaboradores.[39]

A curva dose-resposta individual da varfarina é muito variável. Na **TABELA 42.6**, é apresentado o esquema para ajuste de dose, após período inicial.[41] Em média, espera-se que com o ajuste de 15% da dose total semanal haja uma alteração na INR de 1. Como consequência, um ajuste de 10% na dose total por semana provavelmente modificará a INR em 0,7 a 0,8. Em geral, a estabilização da dose não ocorrerá antes de 3 semanas do ajuste.[3] Pequenas elevações na INR fora do alvo (p. ex., INR entre 3-3,3 em pacientes com alvo 2,5) ou ocasionais em geral não necessitam de ajuste, sendo recomendada apenas a repetição do exame **C/D**.[42,43]

Quando se alcança a estabilização, pode-se diminuir a frequência dos testes para até 4 semanas.[1,44] [50] Um grupo de pacientes, em geral com idade > 70 anos, sem diabetes e sem insuficiência cardíaca, podem ter INRs muito estáveis (INR 100% do tempo na faixa terapêutica nos 6 meses iniciais), o que pode permitir aumentar esses intervalos para até 8 semanas, embora essa conduta não seja consensual.[45,46] Existe calculadora *on-line*.

TABELA 42.6 → Esquema de ajuste da dose da varfarina em pacientes ambulatoriais com razão normalizada internacional (INR)-alvo entre 2 e 3 (manutenção)*

INR[†]	AJUSTE NA DOSE TOTAL/SEMANA EM mg DE VARFARINA[‡]
≤ 1,5	Aumenta 15% da dose/semana
1,51-1,99	Aumenta 10% da dose/semana
2-3	Não modifica
3,01-4	Diminui 10% da dose/semana
4,01-4,99	Suspende uma dose e reinicia com redução de 10% da dose/semana
5-8,99	Suspende até INR entre 2-3 e reinicia com redução de 15% da dose/semana

*Este esquema não deve ser aplicado para o início da varfarina e nem na primeira semana de uso.
[†]Nesta recomendação, a mensuração da INR deve ser feita no máximo a cada 4 semanas. Quando a INR está fora do alvo (< 2 ou > 3), a medida da INR deve ser feita pelo menos semanalmente até o ajuste.
[‡]Todo percentual de mudança na dose da varfarina é calculado pela soma das doses nos últimos 7 dias (i.e., dose total/semana), sendo os ajustes distribuídos durante a semana para evitar flutuações.
Fonte: Adaptada de Van Spall e colaboradores.[41]

Interações dietéticas e medicamentosas

Além de fatores genéticos pouco conhecidos, muitos fármacos, variações no conteúdo de vitamina K da dieta e diversas outras doenças podem interferir na resposta individual à varfarina, assim como alguns medicamentos fitoterápicos e vitaminas **(TABELA 42.7)**.[47] É importante lembrar que nenhuma dessas condições ou fármacos contraindica o uso da varfarina, porém se recomenda uma monitoração mais frequente.

Pelo mecanismo de ação dos AVKs, há potencial interação entre o conteúdo de vitamina K na dieta (e da suplementação) e o controle da anticoagulação **C/D**.[48]

Entretanto, o consumo de alimentos ricos em vitamina K (fígado, vegetais crus e alguns cereais) não deve ser proibido, pois eles fazem parte de uma dieta saudável. Todavia, deve-se orientar o paciente a consumi-los em quantidade constante C/D.

Vários produtos comumente utilizados como suplemento alimentar ou fitoterápico, entre eles *cranberry*, soja, erva-de-são-joão, *danshen*, coenzima Q10, angélica-chinesa e gengibre, têm potencial interação com AVKs e devem ser evitados em pacientes usuários de varfarina **C/D**.[49]

Mais de 200 interações medicamentosas são descritas com a varfarina, mas com evidência limitada **C/D**.[50,51] As formas de interação podem ser farmacocinéticas, quando há alteração do nível sérico dos AVKs, ou farmacodinâmicas, quando há efeito sinérgico ou antagônico em relação ao efeito trombótico/hemorrágico. A administração de antimicrobianos de alto risco de interação com varfarina (ver **TABELA 42.7**) está associada a um aumento de 48% de sangramento grave nos 30 dias seguintes **C/D**.[52]

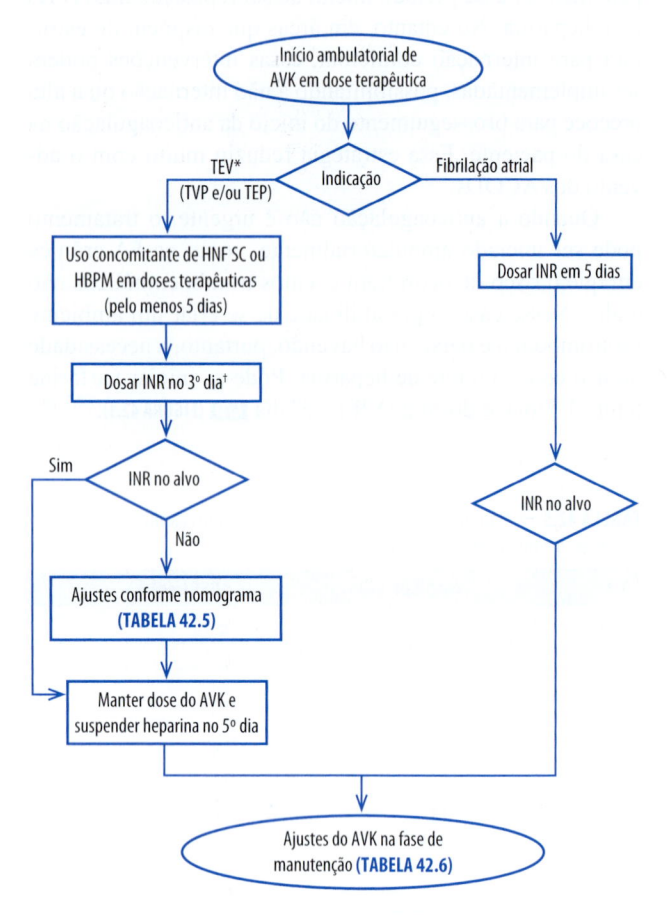

FIGURA 42.1 → Esquema para início da anticoagulação com antagonistas da vitamina K em nível ambulatorial.
*Aqueles pacientes elegíveis para tratamento domiciliar exclusivo.
[†]Dosar também contagem de plaquetas para monitoração do efeito colateral das heparinas.
AVK, antagonista da vitamina K; HNF, heparina não fracionada; HBPM, heparina de baixo peso molecular; INR, razão normalizada internacional; SC, subcutâneo; TEP, tromboembolismo pulmonar; TEV, tromboembolismo venoso; TVP, trombose venosa profunda.
Fonte: Adaptada de Guyatt e colaboradores,[1] Hirsch e colaboradores,[2] Garcia e colaboradores,[34] Pengo e colaboradores.[40]

TABELA 42.7 → Principais interações farmacológicas (e de substâncias) clinicamente significativas com antagonistas da vitamina K (AVKs)*

SUBSTÂNCIAS QUE AUMENTAM A RESPOSTA AOS AVKS (AUMENTO DO RISCO DE SANGRAMENTO)	SUBSTÂNCIAS QUE DIMINUEM A RESPOSTA AOS AVKS (AUMENTO DO RISCO DE TROMBOSE)
→ Álcool	→ Azatioprina
→ Amiodarona	→ Barbituratos
→ Amoxicilina	→ Carbamazepina
→ Antidepressivos inibidores da recaptação da serotonina†	→ Colestiramina
→ Antifúngicos imidazólicos†	→ Clordiazepóxido
→ Anti-inflamatórios não esteroides†	→ Ginseng
→ Antimicrobianos macrolídeos†	→ Griseofulvina
→ Ácido acetilsalicílico	→ Mesalazina
→ Cimetidina	→ Ribavirina
→ Sulfametoxazol + trimetoprima	→ Rifampicina
→ Diltiazém	→ Ritonavir
→ Esteroides anabolizantes	→ Vacina contra *influenza*
→ Fenitoína	
→ Fibratos†	
→ Fluoroquinolonas†	
→ Isoniazida	
→ Metronidazol	
→ Omeprazol	
→ Paracetamol	
→ Propranolol	
→ Tamoxifeno	
→ Tetraciclinas	

*Estão listados aqui os fármacos ou grupos de fármacos utilizados em medicina ambulatorial que têm evidência provável ou altamente provável de interação com os antagonistas da vitamina K.
†Inibidores da recaptação da serotonina (citalopram, sertralina), imidazólicos (fluconazol, miconazol, voriconazol, itraconazol), anti-inflamatórios não esteroides (piroxicam, fenilbutazona, celecoxibe), macrolídeos (eritromicina, azitromicina, claritromicina), fibratos (clofibrato, fenofibrato), fluoroquinolonas (ciprofloxacino, levofloxacino, norfloxacino).
Fonte: Adaptada de Holbrook e colaboradores.[47]

Como há grande potencial de alteração do estado de anticoagulação, enfatiza-se mais uma vez que o TP seja verificado em um intervalo mais curto sempre que qualquer fármaco, suplemento alimentar ou fitoterápico seja acrescentado ou retirado do regime terapêutico do paciente anticoagulado. Sugere-se dosar a INR 5 dias após o início e novamente após a suspensão de indutores fortes (p. ex., amiodarona, sulfametoxazol + trimetoprima, fluconazol, metronidazol) e dosar a INR 3 a 5 dias após o início e novamente após a suspensão de inibidores fortes (p. ex., carbamazepina, rifampicina).[50]

O uso de AVK associado a antiplaquetários em geral não é recomendado pelo aumento significativo de sangramento. Pacientes anticoagulados com AVK não devem utilizar ácido acetilsalicílico para prevenção primária cardiovascular. Entretanto, a associação está indicada em situações de alto risco tromboembólico (síndrome coronariana aguda em paciente com outra indicação para AVK, como portadores de FA e *stent* coronariano).[53] Há aumento do risco de sangramento total em geral em 58% e digestivo em 98% com uso de anti-inflamatórios não esteroides (AINEs) e de 54% e 90%, respectivamente, com uso de inibidores da cicloxigenase-2, devendo, se possível, evitar a coadministração **C/D**.[54]

O paracetamol é um analgésico frequentemente recomendado em pacientes anticoagulados. Entretanto, doses maiores que 2 a 3 g ao dia, por 3 dias ou mais, podem interferir na INR possivelmente associada mais à potência do que ao metabolismo da varfarina. A INR aumenta, em média, 0,6 com curva dose-resposta, com aumento de 0,17 para cada grama por dia de paracetamol utilizado.[55]

Deve-se alertar aos pacientes que o uso de bebida alcoólica em moderada a grande quantidade ou uso abusivo esporádico mais que dobra o risco de sangramento grave.[56]

Manejo dos pacientes com INR fora do alvo terapêutico

É sempre importante procurar a causa, permanente ou transitória, para a mudança na INR em um paciente previamente estável. O aspecto mais importante é conferir a adesão do paciente ao esquema prescrito.

Embora existam questionários autoaplicáveis para monitorar a adesão ao uso de varfarina, eles ainda carecem de validação.[57] Além disso, é importante verificar o início de novas medicações ou a modificação de dose de fármacos já em uso, consumo de álcool, mudanças no conteúdo de vitamina K da dieta e comorbidades, bem como a confiabilidade do laboratório que realizou o exame de INR. A troca da marca da varfarina também precisa ser considerada, já que algumas podem não ter equivalência confirmada.[58]

O principal determinante do risco de sangramento é o nível excessivo de anticoagulação. O risco aumenta significativamente com INR > 4 e, de forma mais acentuada, > 5.[59] Já o risco de evento tromboembólico aumenta de maneira significativa em caso de INR < 1,7.

Em geral, os ajustes das doses são feitos com base na alteração da dose total semanal do AVK, em média de 10 a 15%, dependendo da INR prévia (**FIGURA 42.2** e **TABELA 42.6**).[1,2,35,41,44] Para valores muito elevados, há necessidade de suspensão temporária do AVK. A hiperanticoagulação não é uma situação rara. Em um estudo envolvendo pacientes com FA em uso de AVK, 3% apresentaram INR > 9, sendo que 26% destes apresentaram pelo menos um episódio de sangramento clinicamente significativo. Os mais fortes fatores de risco independentes para hiperanticoagulação foram uso abusivo de bebida alcoólica (aumento da hipercoagulação em 23 vezes), insuficiência renal grave (aumento em 14 vezes), valva cardíaca mecânica (aumento em 14 vezes) e neoplasia maligna (aumento em 6 vezes).[60]

A administração de vitamina K (fitomenadiona) pode reduzir potencialmente o valor da INR em 24 a 48 horas, e em doses baixas pode evitar a refratariedade prolongada aos AVKs após seu uso, o que poderia dificultar o ajuste futuro. Entretanto, não reduziu mortalidade ou sangramentos em pacientes com INR elevada, entre 4,5 e 10 ou mesmo maior que 10 **B**.[61,62] Seu uso não é recomendado,[5] ou é recomendado apenas como opcional e restrito aos pacientes com INR > 4,5, fatores de risco para sangramento (idade, sangramento prévio) e condições que potencialmente prolongam a INR elevada.[1] São fatores de risco para retardo da normalização da INR após suspensão do AVK em pacientes acesso aos seus médicos assistentes ou a serviços de emergência, devendo-se levar isso em consideração quanto se opta por manejo conservador em pacientes com INR extremamente elevado. Se prescrita em nível ambulatorial, pode-se utilizar vitamina K (a própria formulação intravenosa) por via oral (VO) nas doses de 1,25 a 2,5 mg para INR entre 4,5 e 10, e 2,5 a 5 mg para INR > 10. A dose de vitamina K pode ser repetida em 12 a 24 horas, se a INR permanecer elevada após a administração inicial C/D.[1] O uso intravenoso é feito somente em nível hospitalar pelo risco de anafilaxia e empregado apenas em casos de sangramento grave. O uso de vitamina K por via subcutânea pode levar à correção errática da INR e à resistência imprevisível à varfarina; portanto, não é recomendado. Pacientes assintomáticos, mesmo com INR extremamente elevada, não devem receber plasma fresco congelado nem complexo protrombínico.

Em pacientes com grande variabilidade da INR sem outros fatores observados (adesão, medicações, etc.), pode-se fazer um teste com suplementação de vitamina K diariamente em baixa dose com ajuste adicional do AVK. O uso de vitamina K, na dose de 150 a 175 μg ao dia, melhora o controle da INR, embora os resultados sejam heterogêneos entre os estudos C/D.[64] A manipulação da dieta para o ajuste da INR não se mostrou benéfica C/D.[48]

Em alguns pacientes, é difícil elevar o valor da INR e atingir o alvo terapêutico. A resistência à varfarina é definida como a necessidade de mais de 15 mg/dia ou 70 mg/semana para atingir a INR terapêutica, e ocorre em cerca de 5% dos pacientes anticoagulados com AVK.[65] Além de fatores adquiridos (edema, dislipidemia, hipotireoidismo, má absorção), fatores genéticos podem levar à necessidade de maior dosagem dos AVKs.[66] Além disso, pacientes tabagistas podem necessitar de aumento da dose (em média, 12%) em relação aos não fumantes.[67] É possível que a redução de quantidades excessivas de bebidas que contêm cafeína (p. ex., 1,5 L de refrigerante à base de cola/dia) diminua a resistência aos AVKs C/D.[68]

Complicações

Manejo do sangramento associado aos AVKs

O sangramento é a complicação mais comum, sendo documentado no manejo usual sangramento grave (em geral, definido como um evento fatal, ou em sítios críticos, ou que geram instabilidade hemodinâmica ou que levam à redução de 2 pontos na concentração de hemoglobina/necessidade de transfusão de 2 unidades de concentrado de hemácias) em 3 a 8% dos pacientes por ano de tratamento e tromboembolismo em 6 a 8% dos pacientes por ano.[1,69] É importante notar que pacientes com risco elevado de complicações hemorrágicas (hipertensão arterial sistêmica grave, quedas frequentes, etc.) foram excluídos, *a priori*, desses estudos. Sangramentos que ocorrem com INR < 3 estão frequentemente associados a trauma ou lesão subjacente do local da hemorragia, mais comumente no trato gastrintestinal ou urinário.

Os fatores de maior relevância em relação ao risco de sangramento são a intensidade da anticoagulação, as características do paciente e o tempo de tratamento. A intensidade com INR elevada: idade, nível de elevação da INR, dose de manutenção de varfarina, insuficiência cardíaca descompensada e câncer ativo.[63]

No entanto, é preciso reconhecer que, no sistema público do Brasil, muitos pacientes não têm amplo e livre

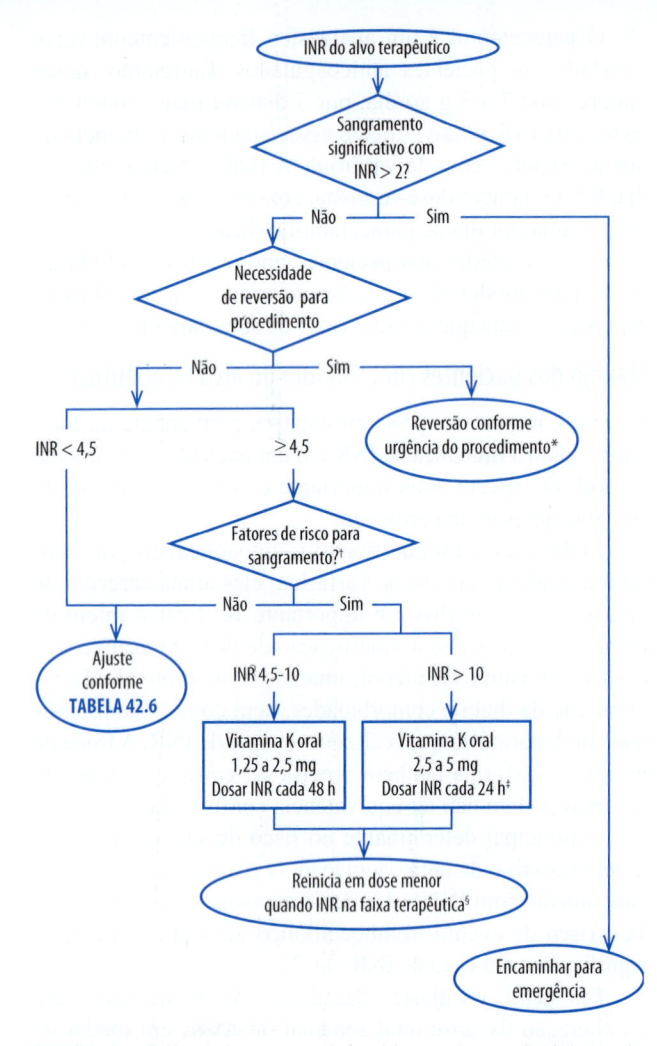

FIGURA 42.2 → Manejo do paciente ambulatorial com razão normalizada internacional (INR) supraterapêutica.
*No caso de necessidade de cirurgias de urgências, o paciente deve ser encaminhado para a emergência. Deve ser solicitada avaliação do cirurgião. Em caso de cirurgia imediata, pode ser necessária reversão com concentrado de complexo protrombínico inativado (fatores II, VII, IX e X) ou plasma fresco congelado, dependendo do nível da INR. Se for possível aguardar algumas horas, pode-se optar pelo uso de vitamina K intravenosa. Para cirurgias eletivas, ver **TABELA 42.6** ou parte deste fluxograma de ajuste de INR supraterapêutico, e tópico Manejo Perioperatório.
†Fatores de risco para sangramento em pacientes com INR elevada são aumento da idade, INR elevada, menor dose de manutenção de varfarina, insuficiência cardíaca descompensada e câncer ativo.
‡Pacientes com INR > 10 e fatores de risco para sangramento. Considerar encaminhamento para emergência se vitamina K oral não estiver disponível.
§Manejo de INR ≥ 9 não foi previsto na recomendação do estudo RE-LY.[44] Nesses casos, deve-se suspender a varfarina até que chegue no alvo terapêutico, e reiniciar com redução de 20 a 50% conforme nível da INR; quanto maior o nível medido, maior é a redução da dose.
Fonte: Adaptada de Guyatt e colaboradores,[1] Hirsch e colaboradores,[2] Ceresetto e colaboradores,[35] Witt e colaboradores,[46] Hylek e colaboradores.[63]

da anticoagulação é o fator de risco mais importante para sangramento intracerebral, independentemente da indicação, com o risco aumentando de modo considerável em caso de INR > 4.[70]

Em termos de características do paciente, vários escores de predição de risco de sangramentos foram derivados de ensaios clínicos e estudos observacionais. Deve-se analisar de qual contexto o escore foi derivado (e se foi validado), incluindo a indicação (TEV e/ou FA) e o fármaco (AVK e/ou ACOD). O mais frequentemente utilizado é o HAS-BLED, que inclui as seguintes variáveis: **h**ipertensão (sistólica ≥ 160 mmHg), **a**normalidade na função renal ou anormalidade na função hepática, acidente vascular cerebral (AVC) (*stroke*), história ou predisposição a sangramento (*bleeding history*), **l**abilidade da INR, idade > 65 anos (*elderly*) e **d**rogas concomitantes/uso de bebida alcoólica. É atribuído 1 ponto por variável e o paciente é classificado como alto risco se possui 3 pontos ou mais. Pacientes na categoria de risco alto tem 2 vezes mais sangramentos graves que os pacientes com menos de 3 pontos.[71,72]

Em termos do tempo de tratamento, o risco de sangramento é maior nos primeiros meses de uso (em geral, nos 3 primeiros meses).

Na **TABELA 42.8**, estão relacionados os principais fatores de risco para sangramento associados ao uso de anticoagulantes orais.[73]

Em sangramentos não graves, deve-se controlar o sítio de sangramento e, na maioria das vezes, interromper o anticoagulante sem necessidade de reversão. Eventualmente, pode-se utilizar vitamina K, VO, em caso de INR > 4,5 **C/D**.[1] Se o paciente utiliza antiplaquetário concomitante, deve-se avaliar também a necessidade de manutenção, sobretudo aqueles que foram submetidos à colocação de *stents*.[53,69]

Pacientes instáveis ou com sangramento grave devem ser encaminhados para serviço de emergência, onde, além do manejo de suporte, poderão receber vitamina K intravenosa, plasma fresco congelado e concentrado de complexo protrombínico. Pacientes com redução da concentração de hemoglobina em 2 pontos ou mais ou com necessidade de transfusão de 2 unidades de concentrado de hemácias têm, particularmente, maior mortalidade.[69]

Necrose cutânea

Ocorre em cerca de 1 a cada 5 mil pacientes que utilizam AVK, causada por trombose extensa de vênulas e capilares da gordura subcutânea, sobretudo em mamas, coxas e glúteos.[74] Os sintomas costumam iniciar entre o 3º e o 6º dia de anticoagulação, embora haja relato de casos mais tardios após anos de uso de varfarina.[75] Quando se suspeita dessa condição, a varfarina deve ser suspensa, iniciando-se a administração de heparina e, eventualmente, ACOD[76] **C/D**.

Outros efeitos colaterais

Outras complicações descritas incluem alopecia, diarreia, náuseas, anorexia, leucopenia, calcificação vascular, embolização de colesterol, reações alérgicas, nefropatia,

TABELA 42.8 → Fatores de risco para sangramento em usuários de anticoagulantes orais

TIPO	FATOR	COMENTÁRIOS
Relacionados ao fármaco	Classe do fármaco	ACOD tem menor risco de sangramento que AVK, tanto na indicação para FA não valvular quanto na TEV
	Tempo	Risco maior nos primeiros 3 meses
	Intensidade de dose	Em geral, dose profilática tem menor risco que dose terapêutica
Relacionados ao paciente	Idade	Aumento linear do risco a partir dos 60 anos, embora o risco de sangramento atribuído à idade em geral seja superestimado
	Raça	Indivíduos não brancos têm maior risco (asiáticos > latinos > afro-americanos)
	Sexo	Não parece haver diferença de sangramento entre homens e mulheres (embora em alguns escores de risco, o sexo esteja incluído)
	Sangramento prévio	Está associado a novos episódios, mas a magnitude depende do contexto do sangramento
	Comorbidades	Nefropatias e hepatopatias avançadas aumentam o risco de sangramento e interferem nos anticoagulantes; diabetes, insuficiência cardíaca e neoplasia (principalmente metastática) também são fatores de risco
	Coagulopatias preexistentes	Manejo de anticoagulação com trombocitopenia grave e outras diáteses hemorrágicas (hemofilia) requerem avaliação de especialista
	Uso de antiplaquetários concomitantes	Há aumento do risco com uso de antiplaquetário, mas em algumas situações é aceitável
Relacionados ao sítio do sangramento	Sítio intracraniano	Fatores específicos: AVC prévio, HAS, traumatismo, angiopatia amiloide, neoplasia ou alterações vasculares intracranianas, quedas frequentes, uso de drogas ilícitas e endocardite
	Sítio gastrintestinal	Fatores específicos: sangramento prévio, neoplasia de TGI, varizes esofágicas, uso de AINE, quimioterapias que afetam o TGI (gastrite), uso de bebida alcoólica
	Sítio na medula espinal	Fatores específicos: tipo de anestesia (epidural mais que espinal), tamanho da agulha, idade, coagulopatia, uso de múltiplos antitrombóticos e anormalidades da coluna vertebral
Escores de risco	HAS-BLED Outros*	São preditores de sangramento, mas foram derivados em populações específicas (FA, TEV ou ambos) e com medicamentos específicos (AVK, dabigatrana), o que reduz sua aplicabilidade; não estão disponíveis estudos demonstrando que o uso de escores de sangramento reduz eventos

*Outros escores preditores de sangramento em pacientes utilizando anticoagulantes orais: ATRIA, VTE-BLED, HEMORR2HAGES, ABC-bleeding, GARFIELD-AF, mOBRI, ORBIT, European score.
ACOD, anticoagulante oral direto; AINE, anti-inflamatório não esteroide; AVC, acidente vascular cerebral; AVK, antagonista da vitamina K; FA, fibrilação atrial; HAS, hipertensão arterial sistêmica; TEV, tromboembolismo venoso; TGI, trato gastrintestinal.
Fonte: Adaptada de Garcia e Crowther.[73]

hepatotoxicidade e síndrome dos "dedos roxos" (*purple toe* ou *blue toe syndrome*).[1,2]

Anticoagulantes orais diretos

Os ACODs se caracterizam por possuírem um perfil farmacocinético mais previsível (não necessitando regularmente de monitoração), prescrição em dose fixa de acordo com o contexto e início rápido de ação (ver TABELA 42.1), além de menor interação com outros fármacos e com a alimentação. A monitoração da coagulação ou do nível sérico desses medicamentos não é necessária como rotina.[77]

Seu uso está indicado em diversas situações clínicas, com comprovada não inferioridade ou superioridade em relação ao tratamento-padrão (ver TABELA 42.3), mas não em outros. Pacientes com INR estável por longo tempo e com baixo risco de sangramento podem ter pouco benefício na troca para ACOD. Além disso, no tratamento de pacientes com próteses valvares, até o momento, os ACODs são inferiores aos AVKs, pois foram associados a uma maior incidência de trombose de válvula.[78] Os ACODs também não são indicados em pacientes com síndrome antifosfolipídeo ou com FA em pacientes com valvopatias reumáticas.[32,79,80,81] Nas principais indicações, quando comparados aos AVKs, os ACODs apresentaram redução de risco de sangramento fatal em 47%, mortalidade cardiovascular em 12% e mortalidade total em 9% **A**.[82–88] O uso de ACOD de uso único diário ou 2 ×/dia não parece afetar os desfechos clínicos relevantes **B**.[83]

Suas taxas de adesão e de descontinuação foram semelhantes às dos usuários de AVK.[84] Porém, pacientes com história de má adesão tendem a ficar mais tempo em níveis de anticoagulação subótima com os ACODs, já que o seu efeito decai mais rápido, por sua meia-vida curta, do que os AVKs. Além disso, têm um custo alto comparado à varfarina. Não estão aprovados para uso na gestação e na lactação, embora sejam excretados predominantemente por via renal e pouco avaliados em pacientes com taxa de filtração glomerular (TFG) < 25 a 30 mL/min. ACODs com ajuste de dose, sobretudo a apixabana, podem ser usados em pacientes com insuficiência renal avançada ou mesmo em diálise **C/D**.[85] Deve-se atentar para qual formula é utilizada para cálculo da TFG, pois pode haver grande discordância entre doses recomendadas, sendo sugerida a fórmula de Cockcroft-Gault para prática clínica.[86] Também a sua eficácia em obesos com índice de massa corporal (IMC) > 40 não está bem determinada, embora doses usuais tenham sido recomendadas **C/D**.[87] Em pacientes com FA, os ACODs têm mostrado eficácia e segurança em todo espectro de IMC, inclusive com melhor desempenho em indivíduos com baixo peso.[88] Embora maior risco de sangramento em comparação aos anticoagulantes convencionais não tenha sido demonstrado em pacientes com hepatopatia moderada a grave,[89] deve-se evitar o uso nesses pacientes **C/D**.

A escolha do medicamento mais adequado para cada paciente e a correta prescrição requer o conhecimento específico de suas características individuais, riscos e benefícios.

Inibidores diretos da trombina

O etexilato de dabigatrana, único representante de uso oral dessa classe, tem duas vantagens inquestionáveis em substituição ao complexo antitrombina-heparina: na plaquetopenia induzida por heparina e na deficiência congênita de antitrombina **C/D**. Ele prescinde de monitoração laboratorial.

Cerca de 80% do fármaco são excretados por via renal, não sendo recomendável seu uso em pacientes com insuficiência renal moderada a grave. Sua meia-vida é de 12 a 17 horas em indivíduos com função renal normal. Sua absorção não é afetada pelos alimentos. Atinge seu efeito anticoagulante em 2 a 3 horas após a ingestão.

Deve-se evitar o uso concomitante com fármacos indutores da glicoproteína P (p. ex., rifampicina), que diminuem a sua ação anticoagulante, e com os inibidores da glicoproteína P (p. ex., verapamil, cetoconazol), que aumentam o seu efeito.

Em pacientes com FA, quando comparado à varfarina, a dabigatrana 110 mg demonstrou ser comparável em relação aos eventos tromboembólicos, mas com menores taxas de sangramento (redução relativa do risco [RRR] = 19%), e dabigatrana 150 mg foi melhor em relação aos eventos tromboembólicos (RRR = 33%), sem aumento de sangramento **B**.[90] Em pacientes com TEV, o uso de dabigatrana demonstrou ter eficácia similar mas menor incidência de sangramentos quando comparado aos AVKs **A**.[91] Os efeitos colaterais mais comuns são sangramento e dispepsia. Também foram relatadas úlceras gástricas e esofágicas, neutropenia, trombocitopenia, angioedema e alopecia. Não foi detectado maior risco de hepatotoxicidade ou infarto do miocárdio pela dabigatrana.[92,93]

Inibidores diretos do fator Xa

Os inibidores diretos do fator Xa disponíveis no Brasil são a apixabana, a edoxabana e a rivaroxabana.

A apixabana é um inibidor seletivo do fator X ativado. Não induz nem inibe o CYP e, portanto, tem baixo potencial de causar interações medicamentosas. Por outro lado, indutores fortes da CYP3A4 (p. ex., rifampicina, fenitoína, carbamazepina, fenobarbital) diminuem os níveis de apixabana em até 50%. É o inibidor do fator Xa menos dependente da função renal (25% de eliminação). Em pacientes com FA, a apixabana reduziu a mortalidade total em 34% quando comparada a placebo **A**.[94] Nos estudos de vida real, o risco de eventos tromboembólicos reduziu 23% quando comparado à varfarina e houve redução de 38% na taxa de sangramento **B**.[95] Em comparação entre ACODs, a apixabana, em geral, tem o melhor perfil de segurança, demonstrando efetividade (NNT = 48 para prevenir AVC em FA, em comparação com varfarina) e menor taxa de sangramentos **A**.[91,96]

A edoxabana é administrada 1 ×/dia. Não tem sua absorção afetada pelos alimentos. Deve-se evitar em insuficiência renal grave e reduzir a dose em pacientes com TFG entre 15 e 50 mL/min. Todos os ACODs são substratos para glicoproteína P, sendo, portanto, suscetíveis a interações com indutores e inibidores desse transportador farmacológico (ver QR code), embora apixabana e edoxabana sejam menos afetadas que dabigatrana e rivaroxabana.[97] O envolvimento no citocromo P450 é negligenciável, sendo, então, a edoxabana menos propensa que os outros inibidores do fator Xa a interações com os indutores e inibidores do CYP3A4. Em pacientes com TEV e FA, a edoxabana, em relação aos AVKs, não reduziu risco de eventos tromboembólicos, mas reduziu risco de sangramentos graves ou clinicamente relevantes em 22%, quaisquer sangramentos em 24% e sangramento intracraniano em 62%. Houve risco similar de sangramento gastrintestinal, mortalidade por quaisquer causas, AVC e embolia sistêmica **A**.[98] Em comparação da edoxabana com antiplaquetários (ácido acetilsalicílico ou ácido acetilsalicílico combinado ao clopidogrel) em pacientes com FA, houve redução de risco de AVC (NNT = 60/ano), embora tenha havido aumento do risco de sangramento **B**.[99] No entanto, a edoxabana não é efetiva e talvez aumente o risco de AVC em pacientes com FA crônica e TFG > 95 mL/min.[100]

A rivaroxabana deve ser ingerida com alimentos na dose de 15 mg ou mais; doses de 2,5 a 10 mg podem ser tomadas independentemente das refeições.[101] Também deve-se evitar usar em combinação com fármacos que tenham potente inibição dual do CYP3A4 e da glicoproteína P (cetoconazol, itraconazol, voriconazol e ritonavir) ou indutores duais dessas enzimas (rifampicina, carbamazepina e erva-de-são-joão). Indutores potentes do CYP3A4 isoladamente também podem reduzir os níveis de rivaroxabana. A rivaroxabana demonstrou eficácia em relação à prevenção de AVC em pacientes com FA (RRR = 25-50%) **B** e no tratamento do TEV, mas com maior risco de sangramento que a apixabana **A**.[9,91,96,102,103] Em relação ao tratamento do TEV, assim como a apixabana, não há obrigatoriedade do uso inicial de heparina, isto é, monoterapia oral com dose maior nos primeiros dias.[14,91] O uso estendido de rivaroxabana após período inicial de tratamento em pacientes com TEV e risco de recorrência demonstrou redução de recorrência, com aumentos dos sangramentos não graves.[104]

Efeitos colaterais não hemorrágicos relatados em pacientes em uso de inibidores diretos do fator X são hipersensibilidade (angioedema), urticária, prurido, lombalgia, insônia, dor abdominal, cefaleia, alteração nos testes de função hepática e trombocitopenia.

Manejo do sangramento associado aos ACODs

Os princípios de manejos são os mesmos do sangramento por anticoagulantes em geral. Em sangramentos menores, são tomadas medidas locais e é discutido o risco-benefício da suspensão temporária do anticoagulante. Se o paciente ingeriu a dose nas 2 a 4 horas anteriores ao atendimento, pode-se considerar uso de carvão ativado **C/D**. A dabigatrana tem metabolismo predominantemente renal e é dialisável; então, hemodiálise pode ser considerada sobretudo nos pacientes com insuficiência renal ou ingestão excessiva. Transfusão de plasma fresco ou crioprecipitado não está indicada.[69]

Os ACODs não necessitam de monitoração pelo efeito dose-resposta previsível.[105] Em pacientes com sangramento, além dos níveis de hemoglobina e plaquetas, deve-se dosar provas básicas de coagulação, como TP e TTPa. Se o paciente está sob uso de inibidor do fator Xa, o TP prolongado indica que há efeito desses fármacos. Se o paciente está em uso de dabigatrana, o TTPa prolongado reforça que há medicação ativa. Nos pacientes em uso de inibidores do fator Xa, a dosagem do anti-fator Xa pode detectar se há efeito residual do fármaco, pois TP e TTPa normais não excluem efeito desses fármacos. Nos pacientes em uso de inibidores diretos da trombina, como a dabigatrana, o tempo de trombina normal em geral exclui nível significativo, assim como se o TTPa for realizado com reagentes de alta sensibilidade.[36]

Em casos de sangramentos com risco à vida e situações nas quais a reversão do efeito da dabigatrana é urgente, há um anticorpo monoclonal antidabigatrana, o idarucizumabe, que é comercializado no mercado brasileiro **C/D**. Andexanete alfa, o agente reversor específico para os inibidores do fator Xa para essas situações (ainda *off-label* para edoxabana), não é comercializado no Brasil.[106] Se os reversores não estiverem disponíveis, pode-se usar antifibrinolíticos inespecíficos (p. ex., ácido tranexâmico) **C/D** ou a infusão de concentrado de complexo protrombínico (ativado ou inativado) **C/D**.[69]

ANTICOAGULANTES PARENTERAIS

O uso de anticoagulantes parenterais em nível ambulatorial não é comum. Em geral, são utilizados em pacientes gestantes, nas quais os AVKs e os ACODs são contraindicados, ou em casos selecionados de contraindicação e/ou ineficácia dos anticoagulantes orais. Em pacientes com câncer com TEV e neoplasias do trato digestivo (e potencialmente cânceres do trato urogenital também), a enoxaparina ainda é a opção preferencial, tendo em vista o aumento do risco de sangramento (proveniente das mucosas) em relação aos ACODs e a maior eficácia em relação aos AVKs **C/D**.[16]

As heparinas impedem a formação e a progressão de novos trombos e permitem a ação da fibrinólise endógena, que dissolve o trombo já formado. Além desse efeito farmacodinâmico, as heparinas de baixo peso molecular (HBPMs) têm maior biodisponibilidade e uma resposta anticoagulante mais previsível do que a heparina não fracionada (HNF), dispensando controle laboratorial nas doses preconizadas. A HBPM mais utilizada é a enoxaparina, cujo esquema posológico habitual em dose terapêutica é 1 mg/kg, subcutâneo (SC), de 12/12 horas. Esquema de dose única, 1,5 mg/kg, SC, de 24/24 horas, não demonstrou diferença em relação à eficácia ou à segurança **C/D**.[107] Em casos muito selecionados, como em algumas gestantes, obesos mórbidos, insuficiência renal avançada ou uso de HBPM por prótese valvar mecânica, pode ser necessário monitorar o antifator Xa (nível terapêutico 0,5-1 UI/mL coletado 4-5 horas após a dose no regime de 2 ×/dia), embora a recomendação geral seja contrária.[46,77,108]

A monitoração do uso da HNF é geralmente feita pela medida do TTPa. Embora a recomendação geral seja manter o TTPa em 1,5 a 2,5 vezes o valor do limite superior da normalidade do controle, coletado 6 horas após a dose SC quando o esquema for de 12/12 horas, monitorar não produziu diferença em termos de mortalidade, recorrência do

TEV ou sangramento maior em relação à dose ajustada para o peso.[109]

As HBPMs devem ter sua dosagem reduzida pela metade em caso de TFG < 30 mL/min. Não devem ser utilizadas em pacientes dialíticos. Nessa situação, recomenda-se o uso de HNF.

As interações medicamentosas das heparinas são muito menos frequentes do que com os AVKs. As cefalosporinas e as penicilinas podem aumentar o risco de sangramento. O uso associado de outros antitrombóticos aumenta o risco de hemorragia. Outros fármacos com relato de aumento do efeito da heparina incluem anti-histamínicos, tetraciclina, quinina, nicotina e digoxina.

O efeito colateral mais frequente é o sangramento. Os principais fatores de risco para sangramento são nível elevado de anticoagulação (TTPa supraterapêutico), trauma ou cirurgia recente, uso concomitante de ácido acetilsalicílico, insuficiência renal e idade > 70 anos.

Uma trombocitopenia leve, precoce e assintomática é relativamente comum com o uso de HNF, não exigindo a interrupção do fármaco. Uma trombocitopenia de natureza imunológica, mediada por imunoglobulina G (IgG), ocorre em 3% dos pacientes que utilizam HNF, produzindo agregação plaquetária, progressão da trombose, novos trombos arteriais e hemorragia. Deve ser suspeitada quando a contagem de plaquetas é reduzida para menos de 100.000/mL ou abaixo de 50% do valor basal pré-tratamento.[77]

No primeiro uso da HNF, a redução na contagem de plaquetas pode ocorrer após 5 a 10 dias do tratamento, mas na reutilização já pode ocorrer no primeiro dia (mesmo que o uso anterior tenha sido minidose profilática). Nesse sentido, durante o uso de heparinas, recomenda-se dosar a contagem de plaquetas a cada 2 a 3 dias em pacientes com risco intermediário a alto de trombocitopenia por heparina (p. ex., uso de HNF profilática no pós-operatório ou uso terapêutico por qualquer indicação, e uso de HBPM profilática em pacientes com câncer ou uso terapêutico no pós-operatório).[1,110] O manejo da trombocitopenia imunológica envolve o uso de heparinoides (a maioria não está disponível no Brasil, exceto a fondaparinux), e não se deve empregar HBPM pelo elevado índice de reação cruzada, nem AVK pela possibilidade de progressão dos eventos trombóticos C/D.[111] Os ACODs são uma opção para o tratamento da trombocitopenia induzida por heparina, sendo que a rivaroxabana é o fármaco com maior experiência acumulada C/D.[112]

Outros efeitos colaterais com o uso de heparina são osteoporose (sobretudo HNF em doses > 20.000 UI/dia por mais de 30 dias), hipoaldosteronismo hiporreninêmico, anafilaxia, alopecia, eczema no local da injeção e alteração de transaminases hepáticas.

O fondaparinux é um anticoagulante de uso SC, que não exige controle laboratorial e não requer ajuste para função renal, mas é contraindicado com TFG < 30 mL/min.[1,3,113] Embora seu alto custo iniba maior aplicabilidade, tem seu uso aprovado para profilaxia e tratamento do TEV, sendo off-label na trombocitopenia induzida por heparina, na trombloflebite superficial e na síndrome coronariana aguda. O esquema terapêutico recomendado leva em consideração as faixas de peso, sendo 7,5 mg, SC, 1 ×/dia (peso entre 50-100 kg); 5 mg, 1 ×/dia (< 50 kg); e 10 mg, SC, 1 ×/dia (> 100 kg). Na gestação, pode ser usado somente em pacientes com alergia grave às heparinas, pois até mesmo uma pequena quantidade pode passar pela membrana placentária. O principal efeito colateral é o sangramento.

ESTRATÉGIAS PARA MELHORAR A QUALIDADE DA ANTICOAGULAÇÃO

O manejo ambulatorial de pacientes anticoagulados é um desfio na prática clínica, sobretudo o ajuste da dose dos AVKs. Várias estratégias têm sido propostas para melhorar sua qualidade, entre elas automanejo, automonitoração, atendimento por profissionais não médicos (predominantemente farmacêuticos) sob supervisão médica, clínicas de anticoagulação, programas educacionais aos pacientes, ajustes baseados em estudos genéticos e atendimento por telemedicina.

Equipamentos para dosagem no sangue capilar ou venoso de INR *point of care* (i.e., medida no local do atendimento, seja junto ao paciente, na clínica ou no hospital), que já estão disponíveis no mercado brasileiro, permitem que o paciente obtenha o valor e ajuste a INR conforme uma tabela predeterminada (automanejo) ou ligue para uma clínica de anticoagulação para receber a orientação (automonitoração). Ambas as estratégias melhoraram a qualidade da anticoagulação, reduziram eventos tromboembólicos (RRR = 42%), mas não modificaram a incidência de sangramentos graves B.[114] O automanejo foi também associado à redução da mortalidade total (RRR = 45%). Entretanto, cerca de metade dos pacientes não são candidatos a essa estratégia, por fatores relacionados a custo dos equipamentos, limitações físicas, necessidade de treinamento e desejo do paciente. Além disso, deve-se considerar a ausência de estudos de custo-efetividade em nosso meio e a confiabilidade e calibragem dos diferentes tipos de equipamentos. Essas estratégias podem ser úteis particularmente para pacientes que tem dificuldade de acesso aos serviços de saúde (p. ex., em zona rural) ou mesmo na pandemia da Covid-19 em que houve a necessidade de reduzir a circulação de pessoas.[115]

Há vários anos constituíram-se clínicas, serviços ou ambulatórios focados em anticoagulação, cujo principal objetivo é o ajuste da INR em pacientes utilizando AVK. Embora os estudos sejam heterogêneos, essa forma de atendimento tende a conferir aos pacientes um melhor controle da anticoagulação, com possível impacto em desfechos clínicos C/D.[116] São, em geral, ambulatórios específicos em grandes hospitais, onde os pacientes costumam ser atendidos por farmacêuticos ou enfermeiras com uso de protocolos previamente definidos e sob supervisão médica, exclusivamente sobre tópicos relacionados com a anticoagulação (ajuste de dose e complicações). Quando envolvem farmacêuticos, demonstram benefício adicional em relação a controle da anticoagulação, sangramento e mortalidade.[117]

A indicação do uso do anticoagulante normalmente é feita pelo médico ou equipe assistente principais e corroborada pela equipe da clínica de anticoagulação. Cuidados médicos gerais do paciente continuam sendo feitos pelo médico de atenção primária à saúde (APS). Embora os ACODs sejam mais fáceis de utilizar, os pacientes em uso desses fármacos também podem se beneficiar de um atendimento padronizado em clínicas de anticoagulação com os objetivos de escolher o melhor anticoagulante para a situação clínica do paciente, prevenir sangramentos, fortalecer a adesão ao tratamento e orientar manejo perioperatório do anticoagulante.[118,119]

Educação formal dos pacientes em relação ao uso de anticoagulantes já foi estudada e evidenciou abordagens heterogêneas e resultados variáveis, tanto em relação ao formato do ensino quanto à melhora de desfechos clínicos.[120] Em geral, são realizadas entre 1 e 10 sessões com grupos de 3 a 4 pacientes. Os tópicos abordados referem-se a noções básicas dos anticoagulantes, risco-benefício, adesão ao tratamento, dieta, monitoração laboratorial, interação medicamentosa, formas de acesso aos serviços de saúde e automanejo.[121] Enfim, a recomendação de implementar programas educativos para pacientes anticoagulados ainda é condicional, mesmo que seja improvável que essa medida possa causar dano.

Novas propostas para manejo da anticoagulação têm sido pesquisadas. O uso de estratégias farmacogenéticas com ajustes de dose baseados em polimorfismos em genes relacionados à atividade e ao metabolismo da varfarina, embora não tenha reduzido os eventos tromboembólicos, pode melhorar a qualidade da anticoagulação e reduzir eventos adversos (RRR = 14%; NNT = 29) e sangramentos graves (RRR = 64%) **B**.[122] Telemedicina, incluindo teleatendimento, e tecnologias *mobile* e eletrônicas podem ser úteis no manejo dos pacientes anticoagulados.[123,124]

SITUAÇÕES ESPECIAIS

Gestação e lactação

A varfarina é contraindicada na gestação (risco D). Ela atravessa a placenta, causando teratogenicidade (embriopatia pela varfarina, classicamente com hipoplasia nasal e condrodisplasia *punctata*) e sangramento fetal. O período de maior risco teratogênico são as 6 a 12 primeiras semanas da gestação. A quantidade de varfarina no leite materno é muito pequena para afetar o lactente, e o seu uso é permitido na lactação.[108]

As heparinas, tanto a HNF quanto as HBPMs, assim como o fondaparinux, são fármacos seguros para uso na gestação (risco B). A enoxaparina é o fármaco preferencial no cenário do TEV, considerando praticidade de administração, larga experiência de uso e disponibilidade **C/D**.[108,125] A escolha da dose (profilática, intermediária ou terapêutica) deve ser ajustada conforme o cenário clínico (indicação da anticoagulação, história de eventos trombóticos, presença de trombofilia, fatores de risco para sangramento).[108] O maior risco de sangramento é no pós-operatório imediato, sobretudo com o reinício precoce do anticoagulante.[126] Se possível, não se deve reiniciar antes de 4 a 6 horas após o parto vaginal e 6 a 12 horas o parto por cesariana, sendo a decisão conjunta do obstetra e do clínico assistente. O uso de anticoagulação em gestantes com prótese valvar cardíaca é complexo.[1,127] Recomenda-se que essas pacientes sejam avaliadas por especialista.

Os ACODs não devem ser utilizados na gestação ou na lactação, porque os dados são limitados e não há comprovação de segurança. Estudos farmacocinéticos demonstraram que os ACODs atravessam a placenta e estão presentes no leite materno. Mulheres que desejam engravidar e estejam usando esses medicamentos deve ser rigorosamente monitoradas, assim como aquelas que utilizam AVKs, para suspendê-los na suspeita de gestação.[128]

Manejo perioperatório

O manejo perioperatório de pacientes em uso regular de anticoagulantes orais considera o risco de tromboembolismo e das complicações hemorrágicas associado a diferentes estratégias de anticoagulação. Enquanto o risco de sangramento depende fundamentalmente do local e do tipo de cirurgia, o risco de tromboembolismo está ligado à indicação prévia para o uso regular de anticoagulantes (profilaxia arterial ou venosa), ao tempo decorrido desde o episódio de trombose e ao tipo de procedimento a ser realizado. Além disso, deve-se considerar se a cirurgia será realizada em caráter eletivo ou de urgência. As estratificações de risco de evento tromboembólico e de sangramento estão apresentadas nas **TABELAS 42.9** e **42.10**, respectivamente.[129] Existem calculadoras gratuitas *on-line* que podem facilitar essas estimativas de risco, assim como aplicativos para dispositivos móveis. (Ver QR codes.)

Em nível ambulatorial, a conduta na maioria dos casos é suspender a varfarina 4 ou 5 dias antes da cirurgia, permitindo que a INR fique igual ou menor a 1,4 no momento do procedimento. Idealmente, deve-se dosar a INR no dia anterior ao procedimento **C/D**. Em procedimentos com alto risco de sangramento (intracranianos, espinais, urológicos), recomenda-se que a INR esteja em níveis normais. Esses pacientes ficam desprotegidos por 2 a 3 dias no pré-operatório. Idade avançada, insuficiência cardíaca congestiva descompensada, câncer e INR muito elevada são fatores que retardam o retorno espontâneo da INR a níveis

TABELA 42.9 → Estratificação de risco de tromboembolismo periprocedimento

CATEGORIA DE RISCO DE TROMBOEMBOLISMO	PRÓTESE VALVAR MECÂNICA	FIBRILAÇÃO ATRIAL	TROMBOEMBOLISMO VENOSO
Alto (> 10% ao ano de risco de AVC tromboembólico ou > 10% de risco de TEV)	→ Qualquer prótese mecânica em posição mitral → Valva tipo *caged ball* ou basculante com um folheto em posição aórtica → AVC ou AIT recente (< 3 meses)	→ Escore $CHADS_2$ = 5 ou 6 → Escore CHA_2DS_2-VASc = ≥ 7 → AVC ou AIT recente (< 3 meses) → Doença valvar cardíaca reumática	→ Deficiência de proteína C, proteína S ou antitrombina → Síndrome antifosfolipídeo → Múltiplas trombofilias → Associado com filtro de veia cava → Câncer ativo (com alto risco de TEV)*
Moderado (4-10% ao ano de risco de AVC tromboembólico ou 4-10% de risco de TEV)	→ Prótese mecânica basculante com dois folhetos em posição aórtica com associação a fatores de risco para AVC†	→ Escore $CHADS_2$ = 3 ou 5 → Escore CHA_2DS_2-VASc = 5 ou 6	→ TEV nos últimos 3-12 meses → TEV recorrente → Trombofilia não grave → Câncer ativo ou história de câncer recente‡
Baixo (< 4% ao ano de risco de AVC tromboembólico ou < 4% de risco de TEV)	→ Prótese mecânica basculante com dois folhetos em posição aórtica sem outros fatores de risco para AVC†	→ Escore $CHADS_2$ = 0 a 2 (sem história de AVC ou AIT) → Escore CHA_2DS_2-VASc = 1 a 4	→ TEV há mais de 12 meses

*Neoplasias com alto risco de TEV: pancreática, gástrica, cerebral ou doenças mieloproliferativas.
†Fatores de risco para AVC: fibrilação atrial, AVC ou AIT prévios, hipertensão arterial, diabetes, insuficiência cardíaca, idade > 75 anos.
‡Dentro de 5 anos de história de câncer, excluindo câncer de pele não melanomas.
AIT, acidente isquêmico transitório; AVC, acidente vascular cerebral; TEV, tromboembolismo venoso.
Fonte: Adaptada de Spyropoulos e colaboradores.[129]

próximos da normalidade.[1,130] Doses baixas de vitamina K (1-2 mg), VO, podem ser prescritas em casos selecionados para auxiliar na redução da INR **C/D**. Depois do reinício do AVK, a INR levará, em média, 3 dias para retornar ao alvo de 2. A varfarina pode ser reiniciada 12 a 24 horas após a cirurgia (dependendo do horário da realização, na noite do procedimento ou no dia seguinte).

A ponte com heparinas é cada vez menos utilizada, uma vez que pacientes com FA em tratamento com heparina apresentaram eventos trombóticos semelhantes àqueles sem ponte, mas com aumento em sangramentos maiores (3,2% vs. 1,3%) **B**,[131] e aumento em relação ao desfecho composto (sangramento maior, evento trombótico, hospitalização ou morte em 30 dias) **B**.[132] No entanto, em pacientes com alto risco de eventos trombóticos, ainda é recomendado usar heparina no período em que se encontram desprotegidos do efeito anticoagulante oral. A varfarina é suspensa 5 dias antes do procedimento e a HBPM em dose terapêutica, SC, de 12/12 horas (p. ex., enoxaparina 1 mg/kg, de 12/12 horas) é iniciada cerca de 3 dias antes da cirurgia. A última dose deve ser administrada 24 horas antes do procedimento. Em geral, a heparina é reiniciada em até 24 horas após os procedimentos. Em cirurgias de risco intermediário ou alto de sangramento, a heparina deve ser reiniciada após 48-72 horas do procedimento, sendo a decisão compartilhada com a equipe cirúrgica.[133]

Do ponto de vista operacional, a transição para heparina nem sempre é possível em nossa realidade. Na impossibilidade de ponte com heparina em nível ambulatorial ou da internação prévia ao procedimento, a anticoagulação em níveis moderados (INR 1,5-2), mantida no perioperatório incluindo o tempo cirúrgico, pode ser eficiente e segura, com níveis aceitáveis de recorrência tromboembólica e sangramento grave **C/D**.[134]

Por outro lado, há evidência de que em procedimentos com baixo risco de sangramento, como implantação de marca-passo, o uso de ponte com heparina aumenta o risco de hemorragia, sendo que a conduta recomendada em diretrizes nesse cenário é a manutenção da anticoagulação em nível terapêutico **B**.[135,136]

Em relação aos ACODs, naqueles pacientes que requerem suspensão do anticoagulante, o manejo depende do fármaco, da função renal e do risco de sangramento do procedimento.[133] Na prática clínica, não existem testes disponíveis para avaliar a ausência do efeito desses anticoagulantes, e, pela previsibilidade farmacocinética desses medicamentos, isso não se faz necessário. Nos procedimentos de risco baixo a intermediário de sangramento e função renal normal, todos os ACODs podem ser suspensos no dia anterior ao procedimento (sem dose no dia anterior e no dia da cirurgia) e podem ser reiniciados no dia seguinte à cirurgia **B**.[137] Nos procedimentos de risco alto de sangramento e função renal normal, todos os ACODs podem ser suspensos 2 dias antes do procedimento e podem ser reiniciados 2 dias após a cirurgia **C/D**. Em pacientes com TFG < 50 mL/min, a dabigatrana deve ser suspensa 2 dias antes de cirurgia de baixo a intermediário risco de sangramento e 4 dias antes de cirurgias de alto risco de sangramento **C/D**. Os inibidores do fator Xa (apixabana, rivaroxabana, edoxabana) em geral não necessitam de ajuste em caso de TFG > 30 mL/min **C/D**. Essa estratégia também pode ser utilizada para pacientes com história de TEV, exceto aqueles com episódio muito recente (< 30 dias), cuja conduta deve ser individualizada.

Tendo em vista o risco de hematoma medular pelo uso de anticoagulantes, a American Society of Regional Anesthesia and Pain Medicine (ASRA) elaborou recomendações (atualizadas em 2018) para a utilização de bloqueios do eixo neuroaxial em pacientes anticoagulados (tanto a inserção quanto a retirada do cateter), inclusive para aqueles submetidos a procedimentos ambulatoriais.[138] Como regra, não deve haver atividade do anticoagulante no momento da inserção e da retirada do cateter, sendo necessário observar a

TABELA 42.10 → Estratificação de risco de sangramento relacionado aos procedimentos

CATEGORIA DE RISCO DE SANGRAMENTO	PROCEDIMENTO
Risco alto* (sangramento maior > 2% em 30 dias)	→ Cirurgia de grande porte com extensa lesão tecidual → Cirurgia por câncer, especialmente ressecção de tumores sólidos → Cirurgia ortopédica maior, incluindo prótese de ombro → Cirurgia plástica de reconstrução → Cirurgia urológica ou gastrintestinal, especialmente anastomoses → Ressecção transuretral de próstata, ressecção ou ablação de tumor de bexiga → Nefrectomia, biópsia renal → Ressecção de pólipo colônico → Ressecção intestinal → Gastrostomia endoscópica percutânea, colangiopancreatografia retrógrada endoscópica → Cirurgia em órgãos altamente vascularizados (rim, fígado, baço) → Cirurgia cardíaca, intracraniana ou espinal → Qualquer cirurgia maior (procedimentos com duração > 45 minutos) → Anestesia neuroaxial†
Risco intermediário a baixo‡ (sangramento maior 0-2% em 30 dias)	→ Artroscopia → Biópsias cutâneas ou de linfonodos → Cirurgia de mãos ou pés → Coronariografia§ → Endoscopia gastrintestinal com ou sem biópsia → Colonoscopia com ou sem biópsia → Histerectomia abdominal → Colecistectomia laparoscópica → Correção de hérnia abdominal → Cirurgia de hemorroidas → Broncoscopia com ou sem biópsia → Injeções epidurais
Risco mínimo¦ (sangramento maior próximo a 0 em 30 dias)	→ Procedimentos dermatológicos menores (excisão de neoplasia escamosa ou basocelular, ceratoses actínicas, nevos pré-malignos ou neoplásicos) → Procedimentos oftalmológicos (catarata) → Cirurgias dentárias menores (extrações, restaurações, próteses), limpeza ou preenchimento → Implantação de marca-passo ou cardioversor-desfibrilador

*Sem efeito residual do anticoagulante (4 ou 5 meias-vidas de interrupção pré-procedimento).
†Inclui anestesia epidural ou espinal, considerando não somente sangramento maior, mas consequências catastróficas desse sangramento.
‡Algum efeito residual é permitido (2-3 meias-vidas de interrupção pré-procedimento).
§Abordagem radial pode ser considerada de risco mínimo de sangramento quando comparada à abordagem femoral.
¦O procedimento pode ser feito seguramente com anticoagulação plena (pode ser considerada suspensão do anticoagulante oral direto no dia do procedimento para evitar o pico de ação).
Fonte: Adaptada de Spyropoulos e colaboradores.[129]

última dose antes do procedimento e a dose subsequente ao procedimento, cujos intervalos de interrupção variam conforme o fármaco (p. ex., os ACODs em pacientes com função renal normal devem ser suspensos 3 dias antes e reiniciados 6 horas após a remoção do cateter, se o procedimento não tiver sido traumático).

Procedimentos dentários

Para os pacientes que se submeterão a procedimentos dentários menores (extração simples de até 3 dentes, colocação de ponte ou coroa, limpeza de placa, retração supragengival ou remoção dentária cirúrgica), não há necessidade de interrupção da anticoagulação. Pode-se deixar a INR < 2,5, embora INR < 4 já permita os procedimentos com baixa incidência de sangramento C/D.[139] Estudos com ACODs também evidenciaram que é seguro mantê-los em pacientes que serão submetidos a procedimentos dentários de baixo e médio risco.[140,141] Procedimentos considerados de alto risco de sangramento são extrações complexas, procedimentos periodontais (exceto limpeza de placa, que é considerado de baixo risco), implante dentário, biópsias e reconstrução de gengiva, sendo recomendada redução da anticoagulação.[142]

Os dentistas devem utilizar, não havendo contraindicação, anestésico local com vasoconstritor para infiltração mucosa ou intraligamentar (evitar o bloqueio nervoso), utilizar suturas absorvíveis e realizar pressão mecânica por 15 a 30 minutos com compressas embebidas em agentes hemostáticos no final do procedimento.

Os pacientes devem ser orientados a não enxaguar a boca por 24 horas (exceto com medicação), não mexer no curativo, evitar comidas ou líquidos fortes no dia do procedimento e não mastigar com os dentes do lado operado. Pode-se aplicar ácido tranexâmico (5%) em bochechos para reduzir o sangramento.[143] No Brasil, não existe solução específica para essa finalidade. Pode-se macerar 2 comprimidos de 250 mg de ácido tranexâmico em 10 mL de soro fisiológico, embora essa solução não tenha sido formalmente testada C/D. Pode-se também utilizar a própria ampola de uso intravenoso (50 mg/mL, ampola com 5 mL). Recomendam-se essas soluções para enxágue bucal por 2 minutos, 4 ×/dia, por 2 a 7 dias consecutivos C/D.

Se a anticoagulação não for suspensa, deve-se evitar o uso de ácido acetilsalicílico e AINEs para analgesia nesse período. Entretanto, se antiplaquetários forem utilizados por indicação específica (AVC recente, síndrome coronariana aguda, stent coronariano), podem ser mantidos.

Troca de anticoagulante durante o uso

Algumas situações podem levar à necessidade de troca do anticoagulante. Em relação à troca de AVK por ACOD, essas situações são contextos de baixa adesão, grande variabilidade do INR (mesmo em caso de boa adesão), demanda excessiva de testes laboratoriais e necessidade de procedimentos invasivos repetidos. Já a modificação de ACOD por AVK pode ocorrer por custo, baixa adesão (ACODs "perdem" logo o efeito e não é possível fazer monitoração laboratorial) e desenvolvimento de insuficiência renal. A recorrência pode ocorrer com qualquer anticoagulante, apesar de anticoagulação em nível terapêutico adequado. Nesse contexto, é fundamental confirmar por exames objetivos (tomografia computadorizada, avaliação cardíaca, ultrassonografia com Doppler vascular) se realmente houve recorrência e se não se trata de sequela de um episódio prévio (p. ex., não é infrequente o diagnóstico errôneo de TEP agudo em paciente com agudização de hipertensão pulmonar tromboembólica crônica não associado ao novo evento trombótico).[14]

É importante lembrar que os AVKs têm efeito anticoagulante de início lento (mesmo em caso de INR prolongada antes disso), assim como perda do efeito prolongada. Embora a transição dos ACODs para varfarina deva ser feita com uso de anticoagulantes parenterais, a logística é complicada em nível ambulatorial, deixando para casos com risco muito alto de tromboembolismo (utilizando heparinas subcutâneas). Então, na transição do ACOD para AVK, recomenda-se sobrepor os dois anticoagulantes até a INR atingir a faixa terapêutica. Como os inibidores do fator Xa (apixabana, edoxabana e rivaroxabana) também prolongam a INR, recomenda-se dosar a INR no final do intervalo da dose. A dabigatrana também interfere na INR, porém de maneira menos intensa.[46]

A transição do AVK para ACOD pode ser feita suspendendo a varfarina, monitorando a INR e iniciando o ACOD, sendo apixabana ou dabigatrana quando INR ≤ 2, edoxabana quando INR ≤ 2,5 e rivaroxabana quando INR ≤ 3 C/D.[53,105] Apixabana confere o menor risco de troca para outro ACOD em relação à dabigatrana e à rivaroxabana.[144]

Reinício de anticoagulante após sangramento

O principal motivo de descontinuação de anticoagulação é o sangramento, seguido por alterações gastrintestinais, fragilidade e risco de quedas.[145] Entretanto, muitas vezes é necessário reavaliar a necessidade de reiniciar o anticoagulante. O primeiro aspecto a ser considerado é se o paciente ainda possui recomendação de anticoagulação de acordo com diretrizes (p. ex., pacientes sem FA que colocaram bioprótese valvar cardíaca há mais de 3 meses não precisam ser anticoagulados por esse motivo). Se ainda há indicação, é necessário estabelecer o risco-benefício para o paciente. Deve-se avaliar o contexto do sangramento em relação a fatores de risco (transitórios ou permanentes), mecanismo (espontâneo ou traumático), sítio do sangramento (crítico, não crítico ou indefinido), tratamento do sangramento (definitivo ou provisório), gravidade do sangramento e se algum procedimento planejado será realizado. São considerados sangramentos em locais críticos aqueles intracranianos, outras hemorragias do sistema nervoso central (intraocular, intra ou extraespinal), tamponamento cardíaco, sangramento em via aérea (incluindo epistaxe posterior), hemotórax, intra-abdominal (incluindo retroperitoneal) e em extremidades (intramuscular ou intra-articular). Uso concomitante de antiplaquetários, INR elevada em pacientes usuários de AVK, insuficiência renal aguda ou crônica agudizada no caso dos ACODs ou início de novos fármacos que possam interagir com os ACODs são fatores transitórios que podem ser manejados antes do reinício do anticoagulante.[46,69]

Há algumas circunstâncias de altíssimo risco tromboembólico em que, mesmo em condições de risco aumentado de sangramento, deve ser considerado o reinício da anticoagulação, como prótese valvar metálica com insuficiência cardíaca, FA não valvular com CHA_2DS_2-VASc ≥ 4 e TEV com menos de 3 meses do episódio-índice. Estudos demonstraram que reinício de anticoagulação nesse contexto foi associado à redução de mortalidade total, sobretudo por diminuição da recorrência de TEV (RRR = 38%) C/D.[146] Nesse contexto, pode-se optar por manter o mesmo anticoagulante ou trocá-lo. Por exemplo, o paciente apresentou sangramento por AVK com INR muito elevada, e optou-se por trocar para ACOD.

Pode-se reiniciar a anticoagulação na maioria dos casos após sangramento digestivo quando a hemostasia tiver sido estabelecida. Já em pacientes com sangramento intracraniano que obrigatoriamente necessitam reiniciar anticoagulação, isso deve ser feito com extrema cautela e após 4 semanas do episódio hemorrágico com consultoria neurológica. Anticoagulação plena pode ser reiniciada 48 a 72 horas após cirurgia com alto risco de sangramento, sendo recomendada antes consultoria com a equipe cirúrgica.[69] Na maioria dos pacientes, pode-se utilizar dose profilática para TEV até a anticoagulação plena ser retomada.

Embora existam questionários para risco de sangramento, estes não foram validados para sangramento ativo ou muito recente. As discussões com o paciente sobre possíveis sequelas de recorrência trombótica ou hemorrágica, bem como sobre suas preferências e valores pessoais, devem ser feitas em momento apropriado. O paciente deve estar engajado nesse processo de decisão e consequente ação. Em casos muito selecionados, pode-se optar por medidas não farmacológicas em vez de anticoagulação, como filtro de veia cava em pacientes com TEV recorrente ou oclusão do apêndice atrial esquerdo por técnica minimamente invasiva. Ressalta-se que é fundamental obter consultorias dos especialistas envolvidos (neurologistas, cardiologistas, cirurgiões, entre outros).

Eventos tromboembólicos na Covid-19

A Covid-19 está associada ao aumento de eventos tromboembólicos, tanto venosos quanto arteriais, causados por um estado de hipercoagulabilidade secundário às alterações inflamatórias diferente da coagulação intravascular disseminada observada em outras doenças infecciosas.[147] Não se recomenda anticoagulação plena nos pacientes com Covid-19, exceto quando for documentado um evento tromboembólico estabelecido B.[148,149] Extrapolando dados de estudos em outros contextos, um grupo selecionado de pacientes clínicos (com múltiplos fatores de risco de TEV e baixo risco de sangramento) pode beneficiar-se de profilaxia estendida após alta hospitalar (p. ex., rivaroxabana 10 mg, VO, 1 ×/dia, por 35 dias, ou enoxaparina, 40 mg, SC, 1 ×/dia, por 14 dias).[150]

Embora médicos utilizem anticoagulação em muitos pacientes ambulatoriais que não necessitam de hospitalização, essa é uma prática sem evidência robusta até o momento. A dosagem de D-dímeros séricos não auxilia nessa decisão. Com base em opinião de especialistas, pode-se prescrever tromboprofilaxia em um grupo muito específico de pacientes com Covid-19 e fatores adicionais de alto risco de eventos tromboembólicos (p. ex., câncer ativo, TEV prévio).

ORIENTAÇÕES AOS PACIENTES[151]

É importante que os pacientes sejam orientados sobre as peculiaridades do tratamento antes de iniciar a terapia anticoagulante. As seguintes informações devem ser orientadas, preferencialmente por escrito C/D:

- → é fundamental o acompanhamento médico regular;
- → anticoagulantes podem causar equimoses ou sangramento. No caso de equimoses em excesso ou qualquer sangramento, deve-se entrar em contato com o seu médico ou outro profissional de saúde;
- → atividades com risco de sangramento ou trauma devem ser evitadas;
- → não se deve compensar uma dose esquecida no dia seguinte. Se mais doses forem perdidas, é essencial buscar orientação com o profissional;
- → mulheres em idade fértil devem evitar engravidar enquanto estiverem fazendo uso de anticoagulantes orais;
- → o exame usado para monitorar a terapia pela varfarina é o tempo de protrombina (INR) e deve ser realizado com frequência;
- → a ingestão de alimentos com vitamina K deve ser feita em quantidade constante em pacientes utilizando varfarina;
- → muitos fármacos interagem com a varfarina. É fundamental avisar seu médico sempre que houver necessidade de nova medicação. Deve-se evitar automedicação.

ENCAMINHAMENTO

Não há critérios definidos e validados para o encaminhamento de pacientes anticoagulados. Em alguns cenários, sugere-se que os pacientes sejam encaminhados a um serviço especializado:

- → dificuldade para atingir o nível terapêutico apesar de altas doses diárias de anticoagulante oral (p. ex., varfarina em dose > 10 mg/dia);
- → grande variabilidade nos valores da INR sem identificação de fatores responsáveis por essas alterações;
- → múltiplos fatores de risco para complicações, sobretudo sangramento;
- → história de complicação grave, mas com necessidade de permanecer em uso de anticoagulação (p. ex., sangramento maior em paciente com prótese valvar metálica);
- → ocorrência de eventos tromboembólicos apesar de anticoagulação em dose adequada;
- → paciente com múltiplas comorbidades e/ou em uso de múltiplos fármacos;
- → dúvida em relação à duração da anticoagulação, como em pacientes com TEV não provocado;
- → pacientes gestantes, sobretudo aquelas portadoras de prótese valvar cardíaca.

REFERÊNCIAS

1. Guyatt GH, Akl EA, Crowther M, Gutterman DD, Schuünemann HJ, American College of Chest Physicians Antithrombotic Therapy and Prevention of Thrombosis Panel. Executive summary: antithrombotic therapy and prevention of thrombosis, 9th ed: American College of Chest Physicians evidence-based clinical practice guidelines. Chest. 2012;141(2 Suppl):7S-47S. Erratum in: Chest. 2012;141(4):1129. Dosage error in article text. Erratum in: Chest. 2012;142(6):1698.
2. Hirsh J, Fuster V, Ansell J, Halperin JL, American Heart Association, American College of Cardiology Foundation. American Heart Association/American College of Cardiology Foundation guide to warfarin therapy. Circulation. 2003;107(12):1692-711.
3. Maddali S, Biring T, Bluhm J, Kopecky S, Krueger K, Larson T, et al. Health care guideline: antithrombotic therapy supplement. 11th ed. Bloomington: ICSI; 2013.
4. Askey JM, Cherry CB. Thromboembolism associated with auricular fibrillation: continuous anticoagulant therapy. J Am Med Assoc. 1950;144(2):97-100.
5. Roberti R, Iannone LF, Palleria C, Curcio A, Rossi M, Sciacqua A, et al. direct oral anticoagulants: from randomized clinical trials to real-world clinical practice. Front Pharmacol. 2021;12:684638.
6. AlHajri L, Jabbari S, AlEmad H, AlMahri K, AlMahri M, AlKitbi N. The efficacy and safety of edoxaban for VTE prophylaxis post-orthopedic surgery: a systematic review. J Cardiovasc Pharmacol Ther. 2017;22(3):230-38.
7. Brasil. Ministério da Saúde. Comissão Nacional de Incorporação de Tecnologias no SUS. Relatório de recomendação nº 195: apixabana, rivaroxabana e dabigratana em pacientes com fibrilação atrial não valvar. Brasília: MS; 2016.
8. Schulman S. Clinical practice. Care of patients receiving long-term anticoagulant therapy. N Engl J Med. 2003;349(7):675-83.
9. Wang KL, Lopes RD, Patel MR, Büller HR, Tan DS, Chiang CE, Giugliano RP. Efficacy and safety of reduced-dose non-vitamin K antagonist oral anticoagulants in patients with atrial fibrillation: a meta-analysis of randomized controlled trials. Eur Heart J. 2019;40(19):1492-1500.
10. January CT, Wann LS, Calkins H, Chen LY, Cigarroa JE, Cleveland JC Jr, et al. 2019 AHA/ACC/HRS Focused Update of the 2014 AHA/ACC/HRS Guideline for the management of patients with atrial fibrillation: a report of the American College of Cardiology/American Heart Association Task Force on Clinical Practice Guidelines and the Heart Rhythm Society in Collaboration With the Society of Thoracic Surgeons. Circulation. 2019;140(2):e125-e151. Erratum in: Circulation. 2019;140(6):e285.
11. Liu X, Xu ZX, Yu P, Yuan P, Zhu WG. Non-vitamin K antagonist oral anticoagulants in secondary stroke prevention in atrial fibrillation patients: an updated analysis by adding observational studies. Cardiovasc Drugs Ther. 2020;34(4):569-78.
12. Wein T, Lindsay MP, Côté R, Foley N, Berlingieri J, Bhogal S, et al. Canadian stroke best practice recommendations: secondary prevention of stroke, sixth edition practice guidelines, update 2017. Int J Stroke. 2018;13(4):420-43.
13. Gómez-Outes A, Lecumberri R, Suárez-Gea ML, Terleira-Fernández AI, Monreal M, Vargas-Castrillón E. Case fatality rates of recurrent thromboembolism and bleeding in patients receiving direct oral anticoagulants for the initial and extended treatment of venous thromboembolism: a systematic review. J Cardiovasc Pharmacol Ther. 2015;20(5):490-500.
14. Konstantinides SV, Meyer G, Becattini C, Bueno H, Geersing GJ, Harjola VP, et al. 2019 ESC guidelines for the diagnosis and management of acute pulmonary embolism developed in collaboration with the European Respiratory Society (ERS): the task force for the diagnosis and management of acute pulmonary embolism of the European Society of Cardiology (ESC). Eur Respir J. 2019;54(3):1901647.
15. Camilli M, Lombardi M, Vescovo GM, Del Buono MG, Galli M, Aspromonte N, et al. Efficacy and safety of novel oral anticoagulants versus low molecular weight heparin in cancer patients with venous thromboembolism: A systematic review and meta-analysis. Crit Rev Oncol Hematol. 2020;154:103074.

16. Key NS, Khorana AA, Kuderer NM, Bohlke K, Lee AYY, Arcelus JI, et al. Venous Thromboembolism Prophylaxis and Treatment in Patients With Cancer: ASCO Clinical Practice Guideline Update. J Clin Oncol. 2020;38(5):496-520.

17. Yoo HH, Nunes-Nogueira VS, Fortes Villas Boas PJ, Broderick C. Outpatient versus inpatient treatment for acute pulmonary embolism. Cochrane Database Syst Rev. 2019;3(3):CD010019.

18. Khatib R, Ross S, Kennedy SA, Florez ID, Ortel TL, Nieuwlaat R, et al. Home vs hospital treatment of low-risk venous thromboembolism: a systematic review and meta-analysis. Blood Adv. 2020;4(3):500-13.

19. Howard LSGE, Barden S, Condliffe R, Connolly V, Davies CWH, Donaldson J, et al. British Thoracic Society Guideline for the initial outpatient management of pulmonary embolism (PE). Thorax. 2018;73(Suppl 2):ii1-ii29.

20. Shaikh S, Reddy M, McKenney M, Elkbuli A. Is extended-duration (post-hospital discharge) venous thromboembolism chemoprophylaxis safe and efficacious in high-risk surgery patients? a systematic review. World J Surg. 2020;44(10):3363-71. Erratum in: World J Surg. 2020.

21. Felder S, Rasmussen MS, King R, Sklow B, Kwaan M, Madoff R, et al. Prolonged thromboprophylaxis with low molecular weight heparin for abdominal or pelvic surgery. Cochrane Database Syst Rev. 2019;3(3):CD004318. Update in: Cochrane Database Syst Rev. 2019;8:CD004318.

22. Forster R, Stewart M. Anticoagulants (extended duration) for prevention of venous thromboembolism following total hip or knee replacement or hip fracture repair. Cochrane Database Syst Rev. 2016;3:CD004179.

23. Anderson DR, Dunbar M, Murnaghan J, Kahn SR, Gross P, Forsythe M, et al. Aspirin or rivaroxaban for VTE prophylaxis after hip or knee arthroplasty. N Engl J Med. 2018;378(8):699-707.

24. Kumano O, Akatsuchi K, Amiral J. Updates on Anticoagulation and Laboratory Tools for Therapy Monitoring of Heparin, Vitamin K Antagonists and Direct Oral Anticoagulants. Biomedicines. 2021;9(3):264.

25. Zucker S, Cathey MH, Sox PJ, Hall EC. Standardization of laboratory tests for controlling anticoagulent therapy. Am J Clin Pathol. 1970;53(3):348-54.

26. Johnston M, Harrison L, Moffat K, Willan A, Hirsh J. Reliability of the international normalized ratio for monitoring the induction phase of warfarin: comparison with the prothrombin time ratio. J Lab Clin Med. 1996;128(2):214-7.

27. Cannegieter SC, Rosendaal FR, Wintzen AR, van der Meer FJ, Vandenbroucke JP, Briët E. Optimal oral anticoagulant therapy in patients with mechanical heart valves. N Engl J Med. 1995;333(1):11-7.

28. Pengo V, Denas G. Optimizing quality care for the oral vitamin K antagonists (VKAs). Hematology Am Soc Hematol Educ Program. 2018;2018(1):332-8.

29. Veeger NJ, Piersma-Wichers M, Tijssen JG, Hillege HL, van der Meer J. Individual time within target range in patients treated with vitamin K antagonists: main determinant of quality of anticoagulation and predictor of clinical outcome. A retrospective study of 2300 consecutive patients with venous thromboembolism. Br J Haematol. 2005;128(4):513-9.

30. Razouki Z, Ozonoff A, Zhao S, Jasuja GK, Rose AJ. Improving quality measurement for anticoagulation: adding international normalized ratio variability to percent time in therapeutic range. Circ Cardiovasc Qual Outcomes. 2014;7(5):664-9.

31. Oake N, Jennings A, Forster AJ, Fergusson D, Doucette S, van Walraven C. Anticoagulation intensity and outcomes among patients prescribed oral anticoagulant therapy: a systematic review and meta-analysis. CMAJ. 2008;179(3):235-44.

32. Otto CM, Nishimura RA, Bonow RO, Carabello BA, Erwin JP 3rd, Gentile F, et al. 2020 ACC/AHA guideline for the management of patients with valvular heart disease: a report of the American College of Cardiology/American Heart Association Joint Committee on Clinical Practice Guidelines. J Am Coll Cardiol. 2021;77(4):e25-e197. Erratum in: J Am Coll Cardiol. 2021;77(4):509. Erratum in: J Am Coll Cardiol. 2021;77(9):1275.

33. Silva FF, Carvalho JF. Intensity of anticoagulation in the treatment of thrombosis in the antiphospholipid syndrome: a meta-analysis. Rev Bras Reumatol. 2015;55(2):159-66.

34. Garcia P, Ruiz W, Loza Munárriz C. Warfarin initiation nomograms for venous thromboembolism. Cochrane Database Syst Rev. 2016;2016(1):CD007699.

35. Ceresetto JM, Duboscq C, Korin J, Fondevila C, Casais P, Rossi A, et al. Consenso Argentino en gestión efectiva de clínicas de anticoagulación para el uso de antagonistas de la vitamina K. Medicina (B Aires). 2020;80 Suppl 4:1-26.

36. Keeling D, Baglin T, Tait C, Watson H, Perry D, Baglin C, et al. Guidelines on oral anticoagulation with warfarin – fourth edition. Br J Haematol. 2011;154(3):311-24.

37. Heneghan C, Tyndel S, Bankhead C, Wan Y, Keeling D, Perera R, et al. Optimal loading dose for the initiation of warfarin: a systematic review. BMC Cardiovasc Disord. 2010;10:18.

38. Brandjes DP, Heijboer H, Büller HR, de Rijk M, Jagt H, ten Cate JW. Acenocoumarol and heparin compared with acenocoumarol alone in the initial treatment of proximal-vein thrombosis. N Engl J Med. 1992;327(21):1485-9.

39. Kovacs MJ, Rodger M, Anderson DR, Morrow B, Kells G, Kovacs J, et al. Comparison of 10-mg and 5-mg warfarin initiation nomograms together with low-molecular-weight heparin for outpatient treatment of acute venous thromboembolism. A randomized, double-blind, controlled trial. Ann Intern Med. 2003;138(9):714-9.

40. Pengo V, Biasiolo A, Pegoraro C. A simple scheme to initiate oral anticoagulant treatment in outpatients with nonrheumatic atrial fibrillation. Am J Cardiol. 2001;88(10):1214-6.

41. Van Spall HG, Wallentin L, Yusuf S, Eikelboom JW, Nieuwlaat R, Yang S, et al. Variation in warfarin dose adjustment practice is responsible for differences in the quality of anticoagulation control between centers and countries: an analysis of patients receiving warfarin in the randomized evaluation of long-term anticoagulation therapy (RE-LY) trial. Circulation. 2012;126(19):2309-16.

42. Banet GA, Waterman AD, Milligan PE, Gatchel SK, Gage BF. Warfarin dose reduction vs watchful waiting for mild elevations in the international normalized ratio. Chest. 2003;123(2):499-503.

43. Schulman S, Melinyshyn A, Ennis D, Rudd-Scott L. Single-dose adjustment versus no adjustment of warfarin in stably anticoagulated patients with an occasional international normalized ratio (INR) out of range. Thromb Res. 2010;125(5):393-7.

44. Witt DM, Clark NP, Kaatz S, Schnurr T, Ansell JE. Guidance for the practical management of warfarin therapy in the treatment of venous thromboembolism. J Thromb Thrombolysis. 2016;41(1):187-205.

45. Witt DM, Delate T, Clark NP, Martell C, Tran T, Crowther MA, et al. Outcomes and predictors of very stable INR control during chronic anticoagulation therapy. Blood. 2009;114(5):952-6.

46. Witt DM, Nieuwlaat R, Clark NP, Ansell J, Holbrook A, Skov J, et al. American Society of Hematology 2018 guidelines for management of venous thromboembolism: optimal management of anticoagulation therapy. Blood Adv. 2018;2(22):3257-91.

47. Holbrook AM, Pereira JA, Labiris R, McDonald H, Douketis JD, Crowther M, et al. Systematic overview of warfarin and its drug and food interactions. Arch Intern Med. 2005;165(10):1095-106.

48. Violi F, Lip GY, Pignatelli P, Pastori D. Interaction Between Dietary Vitamin K intake and anticoagulation by vitamin K antagonists: Is it really true? A systematic review. Medicine (Baltimore). 2016;95(10):e2895.

49. Ge B, Zhang Z, Zuo Z. Updates on the clinical evidenced herb--warfarin interactions. Evid Based Complement Alternat Med. 2014;2014:957362.

50. Vazquez SR. Drug-drug interactions in an era of multiple anticoagulants: a focus on clinically relevant drug interactions. Blood. 2018;132(21):2230-9.
51. Peixoto de Miranda ÉJF, Takahashi T, Iwamoto F, Yamashiro S, Samano E, Macedo AVS, et al. Drug-Drug interactions of 257 antineoplastic and supportive care agents with 7 anticoagulants: a comprehensive review of interactions and mechanisms. Clin Appl Thromb Hemost. 2020;26:1076029620936325.
52. Lane MA, Zeringue A, McDonald JR. Serious bleeding events due to warfarin and antibiotic co-prescription in a cohort of veterans. Am J Med. 2014;127(7):657-63.e2.
53. Lorga Filho AM, Azmus AD, Soeiro AM, Quadros AS, Avezum A Jr, Marques AC, et al. Diretrizes brasileiras de antiagregantes plaquetários e anticoagulantes em cardiologia. Arq Bras Cardiol. 2013;101(3 Suppl 3):1-95.
54. Villa Zapata L, Hansten PD, Panic J, Horn JR, Boyce RD, Gephart S, et al. Risk of bleeding with exposure to warfarin and nonsteroidal anti-inflammatory drugs: a systematic review and meta-analysis. Thromb Haemost. 2020;120(7):1066-74.
55. Caldeira D, Costa J, Barra M, Pinto FJ, Ferreira JJ. How safe is acetaminophen use in patients treated with vitamin K antagonists? A systematic review and meta-analysis. Thromb Res. 2015;135(1):58-61.
56. Roth JA, Bradley K, Thummel KE, Veenstra DL, Boudreau D. Alcohol misuse, genetics, and major bleeding among warfarin therapy patients in a community setting. Pharmacoepidemiol Drug Saf. 2015;24(6):619-27.
57. Vianna MS, da Silva Praxedes MF, de Araújo VE, Ferreira CB, de Sousa WJFN, Viana CC, et al. Self-report instruments for assessing adherence to warfarin therapy: a systematic review. Eur J Clin Pharmacol. 2021.
58. Gomes Freitas C, Walsh M, Coutinho EL, Vincenzo de Paola AA, Atallah ÁN. Examining therapeutic equivalence between branded and generic warfarin in Brazil: The WARFA crossover randomized controlled trial. PLoS One. 2021;16(4):e0248567.
59. Saour JN, Sieck JO, Mamo LA, Gallus AS. Trial of different intensities of anticoagulation in patients with prosthetic heart valves. N Engl J Med. 1990;322(7):428-32.
60. Jaakkola S, Nuotio I, Kiviniemi TO, Virtanen R, Issakoff M, Airaksinen KEJ. Incidence and predictors of excessive warfarin anticoagulation in patients with atrial fibrillation-The EWA study. PLoS One. 2017;12(4):e0175975.
61. Khatib R, Ludwikowska M, Witt DM, Ansell J, Clark NP, Holbrook A, et al. Vitamin K for reversal of excessive vitamin K antagonist anticoagulation: a systematic review and meta-analysis. Blood Adv. 2019;3(5):789-96.
62. Farrow GS, Delate T, McNeil K, Jones AE, Witt DM, Crowther MA, et al. Vitamin K versus warfarin interruption alone in patients without bleeding and an international normalized ratio > 10. J Thromb Haemost. 2020;18(5):1133-40.
63. Hylek EM, Regan S, Go AS, Hughes RA, Singer DE, Skates SJ. Clinical predictors of prolonged delay in return of the international normalized ratio to within the therapeutic range after excessive anticoagulation with warfarin. Ann Intern Med. 2001;135(6):393-400.
64. Mahtani KR, Heneghan CJ, Nunan D, Roberts NW. Vitamin K for improved anticoagulation control in patients receiving warfarin. Cochrane Database Syst Rev. 2014;(5):CD009917.
65. Osinbowale O, Al Malki M, Schade A, Bartholomew JR. An algorithm for managing warfarin resistance. Cleve Clin J Med. 2009;76(12):724-30.
66. Oldenburg J, Müller CR, Rost S, Watzka M, Bevans CG. Comparative genetics of warfarin resistance. Hamostaseologie. 2014;34(2):143-59.
67. Nathisuwan S, Dilokthornsakul P, Chaiyakunapruk N, Morarai T, Yodting T, Piriyachananusorn N. Assessing evidence of interaction between smoking and warfarin: a systematic review and meta-analysis. Chest. 2011;139(5):1130-9.
68. Clapauch SH, Benchimol-Barbosa PR. Warfarin resistance and caffeine containing beverages. Int J Cardiol. 2012;156(1):e4-5.
69. Tomaselli GF, Mahaffey KW, Cuker A, Dobesh PP, Doherty JU, Eikelboom JW et al. 2020 ACC expert consensus decision pathway on management of bleeding in patients on oral anticoagulants: a report of the American College of Cardiology Solution Set Oversight Committee. J Am Coll Cardiol. 2020;76(5):594-622.
70. Saour JN, Sieck JO, Mamo LA, Gallus AS. Trial of different intensities of anticoagulation in patients with prosthetic heart valves. N Engl J Med. 1990;322(7):428-32.
71. Zeng J, Yu P, Cui W, Wang X, Ma J, Zeng C. Comparison of HAS-BLED with other risk models for predicting the bleeding risk in anticoagulated patients with atrial fibrillation: a PRISMA-compliant article. Medicine (Baltimore). 2020;99(25):e20782.
72. Chang G, Xie Q, Ma L, Hu K, Zhang Z, Mu G, Cui Y. Accuracy of HAS-BLED and other bleeding risk assessment tools in predicting major bleeding events in atrial fibrillation: a network meta-analysis. J Thromb Haemost. 2020;18(4):791-801.
73. Garcia DA, Crowther M. Risk and prevention of bleeding with oral anticoagulants [Internet]. UpToDate. Waltham: UpToDate; 2021 [capturado em 19 ago. 2021]. Disponível em: https://www.uptodate.com/contents/risks-and-prevention-of-bleeding-with-oral-anticoagulants
74. Chan YC, Valenti D, Mansfield AO, Stansby G. Warfarin induced skin necrosis. Br J Surg. 2000;87(3):266-72.
75. Xin C, Hu D, Li M. Late onset warfarin-induced skin necrosis. G Ital Dermatol Venereol. 2019;154(2):205-8.
76. Kamada M, Kenzaka T. Successful treatment of warfarin-induced skin necrosis using oral rivaroxaban: A case report. World J Clin Cases. 2019;7(24):4285-91.
77. McRae HL, Militello L, Refaai MA. Updates in anticoagulation therapy monitoring. Biomedicines. 2021;9(3):262.
78. Eikelboom JW, Connolly SJ, Brueckmann M, Granger CB, Kappetein AP, Mack MJ, et al. Dabigatran versus warfarin in patients with mechanical heart valves. N Engl J Med. 2013;369(13):1206-14.
79. Wadsworth D, Sullivan E, Jacky T, Sprague T, Feinman H, Kim J. A review of indications and comorbidities in which warfarin may be the preferred oral anticoagulant. J Clin Pharm Ther. 2021;46(3):560-70.
80. Dufrost V, Wahl D, Zuily S. Direct oral anticoagulants in antiphospholipid syndrome: meta-analysis of randomized controlled trials. Autoimmun Rev. 2021;20(1):102711.
81. Koval N, Alves M, Plácido R, Almeida AG, Fonseca JE, Ferreira JJ, et al. Direct oral anticoagulants versus vitamin K antagonists in patients with antiphospholipid syndrome: systematic review and meta-analysis. RMD Open. 2021;7(2):e001678.
82. Chai-Adisaksopha C, Hillis C, Isayama T, Lim W, Iorio A, Crowther M. Mortality outcomes in patients receiving direct oral anticoagulants: a systematic review and meta-analysis of randomized controlled trials. J Thromb Haemost. 2015;13(11):2012-20.
83. Mainbourg S, Cucherat M, Provencher S, Bertoletti L, Nony P, Gueyffier F, et al. Twice- or once-daily dosing of direct oral anticoagulants, a systematic review and meta-analysis. Thromb Res. 2021;197:24-32.
84. Chatterjee S, Sardar P, Giri JS, Ghosh J, Mukherjee D. Treatment discontinuations with new oral agents for long-term anticoagulation: insights from a meta-analysis of 18 randomized trials including 101,801 patients. Mayo Clin Proc. 2014;89(7):896-907.
85. Chen HY, Ou SH, Huang CW, Lee PT, Chou KJ, Lin PC, et al. Efficacy and Safety of Direct Oral Anticoagulants vs Warfarin in Patients with Chronic Kidney Disease and Dialysis Patients: A Systematic Review and Meta-Analysis. Clin Drug Investig. 2021;41(4):341-51.

86. Nabiee M, Dashti-Khavidaki S, Khajeh B. Dose discordance of direct acting oral anticoagulants using different equations for estimating GFR: a literature review. Expert Rev Clin Pharmacol. 2020;13(8):857-63.

87. White EM, Coons JC. Direct oral anticoagulant use in special populations: elderly, obesity, and renal failure. Curr Cardiol Rep. 2021;23(4):27.

88. Zhou Y, Ma J, Zhu W. Efficacy and safety of direct oral anticoagulants versus warfarin in patients with atrial fibrillation across bmi categories: a systematic review and meta-analysis. Am J Cardiovasc Drugs. 2020;20(1):51-60.

89. Lapumnuaypol K, DiMaria C, Chiasakul T. Safety of direct oral anticoagulants in patients with cirrhosis: a systematic review and meta-analysis. QJM. 2019;112(8):605-610.

90. Yu YB, Liu J, Fu GH, Fang RY, Gao F, Chu HM. Comparison of dabigatran and warfarin used in patients with non-valvular atrial fibrillation: meta-analysis of random control trial. Medicine (Baltimore). 2018;97(46):e12841.

91. Cohen AT, Hamilton M, Mitchell SA, Phatak H, Liu X, Bird A, Tushabe D, et al. Comparison of the novel oral anticoagulants apixaban, dabigatran, edoxaban, and rivaroxaban in the initial and long-term treatment and prevention of venous thromboembolism: systematic review and network meta-analysis. PLoS One. 2015;10(12):e0144856.

92. Wei AH, Gu ZC, Zhang C, Ding YF, Liu D, Li J, et al. Increased risk of myocardial infarction with dabigatran etexilate: fact or fiction? A critical meta-analysis of over 580,000 patients from integrating randomized controlled trials and real-world studies. Int J Cardiol. 2018;267:1-7.

93. Polzin A, Dannenberg L, Wolff G, Helten C, Achilles A, Hohlfeld T, et al. Non-vitamin K oral anticoagulants (NOAC) and the risk of myocardial infarction: differences between factor IIa and factor Xa inhibition? Pharmacol Ther. 2019;195:1-4.

94. Guimarães PO, Lopes RD, Wojdyla DM, Abdul-Rahim AH, Connolly SJ, Flaker GC, et al. Effect of apixaban on all-cause death in patients with atrial fibrillation: a meta-analysis based on imputed placebo effect. Cardiovasc Drugs Ther. 2017;31(3):295-301.

95. Proietti M, Romanazzi I, Romiti GF, Farcomeni A, Lip GYH. Real-world use of apixaban for stroke prevention in atrial fibrillation: a systematic review and meta-analysis. Stroke. 2018;49(1):98-106.

96. Zhang J, Wang X, Liu X, Larsen TB, Witt DM, Ye Z, et al. Comparative effectiveness and safety of direct acting oral anticoagulants in nonvalvular atrial fibrillation for stroke prevention: a systematic review and meta-analysis. Eur J Epidemiol. 2021.

97. Corsini A, Ferri N, Proietti M, Boriani G. Edoxaban and the issue of drug-drug interactions: from pharmacology to clinical practice. Drugs. 2020;80(11):1065-83.

98. Chen HB, Xiu J, Li YH, Yu TH. The risk of bleeding and all-cause mortality with edoxaban versus vitamin K antagonists: A meta-analysis of phase III randomized controlled trials. Thromb Res. 2020;194:82-90.

99. Blann AD, Skjøth F, Rasmussen LH, Larsen TB, Lip GY. Edoxaban versus placebo, aspirin, or aspirin plus clopidogrel for stroke prevention in atrial fibrillation. An indirect comparison analysis. Thromb Haemost. 2015;114(2):403-9.

100. Bohula EA, Giugliano RP, Ruff CT, Kuder JF, Murphy SA, Antman EM, et al. Impact of Renal Function on Outcomes With Edoxaban in the ENGAGE AF-TIMI 48 Trial. Circulation. 2016;134(1):24-36.

101. Li G, Zeng J, Zhang J, Thabane L. Comparative effects between direct oral anticoagulants for acute venous thromboembolism: indirect comparison from randomized controlled trials. Front Med (Lausanne). 2020;7:280.

102. Bai Y, Deng H, Shantsila A, Lip GY. Rivaroxaban versus dabigatran or warfarin in real-world studies of stroke prevention in atrial fibrillation: systematic review and meta-analysis. Stroke. 2017;48(4):970-6.

103. Hori M, Matsumoto M, Tanahashi N, Momomura S, Uchiyama S, Goto S, et al. Rivaroxaban vs. warfarin in Japanese patients with atrial fibrillation – the J-ROCKET AF study –. Circ J. 2012;76(9):2104-11.

104. Ebraheem M, Alzahrani I, Crowther M, Rochwerg B, Almakadi M. Extended DOAC therapy in patients with VTE and potential risk of recurrence: A systematic review and meta-analysis. J Thromb Haemost. 2020;18(9):2308-17.

105. Olivera P, Gabilondo M, Constans M, Tàssies D, Plensa E, Pons V et al. Tromboc@t working group recommendations for management in patients receiving direct oral anticoagulants. Med Clin (Barc). 2018;151(5):210.e1-13.

106. Rodrigues AO, David C, Ferreira JJ, Pinto FJ, Costa J, Caldeira D. The incidence of thrombotic events with idarucizumab and andexanet alfa: a systematic review and meta-analysis. Thromb Res. 2020;196:291-6.

107. Niu J, Song Y, Li C, Ren H, Zhang W. Once-daily vs. twice-daily dosing of enoxaparin for the management of venous thromboembolism: A systematic review and meta-analysis. Exp Ther Med. 2020;20(4):3084-95.

108. Bates SM, Rajasekhar A, Middeldorp S, McLintock C, Rodger MA, James AH, et al. American Society of Hematology 2018 guidelines for management of venous thromboembolism: venous thromboembolism in the context of pregnancy. Blood Adv. 2018;2(22):3317-59.

109. Robertson L, Strachan J. Subcutaneous unfractionated heparin for the initial treatment of venous thromboembolism. Cochrane Database Syst Rev. 2017;2(2):CD006771.

110. Joseph J, Rabbolini D, Enjeti AK, Favaloro E, Kopp MC, McRae S, et al. Diagnosis and management of heparin-induced thrombocytopenia: a consensus statement from the thrombosis and haemostasis Society of Australia and New Zealand HIT Writing Group. Med J Aust. 2019;210(11):509-16.

111. Christopher A. Fondaparinux outpatient use for patients with a heparin-induced thrombocytopenia history: a case report and review. Pharmacy (Basel). 2016;5(1):1.

112. Warkentin TE, Pai M, Linkins LA. Direct oral anticoagulants for treatment of HIT: update of Hamilton experience and literature review. Blood. 2017;130(9):1104-13.

113. Zhang Y, Zhang M, Tan L, Pan N, Zhang L. The clinical use of Fondaparinux: a synthetic heparin pentasaccharide. Prog Mol Biol Transl Sci. 2019;163:41-53.

114. Heneghan CJ, Garcia-Alamino JM, Spencer EA, Ward AM, Perera R, Bankhead C, et al. Self-monitoring and self-management of oral anticoagulation. Cochrane Database Syst Rev. 2016;7(7):CD003839.

115. Shambu SK, B SPS, Gona OJ, Desai N, B M, Madhan R, V R. Implementation and evaluation of virtual anticoagulation clinic care to provide incessant care during Covid-19 times in an indian tertiary care teaching hospital. Front Cardiovasc Med. 2021;8:648265.

116. van Walraven C, Jennings A, Oake N, Fergusson D, Forster AJ. Effect of study setting on anticoagulation control: a systematic review and metaregression. Chest. 2006;129(5):1155-66.

117. Hou K, Yang H, Ye Z, Wang Y, Liu L, Cui X. Effectiveness of Pharmacist-led Anticoagulation Management on Clinical Outcomes: A Systematic Review and Meta-Analysis. J Pharm Pharm Sci. 2017;20(1):378-96.

118. Barnes GD, Nallamothu BK, Sales AE, Froehlich JB. Reimagining anticoagulation clinics in the era of direct oral anticoagulants. Circ Cardiovasc Qual Outcomes. 2016;9(2):182-5.

119. Sylvester KW, Ting C, Lewin A, Collins P, Fanikos J, Goldhaber SZ, et al. Expanding anticoagulation management services to include direct oral anticoagulants. J Thromb Thrombolysis. 2018;45(2):274-280.

120. Wofford JL, Wells MD, Singh S. Best strategies for patient education about anticoagulation with warfarin: a systematic review. BMC Health Serv Res. 2008;8:40.

121. Paquette M, Witt DM, Holbrook A, Skov J, Ansell J, Schünemann HJ, et al. A systematic review and meta-analysis of supplemental education in patients treated with oral anticoagulation. Blood Adv. 2019;3(10):1638-46.

122. Shi C, Yan W, Wang G, Wang F, Li Q, Lin N. Pharmacogenetics-Based versus Conventional Dosing of Warfarin: A Meta-Analysis of Randomized Controlled Trials. PLoS One. 2015;10(12):e0144511.

123. Dai H, Zheng C, Lin C, Zhang Y, Zhang H, Chen F, et al. Technology-based interventions in oral anticoagulation management: meta-analysis of randomized controlled trials. J Med Internet Res. 2020;22(7):e18386. Erratum in: J Med Internet Res. 2020;22(8):e22761.

124. Tran RJC, Yamzon J, Stewart TL, Hernandez EA, Cao DX. Effectiveness of telepharmacy versus face-to-face anticoagulation services in the ambulatory care setting: a systematic review and meta-analysis. Ann Pharmacother. 2021;55(9):1084-95.

125. Jacobson B, Rambiritch V, Paek D, Sayre T, Naidoo P, Shan J, Leisegang R. Safety and efficacy of enoxaparin in pregnancy: a systematic review and meta-analysis. Adv Ther. 2020;37(1):27-40.

126. Côté-Poirier G, Bettache N, Côté AM, Mahone M, Morin F, Cumyn A, et al. Evaluation of complications in postpartum women receiving therapeutic anticoagulation. Obstet Gynecol. 2020;136(2):394-401.

127. D'Souza R, Ostro J, Shah PS, Silversides CK, Malinowski A, Murphy KE, et al. Anticoagulation for pregnant women with mechanical heart valves: a systematic review and meta-analysis. Eur Heart J. 2017;38(19):1509-16.

128. Beyer-Westendorf J, Michalski F, Tittl L, Middeldorp S, Cohen H, Abdul Kadir R, et al. Pregnancy outcome in patients exposed to direct oral anticoagulants – and the challenge of event reporting. Thromb Haemost. 2016;116(4):651-8.

129. Spyropoulos AC, Brohi K, Caprini J, Samama CM, Siegal D, Tafur A, Verhamme P, Douketis JD. Scientific and Standardization Committee Communication: guidance document on the periprocedural management of patients on chronic oral anticoagulant therapy: recommendations for standardized reporting of procedural/surgical bleed risk and patient-specific thromboembolic risk. J Thromb Haemost. 2019;17(11):1966-72.

130. Kearon C, Hirsh J. Management of anticoagulation before and after elective surgery. N Engl J Med. 1997;336(21):1506-11.

131. Douketis JD, Spyropoulos AC, Kaatz S, Becker RC, Caprini JA, Dunn AS, et al. Perioperative Bridging Anticoagulation in Patients with Atrial Fibrillation. N Engl J Med. 2015;373(9):823-33.

132. Steinberg BA, Peterson ED, Kim S, Thomas L, Gersh BJ, Fonarow GC, et al. Use and outcomes associated with bridging during anticoagulation interruptions in patients with atrial fibrillation: findings from the Outcomes Registry for Better Informed Treatment of Atrial Fibrillation (ORBIT-AF). Circulation. 2015;131(5):488-94.

133. Spencer NH, Sardo LA, Cordell JP, Douketis JD. Structure and function of a perioperative anticoagulation management clinic. Thromb Res. 2019;182:167-74.

134. Larson BJ, Zumberg MS, Kitchens CS. A feasibility study of continuing dose-reduced warfarin for invasive procedures in patients with high thromboembolic risk. Chest. 2005;127(3):922-7.

135. Birnie DH, Healey JS, Wells GA, Verma A, Tang AS, Krahn AD, et al. Pacemaker or defibrillator surgery without interruption of anticoagulation. N Engl J Med. 2013;368(22):2084-93.

136. Sticherling C, Marin F, Birnie D, Boriani G, Calkins H, Dan GA, et al. Antithrombotic management in patients undergoing electrophysiological procedures: a European Heart Rhythm Association (EHRA) position document endorsed by the ESC Working Group Thrombosis, Heart Rhythm Society (HRS), and Asia Pacific Heart Rhythm Society (APHRS). Europace. 2015;17(8):1197-214.

137. Douketis JD, Spyropoulos AC, Duncan J, Carrier M, Le Gal G, Tafur AJ, et al. Perioperative management of patients with atrial fibrillation receiving a direct oral anticoagulant. JAMA Intern Med. 2019;179(11):1469-78.

138. Narouze S, Benzon HT, Provenzano D, Buvanendran A, De Andres J, Deer T, et al. Interventional spine and pain procedures in patients on antiplatelet and anticoagulant medications (second edition): guidelines from the American Society of Regional Anesthesia and Pain Medicine, the European Society of Regional Anaesthesia and Pain Therapy, the American Academy of Pain Medicine, the International Neuromodulation Society, the North American Neuromodulation Society, and the World Institute of Pain. Reg Anesth Pain Med. 2018;43(3):225-262.

139. Yang S, Shi Q, Liu J, Li J, Xu J. Should oral anticoagulant therapy be continued during dental extraction? A meta-analysis. BMC Oral Health. 2016;16(1):81.

140. Bajkin BV, Wahl MJ, Miller CS. Dental implant surgery and risk of bleeding in patients on antithrombotic medications: a review of the literature. Oral Surg Oral Med Oral Pathol Oral Radiol. 2020;130(5):522-32.

141. Lusk KA, Snoga JL, Benitez RM, Sarbacker GB. Management of direct-acting oral anticoagulants surrounding dental procedures with low-to-moderate risk of bleeding. J Pharm Pract. 2018;31(2):202-7.

142. Dézsi CA, Dézsi BB, Dézsi AD. Management of dental patients receiving antiplatelet therapy or chronic oral anticoagulation: A review of the latest evidence. Eur J Gen Pract. 2017;23(1):196-201. Erratum in: Eur J Gen Pract. 2017;23(1):i-ii.

143. Moreno-Drada JA, Abreu LG, Lino PA, Parreiras Martins MA, Pordeus IA, Nogueira Guimarães de Abreu MH. Effectiveness of local hemostatic to prevent bleeding in dental patients on anticoagulation: A systematic review and network meta-analysis. J Craniomaxillofac Surg. 2021:S1010-5182(21)00123-2.

144. Romoli M, Marchetti G, Bernardini F, Urbinati S. Switching between direct oral anticoagulants: a systematic review and meta-analysis. J Thromb Thrombolysis. 2021.

145. Buck J, Fromings Hill J, Martin A, Springate C, Ghosh B, Ashton R, et al. Reasons for discontinuing oral anticoagulation therapy for atrial fibrillation: a systematic review. Age Ageing. 2021;50(4):1108-17.

146. Leonhard LG, Berg RL, Burmester JK, Mazza JJ, Schmelzer JR, Yale SH. Reinitiating warfarin: relationships between dose and selected patient, clinical and hospital measures. Clin Med Res. 2015;13(1):1-6.

147. Kunutsor SK, Laukkanen JA. Incidence of venous and arterial thromboembolic complications in Covid-19: a systematic review and meta-analysis. Thromb Res. 2020;196:27-30.

148. Moores LK, Tritschler T, Brosnahan S, Carrier M, Collen JF, Doerschug K, et al. Prevention, diagnosis, and treatment of VTE in patients with coronavirus disease 2019: CHEST guideline and expert panel report. Chest. 2020;158(3):1143-63.

149. Lopes RD, de Barros E Silva PGM, Furtado RHM, Macedo AVS, Bronhara B, et al. Therapeutic versus prophylactic anticoagulation for patients admitted to hospital with Covid-19 and elevated D-dimer concentration (ACTION): an open-label, multicentre, randomised, controlled trial. Lancet. 2021;397(10291):2253-63.

150. Berkman SA. Post-hospital discharge venous thromboembolism prophylaxis in medically ill patients. Postgrad Med. 2021:1-13.

151. Hospital de Clínicas de Porto Alegre. Anticoagulante oral: orientações para pacientes e familiares [Internet]. Porto Alegre: HCPA; 2020 [capturado em 19 ago. 2021]. Disponível em: https://www.hcpa.edu.br/area-do-paciente-apresentacao/area-do-paciente-sua-saude/educacao-em-saude/send/2-educacao-em-saude/81-orientacoes-para-uso-do-anticoagulante-oral

Capítulo 43
DOENÇA RENAL CRÔNICA

Patricia Ferreira Abreu

Maria Inês Schmidt

Bruce B. Duncan

Lúcio R. Requião-Moura

A doença renal crônica (DRC) é consequência do mau controle de um grupo heterogêneo de condições clínicas que afetam a estrutura e a função renal. É considerada um grave problema de saúde pública em todo o mundo. A incidência e a prevalência estão aumentando, o custo é elevado, e medidas de prevenção necessitam ser implementadas. Na Austrália, cerca de 10% dos indivíduos adultos atendidos na atenção primária à saúde (APS) atendem aos critérios de DRC. No entanto, a maioria desconhece o fato, porque os sintomas em geral só se manifestam em um percentual bem menor, que progride para estágios avançados de perda da função renal, por fim requerendo diálise ou transplante.[1]

A prevalência estimada de DRC não dialítica em países desenvolvidos encontra-se entre 10 e 13% da população adulta, mas há poucos dados em países em desenvolvimento.[2] No Brasil, recente análise do estudo ELSA Brasil demonstrou uma prevalência global de 8,9% em uma amostra populacional baseada em funcionários de instituições federais de ensino superior em diversos Estados.[3] Uma revisão sistemática recente mostrou grande heterogeneidade de critérios diagnósticos em estudos de prevalência no Brasil, impossibilitando metanálise.[4] A evolução linear ao longo das últimas duas décadas da DRC nos estágios mais avançados, sob as terapias renais substitutivas hemodiálise e diálise peritoneal, pode ser vista pelo Censo Brasileiro de Diálise, realizado anualmente pela Sociedade Brasileira de Nefrologia (ver QR codes). Segundo esses dados, o número de pessoas em programa dialítico está aumentando consideravelmente, tendo alcançado 139,691 em 2019. As causas mais comuns foram a hipertensão arterial (34%), o diabetes (32%) e as glomerulopatias (9%).

Em 2013, a DRC foi inserida como uma das doenças crônicas não transmissíveis a fazer parte do Plano de Enfrentamento que visa a vigilância, a prevenção e a promoção da saúde bem como o cuidado integral, no eixo reno-cardiovascular. Para tanto, o Ministério da Saúde publicou a Portaria nº 389, de 13 de março de 2014, que definiu, pela primeira vez, os critérios para a organização da linha de cuidado da pessoa com DRC.[5] A DRC aumenta o risco de doença cardiovascular (fatal e não fatal), lesão renal aguda, infecções e perda de função física e cognitiva. Pelo conjunto de suas complicações, a DRC contribui para a carga global de doenças crônicas não transmissíveis.[6] Medidas de prevenção primária preconizadas para o enfrentamento das doenças crônicas não transmissíveis (combate ao tabagismo, ao uso excessivo de bebidas alcoólicas e ao sedentarismo, bem como estímulo à alimentação saudável, incluindo redução da ingestão de sal)[7,8] podem atenuar também o desenvolvimento da DRC, especialmente por reduzirem suas principais causas: diabetes e hipertensão. Essas medidas podem auxiliar também quem já tem DRC; por exemplo, o exercício físico em pacientes em hemodiálise aumenta seu condicionamento físico, propiciando melhorias em sua qualidade de vida.[9]

> A DRC é uma doença comum, potencialmente grave, mas nos estágios iniciais pode ser detectada por exames laboratoriais simples, de baixo custo (prevenção secundária), e o tratamento das doenças de base pode impedir ou retardar a evolução para estágios mais avançados da DRC ou para doença cardiovascular ou morte.[10]

O reconhecimento da DRC como um problema de saúde pública reforça a importância de políticas para sua prevenção e detecção precoce, bem como para o tratamento de suas complicações. Em 2018, o Ministério da Saúde publicou a Portaria nº 1.675 e consolidou os critérios para a organização, o funcionamento e o financiamento às pessoas com DRC com o objetivo de oferecer orientações às equipes multiprofissionais sobre o cuidado da pessoa sob risco ou portador dessa patologia, abrangendo a estratificação de risco, as estratégias de prevenção e o seu manejo clínico.[11]

Contudo, a intensidade e a abrangência da prevenção secundária são controversas,[12] e análises de custo-efetividade disponíveis sugerem parcimônia.[13,14] A seguir, abordaremos os principais critérios para diagnóstico precoce e manejo da DRC à luz das evidências mais atuais, algumas ainda com qualidade baixa ou muito baixa.

ETIOLOGIA

As principais causas de DRC são a hipertensão arterial, o diabetes melito e as glomerulopatias. Além dessas, outras doenças estão relacionadas com a perda de função renal, como a doença renal policística do adulto e a nefropatia crônica do enxerto renal.[15] A FIGURA 43.1 ilustra uma possível classificação etiológica e apresenta alguns exemplos.[10]

DEFINIÇÃO E ESTÁGIOS PROGNÓSTICOS

As diretrizes internacionais definem DRC quando um adulto com idade ≥ 18 anos, por um período ≥ 3 meses, apresenta taxa de filtração glomerular (TFG) < 60 mL/min/1,73 m², ou > 60 mL/min/1,73 m², mas com alguma evidência de lesão da estrutura renal (anormalidade urinária, como microalbuminúria/proteinúria e/ou hematúria glomerular e/ou uma alteração em exame de imagem renal [como cisto] ou na biópsia renal).

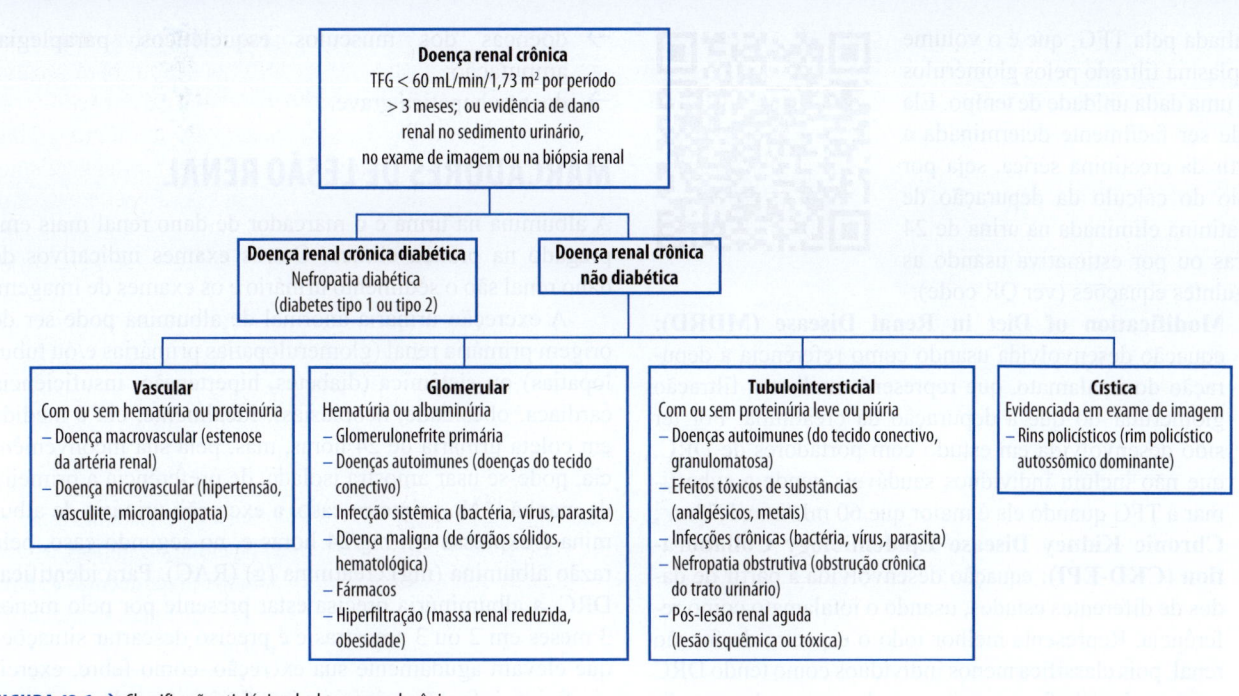

FIGURA 43.1 → Classificação etiológica da doença renal crônica.
TFG, taxa de filtração glomerular.
Fonte: Adaptada de James e colaboradores.[10]

Essa definição foi mantida pela Organização KDIGO (Kidney Disease: Improving Global Outcomes), embora reconhecendo que a prevalência de DRC de acordo com essa definição seja elevada (cerca de 12%) e que apenas um percentual pequeno progride para os estágios mais avançados.[16]

Para expressar melhor o prognóstico dos pacientes com DRC, a KDIGO Controversies Conference estabeleceu que os cinco estágios funcionais de TFG (agora subdividindo o estágio 3 em estágios 3a e 3b) seriam complementados por três estágios de excreção urinária de albumina, indicativos de lesão renal (ou outros indicativos de lesão como anormalidades do sedimento urinário, alteração em exame de imagem renal ou biópsia renal). A partir desses múltiplos estágios de risco, foi possível refinar o prognóstico dos pacientes com DRC, estabelecendo três categorias prognósticas, definidas pelos riscos compostos dos vários estágios. A **FIGURA 43.2** ilustra o risco crescente dessas categorias pelas cores amarela, laranja e vermelha.[1,16] O relatório da conferência mostrou ainda que, estimando-se para a população dos Estados Unidos com idade > 20 anos, 87,9% seriam normais e 12,1% teriam DRC, dos quais 9,4% estariam no estágio de menor risco.

AVALIAÇÃO DA FUNÇÃO RENAL

A maioria dos pacientes com DRC evolui com declínio da TFG, e a doença pode permanecer assintomática até atingir o estágio 4. Entretanto, a velocidade de progressão da DRC pode ser reduzida e, para isso, tem sido proposto seu diagnóstico precoce. Isso inclui a estimativa da TFG a partir da dosagem de creatinina sérica e a documentação de lesão do parênquima renal mediante pesquisa de albumina na urina e/ou outros achados de lesão renal, como hematúria glomerular.

FIGURA 43.2 → Classificação prognóstica da doença renal crônica (DRC) a partir do risco de mortalidade geral e cardiovascular, de doença renal terminal, de injúria renal aguda e de DRC progressiva. Amarelo, risco moderado; laranja, risco alto; vermelho, risco muito alto.
*A não ser que apresente hematúria ou anormalidade estrutural ou patológica do rim.
RAC, razão albumina:creatinina; TFG, taxa de filtração glomerular.
Fonte: Adaptada de Levey e colaboradores.[16]

Taxa de filtração glomerular

Apesar de refletir o processo de filtração renal, a creatinina sérica, isoladamente, não é um bom marcador da função renal, pois ela é influenciada por inúmeros outros fatores, e só alcança valores anormalmente elevados quando já houver perda de mais de 50% da TFG.[17] A função renal é mais bem avaliada pela TFG, que é o volume de plasma filtrado pelos glomérulos em uma dada unidade de tempo. Ela pode ser facilmente determinada a partir da creatinina sérica, seja por meio do cálculo da depuração de creatinina eliminada na urina de 24 horas ou por estimativa usando as seguintes equações (ver QR code):

→ **Modification of Diet in Renal Disease (MDRD):** equação desenvolvida usando como referência a depuração do iotalamato, que representa melhor a filtração glomerular do que a depuração da creatinina. Por ter sido desenvolvida em estudo com portadores de DRC, que não incluiu indivíduos saudáveis, tende a subestimar a TFG quando ela é maior que 60 mL/min/1,73 m²;
→ **Chronic Kidney Disease Epidemiology Collaboration (CKD-EPI):** equação desenvolvida a partir de dados de diferentes estudos, usando o iotalamato como referência. Representa melhor todo o espectro de função renal, pois classifica menos indivíduos como tendo DRC e categoriza, de forma mais acurada, o risco de mortalidade e progressão para falência da função renal;[18]
→ **fórmula de Cockcroft-Gault:** mais antiga, essa fórmula foi derivada a partir de uma amostra pequena de homens internados em um hospital de veteranos de guerra nos Estados Unidos. É inadequada para monitorar a função renal, pois frequentemente superestima a TFG.

Para monitorar a função renal, recomenda-se o uso da equação CKD-EPI. A fórmula de Cockcroft-Gault é usada para ajuste de doses de medicamentos de acordo com a depuração da creatinina, visto que a maioria dos estudos sobre farmacocinética usou essa fórmula. Como indicado pela diretriz brasileira, ela não deve ser utilizada para estimativas de TFG.

Como a TFG normal se situa em torno de 100 mL/min/1,73 m², uma forma prática de explicar para os pacientes sobre sua função renal é falar em termos de "percentual de funcionamento dos rins", sempre ressaltando que esses valores variam na população de pessoas saudáveis e diminuem com a idade.

A TFG estimada por fórmulas baseadas na creatinina sérica não é confiável nas situações a seguir, devendo ser usada a depuração da creatinina em amostra de urina de 24 horas:[1]
→ idade < 18 anos;
→ TFG > 90 mL/min/1,73 m²;
→ extremos de superfície corporal;
→ dieta vegetariana, dieta rica em proteína, consumo de carne cozida em período < 8 horas antes do exame, uso de suplementos de creatina;
→ uso de fármacos que aumentam a creatinina sérica (p. ex., fenofibrato, trimetoprima, cimetidina e, em menor grau, famotidina e ranitidina) ou interferem em sua medida (cefoxitina). A medida da ureia não está aumentada nesses casos;
→ mudanças agudas na função renal (p. ex., injúria renal aguda);
→ doenças dos músculos esqueléticos, paraplegia, amputação;
→ doença hepática grave.

MARCADORES DE LESÃO RENAL

A albumina na urina é o marcador de dano renal mais empregado na prática clínica. Outros exames indicativos de dano renal são o sedimento urinário e os exames de imagem.

A excreção urinária anormal de albumina pode ser de origem primária renal (glomerulopatias primárias e/ou tubulopatias) ou sistêmica (diabetes, hipertensão, insuficiência cardíaca, obesidade, neoplasias). Idealmente, ela é medida em coleta urinária de 24 horas, mas, pela sua inconveniência, pode-se usar amostra isolada, de preferência a primeira da manhã.[19] No primeiro caso, a excreção urinária de albumina é expressa em mg/24 horas e, no segundo caso, pela razão albumina (mg):creatinina (g) (RAC). Para identificar DRC, a albuminúria precisa estar presente por pelo menos 3 meses em 2 ou 3 amostras e é preciso descartar situações que elevam agudamente sua excreção, como febre, exercício físico, infecção urinária e insuficiência cardíaca. As categorias de excreção são assim definidas:[16]
→ **normal:** < 30 mg em 24 horas, ou RAC < 30 mg/g;
→ **moderadamente elevada:** 30 a 300 mg em 24 horas, ou RAC 30 a 300 mg/g;
→ **elevada:** > 300 mg em 24 horas, ou RAC > 300 mg/g.

DETECÇÃO DA DOENÇA RENAL CRÔNICA

O rastreamento da DRC é preconizado para pessoas com diabetes ou hipertensão. Mais recentemente, tem sido também recomendado a outros grupos de risco, com a justificativa de que poderia contribuir para a prevenção de doenças cardiovasculares e de outros desfechos como lesão renal aguda.[16,20] No entanto, não há ensaios clínicos que avaliem o rastreamento ou o monitoramento da DRC e, como resumido a seguir, ainda são poucas as intervenções com benefício comprovado que poderiam ser oferecidas aos casos detectados.[12] Além disso, o rastreamento tem-se mostrado pouco custo-efetivo.[13,14]

Por essa razão, o rastreamento aqui recomendado será dirigido aos pacientes com diabetes, hipertensão e doença cardiovascular estabelecida, para os quais intervenções efetivas têm sido mais avaliadas. Pessoas com história familiar de DRC também podem beneficiar-se de rastreamento com a adoção de medidas preventivas.

Como a TFG declina com a idade, a prevalência de DRC é especialmente alta nos idosos (> 40% em pessoas com idade > 70 anos).[1,16] A KDIGO Controversies Conference concluiu que os dados existentes não são suficientes para esclarecer as causas do declínio da TFG e do aumento da albuminúria no idoso, se esses achados representam envelhecimento ou processos patológicos, e se os benefícios do rastreamento superam os possíveis danos e custos do rótulo de doença.

Assim, a menor TFG (menor reserva funcional) no idoso é um indicador de risco, com maior vulnerabilidade para superdosagem de fármacos (sobretudo para os hidrossolúveis, que dependem da TFG para excreção) e para insultos que precipitam lesão renal aguda, como desidratação, hipotensão arterial e infecções.[1,16] Dessa forma, o rastreamento de DRC (creatinina sérica para estimativa de TFG) no idoso está indicado nas situações de potencial insulto renal, abordadas nos próximos tópicos.

O rastreamento pode ser realizado de acordo com a **FIGURA 43.3**. Escores de risco estão sendo propostos para facilitar a detecção, mas seu custo-benefício ainda não foi demonstrado.[21]

DIAGNÓSTICO CLÍNICO

Nos estágios iniciais, a maioria dos pacientes é assintomática ou apresenta sintomatologia decorrente da doença de base (p. ex., edema nos pacientes com glomerulopatia), e o diagnóstico da DRC pode iniciar pelo rastreamento de grupos de risco ou pela suspeita clínica feita durante o acompanhamento de outros problemas clínicos. Algumas pistas para diferentes causas de DRC são apresentadas na **TABELA 43.1**.[15,22] O diagnóstico de base é feito a partir do quadro clínico específico de cada doença e/ou a partir de marcadores de dano renal como sedimento urinário e exames de imagem. As principais indicações para a solicitação de ultrassonografia renal na APS são:

→ doença rapidamente progressiva (> 5 mL/min/1,73 m² em 1 ano ou > 10 mL/min/1,73 m² em 5 anos);
→ hematúria macroscópica ou microscópica persistente (presença de hematúria em 2-3 exames consecutivos);
→ sintomas de obstrução urinária;
→ história familiar de doença renal policística em indivíduos com idade > 20 anos;
→ infecção urinária de repetição (≥ 2 episódios em 6 meses ou ≥ 3 em 1 ano);
→ suspeita de cálculo renal.

Os achados laboratoriais ou de imagem indicativos de dano renal que podem orientar o diagnóstico da causa da DRC são apresentados na **TABELA 43.2**.

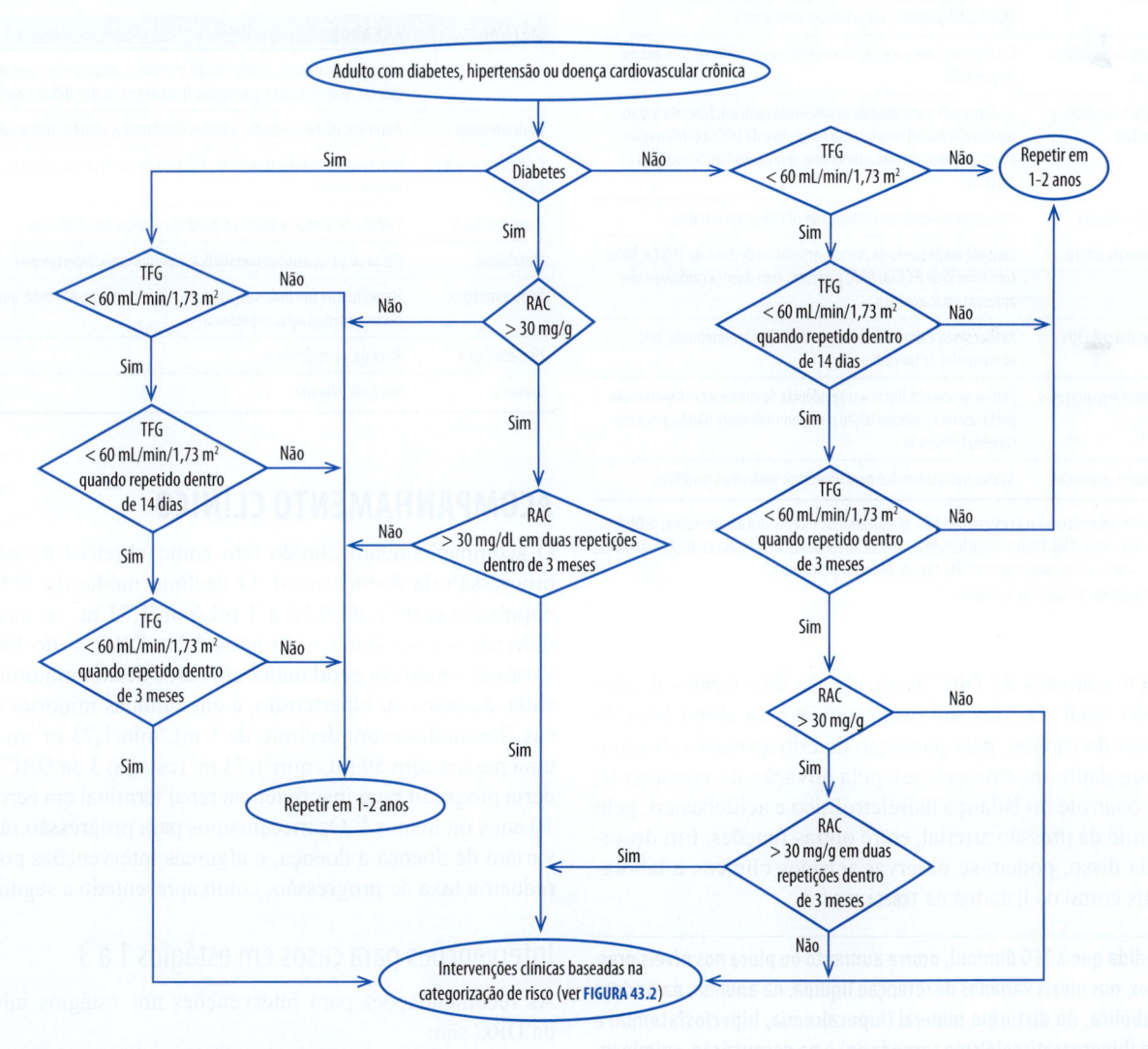

FIGURA 43.3 → Rastreamento de doença renal crônica.
RAC, razão albumina:creatinina; TFG, taxa de filtração glomerular.
Fonte: Adaptada de Chronic Kidney Disease.[1]

TABELA 43.1 → Causas de doença renal crônica (DRC)

DIAGNÓSTICO	INFORMAÇÕES CLÍNICAS
Diabetes melito	Em geral, o quadro clínico inicia com microalbuminúria e hipertensão, com aumento gradual da albuminúria e redução progressiva da TFG
Hipertensão	Em geral, é caracterizada por níveis pressóricos persistentemente elevados por um longo período de tempo, mas alguns pacientes com níveis pressóricos pouco elevados podem evoluir para quadros avançados de DRC e frequentemente apresentam lesões em outros órgãos-alvo; pode evoluir com micro ou macroalbuminúria (albuminúria elevada)
Glomerulonefrite	Categoria ampla de doenças incluindo síndrome nefrítica, síndrome nefrótica e vasculites; o exame de urina é sugestivo, com presença de hematúria com dismorfismo eritrocitário, cilindros hemáticos e concomitância de proteinúria
Medicamentos nefrotóxicos e contrastes radiológicos	Revisar os medicamentos prescritos (ou adquiridos sem receita): AINEs, especialmente quando associados a IECA e diurético, aminoglicosídeos, lítio, inibidores da calcineurina; exposição a contraste intravenoso e ao gadolínio
Nefrolitíase	Avaliar sintomas de cólica renal e história de hematúria; obstrução durante longo período pode resultar em lesão renal permanente
Lúpus eritematoso sistêmico	Pesquisar fotossensibilidade, *rash* malar/discoide, úlceras orais, artrite, serosite, sintomas neurológicos, anemia, leucopenia, FAN/dsDNA positivos, hipocomplementenemia
Hipertrofia prostática benigna	Em homens, investigar jato fraco e nictúria; confirmar com exame da próstata
Insuficiência cardíaca congestiva	Avaliar sinais e sintomas de insuficiência cardíaca, fazendo o diagnóstico diferencial com quadro congestivo da DRC; a confirmação é feita por meio do ecocardiograma, que avalia função sistólica e diastólica
Infecção urinária	Investigar infecções na presença de cilindros leucocitários
Estenose da artéria renal	Controle inadequado da pressão arterial ou declínio da TFG (> 30%) com o início de IECA ou BRA; pacientes com doença cardiovascular apresentam maior risco
Nefropatia pelo HIV	Avaliar sinais e sintomas de imunodeficiência; proteinúria, rins aumentados de tamanho
Síndrome hepatorrenal	Pensar quando há história ou evidência de cirrose, com hipertensão porta, ascite e vasoconstrição renal; normalmente não há proteinúria e/ou hematúria
Síndromes genéticas	Avaliar história familiar para identificar síndromes genéticas

AINEs, anti-inflamatórios não esteroides; BRA, bloqueador do receptor da angiotensina; dsDNA, DNA de fita dupla; FAN, fator antinuclear; HIV, vírus da imunodeficiência humana; IECA, inibidor da enzima conversora da angiotensina; TFG, taxa de filtração glomerular.
Fonte: Adaptada de Murphree e Thelen.[22]

Os sintomas de DRC avançada são decorrentes da disfunção renal. Os rins são responsáveis pela eliminação de toxinas do sangue, pela produção de eritropoietina (hormônio regulador da eritropoiese), pela ativação da vitamina D, pelo controle do balanço hidreletrolítico e acidobásico, pelo controle da pressão arterial, entre outras funções. Em decorrência disso, podem-se observar achados clínicos e laboratoriais como os listados na **TABELA 43.3**.

À medida que a TFG diminui, ocorre aumento ou piora nos níveis pressóricos, nos níveis variados de retenção líquida, na anemia, na acidose metabólica, no distúrbio mineral (hipocalcemia, hiperfosfatemia) e ósseo (hiperparatireoidismo secundário) e na desnutrição, culminando com o quadro de síndrome urêmica e necessidade de iniciar terapia renal substitutiva (TRS).[23]

TABELA 43.2 → Alterações laboratoriais e de imagem na investigação da causa da doença renal crônica (DRC)

NO SEDIMENTO URINÁRIO
→ Cilindros hemáticos, hematúria com dismorfismo eritrocitário e concomitância de proteinúria: glomerulonefrite
→ Cilindros leucocitários: pielonefrite ou nefrite intersticial
→ Cilindros gordurosos ou corpos ovais gordurosos: doenças com proteinúria maciça
→ Cilindros granulares e células epiteliais tubulares: doenças parenquimatosas

NAS IMAGENS (ULTRASSONOGRAFIA, TOMOGRAFIA COMPUTADORIZADA, RESSONÂNCIA MAGNÉTICA COM OU SEM CONTRASTE, CINTILOGRAFIA, ANGIOGRAFIA)
→ Rim policístico
→ Hidronefrose por obstrução
→ Lesão cortical renal por infarto, pielonefrite ou refluxo vesicoureteral
→ Massas renais ou tumores renais por doença infiltrativa
→ Estenose de artéria renal
→ Rins pequenos e ecogênicos (comum em estágios avançados de DRC)

Fonte: Levey e colaboradores.[16]

TABELA 43.3 → Achados clínicos e laboratoriais sugestivos de doença renal crônica em estágio 4 ou 5

SISTEMA	ACHADOS
Neurológico	Letargia, sonolência, irritabilidade, tremores, síndrome das pernas inquietas, soluço, câimbra, parestesia, fraqueza muscular, déficit cognitivo
Gastrintestinal	Anorexia, náusea, vômito, gastrite, hemorragia, diarreia, hálito urêmico
Cardiovascular ou pulmonar	Hipertensão arterial resistente, dispneia, tosse, arritmia, edema, sinais de pericardite
Dermatológico	Prurido, pele seca, equimose, palidez, calcificações distróficas
Metabólico	Perda de peso, acidose metabólica, hiperuricemia, hipercalcemia
Endocrinológico	Hipoglicemia (no diabetes), galactorreia, diminuição da libido, amenorreia/menorragia, impotência
Hematológico	Anemia, sangramento
Urinário	Noctúria, oligúria

ACOMPANHAMENTO CLÍNICO

O acompanhamento clínico tem como objetivo retardar a progressão da doença renal. O declínio médio da TFG na população geral é de 0,75 a 1 mL/min/1,73 m^2 ao ano em indivíduos com idade > 40 anos.[24] Na DRC, o declínio é variável, sendo em geral maior em casos de albuminúria elevada, diabetes ou hipertensão, e em algumas minorias étnicas. Tomando-se um declínio de 5 mL/min/1,73 m^2 ao ano, uma pessoa com 59 mL/min/1,73 m^2 (estágio 3 da DRC) poderia progredir para insuficiência renal terminal em cerca de 10 anos ou menos.[15] Os mecanismos para progressão rápida variam de doença a doença, e algumas intervenções podem reduzir a taxa de progressão, como apresentado a seguir.

Intervenções para casos em estágios 1 a 3

As recomendações para intervenções nos estágios iniciais da DRC são:
→ **estatinas:** reduzem a mortalidade (redução relativa do risco [RRR] = 21%; número necessário para tratar [NNT] = 36-124) B e eventos cardiovasculares maiores

(RRR = 28%; NNT = 16-25) **A** em pacientes com TFG reduzida;[25]
- **controle da hipertensão:** o controle rígido da pressão reduz a mortalidade (RRR = 22%), mas não a doença renal terminal ou outros desfechos relevantes **B**:[26,27]
  → inibidores da enzima conversora da angiotensina (IECAs) e bloqueadores do receptor da angiotensina (BRAs):[28] reduzem a incidência de doença renal terminal (comparados com placebo), primariamente em portadores de diabetes com macroalbuminúria (albuminúria acentuadamente elevada) (IECAs, risco relativo [RR] = 0,65 **B**; e BRA, RR = 0,77 **B**). Os IECAs reduzem a mortalidade em pacientes com microalbuminúria (albuminúria moderadamente elevada) e doença cardiovascular clínica ou diabetes de alto risco (RR = 0,79) **B**;
  → betabloqueadores:[29] reduzem a mortalidade e eventos em pacientes com DRC **A**;
- **controle glicêmico:**[30] o controle intensivo da glicemia (hemoglobina glicada [HbA1c] < 7%) está indicado, mas controle mais estrito (HbA1c < 6%) aumenta o risco de mortalidade **A**.

Os benefícios da dieta hipoproteica e de tratamentos intensivos múltiplos são inconclusivos.[31]

Intervenções para situações de potencial insulto renal

→ Evitar o uso de qualquer medicamento nefrotóxico, como os antibióticos aminoglicosídeos (amicacina, gentamicina), os inibidores da calcineurina e os anti-inflamatórios não esteroides.
→ Ajustar a dose de fármacos (TABELA 43.4), utilizando a TFG ou a depuração de creatinina estimada.

TABELA 43.4 → Fármacos comuns que podem exigir redução de dose ou restrição a portadores de doença renal crônica

Restringir uso de fármacos nefrotóxicos:
→ Anti-inflamatórios não esteroides, sobretudo quando associados a IECA e diurético
→ Aminoglicosídeos
→ Lítio
→ Inibidores da calcineurina
Reduzir dose de fármacos:
→ Antivirais
→ Benzodiazepínicos
→ Colchicina
→ Dabigatrana
→ Digoxina
→ Espironolactona
→ Fenofibrato
→ Gabapentina
→ Glibenclamida
→ Insulina
→ Metformina (uso com cautela se TFG = 30-60 mL/min/1,73 m²; uso não recomendado quando TFG < 30 mL/min/1,73 m²)
→ Opioides
→ Sotalol
→ Valaciclovir

IECA, inibidor da enzima conversora da angiotensina; TFG, taxa de filtração glomerular.
Fonte: Chronic Kidney Disease.[1]

→ Prevenir distúrbios hemodinâmicos: evitar desidratação (diarreia, vômitos, diminuição da ingestão de líquidos, uso excessivo de laxantes ou diuréticos) ou episódios de hipotensão arterial.
→ Realizar profilaxia para nefropatia em exames com contraste radiológico intravenoso.[32] O protocolo inclui expansão volêmica intravenosa (se possível), suspensão de diuréticos, uso de contraste iso-osmolar com volume máximo calculado, e restrição no uso do contraste tipo gadolínio, especialmente dos compostos gadodiamida e gadoversetamida,[33] em pacientes com TFG < 60 mL/min.

Classificação prognóstica para orientar intervenções

A excreção urinária de albumina e a estimativa da TFG, além de diagnosticar DRC, podem também definir categorias prognósticas de desfechos da DRC, que são utilizadas para orientar a aplicação crescente de intervenções clínicas.[16] Para facilitar a compreensão disso, o consenso internacional propôs ilustrá-las com as cores amarela, laranja e vermelha (ver **FIGURA 43.2**). As recomendações são feitas de forma cumulativa, isto é, as finais incluem as iniciais (**TABELA 43.5**). Diante da limitação das evidências para as intervenções, os limites das categorias-cores são incertos.

Manejo de alguns problemas específicos nos estágios 1 a 3 na atenção primária à saúde

Diabetes, hipertensão e/ou albuminúria

Os IECAs e os BRAs são os fármacos mais utilizados no tratamento da DRC e constituem a primeira linha para pacientes com diabetes e/ou hipertensão, mas não devem ser usados simultaneamente. Além de seu efeito anti-hipertensivo, são também usados no tratamento da albuminúria elevada mesmo em pacientes diabéticos sem hipertensão arterial. Ao iniciar um desses fármacos (**FIGURA 43.4**),[1,32] pode haver redução da TFG.

Esses fármacos também podem elevar o potássio sérico, mas níveis até 6 mEq/L são considerados aceitáveis se o paciente seguir restrição alimentar de potássio, não estiver fazendo uso de outro medicamento que aumente o potássio sérico, como a espironolactona ou a amilorida, e não apresentar DRC em estágio mais avançado. É importante realizar a dosagem da creatinina e do potássio séricos em 1 semana após o início do medicamento. Caso a redução da TFG seja superior a 30%, deve-se suspender seu uso, suspeitar de estenose de artéria renal e encaminhar para investigação especializada.[32] Se os níveis de potássio estiverem entre 6 e 6,5 mEq/L, deve-se reduzir a dose e iniciar diurético espoliador de potássio. É importante lembrar que a depleção de volume induzida pelo diurético pode potencializar o efeito desses fármacos nos níveis séricos de creatinina.

O alvo geral de 130/80 mmHg se aplica também a pacientes com DC (ver Capítulo Hipertensão Arterial Sistêmica). É importante pensar em causas secundárias de

TABELA 43.5 → Acompanhamento clínico da doença renal crônica

ALVOS	AMARELO	LARANJA	VERMELHO
Investigação para excluir doença renal tratável	x	x	x
Redução da progressão da doença renal	x	x	x
Redução do risco cardiovascular	x	x	x
Prevenção do uso de medicamento nefrotóxico e de depleção de volume	x	x	x
Ajuste de doses de medicamentos de acordo com níveis de TFG	x	x	x
Encaminhamento ao nefrologista quando indicado (ver texto)		x	x
Detecção precoce e tratamento de complicações (ver texto)		x	x
Preparo para diálise ou transplante (TFG < 20 mL/min/1,73 m²)			x
Discussão sobre adequação de iniciar diálise ou manter cuidados paliativos, quando apropriado			x

MONITORAMENTO	ANUAL	3-6 MESES	1-3 MESES
Pressão arterial	x	x	x
Peso	x	x	x
Edema			x
Razão albumina:creatinina urinária	x	x	x
TFG	x	x	x
Exames bioquímicos (ureia, creatinina, eletrólitos)	x	x	x
Hemograma, perfil de ferro em caso de anemia			x
Cálcio, fosfatase alcalina e fósforo, séricos			x
Paratormônio (6-12 meses se TFG < 45 mL/min/1,73 m²), Gasometria venosa, Vitamina D			x x x

Para definição das cores amarelo, laranja e vermelho, ver FIGURA 43.2.
TFG, taxa de filtração glomerular.
Fonte: Adaptada de Chronic Kidney Disease.[1]

hipertensão, sobretudo em casos de difícil controle. Na presença de diabetes e DRC, o alvo é 130/80 mmHg. O controle glicêmico em pessoas com diabetes deve ser monitorado com cuidado pelo risco de hipoglicemia; suporte com endocrinologista pode ser necessário.

Risco cardiovascular

A prevalência de doença cardiovascular é elevada nessa população e constitui a principal causa de óbito.[34] Além do tratamento do diabetes, da hipertensão e da albuminúria elevada, os pacientes com dislipidemia beneficiam-se de estatinas. Outras medidas gerais, como exercício físico e abandono do tabagismo, também devem ser estimuladas (ver Capítulo Prevenção Clínica das Doenças Cardiovasculares).

Anemia, doença mineral óssea e acidose metabólica

Essas complicações são mais típicas dos estágios 4 e 5 (vermelho). Muitas vezes, casos em estágio 3a com microalbuminúria ou 3b mais avançados (laranja) podem apresentar essas complicações e exigir investigação.

O tratamento da acidose metabólica com agentes alcalinizantes durante vários meses melhorou o curso clínico da doença com pequena melhora na TFG C/D,[35] possivelmente adiando o início da terapia dialítica C/D.[36]

Em relação à anemia[37,38] e à doença mineral óssea, não há evidências de ensaios clínicos para apoiar intervenções em estágios anteriores a 4 ou 5 e, mesmo nesses estágios, os resultados apresentam evidências clínicas ainda questionáveis.[38,39] Entretanto, como essas complicações são frequentes nos estágios mais avançados, algumas diretrizes nacionais e internacionais recomendam investigação e tratamento.[40,41] Recomendações para monitoramento estão apresentadas na TABELA 43.5.

Estado nutricional

A restrição proteica tem sido recomendada para retardar a progressão da DRC, mas os estudos são inconclusivos quanto aos seus benefícios. Em pacientes com diabetes, a dieta hipoproteica tem sido preconizada para pacientes que apresentam proteinúria (ver Capítulo Diabetes Melito: Cuidado Longitudinal). Seu benefício deve ser contrabalançado com o risco de déficit proteico.

A intervenção dietética visa atuar também em doenças correlatas, como distúrbio mineral e ósseo, dislipidemia, hiperuricemia, obesidade, hipertensão arterial e diabetes melito.

Uma dieta hipoproteica pode reduzir a geração de produtos nitrogenados tóxicos e íons inorgânicos responsáveis pelos distúrbios clínicos e metabólicos característicos da uremia, em especial com TFG < 25 mL/min/1,73 m². A dieta hipoproteica contém 0,8 g/kg/dia para TFG de 25 a 60 mL/min/1,73 m² e 0,6 g/kg/dia para TFG < 25 mL/min/1,73 m², sempre com 60% de proteínas de alto valor biológico. A desnutrição proteico-calórica é frequente em estágios avançados, e as principais causas são baixa ingestão alimentar, hipercatabolismo, inflamação e toxinas urêmicas. O aporte calórico deve prever 30 a 35 kcal/kg/dia. Diretrizes nutricionais da Austrália recomendam que a ingestão proteica diária não seja inferior a 0,75 g/kg de peso.[1] Não há evidências claras para isso, exceto nos casos de desnutrição e descontrole glicêmico.[40,42]

Vacinação

O calendário vacinal deve ser atualizado anualmente para todos os portadores de DRC (ver Capítulo Imunizações). O paciente com DRC apresenta deficiência em sua imunidade celular e humoral, sendo a doença infecciosa a segunda causa de morte nessa população. A vacinação correta é um dos principais fatores responsáveis pela redução da incidência de infecções. Vale a pena ressaltar que a resposta à

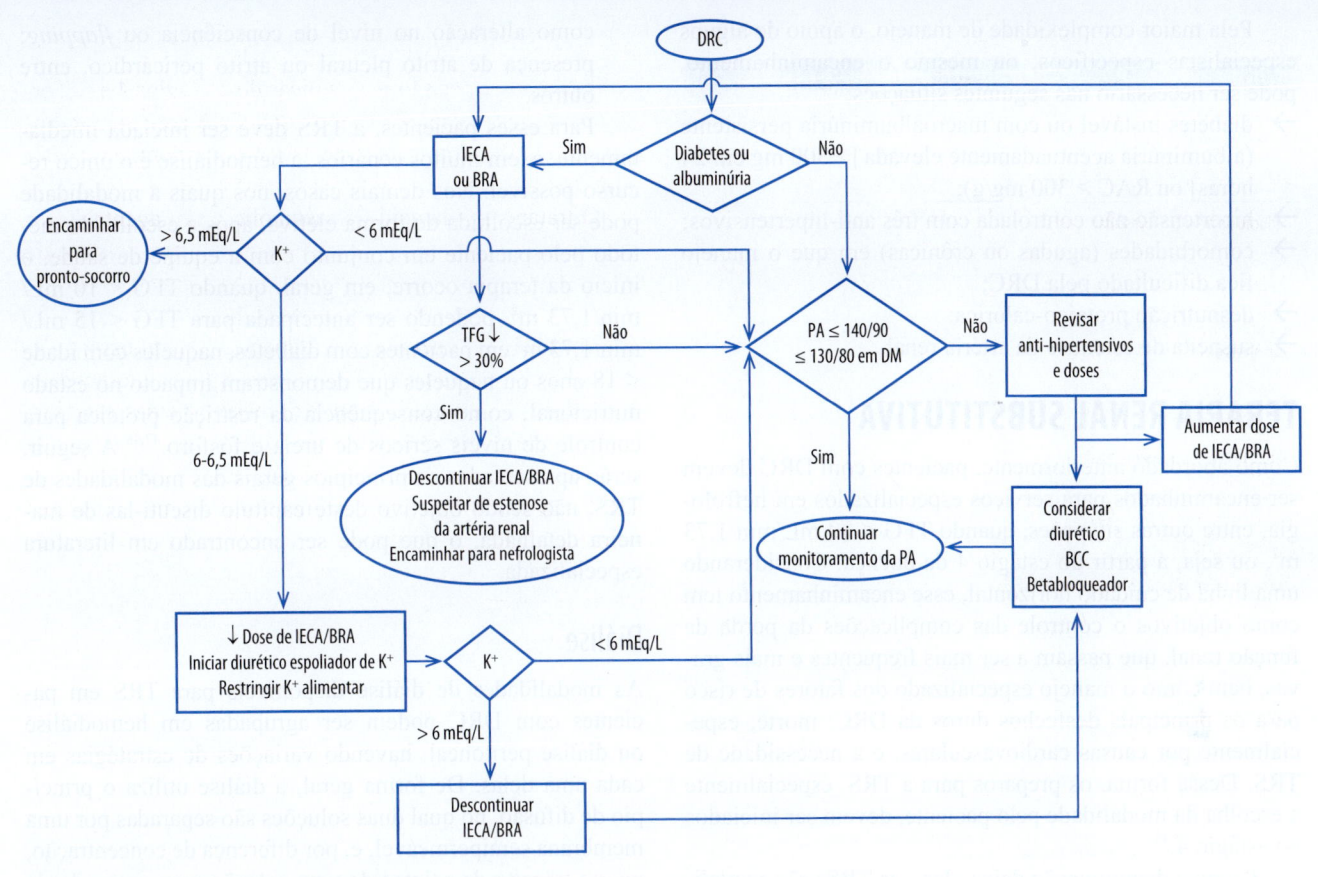

FIGURA 43.4 → Fluxograma para manejo da hipertensão na presença de doença renal crônica (DRC).
BCC, bloqueador dos canais de cálcio; BRA, bloqueador do receptor de angiotensina II; DM, diabetes melito; IECA, inibidor da enzima conversora da angiotensina; K+, potássio; PA, pressão arterial; TFG, taxa de filtração glomerular.
Fonte: Adaptada de Chronic Kidney Disease[1] e Mangrum e Bakris.[32]

vacinação nessa população varia de 40 a 60%, sobretudo nos casos de prevenção contra a hepatite B.

Deve-se oferecer esquema de vacinação de acordo com o calendário vacinal do Ministério da Saúde. Nos casos de vacinação contra hepatite B, recomendam-se aplicações com dose dupla de Engerix B® (antígeno de superfície da hepatite B [HBsAg]) nos meses 0, 1, 2 e 6 para pacientes com anticorpo anti-HBsAg < 10 UI/mL. Deve-se repetir o esquema para os não respondedores. Testar 1 a 2 meses após a última dose e, em seguida, anualmente.

ENCAMINHAMENTOS

O encaminhamento para acompanhamento com nefrologista deve ser feito nas situações a seguir:[1,38]
→ TFG < 30 mL/min/1,73 m²;
→ albuminúria elevada (> 300 mg em 24 horas, ou RAC > 300 mg/g), a não ser em casos de diabetes acompanhados por endocrinologista;
→ declínio > 5 mL/min/1,73 m² em um período de 6 meses, em uma linha de base < 60 mL/min/1,73 m², confirmado em três exames;
→ hematúria glomerular com albuminúria elevada.

O encaminhamento tardio (menos de 4 meses antes de iniciar a diálise) está associado a piores desfechos e maior custo.[43,44] O tratamento nefrológico por 6 a 12 meses antes de iniciar TRS permite melhor preparação do paciente e, com isso, provavelmente, melhor desfecho.[43]

Um estudo brasileiro avaliou uma intervenção multidisciplinar com metas de parâmetros clínicos e laboratoriais bem-definidos em um grande número de pacientes com DRC no sistema público de saúde em São Paulo. Observou-se melhora de parâmetros clínicos e laboratoriais. A sobrevida, a necessidade de TRS e a sobrevida sem a necessidade de TRS foram melhores do que as de coortes que não receberam terapia multidisciplinar em outros países. Os resultados do estudo sugerem que abordagens semelhantes podem melhorar o curso clínico da doença e reduzir os custos do tratamento da DRC no Brasil **C/D**.[45]

O encaminhamento deve ser emergencial na presença de:
→ sinais de nefrite aguda (oligúria, hematúria, edema, elevação da creatinina);
→ hipercalemia > 6,5 mEq/L.

Pela maior complexidade de manejo, o apoio de alguns especialistas específicos, ou mesmo o encaminhamento, pode ser necessário nas seguintes situações:[1,16,38]

→ diabetes instável ou com macroalbuminúria persistente (albuminúria acentuadamente elevada [> 300 mg em 24 horas] ou RAC > 300 mg/g);
→ hipertensão não controlada com três anti-hipertensivos;
→ comorbidades (agudas ou crônicas) em que o manejo fica dificultado pela DRC;
→ desnutrição proteico-calórica;
→ suspeita de estenose da artéria renal.

TERAPIA RENAL SUBSTITUTIVA

Como abordado anteriormente, pacientes com DRC devem ser encaminhados para serviços especializados em nefrologia, entre outras situações, quando TFG < 30 mL/min/1,73 m^2, ou seja, a partir do estágio 4 da doença. Considerando uma linha de cuidado horizontal, esse encaminhamento tem como objetivos o controle das complicações da perda da função renal, que passam a ser mais frequentes e mais graves, bem como o manejo especializado dos fatores de risco para os principais desfechos duros da DRC: morte, especialmente por causas cardiovasculares, e a necessidade de TRS. Dessa forma, os preparos para a TRS, especialmente a escolha da modalidade pelo paciente, devem ser iniciados no estágio 4.[46]

Como a denominação deixa clara, as TRSs são modalidades de tratamento que substituem a função renal, especialmente a de depuração sanguínea das toxinas urêmicas, que, em geral, passa a ser necessária no estágio 5 da DRC, ou seja, quando pacientes atingem TFG < 15 mL/min/1,73 m^2. Na fase que antecede a TRS, pacientes e familiares devem ser informados sobre as opções de tratamento, de maneira a tomar livremente a decisão pela melhor modalidade que se adéque ao estilo de vida, desde que respeitadas as indicações e as contraindicações médicas. De forma geral, as TRSs podem ser classificadas em três tipos: hemodiálise, diálise peritoneal e transplante renal, que terão suas particularidades apresentadas adiante.

Não há dados brasileiros consistentes de como os pacientes com DRC iniciam a TRS. Portanto, três cenários devem ser considerados: pacientes inseridos em linha de cuidado especializada que 1) iniciam a TRS de forma programada, 2) apresentam evolução rápida nos estágios finais da doença ou 3) desconheciam a doença e iniciam a TRS em situação de urgência ou emergência médica. Dessa forma, considerando o diagnóstico de DRC no estágio 5, devem-se identificar situações que definem a necessidade urgente de iniciar TRS:[47]

→ edema agudo de pulmão;
→ hipercalemia grave, refratária a tratamento clínico;
→ acidose metabólica grave, refratária a tratamento clínico;
→ diátese hemorrágica induzida por níveis elevados de ureia;
→ sintomas ou sinais graves de uremia: alterações gastrintestinais como náuseas e vômitos, que impedem a alimentação adequada; perturbações neurológicas graves, como alteração no nível de consciência ou *flapping*; presença de atrito pleural ou atrito pericárdico, entre outros.

Para esses pacientes, a TRS deve ser iniciada imediatamente, e, em muitos cenários, a hemodiálise é o único recurso possível. Nos demais casos, nos quais a modalidade pode ser escolhida de forma eletiva, após a escolha do método pelo paciente em conjunto com a equipe de saúde, o início da terapia ocorre, em geral, quando TFG < 10 mL/min/1,73 m^2, podendo ser antecipada para TFG < 15 mL/min/1,73 m^2 em pacientes com diabetes, naqueles com idade < 18 anos ou naqueles que demonstram impacto no estado nutricional, como consequência da restrição proteica para controle de níveis séricos de ureia e fósforo.[47,48] A seguir, serão apresentados os princípios gerais das modalidades de TRS, não sendo objetivo deste capítulo discuti-las de maneira detalhada, o que pode ser encontrado em literatura especializada.

Diálise

As modalidades de diálise disponíveis para TRS em pacientes com DRC podem ser agrupadas em hemodiálise ou diálise peritoneal, havendo variações de estratégias em cada uma delas. De forma geral, a diálise utiliza o princípio de difusão, no qual duas soluções são separadas por uma membrana semipermeável, e, por diferença de concentração, ocorre trânsito de solutos de uma solução para outra, desde que a membrana seja permeável a esse soluto. Dessa forma, o sangue rico em toxinas urêmicas, potássio e fósforo é depurado em uma solução livre ou com concentrações menores desses solutos do que o sangue, havendo troca por difusão.

Na hemodiálise, o sangue do paciente deve percorrer um circuito de circulação extracorpórea e a membrana é um filtro sintético, que separa o sangue da solução de diálise. Aqui, a solução de diálise é gerada em uma máquina de proporção que mistura água tratada com grau de pureza controlado e eletrólitos. Para a remoção de líquidos, a máquina aplica uma pressão hidrostática sob a membrana que permite a filtração programada e controlada ao longo do período da sessão de diálise.[49] A hemodiálise é considerada um procedimento dialítico de alta eficiência para remoção de solutos; portanto, a dose mínima necessária para substituição renal em paciente com DRC é alcançada em 12 horas/semana, distribuídas em 3 sessões em dias alternados.[50,51] Para a realização da hemodiálise, é necessário acesso vascular que permita fluxo sanguíneo > 200 mL/min, o que deve ser feito preferencialmente através de fístula arteriovenosa (FAV), em geral em um dos membros superiores. A FAV deve ser confeccionada quando a TFG < 20 mL/min/1,73 m^2, levando em consideração a velocidade de progressão da DRC e procurando antecipar a necessidade de diálise em 4 a 6 meses.[52,53] A confecção eletiva de acesso vascular evita a necessidade de hospitalização para início da diálise através de cateteres venosos centrais que se associam a riscos imediatos e tardios como hemorragias, pneumotórax, obstrução do cateter, infecção e estenose de veia central.[44] Nos casos em que a FAV não puder ser confeccionada, ou naqueles em que não há tempo hábil, deve-se preferir o uso de cateteres de longa permanência, que são tunelizados e, portanto, reduzem o risco de infecções de forma substancial. Os cateteres temporários não tunelizados devem ser inseridos em casos de urgência e, idealmente, não devem permanecer por mais de 2 semanas.[54,55]

Na diálise peritoneal, a membrana de troca entre o sangue e a solução de diálise é o próprio peritônio. Para tanto, é necessário que o paciente tenha um acesso para infusão da solução de diálise à cavidade peritoneal, que é possível através de um cateter específico, sendo o mais utilizado, na prática clínica, o cateter de Tenckhoff.[56] O princípio de remoção de solutos também é a depuração por meio de difusão entre duas soluções contendo concentrações diferentes dos solutos que se quer remover do sangue. A filtração de água é possível graças à capacidade osmótica da solução de diálise, utilizando glicose ou coloides sintéticos com potencial de gerar tonicidade. Essa modalidade de TRS é praticada pelo próprio paciente, em seu domicílio, e a solução de diálise deve ser trocada frequentemente, para que o processo de depuração de solutos seja o mais contínuo possível. Essas trocas podem ser realizadas manualmente, pelo paciente ou pelo cuidador, ou por meio de um dispositivo chamado de cicladora. Para qualquer dos tipos de diálise peritoneal, é necessário um treinamento prévio, realizado pelo próprio paciente, por membros da família ou por cuidadores, motivo pelo qual há a necessidade da antecedência de avaliação pelos serviços especializados. Diferentemente da hemodiálise, a diálise peritoneal é uma terapia de baixa eficiência para a remoção de solutos e, portanto, deve ser realizada diariamente.

Do ponto de vista de resultados clínicos, as duas modalidades são equivalentes e há poucas contraindicações para uma ou outra. Portanto, em geral, a escolha é do paciente, quando ele leva em conta sua comodidade e disponibilidade para assumir o autocuidado, o que é extremamente necessário em caso de escolha pela diálise peritoneal. Em ambas as terapias, o acompanhamento do paciente deve ser feito de forma regular nas clínicas especializadas em nefrologia, sem, contudo, que o paciente perca o seu vínculo horizontal e linear na APS.

Transplante renal

O transplante renal é a melhor forma de TRS por estar relacionado com maior expectativa e qualidade de vida, além de ser mais custo-efetivo para o sistema de saúde.[57–59] O transplante agrega outros benefícios que vão além de substituir a função de depuração, porque não apenas devolve a filtração glomerular de forma fisiológica, mas também restabelece as funções dos demais compartimentos renais, obtendo melhor controle das consequências da DRC, como anemia e doença mineral óssea, impactando, de forma significativa, a redução da mortalidade geral, especialmente a cardiovascular.[60] Nem todos os pacientes com estágio avançado da DRC estão clinicamente aptos para a realização do transplante; portanto, os candidatos devem realizar uma avaliação clínica minuciosa antes de o transplante ser considerado uma opção. Estima-se que cerca de 30% dos pacientes em diálise apresentem alguma contraindicação absoluta ou temporária para o transplante.[61] Outra limitação para a sua realização é a necessidade de um doador.

No Brasil, o transplante renal pode ser realizado com rim de doador falecido com morte encefálica, ou com doador vivo, desde que juridicamente capaz e clinicamente apto para a doação. De acordo com os dados do Registro Brasileiro de Transplantes, o número de transplantes no País tem crescido substancialmente nas últimas duas décadas, mas aquém da incidência de pacientes em diálise no mesmo período.[62]

Além das indicações e contraindicações clínicas, há pré-requisitos legais que devem ser seguidos, de acordo com a legislação brasileira.[63] Portanto, para um paciente ser submetido a transplante renal no Brasil, é necessário ter o diagnóstico de DRC com as condições a seguir:

→ estar em diálise; ou
→ se não estiver em diálise, ter:
  → TFG < 10 mL/min/1,73 m²; ou
  → TFG < 15 mL/min/1,73 m² se tiver idade < 18 anos ou diagnóstico de diabetes melito.

Dessa forma, os pacientes com DRC podem ser submetidos ao transplante preemptivo, que é aquele realizado antes que o paciente inicie diálise.

Havendo um doador vivo disponível, ou sendo alocado de acordo com as regras de distribuição de rins definidas por legislação, e respeitando-se as compatibilidades sanguínea, genética e imunológica, o paciente é submetido a um procedimento cirúrgico, que é o transplante propriamente dito, após o qual o receptor do órgão é acompanhado com uso de uma combinação de medicamentos imunossupressoras, para prevenir um dos principais eventos adversos, que é a rejeição ao enxerto.[64] Além disso, deve ser feito um acompanhamento clínico rigoroso com equipe especializada para triar outros eventos frequentes nessa população, como infecções, eventos cardiovasculares, recorrência de doença, neoplasias, etc.

Considerando que um transplante renal bem-sucedido é aquele em que o paciente apresenta TFG de pelo menos 50 mL/min/1,73 m², o paciente transplantado deve ter sua linha de cuidado reiniciada como um portador de DRC, sujeito a todos os princípios discutidos ao longo deste capítulo, como controle de pressão arterial e de glicemia, ajustes de medicamentos para a função renal, cuidado com a exposição a agentes nefrotóxicos, entre outros.[65]

Ressalta-se que, mesmo sendo um tratamento de alta complexidade, que envolve equipes altamente especializadas, os pacientes transplantados, assim como os pacientes em diálise, devem manter acompanhamento com as equipes de APS.

REFERÊNCIAS

1. Chronic Kidney Disease. Management in general practice: guidance and clinical tips to help identify, manage and refer CKD in your practice [Internet]. Melbourne: Kidney Health Australia; 2015 [capturado em 8 set 2020]. Disponível em: https://kidney.org.au/health-professionals/prevent/chronic-kidney-disease-management-handbook.

2. Collins AJ, Foley RN, Gilbertson DT, Chen S-C. United States Renal Data System public health surveillance of chronic kidney disease and end-stage renal disease. Kidney Int Suppl (2011). 2015;5(1):2–7.
3. Barreto SM, Ladeira RM, Duncan BB, Schmidt MI, Lopes AA, Benseñor IM, et al. Chronic kidney disease among adult participants of the ELSA-Brasil cohort: association with race and socioeconomic position. J Epidemiol Community Health. 2016;70(4):380–9.
4. Marinho AWGB, Penha A da P, Silva MT, Galvão TF. Prevalência de doença renal crônica em adultos no Brasil: revisão sistemática da literatura. Cad Saúde Colet. 2017;25(3):379–88.
5. Brasil. Ministério da Saúde. Portaria nº 389, de 13 de março de 2014 [Internet]. 2014 [capturado em 8 set 2020]. Disponível em: http://bvsms.saude.gov.br/bvs/saudelegis/gm/2014/prt0389_13_03_2014.html
6. GBD Chronic Kidney Disease Collaboration. Global, regional, and national burden of chronic kidney disease, 1990-2017: a systematic analysis for the Global Burden of Disease Study 2017. Lancet. 2020 29;395(10225):709–33.
7. World Health Organization. Preventing chronic diseases: a vital investment [Internet]. Geneva: WHO; 2005 [capturado em 8 set 2020]. Disponível em: http://www.who.int/chp/chronic_disease_report/contents/en/
8. Brasil. Ministério da Saúde. Plano de ações estratégicas para o enfrentamento das doenças crônicas não transmissíveis (DCNT) no Brasil: 2011-2022 [Internet]. Brasília: MS; 2011 [capturado em 8 set 2020]. (Série B. Textos básicos de saúde). Disponível em: http://bvsms.saude.gov.br/bvs/publicacoes/plano_acoes_enfrent_dcnt_2011.pdf
9. Coelho DM, Castro A de M, Tavares HA, Abreu PCB, Glória RR da, Oliveira. MHD e MR de. Efeitos de um programa de exercícios físicos em pacientes com doença renal crônica terminal em hemodiálise. J. Bras. Nefrol. 2006;28(3):121–7.
10. James MT, Hemmelgarn BR, Tonelli M. Early recognition and prevention of chronic kidney disease. Lancet. 2010;375(9722):1296–309.
11. Brasil. Ministério da Saúde. Portaria nº 1.675, de 7 de junho de 2018 [Internet]. 2018 [capturado em 8 set 2020]. Disponível em: http://bvsms.saude.gov.br/bvs/saudelegis/gm/2018/prt1675_08_06_2018.html
12. Fink HA, Ishani A, Taylor BC, Greer NL, MacDonald R, Rossini D, et al. Screening for, monitoring, and treatment of chronic kidney disease stages 1 to 3: a systematic review for the U.S. Preventive Services Task Force and for an American College of Physicians Clinical Practice Guideline. Ann Intern Med. 2012;156(8):570–81.
13. Hoerger TJ, Wittenborn JS, Segel JE, Burrows NR, Imai K, Eggers P, et al. A health policy model of CKD: 2. The cost-effectiveness of microalbuminuria screening. Am J Kidney Dis. 2010;55(3):463–73.
14. Manns B, Hemmelgarn B, Tonelli M, Au F, Chiasson TC, Dong J, et al. Population based screening for chronic kidney disease: cost effectiveness study. BMJ. 2010;341:c5869.
15. Levey AS, Coresh J. Chronic kidney disease. Lancet. 2012;379(9811):165–80.
16. Levey AS, de Jong PE, Coresh J, El Nahas M, Astor BC, Matsushita K, et al. The definition, classification, and prognosis of chronic kidney disease: a KDIGO Controversies Conference report. Kidney Int. 2011;80(1):17–28.
17. Shemesh O, Golbetz H, Kriss JP, Myers BD. Limitations of creatinine as a filtration marker in glomerulopathic patients. Kidney Int. 1985;28(5):830–8.
18. Matsushita K, Mahmoodi BK, Woodward M, Emberson JR, Jafar TH, Jee SH, et al. Comparison of risk prediction using the CKD-EPI equation and the MDRD study equation for estimated glomerular filtration rate. JAMA. 2012;307(18):1941–51.
19. Cockcroft DW, Gault MH. Prediction of creatinine clearance from serum creatinine. Nephron. 1976;16(1):31–41.
20. Tonelli M, Muntner P, Lloyd A, Manns BJ, Klarenbach S, Pannu N, et al. Risk of coronary events in people with chronic kidney disease compared with those with diabetes: a population-level cohort study. Lancet. 2012;380(9844):807–14.
21. Nelson RG, Grams ME, Ballew SH, Sang Y, Azizi F, Chadban SJ, et al. Development of risk prediction equations for incident chronic kidney disease. JAMA. 2019; 322(21):2104–14.
22. Murphree DD, Thelen SM. Chronic kidney disease in primary care. J Am Board Fam Med. 2010;23(4):542–50.
23. Oliveira MB, Romão JE, Zatz R. End-stage renal disease in Brazil: epidemiology, prevention, and treatment. Kidney Int Suppl. 2005;(97):S82-6.
24. Stevens LA, Coresh J, Greene T, Levey AS. Assessing kidney function – measured and estimated glomerular filtration rate. N Engl J Med. 2006;354(23):2473–83.
25. Palmer SC, Navaneethan SD, Craig JC, Johnson DW, Perkovic V, Hegbrant J, et al. HMG CoA reductase inhibitors (statins) for people with chronic kidney disease not requiring dialysis. Cochrane Database Syst Rev. 2014;(5):CD007784.
26. Wu H-Y. Omission of Data and Errors in Meta-analysis. JAMA Intern Med. 2017;177(11):1694–5.
27. Tsai W-C, Wu H-Y, Peng Y-S, Yang J-Y, Chen H-Y, Chiu Y-L, et al. Association of Intensive blood pressure control and kidney disease progression in nondiabetic patients with chronic kidney disease: a systematic review and meta-analysis. JAMA Intern Med. 2017;177(6):792–9.
28. Xie X, Liu Y, Perkovic V, Li X, Ninomiya T, Hou W, et al. Renin-angiotensin System inhibitors and kidney and cardiovascular outcomes in patients with CKD: a bayesian network meta-analysis of randomized clinical trials. Am J Kidney Dis. 2016;67(5):728–41.
29. Blood Pressure Lowering Treatment Trialists' Collaboration, Ninomiya T, Perkovic V, Turnbull F, Neal B, Barzi F, et al. Blood pressure lowering and major cardiovascular events in people with and without chronic kidney disease: meta-analysis of randomised controlled trials. BMJ. 2013;347:f5680.
30. Action to Control Cardiovascular Risk in Diabetes Study Group, Gerstein HC, Miller ME, Byington RP, Goff DC, Bigger JT, et al. Effects of intensive glucose lowering in type 2 diabetes. N Engl J Med. 2008;358(24):2545–59.
31. Hahn D, Hodson EM, Fouque D. Low protein diets for non-diabetic adults with chronic kidney disease. Cochrane Database Syst Rev. 2018;10(10):CD001892.
32. Mangrum AJ, Bakris GL. Angiotensin-converting enzyme inhibitors and angiotensin receptor blockers in chronic renal disease: safety issues. Semin Nephrol. 2004;24(2):168–75.
33. Issa N, Poggio ED, Fatica RA, Patel R, Ruggieri PM, Heyka RJ. Nephrogenic systemic fibrosis and its association with gadolinium exposure during MRI. Cleve Clin J Med. 2008;75(2):95–7, 103–4.
34. Schiffrin EL, Lipman ML, Mann JFE. Chronic kidney disease: effects on the cardiovascular system. Circulation. 2007;116(1):85–97.
35. Hu MK, Witham MD, Soiza RL. Oral Bicarbonate Therapy in Non--Haemodialysis Dependent Chronic Kidney Disease Patients: A Systematic Review and Meta-Analysis of Randomised Controlled Trials. J Clin Med. 2019;8(2):208.
36. Susantitaphong P, Sewaralthahab K, Balk EM, Jaber BL, Madias NE. Short- and long-term effects of alkali therapy in chronic kidney disease: a systematic review. Am J Nephrol. 2012;35(6):540–7.
37. Mikhail A, Brown C, Williams JA, Mathrani V, Shrivastava R, Evans J, et al. Renal association clinical practice guideline on Anaemia of Chronic Kidney Disease. BMC Nephrol. 2017;18(1):345.
38. National Institute for Health and Care Excellence. Chronic kidney disease in adults: assessment and management [Internet]. London: NICE; 2014 [capturado em 8 set 2020. Disponível em: https://www.nice.org.uk/guidance/cg182
39. Kidney Disease. Improving Global Outcomes (KDIGO) CKD-MBD Update Work Group. KDIGO 2017 Clinical Practice Guideline Update for the Diagnosis, Evaluation, Prevention, and Treatment of Chronic Kidney Disease-Mineral and Bone Disorder (CKD-MBD). Kidney Int Suppl. 2017;7(1):1–59.

40. International Society of Nephrology. KDIGO Clinical Practice Guideline for Anemia in Chronic Kidney Disease [Internet]. 2012 [capturado em 8 set 2020];2(4):1–64. Disponível em: https://kdigo.org/wp-content/uploads/2016/10/KDIGO-2012-Anemia-Guideline-English.pdf
41. Lima EM, Gesteira M de FC, Bandeira MFS. Brazilian Guidelines for bone and mineral disorders in CKD children. J. Bras. Nefrol. 2011,33(suppl 1):42-57.
42. Cuppari L, Kamimura MA. Avaliação nutricional na doença renal crônica: desafios na prática clínica. J. Bras. Nefrol. 2009;31(1 suppl. 1):28-35.
43. Bastos MG, Kirsztajn GM. Doença renal crônica: importância do diagnóstico precoce, encaminhamento imediato e abordagem interdisciplinar estruturada para melhora do desfecho em pacientes ainda não submetidos à diálise. J. Bras. Nefrol. 2011;33(1):93-108.
44. Black C, Sharma P, Scotland G, McCullough K, McGurn D, Robertson L, et al. Early referral strategies for management of people with markers of renal disease: a systematic review of the evidence of clinical effectiveness, cost-effectiveness and economic analysis. Health Technol Assess. 2010;14(21):1–184.
45. Luciano E de P, Luconi PS, Sesso RC, Melaragno CS, Abreu PF, Reis SFS, et al. Estudo prospectivo de 2151 pacientes com doença renal crônica em tratamento conservador com abordagem multidisciplinar no Vale do Paraíba, SP. J. Bras. Nefrol. 2012;34(3):226–34.
46. Brasil. Ministério da Saúde. Secretaria de Atenção à Saúde. Diretrizes clínicas para o cuidado ao paciente com doença renal crônica – DRC no Sistema Único de Saúde [Internet]. Brasília: MS; 2014 [capturado em 8 set 2020]. Disponível em: http://bvsms.saude.gov.br/bvs/publicacoes/diretrizes_clinicas_cuidado_paciente_renal.pdf
47. Bales AM, Elias RM. Indicação de diálise. In: Moura LRR, Alves MAR, Santos DR, Pecoits Filho R. Tratado de Nefrologia. Rio de Janeiro: Atheneu; 2017. v. 2, p. 1301–06.
48. Whalley GA, Marwick TH, Doughty RN, Cooper BA, Johnson DW, Pilmore A, et al. Effect of early initiation of dialysis on cardiac structure and function: results from the echo substudy of the IDEAL trial. Am J Kidney Dis. 2013;61(2):262–70.
49. Vieira Neto OM, Laurindo AF. Componentes da diálise extracorpórea. In: Moura LRR, Alves MAR, Santos DR, Pecoits Filho R. Tratado de Nefrologia. Rio de Janeiro: Atheneu; 2017. v. 2, p. 1351-62.
50. Eknoyan G, Beck GJ, Cheung AK, Daugirdas JT, Greene T, Kusek JW, et al. Effect of dialysis dose and membrane flux in maintenance hemodialysis. N Engl J Med. 2002;347(25):2010–9.
51. Elias RM. Prescrição de hemodiálise. In: Moura LRR, Alves MAR, Santos DR, Pecoits Filho R. Tratado de Nefrologia. Rio de Janeiro: Atheneu; 2017. v. 2, p. 1363-70.
52. Sidawy AN, Spergel LM, Besarab A, Allon M, Jennings WC, Padberg FT, et al. The Society for Vascular Surgery: clinical practice guidelines for the surgical placement and maintenance of arteriovenous hemodialysis access. J Vasc Surg. 2008;48(5 Suppl):2S-25S.
53. Saran R, Dykstra DM, Pisoni RL, Akiba T, Akizawa T, Canaud B, et al. Timing of first cannulation and vascular access failure in haemodialysis: an analysis of practice patterns at dialysis facilities in the DOPPS. Nephrol Dial Transplant. 2004;19(9):2334–40.
54. Young EW, Dykstra DM, Goodkin DA, Mapes DL, Wolfe RA, Held PJ. Hemodialysis vascular access preferences and outcomes in the Dialysis Outcomes and Practice Patterns Study (DOPPS). Kidney Int. 2002;61(6):2266–71.
55. Linardi F, Sousa CN, Manfredi S. Acessos vasculares: escolha, punção e manutenção. In: Moura LRR, Alves MAR, Santos DR, Pecoits Filho R. Tratado de Nefrologia. Rio de Janeiro: Atheneu; 2017. v. 2, p. 1371-84.
56. Figueiredo A, Goh B-L, Jenkins S, Johnson DW, Mactier R, Ramalakshmi S, et al. Clinical practice guidelines for peritoneal access. Perit Dial Int. 2010;30(4):424–9.
57. Wolfe RA, Ashby VB, Milford EL, Ojo AO, Ettenger RE, Agodoa LY, et al. Comparison of mortality in all patients on dialysis, patients on dialysis awaiting transplantation, and recipients of a first cadaveric transplant. N Engl J Med. 1999;341(23):1725–30.
58. Jaar BG, Chang A, Plantinga L. Can we improve quality of life of patients on dialysis? Clin J Am Soc Nephrol. 2013;8(1):1–4.
59. Arze Aimaretti L, Arze S. Preemptive Renal Transplantation-The Best Treatment Option for Terminal Chronic Renal Failure. Transplant Proc. 2016;48(2):609–11.
60. Meier-Kriesche H-U, Kaplan B. Waiting time on dialysis as the strongest modifiable risk factor for renal transplant outcomes: a paired donor kidney analysis. Transplantation. 2002;74(10):1377–81.
61. Holley JL, Monaghan J, Byer B, Bronsther O. An examination of the renal transplant evaluation process focusing on cost and the reasons for patient exclusion. Am J Kidney Dis. 1998;32(4):567–74.
62. Associação Brasileira de Transplante de Órgãos. Registro Brasileiro de Transplantes Estatística de Transplantes; 2018.
63. Brasil. Ministério da Saúde. portaria nº 2.600, de 21 de outubro de 2009 [Internet]. 2009 [capturado em 20 jul 2020]. Disponível em: http://bvsms.saude.gov.br/bvs/saudelegis/gm/2009/prt2600_21_10_2009.html
64. Requião-Moura LR. Avaliação e preparo de receptores e doadores. In: Moura LRR, Alves MAR, Santos DR, Pecoits Filho R. Tratado de Nefrologia. Rio de Janeiro: Atheneu; 2017. v. 2, p. 1521-42.
65. Gourishankar S, Leduc R, Connett J, Cecka JM, Cosio F, Fieberg A, et al. Pathological and clinical characterization of the "troubled transplant": data from the DeKAF study. Am J Transplant. 2010;10(2):324–30.

LEITURAS RECOMENDADAS

Chronic Kidney Disease Prevention and Management. Disponível em: http://www.racgp.org.au/your-practice/guidelines/national-guide/chronic-kidney-disease-prevention-and-management/.

National Institute for Health and Clinical Excellence. Disponível em: http://www.nice.org.uk/CG073.

Diretrizes internacionais baseadas em evidências para o cuidado aos portadores de DRC.

Capítulo 44
ASMA

Paulo de Tarso Roth Dalcin
Gilberto Bueno Fischer
Helena Mocelin

Asma é uma doença heterogênea, geralmente caracterizada por inflamação crônica das vias aéreas. É definida pela história de sintomas respiratórios, como sibilância, dispneia, constrição torácica e tosse, que variam ao longo do tempo, em conjunto com a limitação variável do fluxo aéreo expiratório.[1] Muitas mudanças têm ocorrido nos últimos anos, partindo-se para a ideia de uma doença que poderia ser considerada uma síndrome com diversos fenótipos. Desde sua descrição, há séculos, alguns padrões clínicos foram descritos. Uma forte tendência da pesquisa em asma é a indicação de mensuração objetiva (espirometria e pico de fluxo expiratório) para individualizar o tratamento conforme seu perfil.[2] Bronquite, bronquite alérgica e bronquite asmática são termos usados comumente que podem corresponder à designação técnica de asma. Entretanto, outras condições respiratórias devem ser sempre excluídas na avaliação diagnóstica.

A asma já foi descrita como uma doença alérgica na qual alérgenos como polens, ácaros e baratas, ou certas exposições ocupacionais, poderiam desencadear crises de broncoespasmo, sendo que a exposição continuada poderia levar à inflamação das vias aéreas e à hiper-responsividade brônquica. Entretanto, esse paradigma veio de observações em países de alta renda. No entanto, a associação entre alergia e asma é muito mais fraca em países de baixa renda. Atualmente, é largamente reconhecido que os mecanismos alérgicos estão envolvidos apenas na metade ou menos das pessoas com asma. Em uma porção significativa de indivíduos asmáticos, os mecanismos envolvidos são de inflamação não alérgica, ainda que não sejam completamente compreendidos.[3]

A asma tem sido caracterizada por fenótipos:[1]

→ **asma alérgica:** é o fenótipo mais facilmente reconhecido na prática clínica. Inicia na infância e está associada com a história pregressa ou história familiar de doença alérgica, como eczema, rinite alérgica, alergia a medicamentos ou alimentos. Apresenta inflamação eosinofílica nas vias aéreas e geralmente responde bem aos corticoides inalatórios;
→ **asma não alérgica:** não se associa à alergia e ocorre em alguns adultos. O perfil da inflamação das vias aéreas pode ser neutrofílico, eosinofílico ou paucigranulocítico (poucas células inflamatórias). Em geral, responde menos aos corticoides inalatórios;
→ **asma de início tardio:** surge pela primeira vez na vida adulta e ocorre mais frequentemente em mulheres. Em geral, é de natureza não alérgica e é relativamente refratária ao tratamento com corticoides inalatórios. Pode exigir altas doses de corticoides sistêmicos para seu controle;
→ **asma com limitação fixa do fluxo aéreo:** alguns indivíduos adultos com asma por longo tempo desenvolvem limitação fixa do fluxo aéreo, atribuída ao remodelamento brônquico;
→ **asma com obesidade:** pacientes obesos com asma podem apresentar particularidades como sintomas respiratórios proeminentes com pouca inflamação eosinofílica das vias aéreas.

De acordo com a Organização Mundial da Saúde (OMS),[3] 235 milhões de pessoas sofrem de asma em todo o mundo. Asma é a doença crônica mais comum entre crianças. A asma é um problema de saúde pública em todos os países, independentemente da renda ou do desenvolvimento. Cerca de 80% das mortes por asma ocorrem em países de baixa ou média renda. Globalmente, 250 mil pessoas morrem por asma a cada ano.

Em várias comunidades nos Estados Unidos, em 2006 e 2007, a prevalência de asma variou de 8 a 19%[4] e, na Europa, entre 5 e 17%.[5] No Brasil, existe variação marcada entre capitais na frequência de adultos que referiram diagnóstico médico prévio de asma, bronquite asmática, bronquite crônica ou enfisema, como de 4% em Natal, Rio Grande do Norte, a 12% em Porto Alegre, Rio Grande do Sul. Entre adolescentes de 12 a 19 anos de Porto Alegre, 29% relataram diagnóstico médico de asma, 20% chiado no peito nos últimos 12 meses e 41% chiado no peito na vida.[6]

No *International Study of Asthma and Allergies in Childhood* (ISAAC), a partir do sintoma chiado no peito nos últimos 12 meses, a prevalência no Brasil era 23% em crianças entre 6 e 7 anos e 21% em adolescentes, maior do que a média de 14% nos adolescentes e de 12% nas crianças no mundo. Na América Latina, a prevalência está aumentando em adolescentes (0,32% ao ano) e em crianças (0,07% ao ano).[7]

Em um estudo descritivo, extraído de um banco de dados do governo brasileiro[8] entre 2008 e 2013, foram analisados as hospitalizações e os óbitos por asma, bem como o custo das hospitalizações. Foi também realizada uma subanálise geográfica. Em 2013, 2.047 pessoas morreram de asma no Brasil (5 óbitos/dia), com mais de 120 mil hospitalizações por asma. Durante o período de estudo, o número absoluto de óbitos e hospitalizações por asma diminuiu 10% e 36%, respectivamente. No entanto, a taxa de mortalidade hospitalar aumentou aproximadamente 25%. A subanálise geográfica mostrou que as Regiões Norte, Nordeste e Sudeste apresentaram as maiores taxas de hospitalização e mortalidade hospitalar por asma, respectivamente. Durante o período de estudo, as hospitalizações por asma custaram US$ 170 milhões ao sistema público de saúde. Assim, embora os óbitos e as hospitalizações por asma no Brasil estejam diminuindo desde 2009, os números absolutos ainda são altos, com elevados custos diretos e indiretos para a sociedade, o que mostra a relevância do impacto da asma em países de renda média. É importante lembrar que a asma é uma doença sensível à atenção primária à saúde (APS), portanto é responsabilidade dos profissionais da APS conhecer e tratar a maioria das pessoas com essa condição.[9]

FATORES DE RISCO E DESENCADEANTES

A asma apresenta componente hereditário que se apresenta de forma complexa. Múltiplos genes estão envolvidos na patogênese da asma. Os genes podem interagir tanto com outros genes como com fatores ambientais para determinar a suscetibilidade da asma. Além disso, diferentes genes podem estar envolvidos em diferentes grupos étnicos.[1]

Em indivíduos asmáticos, vários desencadeantes podem exacerbar ou causar sintomas. Optou-se por denominar as exposições de desencadeantes, uma vez que a causalidade ainda é motivo de controvérsia. Os fatores que desencadeiam asma são alérgenos, irritantes, infecções, fármacos, agentes físicos e fatores emocionais. Os asmáticos podem reagir a um ou mais dos estímulos listados na TABELA 44.1.

Os alérgenos domiciliares incluem aqueles produzidos por ácaros (*dust mites*), baratas, animais domésticos com pelo (cão e gato) e mofo. Destacam-se enzimas proteolíticas detectadas nas fezes dos ácaros, em geral presentes no carpete, no colchão e na mobília. A maior abundância de alérgenos provenientes das baratas encontra-se na cozinha e, secundariamente, na cama, no chão do quarto e na poeira da

TABELA 44.1 → Estímulos desencadeantes de crises asmáticas

DESENCADEANTES	AGENTES
Alérgenos	→ Pólen
	→ Fungos (*Alternaria alternata, Cladosporium herbarum* e espécies de *Aspergillus*)
	→ Ácaros (*Dermatophagoides pteronyssinus, D. farinae* e *Blomia tropicalis*)
Infecções virais e bacterianas	→ Rinovírus
	→ Vírus sincicial respiratório
	→ Coronavírus
	→ Vírus da parainfluenza
	→ Vírus da *influenza* B
	→ *Mycoplasma pneumoniae*
	→ *Chlamydophila pneumoniae*
Poluentes	→ Fumaça de cigarro
	→ Gases
	→ Material particulado
Exercício físico	
Fármacos	→ Ácido acetilsalicílico
	→ Anti-inflamatórios não esteroides (AINEs)
	→ Betabloqueadores
	→ Inibidores da enzima conversora da angiotensina (IECAs)
Alimentos	→ Corantes (tartrazina)
Fatores hormonais	→ Menstruação
	→ Gravidez
Fatores emocionais	
Mudanças climáticas	

mobília. O principal alérgeno do gato provém das glândulas sebáceas da pele. É carregado por uma partícula e permanece em suspensão no ar.[10] Nos cães, o principal alérgeno é encontrado na saliva, na epiderme e na urina. A exposição intensa ao gato exerce efeito protetor em algumas crianças, sendo fator de risco em outras.[11]

O mofo ou microcogumelo (*microfungi*) cresce em áreas úmidas; é perene e há maior concentração em alguns meses do ano. Uma revisão sistemática, incluindo 54 ensaios clínicos randomizados de intervenções ativas para reduzir exposição a antígenos de ácaros da poeira doméstica com placebo ou nenhum tratamento, não detectou efeito das intervenções sobre pico de fluxo expiratório, escores de sintomas de asma ou em uso de medicamento.[12] Esse resultado sugere ausência de efeito de métodos químicos e físicos que visam reduzir a exposição aos alérgenos da poeira doméstica.

As infecções respiratórias virais são os desencadeantes mais importantes e frequentes de crises de asma em crianças e adultos. Cerca de 80% das crises em escolares são desencadeadas por infecções virais, e o agente mais frequente é o rinovírus.[13] Infecções por rinovírus, coronavírus, vírus da *influenza* B e vírus sincicial respiratório, vírus da parainfluenza e clamídia associam-se a exacerbações de asma em adultos.[14]

O efeito do fumo passivo sobre a prevalência e a exacerbação de crises de asma está claramente evidenciado.[15]

A asma induzida pelo exercício é um fenômeno transitório de obstrução da via aérea que ocorre geralmente 5 a 15 minutos após o esforço físico, e raras vezes durante. Alguns distinguem asma induzida por exercício de broncospasmo induzido por exercício para indicar que o último ocorre associado ao exercício, mesmo sem a presença de asma. O exercício como desencadeante de asma é frequente e ocorre em até 90% dos pacientes asmáticos, podendo ser o único ou um entre múltiplos desencadeantes.[16]

Em alguns indivíduos asmáticos, o ácido acetilsalicílico e outros anti-inflamatórios não esteroides (AINEs) induzem asma. A síndrome clínica chamada de asma induzida por ácido acetilsalicílico caracteriza-se por rinossinusite eosinofílica, polipose nasal, sensibilidade ao ácido acetilsalicílico e asma. Cerca de 5% das pessoas apresentam intolerância ao ácido acetilsalicílico e até 20% dos indivíduos asmáticos são sensíveis ao ácido acetilsalicílico e a AINEs. A utilização de paracetamol tem sido associada a risco aumentado de asma em diferentes contextos.[13] Contudo, tanto nos artigos originais quanto nas metanálises, há potenciais vieses que impossibilitam conclusões definitivas. Assim, entre os tratamentos alternativos para febre e dor, o paracetamol continua sendo uma opção terapêutica.

A asma é uma manifestação ocasional de alergia alimentar, mas pode-se observar sibilância como parte de uma reação alérgica sistêmica. Embora se considere que a asma induzida por alimentos seja frequente, estimativas indicam que ocorra em cerca de 2 a 8% das crianças e adultos da população em geral e em 29% dos lactentes com alergia ao leite de vaca. Ovo, leite, amendoim, soja, peixe, ostra e nozes são as fontes de alérgenos alimentares mais implicadas em reações respiratórias, e, algumas vezes, a alergia pode ser devida a aditivos acrescentados aos alimentos.

O aleitamento materno (redução relativa do risco [RRR] = 10%) e componentes da dieta – antioxidantes (vitaminas C e E, carotenoides, selênio, flavonoides, frutas) e vitamina D – foram associados à diminuição da prevalência de asma em estudos observacionais. Contudo, os resultados não são conclusivos, e interações imunológicas entre mãe e criança talvez sejam mais importantes. Adicionalmente, sugere-se que a reatividade da via aérea e o desenvolvimento do sistema imune do feto sejam influenciados pela dieta materna durante a gestação.[17,18]

O papel do estresse é controverso. O padrão ventilatório pode provocar dispneia pela hiperventilação ou hiperinsuflação dinâmica, mas o impacto de emoções sobre a percepção de dispneia é paciente-dependente. Uma interação causal bidirecional entre asma e estresse pode levar a um círculo vicioso. Alguns estudos sugerem que eventos estressantes na vida podem provocar crises de asma em crianças não submetidas cronicamente à alta intensidade de estresse e que eventos positivos poderiam contrabalançar, protegendo-as.[19,20]

A asma ocupacional ocorre em indivíduos adultos; ela é causada pela exposição a mais de 300 substâncias encontradas no local de trabalho, é mediada imunologicamente, e tem um tempo de latência entre exposição e sintomas que varia de meses a anos. Ocorre em 1 a cada 10 casos de asma em pessoas em idade produtiva, decorrente predominantemente do exercício de atividades agrícolas, pecuária, emprego de substâncias de limpeza, pintura e manufatura de plástico.[21]

DIAGNÓSTICO

Para estabelecer o diagnóstico de asma, é necessário: identificar sintomas episódicos de obstrução do fluxo aéreo, identificar obstrução do fluxo aéreo – preferencialmente pela espirometria, que seja pelo menos parcialmente reversível – e excluir diagnósticos alternativos.[1]

Anamnese

O diagnóstico da asma é predominantemente clínico e envolve a identificação dos sintomas dispneia, tosse, sibilância, aperto no peito (constrição torácica) ou desconforto torácico. Em geral, no adulto, a asma se apresenta com mais de um desses sintomas respiratórios. Esses sintomas são episódicos e melhoram espontaneamente ou com o uso de medicamentos para asma (broncodilatadores ou corticoides). Os sintomas podem ser mais frequentes à noite ou nas primeiras horas da manhã. A presença de tosse isolada, ainda que não exclua o diagnóstico de asma (asma variante tosse), é menos frequente e exige uma avaliação de exclusão maior. Em geral, os sintomas são desencadeados pela exposição a alérgenos, ao ar frio e ao exercício, ao rir, diante de infecções virais ou pela exposição a irritantes não específicos, como fumaças e cheiros fortes.[1,22]

Abordagens distintas devem ser destinadas ao diagnóstico de asma em crianças com idade < 5 anos, em idosos, em situações de asma ocupacional e quando a asma se apresenta predominantemente com variante tosse ou predominantemente induzida pelo exercício.

Na criança, a consciência de falta de ar não costuma ser percebida. As queixas provêm, em geral, dos pais, que informam que a criança está respirando com dificuldade, ou que está apresentando chiado no peito, ou que está com bronquite. A percepção de dispneia também está diminuída com frequência nos pacientes idosos. Tosse, sibilância e aperto no peito são outros sintomas comuns, podendo estar presentes, isoladamente, em combinação, ou ausentes no momento da consulta.

Nas **TABELAS 44.2**[23] e **44.3**, estão discriminados os fatores que aumentam e reduzem, respectivamente, a probabilidade clínica de asma.

A asma pode sobrepor-se à doença pulmonar obstrutiva crônica (DPOC). Para identificar essa sobreposição, é importante identificar o paciente com probabilidade de ter doença crônica de vias aéreas. A história de tosse crônica ou recorrente, produção crônica de expectoração, infecções respiratórias recorrentes, exposição ao tabaco ou outras substâncias inalatórias e exposição a poluentes domésticos, ocupacionais ou ambientais torna essa associação provável.

Exame físico

O exame deve incluir: inspeção do tórax, observação de esforço respiratório e contagem da frequência respiratória, observação de sinais de cianose e ausculta cardíaca e avaliação da frequência cardíaca.

TABELA 44.2 → Fatores clínicos que aumentam a probabilidade de asma

- → Mais do que 1 dos seguintes sintomas: chiado, tosse, dificuldade respiratória e aperto no peito, particularmente se:
    - → São frequentes e recorrentes
    - → São piores à noite ou no início da manhã
    - → Ocorrem em resposta a desencadeantes (pó, frio, animais domésticos, ácido acetilsalicílico, betabloqueadores, etc.)
    - → Ocorrem independentemente de quadro de resfriado
- → História pessoal de atopia
- → História familiar de atopia e/ou asma
- → Sibilância difusa na ausculta pulmonar
- → Eosinofilia sem outra causa aparente
- → Redução do PFE e/ou do VEF_1 sem outra causa aparente
- → História de melhora dos sintomas ou da função pulmonar com tratamento apropriado

PFE, pico de fluxo expiratório; VEF_1, volume expiratório forçado no primeiro segundo.
Fonte: Adaptada de British Thoracic Society e Scottish Intercollegiate Guidelines Network.[23]

TABELA 44.3 → Fatores clínicos que diminuem a probabilidade de asma

- → Sintomas ocorrem somente durante resfriado, sem sintomas após resolução da infecção
- → Tosse produtiva, sem dispneia ou sibilância
- → Tontura proeminente, escotomas e parestesias
- → Doença cardíaca prévia
- → Distúrbios da voz
- → Tabagismo significativo (i.e., mais de 20 anos-maço)
- → Exame físico repetidamente normal apesar de sintomas presentes
- → PFE e/ou VEF_1 normais quando sintomático
- → Ausência de melhora com tratamento antiasmático adequado
- → Fatores clínicos sugerindo um diagnóstico alternativo à asma

PFE, pico de fluxo expiratório; VEF_1, volume expiratório forçado no primeiro segundo.
Fonte: Adaptada de British Thoracic Society e Scottish Intercollegiate Guidelines Network.[23]

No ambulatório, o exame físico em indivíduos com asma no período entre crises é geralmente normal. Embora o achado de sibilos polifônicos predominantemente expiratórios e bilaterais aumente a probabilidade do diagnóstico, esse sinal somente está presente na crise asmática ou em pacientes com asma não controlada. Assim, a ausência da sibilância em uma consulta ambulatorial não exclui o diagnóstico de asma.[1,22]

Os pacientes em crise de asma apresentam um certo grau de disfunção respiratória, sendo que alguns preferem a posição sentada, porque facilita a utilização de músculos acessórios da respiração. Nos pacientes com sintomatologia discreta, a manobra de expiração forçada pode desencadear sibilância ou evidenciar o prolongamento da expiração. Em crianças pequenas, pode-se simular a expiração forçada fazendo-se compressão da caixa torácica. Por vezes, a sibilância, mesmo durante as exacerbações, pode estar ausente em casos leves, quando o grau de obstrução é mínimo, e em casos graves, quando o volume de ar corrente está acentuadamente diminuído.

Sinais de outras doenças atópicas (como rinite e dermatite atópicas) devem ser observados, pois fortalecem o diagnóstico de asma. Por outro lado, o exame físico contribui na avaliação de exclusão de outras doenças que podem simular os sintomas de asma. Assim, a presença de estertores localizados na ausculta pulmonar, edema periférico e hipocratismo digital deve levar à suspeita de outras doenças.

Exames complementares

Testes de função pulmonar

O diagnóstico de asma (FIGURA 44.1) é fundamentado pela presença de sintomas característicos e confirmado pela demonstração de limitação variável ao fluxo de ar. A espirometria é o método de escolha na determinação do fluxo aéreo e estabelecimento do diagnóstico de asma. Diante da possibilidade do diagnóstico de asma, a espirometria deve ser realizada em crianças com idade > 5 anos e em adolescentes. A espirometria está fortemente recomendada em adultos.[1,22] É realizada em atenção secundária, embora esteja crescendo o uso de telediagnóstico.[24]

A demonstração de limitação variável do fluxo aéreo é assim definida:

→ volume expiratório forçado no primeiro segundo (VEF_1) < 80% do previsto, com VEF_1/capacidade vital forçada (CVF) < 75% em adultos ou < 90% em crianças;
→ variação do VEF_1 > 12% em relação ao valor basal e variação absoluta > 200 mL, após inalação de broncodilatador β_2 de curta duração. Uma ampla resposta, isto é, aumento de 400 mL ou mais no VEF_1 após o broncodilatador, é muito sugestiva de asma. Em crianças, o valor próximo a 10% do VEF_1 pode ser considerado como resposta positiva;[25]
→ variação do VEF_1 > 12% e variação absoluta > 200 mL, após 4 semanas de tratamento com anti-inflamatório.

Na ausência de espirometria, a limitação variável do fluxo aéreo pode ser avaliada pela medida do pico de fluxo expiratório (PFE). O PFE pode ser medido por aparelhos portáteis simples (*peak flow meter*). Nessa situação, a limitação variável do fluxo aéreo é assim definida:

→ PFE < 80% do previsto;
→ variação do PFE ≥ 15% após inalação de broncodilatador β_2 de curta duração;
→ variação do PFE ≥ 20% após 4 semanas de tratamento com anti-inflamatório;
→ variação diurna (diferença entre a maior e a menor medida pela manhã e à tarde) > 10% em adultos e > 13% em crianças.

Uma espirometria normal ou medidas do PFE normais, realizadas quando o paciente estiver assintomático, não exclui o diagnóstico de asma. Nessa situação, o diagnóstico pode ser estabelecido pela demonstração de hiper-responsividade das vias aéreas com teste de broncoprovocação. Esse teste é realizado com agentes broncoconstritores (metacolina, histamina, carbacol, sendo o primeiro o mais utilizado em nosso meio) e possui sensibilidade e valor preditivo negativo elevados; cerca de 80% dos asmáticos têm esse teste positivo com baixa concentração de metacolina (< 4 mg/mL).

O teste de broncoprovocação também pode ser feito com exercício (6-10 minutos com 85% da capacidade máxima de exercício), sendo o critério para teste positivo uma queda de 15% em relação ao VEF_1 basal após 15 minutos

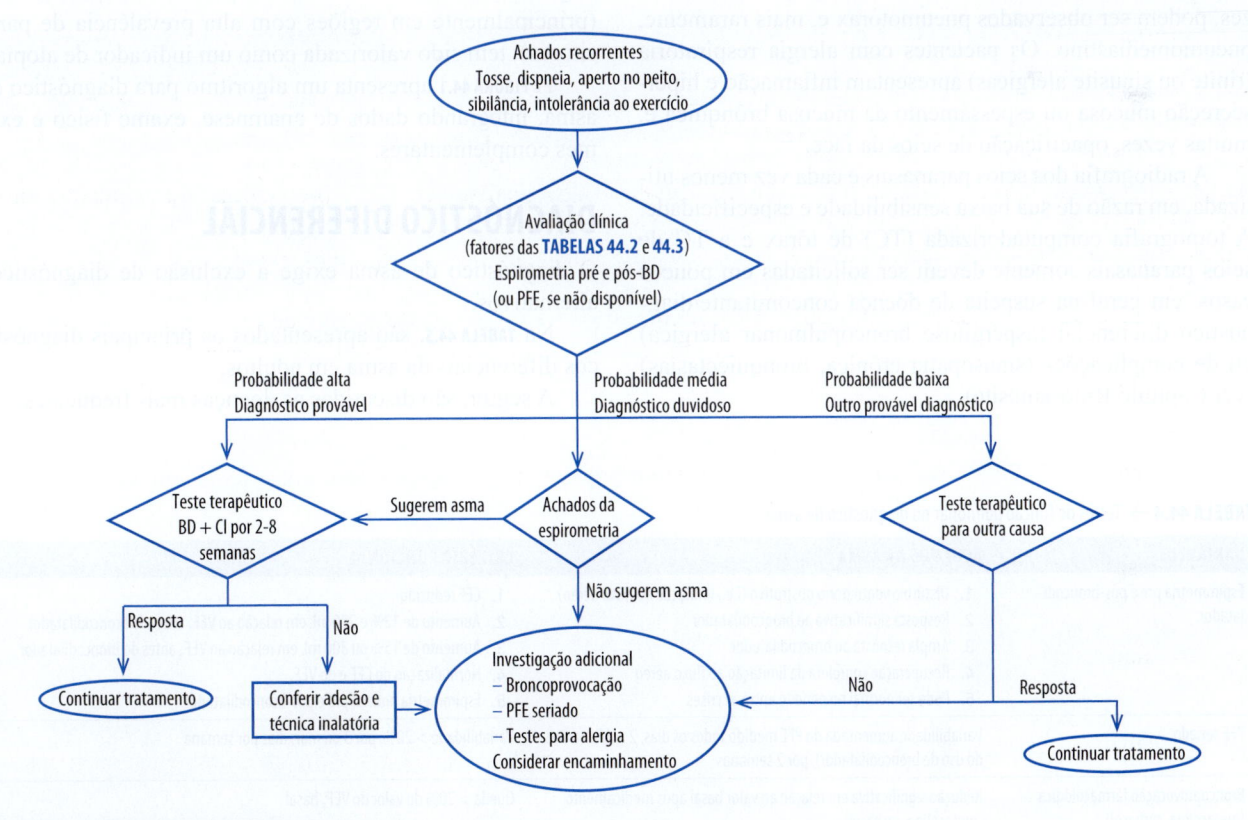

FIGURA 44.1 → Algoritmo para diagnóstico da asma.
BD, broncodilatador; CI, corticoide inalatório; PFE, pico de fluxo expiratório.
Fonte: Adaptada de British Thoracic Society e Scottish Intercollegiate Guidelines Network.[23]

do término do esforço. Costuma ser menos sensível do que a broncoprovocação com metacolina. É indispensável que haja disponibilidade de equipamento e medicamentos para a reversão da crise no local onde o teste de broncoprovocação será executado.

Existem outros testes disponíveis, mas são menos utilizados na prática clínica, somente em situações específicas, entre eles as medidas da resistência das vias aéreas por pletismografia ou oscilometria de impulso, dos volumes pulmonares e da capacidade de difusão pulmonar. A oscilometria de impulso pode ser usada em crianças a partir dos 3 anos. A medida da capacidade de difusão pulmonar, em geral por respiração única do monóxido de carbono, é o teste mais utilizado na diferenciação com outras pneumopatias, já que na asma essa medida é geralmente normal (ou elevada) e em outras doenças ela está reduzida, como na DPOC.

Na TABELA 44.4, são apresentados os principais testes de função pulmonar e as suas principais alterações características em pacientes asmáticos.

Exames de imagem

A radiografia de tórax pode ser indicada para avaliar a ocorrência de complicações e, sobretudo, para auxiliar no diagnóstico diferencial. Sua indicação sistemática deve ser questionada, visto que 70 a 75% dos adultos e crianças asmáticas, que em geral têm diagnóstico típico, apresentam radiografia de tórax normal. Os sinais radiológicos mais encontrados em asmáticos são hiperinsuflação pulmonar, espessamento de paredes brônquicas e atelectasias subsegmentares. Às vezes, podem ser observados pneumotórax e, mais raramente, pneumomediastino. Os pacientes com alergia respiratória (rinite ou sinusite alérgicas) apresentam inflamação e hipersecreção mucosa ou espessamento da mucosa brônquica e, muitas vezes, opacificação de seios da face.[1,22]

A radiografia dos seios paranasais é cada vez menos utilizada, em razão de sua baixa sensibilidade e especificidade. A tomografia computadorizada (TC) de tórax e a TC de seios paranasais somente devem ser solicitadas em poucos casos, em geral na suspeita de doença concomitante/diagnóstico diferencial (aspergilose broncopulmonar alérgica) ou de complicações (sinusopatia crônica, bronquiectasias) (ver Capítulo Rinossinusite).

Outros testes

A identificação de processo alérgico, embora não faça o diagnóstico direto, aumenta a probabilidade de asma. Além disso, a identificação da alergia a fatores específicos em um paciente asmático pode contribuir para orientar no controle da doença, evitando a exposição ambiental a esse fator. Os testes de sensibilidade a antígenos têm um papel limitado no diagnóstico e na terapêutica da asma, embora muitos pacientes sejam atópicos. Os testes cutâneos apresentam baixo custo e são exequíveis ambulatorialmente. Entretanto, além de eventuais problemas em sua leitura, apresentam sensibilidade baixa em crianças com idade < 3 anos e podem ter resultados negativos na vigência de anti-histamínicos ou de corticoides sistêmicos.[1,22]

A dosagem sérica de imunoglobulina E (IgE) não contribui para o diagnóstico de asma. É utilizada na asma grave para considerar a utilização do medicamento omalizumabe e para rastrear aspergilose broncopulmonar alérgica complicando asma.

A presença de processo alérgico também pode ser realizada pela dosagem de IgE específica, mas o custo é mais elevado que os testes cutâneos.

A pesquisa de eosinófilos no escarro induzido é um teste não invasivo e validado, que pode predizer o controle da asma e auxiliar na titulação da dose do corticoide inalatório. Entretanto, deve ser feito com técnica padronizada, disponível em poucos centros no Brasil. A eosinofilia no leucograma, mesmo sendo limitada por baixa especificidade (principalmente em regiões com alta prevalência de parasitoses), tem sido valorizada como um indicador de atopia.

A FIGURA 44.1 apresenta um algoritmo para diagnóstico da asma, integrando dados de anamnese, exame físico e exames complementares.

DIAGNÓSTICO DIFERENCIAL

O diagnóstico de asma exige a exclusão de diagnósticos alternativos.

Na TABELA 44.5, são apresentados os principais diagnósticos diferenciais da asma em adultos.

A seguir, são discutidas as doenças mais frequentes.

TABELA 44.4 → Testes de função pulmonar no diagnóstico de asma

VARIÁVEL	ACHADOS NA ASMA	CRITÉRIO FUNCIONAL
Espirometria pré e pós-broncodilatador	1. Distúrbio ventilatório obstrutivo (i.e., limitação ao fluxo aéreo) 2. Resposta significativa ao broncodilatador 3. Ampla resposta ao broncodilatador 4. Recuperação completa da limitação ao fluxo aéreo 5. Pode ser normal no período entre as crises	1. CEF reduzido 2. Aumento de 12% e 200 mL em relação ao VEF_1 antes do broncodilatador 3. Aumento de 15% ou 300 mL em relação ao VEF_1 antes do broncodilatador 4. Normalização do CEF e do VEF_1 5. Espirometria normal pré e pós-broncodilatador
PFE seriado	Variabilidade aumentada do PFE medido todos os dias, 2 ×/dia (antes do uso de broncodilatador), por 2 semanas	Variabilidade > 20%, por 3 ou mais dias por semana
Broncoprovocação farmacológica (metacolina, carbacol)	Redução significativa em relação ao valor basal após medicamento (metacolina, carbacol)	Queda > 20% do valor do VEF_1 basal
Broncoprovocação pelo exercício	Redução significativa em relação ao valor basal após o exercício	Queda > 15% do valor do VEF_1 basal

CEF, coeficiente expiratório forçado; PFE, pico de fluxo expiratório; VEF_1, volume expiratório forçado no primeiro segundo.

TABELA 44.5 → Principais diagnósticos diferenciais da asma em adultos

DOENÇA	HISTÓRIA	EXAME FÍSICO	RADIOLOGIA	OUTROS ACHADOS
Aspergilose pulmonar alérgica	→ Dispneia recorrente → Sinusite → "Asma" dependente de corticoide sistêmico	→ Sibilância	→ Infiltrados recorrentes → Bronquiectasias centrais	→ IgE elevada → Sorologia ou teste cutâneo positivos para aspergilos
Aspiração de corpo estranho	→ Sintomas súbitos → História de engasgo	→ Sibilos localizados	→ Pode ser normal → Atelectasia a jusante → Corpo estranho visível se radiopaco	→ TC de tórax com reconstrução ou broncoscopia visualizando objeto
Bronquiectasias	→ Expectoração crônica → História de tuberculose → Infecções de repetição	→ Crepitantes grossos assimétricos	→ Dilatações brônquicas → Fibroatelectasias	→ Microbiologia do escarro com bactérias infectantes (estafilococos, hemófilos, pseudomonas)
Disfunção de prega vocal	→ Dispneia predominante	→ Estridor	→ Normal	→ Laringoscopia sugestiva → Platô inspiratório na espirometria
DPOC	→ Dispneia progressiva → Tosse produtiva → Tabagismo	→ Murmúrio vesicular diminuído	→ Enfisema → Espessamento brônquico	→ Espirometria com distúrbio ventilatório obstrutivo não reversível
Insuficiência cardíaca	→ Dispneia paroxística noturna → Ortopneia → Hipertensão → Angina	→ Crepitantes → Turgência jugular → Edema periférico	→ Cardiomegalia → Infiltrado intersticial periférico	→ ECG e ecocardiograma sugestivos de cardiopatia primária
Neoplasia pulmonar	→ Dispneia → Mudança na tosse → Hemoptise → Emagrecimento → Tabagismo	→ Sibilos localizados → Hipocratismo digital	→ Massa ou nódulo → Atelectasia	→ Broncoscopia
Pneumonite de hipersensibilidade (subaguda ou crônica)	→ Dispneia e tosse seca → Exposição (mofo, animais)	→ Crepitações → Sibilos inspiratórios	→ Infiltrado em vidro despolido → Nódulos centrolobulares	→ Biópsia pulmonar broncoscópica sugestiva
Tromboembolismo pulmonar crônico	→ Dispneia progressiva → História de tromboembolismo → Câncer → Trombofilias	→ Sinais de insuficiência cardíaca direita → Síndrome pós-trombótica	→ Aumento da artéria pulmonar → Oligoemia → Aumento do ventrículo direito	→ Cintilografia pulmonar e/ou angiotomografia sugestiva
Traqueobroncomalácia	→ História de intubação → Infecções de repetição	→ Estridor laríngeo → Roncos em região traqueal	→ Normal ou estenose de traqueia	→ Broncoscopia ou TC em expiração sugestivas

DPOC, doença pulmonar obstrutiva crônica; ECG, eletrocardiograma; IgE, imunoglobulina E; TC, tomografia computadorizada.

Adultos

Doenças das vias aéreas inferiores

A aspergilose broncopulmonar alérgica é mais comum em indivíduos adultos atópicos, com história de asma e pouca resposta às medidas terapêuticas usuais ou dependentes de corticoides. Esses pacientes apresentam infiltrados pulmonares e/ou atelectasias recorrentes, bronquiectasias centrais, provas cutâneas positivas a espécies de *Aspergillus*, eosinofilia e IgE sérica elevada (em geral, > 1.000 UI). A confirmação diagnóstica deve ser feita por especialista.

A DPOC é frequentemente confundida com asma, sobretudo no paciente idoso. Há dois tipos bem-caracterizados (bronquite crônica e enfisema), embora a maioria dos pacientes apresente uma combinação de ambos. A bronquite crônica pode manifestar-se por sibilância, mas o quadro chamativo, e em geral anterior, é a tosse com expectoração purulenta. Já nos pacientes com fenótipo de enfisema, a dispneia progressiva é o sintoma predominante, a qual pode ser confundida com a asma persistente. Os pacientes com DPOC em geral são ou foram tabagistas e apresentam, na espirometria, obstrução ao fluxo aéreo que é progressiva e, por definição, nunca normaliza (ver Capítulo Doença Pulmonar Obstrutiva Crônica).

A hiper-responsividade brônquica pós-infecciosa ou associada a aspirações pulmonares recorrentes, refluxo gastresofágico ou rinite alérgica provoca um quadro idêntico à asma, mas que se resolve após tratamento dessas doenças de base.

A traqueobroncomalácia e/ou colapso expiratório dinâmico da via aérea, idiopático ou secundário (p. ex., sequela de pneumonia grave ou intubação traqueal, aspirações pulmonares recorrentes), é uma condição de difícil suspeita e diagnóstico, a qual exige TC com reconstrução da via aérea e/ou broncoscopia. Um paciente tabagista que se apresenta com quadro de dispneia progressiva e sibilância deve ser investigado para possibilidade de neoplasia pulmonar, principalmente se estiverem presentes outros sinais de alerta, como hemoptise, modificação do caráter da tosse, emagrecimento ou hipocratismo digital.

A pneumonite de hipersensibilidade é uma reação granulomatosa à inalação de substâncias orgânicas (p. ex., mofo, penas de pássaros) que é muito subdiagnosticada, já que, com frequência, os médicos não questionam os pacientes sobre exposições ocupacionais, domiciliares ou recreacionais.

Um quadro cada vez mais reconhecido, e comumente confundido com asma, é a bronquite eosinofílica: os pacientes têm tosse e sintomas de vias aéreas superiores, eosinofilia no escarro e na biópsia brônquica, além de excelente resposta ao corticoide inalatório, mas não mostram hiper-responsividade brônquica, apresentam má resposta aos broncodilatadores e não há associação com fenômenos atópicos.

Muitas outras doenças que causam dispneia e/ou tosse crônica devem ser incluídas no diagnóstico diferencial da asma, incluindo doenças intersticiais, como sarcoidose, fibrose pulmonar idiopática, vasculites (síndrome de Churg-Strauss), pneumonites eosinofílicas (idiopáticas ou associadas a parasitas ou fármacos), fibrose cística (com apresentação não típica e/ou com sintomas iniciando na vida adulta), tuberculose, aspirações pulmonares recorrentes por distúrbios da deglutição (comum em pacientes neurológicos, p. ex., por sequela de acidente vascular cerebral ou doença de Parkinson), além de outras doenças torácicas como tumor carcinoide, fístula traqueoesofágica e massas mediastinais.

Doenças das vias aéreas superiores

A disfunção de pregas vocais (também chamada de discinesia de pregas vocais), frequentemente subdiagnosticada, é definida pela adução inapropriada e paradoxal das pregas vocais durante a inspiração. Pode ser secundária a algumas doenças (laringites, refluxo gastresofágico, sinusites) ou até mesmo ser concomitante à asma em alguns casos (sobretudo em crianças). Na sua forma idiopática, cujo perfil é de mulheres de meia-idade com "asma de difícil controle", chama a atenção o fato de que pode ter os mesmos desencadeantes da asma (irritantes, exercício e emoções), dificultando o diagnóstico.

A história de sintomas que predominam na região cervical (sufocação), a ausência de resposta clínica ou funcional aos broncodilatadores e a "sibilância" inspiratória auscultada no pescoço com irradiação torácica podem sugerir o diagnóstico, que é confirmado somente pela laringoscopia, a qual detecta as alterações sugestivas (pode ser normal no período entre as crises). Na espirometria, tanto o VEF_1 como a CVF podem ser reduzidos, mas o coeficiente expiratório forçado (CEF) geralmente é normal, sendo o achado que mais chama atenção a alteração na fase inspiratória (irregularidade no gráfico no fluxo e redução do fluxo inspiratório a 50% da CVF em relação ao seu correspondente expiratório). Outras doenças das vias aéreas superiores, como câncer ou estenose benigna de laringe, laringites, rinossinusites (crônica e/ou recorrente), neoplasia da cavidade oral e corpos estranhos nessa região, também podem simular asma.

Doenças cardiovasculares

Em indivíduos adultos, deve ser feito o diagnóstico diferencial com insuficiência cardíaca (seja com ou sem disfunção ventricular sistólica), que se caracteriza por dispneia paroxística noturna ou desencadeada por esforços e por ortopneia, manifestações que, em regra, apontam doença cardíaca primária (ver Capítulo Insuficiência Cardíaca).

Deve-se suspeitar de tromboembolismo pulmonar recorrente em portadores de neoplasia, insuficiência venosa periférica ou insuficiência cardíaca, ou naqueles que estiverem mantendo repouso prolongado no leito. Chama a atenção que, embora a apresentação seja semelhante à da asma, não há resposta ao uso de broncodilatador e/ou corticoide.

A hipertensão arterial pulmonar costuma ocorrer em mulheres jovens e se apresenta como dispneia crônica, muitas vezes confundida com asma.

A avaliação por meio de ecocardiograma permite a diferenciação na maioria dos casos, já que raramente ocorrem sinais de *cor pulmonale* em pacientes asmáticos.

Outras condições

Na síndrome de hiperventilação, o paciente descreve dificuldade para inspiração, acompanhada de suspiros, mais do que disfunção respiratória (ver Capítulo Vertigens e Tonturas). Transtornos de ansiedade, como a síndrome do pânico, podem se apresentar como crises de dispneia ou sufocação. Alguns medicamentos ou substâncias podem causar quadros semelhantes à asma ou podem piorar o controle da doença em pacientes asmáticos. Entre eles, destacam-se os betabloqueadores (inclusive colírios oftalmológicos), inibidores da enzima conversora da angiotensina, ácido acetilsalicílico, AINEs e tartrazina (corante contido em algumas guloseimas).

Na TABELA 44.5, são apresentados os principais diagnósticos diferenciais da asma em adultos.

Crianças

Em crianças, as primeiras manifestações de asma costumam ocorrer antes dos 5 anos de idade. Contudo, diversas doenças também apresentam sibilância, devendo ser feito o diagnóstico diferencial com asma.

A TABELA 44.6 apresenta os principais diagnósticos diferenciais da asma em crianças.

A seguir, comentam-se as doenças mais frequentes.

Infecções respiratórias virais

Em crianças com idade < 1 ano, o primeiro episódio de sibilância frequentemente é causado por infecção pelo vírus sincicial respiratório, caracterizando o diagnóstico de bronquiolite viral aguda. Essa doença é epidêmica, ocorre sobretudo nos meses de inverno e apresenta maior incidência no 1º semestre de vida, sendo rara após 1 ano. O quadro clínico inicia com sinais e sintomas de infecção de vias aéreas superiores, recusa alimentar, irritabilidade, hipertermia – que não costuma ultrapassar os 38 °C –, coriza e espirros, que perduram por 1 a 3 dias. O sofrimento respiratório, em grau variável, inicia de forma abrupta e evolui em 24 a 48 horas, podendo ser necessária a oxigenoterapia (ver Capítulo Infecção Respiratória Aguda na Criança). Após um episódio de bronquiolite viral aguda, é frequente as crianças apresentarem episódios de sibilância recorrente. O diagnóstico diferencial com asma somente pode ser feito se a evolução mostrar tendência a episódios de obstrução brônquica independentes de viroses nos asmáticos e associados a viroses nos não asmáticos.

TABELA 44.6 → Principais diagnósticos diferenciais da asma em crianças

Infecções respiratórias virais	
Bronquiolite viral aguda	→ Ocorre sobretudo nos meses de inverno
	→ Maior incidência no 1º semestre de vida e rara após 1 ano
	→ Inicia com sinais e sintomas de infecção de vias aéreas superiores, recusa alimentar, irritabilidade, hipertermia – que não costuma ultrapassar os 38 °C –, coriza e espirros, que perduram por 1-3 dias
	→ Episódios de sibilância recorrente são frequentes
Laringite viral aguda	→ Estridor inspiratório característico
Bronquiolite obliterante pós-infecciosa	→ Infrequente
	→ Após quadro de bronquiolite ou pneumonia viral grave, com internação em UTI com necessidade de ventilação mecânica, evolui com sintomas obstrutivos persistentes sem melhora com broncodilatadores[25]
Refluxo gastresofágico	→ Vômitos
	→ Manifestações respiratórias adicionais, como, tosse, laringite, pneumonia e apneia
	→ Acompanha história de vômitos e pode haver repercussão sobre o ganho de peso (ver Capítulo Problemas Comuns nos Primeiros Meses de Vida)
Síndromes aspirativas devido a distúrbios da deglutição	→ Imaturidade, neuromiopatias e malformações de orofaringe associadas
	→ Tosse ou sibilância associadas à alimentação
	→ Comparação da ausculta pulmonar antes e depois de mamadas identifica piora da sibilância
Fibrose cística	→ Episódios repetidos de sibilância, que evoluem para sibilância contínua
	→ Tosse produtiva com secreção amarelada
	→ Fezes volumosas
	→ Curva de peso e altura estacionária
	→ Dosagem de eletrólitos no suor (sódio e cloro > 60 mEq/L)
Malformações congênitas na via aérea	→ Baseia-se na avaliação clínica
	→ TC de tórax indicada para confirmação diagnóstica
Traqueobroncomalácia	→ Estridor inspiratório
Doença respiratória crônica neonatal (displasia broncopulmonar)	→ Prematuridade, doença respiratória neonatal grave com sintomas persistindo por período > 30 dias de vida
	→ Lactentes que fizeram uso prolongado de oxigenoterapia (geralmente > 28 dias) ou que foram submetidos à ventilação mecânica
	→ Radiografia de tórax apresenta infiltrados em faixa e áreas bolhosas
Tuberculose	→ Sibilância contínua, que não se modifica com o uso de broncodilatador
	→ Pode haver sibilância predominante no lado afetado (ver Capítulo Tuberculose)
Cardiopatias	→ Sinais clínicos de cardiopatia (sopro, cianose, taquipneia)
	→ Radiografia de tórax e exames específicos (eletrocardiograma, US, cateterismo cardíaco, TC de tórax)
Aspiração de corpo estranho	→ Início abrupto após a síndrome de sufocação observada no momento da aspiração
	→ Em geral, referida como "engasgo" súbito com algum alimento ou objeto na boca
	→ Na maioria dos casos, não melhora com o uso de broncodilatador
	→ Comparação das radiografias de tórax em inspiração e expiração mostra que os segmentos pulmonares afetados não desinsuflam na manobra expiratória
	→ Broncoscopia confirma o diagnóstico e permite remover o material aspirado

TC, tomografia computadorizada; US, ultrassonografia; UTI, unidade de terapia intensiva.

A laringite viral aguda é outra infecção que pode ser confundida com sibilância, além do estridor inspiratório característico.

Bronquiolite obliterante pós-infecciosa é uma condição infrequente caracterizada por um quadro de bronquiolite ou pneumonia viral grave, com internação em unidade de terapia intensiva (UTI), e necessidade de ventilação mecânica que evoluiu com sintomas obstrutivos persistentes sem melhora com broncodilatadores. O diagnóstico é confirmado pelo quadro clínico-evolutivo (após o quadro inicial, a criança mantém sintomas de intensidade variável: tosse, dificuldade ventilatória, sibilância com períodos de exacerbação obstrutiva ou infecciosa) e pela TC de tórax de alta resolução (áreas de perfusão em mosaico, alçaponamento aéreo, bronquiectasias).[26]

Refluxo gastresofágico

Pacientes com refluxo gastresofágico podem apresentar sibilância devido ao refluxo. Deve-se distinguir entre o refluxo gastresofágico chamado fisiológico e a doença do refluxo gastresofágico (DRGE). Pacientes com refluxo gastresofágico fisiológico em geral apresentam episódios de vômito, particularmente os lactentes, mas não existem manifestações pulmonares ou sistêmicas. Nos pacientes com DRGE, além de vômitos, há manifestações respiratórias, como sibilância, tosse, laringite, pneumonia e apneia, e pode haver repercussão sobre o ganho de peso. Crianças com refluxo fisiológico não necessitam de investigação ou de tratamento.

A investigação diagnóstica de crianças com suspeita de DRGE é controversa. A pesquisa de refluxo por meio de exame radiológico contrastado com bário, cintilografia e ultrassonografia (US) apresenta limitações, pois permite detectar episódios eventuais, não possibilitando avaliação quantitativa prolongada. A mensuração do pH na região inferior do esôfago (pHmetria esofágica) durante 24 horas é o melhor exame, pois permite a detecção de refluxo desencadeado por tosse, alimentação e mudança de posição. Contudo, a disponibilidade desse exame ainda é limitada, e o custo, relativamente alto. Mesmo assim, não detecta episódios de refluxo alcalino, o que é uma limitação do exame (ver Capítulo Problemas Comuns nos Primeiros Meses de Vida).

Síndromes aspirativas devido a distúrbios da deglutição

Crianças portadoras de distúrbios da deglutição podem apresentar episódios de sibilância recorrentes. Imaturidade neuromuscular no momento do nascimento, neuromiopatias e malformações de orofaringe são associadas a essa condição. A suspeição clínica baseia-se em crises de tosse ou sibilância associadas à alimentação. A comparação da ausculta pulmonar antes e depois de mamadas, identificando piora da sibilância, permite o diagnóstico, que pode ser confirmado por exame contrastado de deglutição.

Fibrose cística

Acomete cerca de 1 a cada 2.500 nascidos vivos em regiões de colonização europeia. Dados recentes indicam prevalências em torno de 1 a cada 7 mil a 10 mil nascidos vivos no Brasil.

O quadro clínico caracteriza-se por episódios repetidos de sibilância, que evoluem para sibilância contínua, tosse produtiva com secreção amarelada, fezes volumosas e curva de peso e altura estacionária.

A dosagem de eletrólitos no suor (sódio e cloro > 60 mEq/L) é o principal exame diagnóstico. A triagem neonatal (teste do pezinho) com tripsina imunorreativa com valores elevados (> 70) indica necessidade de realização de testes confirmatórios.

Malformações congênitas na via aérea

O diagnóstico de malformações congênitas geralmente baseia-se na avaliação clínica, realizada em crianças com sibilos inspiratórios e expiratórios ou com estridor inspiratório. Por vezes, o diagnóstico é feito em crianças com sinais de infecção respiratória submetidas a exame radiológico do tórax. A intensidade e as características da sibilância são variáveis. Em alguns casos, a TC de tórax é o exame indicado para confirmação diagnóstica.

A traqueobroncomalácia é um distúrbio congênito da cartilagem brônquica. Caracteriza-se por estridor inspiratório, mais do que por sibilância, devido ao colapso da área afetada durante a expiração.

Doença respiratória crônica neonatal (displasia broncopulmonar)

Lactentes com sibilância que apresentaram prematuridade, doença respiratória neonatal grave, sintomas respiratórios persistindo após os 30 dias de vida, que fizeram uso prolongado de oxigenoterapia (geralmente por mais de 28 dias) ou que foram submetidos à ventilação mecânica devem ser investigados para displasia broncopulmonar.

O exame radiológico de tórax apresenta infiltrados em faixa e áreas bolhosas.

Tuberculose

Deve ser suspeitada em crianças com quadro de sibilância contínua, que não se modifica com o uso de broncodilatador. Pode haver sibilância predominante no lado afetado.

O diagnóstico é feito pela história clínica (contato com portador de tuberculose, febre e tosse prolongada) ou pelo teste de Mantoux. O exame radiológico de tórax pode ser importante no diagnóstico.

Em crianças com idade < 5 anos, a principal manifestação radiológica é o aumento de gânglios linfáticos mediastinais. Às vezes, o diagnóstico pode ser feito por pesquisa de bacilo de Koch em lavado brônquico ou gástrico ou, ainda, por exame em amostra de sangue ou escarro (ver Capítulo Tuberculose).

Cardiopatias

As cardiopatias congênitas ou adquiridas podem causar sibilância por compressão de vasos ou de câmaras cardíacas na árvore brônquica. O diagnóstico é feito pelos sinais clínicos de cardiopatia (sopro, cianose, taquipneia), radiografia de tórax e exames específicos (eletrocardiograma [ECG], US, cateterismo cardíaco, TC de tórax).

Aspiração de corpo estranho

Pode provocar sibilância de início abrupto após a síndrome de sufocação observada no momento da aspiração, em geral referida como "engasgo" súbito com algum alimento ou objeto na boca. Em geral, não melhora com o uso de broncodilatador.

O diagnóstico é feito pela história clínica e pela radiografia de tórax em inspiração e expiração. A comparação das radiografias mostra que os segmentos pulmonares afetados não desinsuflam na manobra expiratória. A broncoscopia confirma o diagnóstico e permite remover o material aspirado.

PADRÃO DE GRAVIDADE

Após caracterizado o diagnóstico, deve-se estabelecer o padrão de gravidade da asma por meio da avaliação da frequência e da intensidade dos sintomas (TABELA 44.7),[27] do comprometimento funcional, da presença de sinais de gravidade e de risco de fatalidade. Além desses fatores que denotam a limitação provocada pela asma, há o componente do risco de eventos adversos futuros, que estão intimamente

TABELA 44.7 → Níveis de controle da asma

	AVALIAÇÃO DO CONTROLE CLÍNICO ATUAL (NAS ÚLTIMAS 4 SEMANAS)		
PARÂMETROS	ASMA CONTROLADA (TODOS OS PARÂMETROS ABAIXO)	ASMA PARCIALMENTE CONTROLADA (1 OU 2 DOS PARÂMETROS ABAIXO)	ASMA NÃO CONTROLADA (3 OU MAIS DOS PARÂMETROS DA ASMA PARCIALMENTE CONTROLADA)
Sintomas diurnos	Nenhum ou ≤ 2 por semana	3 ou mais por semana	
Limitação de atividades	Nenhuma	Qualquer	
Sintomas/despertares noturnos	Nenhum	Qualquer	
Necessidade de medicamento de alívio	Nenhuma ou ≤ 2 por semana	3 ou mais por semana	
Função pulmonar (PFE ou VEF1)*	Normal	< 80% predito ou do melhor prévio (se conhecido)	
AVALIAÇÃO DOS RISCOS FUTUROS (EXACERBAÇÕES, INSTABILIDADE, FUNÇÃO PULMONAR REDUZIDA OU COM DECLÍNIO ACELERADO E EFEITOS COLATERAIS)			
Características que estão associadas a aumento dos riscos de eventos adversos no futuro: → Mau controle clínico → Exacerbações frequentes no último ano[†] → Admissão prévia em UTI → Baixo VEF$_1$ → Exposição à fumaça do tabaco → Necessidade de usar medicamento em altas dosagens			

*Valores pré-broncodilatador sob o uso do medicamento controlador atual; não aplicável na avaliação do controle da asma em crianças com idade < 5 anos.
[†]Por definição, uma exacerbação em qualquer semana é indicativa de asma não controlada. Qualquer exacerbação é indicativa da necessidade de revisão do tratamento de manutenção. Mais do que uma exacerbação que necessite de uso de corticoide oral coloca o paciente em estrato de maior risco de eventos futuros.
UTI, unidade de terapia intensiva; VEF$_1$, volume expiratório forçado no primeiro segundo.
Fonte: Adaptada da Sociedade Brasileira de Pneumologia e Tisiologia.[27]

relacionados com o número de exacerbações que necessitam de corticoide sistêmico para controle. Também a espirometria, ao evidenciar distúrbio ventilatório obstrutivo, contribui para avaliar o risco futuro de exacerbação e para a decisão terapêutica inicial.

As diretrizes atuais classificam a gravidade da asma de acordo com a intensidade de tratamento necessária para atingir o adequado controle da doença. A maioria dos óbitos decorrentes de asma ocorre em casos de doença grave e cronicamente malcontrolada, sendo rara a fatalidade em pacientes com padrões leves a moderados de doença. O emprego insuficiente de corticoides inalados ou administrados por via oral (VO), o uso excessivo de broncodilatadores para controle dos sintomas, a ausência de acompanhamento e a falta de monitorização objetiva da asma são algumas das causas apontadas na evolução para o óbito. Pacientes em risco de eventos fatais ou quase fatais costumam apresentar uma ou mais das características descritas na TABELA 44.8.

MANEJO DA ASMA AGUDA

Avaliação da exacerbação

Na vigência de uma crise aguda de asma, a avaliação inicial deve estabelecer a intensidade da crise, instituir tratamento imediato, verificar possíveis fatores desencadeantes (TABELA 44.9) e examinar a resposta ao tratamento inicial. A TABELA 44.10 apresenta as características clínicas e funcionais que definem a intensidade da crise. Se disponível, a oximetria de pulso deve ser verificada junto com os sinais vitais. Crises que colocam a vida do paciente em risco são classificadas como muito graves, enquanto episódios com sinais de gravidade que não requerem tratamento intensivo são considerados graves. Pacientes em crise de asma grave devem

TABELA 44.8 → Indicadores de risco de fatalidade

HISTÓRIA
- Episódio prévio de parada cardiorrespiratória
- Episódio prévio de ventilação mecânica
- Episódio prévio de acidose respiratória
- Episódio prévio de hospitalização, particularmente no último ano
- 3 ou mais consultas em serviços de emergência no último ano
- Hospitalização ou visita em serviços de emergência no último mês
- Emprego de 3 ou mais classes de medicamentos para o controle dos sintomas
- Emprego frequente de broncodilatador (> 10-12 jatos/dia ou > 2 frascos/mês)
- Uso atual de corticoide sistêmico ou em sua retirada
- Asma instável
- Dificuldade na percepção da obstrução ao fluxo aéreo e sua gravidade
- Doença clínica ou psiquiátrica associada
- Condições socioeconômicas desfavoráveis
- Uso de drogas ilícitas
- Sensibilidade a *Alternaria*

EXAME FÍSICO
- Tórax silencioso
- Cianose
- Esforço respiratório ineficaz
- Exaustão
- Confusão
- Hipotensão
- Pulso paradoxal

TABELA 44.9 → Fatores desencadeantes para crise aguda de asma

- Infecções respiratórias (principalmente virais)
- Alérgenos (pólen, poeira, pelo de animais)
- Mudanças climáticas (ar frio)
- Exercício físico
- Fatores emocionais
- Doença do refluxo gastresofágico
- Rinite alérgica ou sinusite
- Medicamentos (anti-inflamatórios não esteroides [AINEs], betabloqueadores)
- Alimentos contendo sulfito, como cerveja, vinho e camarão

TABELA 44.10 → Classificação da intensidade da crise de asma em adultos e crianças

SINAIS E SINTOMAS†	LEVE A MODERADA	GRAVE	MUITO GRAVE
Gerais	Sem alterações	Sem alterações	Cianose, sudorese, exaustão
Estado mental	Normal	Normal	Agitação, confusão, sonolência
Dispneia	Ausente ou leve	Moderada	Grave
Fala (adultos)	Frases completas	Não termina a frase sem respirar	Frases curtas, monossilábicas
Choro (crianças e lactentes)	Aumento da frequência respiratória	Choro curto	Dificuldade de alimentação
Musculatura acessória	Retração intercostal leve ou ausente	Retrações subcostais ou esternocleidomastóideas acentuadas	Retrações acentuadas ou em declínio (exaustão)
Sibilos	Ausentes com murmúrio vesicular normal, localizados ou difusos	Localizados ou difusos	Ausentes com murmúrio vesicular reduzido, localizados ou difusos
Frequência respiratória*	Normal ou aumentada	Aumentada	Aumentada
Frequência cardíaca em adultos	≤ 110 bpm	≤ 110-140 bpm	> 140 bpm Bradicardia
PFE (% previsto)	> 50%	30-50%	< 30%
SpO₂	> 94%	92-94%	< 92%

*Frequência respiratória normal: adultos: < 24 mrm; crianças com idade < 2 meses: < 60 mrm;
†2-11 meses: < 50 mrm; 1-5 anos: < 40 mrm; 6-8 anos: < 30 mrm; > 8 anos = adulto.
A presença de vários parâmetros, mas não necessariamente de todos, indica a classificação geral da crise.
bpm, batimentos por minuto; mrm, movimentos respiratórios por minuto; PFE, pico de fluxo expiratório; SpO₂, saturação periférica de oxigênio na oximetria de pulso.
Fonte: Adaptada de Sociedade Brasileira de Pneumologia e Tisiologia.[27]

ser tratados *a priori* como portadores de asma muito grave, uma vez que podem evoluir rapidamente para insuficiência respiratória.

Dependendo da gravidade prévia da asma e de comorbidades, além dos achados atuais no exame clínico, pode ser necessário encaminhamento para obter exames subsidiários para complementar a avaliação da crise, como gasometria arterial, radiografia de tórax, hemograma, eletrólitos séricos e ECG.

Outros aspectos relacionados com maior risco de hospitalização também devem ser avaliados, como adesão ao tratamento, problemas psiquiátricos (depressão e abuso de substâncias), isolamento social, incapacidades físicas ou de aprendizagem, idade < 18 anos, gravidez e história prévia de crise de asma com risco de morte.

Tratamento

O tratamento da crise deve basear-se no quadro clínico e, sempre que possível, na aferição objetiva da limitação funcional do fluxo aéreo (normalmente pelo medidor de PFE ou *peak flow*, ou por espirômetro portátil) (ver QR code). Pacientes classificados inicialmente como muito graves apresentam risco iminente de morte e necessitam de um manejo agressivo, de preferência em UTI; portanto, devem ser imediatamente transferidos da unidade básica de saúde (UBS). Os demais casos devem ser conduzidos de acordo com a resposta clínica e funcional ao tratamento inicial, conforme descrito na FIGURA 44.2.[1,28,29]

> Nos últimos anos, houve mudança no paradigma de tratamento da exacerbação da asma, sendo que as evidências mostraram a necessidade de iniciar ou aumentar o corticoide inalatório, mesmo nos casos leves ou moderados. O uso isolado dos broncodilatadores agonistas β_2 inalatórios de ação curta se associa a piores desfechos.

Nas consultas de acompanhamento, os indivíduos asmáticos adultos devem receber orientações por escrito de automanejo para tratar as crises ou exacerbações leves no domicílio. Elas devem incluir o uso do β_2 inalatório de ação curta e sempre o início ou o aumento da dose do medicamento de controle (corticoide inalatório). Além disso, o uso do formoterol + corticoide em baixa dose (budesonida ou beclometasona) no mesmo inalador, tanto como medicamento de controle como de alívio, é efetivo no controle dos sintomas da asma, reduzindo exacerbações mais graves

Fluxograma: Manejo da crise aguda de asma

Paciente com crise aguda de asma → **Avaliação inicial**: Sinais e sintomas, PFE (se houver), Antecedentes pessoais

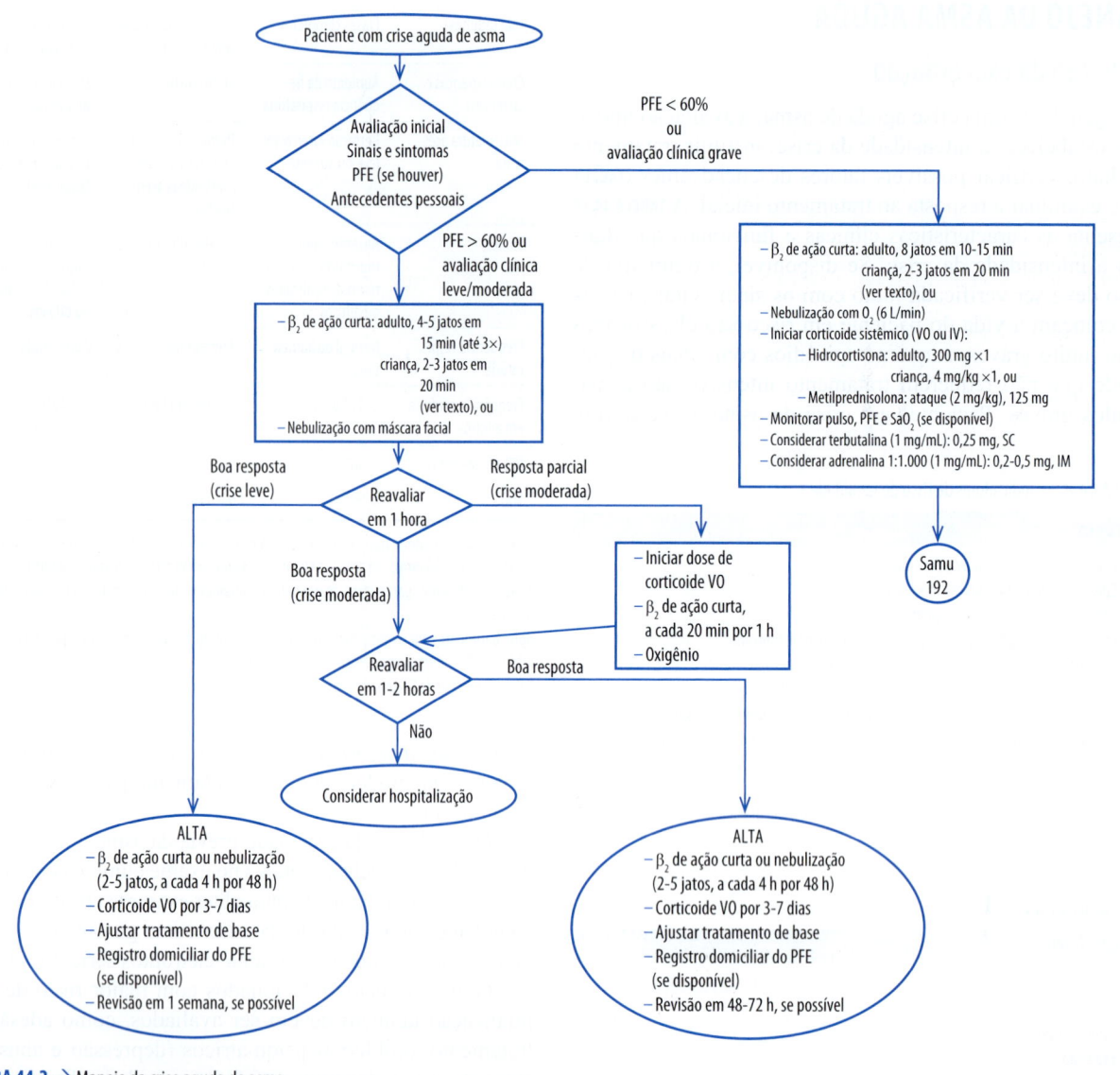

Se PFE < 60% ou avaliação clínica grave:
- β_2 de ação curta: adulto, 8 jatos em 10-15 min; criança, 2-3 jatos em 20 min (ver texto), ou
- Nebulização com O_2 (6 L/min)
- Iniciar corticoide sistêmico (VO ou IV):
  - Hidrocortisona: adulto, 300 mg ×1; criança, 4 mg/kg ×1, ou
  - Metilprednisolona: ataque (2 mg/kg), 125 mg
- Monitorar pulso, PFE e SaO_2 (se disponível)
- Considerar terbutalina (1 mg/mL): 0,25 mg, SC
- Considerar adrenalina 1:1.000 (1 mg/mL): 0,2-0,5 mg, IM

→ Samu 192

Se PFE > 60% ou avaliação clínica leve/moderada:
- β_2 de ação curta: adulto, 4-5 jatos em 15 min (até 3×); criança, 2-3 jatos em 20 min (ver texto), ou
- Nebulização com máscara facial

Reavaliar em 1 hora:
- Boa resposta (crise leve) → ALTA
- Resposta parcial (crise moderada) → Iniciar dose de corticoide VO; β_2 de ação curta, a cada 20 min por 1 h; Oxigênio

Reavaliar em 1-2 horas:
- Boa resposta → ALTA
- Não → Considerar hospitalização

ALTA (crise leve/moderada):
- β_2 de ação curta ou nebulização (2-5 jatos, a cada 4 h por 48 h)
- Corticoide VO por 3-7 dias
- Ajustar tratamento de base
- Registro domiciliar do PFE (se disponível)
- Revisão em 1 semana, se possível

ALTA (após resposta parcial):
- β_2 de ação curta ou nebulização (2-5 jatos, a cada 4 h por 48 h)
- Corticoide VO por 3-7 dias
- Ajustar tratamento de base
- Registro domiciliar do PFE (se disponível)
- Revisão em 48-72 h, se possível

FIGURA 44.2 → Manejo da crise aguda de asma.
IM, intramuscular; IV, intravenoso; PFE, pico de fluxo expiratório; Samu, Serviço de Atendimento Móvel de Urgência; SaO_2, saturação de oxigênio; SC, subcutâneo; VO, via oral.
Fonte: Adaptada de Global Initiative for Asthma,[1] Brasil[28] e Martín Zurro e Cano Pérez.[29]

com necessidade de uso de corticoides orais e admissões em emergência, quando comparado com o uso isolado da mesma dose de medicamento de alívio. Para esse regime de tratamento, a dose máxima diária recomendada de formoterol é de 72 μg para a apresentação de formoterol + budesonida e de 48 μg para a de formoterol + beclometasona. O plano escrito deve incluir, em caso de crise mais grave, o uso de um curso de corticoide VO (prednisona 40-50 mg/dia para adultos), por 5 a 7 dias. Nesse caso, é recomendado que o paciente faça contato com seu médico.

Em crianças de 6 a 11 anos, adolescentes e adultos, o manejo de crises asmáticas leves a moderadas na APS envolve a administração repetida de β$_2$ inalatório de ação curta (4-10 jatos a cada 20 minutos na 1ª hora). Após a 1ª hora, a dose de β$_2$ inalatório de ação curta necessária varia de 4 a 10 jatos a cada 3 a 4 horas até 6 a 10 jatos a cada 1 a 2 horas. Nenhuma dose adicional de β$_2$ inalatório de ação curta é necessária se a resposta clínica inicial ao tratamento for satisfatória (PFE > 60-80% do previsto ou do melhor valor pessoal). O uso de corticoide VO deve ser prontamente considerado. Prednisona 1 a 2 mg/kg em crianças até 40 mg/dia e 1 mg/kg em adultos até 50 mg/dia é recomendada se a crise for mais grave ou não se resolver no manejo na 1ª hora. Essa dose diária de prednisona deve ser mantida por 3 a 5 dias. O retorno ambulatorial deve ser garantido em 1 semana. Asmáticos que não estejam em uso de medicamento de controle devem iniciar dose regular de corticoide inalatório. Asmáticos que já estiverem em uso de medicamento de controle devem aumentar a dose do medicamento nas próximas 2 a 4 semanas.

Em crianças com idade < 6 anos, iniciar a administração repetida de β$_2$ inalatório de ação curta (2-6 jatos a cada 20 minutos na 1ª hora) e administrar oxigênio para manter a saturação em 94 a 98%. Orientar imediata transferência para hospital: se a resposta inicial não for satisfatória em 1 a 2 horas; se a criança for incapaz de falar ou de ingerir líquidos; se a criança apresentar retrações intercostais ou cianose; se a saturação de oxigênio for menor que 92%; ou se não houver recursos em domicílio para prosseguir tratamento. Nos casos com resposta inicial ao tratamento, deve ser prescrita prednisona/prednisolona na dose de 1 a 2 mg/kg/dia por 5 dias, até 20 mg em crianças de 0 a 2 anos e 30 mg em crianças de 3 a 5 anos. O retorno ambulatorial deve ser garantido em 1 semana. A nebulização com adrenalina não deve ser utilizada, exceto em situações especiais de anafilaxia e angioedema.

Em crianças, o emprego de aerossol dosimetrado acoplado a câmara de espaçamento produz efeitos equivalentes aos alcançados com nebulizadores em pacientes com asma leve a moderada.[1,22] Apresenta a vantagem de poder ser administrado no domicílio, diminuindo a frequência de idas às unidades de saúde e aos serviços de emergência.

De acordo com a gravidade da crise, avaliada clinicamente (TABELA 44.11), também podem ser utilizados oxigênio e corticoides. A correção da hipoxemia é medida prioritária, uma vez que quase todas as mortes ocorrem por asfixia. Deve-se administrar oxigênio a todos os pacientes hipoxêmicos, em concentrações adequadas para manter a saturação de

TABELA 44.11 → Sinais frequentemente presentes em pacientes asmáticos em exacerbação

→ Frequência respiratória elevada:
  → Crianças com idade < 1 ano: ≥ 50 mrm
  → Crianças com idade ≥ 1 ano: ≥ 40 mrm
  → Adolescentes e adultos: ≥ 25 mrm
→ Sibilância predominantemente expiratória
→ Frequência cardíaca > 110 bpm
→ Retrações subcostais
→ Retrações intercostais
→ Retrações supraesternais ou supraclaviculares
→ Batimentos de asa do nariz, mais frequentemente detectado em crianças
→ Hipertrofia e palidez de cornetos nasais (sinais de atopia em crianças)
→ Aumento do diâmetro anteroposterior do tórax (asma grave)
→ Pulso paradoxal (asma grave)

oxigênio ≥ 95% (se houver oxímetro disponível). Em crianças, manter saturação entre 94 a 98%.[1] O risco de indução de hipercapnia é pequeno e não deve limitar a administração de oxigênio em concentrações adequadas. A ocorrência de hipercapnia durante uma crise de asma é um sinal de falência respiratória e indica necessidade de suporte ventilatório.

O benefício da corticoterapia está bem documentado em adultos. Corticoides inalatórios são efetivos no manejo da crise aguda, melhorando sintomatologia e padrões espirométricos B e reduzindo internação em aproximadamente 60% (número necessário para tratar [NNT] = 7) C/D.[30,31]

Os corticoides administrados por inalação são menos propensos a causar efeitos colaterais do que os empregados por vias oral (VO) ou intravenosa (IV), mas ainda assim se aplicam os mesmos princípios da corticoterapia sistêmica, correspondendo à utilização da menor dose possível para controle de sintomas e preservação da qualidade de vida.

No tratamento de crianças, o resultado de quintuplicar a dose de corticoide inalatório em crise de asma não se mostrou benéfico.[32]

A utilização precoce de corticoides sistêmicos acelera a recuperação da crise e diminui a necessidade de agonistas β$_2$, as recorrências e o risco de crise fatal; seu impacto é semelhante ao dos corticoides inalatórios, com redução de cerca de 50% na internação (NNT = 8) B.[1]

A administração de corticoide VO ou IV tem efeito equivalente, mesmo em pacientes com crises graves. Doses de 40 a 60 mg/dia de prednisona são tão efetivas quanto doses maiores, que devem ser evitadas pelos potenciais efeitos colaterais. Em crianças, a dose é de 1 a 2 mg/kg de prednisona ou prednisolona, até o máximo de 40 mg/dia, geralmente por 3 a 5 dias. Quando administrados por curto período (3-14 dias), os corticoides podem ser descontinuados abruptamente, sem risco de supressão suprarrenal. Entretanto, nos casos em que o paciente já faz uso crônico ou está em vigência de crise grave, pode ser necessária a utilização prolongada e, como consequência, a retirada gradual para evitar hospitalizações ou recorrência do quadro.[1]

Em casos graves ou sem resposta ao tratamento inicial, pacientes adultos podem beneficiar-se da associação de brometo de ipratrópio inalatório por aerossol dosimetrado ou nebulização (20-40 µg, 2-4 jatos, em intervalos de 4-6 horas; ver **FIGURA 44.2**), que pode potencializar o efeito broncodilatador do agonista β₂ inalatório. A associação de anticolinérgicos promove melhora dos sintomas, reduzindo em aproximadamente 30% o risco de internação (NNT = 15) **A**.[33] Em crianças com idade < 2 anos, não há estudos bem-conduzidos que indiquem o benefício do uso do brometo de ipratrópio em crise de asma. O brometo de ipratrópio pode ser adicionado em crianças com resposta insuficiente com β₂ inalatório na forma de nebulização ou combinado com agonista β₂ na forma de aerossol dosimetrado.

A avaliação da resposta terapêutica deve ser realizada em 30 a 60 minutos após o tratamento inicial, com reclassificação da gravidade do paciente, criança ou adulto. De modo geral, os pacientes com exacerbação aguda que apresentarem resposta rápida ao tratamento inicial, sem sinais de gravidade e completa recuperação funcional (PFE > 70% e oximetria de pulso, se disponível, com saturação > 95% em ar ambiente), podem ter alta do atendimento de urgência e retornar ao acompanhamento programado.

> Recomenda-se manter o uso do agonista β₂ inalatório (2-5 jatos, de 4/4 horas) por 48 horas **B** e do corticoide VO (prednisona 40-60 mg/dia) por 3 a 7 dias após o atendimento de urgência, reduzindo a recidiva dos sintomas em 62% (NNT = 10) e internação em 65% (NNT = 11) **B**. Os corticoides inalatórios devem ser iniciados com vistas ao tratamento de manutenção.[1,22]

Emergências

Pacientes com crises que ameaçam a vida (PFE < 33%) e/ou com crises graves (PFE entre 33-55%) que não respondem ao tratamento inicial devem ser encaminhados para emergência hospitalar por meio do Serviço de Atendimento Móvel de Urgência (Samu – 192). Entretanto, os cuidados iniciais devem ser tomados na APS, conforme mostra a **FIGURA 44.2**.

MANEJO DA ASMA EM LONGO PRAZO

A asma é uma doença que leva a um gasto substancial de recursos para a saúde, proporcionais à gravidade da doença. O custo direto da asma sem controle (utilização de serviços de saúde e medicamentos) é o dobro daquele em que há controle, e o custo indireto (número de dias perdidos de escola e trabalho) também é maior.[34] O tratamento e a distribuição de medicamentos de forma adequada em serviço público resultam na melhora do controle, da qualidade de vida e da renda familiar **C/D**.

Objetivos

A abordagem terapêutica da asma deve ser abrangente, envolvendo o controle atual da doença e a prevenção de riscos futuros **(FIGURA 44.3)**. Isso inclui medidas que previnem o desencadeamento de crises, tratamento da crise instalada e educação do paciente e de seus familiares para conviver com uma doença crônica.[1,22] Os objetivos do tratamento da doença são:

→ controlar sintomas;
→ prevenir a manifestação de sintomas cronicamente;
→ prevenir as exacerbações;
→ evitar a necessidade de atendimento em serviços de emergência e hospitalização;
→ permitir atividades normais – trabalho, escola, lazer e atividade físicas;
→ manter a função pulmonar normal ou o mais próximo disso;
→ eliminar as interrupções do sono;
→ minimizar efeitos colaterais do medicamento;
→ prevenir a morte.

Definição de controle da asma

O controle da asma envolve as seguintes dimensões: o controle dos sintomas, o risco futuro de desfechos adversos, a adesão e a técnica inalatória, efeitos colaterais e comorbidades.

O controle dos sintomas envolve a frequência de sintomas diurnos, frequência de sintomas noturnos, frequência do uso de medicamento de alívio e limitação de atividade diária por asma, conforme a Global Initiative for Asthma (GINA) (ver **TABELA 44.7**). Por outro lado, a função pulmonar é o maior indicador de risco futuro.[1]

Outra abordagem para avaliar controle é o teste de controle da asma (ACT, do inglês *asthma control test*),[35] considerando as últimas 4 semanas **(TABELA 44.12)**. O escore do ACT é calculado pela soma de pontos para cada questão, que variam de 1 a 5. As questões que indicam melhor controle da asma recebem maior pontuação. Assim, o escore do questionário varia de 5 a 25 pontos. Escores maiores indicam melhor controle da asma. O escore ≥ 20 pontos indica asma controlada.

Ainda como alternativo, o questionário de controle da asma (ACQ, do inglês *asthma control questionnaire*)[36] foi especificamente elaborado para medir o controle da asma em adultos com idade ≥ 17 anos.

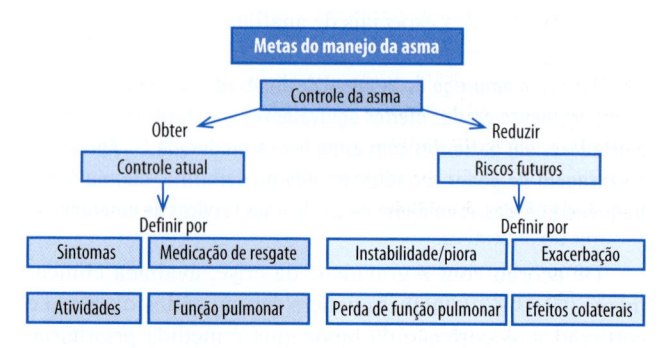

```
                    Metas do manejo da asma
                              │
                       Controle da asma
                    ┌─────────┴─────────┐
                  Obter ←             → Reduzir
              Controle atual         Riscos futuros
              Definir por            Definir por
        ┌──────────┬──────────┐  ┌──────────────┬──────────────┐
      Sintomas  Medicação   Instabilidade/piora  Exacerbação
                de resgate
      Atividades  Função    Perda de função    Efeitos
                  pulmonar  pulmonar           colaterais
```

FIGURA 44.3 → Estratégia para o controle da asma.
Fonte: Adaptada de Sociedade Brasileira de Pneumologia e Tisiologia.[27]

TABELA 44.12 → Teste de controle da asma (considerando as últimas 4 semanas)

1. A asma prejudicou suas atividades no trabalho, na escola ou em casa?
   → Nenhuma vez.
   → Poucas vezes.
   → Algumas vezes.
   → A maioria das vezes.
   → Todo o tempo.

2. Como está o controle da sua asma?
   → Totalmente descontrolada.
   → Pobremente controlada.
   → Um pouco controlada.
   → Bem controlada.
   → Completamente controlada.

3. Quantas vezes você teve falta de ar?
   → De jeito nenhum.
   → 1 ou 2 vezes por semana.
   → 3 a 6 vezes por semana.
   → 1 vez ao dia.
   → Mais que 1 vez ao dia.

4. A asma acordou você à noite ou mais cedo que de costume?
   → De jeito nenhum.
   → 1 ou 2 vezes.
   → 1 vez por semana.
   → 2 ou 3 noites por semana.
   → 4 ou mais noites por semana.

5. Quantas vezes você usou o remédio por inalação para alívio?
   → De jeito nenhum.
   → 1 vez por semana ou menos.
   → Poucas vezes por semana.
   → 1 ou 2 vezes por dia.
   → 3 ou mais vezes por dia.

Fonte: Roxo.[35]

Tratamento

O principal objetivo no tratamento da asma é obter e manter o controle clínico, o que pode ser alcançado, na maioria dos pacientes, com uma intervenção planejada e executada em parceria entre médico, paciente e sua família.[1,22] É importante reconhecer que o alcance desse controle depende não apenas do paciente e do médico, mas também do grau de organização do sistema de saúde, da disponibilidade e da acessibilidade de medicamentos essenciais e da implementação eficaz de programas e diretrizes para a asma.[37]

O tratamento da asma envolve uma abordagem personalizada que inclui educação de automanejo, plano escrito para crise, treinamento para uso dos inaladores, tratamento das comorbidades, tratamento não farmacológico (evitar tabagismo, perder peso, remover exposições ocupacionais, evitar ácido acetilsalicílico e medicamentos anti-inflamatórios nos casos de asma desencadeadas por esses medicamentos, remover mofo ou umidade) e tratamento farmacológico que deve ser ajustado para o grau de doença com a mínima dose efetiva.

Como visto adiante, o tratamento medicamentoso é dividido em cinco etapas, e cada paciente deve ser alocado para uma delas, de acordo com o tratamento atual e o nível de controle, devendo ser feitos ajustes conforme as mudanças, que ocorrem de forma dinâmica. Esse ciclo engloba avaliar, tratar para obter o controle e monitorar para manter o controle. Como a asma é uma doença crônica, é fundamental, para o adequado controle da doença, a parceria entre médico e paciente, além do apoio familiar.

Tratamento não farmacológico

A GINA recomenda os seguintes cuidados não farmacológicos no manejo de asma:[1]

→ em cada visita, se o paciente ou os familiares fumam, encorajar fortemente a cessação do tabagismo **B**;
→ aconselhar fortemente as pessoas com asma a evitar ambientes com exposição à fumaça **B**;
→ incentivar as pessoas com asma a praticar atividades físicas regulares para obter benefícios gerais para a saúde e melhorar a aptidão cardiopulmonar **B**, embora não confira nenhum benefício específico na função pulmonar ou nos sintomas de asma **B**, com exceção da natação em jovens com asma **B**;
→ fornecer conselhos sobre a prevenção da broncoconstrição induzida pelo exercício com aquecimento **A**, agonistas β_2 de ação curta **A** e corticoides inalados **B** antes do exercício;
→ com base em uma história ocupacional, identificar e eliminar os sensibilizantes ocupacionais o mais rápido possível e remover os pacientes sensibilizados de qualquer exposição futura **B**;
→ ácido acetilsalicílico e AINEs geralmente não são contraindicados, a menos que exista uma história de reação anterior a eles. Parar de tomar AINEs se eles piorarem os sintomas **A**;
→ considerar o potencial agravamento da asma na prescrição de betabloqueadores orais e oftálmicos **A**;
→ a prevenção de alérgenos não é recomendada como estratégia geral na asma **A**;
→ a redução da umidade ou mofo nas casas reduz os sintomas de asma e o uso de medicamentos em adultos **B**;
→ para crianças sensibilizadas aos ácaros do pó doméstico e/ou animais de estimação, a evidência de benefício clínico para asma com estratégias de prevenção é limitada **B**;
→ incluir redução de peso no plano de tratamento para pacientes obesos com asma **B**;
→ os exercícios respiratórios podem ser um suplemento útil à farmacoterapia da asma para os sintomas e a qualidade de vida, mas não melhoram a função pulmonar nem reduzem o risco de exacerbação **B**;
→ incentivar as pessoas com asma a evitar fontes de aquecimento e fogão a lenha que poluem o ar da casa e, quando isso não for possível, conduzir ao máximo o fluxo dos poluentes para fora da casa **B**;
→ para pacientes sensibilizados, quando as contagens de pólen e mofo são mais altas, fechar janelas e portas, permanecer em ambientes fechados e usar ar-condicionado pode reduzir a exposição a alérgenos externos **C/D**;
→ incentivar os pacientes a identificar objetivos e estratégias para lidar com o estresse emocional se esse estresse piorar sua asma **C/D**;
→ durante condições ambientais desfavoráveis (clima muito frio ou alta poluição do ar), pode ser útil ficar em casa, para evitar atividades físicas extenuantes ao

ar livre e para evitar ambientes poluídos durante infecções virais, se possível;

→ evitar alimentos não deve ser recomendado, a menos que uma alergia ou sensibilidade química alimentar tenha sido claramente demonstrada, geralmente por um teste oral cuidadosamente supervisionado C/D;

→ a evolução de pacientes com asma é pior com obesidade, especialmente em crianças. O controle do peso é uma possível terapia adjunta no tratamento da asma em pacientes obesos C/D.[38]

Tratamento medicamentoso

As TABELAS 44.13 e 44.14 apresentam os medicamentos empregados no tratamento da asma em adultos e em crianças, respectivamente.[27,39]

TABELA 44.13 → Principais fármacos inalatórios utilizados no tratamento de resgate e manutenção da asma em adultos

FÁRMACO	APRESENTAÇÃO*	DOSE USUAL	INTERVALO
AGONISTAS β₂ DE CURTA DURAÇÃO			
Salbutamol	Solução/nebulização (5 mg/mL)	10-20 gotas/dose	4-8 horas
Fenoterol	Spray (100 µg/jato)	100-200 µg/dose	4-8 horas
	Solução/nebulização (5 mg/mL)	10-20 gotas/dose	4-8 horas
	Spray (100 ou 200 µg/jato)	100-400 µg/dose	4-8 horas
AGONISTAS β₂ DE LONGA DURAÇÃO			
Salmeterol	Spray (25 µg/jato)	25-50 µg/dose	12 horas
	Diskhaler® (50 µg/dose)	50 µg/dose	12 horas
	Accuhaler® (50 µg/dose)	50 µg/dose	12 horas
Formoterol	Spray (12 µg/jato)	12-24 µg/dose	12 horas
	Aerolizer® (12 µg/dose)	12-24 µg/dose	12 horas
	Turbohaler® (6 ou 12 µg/dose)	6-12 µg/dose	12 horas
Indacaterol	Breezhaler® (150 µg/dose)	150-300 µg/dose	24 horas
ANTI-INFLAMATÓRIOS			
Beclometasona	Solução/nebulização (400 µg/mL)	20-40 gotas/dia	12 horas
	Spray (250 µg/jato)	250-500 µg/dose	12 horas
	Aerolizer® (200 ou 400 µg/dose)	200-400 µg/dose	12 horas
Budesonida	Solução/nebulização (0,25 ou 0,5 mg/mL)†	20-40 gotas/dose†	12 horas
	Spray (50-200 µg/jato)	200-800 µg/dia	12 horas
	Aerolizer® (200 ou 400 µg/dose)	200-800 µg/dia	12 horas
	Turbohaler® (100 ou 200 µg/dose)	200-600 µg/dia	12 horas
Fluticasona	Spray (50 ou 250 µg/jato)	100-300 µg/dia	12 horas
	Accuhaler® (100, 250 ou 500 µg/dose)	100-1.000 µg/dia	12 horas
Ciclesonida	Spray (80 ou 160 µg/dose)	80-640 µg/dia	12-24 horas
Mometasona	Inalador de pó seco (200 ou 400 µg/dose)	200-800 µg/dia	12-24 horas
ANTICOLINÉRGICOS			
Brometo de ipratrópio	Solução/nebulização (0,25 mg/mL)	20-40 gotas/dose	4-8 horas
	Spray (20 µg/jato)	40-80 µg/dose	4-8 horas
Brometo de tiotrópio	Respimat® (2,5 µg/jato)	5 µg/dose	24 horas
ASSOCIAÇÕES			
Fenoterol + ipratrópio	Spray (100/40 µg)	1-2 jatos	6-8 horas
Beclometasona + salbutamol	Spray (50/100 µg)	1-2 jatos	4-8 horas
Fluticasona + salmeterol	Accuhaler® (100/50, 250/50, 500/50 µg)	1 dose	12 horas
Budesonida + formoterol	Aerolizer® (200/12 ou 400/12 µg)	1-2 doses	12 horas
Budesonida + formoterol	Turbohaler® (100/6 ou 200/6 µg)	1-2 doses	12 horas
Budesonida + formoterol	Aerolizer® (6/100 ou 6/200 µg)	1-2 doses	12 horas

*Cientificamente, spray é denominado inalador ou nebulímetro pressurizado.
† A dose em gotas depende da concentração da apresentação de budesonida 0,25 mg/mL ou 0,5 mg/mL (0,25-0,5 mg/dose).

Deve-se utilizar uma abordagem medicamentosa sequencial para o manejo medicamentoso da asma, conforme a idade do paciente (FIGURAS 44.4, 44.5 e 44.6). Não se recomenda a utilização isolada dos agonistas β₂ de ação curta no tratamento da asma em adolescentes e adultos. Nesses pacientes, a utilização de corticoide inalatório controla os sintomas e reduz o risco de exacerbações graves. Uma vez instituído o tratamento, as modificações subsequentes no esquema terapêutico são determinadas pela resposta ao tratamento previamente instituído, medido pelo nível de controle. Nos casos em que o controle satisfatório não for obtido, a adesão do paciente, a técnica de uso dos dispositivos inalatórios e a presença de fatores agravantes ou desencadeantes dos sintomas devem ser avaliadas antes de considerar aumento na intensidade do tratamento. Pacientes com asma controlada devem manter o tratamento, e o médico deve tentar identificar a menor dose de medicamento para manter esse controle.[1,22]

Os critérios de emprego de medicamento na criança seguem os mesmos princípios do tratamento do adulto. A seguir, descrevem-se as etapas sequenciais do tratamento de manutenção da asma.

Etapa 1

A etapa 1 atualmente abrange os pacientes com sintomas com frequência < 2 vezes ao mês. Em adolescentes e adultos, a opção preferencial de tratamento é formoterol B com baixa dose de corticoide inalatório B, conforme a necessidade e de preferência no mesmo inalador. Outra opção inclui uso de corticoide inalatório sempre que for necessário e utilizar agonistas β₂ de ação curta como medicamento de alívio B.

Em crianças de 6 a 11 anos, a opção preferencial é uso de corticoide inalatório B sempre que for necessário e utilizar agonistas β₂ de ação curta como medicamento de alívio B.

A inflamação crônica das vias aéreas é encontrada mesmo em indivíduos com sintomas infrequentes ou sintomas de início recente. Em consequência disso, os corticoides inalatórios em baixa dose têm sido recomendados mais precocemente, juntamente com os broncodilatadores agonistas β₂ de curta ou longa duração para os pacientes com sintomas com frequência < 2 vezes ao mês.

O início mais precoce do corticoide inalatório diante da sintomatologia resulta em melhor função pulmonar se os sintomas estiverem presentes por mais de 2 a 4 anos e também em menor declínio da função pulmonar após uma exacerbação grave.

Etapa 2

A etapa 2 do tratamento farmacológico envolve os pacientes com sintomas com frequência > 2 vezes ao mês, mas menos que diariamente. A terapêutica de controle recomendada em adultos e adolescentes é corticoide inalatório em baixa dose diariamente ou associação do formoterol com corticoide inalatório em baixa dose

TABELA 44.14 → Principais fármacos inalatórios utilizados no tratamento de resgate e manutenção da asma em crianças

FÁRMACO	APRESENTAÇÃO	DOSE USUAL	INTERVALO
AGONISTAS β_2 DE CURTA DURAÇÃO			
Salbutamol	Solução/nebulização (5 mg/mL)	0,1 mg/kg/dose (1 gota a cada 2,5-3 kg)	4-8 horas
	Salbutamol nebules 2,5 mg	1 ampola	4-8 horas
Fenoterol	Spray (100 µg/jato)	100-400 µg/dose	4-8 horas
	Solução/nebulização (5 mg/mL)	0,1 mg/kg/dose (1 gota a cada 2,5-3 kg)	6-8 horas
	Spray (100 ou 200 µg/jato)	100-400 µg/dose	
AGONISTAS β_2 DE LONGA DURAÇÃO			
Salmeterol	Spray (25 µg/jato)	25-50 µg/dose (crianças com idade > 3 anos: mesma dose do adulto)	12 horas
	Diskhaler® (50 µg/dose)	50 µg/dose	12 horas
	Accuhaler®* (50 µg/dose)	50 µg/dose	12 horas
Formoterol	Spray (12 µg/jato)	12 µg/dose	12 horas
	Aerolizer® (12 µg/dose)	12 µg/dose	12 horas
	Turbohaler® (6 ou 12 µg/dose)	6 µg/dose	12 horas
ANTI-INFLAMATÓRIOS			
Beclometasona	Solução/nebulização (400 µg/mL)	200-400 µg/dia	12 horas
	Spray (250 µg/jato)	250-500 µg/dose	12 horas
	Aerolizer® (200 ou 400 µg/dose)	200-400 µg/dose	12 horas
Budesonida	Solução/nebulização (0,25 ou 0,5 mg/mL)	100-400 µg/dose	12 horas
	Spray (50-200 µg/jato)	100-400 µg/dia	12 horas
	Aerolizer® (200 ou 400 µg/dose)	100-400 µg/dia	12 horas
	Turbohaler® (100 ou 200 µg/dose)	100-400 µg/dia	12 horas
Fluticasona	Spray (50 ou 250 µg/jato)	100-200 µg/dia	12 horas
	Accuhaler® (100, 250 ou 500 µg/dose)	100-200 µg/dia	12 horas
Ciclesonida*	Spray (80 ou 160 µg/dose)	80-160 µg/dia	24 horas
Mometasona†	Inalador de pó seco (200 ou 400 µg/dose)	200-800 µg/dia	12-24 horas
ANTICOLINÉRGICO			
Brometo de ipratrópio	Solução/nebulização (0,25 mg/mL)	0,25-0,5 mg/dose	4-8 horas
	Spray (20 µg/jato)		4-8 horas
ASSOCIAÇÕES			
Salbutamol + ipratrópio	Spray (100/20 µg)	1 jato	4-6 horas
Fenoterol + ipratrópio	Spray (100/40 µg)	1 jato	6-8 horas
Beclometasona + salbutamol	Spray (50/100 µg)	1 jato	4-8 horas
Fluticasona + salmeterol	Accuhaler® (100/50, 250/50 ou 500/50 µg)‡	1 dose de 100/50 µg em crianças de 5-11 anos ou 250/50 µg em crianças com idade > 11 anos	12 horas
Fluticasona + salmeterol	Spray (50/25, 125/25 ou 250/25 µg)	2 jatos de 50/25 µg em crianças de 5-11 anos ou 2 jatos de qualquer apresentação em crianças com idade > 11 anos	12 horas
Fluticasona + vilanterol	Ellipta® (100/25 ou 200/25 µg)	1 dose	12 horas
Budesonida + formoterol	Turbohaler® (100/6 ou 200/6 µg) ou Aerolizer® (100/6 ou 200/6 µg)	1 dose	12 horas

*Atualmente não disponível no Brasil.
†A mometasona é recomendada para pacientes com idade > 12 anos.
‡O Accuhaler® também é conhecido como Diskus®.

conforme a necessidade **A**. Outras opções com benefício menor incluem o uso diário dos antagonistas de leucotrienos **B** ou o uso do corticoide em baixa dose sempre que for necessário utilizar agonistas β_2 de ação curta como medicamento de alívio **B**.

Em crianças de 6 a 11 anos, a terapêutica de controle recomendada é corticoide inalatório em baixa dose diariamente associado a agonistas β_2 de ação curta como medicamento de alívio **A**. Outras opções com menor benefício incluem o uso diário dos antagonistas de leucotrienos ou o uso do corticoide em baixa dose sempre que for necessário utilizar agonistas β_2 de ação curta como medicamento de alívio **A**.

Cabe mencionar que os corticoides inalatórios em baixa dose, nesta etapa, melhoram o controle dos sintomas, reduzem a broncoconstrição ao exercício, reduzem as taxas de exacerbações, diminuem pela metade o risco de morte, e reduzem o risco de hospitalização e o declínio da função pulmonar. Essas doses devem ser consideradas como o padrão para iniciar o tratamento da maioria dos pacientes com asma, já que o benefício máximo é obtido, na maioria dos casos, com as menores doses possíveis.[1,22]

Em crianças, as doses necessárias para o controle da asma são menores, havendo uma variação individual da dose necessária. Doses de budesonida, 100 mg/dia, podem determinar um controle rápido da doença (1 mês) e, em geral, o efeito máximo ocorre em 3 meses. Outra opção em crianças menores é usar dose intermitente alta de budesonida em situações de alto risco para crise de asma. Essa estratégia não é inferior ao regime de dose diária baixa para reduzir as exacerbações da asma, ficando a decisão a critério do médico. Essa tentativa pode ser considerada somente uso contínuo de corticoides inalatórios por 3 meses.[1]

A **TABELA 44.15** apresenta as doses equipotentes para adultos e crianças de diversos corticoides inalatórios disponíveis no mercado brasileiro.

Os antileucotrienos são medicamentos anti-inflamatórios utilizados por via oral no controle dos sintomas de asma; têm como principal indicação a asma induzida pelo exercício. Podem ser usados para controle na asma leve ou moderada, melhorando a capacidade funcional e os sintomas e reduzindo exacerbações, porém são menos efetivos do que os corticoides inalatórios **B**.[40] Podem ser opção terapêutica diante da impossibilidade de emprego de medicamento por via inalatória. Deve-se considerar o risco de agitação mental já nas primeiras doses, o que contraindica a continuidade de seu uso.[1]

Etapa 3

A etapa 3 do tratamento farmacológico envolve os pacientes com frequência de sintomas na maioria dos dias, com despertares noturnos por asma 1 vez ou mais por semana.

A terapêutica de controle recomendada em adultos e adolescentes é agonistas β_2 de ação longa associados a corticoide inalatório em dose baixa diariamente **A**. Outras opções incluem o uso diário de corticoides inalatórios isoladamente em dose média ou corticoide inalatório em dose

Crianças de 6-11 anos

Manejo personalizado da asma
Avaliar, ajustar e rever resposta

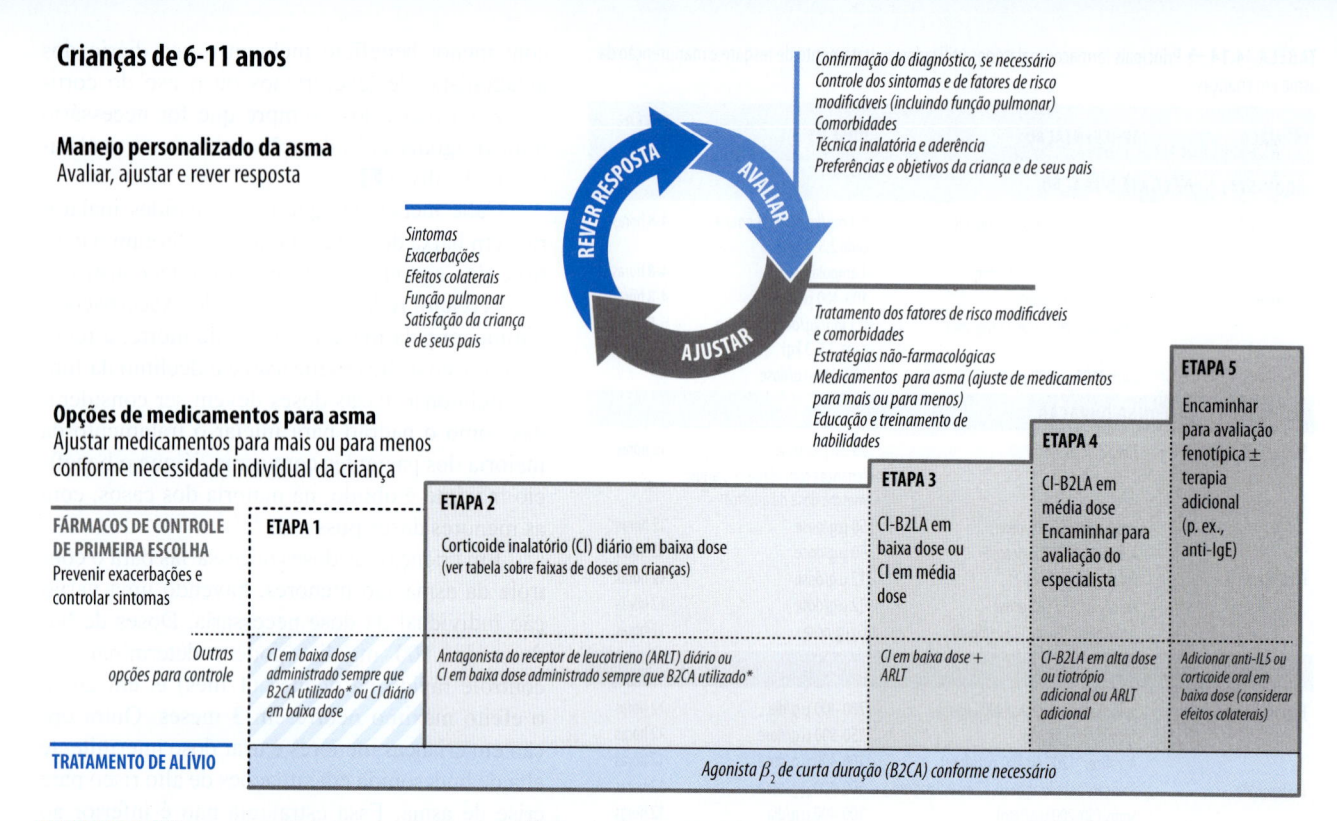

AVALIAR
Confirmação do diagnóstico, se necessário
Controle dos sintomas e de fatores de risco modificáveis (incluindo função pulmonar)
Comorbidades
Técnica inalatória e aderência
Preferências e objetivos da criança e de seus pais

REVER RESPOSTA
Sintomas
Exacerbações
Efeitos colaterais
Função pulmonar
Satisfação da criança e de seus pais

AJUSTAR
Tratamento dos fatores de risco modificáveis e comorbidades
Estratégias não-farmacológicas
Medicamentos para asma (ajuste de medicamentos para mais ou para menos)
Educação e treinamento de habilidades

Opções de medicamentos para asma
Ajustar medicamentos para mais ou para menos conforme necessidade individual da criança

	ETAPA 1	ETAPA 2	ETAPA 3	ETAPA 4	ETAPA 5
FÁRMACOS DE CONTROLE DE PRIMEIRA ESCOLHA Prevenir exacerbações e controlar sintomas		Corticoide inalatório (CI) diário em baixa dose (ver tabela sobre faixas de doses em crianças)	CI-B2LA em baixa dose ou CI em média dose	CI-B2LA em média dose Encaminhar para avaliação do especialista	Encaminhar para avaliação fenotípica ± terapia adicional (p. ex., anti-IgE)
Outras opções para controle	CI em baixa dose administrado sempre que B2CA utilizado* ou CI diário em baixa dose	Antagonista do receptor de leucotrieno (ARLT) diário ou CI em baixa dose administrado sempre que B2CA utilizado*	CI em baixa dose + ARLT	CI-B2LA em alta dose ou tiotrópio adicional ou ARLT adicional	Adicionar anti-IL5 ou corticoide oral em baixa dose (considerar efeitos colaterais)
TRATAMENTO DE ALÍVIO	Agonista β_2 de curta duração (B2CA) conforme necessário				

FIGURA 44.4 → Manejo personalizado para controlar sintomas e minimizar risco futuro: crianças de 6-11 anos.
*Inaladores de CI e SABA separados.
CI, corticoide inalatório; B2LA, agonistas β_2 de longa duração; B2CA, agonistas β_2 de curta duração; ARLT, antileucotrieno.
Fonte: GINA 2020.[1]

---

baixa associado a antagonistas de leucotrienos. A terapêutica de alívio preferencial é formoterol associado a baixa dose de corticoide inalatório, conforme a necessidade, de preferência no mesmo inalador. Outra opção de alívio inclui o uso de agonistas β_2 de ação curta como medicamento de alívio.

A terapêutica de controle recomendada em crianças de 6 a 11 anos é agonistas β_2 de ação longa associados a corticoide inalatório em dose baixa diariamente **A** ou uso diário de corticoides inalatórios isoladamente em dose média **A**. Outra opção é corticoide inalatório em dose baixa associado a antagonistas de leucotrienos **B**. A terapêutica de alívio preferencial é uso de agonistas β_2 de ação curta.

O acréscimo de um agonista β_2 inalatório de longa duração ao corticoide inalatório em dose baixa promove a melhora dos sintomas e da função pulmonar, diminuindo em 23% as exacerbações **A**.[1,22]

Em geral, a associação de corticoide inalatório em dose baixa a agonista β_2 de longa duração é superior na prevenção de exacerbações do que corticoide inalatório em dose alta **A**. Quando os sintomas persistirem com esses esquemas, pode-se considerar a associação de corticoide inalatório em dose alta com agonista β_2 de longa duração, assim como a introdução de antileucotrienos ou teofilina de liberação lenta. Não há evidências de benefício significativo com a associação de cromonas ou anticolinérgicos a esses esquemas.

Em crianças e adolescentes, a redução da velocidade de crescimento, seja pela utilização de corticoides inalatórios

TABELA 44.15 → Doses equipotentes de corticoides inalatórios para adultos e crianças com idade > 5 anos

FÁRMACO	DOSE DIÁRIA			PRESCRIÇÃO USUAL*
	BAIXA (µg)	MÉDIA (µg)	ALTA (µg)	
ADULTOS				
Beclometasona	200-500	> 500-1.000	> 1.000-2.000	250 µg, 2-3 ×/dia
Budesonida	200-400	> 400-800	> 800-1.600	400 µg, 2 ×/dia
Fluticasona	100-250	> 250-500	> 500-1.000	250 µg, 2 ×/dia
Mometasona	200-400	> 400-800	> 800-1.200	400 µg, 1 ×/dia
Ciclesonida	80-160	> 160-320	> 320-1.280	160 µg, 1 ×/dia
CRIANÇAS COM IDADE > 5 ANOS				
Beclometasona	100-200	> 200-400	> 400	100-200 µg, 2 ×/dia
Budesonida	100-200	> 200-400	> 400	100-200 µg, 2 ×/dia
Propionato de fluticasona (HFA)	100-200	> 200-500	> 500	50-100 µg, 2 ×/dia
Fluticasona (pó)	100-200	> 200-400	> 400	50-500 µg, 2 ×/dia

*A dose usual pode variar conforme o tipo de dispositivo inalatório utilizado (nebulização, spray ou inalador de pó seco).
Fonte: Adaptada de Global Strategy for Asthma[1] e Sociedade Brasileira de Pneumologia e Tisiologia.[27]

Adultos e adolescentes > 12 anos

Manejo personalizado da asma
Avaliar, ajustar e rever resposta

REVER RESPOSTA → AVALIAR → AJUSTAR

Sintomas
Exacerbações
Efeitos colaterais
Função pulmonar
Satisfação do paciente

Confirmação do diagnóstico, se necessário
Controle dos sintomas e de fatores de risco modificáveis (incluindo função pulmonar)
Comorbidades
Técnica inalatória e aderência
Preferências e objetivos do paciente

Tratamento dos fatores de risco modificáveis e comorbidades
Estratégias não-farmacológicas
Medicamentos para asma (ajuste de medicamentos para mais ou para menos)
Educação e treinamento de habilidades

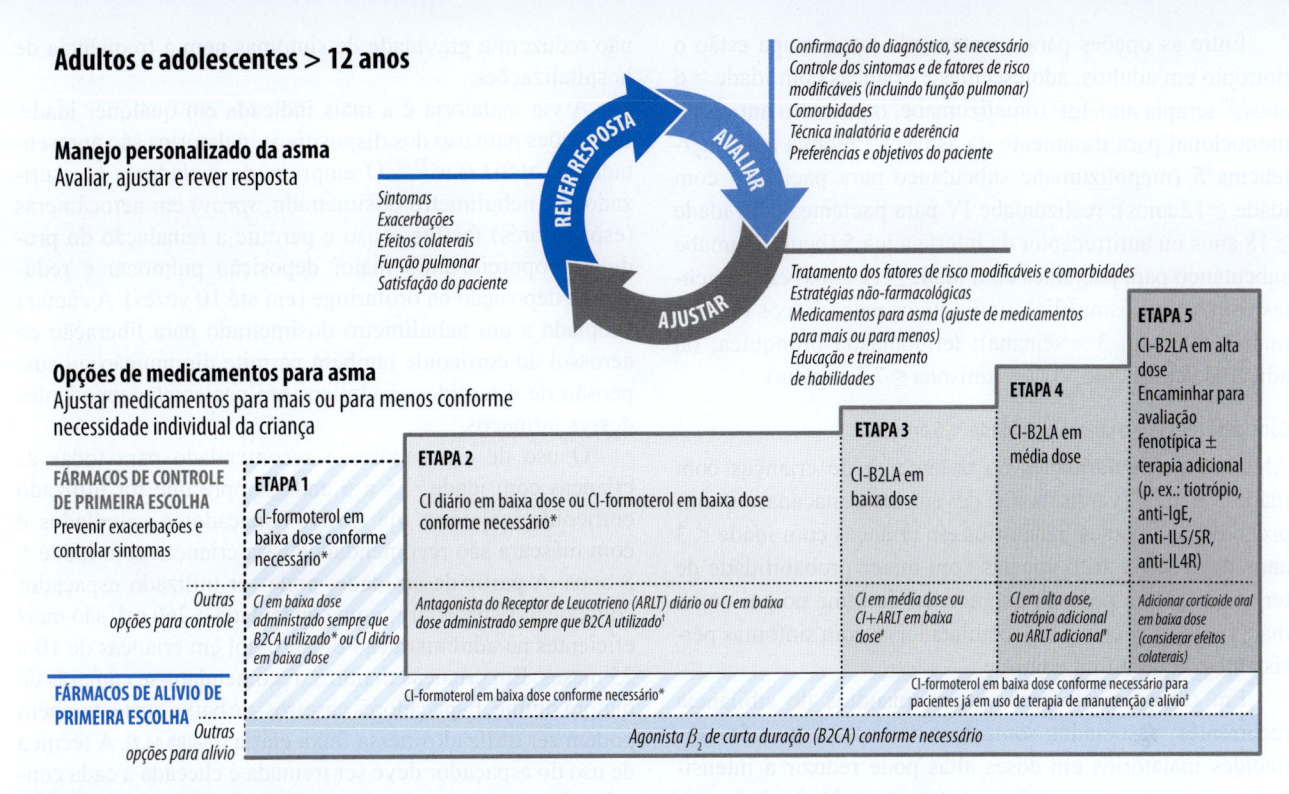

Opções de medicamentos para asma
Ajustar medicamentos para mais ou para menos conforme necessidade individual da criança

	ETAPA 1	ETAPA 2	ETAPA 3	ETAPA 4	ETAPA 5
FÁRMACOS DE CONTROLE DE PRIMEIRA ESCOLHA Prevenir exacerbações e controlar sintomas	CI-formoterol em baixa dose conforme necessário*	CI diário em baixa dose ou CI-formoterol em baixa dose conforme necessário*	CI-B2LA em baixa dose	CI-B2LA em média dose	CI-B2LA em alta dose. Encaminhar para avaliação fenotípica ± terapia adicional (p. ex.: tiotrópio, anti-IgE, anti-IL5/5R, anti-IL4R)
Outras opções para controle	CI em baixa dose administrado sempre que B2CA utilizado* ou CI diário em baixa dose	Antagonista do Receptor de Leucotrieno (ARLT) diário ou CI em baixa dose administrado sempre que B2CA utilizado†	CI em média dose ou CI+ARLT em baixa dose#	CI em alta dose, tiotrópio adicional ou ARLT adicional#	Adicionar corticoide oral em baixa dose (considerar efeitos colaterais)
FÁRMACOS DE ALÍVIO DE PRIMEIRA ESCOLHA	CI-formoterol em baixa dose conforme necessário*			CI-formoterol em baixa dose conforme necessário para pacientes já em uso de terapia de manutenção e alívio‡	
Outras opções para alívio	Agonista β_2 de curta duração (B2CA) conforme necessário				

FIGURA 44.5 → Manejo personalizado para controlar sintomas e minimizar risco futuro: adultos e adolescentes (idade > 12 anos).
*Dados apenas com budesonida-formoterol (bud-form).
†Inaladores CI e B2CA separados ou combinados.
‡CI-form em baixa dose é utilizado como tratamento de alívio apenas em pacientes com terapia de manutenção e alívio com bud-form ou BDP-form.
#Considerar adição de imunoterapia sublingual (ITSL) com ácaros da poeira doméstica para pacientes sensibilizados com rinite alérgica e VEF_1>70% do previsto.
CI, corticoide inalatório; B2LA, agonistas β2 de longa duração; B2CA, agonistas β2 de curta duração; ARLT, antileucotrieno.
Fonte: GINA 2020.[1]

ou pelo controle inadequado de asma, poderia indicar a substituição de corticoide inalatório por alternativas terapêuticas. Todavia, o efeito da utilização de corticoides inalatórios sobre o crescimento é discreto (−1 cm) na altura final.[41]

Etapa 4

A etapa 4 do tratamento farmacológico envolve os pacientes com frequência de sintomas na maioria dos dias, com despertares noturnos por asma 1 vez ou mais por semana e com função pulmonar reduzida.

A terapêutica de controle recomendada em adultos e adolescentes é agonistas β_2 de ação longa associados a corticoide inalatório em dose média diariamente. Outras opções incluem o uso diário de corticoides inalatórios isoladamente em dose alta, acréscimo de tiotrópio ou acréscimo de antagonistas de leucotrienos. A terapêutica de alívio preferencial é formoterol associado a baixa dose de corticoide inalatório, conforme a necessidade, de preferência no mesmo inalador **A**. Ainda, outra opção de alívio inclui o uso de agonistas β_2 de ação curta como medicamento de alívio **B**.

A terapêutica de controle recomendada em crianças de 6 a 11 anos é agonistas β_2 de ação longa associado a corticoide inalatório em dose média. Outra opção com menor grau de evidência é corticoide inalatório em dose baixa associado a antagonistas de leucotrienos. A terapêutica de alívio preferencial é uso de agonistas β_2 de ação curta.

Antes de escalonar o tratamento, revisar a técnica inalatória, a adesão ao tratamento, exposições ambientais e comorbidades e confirmar que os sintomas são decorrentes da asma.

Observar que o tiotrópio (antagonista muscarínico de longa duração) pode ser utilizado a partir dessa etapa como terapia aditiva em adultos e adolescentes (idade ≥ 12 anos) com história de exacerbações **A**.[1] Essa conduta melhora modestamente a função pulmonar e aumenta modestamente o tempo até a exacerbação grave. Estudo recente mostra evidência de uso em crianças com idade > 6 anos.[42] As crianças com idade < 12 anos devem ser encaminhadas para avaliação com especialista.[1]

Atenção: fármacos imunossupressores (metotrexato, ciclosporina, sais de ouro) não são recomendados em pacientes com asma grave, pois o efeito poupador de corticoide sistêmico é mínimo e o uso desses fármacos é associado a efeitos colaterais significativos e não reduzem exacerbações.

Etapa 5

Nessa etapa, os pacientes devem ser encaminhados para um especialista ou para um centro de referência em asma grave. Assim, para os pacientes que chegam nessa etapa com asma não controlada, as alternativas de tratamento são citadas a seguir.[1,22]

Entre as opções para o tratamento nessa etapa estão o tiotrópio em adultos, adolescentes e crianças com idade > 6 anos;[40] terapia anti-IgE (omalizumabe, o primeiro anticorpo monoclonal para tratamento da asma);[1,22] terapia anti-interleucina 5 (mepolizumabe subcutâneo para pacientes com idade ≥ 12 anos); reslizumabe IV para pacientes com idade ≥ 18 anos ou antirreceptor da interleucina 5 (benralizumabe subcutâneo para pacientes com idade ≥ 12 anos) em pacientes com asma eosinofílica; antibióticos macrolídeos (azitromicina 500 mg, 3 ×/semana); termoplastia brônquica; ou adição de corticoide VO (prednisona ≤ 7,5 mg/dia).

Considerações em crianças com idade < 6 anos

Algumas particularidades no tratamento de crianças com idade < 6 anos (ver FIGURA 44.6) devem ser destacadas. O emprego de corticoides inalatórios em crianças com idade < 3 anos deve ser restrito àquelas com maior probabilidade de ter asma (atopia pessoal, diagnóstico de asma no pai ou na mãe, resposta prévia a broncodilatador) e com sintomas persistentes ou de difícil controle.

Em crianças que apresentam episódios de sibilância recorrentes, associados somente a viroses, o uso de corticoides inalatórios em doses altas pode reduzir a intensidade de sintomas, mas não reduz a necessidade de hospitalização. Doses baixas contínuas de corticoides inalatórios não reduzem a gravidade de sintomas nem a frequência de hospitalizações.

A via inalatória é a mais indicada em qualquer idade. Instruções para uso dos dispositivos inalatórios são apresentadas na TABELA 44.16.[39,43] O emprego de inaladores pressurizados (= nebulímetro dosimetrado, *spray*) em aerocâmeras (espaçadores) facilita o uso e permite a reinalação do produto, proporcionando maior deposição pulmonar e redução da deposição na orofaringe (em até 10 vezes). A câmara acoplada a um nebulímetro dosimetrado para liberação de aerossol de corticoide também permite diminuição ou suspensão de esteroides sistêmicos em pacientes dependentes desses fármacos.

O uso de espaçadores é recomendado para todas as crianças com idade < 5 a 6 anos sempre que for utilizado corticoide inalatório via *spray*. Espaçadores valvulados e com máscara são recomendados para crianças com idade < 3 anos. A partir dessa idade, pode ser utilizado espaçador com bocal. Espaçadores com capacidade > 260 mL são mais eficientes na administração do aerossol em crianças de 10 a 25 meses. Em crianças maiores, recomendam-se câmaras de maior volume. Espaçadores caseiros, de baixo custo, também podem ser utilizados nessa faixa etária (FIGURA 44.7). A técnica de uso do espaçador deve ser treinada e checada a cada consulta. Com um espaçador bem-adaptado na face, 3 inalações profundas com a boca aberta podem ser suficientes para

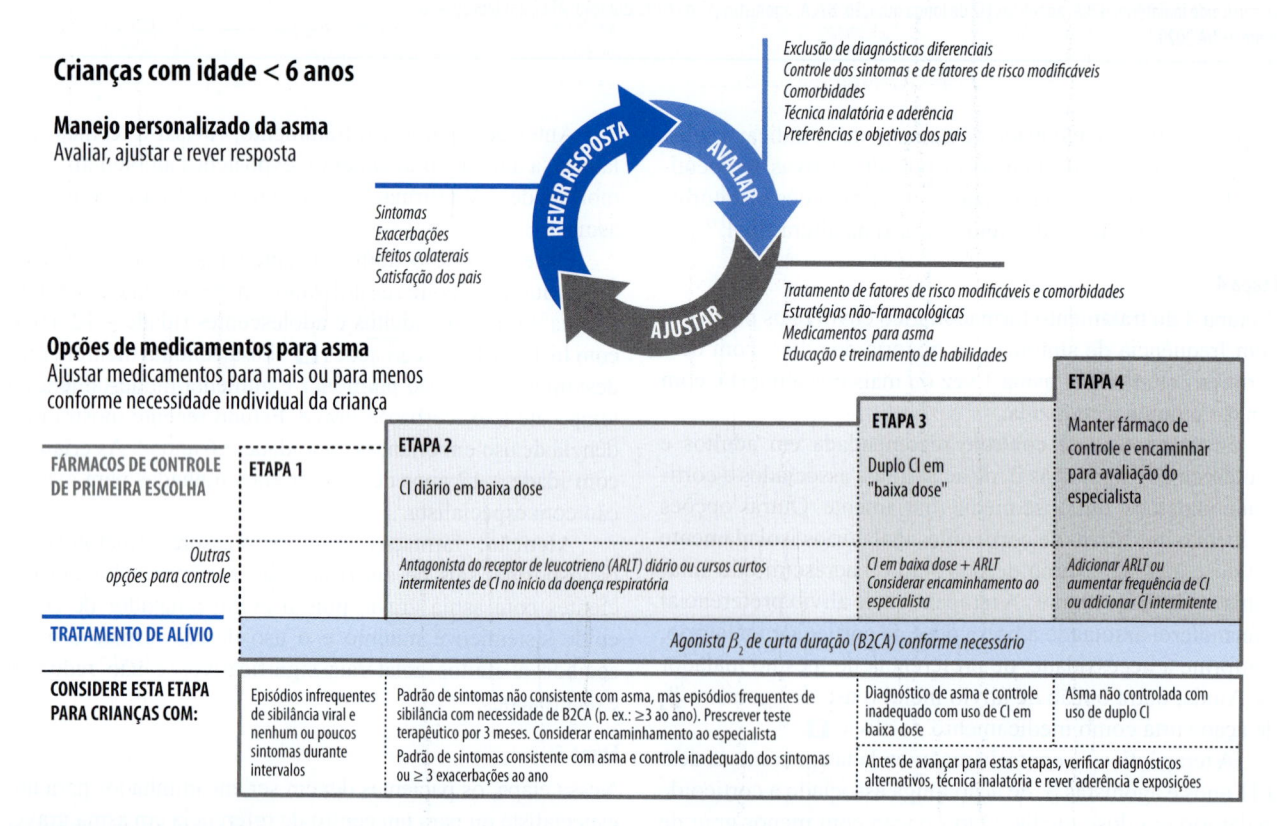

FIGURA 44.6 → Manejo personalizado para controlar sintomas e minimizar risco futuro: crianças com idade < 6 anos.
CI, corticoide inalatório; B2CA, agonistas β_2 de curta duração; ARLT, antileucotrieno.
Fonte: GINA 2020.[1]

TABELA 44.16 → Instruções para uso dos dispositivos inalatórios*

NEBULIZADOR (APARELHO DE AEROSSOL)

- → Colocar, no copo do nebulizador, a solução (fármaco, medida em gotas + 3-4 mL de soro fisiológico idealmente à temperatura próxima da corporal)
- → Ajustar a máscara na face
- → Respirar de forma profunda e lenta, pela boca, durante o tempo planejado ou até acabar a solução

NEBULÍMETRO PRESSURIZADO (AEROSSOL DOSIMETRADO, *SPRAY*)[†]

- → Retirar a tampa do *spray*
- → Agitar o dispositivo
- → Posicionar a saída do bocal, verticalmente, 2-3 cm fora da boca
- → Manter a boca aberta
- → Expirar normalmente
- → Coordenar o acionamento do dispositivo no início da inspiração lenta e profunda
- → Fazer pausa pós-inspiratória de, no mínimo, 10 segundos
- → Nova aplicação pode ser repetida após 30-60 segundos

INALADORES DE PÓ SECO

Preparo da dose

- → Dispositivo Diskus®: abrir o inalador, rodando o disco no sentido anti-horário; em seguida, puxar sua alavanca para trás até escutar um clique; o bocal abre e uma medida cai no contador
- → Dispositivo Turbohaler®: retirar a tampa, manter o inalador na vertical, girar a base colorida no sentido anti-horário e depois no sentido horário até escutar um clique
- → Dispositivo em cápsula (Aerolizer®, HandiHaler®): retirar a tampa do inalador, girar o bocal para expor o espaço da cápsula e colocar uma cápsula; em seguida, perfurá-la, comprimindo uma vez o dispositivo acionador das agulhas e soltando-o

Instruções de uso

- → Expirar normalmente e após colocar o inalador na boca
- → Inspirar o mais rápido e profundo possível (fluxo mínimo de 30 L/min)
- → Fazer pausa pós-inspiratória de, no mínimo, 10 segundos
- → No caso dos inaladores de pó em cápsula, após inalação do produto, verificar se há resíduo de pó na cápsula; em caso positivo, repetir as manobras anteriores

*Após o uso de qualquer dispositivo inalatório, recomenda-se gargarejar e enxaguar a boca com água para evitar o resíduo de medicamento, que pode provocar efeitos colaterais.
[†] O uso do espaçador acoplado ao *spray* sempre é recomendável, já que reduz a deposição do fármaco na orofaringe (diminuindo os efeitos colaterais) e aumenta a deposição nas vias aéreas. O bocal do espaçador deve ser posicionado dentro da boca do paciente (diferentemente do uso do *spray* isolado). O espaçador deve ser lavado periodicamente.
Fonte: Institute for Clinical Systems Improvement[43] e Walters e Walters.[39]

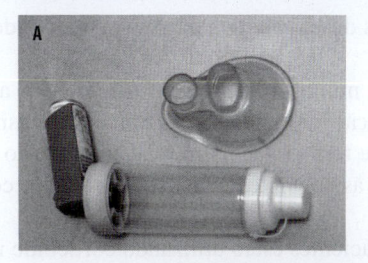

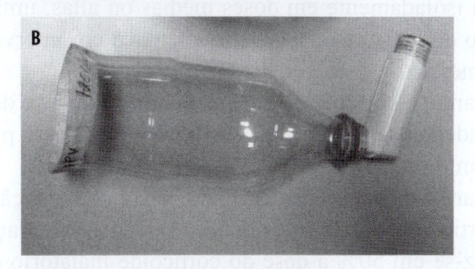

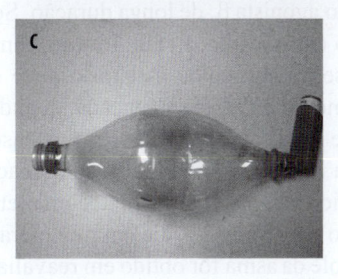

FIGURA 44.7 → Espaçadores. Em **A**, espaçador comercial de médio volume (175 mL), valvulado, e máscara facial auxiliar (para crianças ou idosos com dificuldade de coordenação); em **B**, espaçador caseiro feito com uma garrafa plástica de 600 mL, cujo fundo é cortado em formato de máscara facial; em **C**, espaçador caseiro feito com 2 garrafas plásticas de 2 L cortadas no seu terço médio, sendo acopladas ambas as partes que têm o bico (um dos bicos pode ser aquecido para ser moldado no formato do *spray*).

obter o máximo do medicamento. Os dispositivos de pó seco podem ser utilizados com alguns medicamentos já a partir de 5 anos (Diskhaler®) ou 7 anos (Turbohaler®), dependendo do fluxo inspiratório gerado pela criança. O treinamento da criança e da família são indispensáveis para um bom aproveitamento do medicamento. O uso de medicamento com a criança chorando está contraindicado.

O emprego de nebulização domiciliar deve ser desencorajado para uso rotineiro, tanto para o medicamento anti-inflamatório quanto para os broncodilatadores, pois tem maior duração e produz partículas de diâmetro irregular com compressores cujos fluxos não alcançam 6 litros por minuto. Além disso, a limpeza do equipamento não costuma ser feita de forma adequada.

A dose de corticoterapia inalatória deve ser a menor possível para o controle da doença. O tempo de tratamento em crianças asmáticas também pode diferir do adulto. Muitas crianças apresentam um padrão sazonal e dispensam tratamento nos meses quentes. Geralmente são crianças com idade < 5 anos, com padrão de gravidade inferior ou indefinido.

A técnica de aplicação e o emprego de espaçadores, assim como o tipo de corticoide usado, podem reduzir o risco de afetar o crescimento (a fluticasona e a budesonida têm menores efeitos sistêmicos do que a beclometasona). O controle do crescimento é indispensável e deve ser feito regularmente para monitorizar eventuais efeitos dos corticoides inalatórios. As associações de corticoides com broncodilatadores de ação prolongada (salmeterol, formoterol) ainda não estão bem estudadas em crianças com idade < 4 anos, não sendo recomendado seu uso nessa faixa etária. A partir dessa idade, as indicações são semelhantes às utilizadas para o adulto.

Revisando a resposta ao tratamento

A conquista dos objetivos no manejo da asma depende da conduta do clínico, da educação do paciente sobre a doença, da adesão ao tratamento e do acompanhamento do paciente. A verificação do controle da asma deve ser feita a cada consulta (ver **TABELA 44.12**), permitindo que intervenções específicas aumentem a adesão e a efetividade do tratamento.

Um dos aspectos importantes da adesão ao tratamento é o custo dos medicamentos. Portanto, o paciente deve ser informado sobre as opções terapêuticas e os medicamentos com distribuição gratuita disponíveis, devendo participar da decisão. Ignorar esse aspecto é tornar não efetivos todos os demais passos desenvolvidos para aumentar a adesão ao tratamento.

Um aspecto muitas vezes pouco discutido é a possibilidade de redução do medicamento quando a asma está controlada, o que tem impacto em relação ao custo do tratamento. Assim, as seguintes condutas devem ser consideradas **C/D**:[1]

→ quando os pacientes estão utilizando corticoide inalatório isoladamente em doses médias ou altas, uma redução de 50% da dose pode ser tentada em intervalos de 3 meses;
→ quando o controle é alcançado com baixa dose de corticoide inalatório isolado, 2 ×/dia, a dose em uso pode ser administrada 1 ×/dia;
→ quando o controle é alcançado com a combinação entre corticoide inalatório e agonista β_2 de longa duração, reduz-se em 50% a dose do corticoide inalatório e mantém-se a dose do agonista β_2 de longa duração. Se o controle é mantido em reavaliação em 3 meses, uma nova redução na dose do corticoide inalatório deve ser tentada até que a menor dose seja alcançada, quando então o agonista β_2 de longa duração deve ser suspenso;
→ uma alternativa aceita é administrar a combinação corticoide inalatório e agonista β_2, 1 ×/dia, com efetividade semelhante à do corticoide 2 ×/dia em monoterapia;
→ quando o controle da asma for obtido em reavaliação em 3 meses com corticoide inalatório associado a medicamentos que não sejam o agonista β_2 de longa duração, a dose do corticoide inalatório deve ser reduzida em 50% até que a menor dose de corticoide inalatório seja alcançada, quando então se suspende a combinação, mantendo-se apenas o corticoide inalatório;
→ quando o controle for mantido por mais de 1 ano sob doses baixas de corticoide inalatório, pode-se tentar a sua suspensão, mas o paciente deve ser reavaliado periodicamente com o objetivo de verificar a manutenção ou a perda do controle. Entretanto, sobretudo em adultos, a maioria dos pacientes (60-70%) tende a exigir a sua reintrodução no futuro.

Situações especiais

Algumas situações especiais podem exigir o acompanhamento com especialistas se o manejo previsto na APS, descrito ao longo do capítulo, não tiver alcançado o objetivo esperado. São exemplos de situações especiais:
→ gestação;
→ asma ocupacional;
→ asma em pacientes candidatos à cirurgia;
→ asma induzida por ácido acetilsalicílico;
→ asma induzida pelo exercício;
→ obesidade: nos últimos anos, vários estudos têm investigado a relação entre asma e obesidade, com várias evidências mostrando uma evolução pior nos asmáticos obesos. Vários mecanismos são propostos, desde a relação entre marcadores inflamatórios específicos da obesidade até a relação com alterações na função pulmonar. Em uma metanálise que estudou esse tópico, as evidências mostraram variações expressivas entre adultos e crianças;[38]
→ vitamina D: a suplementação da vitamina D reduziu a taxa de exacerbação da asma, exigindo corticoterapia (RRR = 26%), especialmente em pacientes com níveis baixos de vitamina D (< 10 ng/mL; RRR = 67%) **B**, mas, até agora, não está recomendada pela GINA.[1] O benefício, embora presente, é menos estudado em crianças.[44,45]

Educação do paciente

Pacientes e familiares devem ser ensinados a manejar e prevenir a doença. Estratégias educativas, além de promoverem maior adesão à terapia, reduzem sintomas, exacerbações e internações por asma (RRR = 21%) em crianças **B**, embora o efeito em pacientes adultos seja pequeno (tamanho de efeito [TE] = 0,22 para qualidade de vida relacionada à asma) **C/D**.[46,47]

A inclusão do paciente asmático em programa para manejo de doença crônica, em comparação com cuidado usual, pode proporcionar melhora leve na qualidade de vida, na gravidade da asma e na função pulmonar **B**.[47]

A terapia cognitivo-comportamental pode melhorar a qualidade de vida relacionada à saúde de adultos com asma, bem como o grau de controle da asma **B**.[48]

Isso inclui educar o paciente no momento do diagnóstico e em cada passo do tratamento. Assim, para conseguir um automanejo adequado, aspectos como uso de nebulizadores e outros dispositivos inalatórios, automonitorização (i.e., dos sinais de ausência de controle da asma, incluindo aqueles que indicam necessidade de tratamento de urgência) e controle do ambiente devem ser abordados. O processo educacional deve ser desenvolvido por uma equipe de profissionais que participam das diversas etapas.

Considerando o senso comum sobre uma boa prática de atendimento, sugere-se que o profissional:
→ seja breve, porque cerca de metade de suas instruções serão esquecidas em 5 minutos;
→ apresente primeiro as informações mais importantes, pois são as que o paciente provavelmente lembrará;
→ apresente um resumo das informações de forma escrita, sem jargão médico, para uma pessoa que tenha completado 6 anos de escolaridade;
→ apresente as informações em categorias para torná-las mais facilmente inteligíveis (p. ex., desencadeantes, medicamentos);
→ apresente as informações individualizadas para as necessidades de cada paciente;
→ informe verbalmente aquilo que está impresso;
→ repita as instruções.

Alguns aspectos da educação dos pacientes asmáticos merecem considerações específicas, incluindo a prática de atividade física e de exercícios respiratórios. Tradicionalmente, tem sido sugerida a prática de atividade física, reabilitação pulmonar e treinamento aeróbico para os pacientes asmáticos como um meio adjuvante para controlar a doença, promovendo melhora dos parâmetros ventilatórios e da capacidade física C/D.⁴⁹ De forma similar, a prática de exercícios respiratórios realizados na ioga e em atividades de relaxamento tem sido indicada para pacientes asmáticos, exercendo possível benefício C/D.⁵⁰ A prática de natação pode aumentar a capacidade aeróbica e a função pulmonar em repouso em crianças e adolescentes com asma, no entanto, não modifica a frequência dos sintomas. Em asmáticos obesos, o treinamento aeróbico associado ao treinamento muscular de resistência e dieta com restrição calórica resultaram em melhor controle da asma.

A diretriz brasileira sugere, como mnemônico, o "ABCD da educação em asma":[27]
→ **a**bordar os fatores desencadeantes e agravantes e orientar como evitá-los;
→ **b**uscar medicamentos apropriados e com técnica adequada;
→ **c**olocar em prática a execução de um plano de ação, aprendendo a monitorar o controle da asma;
→ **d**escrever a diferença entre medicamento controlador e de resgate, conhecer os efeitos colaterais dos medicamentos usados e saber como minimizá-los.

Essa diretriz disponibiliza uma sugestão de plano de ação por escrito para o automanejo da asma pelo paciente. Ver, no QR code, o Quadro 4, da página S10.

Adesão ao tratamento

A adesão – uso de pelo menos 80% da dose prescrita – é essencial para que os resultados do tratamento sejam obtidos. Cerca de 50% dos asmáticos em tratamento de longo prazo não usam medicamentos regularmente.[27] Na **TABELA 44.17**, estão descritos os fatores relacionados com a dificuldade de adesão ao tratamento.

O paciente asmático e sua família devem ser orientados sobre a necessidade de manutenção do tratamento prescrito, mesmo fora das crises, e de revisões periódicas. A equipe de saúde deve incorporar essas revisões periódicas na sua rotina de atendimento. Há estratégias comportamentais utilizadas para aumentar a adesão do paciente, que envolvem:
→ lembretes de consultas e do emprego de medicamentos;
→ tratamento individualizado do paciente para esquema terapêutico, intervenções e contato com a equipe de saúde;
→ acordo sobre regras de comportamentos e o compromisso de segui-las (funciona muito bem para adolescentes);
→ introdução gradual dos componentes do tratamento (um medicamento de cada vez, o mais fácil de utilizar primeiro);
→ automonitorização, que pode ser realizada com auxílio de diário ou de listas de verificação;
→ uso de meios eletrônicos para lembrar do uso do medicamento;
→ monitorização pelo serviço de saúde (contatos telefônicos, visitas para avaliação dos sintomas, verificação dos medicamentos em uso, conferência de doses e intervalos de administração, mensuração de função pulmonar, etc.);
→ *feedback* sobre a adesão alcançada;
→ reforço para a manutenção de condutas;
→ mudança nas crenças e no entendimento da doença (o teste de provocação brônquica permite confirmar o diagnóstico e estabelecer a consciência do risco de uma crise aguda);
→ manutenção das intervenções para manter a adesão alcançada;
→ disponibilização de consultas periódicas, agendadas ao sair da consulta;
→ revisão em prazos curtos (3 meses).

TABELA 44.17 → Principais causas de dificuldades na adesão ao tratamento

LIGADAS AO MÉDICO
→ Má identificação dos sintomas e dos agentes desencadeantes
→ Indicação inadequada de broncodilatadores
→ Falta de treinamento das técnicas inalatórias e de prescrição de medicamentos preventivos
→ Diversidade nas formas de tratamento

LIGADAS AO PACIENTE
→ Interrupção do medicamento na ausência de sintomas
→ Uso incorreto do medicamento inalatório
→ Dificuldade de compreender esquemas terapêuticos complexos
→ Suspensão do medicamento devido a efeitos indesejáveis
→ Falha no reconhecimento da exacerbação dos sintomas

Fonte: Adaptada de Sociedade Brasileira de Pneumologia e Tisiologia.[27]

Controle ambiental

A tentativa de detectar alérgenos e prevenir a sensibilização norteia a maioria das recomendações sobre prevenção de asma. Medidas de controle ambiental incluem redução da exposição domiciliar aos ácaros, uso de capas de polivinila no colchão, aconselhamento para não ter animais domésticos com pelos, uso de travesseiros com capa para proteger do pó, emprego de aspiração a vácuo na limpeza do ambiente e ausência de tabagismo no domicílio.[51]

O hábito de fumar persiste como um desencadeante importante e deve ser abolido entre pacientes asmáticos e seus familiares. A asma é mais grave e há piora da função pulmonar em crianças cujos pais fumam. Para pacientes adolescentes, deve ser enfatizado que o hábito de fumar desencadeia crises.[52]

Os ácaros constituem o componente alergênico predominante na poeira domiciliar. Recomenda-se redução na exposição a esses alérgenos, particularmente a pacientes asmáticos já sensibilizados. As evidências atuais não permitem recomendar ou determinar qual método de limpeza, química ou física, é mais eficiente na redução dos níveis de ácaros. A limpeza deve ser a habitual, com a retirada de pó e mofo com aspiração e pano úmido; a retirada de travesseiro de penas e brinquedos de pano da cama do paciente não parece ter impacto. Não há indicação para o despojamento sistemático do ambiente, como o quarto ou a casa do paciente. Deve-se apenas afastar os fatores associados ao desencadeamento de crises.

O efeito da presença de animais domésticos sobre o desencadeamento de asma permanece controverso.

Controle de outros fatores desencadeantes

O ácido acetilsalicílico é um dos medicamentos mais consumidos no mundo; a prevalência de intolerância a ele é de 5 a 6%, sendo que em torno de 20% da população asmática é sensível a essa substância e a outros AINEs. A síndrome apresenta-se como uma tríade de rinite, sinusite e asma e é chamada de asma induzida por ácido acetilsalicílico.

Em crianças, a asma raramente é precipitada por alimentação ou bebida. Se caracterizado o desencadeante, este deve ser evitado. Nos eventuais e raros casos de crises precipitadas por ácido acetilsalicílico ou tartrazina, o paciente deve ser instruído a evitá-los.

CUIDADOS COMPARTILHADOS

A **TABELA 44.18** apresenta as principais indicações diagnósticas e terapêuticas para cuidados compartilhados. Cerca de 5 a 10% dos pacientes apresentam "asma de difícil controle", cuja definição é a asma insuficientemente controlada em paciente na etapa 4 do tratamento e com fatores desencadeantes eliminados ou amenizados. Essa condição deve ser confirmada por especialista em asma após acompanhamento de 3 a 6 meses, quando, então, as principais causas diagnósticas e terapêuticas do não controle podem ser estabelecidas. Nesses contextos mencionados, vários pacientes serão dependentes de corticoides sistêmicos (uso contínuo ou mais do que 4 cursos ao ano) e, portanto, potenciais candidatos ao uso de imunossupressores e/ou terapia anti-IgE. Então, o médico da APS deve, obrigatoriamente, referenciá-los a um centro especializado.

Cuidados compartilhados também poderiam ser considerados para caracterização da atopia de maneira mais específica mediante testes cutâneos a antígenos inaláveis. A dosagem de IgE sérica, por outro lado, é inespecífica, porém muito importante na aspergilose broncopulmonar alérgica. A IgE específica (RAST) apresenta custo elevado e tem indicações bem-definidas. A hipossensibilização consiste na administração de doses crescentes de alérgenos identificados em testes de alergia padronizados, com o intuito de reduzir a resposta alérgica quando houver exposição a eles. Sua indicação é muito restrita, e a literatura é controversa quanto à sua eficácia.

Os pneumologistas também participam do acompanhamento de pacientes que receberam alta hospitalar recente (especialmente quando se trata de asma aguda grave ou se a internação foi em UTI), de gestantes asmáticas, de crianças com idade < 12 anos sem controle na etapa 3 e de crianças com idade < 3 anos.[1]

REFERÊNCIAS

1. Global Initiative for Asthma. 2020 GINA Main Report [Internet]. Fontana: GINA; 2020 [capturado em 8 set. 2020]. Disponível em: https://ginasthma.org/gina-reports/.
2. Pavord ID, Beasley R, Agusti A, Anderson GP, Bel E, Brusselle G, et al. After asthma: redefining airways diseases. The Lancet. 2018;391(10118):350–400.
3. Global Asthma Network. The global asthma report 2018. Auckland: GAN; 2018.
4. Cory S, Ussery-Hall A, Griffin-Blake S, Easton A, Vigeant J, Balluz L. Prevalence of selected risk behaviors and chronic diseases and conditions: steps communities, United States, 2006--2007. Surveill Summ. 2010;59(SS08):1–37.
5. Jarvis D, Newson R, Lotvall J, Hastan D, Tomassen P, Keil T, et al. Asthma in adults and its association with chronic rhinosinusitis: The GA2LEN survey in Europe. Allergy. 2012;67(1):91–8.
6. Lukrafka JL, Fuchs SC, Moreira LB, Picon RV, Fischer GB, Fuchs FD. Performance of the ISAAC questionnaire to establish the prevalence of asthma in adolescents: a population-based study. J Asthma. 2010;47(2):166–9.
7. Pearce N, Aït-Khaled N, Beasley R, Mallol J, Keil U, Mitchell E, et al. Worldwide trends in the prevalence of asthma symptoms: phase III of the International Study of Asthma and Allergies in Childhood (ISAAC). Thorax. 2007;62(9):758–66.
8. Cardoso T de A, Roncada C, Silva ER da, Pinto LA, Jones MH, Stein RT, et al. The impact of asthma in Brazil: a longitudinal analysis of data from a Brazilian national database system. J Bras Pneumol. 2017;43(3):163–8.
9. Alfradique ME, Bonolo P de F, Dourado I, Lima-Costa MF, Macinko J, Mendonça CS, et al. Internações por condições sensíveis à atenção primária: a construção da lista brasileira como ferramenta para medir o desempenho do sistema de saúde (Projeto ICSAP – Brasil). Cad Saúde Pública. 2009;25(6):1337–49.
10. Platts-Mills TAE, Woodfolk JA, Erwin EA, Aalberse R. Mechanisms of tolerance to inhalant allergens: the relevance of a modified Th2 response to allergens from domestic animals. Springer Semin Immunopathol. 2004;25(3):271–9.
11. Woodfolk JA. High-dose allergen exposure leads to tolerance. Clin Rev Allergy Immunol. 2005;28(1):43–58.
12. Gøtzsche PC, Johansen HK. House dust mite control measures for asthma: systematic review. Allergy. 2008;63(6):646–59.
13. Etminan M, Sadatsafavi M, Jafari S, Doyle-Waters M, Aminzadeh K, FitzGerald JM. Acetaminophen use and the risk of asthma in children and adults: a systematic review and metaanalysis. Chest. 2009;136(5):1316–23.

TABELA 44.18 → Critérios para encaminhamento de pacientes asmáticos ao pneumologista

- → Achados atípicos gerando dúvida diagnóstica
  - → Expectoração crônica
  - → Dispneia com pouca variabilidade
  - → Estridor
  - → Sintomas sistêmicos proeminentes (febre, sudorese, emagrecimento)
  - → Sibilos localizados ou crepitantes
  - → Hipocratismo digital
  - → Espirometria com padrão restritivo
  - → Eosinofilia marcada (> 1.000 UI/L)
  - → Radiografia de tórax com alargamento mediastinal
- → Suspeita de asma ocupacional
- → Gestantes asmáticas
- → Múltiplas comorbidades
- → Crises que iniciaram abruptamente e de forma grave
- → Fatores de risco para asma fatal (p. ex., internação em UTI por asma)
- → Pobre resposta ao tratamento (asma de difícil controle; sintomas que se tornam contínuos)

UTI, unidade de terapia intensiva.
Fonte: Adaptada de British Thoracic Society e Scottish Intercollegiate Guidelines Network.[23]

14. Jackson DJ, Lemanske RF. The role of respiratory virus infections in childhood asthma inception. Immunol Allergy Clin North Am. 2010;30(4):513–22.
15. Duijts L, Jaddoe VWV, van der Valk RJP, Henderson JA, Hofman A, Raat H, et al. Fetal Exposure to Maternal and Paternal Smoking and the Risks of Wheezing in Preschool Children. Chest. 2012;141(4):876–85.
16. Weiler JM, Bonini S, Coifman R, Craig T, Delgado L, Capão-Filipe M, et al. American Academy of Allergy, Asthma & Immunology Work Group Report: exercise-induced asthma. J Allergy Clin Immunol. 2007;119(6):1349–58.
17. Beckhaus AA, Garcia-Marcos L, Forno E, Pacheco-Gonzalez RM, Celedón JC, Castro-Rodriguez JA. Maternal nutrition during pregnancy and risk of asthma, wheeze, and atopic diseases during childhood: a systematic review and meta-analysis. Allergy. 2015;70(12):1588–604.
18. Lodge CJ, Tan DJ, Lau MXZ, Dai X, Tham R, Lowe AJ, et al. Breastfeeding and asthma and allergies: a systematic review and meta-analysis. Acta Paediatr. 2015;104(S467):38–53.
19. Kilpeläinen M, Koskenvuo M, Helenius H, Terho EO. Stressful life events promote the manifestation of asthma and atopic diseases. Clin Exp Allergy. 2002;32(2):256–63.
20. Sandberg S, McCann DC, Ahola S, Oja H, Paton JY, McGuinness D. Positive experiences and the relationship between stress and asthma in children. Acta Paediatr. 2002;91(2):152–8.
21. Tarlo SM, Balmes J, Balkissoon R, Beach J, Beckett W, Bernstein D, et al. Diagnosis and management of work-related asthma: American College of Chest physicians consensus statement. Chest. 2008;134(3, Supplement):1S-41S.
22. National Institute for Health and Care Excellence. Asthma: diagnosis, monitoring and chronic asthma management [Internet]. NICE guideline. London; 2017. Disponível em: https://www.nice.org.uk/guidance/ng80.
23. Scottish Intercollegiate Guidelines Network, British Thoracic Society. Sign 158: British guideline on the management of asthma [Internet]. London: British Thoracic Society; 2019 [capturado em 15 abr. 2020]. Disponível em: https://www.sign.ac.uk/sign-158-british-guideline-on-the-management-of-asthma.
24. Rio Grande do Sul. Secretaria Estadual de Saúde, Hospital de Clínicas de Porto Alegre. RespiraNet [Internet]. TelessaúdeRS-UFRGS. 2020 [capturado em 15 abr. 2020]. Disponível em: https://www.ufrgs.br/telessauders/telediagnostico/respiranet/.
25. Danvers L, Lo DKH, Gaillard EA. The role of objective tests to support a diagnosis of asthma in children. Paediatr Respir Rev. 2020;33:52–7.
26. Castro-Rodriguez JA, Giubergia V, Fischer GB, Castaños C, Sarria EE, Gonzalez R, et al. Postinfectious bronchiolitis obliterans in children: the South American contribution. Acta Paediatr. 2014;103(9):913–21.
27. Sociedade Brasileira de Pneumologia e Tisiologia. Diretrizes da Sociedade Brasileira de Pneumologia e Tisiologia para o Manejo da Asma – 2012. J Bras Pneumol. 2012;38(Supl. 1):S1–46.
28. Brasil. Ministério da Saúde. Departamento de Atenção Básica. Doenças respiratórias crônicas. Brasília: MS; 2010.
29. Martín Zurro A, Cano Pérez JF. Atención primaria: conceptos, organización y práctica clínica. Madrid: Elsevier; 2003.
30. Rodrigo GJ. Rapid effects of inhaled corticosteroids in acute asthma: an evidence-based evaluation. Chest. 2006;130(5):1301–11.
31. Edmonds ML, Milan SJ, Camargo Jr CA, Pollack CV, Rowe BH. Early use of inhaled corticosteroids in the emergency department treatment of acute asthma. Cochrane Database Syst Rev. 2012;2012(12):CD002308.
32. Saglani S, Fleming L, Sonnappa S, Bush A. Advances in the aetiology, management, and prevention of acute asthma attacks in children. Lancet Child Adolesc Health. 2019;3(5):354–64.
33. Kirkland SW, Vandenberghe C, Voaklander B, Nikel T, Campbell S, Rowe BH. Combined inhaled beta-agonist and anticholinergic agents for emergency management in adults with asthma. Cochrane Database Syst Rev. 2017;1:CD001284.
34. Santos LA, Oliveira MA, Faresin SM, Santoro IL, Fernandes ALG. Direct costs of asthma in Brazil: a comparison between controlled and uncontrolled asthmatic patients. Braz J Med Biol Res. 2007;40(7):943–8.
35. Roxo JPF, Ponte EV, Ramos DCB, Pimentel L, D'Oliveira Júnior A, Cruz ÁA. Portuguese-language version of the Asthma Control Test. J Bras Pneumol. 2010;36(2):159–66.
36. Juniper EF, O'Byrne PM, Guyatt GH, Ferrie PJ, King DR. Development and validation of a questionnaire to measure asthma control. Eur Respir J. 1999;14(4):902–7.
37. Fischer GB, Sarria EE, Camargos P, Mocelin HT, Soto-Quiroz M, Cruz AA, et al. Childhood asthma in low and middle-income countries: Where are we now? Paediatr Respir Rev. 2019;31:52–7.
38. Forno E, Han Y-Y, Mullen J, Celedón JC. Overweight, obesity, and lung function in children and adults—a meta-analysis. J Allergy Clin Immunol Pract. 2018;6(2):570-581.e10.
39. Walters EH, Walters JA, Gibson PG, Jones P. Inhaled short acting beta2-agonist use in chronic asthma: regular versus as needed treatment. Cochrane Database Syst Rev. 2003;(1):CD001285.
40. Chauhan BF, Ducharme FM. Anti-leukotriene agents compared to inhaled corticosteroids in the management of recurrent and/or chronic asthma in adults and children. Cochrane Database Syst Rev. 2012;5:CD002314.
41. Kapadia CR, Nebesio TD, Myers SE, Willi S, Miller BS, Allen DB, et al. Endocrine effects of inhaled corticosteroids in children. JAMA Pediatr. 2016;170(2):163–70.
42. Rodrigo GJ, Neffen H. Efficacy and safety of tiotropium in school-age children with moderate-to-severe symptomatic asthma: a systematic review. Pediatr Allergy Immunol. 2017;28(6):573–8.
43. Institute for Clinical Systems Improvement. Health care guideline: diagnosis and management of asthma [Internet]. Bloomington: ICSI; 2016 [capturado em 28 jul. 2020]. Disponível em: https://www.icsi.org/wp-content/uploads/2019/01/Asthma.pdf.
44. Jolliffe DA, Greenberg L, Hooper RL, Griffiths CJ, Camargo CA, Kerley CP, et al. Vitamin D supplementation to prevent asthma exacerbations: a systematic review and meta-analysis of individual participant data. Lancet Respir Med. 2017;5(11):881–90.
45. Riverin BD, Maguire JL, Li P. Vitamin D supplementation for childhood asthma: a systematic review and meta-analysis. PLOS ONE. 2015;10(8):e0136841.
46. Boyd M, Lasserson TJ, McKean MC, Gibson PG, Ducharme FM, Haby M. Interventions for educating children who are at risk of asthma-related emergency department attendance. Cochrane Database Syst Rev. 2009;(2):CD001290.pub2.
47. Peytremann-Bridevaux I, Arditi C, Gex G, Bridevaux P-O, Burnand B. Chronic disease management programmes for adults with asthma. Cochrane Database Syst Rev. 2015;(5):CD007988.
48. Kew KM, Nashed M, Dulay V, Yorke J. Cognitive behavioural therapy (CBT) for adults and adolescents with asthma. Cochrane Database Syst Rev. 2016;9:CD011818.
49. Carson KV, Chandratilleke MG, Picot J, Brinn MP, Esterman AJ, Smith BJ. Physical training for asthma. Cochrane Database Syst Rev. 2013;(9):CD001116.
50. Posadzki P, Ernst E. Yoga for asthma? A systematic review of randomized clinical trials. J Asthma. 2011;48(6):632–9.
51. Arshad SH. Primary prevention of asthma and allergy. J Allergy Clin Immunol. 2005;116(1):3–14.
52. Arshad SH, Bateman B, Sadeghnejad A, Gant C, Matthews SM. Prevention of allergic disease during childhood by allergen avoidance: The Isle of Wight prevention study. J Allergy Clin Immunol. 2007;119(2):307–13.

LEITURAS RECOMENDADAS

Global Initiative for Asthma. Disponível em: https://ginasthma.org/.
Iniciativa internacional que produz diretrizes e outras informações sobre asma e seu manejo.

Scottish Intercollegiate Guidelines Network (SIGN). British Guideline on the Management of Asthma. Disponível em: https://www.sign.ac.uk/assets/sign158.pdf.
Diretrizes escocesas sobre asma.

Capítulo 45
DOENÇA PULMONAR OBSTRUTIVA CRÔNICA

Mara Rúbia André Alves de Lima
Danilo C. Berton
José Carlos Prado Junior

A doença pulmonar obstrutiva crônica (DPOC) é uma doença frequente, prevenível e tratável, caracterizada por sintomas respiratórios persistentes (dispneia, tosse e/ou produção de escarro), que cursa com limitação do fluxo aéreo, que não é totalmente reversível. Deve-se a anormalidades das vias aéreas e/ou dos alvéolos, geralmente causadas por exposição significativa a partículas ou gases nocivos, especialmente ao cigarro. Outros fatores ambientais, como a exposição à fumaça do combustível de biomassa e a poluição do ar, podem contribuir para seu aparecimento. Além das exposições ambientais, fatores do indivíduo predispõem à DPOC. Os fatores individuais incluem anormalidades genéticas, desenvolvimento pulmonar anormal e envelhecimento acelerado. Embora a DPOC comprometa os pulmões, ela também produz consequências sistêmicas significativas. Além disso, na maioria dos pacientes, a DPOC está associada a outras doenças crônicas, aumentando a sua morbimortalidade.

A limitação crônica ao fluxo aéreo da DPOC está associada à mescla de doença das pequenas vias aéreas (bronquiolite obstrutiva) e destruição parenquimatosa (enfisema) resultante da ação de enzimas proteolíticas endógenas. A predominância dessas alterações é variável em cada indivíduo, tendo relação com os sintomas apresentados. O termo "enfisema" deixou de ser enfatizado na definição de DPOC por não ser a única anormalidade estrutural nos pulmões de pacientes com DPOC. O termo "bronquite crônica" permanece útil do ponto de vista clínico e epidemiológico, representando a presença de tosse e expectoração na maioria dos dias, por no mínimo 3 meses/ano durante 2 anos consecutivos, tendo sido afastadas outras doenças pulmonares. Clinicamente, adicionam-se ao quadro, com frequência, sibilância e infecções respiratórias recorrentes. Entretanto, a bronquite crônica só será classificada como DPOC se houver limitação do fluxo aéreo não totalmente reversível. Além disso, nem todos os indivíduos com tosse e expectoração crônica desenvolvem DPOC.

Menos de 1% dos pacientes com DPOC tem deficiência de α_1-antitripsina e, em geral, apresentam enfisema basal panlobular e tem idade < 45 anos. A suspeita desse diagnóstico pode demorar mais em pacientes com idade > 45 anos e com distribuição apical centrolobular do enfisema.

Atualmente, a asma brônquica é entendida de forma individualizada, sobretudo após o reconhecimento das células e dos mediadores inflamatórios característicos da sua patogênese – e distintos da inflamação da DPOC –, devido ao caráter reversível de sua limitação ao fluxo aéreo (ver Capítulo Asma). A asma também pode ser um fator de risco para DPOC, e é difícil fazer o diagnóstico diferencial em adultos. Até 20% dos pacientes com DPOC têm características asmáticas com sobreposição dessas duas doenças.

A maioria das pessoas com DPOC pode ser assistida na atenção primária à saúde (APS). Os sintomas respiratórios da DPOC podem chamar a atenção dos pacientes apenas em fases avançadas da doença, geralmente nos períodos de agravamento agudo da dispneia, da tosse e/ou da expectoração. Esses agravamentos são chamados de exacerbações da DPOC. Devido a esse atraso no reconhecimento pelos pacientes, o clínico deve conhecer os procedimentos para prevenção, diagnóstico, estratificação de risco e tratamento, bem como para o reconhecimento e o manejo das exacerbações da DPOC. A partir da longitudinalidade do cuidado, é possível melhorar a adesão terapêutica e estimular o acompanhamento ambulatorial e domiciliar desses pacientes. Assim, pode-se reduzir o número de exacerbações e, caso ocorram exacerbações, necessitam menos de tratamento hospitalar.

PREVALÊNCIA E IMPACTO

A DPOC é considerada uma das principais causas de morbimortalidade, afetando mais de 200 milhões de pessoas no mundo. De acordo com o Global Burden of Disease (GBD), a DPOC passou de 11ª em 1990 para a 7ª causa de mortalidade em 2017, com previsão de ser a 4ª causa em 2040.[1,2]

Em uma revisão sistemática, totalizando uma amostra de 127.598 pessoas, a prevalência de DPOC pós-broncodilatador foi de 12,16%, sendo 14,53% a prevalência nas Américas.[3]

Em um estudo em cinco grandes cidades latino-americanas, a prevalência da DPOC em indivíduos com idade > 40 anos foi de 15,8% em São Paulo. Foi constatado um padrão consistente, nas diferentes cidades, de maior prevalência em homens e em indivíduos mais idosos, com pouca escolaridade, com menor índice de massa corporal e com maior exposição ao tabaco.[4]

A taxa de mortalidade por doenças cardiovasculares e doenças respiratórias crônicas está diminuindo, provavelmente devido às medidas de controle do tabagismo, à ampliação ao acesso à APS, às novas terapêuticas medicamentosas e à vacinação contra *influenza* e pneumococo. Houve redução de 28,2% na mortalidade por DPOC em 2007 quando comparado com 1996. Em 2017, ocorreram 46.343 óbitos por DPOC no Brasil, correspondendo a 29,8% dos óbitos por doenças respiratórias ou a 3,5% de todos os óbitos.[5]

Essa doença tem grande impacto negativo na qualidade de vida e nas atividades diárias do paciente. O impacto da DPOC é subestimado, já que essa doença em geral não é reconhecida e diagnosticada até que se torne clinicamente evidente ou moderadamente avançada.

FATORES DE RISCO

O tabagismo parece contribuir com 80 a 90% das causas identificáveis de DPOC. Um trabalho desenvolvido na Espanha demonstrou que 15% dos tabagistas apresentarão DPOC.[6] Cachimbo, charuto e outros tipos de uso do tabaco, populares em muitos países, bem como a exposição passiva à fumaça do cigarro, também são fatores de risco para DPOC. Uma maneira capaz de prevenir o surgimento e de influenciar a história natural de DPOC é o afastamento do tabagismo. Em todas as oportunidades possíveis, os indivíduos que fumam devem ser insistentemente incentivados a parar. Entre as medidas preventivas com maior impacto na redução do tabagismo estão a regulação de *marketing*, a taxação, a legislação com restrição ao tabagismo e a advertência na embalagem (ver Capítulo Tabagismo). O uso de cigarros eletrônicos para a cessação do tabagismo tem indicação controversa e pode oferecer graves riscos à saúde, incluindo óbitos.[7]

A exposição ambiental a certas substâncias também está documentada como fator de risco. As principais delas são:
→ poeiras e produtos químicos ocupacionais (vapores e gases irritantes), quando as exposições são suficientemente intensas ou prolongadas;
→ poluição do ar intradomiciliar proveniente da combustão de biomassa (lenha) utilizada para cozinhar e aquecer residências pouco ventiladas;
→ poluição extradomiciliar, que se acrescenta ao impacto total de partículas inaladas do pulmão, embora esse papel específico, no que diz respeito à causa da DPOC, não esteja bem compreendido.

Infecções respiratórias recorrentes aumentam a tendência ao desenvolvimento de DPOC. Infecções respiratórias ou manifestações atópicas na infância associam-se a uma frequência maior de tosse na juventude e a anormalidades funcionais ventilatórias na idade adulta. Tuberculose pulmonar prévia tem-se mostrado um fator de risco independente para obstrução ao fluxo aéreo. Desse modo, recomenda-se estar atento para o risco em longo prazo de desenvolvimento de DPOC em indivíduos com tuberculose prévia, independentemente da história tabágica, sobretudo em locais com altos índices de tuberculose, que também pode ser diagnóstico diferencial e comorbidade em pacientes com DPOC.

Pacientes que vivem com vírus da imunodeficiência humana (HIV, do inglês *human immunodeficiency virus*) têm risco aumentado de apresentar DPOC.[8]

Menos de 1% dos casos de enfisema pulmonar relacionam-se a uma deficiência geneticamente herdada da atividade antiproteolítica sérica da enzima α_1-antitripsina.

Por fim, sexo masculino, idade avançada, vulnerabilidade socioeconômica e etilismo são fatores de risco secundários para o desenvolvimento da DPOC.

HISTÓRIA NATURAL

O declínio do volume expiratório forçado no primeiro segundo (VEF_1) ao longo da vida do indivíduo saudável é da ordem de 25 mL/ano, aproximadamente. No fumante com DPOC, ocorre perda anual de cerca de 75 mL. Assim, um declínio acelerado da função pulmonar é a característica isolada mais marcante da DPOC. Embora a obstrução ao fluxo aéreo possa não mudar ao longo de muitos meses, costuma ser progressiva em longo prazo, em especial se a exposição às substâncias nocivas, mais frequentemente à fumaça do cigarro, for persistente. Se a exposição é interrompida, a doença pode, mesmo assim, ainda progredir. Exacerbações da doença se manifestam por rápida e sustentada piora dos sintomas da doença além da variação diária normal.

Interromper a exposição aos agentes nocivos, mesmo após significativa limitação ao fluxo aéreo estar presente, pode resultar em alguma melhora da função pulmonar e redução ou mesmo prevenção de progressão da doença. Isso é ilustrado na **FIGURA 45.1**, que mostra dados de um importante estudo longitudinal ao longo de 11 anos de acompanhamento.[9]

A história natural da DPOC desenrola-se ao longo de 20 a 30 anos até que sejam valorizadas pelo paciente as primeiras manifestações clínicas a ponto de ele procurar cuidados médicos. A percepção da dispneia é muito tardia para o diagnóstico. Com tratamento apropriado e descontinuação do tabagismo, observa-se melhora, principalmente no que se refere à tosse e à expectoração. Insuficiência respiratória grave e *cor pulmonale* são comuns nos estágios terminais da DPOC.

O prognóstico guarda estreita relação com a gravidade da obstrução do fluxo aéreo. Em pacientes com VEF_1 < 0,75 L, a mortalidade em 5 anos é de 60%; com VEF_1 entre 0,75 e 0,95 L, a mortalidade em 5 anos é de 40%.

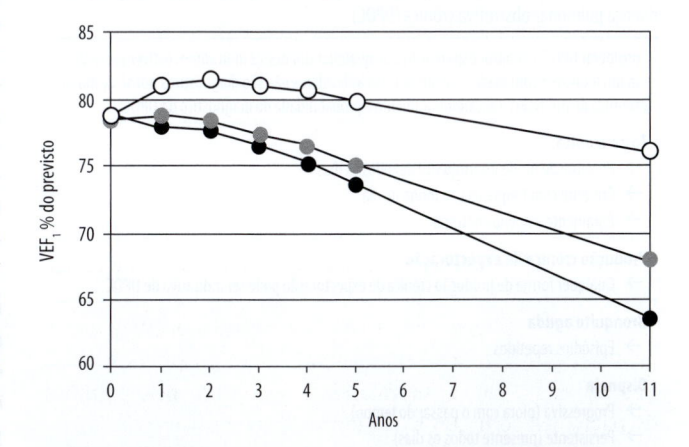

FIGURA 45.1 → Perda de função pulmonar ao longo dos anos na comparação de indivíduos que abandonaram o tabagismo (círculos brancos), que passaram a fumar de modo intermitente (círculos cinza) e que permaneceram fumando continuamente (círculos pretos).
VEF_1, volume expiratório forçado no primeiro segundo.
Fonte: Modificada de Anthonisen e colaboradores.[9]

DIAGNÓSTICO

O diagnóstico de DPOC deve ser levado em consideração em qualquer indivíduo que apresente sintomas característicos de dispneia, tosse crônica ou expectoração e história de exposição aos fatores de risco para a doença, em especial à fumaça de cigarro (TABELA 45.1), desde que sejam excluídas outras hipóteses diagnósticas.

Não há um teste diagnóstico único para DPOC. O diagnóstico recai na combinação de história, exame físico, confirmação de limitação ao fluxo aéreo não totalmente reversível pela espirometria[10] e exames de imagem de tórax que corroborem a presença de DPOC ou revelem outro diagnóstico.

Anamnese

A tosse matinal aparece na maioria dos pacientes. Costuma ser produtiva, refletindo o excesso de muco e/ou infecção na árvore respiratória. Quando a tosse for produtiva, é preciso descartar a presença de infecção no trato respiratório, em especial o superior. Nos períodos de exacerbação, o volume de expectoração aumenta, e, quando há infecção bacteriana, o aspecto se torna purulento.

A dispneia aparece tardiamente no curso da DPOC. Hemoptise não é frequente, impondo o diagnóstico diferencial com carcinoma brônquico, tuberculose e bronquiectasias. Dor torácica indica a ocorrência de complicações, como pneumonia, tromboembolismo pulmonar e pneumotórax.

A DPOC pode estar associada a muitas manifestações extrapulmonares possivelmente decorrentes de um estado inflamatório persistente, resultando em "derramamento" de mediadores inflamatórios na circulação sistêmica. Pacientes com DPOC apresentam maior prevalência de sarcopenia, disfunção muscular, anemia, osteoporose, depressão, hipertensão pulmonar, *cor pulmonale* e doenças cardiovasculares, as quais representam importantes fatores determinantes no desfecho da doença.

Sintomas cardiovasculares são frequentes nesses pacientes. A dispneia noturna pode ser devida à própria DPOC e estar associada à ortopneia, ou seja, o paciente sente alívio da sua falta de ar na posição ortostática acompanhada também de sinal de ancoragem dos membros superiores de modo a viabilizar o uso da sua musculatura acessória da respiração. É necessário, porém, descartar insuficiência cardíaca esquerda e refluxo gastresofágico. Palpitações podem ocorrer por doença cardíaca primária ou secundária à DPOC, ou como paraefeito dos fármacos broncodilatadores. Edema dos membros inferiores será ocasionado por insuficiência cardíaca congestiva ou por estase sanguínea.

Sintomas gastrintestinais também são frequentes na DPOC avançada. Disfunção esofágica e hérnia diafragmática hiatal podem resultar em regurgitação e refluxo gastresofágico, manifestando-se por broncoespasmo e dispneia noturna. Eructação, plenitude pós-prandial e desconforto abdominal estão relacionados com a deglutição de ar pelo paciente dispneico. Pode ocorrer perda de peso, principalmente no enfisema panlobular.

A DPOC pode provocar vários outros sintomas extrapulmonares, que se relacionam com mudanças na pressão intra-abdominal e/ou com reflexo neurológico, como a incontinência urinária. Cefaleia matinal, desorientação e sonolência diurna são frequentes na presença de hipercapnia. A depressão é um problema situacional comum, e o apoio familiar e o apoio do médico podem ser mais eficazes do que a terapêutica medicamentosa.

Exame físico

A avaliação da configuração e da musculatura do tórax, bem como da postura, permite reconhecer a presença de hiperinsuflação. Quando existe hiperinsuflação, o diafragma está abaixado e retificado, e o gradeado costal pode mover-se para dentro. Pode existir dissincronia toracoabdominal, na qual o abdome executa, à inspiração, deslocamento em direção oposta à das paredes torácicas.[7] Tiragens supraclavicular, supraesternal e intercostal, que se devem à diminuição excessiva da pressão intratorácica durante a inspiração, são sinais de maior esforço ventilatório. O fígado é palpável abaixo do rebordo costal direito, mas a hepatometria costuma ser normal. Às vezes, o paciente respira com lábios semicerrados.

A frequência respiratória geralmente está acima de 20 movimentos por minuto. Cianose central sugere hipoxemia; asteríxis e extremidades quentes sugerem retenção de gás carbônico. Agitação psicomotora é indício de hipoxia grave; desorientação e sonolência indicam hipercapnia grave e exigem manejo médico imediato.

Durante o exame físico, deve-se solicitar ao paciente que tussa para que, por suas características sonoras, seja possível identificar o tipo de tosse (produtiva, improdutiva, metálica, etc.). Ouvir a tosse do paciente representa um recurso mais confiável do que aquele que depende do relato isolado dessa queixa. Quando a tosse for produtiva, solicita-se que

TABELA 45.1 → Indicadores fundamentais para a consideração de um diagnóstico de doença pulmonar obstrutiva crônica (DPOC)

Considerar DPOC, e realizar espirometria, se qualquer um destes indicadores estiver presente em um indivíduo com idade > 40 anos. Estes indicadores não são diagnósticos por si só, mas a presença de múltiplos indicadores aumenta a probabilidade do diagnóstico da DPOC.

Tosse crônica
- → Presente de modo intermitente ou todos os dias
- → Presente com frequência ao longo do dia
- → Raramente é apenas noturna

Produção crônica de expectoração
- → Qualquer forma de produção crônica de expectoração pode ser indicativa de DPOC

Bronquite aguda
- → Episódios repetidos

Dispneia
- → Progressiva (piora com o passar do tempo)
- → Persistente (presente todos os dias)
- → Pior com exercício
- → Pior durante infecções respiratórias

História de exposição aos fatores de risco
- → Fumaça do tabaco
- → Poeiras e produtos químicos ocupacionais
- → Fumaça proveniente da cozinha domiciliar e do gás de aquecimento

o paciente expectore a fim de que o médico possa constatar o aspecto do escarro. Também deve ser solicitado que o paciente faça a manobra de aspiração faríngea (ver QR code), quando houver possibilidade de acometimento rinossinusal concomitante.

A hipoxemia crônica acarreta o aparecimento de hipertensão pulmonar, com ou sem *cor pulmonale* crônico e com ou sem sinais de insuficiência cardíaca direita. Esses sinais incluem cianose central, edema periférico (membros inferiores ou na região sacra no paciente acamado), jugulares ingurgitadas, hepatomegalia e refluxo hepatojugular, batimentos paraesternais visíveis e palpáveis e ausculta da segunda bulha cardíaca hiperfonética. As bulhas cardíacas se tornam hipofonéticas pelo aumento do diâmetro anteroposterior do tórax. O hipocratismo digital não é explicado pela presença exclusiva de DPOC, no seu entendimento como enfisema pulmonar e bronquite crônica. Se o hipocratismo digital não for familiar – o que é raro –, deve-se investigar outro diagnóstico ou comorbidade, por exemplo, bronquiectasias ou carcinoma brônquico.

Ausculta respiratória

O murmúrio vesicular está diminuído no enfisema pulmonar. (Ver QR codes.) Ele serve para uma avaliação subjetiva da obstrução do fluxo aéreo e da hiperinsuflação. Pode-se potencializar suas informações, solicitando ao paciente que faça uma breve inspiração profunda com a boca aberta e, a seguir, que realize a manobra de ventilação voluntária máxima (VVM), ou seja, respirar rápido para dentro e para fora, pela boca, durante alguns segundos. Normalmente se espera um aumento de intensidade do murmúrio vesicular; a redução indica grave obstrução ao fluxo aéreo.

Sibilos, quando difusamente distribuídos, são causados, em geral, por asma brônquica e, quando menos ostensivos, pela DPOC. Na asma brônquica, os sibilos costumam exacerbar-se quando o paciente tosse; na bronquite crônica, a eliminação de secreções pela tosse pode atenuá-los. Em geral, no enfisema pulmonar puro, não se auscultam ruídos adventícios.

É muito informativo solicitar ao paciente, do qual se suspeita da participação de um componente asmático, que proceda a uma expiração forçada, auscultando-o nesse momento. Nessas condições, a identificação de sibilos confere maior sensibilidade ao diagnóstico da broncoconstrição, embora haja perda em especificidade. Pacientes sem obstrução espirométrica raramente têm sibilos à expiração normal; contudo, não é raro detectar sibilos durante uma expiração forçada. O aumento do tempo expiratório forçado também aumenta a suspeita do diagnóstico de DPOC.

Na DPOC, com frequência, auscultam-se estertores na fase inicial da inspiração (protoinspiratórios). Os estertores da insuficiência cardíaca esquerda e da pneumonia intersticial fibrosante são ouvidos na segunda metade da inspiração (teleinspiratórios). Os estertores da DPOC costumam ceder com a tosse, enquanto os estertores fixos (pós-tussivos) são mais comuns nas doenças infecciosas parenquimatosas (broncopneumonia, bronquiectasias, fibrose, etc.).

Função pulmonar

Os critérios clínicos são suficientes para suspeitar do diagnóstico de DPOC; porém, a demonstração da presença de obstrução ao fluxo aéreo é crucial para o diagnóstico de DPOC. Recomenda-se, idealmente, que a espirometria esteja disponível para o médico da APS. A confirmação do diagnóstico pela espirometria permanece sendo o principal método para detectar e comprovar a limitação do fluxo aéreo.

A espirometria mede o volume de ar forçado expirado do ponto de inspiração máxima (capacidade vital forçada [CVF]) e o volume de ar expirado durante o primeiro segundo dessa manobra (VEF_1). A resposta ao broncodilatador é definida como o aumento do VEF_1 em 200 mL ou 7%, 15 minutos após o uso de broncodilatador inalatório (salbutamol 400 µg) e em comparação com o VEF_1 obtido previamente. A presença de limitação ao fluxo expiratório com resposta ao broncodilatador contribui para o diagnóstico de asma em vez de DPOC. Em geral, pacientes com DPOC demonstram, após prova farmacodinâmica com broncodilatador inalatório, uma relação $VEF_1/CVF < 0,70$ (o que caracteriza a presença da obstrução) e podem ter diminuição no VEF_1 (o que reflete a intensidade da obstrução). A maioria dos pacientes com DPOC procura cuidados médicos quando seu VEF_1 já está em torno de 50% do seu valor previsto, mas valores < 80% do previsto no VEF_1 já são considerados anormais. Dessa forma, a detecção precoce da DPOC representa prioridade no cuidado primário, sendo uma excelente oportunidade para reduzir o sofrimento desses pacientes.

Existem evidências indicando que, independentemente do grau de obstrução ao fluxo aéreo, os volumes pulmonares representam também parâmetros importantes na gênese dos sintomas e na limitação funcional do paciente com DPOC mais avançada. A dispneia ao exercício está mais intimamente relacionada com a hiperinsuflação pulmonar, definida como aumento anormal do volume de ar que permanece nos pulmões ao final de uma expiração corrente, do que com alterações do VEF_1. Além disso, intervenções terapêuticas que melhoram a tolerância ao exercício na DPOC, como broncodilatadores, oxigênio, cirurgia redutora de volume pulmonar e reabilitação pulmonar, estão mais associadas a um retardo na hiperinsuflação pulmonar desenvolvida durante o exercício (dinâmica) do que à melhora no grau de obstrução ao fluxo de ar.

Radiologia

Ainda que o estudo radiológico convencional do tórax isoladamente não seja definitivo para o diagnóstico de DPOC, é indispensável para afastar outros diagnósticos e complicações, como carcinoma brônquico, tuberculose ou pneumonia.

Na DPOC, existem dois padrões radiológicos, denominados deficiência arterial e marcas vasculares aumentadas. O primeiro está relacionado com predomínio de enfisema (o soprador rosado da clínica ou DPOC tipo 1) caracterizado pela hipertransparência na radiografia de tórax (FIGURA 45.2). O segundo traduz os casos em que predomina a bronquite crônica (o cianótico congesto ou DPOC tipo 2). Nesse caso, os vasos pulmonares estão aumentados e seus contornos são irregulares e pouco definidos, configurando o que alguns imprecisamente identificam como "pulmão sujo". O comprometimento significativo dos brônquios é revelado pela presença de infiltração ao longo de feixes broncovasculares (ver Leitura Recomendada).

Na realidade, a maioria dos casos de DPOC apresenta-se radiologicamente por meio de uma associação dos dois padrões, e, muitas vezes, é impossível distinguir qual deles predomina.

Além de deficiência arterial, existem dois outros sinais radiológicos úteis no diagnóstico do enfisema pulmonar: presença de bolhas ou zonas bolhosas e excesso de ar nos pulmões. Esse excesso de ar (representação radiológica da hiperinsuflação pulmonar) resulta predominantemente de aprisionamento expiratório de ar. Ele é detectado pela presença de cúpulas diafragmáticas abaixo do sétimo arco costal anterior, no nível da linha hemiclavicular, às vezes com concavidade superior, e por aumento da radiotransparência retroesternal (> 3,5 cm). A mobilidade diafragmática encontra-se diminuída. Deve-se ter em mente que o edema pulmonar da insuficiência cardíaca esquerda pode fazer diminuir ou desaparecer as evidências radiológicas de hiperinsuflação.

Na DPOC tipo 2, a hiperinsuflação é de grau leve; bolhas de enfisema e zonas bolhosas são raras.

A tomografia computadorizada do tórax pode ser mais precoce na detecção da DPOC, além de mostrar a presença de bronquiectasias. Contudo, por ser um exame mais oneroso e sofisticado, não deve ser considerado na investigação de rotina.

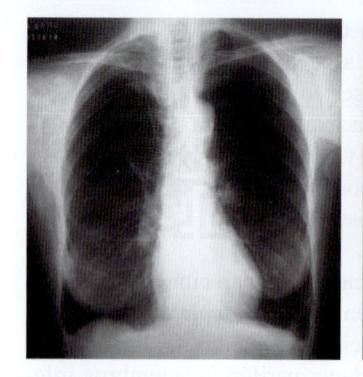

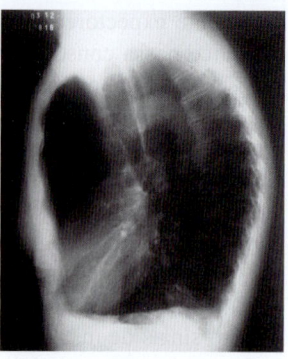

FIGURA 45.2 → Radiografia de tórax de paciente com doença pulmonar obstrutiva crônica (DPOC) e predomínio enfisematoso apresentando pronunciados sinais de hiperinsuflação pulmonar.

Outros exames

O hemograma com contagem diferencial dos leucócitos é útil para identificar a atopia (reconhecimento de eosinofilia). Na presença da eosinofilia, a fim de descartar a possibilidade de parasitose intestinal, deve ser realizado também, como rotina, um exame proctoparasitológico. O uso de corticoides e a presença de infecção ocasionam uma queda transitória nos níveis de eosinófilos. A bronquite crônica, mesmo se maciçamente infectada por bactérias, não costuma apresentar febre nem leucocitose. Expectoração purulenta, leucocitose, desvio para a esquerda e ausência de eosinófilos, na presença de achados radiológicos de focos de consolidação, favorecem a hipótese de pneumonia.

De modo geral, a gasometria não costuma ser indicada no nível primário, mas é necessária diante de uma descompensação de insuficiência respiratória em portador de DPOC, fornecendo dados importantes, como a necessidade de oxigenoterapia, ventilação mecânica e, consequentemente, hospitalização. Como rastreamento para detecção de hipoxemia crônica, está indicada oximetria de pulso nos pacientes com VEF_1 < 35% do previsto ou sinais clínicos sugestivos de insuficiência respiratória ou insuficiência cardíaca direita. Em caso de saturação periférica < 92%, está indicada realização de gasometria arterial.[11]

O exame bacteriológico de escarro não tem significado maior, já que os pacientes com DPOC se infectam com bactérias da comunidade, em geral *Streptococcus pneumoniae* e/ou *Haemophilus influenzae*, que são detectados em até 80% dos pacientes com imunidade preservada. O exame de cultura em nível ambulatorial é indicado nos casos de uso prévio e prolongado de antibióticos, na presença de fatores que deprimem o sistema imunológico e quando a resposta ao emprego de antibióticos não é satisfatória. A pesquisa de bacilo álcool-acidorresistente (BAAR) é obrigatória em áreas com elevada prevalência de tuberculose.

A Organização Mundial da Saúde recomenda que os pacientes com DPOC sejam investigados para deficiência de α_1-antitripsina, quando esse exame estiver disponível, sendo que uma concentração sérica de α_1-antitripsina 20% abaixo do normal é altamente sugestiva de deficiência homozigótica.

Classificação

A classificação da DPOC é importante para determinar o nível da limitação do fluxo aéreo, seu impacto na saúde do paciente e o risco para eventos futuros como exacerbações, admissões hospitalares ou morte. Para isso, devem-se considerar:[11]

→ presença e gravidade da anormalidade na espirometria;
→ magnitude e natureza dos sintomas atuais;
→ história de exacerbações moderadas e severas;
→ presença de comorbidades.

Em geral, a intensidade da anormalidade espirométrica é utilizada para expressar a gravidade da DPOC e estadiar a doença (TABELA 45.2).[11] (Ver QR code.) Entretanto, isoladamente a espirometria nem sempre reflete o impacto geral da DPOC na saúde do indivíduo.

TABELA 45.2 → Classificação da doença pulmonar obstrutiva crônica (DPOC) conforme alteração da espirometria (após prova farmacodinâmica com broncodilatador)

Estádio I: DPOC leve	Leve limitação do fluxo aéreo ($VEF_1/CVF < 70\%$, mas $VEF_1 \geq 80\%$ do previsto) e, geralmente, tosse crônica com produção de expectoração; neste estádio, o indivíduo pode não estar ciente de que sua função pulmonar está anormal
Estádio II: DPOC moderada	Agravamento da limitação do fluxo aéreo ($VEF_1/CVF < 70\%$; $50\% \leq VEF_1 < 80\%$ do previsto) e, em geral, progressão dos sintomas, com falta de ar geralmente desenvolvida ao esforço; exacerbações dos sintomas, que têm impacto sobre a qualidade de vida e o prognóstico do paciente
Estádio III: DPOC grave	Grave limitação ao fluxo aéreo ($VEF_1/CVF < 70\%$; $30\% \leq VEF_1 < 50\%$ do previsto), sendo especialmente notadas exacerbações mais frequentes dos sintomas
Estádio IV: DPOC muito grave	Limitação muito grave do fluxo aéreo ($VEF_1/CVF < 70\%$; $VEF_1 < 30\%$ do previsto); neste estádio, a qualidade de vida está bastante debilitada e as exacerbações podem ser uma ameaça à vida

CVF, capacidade vital forçada; VEF_1, volume expiratório forçado no primeiro segundo.
Fonte: Adaptada de Global Initiative for Chronic Obstructive Lung Disease.[19]

A avaliação dos sintomas pode ser realizada utilizando duas medidas. A quantificação da dispneia pode ser realizada utilizando a escala modificada do Medical Research Council (mMRC; TABELA 45.3). Contudo, atualmente se reconhece que não se deve apenas avaliar o impacto da DPOC na vida dos pacientes apenas pela avaliação da dispneia, mas sim por uma avaliação mais abrangente dos sintomas.[11]

Recomenda-se a utilização do CAT (*COPD Assessment Test* [teste de avaliação da DPOC]; ver, no QR code, o Anexo I, p. 408), que é uma medida unidimensional. O escore varia de 0 a 40, e, quanto maior for o escore, piores são os sintomas. Hoje ele é amplamente utilizado por ser mais abrangente.[12]

DIAGNÓSTICO DIFERENCIAL

Em geral, a DPOC é de diagnóstico relativamente simples. Entretanto, é importante estar atento para o diagnóstico diferencial com outras doenças que podem ter manifestações clínicas semelhantes, como asma, insuficiência cardíaca congestiva, bronquiectasias e tuberculose pulmonar (TABELA 45.4).

Em alguns pacientes com asma crônica, não é possível ter uma clara distinção da DPOC usando as técnicas atuais de imagem e de testes funcionais. Nesses pacientes, o tratamento é similar ao da asma. Os demais diagnósticos potenciais são geralmente mais fáceis de distinguir da DPOC. Convém lembrar que as características sugestivas de cada doença mencionada na TABELA 45.4 tendem a ser típicas das respectivas doenças, mas não ocorrem em todos os casos. Por exemplo, uma pessoa que nunca fumou pode desenvolver DPOC, e a asma pode iniciar em adultos e em pacientes com idade avançada.

Além disso, deve-se considerar a possível concomitância de DPOC e carcinoma brônquico.

TRATAMENTO

Apesar de não existir um tratamento curativo para a DPOC, o tratamento farmacológico pode melhorar e prevenir os sintomas, reduzir a frequência e a gravidade das exacerbações, melhorar a condição da saúde e aumentar a tolerância aos exercícios.[13]

Terapias focadas na cessação do tabagismo, com aconselhamento intensivo, uso de antidepressivos e reposição de nicotina (ver Capítulo Tabagismo) são efetivas em pacientes com DPOC **A**, reduzindo, em longo prazo, em 15% a mortalidade total nesses pacientes (número necessário para tratar [NNT] = 43 em 15 anos), mesmo com pequena parcela dos pacientes mantendo-se abstinentes nesse período **A**.[14] Além disso, intervenções farmacológicas mais aconselhamento nesses pacientes parecem ser extremamente custo-efetivas **B**.[15]

Outras intervenções estão associadas a aumento de sobrevida em pacientes com DPOC, em geral sendo indicadas a subgrupos específicos. A suplementação domiciliar de oxigênio reduz a mortalidade em pacientes com hipoxemia crônica em repouso (NNT = 6 em 24 meses) **B**.[16,17] Fora do

TABELA 45.4 → Diagnóstico diferencial da doença pulmonar obstrutiva crônica (DPOC)

DIAGNÓSTICO	CARACTERÍSTICAS SUGESTIVAS
DPOC	→ Início na meia-idade → Sintomas paulatinamente progressivos → Longa história de tabagismo → Dispneia durante o exercício → Limitação do fluxo aéreo irreversível
Asma	→ Surgimento no início da vida (com frequência, na infância) → Os sintomas variam de um dia para o outro → Sintomas à noite/pela manhã cedo → Alergia, rinite e/ou eczema também presentes → História familiar de asma → Limitação reversível do fluxo aéreo
Insuficiência cardíaca congestiva	→ Crepitações finas na ausculta → Radiografia de tórax revela coração dilatado e sinais de congestão pulmonar → Testes de função pulmonar indicam restrição do volume e não limitação do fluxo aéreo
Bronquiectasia	→ Grande quantidade de expectoração purulenta → Comumente associada à infecção bacteriana → Crepitações grosseiras à ausculta pulmonar → Baqueteamento digital → Radiografia/tomografia computadorizada do tórax mostram dilatação brônquica e espessamento da parede brônquica
Tuberculose	→ Surgimento em todas as idades → Radiografia de tórax revela infiltração pulmonar ou lesões nodulares → Confirmação microbiológica → Alta prevalência local de tuberculose

Fonte: Adaptada de Global Initiative for Chronic Obstructive Lung Disease.[19]

TABELA 45.3 → Escala modificada do Medical Research Council (mMRC) para avaliação da dispneia

0 – Dispneia ao praticar exercícios intensos
1 – Dispneia ao andar rápido no plano ou subir ladeiras leves
2 – Andar mais lentamente que pessoas da mesma idade devido à dispneia ou parar para respirar andando normalmente no plano
3 – Parar para respirar após caminhar 90 metros ou alguns minutos no plano
4 – Não sair de casa devido à dispneia

âmbito ambulatorial, as intervenções que reduzem mortalidade são a ventilação não invasiva (VNI) em pacientes hospitalizados com agudização de insuficiência respiratória (redução relativa do risco [RRR] = 69%; NNT = 5 recebendo em média 4 dias de VNI) e a cirurgia redutora de volume pulmonar em um grupo seleto de pacientes graves com predomínio de enfisema nos lobos superiores e pobre capacidade funcional (RRR = 47%; NNT = 9-23).[18]

Avaliação e monitorização da doença

As metas da avaliação da DPOC para orientar o tratamento são (1) determinar a magnitude da limitação ao fluxo aéreo, (2) definir o impacto da doença na saúde do paciente, e (3) identificar o risco de eventos futuros (como exacerbações, hospitalizações ou morte).[19]

Dessa forma, diferentes aspectos da doença devem ser avaliados concomitantemente:

→ **sintomas atuais do paciente:** em cada visita, deve ser feito questionamento sobre mudança nos sintomas desde a última visita, incluindo tosse e expectoração, dispneia, fadiga, limitação nas atividades e distúrbios do sono. A avaliação da dispneia pode ser feita a cada 2 a 3 meses (mMRC; ver TABELA 45.3). Tendências e mudanças ao longo do tempo são mais informativas do que medidas únicas isoladas;

→ **gravidade das alterações espirométricas** (ver TABELA 45.2)**:** o declínio da função pulmonar é mais bem acompanhado por espirometria, que deve, de preferência, ser feita anualmente para identificar pacientes com declínio acelerado;[18]

→ **risco de exacerbação:** pacientes com alto risco de exacerbação tendem a ter alterações espirométricas mais intensas (estádios 3 e 4; ver TABELA 45.2) e podem ser identificados, de maneira confiável, pela sua própria história pregressa de exacerbações (alto risco nos pacientes com > 2 exacerbações ambulatoriais/ano ou > 1 hospitalização/ano).[20]

Essa abordagem, combinada com a avaliação de potenciais comorbidades, representa a base para elaborar um plano terapêutico individualizado e deve ser monitorada a cada consulta.[19]

Redução dos fatores de risco

A melhor maneira de prevenir o surgimento e a progressão da DPOC é o afastamento dos fatores de risco removíveis, principalmente o tabagismo. Como já mencionado, a cessação do tabagismo é a única intervenção indicada para todos os pacientes que de fato reduz a mortalidade associada à DPOC. Portanto, em todas as oportunidades possíveis, os indivíduos com DPOC que fumam devem ser insistentemente orientados a parar. Além disso, deve-se buscar afastar os demais fatores de risco listados antes.

Manejo da doença pulmonar obstrutiva crônica estável

O manejo da DPOC estável costuma ser realizado em nível ambulatorial.[21]

Tratamento farmacológico

As intervenções farmacológicas disponíveis para o tratamento da DPOC estável são da classe dos broncodilatadores e anti-inflamatórios, representados principalmente pelos corticoides inalatórios, embora estes últimos tenham indicações bem específicas e delimitadas e sejam bem menos eficazes na DPOC do que na asma.

Broncodilatadores

Os broncodilatadores são medicamentos essenciais para o tratamento sintomático da DPOC (TABELA 45.5). Conforme o mecanismo de ação, podem ser classificados em agonistas β_2, anticolinérgicos e metilxantinas. A via de escolha preferencial deve ser a inalatória, pela liberação direta do fármaco nas vias aéreas, por apresentar menor absorção sistêmica e, assim, menor probabilidade de eventos adversos. As metilxantinas são broncodilatadores de apresentação na forma oral. Os broncodilatadores inalatórios podem ser de ação curta ou longa. Os de ação curta são usados como um medicamento de resgate, isto é, somente quando forem necessários para aliviar sintomas intermitentes ou que se agravaram. Os broncodilatadores de longa duração são usados regularmente, para prevenir ou reduzir os sintomas persistentes. Explicar claramente ao paciente as diferenças entre os broncodilatadores é fundamental para o sucesso terapêutico.

Os broncodilatadores agonistas β_2 de curta duração são efetivos na melhora da função pulmonar e da capacidade para o exercício, diminuindo os sintomas da DPOC **C/D**.[22] Os de longa duração, além de promoverem melhora sintomática e da qualidade de vida, diminuem, com seu uso continuado, 15 a 20% os episódios de exacerbação de DPOC **B**.[23]

O risco de eventos cardiovasculares não parece maior com uso de agonistas β_2 de curta ou longa duração **B**.[24,25]

Os anticolinérgicos de curta duração, assim como os agonistas β_2, promovem melhora da função pulmonar e aumento da capacidade para o exercício **C/D**.[26–29] O anticolinérgico de longa duração (tiotrópio) é efetivo na melhora sintomática e da qualidade de vida (NNT = 8-13) **A**, além de estar associado a um menor número de exacerbações (NNT = 12-30) **A** e de hospitalizações.[29]

Teme-se o aumento da mortalidade cardiovascular com o uso de tiotrópio, não confirmado em estudos clínicos randomizados **B**.[30]

As metilxantinas são consideradas quando há necessidade de associar um terceiro fármaco aos broncodilatadores agonistas β_2 de longa ação e aos anticolinérgicos. Elas promovem melhora sintomática, aumentam a capacidade funcional e diminuem exacerbações **C/D**, mas estão associadas a aumento de eventos adversos, como náuseas, diarreia, irritabilidade e, em alguns casos, convulsões e arritmias **B**.[31] Deve-se dar preferência às metilxantinas por via oral (VO) com 12 horas de duração, como a teofilina e a bamifilina.

Em pacientes com sintomas leves e intermitentes, é razoável iniciar a terapia com um broncodilatador de curta duração (duração de 4-8 horas) da classe dos agonistas β_2 (salbutamol ou fenoterol) ou anticolinérgicos (ipratrópio) via inalador dosimetrado ou nebulizador em um modelo "se

TABELA 45.5 → Broncodilatadores usados no tratamento da doença pulmonar obstrutiva crônica (DPOC)

MEDICAMENTO	VIA DE ADMINISTRAÇÃO	APRESENTAÇÃO	POSOLOGIA
AGONISTAS β_2 DE CURTA DURAÇÃO			
Salbutamol	Inalado (MDI)	100-200 µg	2-4 jatos, de 6/6 h
	Solução para nebulização	5 mg/mL	10 gotas, de 6/6 h
Terbutalina	Inalada (pó)	500 µg	NA
	Solução para nebulização	10 mg/mL	NA
	VO	0,3 mg/mL	
	SC	0,5 mg/mL	
Fenoterol	Inalado	100-200 µg	2-4 jatos, de 6/6 h
	Solução para nebulização	5 mg/mL	10 gotas, de 6/6 h
AGONISTAS β_2 DE LONGA DURAÇÃO			
Formoterol	Inalado (cápsulas)	6-12 µg	1-2 cápsulas, de 12/12 h
Salmeterol	Inalado (disco/spray)	25-50 µg	1-2 jatos, de 12/12 h
Indacaterol	Inalado (cápsulas)	150-300 µg	1 cápsula, 1 ×/dia
Olodaterol	Inalado (névoa/Respimat®)	2,5 µg	2 jatos, 1 ×/dia
ANTICOLINÉRGICO DE CURTA DURAÇÃO			
Ipratrópio	Inalado (spray)	20 µg	2 jatos, de 8/8 h
	Solução para nebulização	0,25 mg/mL	20 gotas, de 8/8 h
ANTICOLINÉRGICOS DE LONGA DURAÇÃO			
Tiotrópio	Inalado (névoa/Respimat®)	2,5 µg	2 jatos, 1 ×/dia
Indacaterol/glicopirrônio	Inalado (cápsulas)	150-300 µg	1 cápsula, 1 ×/dia
Umeclidínio	Inalado (pó seco/Ellipta®)	25/62,5 µg	1 inalação, 1 ×/dia
ASSOCIAÇÃO DE AGONISTAS β_2 DE CURTA DURAÇÃO + ANTICOLINÉRGICO			
Salbutamol/ipratrópio	Inalado (spray)	120/20 µg	1-2 jatos, de 6/6 h
ASSOCIAÇÃO DE AGONISTAS β_2 + ANTICOLINÉRGICO DE LONGA DURAÇÃO			
Olodaterol/tiotrópio	Inalado (névoa/Respimat®)	2,5/2,5 µg	2 jatos, 1 ×/dia
Indacaterol/glicopirrônio	Inalado (cápsulas)	110/50 µg	1 cápsula, 1 ×/dia
Vilanterol/umeclidínio	Inalado (pó seco/Ellipta®)	25/62,5 µg	1 inalação, 1 ×/dia
METILXANTINAS			
Teofilina	VO	100, 200 e 300 mg	1 comprimido, de 12/12 h
Aminofilina	VO	100-200 mg	1 comprimido, de 8/8 h
	IV	24 mg/10 mL	Variável
Bamifilina	VO	300-600 mg	1 drágea, de 12/12 h

IV, intravenoso; MDI, inalador dosimetrado; SC, subcutâneo; VO, via oral.

necessário" para alívio dos sintomas. Em indivíduos com sintomas persistentes, é indicado o uso de broncodilatadores de longa duração de forma continuada.[9] Quando não estão disponíveis, uma alternativa é fazer uso contínuo de broncodilatadores de curta duração (p. ex., a associação entre salbutamol e brometo de ipratrópio, de 6/6 horas).

Com o advento dos broncodilatadores de ação mais prolongada, tem-se considerado que uma broncodilatação sustentada reduz a variabilidade do fluxo na via aérea com resultados positivos em desfechos clínicos. O indacaterol é um agonista β_2 considerado de duração ultralonga (> 24 horas), promovendo broncodilatação sustentada com administração 1 ×/dia. Comparado aos β_2 de longa duração, o indacaterol resulta em aumento da capacidade pulmonar, melhora sintomática e redução no uso de broncodilatador de curta duração de resgate **A**.[32]

O emprego de agonistas β_2, tanto de curta quanto de longa duração, promove broncodilatação e alívio dos sintomas da DPOC, mas os estudos sobre o tratamento continuado com esses fármacos demonstraram resultados conflitantes relativos ao declínio da progressão da DPOC.[19]

Deve-se enfatizar, ainda, que o método usado para administrar o fármaco ao pulmão é tão importante quanto o próprio medicamento. Os medicamentos inalados podem ser administrados por meio de pequenos dispositivos manuseados pelas próprias mãos (hand-held) baseados no uso de pó seco (inalador de pó seco [DPI, do inglês *dry powder inhaler*]) ou na geração de aerossol dosimetrado (inalador dosimetrado pressurizado [pMDI, do inglês *pressurized metered-dose inhaler*]), ou mediante utilização de equipamentos que promovem a nebulização (nebulizadores). Não existe evidência inequívoca ditando a ordem de preferência sobre qual método inalatório utilizar, sendo o mais importante considerar a preferência do paciente e os custos locais.

Os dispositivos inalatórios (hand-held) costumam ser preferíveis aos nebulizadores por serem mais higiênicos, envolverem menor tempo de uso (permitindo ao paciente realizar outras atividades) e não prejudicarem a sua capacidade de sair de casa. Os dispositivos inalatórios devem ser prescritos somente após treino adequado do paciente sobre o seu uso e depois de o paciente ter demonstrado que realiza a técnica satisfatoriamente. Além disso, essa técnica deve ser reavaliada de maneira regular por um profissional de saúde capacitado e, se necessário, novamente ensinada.[19]

A combinação de fármacos com diferentes mecanismos de ação pode aumentar o grau de broncodilatação com efeitos colaterais equivalentes. A combinação de β_2 de curta duração com anticolinérgico de curta duração, comparado com o uso desses medicamentos isoladamente, resulta em melhora da função pulmonar **C/D** e diminuição das exacerbações, sem aumento dos efeitos colaterais.[33] A combinação de broncodilatadores de longa duração também resulta em melhora da capacidade pulmonar, da dispneia e da qualidade de vida em relação ao uso da cada componente isoladamente **B**.[34]

Similarmente, a combinação de broncodilatadores de longa duração, como indacaterol e glicopirrônio, reduz as exacerbações quando comparados à combinação de agonistas β_2 de longa duração e corticoide inalatório **A**[35] ou ao uso isolado de agonista β_2[36] **B**. A magnitude desse benefício parece ser menor quando um agonista β_2 é adicionado a um anticolinérgico de longa duração comparado ao uso do β_2 isoladamente.[36–38]

Corticoides

Os corticoides inalatórios são muito menos efetivos no tratamento da DPOC do que no tratamento da asma, e seu papel no manejo da DPOC estável é limitado a indicações bastante específicas. Eles promovem melhora discreta na capacidade pulmonar e nos sintomas de dispneia C/D,[39] mas não reduzem a progressão da DPOC C/D.[39] Além disso, reduzem exacerbações apenas em pacientes com doença grave (VEF$_1$ < 50%) (RRR = 33%; NNT = 12) B[40] e apresentam efeitos colaterais.

Parecem ser efetivos quando combinados com agonistas β$_2$ de longa duração, em especial em pacientes com doença moderada a grave, melhorando a capacidade funcional e a qualidade de vida e reduzindo exacerbações em cerca de 16% quando comparados com o β$_2$ isoladamente B. Alguns estudos demonstram o benefício da adição do corticoide inalatório à combinação anticolinérgico + agonista β$_2$ de longa duração (terapia tripla) na redução da taxa de exacerbações (15-25%) e na qualidade de vida relacionada à saúde,[41,42] principalmente em pacientes com maiores níveis de eosinófilos no sangue periférico. Houve redução de 32% na taxa anual de exacerbações com terapia tripla (furoato de fluticasona + vilanterol + umeclidínio) versus vilanterol + umeclidínio em indivíduos com eosinófilos sanguíneos ≥ 150/μL, enquanto abaixo desse limiar a diferença entre os tratamentos foi menor (12%). Considerando eosinofilia expressa com porcentagem do total de leucócitos, pacientes com eosinofilia ≥ 2% tiveram redução de 20% na taxa de exacerbação em favor da tripla terapia (dipropionato de beclometasona + formoterol + glicopirrônio) versus indacaterol + glicopirrônio comparado a uma diferença não significativa (6%) em indivíduos com eosinofilia < 2%. Assim, a avaliação individual do risco de exacerbação baseado na frequência e na intensidade (ambulatorial vs. hospitalização) das exacerbações no último ano e a eosinofilia periférica foram combinados no algoritmo de tratamento da última atualização da Global Initiative for Chronic Obstructive Lung Disease (GOLD) para predizer o benefício clínico das combinações contendo corticoide inalatório em prevenir exacerbações da DPOC (ver adiante).

Os médicos de APS devem estar muito atentos ao uso crônico dos corticoides, pois podem associar-se com moníliase orofaríngea C/D, estrias na pele, glaucoma B, catarata B, osteoporose C/D, necrose asséptica de cabeça de fêmur, fácies cushingoide, diabetes melito B, aumento do risco de pneumonia B e infecção por micobactérias B. Esses efeitos colaterais dos corticoides são dose-dependentes e mais comumente associados ao uso de corticoide VO, mas também ao uso prolongado de corticoides inalatórios.[39] Deve-se orientar o paciente a lavar cuidadosamente a boca após inalar o corticoide, para prevenir a ocorrência de moníliase oral ou faríngea.

Devido aos efeitos colaterais, o tratamento de longo prazo com corticoides VO não é recomendado,[19] embora haja evidência de seu benefício com o uso de curto prazo (7-10 dias) em exacerbações da DPOC B (ver a seguir).

A TABELA 45.6 resume as apresentações e as posologias dos corticoides (com ou sem associação com broncodilatadores) usados para o tratamento da DPOC e disponíveis no mercado brasileiro.

Com base nas evidências antes apresentadas, a TABELA 45.7 apresenta um resumo das características e do tratamento inicial recomendado em cada nível de gravidade da DPOC baseado na classificação de grupos da GOLD (ver QR code.).[11]

Outras intervenções

A vacina contra gripe reduz exacerbações em pacientes com DPOC B[43] e deve ser aplicada 1 ×/ano (no início do outono). A vacinação

TABELA 45.6 → Corticoides empregados no tratamento da doença pulmonar obstrutiva crônica (DPOC)

MEDICAMENTO	VIA DE ADMINISTRAÇÃO	APRESENTAÇÃO	POSOLOGIA
CORTICOIDES INALATÓRIOS			
Beclometasona	Inalada (spray)	50-250 μg	1-4 jatos, de 12/12 h
	Inalada (pó)	100, 200, 400 μg	1-2 jatos, de 12/12 h
Budesonida	Inalada (pó)	200-400 μg	1-2 cápsulas, de 12/12 h
	Solução para nebulização	0,25 mg/mL	1-2 mL, de 12/12 h
Propionato de fluticasona	Inalada (pó)	50-250 μg	1-2 jatos, de 12/12 h
ASSOCIAÇÃO DE CORTICOIDE INALATÓRIO + β$_2$-AGONISTA DE LONGA DURAÇÃO			
Formoterol/ budesonida	Inalado (pó)	6/100; 6/200; 12/400 μg	1-2 jatos, de 12/12 h
Salmeterol/ propionato de fluticasona	Inalado (pó)	25/125; 50/250; 50/500 μg	1-2 jatos, de 12/12 h
Vilanterol/furoato de fluticasona	Inalado (pó seco/ Ellipta®)	25/100 μg	1 inalação, 1 ×/dia
CORTICOIDES SISTÊMICOS			
Prednisona	Oral	5-20 mg	40-60 mg (nas exacerbações)
Prednisolona	Oral	5-20 mg	30-40 mg (nas exacerbações)
Hidrocortisona	Intravenosa	100-500 mL/frasco	100-200 mg, de 6/6 h (nas exacerbações)

TABELA 45.7 → Tratamento farmacológico inicial recomendado conforme grupos na classificação da Global Initiative for Chronic Obstructive Lung Disease (GOLD)

HISTÓRIA DE EXACERBAÇÕES	SINTOMAS	
	mMRC 0-1 ou CAT < 10	mMRC ≥ 2 ou CAT ≥ 10
≥ 2 exacerbações moderadas ou ≥ 1 exacerbação com necessidade de hospitalização	**Grupo C** Anticolinérgico de longa duração	**Grupo D** Anticolinérgico de longa duração ou Agonista β$_2$ + anticolinérgico de longa duração* ou Corticoide inalado + agonista β$_2$ de longa duração†
0 ou 1 exacerbação moderada (sem necessidade de hospitalização)	**Grupo A** Broncodilatador de curta ou longa duração (agonista β$_2$ ou anticolinérgico)	**Grupo B** Agonista β$_2$ ou anticolinérgico de longa duração

*Considerar em caso de sintomas intensos (CAT ≥ 10).
†Considerar se eosinofilia ≥ 300.
CAT, COPD Assessment Test (teste de avaliação da DPOC); mMRC, escala modificada do Medical Research Council.
Fonte: Adaptada de Singh e colaboradores.[21]

contra pneumococo, adicional ou não à vacinação contra *influenza*, reduz a incidência de exacerbações (NNT = 5-58 para redução de exacerbações) **B**[44] e talvez hospitalizações por pneumonia **C/D**.[45]

Os antibióticos são recomendados apenas para o tratamento de exacerbações infecciosas bacterianas agudas e outras infecções bacterianas (ver conduta na exacerbação).

Os agentes mucocinéticos (mucolíticos, mucorreguladores) têm o benefício teórico de reduzir a viscosidade da expectoração e sua adesividade na via aérea, favorecendo sua eliminação **B**.[46] São representados por ambroxol, carbocisteína e glicerol iodado e aumentam períodos livres de exacerbações (NNT = 7-10) com diminuição de internações hospitalares (NNT = 13-58). Diminuem, em média, 0,43 dia de incapacidade/mês **B**.[47] Os mucolíticos não devem ser rotineiramente utilizados, embora possam ser utilizados em pacientes com tosse e expectoração crônica, sendo mantidos, caso haja melhora sintomática (p. ex., redução na frequência de tosse e produção de catarro).[19]

Tratamento não farmacológico

O tratamento não farmacológico da DPOC estável inclui reabilitação pulmonar, oxigenoterapia, VNI e intervenções cirúrgicas.

Reabilitação pulmonar

O programa de reabilitação pulmonar constitui uma estratégia multidisciplinar, visando promover um atendimento global, especialmente indicado para pacientes sintomáticos com doença moderada a grave. É efetivo e tem impacto positivo na melhora da qualidade de vida e da capacidade funcional em pacientes com DPOC (tamanho de efeito [TE] = 0,79 para dispneia, 0,68 para fadiga) **B**;[48] portanto, é recomendado em pacientes com DPOC. Deve incluir recursos para ensinar e supervisionar técnicas de terapia respiratória, uso de oxigênio, inaladores e nebulizadores, fisioterapia (incluindo fisioterapia respiratória e drenagem postural), exercício físico (extremidades superiores e inferiores) e atividades da vida diária (como técnicas de simplificação de trabalho e de conservação de energia). Também são recomendáveis avaliação e aconselhamento nutricional e psicológico. O exercício físico aeróbico é o ponto central de um programa de reabilitação pulmonar.

> **Todos os pacientes com DPOC se beneficiam de programas de exercícios físicos, melhorando a tolerância aos exercícios, a dispneia e a fadiga.**

O conceito de reabilitação pulmonar domiciliar está ganhando cada vez mais espaço com a expansão da Estratégia Saúde da Família (ESF) em todo o País, bem como as equipes multidisciplinares do Núcleo de Apoio à Saúde da Família (NASF). A vantagem dessa intervenção é que ela requer pouco investimento, além de ampliar o acesso a pacientes com dificuldades de locomoção, o que é frequente nos portadores de doença mais avançada. Por outro lado, potenciais desvantagens são a limitação do grau de assistência, a necessidade de visitas domiciliares pela equipe multiprofissional e a necessidade de transporte de alguns equipamentos (halteres, máscaras, oxímetros).

O acompanhamento desse indivíduo pode ser feito pela equipe de saúde da família em conjunto com profissionais da equipe multidisciplinar, como os do NASF, e a periodicidade varia de acordo com o caso, podendo ser semanal a mensal. Além disso, esse acompanhamento pode potencializar a educação em saúde e oferecer um suporte aos cuidadores, otimizando os recursos disponíveis no domicílio.

O recondicionamento físico é o ponto principal do programa de reabilitação pulmonar domiciliar e tem como base os exercícios que melhoram a resistência e a força da musculatura que será treinada. Os pacientes devem exercitar-se em uma intensidade de carga que não cause piora intensa da falta de ar. O tempo de duração dos exercícios deve ser gradualmente aumentado. A frequência dos exercícios é determinada a partir do condicionamento físico presenciado na avaliação inicial de cada paciente. Os pacientes devem exercitar-se 3 a 5 ×/semana. Entre os exercícios que podem ser realizados, destacam-se os de erguer os braços e as pernas, caminhar, subir degraus e, até mesmo, o uso de bicicletas estacionárias ou esteiras ergométricas. A carga de exercício pode ser ajustada ou controlada por meio de escalas de sintomas, como a escala de dispneia, de modo que fiquem fixadas próximo ao paciente para titular e estabilizar a carga a ser usada durante o treinamento.

Oxigenoterapia

A oxigenoterapia domiciliar prolongada (ODP), com administração de oxigênio durante, no mínimo, 15 horas/dia, para pacientes com insuficiência respiratória crônica, como já salientado, prolonga a sobrevida dos pacientes com DPOC **B**.[15,16] Além disso, o uso de oxigênio contínuo, comparado apenas ao seu uso noturno, possui impacto ainda maior em termos de redução de mortalidade (RRR = 43%; NNT = 6 em 2 anos) **B**.[16]

A indicação de ODP baseia-se em dados gasométricos e clínicos. A medida da saturação arterial de oxigênio por oximetria de pulso (SpO_2) é indicativa da hipoxemia, porém não é válida quando utilizada isoladamente. A gasometria arterial em ar ambiente é indispensável para indicação e prescrição de ODP e deve ser realizada sempre durante a fase estável.

As indicações clássicas de ODP são:
→ pressão parcial de oxigênio no sangue arterial (PaO_2) ≤ 55 mmHg ou saturação ≤ 88% em repouso;
→ PaO_2 entre 56 e 59 mmHg com evidências clínicas de *cor pulmonale* ou policitemia (hematócrito ≥ 55%).

A prescrição do fluxo ideal de oxigênio deve ser realizada por titulação individual, usando-se o oxímetro de pulso e adequando-se o fluxo de oxigênio até obter uma SpO_2 ≥ 90% (idealmente, 90-92%). Recomenda-se que, à prescrição de oxigênio durante o dia em repouso, adicione-se 1 litro a mais para uso noturno.

O oxigênio pode ser fornecido por máscara facial, que permite titular a fração inspiratória de 24 a 35%, sendo essa titulação especialmente útil para pacientes com propensão à retenção de CO_2. Também pode ser administrado por cânula nasal que não impede a alimentação VO nem a conversação, sendo preferida pela maioria dos pacientes. As fontes de oxigênio incluem três tipos de sistema: gás comprimido, oxigênio líquido e concentradores de oxigênio.

O manejo de pacientes que necessitam de ODP requer uma capacitação minuciosa do próprio paciente e/ou da pessoa que vai gerenciar a oxigenoterapia, principalmente nos pacientes com hipercapnia, acerca dos benefícios e riscos do emprego do oxigênio. Esse manejo está resumido na **FIGURA 45.3**.

Ventilação não invasiva

Embora estudos preliminares indiquem que a combinação de suporte de VNI com ODP melhora alguns desfechos, não há evidência suficiente para recomendar o uso rotineiro dessa combinação. Entretanto, comparada com ODP isolada, a adição de VNI pode reduzir a retenção de CO_2 e melhorar a dispneia em alguns pacientes. Dessa forma, a combinação de VNI e ODP pode ser considerada em pacientes selecionados com indicação de uso de ODP e com hipercapnia diurna **B**.

Tratamento cirúrgico

Os tratamentos cirúrgicos são representados pela bulectomia, pelo transplante de pulmão e pela cirurgia de redução do volume pulmonar (CRVP), devendo ser considerados em pacientes cuidadosamente selecionados.

A bulectomia é um procedimento cirúrgico antigo indicado para remoção de grandes bolhas enfisematosas que comprimem o parênquima adjacente. Capacidade difusiva pulmonar normal ou pouco alterada, ausência de hipoxemia significativa e demonstração de redução regional da perfusão sanguínea com boa perfusão no restante do parênquima são indicações de benefício com essa cirurgia.

A CRVP é um procedimento de ressecção de regiões enfisematosas do tecido pulmonar, visando melhorar a mecânica ventilatória dos músculos respiratórios e aumentar a capacidade de recolhimento elástico do parênquima remanescente, melhorando os fluxos expiratórios. Apesar de aumentar a mortalidade nos primeiros meses (NNT = 8-36), diminui a mortalidade, considerando um período ≥ 3 anos de acompanhamento (NNT = 7-79), e aumenta a qualidade de vida, especialmente em pacientes com enfisema dos lobos superiores e melhor capacidade física pré-cirúrgica. É indicada para pacientes com predomínio de enfisema em lobos superiores e baixa capacidade funcional (< 40 watts em teste de exercício incremental).[49]

O transplante pulmonar demonstrou ser capaz de melhorar a qualidade de vida e a capacidade funcional em pacientes selecionados, embora ainda existam dúvidas quanto à sobrevida dos pacientes após 2 anos. Os critérios para referenciar para transplante pulmonar são VEF_1 < 35% do previsto, PaO_2 < 55 a 60 mmHg, pressão parcial arterial de dióxido de carbono ($PaCO_2$) > 50 mmHg e hipertensão pulmonar secundária.[19]

Manejo das exacerbações da DPOC

A DPOC apresenta períodos de exacerbação da doença, caracterizados como eventos agudos de intensificação da dispneia basal, tosse e/ou expectoração além da variação habitual do dia a dia, normalmente requerendo mudanças no tratamento regular do paciente. As principais causas de exacerbação da DPOC são infecção respiratória viral ou bacteriana ou aumento na poluição do ar. Entretanto, em cerca de um terço das vezes, não é possível identificar a causa. A exacerbação é responsável por grande parte da morbidade e custos diretos relacionados com a DPOC. Exacerbações frequentes (em especial aquelas que levam ao setor de emergência, à internação hospitalar ou à unidade de terapia intensiva [UTI]) reduzem a atividade física, aceleram o declínio da função pulmonar e aumentam a mortalidade. O tratamento imediato da exacerbação é mandatório, apesar de não reduzir o risco de uma próxima exacerbação.

> **O reconhecimento de uma exacerbação deve ser considerado um evento-sentinela, sinalizando a necessidade de iniciar ou aperfeiçoar o tratamento de manutenção da doença e buscando redução de morbidade, incapacidade e, provavelmente, mortalidade.**

Os seguintes exames são úteis para avaliar a gravidade de uma exacerbação de DPOC:

→ **radiografias de tórax (frontal e perfil):** identificam complicações, como pneumonia e pneumotórax, sem encarecer significativamente o procedimento;

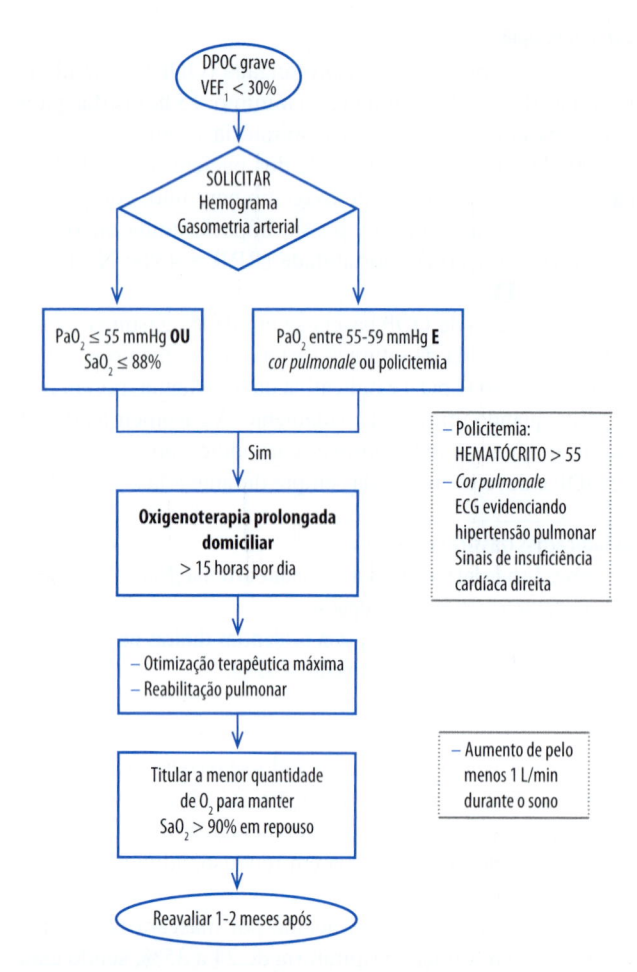

FIGURA 45.3 → Fluxograma de manejo de oxigenoterapia domiciliar.
DPOC, doença pulmonar obstrutiva crônica; ECG, eletrocardiograma; PaO_2, pressão parcial de oxigênio no sangue arterial; SaO_2, saturação de oxigênio no sangue arterial; VEF_1, volume expiratório forçado no primeiro segundo.

→ **gasometria arterial:** em geral, é realizada na internação hospitalar. Quando apresenta PaO$_2$ < 60 mmHg e/ou saturação de oxigênio no sangue arterial (SaO$_2$) < 90% em ar ambiente, indica insuficiência respiratória. PaO$_2$ < 50 mmHg, PaCO$_2$ > 70 mmHg e pH < 7,30 alertam para um episódio de ameaça à vida, havendo necessidade de monitorização constante ou de tratamento em UTI. A comparação com resultados anteriores é fundamental para a interpretação adequada dos resultados da gasometria;

→ **eletrocardiograma (ECG):** ajuda no diagnóstico de hipertrofia ventricular direita, arritmias e episódios isquêmicos miocárdicos;

→ **outros testes laboratoriais:** testes bioquímicos são importantes para detectar distúrbios eletrolíticos, diabetes e nutrição precária, entre outros dados. A cultura do escarro e o antibiograma podem identificar a infecção bacteriana e a falta de resposta ao tratamento antibiótico prévio, porém não devem retardar o início de antibioticoterapia empírica, uma vez que os critérios clínicos e a exclusão de outros fatores desencadeantes de exacerbação apontem para a presença de uma exacerbação infecciosa bacteriana. Testes de função pulmonar podem ser de difícil realização em pacientes gravemente doentes, mas um pico de fluxo expiratório (PFE) < 100 L/min ou VEF$_1$ < 1 L indica uma exacerbação grave.

Tratamento ambulatorial da exacerbação

O tratamento ambulatorial é apropriado para pacientes com DPOC leve a moderada, pouca ou nenhuma comorbidade e estabilidade hemodinâmica, sem desconforto ventilatório ou alterações na gasometria arterial.

As seguintes intervenções são recomendadas:[19]

→ **broncodilatadores:** broncodilatadores agonistas β$_2$ e anticolinérgicos são efetivos na melhora sintomática em pacientes com exacerbação **C/D**.[50] Deve-se aumentar a dose e/ou a frequência da terapia broncodilatadora existente. Se ainda não forem usados, acrescentar anticolinérgicos antes que os sintomas progridam;

→ **corticoides:** corticoides sistêmicos são efetivos no manejo agudo, promovendo melhora sintomática e aumento da capacidade funcional **A**. Deve-se acrescentar, ao regime broncodilatador, um corticoide VO (prednisona ou prednisolona, 40 mg/dia) durante 5 a 7 dias;

→ **antibióticos:** o uso de antibiótico em exacerbações de DPOC na presença de aumento de tosse ou do volume do escarro e catarro purulento promove importante melhora clínica **B**[51] e reduz a mortalidade **C/D**.[52] A infecção respiratória é a principal causa de exacerbação da bronquite crônica, quando outras causas de exacerbação tiverem sido afastadas. Sua origem, contudo, pode ser viral, principalmente quando o escarro é mucoide e, nesses casos, os antibióticos não estão recomendados. Alguns autores sugerem que o aspecto purulento do escarro já é indicativo de infecção bacteriana,[53] sendo que, em geral, *Haemophilus influenzae* é a bactéria responsável, seguida pelo pneumococo. Os germes gram-negativos, sobretudo as pseudomonas, deveriam ser considerados nos pacientes mais graves, com produção crônica de escarro e nos quais a presença de bronquiectasias deve ser investigada. A cobertura antibiótica, quando indicada, deve prever a cobertura dos agentes etiológicos mais frequentes, levando em consideração as características do paciente e o risco de infecção por *Pseudomonas*. Dessa forma, foi proposta uma classificação para uso de antibióticos, estratificando os pacientes em três grupos, e um algoritmo para seleção do uso de antibiótico **(FIGURA 45.4)**.

Hospitalização

Os pacientes com as características listadas na **TABELA 45.8** devem ser hospitalizados. A principal medida quando o paciente chega ao setor de emergência é fornecer terapia suplementar com oxigênio e avaliar se a exacerbação envolve risco à vida.

São indicações para admissão imediata em UTI: dispneia grave com resposta inadequada ao manejo do setor de emergência; alteração no estado mental (confusão, letargia, coma); hipoxemia persistente ou em deterioração (PaO$_2$ < 40 mmHg); hipercapnia (PaCO$_2$ > 60 mmHg) e/ou acidose

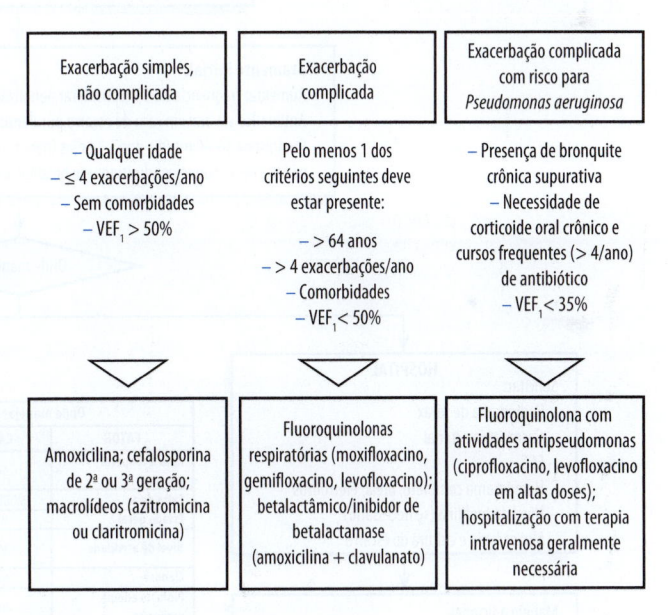

Exacerbação simples, não complicada	Exacerbação complicada	Exacerbação complicada com risco para *Pseudomonas aeruginosa*
– Qualquer idade – ≤ 4 exacerbações/ano – Sem comorbidades – VEF$_1$ > 50%	Pelo menos 1 dos critérios seguintes deve estar presente: – > 64 anos – > 4 exacerbações/ano – Comorbidades – VEF$_1$ < 50%	– Presença de bronquite crônica supurativa – Necessidade de corticoide oral crônico e cursos frequentes (> 4/ano) de antibiótico – VEF$_1$ < 35%
Amoxicilina; cefalosporina de 2ª ou 3ª geração; macrolídeos (azitromicina ou claritromicina)	Fluoroquinolonas respiratórias (moxifloxacino, gemifloxacino, levofloxacino); betalactâmico/inibidor de betalactamase (amoxicilina + clavulanato)	Fluoroquinolona com atividades antipseudomonas (ciprofloxacino, levofloxacino em altas doses); hospitalização com terapia intravenosa geralmente necessária

FIGURA 45.4 → Sugestão de escolha antibiótica na exacerbação infecciosa bacteriana da doença pulmonar obstrutiva crônica (DPOC).
VEF$_1$, volume expiratório forçado no primeiro segundo.
Fonte: Anzueto.[61]

TABELA 45.8 → Indicações para admissão hospitalar nas exacerbações

→ Aumento considerável na intensidade dos sintomas, como manifestação repentina de dispneia ao repouso
→ Doença pulmonar obstrutiva crônica grave de base
→ Surgimento de novos sinais físicos (p. ex., cianose, edema periférico)
→ Ausência de resposta da exacerbação ao tratamento médico inicial
→ Exacerbações frequentes
→ Comorbidades significativas
→ Arritmias de ocorrência recente
→ Incerteza do diagnóstico
→ Idade mais avançada
→ Apoio domiciliar insuficiente

respiratória grave (pH < 7,25) apesar de oxigênio suplementar ou VNI; necessidade de ventilação mecânica invasiva; e instabilidade hemodinâmica.

A **FIGURA 45.5** apresenta um fluxograma que resume o manejo da exacerbação da DPOC e orienta os critérios para internação.[54]

COMORBIDADES

As comorbidades extrapulmonares podem ter um profundo impacto na morbidade e na mortalidade da DPOC, destacando-se doenças cardiovasculares, disfunções musculoesqueléticas, síndrome metabólica e diabetes, osteoporose, câncer de pulmão, depressão e ansiedade, refluxo gastresofágico, bronquiectasias e apneia obstrutiva do sono. A maioria dos pacientes com DPOC tem pelo menos uma comorbidade importante. Muitas vezes, a DPOC contribui para o aparecimento dessas comorbidades, como descrito no tópico Anamnese. A prevalência das comorbidades individuais é listada na **TABELA 45.9**.[55]

Doenças cardiovasculares e disfunções musculoesqueléticas estão entre as comorbidades mais importantes a serem identificadas e manejadas, visto que as intervenções sobre essas condições são muito efetivas (como uso de ácido acetilsalicílico, estatinas, bifosfonados e programas de exercício). Além disso, considerando a sintomatologia em comum, representa um importante dilema quantificar e diferenciar os sintomas da DPOC das doenças cardiovasculares. Investigações apropriadas nesse contexto são importantes para otimizar o manejo do paciente.

Exacerbações de DPOC podem estar associadas a:
- Piora da dispneia
- Purulência no escarro
- Aumento no volume ou mudança na coloração do escarro
- Aumento na tosse

Tratamento inicial:
- Aumentar frequência do BD (considerar nebulizador com O_2)
- Antibiótico via oral em caso de escarro purulento (e outros sinais de infecção)
- Prednisona 30-40 mg/dia por 7-14 dias (para todos os pacientes com significativo aumento na falta de ar e aqueles admitidos em hospital, exceto se houver contraindicação)

Onde manejar?

HOSPITAL
Solicitar:
- Radiografia de tórax
- Gasometria arterial
- ECG
- Hemograma completo, ureia, eletrólitos
- Nível de teofilina (se necessário)
- Microscopia e cultura do escarro

Manejo adicional:
- O_2 (manter SaO_2 > 90%)
- Considerar ventilação não invasiva (máscara, cateter)
- Considerar intubação
- Considerar teofilina ou corticoide parenteral em caso de pobre resposta aos BDs

Considerar *home care* (assistência domiciliar)

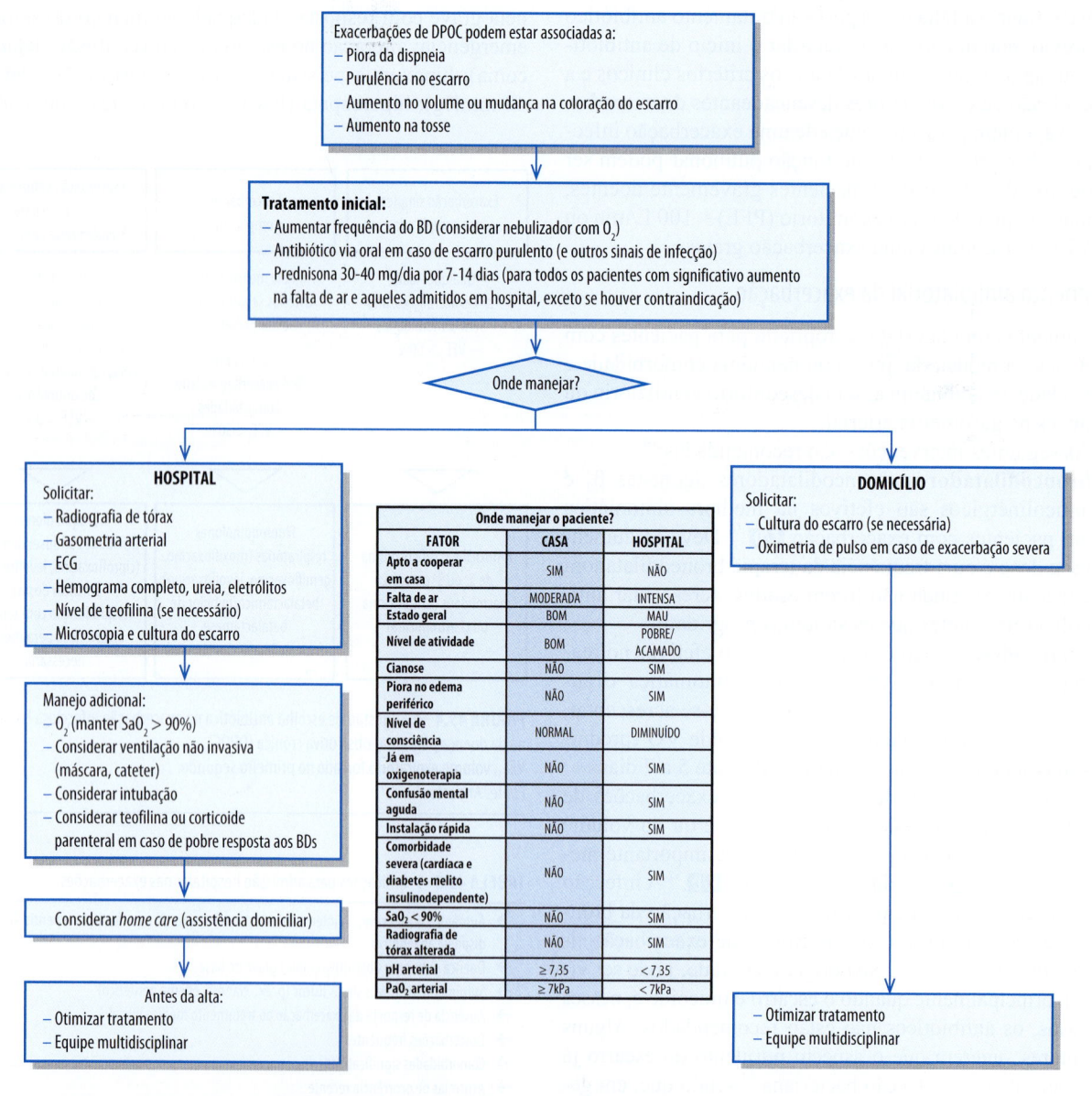

Antes da alta:
- Otimizar tratamento
- Equipe multidisciplinar

DOMICÍLIO
Solicitar:
- Cultura do escarro (se necessária)
- Oximetria de pulso em caso de exacerbação severa

- Otimizar tratamento
- Equipe multidisciplinar

Onde manejar o paciente?		
FATOR	CASA	HOSPITAL
Apto a cooperar em casa	SIM	NÃO
Falta de ar	MODERADA	INTENSA
Estado geral	BOM	MAU
Nível de atividade	BOM	POBRE/ACAMADO
Cianose	NÃO	SIM
Piora no edema periférico	NÃO	SIM
Nível de consciência	NORMAL	DIMINUÍDO
Já em oxigenoterapia	NÃO	SIM
Confusão mental aguda	NÃO	SIM
Instalação rápida	NÃO	SIM
Comorbidade severa (cardíaca e diabetes melito insulinodependente)	NÃO	SIM
SaO_2 < 90%	NÃO	SIM
Radiografia de tórax alterada	NÃO	SIM
pH arterial	≥ 7,35	< 7,35
PaO_2 arterial	≥ 7kPa	< 7kPa

FIGURA 45.5 → Fluxograma de manejo da exacerbação da doença pulmonar obstrutiva crônica (DPOC).
BD, broncodilatador; ECG, eletrocardiograma; PaO_2, pressão parcial de oxigênio no sangue arterial; SaO_2, saturação de oxigênio no sangue arterial.
Fonte: Adaptada de National Collaborating Centre for Chronic Conditions.[54]

TABELA 45.9 → Prevalência de comorbidades em pacientes com doença pulmonar obstrutiva crônica (DPOC)

COMORBIDADE	PREVALÊNCIA EM DPOC (%)
Osteoporose/osteopenia	50-70
Hipertensão arterial sistêmica	40-60
Doença do refluxo gastresofágico	30-60
Disfunção muscular esquelética	32
Depressão	25
Doença cardíaca isquêmica	10-23
Infarto do miocárdio prévio	4-23
Anemia	17
Diabetes	12-13
Acidente vascular cerebral prévio	10-14
Arritmia	6-14
Insuficiência renal crônica	6-11
Insuficiência cardíaca congestiva	5-7
Apneia obstrutiva do sono	1-4

Fonte: Adaptada de Patel.[55]

A atual terapia médica das doenças cardiovasculares tem sido muito efetiva na profilaxia primária e secundária de eventos e redução de mortalidade (em contrapartida à DPOC). No entanto, o uso de estatinas em pacientes com DPOC não reduz exacerbações ou a mortalidade específica e geral.[56] Da mesma forma, o uso de metoprolol em pacientes com DPOC apresentando limitação moderada a grave ao fluxo aéreo (VEF_1 < 50% do previsto) e alto risco de exacerbação resultou em aumento da taxa de exacerbações graves.[57]

Embora mais estudos clínicos randomizados sejam necessários para explorar esse tópico, quando uma indicação primária cardiovascular existir para esses remédios, em geral, recomendam-se estatinas e betabloqueadores.[55]

Do ponto de vista farmacológico, o antagonismo dos receptores $β_2$-adrenérgicos causa potencial temor de indução de broncoconstrição, especialmente em pacientes com doença das vias aéreas. O uso por 3 a 28 dias de betabloqueadores cardiosseletivos em pacientes com DPOC ou asma não causa alteração significativa no VEF_1, sintomas ou uso de medicamento de resgate. A maior preocupação dos estudos incluídos nessa revisão é a limitação de tempo estudado (máximo de 28 dias), exclusão de pacientes com exacerbação recente ou considerados de alto risco e, em geral, inclusão de pacientes mais jovens. Dessa forma, algumas precauções devem ser tomadas quanto ao uso de betabloqueadores, mesmo cardiosseletivos, em pacientes com DPOC ou asma:[58]

→ a doença respiratória deve ser leve a moderada e estar bem controlada, e o paciente deve estar usando terapia medicamentosa;
→ na história do paciente, deve haver ausência de predisposição sugestiva de exacerbações graves;
→ a medida do PFE deve ser idealmente > 80% do melhor já obtido, e a variabilidade diurna, < 30%;
→ embora falte evidência na literatura, recomenda-se a suspensão desses agentes durante exacerbações maiores com necessidade de admissão hospitalar. Adicionalmente, nesses pacientes e naqueles com exacerbações frequentes, os betabloqueadores devem ser usados com extrema cautela ou nem ser utilizados;
→ os betabloqueadores devem ser usados na menor dose considerada eficaz e titulados lentamente com especial atenção ao PFE e aos sintomas.

Na DPOC estável, depressão e ansiedade têm prevalências de 10 a 42% e 10 a 19%, respectivamente, com maiores taxas observadas após episódios de exacerbação aguda da doença. Essas condições com frequência não são tratadas, e isso pode comprometer a adesão ao tratamento específico da DPOC, levando ao aumento nas consultas no nível primário e no número e na duração das internações hospitalares.[59]

ENCAMINHAMENTO PARA ESPECIALISTA

O encaminhamento para avaliação do pneumologista pode ser feito em qualquer estágio da doença. As sugestões de quando referenciar são:[60]

→ incerteza diagnóstica e exclusão de asma;
→ sintomas infrequentes, como hemoptise;
→ rápido declínio do VEF_1;
→ suspeita de DPOC muito grave (VEF_1 < 30% do previsto);
→ suspeita de *cor pulmonale*;
→ avaliação de necessidade de oxigenoterapia domiciliar prolongada;
→ avaliação de necessidade de reabilitação pulmonar;
→ DPOC em indivíduos com idade < 40 anos principalmente se não fumantes (com avaliação da possibilidade de deficiência de $α_1$-antitripsina);
→ avaliação de necessidade de tratamento cirúrgico;
→ infecções respiratórias bacterianas recorrentes (com avaliação da coexistência de bronquiectasias).

A maioria dos pacientes pode ser adequadamente manejada na APS. O acompanhamento concomitante por pneumologista deve ser considerado nas seguintes situações:

→ exacerbações frequentes;
→ pacientes em uso de ODP;
→ pacientes referenciados para transplante pulmonar ou cirurgia redutora de volume pulmonar;
→ pacientes aguardando confirmação diagnóstica de outra condição além da DPOC.

A frequência do acompanhamento do paciente com DPOC depende da gravidade e da estabilidade dos sintomas. Deve-se considerar alta do pneumologista assim que os sintomas estabilizarem.[60]

REFERÊNCIAS

1. Forum of International Respiratory Societies, European Respiratory Society. The global impact of respiratory disease – Second Edition. Sheffield: European Respiratory Society; 2017 [capturado em 17 ago. 2020]. Disponível em: https://www.who.int/gard/publications/The_Global_Impact_of_Respiratory_Disease.pdf.

2. GBD 2017 Mortality Collaborators. Global, regional, and national age-sex-specific mortality and life expectancy, 1950-2017: a systematic analysis for the Global Burden of Disease Study 2017. Lancet. 2018;392(10159):1684–735.

3. Varmaghani M, Dehghani M, Heidari E, Sharifi F, Moghaddam SS, Farzadfar F. Global prevalence of chronic obstructive pulmonary disease: systematic review and meta-analysis. East Mediterr Health J. 2019;25(1):47–57.

4. Menezes AMB, Perez-Padilla R, Jardim JRB, Muiño A, Lopez MV, Valdivia G, et al. Chronic obstructive pulmonary disease in five Latin American cities (the PLATINO study): a prevalence study. Lancet. 2005;366(9500):1875–81.

5. Brasil. Ministério da Saúde. DATASUS. Informações de saúde: indicadores de mortalidade [texto na Internet]. Brasília (DF): Ministério da Saúde [Internet]. [capturado em 17 ago. 2020]. Disponível em: http://tabnet.datasus.gov.br/cgi/tabcgi.exe?sim/cnv/obt10uf.def.

6. Sobradillo V, Miravitlles M, Jiménez CA, Gabriel R, Viejo JL, Masa JF, et al. [Epidemiological study of chronic obstructive pulmonary disease in Spain (IBERPOC): prevalence of chronic respiratory symptoms and airflow limitation]. Arch Bronconeumol. 1999;35(4):159–66.

7. Layden JE, Ghinai I, Pray I, Kimball A, Layer M, Tenforde MW, et al. Pulmonary Illness Related to E-Cigarette Use in Illinois and Wisconsin – Final Report. N Engl J Med. 2020;382(10):903–16.

8. Bigna JJ, Kenne AM, Asangbeh SL, Sibetcheu AT. Prevalence of chronic obstructive pulmonary disease in the global population with HIV: a systematic review and meta-analysis. Lancet Glob Health. 2018;6(2):e193–202.

9. Anthonisen NR, Connett JE, Murray RP. Smoking and lung function of Lung Health Study participants after 11 years. Am J Respir Crit Care Med. 2002;166(5):675–9.

10. National Clinical Guideline Centre (UK). Chronic Obstructive Pulmonary Disease: Management of Chronic Obstructive Pulmonary Disease in Adults in Primary and Secondary Care [Internet]. London: Royal College of Physicians; 2010 [capturado em 19 mar. 2020]. (National Institute for Health and Clinical Excellence: Guidance). Disponível em: http://www.ncbi.nlm.nih.gov/books/NBK65039/.

11. GOLD. Global Strategy for the Diagnosis, Management, and Prevention of Chronic Obstructive Pulmonary Disease [Internet]. 2019 [capturado em 27 jul. 2020]. Disponível em: https://goldcopd.org/wp-content/uploads/2019/12/GOLD-2020-FINAL-ver1.2-03Dec19_WMV.pdf.

12. Silva GPF da, Morano MTAP, Viana CMS, Magalhaes CB de A, Pereira EDB, Silva GPF da, et al. Validacao do teste de avaliacao da DPOC em portugues para uso no Brasil. J Bras Pneumol. 2013;39(4):402–8.

13. Vogelmeier CF, Criner GJ, Martinez FJ, Anzueto A, Barnes PJ, Bourbeau J, et al. Global Strategy for the Diagnosis, Management, and Prevention of Chronic Obstructive Lung Disease 2017 Report. GOLD Executive Summary. Am J Respir Crit Care Med. 2017;195(5):557–82.

14. Anthonisen NR, Skeans MA, Wise RA, Manfreda J, Kanner RE, Connett JE, et al. The effects of a smoking cessation intervention on 14.5-year mortality: a randomized clinical trial. Ann Intern Med. 2005;142(4):233–9.

15. Hoogendoorn M, Feenstra TL, Hoogenveen RT, Rutten-van Mölken MPMH. Long-term effectiveness and cost-effectiveness of smoking cessation interventions in patients with COPD. Thorax. 2010;65(8):711–8.

16. Cranston JM, Crockett AJ, Moss JR, Alpers JH. Domiciliary oxygen for chronic obstructive pulmonary disease. Cochrane Database Syst Rev. 2005;(4):CD001744.

17. Oba Y. Cost-effectiveness of long-term oxygen therapy for chronic obstructive disease. Am J Manag Care. 2009;15(2):97–104.

18. Osadnik CR, Tee VS, Carson-Chahhoud KV, Picot J, Wedzicha JA, Smith BJ. Non-invasive ventilation for the management of acute hypercapnic respiratory failure due to exacerbation of chronic obstructive pulmonary disease. Cochrane Database Syst Rev. 2017;7:CD004104.

19. Global Initiative for Chronic Obstructive Lung Disease. Global strategy for the diagnosis, management, and prevention of chronic obstructive pulmonary disease – 2019 Report. [Internet]. [Fontana]: GOLD; 2019 [capturado em 17 ago. 2020]. Disponível em: https://goldcopd.org/wp-content/uploads/2018/11/GOLD-2019-v1.7-FINAL-14Nov2018-WMS.pdf

20. Hurst JR, Vestbo J, Anzueto A, Locantore N, Müllerova H, Tal-Singer R, et al. Susceptibility to exacerbation in chronic obstructive pulmonary disease. N Engl J Med. 2010;363(12):1128–38.

21. Singh D, Agusti A, Anzueto A, Barnes PJ, Bourbeau J, Celli BR, et al. Global Strategy for the Diagnosis, Management, and Prevention of Chronic Obstructive Lung Disease: the GOLD science committee report 2019. Eur Respir J. 2019;53(5): 1900164.

22. Appleton S, Poole P, Smith B, Veale A, Lasserson TJ, Chan MM. Long-acting beta2-agonists for poorly reversible chronic obstructive pulmonary disease. Cochrane Database Syst Rev. 2006;(3):CD001104.

23. Kew KM, Mavergames C, Walters JAE. Long-acting beta2-agonists for chronic obstructive pulmonary disease. Cochrane Database Syst Rev. 2013;(10):CD010177.

24. Ferguson GT, Funck-Brentano C, Fischer T, Darken P, Reisner C. Cardiovascular safety of salmeterol in COPD. Chest. 2003;123(6):1817–24.

25. Xia N, Wang H, Nie X. Inhaled long-acting β2-agonists do not increase fatal cardiovascular adverse events in COPD: a meta-analysis. PloS One. 2015;10(9):e0137904.

26. Dahl R, Greefhorst LA, Nowak D, Nonikov V, Byrne AM, Thomson MH, et al. Inhaled formoterol dry powder versus ipratropium bromide in chronic obstructive pulmonary disease. Am J Respir Crit Care Med. 2001;164(5):778–84.

27. Wadbo M, Löfdahl CG, Larsson K, Skoogh BE, Tornling G, Arweström E, et al. Effects of formoterol and ipratropium bromide in COPD: a 3-month placebo-controlled study. Eur Respir J. 2002;20(5):1138–46.

28. Liesker JJW, Wijkstra PJ, Ten Hacken NHT, Koëter GH, Postma DS, Kerstjens HAM. A systematic review of the effects of bronchodilators on exercise capacity in patients with COPD. Chest. 2002;121(2):597–608.

29. Karner C, Chong J, Poole P. Tiotropium versus placebo for chronic obstructive pulmonary disease. Cochrane Database Syst Rev. 2014;(7):CD009285.

30. Suissa S, Dell'Aniello S, Ernst P. Long-acting bronchodilator initiation in COPD and the risk of adverse cardiopulmonary events: a population-based comparative safety study. Chest. 2017;151(1):60–7.

31. Ram FS, Jones PW, Castro AA, De Brito JA, Atallah AN, Lacasse Y, et al. Oral theophylline for chronic obstructive pulmonary disease. Cochrane Database Syst Rev. 2002;(4):CD003902.

32. Geake JB, Dabscheck EJ, Wood-Baker R, Cates CJ. Indacaterol, a once-daily beta2-agonist, versus twice-daily beta₂-agonists or placebo for chronic obstructive pulmonary disease. Cochrane Database Syst Rev. 2015;(1):CD010139.

33. Appleton S, Jones T, Poole P, Pilotto L, Adams R, Lasserson TJ, et al. Ipratropium bromide versus short acting beta-2 agonists for stable chronic obstructive pulmonary disease. Cochrane Database Syst Rev. 2006;(2):CD001387.

34. Maqsood U, Ho TN, Palmer K, Eccles FJ, Munavvar M, Wang R, et al. Once daily long-acting beta2-agonists and long-acting muscarinic antagonists in a combined inhaler versus placebo for chronic obstructive pulmonary disease. Cochrane Database Syst Rev. 2019;(3):CD012930.

35. Wedzicha JA, Banerji D, Chapman KR, Vestbo J, Roche N, Ayers RT, et al. Indacaterol-Glycopyrronium versus Salmeterol-Fluticasone for COPD. N Engl J Med. 2016;374(23):2222–34.

36. Oba Y, Keeney E, Ghatehorde N, Dias S. Dual combination therapy versus long-acting bronchodilators alone for chronic obstructive

pulmonary disease (COPD): a systematic review and network meta-analysis. Cochrane Database Syst Rev. 2018;12(12):CD012620.
37. Wedzicha JA, Decramer M, Ficker JH, Niewoehner DE, Sandström T, Taylor AF, et al. Analysis of chronic obstructive pulmonary disease exacerbations with the dual bronchodilator QVA149 compared with glycopyrronium and tiotropium (SPARK): a randomised, double-blind, parallel-group study. Lancet Respir Med. 2013;1(3):199–209.
38. Calverley PMA, Anzueto AR, Carter K, Grönke L, Hallmann C, Jenkins C, et al. Tiotropium and olodaterol in the prevention of chronic obstructive pulmonary disease exacerbations (DYNAGITO): a double-blind, randomised, parallel-group, active-controlled trial. Lancet Respir Med. 2018;6(5):337–44.
39. Yang IA, Clarke MS, Sim EHA, Fong KM. Inhaled corticosteroids for stable chronic obstructive pulmonary disease. Cochrane Database Syst Rev. 2012;(7):CD002991.
40. Agarwal R, Aggarwal AN, Gupta D, Jindal SK. Inhaled corticosteroids vs placebo for preventing COPD exacerbations: a systematic review and metaregression of randomized controlled trials. Chest. 2010;137(2):318–25.
41. Lipson DA, Barnhart F, Brealey N, Brooks J, Criner GJ, Day NC, et al. Once-Daily Single-Inhaler Triple versus Dual Therapy in Patients with COPD. N Engl J Med. 2018;378(18):1671–80.
42. Papi A, Vestbo J, Fabbri L, Corradi M, Prunier H, Cohuet G, et al. Extrafine inhaled triple therapy versus dual bronchodilator therapy in chronic obstructive pulmonary disease (TRIBUTE): a double-blind, parallel group, randomised controlled trial. Lancet. 2018;391(10125):1076–84.
43. Kopsaftis Z, Wood-Baker R, Poole P. Influenza vaccine for chronic obstructive pulmonary disease (COPD). Cochrane Database Syst Rev. 2018;6(6):CD002733.
44. Walters JA, Tang JNQ, Poole P, Wood-Baker R. Pneumococcal vaccines for preventing pneumonia in chronic obstructive pulmonary disease. Cochrane Database Syst Rev. 2017;1(1):CD001390.
45. Schembri S, Morant S, Winter JH, MacDonald TM. Influenza but not pneumococcal vaccination protects against all-cause mortality in patients with COPD. Thorax. 2009;64(7):567–72.
46. Poole P, Sathananthan K, Fortescue R. Mucolytic agents versus placebo for chronic bronchitis or chronic obstructive pulmonary disease. Cochrane Database Syst Rev. 2019;5(5):CD001287.
47. Byrne A. For people with chronic bronchitis or chronic obstructive pulmonary disease, how do mucolytic agents compare with placebo? Cochrane Clin Answ. 2019;cca.2591.
48. McCarthy B, Casey D, Devane D, Murphy K, Murphy E, Lacasse Y. Pulmonary rehabilitation for chronic obstructive pulmonary disease. Cochrane Database Syst Rev. 2015;(2):CD003793.
49. van Agteren JE, Carson KV, Tiong LU, Smith BJ. Lung volume reduction surgery for diffuse emphysema. Cochrane Database Syst Rev. 2016;10(10):CD001001.
50. Global Initiative for Chronic Obstructive Lung Disease. Global Initiative for Chronic Obstructive Lung Disease (2020 Report) [Internet]. [Fontana]: GOLD; 2020 [capturado em 17 ago. 2020]. Disponível em: https://goldcopd.org/wp-content/uploads/2019/12/GOLD-2020-FINAL-ver1.2-03Dec19_WMV.pdf.
51. Llor C, Moragas A, Hernández S, Bayona C, Miravitlles M. Efficacy of antibiotic therapy for acute exacerbations of mild to moderate chronic obstructive pulmonary disease. Am J Respir Crit Care Med. 2012;186(8):716–23.
52. Rothberg MB, Pekow PS, Lahti M, Brody O, Skiest DJ, Lindenauer PK. Antibiotic therapy and treatment failure in patients hospitalized for acute exacerbations of chronic obstructive pulmonary disease. JAMA. 2010;303(20):2035–42.
53. Stockley RA, O'Brien C, Pye A, Hill SL. Relationship of sputum color to nature and outpatient management of acute exacerbations of COPD. Chest. 2000;117(6):1638–45.
54. National Collaborating Centre for Chronic Conditions. Chronic obstructive pulmonary disease. National clinical guideline on management of chronic obstructive pulmonary disease in adults in primary and secondary care. Thorax. 2004;59(Suppl 1):1–232.
55. Patel ARC, Hurst JR. Extrapulmonary comorbidities in chronic obstructive pulmonary disease: state of the art. Expert Rev Respir Med. 2011;5(5):647–62.
56. Walsh A, Perrem L, Khashan AS, Henry MT, Ni Chroinin M. Statins versus placebo for people with chronic obstructive pulmonary disease. Cochrane Database Syst Rev. 2019;7(7):CD011959.
57. Dransfield MT, Voelker H, Bhatt SP, Brenner K, Casaburi R, Come CE, et al. Metoprolol for the Prevention of Acute Exacerbations of COPD. N Engl J Med. 2019;381(24):2304–14.
58. Ashrafian H, Violaris AG. Beta-blocker therapy of cardiovascular diseases in patients with bronchial asthma or COPD: the pro viewpoint. Prim Care Respir J J Gen Pract Airw Group. 2005;14(5):236–41.
59. van der Molen T. Co-morbidities of COPD in primary care: frequency, relation to COPD, and treatment consequences. Prim Care Respir J J Gen Pract Airw Group. 2010;19(4):326–34.
60. British Thoracic Society Standards of Care Committee. BTS statement on criteria for specialist referral, admission, discharge and follow-up for adults with respiratory disease. Thorax. 2008;63 Suppl 1:i1–16.
61. Anzueto A. Primary care management of chronic obstructive pulmonary disease to reduce exacerbations and their consequences. Am J Med Sci. 2010;340(4):309–18.

LEITURA RECOMENDADA

Machado DC, Camilo GB, Noronha AJ, Montessi OVD, Capone R, Capone D. Diagnóstico radiológico da DPOC. Pulmão RJ. 2013;22(2):45-9. Disponível em: http://www.sopterj.com.br/wp-content/themes/_sopterj_redesign_2017/_revista/2013/n_02/10.pdf.
Abordagem sobre diagnóstico radiológico da DPOC.

Capítulo 46
CÂNCER

Gustavo Cartaxo de Lima Gössling
Fábio Silva Leal
Andre T. Brunetto
Gilberto Schwartsmann

Câncer é um termo genérico utilizado para um grande e heterogêneo grupo de doenças caracterizadas pelo crescimento tecidual anormal e pela tendência à invasão local e/ou à disseminação à distância. Essas alterações decorrem de modificações na função de genes que regulam a proliferação, a diferenciação e a morte celular.[1] No processo de carcinogênese, uma célula normal sofre a ação de agentes iniciadores (mutágenos) e de agentes promotores (estimulantes da proliferação celular) que causam alterações genéticas, as quais, quando acumuladas, podem levar à autonomia de crescimento e à imortalidade celular. Adicionalmente, a ocorrência de outras vantagens adaptativas, como a capacidade de angiogênese e a produção de fatores autócrinos e parácrinos, mantém a proliferação de forma independente e facilita os processos de invasão tecidual e metastatização.[2] As características biológicas mais comumente compartilhadas e determinantes da biologia do câncer estão sumarizadas na FIGURA 46.1.

EPIDEMIOLOGIA

Naturalmente, as estatísticas de câncer acompanham a prevalência de fatores de risco chave, como tabagismo, obesidade e condições socioeconômicas de uma população (ver Capítulo Saúde da População Brasileira). Devido à dimensão continental e à heterogeneidade regional das condições de saúde de nossa população, há importante heterogeneidade nos dados epidemiológicos de câncer no Brasil. Por exemplo, o câncer de colo do útero é mais frequente no Norte e no Nordeste, enquanto as neoplasias de esôfago e pulmão são mais frequentes no Sul e no Sudeste, presumivelmente devido às diferenças socioeconômicas e de prevalência de tabagismo nessas regiões.

Hoje, câncer é a causa de morte de 1 a cada 6 pessoas no mundo e representa um impacto econômico mundial de 1,16 trilhão de dólares.[3] Dados do Instituto Nacional de Câncer (Inca) estimam a ocorrência de 625 mil novos casos de câncer para cada ano do triênio 2020-2022.[4] A incidência de câncer no Brasil está aumentando, e a Organização Mundial da Saúde (OMS) prevê que o número de casos novos por ano atinja aproximadamente 1 milhão em 2040. Semelhantemente, a mortalidade por câncer também está aumentando e deve chegar a 300 mil mortes por ano em 2025.[5]

Em alguns países desenvolvidos, câncer já é a causa mais frequente de morte da população. Isso também é verdade para 516 municípios brasileiros; 80% destes encontram-se no Sul e no Sudeste do País. Estima-se que, para o Brasil como um todo, o câncer deva superar as doenças cardiovasculares como maior causa de morte em 2029.[6] Portanto, é fundamental que o médico da atenção primária à saúde (APS) domine os conceitos básicos sobre prevenção, diagnóstico precoce e abordagem clínica das neoplasias, bem como tenha noções de suas complicações e dos eventos adversos do tratamento.

FATORES DE RISCO PARA O DESENVOLVIMENTO DE CÂNCER

O desenvolvimento de câncer envolve fatores de risco modificáveis e não modificáveis, genéticos e ambientais. Estima-se que até 50% dos casos sejam preveníveis mediante controle dos cinco fatores de risco modificáveis mais prevalentes, que são tabagismo, uso de álcool, obesidade, sedentarismo e baixo consumo de vegetais e frutas (TABELA 46.1).[7]

O tabagismo está diretamente associado a cerca de 22% das mortes por câncer, sendo responsável por aproximadamente 85% das mortes por câncer de pulmão no mundo, além de também aumentar o risco de neoplasias de esôfago, pâncreas, estômago, colo de útero e bexiga e leucemia. A ingestão crônica de bebidas alcoólicas aumenta o risco de neoplasias de cavidade oral, faringe, hipofaringe, laringe, esôfago e fígado (ver Capítulos Tabagismo e Problemas Relacionados ao Consumo de Álcool).

Outras neoplasias, como os carcinomas de colo de útero, vulva, vagina, orofaringe e ânus, estão relacionadas a infecções causadas por certos subtipos de papilomavírus humano (HPV, do inglês *human papillomavirus*). Além disso, há diversas outras associações entre patógenos e neoplasias específicas, como os vírus relacionados às hepatites B e C e o carcinoma hepatocelular; o vírus linfotrópico de células T humanas (HTLV, do inglês *human T-cell lymphotropic virus*) e a leucemia de células T do adulto; *Helicobacter pylori* e o linfoma de zona marginal extranodal do tecido linfoide associado à mucosa (linfoma MALT); e o vírus Epstein-Barr, tanto com o linfoma de Burkitt quanto com o carcinoma indiferenciado de nasofaringe. Especialmente em países subdesenvolvidos, cânceres relacionados a infecções

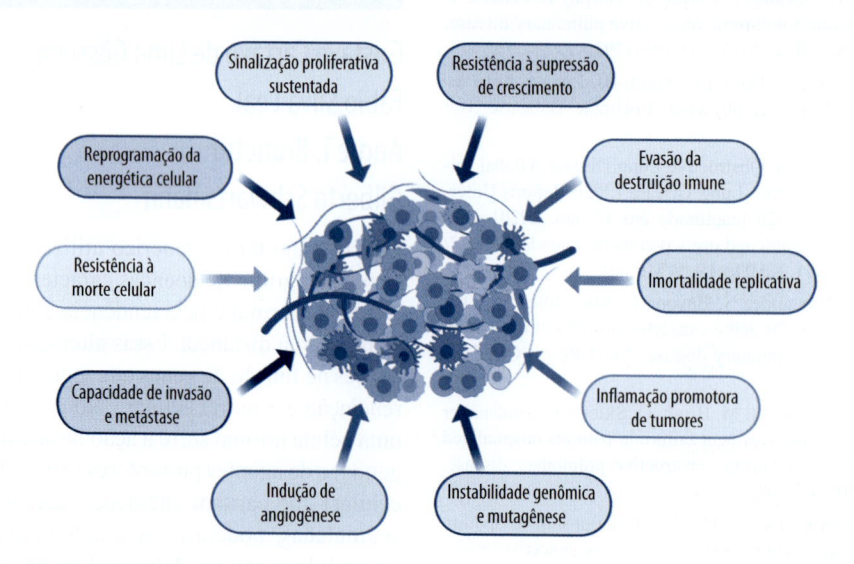

FIGURA 46.1 → Características biológicas típicas do câncer.
Fonte: Created with Biorender.com.

TABELA 46.1 → Fatores de risco para neoplasias

SÍTIO	FATOR
Bexiga	→ Tabagismo → Cor branca → Residência urbana → Exposição repetida a corantes, borracha, couro
Colo de útero	→ HPV → Atividade sexual precoce → Múltiplos parceiros → Tabagismo
Colorretal	→ História familiar → Polipose familiar → Doenças inflamatórias do cólon → Dieta rica em gorduras e pobre em fibras
Endométrio	→ Infertilidade → Estrogenioterapia sem progestagênios → Obesidade → Uso de tamoxifeno
Esôfago	→ Tabagismo → Grande consumo de bebidas alcoólicas → Consumo maior de carne vermelha → Residência rural → Chimarrão* → Ingesta baixa de frutas e legumes
Estômago	→ Sangue tipo A → Anemia perniciosa → Tabagismo → Ausência de refrigeração na conservação de alimentos
Leucemia	→ Síndrome de Down → Exposição repetida ao benzeno → Exposição repetida à radiação
Mama	→ História familiar → Nuliparidade → Primeiro filho após os 30 anos → Menarca precoce → Menopausa tardia → Expressão do oncogene BRCA1 ou BRCA2 → Uso de contraceptivo hormonal oral
Ovário	→ Expressão do oncogene BRCA1 e BRCA2 → Pequena paridade → Menarca precoce → Menopausa tardia
Pele	→ Exposição exagerada à luz solar → Pele clara → Exposição repetida a carvão, arsênico e rádio
Próstata	→ Idade avançada → Cor negra → História familiar
Pulmão	→ Tabagismo → Exposição repetida a asbesto e hidrocarbonetos policíclicos → Exposição repetida à radiação → Poluição ambiental

*Especialmente em associação com tabagismo e com consumo excessivo de álcool.

podem representar até 25% de todas as neoplasias, e a prevenção por meio de vacinação é uma forma importante de combate ao câncer.[8]

O uso crônico de estrogênios na ausência de progestagênios eleva o risco de adenocarcinoma de endométrio em pacientes pós-menopáusicas. Semelhantemente, o uso de tamoxifeno como tratamento adjuvante para câncer de mama leva a discreto aumento de risco de adenocarcinoma de endométrio, o qual é claramente sobrepujado pelo benefício da intervenção. Ainda, o uso de anticoncepcional oral leva à diminuição de risco de câncer de ovário e pequeno aumento de risco de desenvolvimento de câncer de mama.[9]

Obesidade é considerada causa de aproximadamente 20% dos cânceres em países desenvolvidos, sendo as principais neoplasias relacionadas à obesidade os adenocarcinomas de esôfago e cárdia, bem como os tumores de endométrio, cólon, pâncreas, vesícula biliar e mama na pós-menopausa. Há evidência de que a perda de peso leva à redução de risco de desenvolvimento de câncer, bem como à redução de risco de recidiva para algumas neoplasias.[10]

Alimentos processados estão associados a maior risco de desenvolvimento de câncer, e o consumo de carne vermelha leva ao aumento do risco de adenocarcinoma de cólon.[10,11] Ainda mais importante do que o consumo de alimentos específicos, o padrão dietético parece determinante para o risco de desenvolvimento de neoplasias, com dietas consideradas mais saudáveis (maior consumo de frutas, legumes, oleaginosas, peixe e azeite de oliva, como a dieta do mediterrâneo) demonstrando redução de risco e benefício proporcional à adesão.[12]

A exposição ao sol aumenta o risco de neoplasias cutâneas. O uso de doses elevadas de radiação, ainda que com finalidade terapêutica, eleva o risco de sarcomas na área irradiada.[3,13] Proteção com protetor solar com fator mínimo 30 e resistente à água está indicada para todos que se submetam à exposição solar. O protetor solar deve ser reaplicado de forma periódica e após contato com água. Vários agentes químicos estão associados ao desenvolvimento de câncer, como níquel, asbesto e cloreto de vinila, frequentemente por meio de exposições ocupacionais (ver Capítulo Atendimento ao Trabalhador na Atenção Primária). Das mais de 100 substâncias consideradas carcinogênicas, são especialmente importantes as associações entre a exposição ocupacional ao amianto e o desenvolvimento de mesotelioma pleural, bem como a exposição ao benzeno e o desenvolvimento de leucemias.[14]

DIAGNÓSTICO DE CÂNCER EM ATENÇÃO PRIMÁRIA À SAÚDE

Há duas atuações básicas no diagnóstico do câncer em APS: o exame periódico em pacientes assintomáticos para a detecção de lesões precursoras do câncer ou de câncer em estágio inicial e a investigação diagnóstica em pacientes sintomáticos ou com exame periódico positivo.

Detecção precoce do câncer ou de lesões precursoras em pacientes assintomáticos

Um dos princípios básicos do tratamento das neoplasias diz respeito à relação direta entre o diagnóstico precoce e a probabilidade de cura. Via de regra, quanto mais avançada for a doença, maior é a chance da existência de metástases em outros órgãos e menor é a curabilidade. Entretanto, o rastreamento populacional envolve a realização de procedimentos diagnósticos que não são isentos de risco, além de representar um importante custo para o sistema de saúde, estando justificado apenas mediante evidência científica de reais ganhos em termos de redução de morbimortalidade associada à neoplasia em questão.

Para neoplasias indolentes, como alguns casos de adenocarcinoma de próstata, e em pacientes cujas comorbidades ou idade avançada sugerem sobrevida curta, o rastreio pode levar ao diagnóstico de neoplasias que não teriam repercussão clínica, gerando sofrimento psíquico e levando a tratamentos com morbidade e mortalidade relevantes. Por outro lado, neoplasias que frequentemente apresentam comportamento agressivo, como os carcinomas de pâncreas e ovário, raramente são diagnosticadas precocemente mesmo com a realização de exames de rotina em populações sem fatores genéticos predisponentes.

Ainda assim, para pacientes saudáveis, com longa expectativa de vida e nas faixas etárias preconizadas, é fundamental que o profissional da APS esteja atento às oportunidades de realização do rastreamento, pois essa estratégia demonstrou redução de mortalidade por câncer em situações específicas. Uma discussão mais profunda sobre rastreamento, bem como a evidência científica que justifica seu uso, pode ser encontrada no Capítulo Rastreamento de Adultos para Tratamento Preventivo.

O simples comparecimento do paciente na unidade de saúde pode ser uma excelente oportunidade para que sejam identificadas lesões pré-malignas, as quais, uma vez removidas, previnem o surgimento do câncer. São exemplos as lesões leucoplásicas ou eritroplásicas na cavidade oral, que são precursoras do carcinoma epidermoide da cavidade oral, e as atipias celulares observadas no exame citopatológico do colo do útero, que são secundárias às lesões precursoras do câncer do colo do útero. Outra alteração importante é o surgimento ou, ainda, o aumento ou mudança de padrão de lesões cutâneas pigmentadas, sobretudo em indivíduos de pele clara, com história prévia de câncer de pele e/ou portadores de múltiplos nevos ou nevos atípicos. Nesse caso, as lesões devem ser retiradas, e a peça, enviada para diagnóstico anatomopatológico.

Além disso, consultas por outras razões são um excelente momento para abordar o rastreamento e o controle dos principais fatores de risco para o desenvolvimento de câncer, bem como questionar acerca da história familiar, a qual por vezes modifica o plano de rastreamento dos pacientes. Pacientes com história pessoal e familiar e presença de outras manifestações clínicas compatíveis com síndromes genéticas de predisposição ao câncer devem ser encaminhados para avaliação genética em serviço especializado. As condições mais comuns que determinam necessidade de testagem genética nas neoplasias mais frequentes são esclarecidas no momento da discussão da estratégia de acompanhamento.

Investigação de pacientes em atendimento primário com suspeita de câncer e/ou sintomáticos

Sinais de alerta

O processo diagnóstico de neoplasias de qualquer sítio primário pode ser difícil, e os profissionais da APS devem ser capazes de reconhecer os sinais de alerta mais frequentes para o diagnóstico de câncer. A anamnese auxilia, revelando dados da história familiar, predisposições genéticas e exposição a carcinógenos, enquanto o exame físico, embora frequentemente inalterado, pode revelar sinais de comprometimento locorregional ou metastático. Quando o quadro clínico é evidente, não há maior dificuldade para a decisão de investigação e encaminhamento do caso. Contudo, o médico da APS frequentemente se depara com pacientes que apresentam sintomas vagos ou pouco específicos para os quais a hipótese de câncer como etiologia é possível, mas improvável. Nesses casos, é necessário pesar os riscos de uma investigação mais extensa com o risco do diagnóstico de câncer, tendo em vista que investigar implica realizar procedimentos diagnósticos que não são inócuos, como endoscopia, colonoscopia, fibrobroncoscopia e biópsias. Segundo Marinker, o papel do médico de APS é "tolerar a incerteza, explorar a probabilidade e marginalizar o perigo", enquanto o papel do especialista de nível secundário é "reduzir a incerteza, explorar a possibilidade e marginalizar o erro". Portanto, é fundamental decidir ativamente a agressividade da investigação de casos em que câncer é uma das hipóteses diagnósticas menos prováveis. Para os casos em que se opta por retardar a investigação devido à baixa probabilidade de neoplasia ou alto risco de complicações dos procedimentos diagnósticos, é essencial construir uma rede de segurança que inclua reavaliação clínica periódica.

Câncer é raro em crianças, e sua detecção pode apresentar dificuldades específicas. Os médicos também devem reconhecer as alterações mais frequentes das neoplasias pediátricas mais comuns, bem como devem estar dispostos a reavaliar o diagnóstico inicial ou a procurar uma segunda opinião se uma criança não recuperar seus sintomas ou seu crescimento normal.

> Os médicos devem estar atentos à possibilidade de câncer especialmente quando o quadro clínico é típico ou quando os sintomas que levaram o paciente ao atendimento médico não se resolvem de maneira adequada. Nessas circunstâncias, o paciente deve ser investigado.

Diretrizes claras para o reconhecimento da necessidade de investigação diagnóstica são fundamentais. A TABELA 46.2 mostra os principais sinais de alerta de acordo com cada sítio primário. Além dessa tabela, há diretrizes do National Institute for Health and Care Excellence (Nice) que oferecem aconselhamento sobre as melhores práticas de encaminhamento de pacientes em atendimento primário com suspeita de câncer, sugerindo tempo para referência e agressividade da investigação.[15] Durante o processo de investigação, é importante compartilhar com o paciente o fato de que está sendo considerada a hipótese diagnóstica de câncer, especialmente quando é feito encaminhamento a outro serviço que conduzirá a investigação diagnóstica, sempre ressaltando que podem ocorrer diagnósticos alternativos. Uma vez tendo sido encaminhado, para a maior parte das situações, sugere-se que o paciente consulte em até 2 semanas,

TABELA 46.2 → Sinais de alerta para suspeita de câncer no atendimento de pacientes em atenção primária à saúde

TIPO DE CÂNCER	SINAIS E SINTOMAS QUE ALERTAM PARA A SUSPEITA DE CÂNCER	SINAIS E SINTOMAS QUE NECESSITAM DE AVALIAÇÃO DE URGÊNCIA OU *RECOMENDAÇÕES ESPECÍFICAS*
Câncer de pulmão	→ Hemoptise → Sintomas persistentes – dispneia, tosse, rouquidão, infecções de repetição → Baqueteamento digital → Linfadenopatia supraclavicular → Alteração sugestiva em exame de imagem	Hemoptise maciça Estridor e dispneia franca Síndrome de veia cava superior Sinais de obstrução de via aérea
Câncer do trato gastrintestinal superior	→ Disfagia → Vômitos persistentes → Dispepsia ou pirose resistente ao tratamento → Massa abdominal → Perda de peso ou anemia em paciente com idade > 55 anos associadas a sintomas abdominais pouco específicos → Alteração sugestiva em exame de imagem	Hematêmese com instabilidade hemodinâmica Disfagia impedindo alimentação adequada
Câncer de cólon	→ Sangramento intestinal crônico → Perda de peso ou anemia em paciente com idade > 50 anos associadas a sintomas abdominais pouco específicos → Alteração do hábito intestinal sem etiologia aparente → Hematoquezia → Lesão palpável em toque retal	Sangramento agudo com instabilidade hemodinâmica Abdome agudo (obstrução, perfuração, etc.) *Os médicos devem estar atentos a programas de rastreamento de câncer colorretal. (Ver Capítulo Rastreamento de Adultos para Tratamento Preventivo.)*
Câncer de mama	→ Nódulo na mama → Achados característicos ao exame físico (distorção do mamilo, retrações, lesões de pele suspeitas) → Alteração do exame de mamografia → Lesões mamilares crônicas → Lesões no mamilo com secreção sanguinolenta	Compressão medular *Os médicos devem estar atentos aos programas de rastreamento de câncer de mama com mamografias e exame físico. (Ver Capítulo Rastreamento de Adultos para Tratamento Preventivo.)*
Câncer ginecológico	→ Massa pélvica → Alteração ao exame ginecológico → Sangramentos na pós-menopausa	Ascite sintomática suspeita para neoplasia *Os médicos devem estar atentos aos programas de rastreamento de câncer de colo do útero com exame pélvico ginecológico e Papanicolau. (Ver Capítulo Rastreamento de Adultos para Tratamento Preventivo.)*
Leucemias e linfomas	→ Sintomas B (febre, sudorese noturna e perda de peso) → Sangramentos (petéquias, equimoses, sangramentos de gengiva) → Esplenomegalia ou linfadenopatias → Alterações características no hemograma (pancitopenia, trombocitopenia, leucocitose de grande monta, etc.)	Síndrome de lise tumoral Pacientes com suspeita de neoplasias hematológicas devem ser imediatamente encaminhadas para investigação em centros especializados *Qualquer uma das seguintes características de linfadenopatia deve desencadear uma investigação mais aprofundada: persistência por ≥ 6 semanas, linfonodos aumentando de tamanho, linfonodos > 2 cm, natureza generalizada, associados à esplenomegalia, sudorese noturna ou perda de peso. (Ver Capítulo Avaliação de Linfadenopatias.)*
Tumores do sistema nervoso central (SNC)	→ Alterações motoras focais → Convulsões → Alterações nos pares cranianos ao exame físico → Alterações do comportamento	Encaminhar paciente para investigação diagnóstica com urgência
Câncer urogenital	→ Alterações do jato urinário → Hematúria macroscópica → Elevação de PSA (antígeno prostático específico) → Alteração em exame físico testicular ou toque retal → Úlcera peniana após exclusão de infecções sexualmente transmissíveis	Retenção urinária aguda *Os médicos devem estar atentos às indicações de rastreamento para câncer de próstata. (Ver Capítulo Rastreamento de Adultos para Tratamento Preventivo.)*
Câncer de cabeça e pescoço	→ Úlcera sem causa definida com > 3 semanas → Eritroplasia ou leucoplasia → Rouquidão inexplicada → Massa cervical → Nódulo de tireoide > 1 cm	Sangramento de grande monta Sinais de obstrução de via aérea
Câncer infantil	→ Aumento de órgão abdominal → Hematúria macroscópica → Alteração do reflexo ocular normal → Qualquer alteração neurológica → Anormalidade hematológica: presença de blastos, leucocitose importante, citopenias → Edema ou tumoração inexplicada, especialmente com exame de imagem sugerindo sarcoma	Encaminhar paciente para investigação diagnóstica com urgência

embora em condições mais graves seja necessária a avaliação emergencial ou em até 48 horas.

No Brasil, a Lei nº 13.896/2019,[16] conhecida como Lei dos 30 dias, prevê que o tempo máximo para confirmação diagnóstica de suspeita de câncer mediante solicitação fundamentada do médico responsável seja de até 30 dias. O tempo para o início do tratamento oncológico específico também é regulamentado por lei, sendo o prazo de até 60 dias contado a partir do dia da liberação do laudo anatomopatológico, conforme determinado pela Lei nº 12.732/2012,[17] conhecida como Lei dos 60 dias.

Comunicando ao paciente a suspeita ou diagnóstico de câncer e planejando o cuidado subsequente

Com frequência, os primeiros pronunciamentos quanto ao diagnóstico, ao prognóstico e à decisão sobre a necessidade de encaminhamento são de responsabilidade do médico da APS. Nesse caso, é essencial que ele reconheça a importância dos momentos de comunicação de notícias e a existência de protocolos que servem como modelos estruturados cujo objetivo é assegurar que a informação seja transmitida da forma mais humana, clara e empática possível. Desses modelos, o mais conhecido e frequentemente utilizado é o protocolo SPIKES, o qual foi desenhado especificamente para pacientes com câncer.[18] Os protocolos de comunicação de más notícias são explorados de forma mais profunda no Capítulo Método Clínico Centrado na Pessoa.

Especificamente em relação ao possível diagnóstico de câncer, é essencial, antes da abordagem propriamente dita, considerar os desejos do paciente em relação ao compartilhamento de informações, tendo em vista o estigma social e a potencial gravidade da doença. É incomum que pacientes não queiram conhecer seu diagnóstico, mas nem todos os pacientes desejam saber numericamente suas chances de cura ou ter uma estimativa de sua sobrevida,[19] e a determinação da profundidade das notícias de maneira que a comunicação seja eficaz, mas não cruel, é responsabilidade do profissional que comunica. A ausência de demonstração de empatia e de uma explicação clara sobre a doença são as queixas mais frequentes de pacientes e familiares após receberem a notícia de câncer. Portanto, é essencial identificar e responder, de forma ativa, às emoções afloradas pelo paciente e pela família, fornecendo o suporte necessário adequado a esse momento, bem como assegurar que a mensagem seja passada livre de jargões médicos, de maneira compatível com a capacidade de compreensão de quem a recebe.

Para o caso de pacientes em que é comunicada suspeita de câncer com necessidade de prosseguimento de investigação, bem como para os que ainda não estão ligados ao serviço especializado, pode ser importante discutir, caso seja o desejo deles, o tempo de espera até a consulta, o serviço que fornecerá esses cuidados, onde obter mais informações sobre o diagnóstico e como são os procedimentos diagnósticos, por exemplo. Frequentemente, na percepção dos médicos, a maior dificuldade é ser honesto, mas encorajador, encontrando um equilíbrio em que não se gere nem desesperança, nem expectativas ilusórias.[19,20]

O TRATAMENTO DO PACIENTE COM CÂNCER

Os profissionais da APS atuam em várias fases do tratamento do paciente com câncer, que incluem o diagnóstico, o estadiamento e a coordenação do suporte multidisciplinar durante o tratamento oncológico, durante a convalescença e durante o período de terminalidade, quando necessário. Tratamentos envolvendo esforços combinados de oncologistas da área cirúrgica, clínica e radioterápica, além de nutricionistas, fisioterapeutas, psicólogos, fonoaudiólogos, terapeutas ocupacionais, assistentes sociais, e do paciente e de sua família, com frequência exigem um médico primariamente responsável pelo seu tratamento. Assim, profissionais da APS podem assumir o papel de coordenador ou interceder a fim de identificar aquele que será o elemento central no atendimento. Para tanto, é fundamental que esse médico conheça o diagnóstico e o plano terapêutico, bem como a intenção do tratamento e o prognóstico de seu paciente.

Estadiamento

O início do planejamento terapêutico do paciente com câncer se dá com a avaliação sistemática da extensão da doença, o que é chamado de estadiamento. A determinação correta do estadiamento permite à equipe uma comunicação clara e uma determinação de prognóstico mais eficaz, além de facilitar a decisão terapêutica.

Muitas vezes, a investigação diagnóstica e o estadiamento acontecem de maneira simultânea, e a avaliação inicial de extensão da doença é realizada pelo médico da APS. Portanto, é necessário que o médico esteja familiarizado com os exames realizados durante o período em que o paciente ainda não se encontra na atenção terciária, bem como com os conceitos referentes à acurácia de métodos diagnósticos, como probabilidade pré-teste, sensibilidade, especificidade e valor preditivo. Com base nesses conceitos, estadiar adequadamente envolve uma avaliação clínica cuidadosa, determinando a agressividade da busca de lesões metastáticas a partir de uma correta consideração do grau de suspeição, da acurácia diagnóstica dos exames realizados, da condição clínica do paciente, da toxicidade dos tratamentos disponíveis e da necessidade de comprovação histológica ou de aquisição de material biológico para testagens moleculares. No cotidiano, isso significa que é possível prescindir de exames de imagem para pacientes cuja condição clínica não permita a realização de tratamento oncológico específico e em que se decida por oferecer o melhor cuidado clínico disponível, por exemplo. Também é parte das decisões de estadiamento identificar quando há real necessidade de biopsiar uma imagem suspeita para disseminação neoplásica à distância e pesar corretamente os riscos e benefícios da realização de imagens de sítios adicionais por sintomas ou alterações laboratoriais. Além disso, conhecimento acerca do uso de protocolos de imagem específicos, como os existentes para avaliação tomográfica de lesões suprarrenais ou pancreáticas, por exemplo, é frequentemente necessário quando a ressecabilidade cirúrgica de uma lesão é discutida.

Genericamente, pacientes com doenças muito iniciais não se beneficiam de investigações extensas, tanto pela baixa probabilidade de doença à distância, quanto pelo risco de um falso-positivo que atrase o início ou exclua o paciente da realização de tratamentos potencialmente curativos. Para essas situações, os exames de imagem se tornam não apenas desnecessários, mas por vezes deletérios. No outro extremo, existem situações em que o risco de espalhamento locorregional é tão alto que mesmo exames de imagem sem alterações não nos permitem prescindir de avaliação histopatológica. Também nesse caso, a avaliação por imagem é fútil e não modifica o plano terapêutico.

Estadiamentos alternativos se tornaram consagrados para doenças específicas devido ao auxílio na determinação do tratamento, como o sistema do Veterans' Affairs Lung Study Group (VALSG) para tumores de pequenas células de pulmão, ou à simplicidade e à aplicabilidade em locais sem acesso a métodos diagnósticos de maior complexidade, como o publicado pela International Federation of Gynecology and Obstetrics (Figo) para neoplasias ginecológicas. Porém, para a maioria dos tumores sólidos, o sistema TNM (*tumor*, *node*, *metastasis*), publicado no Manual para o Estadiamento de Câncer do American Joint Comittee on Cancer (AJCC), em colaboração com a Union for International Cancer Control (UICC), é o mundialmente mais utilizado. Esse sistema classifica os tumores inicialmente quanto à extensão do tumor primário (*tumor*), à extensão do acometimento linfonodal (*node*) e à presença e localização de doença metastática (*metastasis*), frequentemente incorporando outras variáveis prognósticas a essa classificação inicial. Modificadores podem ser utilizados, como os prefixos *c*, *p* e *y*, que denotam que a classificação foi realizada de maneira *clínica* (com exame físico e exames de imagem), *patológica* (com análise histopatológica) ou *após tratamento neoadjuvante*. Esses dados são posteriormente agrupados e geram um estágio que varia de I a IV para a maioria dos tumores, em alguns casos com subdivisões (p. ex., IIIA, IIIB, IIIC). Como resultado, o estadiamento transmite, de maneira simples e objetiva, uma informação prognóstica confiável; em geral, quanto maior o estadiamento, pior o prognóstico. Agora em sua 8ª edição, esse manual fortalece a ponte entre as abordagens da oncologia tradicional e da oncologia personalizada por meio da revisão periódica da evidência disponível acerca de determinantes prognósticos, gerando inclusão de novos fatores e rediscussão dos já existentes. Assim, em suas classificações estão incorporados não apenas os fatores anatômicos, mas também fatores histológicos, como invasão linfovascular, escore de Gleason e índice mitótico; imuno-histoquímicos, como receptores hormonais e HER2; e até mesmo exames mais complexos, como hibridização *in situ* para determinação da relação com HPV em determinadas neoplasias.

Contudo, o estadiamento deve ser interpretado comparativamente apenas a pacientes com a mesma neoplasia, não havendo relação, portanto, entre o prognóstico de pacientes com doença com o mesmo estágio mas sítios primários diferentes. Por exemplo, pacientes com câncer de mama estágio III apresentam um prognóstico claramente diferente de pacientes com câncer de esôfago de mesmo estágio. É importante notar que, mesmo entre pacientes de mesma doença e mesmo estágio clínico, o prognóstico pode variar largamente a depender de outros fatores. Por exemplo, um paciente idoso com câncer de pulmão metastático para outros sítios, incluindo sistema nervoso central (estágio IVB), com desempenho clínico subótimo para tratamento e cujo tumor não possua alterações moleculares passíveis de tratamento-alvo, apresenta sobrevida mediana estimada de 3 meses.[21] Em contrapartida, a mediana da sobrevida livre de progressão para pacientes com câncer de pulmão também metastático, mas que apresentem translocação do gene *ALK* e mediante tratamento com terapia-alvo específica, atingiu 35 meses em estudo recente.[22] Portanto, é necessário ter cautela com a previsão prognóstica baseada apenas no estadiamento, e a discussão com o oncologista assistente do paciente é essencial para compreender as possibilidades terapêuticas e o tamanho do seu benefício.

Notavelmente, nem a presença de metástases à distância nem o estágio IV determinam necessariamente a incurabilidade da doença. Mais frequentemente, para os linfomas e as neoplasias germinativas, mas também para os carcinomas colorretais e algumas neoplasias de outros sítios em contextos específicos, pacientes com doença metastática podem ser tratados com intenção de cura. Portanto, é essencial que a intenção do tratamento seja discutida de forma multidisciplinar para todos os pacientes, pois o estadiamento é um de muitos fatores que auxiliam na escolha terapêutica.

Objetivos do tratamento oncológico

O tratamento de pacientes com câncer pode envolver diversas formas de tratamento oncológico, incluindo cirurgia, radioterapia, quimioterapia, uso de terapias hormonais, terapia-alvo, imunoterapia e radioisótopos, em diferentes combinações e sequências. A seguir, serão discutidos não os agentes em si e suas indicações, mas especialmente os objetivos do tratamento, uma vez que esse entendimento é essencial para compreender melhor a relação entre risco ou toxicidade e benefício clínico para cada modalidade de tratamento.

Tratamento adjuvante

Tratamento adjuvante é qualquer tratamento administrado após o tratamento definitivo com vistas à diminuição do risco de recorrência e/ou ao aumento da chance de cura. Nessa modalidade de tratamento, em que o uso de quimioterapia e tratamentos hormonais são comuns, o objetivo é oferecer, a um paciente que não tenha evidência de doença residual clinicamente detectável, um tratamento que possa erradicar uma possível doença micrometastática que ainda está em fase subclínica. Essa forma de tratamento é frequente para neoplasias de mama iniciais após cirurgia conservadora de mama (geralmente setorectomia associada à biópsia de linfonodo-sentinela com ou sem esvaziamento axilar, seguida de radioterapia), bem como para neoplasias de cólon totalmente ressecadas. Em ambas as situações, o uso de quimioterapia aumenta a sobrevida global em longo prazo, ainda que à custa da toxicidade enfrentada durante o período do tratamento.

Recentemente, tem sido demonstrado o benefício de outros tratamentos além da quimioterapia, utilizados de forma adjuvante. Por exemplo, em pacientes com melanoma estágio IIIB ou IIIC, há benefício de uso de imunoterapia sem a necessidade de testagem para biomarcadores, ou ainda de terapias-alvo em pacientes cujo tumor apresente mutações específicas do gene *BRAF*. Para pacientes com câncer de pulmão localmente avançado tratados com quimioterapia e radioterapia concomitantes e sem progressão em exames de imagem, imunoterapia também demonstrou aumento da sobrevida global.

Tratamento neoadjuvante

O tratamento neoadjuvante se assemelha à realização de tratamento adjuvante, uma vez que igualmente objetiva a redução do risco de recorrência e/ou o aumento da chance de cura. Contudo, esse tratamento é realizado previamente à terapia locorregional definitiva, antecipando o tratamento de possíveis micrometástases e, em alguns casos, com a intenção adicional de melhorar os desfechos cirúrgicos e/ou radioterápicos ou permitir um tratamento mais conservador. Por exemplo, em comparação à realização de quimioterapia adjuvante, o uso de tratamento neoadjuvante em pacientes com câncer de mama não aumenta a sobrevida, mas permite, com mais frequência, a realização de tratamentos conservadores. Para algumas pacientes, isso evita a realização de uma mastectomia radical, que apresenta importantes implicações psicossociais. Para pacientes com carcinoma de esôfago, o uso de quimioterapia e radioterapia concomitantes de forma neoadjuvante melhora as taxas de ressecção com margens livres e aumenta a sobrevida global.

Eventualmente, tratamentos tanto adjuvantes como neoadjuvantes são utilizados para um mesmo paciente. Isso acontece mais frequentemente em alguns protocolos de tratamento para câncer gástrico e câncer de ovário, em que a cirurgia acontece após um período de quimioterapia neoadjuvante e logo antes da realização de quimioterapia adjuvante. Nesses casos, por vezes o tratamento quimioterápico pode ser referido como **tratamento perioperatório**, ou a cirurgia pode ser referida como **cirurgia de intervalo**.

Tratamento curativo ou definitivo

Tratamentos com intenção curativa ou definitiva visam erradicar a doença e podem incluir diferentes tratamentos utilizados de forma isolada ou concomitantemente. São exemplos o tratamento quimiorradioterápico concomitante com vistas à cura para pacientes com câncer de colo de útero localmente avançado, ou o utilizado como tratamento do câncer de esôfago em um contexto similar. Linfomas e neoplasias germinativas, como o câncer de testículo, mesmo quando avançados, frequentemente são tratados com objetivo de cura utilizando apenas quimioterápicos. Algumas outras neoplasias podem ser tratadas com radioterapia isolada quando o diagnóstico é precoce, como câncer de próstata, esôfago e alguns sítios primários de câncer de cabeça e pescoço.

Tratamento paliativo

Quando um tratamento é realizado com intenção paliativa, os objetivos podem ser aumentar a sobrevida com o mínimo ou nenhum prejuízo de qualidade de vida, ou controlar os sintomas relacionados ao câncer. Tratamentos com intenção paliativa não são capazes de curar, mas podem diminuir o sofrimento, aumentar a qualidade de vida e prolongar a vida. Nesses casos, é ainda mais importante que as decisões sobre o tratamento sejam tomadas de forma compartilhada por paciente e médico. Este, por meio do conhecimento sobre tratamentos disponíveis, seus benefícios, seus riscos, suas posologias, suas toxicidades e condição clínica, bem como desejos, expectativas e planos, auxilia o paciente na escolha da melhor forma de tratamento. Por vezes, a decisão será realizar um tratamento mais agressivo com a intenção de priorizar um aumento de sobrevida. Em outras situações, prescindir de tratamento oncológico específico e priorizar o controle sintomático e o conforto do paciente será a decisão tomada após uma discussão franca e centrada no paciente.

Eventos adversos agudos mais comuns de agentes antineoplásicos

Devido à crescente incidência, à diminuição da letalidade e ao aumento da sobrevida de pacientes com neoplasias incuráveis, o médico que atua na APS cada vez mais frequentemente se deparará com pacientes em tratamento oncológico, seja adjuvante, neoadjuvante, definitivo ou paliativo. Portanto, é necessário estar preparado para lidar com os principais eventos adversos da quimioterapia tradicional, especialmente com aqueles que podem ser considerados uma emergência oncológica, além dos eventos relacionados às terapias-alvo e aos imunoterápicos de uso mais frequente.

Cada agente possui farmacodinâmica e farmacocinética próprios e, por isso, apresenta perfil de toxicidade diferente. Drogas-alvo, imunoterapias e terapias com manipulação hormonal possuem eventos adversos de acordo com seu mecanismo de ação e, em geral, têm perfil de toxicidade mais brando do que os agentes quimioterápicos. A **TABELA 46.3** lista os principais eventos adversos dos agentes antineoplásicos mais comuns e traz os princípios básicos do manejo quando necessário.

Avanços no tratamento do câncer

É fundamental reconhecer os importantes avanços nas últimas décadas, não apenas no entendimento do comportamento biológico das neoplasias, mas sobretudo no tratamento de pacientes com câncer e suas complicações. Além disso, avanços nos testes diagnósticos, como o PET-TC (PET: do inglês *positron emission tomography*), e o surgimento de análises moleculares para predição do risco de recidiva são novas ferramentas que permitem ao especialista selecionar melhor os pacientes que se beneficiam de cada tratamento.

A compreensão mais profunda da biologia molecular tumoral também levou ao advento de terapias dirigidas diretamente a alvos moleculares, como as alterações relacionadas aos genes *ALK* e *EGFR* em câncer de pulmão, a translocação BCR-ABL para a leucemia mieloide crônica e a mutação de *BRAF* em melanoma, entre outras. Nesses casos, o surgimento de medicamentos específicos modificou a história natural da doença, revolucionando o tratamento. Esse avanço chega, inclusive, no surgimento de medicamentos

TABELA 46.3 → Toxicidades agudas de tratamento oncológico mais relevantes

	MANIFESTAÇÃO	COMENTÁRIOS	CONDUTA
Cardio-vasculares	Insuficiência cardíaca	Toxicidade cardíaca é mais comum com uso de doxorrubicina e trastuzumabe, sendo esta última frequentemente reversível; também está associada a diversos inibidores da tirosina-quinase (TKIs), como sunitinibe, sorafenibe, axitinibe, regorafenibe e lenvatinibe	O tratamento agudo é similar à insuficiência cardíaca de outras causas; encaminhamento para cardiologista bem como reavaliação breve com oncologista são recomendados
	Hipertensão	Hipertensão, bem como proteinúria, são efeitos relacionados às medicações que utilizam o fator de crescimento do endotélio vascular (VEGF) como alvo, das quais se destacam o bevacizumabe, o sorafenibe, o pazopanibe, o axitinibe e o cabozantinibe	Controle dos valores pressóricos é essencial para a continuação e a segurança do tratamento; não há diferença no manejo farmacológico em relação à hipertensão primária
	Edema/retenção de fluidos	Quadro frequentemente associado ao uso de paclitaxel, docetaxel ou imatinibe	Se não houver sinais de congestão, não há urgência; deve ser reavaliado por especialista para decisão acerca de necessidade de suspensão do fármaco
Respiratórias	Pneumonite	Toxicidade pulmonar aguda pode acontecer com o uso de everolimo, TKIs, bleomicina e agentes imunoterápicos	Devido à potencial má evolução, é necessária reavaliação **urgente** com oncologista
Gastrintestinais	Náuseas e vômitos	Muito frequente com alguns quimioterápicos, mas tem-se tornado mais rara pela melhora do tratamento de suporte; quando a chance de êmese é moderada ou alta, o tratamento profilático está indicado	Em casos determinando desidratação ou impossibilidade de alimentação, requer avaliação de especialista para suporte intra-hospitalar
	Mucosite	Toxicidade frequentemente associada à quimioterapia, pode acontecer também com outros agentes como everolimo; pode acontecer e determinar sintomas na mucosa oral ou em outros sítios do trato gastrintestinal	O tratamento é majoritariamente de suporte; candidíase oral concomitante deve ser tratada; casos graves necessitam de avaliação de especialista e, em alguns casos, de laserterapia
	Diarreia	Pode ocorrer com diversos agentes, incluindo quimioterápicos, terapias-alvo e imunoterapia; é considerada grave caso haja sinais de desidratação, necessidade de internação ou mais de 8 episódios por dia; se, apesar das medidas, o paciente apresentar diarreia severa ou prejuízo de qualidade de vida, também deve ser reavaliado por especialista com brevidade	Se relacionada ao uso de imunoterapia, a reavaliação deve ser **urgente** para início de tratamento específico e pronta exclusão de colite autoimune, complicação potencialmente fatal; nos demais casos, na ausência de sinais de infecção, o tratamento com loperamida está indicado; ainda assim, por vezes é necessária internação para suporte
	Constipação	Agentes como vinorelbina e vincristina estão associados à constipação importante; ocorre muitas vezes também por conta do uso de ondansetrona ou opiáceos	Agentes formadores de bolo e osmóticos geralmente são a primeira linha de tratamento, mas o uso de estimulantes é frequentemente necessário
	Hepatite	Pode acontecer com alguns quimioterápicos, bem como com imunoterapia; elevações de transaminases > 5 vezes o limite da normalidade ou bilirrubina > 3 vezes o limite da normalidade indicam reavaliação de urgência com especialista	O tratamento varia conforme o agente etiológico
Dermatológicas	Alopecia	Ainda que nem todos os quimioterápicos causem alopecia, constitui evento adverso muito frequente e gera consequências psicossociais importantes; não há urgência de reavaliação	Para algumas condições e medicações específicas, o uso de toucas geladas comercialmente disponíveis e utilizadas durante a infusão pode diminuir a incidência e a gravidade da alopecia
	Rash cutâneo	Inúmeros agentes antineoplásicos apresentam reações cutâneas; hiperpigmentação está mais relacionada ao uso de 5-fluoruracila e capecitabina; erlotinibe, gefitinibe e cetuximabe frequentemente causam *rash* acneiforme; no caso de paciente em uso de anticonvulsivantes, atentar para possibilidade de síndrome de DRESS (do inglês *drug rash with eosinophilia and systemic symptoms*)	O manejo varia conforme o *rash* e o agente causador; se houver sintomas graves, o paciente deve ser reavaliado por seu oncologista
	Extravasamento de quimioterápico	Complicação grave; medicações como doxorrubicina e vinorelbina são consideradas vesicantes por causar necrose e ulceração local, enquanto outros quimioterápicos são considerados irritantes e causam sintomas locais sem determinar necrose	O manejo varia para cada quimioterápico; caso haja suspeita de extravasamento não percebido na aplicação de quimioterapia, o paciente deve ser encaminhado imediatamente para avaliação de oncologista
	Síndrome mão-pé	Toxicidade relacionada ao uso de quimioterápicos como capecitabina e doxorrubicina lipossomal, consiste em eritema e edema doloroso de palmas das mãos e plantas dos pés; alguns TKIs podem apresentar quadro semelhante	Se for grave (descamativa, com bolhas ou muito dolorosa) ou determinar prejuízo das atividades cotidianas, necessita de reavaliação breve com especialista
Urinárias	Cistite hemorrágica	Pacientes em uso de ciclofosfamida em doses altas ou ifosfamida podem apresentar essa toxicidade caracterizada por hematúria e sintomas irritativos; ausência de microrganismos na urina deve ser documentada	Paciente necessita de reavaliação breve com seu oncologista para gradação de gravidade e decisão acerca de agressividade de tratamento
Endócrinas	Disfunção tireoidiana	Hipotireoidismo e tireotoxicose podem acontecer com o uso de TKIs ou imunoterapia; a depender do quadro clínico, é importante considerar síndrome do eutireóideo doente no diagnóstico diferencial	Caso haja hipotireoidismo, a reposição está indicada; a tireotoxicose frequentemente é autolimitada, mas muitas vezes requer tratamento específico
	Hipofisite	Embora rara, a hipofisite pode ocorrer quando em uso de imunoterápicos e se manifesta com hipopituitarismo; por vezes, também, hipopituitarismo pode ser decorrente de irradiação de sistema nervoso central, geralmente como manifestação tardia	Necessita de avaliação oncológica de **urgência** para início de tratamento
Hematológicas	Citopenias	Mielossupressão é frequente e comum para tratamentos quimioterápicos e geralmente acontece entre 1-2 semanas após o primeiro dia de aplicação; também acontece com o uso de inibidores de CDK4/6 (palbociclibe, ribociclibe e abemaciclibe)	Neutropenia por si só não indica qualquer tratamento adicional, mas na eventualidade de febre constitui emergência oncológica
Ortopédicas	Dor articular	Quadro clínico comumente associado ao uso de hormonioterapia em câncer de mama, às vezes associado à rigidez articular; devido à prevalência, é importante considerar causas alternativas de dor	A base do tratamento consiste em exercício físico aeróbico e administração de analgésicos comuns; para casos refratários, duloxetina ou acupuntura parecem trazer benefício

cujo alvo terapêutico é baseado nos mecanismos de resistência das células tumorais às terapias anteriores, como os inibidores de CDK4/6 para câncer de mama e os inibidores de MEK para melanoma.

Paralelamente, avanços no entendimento da relação entre câncer e vigilância imunológica permitiram a criação de medicamentos cujo objetivo é interferir na capacidade tumoral de evadir à resposta imune, restabelecendo a capacidade de reconhecimento do tumor pelo sistema imunológico do paciente. Notavelmente, pacientes que apresentam resposta à imunoterapia em geral apresentam respostas duradouras, e o uso de medicamentos imunoterápicos, de forma isolada ou associados à quimioterapia ou à terapia-alvo, já demonstrou ser consistentemente superior ao tratamento previamente considerado padrão para algumas neoplasias, como os cânceres de rim, pulmão e melanoma.

Esses tratamentos estão associados a uma toxicidade consideravelmente menor em comparação à quimioterapia, sendo mais bem tolerados desde que com acompanhamento adequado. Contudo, as toxicidades, ainda que mais raras, às vezes envolvem processos autoimunes como colite, pneumonite, hepatite e hipofisite, e frequentemente necessitam ser avaliadas e tratadas com urgência.

Tanto terapias-alvo quanto imunoterapia já fazem parte do arsenal terapêutico dos oncologistas no cotidiano, sendo tratamentos aprovados pela Agência Nacional de Vigilância Sanitária (Anvisa) para diversas situações. Contudo, devido ao alto custo dessas intervenções, sua implementação ainda recente e sua, por vezes, desconhecida ou questionável custo-efetividade, o acesso dos pacientes a essas inovações terapêuticas ainda é restrito, especialmente no âmbito do Sistema Único de Saúde (SUS).

Emergências oncológicas

Diante de um paciente com câncer, é essencial estar atento a complicações do tratamento ou da doença que possam ser rapidamente letais ou gravemente limitantes, como as expostas na TABELA 46.4.

Notavelmente, novas terapias também trouxeram consigo novos eventos adversos, como as potencialmente fatais colite e pneumonite autoimunes relacionadas aos imunoterápicos, que necessitam de tratamento agressivo. Todos os quadros evidentes ou suspeitos de toxicidade de tratamento

TABELA 46.4 → Emergências oncológicas mais comuns

	EMERGÊNCIA	COMENTÁRIOS
Cardiovasculares	Isquemia cardíaca (com ou sem doença coronariana conhecida)	Pacientes em uso de 5-fluoruracila, capecitabina ou cisplatina podem apresentar isquemia cardíaca relacionada à medicação que se manifesta inicialmente por alterações eletrocardiográficas ou dor torácica; devem ser encaminhados **imediatamente** para avaliação
Respiratórias	Obstrução das vias aéreas	Compressão de via aérea é um quadro dramático que, na ausência de definição prévia de instituição de cuidados paliativos exclusivos, exige encaminhamento **imediato** para determinação de histologia e discussão acerca de via aérea definitiva
	Síndrome de veia cava superior	A síndrome da veia cava superior consiste em edema, pletora facial, dispneia, turgência de vasos cervicais e, em casos mais subagudos, aparecimento de circulação colateral na parte superior do tórax; os pacientes devem ser encaminhados **imediatamente** a um centro terciário para diagnóstico e/ou discussão de manejo
	Tromboembolismo venoso	Pacientes com câncer ou em uso de antineoplásicos como platinas ou bevacizumabe apresentam risco aumentado de tromboembolismo; embolia pulmonar deve ser considerada na avaliação de pacientes com câncer que desenvolvem dispneia, especialmente súbita e/ou associada a edema de membros inferiores assimétrico e, quando considerada, deve ser **imediatamente** excluída
	Linfangite carcinomatosa	Pacientes com linfangite carcinomatosa apresentam piora progressiva de dispneia que culmina invariavelmente em insuficiência ventilatória na ausência de tratamento específico; essa condição necessita de avaliação **imediata** de oncologista para discussão terapêutica
Ortopédicas	Fratura patológica	Lesões ósseas primárias, metastáticas e radioterapia prévia podem predispor a fraturas dos ossos acometidos; nesse caso, o paciente deve ser avaliado por traumatologista **imediatamente** e de forma especialmente urgente se houver sinais de comprometimento secundário neurológico ou vascular, suspeita de fratura de fêmur ou sintomatologia compatível com compressão medular
Neurológicas	Compressão medular	Quadro dramático de perda de sensibilidade ou força que pode ocorrer de forma aguda ou subaguda e em qualquer nível medular, com ou sem fratura associada; a reversibilidade é dependente da instituição de tratamento o mais precocemente possível; esse paciente deve ser encaminhado **imediatamente** a serviço terciário
	Hipertensão intracraniana	Pacientes com tumores no sistema nervoso central (primários ou metastáticos) podem apresentar aumento paulatino da pressão intracraniana, geralmente manifesta por cefaleia frequente, pior no início da manhã; pode ocorrer também sangramento de lesão desconhecida ou previamente tratada, com piora neurológica súbita; em todos os casos, o paciente deve ser encaminhado **imediatamente** para avaliação e imagem de sistema nervoso central
Metabólicas	Síndrome de lise tumoral	Representa uma rara, mas potencialmente fatal, manifestação relacionada à morte celular de neoplasias com alto índice de replicação ou após realização de tratamento quimioterápico; inclui hipercalemia, hiperfosfatemia, hipocalcemia e hiperuricemia com consequente injúria renal aguda e necessita de avaliação **imediata**
	Hipercalcemia da malignidade	O aumento progressivo da calcemia determina múltiplos sintomas, que podem incluir náusea, constipação, confusão mental, injúria renal aguda e, em casos mais graves, estupor e coma; o tratamento deve ser instituído em serviço terciário, de forma **imediata**
Infecciosa	Neutropenia febril	Neutropenia (neutrófilos, incluindo formas jovens, < 1.000/μL) é evento adverso frequente e comum relacionado à quimioterapia e não consiste, por si, em emergência; contudo, a presença de febre ou outros sinais de infecção em paciente neutropênico indica início de antibioticoterapia precoce e, no mínimo, período de observação em instituição terciária e avaliação de especialista; portanto, o paciente deve ser encaminhado para serviço de referência de forma **imediata**
Alérgica	Anafilaxia	Ainda que raramente, a administração de agentes antineoplásicos pode estar associada à anafilaxia, que pode ocorrer durante ou logo após a infusão; mais comum com o uso de cisplatina, oxaliplatina, paclitaxel, cetuximabe e etoposídeo; não há diferença no manejo em relação à anafilaxia por outras causas, e o tratamento deve ser instituído **imediatamente**

que resultam em uma emergência oncológica devem ser encaminhados de forma urgente para avaliação em hospital terciário.

Síndromes paraneoplásicas

Síndromes paraneoplásicas são manifestações clínicas ou laboratoriais caracterizadas pelo aparecimento de sintomas não relacionados diretamente com o tumor, mas com a secreção de substâncias que podem causar manifestações sistêmicas. Esses fenômenos incluem uma série de condições musculoesqueléticas, cutâneas, endocrinológicas, neurológicas, metabólicas ou hematológicas. Embora isso seja raro, às vezes as síndromes paraneoplásicas podem ser a manifestação inicial da doença.

O câncer mais comumente associado ao aparecimento de síndromes paraneoplásicas é o câncer de pulmão. A hipercalcemia maligna pode acontecer mesmo na ausência de metástases ósseas e é geralmente causada pela secreção tumoral de uma substância chamada de **proteína relacionada ao PTH ou PTHrp**. Outra síndrome paraneoplásica reconhecidamente relacionada à neoplasia primária pulmonar é a osteoartropatia pulmonar hipertrófica, que pode apresentar achados típicos na radiografia de ossos longos.

A síndrome da secreção inapropriada do hormônio antidiurético (SSIADH), a síndrome de Cushing por secreção ectópica de hormônio adrenocorticotrófico (ACTH) e a síndrome miastênica de Eaton-Lambert são exemplos de outras manifestações paraneoplásicas associadas ao carcinoma de pequenas células. O tratamento adequado das síndromes paraneoplásicas é variável, mas geralmente envolve a terapêutica adequada da patologia de base com agentes antineoplásicos.

O SOBREVIVENTE DE CÂNCER

Sobrevivente de câncer é definido como qualquer indivíduo que em algum momento da vida tenha sido diagnosticado com câncer. Portanto, estão incluídos nesse grupo pacientes em tratamento com intenção curativa, pacientes em remissão, pacientes em intervalo de tratamento e, inclusive, pacientes em tratamento paliativo. Essa definição inclui, ainda, familiares, amigos e cuidadores, uma vez que a experiência de sobrevivência ao câncer afeta não apenas o próprio indivíduo.[23] Sobreviventes de câncer tendem a ter um pior padrão dietético, são mais sedentários, são mais frequentemente obesos, apresentam mais comorbidades clínicas e psicológicas, consultam na APS com mais frequência do que pacientes da mesma idade e são menos vacinados, além de apresentarem risco de recorrência do câncer primário e risco aumentado de uma segunda neoplasia, devendo receber, portanto, cuidados adicionais aos da população em geral.[24]

A maior parte dos sobreviventes de longo prazo teve como diagnóstico câncer de próstata, mama ou cólon e tem 65 anos ou mais, sendo que apenas 5% dos sobreviventes têm ≤ 40 anos.[25] Ainda que até 50% desses pacientes apresentem algum efeito tardio possivelmente relacionado ao câncer e seu tratamento, mais comumente depressão, ansiedade e fadiga, a maior parte dos pacientes em acompanhamento considera sua qualidade de vida boa ou excelente.[26,27] Contudo, uma vez que o aumento da chance de cura está baseado em um aumento da complexidade e da intensidade dos tratamentos instituídos, naturalmente eventos como dor, menopausa precoce, dispareunia, déficit cognitivo e perda de massa óssea também estão aumentando em incidência e necessitam de tratamentos específicos.[28,29]

Coordenação de cuidado

Um dos cernes da atenção fornecida ao paciente sobrevivente de câncer é a capacidade de coordenação do cuidado, de maneira que o paciente receba todos os cuidados de saúde de que necessite, quer esteja em contato com seu oncologista, médico da APS ou ambos.[30] Isso significa vencer as barreiras existentes para que a atenção básica seja incluída na atenção ao paciente oncológico após seu tratamento, que incluem a falta de educação médica específica dedicada ao cuidado de sobreviventes de câncer, as dificuldades de comunicação entre os especialistas e médicos que atuam na APS e as dificuldades de acesso aos exames necessários para o acompanhamento.

Apesar de, historicamente, os cuidados da APS em relação ao câncer estarem relacionados principalmente à prevenção e ao diagnóstico precoce, diversos modelos de cuidado propostos recentemente incluem o acompanhamento, sobretudo para pacientes de risco menor, realizado ao menos parcialmente na APS.[30] Nesse caso, a formulação de um plano de cuidados do sobrevivente que inclua um sumário do tratamento recebido, informações a respeito do plano de acompanhamento e potenciais eventos tardios do tratamento se torna fundamental para a integração da APS aos cuidados de pacientes sobreviventes de câncer, e deve ser fornecido pelo médico que prestou o atendimento especializado na atenção terciária. O plano de cuidados do sobrevivente é um documento formal utilizado e endossado por instituições como a American Society of Clinical Oncology (ASCO) e o Children's Oncology Group (COG) e permite uma transição de cuidados com os ganhos dos cuidados adicionais fornecidos pela APS, minimizando o risco de prejuízo pela perda ou diminuição da frequência de acompanhamento no serviço especializado. Modelos de planos de cuidados do sobrevivente se encontram disponíveis nos *sites* dessas instituições.

Acompanhamento para recorrência ou segunda neoplasia primária

O plano de acompanhamento com imagens para detecção precoce de recorrência é específico para cada paciente e é baseado no sítio primário da doença, no estadiamento ao diagnóstico, nas comorbidades, na possibilidade de tratamento com intenção curativa de resgate no caso de recidiva e na condição clínica para tratamento adicional se for necessário. Por isso e pela facilidade de acesso a exames mais complexos necessários em alguns casos, geralmente é realizado pelo oncologista na atenção terciária, ou, quando a cargo da APS, deve estar clarificado pelo plano de cuidados do sobrevivente fornecido. O uso de métodos de imagem deve ser baseado na melhor evidência disponível e tem como objetivo melhorar desfechos duros como sobrevida. Embora pareça lógico que a detecção precoce de recorrências modifique a história natural da doença, esse princípio já provou estar errado em diversas doenças e, tendo em vista a possível associação entre acompanhamento tomográfico e neoplasias associadas à radiação, o uso indiscriminado de exames de imagem é desencorajado.[31]

Na **TABELA 46.5**, encontram-se resumidas as recomendações de acompanhamento para as neoplasias dos sítios primários mais frequentes, além de suas recomendações de avaliação genética familiar, seus padrões de recorrência e os eventos adversos tardios mais comumente associados aos tratamentos mais utilizados.

Sobreviventes de câncer apresentam risco maior de desenvolvimento de um segundo câncer primário devido às predisposições genéticas, à exposição compartilhada aos fatores causais (tabagismo, alcoolismo, obesidade, p. ex.) e ao efeito carcinogênico de alguns tratamentos antineoplásicos.[32-34] Aproximadamente 8,1% dos pacientes sobreviventes de câncer desenvolverão um segundo tumor primário em uma mediana de 7,1 anos após o diagnóstico do primeiro tumor, e 55% desses pacientes falecerão em resultado do segundo câncer. Pacientes com neoplasia de bexiga, linfoma de Hodgkin e carcinomas de cabeça e pescoço apresentam risco consideravelmente maior de segunda neoplasia em relação aos outros sítios.[35] Exceto pela recomendação de rastreio de câncer de mama com exames de imagem (idealmente com ressonância magnética) a partir dos 25 anos para pacientes que realizaram radioterapia do tórax como forma de tratamento devido ao alto risco de desenvolvimento de neoplasia mamária, não há outras formas de rastreamento especiais para segundos tumores primários na ausência de síndrome de predisposição genética ao câncer, sendo, portanto, as orientações para rastreio semelhantes às de pacientes que nunca tiveram câncer.

Avaliação dos efeitos tardios médicos e psicossociais

A avaliação periódica ao menos anual de pacientes sobreviventes é parte do cuidado integral, possibilitando identificar complicações do câncer e seu tratamento. Nessas avaliações, devem ser buscados aspectos relacionados à ansiedade, à depressão, ao bem-estar, à fadiga, ao controle de comorbidades e de fatores de risco para novos tumores primários, além das complicações tardias mais comuns relacionadas ao tratamento realizado.

Existem propostas de avaliação por meio de questionários já validados, mas não há evidência que sugira superioridade de qualquer método em relação ao outro.[35-38] A lista de toxicidades possíveis é extensa, e não se espera que todos os tópicos sejam abordados em todos os encontros entre médicos e pacientes. Contudo, sugere-se questionar ativamente e de forma sistemática todos os pacientes após o tratamento oncológico, com vistas a diminuir a possibilidade de omissão de uma ou mais dimensões do cuidado.

Intervenções específicas para consequências do câncer e seu tratamento

Pacientes com câncer e sobreviventes apresentam o dobro de risco de apresentar transtorno de ansiedade generalizada, depressão e suicídio.[39,40] Ainda que alguns pacientes não apresentem critérios diagnósticos claros, sintomas de medo da recorrência e de preocupação com o futuro são frequentes e se confundem com o que se conhece como distresse, expressão que se refere a uma experiência multifatorial desprazerosa de natureza social, espiritual, psicológica (cognitiva, comportamental, emocional) e/ou física que possa interferir na habilidade de lidar efetivamente com o câncer, seus sintomas físicos ou seu tratamento.[41,42] Não surpreendentemente, sintomas semelhantes aos de transtorno de estresse pós-traumático (TEPT) também estão presentes em sobreviventes de câncer, ocorrendo em 22% dos pacientes 6 meses após o término do tratamento, e 5 a 12% dos pacientes apresentam diagnóstico formal de TEPT em algum momento da vida.[43] Assim, é essencial, com o acompanhamento desses pacientes, rastrear, diagnosticar e tratar as comorbidades psiquiátricas apresentadas.

Entre os sintomas físicos mais frequentes, dor crônica é sintoma comum, apresenta múltiplas causas possíveis e necessita de manejo específico conforme etiologia e padrão de dor (ver Dor Crônica e Sensibilização Central). Das demais complicações tardias possíveis, destacam-se as mais frequentes na **TABELA 46.6**, assim como seus fatores causadores e manejo inicial.

Formas de prevenção de recorrência e novas neoplasias

Atividade física

Sabe-se que o comportamento sedentário é um fator de risco para câncer, e que piora a qualidade de vida e o humor de pacientes sobreviventes.[44] Além disso, em consequência ao diagnóstico, ao tratamento e ao impacto emocional relacionado ao câncer, muitos pacientes se tornam sedentários e perdem o condicionamento físico prévio ao adoecimento.[45] Para a maioria dos sobreviventes de câncer, a realização de exercício físico é segura, tolerável e eficaz. Há, ainda, evidência de melhora de desfechos como fadiga, bem-estar e qualidade de vida. Adicionalmente, para pacientes com câncer de mama inicial, o exercício físico após o diagnóstico reduziu a mortalidade em 41%, e a chance de recorrência, em 24%.[46]

Há recomendações claras da American Cancer Society (ACS) e do American College of Sports Medicine (ACSM) sobre atividade física em sobreviventes de câncer, que incluem a manutenção de peso saudável, a prática de ao menos 150 minutos de atividade moderada ou 75 minutos de atividade vigorosa por semana e evitar comportamento sedentário.[47] Além do exercício físico aeróbico, o treino de

TABELA 46.5 → Acompanhamento após tratamento de neoplasias

SÍTIO PRIMÁRIO	ANAMNESE E EXAME FÍSICO	EXAMES ADICIONAIS	AVALIAÇÃO GENÉTICA	PADRÃO DE RECORRÊNCIA	EVENTOS FÍSICOS TARDIOS FREQUENTES
Sistema nervoso central (glioblastoma, astrocitoma, oligodendroglioma)	Em conjunto com imagens ou antes, conforme necessidade clínica	Alto grau: → RM 2-6 semanas após tratamento radioterápico → Anos 1-3: 2-4 meses → Após: 3-6 meses indefinidamente Baixo grau → Anos 1-5: 3-6 meses → Após: anualmente	≤ 18 anos: → Manchas café com leite → Pais consanguíneos → História familiar de tumores associados à síndrome de Lynch* → Segunda neoplasia primária → Prole com tumor da infância Qualquer idade: → 2 outros casos de tumor associado à síndrome de Lynch* na família → Um tumor adicional do espectro da síndrome de Li-Fraumeni† no mesmo indivíduo ou em 2 familiares, ao menos um diagnóstico com idade ≤ 45 anos → Astrocitoma e melanoma no mesmo indivíduo ou em 2 parentes de primeiro grau → Meduloblastoma e ≥ 10 pólipos adenomatosos colônicos	Local	Sequelas neurológicas relacionadas à cirurgia ou radioterapia Radionecrose Perda cognitiva
Cabeça e pescoço (carcinoma epidermoide)	Ano 1: 1-3 meses Anos 2-5: 2-6 meses Após: anualmente Especial atenção à nutrição e sequelas do tratamento, além de risco de neoplasia secundária	TC ou RM ou PET-TC 3-6 meses após tratamento definitivo Laringoscopia indireta Nasofibrolaringoscopia periódica realizada por especialista TSH a cada 6-12 meses em caso de radioterapia, incluindo área de tireoide Considerar TC de tórax de baixa dose para rastreamento de câncer de pulmão	Não é necessária Cessar tabagismo e/ou uso de álcool se presentes	80-90% das recorrências acontecem nos primeiros 2-3 anos Locais mais frequentes de metástase: → Linfonodos locorregionais → Pulmão	Xerostomia Disgeusia Disfagia Afonia Dor crônica por radioterapia Hipotireoidismo Complicações dentárias Osteonecrose Fibrose e rigidez cervical Perda auditiva Neuropatia periférica
Tireoide (carcinoma papilar, carcinoma folicular) Não se aplica a carcinoma medular ou carcinoma anaplásico	Em conjunto com avaliação laboratorial ou antes, conforme necessidade clínica	TSH, tireoglobulina e anticorpos antitireoglobulina após 6 e 12 meses do tratamento Após, anualmente US periódica; pacientes sob maior risco podem necessitar de aferição de tireoglobulina sérica após estímulo de TSH ou cintilografia de corpo inteiro com radioisótopo	Carcinoma medular de tireoide Carcinoma de outras histologias, exceto medular, com 1 critério adicional de complexo de Carney‖ Carcinoma de outras histologias, exceto medular, com 2 critérios adicionais de síndrome de Cowden‡ Carcinoma papilar de tireoide variante cribriforme-morular	Locais mais frequentes de metástase: → Linfonodos locorregionais → Pulmão → Ossos Carcinomas de subtipo medular e anaplásico são potencialmente mais agressivos	Sequelas cirúrgicas ou relacionadas à radioterapia Complicações relacionadas à supressão de TSH (Manter o TSH suprimido por meio de doses suprafisiológicas de T₄ um recurso terapêutico frequentemente utilizado, mas associado com eventuais complicações, especialmente em indivíduos mais idosos)

(continua)

TABELA 46.5 → Acompanhamento após tratamento de neoplasias   *(Continuação)*

SÍTIO PRIMÁRIO	ANAMNESE E EXAME FÍSICO	EXAMES ADICIONAIS	AVALIAÇÃO GENÉTICA	PADRÃO DE RECORRÊNCIA	EVENTOS FÍSICOS TARDIOS FREQUENTES
Mama (carcinoma)	Anos 1-2: 3-6 meses Anos 3-5: a cada 6 meses Após: anualmente	Imagem mamária anual (US e/ou mamografia) Considerar RM se houver risco > 20% de desenvolvimento de neoplasia de mama (síndrome de predisposição genética ao câncer diagnosticada ou história de radioterapia de tórax) Densitometria e cuidados com a saúde óssea especialmente se houver uso de terapia hormonal ou falência ovariana precoce	Diagnóstico com idade ≤ 50 anos: → Todos os pacientes Diagnóstico com idade 51-60 anos: → Paciente com tumores triplo-negativos Qualquer idade: → Judeu asquenazi → Sexo masculino → Um tumor adicional do espectro da síndrome de Li-Fraumeni† no mesmo indivíduo ou em 2 familiares, ao menos um diagnosticado com idade ≤ 45 anos → 1 ou mais pólipos de Peutz-Jeghers → Tumor lobular e paciente ou familiar com câncer gástrico subtipo difuso → 2 critérios adicionais de síndrome de Cowden‡	Em pacientes com receptor hormonal positivo, o risco se estende indefinidamente, por pelo menos 20 anos Para pacientes com tumores triplo-negativos, o risco de recidiva precoce é maior Locais mais frequentes de metástase: → Linfonodos locorregionais → Pulmão → Fígado → Ossos → Sistema nervoso central (especialmente triplo negativo e HER2+)	Linfedema Perda de massa óssea Dor crônica Neuropatia periférica Infertilidade Falência ovariana precoce Nevoeiro quimioterápico (*"chemo brain"*) Cardiotoxicidade actínica Miocardiopatia relacionada às antraciclinas
Pulmão (carcinoma não pequenas células)	Em conjunto com imagens ou antes, conforme necessidade clínica	Estágio I ou II ressecado: → Anos 1-3: TCT/A a cada 6 meses → Indefinidamente: considerar TC de tórax de baixa dose Demais: → Anos 1-3: TCT/A a cada 3-6 meses → Anos 4-5: TCT/A a cada 6 meses Indefinidamente: considerar TC de tórax de baixa dose	Em geral, não é necessária Cessar tabagismo e/ou uso de álcool se presentes	Pulmão contralateral Fígado Glândula suprarrenal Ossos Sistema nervoso central (especialmente adenocarcinomas com alteração dos genes *EGFR* ou *ALK*)	Síndrome da dor pós-toracotomia Perda de função pulmonar Pneumonite e/ou fibrose Ototoxicidade Neuropatia periférica Hipotireoidismo Outros eventos autoimunes
Esôfago (carcinoma epidermoide ou adenocarcinoma)	Anos 1-2: a cada 3-6 meses Anos 3-5: a cada 6-12 meses Após: anualmente Especial atenção à nutrição e sequelas do tratamento	TC, PET-TC ou endoscopia para acompanhamento deve ser realizada apenas em pacientes com condições clínicas para realização de tratamento adicional com intenção curativa e nos primeiros 2-3 anos de acompanhamento; a periodicidade é controversa e baseada no risco e no padrão de recorrência Monitorar para deficiências nutricionais, especialmente vitamina B₁₂ e ferro e em caso de gastrectomia Considerar TC de tórax de baixa dose após se for tabagista	Em geral, não é necessária Cessar tabagismo e/ou uso de álcool se presentes	90% das recorrências acontecem nos primeiros 2-3 anos Linfonodos locorregionais, abdominais e cervicais Fígado Pulmão	Síndrome de dor pós-toracotomia Disfagia Estenose de anastomose com necessidade de dilatação periódica *Dumping* Retardo de esvaziamento gástrico Refluxo Disgeusia Ototoxicidade Neuropatia periférica Cardiotoxicidade actínica Pneumonite e/ou fibrose

(continua)

TABELA 46.5 → Acompanhamento após tratamento de neoplasias *(Continuação)*

SÍTIO PRIMÁRIO	ANAMNESE E EXAME FÍSICO	EXAMES ADICIONAIS	AVALIAÇÃO GENÉTICA	PADRÃO DE RECORRÊNCIA	EVENTOS FÍSICOS TARDIOS FREQUENTES
Estômago (adenocarcinoma)	Anos 1-2: a cada 3-6 meses Anos 3-5: a cada 6-12 meses Após: anualmente Especial atenção à nutrição e sequelas do tratamento	EC I (patológico): → Ano 1: endoscopia aos 6 e 12 meses → Anos 2-5: endoscopia anualmente Demais: → Anos 1-2: TC de tórax, abdome e pelve a cada 6-12 meses → Anos 3-5: TC de tórax, abdome e pelve anualmente Monitorar para deficiências nutricionais, especialmente vitamina B_{12} e ferro	≤ 40 anos: → Câncer gástrico subtipo difuso 40-50 anos: → Ao menos mais 1 caso de câncer gástrico ou mama subtipo lobular Todas as idades: → ≥ 3 casos de câncer gástrico em parentes próximos → Diagnóstico de câncer de mama subtipo lobular no mesmo indivíduo ou em familiar com idade < 50 anos → 2 casos adicionais de câncer associado à síndrome de Lynch* na paciente ou em familiares próximos	Locorregional Linfonodos abdominais Fígado Pulmão	Estenose de anastomose com necessidade de dilatação periódica *Dumping* Retardo de esvaziamento gástrico Refluxo Disgeusia Ototoxicidade Neuropatia periférica
Pâncreas (adenocarcinoma)	Anos 1-2: a cada 3-6 meses Anos 3-5: a cada 6-12 meses	A necessidade e o benefício de exames de imagem de acompanhamento e marcadores tumorais são controversos	Todos os pacientes necessitam de avaliação genética	Locorregional Fígado Pulmão Em torno de 85% dos pacientes operados com intenção curativa apresentam recidiva	Sequelas relacionadas à cirurgia *Dumping* Insuficiência pancreática exócrina Dor crônica Neuropatia periférica
Colorretal (adenocarcinoma)	Anos 1-2: a cada 3-6 meses Anos 3-5: a cada 6 meses	Todos: → Colonoscopia após 1 ano → Em caso de adenoma avançado, novamente em 1 ano → Se não houver adenoma avançado, em 3 anos e, então, a cada 5 anos Estágios II e III: → CEA a cada visita de acompanhamento → T/A/P = tórax, abdome e pelve: → Anos 1-5: a cada 6-12 meses Estágio IV ressecado: → CEA a cada visita de acompanhamento → TC = tomografia computadorizada → T/A/P = tórax, abdome e pelve → Anos 1-2: a cada 3-6 meses → Anos 3-5: a cada 6-12 meses	Diagnóstico com idade ≤ 50 anos: → Todos os pacientes Qualquer idade: → Familiar com câncer de cólon ou endométrio → Neoplasia de endométrio sincrônica ou metacrônica Presença de deficiência de *mismatch repair* ou instabilidade de microssatélites 2 casos de tumores associados à síndrome de Lynch* em familiares 2 critérios adicionais de síndrome de Cowden‡ Um tumor adicional do espectro da síndrome de Li-Fraumeni† na mesma pessoa ou em 2 familiares, ao menos um diagnosticado com idade ≤ 45 anos Pólipos (sem câncer de cólon): → ≥ 10 pólipos adenomatosos colônicos → 3-5 pólipos juvenis ou qualquer número de pólipos juvenis com história familiar positiva para síndrome da polipose juvenil → ≥ 2 pólipos de Peutz-Jeghers → ≥ 1 pólipo de Peutz-Jeghers e hiperpigmentação mucocutânea ou história familiar de síndrome de Peutz-Jeghers → Hamartoma de trato gastrintestinal ou ganglioneuroma e 2 critérios adicionais de síndrome de Cowden‡ → Pólipos hamartomatosos retais e 1 critério adicional de esclerose tuberosa§ → Ganglioneuromatose do trato gastrintestinal → ≥ 5 pólipos serrilhados proximais ao cólon sigmoide, pelo menos 2 com > 1 cm → ≥ 20 pólipos serrilhados em todo o cólon → ≥ 10 pólipos cumulativos com > 1 histologia	Linfonodos intra-abdominais Fígado Pulmão Em caso de doença inicialmente localizada, recidiva > 5 anos é incomum Em caso de doença metastática ressecada, necessita de acompanhamento mais longo, por período indefinido	Ostomia permanente Síndrome da ressecção anterior baixa Diarreia crônica Incontinência fecal Dor crônica Neuropatia periférica

(continua)

TABELA 46.5 → Acompanhamento após tratamento de neoplasias *(Continuação)*

SÍTIO PRIMÁRIO	ANAMNESE E EXAME FÍSICO	EXAMES ADICIONAIS	AVALIAÇÃO GENÉTICA	PADRÃO DE RECORRÊNCIA	EVENTOS FÍSICOS TARDIOS FREQUENTES
Endométrio (adenocarcinoma)	Exame ginecológico: → Anos 1-2: a cada 3-6 meses → Anos 3-5: a cada 6-12 meses	O uso de marcadores tumorais é controverso Exames de imagem deve ser realizados apenas conforme necessidade clínica	≤ 50 anos: → Todas as pacientes Qualquer idade: → Diagnóstico de câncer colorretal sincrônico ou colorretal ou endometrial metacrônicos em paciente ou em familiar de primeiro grau → Presença de deficiência de *mismatch repair* ou instabilidade de microssatélites → 2 casos adicionais de câncer associado à síndrome de Lynch* na paciente ou em familiares próximos → 2 critérios adicionais da síndrome de Cowden‡	Disseminação frequentemente celômica Carcinomatose peritoneal Omento Linfonodos retroperitoneais Pulmão	Infertilidade Dispareunia Disfunção sexual Sintomas climatéricos Menopausa precoce Linfedema Enterite actínica Cistite actínica
Ovário (adenocarcinoma)	Exame ginecológico: → Anos 1-2: a cada 2-4 meses → Anos 3-5: a cada 3-6 meses → Após, anualmente	O uso de marcadores tumorais é controverso Exames de imagem deve ser realizados apenas conforme necessidade clínica	Todas as pacientes necessitam de avaliação genética	Disseminação frequentemente celômica Carcinomatose peritoneal Omento Linfonodos retroperitoneais Fígado Pulmão	Infertilidade Dispareunia Disfunção sexual Sintomas climatéricos Menopausa precoce Linfedema
Rim (carcinoma de células claras)	Anos 1-3: a cada 3-6 meses Anos 4-5: anualmente	Estágio I: → TC ou RM de abdome 3-6 meses após tratamento → Após, anualmente por 3 anos em caso de lesão ressecada ou 5 anos se tratada com ablação → Radiografia ou TC de tórax anualmente por 5 anos Estágios II e III: → Anos 1-3: TC ou RM T/A a cada 3-6 meses → Anos 4-5: TC ou RM T/A anualmente	Histologia de células claras em caso de: → Diagnóstico ≤ 50 anos → Tumor bilateral ou multifocal → ≥ 1 parente próximo com tumor renal de células claras Pacientes com histologia papilar tipo 1, papilar tipo 2, carcinoma de ductos coletores, tubulopapilar, cromófobo ou oncocitoma Neoplasia de rim e 2 critérios adicionais da síndrome de Cowden‡ Neoplasia de rim e 1 critério adicional de esclerose tuberosa§	Pulmão Fígado Sistema nervoso central Linfonodos Recorrências podem ser tardias, doença com comportamento muito heterogêneo	Sequelas cirúrgicas Dor crônica
Bexiga (carcinoma de células transicionais)	Quando há necessidade de cistoscopia, o acompanhamento é realizado em serviço terciário Após realização de cistectomia, contudo, em geral o acompanhamento se dá na periodicidade seguinte: → Anos 1-2: a cada 3-6 meses → Anos 3-5: anualmente	Cistoscopia, citologia urinária e exames de imagem são utilizados a depender do estadiamento inicial e do risco de recidiva Quando há necessidade de cistoscopia, o acompanhamento é realizado em serviço terciário De forma geral, TC ou RM periódicas de acompanhamento só estão indicadas após tratamento de doença músculo-invasiva ou após protocolos de conservação de bexiga	Em geral, testagem genética não é indicada Cessar tabagismo e/ou uso de álcool se presentes	Doença T1: → Recidiva localizada Doença músculo-invasiva: → Linfonodos retroperitoneais → Pulmão → Fígado → Ossos	Necessidade de ostomia permanente Infecção urinária de repetição Retite actínica Cistite actínica Impotência Dor crônica Neuropatia periférica

(continua)

TABELA 46.5 → Acompanhamento após tratamento de neoplasias *(Continuação)*

SÍTIO PRIMÁRIO	ANAMNESE E EXAME FÍSICO	EXAMES ADICIONAIS	AVALIAÇÃO GENÉTICA	PADRÃO DE RECORRÊNCIA	EVENTOS FÍSICOS TARDIOS FREQUENTES
Próstata (adenocarcinoma)	Toque retal anual (pode ser omitido se PSA indetectável)	Anos 1-5: PSA a cada 6-12 meses Após, anualmente	Todos os pacientes com doença metastática, doença regional (N1) ou doença localizada de risco alto ou muito alto (PSA ≥ 20 OU ≥ T3a OU Gleason ≥ 8) necessitam de avaliação genética Demais pacientes necessitam de avaliação se: → Histologia intraductal presente na amostra → Judeu asquenazi → História familiar: irmão, pai ou múltiplos familiares com câncer de próstata diagnosticado com idade ≤ 60 anos (exceto tumor localizado e Gleason 6) ou falecidos por câncer de próstata → ≥ 3 casos de câncer do espectro da síndrome de Lynch* em parentes próximos	Linfonodos retroperitoneais Ossos (sítio mais frequente) Fígado Pulmão Recorrências podem ser tardias, doença com comportamento heterogêneo (mais frequentemente indolente)	Retite actínica Cistite actínica Impotência Perda de massa óssea Aumento de risco cardiovascular
Testículo (neoplasias germinativas)	Em conjunto com avaliação laboratorial ou antes, conforme necessidade clínica	β-hCG, AFP e LDH são usados para o acompanhamento em pacientes com tumores não seminomatosos; seu papel em seminomas é controverso A periodicidade do acompanhamento é complexa, tanto para o uso de marcadores tumorais quanto de exames de imagem, e varia conforme o estadiamento e o risco de recidiva	Em geral, testagem genética não é indicada	Linfonodos retroperitoneais e mediastinais Pulmão Fígado Ossos	Neoplasias secundárias Toxicidade pulmonar relacionada à bleomicina Aumento do risco cardiovascular Infertilidade Hipogonadismo
Melanoma	Estágio IA-IIA: → Anos 1-5: a cada 6-12 meses → Após, avaliação dermatológica anualmente Estágio IIB-IV ressecado: → Anos 1-2: a cada 3-6 meses → Anos 3-5: a cada 3-12 meses → Após, avaliação dermatológica anualmente	US deve ser realizada periodicamente para pacientes que não realizaram pesquisa de linfonodo-sentinela apesar de indicação, ou que não procederam a esvaziamento axilar, apesar de linfonodo-sentinela positivo Anos 1-2: a cada 3-4 meses Anos 3-5: a cada 6 meses A indicação de demais exames de imagem para acompanhamento é controversa	Qualquer idade: → ≥ 3 casos de melanoma e/ou câncer de pâncreas em parentes próximos → ≥ 3 melanomas no mesmo paciente → Melanoma e câncer de pâncreas no mesmo paciente → Melanoma e astrocitoma no mesmo paciente ou em 2 parentes de primeiro grau	Recidiva local Linfonodos locorregionais Pulmão Fígado Pele (satelitose) Sistema nervoso central Recorrências podem ser tardias, doença com comportamento muito heterogêneo	Sequelas cirúrgicas Linfedema Hipotireoidismo Vitiligo Outros eventos adversos autoimunes
Linfoma	Conforme subtipo específico	Conforme subtipo específico	Em geral, testagem genética não é indicada	Recidivas acontecem conforme subtipo histológico e tratamento realizado, frequentemente sendo linfonodais Ocasionalmente, alguns linfomas e síndromes mielodisplásicas podem evoluir com transformação para leucemias Entre os linfomas, há grande heterogeneidade na agressividade, no prognóstico e no tratamento	Neoplasias secundárias Cardiotoxicidade relacionada a antraciclinas Cardiotoxicidade actínica Toxicidade pulmonar relacionada à bleomicina Aumento do risco cardiovascular Infertilidade Distúrbios neurocognitivos

(continua)

TABELA 46.5 → Acompanhamento após tratamento de neoplasias *(Continuação)*

SÍTIO PRIMÁRIO	ANAMNESE E EXAME FÍSICO	EXAMES ADICIONAIS	AVALIAÇÃO GENÉTICA	PADRÃO DE RECORRÊNCIA	EVENTOS FÍSICOS TARDIOS FREQUENTES
Leucemia	Conforme subtipo específico	Conforme subtipo específico	≤ 18 anos: → Manchas café com leite e/ou outros sinais de neurofibromatose tipo 1, ou lesões de pele hipopigmentadas → Pais consanguíneos → História familiar de cânceres associados à síndrome de Lynch* → Segundo tumor primário → Filho ou pai com câncer infantil Todas as idades: → Leucemia e um tumor adicional associado à síndrome de Li-Fraumeni† no mesmo paciente ou em 2 parentes próximos, ao menos um deles diagnosticado com idade ≤ 45 anos	Ocasionalmente, a leucemia linfocítica crônica pode transformar-se em um linfoma agressivo, fenômeno conhecido como transformação de Richter Entre as leucemias, há grande heterogeneidade na agressividade, no prognóstico e no tratamento	Neoplasias secundárias Cardiotoxicidade relacionada a antraciclinas Aumento do risco cardiovascular Retardo de crescimento Infertilidade Distúrbios neurocognitivos

Observação: essas sugestões se aplicam apenas aos subtipos histológicos mais frequentes, em apresentações típicas. A individualização do acompanhamento por histologias incomuns e peculiaridades da apresentação clínica é frequentemente necessária. Portanto, sugere-se que o plano de acompanhamento seja discutido com o especialista caso a caso.

*Tumores associados à síndrome de Lynch: adenocarcinoma colorretal, adenocarcinoma de endométrio, carcinoma urotelial, câncer gástrico, câncer de ovário, câncer de intestino delgado, glioblastoma, adenocarcinoma sebáceo, câncer da via biliar e câncer de pâncreas.

†Tumores associados à síndrome de Li-Fraumeni: sarcoma de tecidos moles, osteossarcoma, tumores cerebrais, câncer de mama (geralmente em pacientes jovens), tumores corticossuprarrenais, leucemia, carcinoma bronquíolo-alveolar, câncer colorretal.

‖Critérios para complexo de Carney: hiperpigmentação cutânea puntiforme típica em lábios, conjuntiva e/ou mucosas; mixoma (cutâneo e mucoso); mixoma cardíaco; mixomatose mamária ou RM sugestiva; acromegalia; tumor de células de Sertoli ou calcificação testicular característica; doença corticossuprarrenal nodular pigmentada primária; carcinoma não medular de tireoide ou múltiplos nódulos hipoecoicos em US de paciente jovem; schwanoma melanocítico psamomatoso; nevos azuis; adenoma ductal de mama; osteocondromixoma.

‡Critérios para síndrome de Cowden:
Maiores: câncer de mama; câncer de endométrio; carcinoma folicular de tireoide; hamartomas gastrintestinais; doença de Lhermitte-Duclos; macrocefalia (> 58 cm para mulheres e 60 cm para homens); pigmentação macular da glande do pênis; múltiplas lesões mucocutâneas, incluindo triquilemomas, ceratose acral, neuromas mucocutâneos ou papilomas orais.
Menores: doença do espectro autista; câncer de cólon; acantose glicogênica esofágica; múltiplos lipomas; quociente de inteligência ≤ 75; carcinoma de células renais; lipomatose testicular; câncer de tireoide papilífero ou variante folicular do carcinoma papilífero da tireoide; doenças estruturais da tireoide (adenoma, bócio); anormalidades vasculares.

§Critérios para esclerose tuberosa:
Maiores: angiofibromas faciais ou placa cefálica; fibroma ungueal ou periungueal não traumático; máculas hipomelanocíticas; placa de Shagreen; tubérculo cortical; nódulo glial subependimário; astrocitoma de células gigantes subependimário; múltiplos hamartomas retinianos; rabdomioma cardíaco; linfangiomiomatose; angiomiolipoma renal.
Menores: pits em esmalte dental; pólipos retais hamartomatosos; cistos ósseos; manchas "em confete"; múltiplos cistos renais; hamartoma não renal; linhas de migração de radiação de substância branca; mancha retiniana acrômica; fibromas gengivais.

AFP, alfafetoproteína; β-hCG, gonatrofina coriônica humana; CEA, antígeno carcinoembrionário; DHL, desidrogenase láctica; PET, tomografia por emissão de pósitrons; PSA, antígeno prostático específico; RM, ressonância magnética; T₄, tiroxina; TC, tomografia computadorizada; TSH, hormônio estimulante da tireoide; US, ultrassonografia; T/A, tórax e abdome; T/A/P = tórax, abdome e pelve; TC, tomografia computadorizada.

TABELA 46.6 → Toxicidades subagudas ou tardias de tratamento oncológico mais relevantes

	CONDIÇÕES	CAUSAS MAIS FREQUENTES	COMENTÁRIOS	MANEJO
Psicossociais	→ Ansiedade → Depressão → Transtorno de estresse pós-traumático		→ Sintomas psiquiátricos são duas vezes mais frequentes em pacientes com câncer; rastreamento nas consultas de acompanhamento é essencial	→ Não há diferença de manejo em relação ao paciente que nunca teve neoplasia → Atenção especial deve ser dada aos pacientes em uso de tamoxifeno, uma vez que esse medicamento apresenta interação com a maioria dos ISRSs; citalopram e escitalopram são os antidepressivos de escolha nessa situação
	→ Distúrbios do sono	→ Ansiedade e depressão → Apneia obstrutiva do sono	→ Afetam até 50% dos pacientes, e são fator de risco para suicídio; não há diferença nos critérios diagnósticos em relação a pacientes sem câncer prévio	→ Educação acerca de higiene do sono é recomendada; atividade física melhora o padrão de sono em pacientes com ou sem neoplasia prévia → Ver Capítulo Alterações do Sono
	→ Toxicidade financeira		→ É conhecido como toxicidade financeira o impacto econômico do câncer no indivíduo, e envolve não apenas os custos do tratamento, mas a dificuldade de recolocação no trabalho e os gastos adicionais do acompanhamento	→ A situação social e econômica do paciente e da família devem ser conhecidos; o paciente com câncer apresenta benefícios fiscais, como adicional previdenciário em caso de dependência, isenção de imposto de renda (IRPF) e possibilidade de retirada do Fundo de Garantia por Tempo de Serviço (FGTS)
Cardiovasculares	→ Insuficiência cardíaca	→ Doxorrubicina, daunorrubicina, epirrubicina → Trastuzumabe → Radioterapia	→ O desenvolvimento de insuficiência cardíaca durante ou após o tratamento oncológico é complicação conhecida e, quando tardia, está mais fortemente relacionada ao uso de doxorrubicina em doses > 250 mg/m²; apesar disso, não há dose isenta de risco para antraciclinas	→ Por definição, todos os pacientes após uso de antraciclinas apresentam insuficiência cardíaca estágio A, e o manejo de demais fatores de risco é essencial; caso haja sintomas, recomenda-se iniciar tratamento e encaminhar para cardiologista (ver Capítulo Insuficiência Cardíaca)
	→ Cardiopatia isquêmica	→ Radioterapia	→ A irradiação de tórax aumenta o risco de eventos cardiovasculares	→ Não há manejo específico; considerar pacientes que realizaram radioterapia de tórax com possível risco aumentado
	→ Estenose carotídea	→ Radioterapia	→ Pode acontecer quando a carótida não pode ser poupada do campo de tratamento	→ Não há manejo específico; considerar realização de radioterapia de carótida como fator de risco para eventos
Respiratórias	→ Pneumonite → Fibrose pulmonar	→ Radioterapia → Bleomicina → Paclitaxel	→ Pode acontecer durante ou até 1 ano após o tratamento, e caracteriza-se por tosse seca, dor pleurítica, dispneia e febre baixa	→ Atentar para a rara possibilidade de pneumonia em organização induzida pela radiação; o tratamento pode incluir corticoterapia em casos sintomáticos; encaminhamento para especialista é recomendado
	→ Disfagia e/ou afonia	→ Radioterapia	→ Pacientes submetidos à radioterapia de cabeça e pescoço, ou ainda a grandes cirurgias desse sítio, incluindo a laringectomia, podem apresentar sequelas para alimentação ou fonação	→ O tratamento é multidisciplinar, e a reabilitação com equipe especializada é essencial
Gastrintestinais	→ Colite e enterite actínicas	→ Radioterapia	→ Manifestam-se por diarreia, por vezes com presença de sangue, dor abdominal e, às vezes, incontinência; pode ocorrer de forma aguda, durante ou logo após o tratamento, ou, ainda, na sua forma tardia, meses a anos após	→ O encaminhamento ao especialista é recomendado
	→ Estenose de vísceras ocas → Fístulas	→ Complicação cirúrgica → Radioterapia	→ Estenoses de esôfago ou anastomoses podem ocorrer por múltiplas causas; fístulas secundárias à radioterapia frequentemente são de difícil tratamento	→ O manejo deve ser feito por especialista; por vezes, dilatação endoscópica ou novas cirurgias são necessárias
	→ Cirrose → Síndrome da obstrução sinusoidal	→ Metotrexato → Oxaliplatina → Transplante de medula óssea	→ Metotrexato está associado a diversas alterações hepáticas, incluindo cirrose, embora essa complicação seja mais frequente após uso crônico de doses baixas → Hipertensão portal sem cirrose e alterações sinusoidais podem acontecer após uso de oxaliplatina → Síndrome da obstrução sinusoidal é uma complicação que ocorre predominantemente nas semanas iniciais após transplante de medula óssea	→ Não há tratamento específico para a cirrose ou hipertensão portal; pacientes com suspeita de síndrome da obstrução sinusoidal devem ser avaliados com brevidade por especialista
	→ Síndrome da ressecção anterior baixa	→ Cirurgia retal com preservação de esfíncter	→ Síndrome clínica caracterizada por polievacuação, sintomas de urgência e dificuldade de esvaziamento após ressecção anterior de reto com conservação de esfíncter; pode ser associada a sintomas frustros, ou incapacitantes	→ O tratamento é complexo e envolve tratamento sintomático para os casos com menor prejuízo de qualidade de vida → Colostomia definitiva pode ser uma opção para casos muito graves

(continua)

TABELA 46.6 Toxicidades subagudas ou tardias de tratamento oncológico mais relevantes *(Continuação)*

	CONDIÇÕES	CAUSAS MAIS FREQUENTES	COMENTÁRIOS	MANEJO
Ortopédicas	→ Linfedema	→ Cirurgia → Radioterapia	→ Mais comumente associada à neoplasia de mama, geralmente diagnosticada < 18 meses após o tratamento, pode acontecer mesmo após realização de linfonodo-sentinela, ou após tratamento de cânceres ginecológicos	→ Educação sobre linfedema para diagnóstico precoce e uso de vestimenta de compressão são essenciais; drenagem linfática manual auxilia na diminuição do edema; o membro sob risco exige cuidados adicionais com a integridade da pele; não há tratamento farmacológico eficaz
	→ Necrose avascular → Osteonecrose de mandíbula → Fraturas relacionadas à radiação	→ Corticoides → Bisfosfonados e denosumabe → Radioterapia	→ Pacientes em uso de corticoterapia apresentam risco de necrose avascular de cabeça de fêmur → Além disso, pacientes que utilizam bisfosfonados ou denosumabe podem apresentar osteonecrose de mandíbula – complicação rara, mas temida → Ossos irradiados genericamente apresentam risco de fraturas tardias	→ Fraturas por necrose avascular ou relacionadas à radioterapia devem ser avaliadas por especialista para tratamento específico → No caso de osteonecrose de mandíbula, é necessária a avaliação de estomatologista para tratamento e acompanhamento → Pacientes que realizarão quimioterapia ou utilizarão bisfosfonados devem idealmente realizar avaliação odontológica anteriormente ao início do tratamento
Neurológicas	→ Déficit cognitivo	→ Radioterapia de encéfalo total → Quimioterapia, mais bem estudada para pacientes com câncer de mama	→ Radioterapia de sistema nervoso central, especialmente na modalidade de irradiação de encéfalo total, leva à perda cognitiva; quimioterapia pode levar ao chamado "nevoeiro quimioterápico", que cursa com dificuldades de atenção e concentração	→ Caso sintomas causem prejuízo de qualidade de vida, considerar avaliação neurológica → Tratamento da ansiedade e da depressão, quando existirem, e o uso de terapias não farmacológicas, como terapia cognitivo-comportamental e exercício físico, são preferidos; o uso de modafinila ou metilfenidato pode ser considerado em alguns casos
	→ Neuropatia periférica	→ Oxaliplatina → Cisplatina → Paclitaxel → Docetaxel → Vincristina	→ Pode ocorrer logo após cada ciclo de tratamento, com melhora rápida, ou haver piora progressiva nas primeiras semanas após; neste caso, a melhora é lenta e pode levar meses a anos	→ Em casos mais graves ou que determinam prejuízo de qualidade de vida, o uso de duloxetina pode trazer algum alívio sintomático; não há prevenção até o momento; o uso de tricíclicos ou tratamentos tópicos é controverso
	→ Radionecrose	→ Radiocirurgia	→ Ocorrendo de forma subaguda após radiocirurgia, essa complicação relativamente rara pode confundir-se com uma recidiva da doença, frequentemente necessitando de avaliação com protocolos específicos de imagem e/ou acompanhamento	→ O uso de corticoterapia geralmente provê alívio sintomático inicial; contudo, eventualmente cirurgia ou outros tratamentos são necessários por manutenção dos sintomas ou impossibilidade de retirada de corticoide
	→ Perda auditiva e/ou zumbido	→ Radioterapia → Cisplatina	→ Relacionada ao uso de cisplatina, ou, ainda, à radioterapia em crânio, pode iniciar durante ou após o tratamento	→ Avaliação de otorrinolaringologista é importante para gradação e tratamento
	→ Dor crônica	→ Frequentemente multifatorial → Cirurgias → Radioterapia determinando fibrose, plexopatia ou mononeuropatia → Oxaliplatina, cisplatina → Paclitaxel, docetaxel → Vinorelbina, vincristina	→ Dor crônica é muito comum em sobreviventes e pode estar associada a múltiplas causas → São etiologias frequentes a neuropatia periférica residual, a dor em membro-fantasma em pacientes amputados, a dor de origem musculoesquelética incluindo síndrome miofascial em pacientes que realizaram radioterapia, a dor crônica pós-operatória e as dores neuropáticas por compressão nervosa	→ O manejo varia conforme a etiologia; de forma geral, opioides apresentam papel limitado em dores neuropáticas e musculoesqueléticas → Para dores neuropáticas, o uso de medicações adjuvantes, como pregabalina, gabapentina, duloxetina, carbamazepina e tricíclicos, é de grande importância → Ver Capítulo Cuidados Paliativos → Para pacientes com dor de difícil controle, a avaliação especializada em dor pode ser um recurso valioso
Urogenitais	→ Cistite actínica	→ Radioterapia direcionada à pelve	→ Relacionado à irradiação de órgãos pélvicos e eventualmente ocorrendo anos após o tratamento inicial, manifesta-se por sintomas irritativos de urgência, por vezes associados à hematúria e à incontinência	→ Pacientes com suspeita de cistite actínica devem ser encaminhados ao urologista para realização de cistoscopia para diagnóstico
	→ Incontinência urinária	→ Prostatectomia → Radioterapia direcionada à pelve	→ Pode acontecer após prostatectomia radical ou radioterapia da pelve	→ É necessário considerar cistite actínica no diagnóstico diferencial caso o tratamento tenha sido radioterapia → Uma pequena parte dos pacientes necessita de colocação de esfíncter urinário
	→ Disfunção sexual masculina	→ Prostatectomia → Radioterapia direcionada à pelve → Bloqueio hormonal	→ Muito frequente em sobreviventes de câncer de próstata; disfunção sexual em sobreviventes de câncer inclui, mas não se limita à, disfunção erétil, devendo ser consideradas também disfunções ejaculatórias e anorgasmia	→ Considerar a possibilidade de hipogonadismo → Em caso de disfunção ejaculatória, considerar ISRSs; no caso de disfunção erétil, inibidores de fosfodiesterase podem ser utilizados; caso o tratamento seja ineficaz, necessita avaliação de urologista

(continua)

TABELA 46.6 → Toxicidades subagudas ou tardias de tratamento oncológico mais relevantes *(Continuação)*

	CONDIÇÕES	CAUSAS MAIS FREQUENTES	COMENTÁRIOS	MANEJO
Endócrinas	→ Infertilidade masculina	→ Radioterapia dirigida ao testículo, em qualquer dose → Cisplatina → Ciclofosfamida, ifosfamida → Bussulfano, melfalana	→ Embora possível, infertilidade é dose-dependente, mas não ubíqua, após tratamento oncológico, mesmo quando o tratamento consiste em poliquimioterapia → A toxicidade à espermatogênese masculina acontece após qualquer dose de radioterapia e pode acontecer por toxicidade direta ou por fibrose de tecidos adjacentes	→ Todo paciente que tenha desejo de ter filhos necessita discutir acerca de coleta e preservação de células progenitoras anterior ao tratamento e ser informado dos riscos do atraso do início da terapia oncológica → Pacientes que já realizaram tratamento oncológico podem ser avaliados por espermograma → O tratamento da infertilidade deve ser realizado por especialista
	→ Hipogonadismo masculino	→ Radioterapia com dose cumulativa dirigida ao testículo ≥ 20 Gy → Agonistas do GnRH (leuprorrelina, gosserrelina) → Antagonistas do GnRH (degarrelix)	→ A toxicidade à espermatogênese acontece após qualquer dose de radioterapia dirigida ao testículo, mas hipogonadismo acontece apenas após 20 Gy ou mais → Raramente é relacionada ao tratamento quimioterápico; nesse caso, exames devem ser realizados apenas se houver sintomas	→ Pacientes com dose cumulativa de radioterapia em testículo ≥ 20 Gy devem ser rastreados para hipogonadismo de forma periódica → Dosagens de LH e testosterona devem ser realizadas também em caso de sintomas → Atentar para o fato de que a indução de hipogonadismo por meio de castração química por vezes é parte do tratamento para o câncer de próstata
	→ Falência ovariana precoce	→ Radioterapia dirigida aos ovários ≥ 5 Gy → Menopausa cirúrgica → Uso de agentes alquilantes, principalmente ciclofosfamida e lomustina	→ Quando relacionada à quimioterapia, o risco é dose-dependente e também aumenta de forma proporcional à idade → Pacientes em uso de tamoxifeno podem estar amenorreicas mas ainda possuir alguma função ovariana → Após tratamento, a caracterização de falência ovariana é difícil e a disfunção por vezes pode ser temporária	→ Toda paciente pré-menopáusica que tenha desejo de gestar necessita discutir acerca de coleta e preservação de células progenitoras anterior ao tratamento e ser informada dos riscos do atraso do início da terapia oncológica → O uso de agonistas do GnRH pode diminuir o risco de falência ovariana relacionada à quimioterapia → No caso de infertilidade, manejo com especialista é necessário
	→ Sintomas climatéricos e vasomotores	→ Radioterapia dirigida aos ovários ≥ 5 Gy → Menopausa cirúrgica → Agonistas do GnRH (leuprorrelina, gosserrelina)	→ Frequente em homens e mulheres com alteração do eixo gônada-hipófise em decorrência de tratamento	→ Tratamento hormonal não deve ser utilizado para a maioria dos casos → Tratamento medicamentoso: gabapentina ou duloxetina podem ser utilizadas → Exercício físico não altera esses sintomas → Acupuntura ou terapia cognitivo-comportamental podem ser utilizadas
	→ Hipotireoidismo	→ Radioterapia → Imunoterapia	→ Geralmente relacionada à radioterapia quando tardia, pode tanto estar relacionada à irradiação da tireoide quanto estar associada ao hipopituitarismo e ser de origem central	→ Pacientes que recebem radioterapia com inclusão de tireoide no campo de tratamento de carcinoma de cabeça e pescoço necessitam de acompanhamento periódico de TSH; não há diferença no manejo do hipotireoidismo
	→ Perda de massa óssea	→ Agonistas do GnRH (gosserrelina, leuprorrelina) → Antagonistas do GnRH (degarrelix) → Inibidores da aromatase (anastrozol, letrozol, exemestano) → Gastrectomia	→ Está associada a múltiplos tratamentos e fatores de risco, constituindo importante fator de morbidade, especialmente para sobreviventes de câncer de mama e próstata	→ Pacientes em uso de medicações que determinam perda de massa óssea necessitam de adequada ingesta de cálcio (1.200 mg/dia) e vitamina D (800-1.000 UI/dia) por meio de dieta ou suplementação; além disso, para todos esses pacientes, a avaliação densitométrica está indicada, além de pacientes com falência ovariana secundária ao tratamento → Uso de bisfosfonados está indicado nos casos de osteoporose diagnosticada por densidade óssea, ou risco de fratura elevado conforme escore FRAX (ver Capítulo Osteoporose)
Oncológicas	→ Neoplasia secundária ao tratamento	→ Radioterapia → Ciclofosfamida → Etoposídeo → Doxorrubicina	→ Áreas irradiadas, bem como áreas de linfedema, apresentam aumento de risco de sarcomas secundários; semelhantemente, pacientes que necessitem de irradiação de mediastino apresentam maior risco de desenvolver câncer de mama; quimioterápicos estão associados ao desenvolvimento de leucemia mieloide aguda, em geral 2-10 anos após o tratamento	→ Tratamento específico conforme o sítio primário

FRAX, Fracture Risk Assessment Tool; GnRH, hormônio liberador de gonadotrofina; ISRSs, inibidores seletivos da recaptação da serotonina; LH, hormônio luteinizante; TSH, hormônio estimulante da tireoide.

resistência também melhora a qualidade de vida e parece demonstrar benefício em redução de mortalidade por todas as causas de forma independente do exercício físico aeróbico, sendo, por isso, recomendado pela National Comprehensive Cancer Network (NCCN) em suas diretrizes.[48,49]

Deve ser idealmente realizado 2 a 3 vezes por semana com intervalos de pelo menos 48 horas, dando-se preferência para treinamentos multiarticulares de todos os grandes grupos musculares, em carga compatível com 10 a 15 repetições em 2 a 3 séries, com aumento conforme tolerância.

Alguns pacientes estão sob maior risco de eventos adversos pelo exercício físico, como os com história de cirurgia torácica, abdominal ou amputação, presença de ostomia, deficiências nutricionais ainda em correção e condições clínicas relacionadas ao câncer, como perda de massa óssea, sarcopenia significativa e neuropatia periférica secundária ao tratamento. Especialmente para esses pacientes, treinos com prescrição específica e supervisionados por educador físico qualificado permitem ao paciente ter os benefícios da atividade física com uma redução do risco de eventos adversos relacionados a essa atividade.

Em relação aos cuidados especiais com a população de maior risco, pacientes ostomizados devem esvaziar a bolsa antes da realização de exercício físico, e a progressão de exercícios de resistência deve ser lenta e supervisionada. Além disso, deve haver cuidado especial em esportes de contato e exercícios que resultem em aumento da pressão intra-abdominal. Para pacientes com dificuldade de marcha e equilíbrio, incluindo pacientes com neuropatia periférica residual pós-tratamento, os riscos relacionados à instabilidade postural devem ser considerados e, quando necessário, atividades com baixo risco de quedas, como bicicleta estacionária ou atividades na água, devem ser preferidas. Não há contraindicação absoluta de realização de exercícios de resistência para pacientes com linfedema clínico ou risco de linfedema, inclusive podendo haver redução do edema com a intervenção, mas a atividade deve ser oferecida de forma muito criteriosa. Nesses casos, os benefícios do treino de resistência são condicionados a um acompanhamento muito próximo com profissional habilitado, com aumento progressivo e lento de carga, na ausência de exacerbação da doença, infecção recente ou aumento > 10% do volume do membro. Em geral, é necessário o uso concomitante de vestimenta compressiva.

Dieta adequada

Ganho de peso depois do tratamento é comum, gera risco de declínio funcional, aumenta a prevalência de comorbidades e reduz a qualidade de vida.[50] Obesidade também está ligada a aumento de recorrência e morte.[51] Não há recomendação específica de índice de massa corporal (IMC) ideal para pacientes sobreviventes de câncer, sendo considerado o mesmo intervalo da população em geral (18,5-24,9 kg/m²). As adaptações dietéticas após o tratamento de câncer devem objetivar manutenção de peso para pacientes com peso adequado e perda de peso para pacientes em sobrepeso ou obesos. Além disso, pacientes abaixo do peso devem seguir as recomendações gerais de composição dietéticas, mas dar preferência a alimentos ricos em nutrientes e calorias, evitar consumo de líquidos com a alimentação, aumentar a frequência de refeições e investigar e tratar outras causas que possam estar determinando subnutrição. Frequentemente, atenção nutricional especializada é necessária durante e/ou após o tratamento. Além disso, no caso de nova perda de peso > 5% do total, é razoável considerar a reavaliação sistêmica devido à possibilidade de recorrência.

Além de haver clara associação entre padrões dietéticos e risco de desenvolvimento de câncer,[52,53] especialmente para os sobreviventes de tumores de cólon e de mama, há evidência clara também de diminuição de recorrência de câncer em pacientes com dietas que consistem em mais frutas, vegetais e peixes, e menos carne vermelha, grãos refinados e açúcar[54,55] e menor índice glicêmico.[56] Portanto, de forma análoga a pacientes sem história de neoplasia, uma dieta composta, em termos de macronutrientes, por 30% de vegetais, 20% de frutas, 30% de grãos integrais e 20% de proteínas, com uma limitação da quantidade de carne vermelha e açúcares refinados, parece ser a escolha mais adequada.

Além disso, essas recomendações dietéticas devem ser adaptadas na evidência de sequelas do tratamento como dismotilidade gastrintestinal, disfagia, disgeusia, insuficiência exócrina pancreática ou outras complicações gastrintestinais da doença ou do tratamento. Exceto para pacientes com condições de saúde que justifiquem suplementação de nutrientes além dos obtidos por meio da dieta (mais comumente osteopenia ou osteoporose e necessidade de suplementação de vitamina B_{12} e/ou de ferro após gastrectomia distal ou total), no momento não há evidência de que a suplementação de vitaminas ou de micronutrientes específicos diminua a recorrência ou melhore outros desfechos.

Cessação do uso de tabaco

Cerca de 12 a 15% dos pacientes que sobrevivem a um câncer seguem fumando, e esses pacientes não apresentam chance maior de cessar o tabagismo do que a população em geral.[57] Mesmo para pacientes sobreviventes de câncer, os pacientes que não cessam o tabagismo apresentam risco maior de novo tumor em relação aos que param de fumar.[58] Não há diferença em relação ao manejo desses pacientes em relação a pacientes que nunca tiveram neoplasias, exceto a maior incidência de sintomas depressivos e ansiedade, que necessitam de tratamento específico. Estratégias para cessação do tabagismo estão descritas em seu capítulo específico.

Limitação do consumo de álcool ou abstinência

Pacientes sobreviventes de tumores de fígado, esôfago, rim e cabeça e pescoço idealmente devem abster-se de álcool, pois o consumo para esses pacientes está associado a piores desfechos.[59–61] Para os demais pacientes, não há evidência clara de piora, e limitar o consumo de álcool a 1 dose por dia para mulheres e 2 doses por dia para homens, como a recomendação para a população em geral, parece ser razoável.[47]

REFERÊNCIAS

1. Hanahan D, Weinberg RA. Hallmarks of Cancer: The Next Generation. Cell. 2011;144(5):646–74.
2. DeVita Jr. VT, Lawrence TS, Rosenberg SA, organizadores. DeVita, Hellman, and Rosenberg's Cancer: Principles & Practice of Oncology. 11th ed. Philadelphia: Wolters Kluwer; 2019.
3. Siegel R, Ward E, Brawley O, Jemal A. Cancer statistics, 2011: the impact of eliminating socioeconomic and racial disparities on premature cancer deaths. CA Cancer J Clin. 2011;61(4):212–36.
4. Brasil. Ministério da Saúde, Instituto Nacional de Câncer José Alencar Gomes da Silva. Estimativa 2020: incidência de câncer no Brasil [Internet]. Rio de Janeiro: INCA; 2019. Disponível em: https://www.inca.gov.br/publicacoes/livros/estimativa-2020-incidencia-de-cancer-no-brasil.

5. Ferlay J, Colombet M, Soerjomataram I, Mathers C, Parkin DM, Piñeros M, et al. Estimating the global cancer incidence and mortality in 2018: GLOBOCAN sources and methods. Int J Cancer. 2019;144(8):1941–53.

6. Matarazzo H, Lobo TC, Melo NVM de, Loggetto SR, Fedozzi F, Steagall MEA. 2029: ano em que o câncer será a primeira causa de morte no Brasil. Braz J Oncol. 2017;13(Supl.1):1.

7. Wolin KY, Carson K, Colditz GA. Obesity and Cancer. The Oncologist. 2010;15(6):556–65.

8. Plummer M, de Martel C, Vignat J, Ferlay J, Bray F, Franceschi S. Global burden of cancers attributable to infections in 2012: a synthetic analysis. Lancet Glob Health. 2016;4(9):e609-616.

9. Hunter DJ. Oral Contraceptives and the Small Increased Risk of Breast Cancer. N Engl J Med. 2017;377(23):2276–7.

10. Lauby-Secretan B, Scoccianti C, Loomis D, Grosse Y, Bianchini F, Straif K. Body Fatness and Cancer – Viewpoint of the IARC Working Group. N Engl J Med. 2016;375(8):794–8.

11. Bouvard V, Loomis D, Guyton KZ, Grosse Y, Ghissassi FE, Benbrahim-Tallaa L, et al. Carcinogenicity of consumption of red and processed meat. Lancet Oncol. 2015;16(16):1599–600.

12. Couto E, Boffetta P, Lagiou P, Ferrari P, Buckland G, Overvad K, et al. Mediterranean dietary pattern and cancer risk in the EPIC cohort. Br J Cancer. 2011;104(9):1493–9.

13. Forouzanfar MH, Afshin A, Alexander LT, Anderson HR, Bhutta ZA, Biryukov S, et al. Global, regional, and national comparative risk assessment of 79 behavioural, environmental and occupational, and metabolic risks or clusters of risks, 1990–2015: a systematic analysis for the Global Burden of Disease Study 2015. The Lancet. 2016;388(10053):1659–724.

14. Cogliano VJ, Baan R, Straif K, Grosse Y, Lauby-Secretan B, El Ghissassi F, et al. Preventable Exposures Associated With Human Cancers. JNCI J Natl Cancer Inst. 2011;103(24):1827–39.

15. National Collaborating Centre for Cancer (UK). Suspected Cancer: Recognition and Referral [Internet]. London: National Institute for Health and Care Excellence (UK); 2015 [capturado em 24 mar. 2020]. Disponível em: http://www.ncbi.nlm.nih.gov/books/NBK304993/.

16. Brasil. Presidência da República. Lei nº 13.896, de 30 de outubro de 2019 [Internet]. 2019 [capturado em 24 mar. 2020]. Disponível em: https://www.planalto.gov.br/ccivil_03/_Ato2019-2022/2019/Lei/L13896.htm.

17. Brasil. Presidência da República. Lei nº 12.732, de 22 de novembro de 2012 [Internet]. 2012 [capturado em 24 mar. 2020]. Disponível em: https://www.planalto.gov.br/ccivil_03/_ato2011-2014/2012/lei/l12732.htm.

18. Baile WF, Buckman R, Lenzi R, Glober G, Beale EA, Kudelka AP. SPIKES-A six-step protocol for delivering bad news: application to the patient with cancer. The Oncologist. 2000;5(4):302–11.

19. Cox A, Jenkins V, Catt S, Langridge C, Fallowfield L. Information needs and experiences: An audit of UK cancer patients. Eur J Oncol Nurs. 2006;10(4):263–72.

20. Whitney SN, McCullough LB, Frugé E, McGuire AL, Volk RJ. Beyond breaking bad news: the roles of hope and hopefulness. Cancer. 2008;113(2):442–5.

21. Sperduto PW, Kased N, Roberge D, Xu Z, Shanley R, Luo X, et al. Summary report on the graded prognostic assessment: an accurate and facile diagnosis-specific tool to estimate survival for patients with brain metastases. J Clin Oncol Off J Am Soc Clin Oncol. 2012;30(4):419–25.

22. Camidge DR, Dziadziuszko R, Peters S, Mok T, Noe J, Nowicka M, et al. Updated Efficacy and Safety Data and Impact of the EML-4-ALK Fusion Variant on the Efficacy of Alectinib in Untreated ALK-Positive Advanced Non–Small Cell Lung Cancer in the Global Phase III ALEX Study. J Thorac Oncol. 2019;14(7):1233–43.

23. National Cancer Institute. Division of Cancer Control & Population Sciences. Office of Cancer Survivorship. Statistics, Graphs and Definitions – Office of Cancer Survivorship [Internet]. 2019 [capturado em 23 mar. 2020]. Disponível em: https://cancercontrol.cancer.gov/ocs/statistics/index.html#definitions.

24. Zhang FF, Liu S, John EM, Must A, Demark-Wahnefried W. Diet quality of cancer survivors and noncancer individuals: Results from a national survey: Diet Quality in Adult Cancer Survivors. Cancer. 2015;121(23):4212–21.

25. American Cancer Society. Cancer treatment: survivor facts & figures 2019-2021 [Internet]. Atlanta: American Cancer Society; 2019 [capturado em 24 mar. 2020]. Disponível em: https://www.cancer.org/research/cancer-facts-statistics/survivor-facts-figures.html.

26. Harrington CB, Hansen JA, Moskowitz M, Todd BL, Feuerstein M. It's not over when it's over: long-term symptoms in cancer survivors – a systematic review. Int J Psychiatry Med. 2010;40(2):163–81.

27. Valdivieso M, Kujawa AM, Jones T, Baker LH. Cancer survivors in the United States: a review of the literature and a call to action. Int J Med Sci. 2012;9(2):163–73.

28. Bloom JR, Petersen DM, Kang SH. Multi-dimensional quality of life among long-term (5+ years) adult cancer survivors. Psychooncology. 2007;16(8):691–706.

29. Stein KD, Syrjala KL, Andrykowski MA. Physical and psychological long-term and late effects of cancer. Cancer. 2008;112(11 Suppl):2577–92.

30. Nekhlyudov L, O'malley DM, Hudson SV. Integrating primary care providers in the care of cancer survivors: gaps in evidence and future opportunities. Lancet Oncol. 2017;18(1):e30–8.

31. Brenner DJ, Hall EJ. Computed tomography – an increasing source of radiation exposure. N Engl J Med. 2007;357(22):2277–84.

32. Chen T, Fallah M, Jansen L, Castro FA, Krilavicuite A, Katalinic A, et al. Distribution and risk of the second discordant primary cancers combined after a specific first primary cancer in German and Swedish cancer registries. Cancer Lett. 2015;369(1):152–66.

33. Schaapveld M, Aleman BMP, van Eggermond AM, Janus CPM, Krol ADG, van der Maazen RWM, et al. Second cancer risk up to 40 years after treatment for Hodgkin's lymphoma. N Engl J Med. 2015;373(26):2499–511.

34. Wood ME, Vogel V, Ng A, Foxhall L, Goodwin P, Travis LB. Second malignant neoplasms: assessment and strategies for risk reduction. J Clin Oncol Off J Am Soc Clin Oncol. 2012;30(30):3734–45.

35. Donin N, Filson C, Drakaki A, Tan H-J, Castillo A, Kwan L, et al. Risk of second primary malignancies among cancer survivors in the United States, 1992 through 2008: second primary malignancies in the US. Cancer. 2016;122(19):3075–86.

36. Campbell HS, Hall AE, Sanson-Fisher RW, Barker D, Turner D, Taylor-Brown J. Development and validation of the Short-Form Survivor Unmet Needs Survey (SF-SUNS). Support Care Cancer. 2014;22(4):1071–9.

37. Ferrell BR, Hassey Dow K, Grant M. Measurement of the quality of life in cancer survivors. Qual Life Res. 1995;4(6):523–31.

38. Pearce NJM, Sanson-Fisher R, Campbell HS. Measuring quality of life in cancer survivors: a methodological review of existing scales. Psychooncology. 2008;17(7):629–40.

39. Lu D, Andersson TML, Fall K, Hultman CM, Czene K, Valdimarsdóttir U, et al. Clinical diagnosis of mental disorders immediately before and after cancer diagnosis: a nationwide matched cohort study in Sweden. JAMA Oncol. 2016;2(9):1188.

40. Stan DL, Collins NM, Olsen MM, Croghan I, Pruthi S. The evolution of mindfulness-based physical interventions in breast cancer survivors. Evid-Based Complement Altern Med. 2012;2012:758641.

41. Mehnert A, Koch U, Sundermann C, Dinkel A. Predictors of fear of recurrence in patients one year after cancer rehabilitation: A prospective study. Acta Oncol. 2013;52(6):1102–9.

42. Roerink SHPP, de Ridder M, Prins J, Huijbers A, de Wilt HJH, Marres H, et al. High level of distress in long-term survivors of thyroid carcinoma: results of rapid screening using the distress thermometer. Acta Oncol Stockh Swed. 2013;52(1):128–37.

43. Chan CMH, Ng CG, Taib NA, Wee LH, Krupat E, Meyer F. Course and predictors of post-traumatic stress disorder in a cohort of

psychologically distressed patients with cancer: a 4-year follow-up study: PTSD in cancer. Cancer. 2018;124(2):406–16.

44. Campbell PT, Patel AV, Newton CC, Jacobs EJ, Gapstur SM. Associations of recreational physical activity and leisure time spent sitting with colorectal cancer survival. J Clin Oncol. 2013;31(7):876–85.

45. Patsou ED, Alexias GD, Anagnostopoulos FG, Karamouzis MV. Effects of physical activity on depressive symptoms during breast cancer survivorship: a meta-analysis of randomised control trials. ESMO Open. 2017;2(5):e000271.

46. Ibrahim EM, Al-Homaidh A. Physical activity and survival after breast cancer diagnosis: meta-analysis of published studies. Med Oncol. 2011;28(3):753–65.

47. Rock CL, Doyle C, Demark-Wahnefried W, Meyerhardt J, Courneya KS, Schwartz AL, et al. Nutrition and physical activity guidelines for cancer survivors. CA Cancer J Clin. 2012;62(4):242–74.

48. Focht BC, Clinton SK, Devor ST, Garver MJ, Lucas AR, Thomas-Ahner JM, et al. Resistance exercise interventions during and following cancer treatment: a systematic review. J Support Oncol. 2013;11(2):45–60.

49. Hardee JP, Porter RR, Sui X, Archer E, Lee I-M, Lavie CJ, et al. The effect of resistance exercise on all-cause mortality in cancer survivors. Mayo Clin Proc. 2014;89(8):1108–15.

50. Caan BJ, Emond JA, Su HI, Patterson RE, Flatt SW, Gold EB, et al. Effect of postdiagnosis weight change on hot flash status among early-stage breast cancer survivors. J Clin Oncol. 2012;30(13):1492–7.

51. Cao Y, Ma J. Body mass index, prostate cancer-specific mortality, and biochemical recurrence: a systematic review and meta-analysis. Cancer Prev Res. 2011;4(4):486–501.

52. Albuquerque RC, Baltar VT, Marchioni DM. Breast cancer and dietary patterns: a systematic review. Nutr Rev. 2014;72(1):1–17.

53. Schwingshackl L, Schwedhelm C, Galbete C, Hoffmann G. Adherence to mediterranean diet and risk of cancer: an updated systematic review and meta-analysis. Nutrients. 2017;9(10):1063.

54. Kwan ML, Weltzien E, Kushi LH, Castillo A, Slattery ML, Caan BJ. Dietary patterns and breast cancer recurrence and survival among women with early-stage breast cancer. J Clin Oncol. 2009;27(6):919–26.

55. Meyerhardt JA, Niedzwiecki D, Hollis D, Saltz LB, Hu FB, Mayer RJ, et al. Association of dietary patterns with cancer recurrence and survival in patients with stage III colon cancer. JAMA. 2007;298(7):754.

56. Meyerhardt JA, Sato K, Niedzwiecki D, Ye C, Saltz LB, Mayer RJ, et al. dietary glycemic load and cancer recurrence and survival in patients with stage III colon cancer: findings from CALGB 89803. JNCI J Natl Cancer Inst. 2012;104(22):1702–11.

57. Underwood JM, Townsend JS, Stewart SL, Buchannan N, Ekwueme DU, Hawkins NA, et al. Surveillance of demographic characteristics and health behaviors among adult cancer survivors – behavioral risk factor surveillance system, United States, 2009. Morb Mortal Wkly Rep Surveill Summ. 2012;61(1):1–23.

58. Mariotto AB, Rowland JH, Ries LAG, Scoppa S, Feuer EJ. Multiple cancer prevalence: a growing challenge in long-term survivorship. Cancer Epidemiol Biomark Prev Publ. 2007;16(3):566–71.

59. Fortin A, Wang CS, Vigneault É. Influence of smoking and alcohol drinking behaviors on treatment outcomes of patients with squamous cell carcinomas of the head and neck. Int J Radiat Oncol. 2009;74(4):1062–9.

60. Thrift AP, Nagle CM, Fahey PP, Russell A, Smithers BM, Watson DI, et al. The influence of prediagnostic demographic and lifestyle factors on esophageal squamous cell carcinoma survival. Int J Cancer. 2012;131(5):E759-768.

61. Schwedhelm C, Boeing H, Hoffmann G, Aleksandrova K, Schwingshackl L. Effect of diet on mortality and cancer recurrence among cancer survivors: a systematic review and meta-analysis of cohort studies. Nutr Rev. 2016;74(12):737–48.

LEITURAS RECOMENDADAS

Hanahan D, Weinberg RA. Hallmarks of cancer: The Next Generation. Cell. 2011;144(5):646–74.

Artigo clássico da oncologia que aborda carcinogênese citando seus aspectos genéticos e moleculares, bem como discute angiogênese, capacidade de evasão imune e desregulação energética celular.

Brasil. Ministério da Saúde, Instituto Nacional de Câncer José Alencar Gomes da Silva. Estimativa 2020: Incidência de Câncer no Brasil [Internet]. Rio de Janeiro: INCA; 2019. Disponível em: https://www.inca.gov.br/publicacoes/livros/estimativa-2020-incidencia-de-cancer-no-brasil.

Esse boletim fornece dados atualizados acerca da epidemiologia do câncer no Brasil, detalhando variações regionais quanto à distribuição de tipos de câncer na população adulta e infantil.

Bray F, Ferlay J, Soerjomataram I, Siegel RL, Torre LA, Jemal A. Global cancer statistics 2018: GLOBOCAN estimates of incidence and mortality worldwide for 36 cancers in 185 countries. CA: A Cancer Journal for Clinicians. 2018;68(6):394–424.

Publicação mais recente no momento da publicação deste livro relacionada às estimativas de incidência e mortalidade sobre câncer mundialmente.

National Comprehensive Cancer Network. Disponível em: http://www.nccn.org/.

Aliança sem fins lucrativos de centros de câncer norte-americanos que disponibiliza diretrizes para prevenção, tratamento e cuidados de sobreviventes para profissionais de saúde.

US Preventive Services Task Force. Disponível em: https://www.uspreventiveservicestaskforce.org/.

Portal que fornece informação sobre prevenção, rastreamento e medidas de saúde pública nos Estados Unidos e no Canadá.

International Agency for Research on Cancer, World Health Organization. Global Cancer Observatory. Disponível em: http://gco.iarc.fr/.

Portal ligado à OMS que contém dados mundiais sobre câncer apresentado sob a forma de infográficos interativos.

Capítulo 47
DOENÇAS DA TIREOIDE

José Miguel Dora
Rafael Selbach Scheffel
Ana Luiza Maia

A tireoide é uma das maiores glândulas endócrinas, pesando aproximadamente 15 gramas em adultos. É formada por dois lobos unidos pelo istmo, sendo composta por microfolículos de tamanhos variáveis, cujo conteúdo é chamado de coloide. As células foliculares sintetizam a tireoglobulina que, a partir de vários passos, como captação, oxidação e acoplamento do iodo nas moléculas de tirosina, forma os hormônios tireoidianos.

A produção dos hormônios tireoidianos é regulada pela hipófise, por meio do hormônio estimulante da tireoide (TSH, do inglês *thyroid-stimulating hormone*). O principal hormônio produzido pela tireoide é o pró-hormônio tiroxina (T_4; 80-100 μg/dia), mas o hormônio metabolicamente ativo é tri-iodotironina (T_3). Apenas 20% da produção de T_3 (30-40 μg/dia) são provenientes da tireoide, sendo os 80% restantes produzidos em tecidos periféricos mediante desiodação das moléculas de T_4.

Os hormônios tireoidianos estão disponíveis na circulação periférica na forma ligada a proteínas e na forma livre. A fração livre, embora extremamente pequena (0,02 e 0,3% de T_4 e T_3 circulantes, respectivamente), é a responsável pelos diferentes efeitos dos hormônios da tireoide.

A principal proteína carreadora dos hormônios tireoidianos é a globulina ligadora de tiroxina (TBG, do inglês *thyroxine-binding globulin*), que transporta cerca de 75% dos hormônios ligados. As outras proteínas carreadoras são a pré-albumina ligadora dos hormônios tireoidianos (TBPA, do inglês *thyroid-binding prealbumin*) e a albumina, que respondem por cerca de 15 e 10% da fração ligada, respectivamente. Modificações na concentração plasmática das proteínas carreadoras, sobretudo da TBG, vão produzir alterações na concentração total dos hormônios tireoidianos circulantes. No entanto, como as frações livre e ligada coexistem em equilíbrio dinâmico, nessas situações, não ocorrem alterações na fração livre (metabolicamente ativa) e, como consequência, não acontecem modificações na função tireoidiana.

As doenças da tireoide podem ser relacionadas ao aumento ou à diminuição dos níveis séricos ou da ação dos hormônios tireoidianos (hipertireoidismo e hipotireoidismo, respectivamente) ou a alterações anatômicas, sem alteração da função, caracterizando os bócios difuso e multinodular.

EXAME FÍSICO DA TIREOIDE

O exame físico da tireoide deve ser feito preferencialmente com o paciente sentado. Durante a inspeção, deve-se avaliar presença de nódulos, cicatrizes que sugiram procedimento prévio e desvio de outras estruturas da região cervical (p. ex., traqueia). A palpação da tireoide pode ser feita pela frente ou por trás do paciente. Deve-se avaliar o tamanho, a consistência da glândula, a presença de nódulos e suas características (tamanho, consistência, aderência a planos profundos) e a relação com as demais estruturas da região cervical. Solicitar que o paciente engula facilita a palpação da borda inferior da tireoide. A ausculta pode identificar sopros, característicos de hipertireoidismo por doença de Graves.

EXAMES LABORATORIAIS E DE IMAGEM PARA DOENÇAS DA TIREOIDE

Hormônio estimulante da tireoide (TSH)

O TSH é o melhor método para avaliar a função da tireoide, porque pequenas variações nas concentrações dos hormônios tireoidianos podem provocar grandes alterações nas concentrações séricas do TSH. Os valores comuns de referência são 0,4 a 4 mUI/L. Concentrações elevadas de T_4 e T_3, como ocorrem no hipertireoidismo, causam supressão do TSH (valores < 0,4 mUI/L), enquanto concentrações diminuídas destes, como no hipotireoidismo, provocam sua elevação (> 4 mUI/L).[1]

Tiroxina total (T_4T) e tiroxina livre (T_4L)

É o principal hormônio produzido pela tireoide. Concentrações elevadas de T_4 estabelecem o diagnóstico de tireotoxicose, e concentrações reduzidas, de hipotireoidismo. A dosagem de T_4L é mais indicada do que a de T_4T para avaliação da função tireoidiana, visto que a fração livre não se modifica com alterações na concentração das proteínas carreadoras.

Tri-iodotironina total (T_3T)

Uma vez que T_3 também se liga às proteínas carreadoras, sua determinação sofre as mesmas limitações que T_4T. Como visto mais adiante, a determinação de T_3 pode auxiliar no diagnóstico diferencial do hipertireoidismo e como fator prognóstico na doença de Graves.[2]

Anticorpo antiperoxidase (anti-TPO)

Fração específica do antigo anticorpo antimicrossomal, é um anticorpo da classe IgG que se correlaciona com o grau de infiltração linfocitária e dano à glândula. Encontra-se presente em 95% dos casos de tireoidite de Hashimoto e em 50 a 90% dos casos de doença de Graves.

Anticorpo antirreceptor do TSH (TRAb)

Esse autoanticorpo liga-se ao receptor do TSH, promovendo o crescimento e a vascularização da glândula tireoide, bem como o aumento da síntese e a liberação dos hormônios T_4 e T_3. O anticorpo é específico para doença de Graves, sendo detectado em cerca de 90% dos casos. Pode ser útil no diagnóstico diferencial de alguns casos de hipertireoidismo e na avaliação de risco de hipertireoidismo neonatal em filhos de gestantes com doença de Graves.[3]

Tireoglobulina

Por ser produzida somente pela célula folicular da tireoide, é um marcador muito específico desse tecido, sendo utilizada no acompanhamento dos pacientes com carcinomas diferenciados da tireoide, após tireoidectomia. Seus níveis podem estar elevados na destruição da tireoide, como no caso das tireoidites, e diminuídos na presença de tireotoxicose factícia.

Anticorpo antitireoglobulina

O anticorpo antitireoglobulina interfere na dosagem da tireoglobulina, devendo sempre ser dosado em conjunto com a tireoglobulina, visto que cerca de 10 a 25% dos pacientes com carcinoma diferenciado de tireoide apresentam anticorpo antitireoglobulina positivo. Por não ser um marcador específico de autoimunidade, tem utilidade restrita ao acompanhamento de pacientes com carcinomas diferenciados da glândula tireoide (carcinomas papilar e folicular), após realização de tireoidectomia.

Ultrassonografia

Deve ser solicitada naqueles pacientes com alterações no exame físico da tireoide. É usada para determinação do volume e avaliação anatômica da glândula tireoide, como definição de características de nódulos tireoidianos, sendo possível a detecção de nódulos de apenas 2 a 3 mm. Também é utilizada para guiar biópsia com agulha fina em nódulos suspeitos. Outras indicações são o diagnóstico diferencial de etiologia em pacientes com hipertireoidismo associado ao uso de amiodarona, diagnóstico de cistos do ducto tireoglosso e detecção de tecido tireoidiano tópico na avaliação de pacientes com hipotireoidismo congênito.

Captação de iodo

A mensuração da captação de iodo (^{123}I ou ^{131}I) pela glândula tireoide pode ser útil no diagnóstico diferencial das causas de hipertireoidismo:

→ **captação diminuída:** realização de exames com compostos iodados (contrastes radiológicos), tireoidite subaguda e outras condições com lesão glandular (cirurgia,^{131}I), tecido tireoidiano ectópico (*struma ovarii*), hipopituitarismo, uso exógeno de hormônio tireoidiano;
→ **captação elevada:** bócio difuso tóxico (doença de Graves), adenoma tóxico, coriocarcinoma, bócio multinodular tóxico, "hashitoxicose", recuperação da tireoidite subaguda, tumor produtor de TSH.

Em nosso meio, valores de captação de iodo entre 15 e 35% em 24 horas são considerados normais.

Cintilografia

A cintilografia fornece uma imagem funcional da glândula tireoide, informando a distribuição da captação de iodo pela glândula. Pode ser realizada com vários radiofármacos (^{99}Tc, ^{123}I, ^{131}I), mas em nosso meio o mais utilizado é o ^{131}I. A cintilografia é um exame de alto custo e de utilidade restrita, podendo ter valor na avaliação de suspeita de nódulo tireoidiano hiperfuncionante (nódulo "quente"). Outra indicação é a detecção de tecido tireoidiano ectópico, como a tireoide sublingual e o *struma ovarii*.

RASTREAMENTO DAS DISFUNÇÕES TIREOIDIANAS

Pela sua elevada sensibilidade, a dosagem do TSH é o melhor método na avaliação inicial, tanto do hipotireoidismo quanto do hipertireoidismo. É utilizado no rastreamento do hipotireoidismo congênito em recém-nascidos, por meio do teste do pezinho, que permite identificação e tratamento precoces, com benefícios inequívocos na prevenção de retardo mental nos pacientes acometidos A.[1,4]

Dados de estudos de base populacional não encorajam o rastreamento da população em geral com o TSH, mas sugerem que determinados subgrupos tenham benefício: mulheres com idade > 50 anos ou no início da gestação, familiares de primeiro grau de pacientes com doença autoimune da tireoide, pacientes com dislipidemia, doença cardiovascular, arritmias (fibrilação atrial) e doenças psiquiátricas. Outros casos em que a dosagem do TSH pode ser útil são pacientes fazendo uso de medicamentos que podem alterar a função tireoidiana, como amiodarona, interferon-α e carbonato de lítio.

HIPOTIREOIDISMO

O hipotireoidismo é a doença mais comum da tireoide, sendo mais encontrado em mulheres e em áreas com deficiência de iodo. A prevalência na população geral é de 2%, mas pode chegar a 15% em pacientes com idade > 60 anos.[5,6]

Em nosso meio, a principal causa é a destruição autoimune da tireoide (tireoidite de Hashimoto), podendo apresentar-se com bócio ou atrofia da glândula. Outra causa frequente é a remoção cirúrgica ou ablação com iodo para tratamento de outras doenças tireoidianas como hipertireoidismo, bócio multinodular ou câncer de tireoide. Outras tireoidites também podem manifestar-se com hipotireoidismo, em geral em fases posteriores (ver tópico Tireoidites). Mais raramente, o hipotireoidismo pode ser secundário ao uso de medicamentos como antitireoidianos, amiodarona, lítio, interferons, talidomida ou rifampicina.

O hipotireoidismo pode ser classificado como primário, quando decorrente de alterações na glândula tireoide; secundário, no caso de doenças hipofisárias com diminuição da secreção de TSH; e terciário, no caso de doenças hipotalâmicas com diminuição da secreção de hormônio liberador da tireotrofina (TRH, do inglês *thyrotropin-releasing hormone*).

Diagnóstico

Anamnese e exame físico

A diminuição dos níveis dos hormônios tireoidianos pode afetar praticamente todos os sistemas do organismo. Os sintomas clássicos de hipotireoidismo são fraqueza, fadiga, intolerância ao frio, constipação, ganho de peso, depressão, menorragia e mialgias. Os sinais podem incluir pele seca, unhas quebradiças, queda de cabelo, edema, bradicardia, hipertensão diastólica e hiporreflexia. Na maioria das vezes, os sintomas são leves, mas podem chegar a quadros graves como o coma mixedematoso.

Bócio pode estar presente nos casos de tireoidite, deficiência de iodo, defeitos enzimáticos da síntese dos hormônios tireoidianos e no uso de medicamentos que causam hipotireoidismo. A atrofia da glândula tireoide ocorre em casos de tireoidite de longa duração.

Exames complementares

Os exames da função tireoidiana definem o diagnóstico de hipotireoidismo, e os demais exames complementares podem auxiliar na elucidação da etiologia. No hipotireoidismo primário, os níveis de TSH encontram-se elevados (> 10 mUI/L), e os de T$_4$L, diminuídos (FIGURA 47.1). Nas formas de hipotireoidismo secundário e terciário (centrais), os níveis de T$_4$L encontram-se diminuídos, e os de TSH podem estar diminuídos ou normais (< 4 mUI/L). Não há necessidade de dosagem de T$_3$ para o diagnóstico e o acompanhamento de hipotireoidismo.

A dosagem de anti-TPO auxilia no diagnóstico etiológico de hipotireoidismo por tireoidite de Hashimoto, condição na qual o anti-TPO está presente em 95% dos casos.

Outras anormalidades laboratoriais que podem estar presentes são anemia leve, hiponatremia, dislipidemia, elevações de creatinofosfoquinase (CK) e de prolactina. Entretanto, a solicitação desses exames não faz parte da avaliação de rotina do paciente com hipotireoidismo.

Exames de imagem não são necessários para o diagnóstico e o acompanhamento de pacientes com hipotireoidismo primário.

Tratamento e acompanhamento

O objetivo do tratamento é a melhora dos sintomas/sinais apresentados pelo paciente, sendo o uso de levotiroxina efetivo para esse propósito **A**.[6] A monitorização do tratamento é feita por meio da dosagem de TSH.

> O tratamento é feito com reposição de levotiroxina. A dose inicial de reposição plena (pacientes sem reserva tireoidiana) é de 1,4 a 1,6 μg/kg/dia, em geral sem necessidade de início gradual **B**.[7,8] Entretanto, nos pacientes idosos ou com doenças cardíacas, recomenda-se iniciar com 25 a 50 μg/dia, com aumento progressivo em intervalos de 4 a 6 semanas até que o paciente esteja com TSH normal **C/D**.[8]

Em geral, sugere-se que a levotiroxina seja tomada em jejum pela manhã, apesar de não haver consenso na literatura sobre essa recomendação. Tomadas à noite ou até mesmo junto com o café da manhã podem ser alternativas.[9-12] Outro esquema de administração avaliado que pode ser considerado em alguns casos é a tomada da dose total 1 ×/semana.[13,14] Esse esquema pode ser útil em pacientes com dificuldade de adesão, para os quais se considera tratamento sob supervisão mediante visitas domiciliares ou na unidade de saúde.

No início do tratamento, o paciente deve ser monitorizado a cada 2 a 4 meses até atingir nível normal de TSH (0,4-4 mUI/L). Após esse momento, na maioria dos casos será possível a manutenção do tratamento com a mesma dose de levotiroxina, sendo necessárias apenas revisões semestrais ou anuais com reavaliação clínica e dosagem de TSH. A dosagem de T$_4$L não está indicada no acompanhamento do tratamento de pacientes com hipotireoidismo primário. O paciente deve ser orientado sobre sintomas de hipotireoidismo e hipertireoidismo, sugestivos de subdosagem ou superdosagem, respectivamente, para antecipar as consultas, se necessário.

Os pacientes que não compensam o hipotireoidismo com doses usuais de levotiroxina (até 2,5 μg/kg/dia) devem ser avaliados em relação à adesão ao tratamento e ao uso de medicamentos que interferem na absorção ou no metabolismo

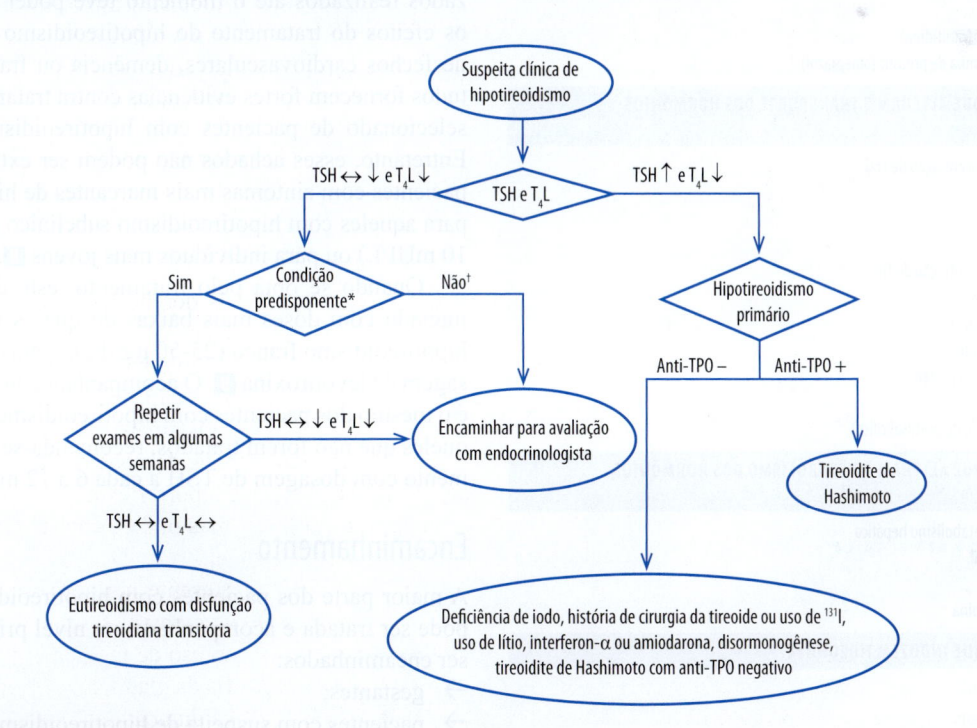

FIGURA 47.1 → Diagnóstico do hipotireoidismo.
*Doença aguda, uso de corticoide ou de contraste iodado nas semanas anteriores.
†Principalmente no caso de história de irradiação ou trauma em sistema nervoso central ou cirurgia de hipófise.
anti-TPO, anticorpo antiperoxidase; T$_4$L, tiroxina livre; TSH, hormônio estimulante da tireoide.

de T_4 (TABELA 47.1). Condições que cursam com má absorção intestinal – como doença celíaca, doenças inflamatórias intestinais e gastrite atrófica – também devem ser consideradas.

HIPOTIREOIDISMO SUBCLÍNICO

O hipotireoidismo subclínico é definido como uma elevação do TSH sérico com concentrações de T_4T ou T_4L normais.[15] Em estudos populacionais, a prevalência dessa alteração chega a 15%. Como no hipotireoidismo primário, a prevalência aumenta com a idade e é maior em mulheres. As causas de hipotireoidismo subclínico são as mesmas do hipotireoidismo primário. A maioria dos pacientes é assintomática, porém alguns podem apresentar sintomas leves de hipotireoidismo (especialmente em caso de TSH > 10 mUI/L). Para o diagnóstico, recomenda-se que sejam feitas pelo menos duas dosagens de TSH e T_4L, com pelo menos 1 a 3 meses de intervalo.

As principais consequências do hipotireoidismo subclínico são a sua progressão para hipotireoidismo franco e as possíveis associações com doença cardiovascular e sintomas neuropsiquiátricos. Em relação à progressão para hipotireoidismo, estudos de acompanhamento mostraram incidência cumulativa de 33 a 55% em 10 a 20 anos.[16] Pacientes com TSH mais elevado e com presença de anti-TPO apresentam risco maior de progressão. No que concerne às relações com doença cardiovascular e sintomas neuropsiquiátricos, os dados são mais conflitantes. Em uma metanálise que incluiu 7 estudos e mais de 25 mil pacientes, aqueles com TSH mais elevado ($\geq$ 10 mUI/L) apresentaram aumento em eventos cardiovasculares e mortalidade cardiovascular. Esse achado não foi confirmado nos pacientes com elevações menos pronunciadas de TSH (4-10 mUI/L).[17]

Em relação ao tratamento do hipotireoidismo subclínico, sua efetividade foi estudada em ensaio clínico randomizado que incluiu pacientes idosos[18] e em metanálise de ensaios clínicos randomizados.[19] Ambos os estudos demonstraram que o uso de levotiroxina parece não possuir efeito benéfico sobre sintomas de hipotireoidismo, qualidade de vida, fadiga e função cognitiva. Entretanto, nenhum dos ensaios randomizados realizados até o momento teve poder para examinar os efeitos do tratamento do hipotireoidismo subclínico em desfechos cardiovasculares, demência ou fratura. Esses estudos fornecem fortes evidências contra tratar um grupo não selecionado de pacientes com hipotireoidismo subclínico. Entretanto, esses achados não podem ser extrapolados para pacientes com sintomas mais marcantes de hipotireoidismo, para aqueles com hipotireoidismo subclínico grau 2 (TSH > 10 mUI/L) ou para indivíduos mais jovens **B**.[8,15]

Quando se opta pelo tratamento, este é normalmente iniciado com doses mais baixas do que as utilizadas para hipotireoidismo franco (25-50 µg/dia),[8] para evitar superdosagem de levotiroxina **B**. O acompanhamento do tratamento é o mesmo dos pacientes com hipotireoidismo primário. Naqueles que não forem tratados, recomenda-se o acompanhamento com dosagem de TSH a cada 6 a 12 meses.

Encaminhamento

A maior parte dos pacientes com hipotireoidismo primário pode ser tratada e acompanhada em nível primário. Devem ser encaminhados:

→ gestantes;
→ pacientes com suspeita de hipotireoidismo central;
→ pacientes com dificuldade de obter resposta terapêutica apesar da boa adesão ao tratamento.

TABELA 47.1 → Medicamentos de uso frequente que interferem na função tireoidiana

MEDICAMENTOS QUE DIMINUEM A SECREÇÃO DE TSH
→ Glicocorticoides

MEDICAMENTOS QUE ALTERAM A SECREÇÃO DOS HORMÔNIOS TIREOIDIANOS
→ Diminuem a secreção
  → Lítio
  → Iodo (contraste iodado, lugol)
  → Amiodarona
  → Tionamidas (metimazol, propiltiouracila)
→ Aumentam a secreção
  → Iodo (contraste iodado, lugol)
  → Amiodarona

MEDICAMENTOS QUE DIMINUEM A ABSORÇÃO DE TIROXINA
→ Sulfato ferroso
→ Sucralfato
→ Hidróxido de alumínio
→ Sevelâmer
→ Orlistate
→ Carbonato de cálcio
→ Colestiramina
→ Antagonistas H2 (ranitidina)
→ Inibidores da bomba de prótons (omeprazol)

MEDICAMENTOS QUE ALTERAM O TRANSPORTE DOS HORMÔNIOS TIREOIDIANOS
→ Aumentam a concentração de TBG
  → Estrogênios
  → Tamoxifeno
  → Metadona
→ Diminuem a concentração de TBG
  → Androgênios
  → Ácido nicotínico
  → Glicocorticoides
→ Alteram a ligação a proteínas
  → Furosemida
  → Salicilatos (ácido acetilsalicílico)

MEDICAMENTOS QUE ALTERAM O METABOLISMO DOS HORMÔNIOS TIREOIDIANOS
→ Aumentam o metabolismo hepático
  → Fenobarbital
  → Fenitoína
  → Carbamazepina

MEDICAMENTOS QUE INDUZEM TIREOIDITE
→ Interferon-α
→ Interleucina-2
→ Inibidores da tirosina-quinase

TBG, globulina ligadora de tiroxina; TSH, hormônio estimulante da tireoide.

HIPERTIREOIDISMO

O termo "hipertireoidismo" se aplica às doenças caracterizadas por hiperfunção da glândula tireoide, enquanto o termo "tireotoxicose" se refere às manifestações clínicas e bioquímicas do excesso de hormônios em nível tecidual, independentemente da etiologia.

A tireotoxicose é relativamente comum, estando presente em 2% das mulheres e 0,2% dos homens na Inglaterra. A incidência estimada na Europa é de 3 a cada 1.000 mulheres/ano, e o risco calculado de mulheres e homens desenvolverem hipertireoidismo em alguma fase de suas vidas é de 5 e 1%, respectivamente. A doença de Graves é a causa mais comum de tireotoxicose (60-80%), seguida por bócio multinodular tóxico (10-30%), adenoma tóxico (2-10%), tireoidites (1%), uso de medicamentos contendo hormônios tireoidianos (< 1%) e outras causas menos frequentes.

Etiologias

Doença de Graves (bócio difuso tóxico)

É a causa mais comum de hipertireoidismo em indivíduos jovens (20-50 anos), sendo muito mais frequente em mulheres (8:1). Pode também estar associada a outras doenças autoimunes (TABELA 47.2) e tem associação familiar.[3] A patogênese envolve a formação de anticorpos TRAb, que interagem com o receptor de TSH, estimulando a função e o crescimento da glândula.

O quadro clínico costuma ser exuberante, com sinais e sintomas característicos de tireotoxicose (TABELA 47.3). A tireoide encontra-se difusamente aumentada, e a presença de sopro sobre a glândula tireoide é patognomônica. As outras manifestações clássicas – oftalmopatia infiltrativa e mixedema pré-tibial – podem estar presentes em cerca de 30 e 5% dos casos, respectivamente.[20] Os achados laboratoriais são TSH baixo e hormônios tireoidianos (T_4 e T_3) elevados. A ultrassonografia (US) e a cintilografia/captação de iodo em 24 horas geralmente não são necessárias, porém, quando solicitadas, mostram aumento difuso da tireoide, com aumento do fluxo sanguíneo na glândula na US e aumento da captação de ^{131}I à cintilografia.

TABELA 47.2 → Condições associadas às doenças autoimunes da tireoide

→ Diabetes melito tipo 1*
→ Doença de Addison*
→ Vitiligo
→ Anemia perniciosa
→ Alopecia *areata*
→ Miastenia grave
→ Doença celíaca
→ Lúpus eritematoso sistêmico
→ Artrite reumatoide

*Doença autoimune da tireoide, diabetes melito tipo 1 e doença de Addison formam a síndrome poliglandular tipo 2.

TABELA 47.3 → Sintomas e sinais de tireotoxicose e doença de Graves

TIREOTOXICOSE	
SINTOMAS	SINAIS
→ Intolerância ao calor	→ Aumento da temperatura corporal
→ Fraqueza	→ Fraqueza muscular
→ Fadiga	→ Taquicardia
→ Palpitações	→ Fibrilação atrial
→ Dificuldade respiratória	→ Sinal de Pemberton
→ Nervosismo	→ Taquipneia
→ Perda de peso	→ Tremores
→ Rouquidão	→ Hiperidrose e pele quente
→ Queda de cabelos	→ Atrofia tenar e hipotenar
→ Alterações no ciclo menstrual	→ Alopecia, cabelos finos e brilhantes
DOENÇA DE GRAVES	
SINTOMAS	SINAIS
Oftalmopatia:	Bócio difuso
→ Sensação de corpo estranho nos olhos	Oftalmopatia:
→ Dor retro-ocular	→ Edema palpebral
→ Diplopia	→ Ceratite
→ Diminuição da acuidade visual	→ Conjuntivite
→ Incapacidade de fechar os olhos	→ Quemose (edema da conjuntiva ocular)
	→ Exoftalmia (proptose)
	→ Paralisia da musculatura ocular
	Dermatopatia localizada
	Acropaquia

Bócio multinodular tóxico

Mais comum em idosos, o quadro clínico costuma ser de hipertireoidismo leve sem acometimento ocular. Ao exame físico, há presença de nódulo único ou de múltiplos nódulos palpáveis. Nos casos em que a tireoide não é palpável, deve-se considerar a possibilidade de bócio mergulhante (penetrando o tórax), que pode cursar com sintomas obstrutivos. Os achados laboratoriais são TSH baixo e hormônios tireoidianos (T_4 e T_3) elevados. Entretanto, frequentemente T_4 e T_3 estão dentro da faixa da normalidade (ver tópico Hipertireoidismo Subclínico), e, em alguns casos, pode ocorrer apenas elevação dos níveis de T_3 (tireotoxicose por T_3).

Adenoma tóxico

O quadro clínico do adenoma tóxico costuma ser de hipertireoidismo leve com nódulo tireoidiano palpável. Os achados laboratoriais são TSH baixo e hormônios tireoidianos (T_4 e T_3) elevados, podendo haver apenas elevação dos níveis de T_3. A US mostra nódulo com > 3 cm de diâmetro, e a cintilografia mostra aumento de captação do ^{131}I na topografia do nódulo (nódulo "quente"), com supressão da captação no restante da glândula.

Ingestão de hormônios tireoidianos

A ingestão de doses elevadas de hormônios tireoidianos pode acarretar tireotoxicose. A superdosagem pode fazer parte do tratamento de alguns casos de carcinoma diferenciado de tireoide (nos quais se busca a supressão do TSH) ou ocorrer por uso inadvertido de doses elevadas de hormônios tireoidianos. Nesses casos, os achados laboratoriais são TSH baixo e hormônios tireoidianos elevados (T_4 e T_3 em caso de ingestão de levotiroxina, e T_3 em caso de uso de tri-iodotironina), com supressão da tireoglobulina e da captação do ^{131}I.

As etiologias antes descritas e outras menos comuns são resumidas na TABELA 47.4.

Diagnóstico

Anamnese e exame físico

As consequências clínicas da tireotoxicose refletem o resultado final dos efeitos de quantidades excessivas dos hormônios tireoidianos (T_4 e T_3) em praticamente todos os tecidos e órgãos. O aumento do metabolismo celular leva à produção de energia e ao aumento da termogênese, com as manifestações clínicas de intolerância ao calor, sudorese, pele quente e úmida. O aumento do consumo de oxigênio com hipermetabolismo acarreta perda de peso e disfunção muscular. Observam-se aumento da contratilidade e da frequência cardíaca e redução da resistência vascular periférica, com consequente aumento do débito cardíaco. No hipertireoidismo prolongado e mais grave, essas alterações podem culminar em miocardiopatia com insuficiência cardíaca congestiva. Os principais sinais e sintomas da tireotoxicose estão resumidos na TABELA 47.3.

Em idosos, no entanto, o quadro clínico pode estar ausente ou ser discreto, manifestando-se por arritmias cardíacas (fibrilação atrial) ou depressão (hipertireoidismo apático).

A história deve avaliar a presença de sintomas de tireotoxicose, história de excesso de exposição ao iodo (tireotoxicose iodo-induzida), gestação recente (tireoidite pós-parto) ou história familiar de doença tireoidiana autoimune (doença de Hashimoto ou doença de Graves). No exame físico, deve-se observar a presença de bócio (difuso ou nodular, sensível ou doloroso), sopro ou frêmito na tireoide, tremor, taquicardia, sinais oculares (inflamação, exoftalmia) e alterações na pele e nos cabelos.

Exames complementares

A avaliação inicial consiste na determinação do nível sérico de TSH. A maioria dos pacientes com tireotoxicose apresenta TSH baixo ou indetectável, com raras exceções nos casos de adenoma hipofisário secretor de TSH ou síndrome de resistência aos hormônios tireoidianos. Níveis de TSH dentro dos limites de referência (0,4-4,5 mUI/L) excluem o diagnóstico, enquanto valores reduzidos (< 0,2 mUI/L) confirmam a suspeita clínica e indicam a necessidade de continuar a investigação (FIGURA 47.2). Níveis elevados de T_4L confirmam o diagnóstico de tireotoxicose, enquanto a redução simultânea de TSH e T_4L sugere hipofunção hipofisária. A combinação de concentração sérica normal de T_4L com TSH baixo sugere o diagnóstico de hipertireoidismo recente ou leve (subclínico). Cabe lembrar que a reposição da vitamina biotina (B_7), conhecido interferente analítico em ensaios biotinilados, pode mimetizar o quadro laboratorial de hipertireoidismo (dosagem de TSH baixo e de hormônios tireoidianos aumentados). Para correta interpretação dos exames de função tireoidiana, é sempre importante excluir o uso de biotina nos 3 a 5 dias anteriores à coleta do exame. Adicionalmente, pacientes com doenças sistêmicas graves ou em uso de fármacos (p. ex., corticoides) podem apresentar níveis séricos de T_4L normais e TSH baixos.

O T_3 é o hormônio metabolicamente ativo, e estudos têm demonstrado que níveis séricos elevados de T_3 predizem recorrência do hipertireoidismo após tratamento com fármacos antitireoidianos ou com ^{131}I.

A dosagem do TRAb não é indispensável para o diagnóstico de doença de Graves. Esse exame pode auxiliar na avaliação de pacientes eutireóideos com oftalmopatia de Graves e nos que intercalam períodos de hiper e hipotireoidismo devido a flutuações nos anticorpos bloqueadores e estimuladores do receptor do TSH. Em gestantes com doença de Graves, níveis elevados de TRAb determinam o risco de

TABELA 47.4 → Diagnóstico diferencial de tireotoxicose

COM HIPERTIREOIDISMO	
CONDIÇÃO	**MECANISMO**
Doença de Graves	Estímulo tireoidiano via receptor de TSH pelo anticorpo antirreceptor do TSH (TRAb)
Adenoma tóxico	Ativação do sinal intracelular dos receptores do TSH sustentada, por mutação na proteína G ativadora
Bócio multinodular tóxico	Múltiplos nódulos autônomos funcionantes
"Hashitoxicose"	Doença tireoidiana autoimune com sobreposição da doença de Graves e da doença de Hashimoto
Tireotoxicose de Jod-Basedow	Sobrecarga de iodo na presença de doença de Graves ou nódulos autônomos; ocorre com mais frequência em indivíduos com deficiência de iodo
Hiperêmese gravídica	Ligação da hCG aos receptores do TSH
Mola hidatiforme	Ligação da hCG aos receptores do TSH
Tireoidite induzida por amiodarona (tipo 1)	Sobrecarga de iodo na presença de doença de Graves ou nódulos autônomos; ocorre com mais frequência em indivíduos com deficiência de iodo
Coriocarcinoma	Ligação da hCG aos receptores do TSH
Adenoma hipofisário	Superprodução de TSH
SEM HIPERTIREOIDISMO	
CONDIÇÃO	**MECANISMO**
Tireotoxicose factícia	Ingestão de medicações contendo hormônios tireoidianos
Tireoidite de Quervain	Inflamação subaguda da tireoide com ruptura dos folículos e liberação dos hormônios tireoidianos
Tireoidite silenciosa ou pós-parto	Processo autoimune subagudo com infiltração linfocitária da tireoide, citotoxicidade mediada por anticorpos e descarga de hormônios tireoidianos na circulação
Struma ovarii	Tecido tireoidiano ectópico localizado em cisto dermoide de ovário
Tireotoxicose pós-radioiodo	Destruição dos folículos com descarga dos hormônios tireoidianos na circulação
Tireoidite induzida por amiodarona (tipo 2)	Efeito tóxico da amiodarona sobre a tireoide, com destruição dos folículos com descarga dos hormônios tireoidianos na circulação
Carcinoma folicular metastático	Geralmente carcinoma folicular causando produção excessiva e autônoma de hormônios tireoidianos

hCG, gonadotrofina coriônica humana; TSH, hormônio estimulante da tireoide.

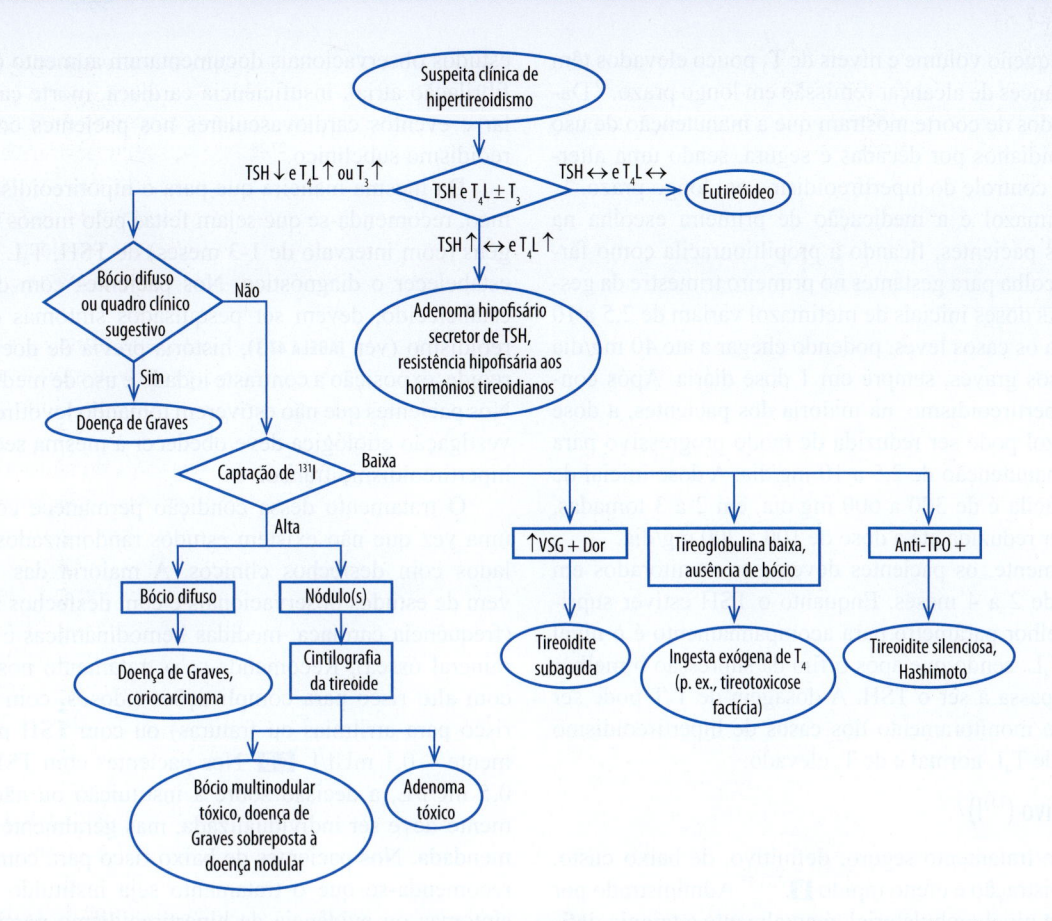

FIGURA 47.2 → Diagnóstico do hipertireoidismo e da tireotoxicose. A reposição da vitamina biotina, conhecido interferente analítico em ensaios biotinilados, pode mimetizar o quadro laboratorial de hipertireoidismo. Para correta interpretação dos exames de função tireoidiana é sempre importante excluir o uso de biotina nos 3 a 5 dias anteriores à coleta do exame.
anti-TPO, anticorpo antiperoxidase; T_4L, tiroxina livre; T_3, tri-iodotironina; TSH, hormônio estimulante da tireoide; VSG, velocidade de hemossedimentação.

disfunção tireoidiana neonatal (passagem transplacentária do TRAb).

Na tireotoxicose resultante da hiperfunção da tireoide, a captação de ^{131}I encontra-se elevada, devido à ação de estimulantes tireoidianos não fisiológicos como TRAb (doença de Graves) ou gonadotrofina coriônica humana (hCG, do inglês *human chorionic gonadotropin*) (mola hidatiforme, coriocarcinoma) ou à presença em excesso do TSH (adenomas hipofisários).

Por outro lado, a tireotoxicose na ausência de hiperfunção da glândula tireoide está associada à captação de ^{131}I reduzida. Nesses casos, a origem do excesso de hormônios tireoidianos pode ser exógena (tireotoxicose factícia), secundária ao extravasamento de hormônios pré-formados na tireoide (tireoidites), secundária à administração de compostos iodados (efeito Jod-Basedow) ou decorrente da produção ectópica de hormônios tireoidianos (*struma ovarii*, carcinoma folicular metastático).

Tratamento e acompanhamento

O tratamento da tireotoxicose tem como objetivo reduzir complicações e sintomas decorrentes do excesso de hormônios tireoidianos nos tecidos periféricos. Medidas gerais, como repouso e uso de betabloqueadores **C/D**,³ estão indicadas no controle dos sintomas decorrentes do excesso de ativação adrenérgica nos tecidos periféricos. Os betabloqueadores frequentemente utilizados são propranolol (dose de 80-320 mg/dia, em 2-4 tomadas), atenolol (dose de 25-100 mg/dia, em 1 tomada) e metoprolol (dose de 50-300 mg/dia, em 1-2 tomadas).

Entretanto, as opções de tratamento devem ser dirigidas à causa do distúrbio, variando conforme a etiologia. No hipertireoidismo, as opções de tratamento são uso de fármacos antitireoidianos, cirurgia e iodo radiativo (^{131}I).[3,21]

Fármacos antitireoidianos

Os fármacos antitireoidianos – metimazol e propiltiouracila – agem inibindo a síntese de hormônios pela tireoide, sendo efetivos no controle do hipertireoidismo durante seu uso **B**.[3,22,23] A propiltiouracila apresenta, ainda, ação inibitória sobre a conversão intratireoidiana e periférica de T_4 para T_3. Os fármacos antitireoidianos são muito efetivos no controle do hipertireoidismo durante seu uso, sendo dependentes da adesão pelo paciente. Os índices de remissão de doença de Graves em pacientes tratados com fármacos antitireoidianos, que obtiveram controle do hipertireoidismo com o uso de fármacos antitireoidianos por 12 a 18 meses, é de cerca de 40% quando o fármaco é suspenso. Os pacientes com bócio de pequeno volume e níveis de T_3 pouco elevados têm maiores chances de alcançar remissão em longo prazo.[20] Dados de estudos de coorte mostram que a manutenção de uso de antitireoidianos por décadas é segura, sendo uma alternativa para controle do hipertireoidismo em longo prazo.[24]

O metimazol é a medicação de primeira escolha na maioria dos pacientes, ficando a propiltiouracila como fármaco de escolha para gestantes no primeiro trimestre da gestação B.[3] As doses iniciais de metimazol variam de 2,5 a 10 mg/dia para os casos leves, podendo chegar a até 40 mg/dia para os casos graves, sempre em 1 dose diária. Após controle do hipertireoidismo, na maioria dos pacientes, a dose de metimazol pode ser reduzida de modo progressivo para níveis de manutenção de 2,5 a 10 mg/dia. A dose inicial de propiltiouracila é de 300 a 600 mg/dia, em 2 a 3 tomadas, podendo ser reduzida até a dose de 100 a 200 mg/dia.

Inicialmente, os pacientes devem ser monitorados em intervalos de 2 a 4 meses. Enquanto o TSH estiver suprimido, o melhor parâmetro para acompanhamento é o nível sérico de T_4L, sendo que após o fim da supressão o melhor parâmetro passa a ser o TSH. A dosagem de T_3T pode ser utilizada no monitoramento dos casos de hipertireoidismo com nível de T_4L normal e de T_3 elevado.

Iodo radiativo (^{131}I)

O ^{131}I é um tratamento seguro, definitivo, de baixo custo, fácil administração e efeito rápido B.[3,21,25] Administrado por via oral, em nível ambulatorial, é atualmente a terapia definitiva de escolha para pacientes com hipertireoidismo por doença de Graves, adenoma tóxico ou bócio multinodular tóxico. Exceto pela indução de hipotireoidismo iatrogênico, nenhum efeito colateral significativo tem sido relatado. Antes da administração de ^{131}I para mulheres em idade fértil, é importante excluir gravidez e assegurar uso de método contraceptivo eficaz por até 6 meses após a dose.

Cirurgia

É raramente indicada para pacientes com hipertireoidismo, estando reservada sobretudo para pacientes com sintomas compressivos importantes, nódulos de etiologia indeterminada e gestantes com intolerância a fármacos antitireoidianos.

HIPERTIREOIDISMO SUBCLÍNICO

O hipertireoidismo subclínico é definido como a presença de nível sérico de TSH baixo com níveis de T_4L e T_3T normais.[3,26] As causas de hipertireoidismo subclínico são as mesmas do hipertireoidismo franco. A prevalência é menor do que a do hipotireoidismo subclínico, ficando em torno de 5% na população adulta. A principal preocupação em relação ao hipertireoidismo subclínico são seus efeitos sobre o metabolismo ósseo e o sistema circulatório.

O excesso de hormônios tireoidianos caracteriza-se por aumento da reabsorção óssea, e diversos estudos demonstraram que pacientes pós-menopáusicas com hipertireoidismo subclínico apresentam menor densidade mineral óssea. Em relação aos efeitos sobre o sistema circulatório, estudos observacionais documentaram aumento do risco de fibrilação atrial, insuficiência cardíaca, morte cardiovascular e eventos cardiovasculares nos pacientes com hipertireoidismo subclínico.[27,28]

Da mesma maneira que para o hipotireoidismo subclínico, recomenda-se que sejam feitas pelo menos duas dosagens (com intervalo de 1-3 meses) de TSH, T_4L e T_3T para estabelecer o diagnóstico. Nos pacientes com diagnóstico estabelecido, devem ser pesquisados sintomas de hipertireoidismo (ver TABELA 47.3), história prévia de doenças da tireoide, exposição a contraste iodado e uso de medicamentos. Nos pacientes que não estiverem tomando levotiroxina, a investigação etiológica deve obedecer à mesma sequência do hipertireoidismo franco.

O tratamento dessa condição permanece controverso, uma vez que não existem estudos randomizados e controlados com desfechos clínicos. A maioria das evidências vem de estudos observacionais e com desfechos substitutos (frequência cardíaca, medidas hemodinâmicas e densidade mineral óssea). Recomenda-se o tratamento nos pacientes com alto risco para complicações (idosos, com fatores de risco para arritmias ou fraturas) ou com TSH persistentemente < 0,1 mUI/L C/D. Nos pacientes com TSH de 0,1 a 0,5 mUI/L, a decisão sobre a instituição ou não de tratamento deve ser individualizada, mas geralmente está recomendada. Nos pacientes de baixo risco para complicações, recomenda-se que o tratamento seja instituído se houver sintomas ou evidência de hipertireoidismo persistente nos exames complementares.[3,26] A primeira opção de tratamento nos casos de hipertireoidismo subclínico é a utilização de fármacos antitireoidianos em baixa dosagem (p. ex., 2,5-10 mg/dia de metimazol). Em casos selecionados, pode-se considerar tratamento com ^{131}I ou cirurgia.

Encaminhamento

Deve-se encaminhar ao endocrinologista:
→ pacientes com oftalmopatia de Graves;
→ casos refratários ao tratamento com fármacos antitireoidianos;
→ gestantes;
→ pacientes nos quais se considera tratamento com ^{131}I ou cirurgia.

TIREOIDITES

As tireoidites englobam um grupo diverso de patologias caracterizadas pela presença de reação inflamatória da tireoide. A tireoidite de Hashimoto, geralmente de evolução crônica e que cursa com hipotireoidismo, já foi abordada anteriormente. Aqui são discutidas as tireoidites que costumam ter acometimento agudo e autolimitado.

Na **tireoidite subaguda granulomatosa** (tireoidite granulomatosa, tireoidite de Quervain, tireoidite viral), é frequente a associação com infecção viral prévia das vias aéreas superiores. Os pacientes costumam apresentar dor cervical anterior ou referida para a orofaringe e as orelhas, além de sintomas sistêmicos de doença infecciosa com ou sem sinais de tireotoxicose. Ao exame, palpa-se um bócio endurecido, bem-definido e bastante sensível. O quadro de tireotoxicose dura de 4 a 10 semanas, e cerca de 30 a 50% dos pacientes desenvolvem hipotireoidismo transitório que dura entre 4 e 8 semanas, seguido, na maioria dos casos, pela recuperação completa da glândula e eutireoidismo.

A **tireoidite silenciosa** (tireoidite linfocítica subaguda, tireoidite indolor, tireoidite linfocítica) é uma condição transitória caracterizada por tireoidite linfocítica, bócio indolor e tireotoxicose e/ou hipotireoidismo, muitas vezes apresentando-se na forma esporádica ou no período pós-parto. O curso é de tireotoxicose transitória, hipotireoidismo e recuperação completa da função tireoidiana. Os achados clínicos mais importantes são tireotoxicose leve de curta duração (em geral de 1-4 semanas), bócio difuso discreto e ausência de oftalmopatia. A tireoide é aumentada e firme na maioria dos casos. É raro haver dor, sendo leve quando presente. Após a fase de tireotoxicose, 40% dos pacientes apresentam sintomas de hipotireoidismo por 4 a 8 semanas, seguidos pela recuperação completa. Em alguns casos, o hipotireoidismo pode ser permanente. Anticorpos anti-TPO estão elevados em 50% dos casos.

DOENÇA NODULAR TIREOIDIANA

Os nódulos de tireoide são definidos como lesões radiologicamente distintas do restante do parênquima tireoidiano.[29] Essas lesões são comuns, sendo encontradas à palpação em 5% das mulheres e 1% dos homens. Quando utilizada a US, essa prevalência sobe para 19 a 67%, sendo maior em mulheres e em idosos. A principal preocupação diante dos nódulos tireoidianos é a possibilidade de representarem neoplasias malignas da tireoide. Além disso, podem representar adenomas tóxicos (ver tópico Hipertireoidismo) e comprimir estruturas adjacentes.

Diagnóstico

Anamnese e exame físico

A maioria dos pacientes com nódulos de tireoide não apresenta sintomas relacionados. Os nódulos volumosos podem resultar em sintomas compressivos.

Na avaliação de pacientes com nódulos de tireoide, alguns aspectos que aumentam a chance de malignidade do nódulo devem ser pesquisados na história e no exame físico: história de radiação da região cervical, história familiar de neoplasia de tireoide em parente de primeiro grau, crescimento rápido do nódulo, presença de adenomegalias cervicais e rouquidão. No exame físico, deve constar a palpação da tireoide e das cadeias de linfonodos cervicais.

Exames complementares

Todos os pacientes com nódulos de tireoide identificados – em exame físico ou outros métodos de imagem – devem realizar US para melhor caracterização do nódulo, bem como dosagem de TSH (FIGURA 47.3). Naqueles com TSH abaixo do limite de referência, sugere-se a realização de cintilografia de tireoide para avaliar se o nódulo é hiperfuncionante (nódulo "quente"). O achado de nódulo hiperfuncionante praticamente afasta a possibilidade de neoplasia maligna.

Com base na US, poderão ser avaliadas as características do nódulo e as suas relações com as estruturas adjacentes. São informações que devem constar na descrição ultrassonográfica de um nódulo de tireoide: dimensões, conteúdo,

COMPOSIÇÃO (1 opção)		ECOGENICIDADE (1 opção)		FORMA (1 opção)		MARGENS (1 opção)		FOCOS ECOGÊNICOS (todos os aplicáveis)	
Cístico/predominantemente cístico	0	Anecogênico	0	Mais largo do que alto	0	Lisas	0	Ausentes/Artefatos em cauda de cometa	0
Espongiforme	0	Hiperecogênico/isoecogênico	1	Mais alto do que largo	3	Indefinidas	0	Macrocalcificações	1
Sólido-cístico	1	Hipoecogênico	1			Lobuladas/irregulares	2	Calcificações periféricas/calcificações em halo	1
Sólido/predominantemente sólido	3	Marcadamente hipoecogênico	2			Extensão extratireóidea	3	Focos ecogênicos puntiformes	3

Somar pontos de cada coluna para determinar classificação TI-RADS

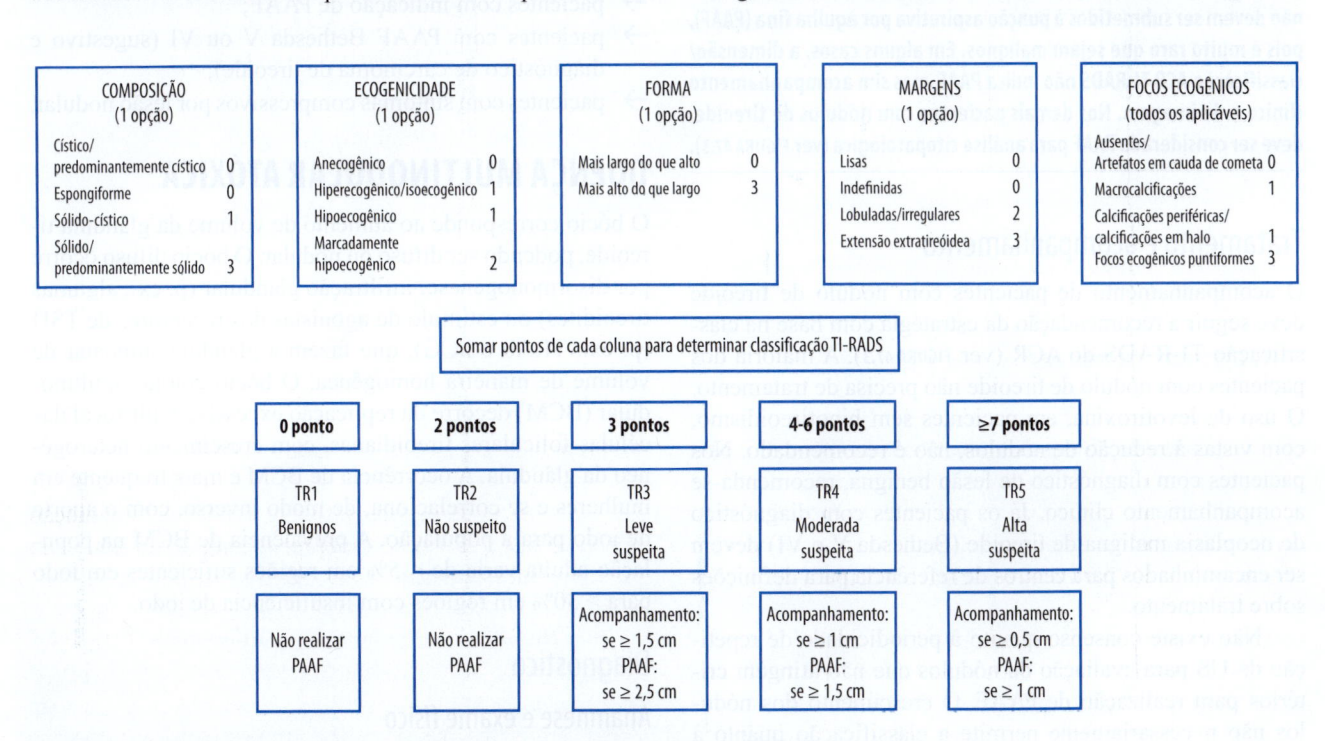

0 ponto	2 pontos	3 pontos	4-6 pontos	≥7 pontos
TR1 Benignos	TR2 Não suspeito	TR3 Leve suspeita	TR4 Moderada suspeita	TR5 Alta suspeita
Não realizar PAAF	Não realizar PAAF	Acompanhamento: se ≥ 1,5 cm PAAF: se ≥ 2,5 cm	Acompanhamento: se ≥ 1 cm PAAF: se ≥ 1,5 cm	Acompanhamento: se ≥ 0,5 cm PAAF: se ≥ 1 cm

FIGURA 47.3 → Avaliação de nódulo tireoidiano (para orientações a respeito da pontuação, ver **TABELA 47.5**).
PAAF, punção aspirativa por agulha fina; TI-RADS, *Thyroid Imaging Reporting and Data System*.
Fonte: Tessler e colaboradores.[30]

TABELA 47.5 → Informações complementares à **FIGURA 47.3**

COMPOSIÇÃO	ECOGENICIDADE	FORMA	MARGEM	FOCO ECOGÊNICO
Espongiformes: → Compostos predominantemente (> 50%) por espaços císticos pequenos **Sólido-cístico:** → Pontuar quando for predominantemente sólido → Atribuir 2 pontos se a composição não puder ser definida em decorrência de calcificações	**Anecoico:** → Aplicável a nódulos císticos ou quase completamente císticos **Hiperecogênico/isoecogênico/ hipoecogênico:** → Em comparação com o parênquima adjacente **Marcadamente hipoecogênico:** → Mais hipoecogênico do que a musculatura → Atribuir 1 ponto caso a ecogenicidade não possa ser determinada	**Mais alto do que largo:** → Deve ser avaliado em imagem transversa com medida paralela à onda sonora para altura e perpendicular à onda sonora para largura A avaliação visual pode ser utilizada	**Lobulada:** → Protrusões aos tecidos adjacentes **Irregular:** → Irregular, espiculada ou com ângulos agudos **Extensão extratireóidea:** → Invasão óbvia = malignidade Atribuir 0 ponto se a margem não puder ser determinada	**Artefatos em cauda de cometa:** → Em formato de V → > 1 mm, em componentes císticos **Macrocalcificações:** → Causam sobra acústica **Periféricas:** → Completa (halo) ou incompleta em torno das margens **Focos ecogênicos puntiformes:** → Pode apresentar alguns artefatos em cauda de cometa

Fonte: Tessler e colaboradores.[30]

ecogenicidade, relação altura/largura, margens, presença de calcificações, localização intratireoidiana e relação com estruturas adjacentes.

Para definição de chance de malignidade, bem como para estabelecimento de estratégia a ser seguida, sugere-se que os nódulos tireoidianos sejam classificados de acordo com o sistema *Thyroid Imaging Reporting and Data System* (TI-RADS) do American College of Radiology (ACR),[30] que estabelece pontuação de acordo com conteúdo, ecogenicidade, relação altura/largura, margens e presença de calcificações (ver FIGURA 47.3). É importante ressaltar, entretanto, que a US não deve ser feita como exame de rotina para identificação de nódulos em pacientes que não apresentem alterações ao exame físico, independentemente da presença de fatores de risco.

Os nódulos puramente císticos, espongiformes, hiperfuncionantes e com dimensão/classificação TI-RADS do ACR sem indicação de punção não devem ser submetidos à punção aspirativa por agulha fina (PAAF), pois é muito raro que sejam malignos. Em alguns casos, a dimensão/classificação ACR TI-RADS não indica PAAF, mas sim acompanhamento clínico e de imagem. Nos demais pacientes com nódulos de tireoide, deve ser considerada PAAF para análise citopatológica (ver FIGURA 47.3).

Tratamento e acompanhamento

O acompanhamento de pacientes com nódulo de tireoide deve seguir a recomendação da estratégia com base na classificação TI-RADS do ACR (ver FIGURA 47.3). A maioria dos pacientes com nódulo de tireoide não precisa de tratamento. O uso de levotiroxina, em pacientes sem hipotireoidismo, com vistas à redução de nódulos, não é recomendado. Nos pacientes com diagnóstico de lesão benigna, recomenda-se acompanhamento clínico. Já os pacientes com diagnóstico de neoplasia maligna de tireoide (Bethesda V e VI) devem ser encaminhados para centros de referência para definições sobre tratamento.

Não existe consenso quanto à periodicidade de repetição da US para avaliação de nódulos que não atingem critérios para realização de PAAF. O crescimento dos nódulos não necessariamente permite a classificação quanto à benignidade ou à malignidade de um nódulo. Uma abordagem que pode ser adotada é a sugerida pelo comitê ACR TI-RADS. As recomendações do comitê são: o exame não deve ser repetido em intervalos < 12 meses a não ser em caso de câncer; em lesões com classificação TR5, o intervalo fica a critério do profissional assistente, devendo ser de no máximo 5 anos; lesões sem crescimento em 5 anos podem sem consideradas benignas, o que permite suspender o acompanhamento ultrassonográfico; nódulos que tiveram crescimento no mesmo período mas não atingiram os critérios para PAAF devem continuar sendo acompanhados e, se houver aumento do escore TI-RADS (independentemente do escore prévio), a US deve ser repetida em 12 meses.

Encaminhamento

Devem ser encaminhados ao endocrinologista:
→ pacientes com nódulos hiperfuncionantes;
→ pacientes com indicação de PAAF;
→ pacientes com PAAF Bethesda V ou VI (sugestivo e diagnóstico de carcinoma de tireoide);
→ pacientes com sintomas compressivos por lesão nodular.

DOENÇA MULTINODULAR ATÓXICA

O bócio corresponde ao aumento de volume da glândula tireoide, podendo ser difuso ou nodular. O bócio difuso ocorre por disormonogênese, infiltração glandular (p. ex., algumas tireoidites) ou estímulo de agonistas dos receptores de TSH (p. ex., TRAb e hCG), que fazem a glândula aumentar de volume de maneira homogênea. O bócio coloide multinodular (BCM) decorre da replicação excessiva multifocal das células foliculares tireoidianas, com crescimento heterogêneo da glândula. A ocorrência de BCM é mais frequente em mulheres e se correlaciona, de modo inverso, com o aporte de iodo para a população. A prevalência de BCM na população adulta varia de < 5% em regiões suficientes em iodo para > 30% em regiões com insuficiência de iodo.

Diagnóstico

Anamnese e exame físico

A maioria dos pacientes com BCM não apresenta sintomas, e o desconforto estético pode ser a única queixa do paciente.

Quando o BCM é sintomático, as manifestações clínicas variam de acordo com o tamanho, o estado funcional e a localização do bócio (extra ou intratorácico). Hipertireoidismo clínico e subclínico ocorre em cerca de 25% dos pacientes. Bócios intratorácicos podem apresentar compressão traqueal e, com menos frequência, esofágica. Nesses casos, dispneia, tosse, rouquidão ou disfagia podem estar presentes. Paralisia do nervo frênico, síndrome de Horner e síndrome da veia cava superior podem ocorrer, embora sejam extremamente raras.

Em pacientes com BCM, sintomas de dor ou compressivos de instalação aguda em geral decorrem de degeneração cística ou hemorragia intranodular.

Exames complementares

O risco de malignidade de um nódulo em um BCM é semelhante ao de um nódulo isolado da tireoide. Portanto, o risco de carcinoma deve ser avaliado seguindo-se os mesmos princípios aplicados aos nódulos tireoidianos isolados. A avaliação de pacientes com BCM deve levar em consideração, ainda, dois outros aspectos: função tireoidiana e sintomas compressivos.

O TSH deve ser solicitado para todos os pacientes com BCM, sendo investigação adicional realizada naqueles com TSH suprimido (ver tópico Hipertireoidismo). Nos pacientes com sintomas compressivos ou com bócio de extensão intratorácica, a realização de tomografia computadorizada (TC) ou ressonância magnética (RM) de região cervicotorácica pode auxiliar no planejamento terapêutico, com avaliação da extensão e relação anatômica com estruturas adjacentes. Quando se optar por TC, esta deve ser realizada sem contraste. Havendo necessidade de contraste, o uso de fármacos antitireoidianos previamente à realização do exame deve ser considerado, visando evitar o efeito Jod-Basedow (hipertireoidismo induzido por sobrecarga de iodo). A RM tem rendimento semelhante ao da TC, mas apresenta custo mais elevado e é menos disponível.

Tratamento e acompanhamento

O tratamento de escolha para BCM com suspeita de neoplasia, sintomas compressivos importantes ou extensão intratorácica ainda é o cirúrgico (tireoidectomia total) **B**.[31] Visto que o BCM tende a aumentar de volume com o tempo e que os riscos de complicações cirúrgicas aumentam com a idade, o tratamento precoce do BCM sintomático é uma tendência. Em pacientes com sintomas compressivos ou extensão intratorácica que não são candidatos à cirurgia, o iodo radiativo pode ser usado. Tem sido relatada uma redução de volume da ordem de 30 a 50% após 1 ano de tratamento com iodo, com melhora dos sintomas em 66 a 100% dos pacientes.

Encaminhamento

Devem ser encaminhados ao endocrinologista:
→ pacientes com indicação de PAAF;
→ pacientes com PAAF Bethesda V ou VI (sugestivo e diagnóstico de carcinoma de tireoide);
→ pacientes com sintomas compressivos;
→ candidatos a tratamento cirúrgico ou com iodo radiativo.

REFERÊNCIAS

1. Baloch Z, Carayon P, Conte-Devolx B, Demers LM, Feldt-Rasmussen U, Henry J-F, et al. Laboratory medicine practice guidelines. Laboratory support for the diagnosis and monitoring of thyroid disease. Thyroid. 2003;13(1):3-126.

2. Andrade VA, Gross JL, Maia AL. The effect of methimazole pretreatment on the efficacy of radioactive iodine therapy in Graves' hyperthyroidism: one-year follow-up of a prospective, randomized study. J Clin Endocrinol Metab. 2001;86(8):3488–93.

3. Ross DS, Burch HB, Cooper DS, Greenlee MC, Laurberg P, Maia AL, et al. 2016 American Thyroid Association guidelines for diagnosis and management of hyperthyroidism and other causes of thyrotoxicosis. Thyroid. 2016;26(10):1343–421.

4. Léger J, Olivieri A, Donaldson M, Torresani T, Krude H, van Vliet G, et al. European Society for Paediatric Endocrinology consensus guidelines on screening, diagnosis, and management of congenital hypothyroidism. J Clin Endocrinol Metab. 2014;99(2):363–84.

5. Canaris GJ, Manowitz NR, Mayor G, Ridgway EC. The Colorado thyroid disease prevalence study. Arch Intern Med. 2000;160(4):526–34.

6. Jonklaas J, Bianco AC, Bauer AJ, Burman KD, Cappola AR, Celi FS, et al. Guidelines for the treatment of hypothyroidism: prepared by the american thyroid association task force on thyroid hormone replacement. Thyroid. 2014;24(12):1670–751.

7. Roos A, Linn-Rasker SP, van Domburg RT, Tijssen JP, Berghout A. The starting dose of levothyroxine in primary hypothyroidism treatment: a prospective, randomized, double-blind trial. Arch Intern Med. 2005;165(15):1714–20.

8. Garber JR, Cobin RH, Gharib H, Hennessey JV, Klein I, Mechanick JI, et al. Clinical practice guidelines for hypothyroidism in adults: cosponsored by the American Association of Clinical Endocrinologists and the American Thyroid Association. Thyroid. 2012;22(12):1200–35.

9. Bach-Huynh T-G, Nayak B, Loh J, Soldin S, Jonklaas J. Timing of levothyroxine administration affects serum thyrotropin concentration. J Clin Endocrinol Metab. 2009;94(10):3905–12.

10. Bolk N, Visser TJ, Nijman J, Jongste IJ, Tijssen JGP, Berghout A. Effects of evening vs morning levothyroxine intake: a randomized double-blind crossover trial. Arch Intern Med. 2010;170(22):1996–2003.

11. Skelin M, Lucijanić T, Liberati-Čizmek A-M, Klobučar SM, Lucijanić M, Jakupović L, et al. Effect of timing of levothyroxine administration on the treatment of hypothyroidism: a three-period crossover randomized study. Endocrine. 2018;62(2):432–9.

12. Perez CLS, Araki FS, Graf H, de Carvalho GA. Serum thyrotropin levels following levothyroxine administration at breakfast. Thyroid. 2013;23(7):779–84.

13. Grebe SK, Cooke RR, Ford HC, Fagerström JN, Cordwell DP, Lever NA, et al. Treatment of hypothyroidism with once weekly thyroxine. J Clin Endocrinol Metab. 1997;82(3):870–5.

14. Bornschein A, Paz-Filho G, Graf H, Carvalho GA de. Treating primary hypothyroidism with weekly doses of levothyroxine: a randomized, single-blind, crossover study. Arq Bras Endocrinol Metabol. 2012;56(4):250–8.

15. Biondi B, Cappola AR, Cooper DS. Subclinical hypothyroidism: a review. JAMA. 2019;322(2):153–60.

16. Huber G, Staub J-J, Meier C, Mitrache C, Guglielmetti M, Huber P, et al. Prospective study of the spontaneous course of subclinical hypothyroidism: prognostic value of thyrotropin, thyroid reserve, and thyroid antibodies. J Clin Endocrinol Metab. 2002;87(7):3221–6.

17. Rodondi N, den Elzen WPJ, Bauer DC, Cappola AR, Razvi S, Walsh JP, et al. Subclinical hypothyroidism and the risk of coronary heart disease and mortality. JAMA. 2010;304(12):1365–74.

18. Stott DJ, Rodondi N, Kearney PM, Ford I, Westendorp RGJ, Mooijaart SP, et al. Thyroid hormone therapy for older adults with subclinical hypothyroidism. N Engl J Med. 2017;376(26):2534–44.
19. Feller M, Snel M, Moutzouri E, Bauer DC, de Montmollin M, Aujesky D, et al. Association of thyroid hormone therapy with quality of life and thyroid-related symptoms in patients with subclinical hypothyroidism: a systematic review and meta-analysis. JAMA. 02 de 2018;320(13):1349–59.
20. Bartalena L, Tanda ML. Clinical practice. Graves' ophthalmopathy. N Engl J Med. 2009;360(10):994–1001.
21. Ross DS. Radioiodine therapy for hyperthyroidism. N Engl J Med. 2011;364(6):542–50.
22. Cooper DS. Antithyroid drugs. N Engl J Med. 2005;352(9):905–17.
23. Abraham P, Avenell A, McGeoch SC, Clark LF, Bevan JS. Antithyroid drug regimen for treating Graves' hyperthyroidism. Cochrane Database Syst Rev. 2010;(1):CD003420.
24. Villagelin D, Romaldini JH, Santos RB, Milkos ABBP, Ward LS. Outcomes in relapsed Graves' disease patients following radioiodine or prolonged low dose of methimazole treatment. Thyroid. dezembro de 2015;25(12):1282–90.
25. Burch HB, Cooper DS. Management of Graves disease: a review. JAMA. 2015;314(23):2544–54.
26. Biondi B, Cooper DS. Subclinical Hyperthyroidism. N Engl J Med. 2018;378(25):2411–9.
27. Collet T-H, Gussekloo J, Bauer DC, den Elzen WPJ, Cappola AR, Balmer P, et al. Subclinical hyperthyroidism and the risk of coronary heart disease and mortality. Arch Intern Med. 2012;172(10):799–809.
28. Gencer B, Collet T-H, Virgini V, Bauer DC, Gussekloo J, Cappola AR, et al. Subclinical thyroid dysfunction and the risk of heart failure events: an individual participant data analysis from 6 prospective cohorts. Circulation. 2012;126(9):1040–9.
29. Haugen BR, Alexander EK, Bible KC, Doherty GM, Mandel SJ, Nikiforov YE, et al. 2015 American Thyroid Association management guidelines for adult patients with thyroid nodules and differentiated thyroid cancer: the American Thyroid Association Guidelines Task Force on thyroid nodules and differentiated thyroid cancer. Thyroid. 2016;26(1):1–133.
30. Tessler FN, Middleton WD, Grant EG, Hoang JK, Berland LL, Teefey SA, et al. ACR Thyroid Imaging, Reporting and Data System (TI-RADS): white paper of the ACR TI-RADS Committee. J Am Coll Radiol. 2017;14(5):587–95.
31. Cirocchi R, Trastulli S, Randolph J, Guarino S, Di Rocco G, Arezzo A, et al. Total or near-total thyroidectomy versus subtotal thyroidectomy for multinodular non-toxic goitre in adults. Cochrane Database Syst Rev. 7 de agosto de 2015;(8):CD010370.

Capítulo 48
EPILEPSIA

José Augusto Bragatti
Carolina Machado Torres
Kelin Cristine Martin
Frederico A. D. Kliemann[†]

A epilepsia é um distúrbio cerebral crônico frequente na população geral, de várias etiologias, e caracterizado por uma predisposição permanente à ocorrência de crises epilépticas, com consequências neurobiológicas, sociais, psicológicas e sociais.[1]

As crises epilépticas são distúrbios paroxísticos do sistema nervoso central (SNC) causados por descargas súbitas, excessivas e hipersincrônicas dos neurônios cerebrais. As características clínicas variam dependendo da área cerebral envolvida, tendendo a ser estereotipadas em cada paciente. Quando o distúrbio paroxístico envolve o sistema motor, as crises epilépticas são denominadas convulsões, que podem ser parciais (focais) ou generalizadas. O reconhecimento da epilepsia e seu diagnóstico diferencial são facilitados pelo conhecimento das manifestações clínicas dos seus vários tipos.

CLASSIFICAÇÃO DOS DISTÚRBIOS EPILÉPTICOS

É importante diferenciar epilepsia, um distúrbio permanente da função ou estrutura cerebral, de crise epiléptica, uma manifestação eletroclínica intermitente ou isolada, que nem sempre significa epilepsia. Por exemplo, um paciente que sofre um traumatismo craniano com perda momentânea da consciência pode apresentar crise epiléptica logo após o evento. Nesse caso, a crise é "apenas" mais uma manifestação da injúria cerebral aguda sofrida pelo paciente, sem que necessariamente, no futuro, ele apresente crises espontaneamente produzidas pelo seu cérebro.

A International League Against Epilepsy (ILAE) criou duas classificações, uma complementar à outra: a Classificação Internacional das Crises Epilépticas, de 1981, e a Classificação Internacional das Epilepsias e Síndromes Epilépticas, de 1989,[2] revisada em 2006,[3] e com a última atualização em 2017.[4] A classificação atual das crises epilépticas é mostrada na TABELA 48.1. Nessa classificação, as crises são caracterizadas como focais (de início localizado), generalizadas, e não classificadas.

As crises focais têm origem em uma área específica do córtex cerebral, e eram anteriormente classificadas como simples ou complexas. As simples não eram acompanhadas por perturbação da consciência e, dependendo da localização do foco, produziam sintomas motores, sensoriais, autonômicos ou psíquicos. Na nova classificação, o termo "crise parcial simples" foi substituído por "crise focal perceptiva (com percepção preservada)", e as "crises parciais complexas" passaram a ser denominadas "crises focais disperceptivas (com comprometimento da percepção)".

As crises focais perceptivas motoras (áreas rolândicas) podem ter início na mão, no pé ou na face. Quando propagadas de uma região corporal a outra em sequência, são denominadas jacksonianas. As crises focais somatossensoriais se caracterizam, em geral, por sintomas de dormência, pressão ou formigamento (córtex parietal), ou sintomas visuais (córtex occipital). As crises focais com sintomas psíquicos têm como manifestação inicial sensações afetivas (medo) ou transtorno transitório da compreensão da realidade, sensações de sonho (oníricas), estranheza e déjà-vu (sensação vívida de familiaridade com a cena visualizada no momento).

TABELA 48.1 → Classificação das crises epilépticas

CRISES DE INÍCIO FOCAL*
- → Perceptivas
- → Disperceptivas
- → Início motor
    - → Automatismos
    - → Atônicas
    - → Clônicas
    - → Espasmos epilépticos
    - → Hipercinéticas
    - → Mioclônicas
    - → Tônicas
- → Início não motor
    - → Autonômicas
    - → Parada comportamental
    - → Cognitivas
    - → Emocionais
    - → Sensoriais
- → Focais evoluindo para tônico-clônicas bilaterais

CRISES DE INÍCIO GENERALIZADO
- → Motoras
    - → Tônico-clônicas
    - → Clônicas
    - → Tônicas
    - → Mioclônicas
    - → Mioclono-tônico-clônicas
    - → Mioclono-atônicas
    - → Atônicas
    - → Espasmos epilépticos
- → Não motoras (ausências)
    - → Típicas
    - → Atípicas
    - → Mioclônicas
    - → Com mioclonias palpebrais

CRISES DE INÍCIO DESCONHECIDO
- → Motoras
    - → Tônico-clônicas
    - → Espasmos epilépticos
- → Não motoras
    - → Parada comportamental

NÃO CLASSIFICADAS

*As crises focais são classificadas tanto quanto ao nível de percepção, sendo disperceptivas se houver comprometimento da percepção em qualquer momento da crise, como quanto ao sintoma ou sinal de início da crise, motor ou não motor.

Costumam ter início em estruturas do lobo temporal e, menos frequentemente, do lobo frontal.[5]

As crises focais disperceptivas envolvem perturbações de consciência, que podem ser incompletas, permitindo que o paciente prossiga sua atividade e dificultando a identificação da crise pelas pessoas que o cercam. Essas perturbações de consciência são distúrbios de contato do paciente com o ambiente, período durante o qual ele não tem perda total de consciência, embora geralmente tenha perda do registro da memória.

Nas formas mais pronunciadas, vários tipos de movimentos automáticos (automatismos) acompanham a perturbação, como salivar, mastigar, despir-se, levantar-se e repetir palavras. Pode ocorrer amnésia de todo o período de duração da crise. As crises focais disperceptivas de lobo frontal são as de diagnóstico mais difícil. Trata-se de crises de agitação motora, muitas vezes bizarras, frenéticas, com movimentos de bater, pedalar, correr ou atirar-se no chão, ou vocalização bizarra, que muitas vezes podem sugerir crises não epilépticas psicogênicas.

Tanto as crises focais perceptivas como as disperceptivas podem evoluir e envolver ambos os hemisférios cerebrais, sendo então chamadas de crises focais evoluindo para tônico-clônicas bilaterais.

As crises generalizadas começam de modo simultâneo nos dois hemisférios cerebrais. No eletrencefalograma (EEG), desde o início da crise, ocorre atividade anormal sincrônica nos dois hemisférios.

As crises generalizadas tônico-clônicas (antes denominadas "grande mal") caracterizam-se por perda súbita de consciência, associada a uma contração tônica simultânea das quatro extremidades e da musculatura torácica, resultando em um grito. Seguem-se apneia, cianose, cerramento da mandíbula, mordedura da língua e fenômenos autonômicos, como perda de urina, evacuação, sialorreia e taquicardia. A fase tônica dura cerca de 20 segundos e é seguida por uma fase de contrações clônicas, às quais se segue um período de coma. A desorientação ou confusão que se segue ao coma é chamada de período pós-ictal e pode durar de poucos minutos a várias horas.

As ausências típicas (antes chamadas de "pequeno mal") constituem a forma mais comum de crises epilépticas generalizadas não motoras. Caracterizam-se por perdas súbitas de consciência, que duram de 2 a 20 segundos, em geral. Durante as crises, o paciente apenas parece desligar-se do ambiente, mantendo o olhar vago e não respondendo a estímulos. Podem ocorrer fenômenos motores breves, como piscamento das pálpebras, mastigação, deglutição e abalos clônicos da cabeça e, mais raramente, das extremidades. A perda de consciência não é sempre completa: alguns pacientes podem seguir, embora confusos, a atividade que estavam executando. Por exemplo, podem seguir contando de 1 a 10, habitualmente de forma incorreta, e podem não ter perda completa de memória para os fatos ocorridos durante a crise. Trata-se de uma forma de epilepsia bem-definida. Quase sempre tem início entre os 4 e 6 anos de idade, mas pode iniciar durante a adolescência e persistir ao longo de toda a vida.

Outros tipos de crises generalizadas, menos comuns, são as ausências atípicas, nas quais o comprometimento da consciência é, em geral, incompleto, e as crises podem ser mioclônicas, tônicas, clônicas e atônicas.

As crises mioclônicas são abalos breves e repentinos, podendo ser isolados em um segmento (p. ex., na face) ou generalizados. Nas crises tônicas, ocorre contração tônica, em geral simultânea, da cabeça e das extremidades, em flexão ou extensão. Nas crises clônicas, ocorrem abalos repetidos. Nas crises atônicas, ocorre perda súbita de tônus, com queda ao solo.

Os espasmos epilépticos (anteriormente chamados de espasmos infantis) consistem em uma contração repentina, normalmente bilateral e simétrica, dos músculos do pescoço, tronco e membros. A contração inicial dura 2 segundos, seguida de uma contração tônica mais sustentada; os espasmos podem ser em flexão, extensão, ou mistos, e em geral são simétricos. Costumam ocorrer em séries de até várias dezenas, separadas por períodos de 5 a 30 segundos. Têm seu pico de início entre os 6 e 8 meses de idade e são a manifestação mais importante da síndrome de West.

As crises neonatais são, em geral, classificadas em tônicas, clônicas, mioclônicas e sutis. Com frequência, seu diagnóstico é difícil; a presença de fenômenos autonômicos e a não supressão da crise pela contenção do paciente favorecem o diagnóstico de crise epiléptica.

Embora múltiplas manifestações epilépticas possam ocorrer em um mesmo paciente, elas costumam ser estereotipadas.

Nos últimos 20 anos, avanços no vídeo-EEG, na neuroimagem e na genética motivaram uma revisão da classificação das epilepsias. Os esforços de uma comissão específica, nomeada pela ILAE, resultaram em uma proposta de esquema diagnóstico, com eixos dinâmicos e flexíveis partindo da descrição semiológica da crise, passando pelo diagnóstico do tipo de crise específico e do diagnóstico da síndrome epiléptica até, se possível, um diagnóstico etiológico mantendo a descrição clínica das crises (focais ou generalizadas), topografia e etiologia.[4,6] A TABELA 48.2 mostra a atual classificação das epilepsias, segundo a ILAE.[6]

ETIOLOGIA

A partir da correta identificação da síndrome epiléptica em questão (TABELA 48.2), é possível inferir aspectos etiológicos importantes. A classificação etiológica adequada tem consequências para o tratamento e para o prognóstico (TABELA 48.3).

As epilepsias de origem estrutural são secundárias a um distúrbio ou a uma patologia conhecida do sistema nervoso. As de causa estrutural de início focal são subdivididas pelo lobo de origem e representam 56% dos pacientes.

As epilepsias genéticas são relacionadas a mutações genéticas conhecidas ou presumidas. O termo "idiopática" é atualmente considerado sinônimo de "epilepsia genética". As genéticas de início focal ou parcial (7% dos pacientes) são epilepsias benignas da infância com foco rolândico (centrotemporal) ou occipital. O termo "benigno" está sendo substituído por "autolimitado" ou "farmacorresponsivo". As epilepsias de início generalizado incluem as ausências, as mioclônicas, a epilepsia mioclônica juvenil e a epilepsia com crises tônico-clônicas somente.

As de causa desconhecida são epilepsias parciais ou generalizadas, consideradas provavelmente estruturais (com outro distúrbio subjacente), mas cuja etiologia não pode ser suficientemente identificada no paciente. As epilepsias de causa desconhecida passarão a ser estruturais/metabólicas quando métodos diagnósticos mais acurados permitirem a identificação da causa.

Uma causa identificável de epilepsia pode ser encontrada em 20 a 40% dos pacientes – por exemplo, infecções crônicas do SNC, tumores cerebrais, parasitoses (cisticercose) ou malformações arteriovenosas.

Os tumores cerebrais são a causa de epilepsia em cerca de 10% dos pacientes cujas crises começam após os 20 anos de idade e em 20% daqueles com crises iniciadas depois dos 40 anos. Os tumores localizados nas áreas frontais e temporais anteriores geralmente não apresentam outra sintomatologia além da epilepsia. Os tumores benignos de longa evolução têm maior tendência a apresentar epilepsia como única manifestação.

Alguns tipos comuns de epilepsia são transmitidos geneticamente. Podem ser generalizados, como ausências típicas, epilepsia mioclônica juvenil, epilepsia tônico-clônica do despertar, ou de início focal, como epilepsias benignas da infância com foco centrotemporal e com foco occipital, entre outras.

A TABELA 48.4 apresenta as etiologias mais frequentes das epilepsias estruturais segundo a idade de seu início.[7,8]

TABELA 48.2 → Classificação das síndromes epilépticas

PERÍODO NEONATAL
→ Crises neonatais benignas familiais
→ Encefalopatia mioclônica precoce
→ Síndrome de Ohtahara

LACTENTES
→ Crises parciais migratórias do lactente
→ Síndrome de West
→ Epilepsia mioclônica do lactente
→ Crises benignas do lactente
→ Síndrome de Dravet
→ Encefalopatia mioclônica em transtornos não progressivos

INFÂNCIA
→ Epilepsia occipital benigna da infância de início precoce (tipo Panayiotopoulos)
→ Epilepsia com crises mioclônico-astáticas
→ Epilepsia com mioclonias palpebrais
→ Epilepsia benigna da infância com pontas centrotemporais
→ Epilepsia occipital da infância de início tardio (tipo Gastaut)
→ Epilepsia com ausências mioclônicas
→ Síndrome de Lennox-Gastaut
→ Encefalopatia epiléptica com pontas e ondas contínuas durante o sono
→ Síndrome de Landau-Kleffner
→ Epilepsia ausência da infância

ADOLESCÊNCIA
→ Epilepsia ausência juvenil
→ Epilepsia mioclônica juvenil

SÍNDROMES MENOS RELACIONADAS COM A IDADE
→ Epilepsias mioclônicas progressivas
→ Epilepsia do lobo frontal noturna autossômica dominante
→ Epilepsia do lobo temporal familial
→ Epilepsia do lobo temporal mesial com esclerose hipocampal
→ Síndrome de Rasmussen
→ Crises gelásticas com hamartoma hipotalâmico

CONDIÇÕES EPILÉPTICAS ESPECIAIS
→ Epilepsias focais sintomáticas não especificadas
→ Epilepsia com crises tônico-clônicas generalizadas somente
→ Epilepsias reflexas
    → Epilepsia do lobo occipital fotossensível idiopática
    → Epilepsia primária da leitura
    → Epilepsia da água quente em lactentes
→ Crises febris *plus*
→ Epilepsia focal familial com focos variáveis
→ Condições com crises epilépticas que não requerem um diagnóstico de epilepsia
→ Crises neonatais benignas
→ Crises febris

Fonte: Engel.[3]

TABELA 48.3 → Classificação etiológica das epilepsias e síndromes epilépticas*

ESTRUTURAL
→ Anormalidades visíveis em neuroimagem com provável relação com as crises epilépticas; podem ser adquiridas e/ou genéticas
→ Exemplos: epilepsia pós-AVC, esclerose tuberosa, displasias corticais

GENÉTICA
→ A epilepsia é relacionada a uma mutação genética conhecida ou presumida, mesmo que os genes responsáveis ainda não sejam conhecidos; pode ser hereditária ou não; engloba as epilepsias previamente classificadas como idiopáticas
→ Exemplos: epilepsia ausência da infância, epilepsia mioclônica juvenil

INFECCIOSA
→ As crises são resultado direto de uma infecção; diferenciar de crises sintomáticas agudas, que ocorrem na fase aguda de uma meningite, por exemplo
→ Exemplos: neurocisticercose, infecções congênitas pelo Zika vírus

METABÓLICA
→ A epilepsia é resultado direto de um distúrbio metabólico, hereditário ou adquirido
→ Exemplos: porfiria, aminoacidopatias

IMUNE
→ As crises são a manifestação principal de um distúrbio imune
→ Exemplo: encefalite antirreceptor NMDA

DESCONHECIDA
→ Etiologia não identificada ou não conhecida; variável conforme o grau de investigação realizada

*De acordo com essa classificação etiológica, algumas epilepsias podem ter mais de uma etiologia. Exemplo: esclerose tuberosa.
AVC, acidente vascular cerebral; NMDA, N-metil-D-aspartato.

TABELA 48.4 → Etiologias mais frequentes das epilepsias estruturais segundo a idade de início

FAIXA ETÁRIA	CAUSAS
0-14 anos	Malformações corticais, infecção do SNC, TCE
15-45 anos	TCE, tumor do SNC, etilismo
> 45 anos	Doença cerebrovascular, tumor do SNC

SNC, sistema nervoso central; TCE, traumatismo craniencefálico.

Crises epilépticas sintomáticas agudas

As crises epilépticas podem ocorrer como consequência de insultos cerebrais metabólicos, traumáticos, tóxicos, infecciosos ou vasculares. Quando esses fatores ocorrem aguda e transitoriamente por causas reversíveis, as crises são consideradas provocadas (sintomáticas agudas) e não são necessariamente indicativas de uma condição epiléptica persistente. A história, o exame físico e a avaliação laboratorial permitem o diagnóstico.

É muito grande o número de situações sistêmicas associadas a crises epilépticas sintomáticas agudas. As mais importantes ou frequentes são listadas na **TABELA 48.5**.

EPIDEMIOLOGIA

A epilepsia afeta ambos os sexos, todas as idades, e apresenta distribuição global, embora tanto a prevalência quanto a incidência de epilepsia sejam ligeiramente maiores nos homens em comparação às mulheres e tendam a ter um pico em

TABELA 48.5 → Causas de crises epilépticas sintomáticas agudas

INFECÇÕES
→ Meningite bacteriana e viral
→ Sepse por gram-negativos

DISTÚRBIOS METABÓLICOS
→ Uremia
→ Insuficiência hepática
→ Hipoglicemia ou hiperglicemia
→ Hipertireoidismo
→ Hipoparatireoidismo
→ Hipocalcemia
→ Hiponatremia
→ Intoxicação hídrica ou desidratação

DISTÚRBIOS DO SISTEMA CIRCULATÓRIO
→ Encefalopatia hipertensiva
→ Toxemia da gravidez (eclâmpsia)
→ Glomerulonefrite difusa aguda

TRAUMATISMO CRANIANO

MEDICAMENTOS
→ Fenotiazinas
→ Clozapina
→ Penicilina
→ Betalactâmicos
→ Teofilina
→ Bupropiona

DROGAS
→ Cocaína
→ Anfetamina

idosos, o que reflete a maior frequência de acidentes vasculares cerebrais (AVCs), doenças neurodegenerativas e tumores nessa faixa etária. Crises epilépticas focais são mais comuns que crises generalizadas, tanto em crianças quanto em adultos.

A etiologia da epilepsia varia de acordo com as características sociodemográficas da população afetada e com a extensão da investigação diagnóstica, porém em cerca de 50% dos casos não se tem uma causa definida para a epilepsia.

A maior incidência de epilepsia em países subdesenvolvidos pode ser explicada por erros de diagnóstico, crises epilépticas sintomáticas agudas e mortalidade prematura. Cerca de metade dos casos tendem a alcançar remissão prolongada das crises. Contudo, relatórios mais recentes sobre o prognóstico em longo prazo da epilepsia identificaram padrões prognósticos diferentes, incluindo remissão precoce e tardia, um curso recorrente-remitente e, ainda, um curso de piora (caracterizado por remissão seguida por recidivas e crises refratárias).

A epilepsia *per se* apresenta baixo risco de mortalidade, mas diferenças significativas nas taxas de mortalidade são esperadas ao comparar os estudos de incidência e prevalência, em crianças e adultos, e em indivíduos com doença idiopática e crises sintomáticas. A morte súbita inexplicável em epilepsia (SUDEP, do inglês *sudden unexpected death in epilepsy*) é mais frequente em pessoas com crises tônico-clônicas generalizadas, crises noturnas e epilepsia refratária a tratamento medicamentoso.[8]

DIAGNÓSTICO

Diagnóstico diferencial

As situações mais confundidas com epilepsia estão listadas na **TABELA 48.6**. Estima-se que 5 a 20% dos pacientes encaminhados a ambulatórios de epilepsia têm crises não epilépticas. Por outro lado, 20 a 30% dos pacientes epilépticos apresentam também crises não epilépticas psicogênicas. O diagnóstico diferencial pode exigir monitorização das crises com vídeo-EEG.

Exames complementares

Todo paciente com manifestações iniciais de epilepsia deve ser avaliado por neurologista, de forma presencial ou por meio de teleconsultoria/telemedicina, e ser submetido a um EEG. Este é o exame mais esclarecedor no diagnóstico de epilepsia, pois, em muitos pacientes, indica o tipo de epilepsia e a localização do foco e, às vezes, sugere a etiologia, além de aspectos da função cerebral global. Não há regras para indicar os limites da investigação complementar da etiologia em cada paciente, dependendo da suspeita diagnóstica. A investigação geralmente envolve exames de imagem (tomografia computadorizada [TC] de crânio ou ressonância magnética) para identificação de causas estruturais relacionadas e perfil metabólico, podendo incluir até rastreamento extensivo de condições genéticas, quando indicado.

TABELA 48.6 → Diagnóstico diferencial com crises não epilépticas

NA INFÂNCIA
- → Crises de perda de fôlego (síncopes reflexas)
- → Síncopes cardíacas
- → Hipoglicemia
- → Dor abdominal recorrente
- → Enxaqueca
- → Vertigem paroxística benigna
- → Crises de pânico, ansiedade e crises vagais
- → Terror noturno
- → Distonia induzida por medicamentos

NA IDADE ADULTA
- → Com crises generalizadas
  - → Síncope
    - → Cardíaca: arritmia (taquicardia atrial paroxística, fibrilação atrial, Stoke-Adams)
    - → Não cardíaca: vasovagal (miccional, da tosse)
    - → Ortostática: síndrome de Shy-Drager, neuropatia autônoma, medicamentos (p. ex., diuréticos)
    - → Hipovolêmica
  - → Isquemia vertebrobasilar (drop attack)
  - → Metabólica: hipoglicemia, hipercapnia-anoxia, acidose
  - → Tóxica: álcool, envenenamento
  - → Crises não epilépticas psicogênicas: crises de pânico, crise conversiva
- → Com crises focais perceptivas
  - → Episódios isquêmicos transitórios
  - → Enxaqueca
  - → Vertigem paroxística (Ménière)
- → Com crises focais disperceptivas
  - → Amnésia global transitória
  - → Migrânea com pródromos psíquicos e equivalentes de migrânea
  - → Crise de descontrole emocional episódico
  - → Crises de pânico
  - → Episódios de desorientação-confusão do idoso

TRATAMENTO

O objetivo do tratamento da epilepsia é garantir a melhor qualidade de vida possível para o paciente, buscando o melhor controle das crises com o mínimo de efeitos colaterais. Em cada paciente, é importante tentar identificar fatores desencadeantes ou facilitadores das crises.

Além de provocar crises clínicas, a atividade do foco epiléptico pode ativar outras áreas cerebrais, tornando o controle de crises mais difícil em longo prazo. Dados neuroanatômicos e fisiológicos sobre a deterioração de neurônios do hipocampo revelam que a epilepsia pode tornar-se um distúrbio progressivo.[9–11]

Indicação para iniciar o tratamento

A decisão de iniciar o tratamento medicamentoso nem sempre é inequívoca, especialmente após a primeira crise epiléptica. A recorrência após a primeira crise epiléptica é de cerca de 46% em 5 anos.[12,13] O uso de anticonvulsivantes reduz a recorrência em curto prazo (2 anos), mas não tem impacto nas taxas de remissão em longo prazo (5 anos) **B**.[14–20] Pacientes que já apresentaram 2 ou mais crises tiveram taxas de recorrência de 57% em 1 ano e 73% em 4 anos. A epilepsia de causa estrutural esteve mais relacionada com o risco de recorrência.[14,17]

Com base nesses estudos, há tendência de iniciar o tratamento a partir da primeira crise epiléptica não provocada, sobretudo em pacientes com fatores preditivos para recorrência **(TABELA 48.7)**.[17] Após a segunda crise, o consenso é iniciar o uso de anticonvulsivantes, em especial se as crises apresentam sintomas significativos e ocorreram a intervalos curtos (6-12 meses).

O tratamento da primeira crise não provocada reduz o risco de uma crise subsequente, mas não afeta a proporção de pacientes em remissão em longo prazo.[19] Fármacos antiepilépticos estão associados a eventos adversos, e não há evidências de que reduzam a mortalidade. Portanto, a decisão de iniciar o tratamento antiepiléptico após uma primeira crise não provocada deve ser individualizada e baseada

TABELA 48.7 → Predição de recorrência após a primeira convulsão

ESCORE INICIAL	ÍNDICE PROGNÓSTICO
1 crise	0
2 ou 3 crises	1
4 ou mais crises	2
Adicionar em caso de:	
Déficit neurológico	1
EEG ou neuroimagem anormal	1
CLASSIFICAÇÃO DE RISCO	**ESCORE FINAL**
Baixo	0
Médio	1
Alto	2-4

EEG, eletrencefalograma.
Fonte: Marson.[17]

na preferência do paciente e em fatores clínicos, legais e socioculturais.

Escolha do medicamento

O passo mais importante para o sucesso terapêutico é a correta identificação do tipo de crise e síndrome epiléptica, já que os mecanismos de geração e propagação das crises são diferentes. Além disso, os vários fármacos anticonvulsivantes agem por diferentes mecanismos, que podem ou não ser favoráveis a cada síndrome.

Embora o conhecimento ainda seja limitado, sabe-se que os anticonvulsivantes podem apresentar os seguintes mecanismos de ação:
→ **bloqueio dos canais de sódio voltagem-dependentes:** fenitoína, carbamazepina, oxcarbazepina, ácido valproico, lamotrigina;
→ **aumento da inibição GABAérgica:** clobazam, clonazepam, vigabatrina;
→ **bloqueio dos canais de cálcio tipo T:** etossuximida, ácido valproico;
→ **modificação dos canais de cálcio e da liberação de neurotransmissores:** gabapentina, pregabalina;
→ **ligação à proteína SV2A da vesícula sináptica:** levetiracetam;
→ **múltiplos mecanismos (fármacos antiepilépticos de largo espectro):** ácido valproico, topiramato.

Em geral, fármacos com mecanismos de ação restritos (apenas um tipo de ação) são eficazes para crises focais, porém ineficazes ou potencialmente agravadores para crises generalizadas (sobremaneira ausências e mioclonias), como é o caso da carbamazepina. A etossuximida, por outro lado, é eficaz somente para crises de ausência e mioclonias, não sendo útil no controle de outros tipos de crise. Muitos pacientes com epilepsia generalizada genética apresentam mais de um tipo de crise generalizada. Em relação aos fármacos de largo espectro (mais de um mecanismo de ação), a eficácia contra vários tipos de crise e a maior segurança são contrabalançadas por uma menor eficácia.[19,21,22]

As crises focais são o tipo de crise mais frequente em adultos, e a maioria dos anticonvulsivantes tradicionais e novos é eficaz no seu controle. Em geral, não há clara superioridade de um fármaco anticonvulsivante no tratamento de crises focais C/D.[23] Com base em experiência de uso, custos, disponibilidade e perfil de eventos adversos, a carbamazepina e a fenitoína permanecem como fármacos de primeira escolha para o tratamento das crises focais, com ou sem evolução para crise tônico-clônica bilateral.

Para crises generalizadas, não há claro benefício de nenhum fármaco, exceto do ácido valproico, que parece ser superior ao topiramato e à lamotrigina na prevenção de crises A, e semelhante, em efeito, à carbamazepina e à fenitoína em monoterapia B.[24] Dessa forma, a escolha do fármaco deve levar em consideração fatores adicionais, como efeitos colaterais (especialmente para alguns grupos de pacientes como crianças, mulheres em idade reprodutiva, idosos), tolerabilidade individual, facilidade de administração e custo do tratamento.[25]

A **TABELA 48.8** fornece as opções e escolhas entre os fármacos anticonvulsivantes para os diferentes tipos de crises.[17,26,27]

Manejo de casos refratários

O controle insatisfatório permanece sendo um problema em cerca de 15% dos pacientes com epilepsia focal, sendo, estes, candidatos ao tratamento cirúrgico da epilepsia ou ao tratamento com novos fármacos experimentais. A epilepsia de lobo temporal com esclerose hipocampal é particularmente refratária ao tratamento medicamentoso.

A adição de um fármaco de segunda linha reduz a frequência de crises em pacientes com epilepsia parcial e com crises generalizadas C/D que não responderam ao tratamento usual.[22]

Os fármacos antiepilépticos mais recentes – oxcarbazepina, lamotrigina, gabapentina, topiramato e vigabatrina

TABELA 48.8 → Indicações medicamentosas para tratamento de epilepsia, com base no tipo de crise

TIPO DE CRISE	PRIMEIRA ESCOLHA	SEGUNDA ESCOLHA	INEFICAZ
CRISES DE INÍCIO FOCAL			
Perceptivas ou disperceptivas, motoras ou não motoras, com ou sem evolução para crise tônico-clônica bilateral	→ Carbamazepina → Fenitoína → Ácido valproico	→ Fenobarbital → Primidona → Clobazam → Topiramato → Gabapentina → Oxcarbazepina → Lamotrigina	→ Clonazepam → Etossuximida
CRISES GENERALIZADAS			
Ausência	→ Ácido valproico → Etossuximida associada a fármaco para crises tônico-clônicas generalizadas	→ Lamotrigina → Clonazepam → Topiramato	→ Carbamazepina → Fenitoína
Mioclônica	→ Ácido valproico	→ Lamotrigina → Clonazepam → Clobazam	→ Fenitoína → Carbamazepina
Tônica	→ Ácido valproico	→ Lamotrigina → Clobazam → Clonazepam	→ Fenitoína → Carbamazepina
Clônica	→ Ácido valproico	→ Lamotrigina → Fenobarbital	→ Fenitoína → Carbamazepina
Tônico-clônica	→ Carbamazepina → Fenitoína → Ácido valproico	→ Lamotrigina	→ Etossuximida
CRISES MÚLTIPLAS			
Síndrome de Lennox-Gastaut	→ Ácido valproico → Lamotrigina	→ Topiramato	
Espasmos infantis	→ ACTH → Prednisona → Vigabatrina → Nitrazepam → Ácido valproico		

ACTH, hormônio adrenocorticotrófico.
Fonte: Marson e colaboradores,[17] Canger e colaboradores[26] e Beghi e Annegers.[27]

– têm demonstrado eficácia e, em muitos casos, melhor tolerabilidade, características farmacocinéticas mais favoráveis e menor potencial para interações medicamentosas em relação aos fármacos antiepilépticos tradicionais. No entanto, ainda não há informações suficientes a respeito da segurança e da eficácia desses fármacos em relação aos convencionais, e seu papel no tratamento da epilepsia ainda carece de melhor definição. Seu uso está mais estabelecido como adjuvância a um fármaco de primeira linha no tratamento de crises parciais, sendo efetivos para esse propósito. Entre eles, o topiramato parece ser o mais eficaz, apesar de a sua tolerância também ser inferior.[28,29]

Se um esquema terapêutico para pacientes refratários ao tratamento não puder ser desenvolvido em conjunto com um neurologista, seja de forma presencial ou por meio de teleconsultoria/telemedicina, deve-se encaminhar o paciente para um centro terciário de tratamento de epilepsias refratárias.

Modo de administração

O fármaco escolhido deve ser iniciado com uma dose baixa, para evitar efeitos colaterais, e aumentado em poucas semanas, até atingir a dose de manutenção antecipada, geralmente o limite inferior da dose diária indicada, capaz de atingir concentração plasmática eficaz. Se as crises recorrerem e houver certeza de que não ocorreu descontinuidade do uso do fármaco, a dose deve ser aumentada. Em caso de falha do primeiro fármaco empregado, deve-se fazer a substituição gradual por outro de primeira linha ou por um representante dos novos antiepilépticos. A TABELA 48.9 traz as doses convencionais e algumas propriedades farmacocinéticas dos principais anticonvulsivantes, e a TABELA 48.10 apresenta os seus efeitos colaterais.

A monoterapia deve ser o objetivo sempre que o tratamento é iniciado. Inúmeros estudos indicam que a monoterapia com fármacos de primeira escolha em doses adequadas fornece um controle adequado das crises em 70% dos pacientes adultos com epilepsia focal.

Além disso, a monoterapia evita as interações medicamentosas, facilita a adesão do paciente ao tratamento e apresenta menor frequência de efeitos colaterais e risco de teratogenia. No entanto, nos casos de epilepsia refratária, a monoterapia é frequentemente insuficiente para o controle das crises, e a associação racional de anticonvulsivantes passa a ser uma alternativa útil, sobretudo após a introdução no mercado de fármacos com novos mecanismos de ação, possibilitando a intervenção nos mecanismos de geração e propagação das crises e a prevenção de dano neuronal. Associações de fármacos, como carbamazepina e ácido valproico, ácido valproico e lamotrigina, ou ácido valproico e etossuximida, têm demonstrado boa eficácia como politerapia.

Verificação da concentração plasmática

A verificação da concentração plasmática dos fármacos está indicada principalmente quando há:
→ persistência de crises com dose elevada do medicamento ou em politerapia;
→ efeitos colaterais dose-dependentes, e suspeita de intoxicação;

TABELA 48.9 → Posologia e propriedades farmacocinéticas dos principais fármacos antiepilépticos

FÁRMACO	DOSE DIÁRIA ADULTOS (mg) CRIANÇAS (mg/kg)	CONCENTRAÇÃO PLASMÁTICA TERAPÊUTICA (mg/mL)	MEIA-VIDA (HORAS)	ESQUEMA DE ADMINISTRAÇÃO (DOSES/DIA)
Carbamazepina	400-2.400 / 7-15	4-12	12	2-3
Fenitoína	100-400 / 4-8	10-20	7-42	2-3
Valproato	600-2.500 / 20-60	50-100	12	2-3
Primidona	500-1.500 / 10-30	5-15	12	1-3
Fenobarbital	50-200 / 3-8	15-40	96	1-2
Etossuximida	750-1.500 / 20-40	40-120	60	2-3
Clonazepam	1-10 / 0,1-0,2	5-70	12	2-3
ACTH	20-40 UI			
Clobazam	10-40 / 0,5-2	–	18	2-3
Oxcarbazepina	900-2.100 / 10-20	13	10	2-3
Lamotrigina*	100-500 / 5-15	0,5-3	24	1-2
Vigabatrina	2.000-3.000 / 50-100	–	5-7	2-3
Gabapentina	900-3.600 / 30-100	2-6	5-9	2-3
Topiramato	100-400 / 3-6	–	18	1-2

* Utilizar metade das doses em caso de uso concomitante com ácido valproico.[17]
ACTH, hormônio adrenocorticotrófico; UI, unidades internacionais.

→ suspeita de baixa adesão ao tratamento como causa de recorrência de crises;
→ gravidez.

O exame deve ser padronizado, sempre no início da manhã, antes da primeira dose do fármaco e em jejum.

Efeitos cognitivos e comportamentais

Os pacientes com epilepsia podem apresentar comprometimentos cognitivos e comportamentais em função de fatores como lesões estruturais associadas à etiologia da doença, ocorrência de crises repetidas ou prolongadas, sequelas do tratamento cirúrgico, duração da doença, tipo e frequência das crises e fatores hereditários. Entre os efeitos colaterais dos fármacos anticonvulsivantes, também se observa piora cognitiva C/D.

Os efeitos cognitivos dos fármacos anticonvulsivantes costumam ser leves quando utilizados em monoterapia e em níveis séricos terapêuticos. O risco desses efeitos aumenta com a politerapia e com o uso de doses elevadas.

TABELA 48.10 → Efeitos colaterais dos fármacos antiepilépticos

FÁRMACO	EFEITOS COLATERAIS TÓXICOS – NEUROTOXICIDADE*	EFEITOS COLATERAIS IDIOSSINCRÁSICOS/OUTROS[†]	RECOMENDAÇÕES
Carbamazepina	→ Sedação, ataxia, nistagmo, diplopia, vertigem, prejuízo cognitivo (leve), tremor	→ Desconforto gastrintestinal, reações cutâneas, leucopenia, anemia aplástica (raro), hepatite, hipotireoidismo, hiponatremia	→ Hemograma e provas funcionais hepáticas a cada 6 meses
Fenitoína	→ Nistagmo, ataxia, sonolência, náuseas, vômitos, prejuízo cognitivo	→ Arritmias cardíacas, reações cutâneas, leucopenia, trombocitopenia, agranulocitose, anemia aplástica, febre, hiperplasia linfoide, lúpus eritematoso sistêmico, hepatite → Hiperplasia gengival, hirsutismo, acne, hipocalcemia, deficiência de vitamina B_{12} e folato → Polineuropatia, atrofia cerebelar	→ Hemograma, provas funcionais hepáticas a cada 6 meses, dosagem de cálcio e vitamina B_{12} e folato anualmente, sobretudo em idosos e na presença de anemia → Higiene oral cuidadosa → Administrar com as refeições
Fenobarbital	→ Sedação, ataxia, nistagmo, irritabilidade e hiperatividade em crianças e agitação paradoxal em idosos → Disfunção cognitiva	→ Reações cutâneas, anemia megaloblástica, osteomalacia	→ Hemograma a cada 6 meses; dosar vitamina B_{12} em caso de anemia
Primidona	→ Semelhantes aos do fenobarbital; tonturas e ataxia mais acentuadas no início do tratamento	→ Semelhantes aos do fenobarbital; edema dos membros inferiores	→ Idem às do fenobarbital
Ácido valproico	→ Náuseas, vômitos, sedação, tremor, declínio cognitivo (leve)	→ Hepatotoxicidade (pode ser grave, especialmente em crianças pequenas), alopecia, aumento de peso, pancreatite, trombocitopenia, leucopenia	→ Provas funcionais hepáticas nos primeiros 6 meses e, depois, a cada 6 meses → Hemograma a cada 6 meses
Etossuximida	→ Sedação, tonturas, transtornos de comportamento: agitação, irritabilidade, agressividade, psicose	→ Distúrbios gastrintestinais, tireoidite, lúpus eritematoso sistêmico, disfunção renal e hepática, pancitopenia	→ Hemograma a cada 6 meses
Benzodiazepínicos Clobazam e clonazepam	→ Sedação, ataxia, tonturas, salivação, hipersecreção brônquica, hiperatividade paradoxal em crianças e idosos, alterações de comportamento	→ Púrpura trombocitopênica	
Vigabatrina	→ Tontura, ataxia, cefaleia, sedação, alterações comportamentais – inclusive surto psicótico (raro) –, retração concêntrica e progressiva dos campos visuais (ocorre em torno de 40% dos pacientes tratados)	→ Aumento de peso	→ Aumento gradual da dose → Campimetria
Oxcarbazepina	→ Equivalentes, porém menor neurotoxicidade em relação à carbamazepina	→ Reações cutâneas menos frequentes, hiponatremia	→ Idem às da carbamazepina
Lamotrigina	→ Cefaleia, diplopia, tonturas, ataxia, tremor, distúrbios gastrintestinais, alterações comportamentais	→ Discrasias sanguíneas → Reações cutâneas (3-12% dos casos; mais frequentes em caso de uso concomitante de ácido valproico), síndrome de Stevens-Johnson (raro)	→ Aumento gradual da dose, iniciando com doses pequenas (25 mg/dia)
Gabapentina	→ Distúrbios comportamentais: agressividade, irritabilidade (raros), sedação, ataxia	→ Aumento de peso	
Topiramato	→ Lentificação psicomotora, dificuldades na linguagem, ataxia, cefaleia, sonolência, irritabilidade, depressão, parestesias	→ Perda de peso, nefrolitíase	→ Aumento gradual da dose

*Os efeitos colaterais associados à neurotoxicidade são geralmente dose-dependentes: melhoram com a redução ou com o fracionamento da dose diária.
[†]Ocorrência de efeitos idiossincrásicos, como reações cutâneas, hepatite medicamentosa e efeitos hematológicos graves, indicam imediata suspensão do tratamento. Algumas vezes, podem ocorrer leucopenia e/ou trombocitopenia leves e alterações leves e transitórias das transaminases, que não indicam retirada do medicamento.[17]

Os efeitos cognitivos mais observados são déficit de memória, redução da vigilância e lentificação psicomotora. O fenobarbital e os benzodiazepínicos parecem estar associados a maiores efeitos cognitivos, ao passo que alguns dos novos anticonvulsivantes – gabapentina, lamotrigina, vigabatrina e tiagabina – demonstraram menores efeitos sobre o desempenho cognitivo dos pacientes com epilepsia. Carbamazepina, ácido valproico, topiramato e fenitoína parecem produzir efeitos cognitivos leves e semelhantes entre si.

Os fármacos anticonvulsivantes podem produzir efeitos psicotrópicos positivos ou negativos. Esses efeitos incluem irritabilidade, depressão e, raramente, quadros psicóticos. Alguns estudos indicam aumento do risco de suicídio em pacientes epilépticos em uso de fármacos anticonvulsivantes. Embora esses achados sejam controversos, o médico de atenção primária à saúde (APS) deve estar atento caso haja aparecimento ou piora de sintomas depressivos ou ideação suicida. Por outro lado, a carbamazepina, o ácido valproico, a lamotrigina e a gabapentina têm demonstrado eficácia para o tratamento de transtornos do humor.

Considerando o risco existente de declínio cognitivo associado à ocorrência de crises, como é o caso de pacientes com epilepsia de lobo temporal de difícil controle que apresentam atrofia hipocampal progressiva e deterioração de memória,[30] o tratamento farmacológico ou cirúrgico deve buscar o melhor equilíbrio entre controle das crises e menores efeitos cognitivos e comportamentais.

Esclarecimentos ao paciente

O controle das crises depende fundamentalmente do uso de medicamento adequado em doses ótimas, sem interrupção.

A maioria dos casos de recrudescimento de crises – e também dos estados de mal epiléptico – resulta da suspensão ou do uso irregular do medicamento. Para a aceitação do tratamento, é fundamental que o paciente seja informado sobre o seu diagnóstico, o prognóstico, os objetivos do tratamento e a necessidade de manter níveis plasmáticos estáveis dos fármacos dentro da faixa terapêutica.

Situações facilitadoras de crises são bem conhecidas e incluem privação de sono, uso e abstinência de álcool, fatores emocionais, hiper-hidratação, febre, estimulação luminosa intermitente e medicamentos psicotrópicos (anfetaminas, clozapina e bupropiona).

Tempo de tratamento

Considera-se o paciente livre de crises quando estas não ocorrem há pelo menos 2 anos em vigência de tratamento com doses de anticonvulsivantes inalteradas nesse período. Não existem critérios definitivos para a interrupção do tratamento medicamentoso, devendo-se levar em conta as consequências médicas e psicossociais da recorrência de crises em relação aos efeitos colaterais dos fármacos anticonvulsivantes, inclusive os efeitos cognitivos e comportamentais mais sutis e os efeitos sobre reprodução e gestação.

As taxas de recorrência de crises ficaram em torno de 40% nos pacientes que suspenderam o medicamento após 2 anos sem crises em comparação com 19 a 22% de recorrência de crises nos pacientes que mantiveram o medicamento. Fatores como tempo maior de remissão das crises e menor duração da doença estiveram associados a um melhor prognóstico, enquanto outros estudos indicaram que persistência da lesão determinante das crises, retardo mental, alterações paroxísticas no EEG, crises focais disperceptivas ou múltiplos tipos de crises, necessidade de politerapia e ocorrência de estado de mal epiléptico estão associados a maior risco de recorrência.[31]

Retirada do tratamento

O risco de recorrência geral de crises após retirada do fármaco anticonvulsivante é de 34%,[32] com todos os fatores associados a essa recorrência: medo de morrer, perda da habilitação para dirigir e perda do emprego e da independência geral. No entanto, o uso desnecessário desses medicamentos adiciona custos e sobrecarga de efeitos colaterais, que contribuem para uma pior qualidade de vida.

Os seguintes preditores de recorrência de crise foram identificados em recente metanálise,[32] em que 46% dos pacientes livres de crises após retirada do fármaco anticonvulsivante tiveram uma nova crise durante o acompanhamento e 9% tiveram crises no último ano do acompanhamento, sugerindo a possibilidade de desenvolvimento de epilepsia farmacorresistente subsequente:

→ anormalidade epileptiforme no EEG antes da retirada;
→ menor intervalo livre de crises antes da retirada do medicamento antiepiléptico;
→ maior idade de início da epilepsia;
→ maior número de convulsões (≥ 10) antes da remissão;
→ história de crises febris;
→ ausência de uma síndrome de epilepsia autolimitada;
→ atraso de desenvolvimento (QI < 70).

Esses fatores foram agregados em dois nomogramas preditivos preditivos (ver QR code) – um do risco de uma nova crise e outro da probabilidade de estar livre de crises para no mínimo 1 ano no final do acompanhamento.

ENCAMINHAMENTO

Como mencionado antes, todo paciente com manifestações iniciais de epilepsia deve ser avaliado por neurologista e ser submetido a um EEG. Além disso, a incorporação de um neurologista no manejo está indicada se as crises epilépticas persistirem após a certeza do uso regular e adequado do medicamento.

Cirurgia da epilepsia

Um grande número de pacientes com crises de difícil controle pode obter melhora ou cura pela cirurgia (número necessário para tratar [NNT] = 1-4) **B**.[33] Então, esses casos devem ser encaminhados a centros de referência terciários para avaliação, indicação e planejamento do procedimento.

Genericamente, três tipos de cirurgia são realizados: ressecção da área epileptógena, cirurgia funcional (interrupção da propagação da atividade epileptógena por calosotomia ou transecção subpial múltipla) e hemisferectomia.

Na disponibilidade de centros capacitados, 10 a 15% dos pacientes com epilepsia têm indicação cirúrgica.[34] A epilepsia de lobo temporal é a que apresenta os melhores e mais consistentes resultados cirúrgicos (NNT = 2) **A**.[35]

Além da morbidade cirúrgica inerente, como risco de sangramento, infecções, etc. (5-7% dos casos), pode ocorrer prejuízo cognitivo especialmente da memória verbal nas ressecções temporais e que envolvam o hipocampo esquerdo. A adequada avaliação neuropsicológica pré-operatória é mandatória para prevenção de prejuízos significativos.

PROBLEMAS COMUNS EM ATENÇÃO PRIMÁRIA À SAÚDE

Tratamento emergencial das crises e do estado de mal epiléptico

No momento de uma crise epiléptica, as medidas imediatas são proteger o paciente de ferimentos no crânio ou no corpo, colocando-o em decúbito lateral para facilitar a expulsão da salivação excessiva, com alguma estrutura macia sob seu corpo e sua cabeça e, nas crianças pequenas, garantir a permeabilidade das vias aéreas. Não se deve tentar restringir as contrações clônicas, nem utilizar objetos para tentar manter a boca do paciente aberta.

Na grande maioria das vezes, a crise epiléptica é autolimitada.

O estado de mal epiléptico é a situação mais grave em pessoas com epilepsia. Sua definição operacional – considerando o estado de mal tônico-clônico – são crises epilépticas contínuas, com duração > 5 minutos, sendo que a partir de 30 minutos já há maior ocorrência de consequências em longo prazo, como morte neuronal e alterações em redes neuronais.[36]

Aproximadamente 5% dos pacientes epilépticos apresentam um episódio de estado de mal epiléptico durante o curso de sua doença. Este é entendido como uma emergência médica, que exige rápida e vigorosa intervenção terapêutica, para prevenir dano neuronal permanente e complicações sistêmicas graves.

As modificações fisiológicas no estado de mal epiléptico podem ser divididas em duas fases. Na primeira, que ocorre até 30 minutos após o início das crises, os mecanismos compensatórios previnem o dano neuronal. Na segunda, os mecanismos compensatórios são perdidos e ocorre lesão neuronal decorrente da perda da autorregulação circulatória cerebral, da hipoxemia e das alterações metabólicas, além da excitotoxicidade provocada pelas crises, com influxo de cálcio intracelular e consequente dano neuronal.[37]

As causas mais frequentes do estado de mal epiléptico são cessação abrupta do medicamento, abstinência de álcool, infecções do SNC, traumatismo craniano, doença cerebrovascular, tumor cerebral, distúrbios metabólicos, intoxicações agudas ou doença febril da infância.

É classificado em estado de mal convulsivo (atividade motora) e não convulsivo, parcial e generalizado (TABELA 48.11). O estado de mal epiléptico generalizado convulsivo é o mais frequente e o mais grave, associado a uma mortalidade de até 35%. O reconhecimento do estado de mal epiléptico não convulsivo apresenta maior dificuldade, já que pode se apresentar apenas como alterações do nível de consciência, agitação, desvio ocular e nistagmo, devendo ser confirmado com o EEG. Em estudo recente, 8% dos pacientes em coma preenchiam critérios para estado de mal epiléptico não convulsivo.[38,39]

O tratamento deve visar à cessação da crise e à prevenção de novas crises, ao manejo de fatores precipitantes do estado de mal epiléptico e ao tratamento das complicações.

O tratamento do estado de mal epiléptico deve ser instituído por via parenteral, com fármacos de rápido início de ação. Lorazepam, diazepam (5-10 mg e/ou 0,25 mg/kg) seguido de fenitoína (15-20 mg/kg, taxa de 50 mg/min) e fenobarbital (20 mg/kg) demonstraram eficácia comparável (50-60%) no controle do estado de mal epiléptico **B**.[40] Se o paciente estiver hipoglicêmico, deve-se também administrar tiamina 100 mg, por via intravenosa (IV), e 50 mL de glicose a 50% **C/D**.

Enquanto é instituído o tratamento emergencial para o controle das crises, deve-se buscar a identificação dos fatores precipitantes do estado de mal epiléptico. Uma história cuidadosa deve questionar sobre aspectos como interrupção do uso de fármacos anticonvulsivantes, abstinência alcoólica, uso de drogas ilícitas e traumatismo craniano. Considerando que quanto maior for o tempo até o controle das crises, maior é o risco de lesão neuronal, é importante que o início do tratamento não seja postergado e que o diagnóstico dos fatores etiológicos e precipitantes seja feito enquanto a situação é estabilizada. Uma vez instituídas as medidas emergenciais, deve-se encaminhar o paciente para serviço de emergência.

Além do controle imediato das crises, o tratamento deve buscar a prevenção da recorrência delas. Dessa forma, os fármacos antiepilépticos devem ser mantidos por via oral ou por sonda nasoenteral. Nos casos de estado de mal epiléptico por suspensão de fármacos anticonvulsivantes, o fármaco suspenso deve ser imediatamente reintroduzido, de preferência por via parenteral.

Crises febris

A crise ou convulsão febril é definida como uma crise em que o único agente provocador agudo é a febre (temperatura > 38 °C) em crianças com idade entre 1 mês e 5 anos, sem história prévia de epilepsia. Crianças com história de crises neonatais são consideradas um grupo separado.

A crise febril simples é definida como uma crise febril tônico-clônica generalizada isolada, com duração < 15 minutos.

As crises febris com duração > 15 minutos, focais ou repetidas durante o mesmo episódio febril, são consideradas crises febris complexas.

As crises ocorrem nas primeiras 24 horas da elevação da temperatura, em geral causada por infecção das vias aéreas superiores. Outras causas de convulsões devem ser excluídas pelo exame físico, incluindo o neurológico, e por exames laboratoriais (hemograma, glicemia e dosagens de cálcio, sódio, transaminases e bilirrubinas). Punção lombar e TC podem ser necessárias. Deve-se fazer diagnóstico diferencial com meningite, encefalite, distúrbios metabólicos (p. ex., hipoglicemia, hipocalcemia e hipernatremia) e traumatismo craniano.

Existe predisposição genética para crises febris: a incidência é de 2 a 5% na população em geral, porém foi demonstrada incidência de 8 a 18% entre parentes de 1º grau de indivíduos que tiveram esse tipo de crise. O EEG deve ser solicitado principalmente em crises febris complexas ou para realização de diagnóstico diferencial com encefalites, sobretudo herpética, e abscesso cerebral. Nos primeiros dias após a crise, o exame não fornece indicações de risco de epilepsia, pois costuma ser normal ou mostrar atividades lentas inespecíficas. O EEG anormal ou focal sugere patologia cerebral prévia ou a ser investigada.[41]

TABELA 48.11 → Classificação do estado de mal epiléptico

- → Estado de mal epiléptico tônico-clônico
- → Estado de mal epiléptico-ausência
- → Epilepsia parcial contínua
- → Estado de mal epiléptico mioclônico
- → Estado de mal epiléptico focal
    - → Perceptivo
    - → Disperceptivo
- → Estado de mal epiléptico febril
- → Outras formas de estado de mal epiléptico

A recorrência das crises é de 30 a 35%.[42,43] Especialistas norte-americanos[44] concluíram que "com exceção de alta taxa de recorrência, não foram identificados efeitos colaterais tardios de convulsões febris simples; o risco de desenvolver epilepsia é extremamente baixo, e as crises não produzem lesão estrutural do sistema nervoso, nem causam problemas de aprendizado; os efeitos colaterais associados a terapêutica continuada com fenobarbital ou valproato ultrapassam os benefícios destes; logo, o tratamento a longo prazo não é recomendado" B.[45]

Nas crianças suscetíveis a convulsões febris, o tratamento profilático de escolha é o uso intermitente de diazepam, administrado por via retal na dose de 0,5 mg/kg (utilizar solução injetável, 5 mg/mL) logo que a temperatura se elevar, e de 12/12 horas enquanto ela permanecer acima de 38°C B.[46] O tratamento da crise é o mesmo, podendo ser repetido se esta não cessar após 10 minutos. A febre deve ser baixada rapidamente, com banho frio e paracetamol (redução relativa do risco [RRR] = 61%; NNT = 7) B.[47]

A terapia continuada em longo prazo é reservada para pacientes com duas ou mais convulsões muito prolongadas, com anormalidades neurológicas, história familiar de epilepsia ou crises iniciadas antes de 1 ano de idade, sendo o fenobarbital efetivo na prevenção de novas crises (RRR = 49%; NNT = 7) B.[46,48] Nesses casos, a dose de fenobarbital é 3 a 5 mg/kg/dia. O valproato é o fármaco de segunda escolha pelo risco de hepatite nessa faixa etária.

Epilepsia no alcoolista

O álcool etílico não induz crises; durante o período de intoxicação, pode haver supressão de atividade paroxística no EEG. A maioria das crises epilépticas relacionadas com seu uso é produzida por abstinência ou suspensão. Em 90% dos pacientes, as crises ocorrem 7 a 48 horas após a cessação da ingestão de álcool, principalmente após 13 a 24 horas. Além disso, os alcoolistas são suscetíveis a infecções, hematomas subdurais e distúrbios metabólicos, como hipoglicemia e hipomagnesemia, que, por si só, podem desencadear crises. Durante o período de ingestão de álcool, outros fatores facilitadores de crises podem ocorrer, como privação de sono e suspensão do tratamento.

As crises resultantes de abstinência são, na grande maioria das vezes, tônico-clônicas generalizadas; entretanto, pacientes com epilepsia focal podem ter exacerbação de suas crises no período de abstinência. Nos pacientes cujas crises são produzidas pela abstinência de álcool, o EEG é normal ou apresenta atividade rápida de baixa amplitude. O tratamento anticonvulsivante prolongado não é necessário em pacientes com crises induzidas por abstinência alcoólica.

O tratamento das crises agudas é feito com diazepam 5-10 mg B ou fenitoína 250 mg C/D, IV,[49] além de tiamina e glicose, IV; também deve ser feita a correção de distúrbios eletrolíticos presentes. A administração de tiamina concomitantemente à glicose previne a indução da encefalopatia de Wernicke C/D.[50]

Gravidez e puerpério

A gravidez, o parto e o puerpério exercem influência sobre a epilepsia. Além disso, o bom controle das crises é importante, uma vez que a taxa de mortalidade materna é maior em mulheres com epilepsia, quando comparadas com a população geral, e crises epilépticas na gravidez podem causar sofrimento fetal. O estado epiléptico foi associado à morte fetal intrauterina.

Em relação à história natural da epilepsia durante a gestação, existem dados discordantes na literatura, mas, em média, o aumento da frequência das crises ocorre em 24% de pacientes com epilepsia prévia, decresce em 13 a 22% e permanece inalterado em 53%.

Em torno de 60% das mulheres com epilepsia não tiveram crises durante a gestação; crises parciais, uso de politerapia anticonvulsivante e uso de oxcarbazepina foram fatores de risco independentes para ocorrência de crises durante a gravidez. Outros potenciais fatores de risco incluem certos perfis metabólicos e hormonais, estresse psicológico, distúrbios do sono e uso irregular dos anticonvulsivantes. Já a otimização do controle das crises antes da gestação exerceu efeito protetor no risco de crises durante a gestação.[51]

O uso de anticonvulsivantes aumenta o risco de malformações congênitas C/D, estando presente em 3 a 10% em fetos de mães com epilepsia que utilizam fármacos anticonvulsivantes, comparado a 2 a 4% na população em geral.[52,53] Fatores de risco adicionais incluem o uso de politerapia e doses elevadas de anticonvulsivantes C/D.[54] Além disso, alguns fármacos têm sido associados a maior risco de defeitos dismórficos específicos: fenitoína, fenobarbital e primidona estão associados a malformações cardíacas e craniofaciais, e carbamazepina e ácido valproico, à agenesia de membros, à hipospadia e a defeitos de fechamento do tubo neural.

Apesar de todos os anticonvulsivantes estarem potencialmente relacionados com a ocorrência de malformações, o ácido valproico e os barbituratos têm maior potencial teratogênico C/D. Embora os estudos mostrem menor risco com o uso de lamotrigina, existem relatos de ocorrência de malformações, em especial fenda palatina.

O risco de atraso no crescimento fetal tem sido associado, em diferentes estudos, ao uso de fenitoína, fenobarbital, primidona e carbamazepina, e o risco parece ser maior em pacientes tratadas com politerapia C/D.[55] Os efeitos da epilepsia materna e dos fármacos anticonvulsivantes em relação ao desenvolvimento neuropsicomotor em longo prazo dos recém-nascidos ainda não estão definidos.

A história familiar de malformações parece estar associada ao maior risco de malformações em fetos de mães com epilepsia em uso de fármacos anticonvulsivantes, sugerindo uma suscetibilidade genética aos efeitos teratogênicos dos fármacos.

Estudos retrospectivos e prospectivos recentes não encontraram aumento do risco de malformações em fetos de mães portadoras de epilepsia que não utilizaram fármacos anticonvulsivantes durante a gestação, sugerindo que estes desempenham um papel específico e principal em relação à ocorrência dessas anomalias.

Na população geral, o uso de ácido fólico por pelo menos 3 meses antes da concepção mostrou diminuição do risco da ocorrência de defeitos de fechamento do tubo neural de 50 a 70% e do risco de outras malformações congênitas de 10 a 20%. Porém, não existe evidência específica de que o ácido fólico reduz a ocorrência de defeitos do tubo neural e outras malformações em bebês de mulheres com epilepsia. Mesmo assim, recomenda-se que mulheres com epilepsia recebam suplementação de ácido fólico antes da concepção C/D.

Além disso, existem interações entre os fármacos anticonvulsivantes e o metabolismo da vitamina K, predispondo o recém-nascido à síndrome hemorrágica.

Os cuidados para mães com epilepsia durante a gestação são:
→ tratar sempre com monoterapia, se possível;
→ monitorar os níveis plasmáticos;
→ evitar o uso de ácido valproico e barbituratos na gestação, especialmente no 1º trimestre, e caso seu uso seja necessário, utilizar a menor dose possível C/D;
→ administrar vitamina K, na dose de 10 mg/dia no último mês da gestação, além de administrar rotineiramente vitamina K ao recém-nascido C/D;
→ pesquisar história familiar de malformações fetais. Deve-se levar em consideração o padrão de malformações ao escolher o fármaco anticonvulsivante; por exemplo, evita-se usar fenitoína e barbituratos se houver história familiar de malformações cardíacas ou craniofaciais.

Em suma, a ocorrência de crises durante a gestação é mais prejudicial do que o medicamento; portanto, as mães devem ser encorajadas a não suspender o uso dos anticonvulsivantes durante a gestação C/D.[56] Em geral, mais de 90% das mães com epilepsia têm filhos normais.

Amamentação

A amamentação deve ser encorajada nas mães em uso de fármacos anticonvulsivantes C/D, pois a quantidade de fármaco ingerido por meio do leite materno é muito pequena e menor do que a quantidade transferida para o feto pela placenta.[57] Recém-nascidos de mães em uso de barbituratos, lamotrigina, primidona e etossuximida podem apresentar sonolência e dificuldades de sucção. Nesses casos, devem-se medir os níveis plasmáticos desses anticonvulsivantes no recém-nascido e, se necessário, recomendar alimentação mista.

Anticoncepção

Os fármacos anticonvulsivantes indutores de enzimas hepáticas – carbamazepina, fenobarbital, fenitoína e topiramato – interagem com os anticoncepcionais orais, aumentando sua metabolização hepática e, assim, diminuindo sua eficácia. Por isso, a primeira escolha para mulheres em uso desses medicamentos é o dispositivo intrauterino (DIU) de levonorgestrel C/D.[58] Outras opções menos recomendadas são os anticoncepcionais com alta dose de estrogênio (> 50 µg) ou progestogênios injetáveis, os quais parecem não sofrer influência dos fármacos anticonvulsivantes. O ácido valproico, a lamotrigina e a gabapentina não induzem o metabolismo hepático e não interferem na eficácia dos anticoncepcionais orais.[59,60]

REFERÊNCIAS

1. Fisher RS, van Emde Boas W, Blume W, Elger C, Genton P, Lee P, et al. Epileptic seizures and epilepsy: definitions proposed by the International League Against Epilepsy (ILAE) and the International Bureau for Epilepsy (IBE). Epilepsia. 2005;46(4):470–2.

2. Commission on Classification and Terminology of the International League Against Epilepsy. Proposal for revised classification of epilepsies and epileptic syndromes. Epilepsia. 1989;30(4):389–99.

3. Engel J. ILAE classification of epilepsy syndromes. Epilepsy Res. 2006;70(Suppl 1):S5-10.

4. Fisher RS, Cross JH, French JA, Higurashi N, Hirsch E, Jansen FE, et al. Operational classification of seizure types by the International League Against Epilepsy: Position Paper of the ILAE Commission for Classification and Terminology. Epilepsia. 2017;58(4):522–30.

5. Manford M, Fish DR, Shorvon SD. An analysis of clinical seizure patterns and their localizing value in frontal and temporal lobe epilepsies. Brain. 1996;119(Pt 1):17–40.

6. Scheffer IE, Berkovic S, Capovilla G, Connolly MB, French J, Guilhoto L, et al. ILAE classification of the epilepsies: position paper of the ILAE Commission for Classification and Terminology. Epilepsia. 2017;58(4):512–21.

7. Shorvon S, Guerrini R, Schachter S, Trinka E, organizadores. The causes of epilepsy: common and uncommon causes in adults and children. 2nd edition. Cambridge: Cambridge University Press; 2019.

8. Beghi E. The Epidemiology of Epilepsy. NED. 2020;54(2):185–91.

9. Annegers JF, Hauser WA, Elveback LR. Remission of seizures and relapse in patients with epilepsy. Epilepsia. 1979;20(6):729–37.

10. Fernandes JG, Schmidt MI, Tozzi S, Sander JWAS. Prevalence of epilepsy: the Porto Alegre study. Epilepsia. 1992;33(suppl. 3):132.

11. Jallon P, Loiseau P, Loiseau J. Newly diagnosed unprovoked epileptic seizures: presentation at diagnosis in CAROLE study. Coordination Active du Réseau Observatoire Longitudinal de l' Epilepsie. Epilepsia. 2001;42(4):464–75.

12. Kwan P, Brodie MJ. Early identification of refractory epilepsy. N Engl J Med. 2000;342(5):314–9.

13. Cascino GD. Temporal lobe epilepsy is a progressive neurologic disorder: time means neurons! Neurology. 2009;72(20):1718–9.

14. Marson AG, Williamson PR, Hutton JL, Clough HE, Chadwick DW. Carbamazepine versus valproate monotherapy for epilepsy. Cochrane Database Syst Rev. 2000;(3):CD001030.

15. Marson A, Jacoby A, Johnson A, Kim L, Gamble C, Chadwick D, et al. Immediate versus deferred antiepileptic drug treatment for early epilepsy and single seizures: a randomised controlled trial. Lancet. 2005;365(9476):2007–13.

16. Musicco M, Beghi E, Solari A, Viani F. Treatment of first tonic-clonic seizure does not improve the prognosis of epilepsy. First Seizure Trial Group (FIRST Group). Neurology. 1997;49(4):991–8.

17. Marson AG. When to start antiepileptic drug treatment and with what evidence? Epilepsia. 2008;49(Suppl 9):3–6.

18. Leone MA, Solari A, Beghi E, FIRST Group. Treatment of the first tonic-clonic seizure does not affect long-term remission of epilepsy. Neurology. 2006;67(12):2227–9.

19. Leone MA, Giussani G, Nolan SJ, Marson AG, Beghi E. Immediate antiepileptic drug treatment, versus placebo, deferred, or no treatment for first unprovoked seizure. Cochrane Database Syst Rev. 2016;(5):CD007144.

20. Schmidt D, Schachter SC. Drug treatment of epilepsy in adults. BMJ. 2014;348:g254.

21. Burakgazi E, French JA. Treatment of epilepsy in adults. Epileptic Disorders. 2016;18(3):228–39.

22. Thijs RD, Surges R, O'Brien TJ, Sander JW. Epilepsy in adults. Lancet. 2019;393(10172):689–701.
23. Nevitt SJ, Sudell M, Weston J, Smith CT, Marson AG. Antiepileptic drug monotherapy for epilepsy: a network meta-analysis of individual participant data. Cochrane Database Syst Rev. 2017;(12):CD011412.
24. Burch J, Thomas R. How do antiepileptic drugs compare for people with generalized tonic-clonic seizures? Cochrane Clinical Answers. 2019.
25. Tomson T, Battino D, Bonizzoni E, Craig J, Lindhout D, Perucca E, et al. Comparative risk of major congenital malformations with eight different antiepileptic drugs: a prospective cohort study of the EURAP registry. The Lancet Neurology. 2018;17(6):530–8.
26. Canger R, Battino D, Canevini MP, Fumarola C, Guidolin L, Vignoli A, et al. Malformations in offspring of women with epilepsy: a prospective study. Epilepsia. 1999;40(9):1231–6.
27. Beghi E, Annegers JF, Collaborative Group for the Pregnancy Registries in Epilepsy. Pregnancy registries in epilepsy. Epilepsia. 2001;42(11):1422–5.
28. Tomson T, Battino D, Bromley R, Kochen S, Meador K, Pennell P, et al. Management of epilepsy in pregnancy: a report from the International League Against Epilepsy Task Force on Women and Pregnancy. Epileptic Disord. 2019;21(6):497–517.
29. Bauer D, Quigg M. Optimizing management of medically responsive epilepsy. Continuum (Minneap Minn). 2019;25(2):343–61.
30. Chen B, Choi H, Hirsch LJ, Katz A, Legge A, Buchsbaum R, et al. Psychiatric and behavioral side effects of antiepileptic drugs in adults with epilepsy. Epilepsy Behav. 2017;76:24–31.
31. Beghi E, Giussani G, Sander JW. The natural history and prognosis of epilepsy. Epileptic Disord. 2015;17(3):243–53.
32. Lamberink HJ, Otte WM, Geerts AT, Pavlovic M, Ramos-Lizana J, Marson AG, et al. Individualised prediction model of seizure recurrence and long-term outcomes after withdrawal of antiepileptic drugs in seizure-free patients: a systematic review and individual participant data meta-analysis. Lancet Neurol. 2017;16(7):523–31.
33. West S, Nevitt SJ, Cotton J, Gandhi S, Weston J, Sudan A, et al. Surgery for epilepsy. Cochrane Database Syst Rev. 2019;6:CD010541.
34. Engel J. The current place of epilepsy surgery. Curr Opin Neurol. 2018;31(2):192–7.
35. Wiebe S, Blume WT, Girvin JP, Eliasziw M, Effectiveness and Efficiency of Surgery for Temporal Lobe Epilepsy Study Group. A randomized, controlled trial of surgery for temporal-lobe epilepsy. N Engl J Med. 2001;345(5):311–8.
36. Trinka E, Cock H, Hesdorffer D, Rossetti AO, Scheffer IE, Shinnar S, et al. A definition and classification of status epilepticus: report of the ILAE Task Force on Classification of Status Epilepticus. Epilepsia. 2015;56(10):1515–23.
37. Chapman MG, Smith M, Hirsch NP. Status epilepticus. Anaesthesia. 2001;56(7):648–59.
38. Shorvon S. The management of status epilepticus. J Neurol Neurosurg Psychiatry. 2001;70 Suppl 2:II22-27.
39. Bauer G, Trinka E. Nonconvulsive status epilepticus and coma. Epilepsia. 2010;51(2):177–90.
40. Shinnar S, Pellock JM, Berg AT, O'Dell C, Driscoll SM, Maytal J, et al. Short-term outcomes of children with febrile status epilepticus. Epilepsia. 2001;42(1):47–53.
41. Berg AT, Shinnar S, Darefsky AS, Holford TR, Shapiro ED, Salomon ME, et al. Predictors of recurrent febrile seizures. a prospective cohort study. Arch Pediatr Adolesc Med. 1997;151(4):371–8.
42. Offringa M, Bossuyt PM, Lubsen J, Ellenberg JH, Nelson KB, Knudsen FU, et al. Risk factors for seizure recurrence in children with febrile seizures: a pooled analysis of individual patient data from five studies. J Pediatr. 1994;124(4):574–84.
43. Baumann RJ, Duffner PK. Treatment of children with simple febrile seizures: the AAP practice parameter. American Academy of Pediatrics. Pediatr Neurol. 2000;23(1):11–7.
44. Committee on Quality Improvement, Subcommittee on Febrile Seizures. Practice parameter: long-term treatment of the child with simple febrile seizures. American Academy of Pediatrics. Pediatrics. 1999;103(6 Pt 1):1307–9.
45. Mosili P, Maikoo S, Mabandla MV, Qulu L. The pathogenesis of fever-induced febrile seizures and its current state. Neurosci Insights. 2020;15:2633105520956973.
46. Offringa M, Newton R, Cozijnsen MA, Nevitt SJ. Prophylactic drug management for febrile seizures in children. Cochrane Database Syst Rev. 2017;2:CD003031.
47. Murata S, Okasora K, Tanabe T, Ogino M, Yamazaki S, Oba C, et al. Acetaminophen and febrile seizure recurrences during the same fever episode. Pediatrics. 2018;142(5).
48. EURAP Study Group. Seizure control and treatment in pregnancy: observations from the EURAP epilepsy pregnancy registry. Neurology. 2006;66(3):354–60.
49. Amato L, Minozzi S, Davoli M. Efficacy and safety of pharmacological interventions for the treatment of the alcohol withdrawal syndrome. Cochrane Database Syst Rev. 2011;(6):CD008537.
50. Hack JB, Hoffman RS. Thiamine before glucose to prevent Wernicke encephalopathy: examining the conventional wisdom. JAMA. 1998;279(8):583–4.
51. Adab N, Tudur SC, Vinten J, Williamson P, Winterbottom J. Common antiepileptic drugs in pregnancy in women with epilepsy. Cochrane Database Syst Rev. 2004;(3):CD004848.
52. Vélez-Ruiz NJ, Pennell PB. Issues for women with epilepsy. Neurol Clin. 2016;34(2):411–25.
53. Gerard EE, Meador KJ. Managing Epilepsy in Women. Continuum (Minneap Minn). 2016;22(1 Epilepsy):204–26.
54. Aguglia U, Barboni G, Battino D, Cavazzuti GB, Citernesi A, Corosu R, et al. Italian consensus conference on epilepsy and pregnancy, labor and puerperium. Epilepsia. 2009;50(Suppl 1):7–23.
55. Viale L, Allotey J, Cheong-See F, Arroyo-Manzano D, Mccorry D, Bagary M, et al. Epilepsy in pregnancy and reproductive outcomes: a systematic review and meta-analysis. The Lancet. 2015;386(10006):1845–52.
56. Scottish Intercollegiate Guidelines Network. Sign 143: diagnosis and management of epilepsy in adults: a national clinical guideline. Edinburgh: SIGN; 2015.
57. Jackson MJ. Concise guidance: diagnosis and management of the epilepsies in adults. Clin Med (Lond). 2014;14(4):422–7.
58. Scottish Intercollegiate Guidelines Network. Sign 50: a guideline developer's handbook. Edinburgh: SIGN; 2014.
59. Stephen LJ, Kwan P, Shapiro D, Dominiczak M, Brodie MJ. Hormone profiles in young adults with epilepsy treated with sodium valproate or lamotrigine monotherapy. Epilepsia. 2001;42(8):1002–6.
60. Wilbur K, Ensom MH. Pharmacokinetic drug interactions between oral contraceptives and second-generation anticonvulsants. Clin Pharmacokinet. 2000;38(4):355–65.

LEITURAS RECOMENDADAS

Brodie MJ, Schachter S, Kwan P. Fast facts: epilepsy. 4th ed. Oxford: Health Press; 2009.
Manual que aborda, de forma sucinta e prática, o diagnóstico e o tratamento de pessoas com uma ampla gama de manifestações epilépticas.

Academia Brasileira de Neurologia (ABN). Disponível em: https://www.abneuro.org.br/.

Liga Brasileira de Epilepsia (LBE). Disponível em: http://epilepsia.org.br/.

American Epilepsy Society (AES). Disponível em: https://www.aesnet.org/.

International League Against Epilepsy (ILAE). Disponível em: https://www.ilae.org/.

Portais de sociedades com informações e links *para profissionais e leigos.*

SEÇÃO V

Coordenadores: *Michael Schmidt Duncan*
Bruce B. Duncan

Atenção à Saúde do Idoso

49. O Cuidado do Paciente Idoso 580
Milton Humberto Schanes dos Santos, Patrícia Lichtenfels, Michele Possamai, Eduardo de Oliveira Fernandes

50. Avaliação Multidimensional do Idoso 591
Sergio Antonio Sirena, Roberta Rigo Dalla Corte, Renato Gorga Bandeira de Mello, Emilio Hideyuki Moriguchi

51. Osteoporose 600
Juliano Soares Rabello Moreira, Eduardo Henrique Portz

52. Doença de Parkinson 609
Manuella Edler Zandoná, Pedro Schestatsky, Carlos R. M. Rieder

53. Síndromes Demenciais e Comprometimento Cognitivo Leve 617
Matheus Roriz, Rodrigo Rizek Schultz, Justino A. C. Noble, Paulo H. F. Bertolucci

54. Doenças Cerebrovasculares 639
Rosane Brondani, Sheila Ouriques Martins, Matheus Roriz, Thaís Leite Secchi

Capítulo 49
O CUIDADO DO PACIENTE IDOSO

Milton Humberto Schanes dos Santos
Patrícia Lichtenfels
Michele Possamai
Eduardo de Oliveira Fernandes

O envelhecimento consiste em um processo de alterações funcionais e estruturais que se iniciam na terceira década de vida, culminando em uma progressiva incapacidade para manter o equilíbrio funcional em situações de sobrecarga. Esse fenômeno traz consigo outros conceitos importantes, como qualidade de vida, autonomia, independência, capacidade funcional, senescência e senilidade. A senescência compreende as alterações fisiológicas próprias do envelhecimento, enquanto a senilidade compreende as alterações patológicas dessa fase da vida. O envelhecimento está também associado à maior prevalência de doenças crônicas e a importantes repercussões no estilo de vida. Deve-se destacar que esse processo apresenta grande heterogeneidade em diferentes sociedades e culturas.

Durante o processo de envelhecimento, ocorre diminuição progressiva e inexorável da reserva funcional do corpo humano. Na TABELA 49.1, estão descritas as alterações fisiológicas que ocorrem nos diversos sistemas com o envelhecimento.

TABELA 49.1 → Alterações fisiológicas associadas ao envelhecimento

ASPECTOS GERAIS
- Perda e/ou embranquecimento dos cabelos
- Possível aparecimento de círculo branco ao redor dos olhos (*arcus senilis*)
- Diminuição da água corporal entre 13-15%
- Tendência a ganho de peso por aumento do tecido adiposo e diminuição das massas muscular e óssea, com distribuição adiposa mais centrípeta
- Perda da elasticidade da pele e redução do tecido subcutâneo, propiciando aparecimento de bolsas orbitais, aumento de sulcos labiais e surgimento de rugas
- Aumento do diâmetro do crânio e encurtamento do tronco com extremidades comparativamente longas (proporções inversas às da criança)
- Crescimento contínuo do nariz e alongamento das orelhas, caracterizando a típica conformação da face do idoso

VISÃO
- Diminuição da acuidade visual
- Lentidão na adaptação claro-escuro e maior sensibilidade à luz
- Diminuição na discriminação de cores, na capacidade de adaptar-se ao ofuscamento, na noção de aprofundamento

AUDIÇÃO E SISTEMA VESTIBULAR
- Perda do número e da atividade das glândulas sebáceas com produção de cera mais seca
- Presbiacusia, diminuição na discriminação de sons e percepção da fala
- Diminuição do equilíbrio corporal

PALADAR
- Diminuição na sensação gustativa e possível perda de interesse pela comida

(continua)

TABELA 49.1 → Alterações fisiológicas associadas ao envelhecimento *(Continuação)*

OLFATO
- Diminuição na percepção de odores

TATO E PROPRIOCEPÇÃO
- Diminuição da sensibilidade tátil na palma das mãos e na planta dos pés e da latência da sensibilidade dolorosa
- Diminuição da propriocepção articular

SISTEMA MUSCULOESQUELÉTICO
- Diminuição da força, da potência e da flexibilidade muscular
- Diminuição da elasticidade e aumento da rigidez articular com diminuição da amplitude do movimento
- Marcha com passos mais curtos e lentos, e com menor movimento de braços; o centro da gravidade se adianta e há alargamento da base de sustentação
- Perda da elasticidade e altura dos discos intervertebrais, aumento da cifose dorsal e perda do arco plantar com redução da altura corporal (perda de cerca de 1 centímetro por década vivida a partir dos 40 anos)
- Diminuição da densidade óssea

SISTEMA NERVOSO
- Diminuição do número e do volume médio dos neurônios com adelgaçamento do córtex cerebral
- Redução da quantidade de substâncias neurotransmissoras (acetilcolina, ácido γ-aminobutírico, dopamina e serotonina, principalmente)
- Diminuição do peso cerebral após a terceira década em cerca de 10% até os 90 anos (perda de cerca de 1,5% do peso por década), com aumento de sulcos, fissuras e ventrículos
- Lentidão no tempo de reação, julgamento e planejamento do movimento
- Déficit discreto da memória de curto prazo
- Deposição de emaranhados neurofibrilares (derivados de proteínas dos microtúbulos) e aparecimento de placas senis (depósitos de substância beta-amiloide)

SISTEMA RESPIRATÓRIO
- Respiração mais diafragmática e abdominal
- Aumento dos diâmetros do tórax com aumento do espaço morto e do volume residual pulmonar e redução da capacidade vital
- Diminuição da força muscular dos músculos respiratórios e da elasticidade da caixa torácica, com maior tendência à fadiga e menor complacência torácica
- Diminuição da elasticidade pulmonar, da capacidade de difusão gasosa e da depuração mucociliar
- Menor sensibilidade respiratória à hipoxia e à hipercapnia

SISTEMA CIRCULATÓRIO
- Redução da complacência ventricular esquerda e possível redução do débito cardíaco
- Aumento da resistência vascular periférica e da espessura da parede vascular
- Diminuição do reflexo dos barorreceptores com tendência à hipotensão ortostática

SISTEMA DIGESTÓRIO
- Perda da elasticidade da mucosa oral, com queratinização heterogênea do epitélio, perda de papilas e frequente presença de varizes na língua e desgastes dos dentes devido ao atrito
- Alteração da motilidade esofágica
- Discretas diminuições do tempo de esvaziamento, da acidez e da produção de fator intrínseco e de prostaglandinas gástricas
- Diminuição da síntese de albumina (20%), colesterol e glicoproteínas, e menor ação metabólica (5-30%) no fígado

SISTEMA UROGENITAL
- Redução do peso renal e da área de filtração glomerular (na sétima década resta um terço dos glomérulos iniciais) com redução da função renal
- Menor capacidade de excreção renal de sódio e potássio, e de concentração e acidificação da urina
- Aumento de deposição de colágeno na bexiga, que leva à redução da sua complacência, menor contratilidade do músculo detrusor e maior volume residual urinário
- Alteração de pH e flora vaginais, e diminuição do fator bactericida prostático, facilitando a ocorrência de infecção urinária, em ambos os sexos
- Ereção peniana mais lenta, muitas vezes incompleta e de menor duração

Fonte: Adaptada de Espírito Santo.[20]

Uma meta a ser perseguida pelos profissionais de saúde é promover o envelhecimento com manutenção da independência e da autonomia, favorecendo o envelhecimento saudável ativo em detrimento da fragilidade. Isso pode ser alcançado por meio de ações que abranjam mudanças no estilo de vida, prevenção de doenças crônico-degenerativas e promoção da saúde (ver Capítulo Avaliação Multidimensional do Idoso).

PECULIARIDADES NO EXAME CLÍNICO

Na anamnese

No idoso, as doenças costumam manifestar-se de forma atípica, e os sintomas em geral são inespecíficos e tardios, mesmo no caso de doenças graves. Portanto, queixas inespecíficas e vagas devem ser sempre avaliadas de forma criteriosa. Muitas vezes, a apresentação clínica de determinada doença pode envolver um sintoma de "órgão de choque", ou seja, o sistema mais fragilizado do paciente idoso é o que apresenta o primeiro sintoma. Por exemplo, uma pneumonia ou infecção urinária podem manifestar-se como confusão mental, e uma anemia pode causar piora de artralgias cronicamente relatadas.

Na anamnese, é sempre importante avaliar perda de peso não intencional, alterações no hábito intestinal ou urinário, dor, piora na capacidade funcional, quedas e alterações do sono.

É comum os pacientes idosos apresentarem múltiplas morbidades crônicas que interagem entre si e com "novas doenças", produzindo um sintoma ou apresentação potencializados – por exemplo, nova incontinência urinária em idoso diabético atualmente descompensado e também com infecção urinária. Da mesma forma, os problemas médicos detectados podem representar apenas a "ponta do *iceberg*" daqueles que permanecem ocultos, ressaltando a importância de anamnese cuidadosa nesses pacientes.

A anamnese deve, de preferência, ser realizada com o paciente e seu acompanhante separadamente, pois o confronto de informações pode agregar vantagens. O sigilo e a privacidade do paciente devem ser mantidos. É necessário habilidade para lidar com as informações prolixas e as tendências à divagação próprias dessa faixa etária. Na história da doença atual/queixa principal, deve-se identificar o que mais incomoda o paciente, o que põe em risco sua vida e o que determina limitação funcional. A revisão de sistemas deve ser completa e reforçada, pois sintomas não relatados podem ser importantes.

Os medicamentos utilizados devem ser anotados. Em geral, isso se faz mais facilmente a partir da "sacola de remédios" que o paciente usa. Polifarmácia com potencial interação medicamentosa ou efeitos colaterais de medicamentos podem fazer parte do espectro de sintomatologia.

Considerando as múltiplas comorbidades próprias dessa fase de vida e a já relatada somação de sintomatologias, a história médica pregressa torna-se também digna de nota. História familiar de comorbidades e longevidade, bem como história psicossocial com registro de exposições biológicas (infecções), químicas (tabagismo) e físicas (quedas e sobrecargas) se tornam igualmente importantes. Várias escalas de risco funcional, mental e de quedas são aplicadas de rotina.

No exame físico

Quando o paciente idoso chega ao consultório, podem-se observar algumas peculiaridades: se ele está acompanhado ou sozinho, como se locomove e a qualidade da marcha, que calçados utiliza (observando risco de quedas), a presença de odor de urina ou de fezes e a postura (cabisbaixo, ereto, etc.). Outra informação importante do ponto de vista semiológico é o sinal da cabeça, isto é, se o paciente olha para o acompanhante a cada pergunta do profissional de saúde, na busca de ajuda para as respostas, o que pode ser manifestação de déficit cognitivo.

Em pacientes acamados, é importante observar a presença de odor de urina (incontinência ou cuidados deficientes), eritema e umidade na região perineal, úlcera de decúbito, resíduos de fezes no vestuário (fecaloma/diarreia paradoxal), equimoses e hematomas (quedas, acidentes, violência, maus-tratos) e presença de edema sacral.

Na avaliação da capacidade funcional

A **TABELA 49.2** apresenta algumas particularidades do exame físico do idoso.

O declínio funcional sugere a ocorrência de doenças crônicas ou alterações ainda sem diagnóstico, e sua presença afeta negativamente a qualidade de vida e a independência

TABELA 49.2 → Particularidades do exame físico do idoso

DESIDRATAÇÃO: o turgor da pele é naturalmente diminuído e dificulta a avaliação; o do globo ocular deve ser igual ao do examinador (estará diminuído na desidratação e aumentado no glaucoma)
PESCOÇO: a palpação da tireoide costuma ser mais difícil; a das carótidas deve ser feita com cuidado e de um lado de cada vez
TÓRAX: a menor expansibilidade torácica pode dificultar a ausculta pulmonar, porém os achados têm significado semelhante aos dos jovens
SISTEMA CIRCULATÓRIO: o sopro aórtico pode estar presente em até 60% dos idosos e não representar doença. A pseudo-hipertensão é um falso aumento dos níveis pressóricos, que ocorre pelo enrijecimento das artérias (diagnóstico por meio da manobra de Osler). A "hipertensão do jaleco branco", comum em indivíduos idosos, é a detecção de níveis pressóricos aumentados apenas em medida realizada por profissionais de saúde (especialmente por médicos). A hipotensão postural ocorre pela menor adaptação dos barorreceptores a mudanças posturais, muitas vezes associada a doenças e medicamentos, e pode causar quedas, tontura, isolamento social e depressão
→ *Manobra de Osler*: medir a pressão arterial normalmente, reinsuflar o manguito até a sistólica medida e tentar palpar a artéria radial; se for palpável, a manobra é positiva (sinal de enrijecimento arterial)
→ *Hipotensão postural*: medir a pressão arterial com o paciente deitado por 5 minutos e, a seguir, com ele em pé por 3 minutos; define-se por queda de 20 mmHg na pressão arterial sistólica ou 10 mmHg na diastólica, no mínimo
ABDOME: a palpação profunda pode sugerir a presença de aneurisma
MEMBROS: pesquisar pulsos, sinais de hipoperfusão capilar e insuficiência venosa
OSTEOARTICULAR: as queixas são frequentes no indivíduo idoso e devem ser investigadas no exame físico, procurando aumento do volume, diminuição da mobilidade e presença de crepitações articulares
TOQUE RETAL: deve fazer parte do exame físico sempre que houver suspeita de fecaloma e alterações prostáticas

dos pacientes idosos. Esse declínio pode ser objetivado por meio de escalas, representando o funcionamento nas diversas áreas, utilizando diferentes habilidades.

Uma proposta de avaliação multidimensional do idoso na atenção primária à saúde que inclui muitos dos elementos dessas escalas é apresentada no Capítulo Avaliação Multidimensional do Idoso. Escalas de avaliação de atividades da vida diária (AVDs), atividades instrumentais da vida diária (AIVDs), avaliação de equilíbrio e marcha de Tinetti estão disponíveis nos materiais suplementares deste livro, nas **TABELAS S49.1** a **S49.4** (ver QR code).

O CUIDADO DOMICILIAR E O CUIDADOR

O cuidado domiciliar ao idoso surge como uma resposta em meio à demanda do acelerado envelhecimento populacional, da falta de leitos hospitalares, da necessidade de redução de custos na área da saúde, do processo de desospitalização que vem ocorrendo nos últimos anos e da busca por um atendimento mais humanizado.[1]

No Brasil, em 1994, foi promulgada a lei que originou a Política Nacional do Idoso, criando normas para garantir autonomia, integração e participação efetiva dos idosos e criminalização das formas de preconceito contra eles. Em nosso País, a fim de garantir a atenção ao idoso, tem-se a rede formal a idosos,[2] representada por hospitais, ambulatórios e consultórios médicos e de outras especialidades na área da saúde; e por clínicas geriátricas, casas de repouso, asilos, centros-dia e, mais recentemente, unidades de apoio domiciliar. As relações entre quem oferece e quem recebe os cuidados envolvem contratos profissionais subordinados a códigos de ética. A remuneração pode acontecer de forma direta (pelos interessados) ou de forma indireta (pelo governo ou por instituições privadas). A existência de uma rede de apoio formal diversificada, organizada, eficiente e bem distribuída é garantia de boa qualidade de vida para o idoso e para o cuidador, além de um indicador de progresso social.

Em 2011, o governo federal instituiu o programa Melhor em Casa (ver QR code), executado em parceria com Estados e municípios, para financiar equipes de cuidados domiciliares em todo o País,[3] sendo indicado para pessoas que apresentam dificuldades temporárias ou definitivas de deslocar-se até uma unidade de saúde ou que estejam em situações nas quais a atenção domiciliar é a mais indicada para seu tratamento. Visa ações de prevenção, tratamento de doenças, reabilitação, paliação e promoção à saúde em domicílio.[4]

As redes de apoio informal funcionam com base nos princípios de solidariedade e de reciprocidade entre as gerações. A solidariedade se faz presente no contexto do cuidado oferecido a pessoas da mesma geração, caso do cônjuge e de parentes e amigos com idade próxima à do cuidador, com os quais ele não compartilhou uma relação de dependência em outro momento da vida. A reciprocidade preside as relações de cuidado dos filhos para com os pais e, em alguns casos, para com outros parentes da geração precedente. Embora a responsabilidade de cuidar costume recair sobre os descendentes diretos – filhas e filhos –, os cônjuges dos filhos e seus descendentes compartilham o mesmo dever por extensão.

Os cuidadores informais podem ser divididos em três categorias – cuidadores primários, secundários e terciários –, conforme as tarefas realizadas e o seu grau de envolvimento com as responsabilidades pelo cuidado.

Os cuidadores primários ou principais são todos aqueles que assumem a responsabilidade integral de supervisionar, orientar, acompanhar e/ou cuidar diretamente da pessoa acamada, ou seja, aqueles que realizam a maior parte das tarefas. Os cuidadores secundários são representados por outros elementos que podem desempenhar o mesmo tipo de tarefa dos cuidadores primários, mas que não têm o mesmo grau de envolvimento e responsabilidade pelo cuidado. Em situações emergenciais, eles podem substituir ou socorrer o cuidador principal. Os cuidadores terciários são aquelas pessoas que auxiliam o acamado, esporadicamente ou quando solicitadas, no desempenho de atividades instrumentais da vida diária, como preparar uma refeição ou usar uma medicação. Eles não têm responsabilidades com o cuidado e podem substituir o cuidador primário em situações excepcionais.

> **O cuidador é de fundamental importância na concretização de um programa de cuidados domiciliares, pois representa o elo entre o idoso, sua família e a equipe de saúde.**

Os membros da família são, em sua maioria, os responsáveis pela escolha do cuidador, embora essa tarefa possa ser compartilhada com a equipe interdisciplinar. A escolha do cuidador pode ocorrer por vontade, instinto, disponibilidade, capacidade ou ainda por pressão/imposição da família.[5]

Geralmente, a função de cuidador é assumida por uma única pessoa (o cuidador principal) que assume as tarefas de cuidado, atendendo às necessidades do idoso e responsabilizando-se por elas sem contar com a ajuda de outros membros da família ou da equipe.

A tarefa de cuidar de uma pessoa idosa pode trazer inúmeros benefícios; há ganhos como aumento da autoestima, do sentimento de orgulho pelas tarefas realizadas e do senso de realização, desenvolvimento de novas habilidades, melhora no relacionamento com o idoso e a família, retribuições afetivas e financeiras, entre outras. Entretanto, em boa parte das situações, prevalece a sobrecarga e o ônus de ser cuidador.

A sobrecarga dos cuidadores de pessoas idosas com doença, independentemente da doença específica, parece ser um fenômeno de todos os cuidadores de pessoas idosas com doença avançada, e representa um fator de risco para a saúde do cuidador, gerando problemas de saúde mental, isolamento social e sintomas de depressão e ansiedade, piorando sua qualidade de vida, comprometendo sua imunidade e aumentando sua mortalidade.[6] Podem ser observados sentimentos de anulação pessoal, incompetência pelo desempenho do papel de cuidador e ausência de reconhecimento do seu desempenho funcional. A avaliação da sobrecarga do cuidador deve ser periodicamente averiguada, podendo ser utilizada a escala Zarit Burden Interview (ZBI – ver QR code), regularizada para uso no Brasil e que se mostra eficaz para esse fim.[3]

Fatores associados ao aumento da sobrecarga do cuidador são idade avançada, sexo feminino, baixa renda, baixo nível educacional, não ser casado e não receber suporte de outros membros da família. Fatores associados à diminuição da sobrecarga são sexo masculino, ter uma prática religiosa e receber suporte de outros membros da família. Entre todos os fatores, o mais significativo é a presença ou ausência do suporte familiar,[7] de modo que compartilhar o cuidado com outros membros da família, com possíveis rodízios de cuidadores principais, deve ser recomendado.[3]

Entre os cuidadores, as esposas geralmente vivem na mesma casa do idoso, passam um número maior de horas por dia vinculadas ao cuidado, vivenciam maiores níveis de estresse psicológico e financeiro e de sintomas depressivos, utilizam menos a rede de apoio informal e percebem sua saúde em pior estado em comparação com os filhos adultos e enteados.[8]

Evidenciam-se como desafios ao cuidado: a solidão do cuidador no domicílio, a presença de conflitos intrafamiliares, o desconhecimento sobre a fisiopatologia de doenças e as técnicas inerentes ao cuidado, além da falta de recursos financeiros e de apoio.[5]

Os seguintes pontos são importantes em relação à sobrecarga do cuidador:
→ a dificuldade de adaptação do cuidador ao seu papel é o fator mais determinante para o desenvolvimento do estresse e da sobrecarga;[7]
→ os cuidadores vivenciam maior impacto na qualidade de vida quando existe um comprometimento cognitivo do doente comparativamente ao comprometimento físico;[9]
→ os pacientes com câncer e seus cuidadores reagem diante da doença como um sistema emocional, e com frequência os cuidadores apresentam níveis mais elevados de estresse, ansiedade e depressão em comparação com os pacientes;[10]
→ os cuidadores de pacientes com câncer, especialmente em fase de doença avançada, apresentam um risco maior de adoecer, porque têm pouco tempo para descansar, envolvem-se pouco em atividades de esporte e lazer e raras vezes procuram recurso quando adoecem;[11]
→ os cuidadores de pacientes demenciados sofrem um grau de estresse maior nos estágios iniciais da doença comparativamente aos estágios mais avançados devido ao impacto da doença tanto para o doente como para a família e o cuidador.[10]

Apoio ao cuidador

Várias estratégias podem ajudar a aliviar a sobrecarga dos cuidadores. Deve-se, por exemplo, priorizar o atendimento clínico e psicológico ao cuidador. É de fundamental importância que a equipe de saúde esteja atenta à saúde dos cuidadores, proporcionando-lhes acesso facilitado às consultas ambulatoriais eletivas e de urgência quando forem necessárias.

Reuniões de família são consideradas um recurso muito eficaz na orientação familiar sobre diagnóstico, prognóstico, organização de cuidados e resolução de conflitos relacionados com a atenção ao paciente. Como instrumento de orientação, seus objetivos são:
→ esclarecer quanto ao diagnóstico e ao prognóstico;
→ orientar quanto ao cuidado necessário ao paciente;
→ abordar questões sobre divisão de tarefas e responsabilidades, buscando evitar sobrecarga e estresse do cuidador familiar;
→ orientar sobre a possibilidade de acionar ou construir uma rede de apoio na comunidade;
→ orientar sobre cuidados paliativos e proximidade da morte quando houver necessidade;
→ orientar sobre questões de caráter legal e consensual.[12]

As reuniões podem ser realizadas na casa do paciente ou na unidade de saúde, de acordo com a disponibilidade da equipe e dos familiares, e a sua periodicidade também depende das demandas de cada família e da complexidade de cada situação.

Deve-se também estimular a participação do cuidador em grupo de apoio/suporte para cuidadores. O principal objetivo desses grupos é servir como espaço de trocas entre cuidadores e equipe de saúde. Eles podem ser realizados na casa de algum dos cuidadores, na unidade de saúde ou em algum espaço social da comunidade. Os encontros podem ser semanais, quinzenais ou mensais, de acordo com os organizadores e participantes. Embora os grupos de apoio tenham uma ação pequena no alívio da sobrecarga de cuidadores, possuem efeito significativo em relação ao bem-estar psicológico, ao alívio dos sintomas depressivos e à melhoria da integração social.

A capacitação de cuidadores

A orientação e a capacitação de cuidadores familiares de pacientes idosos e/ou acamados devem estar entre os objetivos das equipes de saúde no seu cotidiano de trabalho. A Política Nacional de Saúde da Pessoa Idosa sugere que os cuidados informais sejam realizados por pessoas da família, amigos próximos e vizinhos, de forma a suprir a incapacidade funcional do idoso.

Os cuidadores devem receber orientações sobre as doenças, os seus tratamentos e os cuidados gerais de saúde. Em países ditos desenvolvidos, os cuidados diretos vinculados a procedimentos técnicos, como alimentação enteral, medicação não oral, curativos ou até mesmo higiene corporal em idosos muito fragilizados, são, em geral, realizados por profissionais treinados. Em nosso contexto, o cuidador familiar comumente exerce atividades para as quais não teve preparo, o que gera insegurança, medo e riscos para paciente e cuidador.[5]

As intervenções psicoeducacionais, de treinamento e aconselhamento terapêutico se mostraram efetivas em reduzir a sobrecarga de cuidadores e aumentar a habilidade do cuidador de adaptar-se ao seu papel, melhorando a sua qualidade de vida.[11] Cursos de treinamento ou capacitação são uma forma de capacitar cuidadores familiares. Esses cursos podem ser organizados pela própria equipe de saúde local com a participação de enfermeiros, técnicos de enfermagem, assistentes sociais, médicos, psicólogos, fisioterapeutas, nutricionistas, odontólogos, técnicos de saúde bucal, agentes comunitários de saúde, etc., com cada profissional contribuindo com seus conhecimentos específicos e enriquecendo o diálogo interdisciplinar. Também existem cursos de ensino a distância que visam instrumentalizar equipes para a escolha do cuidador na atenção domiciliar, nos quais são apresentados os principais conceitos e estatutos relacionados ao cuidador e à pessoa cuidada, promovendo uma reflexão sobre a relação entre cuidador, pessoa cuidada e família (ver Leituras Recomendadas).

SITUAÇÕES ESPECIAIS

Delirium

Também chamado de síndrome cerebral orgânica aguda ou de estado confusional agudo, o *delirium* pode ser definido como uma perturbação na atenção e na orientação em relação ao ambiente com prejuízo de qualquer outra função cognitiva ou comportamental. Tem início agudo ou subagudo, pode durar horas a dias, alterar o ciclo sono-vigília e ter curso flutuante.[12] De acordo com a 5ª edição do *Manual diagnóstico e estatístico de transtornos mentais* (DSM-5), o *delirium* é definido como alterações da atenção, conceituada como direcionar, focalizar, manter ou mudar a atenção.[12] Sua incidência aumenta com a idade, ocorrendo em 25 a 85% dos pacientes terminais,[13] 46 a 82% dos idosos que estiveram em unidades de terapia intensiva (UTIs), 29 a 64% daqueles que estiveram em unidades clínicas ou geriátricas e 8 a 17% dos pacientes em unidades de emergência.[12] Está associado a pior prognóstico,[14] aumentando o risco de demência, institucionalização e morte. Também está associado a maior prejuízo funcional, maior tempo de permanência hospitalar e mortalidade hospitalar de 22 a 76%.[15] A mortalidade em 1 ano é de 40%.[15]

Muitas vezes, os profissionais de saúde não detectam ou diagnosticam erroneamente o *delirium* como depressão ou demência. No *delirium*, a instalação ocorre de forma rápida, na vigência de doença grave ou condição desencadeante, e há, além da perturbação da atenção, alteração da capacidade de julgamento, pensamento abstrato, memória de fixação e evocação. Já na demência, a instalação é progressiva e lenta e não se focaliza na atenção, abrangendo também outros prejuízos cognitivos com déficit funcional associado. Idosos com demência podem ter episódios de *delirium* na sua evolução, dependendo da existência de outras doenças ou intercorrências. Mas, uma vez que essas doenças ou intercorrências sejam estabilizadas ou sanadas, o prejuízo da atenção se resolve, enquanto o prejuízo cognitivo da demência se mantém avançado.[12]

O *delirium* pode apresentar-se de três formas: hiperativo com agitação psicomotora, delírios, ilusões e alucinações (típico da síndrome de abstinência, como o *delirium tremens*, ou induzido por uso de anticolinérgicos); hipoativo com letargia e sonolência (a forma mais comum); e misto com alternância desses quadros.

Em pelo menos 50% dos casos, ele é reversível,[16] sendo importante identificar a causa para o adequado tratamento (TABELA 49.3). Sabe-se, ainda, que em 40% dos casos ele é prevenível, sendo um indicador da qualidade de atendimento a idosos.[12]

Entretanto, nas últimas 24 a 48 horas de vida, sua incidência é alta e prenuncia a morte, em decorrência da deterioração dos órgãos e das funções vitais. Por esse motivo, em pacientes terminais, a investigação diagnóstica deve ser eticamente considerada, evitando futilidade diagnóstica e terapêutica. Na avaliação das causas, sugere-se revisar todos os medicamentos usados pelo paciente, incluindo os não prescritos, e afastar hipoglicemia, hipoxia e hipercapnia. É igualmente importante avaliar dor, presença de constipação, retenção urinária ou desidratação, assim como investigar abuso, dependência ou abstinência a substâncias psicoativas ou álcool.[12]

A realização inicial de exames laboratoriais inclui hemograma, glicemia, creatinina, ureia, sódio, potássio, cálcio e exame comum de urina, além de radiografia de tórax e eletrocardiograma. Na persistência de *delirium* sem causa subjacente aparente, como investigação complementar, solicitar VDRL (*Venereal Disease Research Laboratory*), hormônio estimulante da tireoide (TSH, do inglês *thyroid-stimulating hormone*), vitamina B_{12}, ácido fólico e tomografia computadorizada de crânio.

Além de identificar e corrigir as anormalidades subjacentes, quando houver risco para a segurança do paciente ou

TABELA 49.3 → Potenciais causas de *delirium*

IATROGÊNICAS
→ Medicamentos (opioides, benzodiazepínicos, corticoides, anticonvulsivantes, anti-hipertensivos, antieméticos, anticolinérgicos)
→ Uso de contenção mecânica
→ Adição de 3 ou mais medicações novas no mesmo dia
→ Uso de sondas vesical ou nasoentérica
→ Mudanças frequentes no ambiente ou troca de profissionais de saúde
→ Interrupções no sono
→ Quimioterapia ou radioterapia

DOENÇAS OU ALTERAÇÕES METABÓLICAS
→ Infecções: sepse, pneumonia, infecção urinária
→ Dor
→ Distúrbios hidreletrolíticos (hipercalcemia, hiponatremia)
→ Desidratação
→ Neoplasia cerebral primária ou metastática
→ Hipoxemia
→ Hipoglicemia ou hiperglicemia
→ Síndrome de abstinência de drogas
→ Anemia
→ Desnutrição e deficiências vitamínicas (tiamina, vitamina B_{12}, folato)
→ Doenças endócrinas (Cushing, Addison, hipotireoidismo ou hipertireoidismo)
→ Síndromes paraneoplásicas
→ Síndrome de abstinência de álcool
→ Déficits visuais (teste de Snellen com visão pior que 20/70)
→ Doença subjacente grave (escore de APACHE II > 16)
→ Déficit cognitivo (miniexame do estado mental com escore < 24)
→ Infarto agudo do miocárdio

comprometimento dos cuidados de saúde, pode ser necessário intervir farmacologicamente. Uma metanálise recente demonstrou que haloperidol e lorazepam podem ser os melhores tratamentos farmacológicos para o *delirium*.[13]

Antipsicóticos provavelmente não melhoram a gravidade, nem aumentam a resolução de *delirium* C/D.

O haloperidol deve ser iniciado na dose de 0,5 a 1 mg por via oral (VO), intravenosa (IV), subcutânea (SC) ou intramuscular (IM). A via IV é a que tem menos probabilidade de apresentar efeitos extrapiramidais, mas possui a menor duração do efeito, se comparada com a VO e IM, além do maior potencial arritmogênico.[17,18] A mesma dose pode ser administrada a cada 30 minutos até a remissão de sintomas, atentando para impregnação medicamentosa (tremores, apatia, fácies congelada, sialorreia). A dose total pode chegar a 5 mg em 24 horas.[17,18]

Benzodiazepínicos não são recomendados como monoterapia, pois podem prolongar o *delirium*, causar agitação paradoxal, insônia ou até mesmo sedação excessiva. Entretanto, são úteis nos quadros em que o haloperidol não se mostrou efetivo, na abstinência alcoólica e de benzodiazepínicos. O lorazepam (meia-vida curta e sem metabólitos ativos) na dose de 3 a 6 mg/dia, VO, pode ser utilizado como alternativa eficaz C/D.[12,17,19]

Algumas medidas não farmacológicas podem ser benéficas para a resolução ou até mesmo prevenção do *delirium*:
→ comunicar-se de forma clara e calma;
→ evitar conflitos na área de cuidado do paciente;
→ garantir que este possa visualizar um relógio e um calendário para orientação tempo-espacial;
→ revisar os medicamentos usados pelo paciente, reduzindo as doses ou suspendendo aqueles que podem causar *delirium*;[18]
→ corrigir déficits sensoriais (uso de lentes corretivas ou aparelho auditivo);[18]
→ estimular mobilização precoce, evitando, se possível, sondas ou acessos venosos. Contenção mecânica está associada a prolongamento do *delirium*, piora da agitação e aumento das complicações;[18]
→ manter boa iluminação durante o dia e apagar as luzes à noite (preservação do ciclo sono-vigília);[18]
→ amenizar desconfortos, como dor, constipação, retenção urinária ou desidratação;[18]
→ contar com a presença de familiares com o paciente;
→ ter rotina de horários e cuidados.

Incontinência urinária

Incontinência urinária é definida como perda urinária involuntária objetivamente demonstrável, que representa um problema social ou higiênico para seu portador. Acomete, sobretudo, mulheres, com uma relação mulher:homem em torno de 4:1 em adultos e 1,5:1 em idosos.[20]

Entre os idosos institucionalizados e os provindos de internação hospitalar recente, estima-se que 25 a 30% apresentam incontinência urinária. Nos idosos em geral, a prevalência é de 10 a 15% entre os homens e 20 a 35% entre as mulheres.[21]

As pessoas idosas são mais facilmente acometidas pela incontinência urinária, pois o envelhecimento normal cursa com diminuição da contratilidade e da capacidade vesical, diminuição da capacidade renal de concentração urinária e aumento das contrações involuntárias do músculo detrusor e do volume residual pós-miccional. Entretanto, é importante salientar que as alterações estruturais e funcionais do aparelho urogenital não são os únicas fatores determinantes do aparecimento dessa síndrome, apesar da contribuição significativa. Portanto, a incontinência urinária não é normal e esperada em idosos.[12]

A incontinência urinária está associada à estigmatização, ao sentimento de solidão, a sintomas depressivos e à institucionalização do idoso, além de predispor a outros problemas médicos, como infecções do trato urinário, úlceras de pressão, dermatite perineal, celulites, distúrbios do sono, disfunção sexual, perda da função renal, quedas e fraturas.[20] A qualidade de vida dos pacientes com incontinência urinária pode ficar extremamente comprometida devido a restrições em suas vidas sexual, familiar e social.

Classificação

A incontinência urinária pode ser classificada em incontinência transitória ou incontinência permanente (FIGURA 49.1). A coleta da história clínica é o ponto de partida para o diagnóstico da incontinência urinária.

A incontinência transitória é precipitada por fatores potencialmente remediáveis, os chamados 4Ds e 4Is (TABELA 49.4).

O *delirium* é acompanhado de alterações neuropsiquiátricas que impedem o reconhecimento da necessidade de urinar e o planejamento adequado da micção. Frequentemente cursa com incontinência, e identificar sua causa e tratá-la deve resolver o quadro. Depressão e estados ansiosos podem acarretar incontinência urinária pela diminuição da motivação e da atenção. Débito urinário aumentado decorre de diversas condições clínicas, como diabetes melito descompensado, diabetes insípido, insuficiência cardíaca congestiva, hipercalcemia, grandes edemas, excesso de ingesta hídrica e alcoolismo. A deficiência de estrogênio causa atrofia da mucosa vaginal, a qual se associa a frequência urinária, noctúria, disúria, urgência e incontinência na mulher após a menopausa.

Outras causas potencialmente remediáveis incluem infecção urinária, imobilidade e iatrogenia (i.e., efeito colateral de medicações). Diuréticos, anti-histamínicos, antidepressivos tricíclicos, anticolinérgicos, anti-inflamatórios não esteroides, hipoglicemiantes orais (pioglitazona), antiparkinsonianos, neurolépticos, benzodiazepínicos, opioides, bloqueadores alfa-adrenérgicos, bloqueadores do canal de cálcio, inibidores da enzima conversora da angiotensina, vincristina e agonistas alfa-adrenérgicos são todos relacionados com incontinência urinária.[18] Finalmente, impactação fecal pode ser responsável por até 10% dos casos de incontinência.

Quando a incontinência não pode ser curada pela remoção de um fator desencadeante identificável, é chamada de permanente, condição que pode ser devida a causas externas (funcionais) ou internas (ver FIGURA 49.1). A incontinência

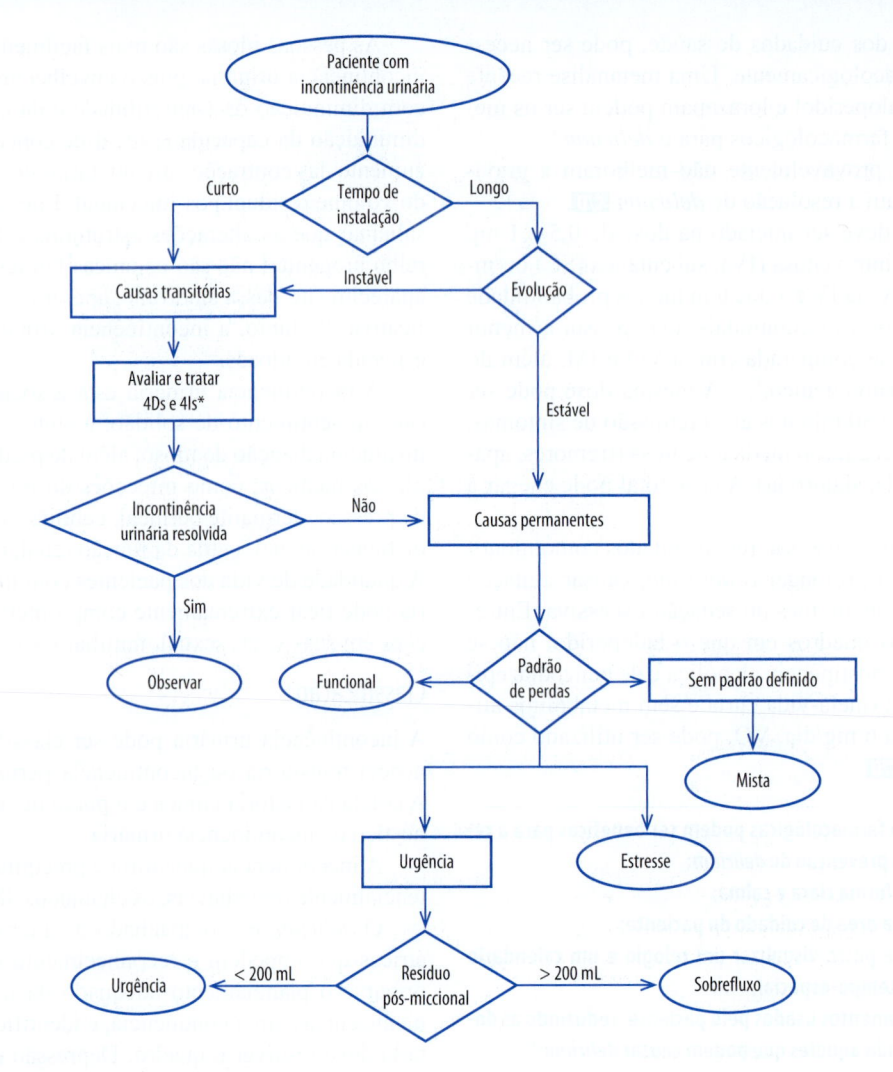

FIGURA 49.1 → Organograma de avaliação da incontinência urinária.
*4Ds: *delirium*, depressão, débito urinário aumentado, deficiência de estrogênio. 4Is: infecção urinária, imobilidade, iatrogenia (p. ex., medicações), impactação fecal.
Fonte: Adaptada de Espírito Santo.[20]

funcional refere-se a situações em que causas externas ao trato urinário, como dificuldade de locomoção ou alto grau de dependência, comprometem a continência normal. Ocorre sobremaneira em idosos frágeis ou pessoas gravemente enfermas. As causas internas podem ser agrupadas pelas características de sua apresentação: incontinência de urgência, incontinência de sobrefluxo e incontinência de estresse.

A incontinência de urgência é a causa de incontinência mais comum em idosos. O paciente apresenta vontade súbita e intensa de urinar, com perda de urina na ausência de manobras de estresse ou de retenção urinária. Resulta de contrações involuntárias da bexiga que superam a habilidade do sistema nervoso central de inibi-las. Pode ser idiopática, secundária a lesões nas vias inibitórias centrais, como ocorre nos acidentes vasculares cerebrais, na doença de Parkinson e nas demências, ou causada por fatores irritativos locais, como cálculos, infecções ou tumores vesicais.

A incontinência de sobrefluxo ou transbordamento é outro mecanismo de incontinência que se apresenta com sensação de urgência. Resulta da obstrução vesical, da atividade insuficiente do músculo detrusor ou de ambas.

A obstrução vesical é a segunda causa mais comum de incontinência em homens idosos. Pode ser decorrente de hiperplasia prostática benigna, câncer de próstata, estenose uretral ou contratura do colo vesical. Em quadros de obstrução, as perdas costumam ser de pequenos volumes de urina e são acompanhadas de sintomas de noctúria, micção forçada e redução do jato urinário.

A incontinência urinária por atividade insuficiente do músculo detrusor é a causa menos frequente de incontinência

TABELA 49.4 → Causas transitórias de incontinência urinária

4DS	4IS
Delirium	Infecção urinária
Depressão	Imobilidade
Débito urinário aumentado	Iatrogenia (p. ex., medicações)
Deficiência de estrogênio	Impactação fecal

Fonte: Espírito Santo.[20]

em idosos, correspondendo a 5 a 10% dos casos. Pode ser causada por neuropatias periféricas (diabetes, alcoolismo, Parkinson) ou por lesões mecânicas (hérnia de disco, tumores).

A incontinência de estresse é a segunda causa mais comum de incontinência em mulheres idosas. Ocorre devido à insuficiência esfincteriana em evitar a saída de urina durante o enchimento vesical. É comum em multíparas que sofreram relaxamento do assoalho pélvico. Se o paciente apresentar perdas urinárias em situações de aumento da pressão intra-abdominal, como tosse, espirros, risos ou esforços físicos, isso sugere fortemente o diagnóstico de incontinência de estresse.[22]

A incontinência mista refere-se à associação de disfunções de micção no mesmo paciente. A maioria dos portadores de incontinência mista apresenta várias comorbidades e uso de polifarmácia, e costuma apresentar fatores que agem negativamente na função do trato urinário inferior.[20]

Diagnóstico

O exame físico complementa a história obtida com o paciente, sendo fundamental para o diagnóstico. A palpação do abdome pode revelar uma bexiga dilatada (incontinência por obstrução vesical). Causas neurogênicas podem ser detectadas pelo exame neurológico que compreende a avaliação da sensibilidade perineal e perianal, tônus retal e reflexos dos membros inferiores. Nos homens, deve-se realizar o toque retal para avaliação da próstata e examinar o pênis para descartar fimose (condição em que o prepúcio não pode ser completamente retraído para expor totalmente a glande) ou balanopostite (inflamação conjunta da glande e do prepúcio). Em mulheres, deve-se avaliar a genitália à procura de palidez, ressecamento e friabilidade da mucosa (com erosões e hemorragias puntiformes), ocorrência de cistocele ou retocele, e mobilidade uretral à manobra de Valsalva.

Exame de urina com sedimentoscopia e urocultura, dosagem de creatinina sérica e glicemia devem fazer parte da avaliação de todo paciente com incontinência urinária. Deve-se avaliar o resíduo pós-miccional dos pacientes com incontinência a fim de detectar retenção urinária. Isso pode ser conseguido por sondagem vesical pós-miccional feita com técnica convencional ou por ultrassonografia pélvica. Um volume residual > 200 mL é anormal, sugestivo de incontinência de sobrefluxo, e exige encaminhamento ao urologista.

O estudo urodinâmico completo faz medida das pressões abdominal, vesical e do detrusor durante o enchimento da bexiga e durante a micção. Por ser um método diagnóstico invasivo e desconfortável no paciente idoso, deve ser realizado apenas na falha do tratamento inicial, quando a história é confusa, antes do tratamento cirúrgico ou quando o tratamento clínico apresenta risco ao paciente.[23]

Avaliação urológica

Antes de tentar tratamento conservador, a avaliação urológica com especialista é indicada para:
→ mulheres com incontinência urinária associada a dor vesical ou uretral, sintomas miccionais de esvaziamento (p. ex., jato fraco), bexiga palpável após micção/resíduo pós-miccional elevado, presença de massas pélvicas, incontinência fecal, suspeita de doença neurológica, suspeita de fístula urogenital, cirurgia anti-incontinência prévia e cirurgia pélvica para câncer ou radioterapia pélvica prévias;[24]
→ homens com incontinência urinária grave ou incontinência urinária associada a sintomas obstrutivos e/ou irritativos graves do trato urinário inferior, infecções urinárias recorrentes, bexiga palpável após micção/resíduo pós-miccional elevado, dor pélvica, doença neurológica ou história de cirurgias pélvicas, prostáticas ou radioterapia pélvica.[25]

Tratamento

Todos os fatores que possam estar precipitando uma incontinência transitória devem ser avaliados e manejados. Medidas gerais para todos os pacientes com incontinência incluem:
→ evitar cafeína e bebidas alcoólicas;
→ evitar a ingestão de grandes quantidades de líquidos se banheiros não estiverem disponíveis;
→ realizar o adequado tratamento dos quadros de constipação;
→ manter cuidados com a higiene íntima;
→ repousar membros inferiores e usar meias elásticas compressivas para evitar edemas;
→ realizar controle adequado de patologias como diabetes melito e insuficiência cardíaca congestiva;
→ manter o peso corporal adequado para sua estatura e, se houver obesidade, tratá-la **B**.[26]

Incontinência de urgência

Nos casos de incontinência de urgência, é importante excluir inicialmente causas inflamatórias ou infecciosas, como cistites. Uma avaliação do estado mental do paciente também sempre se faz necessária. Se associada ao uso de diuréticos, deve-se avaliar se é possível reduzir a dose ou até mesmo suspender a medicação. Caso contrário, deve-se combinar com o paciente um horário para a administração do diurético que facilite o acesso dele ao banheiro, especialmente no momento do pico de ação do medicamento (ver Capítulo Insuficiência Cardíaca).

Terapias comportamentais de treinamento vesical são efetivas no manejo da incontinência de urgência **C/D**.[23] Os pacientes não dementados devem ser instruídos a urinar em intervalos fixos; essa abordagem é chamada de treinamento vesical. Inicia-se com intervalos de 1 ou 2 horas durante o dia. Logo que a continência estiver estabelecida, o intervalo entre as micções será aumentado progressivamente até 4 a 5 horas. Em geral, os pacientes que conseguem permanecer continentes durante o dia com esse regime adquirem continência noturna. Os pacientes que apresentam quadro de demência precisam ser orientados e auxiliados pelos seus cuidadores para que possam realizar o regime indicado. A oferta para urinar a cada 1 a 2 horas para os dementados e o acompanhamento ao banheiro, nos casos de resposta afirmativa, reduzem o vazamento em até 50%. A resposta não se correlaciona com o grau de demência.[12]

Exercícios para reforçar a musculatura pélvica são também efetivos na melhora da incontinência de urgência em mulheres C/D, embora em menor grau do que para a incontinência de estresse,[27,28] devendo ser associados ao treinamento vesical nos pacientes incontinentes.

Em homens com incontinência persistente após prostatectomia radical, o tratamento com exercícios de reforço da musculatura pélvica associado a estratégias de controle vesical mostrou-se eficaz na redução de episódios de incontinência (redução de 55%) A.

A associação das terapias promove continência em cerca de 13% dos pacientes NNT = 8).[29]

O tratamento farmacológico da incontinência de urgência se baseia no uso de fármacos anticolinérgicos com efeito antimuscarínico. Esses medicamentos reduzem o número de episódios de incontinência em mulheres, mas podem apresentar efeitos colaterais que levam à interrupção do uso B. O efeito é semelhante entre os diversos agentes comparados a placebo.[21,30,31] Não apresentam alta incidência de efeitos colaterais graves. Os efeitos colaterais mais comuns são, em ordem decrescente, boca seca (30%), prurido (16%) e constipação.[30]

A associação de anticolinérgicos ao treinamento vesical parece ser mais efetiva para a melhora dos sintomas de incontinência comparada ao tratamento exclusivo com treinamento vesical B.

Pode-se iniciar com oxibutinina (dose inicial de 2,5 mg, 2-3 ×/dia, podendo-se utilizar doses de até 2,5-5 mg, 3-4 ×/dia). Nota-se que esses fármacos, por terem a boca seca como efeito colateral, podem levar o paciente a aumentar a ingestão de líquidos e piorar o quadro de incontinência. A tolterodina (1-2 mg, 2×/dia) é outro fármaco utilizado. Possui eficácia semelhante e causa menos xerostomia. A dose de tolterodina não deve exceder os 2 mg/dia se o paciente estiver utilizando medicações que inibem o citocromo p450. A solifenacina e a darifenacina são antimuscarínicos mais seletivos e, por esse motivo, têm menor incidência de xerostomia: a primeira, disponível em comprimidos de liberação lenta de 5 e 10 mg, dose máxima de 10 mg/dia; a segunda, comprimidos de liberação lenta de 7,5 e 15 mg, sendo esta última a dose máxima diária. Portaria nº 9, de 10 de março de 2020, da Comissão Nacional de Incorporação de Tecnologias (Conitec) no Sistema Único de Saúde (SUS)[30] de abril de 2019, os antimuscarínicos não foram recomendados para serem incorporados às tecnologias do SUS, apesar de a maioria dos estudos terem demonstrado desfechos urinários de eficácia favoráveis. Porém, o risco de vieses dos estudos foi elevado, o tempo de acompanhamento foi curto e os resultados foram heterogêneos. A solifenacina parece superior aos demais, porém não foi comparada com todos os integrantes dessa classe.[32]

O antidepressivo tricíclico imipramina, na dose de 25 a 100 mg/dia, em até 4 doses diárias, por atuar como relaxante vesical, pode ser uma opção.[18] Os fármacos devem ser bem monitorados para que não induzam retenção urinária.[22,30,31]

Outro recurso terapêutico para esse tipo de incontinência é a injeção na parede vesicular da toxina botulínica A, a qual pode reduzir o número de escapes e melhorar a qualidade de vida dos pacientes.[18]

Incontinência de estresse

Entre as medidas de mudança de hábitos de vida para o manejo da incontinência urinária, a perda de peso é a que apresenta maior evidência de benefício, em especial em relação à incontinência de estresse, sendo recomendada para indivíduos obesos ou com sobrepeso B.[27,28]

O reforço para a musculatura pélvica é efetivo especialmente em pacientes com incontinência de estresse, podendo reduzir os episódios de vazamento e melhorar a satisfação B[22,26] (ver QR code). Ele deve ser receitado junto com o treinamento vesical, sempre levando em conta fatores individuais, como grau de mobilidade, motivação e competência cognitiva do paciente.[22,29,33,34]

Os estrogênios tópicos podem melhorar a incontinência em mulheres no período pós-menopausa B, reduzindo em 26% o risco de incontinência subjetivamente não melhorada.[29,35] Para mulheres com estenose vaginal, a utilização de um pessário ou de um tampão proporciona algum alívio. Frequentemente, é necessária avaliação urológica para a incontinência de estresse, com vistas ao tratamento cirúrgico, considerando que esse procedimento oferece o mais alto índice de cura, embora à custa de algum acréscimo de morbidade.[36]

Incontinência de sobrefluxo por obstrução vesical

Nos casos de incontinência de sobrefluxo (ou de transbordamento) por obstrução vesical, o tratamento cirúrgico será o mais efetivo para os pacientes que apresentarem retenção urinária. Se o paciente não for candidato à cirurgia, pode-se utilizar a cateterização intermitente ou de demora (i.e., em longo prazo). Para os homens com obstrução prostática e que não apresentam retenção urinária, pode-se utilizar um agente alfabloqueador para alívio dos sintomas, como a doxazosina e a tansulosina. A finasterida, um inibidor da 5-alfa-redutase, pode aliviar os sintomas em um terço dos pacientes (ver Capítulo Problemas Urológicos Comuns).

Entre as mulheres, a causa mais frequente de obstrução é o prolapso vesical. O transbordamento também pode ser causado por medicamentos; os mais frequentes causadores dessa condição são os miorrelaxantes, os opioides e os antidepressivos com ação colinérgica.[18]

Na falha dos tratamentos conservadores e medicamentosos, ou na vigência de alteração anatômica significativa (como cistocele avançada ou obstrução prostática grave), é indicado o tratamento cirúrgico.[20]

Atividade insuficiente do músculo detrusor

Para os pacientes com atividade insuficiente do músculo detrusor, isto é, bexiga pouco contrátil, técnicas como a micção dupla (urinar, esperar alguns minutos e, após, urinar novamente) ou a aplicação de pressão suprapúbica são muitas vezes efetivas.

Quando se necessita de um esvaziamento adicional da bexiga, pode-se utilizar a cateterização intermitente ou de demora.

Os antibióticos são usados para o tratamento das infecções das vias urinárias sintomáticas e para a profilaxia das infecções recorrentes em pacientes submetidos à cateterização intermitente (ver Capítulo Infecção do Trato Urinário).

Prevenção das complicações da incontinência

O médico pode orientar o paciente incontinente sobre o uso de absorventes femininos e masculinos. O uso de urinóis e assentos sanitários à beira do leito pode facilitar a diurese noturna, evitando perdas urinárias e quedas.

Devem-se recomendar medidas de segurança para o paciente incontinente: banheiro com barras de segurança, vasos sanitários com altura adequada e caminho iluminado até o banheiro.[20]

Violência contra o idoso

A violência contra o idoso – compreendida como ações ou omissões que prejudiquem seu estado de bem-estar, integridade física e psicológica e sua liberdade – constitui um problema universal. Estudos de várias culturas e de cunho comparativo entre países têm demonstrado que pessoas de todos os níveis socioeconômicos, etnias e religiões são vulneráveis aos maus-tratos, que ocorrem de várias formas:[37]

→ **violência física:** refere-se ao uso de força física para ferir, provocar dor, incapacidade ou morte ou para compelir o idoso a fazer o que não deseja;
→ **violência psicológica:** são agressões verbais ou gestuais com o objetivo de aterrorizar, humilhar, restringir a liberdade ou isolar o idoso do convívio social;
→ **violência sexual:** refere-se a atos ou jogos sexuais de caráter homo ou heterorrelacional que utilizam pessoas idosas visando obter excitação, relação sexual ou práticas eróticas por meio de aliciamento, violência física ou ameaças;
→ **violência financeira:** consiste na exploração imprópria, ilegal ou não, dos bens financeiros e patrimoniais do idoso;
→ **negligência:** refere-se à recusa ou à omissão de cuidados devidos e necessários ao idoso, por parte de responsáveis familiares ou institucionais. Geralmente se apresentam associadas a outros tipos de violência que geram lesões e traumas, sobretudo nos idosos com mais dependência;
→ **autonegligência:** diz respeito à conduta da pessoa idosa que ameaça sua própria saúde ou segurança por meio de recusa de prover a si mesma cuidados necessários.

É preciso ressaltar que nem todos os episódios de violência que ocorrem com os idosos chegam ao conhecimento dos serviços de saúde. Isso se deve, em grande parte, ao fato de que a violência contra esse grupo etário é perpetrada pelos familiares no ambiente doméstico, o que dificulta a denúncia e a notificação dos atos abusivos contra idosos.[37]

A violência que se desenvolve no espaço intrafamiliar é bastante complexa e delicada, sendo extremamente difícil penetrar no silêncio das famílias dos idosos violentados. A insegurança e o medo de represálias oriundos do conflito da consanguinidade, da proximidade, do afeto, do amor e do instinto de proteção em defesa do agressor são alguns exemplos de justificativas para a omissão dos idosos, quando violentados por seus familiares.[38]

A violência ocorre na medida em que as relações entre indivíduos se constroem ou se delimitam de forma assimétrica, em que o poder se encontra com determinado indivíduo que determina o seu querer em detrimento de outros. Nesse sentido, os idosos encontram-se em franca desvantagem quando confrontados com indivíduos mais jovens, sobretudo no que diz respeito à força física e à configuração do *status* nos diversos espaços, principalmente dentro da família.

Existe um perfil do abusador familiar.[38,39] Em uma amostra de 307 idosos maltratados com idade > 70 anos, o perfil dos agressores foi o seguinte: 57% eram filhos e filhas; 23% eram genros e noras; e 8% eram um dos cônjuges.

Os principais tipos de violência foram: psicológica (28%), física (28%), financeira (12%), abandono (8%), negligência e violência verbal (4%), sendo o principal gênero da vítima do sexo feminino (64%).

A violência doméstica não se limita à família. Ela envolve todas as pessoas que convivem no mesmo espaço doméstico e que estão vinculadas ou não por laços de parentesco, incluindo também pessoas que convivem no ambiente familiar, como empregados, agregados e visitantes esporádicos.

Percebe-se que, nas últimas décadas, a família vem sofrendo modificações estruturais rápidas, ocasionadas por diversos motivos: separações, divórcios, novas uniões, instabilidade financeira, movimentos migratórios em busca de oportunidades de trabalho e participação crescente das mulheres no mercado de trabalho. Essas modificações têm gerado abalos na estrutura familiar, conduzindo a uma deterioração da qualidade das relações, contribuindo para o aumento das condições de estresse nos indivíduos e propiciando a manifestação de situações conflituosas intergeracionais. Outro fator que contribui para a perpetuação da violência contra idosos está relacionado com o grande número de idosos dependentes de suas famílias.

Entende-se que a família que se propõe a cuidar de um idoso de alta dependência está suscetível a constantes pressões financeiras, sobrecarga física e limitação da sociabilidade por parte dos cuidadores, já que estes dedicam um longo período à prestação dos cuidados ao idoso. Dessa forma, esses fatores em conjunto, ou mesmo isoladamente, são capazes de desencadear situações de maus-tratos e de negligência no âmbito familiar.

Apesar da importância dos fatos recém-citados, alguns pesquisadores vêm desmistificando a ideia de que cuidadores familiares seriam os maiores agressores e que as situações de maus-tratos e negligência tenderiam a piorar, quanto mais o idoso fosse dependente e mais tempo exigisse de atenção e dedicação. De fato, estudos mostram que essa relação estressante só se transforma em violenta quando o cuidador se isola socialmente; quando sofre de depressão ou problemas psiquiátricos; quando existe abuso de álcool e/ou outras drogas; quando são frouxos os laços afetivos entre o idoso e ele; ou quando quem assiste à pessoa idosa foi vítima de violência por parte dela. A TABELA 49.5 apresenta situações de risco para violência contra idosos.

Um estudo recente realizado no Brasil com 135 duplas de idosos e cuidadores em ambiente de grande vulnerabilidade social demonstrou que o risco de maus-tratos aos idosos se associa principalmente à sobrecarga e a problemas com álcool por parte dos cuidadores e à depressão nos idosos que recebiam os cuidados.[40]

Manejo

Fica evidente o aumento das agressões e maus-tratos contra idosos em pesquisas recentes, tornando-se um problema relevante de saúde pública. Muitos casos de violência poderiam ser evitados se houvesse maiores preocupações e trabalhos de intervenções e educação voltados aos familiares e aos cuidadores.

Um dos fatores que contribui para encobrir o reconhecimento da violência contra os idosos é a dificuldade dos profissionais e dos gestores de intervir nessas circunstâncias. Em diversos estudos, profissionais de saúde mencionam a ausência de estrutura e a falta de capacitação para identificar e manejar as situações que envolvem violência contra idosos.

Além disso, a ausência do estado e de uma rede de apoio social aos idosos, com casas de apoio, abrigos, asilos e leitos de retaguarda em hospitais, faz a responsabilidade pelo cuidado da pessoa idosa recair exclusivamente sobre a família, favorecendo a emergência da violência familiar.

Apesar das dificuldades recém-apresentadas, as situações de violência podem ser manejadas de acordo com alguns passos práticos, como acolher, ouvir, demonstrar empatia e respeito, esclarecer sobre direitos, traçar um plano de ação conjunto e motivar para a denúncia.

O Estatuto do Idoso[41] assegurou direitos específicos às pessoas com idade > 60 anos; seu artigo 3º afirma: "[...] é obrigação da família, da comunidade, da sociedade e do Poder Público assegurar ao idoso, com absoluta prioridade, a efetivação do direito à vida, à saúde, à alimentação, à educação, à cultura, ao esporte, ao lazer, ao trabalho, à cidadania, à liberdade, à dignidade, ao respeito e à convivência familiar e comunitária".[37] Nessas situações, a conduta deve ser sempre apoiar a família. Mas, ao se esgotarem as possibilidades de interação e solução no âmbito familiar, o profissional de saúde deve, com base nesse Estatuto, fazer uma denúncia. O próprio idoso, seu familiar, amigo ou vizinho pode fazer denúncia à Delegacia de Proteção ao Idoso local. Ao discar o número 181, qualquer pessoa pode realizar denúncia ao Disque Denúncia Anônimo. A equipe de saúde responsável pela situação pode encaminhar documento de notificação de violência à Secretaria de Saúde local e ao Ministério Público.[42]

REFERÊNCIAS

1. Martos M, Sanches NM. Perfil socioeconômico dos pacientes e cuidadores do NADI. In: Yamaguchi AM, Higa-Taniguchi KT, Andrade L, Bricola SPC, Jacob W Filho, Martins MA. Assistência domiciliar: uma proposta interdisciplinar. Barueri: Manole; 2010. p. 398–413.

2. Damasceno CKCS, Sousa CMM de. Análise sobre as políticas públicas de atenção ao idoso no Brasil. Revista Interdisciplinar. 2017;9(3):185–90.

3. Brasil. Ministério da Saúde. Manual instrutivo do melhor em casa [Internet]. Brasília: MS; 2013[capturado em 4 dez. 2020]. Disponível em: http://189.28.128.100/dab/docs/geral/cartilha_melhor_em_casa.pdf.

4. Pozzoli SML, Cecílio LC de O. Sobre o cuidar e o ser cuidado na atenção domiciliar. Saúde debate. 2017;41(115):1116–29.

5. Freire Neto JB, Moreira ACM. Cuidados em domicílio: conceitos e práticas. In: Freitas EV, Py L, editoras. Tratado de geriatria e gerontologia. 4. ed. Rio de Janeiro: Guanabara-Koogan; 2017. Cap. 115.

6. Garlo K, O'Leary JR, Van Ness PH, Fried TR. Caregiver Burden in Caregivers of Older Adults with Advanced Illness. J Am Geriatr Soc. 2010;58(12):2315–22.

7. Park C-H, Shin DW, Choi JY, Kang J, Baek YJ, Mo HN, et al. Determinants of the burden and positivity of family caregivers of terminally ill cancer patients in Korea. Psycho-Oncology. 2012;21(3):282–90.

8. Pinquart M, Sörensen S. Spouses, adult children, and children-in-law as caregivers of older adults: a meta-analytic comparison. Psychol Aging. 2011;26(1):1–14.

9. Bergström AL, Eriksson G, von Koch L, Tham K. Combined life satisfaction of persons with stroke and their caregivers: associations with caregiver burden and the impact of stroke. Health Qual Life Outcomes. 2011;9:1.

10. Gratao ACM, Vale F de AC do, Roriz-Cruz M, Haas VJ, Lange C, Talmelli LF da S, et al. The demands of family caregivers of elderly individuals with dementia. Rev esc enferm USP. 2010;44(4):873–80.

11. Northouse LL, Katapodi M, Song L, Zhang L, Mood DW. Interventions with family caregivers of cancer patients: meta-analysis of randomized trials. CA Cancer J Clin. 2010;60(5):317–39.

12. Garcia E, Ciochetta CI, Mendes DS, Everling EM, Souza SP, Bezerra OS, organizadores. Essências em geriatria clínica. Porto Alegre: EdiPUCRS; 2018. p. 469–77.

13. Wu Y-C, Tseng P-T, Tu Y-K, Hsu C-Y, Liang C-S, Yeh T-C, et al. Association of delirium response and safety of pharmacological interventions for the management and prevention of delirium: a network meta-analysis. JAMA Psychiatry. 2019;76(5):526–35.

14. Witlox J, Eurelings LSM, Jonghe JFM de, Kalisvaart KJ, Eikelenboom P, Gool WA van. Delirium in elderly patients and the risk of postdischarge mortality, institutionalization, and dementia: a meta-analysis. JAMA. 2010;304(4):443–51.

15. Inouye SK. Delirium in older persons. N Engl J Med. 2006;354(11):1157–65.

16. Ross DD, Alexander CS. Management of common symptoms in terminally ill patients: part ii. constipation, delirium and dyspnea. Am Fam Physician. [Internet]. 2001[capturado em 4 dez.

TABELA 49.5 → Situações de risco para violência contra idosos

- → Agressor e vítima vivem na mesma casa
- → Filhos são dependentes financeiramente de seus pais de idade avançada
- → Idosos dependem da família de seus filhos para sua manutenção e sobrevivência
- → Abuso de álcool e drogas pelos filhos, por outros adultos da casa ou pelo próprio idoso
- → Ambiente e vínculos frouxos, pouco comunicativos e pouco afetivos na família
- → Isolamento social dos familiares e da pessoa de idade avançada
- → O idoso foi uma pessoa agressiva nas relações com seus familiares
- → História de violência na família
- → Os cuidadores foram vítimas de violência doméstica
- → Os cuidadores padecem de depressão ou de outro sofrimento psíquico

Fonte: Ortmann e colaboradores.[39]

2020];64(6):1019-27. Disponível em: https://www.aafp.org/afp/2001/0915/p1019.html.

17. Monteiro TC, Kiminami DOG. Delirium na sala de urgência. Rev Qualidade HC Ribeirão Preto-USP. 2017;1–9.

18. Freitas EV, Mohallem KL, Gmararski R, Pereira SM, editores. Manual prático de geriatria. 2. ed. Rio de Janeiro: Guanabara Koogan; 2017. p. 263–67.

19. Institute for Clinical Systems Improvement. Guideline: palliative care for adults. 6th ed. Bloomington: ICSI; 2020.

20. Espírito Santo. Secretaria da Saúde. Diretrizes de saúde da pessoa idosa. Vitória: SMS; 2008.

21. Shamliyan T, Wyman JF, Ramakrishnan R, Sainfort F, Kane RL. Benefits and harms of pharmacologic treatment for urinary incontinence in women: a systematic review. Ann Intern Med. 2012;156(12):861–74.

22. Goepel M, Kirschner-Hermanns R, Welz-Barth A, Steinwachs K-C, Rübben H. Urinary incontinence in the elderly. Dtsch Arztebl Int. 2010;107(30):531–6.

23. Roe B, Milne J, Ostaszkiewicz J, Wallace S. Systematic reviews of bladder training and voiding programmes in adults: a synopsis of findings on theory and methods using metastudy techniques. J Adv Nurs. 2007;57(1):3–14.

24. NICE Guidance – Urinary incontinence and pelvic organ prolapse in women: management: © NICE (2019). Urinary incontinence and pelvic organ prolapse in women: management. BJU Int. 2019;123(5):777–803.

25. Hester AG, Kretschmer A, Badlani G. Male incontinence: the etiology or basis of treatment. Eur Urol Focus. 2017;3(4–5):377–84.

26. Imamura M, Williams K, Wells M, McGrother C. Lifestyle interventions for the treatment of urinary incontinence in adults. Cochrane Database Syst Rev. 2015;(12):CD003505.

27. Phelan S, Kanaya AM, Subak LL, Hogan PE, Espeland MA, Wing RR, et al. Weight loss prevents urinary incontinence in women with type 2 diabetes: results from the Look AHEAD trial. J Urol. 2012;187(3):939–44.

28. Wing RR, West DS, Grady D, Creasman JM, Richter HE, Myers D, et al. Effect of weight loss on urinary incontinence in overweight and obese women: results at 12 and 18 months. J Urol. 2010;184(3):1005–10.

29. Shamliyan TA, Kane RL, Wyman J, Wilt TJ. Systematic review: randomized, controlled trials of nonsurgical treatments for urinary incontinence in women. Ann Intern Med. 2008;148(6):459–73.

30. Chapple CR, Khullar V, Gabriel Z, Muston D, Bitoun CE, Weinstein D. The effects of antimuscarinic treatments in overactive bladder: an update of a systematic review and meta-analysis. Eur Urol. 2008;54(3):543–62.

31. Madhuvrata P, Cody JD, Ellis G, Herbison GP, Hay-Smith EJC. Which anticholinergic drug for overactive bladder symptoms in adults. Cochrane Database Syst Rev. 2012;(1):CD005429.

32. Brasil. Ministério da Saúde. Relatório de recomendação: Antimuscarínicos (oxibutinina, tolterodina, solifenacina e darifenacina) para o tratamento da incontinência urinária de urgência [Internet]. Brasília: MS; 2019 [capturado em 2 dez. 2020]. Disponível em: http://conitec.gov.br/images/Relatorios/2019/Relatorio_Antimuscarinicos_Incontinencia_urinaria.pdf.

33. Dumoulin C, Cacciari LP, Hay-Smith EJC. Pelvic floor muscle training versus no treatment, or inactive control treatments, for urinary incontinence in women. Cochrane Database Syst Rev. 2018;10(10):CD005654.

34. Zhu Y-P, Yao X-D, Zhang S-L, Dai B, Ye D-W. Pelvic floor electrical stimulation for postprostatectomy urinary incontinence: a meta-analysis. Urology. 2012;79(3):552–5.

35. Cody JD, Jacobs ML, Richardson K, Moehrer B, Hextall A. Oestrogen therapy for urinary incontinence in post-menopausal women. Cochrane Database Syst Rev. 2012;(10):CD001405.

36. DuBeau CE. Urinary incontinence management: new questions from old assumptions. J Am Geriatr Soc. 2001;49(6):829–30.

37. Souza ER, Minayo MC de S. Inserção do tema violência contra a pessoa idosa nas políticas públicas de atenção à saúde no Brasil. Ciênc. Saúde Coletiva. 2010;15(6):2659–68.

38. Menezes M do R, Manço ARX. Da violência revelada à violência silenciada: um estudo etnográfico sobre a violência doméstica contra o idoso [Internet]. [Tese]. Ribeirão Preto: Universidade de São Paulo; 1999 [capturado em 4 out. 2020]. Disponível em: https://bdpi.usp.br/single.php?_id=001067004.

39. Ortmann C, Fechner G, Bajanowski T, Brinkmann B. Fatal neglect of the elderly. Int J Legal Med. 2001;114(3):191–3.

40. Lino VTS, Rodrigues NCP, Lima IS, Athie S, Souza ER. Prevalência e fatores associados ao abuso de cuidadores contra idosos dependentes: a face oculta da violência familiar. Ciênc. Saúde Coletiva. 2019;24(1):87–96.

41. Brasil. Presidência da República. Casa Civil. Lei no 10.741, de 1 de out. de 2003 [Internet]. Brasília: CC; 2003 [capturado em 4 dez. 2020]. Disponível em: hthttp://www.planalto.gov.br/ccivil_03/leis/2003/l10.741.htm

42. Brasil. Ministério da Saúde. Notificação de violência interpessoal [Internet]. Brasília: SINAN; 2020 [capturado em 13 ago. 2020]. Disponível em: http://portalsinan.saude.gov.br/violencia-interpessoal-autoprovocada.

LEITURA RECOMENDADA

UNA-SUS. Cuidadores e a atenção domiciliar. Disponível em: https://www.unasus.gov.br/cursos/curso/6379.

Módulo do curso que apresenta os conceitos de cuidado e de autocuidado, as modalidades de cuidadores e suas atribuições; e contextualiza as relações entre o cuidador, a pessoa cuidada e a família.

Capítulo 50
AVALIAÇÃO MULTIDIMENSIONAL DO IDOSO

Sergio Antonio Sirena
Roberta Rigo Dalla Corte
Renato Gorga Bandeira de Mello
Emilio Hideyuki Moriguchi

O crescimento da população de idosos no Brasil tem sido sistemático e consistente. Segundo dados do Instituto Brasileiro de Geografia e Estatística (IBGE), a proporção de pessoas com idade > 60 anos, entre os anos de 2012 e 2017, cresceu de 12,8% para 14,6%; um acréscimo de 18,8% comparado com a população brasileira, que cresceu 4,2% nesse mesmo período.[1] Em projeção estimada pela Organização das Nações Unidas (ONU), o Brasil será o 6º país do mundo com mais idosos (cerca de 36 milhões de pessoas com idade > 60 anos), reforçando a necessidade de um cuidado adequado para essa população a fim de promover um envelhecimento ativo e saudável. Destaca-se o crescimento da população de octogenários, que quadruplicará nas próximas décadas.[2]

Os principais objetivos do cuidado do idoso são a manutenção da independência social, da mobilidade e das habilidades cognitivas. Os graus variados de dependência ou alteração funcional não podem ser avaliados somente com base no número ou na gravidade dos diagnósticos estabelecidos. É necessária uma avaliação específica, dirigida ao estado funcional e ao grau de autonomia, o que possibilita a identificação de disfunções e a oportunidade de modificar os fatores que possam influir no cuidado da saúde do idoso.

A prevenção de agravos envolve a identificação de pacientes sob risco para uma determinada condição e serve de base para orientação e apoio na implementação de ações em saúde. Parte do desafio da prevenção está na determinação de quais pacientes rastrear e de quando seria o melhor momento de fazer isso.

Ainda não se conhece inteiramente a relação entre manejo proativo dos pacientes idosos, qualidade de vida e longevidade. É necessário produzir mais evidências sobre o quanto a intervenção pode influenciar os desfechos de maneira positiva. A concepção de uma avaliação multidimensional situa-se no diagnóstico de situações de maior prevalência que constituam um risco à autonomia, à independência e à qualidade de vida, bem como na avaliação e no seguimento de cuidados continuados.

> **Apesar do grau de incerteza, há consenso quanto aos seguintes objetivos de promoção da saúde e prevenção de doenças nos pacientes idosos:**
> → redução da mortalidade prematura causada por doenças agudas ou crônicas;
> → manutenção da independência funcional;
> → extensão da expectativa de vida ativa;
> → melhora na qualidade de vida.

A abordagem do paciente idoso na atenção primária à saúde (APS) deve ser um processo diagnóstico com enfoque multidimensional, influenciado por fatores como o ambiente onde o paciente vive, o acesso à atenção à saúde e a qualidade da relação com a equipe de saúde.

De acordo com a Organização Mundial da Saúde (OMS), os grupos de idosos em situação de risco são:
→ os muito idosos (idade ≥ 80 anos);
→ os que vivem sozinhos;
→ as mulheres idosas, sobretudo as viúvas ou solteiras;
→ os que vivem em instituições;
→ os que estão socialmente isolados;
→ os idosos sem filhos;
→ os que têm limitações graves ou disfunções;
→ os casais de idosos quando um deles é incapacitado ou está muito doente;
→ os que contam com poucos recursos econômicos.

O uso de instrumentos de avaliação funcional de fácil aplicação possibilita o reconhecimento de problemas comuns e frequentemente negligenciados na população de idosos. Permite modificar o foco de intervenção centrada na doença para uma intervenção preventiva e de manejo clínico proativo dos problemas que mais afetam a qualidade de vida do idoso.

AVALIAÇÃO MULTIDIMENSIONAL DO IDOSO

A avaliação multidimensional do idoso (AMI) é uma abordagem geralmente multidisciplinar que compreende processos diagnósticos amplos, resultando em um plano de cuidado que abrange tratamento, reabilitação e seguimento. Tem como ponto de partida a avaliação da capacidade funcional, da independência e da autonomia de um idoso. Seu foco é identificar e manejar tanto limitações físicas como psicológicas e funcionais de pacientes idosos por meio de atenção coordenada para maximizar a saúde no envelhecimento.[3]

> **A atenção ao idoso requer a avaliação de múltiplos domínios, incluindo os aspectos físicos, nutricionais, cognitivos, psicológicos, sociais, ambientais e espirituais. A AMI complementa a abordagem médica tradicional baseada na doença por centrar-se no indivíduo, contemplando avaliações que aferem o impacto dos agravos de saúde sobre a capacidade funcional, sobre a independência e sobre a autonomia de um idoso. Além disso, permite inferir reduções das reservas funcionais orgânicas, além de identificar riscos (iatrogenia, desnutrição, etc.) e auxiliar sobremaneira no prognóstico dos pacientes.[4]**

A **FIGURA 50.1** apresenta a forma esquemática da AMI e seus domínios e subdomínios a serem avaliados para a identificação de vulnerabilidades. A definição dos itens a serem avaliados leva em consideração a prevalência das disfunções, sua suscetibilidade às intervenções, a importância de seus resultados para planejamento de prevenção e a capacidade de identificar problemas relevantes frequentemente sub-relatados ou não registrados de maneira sistemática. A **TABELA 50.1** apresenta uma proposta de avaliação multidimensional dirigida ao idoso no âmbito da APS que mostrou eficácia e efetividade diagnóstica quando comparada com a abordagem convencional.[5] Por fim, a **TABELA 50.2** resume os procedimentos a serem seguidos no acompanhamento de pacientes com rastreamento positivo nos itens de avaliação funcional do idoso, aprofundados a seguir.

Atividades diárias

A incapacidade no desempenho das atividades de vida diária tem sido identificada como um fator de risco para quedas[6] e institucionalização.

A expressão "atividades básicas da vida diária" refere-se às habilidades necessárias para a manutenção da independência das funções de tomar banho, alimentar-se, vestir-se, fazer a higiene pessoal, efetuar transferências de uma posição a outra e ter controle de esfíncteres.

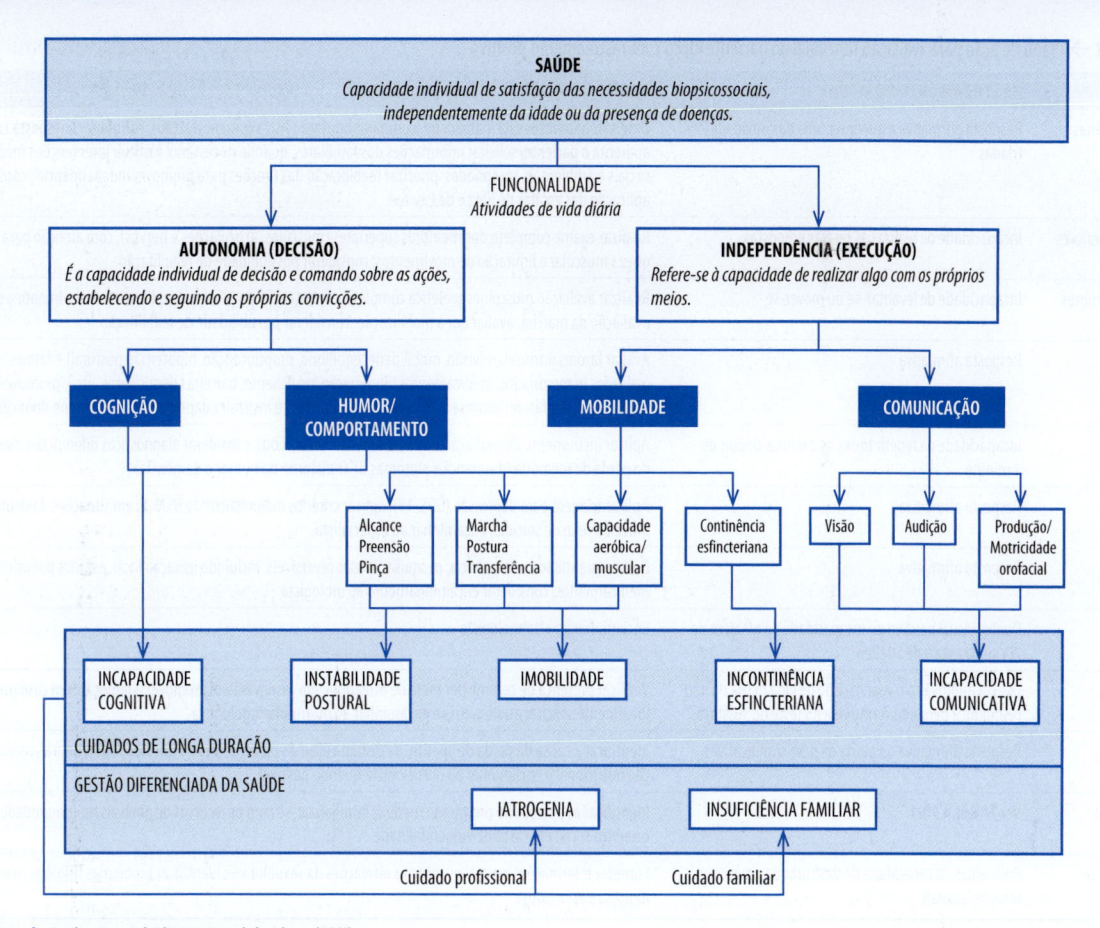

FIGURA 50.1 → Avaliação multidimensional do idoso (AMI).
Fonte: Imagem gentilmente cedida pelo Dr. Edgar Nunes de Moraes.

Diagrama (Figura 50.1):

- **SAÚDE**: Capacidade individual de satisfação das necessidades biopsicossociais, independentemente da idade ou da presença de doenças.
  - **FUNCIONALIDADE** — Atividades de vida diária
    - **AUTONOMIA (DECISÃO)**: É a capacidade individual de decisão e comando sobre as ações, estabelecendo e seguindo as próprias convicções.
      - COGNIÇÃO
      - HUMOR/COMPORTAMENTO
    - **INDEPENDÊNCIA (EXECUÇÃO)**: Refere-se à capacidade de realizar algo com os próprios meios.
      - MOBILIDADE
        - Alcance Preensão Pinça
        - Marcha Postura Transferência
        - Capacidade aeróbica/muscular
        - Continência esfincteriana
      - COMUNICAÇÃO
        - Visão
        - Audição
        - Produção/Motricidade orofacial

Grandes síndromes geriátricas:
- INCAPACIDADE COGNITIVA
- INSTABILIDADE POSTURAL
- IMOBILIDADE
- INCONTINÊNCIA ESFINCTERIANA
- INCAPACIDADE COMUNICATIVA
- IATROGENIA (Cuidado profissional)
- INSUFICIÊNCIA FAMILIAR (Cuidado familiar)

CUIDADOS DE LONGA DURAÇÃO / GESTÃO DIFERENCIADA DA SAÚDE

TABELA 50.1 → Avaliação multidimensional do idoso

ATIVIDADES DE VIDA DIÁRIA
Perguntar: "Sem auxílio, você é capaz de:"
Sair da cama? _____ Vestir-se? _____ Fazer compras? _____
Preparar suas refeições? _____

MOBILIDADE DE MEMBROS
Ver se o paciente é capaz de:
Tocar a nuca com ambas as mãos: Sim ( ) Não ( )
Apanhar um lápis sobre a mesa e colocá-lo ali de volta? Sim ( ) Não ( )
Levantar-se da cadeira? Sim ( ) Não ( )
Caminhar 3,5 m? Sim ( ) Não ( )
Voltar e sentar-se na cadeira? Sim ( ) Não ( )

RISCO DE QUEDAS
Perguntar: Você sofreu alguma queda nos últimos 12 meses? _____
Se sim: Quantas vezes caiu? _____ Conseguiu levantar-se sozinho? _____
Teve alguma lesão quando caiu? _____

COGNIÇÃO
Solicitar que o paciente repita as 3 palavras: MESA – MAÇÃ – DINHEIRO
Pular para a avaliação de incontinência e depois retornar para avaliar evocação das palavras (1 a 3 min).
Anotar as palavras lembradas: _____; _____; _____
Se não conseguiu lembrar-se das 3 palavras, realizar o Mini-Cog.

HUMOR
Perguntar: Você se sente triste ou desanimado frequentemente? _____
Se sim, aplicar GDS-15 (escala de depressão geriátrica).

INCONTINÊNCIA
Perguntar: "Você às vezes perde urina ou fica molhado?"
Se sim: Quantas vezes? _____ Isso provoca algum incômodo ou embaraço? _____

(continua)

TABELA 50.1 → Avaliação multidimensional do idoso *(Continuação)*

NUTRIÇÃO
Perguntar: Você percebeu diminuição de apetite ou dificuldade para alimentar-se ultimamente? _____
Você apresenta engasgos ou dificuldade para engolir? _____ Você perdeu peso nos últimos 6 meses? _____ Se sim, quantos quilos? _____
Peso usual (kg): _____ Altura (cm): _____ Perda de peso ≥ 5% do peso usual? _____

VISÃO
Perguntar: Você tem alteração de visão que traga dificuldades para dirigir, ou assistir à TV, ou ler, ou fazer atividades da vida diária? _____
Se sim, encaminhar ao oftalmologista.

AUDIÇÃO
Perguntar: Você tem alteração de audição que cause dificuldades para conversar ou ouvir rádio ou TV? _____
Se sim, realizar otoscopia para verificar presença de cerume.
Se não houver cerume ou não houver melhora após sua remoção, encaminhar ao otorrinolaringologista.

SUPORTE SOCIAL
Perguntar:
Alguém poderia ajudá-lo caso você fique doente ou incapacitado? _____
Quem poderia ajudá-lo? _____
Quem seria capaz de tomar decisões de saúde por você caso não seja capaz de fazê-lo? _____

As atividades instrumentais da vida diária são mais elaboradas (p.ex., uso de telefone e de meio de transporte, a realização de trabalhos domésticos, a administração das finanças e o controle dos medicamentos) e costumam alterar-se

TABELA 50.2 → Plano de ação para avaliação funcional do paciente idoso com rastreamento positivo

PROBLEMA	RASTREAMENTO POSITIVO	PLANO DE AÇÃO
Atividades diárias	Resposta afirmativa a qualquer uma das atividades triadas	Determinar as razões da inabilidade (comparar limitação física com motivação), corroborar a resposta com o que aparenta o paciente, solicitar informações dos familiares, quando necessário; instituir intervenções médicas, sociais e ambientais apropriadas; priorizar reabilitação das funções para promover independência; considerar a aplicação das escalas de Katz e de Lawton
Membros superiores	Incapacidade de realizar as tarefas propostas	Realizar exame completo dos membros superiores (músculos, articulações e nervos), com atenção para dor, fraqueza muscular e limitação de movimentos; considerar possibilidade de reabilitação
Membros inferiores	Incapacidade de levantar-se ou mover-se	Realizar avaliação musculoesquelética completa, com atenção para força, amplitude dos movimentos, equilíbrio e avaliação da marcha; avaliar dor à mobilização; considerar possibilidade de reabilitação
Queda	Resposta afirmativa	Avaliar fatores intrínsecos (visão, mobilidade, equilíbrio, propriocepção, hipotensão postural) e fatores extrínsecos (calçados inapropriados, medicamentos, iluminação insuficiente, barreiras domiciliares, etc.); promover controle/reabilitação dos fatores intrínsecos, revisar medicamentos e instituir adaptações necessárias no domicílio
Cognição	Incapacidade de repetir todos os 3 nomes depois de 1 minuto	Aplicar instrumento de avaliação do estado mental (Mini-Cog); considerar diagnósticos diferenciais mais comuns da perda de memória (desatenção, sintomas de transtorno do humor e demência)
Humor	Resposta afirmativa	Aplicar triagem para depressão (GDS-15); aplicar critérios diagnósticos do DSM-5; em situações de depressão grave ou risco de suicídio, encaminhar ao especialista
Continência	Resposta afirmativa	Definir quantidade e frequência; pesquisar causas reversíveis, incluindo irritação local, estados poliúricos e medicamentos; considerar encaminhamento ao urologista
Visão	Queixa visual positiva ou incapacidade de ler além de 20/40 na escala de Snellen	Encaminhar ao oftalmologista
Audição	Queixa auditiva com repercussão de vida diária ou não responde à pergunta formulada no teste do sussurro	Verificar presença de cerume por meio de otoscopia: em caso positivo, promover a remoção; em caso negativo, idealmente solicitar audiometria e encaminhar ao otorrinolaringologista
Nutrição	Resposta afirmativa ou perda de peso significativa	Identificar a causa da perda de apetite, da disfagia e/ou da perda de peso é questão fundamental; realizar orientação nutricional e encaminhar ao nutricionista quando possível
Suporte social	Ver **TABELA 50.1**	Identificar as pessoas no prontuário médico; familiarizar-se com os recursos disponíveis na comunidade; informar o serviço social em casos de vulnerabilidade
Atividade sexual	Problemas na capacidade de desfrutar do prazer nas relações sexuais	Fornecer informações essenciais sobre as alterações da sexualidade; identificar problemas fisiológicos e/ou psicológicos relacionados

DSM-5, 5ª edição do *Manual diagnóstico e estatístico de transtornos mentais*; GDS, escala de depressão geriátrica (do inglês, *Geriatric Depression Scale*).

antes das atividades básicas. Ver QR code para escalas padronizadas para avaliar as atividades básicas da vida diária[7] e as atividades instrumentais da vida diária.[8]

Quando deficiências no desempenho das atividades diárias são identificadas, o motivo e o tempo de aparecimento podem ajudar na determinação da causa da disfunção e sua potencial reversibilidade. Déficits agudos ou subagudos em geral são sintomas de doença,[9] e seu tratamento ajudaria no restabelecimento da função. A avaliação dessas atividades tem por objetivo identificar pessoas em risco para quedas ou com necessidade de apoio ou suporte social. Identificando os indivíduos com dificuldades de autocuidado (com atenção tanto aos aspectos de motivação ou falta dela [como em quadros depressivos], quanto às limitações físicas), devem-se promover intervenções apropriadas no âmbito de atendimento médico, ambiente doméstico, apoio familiar e convívio social.

Função dos membros superiores

A limitação na movimentação dos ombros pode aparecer de forma insidiosa e, por vezes, sem dor. Essa disfunção pode levar a dificuldades na execução de tarefas como dirigir e vestir-se. Casos de longa evolução podem determinar fraqueza muscular, diminuição da resistência, dor crônica, distúrbios do sono e graves limitações nas atividades da vida diária nos casos mais graves. A fraqueza em membros superiores também está associada a maior risco de queda, embora inferior ao risco associado à fraqueza de membros inferiores.[10]

Para o teste da função proximal dos membros superiores, solicita-se que o paciente posicione ambas as mãos na parte posterior do pescoço, observando a presença de dor e limitação durante a execução do teste, como ilustrado na **FIGURA 50.2**. Se o paciente for capaz de tocar a nuca com ambas as mãos, provavelmente tem uma adequada função proximal dos membros superiores.

A capacidade de empunhar e exercer a função da pinça digital é essencial na manutenção da capacidade de vestir-se, banhar-se e comer. A habilidade de pegar e recolocar objetos leves, como colher, moeda, lápis, etc., sugere que o paciente tem capacidade de escrever e manipular utensílios, sem disfunção distal dos membros superiores **(FIGURA 50.3)**.

Função dos membros inferiores

Problemas de mobilidade e quedas são muito frequentes em idosos. Um fator de risco importante para quedas é a limitação na função dos membros inferiores, que pode ser testada com o teste *get up and go*.[11] O paciente é convidado a levantar-se da cadeira, andar cerca de 3 metros, girar e retornar à sua cadeira e sentar-se novamente. Lentidão excessiva, hesitação,

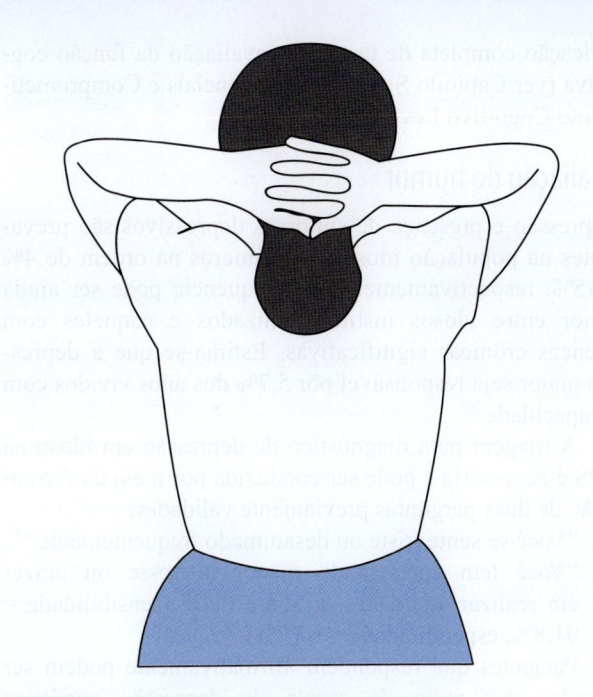

FIGURA 50.2 → Avaliação da função proximal dos membros superiores.

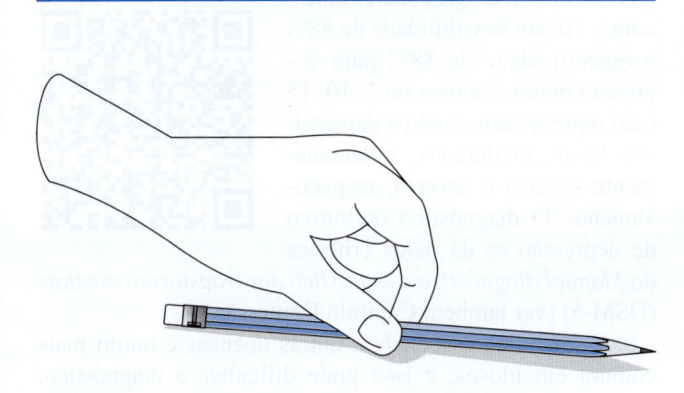

FIGURA 50.3 → Avaliação da função distal dos membros superiores.

excessiva oscilação do tronco, necessidade de apoio ou tropeço indicam disfunção de marcha e/ou equilíbrio.

Nesses casos, está indicada avaliação neurológica completa e atenção para a amplitude e a presença de dor aos movimentos. Deve-se considerar a possibilidade de programa de exercícios com foco em fortalecimento muscular, marcha e equilíbrio por meio de fisioterapia para prevenir risco de queda associada à limitação de função dos membros inferiores B.[12]

Risco de quedas

As quedas representam um grave problema para os idosos. Elas estão associadas a elevados índices de morbimortalidade, redução da capacidade funcional e institucionalizações precoces.[13] Também são a principal causa de institucionalização de pacientes idosos – em torno de 40% dos casos analisados. O fato de o idoso ter apresentado uma ou mais quedas nos últimos 12 meses é o maior fator de risco para novas quedas,[14] assim como não conseguir levantar sozinho do chão, sofrer queda dentro do domicílio e ter apresentado lesões decorrentes da queda.

Estima-se que 1 em cada 4 idosos da comunidade no Brasil tenha tido uma queda no último ano e que o risco de queda seja 60% maior em mulheres idosas quando comparado ao de homens idosos, aumentando sobremaneira em pessoas com idade > 80 anos.[15]

> **As Condições do ambiente residencial podem aumentar o risco de quedas.** Escadas são particularmente perigosas; a diferenciação inadequada das bordas dos degraus, a iluminação fraca e a diminuição da acuidade visual das pessoas idosas contribuem para impor dificuldades para o seu uso. Tapetes soltos, fios elétricos e cacos de ladrilhos no chão também podem aumentar o risco de quedas.[16] Para identificar riscos potenciais, deve-se perguntar ao paciente sobre dificuldade com escadas, presença de tapetes soltos e adequação da luminosidade interna e externa da casa. Também é importante inquirir sobre a presença de equipamento de segurança, como corrimões no banheiro. Se qualquer uma dessas áreas tiver problemas, deve ser feito um inventário completo sobre a segurança do domicílio.

Diversas intervenções específicas mostraram-se eficazes na redução de quedas e traumatismos em idosos da comunidade, sendo, em geral, "custo-poupadoras".[17–21]

O exercício multicomponente em grupo (em geral, exercícios funcionais, de equilíbrio e resistência) reduz significativamente a taxa de quedas (RRR = 29%) e o risco de cair (RRR = 15%), assim como exercício multicomponente feito em casa (RRR = 32%) B.[19] Intervenções de treinamento de equilíbrio, como *tai chi chuan*, como medida terapêutica, foram mais eficazes do que as abordagens convencionais de exercícios para reduzir a incidência de quedas B.[22]

A cirurgia para catarata também mostrou benefício, com diminuição de 34% na taxa de quedas em mulheres com idade > 70 anos e 16% (NNT = 500) na redução de risco de fratura de quadril em idosos com idade > 65 anos B.[23,24]

Os pacientes que apresentaram história de uma ou mais quedas, história de queda recente ou, ainda, anormalidades na marcha ou no exercício devem ser avaliados levando-se em consideração os seguintes aspectos:

→ circunstância na qual ocorreu a queda;
→ uso de medicamentos;
→ problemas médicos agudos ou crônicos;
→ nível de mobilidade;
→ exame de visão;
→ marcha e equilíbrio;
→ função de membros inferiores;
→ avaliação neurológica básica (estado mental, força muscular, nervos periféricos, propriocepção, reflexos, funções cortical, extrapiramidal e cerebelar);
→ avaliação cardiovascular (ritmo e frequência cardíaca, pulsos, pressão arterial).

O medo de queda, que se associa com restrição de atividades e pior função física e cognitiva, deve ser considerado não apenas como consequência das quedas, mas também como um fator de risco que requer intervenções específicas e direcionadas, adicionais às que visam reduzir as quedas.[25]

Recomendações específicas para a prevenção de quedas em idosos são descritas na **TABELA 50.3**.[26] Para lista de cuidados para uma casa segura para idosos, ver Capítulo Osteoporose.

Estado mental

Não há evidências científicas que sustentem a avaliação rotineira do estado cognitivo em idosos assintomáticos. No entanto, quando há o reconhecimento de dificuldade cognitiva observada no encontro do paciente ou nas preocupações da família ou do paciente em relação à memória e à cognição, um teste rápido pode ser útil.

Indicadores sensíveis de diminuição cognitiva são a perda de memória recente e de função visuoespacial. O teste Mini-Cog (ver QR code), que consiste em duas etapas, uma pedindo evocação de palavras previamente memorizadas e a outra o desenho de um relógio com ponteiros indicando um horário específico, apresenta sensibilidade de 76 a 100% e especificidade de 89 a 96%, fornecendo probabilidade pós-teste positiva de 34% e probabilidade pós-teste negativa de 92% para demência em contextos de APS. Conforme o paciente pontuar na triagem, é necessária uma aplicação completa de teste para avaliação da função cognitiva (ver Capítulo Síndromes Demenciais e Comprometimento Cognitivo Leve).[27]

Avaliação do humor

Depressão e presença de sintomas depressivos são prevalentes na população idosa com números na ordem de 4% e 15%, respectivamente.[28,29] A frequência pode ser ainda maior entre idosos institucionalizados e naqueles com doenças crônicas significativas. Estima-se que a depressão maior seja responsável por 5,7% dos anos vividos com incapacidade.[30]

A triagem para diagnóstico de depressão em idoso na APS é necessária e pode ser conduzida por meio da formulação de duas perguntas previamente validadas:

1. "Você se sente triste ou desanimado frequentemente?".
2. "Você tem apresentado menor interesse ou prazer em realizar atividades do dia a dia?" (sensibilidade = 91,8%, especificidade = 67,7%).[31]

Pacientes que respondem afirmativamente podem ser testados por meio da escala de depressão geriátrica (GDS-15).[31] (Ver QR code.) Um escore ≥ 10 tem sensibilidade de 88% e especificidade de 88% para depressão maior. Escores de 5, 10, 15 e 20 representam quadros depressivos leves, moderados, moderadamente severos e severos, respectivamente. O diagnóstico definitivo de depressão se dá pelos critérios do *Manual diagnóstico e estatístico dos transtornos mentais* (DSM-5) (ver também Capítulo Depressão).

A depressão associada a outras doenças é muito mais comum em idosos, e isso pode dificultar o diagnóstico. Na avaliação de um paciente idoso enfermo e com sintomas psiquiátricos associados, é importante determinar se os sintomas representam a exacerbação de uma condição neuropsiquiátrica preexistente (p. ex., depressão maior); se mimetizam doenças psiquiátricas (p. ex., hiperparatireoidismo); se são secundários a outras doenças ou tratamentos (p. ex., hipotireoidismo, uso de corticoide); ou se são a primeira manifestação de uma doença neuropsiquiátrica (p. ex., doença de Parkinson ou Alzheimer). Essas distinções têm implicações terapêuticas importantes.

Condições associadas a sintomas de ansiedade ou depressão estão listadas na **TABELA 50.4**.

Continência urinária

Embora até 30% dos idosos não institucionalizados apresentem incontinência urinária, frequentemente esse problema não é identificado. Em geral, os pacientes não relatam incontinência, a menos que sejam perguntados. Seu questionamento deve ser realizado de maneira direta e neutra por meio de uma simples questão: "Você já perdeu urina ou sentiu-se molhado?".

A frequência e a importância do evento devem ser relacionadas com a repercussão psicológica e social. Causas

TABELA 50.3 → Recomendações específicas para a prevenção de quedas em pacientes idosos

Recomendações gerais para pacientes que vivem na comunidade	Treinar a marcha com eventual utilização de objetos auxiliares, como bengalas ou andadores
	Revisar os medicamentos utilizados pelos pacientes e realizar as modificações necessárias, especialmente em relação aos psicofármacos
	Realizar programas de exercícios para o equilíbrio
	Tratar a hipotensão postural
	Modificar os fatores ambientais que colocam o paciente em risco
	Tratar as doenças cardiovasculares, incluindo as arritmias cardíacas
Pacientes que recebem assistência domiciliar ou que vivem em casas geriátricas	Proporcionar programas de educação para a equipe que assistirá o paciente
	Treinar a marcha do paciente, utilizando objetos auxiliares da marcha
	Revisar os medicamentos utilizados pelo paciente e realizar as modificações necessárias
Exercícios	Existem boas evidências de que os exercícios físicos demonstram benefícios em relação à prevenção de quedas; os tipos ideais de exercício, sua duração e a intensidade ótima ainda permanecem obscuros
	Aos idosos que apresentam quedas recentes, devem ser oferecidos programas de exercícios continuados que valorizem o ganho de equilíbrio
Ambiente	Quando pacientes idosos que apresentam elevado risco para quedas recebem alta hospitalar, o preparo adequado do ambiente domiciliar (melhora da iluminação, tapetes fixos, utilização de barras de apoio nos banheiros) mostrou-se efetivo na prevenção de quedas
Medicamentos	Todos os pacientes que já apresentaram quedas devem ter seus medicamentos revisados e alterados ou suspensos, sempre que for apropriado; atenção especial deve ser dada a todos os idosos que estejam utilizando 4 ou mais fármacos e/ou fármacos psicoativos
Objetos auxiliares da marcha	Métodos auxiliares como bengalas, andadores ou protetores de quadril mostraram-se efetivos na prevenção de quedas quando utilizados com outras intervenções, como programas de exercícios, modificações ambientais, programas educacionais e comportamentais

Fonte: Sherrington e colaboradores;[12] Close e colaboradores;[17] Chang e colaboradores;[21] Tricco e colaboradores;[26] American College of Sports Medicine e colaboradores;[40] Langhammer e colaboradores;[41] Smith e colaboradores;[42] Riebe e colaboradores.[43]

TABELA 50.4 → Condições associadas a sintomas de ansiedade e depressão

CONDIÇÃO	DEPRESSÃO	ANSIEDADE
Medicamentos e outras drogas	Corticoide, cimetidina, AINEs, anti-hipertensivo, sedativos, digitálicos, álcool, opiáceos	Broncodilatadores, xantinas, simpaticomiméticos, antidepressivos, psicoestimulantes
Doenças do sistema nervoso central	Doenças neurodegenerativas (doença de Parkinson, Alzheimer, Huntington), acidente vascular cerebral	Doenças neurodegenerativas, esclerose múltipla
Doenças cardíacas	Pós-infarto do miocárdio, insuficiência cardíaca congestiva	Prolapso de válvula mitral, arritmias
Doenças endócrinas	Doença de Cushing, hipotireoidismo	Hipertireoidismo, hiperadrenalismo
Neoplasias	Pâncreas, pulmão, mama	Carcinoide, feocromocitoma
Doenças colágeno-vasculares	Artrite reumatoide, lúpus eritematoso sistêmico, arterite temporal	
Doença respiratória		Asma, DPOC, embolia pulmonar
Doença renal	Diálise	
Estado de abstinência		Depressores do sistema nervoso central

AINEs, anti-inflamatórios não esteroides; DPOC, doença pulmonar obstrutiva crônica.

comuns reversíveis devem ser investigadas, como *delirium*, restrição da mobilidade, retenção urinária, infecção e efeitos de medicamento (ver Capítulo O Cuidado do Paciente Idoso).[32]

Nutrição

A manutenção de uma nutrição adequada é essencial na prevenção de doenças e do declínio funcional. A desnutrição está claramente relacionada com o aumento de morbidade, incluindo permanência hospitalar prolongada, readmissão mais frequente, suscetibilidade a lesões por pressão e aumento da mortalidade.[33] Quase todas as doenças sistêmicas ou procedimentos cirúrgicos recentes podem provocar uma diminuição da ingestão alimentar e consequente perda de peso.

A **TABELA 50.5** lista várias causas envolvidas na perda de peso e anorexia de idosos.

É importante ressaltar que o uso concomitante de vários medicamentos (polifarmácia) ou mesmo o uso de um único fármaco (p. ex., antidepressivos) podem interferir no apetite do idoso. A disfagia pode estar presente e ser a responsável pela perda de peso e por quadros de broncopneumonia de repetição devido às aspirações frequentes. Estima-se que metade da população idosa institucionalizada seja afetada por disfagia secundária a acidente vascular

TABELA 50.5 → Causas frequentes de anorexia e perda de peso em idosos

→ Pobreza	→ Constipação
→ Isolamento social	→ Alcoolismo
→ Depressão	→ Uso de medicamentos
→ Demência	→ Problemas dentários
→ Dor	→ Xerostomia
→ Imobilidade	→ Alterações no reconhecimento de fome e sede
→ Refluxo gastresofágico	→ Diminuição do paladar

cerebral, doença de Parkinson, efeitos colaterais de medicamento, xerostomia, demência e doença pulmonar obstrutiva crônica avançada.[34]

O peso corporal é um sinal vital em geriatria. O emagrecimento sugere que um paciente idoso não está bem, seja por problemas médicos, sociais ou emocionais. O indicador do estado nutricional mais útil em idosos é a variação de peso em relação ao basal ou a presença de anorexia. Uma perda de peso > 5% em 6 a 12 meses é significativa.[34]

A aferição rotineira de peso deve ser feita regularmente a cada consulta ou, no máximo, a cada 12 meses, já que muitas vezes o relato de peso pelo próprio paciente pode não ser acurado.

Para maiores informações sobre avaliação da perda de peso, ver Capítulo Perda de Peso Involuntária. Para informações sobre uma alimentação saudável, ver Capítulo Alimentação Saudável do Adulto.

Visão

O processo normal de envelhecimento está associado a uma diminuição da acuidade visual devido a alterações fisiológicas das lentes oculares, déficit de campo visual e doenças de retina. Mais de 90% dos idosos necessitam de óculos.

No Rio Grande do Sul,[35] 24% de uma amostra populacional de idosos avaliam sua própria visão como péssima ou ruim. Dentro de uma avaliação multidimensional, é útil, para o médico que atende o idoso, saber de suas limitações visuais para poder planejar encaminhamentos e sugerir adaptações na rotina diária (p. ex., a administração de insulina por via subcutânea pode ser delegada a um familiar, pode ser proposto um ajuste de iluminação no domicílio).

Para avaliar essa função, os pacientes devem ser perguntados sobre dificuldades para ler, assistir à televisão, dirigir ou desenvolver suas atividades comuns da vida diária decorrentes da falta de visão. Aqueles que responderem afirmativamente devem ser encaminhados ao oftalmologista. Se for da preferência do examinador, pode-se utilizar o cartão de Snellen para a avaliação da acuidade visual, apesar de ser difícil estabelecer sua acurácia (ver Capítulo Alteração da Visão).[36]

Audição

Um terço dos idosos relata graus variáveis de deficiência auditiva.[35] O tratamento com aparelho auditivo melhora a qualidade de vida, incluindo funcionamento social, emocional, comunicativo e cognitivo em idosos (TE = 0,38) **B**.[37] Há benefício importante independentemente da idade, não sendo a idade avançada limitante para sua indicação.[38]

A presbiacusia – perda progressiva da audição de alta frequência – é a causa mais comum de deficiência auditiva; entretanto, o déficit auditivo muitas vezes não é reconhecido pelo paciente e pode não ser motivo de queixa.

Essa função pode ser testada com uma pergunta direta: "Você tem alteração de audição que cause dificuldades para conversar ou ouvir rádio ou TV?" ou com o teste do sussurro (*whisper*), já validado em relação à audiometria.[39] Nesse teste, o examinador, fora do campo visual do paciente, a uma distância de aproximadamente 33 cm, sussurra uma questão breve e simples como "Qual é o seu nome?" em cada ouvido, como ilustrado na FIGURA 50.4. Se o paciente não responder, deve-se examinar seu conduto auditivo para afastar a possibilidade de cerume estar prejudicando a audição. Não sendo identificados obstáculos nos condutos auditivos externos, deve-se solicitar audiometria ou encaminhar ao otorrinolaringologista, dependendo do acesso que o serviço proporcionar.

Suporte social

A identificação de cuidadores ativos ou em potencial revela a rede social de que o paciente pode dispor em caso de incapacidades temporárias ou internações hospitalares, bem como perda ou incapacidade de familiares próximos. Outra medida preventiva é a identificação, com nome, endereço e telefone, da pessoa que poderia tomar decisões sobre a saúde do paciente em caso de sua impossibilidade diante de uma doença ou emergência incapacitante (ver Capítulo O Cuidado do Paciente Idoso).

PROMOÇÃO DA SAÚDE

Exercícios físicos

Nos idosos, a inatividade é um importante fator de risco para a perda da independência funcional. Da mesma forma que nos adultos jovens, a prática de exercícios regulares traz comprovados benefícios à saúde.[40] Melhorias na saúde cardiovascular, metabólica, endócrina e psicológica resultantes da prática regular de exercícios já estão bem documentadas.[41]

Em idosos, os benefícios da atividade física incluem melhora do condicionamento físico, flexibilidade e mobilidade, redução do risco de doenças cardiovasculares, diabetes, osteoporose, obesidade, câncer de cólon e de mama, distúrbios neuropsiquiátricos, entre outros.[42]

Existem poucas contraindicações para exercícios aeróbicos ou de resistência (TABELA 50.6).

A maioria dos idosos pode iniciar com segurança um programa moderado de exercícios aeróbicos ou de resistência

TABELA 50.6 → Potenciais contraindicações para exercícios aeróbicos ou de resistência

ABSOLUTAS	RELATIVAS
→ Dispneia ou dor precordial sem diagnóstico → Alteração recente no eletrocardiograma ou infarto do miocárdio → Angina instável → Bloqueio cardíaco de terceiro grau → Insuficiência cardíaca congestiva aguda → Hipertensão não controlada → Doença metabólica não controlada	→ Miocardiopatia → Doença cardíaca valvular → Extrassístoles ventriculares complexas

sem realizar um teste de sobrecarga cardíaca, desde que seja iniciado de forma branda com aumento gradativo da atividade física. Os pacientes devem ser orientados a parar com os exercícios e procurar atendimento médico se experimentarem sintomas ou sinais de alerta (p. ex., dor no peito, palpitações, tonturas).[43]

A recomendação de avaliação clínica pré-participação em programas de exercício é abordada no Capítulo Promoção da Atividade Física.

Idosos sedentários devem ser incentivados a aumentar sua atividade física. Ela pode ser de resistência (caminhar, nadar, pedalar), de força muscular (contrações de grupos musculares isolados), de flexibilidade (alongamento de vários grupos musculares) e de equilíbrio (*tai chi chuan*, dança). A indicação de atividade física mediante prescrição por escrito, como exemplificado na TABELA 50.7, demonstra a importância que o clínico atribui à sua realização, o que pode melhorar a adesão. Nunca é tarde para os pacientes beneficiarem-se de atividades físicas orientadas.

Imunização

A situação vacinal do paciente idoso deve ser inquirida de forma sistemática. A não adesão frequentemente está

TABELA 50.7 → Níveis recomendados de atividade física

CARDIOVASCULAR
Atividade aeróbica moderada* de pelo menos 30 minutos, na maioria dos dias da semana; pode ser executado em turnos separados de pelo menos 10 minutos de atividade

TREINAMENTO DE FORÇA
Sessões únicas de 10-15 repetições usando 8-10 diferentes exercícios, desenvolvidas 2-3 ×/semana; cada repetição deve ser executada lentamente por meio da amplitude completa do movimento, evitando prender a respiração (manobra de Valsalva); o programa de treinamento deve envolver os principais grupamentos musculares[†]

EQUILÍBRIO E FLEXIBILIDADE
Alongamento dos principais grupamentos musculares, 1 ×/dia, depois dos exercícios;[‡] treinamento de equilíbrio e transferência de peso[§]

*Para a maioria dos idosos, equivale a um nível de caminhada de 3,2 a 7,2 km/h.
[†]Extensores do quadril, extensores do joelho, flexor plantar do tornozelo e dorsiflexores, bíceps, tríceps, ombros, extensores lombares e músculos abdominais.
[‡]O alongamento deve ser feito do modo "alongar-parar", evitando alongamentos com ímpeto muito vigoroso.
[§]Supervisionados e com grau progressivo de dificuldade. São exercícios posturais que reduzem a base de sustentação (ficar sobre um pé só), alteram o centro de gravidade (movimentos circulares) ou o grau de tensão sobre os músculos posturais (ficar sobre os calcanhares) ou reduzem estímulos sensoriais (p. ex., visão)

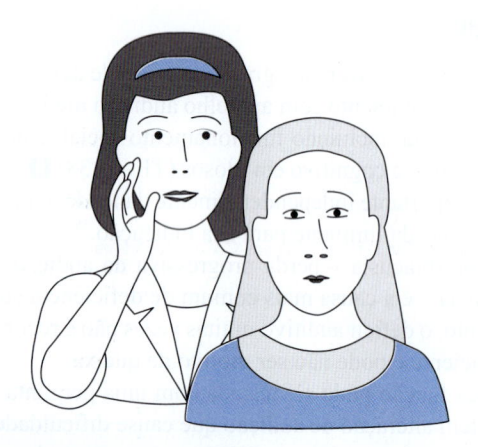

FIGURA 50.4 → Teste do sussurro.

relacionada com a preocupação do paciente em relação aos efeitos colaterais e à não prescrição médica.

A vacinação recomendada é de uma dose anual de vacina contra influenza no outono (RRR = 41%, NNT = 32-62 para sintomas de influenza).[44]

A vacina pneumocócica está associada à diminuição de doença pneumocócica invasiva, como bacteriemia e meningite;[45] além disso, parece diminuir as taxas de pneumonia em cerca de 30%.[46]

As vacinas para adultos são a polissacarídica 23-valente (VPP23) e a conjugada 13-valente (VPC13). O Ministério da Saúde do Brasil disponibiliza a VPP23, que pode ser obtida nos centros de referência de imunobiológicos especiais (CRIEs) para idosos com idade > 60 anos que fazem parte de grupos considerados de risco (residentes de instituição de longa permanência e portadores de doenças crônicas). A VPP23 deve ser administrada em dose única com reforço após 5 anos. Se a segunda dose tiver sido aplicada antes dos 60 anos, é recomendável uma terceira dose, respeitando o intervalo mínimo de 5 anos em relação à dose anterior.

A vacina dupla dT deve ser dada a cada 10 anos. O toxoide tetânico pode ser aplicado novamente em 5 anos, nos casos de ferimentos considerados "sujos".

A vacina contra hepatite B também está indicada aos idosos e está disponível na rede pública, devendo ser feita em 3 doses, de acordo com a situação vacinal.

A vacina contra a febre amarela é indicada como rotina pelo Ministério da Saúde e deve ser aplicada em dose única.

Atividade sexual

A frequência e a intensidade da atividade sexual podem mudar ao longo da vida; entretanto, problemas na capacidade de desfrutar do prazer nas relações sexuais não devem ser considerados como parte normal do processo de envelhecimento.

Estudos mostram que 74% dos homens casados e 56% das mulheres casadas estão em vida sexual ativa após os 60 anos de idade. Quanto à identificação de uma disfunção sexual, a fonte do problema pode estar relacionada com alterações fisiológicas, psicológicas ou ambos.

É essencial distinguir entre transtornos do desejo, inibição neurótica, disfunção erétil, dificuldade de ejaculação, dispareunia e inibição cultural. Muitas vezes, a disfunção percebida é resultado do desconhecimento sobre as alterações na sexualidade que ocorrem com a idade, podendo ser resolvida com informação e educação (p. ex., esclarecer sobre o ressecamento e atrofia vaginais e sobre a diminuição da tumescência peniana, alterações decorrentes do envelhecimento). Problemas comuns também podem afetar o desempenho sexual, como doenças osteoarticulares, diabetes, fadiga, medo da precipitação de um "ataque cardíaco" e efeitos da ingestão de álcool.

A revisão da prescrição é útil, no sentido de identificar medicamentos associados à disfunção sexual, como os antidepressivos e anti-hipertensivos (ver Capítulo Abordagem da Sexualidade e de suas Alterações).[47]

REFERÊNCIAS

1. Instituto Brasileiro de Geografia e Estatística. Estatísticas sociais. Número de idosos cresce 18% em 5 anos e ultrapassa 30 milhões em 2017 [Internet]. Rio de Janeiro: Agência IBGE Notícias; 2018 [capturado em 6 maio 2020]. Disponível em: https://agenciadenoticias.ibge.gov.br/agencia-noticias/2012-agencia-de-noticias/noticias/20980-numero-de-idosos-cresce-18-em-5-anos-e-ultrapassa-30-milhoes-em-2017.

2. United Nations. Departament of Economic and Social Affairs. World Population Prospects – Population Division – United Nations [Internet]. New York: UN; 2019 [capturado em 6 maio 2020]. Disponível em: https://population.un.org/wpp/.

3. Pilotto A, Cella A, Pilotto A, Daragjati J, Veronese N, Musacchio C, et al. Three decades of comprehensive geriatric assessment: evidence coming from different healthcare settings and specific clinical conditions. J Am Med Dir Assoc. 2017;18(2):192.e1-192.e11.

4. Elsawy B, Higgins KE. The geriatric assessment. Am Fam Physician. 2011;83(1):48–56.

5. Sirena SA. Avaliação multidimensional do idoso: uma abordagem em atenção primária à saúde [Internet]. [tese]. Porto Alegre: PUCRS; 2002 [capturado em 6 dez. 2020]. Disponível em: http://tede2.pucrs.br:80/tede2/handle/tede/1550.

6. Stenhagen M, Ekström H, Nordell E, Elmståhl S. Both deterioration and improvement in activities of daily living are related to falls: a 6-year follow-up of the general elderly population study Good Aging in Skåne. Clin Interv Aging. 2014;9:1839–46.

7. Katz S, Ford AB, Moskowitz RW, Jackson BA, Jaffe MW. Studies of illness in the aged. The index of ADL: A Standardized measure of biological and psychosocial function. JAMA. 1963;185:914–9.

8. Lawton MP, Brody EM. Assessment of older people: self-maintaining and instrumental activities of daily living. The Gerontologist. 1969;9(3_Part_1):179–86.

9. Lourenço RA, Sanchez MAS, Perez M. Instrumentos de rastreio de incapacidade funcional: uma proposta de uso racional. In: Freitas EV, Py L, organizadores. Tratado de geriatria e gerontologia. 4. ed. Rio de Janeiro: Guanabara Koogan; 2017.

10. Moreland JD, Richardson JA, Goldsmith CH, Clase CM. Muscle weakness and falls in older adults: a systematic review and meta-analysis. J Am Geriatr Soc. 2004;52(7):1121–9.

11. Shanahan M. Effectiveness of the Timed Up and Go (TUG) test in assessing fall risk in community-dwelling elders participating in the stepping on program. Phys Ther Sch Proj. 2017;551.

12. Sherrington C, Fairhall NJ, Wallbank GK, Tiedemann A, Michaleff ZA, Howard K, et al. Exercise for preventing falls in older people living in the community. Cochrane Database Syst Rev. 2019;1(1):CD012424.

13. Nevitt MC. Falls in the elderly: risk factors and prevention. In: Masdeu JC, Sudarsky L, Wolfson L, editors. Gait disorders of aging: falls and therapeutic strategies. Philadelphia: Lippincott-Raven; 1997. p. 13–36.

14. Vieira ER, Palmer RC, Chaves PHM. Prevention of falls in older people living in the community. BMJ. 2016;353:i1419.

15. Elias Filho J, Borel WP, Diz JBM, Barbosa AWC, Britto RR, Felício DC. Prevalence of falls and associated factors in community-dwelling older Brazilians: a systematic review and meta-analysis. Cad Saúde Pública. 2019;35(8):e00115718.

16. Sousa LMM, Marques-Vieira CMA, Caldevilla MNGN de, Henriques CMAD, Severino SSP, Caldeira SMA. Risco de quedas em idosos residentes na comunidade: revisão sistemática da literatura. Rev Gaúcha Enferm. 2016;37(4).

17. Close J, Ellis M, Hooper R, Glucksman E, Jackson S, Swift C. Prevention of falls in the elderly trial (PROFET): a randomised controlled trial. Lancet. 1999;353(9147):93–7.

18. Jensen J, Lundin-Olsson L, Nyberg L, Gustafson Y. Fall and injury prevention in older people living in residential care facilities. A cluster randomized trial. Ann Intern Med. 2002;136(10):733–41.

19. Gillespie LD, Robertson MC, Gillespie WJ, Sherrington C, Gates S, Clemson LM, et al. Interventions for preventing falls in older people living in the community. Cochrane Database Syst Rev. 2012;(9):CD007146.
20. Balzer K, Bremer M, Schramm S, Lühmann D, Raspe H. Falls prevention for the elderly. GMS Health Technol Assess. 2012;8:Doc01.
21. Chang JT, Morton SC, Rubenstein LZ, Mojica WA, Maglione M, Suttorp MJ, et al. Interventions for the prevention of falls in older adults: systematic review and meta-analysis of randomised clinical trials. BMJ. 2004;328(7441):680.
22. Li F, Harmer P, Fitzgerald K, Eckstrom E, Akers L, Chou L-S, et al. Effectiveness of a therapeutic tai ji quan intervention vs a multimodal exercise intervention to prevent falls among older adults at high risk of falling: a randomized clinical trial. JAMA Intern Med. 2018;178(10):1301–10.
23. Harwood RH, Foss AJE, Osborn F, Gregson RM, Zaman A, Masud T. Falls and health status in elderly women following first eye cataract surgery: a randomised controlled trial. Br J Ophthalmol. 2005;89(1):53–9.
24. Tseng VL, Yu F, Lum F, Coleman AL. Risk of fractures following cataract surgery in Medicare beneficiaries. JAMA. 2012;308(5):493–501.
25. Schoene D, Heller C, Aung YN, Sieber CC, Kemmler W, Freiberger E. A systematic review on the influence of fear of falling on quality of life in older people: is there a role for falls? Clin Interv Aging. 2019;14:701–19.
26. Tricco AC, Thomas SM, Veroniki AA, Hamid JS, Cogo E, Strifler L, et al. Comparisons of interventions for preventing falls in older adults: a systematic review and meta-analysis. JAMA. 2017;318(17):1687–99.
27. Yokomizo JE, Simon SS, Bottino CM de C. Cognitive screening for dementia in primary care: a systematic review. Int Psychogeriatr. 2014;26(11):1783–804.
28. Munhoz TN, Nunes BP, Wehrmeister FC, Santos IS, Matijasevich A. A nationwide population-based study of depression in Brazil. J Affect Disord. 2016;192:226–33.
29. Mendes-Chiloff CL, Lima MCP, Torres AR, Santos JLF, Duarte YO, Lebrão ML, et al. Depressive symptoms among the elderly in São Paulo city, Brazil: prevalence and associated factors (SABE Study). Rev Bras Epidemiol. 2018;21(Suppl. 2):e180014.
30. World Health Organization. Mental health of older adults [Internet]. Geneva: WHO; 2017 [capturado em 13 jun. 2020]. Disponível em: https://www.who.int/news-room/fact-sheets/detail/mental-health-of-older-adults.
31. Tsoi KKF, Chan JYC, Hirai HW, Wong SYS. Comparison of diagnostic performance of Two-Question Screen and 15 depression screening instruments for older adults: systematic review and meta-analysis. Br J Psychiatry J Ment Sci. 2017;210(4):255–60.
32. Thirugnanasothy S. Managing urinary incontinence in older people. BMJ. 2010;341:c3835.
33. Guyonnet S, Rolland Y. Screening for malnutrition in older people. Clin Geriatr Med. 2015;31(3):429–37.
34. Gaddey HL, Holder K. Unintentional weight loss in older adults. Am Fam Physician. 2014;89(9):718–22.
35. Rio Grande do Sul. Conselho Estadual do Idoso. Os idosos do Rio Grande do Sul: estudo multidimensional de suas condições de vida: relatório de pesquisa [Internet]. Porto Alegre: CEI; 1997 [capturado em 7 maio. 2020]. Disponível em: https://www.ufrgs.br/3idade/pesquisas/Os_Idosos_do_RS_-_Relatorio_de_Pesquisa.pdf.
36. US Preventive Services Task Force (USPSTF), Siu AL, Bibbins-Domingo K, Grossman DC, Baumann LC, Davidson KW, et al. Screening for impaired visual acuity in older adults: US Preventive Services Task Force Recommendation Statement. JAMA. 2016;315(9):908–14.
37. Ferguson MA, Kitterick PT, Chong LY, Edmondson-Jones M, Barker F, Hoare DJ. Hearing aids for mild to moderate hearing loss in adults. Cochrane Database Syst Rev. 2017;9:CD012023.
38. Chang W-H, Tseng H-C, Chao T-K, Hsu C-J, Liu T-C. Measurement of hearing aid outcome in the elderly: comparison between young and old elderly. Otolaryngol Head Neck Surg. 2008;138(6):730–4.
39. Strawbridge WJ, Wallhagen MI. Simple tests compare well with a hand-held audiometer for hearing loss screening in primary care. J Am Geriatr Soc. 2017;65(10):2282–4.
40. American College of Sports Medicine, Chodzko-Zajko WJ, Proctor DN, Fiatarone Singh MA, Minson CT, et al. American College of Sports Medicine position stand. Exercise and physical activity for older adults. Med Sci Sports Exerc. 2009;41(7):1510–30.
41. Langhammer B, Bergland A, Rydwik E. The importance of physical activity exercise among older people. BioMed Res Int. 2018;2018:7856823.
42. Smith SM, Wallace E, O'Dowd T, Fortin M. Interventions for improving outcomes in patients with multimorbidity in primary care and community settings. Cochrane Database Syst Rev. 2016;3:CD006560.
43. Riebe D, Franklin BA, Thompson PD, Garber CE, Whitfield GP, Magal M, et al. Updating ACSM's Recommendations for Exercise Preparticipation Health Screening. Med Sci Sports Exerc. 2015;47(11):2473–9.
44. Demicheli V, Jefferson T, Ferroni E, Rivetti A, Di Pietrantonj C. Vaccines for preventing influenza in healthy adults. Cochrane Database Syst Rev. 2018;2:CD001269.
45. Bonten MJM, Huijts SM, Bolkenbaas M, Webber C, Patterson S, Gault S, et al. Polysaccharide conjugate vaccine against pneumococcal pneumonia in adults. N Engl J Med. 2015;372(12):1114–25.
46. Suzuki M, Dhoubhadel BG, Ishifuji T, Yasunami M, Yaegashi M, Asoh N, et al. Serotype-specific effectiveness of 23-valent pneumococcal polysaccharide vaccine against pneumococcal pneumonia in adults aged 65 years or older: a multicentre, prospective, test-negative design study. Lancet Infect Dis. 2017;17(3):313–21.
47. Silva AA, Barreto MM, Dalacorte RR. Disfunção sexual. In: Ferriolli E, Moriguti JC, Lima NK da C, organizadores. Desafios do diagnóstico diferencial em geriatria. Rio de Janeiro: Atheneu; 2012. p. 325–36.

LEITURAS RECOMENDADAS

Freitas EV, Pi L. Tratado de geriatria e gerontologia. 4. ed. Rio de Janeiro: Guanabara Koogan; 2016.

Garcia E, Ciochetta CI, Mendes DS, Everling EM, Souza SP, Bezerra OS, organizadores. Essências em geriatria clínica. Porto Alegre: EDIPUCRS; 2018.

Revisões mais amplas de geriatria.

Capítulo 51
OSTEOPOROSE

Juliano Soares Rabello Moreira
Eduardo Henrique Portz

A osteoporose é um distúrbio esquelético silencioso e sistêmico caracterizado pela redução da densidade mineral óssea (DMO), com deterioração microarquitetural (FIGURA 51.1) e consequente aumento da fragilidade esquelética, ocasionando suscetibilidade a fraturas.[1] As fraturas de quadril e de vértebras são altamente associadas à redução da DMO

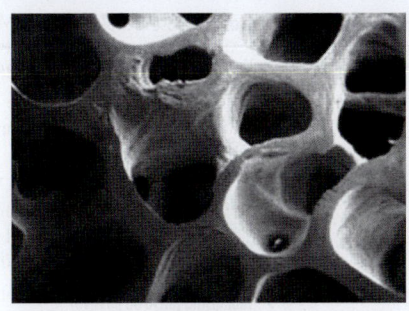

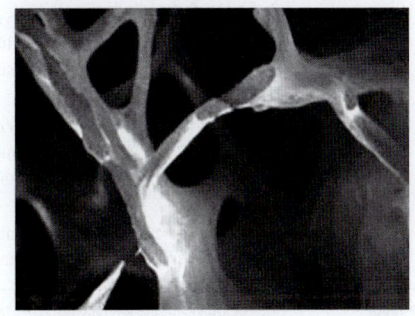

FIGURA 51.1 → Osso normal e osso com osteoporose.
Fonte: Dempster e colaboradores.[13]

do quadril e da coluna, respectivamente, e historicamente têm sido consideradas o desfecho típico da doença. Entretanto, por tratar-se de uma patologia sistêmica, lesões ósseas em outros sítios esqueléticos – como rádio distal (fratura de Colles), colo do fêmur e em outros locais atípicos – também são encontradas, dependendo da gravidade da doença.

A osteoporose é uma condição com elevada prevalência. Estima-se que 1 a cada 3 mulheres e 1 a cada 5 homens com idade > 50 anos poderão sofrer algum tipo de fratura.[2,3] Além do envelhecimento, um fator de risco para osteoporose é o sexo feminino, especialmente as mulheres pós-menopáusicas, que são as mais atingidas por fraturas relacionadas à fragilidade óssea (71%), apesar de o sexo masculino apresentar mais mortalidade por essa causa.[4,5]

Com o aumento esperado no percentual de idosos na América Latina nas próximas décadas – o dobro do número de idosos atuais –, presume-se uma consequente elevação no índice de fraturas.[6] Já no Brasil, dados apontam para um aumento de 14% na incidência de fraturas entre 2018 e 2022, com custo estimado em R$ 1,2 bilhão anualmente.[7]

Estima-se que 30% dos pacientes que sofrem fratura de quadril morrem dentro de 1 ano.[8,9] Dos sobreviventes, o aumento de morbidade é demonstrado pela perda da qualidade de vida, particularmente após fraturas de quadril, e é desencadeado por dificuldades na deambulação, deformidades, dor crônica, perda de independência, necessidade de cuidados domiciliares e institucionalização.[4,10]

FISIOPATOLOGIA

O esqueleto tem funções estruturais – locomoção, respiração e proteção de órgãos internos – e metabólicas – reservatório de cálcio e fósforo. Dos cerca de 300 ossos moles que apresentamos ao nascer, apenas 206 permanecem na vida adulta.

O esqueleto é composto por ossos corticais (80%) e ossos trabeculares (20%), cujas proporções variam de acordo com o local esquelético. Nas vértebras, os ossos trabeculares predominam, enquanto, nos ossos longos, predominam os ossos corticais.

O pico da DMO é atingido entre a puberdade e os 20 anos. Fatores genéticos são os principais determinantes na DMO (60-80%), porém, fatores comportamentais podem influenciar, como atividade física, índice de massa corporal, tabagismo, ingestão alcoólica e ingestão nutricional de cálcio e proteínas. Sendo assim, esse período demonstra ser uma importante janela temporal para atingir a maior massa óssea possível, sendo um determinante preditivo para fragilidade óssea na vida adulta. Além da DMO, estruturalmente, os hormônios sexuais também influenciam no desenvolvimento arquitetônico ósseo, sendo que os hormônios sexuais masculinos promovem uma maior deposição no periósteo.[11]

A osteoporose ocorre quando o corpo deixa de formar material ósseo novo suficiente, ou quando muito material dos ossos antigos é reabsorvido pelo corpo; em alguns casos, as duas situações podem ocorrer. Ao longo da vida, o processo denominado remodelamento ósseo é responsável pela renovação e reparação óssea, estimando-se uma total renovação esquelética a cada 10 anos.[12] As unidades biológicas conhecidas como osteoclastos dissolvem a matriz óssea (reabsorção), enquanto os osteoblastos, com a função de síntese, depositam osteoide. Até por volta dos 40 anos, esse processo metabólico resulta em uma manutenção na DMO; porém, a partir dessa idade, estima-se uma perda óssea, que se acentua na pós-menopausa e com o envelhecimento, em ambos os sexos **(FIGURA 51.2)**.[3] De fato, com a deprivação hormonal estrogênica, ocorre um consequente desequilíbrio no remodelamento ósseo que prejudica a saúde óssea, afetando especialmente o osso do tipo trabecular.

CLASSIFICAÇÃO

A osteoporose pode ser classificada em primária ou secundária a outras doenças ou exposições.

A **osteoporose primária** pode manifestar-se na infância (p. ex., juvenil idiopática, osteogênese imperfeita) ou na vida adulta (idiopática do adulto jovem). A forma mais

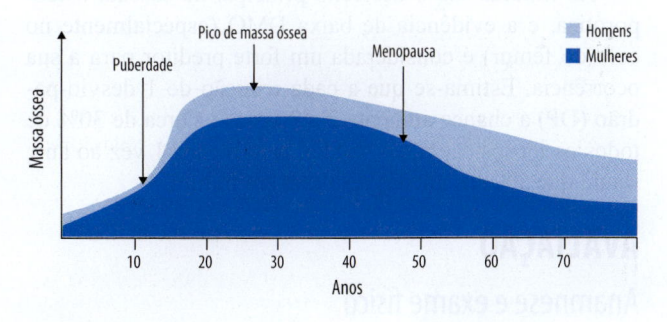

FIGURA 51.2 → Evolução da massa óssea ao longo do curso da vida.
Fonte: Cooper e Ferrari.[3]

frequente, na vida adulta, decorre da senilidade ou após a menopausa na mulher.

A **osteoporose secundária** pode ser o resultado de uma série de distúrbios endocrinológicos, gastrintestinais, hematológicos, do tecido conectivo, imunológicos, neoplásicos, secundários à imobilização e ao uso de medicamentos. Em homens, particularmente, 50% dos casos são de etiologia secundária, sendo representados especialmente pelo hipogonadismo, pelo abuso de álcool e pelo uso de glicocorticoides em doses suprafisiológicas.[4]

A **osteoporose ligada à pós-menopausa**, relacionada à deficiência estrogênica, tem seus efeitos de perda da DMO com o passar dos anos; porém, nos primeiros 10 anos após a menopausa, isso se manifesta de forma mais importante, e ocorre a maior incidência das denominadas fraturas de Colles (extremidade distal do rádio). Demais sítios esqueléticos onde predominam essa composição óssea são as vértebras e a pelve, que são potenciais locais de fraturas por esse mecanismo de deprivação hormonal.[14,15]

Por fim, a **osteoporose senil** é o resultado de um processo multifatorial próprio do envelhecimento – diminuição da ingesta de cálcio, diminuição da exposição solar e inatividade física. Nessa apresentação, a perda ocorre de forma proporcional entre os ossos cortical e trabecular e está especialmente associada à fratura de colo do fêmur, quadril, tíbia e pelve.[14]

FATORES DE RISCO

Os fatores de risco podem ser fixos (p. ex., etnia, sexo) ou modificáveis (p. ex., sedentarismo, tabagismo), sendo os últimos passíveis de intervenção no âmbito da prevenção primária ou secundária. As mulheres pós-menopáusicas com etnia branca estão entre o grupo de maior risco. Entretanto, o principal fator de risco é a história familiar de osteoporose. Além disso, também são considerados fatores de risco: sexo feminino, idade avançada (> 65 anos) e história pessoal ou familiar de fratura prévia.[2] Fraturas de quadril prévias aumentam em 2,5 vezes a probabilidade de desenvolver novas fraturas, sendo consideradas um fator de risco importante.[16] Na atenção primária à saúde, o uso eventual e indiscriminado por longo período de corticoides para tratamento de patologias como asma, alergias e doenças reumáticas destaca-se como importante fator de risco.

Outros fatores de risco são apresentados na **TABELA 51.1**.[4,17]

As fraturas são o desfecho principal na cascata osteoporótica, e a evidência de baixa DMO (especialmente no colo do fêmur) é considerada um forte preditor para a sua ocorrência. Estima-se que a cada redução de 1 desvio-padrão (DP) a chance aumenta 2 a 3 vezes.[2] Cerca de 30% de todos os idosos caem, em média, pelo menos 1 vez ao ano, sendo que 5% das quedas resultam em fratura.[18]

AVALIAÇÃO

Anamnese e exame físico

Na prática ambulatorial, anamnese contemplando história pessoal e familiar, além do exame físico minucioso, são

TABELA 51.1 → Fatores de risco para osteoporose

Fatores ambientais	→ Uso abusivo de álcool (3 ou mais doses/dia) → Quedas frequentes → Sedentarismo → Deficiência de vitamina D → Baixo peso (IMC < 20kg/m^2) → Consumo excessivo de sal → Baixa ingestão de cálcio → Excesso de vitamina A → Imobilização → Tabagismo (ativo ou passivo)
Doenças genéticas	→ Fibrose cística → Doenças de depósito de glicogênio → Hipofosfatasia → Osteogênese imperfeita → Síndrome de Riley-Day → Síndrome de Ehlers-Danlos → Hemocromatose, síndrome de Marfan → História familiar de fratura de quadril → Doença de Gaucher → Homocistinúria → Doença de Menkes → Porfiria
Estado hipogonadal	→ Insensibilidade aos andrógenos → Hiperprolactinemia → Síndrome de Turner → Síndrome de Klinefelter → Anorexia → Pan-hipopituarismo → Amenorreia da atleta → Menopausa prematura (< 40 anos)
Endocrinológicos	→ Obesidade central → Hiperparatireoidismo → Síndrome de Cushing → Tireotoxicose → Diabetes (tipos 1 e 2)
Gastrintestinais	→ Doença celíaca → Doença inflamatória intestinal → Cirrose biliar → *Bypass* gástrico → Síndromes de má absorção → Doenças do pâncreas → Cirurgias gastrintestinais
Hematológicos	→ Hemofilia → Mieloma múltiplo → Talassemia, leucemia → Linfomas, anemia falciforme → Gamopatias monoclonais → Mastocitose sistêmica
Reumatológicos e autoimunes	→ Espondilite anquilosante → Artrite reumatoide → Lúpus → Outras doenças reumatológicas
Neurológicos	→ Epilepsia → Doença de Parkinson → Esclerose múltipla → Lesão de medula espinal → Distrofia muscular → AVC
Outros fatores de risco	→ HIV/Aids → Doença pulmonar obstrutiva crônica → Doença renal crônica avançada → Transplantados → Amiloidose

(continua)

TABELA 51.1 → Fatores de risco para osteoporose	(Continuação)
	→ Insuficiência cardíaca congestiva
	→ Hipercalciúria
	→ Sarcoidose
	→ Acidose metabólica crônica
	→ Depressão
	→ Escoliose idiopática
	→ Perda de peso
Medicamentos	→ Alumínio (presente nos antiácidos)
	→ Inibidores da aromatase
	→ Medroxiprogesterona de depósito
	→ Tacrolimo
	→ Inibidores da bomba de prótons
	→ Ciclosporina A
	→ Lítio
	→ Tamoxifeno
	→ Heparina
	→ Barbitúricos
	→ Corticoides (> 5 mg/dia por > 3 meses)
	→ Metotrexato
	→ Inibidores da recaptação de serotonina
	→ Glitazonas
	→ Anticonvulsivantes
	→ Quimioterápicos
	→ Agonistas do GnRH
	→ Nutrição parenteral
	→ Hormônios da tireoide (em excesso)

Aids, síndrome da imunodeficiência adquirida; AVC, acidente vascular cerebral; GnRH, hormônio liberador das gonadotrofinas; HIV, vírus da imunodeficiência humana; IMC, índice de massa corporal.
Fonte: Adaptada de Cosman e colaboradores.[4]

ferramentas fundamentais para identificar pacientes em risco para fragilidade óssea. Especialmente por sua característica silenciosa, essa patologia pode passar despercebida aos olhos de um profissional de saúde que não esteja sensibilizado.

Além de indagar sobre os fatores de risco já apresentados, o entrevistador deve considerar que a maioria das fraturas por osteoporose são causadas por quedas e, portanto, a estimativa desse desfecho é necessária tanto em nível comunitário quanto em ambientes hospitalares. Várias patologias contribuem para o aumento de risco de quedas, como doença de Parkinson, dor musculoesquelética crônica, osteoartrite do joelho, comprometimento cognitivo, hipotensão ortostática, tontura, anemia, demência, acidente vascular cerebral, diabetes, dificuldade visual, etc.

O exame físico deve contemplar especialmente a mensuração do índice de massa corporal (IMC), a perda de altura em relação a medidas prévias, a avaliação postural em busca de sinais sugestivos (presença de cifose acentuada) e o trofismo muscular. A perda de estatura, reflexo de eventuais fraturas vertebrais assintomáticas (66%), deve ser considerada significativa se for maior que 4 cm em relação à altura com 20 anos (pico de massa óssea) ou perda de 2 cm em relação a alguma medida anterior documentada. Estima-se que a cada 1,27 cm de perda na altura, a chance da presença de uma fratura vertebral aumenta em 19%.[4,19]

Para a avaliação do risco de queda no exame físico, podem-se utilizar escalas, como a escala de Morse (hospitalar), e testes, como o *Timed up and go*.[4] O teste *Timed up and go* consiste em levantar de uma cadeira (de aproximadamente 46 cm), caminhar em linha reta por uma distância de 3 metros (em um ritmo autosselecionado, porém seguro), virar, caminhar de volta e sentar-se novamente. (Ver QR code.) Quanto menor o tempo utilizado, melhor é o desempenho no teste. No Brasil, recomenda-se utilizar como valor de corte para risco de quedas 12,47 segundos, o qual parece ser um melhor preditivo nessa população.[20,21]

Por fim, deve-se ressaltar que o médico deve sempre estar atento a possíveis sinais de maus-tratos, que por vezes podem se apresentar como fraturas. Achados que corroboram essa hipótese são: quando não há correspondência com a DMO, fraturas em espiral de ossos longos e fraturas em locais diferentes do pulso, quadril ou vértebras em idoso não alcoólatra.[22]

A FRAX

Apesar da relação inversa entre DMO e risco de fraturas, sabe-se que a maior parte desses desfechos ocorrem em indivíduos que se encontram dentro dos valores de DMO considerados normais e/ou baixos (osteopenia) (ver diagnóstico). Isso se deve ao fato de um maior número de indivíduos estarem nesses intervalos de DMO, além de outros fatores estarem associados ao desfecho fratura. Para contemplar essas demais características, calculadoras de risco para fraturas foram desenvolvidas.

A Fracture Risk Assessment Tool (FRAX) tem o intuito de determinar o risco de ocorrência de uma fratura de quadril ou outra fratura osteoporótica relevante (vértebra, quadril, punho ou úmero) nos próximos 10 anos. (Ver QR code.) Pode ser utilizado em pacientes dos 40 aos 90 anos sem tratamento, com ou sem dados da DMO disponíveis. Seu resultado fornece elementos para intervir com tratamento (limiar de intervenção) ou necessidade de investigação adicional com DMO (limiar de avaliação). Passando do limite para avaliação, orientações para uso do resultado de absorciometria por raios X com dupla energia (DEXA ou DXA) são dados na **FIGURA 51.3**.

Diagnóstico e exames complementares

Com o avançar da patologia, estágios da perda da DMO podem ser reconhecidos e quantificados. A DEXA é o exame padrão-ouro para identificação, estadiamento e acompanhamento. Esse exame fornece a DMO, expressa em gramas por centímetro quadrado (g/cm²) obtidas no quadril e na coluna.[4]

A **FIGURA 51.4** mostra o manejo a partir do resultado da densitometria.

Segundo o U.S. Preventive Services Task Force (USPSTF), estratégias de identificação precoce comprovaram sua eficácia na redução na incidência de fraturas de

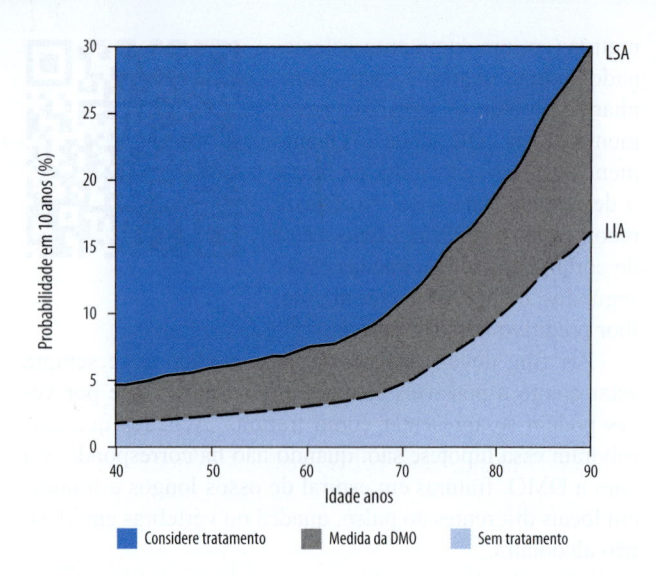

FIGURA 51.3 → Limites de risco de fratura de quadril ou outra fratura osteoporótica relevante nos próximos 10 anos pelo instrumento FRAX que indiquem a necessidade de densitometria e tratamento. LIA, limite inferior de avaliação; LSA, limite superior de avaliação.
Fonte: Adaptada de Zerbini e colaboradores.[23]

quadril.[24] Para indicações de rastreamento para a população geral, ver Capítulo Rastreamento de Adultos para Tratamento Preventivo.

Indicações adicionais específicas para investigação de DMO são:
→ homens com manifestações clínicas de baixa DMO (osteopenia radiográfica, história de fraturas de baixo trauma e perda > 1,5 cm de altura);
→ história de fratura por fragilidade;
→ presença de fator de risco para osteoporose (ver **TABELA 51.1**);
→ suspeita radiológica de osteoporose.

Recomenda-se o uso do escore T apenas para mulheres após a menopausa e para homens com idade ≥ 50 anos. Em mulheres na pré-menopausa e homens com idade < 50 anos, preconiza-se o escore Z.

A osteopenia é o estágio inicial de baixa DMO e a osteoporose é o estágio avançado com maior associação com fraturas. A Organização Mundial da Saúde (OMS) define limites para classificar os estágios da doença com base nos valores da DMO encontrados na coluna lombar, no colo do fêmur ou no terço médio do rádio, conforme **TABELA 51.2**.[26]

Demais critérios diagnósticos para osteoporose são:[4]
→ presença de fratura por fragilidade de vértebra, quadril, costela, antebraço ou úmero na ausência de trauma

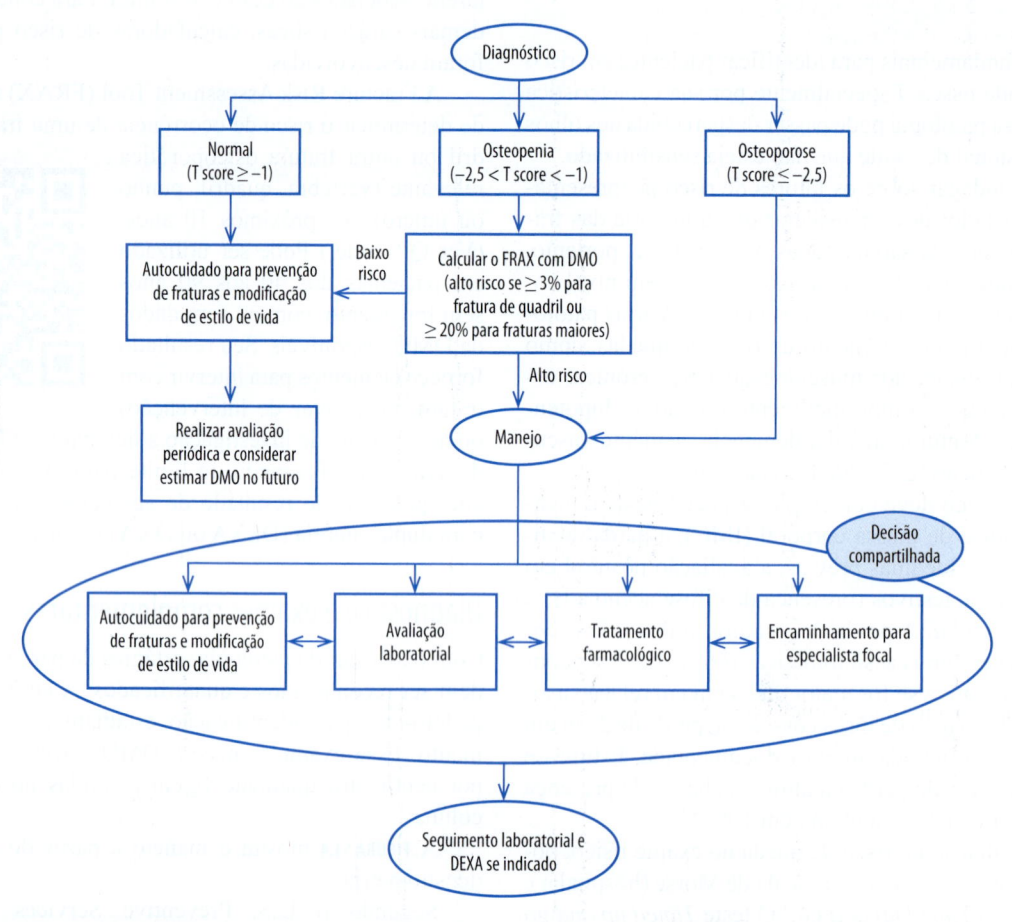

FIGURA 51.4 → Manejo a partir dos resultados da densitometria. DEXA, absorciometria de raios X com dupla energia; DMO, densidade mineral óssea; FRAX, *Fracture Risk Assessment Tool*.
Fonte: Allen e colaboradores.[25]

TABELA 51.2 → Classificação de osteopenia e osteoporose com base em escores T obtidos de densitometria

CATEGORIA	ESCORE T
Normal	Até −1
Osteopenia	−1 a −2,5
Osteoporose	≤ −2,5
Para mulheres pós-menopáusicas e homens com idade > 50 anos.	

Fonte: Cosman e colaboradores.[4]

importante (espontâneas a partir de um trauma menor – cair da própria altura ou inferior à altura corporal);
→ indivíduos com idade < 50 anos na presença de uma fratura de compressão vertebral ou escore Z ≤ −2 em combinação com história de fratura significativa (p. ex., 2 fraturas de ossos longos antes dos 10 anos de idade ou 3 fraturas de ossos longos antes dos 19 anos).

Métodos alternativos para diagnóstico de osteoporose ainda estão sujeitos a controvérsias. A tomografia computadorizada de coluna e quadril não é recomendada para rastreamento, pois os valores T encontrados ainda não foram validados, além de terem alto custo e exposição não desprezível de radiação.

Uma vez iniciado o tratamento, preconiza-se controle evolutivo por meio das seguintes frequências:
→ escore T (−2 a −2,49) em qualquer localização ou enquanto persistirem fatores de risco para perda óssea: a cada 2 anos;
→ escore T (−1,5 a −1,99) em qualquer localização e sem fatores de risco para perda óssea: a cada 3 a 5 anos;
→ escore T (−1,01 a −1,49) sem fatores de risco para perda óssea e baixo escore de risco FRAX (calcular a cada 5 anos; se o risco de fratura de quadril for maior que 3% ou maior que 20% para fraturas maiores, realizar densitometria): a cada 10 a 15 anos.[4]

Antes de iniciar qualquer tratamento, recomenda-se uma avaliação laboratorial mínima para pacientes identificados como osteoporóticos, a qual inclui hemograma completo, cálcio, fósforo, fosfatase alcalina, função tireoidiana, dosagem de 25(OH)-vitamina D sérica, calciúria de 24 horas, além de radiografia simples lateral de coluna lombar e torácica, bem como medida da DMO na coluna lombar e no fêmur proximal. Exames radiológicos são indicados para diagnóstico de fraturas sintomáticas ou não, que, se presentes, aumentam muito o risco de novas fraturas osteoporóticas, além de realizarem diagnóstico diferencial com outras patologias esqueléticas. Outros testes somente devem ser realizados quando a história clínica ou o exame físico forem sugestivos de causa secundária.[2]

Os marcadores de remodelação óssea, como o CTx (C-telopeptídeo – marcador de reabsorção), o P1NP (marcador de formação), entre outros, têm seu uso, na prática, controverso e não rotineiro.[4] Podem variar subitamente diante do início de uma intervenção e podem ser úteis em situações pontuais nas quais se investiga a adesão medicamentosa, a absorção ou a falha de resposta medicamentosa.[27]

TRATAMENTO

Tratamento não farmacológico

O adequado aporte de cálcio e vitamina D **B**, o controle de peso ao longo da vida (IMC entre 20-25) **C/D**, a realização de exercícios regulares de reforço muscular com carga **B**, a exposição solar adequada **C/D**, a cessação do tabagismo (associado à perda de 5-10% na DMO)[28] **B** e o não consumo de álcool em excesso **C/D** devem ser recomendados para todos os pacientes.[4] O profissional de saúde deve sempre utilizar as ferramentas do método clínico centrado na pessoa com o propósito de obter melhor compreensão da condição e da adesão ao tratamento.

Para abordagens sobre a prevenção de quedas, ver Capítulo Avaliação Multidimensional do Idoso.

Dieta

Cálcio

Uma dieta balanceada que inclua frutas e vegetais ricos em cálcio é recomendada para todos os pacientes. Em 2011, o Institute of Medicine (IOM) estabeleceu as necessidades diárias de cálcio por faixa etária (TABELA 51.3).[29] No Brasil, dados apontam para uma ingestão dietética diária de cálcio insuficiente (400 mg, em média, independentemente da região, do sexo e da idade).[30]

Recomenda-se que pacientes com osteopenia ou osteoporose sejam encorajados a suprir a necessidade de cálcio principalmente por meio da dieta. O médico deve estimar o aporte diário de cálcio que o paciente realiza por meio de estimativa durante a anamnese focada no diário alimentar (TABELA 51.4). Calculadoras eletrônicas estão disponíveis on-line (ver QR code) para facilitar a abordagem quantitativa.[30]

Se a pessoa não conseguir ter um aporte adequado por meio da dieta, a suplementação de cálcio pode ser considerada avaliando-se os riscos e os benefícios. A prescrição universal sem a adequada avaliação de sua real necessidade não encontra razoabilidade nem desfecho clínico comprovado **B**.[2,4] Além disso, cabe ressaltar que, em pacientes categorizados como osteoporóticos, a suplementação deve ser acompanhada de outras medicações para um adequado manejo.

Vários suplementos de cálcio estão disponíveis para comercialização.

TABELA 51.3 → Recomendações de consumo de cálcio

IDADE	RECOMENDAÇÃO DIÁRIA
Homens de 51 a 70 anos	1.000 mg
Mulheres de 51 a 70 anos	1.200 mg
Pessoas com idade > 70 anos	1.200 mg

Fonte: Ross e colaboradores.[29]

TABELA 51.4 → Fontes de cálcio alimentar

ALIMENTO	PORÇÃO	QUANTIDADE	CÁLCIO (mg)
Leite integral	1 copo	200 mL	228
Leite desnatado	1 copo	200 mL	246
Leite de soja	1 copo	200 mL	80
Sardinha	1 porção	30 g	86
Espinafre cozido	2 colheres de sopa	60 g	47
Queijo prato	1 fatia fina	15 g	126
Iogurte	1 pote	200 mL	240
Requeijão	1 porção	20 g	113
Queijo minas fresco	1 fatia	30 g	205
Leite de cabra	1 copo	200 mL	380

Fonte: Adaptada da Sociedade Brasileira de Reumatologia.[31]

O carbonato de cálcio e o fosfato de cálcio tribásico apresentam a maior biodisponibilidade de cálcio (cerca de 40%). O carbonato de cálcio é o representante mais tradicionalmente utilizado, porém apresenta mais probabilidade de efeitos gastrintestinais (constipação), sendo mais bem absorvido quando ingerido com as refeições.

O citrato de cálcio tem a apresentação com menor biodisponibilidade de cálcio (21%), necessitando de maior quantidade de drágeas para atingir a dose desejada. Está indicado em pacientes com nefrolitíase, gastrectomizados, com cirurgia bariátrica ou hipocloridria (uso de inibidor da bomba de prótons).

A suplementação de cálcio não deve exceder 500 a 600 mg por dose independente da preparação, visto que o fracionamento aumenta a absorção.[2] Potenciais aumentos de eventos cardiovasculares e incidência de litíase renal são relatados na literatura.[32]

Vitamina D

Estima-se que mais da metade das pacientes norte-americanas que recebem tratamento para osteoporose apresentam deficiência de vitamina D.[33] Entretanto, não está recomendado o rastreamento universal desse hormônio, sendo indicado apenas para pacientes com osteopenia, osteoporose ou outros fatores de risco para hipovitaminose D (síndrome de má absorção – p. ex., portadores de doença celíaca, doença inflamatória intestinal ou pacientes que realizaram cirurgia bariátrica –, doentes renais crônicos, usuários de anticonvulsivantes, pacientes restritos ao leito, indivíduos de pele escura, obesos e pessoas com baixa exposição solar).[4]

Além de ter essencial papel na absorção de cálcio e na saúde óssea, também apresenta importante papel no desempenho muscular, no equilíbrio e, por conseguinte, na chance de quedas.

Em adultos com idade > 50 anos, recomenda-se a ingestão diária de 800 a 1.000 UI/dia, sendo encontrada em alimentos como leite fortificado, cereais, ovos, peixes de água salgada, fígado, entre outros.

Sabe-se, entretanto, que a maior produção de vitamina D é realizada pela pele. Adultos realizando exposição solar até que sua pele apresente leve eritema podem sintetizar o equivalente a 10.000 a 25.000 UI de vitamina D oral.[34] Idosos e pessoas de pele mais escura necessitam de maior exposição solar, devido à menor síntese nos primeiros e à menor penetração dos raios ultravioletas nos segundos. Entretanto, cabe ressaltar os já conhecidos riscos dermatológicos da exposição demasiada ao sol.

Vitamina D mais cálcio para adultos com idade > 50 anos podem reduzir o risco de fraturas de quadril, mas o benefício é pequeno (RRR = 18%; NNT = 224-2.084 com tratamento para 7 anos, risco basal de 1,6%) e para qualquer fratura (RRR = 6%; NNT = 83-909 com risco basal de 11%) B.[35] Quando necessária a correção de uma eventual deficiência (25(OH)D < 20 ng/mL), vários esquemas são postulados. Uma opção pode ser 50.000 UI de vitamina D_2 ou D_3, 1×/semana, ou aporte diário de 7.000 UI de vitamina D_2 ou D_3 por 8 a 12 semanas, com o objetivo de atingir a dose sérica de 30 ng/mL. Esse regime deve ser seguido de dose de manutenção de 1.500 a 2.000 UI/dia ou outra dose necessária para manter o alvo terapêutico. Dessa forma, visa-se a prevenção do hiperparatireoidismo secundário, a melhoria da massa óssea e a redução do risco de quedas.[34]

Exercício

Ensaios clínicos têm comprovado que a indicação de programa de atividade física supervisionada promove melhora da capacidade funcional, ganho de força muscular, equilíbrio, coordenação, melhora da flexibilidade, prevenção de quedas e qualidade de vida.[2] Reduz fraturas em geral (RRR = 51%) quando se comparam indivíduos ativos com indivíduos sedentários.[28]

Pacientes osteoporóticos ou que estejam tentando evitar a doença devem se exercitar, pelo menos, durante 30 minutos, 3×/semana. Os exercícios mais indicados são os que envolvem fortalecimento de quadríceps e exercícios com suporte do próprio peso para mulheres na pós-menopausa com diagnóstico de osteoporose ou osteopenia. Para que ocorra a melhora óssea, sugerem-se exercícios que englobam impacto, além de fortalecimento e equilíbrio. De acordo com o Centers for Disease Control and Prevention (CDC), atividades para otimização do equilíbrio e reforço muscular podem diminuir o risco de quedas em idosos.[36]

Tratamento farmacológico

Para tratamento farmacológico, devem ser considerados os seguintes critérios clinicolaboratoriais para homens com idade > 50 anos e mulheres no período pós-menopausa:[2]
→ osteoporose (escore T ≤ 2,5 DP) em densitometria óssea na coluna lombar, no colo do fêmur, no fêmur total ou no rádio. A densitometria óssea no terço distal ("rádio 33%") da diáfise do rádio, com predomínio de osso cortical, deve ser realizada quando a coluna lombar ou o fêmur proximal não puderem ser medidos ou interpretados nos pacientes com diagnóstico de hiperparatireoidismo,

e nos obesos com peso acima do limite do equipamento utilizado para realização da DEXA;
→ história de fratura por fragilidade prévia – vértebra ou quadril, inclusive assintomática (sem necessidade de avaliação da DMO, apesar de recomendada para monitoramento);
→ osteopenia (escore T entre −1 e −2,5 DP), evidenciada em colo do fêmur, quadril ou coluna lombar, e risco de fratura ≥ 3% em quadril ou ≥ 20% de fraturas maiores em 10 anos de acordo com o algoritmo adaptado da OMS (FRAX).

Os benefícios para prevenção de fraturas dos medicamentos foram predominantemente estudados em mulheres osteoporóticas na pós-menopausa (ver QR code). Os dados ainda são limitados a respeito de fraturas induzidas por corticoides em homens. Os fármacos aprovados para tratamento demonstraram diminuição no risco de fratura em pacientes com história de fraturas por fragilidade e/ou osteoporose na densitometria óssea. Para pacientes com osteopenia, as evidências na redução de risco de fraturas não são tão robustas. Portanto, uma decisão baseada em prós e contras deve ser compartilhada. Para instrumentalizar a decisão conjunta, foram desenvolvidas e disponibilizadas algumas calculadoras que estimam o risco e quantificam o NNT.

Os fármacos mais utilizados na pós-menopausa são apresentados a seguir.

Bisfosfonatos

São considerados de primeira linha no tratamento.[37] De forma geral, os bisfosfonatos mostraram redução do risco de fratura vertebral de 40 a 70% e redução do risco de fratura do quadril de 40 a 50%, sempre associados ao cálcio e à vitamina D **A**.[38] Todos os bisfosfonatos **A** apresentam eficácia na redução do risco de fraturas vertebrais. Por outro lado, somente o alendronato (3 anos de tratamento: fratura de quadril, NNT = 91; fratura vertebral, NNT = 14), o risedronato (3 anos de tratamento: fratura de quadril, NNT = 91; fratura vertebral, NNT = 20) e o ácido zoledrônico (3 anos de tratamento: fratura de quadril, NNT = 91; fratura vertebral, NNT = 14) demonstraram redução significativa no risco de fraturas.[25] A maior experiência de uso e o menor custo estabelecem o alendronato de sódio e o risedronato sódico como os mais empregados na prática clínica.

Cuidados na prescrição devem ser dispensados com orientação para administrar por via oral em jejum, 30 a 60 minutos antes da refeição matinal e com 1 copo cheio de água para que tenham o máximo de absorção. Dado o potencial tóxico esofagiano, deve-se evitar a posição de decúbito após o uso. Inclusive, pacientes com patologias gastrintestinais devem ter seu uso limitado ou contraindicado (hérnia de hiato, estenose, alterações da motilidade esofagiana [p. ex., esclerose sistêmica], varizes esofagianas e doença de Crohn). Nessas situações, um bisfosfonato de uso parenteral, como o ácido zoledrônico ou o ibandronato, parece ser uma opção. O ácido zoledrônico é preferível devido à maior evidência de redução de fraturas. Gravidez, lactação, redução de função renal (depuração de creatinina < 35 mL/min – especialmente em idosos) e pacientes em uso de diuréticos são condições de risco potencial para o seu uso. Distúrbios do cálcio devem ser abordados antes do início do tratamento.

Ainda muito controversa é a questão do tempo de uso dos bisfosfonatos. Os benefícios parecem não ter mais efeito após 5 anos de uso, exceto para fraturas vertebrais clinicamente diagnosticadas, nas quais se pode estender o tratamento para 10 anos. Além disso, dada a propriedade de depósito dos bisfosfonatos no osso, associado ao uso ininterrupto, desfechos potencialmente graves, como a osteonecrose da mandíbula (1-2% por ano) e as fraturas atípicas subtrocantéricas, foram relatados a partir de 2003.[39,40] Diante dessas informações, a **FIGURA 51.5** apresenta a abordagem recomendada pela Sociedade Brasileira de Reumatologia.

Agentes anabólicos

Diferentemente dos bisfosfonatos, os agentes anabólicos atuam sintetizando o tecido ósseo, sem ação na sua reabsorção. São indicados em pacientes que não podem utilizar os bisfosfonatos ou em pacientes que apresentam risco de fratura muito elevado.

A teriparatida está aprovada para o tratamento inicial da osteoporose pós-menopausa em mulheres com alto risco de fratura (escore T ≤ 3,5 ou escore T ≤ 2,5 com uma fratura de fragilidade ou fratura severa ou múltipla de vértebras).[41] Outras indicações são história prévia de pacientes que tenham

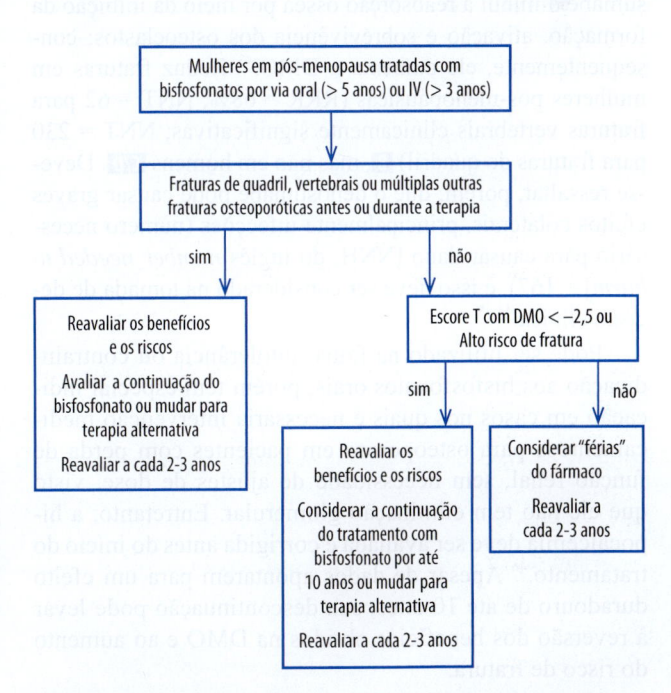

FIGURA 51.5 → Avaliação da duração do tempo de uso dos bisfosfonatos. DMO, densidade mineral óssea; IV, intravenoso.
Fonte: Radominski e colaboradores.[2]

apresentado falha ou intolerância em tratamentos anteriores e osteoporose induzida por corticoides.

Como limitações que podem contribuir para redução de efetividade, podem-se citar: perda dos benefícios da aquisição de DMO após interrupção no uso, limite máximo do tempo de uso estimado em 2 anos, necessidade de aplicações subcutâneas diárias e cuidados de conservação necessários.

Raloxifeno

O raloxifeno pertence à classe dos moduladores seletivos de receptores de estrogênios e tem efeito antirreabsortivo ósseo.

Está aprovado na dose de 60 mg/dia para a prevenção e o tratamento da osteoporose da coluna vertebral em mulheres na pós-menopausa, sem sintomas climatéricos, e promove redução significativa de fraturas vertebrais (RRR ~ 50%; NNT = 15 para mulheres que já sofreram fratura vertebral, NNT = 45 para aquelas sem história prévia) **B**. Também apresenta potencial de diminuição no risco de câncer de mama em mulheres na pós-menopausa com osteoporose, reforçando o seu uso nessa subpopulação. Não está recomendado para a redução de fraturas não vertebrais e de quadril.[42] Esse medicamento aumenta o risco de eventos tromboembólicos e não deve ser usado concomitantemente com estrogênios sistêmicos.

Denosumabe

Trata-se de um anticorpo monoclonal humano (isotipo IgG2) com grande afinidade e especificidade ao ligante do ativador do receptor do fator nuclear kappa B (RANKL), importante para a atividade do fator de necrose tumoral (TNF). O denosumabe diminui a reabsorção óssea por meio da inibição da formação, ativação e sobrevivência dos osteoclastos; consequentemente, ele aumenta a DMO.[43] Reduz fraturas em mulheres pós-menopáusicas (RRR = 68%; NNT = 62 para fraturas vertebrais clinicamente significativas; NNT = 230 para fraturas do quadril) **B**, mas não em homens **C/D**. Deve-se ressaltar, porém, que o denosumabe pode causar graves efeitos colaterais, principalmente infecções (número necessário para causar dano [NNH, do inglês *number needed to harm*] = 167), e isso deve ser considerado na tomada de decisão clínica.[44,45]

Pode ser utilizado na falha, intolerância ou contraindicação aos bisfosfonatos orais, porém tem especial indicação em casos nos quais é necessária intervenção medicamentosa para osteoporose em pacientes com perda de função renal, sem necessidade de ajustes de dose, visto que ele não tem eliminação glomerular. Entretanto, a hipocalcemia deve ser avaliada e corrigida antes do início do tratamento.[46] Apesar de dados apontarem para um efeito duradouro de até 10 anos, sua descontinuação pode levar à reversão dos benefícios obtidos na DMO e ao aumento do risco de fratura.

Dada a relevância social, individual e econômica, datas alusivas ao tema foram designadas, sendo 24 de junho o Dia Mundial de Prevenção de Quedas e o dia 20 de outubro o Dia Mundial de Combate à Osteoporose.

Terapia de reposição hormonal

Demonstra pequeno benefício (p. ex., NNT = 230-300 para tratamento de aproximadamente 6 anos) e risco de efeitos colaterais, especialmente cardiovasculares, não sendo recomendada para prevenção de fraturas atualmente **A**.[47]

REFERÊNCIAS

1. Consensus development conference: diagnosis, prophylaxis, and treatment of osteoporosis. Am J Med. 1993;94(6):646-50.
2. Radominski SC, Bernardo W, Paula AP, Albergaria B, Moreira C, Fernandes CE, et al. Diretrizes brasileiras para o diagnóstico e tratamento da osteoporose em mulheres na pós-menopausa. Rev. Bras. Reumatol. 2017; 57(Suppl 2): s452-66.
3. Cooper C, Ferrari SL, IOF Board and Executive Committee. IOF Compendium of Osteoporosis. Nyon: International Osteoporosis Foundation; 2017.
4. Cosman F, de Beur SJ, LeBoff MS, Lewiecki EM, Tanner B, Randall S, et al. Clinician's Guide to Prevention and Treatment of Osteoporosis. Osteoporos Int. 2014 Oct;25(10):2359-81. Erratum in: Osteoporos Int. 2015;26(7):2045-7.
5. Burge R, Dawson-Hughes B, Solomon DH, Wong JB, King A, Tosteson A. Incidence and economic burden of osteoporosis-related fractures in the United States, 2005-2025. J Bone Miner Res. 2007;22(3):465-75.
6. United Nations. World Population Ageing 2017-Highlights [Internet]. New York: Department of Economic and Social Affairs; 2017 [capturado em 11 jan. 2021]. Disponível em: https://www.un.org/en/development/desa/population/publications/pdf/ageing/WPA2017_Highlights.pdf
7. Aziziyeh R, Amin M, Habib M, Garcia Perlaza J, Szafranski K, McTavish RK, et al. The burden of osteoporosis in four Latin American countries: Brazil, Mexico, Colombia, and Argentina. J Med Econ. 2019;22(7):638-44.
8. Brauer CA, Coca-Perraillon M, Cutler DM, Rosen AB. Incidence and mortality of hip fractures in the United States. JAMA. 2009;302(14):1573-9.
9. Abrahamsen B, van Staa T, Ariely R, Olson M, Cooper C. Excess mortality following hip fracture: a systematic epidemiological review. Osteoporos Int. 2009;20(10):1633-50.
10. Orwig DL, Chan J, Magaziner J. Hip fracture and its consequences: differences between men and women. Orthop Clin North Am. 2006;37(4):611-22.
11. Bonjour JP, Chevalley T, Ferrari S, Rizzoli R. The importance and relevance of peak bone mass in the prevalence of osteoporosis. Salud Publica Mex. 2009;51 Suppl 1:S5-17.
12. Compston JE, McClung MR, Leslie WD. Osteoporosis. Lancet. 2019 Jan 26;393(10169):364-76.
13. Dempster DW, Shane E, Horbert W, Lindsay R. A simple method for correlative light and scanning electron microscopy of human iliac crest bone biopsies: qualitative observations in normal and osteoporotic subjects. J Bone Miner Res. 1986;1(1):15-21.
14. Sözen T, Özışık L, Başaran NÇ. An overview and management of osteoporosis. Eur J Rheumatol. 2017;4(1):46-56.
15. Doherty DA, Sanders KM, Kotowicz MA, Prince RL. Lifetime and five-year age-specific risks of first and subsequent osteoporotic fractures in postmenopausal women. Osteoporos Int. 2001;12(1):16-23.
16. Colón-Emeric C, Kuchibhatla M, Pieper C, Hawkes W, Fredman L, Magaziner J, Zimmerman S, Lyles KW. The contribution of hip fracture to risk of subsequent fractures: data from two longitudinal studies. Osteoporos Int. 2003;14(11):879-83.
17. Office of the Surgeon General (US). Bone Health and Osteoporosis: a report of the Surgeon General. Rockville: Office of the Surgeon General (US); 2004.

18. Rubenstein LZ, Powers CM, MacLean CH. Quality indicators for the management and prevention of falls and mobility problems in vulnerable elders. Ann Intern Med. 2001;135(8 Pt 2):686-93.
19. Xu W, Perera S, Medich D, Fiorito G, Wagner J, Berger LK, Greenspan SL. Height loss, vertebral fractures, and the misclassification of osteoporosis. Bone. 2011;48(2):307-11.
20. Costa AGS, Oliveira ARS, Sousa VEC, Araújo TL, Cardoso MVLML, Silva VM, et al. Instrumentos utilizados no Brasil para avaliação da mobilidade física como fator preditor de quedas em adultos. Ciênc. cuid. Saúde. 2011;10(2): 401-7.
21. Alexandre TS, Meira DM, Rico NC, Mizuta SK. Accuracy of Timed Up and Go Test for screening risk of falls among community-dwelling elderly. Rev. bras. fisioter. 2012; 16(5):381-8.
22. Dyer CB, Connolly MT, McFeeley P. The Clinical and Medical Forensics of Elder Abuse and Neglect. In: National Research Council (US) Panel to Review Risk and Prevalence of Elder Abuse and Neglect; Bonnie RJ, Wallace RB, editors. Elder Mistreatment: abuse, neglect, and exploitation in an aging America. Washington: National Academies; 2003.
23. Zerbini CA, Szejnfeld VL, Abergaria BH, McCloskey EV, Johansson H, Kanis JA. Incidence of hip fracture in Brazil and the development of a FRAX model. Arch Osteoporos. 2015;10:224.
24. Viswanathan M, Reddy S, Berkman N, Cullen K, Middleton JC, Nicholson WK, et al. Screening to prevent osteoporotic fractures: updated evidence report and systematic review for the US Preventive Services Task Force. JAMA. 2018;319(24):2532-51.
25. Allen S, Forney-Gorman A, Homan M, Kearns A, Kramlinger A, Sauer M. Diagnosis and treatment of osteoporosis [Internet]. Bloomington: Institute for Clinical Systems Improvement; 2017 [capturado em 10 ago 2020]. Disponível em: https://www.icsi.org/wp-content/uploads/2019/01/Osteo.pdf
26. World Health Organization. Scientific Group on the Prevention and Management of Osteoporosis. Prevention and management of osteoporosis: report of a WHO scientific group. Geneva: WHO; 2003.
27. Eastell R, Christiansen C, Grauer A, Kutilek S, Libanati C, McClung MR, et al. Effects of denosumab on bone turnover markers in postmenopausal osteoporosis. J Bone Miner Res. 2011;26(3):530-7.
28. Kemmler W, Häberle L, von Stengel S. Effects of exercise on fracture reduction in older adults: a systematic review and meta-analysis. Osteoporos Int. 2013;24(7):1937-50.
29. Ross AC, Manson JE, Abrams SA, Aloia JF, Brannon PM, Clinton SK, et al. The 2011 report on dietary reference intakes for calcium and vitamin D from the Institute of Medicine: what clinicians need to know. J Clin Endocrinol Metab. 2011;96(1):53-8.
30. Pinheiro MM, Schuch NJ, Genaro PS, Ciconelli RM, Ferraz MB, Martini LA. Nutrient intakes related to osteoporotic fractures in men and women the Brazilian Osteoporosis Study (BRAZOS). Nutr J. 2009;8:6.
31. Sociedade Brasileira de Reumatologia. Osteoporose. São Paulo: SBR; 2019 [capturado em 11 jan. 2021]. Disponível em: https://www.reumatologia.org.br/doencas-reumaticas/osteoporose/
32. Prentice RL, Pettinger MB, Jackson RD, Wactawski-Wende J, Lacroix AZ, Anderson GL, et al. Health risks and benefits from calcium and vitamin D supplementation: Women's Health Initiative clinical trial and cohort study. Osteoporos Int. 2013;24(2):567-80.
33. Holick MF, Siris ES, Binkley N, Beard MK, Khan A, Katzer JT, et al. Prevalence of Vitamin D inadequacy among postmenopausal North American women receiving osteoporosis therapy. J Clin Endocrinol Metab. 2005;90(6):3215-24.
34. Holick MF, Binkley NC, Bischoff-Ferrari HA, Gordon CM, Hanley DA, Heaney RP, Murad MH, Weaver CM; Endocrine Society. Evaluation, treatment, and prevention of vitamin D deficiency: an Endocrine Society clinical practice guideline. J Clin Endocrinol Metab. 2011;96(7):1911-30. Erratum in: J Clin Endocrinol Metab. 2011;96(12):3908.
35. Yao P, Bennett D, Mafham M, Lin X, Chen Z, Armitage J, et al. Vitamin D and calcium for the prevention of fracture: a systematic review and meta-analysis. JAMA Netw Open. 2019;2(12):e1917789.
36. Centers for Disease Control and Prevention. Physical activity and health. Atlanta: CDC; 2020 [capturado em 11 jan. 2021]. Disponível em: https://www.cdc.gov/physicalactivity/basics/pa-health/index.htm
37. Roelofs AJ, Thompson K, Gordon S, Rogers MJ. Molecular mechanisms of action of bisphosphonates: current status. Clin Cancer Res. 2006;12(20 Pt 2):6222s-30.
38. Saito T, Sterbenz JM, Malay S, Zhong L, MacEachern MP, Chung KC. Effectiveness of anti-osteoporotic drugs to prevent secondary fragility fractures: systematic review and meta-analysis. Osteoporos Int. 2017;28(12):3289-3300.
39. Khan AA, Morrison A, Hanley DA, Felsenberg D, McCauley LK, O'Ryan F, et al. Diagnosis and management of osteonecrosis of the jaw: a systematic review and international consensus. J Bone Miner Res. 2015;30(1):3-23.
40. Shane E, Burr D, Abrahamsen B, Adler RA, Brown TD, Cheung AM, et al. Atypical subtrochanteric and diaphyseal femoral fractures: second report of a task force of the American Society for Bone and Mineral Research. J Bone Miner Res. 2014;29(1):1-23.
41. Hodsman A, Papaioannou A, Cranney A. Clinical practice guidelines for the use of parathyroid hormone in the treatment of osteoporosis. CMAJ. 2006;175(1):48.
42. Vogel VG, Costantino JP, Wickerham DL, Cronin WM, Cecchini RS, Atkins JN, et al. Effects of tamoxifen vs raloxifene on the risk of developing invasive breast cancer and other disease outcomes: the NSABP Study of Tamoxifen and Raloxifene (STAR) P-2 trial. JAMA. 2006;295(23):2727-41. Erratum in: JAMA. 2007;298(9):973.
43. Hanley DA, Adachi JD, Bell A, Brown V. Denosumab: mechanism of action and clinical outcomes. Int J Clin Pract. 2012;66(12):1139-46.
44. Zhou Z, Chen C, Zhang J, Ji X, Liu L, Zhang G, Cao X, Wang P. Safety of denosumab in postmenopausal women with osteoporosis or low bone mineral density: a meta-analysis. Int J Clin Exp Pathol. 2014;7(5):2113-22.
45. Song P, Zehtabchi S. Denosumab for reducing risk of fractures in postmenopausal women. New York: NNT; 2019 [capturado em 11 jan. 2020]. Disponível em: https://www.thennt.com/nnt/denosumab-reducing-risk-fractures-postmenopausal-women/.
46. McClung MR, Wagman RB, Miller PD, Wang A, Lewiecki EM. Observations following discontinuation of long-term denosumab therapy. Osteoporos Int. 2017;28(5):1723-32.
47. Manson JE, Chlebowski RT, Stefanick ML, Aragaki AK, Rossouw JE, Prentice RL, et al. Menopausal hormone therapy and health outcomes during the intervention and extended poststopping phases of the Women's Health Initiative randomized trials. JAMA. 2013;310(13):1353-68.

Capítulo 52
DOENÇA DE PARKINSON

Manuella Edler Zandoná

Pedro Schestatsky

Carlos R. M. Rieder

A doença de Parkinson (DP) é a segunda doença neurodegenerativa mais comum depois da doença de Alzheimer.[1] Descrita inicialmente em 1817 por James Parkinson como uma doença predominantemente motora, hoje é reconhecida por seu envolvimento em múltiplas áreas neuroanatômicas com comprometimento de diferentes neurotransmissores, resultando em uma ampla combinação de sintomas motores e não motores.[2]

A doença é universal, acometendo todos os grupos étnicos e classes socioeconômicas, com uma leve predominância no sexo masculino. Sua incidência e prevalência aumentam exponencialmente com a idade, acometendo 1 a 3% da população com idade > 65 anos.[3] No Brasil, um estudo de base populacional identificou a prevalência de 3,3% entre indivíduos com idade > 60 anos.[4] No Rio Grande do Sul, a prevalência é de 3% entre os idosos.[5]

ETIOPATOGENIA

A mudança neuropatológica mais marcante na DP é a perda dos neurônios dopaminérgicos da via nigroestriatal, gerando depleção da dopamina cerebral e, consequentemente, emergência dos sintomas motores.[6] Estima-se que, quando os pacientes se tornam sintomáticos, 60 a 80% dessa população neuronal tenha sido danificada de modo irreversível.

Outra característica da doença é a presença de inclusões eosinofílicas, conhecidas como corpúsculos de Lewy, nos neurônios em processo de degeneração. Esses corpúsculos contêm proteínas neurofilamentares hiperfosforiladas, lipídeos, ferro, ubiquitina e α-sinucleína e também podem ser encontrados na medula espinal e no sistema nervoso periférico, incluindo o nervo vago, o plexo cardíaco, o sistema nervoso entérico, etc.

PROGNÓSTICO

A forma de evolução da DP é muito variável. Estima-se que, em geral, ocorra cerca de 10% de perda de neurônios dopaminérgicos na substância negra por ano.[7] Assim, à medida que a doença evolui no tempo, piora a sintomatologia e aumenta a necessidade de medicamentos sintomáticos adicionais. Além disso, o grau de resposta aos medicamentos decresce com a progressão da doença e novos sintomas surgem, inclusive alguns secundários aos próprios medicamentos. A maior causa de morte em pacientes com DP é infecção intercorrente, sendo mais comum a pulmonar.

Um dos principais objetivos desejados no tratamento desses pacientes é, portanto, retardar a progressão da doença. No entanto, até o presente momento, não existe nenhuma intervenção eficaz[8] que modifique a velocidade da neurodegeneração ou impeça a evolução natural da doença. Resta ao médico, portanto, agir sobre os sintomas e as comorbidades, diminuindo a mortalidade e, sobretudo, aumentando a qualidade de vida desses pacientes.

DIAGNÓSTICO

O diagnóstico da DP é baseado na história e no exame físico do paciente. Os critérios do Brain Bank da Parkinson's Disease Society do Reino Unido ainda são os mais utilizados na prática clínica e incluem três etapas para o processo diagnóstico: o diagnóstico da síndrome parkinsoniana, a exclusão de achados que sugiram causa alternativa de parkinsonismo e a presença de critérios prospectivos de suporte para DP (TABELA 52.1).

TABELA 52.1 → Critérios para o diagnóstico de doença de Parkinson

I. CRITÉRIOS NECESSÁRIOS PARA DIAGNÓSTICO DE DOENÇA DE PARKINSON
Bradicinesia e pelo menos um dos seguintes sintomas: → Rigidez muscular → Tremor de repouso de 4-6 Hz avaliado clinicamente → Instabilidade postural não causada por distúrbios visuais, vestibulares, cerebelares ou proprioceptivos
II. CRITÉRIOS NEGATIVOS (EXCLUDENTES) PARA DOENÇA DE PARKINSON
→ História de acidente vascular cerebral de repetição → História de trauma craniano grave → História definida de encefalite → Crises oculogíricas → Tratamento prévio com neurolépticos → Remissão espontânea dos sintomas → Quadro clínico estritamente unilateral após 3 anos → Paralisia supranuclear do olhar → Sinais cerebelares → Sinais autonômicos precoces → Demência precoce → Liberação piramidal com sinal de Babinski → Presença de tumor cerebral ou hidrocefalia comunicante → Resposta negativa a altas doses de levodopa → Exposição a metilfeniltetrapiridínio
III. CRITÉRIOS DE SUPORTE POSITIVO PARA O DIAGNÓSTICO DE DOENÇA DE PARKINSON (TRÊS OU MAIS SÃO NECESSÁRIOS PARA O DIAGNÓSTICO)
→ Início unilateral → Presença do tremor de repouso → Doença progressiva → Persistência da assimetria dos sintomas → Boa resposta à levodopa → Presença de discinesias induzidas pela levodopa → Resposta à levodopa por 5 anos ou mais → Evolução clínica de 10 anos ou mais

À suspeição diagnóstica, o paciente deve ser encaminhado ao neurologista para avaliação complementar. A diretriz do National Institute for Health and Care Excellence (Nice)[9] propõe que o tempo de encaminhamento deve ser inferior a 6 semanas, não devendo exceder mais de 2 semanas caso a condição seja grave ou complexa.

> **Bradicinesia, rigidez muscular, tremor de repouso e instabilidade postural fazem parte da síndrome parkinsoniana. No entanto, as manifestações são muito heterogêneas e, muitas vezes, com achados sutis de apresentação clínica. Não existem achados patognomônicos da DP, e várias condições podem mimetizar a doença; por isso, é necessária uma avaliação por um profissional com experiência na DP para um diagnóstico mais acurado.**

A bradicinesia é identificada como uma lentidão do início voluntário de um movimento com redução progressiva na velocidade e na amplitude de ações repetitivas sustentadas, podendo ser testada por meio do *finger tapping test* ou do abrir e fechar de mãos. É o sintoma cardinal do parkinsonismo.

O tremor característico é distal e de repouso, na frequência de 3 a 6 Hz, em geral de início unilateral. É mais bem observado com as mãos descansando sobre o colo, muitas vezes sendo trazido à tona por manobras de distração, por exemplo, ao pedir para o paciente falar os meses de trás para frente. Durante a evolução da doença, pode tornar-se evidente mesmo à ação (postural e cinético). A rigidez é percebida como uma resistência passiva ao movimento. A característica de "roda denteada" indica a presença do tremor sobreposto à rigidez. Do mesmo modo que os demais sintomas, não é específica da DP, estando presente em outras doenças neurológicas, incluindo o tremor essencial.[10]

Apesar de estar presente nos critérios diagnósticos do Brain Bank da Parkinson's Disease Society do Reino Unido, a instabilidade postural é um sintoma geralmente de doença mais avançada. Provavelmente por isso a força-tarefa da Movement Disorder Society não a incluiu na definição de parkinsonismo.[11]

Sinais como micrografia, redução da mímica facial e marcha acelerada com passos curtos também são frequentemente observadas em pacientes com a doença. Os sintomas não motores, por sua vez, incluem alterações do olfato, sintomas psiquiátricos, distúrbios do sono, declínio cognitivo, disfunção autonômica, distúrbios da fala e da deglutição, dor, fadiga, etc.

Diagnóstico diferencial

A DP é a forma mais comum de parkinsonismo, representando 80% dos casos.[12] Os diagnósticos diferenciais principais são as outras formas de parkinsonismo (TABELA 52.2), como parkinsonismo secundário, síndromes parkinsonianas-*plus* e outras doenças heredodegenerativas com manifestações similares.

Entre as causas secundárias de parkinsonismo, encontram-se medicamentos que interferem no metabolismo cerebral da dopamina e cujo uso prolongado pode produzir manifestações semelhantes às da DP (TABELA 52.3). Acidentes vasculares cerebrais (multi-infartos), toxinas (intoxicações por monóxido de carbono, metanol, metilfeniltetraidropiridina, manganês, cianeto e outros) e infecções do sistema nervoso central (síndrome da imunodeficiência adquirida [Aids – do inglês, *acquired immunodeficiency syndrome*], infecções fúngicas, etc.) também estão entre as causas de parkinsonismo secundário.

A síndrome parkinsoniana também pode ser secundária a outras doenças neurológicas, como paralisia supranuclear progressiva, atrofia de múltiplos sistemas, demência com corpúsculos de Lewy, doença de Alzheimer, doença de Huntington e doença de Wilson. Muitas vezes, essas outras patologias são difíceis de diferenciar da DP em um primeiro momento, mesmo por especialistas, e frequentemente há mudança de diagnóstico no decorrer da doença. Nesse caso, é importante estar atento a pistas que, ao longo do acompanhamento, possam levar a diagnósticos alternativos (TABELA 52.4).

Problemas diagnósticos podem ocorrer em casos leves, sobretudo se o tremor de repouso for mínimo ou ausente. Por exemplo, a lentidão dos movimentos costuma ser atribuída à idade avançada. Pode ser difícil distinguir um paciente com depressão maior, face hipomímica, voz pobremente modulada e redução da atividade motora voluntária de um paciente com parkinsonismo leve, em especial sabendo que as duas condições podem coexistir.

TABELA 52.2 → Formas de parkinsonismo

PARKINSONISMO PRIMÁRIO OU DOENÇA DE PARKINSON IDIOPÁTICA

PARKINSONISMO SECUNDÁRIO
- Fármacos: neurolépticos (fenotiazínicos e haloperidol), antidepressivos tricíclicos, metoclopramida, metildopa, lítio, amiodarona, lovastatina e bloqueadores do canal do cálcio (cinarizina, flunarizina e verapamil)
- Infecções (pós-encefalite, neurossífilis, Aids)
- Metabólico (degeneração hepatocerebral, hipoxia, distúrbios da paratireoide, etc.)
- Estrutural (tumor cerebral, hidrocefalia, trauma, etc.)
- Toxinas (MPTP, manganês, cianeto, monóxido de carbono, etc.)
- Vascular

SÍNDROMES DE PARKINSONISMO-*PLUS*
- Atrofia de múltiplos sistemas
   - Shy-Drager
   - Atrofia olivopontocerebelar
   - Degeneração nigroestriatal
- Paralisia supranuclear progressiva
- Degeneração corticogangliobasal
- Hemiatrofia-hemiparkinsonismo
- Síndromes cursando com demência (Alzheimer, doença de inclusão difusa dos corpúsculos de Lewy, etc.)
- Parkinsonismo-demência-ELA

DOENÇAS DEGENERATIVAS HEREDITÁRIAS
- Ataxias cerebelares autossômicas dominantes
- Doença de Hallervorden-Spatz
- Doença de Huntington
- Mitocondriopatias
- Neuroacantocitose
- Doença de Wilson

Aids, síndrome da imunodeficiência adquirida; ELA, esclerose lateral amiotrófica; MPTP, metilfeniltetraidropiridina.

TABELA 52.3 → Medicamentos que podem produzir manifestações clínicas semelhantes às da doença de Parkinson

- Proclorperazina
- Metoclopramida
- Reserpina
- Perfenazina
- Flupentixol
- Clorpromazina
- Flufenazina
- Haloperidol
- Lítio
- Flunarizina
- Cinarizina
- Pimozida
- Sulpirida
- Trifluoperazina

TABELA 52.4 → Principais achados que podem levar à mudança de diagnóstico de doença de Parkinson

- Alucinações no início da doença
- Demência precoce
- Hipotensão postural grave no início da doença
- Má resposta à levodopa
- Uso de neurolépticos
- Sinais neurológicos bilaterais e simétricos
- Sintomas piramidais e/ou cerebelares
- Paresia da motricidade ocular vertical

Exames complementares

Embora o diagnóstico da DP seja principalmente clínico, alguns exames devem ser realizados de rotina apenas com intuito de afastar causas secundárias de parkinsonismo.

Assim, recomenda-se solicitar hemograma, *Venereal Disease Research Laboratory* (VDRL) e teste de imunofluorescência indireta (anticorpo treponêmico fluorescente absorvido [FTA-ABS]), vitamina B_{12}, hormônio estimulante da tireoide (TSH [do inglês, *thyroid-stimulating hormone*]), eletrólitos, e provas de função hepática e renal. Estudos de neuroimagem, como a tomografia computadorizada e a ressonância magnética de crânio, podem ser úteis ao sugerir diagnósticos diferenciais, como hidrocefalia de pressão normal, parkinsonismo vascular, paralisia supranuclear progressiva e atrofia de múltiplos sistemas. Estudos com tomografia computadorizada por emissão de fóton único (SPECT [do inglês, *single-photon emission computed tomography*]) utilizando traçadores para transportador de dopamina (TRODAT) também podem ser vantajosos em casos de suspeita de tremor essencial ou de parkinsonismo psicogênico.

OUTROS TREMORES: TREMOR ESSENCIAL

O tremor essencial é o distúrbio de movimento mais comum no mundo, com prevalência de 0,4 a 3,9% na população geral e 5% na população com idade > 40 anos,[13] motivo pelo qual deve ser sempre considerado no diagnóstico diferencial de DP. Conforme a nova classificação de tremor da International Parkinson and Movement Disorder Society (MDS),[14] o tremor essencial deve ser definido como uma síndrome isolada de tremor. Esse tremor é de ação, dos membros superiores – com ou sem comprometimento de outras localizações (tremor cefálico, vocal ou de membros inferiores) –, com duração de pelo menos 3 anos, sem outros sinais neurológicos, como distonia, ataxia ou parkinsonismo.

A maioria dos casos tem história familiar positiva, e os parentes de primeiro grau desses pacientes são 5 a 10 vezes mais suscetíveis ao desenvolvimento de tremor essencial que os parentes de controles. Outra característica relevante da doença é a atenuação do tremor com a ingestão de álcool, fenômeno presente em 50 a 70% dos casos.

O tratamento farmacológico de primeira linha para o tremor essencial consiste em propranolol e primidona **B**.[15] As doses-alvo são 240 a 320 mg/dia e 50 a 350 mg/dia, respectivamente. Conforme a última revisão da MDS, o uso combinado de primidona, 250 mg, 1×/dia, e propranolol, 80 mg, 3×/dia, foi associado a um maior benefício no tremor postural medido pela acelerometria quando comparado a qualquer fármaco isolado. Porém, a segurança e a tolerabilidade dessa combinação não foram relatadas.

MODALIDADES TERAPÊUTICAS PARA A DOENÇA DE PARKINSON

O tratamento da DP continua sendo apenas sintomático. Os fármacos que aumentam a concentração de dopamina ou estimulam os receptores dopaminérgicos seguem sendo a base principal do manejo da doença e devem ser introduzidos quando os sinais e sintomas parkinsonianos começam a afetar significativamente as atividades do dia a dia dos pacientes.

> Em função da diversidade de queixas associadas à doença, é importante ressaltar que o ideal é que o paciente com DP seja tratado por equipe multidisciplinar, que inclui neurologista, médico de atenção primária à saúde (APS), enfermeiro, fisioterapeuta, terapeuta ocupacional, fonoaudiólogo e nutricionista.

Medidas não farmacológicas

Intervenções não farmacológicas são elementos fundamentais no manejo dos pacientes com DP, embora muitas vezes sejam negligenciadas pelos médicos. Elas incluem cuidados gerais com alimentação, realização de fisioterapia e fonoterapia, educação sobre a doença e apoio psicológico ao paciente e cuidadores **C/D**.[16-19] Para isso, o paciente deve contar com uma equipe multidisciplinar atuante, especialmente nas fases mais avançadas da doença.

A orientação nutricional visa prevenir complicações comuns da doença, como desnutrição, perda de massa muscular e constipação.[20] Na prática, nenhuma dieta especial é necessária, apenas a instrução dos pacientes quanto à importância de uma alimentação balanceada que contenha fibras e líquidos suficientes em função da constipação, além do cuidado quanto à administração da levodopa, que deve ser feita 1 hora antes ou 1 hora depois das refeições.

A fisioterapia, a terapia ocupacional e os demais exercícios de reabilitação objetivam melhorar a mobilidade, a postura e o equilíbrio dos doentes, tentando reduzir o número de quedas e suas complicações secundárias. A fonoterapia, por sua vez, tem como objetivo a manutenção da fala e a prevenção da disfagia, um dos principais incapacitantes na doença avançada.

Tratamento farmacológico

Os grupos de medicamentos utilizados no tratamento, bem como suas apresentações, mecanismos e posologia, estão especificados na TABELA 52.5. A escolha do medicamento inicial mais adequado deve levar em consideração os fatores a seguir.

→ **Diagnóstico correto.** A participação de um neurologista é importante nessa fase. Causas secundárias devem ser procuradas e descartadas. A falta de resposta a medicamentos antiparkinsonianos sugere que outra condição é responsável pelas manifestações clínicas.

→ **Idade do paciente.** É comum os agonistas dopaminérgicos serem associados a alucinações, principalmente em pacientes com declínio cognitivo; por isso, devem ser evitados em pacientes mais idosos. Os anticolinérgicos, além do comprometimento da memória com confusão mental e alucinações, podem gerar boca seca, retenção urinária, sedação, taquicardia, visão turva, desconforto gastrintestinal, entre outros.

TABELA 52.5 → Fármacos disponíveis no Brasil para o tratamento da doença de Parkinson

FÁRMACO	APRESENTAÇÕES	POSOLOGIA	MECANISMOS DE AÇÃO PROPOSTOS
Anticolinérgicos			Antagonizam os efeitos excitatórios da acetilcolina no estriado mediante bloqueio de receptores muscarínicos; compensam a relativa superatividade do sistema colinérgico sobre o dopaminérgico
Biperideno	Comprimidos de 2 e 5 mg; drágeas de 4 mg	Iniciar com 1 mg na refeição; aumentar 2 mg/dia a cada 3 a 5 dias até 6 a 8 mg/dia (3 tomadas)	
Triexifenidil	Comprimidos de 2 e 5 mg		
Agonistas dopaminérgicos			São fármacos com propriedades dopaminérgicas; estimulam receptores da dopamina
Bromocriptina	Comprimidos de 2,5 e 5 mg	Iniciar com ½ comprimido de 2,5 mg durante as refeições (2 ×/dia); aumentar gradativamente (a cada 14-28 dias) (2,5 mg/dia) até 5-25 mg/dia nas refeições (4 ×/dia)	
Pramipexol	Comprimidos de 0,125, 0,25, 0,5 e 1 mg	Aumentar gradualmente, iniciando com uma dose de 0,125 mg/dia (3 ×); aumentar a cada 5-7 dias para 0,75 mg/dia; 1,5 mg/dia; 2,25 mg/dia; 3 mg/dia; 3,75 mg/dia; 4,5 mg/dia	
Rotigotina	Adesivos dérmicos de 2, 4, 6 e 8 mg	Iniciar com 2 mg e aumentar em 1 semana para 4 mg; dose de 4-16 mg; o adesivo deve ser trocado diariamente	
Levodopa/inibidor da dopa-descarboxilase			A levodopa, por meio da enzima L-aminoácido-descarboxilase, é convertida em dopamina, principal neurotransmissor depletado; repõe parte do estoque deficiente de dopamina no estriado e, portanto, produz melhora dos sintomas parkinsonianos
Levodopa/carbidopa	250 mg/25 mg	Iniciar com ¼ comprimido 2-3 ×/dia; dobrar a dose a cada 4-7 dias	
Levodopa/benserazida	200 mg/50 mg 100 mg/25 mg	Iniciar com levodopa 50 mg; 2-3 ×/dia; dobrar a dose a cada 4-7 dias	
	HBS-liberação lenta: 100 mg/25 mg	Iniciar com 1 tablete/dia e aumentar até 200 mg/50 mg; deve ser usado mais à noite para intervalos longos sem administração	
	Dispersível (absorção rápida) 100 mg/25 mg	Diluir em água e ingerir; em geral, nos períodos *off* ou na primeira dose da manhã para iniciar o efeito mais rapidamente	
Inibidores da MAO-B			Produzem inibição irreversível da MAO-B, enzima responsável pelo metabolismo da dopamina, aumentando, portanto, a neurotransmissão dopaminérgica
Selegilina	Comprimidos de 5 e 10 mg	5-10 mg/dia, em 2 tomadas	
Rasagilina	Comprimidos de 1 mg	1 ×/dia	
Inibidores da COMT			Inibem a COMT, enzima que metaboliza a levodopa tanto em nível periférico quanto central; aumentam a biodisponibilidade da levodopa, mantendo níveis séricos estáveis e prolongados e oferecendo uma carga dopaminérgica maior para o estriado
Tolcapona	100 e 200 mg	100 ou 200 mg, 3 ×/dia	
Entacapona	200 mg	200-2.000 mg/dia	
Antiglutamatérgico			Aumenta a liberação de dopamina dos terminais intactos e inibe a sua recaptação; tem efeito direto nos receptores da dopamina na fenda pós-sináptica, produzindo alterações de afinidade dos receptores da dopamina; bloqueio dos receptores NMDA
Amantadina	100 mg	100-200 mg/dia	

COMT, catecol-*O*-metiltransferase; MAO-B, monoaminoxidase B; NMDA, *N*-metil-D-aspartato.

→ **Estado cognitivo.** Pacientes com algum grau de prejuízo cognitivo devem ser orientados a introduzir a levodopa como medicamento de primeira escolha. Caso o paciente já esteja utilizando outros fármacos antiparkinsonianos e algum grau de alteração cognitiva seja observado, as seguintes classes devem ser avaliadas e, se necessário, retiradas na seguinte ordem: sedativos hipnóticos, anticolinérgicos, amantadina, selegilina, agonistas dopaminérgicos e levodopa.

→ **Gravidade da doença e tipo de atividade profissional exercida.** Como a levodopa é o antiparkinsoniano mais eficaz e de maior rapidez de ação nos indivíduos sintomáticos, deve ser priorizada inicialmente naqueles com manifestações de marcado impacto sobre sua atividade profissional e estilo de vida, em especial se uma boa resposta inicial aos agonistas dopaminérgicos for observada.

→ **Custo.** Esse é um dos fatores limitantes na obtenção de alívio sintomático e sucesso na prevenção de complicações motoras.

Tratamento cirúrgico

O tratamento cirúrgico para a DP é indicado para os pacientes com controle insatisfatório dos sintomas motores – flutuações (deterioração de final de dose, efeito *on-off*), discinesias, tremor – apesar do tratamento clínico otimizado.[21,22] Entre as alternativas disponíveis, a estimulação profunda do globo pálido ou do núcleo subtalâmico continua sendo a mais utilizada. A palidotomia unilateral também se mostrou eficaz, porém deve ser considerada apenas em pacientes com hemiparkinsonismo, já que o procedimento bilateral está contraindicado. Outras abordagens cirúrgicas, como a talamotomia unilateral, a estimulação profunda talâmica e a subtalamotomia, ainda permanecem em investigação.

A seleção cuidadosa dos candidatos à cirurgia é fundamental, uma vez que podem ocorrer potenciais complicações, como comprometimento da fala, do humor, da marcha e da cognição. Por isso, pacientes com pobre resposta à levodopa, instabilidade postural, sintomas psiquiátricos não controlados, declínio cognitivo moderado a grave ou comorbidades clínicas com alto risco cirúrgico não devem ser submetidos ao implante de estimulador cerebral profundo.

ABORDAGEM TERAPÊUTICA DOS SINTOMAS MOTORES DA DOENÇA DE PARKINSON

Tratamentos modificadores de doença

Até o momento, não há medidas que previnam ou retardem a evolução da doença. Pramipexol, coenzima Q10 e creatina mostraram-se não eficazes, e os inibidores da monoaminoxidase B (IMAO-B), a levodopa, a vitamina D e o exercício físico falharam em demonstrar evidência suficiente para seu uso como modificares de doença.

Tratamentos sintomáticos

A escolha do momento de início do tratamento sintomático e do fármaco a ser usado deve considerar diversos fatores, como idade do paciente, estado cognitivo, gravidade da doença, atividade laboral, etc. A levodopa é o medicamento mais efetivo para controle dos sintomas motores; porém, os agonistas dopaminérgicos – pramipexol, rotigotina, pergolida, cabergolina e bromocriptina – e os IMAO-B – selegilina, rasagilina –podem ser igualmente utilizados na fase inicial da doença em monoterapia **B**.[8,23]

O atraso do início da levodopa em favor de outras classes com menor potencial de desenvolvimento de discinesias e flutuações motoras também foi muito debatido. Hoje se considera o uso precoce da levodopa pelos seguintes motivos: os demais antiparkinsonianos são menos efetivos e apresentam mais frequentemente efeitos colaterais iniciais, e o início das complicações motoras parece estar ligado à duração da doença e da dose de levodopa e não ao tempo de exposição a ela. Ao contrário do que foi sugerido no passado, evidências apontam que o início precoce (vs. apenas após 40 semanas) da levodopa não está associado a um aumento no risco de complicações motoras.

Manejo das complicações motoras

As complicações motoras, incluindo as flutuações motoras e discinesias, podem atingir cerca de 80% dos pacientes jovens e 44% dos mais velhos após 5 anos de tratamento com levodopa.[24] As flutuações motoras referem-se a respostas motoras flutuantes à administração da levodopa, com encurtamento da duração do efeito (fenômeno do *wearing off*) e interrupção súbita da sua ação, levando a uma situação de "resposta-falta de resposta" ao medicamento (fenômeno *on-off*). As principais abordagens terapêuticas são o uso de agonistas dopaminérgicos, IMAO-B, inibidores da catecol--*O*-metiltransferase (COMT) – entacapona e tolcapona – ou a intervenção cirúrgica (ver **TABELA 52.5**).

As discinesias são movimentos involuntários do tipo coreicos ou distônicos (algumas vezes com acatisia concomitante), associados à estimulação pulsátil de neurônios dopaminérgicos remanescentes. Pacientes jovens são particularmente vulneráveis ao aparecimento desses sintomas. Amantadina e clozapina são os únicos fármacos considerados eficazes no tratamento das discinesias. O implante de estimulador cerebral no globo pálido ou no núcleo subtalâmico e a palidotomia unilateral também são considerados efetivos.

A levodopa de liberação controlada, apesar de teoricamente obter uma estimulação de receptores da dopamina de forma mais continuada, não reduz a taxa de complicações motoras em relação ao tratamento com levodopa de apresentação-padrão.[25] Assim, seu uso rotineiro não é justificado.

ABORDAGEM DOS SINTOMAS NÃO MOTORES

Nos últimos anos, várias publicações têm dado ênfase aos sintomas não motores da DP, principalmente porque alguns deles precedem, em anos, o início da síndrome motora clássica, podendo ser usados como preditores do início da doença.[26] Além disso, são tão incapacitantes quanto os sintomas motores e geralmente não respondem às terapias sintomáticas tradicionais.[27]

Ansiedade

A ansiedade é comum e pode ser um indicador pré-clínico da doença. A apresentação pode ser na forma de ataques de pânico ou comer compulsivo. Atos repetitivos sem sentido e outros comportamentos obsessivo-compulsivos ou ansiedade generalizada podem ser secundários a flutuações motoras induzidas pelos medicamentos.

Depressão

Ocorre em 45% dos pacientes e parece estar relacionada com a degeneração de neurônios dopaminérgicos e dos sistemas pré-frontais e límbicos. Uma avaliação estruturada e o uso de escalas de depressão podem ajudar na quantificação do problema.[28]

O pramipexol reduziu em 50% os sintomas depressivos avaliados pela escala de depressão de Beck após 12 semanas de uso em pacientes com DP.[29] A venlafaxina reduziu escores da escala de Hamilton mais que pacientes do grupo-controle, no entanto não houve diferença quando analisado o desfecho primário dicotomizado (redução para escores ≤ 7 na escala de Hamilton de avaliação de depressão) **C/D**.[30] Embora sejam utilizadas no tratamento da depressão na DP, faltam evidências do benefício dos demais fármacos, como citalopram, fluoxetina, sertralina, amitriptilina, nortriptilina e paroxetina.[31]

Psicose e alucinações visuais

Os sintomas psicóticos podem ocorrer em cerca de 40% dos pacientes com DP em tratamento dopaminérgico. As alucinações visuais geralmente são complexas e envolvem crianças, pessoas idosas ou animais. As alucinações auditivas e olfatórias são menos frequentes e devem suscitar outras possibilidades diagnósticas.

O manejo inicial deve incluir a redução ou a suspensão de fármacos que possam induzir esses sintomas. A quetiapina, apesar de não estar formalmente estabelecida como eficaz, pode ser considerada como primeira escolha pelo seu perfil de segurança melhor que o da clozapina C/D. No entanto, pacientes refratários a esse medicamento devem ser considerados para o uso da clozapina C/D.[32]

Demência

A síndrome demencial ocorre em aproximadamente 30% dos pacientes, aumentando em frequência com o avançar da idade. As características principais são de uma síndrome disexecutiva com importante comprometimento da atenção, das capacidades visuoespaciais e da memória recente, com sintomas neuropsiquiátricos, como apatia e psicose.

A memantina e os inibidores da colinesterase (donepezila, galantamina e rivastigmina) possuem efeito na função cognitiva da demência da DP (TE = 0,46) B. Do ponto de vista cognitivo, podem ter efeito positivo sobre as funções executivas, a atenção, a velocidade de processamento, a memória e a linguagem. É necessária uma monitorização cuidadosa dos efeitos secundários dos fármacos.[33]

Distúrbios do sono

Distúrbios do sono são um dos principais fardos dos pacientes com DP. As causas são multifatoriais, mas a degeneração dos centros reguladores no tronco encefálico e das vias talamocorticais também está implicada. Uma história completa deve ser obtida visando descobrir possíveis interações prejudiciais ao sono (ver Capítulo Alterações do Sono).[34]

Síndrome das pernas inquietas

O tratamento farmacológico inclui os agentes dopaminérgicos (levodopa, pramipexol e rotigotina), os anticonvulsivantes (gabapentina, pregabalina), os opioides (codeína) e o clonazepam. O exercício físico realizado antes de deitar pode auxiliar no controle das pernas inquietas C/D.[35] Pacientes com níveis séricos de ferro ou ferritina abaixo da normalidade podem beneficiar-se com a reposição de sulfato ferroso B.[36,37]

Distúrbio comportamental do sono REM (DCSREM)

Caracterizado por perda da atonia muscular durante o sono REM (do inglês, *rapid eyes movement*), resultando em movimentos violentos durante o sono, o DCSREM pode preceder o desenvolvimento de sintomas motores em até 40% dos pacientes após 5 anos do início dos sintomas. O clonazepam, 0,5 a 2 mg, e a melatonina, 3 a 12 mg, podem ajudar C/D.[38]

Disfunção urinária

A disfunção vesical pode afetar 40% dos pacientes. O sinal mais comum e precoce é a noctúria (despertar várias vezes durante a noite para urinar), seguido de urgência e incontinência urinárias. Os anticolinérgicos, como a oxibutinina e a tolterodina, podem ser considerados, atentando, porém, para possível piora do quadro demencial C/D. Caso haja problemas vesicais persistentes irresponsivos ao tratamento, um urologista deve ser consultado. (Para mais detalhes, ver Capítulo O Cuidado do Paciente Idoso.)

Constipação

A constipação afeta 50% dos pacientes, mais do que o dobro da prevalência na população geral. Trata-se de um dos sintomas não motores mais comuns e pode preceder o desenvolvimento dos sintomas clássicos.

A abordagem inicial da constipação devido à dismotilidade colônica inclui aumento da ingesta de fibras e líquidos e atividade física regular diária. Entre os medicamentos laxativos, deve-se evitar o uso de macrogol e de probióticos (ver Capítulo Problemas Digestivos Baixos).

Disfunção sexual

A disfunção sexual é um dos sintomas mais negligenciados na doença – parte pelo embaraço do paciente, parte pela falta de atenção dos médicos assistentes.

O comprometimento da função sexual parece ser mais prevalente em homens. A diminuição da libido e a disfunção erétil podem ocorrer em até 80% dos homens; em mulheres, a diminuição da libido e a dificuldade em atingir o orgasmo podem alcançar 75%.[39] Fatores como depressão, disfunção hormonal e uso de medicamentos devem ser excluídos. O uso de sildenafila costuma ser eficaz no tratamento desses sintomas (ver Capítulo Abordagem da Sexualidade e de suas Alterações).

Hipotensão postural

A denervação simpática periférica cardiovascular costuma ser protuberante na DP, sendo a principal responsável pela falha autonômica. No entanto, é importante levar sempre em consideração causas secundárias da hipotensão postural, como o uso de medicamentos e a presença de comorbidades, como anemia. Os pacientes com esses sintomas podem beneficiar-se do aumento da hidratação, do sal na dieta, da elevação da cabeceira e do uso de meias elásticas. A fludrocortisona, na dose de 0,1 a 0,2 mg/dia, pode ser útil C/D.

Hiperidrose

Sudorese excessiva pode ocorrer durante o final da fase *off* ou no meio da fase *on*. É importante avaliar outras possíveis causas (ver Capítulo Ressecamento da Pele e Sudorese Excessiva). Se não houver melhora, o paciente deve ser reavaliado pelo neurologista para possível ajuste do medicamento.

Sialorreia

Salivação excessiva ocorre em 70 a 80% dos pacientes com DP. Além do constrangimento social, a sialorreia pode estar relacionada com infecção perioral. O manejo geral deve incluir um fonoaudiólogo para avaliação da deglutição e aconselhamento. Uma reavaliação pelo neurologista pode ser necessária para ajuste do medicamento.

Dor

Dor é uma queixa comum, podendo ocorrer em 40 a 50% dos pacientes. Os sintomas são descritos como dormência, formigamento, queimação, sensação de frio ou calor ou sensação de cãibra e geralmente estão associados aos períodos de *off*. O ajuste do tratamento dos sintomas motores já pode amenizar esses sintomas. O uso de opioides em casos selecionados também pode ser eficaz B.[40]

Olfação

A disfunção olfatória pode ser considerada um marcador pré-clínico da doença que afeta 90% dos pacientes. A hiposmia associada a um estudo de SPECT com TRODAT alterado sugere risco de 43% de desenvolvimento da DP motora em 4 anos.

SEGUIMENTO

O ideal é que pacientes com DP sejam acompanhados por neurologista a cada 6 a 12 meses para otimização do tratamento e reavaliação diagnóstica. Não é infrequente a mudança de diagnóstico à medida que a doença evolui. Caso o médico de APS tenha interesse especial pela DP, o paciente parkinsoniano pode ser seguido por ele desde que bem fundamentado nas diretrizes de tratamento. Nessa linha, o uso de escalas de gravidade de doença, como a escala de Hoehn e Yahr,[41] é encorajado, pois facilita o encaminhamento ao neurologista.

O acompanhamento de terapeuta ocupacional e a fisioterapia facilitam a independência do paciente. O fonoaudiólogo auxilia na preservação da fala e da deglutição. O médico de APS deve coordenar os atendimentos utilizando registro computadorizado para checagem de retorno de encaminhamentos. A revisão periódica dos medicamentos em uso além dos antiparkinsonianos é de extrema importância, pois vários medicamentos podem piorar os sintomas parkinsonianos (ver TABELA 52.3). Deve-se evitar a interrupção abrupta de antiparkinsonianos devido ao risco de síndrome neuroléptica maligna, uma condição potencialmente fatal.

ENCAMINHAMENTO

Geralmente, o encaminhamento ao neurologista é feito já no início do quadro para avaliação e acompanhamento em nível ambulatorial.

Caso o médico de APS opte por iniciar o tratamento, deve encaminhar ao neurologista os pacientes refratários ao tratamento sintomático convencional, que apresentem complicações motoras de difícil controle, do tipo flutuações motoras e discinesias (por conseguinte, candidatos potenciais à cirurgia) ou com manifestações atípicas de parkinsonismo.

REFERÊNCIAS

1. Reich SG, Savitt JM. Parkinson's Disease. Med Clin North Am. 2019;103(2):337–50.
2. Kalia LV, Lang AE. Parkinson's disease. Lancet. 2015;386(9996): 896–912.
3. Rieder C, Tumas V, Borges V, Krug B, Amaral K, Picon PD, et al. Protocolo clínico e diretrizes terapêuticas: doença de Parkinson. In: Brasil. Ministério da Saúde. Protocolos clínicos e diretrizes terapêuticas: medicamentos excepcionais. Brasília: MS; 2010. p. 211–32.
4. Barbosa MT, Caramelli P, Maia DP, Cunningham MCQ, Guerra HL, Lima-Costa MF, et al. Parkinsonism and Parkinson's disease in the elderly: a community-based survey in Brazil (the Bambuí study). Mov Disord. 2006;21(6):800–8.
5. Roriz-Cruz M, Rosset-Cruz I, Prado RCP, Bianchin MM, Chaves ML, Rieder CRM. Parkinsonian syndromes among the community-dwelling elderly: high prevalence of vascular parkinsonism in southern Brazil [Internet]. Proceedings of the 14th International Congress of Parkinson's Disease and Movement Disorders; 2010 June 13-17; Buenos Aires: MDS; 2010 [capturado em 25 ago 2020]: s.261. Disponível em: https://www.movementdisorders.org/MDS-Files1/International-Congress/PDFs/Final-Programs/BueonosAires.pdf
6. Daroff RB, Jankovic J, Mazziotta JC, Pomeroy SL. Bradley's neurology in clinical practice. 7th ed. Philadelphia: Elsevier; 2015. E-book.
7. Morrish PK, Rakshi JS, Bailey DL, Sawle GV, Brooks DJ. Measuring the rate of progression and estimating the preclinical period of Parkinson's disease with [18F]dopa PET. J Neurol Neurosurg Psychiatry. 1998;64(3):314–9.
8. Fox SH, Katzenschlager R, Lim S-Y, Barton B, de Bie RMA, Seppi K, et al. International Parkinson and movement disorder society evidence-based medicine review: Update on treatments for the motor symptoms of Parkinson's disease. Mov Disord. 2018;33(8):1248–66.
9. Aragon A, Ramaswamy B, Ferguson JC, Jones C, Tugwell C, Taggart C. The professional's guide to Parkinson's Disease. London: Parkinson's Disease Society; 2007.
10. Rao G, Fisch L, Srinivasan S, D'Amico F, Okada T, Eaton C, et al. Does this patient have Parkinson disease? JAMA. 2003;289(3):347–53.
11. Postuma RB, Berg D, Stern M, Poewe W, Olanow CW, Oertel W, et al. MDS clinical diagnostic criteria for Parkinson's disease. Mov Disord. 2015;30(12):1591–601.
12. Jankovic J. Parkinsonism-plus syndromes. Mov Disord. 1989;4 (Suppl 1):S95-119.
13. Sampaio C, Ferreira J. Essential tremor. Clin Evid. 2002;(7):1169–78.
14. Bhatia KP, Bain P, Bajaj N, Elble RJ, Hallett M, Louis ED, et al. Consensus Statement on the classification of tremors. from the task force on tremor of the International Parkinson and Movement Disorder Society. Mov Disord. 2018;33(1):75–87.
15. Ferreira JJ, Mestre TA, Lyons KE, Benito-León J, Tan E-K, Abbruzzese G, et al. MDS evidence-based review of treatments for essential tremor. Mov Disord. 2019;34(7):950–8.
16. Deane KH, Jones D, Playford ED, Ben-Shlomo Y, Clarke CE. Physiotherapy for patients with Parkinson's disease: a comparison of techniques. Cochrane Database Syst Rev. 2001;(3):CD002817.
17. Dixon L, Duncan D, Johnson P, Kirkby L, O'Connell H, Taylor H, et al. Occupational therapy for patients with Parkinson's disease. Cochrane Database Syst Rev. 2007;2007(3):CD002813.
18. Deane KH, Whurr R, Playford ED, Ben-Shlomo Y, Clarke CE. Speech and language therapy for dysarthria in Parkinson's disease. Cochrane Database Syst Rev. 2001;(2):CD002812.
19. Ellis T, de Goede CJ, Feldman RG, Wolters EC, Kwakkel G, Wagenaar RC. Efficacy of a physical therapy program in patients with Parkinson's disease: a randomized controlled trial. Arch Phys Med Rehabil. 2005;86(4):626–32.
20. Tsui JK, Ross S, Poulin K, Douglas J, Postnikoff D, Calne S, et al. The effect of dietary protein on the efficacy of L-dopa: a double-blind study. Neurology. 1989;39(4):549–52.

21. Grimes D, Fitzpatrick M, Gordon J, Miyasaki J, Fon EA, Schlossmacher M, et al. Canadian guideline for Parkinson disease. CMAJ. 2019;191(36):E989–1004.
22. Bronstein JM, Tagliati M, Alterman RL, Lozano AM, Volkmann J, Stefani A, et al. Deep brain stimulation for Parkinson disease: an expert consensus and review of key issues. Arch Neurol. 2011;68(2):165.
23. National Institute for Health and Care Excellence. Parkinson's disease in adults. Guidance [Internet]. London: NICE; 2017 [capturado em 25 ago 2020]. Disponível em: https://www.nice.org.uk/guidance/ng71
24. Kostic V, Przedborski S, Flaster E, Sternic N. Early development of levodopa-induced dyskinesias and response fluctuations in young-onset Parkinson's disease. Neurology. 1991;41(2 Pt 1):202–5.
25. Hinson VK, Goetz CG, Leurgans S, Fan W, Nguyen T, Hsu A. Reducing dosing frequency of carbidopa/levodopa: double-blind crossover study comparing twice-daily bilayer formulation of carbidopa/levodopa (IPX054) versus 4 daily doses of standard carbidopa/levodopa in stable Parkinson disease patients. Clin Neuropharmacol. 2009;32(4):189–92.
26. Jankovic J, Tolosa E. Parkinson's disease and movement disorders. 6th ed. Philadelphia: Wolters Kluwer Health; 2015.
27. Zesiewicz TA, Sullivan KL, Arnulf I, Chaudhuri KR, Morgan JC, Gronseth GS, et al. Practice parameter: treatment of nonmotor symptoms of Parkinson disease: report of the Quality Standards Subcommittee of the American Academy of Neurology. Neurology. 2010;74(11):924–31.
28. Schrag A, Barone P, Brown RG, Leentjens AFG, McDonald WM, Starkstein S, et al. Depression rating scales in Parkinson's disease: critique and recommendations. Mov Disord. 2007;22(8):1077–92.
29. Barone P, Poewe W, Albrecht S, Debieuvre C, Massey D, Rascol O, et al. Pramipexole for the treatment of depressive symptoms in patients with Parkinson's disease: a randomised, double-blind, placebo-controlled trial. Lancet Neurol. 2010;9(6):573–80.
30. Richard IH, McDermott MP, Kurlan R, Lyness JM, Como PG, Pearson N, et al. A randomized, double-blind, placebo-controlled trial of antidepressants in Parkinson disease. Neurology. 2012;78(16):1229–36.
31. Seppi K, Ray Chaudhuri K, Coelho M, Fox SH, Katzenschlager R, Perez Lloret S, et al. Update on treatments for nonmotor symptoms of Parkinson's disease-an evidence-based medicine review. Mov Disord. 2019;34(2):180–98.
32. Ellis T, Cudkowicz ME, Sexton PM, Growdon JH. Clozapine and risperidone treatment of psychosis in Parkinson's disease. J Neuropsychiatry Clin Neurosci. 2000;12(3):364–9.
33. Meng Y-H, Wang P-P, Song Y-X, Wang J-H. Cholinesterase inhibitors and memantine for Parkinson's disease dementia and Lewy body dementia: A meta-analysis. Exp Ther Med. 2019;17(3):1611–24.
34. Gros P, Videnovic A. Overview of Sleep and Circadian Rhythm Disorders in Parkinson Disease. Clin Geriatr Med. 2020;36(1):119–30.
35. Franco B, Daubian-Nosé P, De-Mello MT, Esteves AM. Exercise as a favorable non-pharmacologic treatment to Sleep-Related Movement Disorders: a review. Sleep Sci. 2019;12(2):116–21.
36. Trenkwalder C, Högl B, Winkelmann J. Recent advances in the diagnosis, genetics and treatment of restless legs syndrome. J Neurol. 2009;256(4):539–53.
37. Trotti LM, Becker LA. Iron for the treatment of restless legs syndrome. Cochrane Database Syst Rev. 2019;1(1):CD007834.
38. Homayoun H. Parkinson Disease. Ann Intern Med. 2018 04;169(5):ITC33–48.
39. Bhattacharyya KB, Rosa-Grilo M. Sexual dysfunctions in Parkinson's disease: an underrated problem in a much discussed disorder. Int Rev Neurobiol. 2017;134:859–76.
40. Trenkwalder C, Chaudhuri KR, Martinez-Martin P, Rascol O, Ehret R, Vališ M, et al. Prolonged-release oxycodone-naloxone for treatment of severe pain in patients with Parkinson's disease (PANDA): a double-blind, randomised, placebo-controlled trial. Lancet Neurol. 2015;14(12):1161–70.
41. Hoehn MM, Yahr MD. Parkinsonism: onset, progression and mortality. Neurology. 1967;17(5):427–42.

LEITURAS RECOMENDADAS

Ropper AH e Samuels MA. Adams and Victor's principles of neurology. 11th ed. New York: McGraw-Hill; 2019.

Um livro clássico de neurologia geral em edição atualizada contendo uma abordagem direta e ao mesmo tempo abrangente sobre o assunto sem excesso de preciosismo.

Medscape Neurology.
http://www.medscape.com/neurology/home.

Portal atualizado semanalmente com todas as novidades nos avanços da compreensão e do tratamento dos distúrbios do movimento. Oferece também sumário de conferências, resumos de artigos, acesso ao Medline, links, protocolos de assistência, etc.

National Parkinson Foundation.
http://www.parkinson.org/.

Portal atualizado com seção especial aos pacientes, familiares e público leigo. Neste site, também se pode conferir bolsas de pesquisa na área de Parkinson e as principais descobertas científicas.

Rao G, Fisch L, Srinivasan S, D'Amico F, Okada T, Eaton C, et al. Does this patient have Parkinson's disease? JAMA. 2003;289:347-53.

Um artigo que discute a valorização dos achados clínicos da doença de Parkinson tanto pelo neurologista quanto pelo clínico geral, abordando questões importantes sobre diagnósticos diferenciais.

Capítulo 53
SÍNDROMES DEMENCIAIS E COMPROMETIMENTO COGNITIVO LEVE

Matheus Roriz
Rodrigo Rizek Schultz
Justino A. C. Noble
Paulo H. F. Bertolucci

A **demência** consiste em qualquer processo neuropatológico que cause significativo declínio das funções cognitivas, levando um indivíduo à perda de sua independência funcional.[1-7] Esse declínio cognitivo-funcional deve ser necessariamente de natureza cerebral "orgânica". Ou seja, na demência – apesar de exames de neuroimagem não serem necessários (seu diagnóstico sindrômico é clínico) nem suficientes (muitos pacientes com lesão cerebral identificável não possuem demência) –, a maioria dos pacientes que atinge esse estágio de declínio cognitivo já possui alguma lesão cerebral identificável.[1-8]

Em geral, o processo patológico demencial se dá de modo insidioso e evolutivo, como na doença de Alzheimer e na demência microvascular. Entretanto, ocasionalmente, pode ser de etiologia aguda e não evolutiva (estática), como no acidente vascular cerebral (AVC) extenso único, no traumatismo craniencefálico grave e nas sequelas cerebrais pós-infecciosas. Trata-se, portanto, de uma síndrome causada por diversos processos etiopatogênicos (doenças), sejam eles crônicos ou agudos.[1-8]

Por definição, o conceito de demência exclui as chamadas "psicoses primárias" ou "funcionais", geralmente iniciadas até o fim da terceira década de vida, como é o caso da esquizofrenia.[1-9] Exclui também os transtornos do desenvolvimento infantil, como o retardo mental, seja ele associado ou não ao autismo. Entretanto, pacientes com síndrome de Down inexoravelmente desenvolvem um tipo de Alzheimer pré-senil sobreposto ao quadro de retardo mental de base.

O **comprometimento cognitivo leve** (**CCL**) é caracterizado pela presença de deterioração cognitiva devidamente comprovada pela anamnese (de preferência complementada por familiar) e pela testagem neuropsicológica, sem que haja, entretanto, significativo impacto sobre as atividades da vida diária (AVDs) ou incapacite o indivíduo para o trabalho.[6]

EPIDEMIOLOGIA DAS DEMÊNCIAS

A doença de Alzheimer e a demência vascular são as duas principais causas de demência no mundo, respondendo por 80 a 90% dos casos.[1-9] De modo geral, a demência vascular isolada corresponde a cerca de 30% dos casos diagnosticados nos países em desenvolvimento, enquanto responde por menos de 10% de todas as demências nos países desenvolvidos.[3]

Estima-se que a prevalência de demência (ajustada para a idade) na América Latina em geral, que já era a maior do mundo no ano 2000, aumentará em cerca de 4 vezes até 2040, distanciando-se ainda mais das outras regiões do mundo.[3] Acredita-se que a referida maior prevalência de demência na América Latina se deva a dois fatores principais: (1) a elevada prevalência de demência vascular em relação aos países desenvolvidos, e (2) a baixa escolaridade e atividade intelectual entre idosos latinos, contribuindo para uma menor reserva cognitiva. A alta prevalência de fatores de risco para demência em geral e vascular em especial faz o potencial preventivo para demências ser, provavelmente, também o maior em nível mundial, chegando a mais de 50% segundo uma metanálise.[10]

Em um estudo conduzido entre idosos gaúchos com idade > 60 anos vivendo na comunidade, a prevalência de demência foi de 6%, sendo 3 vezes maior (20%) que o observado para o comprometimento cognitivo.[11] Comparado a países desenvolvidos, houve maior proporção de demência vascular (24%) e mista vascular/Alzheimer (32%), enquanto os casos "puros" de Alzheimer corresponderam a 34%.[12] Esses achados estiveram associados a uma alta prevalência de hipertensão (88%) e síndrome metabólica (39%) nessa amostra de idosos.[11,13]

No Brasil, os dados sobre a mortalidade pelas demências são muito pouco confiáveis, pois a demência é uma causa básica de morte frequentemente negligenciada nos atestados de óbito. Desse modo, complicações frequentes em pacientes com demência avançada, como a pneumonia, são frequentemente relatadas de modo isolado como causa de óbito, sem menção à causa subjacente. Estima-se que as demências se tornem a 6ª causa de óbito por volta de 2030 e passem à 4ª causa até 2050, atrás apenas do AVC, da doença coronariana e das neoplasias.[3] Talvez ainda mais importante do que a mortalidade atribuída às demências é o fato de estas corresponderem à principal causa de incapacidade entre idosos, respondendo por cerca de 25% da soma do número de anos vividos com esse grave grau de limitação.[3]

Outro fenômeno que vem ocorrendo nas três últimas décadas é a mudança no perfil das principais causas de demências infecciosas, com importante diminuição na incidência de neurossífilis, associada a um aumento significativo da incidência de demências pré-senis associadas à síndrome da imunodeficiência adquirida (Aids [do inglês, *acquired immunodeficiency syndrome*]).[3]

DOMÍNIOS E SÍNDROMES NEUROCOGNITIVAS

Os principais domínios cognitivo-comportamentais passíveis de serem acometidos pelas diversas síndromes demenciais são: memória, função executiva, atenção, praxia, linguagem, função visuoespacial e comportamento (TABELA 53.1).[11]

A FIGURA 53.1 apresenta a velocidade de perda de diversas subfunções cognitivas com o envelhecimento normal.[12] A aquisição de vocabulário se dá pelo menos até os 50 anos. A característica mais marcante do envelhecimento normal é a perda progressiva da velocidade de processamento cognitivo. Em contrapartida, a diminuição acelerada da memória de curto prazo não é característica do envelhecimento normal, mas sim das demências, em especial do tipo Alzheimer. A velocidade de perda das funções executivas se dá em ritmo intermediário, estando mais relacionada ao grau de lesão microvascular associado ao envelhecimento.[14]

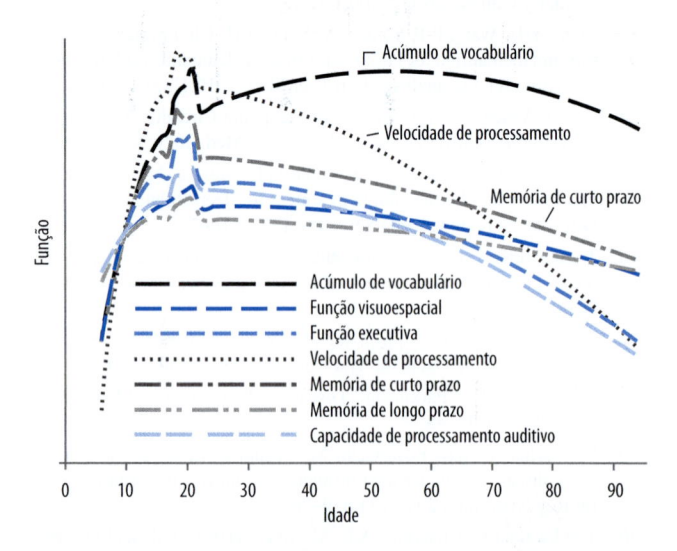

FIGURA 53.1 → Velocidade de perda de diversas subfunções cognitivas com o envelhecimento normal.
Fonte: Tucker-Drob;[12] Foster e Roriz-Cruz.[14]

TABELA 53.1 → Principais domínios cognitivos passíveis de serem acometidos pelas demências

MEMÓRIA

- → Divide-se em consciente (explícita ou declarativa) ou inconsciente (implícita ou não declarativa). Na primeira, a memória é acessível ao consciente. Já na segunda o indivíduo não tem consciência do seu conhecimento, como é o caso do aprendizado motor e do condicionamento, altamente dependentes da integridade dos núcleos da base.
- → A memória consciente divide-se principalmente em episódica (ou factual) e semântica, referente ao conhecimento geral e linguístico acumulado. A memória episódica, por sua vez, divide-se em memória de trabalho (< 3 minutos), de curto prazo (3 minutos a dias), de longo prazo (semanas a meses) e duradoura (anos a décadas).
- → Na fase inicial da demência de Alzheimer, há um comprometimento predominante da memória episódica de curto prazo (função hipocampal), enquanto nas demências subcorticais (p. ex., microvascular) e na pseudodemência depressiva costuma haver um comprometimento predominantemente da memória de trabalho (circuitos límbico-frontais) e das funções executivas relacionadas a esta (a seguir). Nas variantes de linguagem da degeneração lobar frontotemporal, há um déficit desproporcional da memória semântica.

FUNÇÃO EXECUTIVA

- → Responsável pelas habilidades de idealização, sequenciamento, iniciação, inibição, modificação e adaptabilidade do planejamento cognitivo. É a função cognitiva que mais se aproxima do conceito comum de inteligência.
- → Os pacientes com disfunção executiva podem ser divididos em dois subgrupos, a depender do sintoma dominante: desinibição (demência frontotemporal variante comportamental) ou, mais comumente, lentificação da velocidade de processamento cognitivo e motor (demências subcorticais, incluindo a demência microvascular, Lewy e parkinsoniana). Alterações de planejamento costumam estar presentes em ambos os subtipos.

ATENÇÃO

- → Função cognitiva que modula o funcionamento de todas as outras, especialmente no que se refere à memória e à função executiva. Com o envelhecimento usual (não bem-sucedido), pode haver diminuição da reserva funcional cerebral, tornando os diversos domínios cognitivos altamente dependentes da atenção para funcionarem acima do limite de insuficiência. Por esse motivo, depressão maior de intensidade moderada e grave pode simular demência no idoso.
- → O *delirium*, por sua vez, afeta sobretudo o nível da atenção, seja na sua forma hipoativa ou na forma hiperativa. Como consequência, há um prejuízo em todas as funções cognitivas que dela dependem, como memória, linguagem e comportamento.

PRAXIA

- → É a capacidade de planejar a execução de atividades motoras previamente aprendidas. Apraxia é a dificuldade para executar essas atividades motoras, apesar da integridade da compreensão e do sistema motor. O paciente parece "atrapalhado" à tentativa de realização do comando motor.
- → Na apraxia de marcha, o paciente apresenta significativa alteração de marcha. A força é simétrica e não há sinais cerebelares. O paciente pode apresentar significativa dificuldade em iniciar a marcha (falência na ignição da marcha), encurtamento dos passos (marcha de passos curtos) e alargamento da base (abasia de origem não cerebelar). A presença de apraxia de marcha deve atentar o clínico para a presença de uma demência do tipo não Alzheimer, sendo um dos sinais neurológicos que mais ajudam a diferenciar o Alzheimer das outras demências.

LINGUAGEM

- → Capacidade de comunicação, verbal ou não.
- → A afasia é a dificuldade no processamento cognitivo (elaboração e/ou compreensão e/ou repetição) da linguagem verbal e escrita. Mais frequentemente, é de origem cortical. Afasia de início súbito sugere AVC, enquanto alterações lentas e progressivas da linguagem associadas a outras alterações cognitivas sugerem processo demencial em curso.
- → A parafasia é uma forma de afasia; pode ser fonética (p. ex., falar "cato" em vez de "gato") ou semântica (p. ex., falar "lápis" em vez de "caneta").

FUNÇÃO VISUOESPACIAL

- → Depende da integridade dos lobos occipitais e parietais. Em cerca de 10% dos casos de Alzheimer, o principal sintoma referido pela família é perder-se e não saber voltar para casa (memória espacial, variante posterior da doença de Alzheimer).
- → Alguns quadros demenciais podem apresentar-se com simultaneognosia, isto é, a incapacidade em perceber os diversos objetos do campo visual como um todo. O indivíduo consegue perceber apenas um objeto por vez, apesar da integridade das vias ópticas.

COMPORTAMENTO

- → Alterações de comportamento podem apresentar-se tanto no que diz respeito ao espectro sono-vigília (sonolência, apatia, agitação e agressividade – verbal ou física), quanto como variantes patológicas do estado de alerta (delírios, alucinações, desinibição/inadequação social, hipersexualidade e outros comportamentos compulsivos). Pacientes com demência podem apresentar quaisquer sintomas comportamentais ao longo do curso da doença, sendo apatia o sintoma mais frequente.

Fonte: Mesulam.[11]

Ao menos duas funções cognitivas melhoram com o envelhecimento normal, até ao menos os 50 anos: a capacidade linguística e a de tomada de decisões (não presentes na **FIGURA 53.1**). (ver QR code)[12,14–19] Há vários termos e síndromes neurocognitivas[20] frequentemente relacionados a quadros demenciais[4] na **TABELA S53.1** (ver QR code).

FATORES DE RISCO PARA DEMÊNCIA E COMPROMETIMENTO COGNITIVO LEVE

Praticamente todos os fatores de risco cardiovasculares se mostraram também fatores de risco cerebrovasculares, com algumas pequenas diferenças em importância: a hipertensão arterial ganha maior importância como fator de risco, e o risco associado à dislipidemia não é tão grande no AVC quanto na doença coronariana.[10,13,20–22] Além de serem fatores de risco para demência vascular, a hipertensão e os demais fatores de risco listados na **TABELA 53.2**[11,15,23,24] também demonstraram aumentar o risco de Alzheimer e até mesmo CCL por todas as causas.[10,13,22]

Estima-se que se, juntos, todos esses fatores fossem eliminados da população norte-americana, a prevalência da doença de Alzheimer isoladamente cairia entre 30 e 50%.[15] Alguns estudos controlados demonstraram que o tratamento progressivamente mais rigoroso da hipertensão pode reduzir o risco de todas as causas de demência entre 10 e 55%.[25] Um estudo recente demonstrou que o tratamento rigoroso da hipertensão (alvo = 120 mmHg para sistólica) reduziu a

TABELA 53.2 → Fatores de risco modificáveis para demência e comprometimento cognitivo leve (ambos por todas as causas, incluindo Alzheimer)[*]

- → Hipertensão
- → Diabetes
- → Obesidade na meia-idade
- → Sedentarismo
- → Tabagismo
- → Depressão
- → Baixo nível educacional

[*] Esses fatores de risco, juntos e ajustados, explicam 90% do risco atribuível à demência vascular e 30-50% do risco atribuível à demência de Alzheimer.[10,21,22] Outros fatores de risco modificáveis incluem evitar causas traumáticas traumatismo craniencefálico [TCE], múltiplos pequenos traumas repetitivos (p. ex., lutas), vírus da imunodeficiência humana/síndrome da imunodeficiência adquirida (HIV/Aids).
Fonte: Mesulam,[11] Galluzzi e colaboradores,[15] Schneider e colaboradores,[23] e Formighieri e colaboradores.[24]

incidência de comprometimento cognitivo e demência em cerca de 20%, em um acompanhamento de 5 anos, quando comparado ao grupo-controle (alvo = 140 mmHg).[26]

Deve-se atentar para o fato de que indivíduos menos esclarecidos e sujeitos a maior vulnerabilidade social tendem a não saber que possuíam hipertensão ou diabetes previamente. Inclusive, se houver história de significativa perda de peso, frequentemente iniciada já na fase pré-demencial, o indivíduo pode ter amenizado ou mesmo deixado de ser hipertenso ou diabético. Na verdade, diante de um quadro de demência subcortical em um paciente vivendo em uma comunidade brasileira, é mais provável que o indivíduo possua demência microvascular (mesmo que não se saiba da existência de fatores de risco prévios) do que se trate de um caso de demência subcortical de etiologia não vascular.[13] Obesidade, sedentarismo e tabagismo também são importantes fatores de risco cerebrovasculares para CCL e demência, aumentando tanto risco de demência vascular quanto de doença de Alzheimer. Outros fatores de risco modificáveis para CCL e demência são escolaridade, traumatismo cranioencefálico, alcoolismo (> 21 doses/semana) e poluição ambiental. Isolamento social e depressão prolongada também aumentam significativamente o risco de demência, devendo ser adequadamente manejados. Do mesmo modo, perda auditiva também está associada a maior risco de demência. Juntos, todos os fatores de risco modificáveis mencionados respondem por 40% na variância do risco de demência.[27]

ABORDAGEM AO PACIENTE COM SUSPEITA DE DEMÊNCIA

Avaliação rotineira do estado cognitivo em idosos assintomáticos não é recomendada. Na presença do reconhecimento de dificuldade cognitiva observada no encontro do paciente ou nas preocupações da família ou do paciente em relação à memória e cognição, o teste Mini-Cog permite rastreamento rápido (ver Capítulo Avaliação Multidimensional do Idoso). As **FIGURAS 53.3A** a **53.3C** apresentam fluxogramas na avaliação maior do paciente com suspeita de demência. Os passos iniciais consistem em caracterizar a presença e o grau de déficit cognitivo, além de afastar causas que possam ser confundidas com demência, como a pseudodemência depressiva pura.[1-8,28]

O paciente com demência, mesmo em seu estágio inicial, raramente vai à consulta desacompanhado.[29] Com efeito, pacientes idosos que se queixam de esquecimentos que não são confirmados por familiares tem 2 vezes menos chance de terem demência do que quando essas queixas são trazidas pelos familiares, independentemente do que pensam os próprios pacientes.[29] O próprio fato de estar acompanhado *per se* já pode indicar uma certa perda da independência funcional, como aquela necessária para agendar uma consulta, lembrar a sua data e hora, deslocar-se até o local onde ela ocorrerá, etc.

Mesmo nos estágios iniciais da demência, apenas cerca de metade dos pacientes tem *insight* acerca de sua situação.[1,2] Os demais podem negar a existência de esquecimentos significativos, chegando até mesmo a serem veementes nessa afirmação, e podem ficar irritados quando há afirmação contrária por parte do familiar. A falta de *insight* pode já ser consequência da própria disfunção cognitiva, mas frequentemente parece ser devida, também, a um mecanismo psicológico de negação à perda da autonomia. Em particular, pacientes de personalidade pouco flexível frequentemente reagem à tentativa de proteção da família com irritabilidade. Essas reações são comuns e devem ser prontamente reconhecidas pelo médico. Também é comum que os traços de personalidade próprios de cada indivíduo sejam realçados pela menor flexibilidade cognitiva consequente ao processo demencial. Assim, a doença sempre interage com a personalidade pré-mórbida de modo a determinar a manifestação dos principais sintomas cognitivos e/ou neuropsiquiátricos.[1-8]

O exame clínico do paciente com suspeita de demência

O exame clínico do paciente com suspeita de demência envolve quatro etapas: anamnese, exame físico (exame neurológico dirigido), testagem neuropsicológica e exames complementares.[1-8]

Anamnese

Deve-se perguntar aos familiares quando perceberam as primeiras alterações cognitivas. Essa pergunta pode ser feita genericamente do seguinte modo: "Quando você percebeu que o(a) senhor(a) Fulano(a) começou a ficar diferente (ou a ter problemas de memória e/ou raciocínio)?". "Diferente" é uma palavra muito apropriada nessa situação, posto que pode incluir desde problemas de memória recente, dificuldades de planejamento/organização (função executiva) e autocuidado, até problemas de linguagem, alterações de personalidade e manifestações neuropsiquiátricas, como transtornos de humor, delírios e alucinações. O médico também deve indagar sobre qual foi a primeira alteração notada e qual foi a sequência das perdas cognitivas e motoras, incluindo alteração de marcha, continência urinária e deglutição.[1-8]

Frequentemente, a família associa esse momento de piora das funções cognitivas a um evento na vida familiar, como perda do cônjuge, ou, então, a uma intercorrência médica, como um episódio de *delirium* seguido de recuperação incompleta da capacidade cognitivo-funcional prévia.

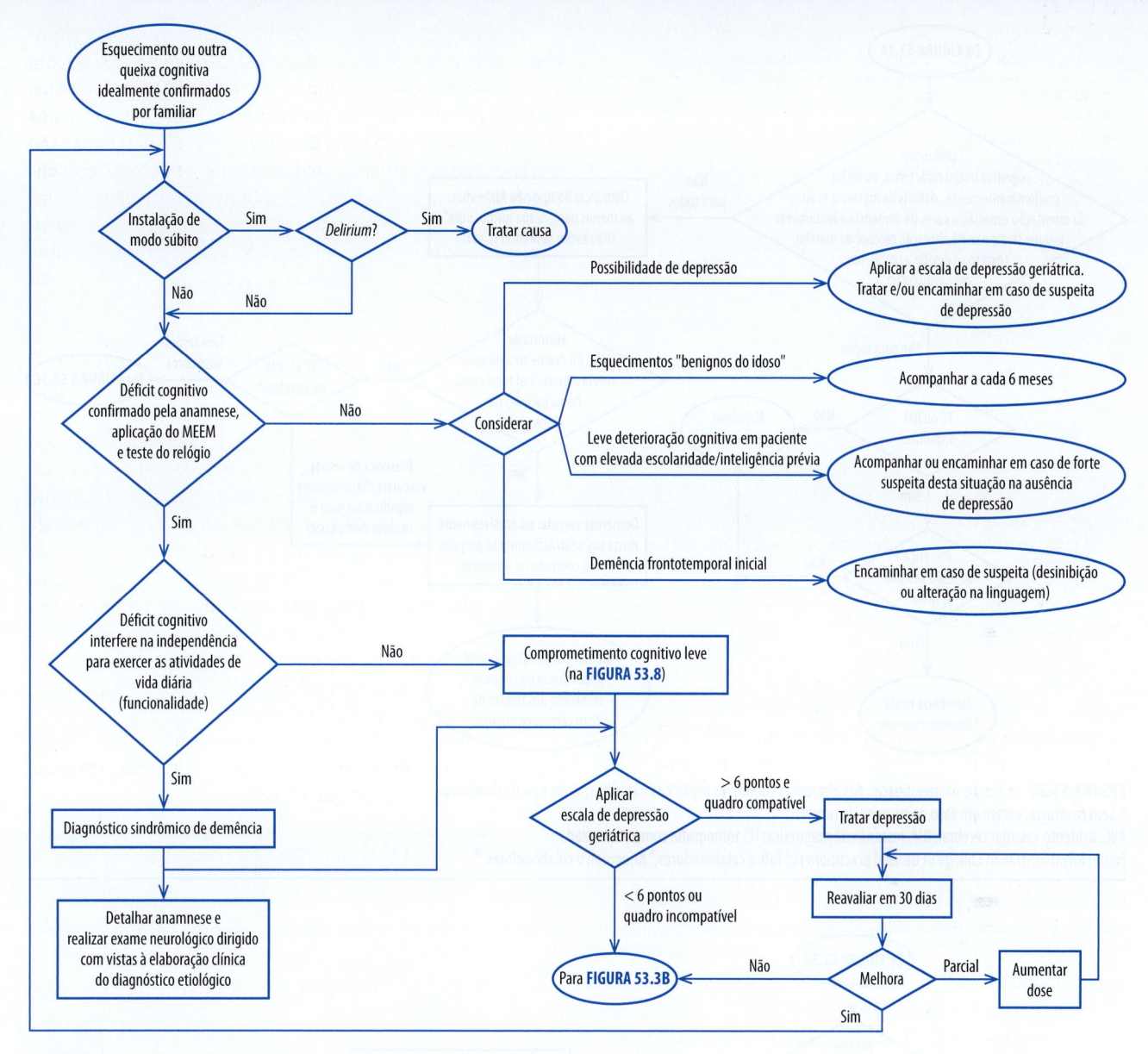

FIGURA 53.2A → Passos na investigação das alterações cognitivas orgânicas: caracterização de demência.
MEEM, miniexame do estado mental.
Fonte: Royal Australian College of General practitioners,[5] Falk e colaboradores,[8] e Knopman e colaboradores.[28]

É importante que o clínico, ao mesmo tempo que saiba valorizar essas informações, tente encaixá-las em um contexto de "agudização" de um quadro lento, mas perceptível, de declínio cognitivo-funcional prévio, o qual a família pode não ter valorizado o suficiente, confundindo-o com o envelhecimento "normal".

Deve-se insistir com a família acerca de qual foi o primeiro domínio cognitivo afetado na evolução da doença. Enquanto disfunção mnemônica anterógrada e perder-se em locais previamente conhecidos podem ser sinais de Alzheimer, um quadro dominante de disfunção executiva com dificuldades de planejamento e lentificação psicomotora, associado a uma relativa preservação da memória recente, falam a favor de demência vascular, especialmente se associados à apraxia de marcha.[15–18,23,24,28]

Exame neurológico dirigido

O exame neurológico sumário, dirigido para alguns sinais frequentemente encontrados em quadros demenciais, é sempre muito útil no diagnóstico diferencial das demências. Por exemplo, a presença de sinais de liberação frontal (preensão palmar, reflexo palmomentoniano, glabelar inesgotável/sinal de Myerson), de apraxia de marcha ou de sinais de liberação ou déficit piramidal (hemiparesia, sinal de Babinski, paresia facial de padrão central/supranuclear [ver Capítulo Doenças Cerebrovasculares]) não apenas afastam a possibilidade de tratar-se de pseudodemência depressiva isolada, como também podem apontar, ou ao menos excluir, algumas causas de demência.[15–18,23,24,28]

```
                    De FIGURA 53.3A
                           │
                           ▼
         ┌─────────────────────────────────┐
         │         Disfunção               │
         │ cognitiva inicial caracteriza,  │      Não
         │ ou inclui, predominantemente,   ├──────────────►  ┌──────────────────────────────┐
         │ déficits da memória e/ou        │  para todos      │ Demência do tipo não Alzheimer,│
         │ da orientação espacial, o curso │                  │ ao menos não em sua forma "pura"│
         │ da demência é lentamente        │                  │ (não exclui demência mista)   │
         │ progressivo e não há alteração  │                  └──────────────┬────────────────┘
         │ precoce da marcha (exceto se    │                                 │
         │ devido a problema osteomuscular)│                                 ▼
         └─────────────────┬───────────────┘                  ┌──────────────────────────────┐
                           │                                  │    História de AVC ou exame  │   Não   ┌──────────────┐  Sem lesões
                  Sim para todos                              │  neurológico revela algum    ├────────►│  TC ou RM    ├──vasculares──► Para FIGURA 53.3C
                           │                                  │ sinal focal como hemi(paresia)│         │ de encéfalo* │
                           ▼                                  │      ou Babinski?            │         └──────┬───────┘
                  ┌──────────────┐  Não   ┌──────────────┐    └──────────────┬───────────────┘                │
                  │  TC ou RM    ├───────►│  Alzheimer   │                   │                    Presença de lesões
                  │  disponível  │        │   provável   │                  Sim                   vasculares/leucoaraiose
                  └──────┬───────┘        └──────▲───────┘                   │                    significativa para o
                         │                       │                           ▼                    estágio demencial
                        Sim                      │            ┌──────────────────────────────┐           │
                         │                       │            │ Demência vascular ou possivelmente│◄─────┘
                         ▼                       │            │ mista vascular/Alzheimer se prejuízo│
                  ┌──────────────┐  Não          │            │   inicial centrado na memória │
                  │  Presença    ├───────────────┘            └──────────────┬───────────────┘
                  │ de lesão     │                                           │
                  │ vascular     │                                           ▼
                  │  ≥ grau 1    │                              ┌──────────────────────────────┐
                  └──────┬───────┘                              │  Atentar para a fundamental  │
                         │                                      │  importância do controle     │
                        Sim                                     │  otimizado dos fatores de    │
                         │                                      │  risco cerebrovasculares     │
                         ▼                                      └──────────────────────────────┘
                  ┌──────────────┐
                  │Demência mista│
                  │Alzheimer/    │
                  │  vascular    │
                  └──────────────┘
```

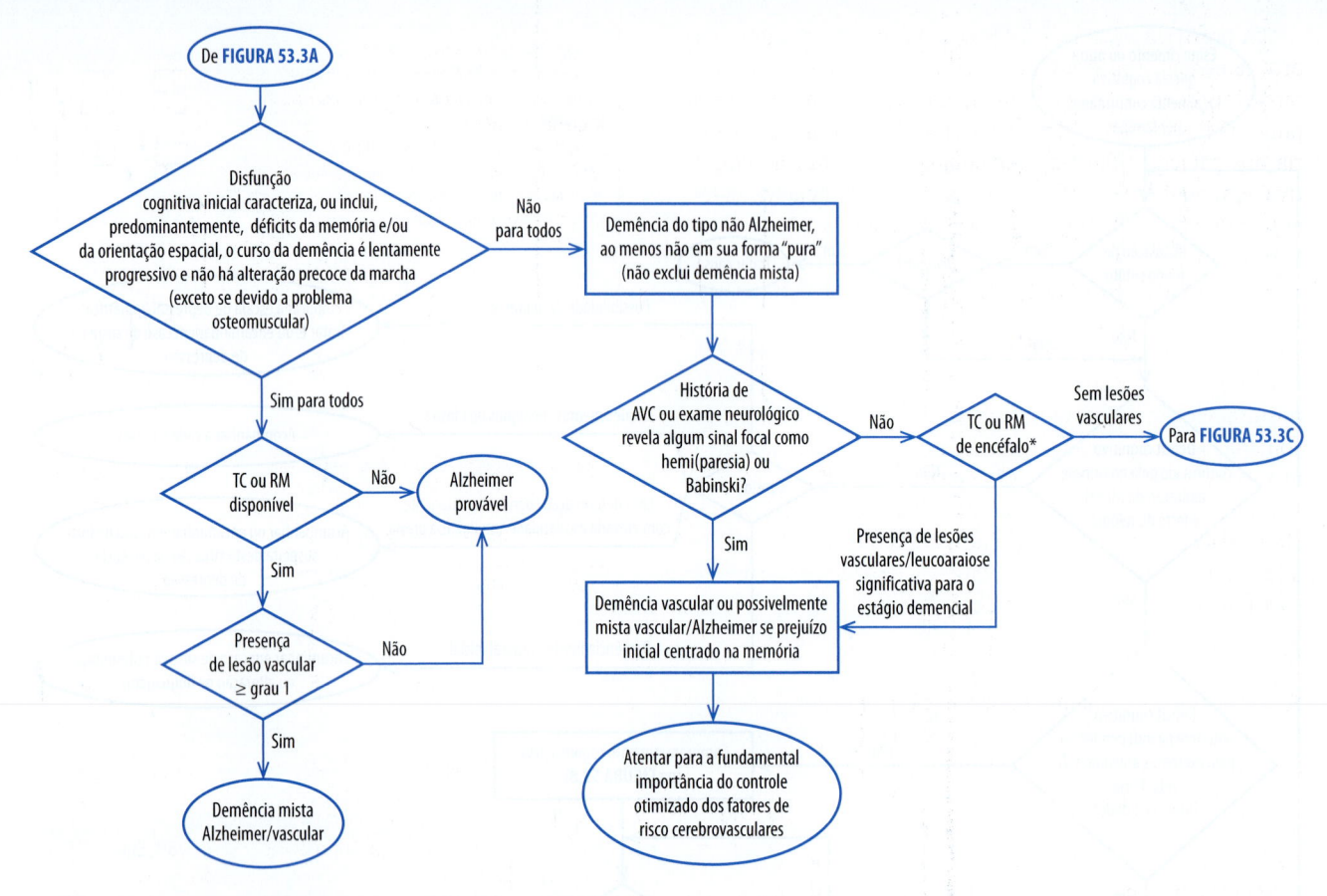

FIGURA 53.2B → Passos na investigação das alterações cognitivas orgânicas: classificação do tipo de demência.
* Sem contraste, exceto em caso de suspeita de tumor.
AVC, acidente vascular cerebral; RM, ressonância magnética; TC, tomografia computadorizada.
Fonte: Royal Australian College of General practitioners,[5] Falk e colaboradores;[8] Knopman e colaboradores.[28]

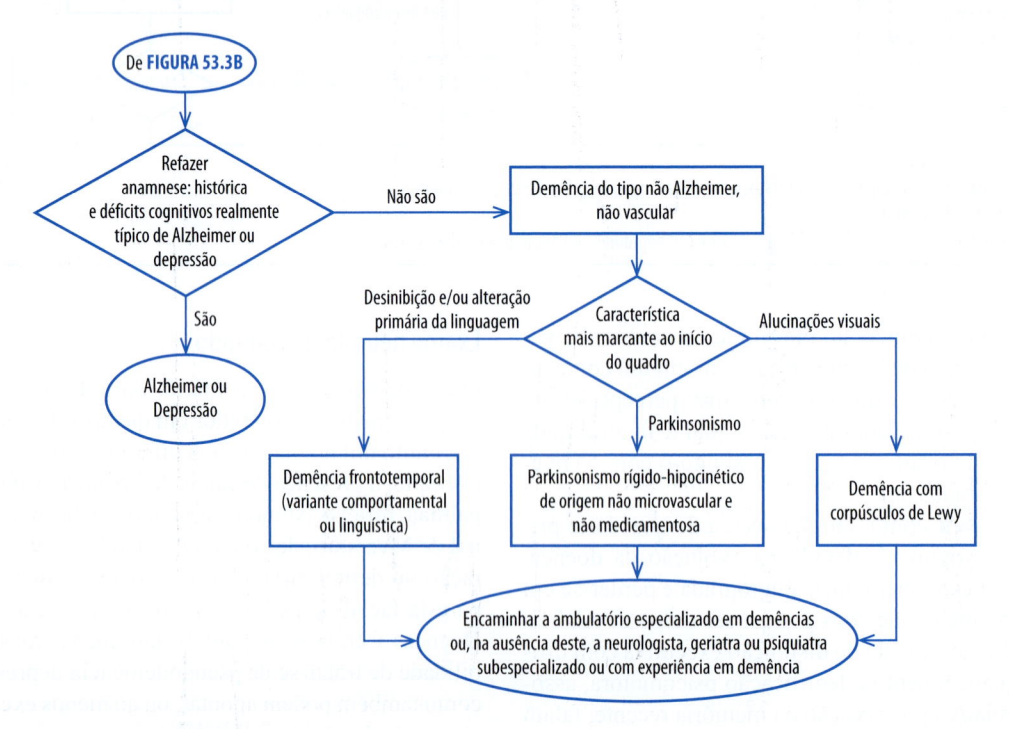

```
                         De FIGURA 53.3B
                                │
                                ▼
                    ┌────────────────────────┐
                    │   Refazer anamnese:    │     Não são    ┌──────────────────────────────┐
                    │ histórica e déficits   ├───────────────►│ Demência do tipo não Alzheimer,│
                    │ cognitivos realmente   │                │       não vascular           │
                    │ típico de Alzheimer ou │                └──────────────┬───────────────┘
                    │       depressão        │                               │
                    └───────────┬────────────┘                               ▼
                                │                    Desinibição e/ou       ┌──────────────┐   Alucinações visuais
                               São                   alteração primária     │Característica│
                                │                    da linguagem    ┌──────┤mais marcante ├──────┐
                                ▼                    ┌───────────────┤      │ao início do  │      │
                    ┌────────────────────────┐       │               │      │   quadro     │      │
                    │  Alzheimer ou          │       │               │      └──────┬───────┘      │
                    │    Depressão           │       │               │        Parkinsonismo      │
                    └────────────────────────┘       │               │             │             │
                                                     ▼               ▼             ▼             ▼
                                            ┌──────────────┐  ┌─────────────────┐  ┌──────────────┐
                                            │  Demência    │  │ Parkinsonismo   │  │ Demência com │
                                            │frontotemporal│  │rígido-hipocinético│  │ corpúsculos  │
                                            │ (variante    │  │ de origem não   │  │   de Lewy    │
                                            │comportamental│  │microvascular e  │  │              │
                                            │ou linguística)│  │não medicamentosa│  │              │
                                            └──────┬───────┘  └────────┬────────┘  └──────┬───────┘
                                                   │                   │                  │
                                                   └───────────────────┼──────────────────┘
                                                                       ▼
                                    ┌──────────────────────────────────────────────────────────┐
                                    │ Encaminhar a ambulatório especializado em demências ou,  │
                                    │ na ausência deste, a neurologista, geriatra ou psiquiatra│
                                    │ subespecializado ou com experiência em demência          │
                                    └──────────────────────────────────────────────────────────┘
```

FIGURA 53.2C → Passos na investigação das alterações cognitivas orgânicas: demências do tipo não Alzheimer, não vascular.

A presença precoce de apraxia da marcha em um quadro demencial praticamente exclui a possibilidade de tratar-se de doença de Alzheimer, ao menos em sua forma pura, não associada à demência vascular.[17] A grande maioria dos pacientes que se apresentam com disfunção cognitiva e apraxia de marcha precoce tem demência vascular, especialmente se houver história de hipertensão, diabetes ou tabagismo.[15–18,23,24,28]

É importante avaliar também se há rigidez de membros, e se essa rigidez é ou não simétrica. Rigidez assimétrica associada à bradicinesia sugere doença de Parkinson, na qual também pode estar presente tremor de repouso. Instabilidade postural e quedas precoces sugerem outra síndrome parkinsoniana associada ao quadro demencial, como parkinsonismo vascular, demência com corpúsculos de Lewy e causas de parkinsonismo atípico com demência (ver Capítulo Doença de Parkinson). A ausência de resposta significativa à levodopa na primeira semana de tratamento praticamente exclui diagnóstico de doença de Parkinson.[19,30]

Avaliação cognitiva breve

Se, por um lado, a anamnese bem conduzida continua sendo o momento mais importante da avaliação do paciente com suspeita de demência, a testagem neuropsicológica visa complementar aspectos que dificilmente são fornecidos de maneira adequada por familiares. Uma avaliação neuropsicológica breve, realizada por um clínico treinado, pode ser realizada em cerca de 15 minutos. Além da escala de depressão geriátrica (discutida mais adiante) e rastreamento inicial pelo teste Mini-Cog, podem ser utilizados dois instrumentos práticos: o miniexame do estado mental (MEEM) e o teste do desenho do relógio.[31–36]

O MEEM (FIGURA 53.4) consiste em um teste com escore entre 0 e 30 pontos, e avalia: orientação no tempo e no espaço, registro imediato e evocação de 3 palavras, atenção e cálculo, linguagem, execução de comandos e cópia de desenho. O registro imediato, a atenção e o cálculo avaliam, inclusive, memória de trabalho. A cópia do desenho é o único teste de função visuoespacial. É um bom método de rastreamento para demências em geral, no entanto, como a maioria dos testes cognitivos, seus pontos de corte são altamente sujeitos à influência da escolaridade (ver rodapé da FIGURA 53.4).

A maior crítica ao MEEM é o fato de não avaliar suficientemente as funções executivas e visuoespaciais, motivo pelo qual recomendamos que seja sempre complementado pelo simples e eficiente teste do desenho do relógio (FIGURA 53.5).[37]

Como mencionado anteriormente, no MEEM a avaliação da memória de curto prazo – principal implicada na doença de Alzheimer – se dá apenas com o uso de 3 palavras. Por esse motivo, a lista de palavras do *Consortium to Establish a Registry for Alzheimer's Disease* (CERAD) (FIGURA 53.6)[38] é um excelente complemento para a avaliação da memória de curto prazo na suspeita de Alzheimer em fase inicial. São apresentadas, uma a uma, 10 palavras não relacionadas para serem lidas em voz alta pelo examinando (ou examinador, caso a leitura esteja prejudicada) a um ritmo de uma palavra a cada 2 segundos. Terminada a leitura, é feita a evocação, por um período máximo de 90 segundos, não importando a ordem. O procedimento é repetido, com as palavras em outra ordem, mais 2 vezes. A pontuação máxima é de 30 pontos, sendo que o ponto de corte ≤ 13 pontos apresenta sensibilidade de 83% e especificidade de 77% para demência. Ademais, diferentemente do que ocorre na pseudodemência depressiva, no Alzheimer não costuma haver melhora progressiva no número de acertos nas três colunas.

FIGURA 53.4 → Miniexame do estado mental.
* Pontos de corte para demência (de qualquer tipo):
< 13 pontos para analfabetos (Sens = 82%, Espec = 98%).
< 18 pontos para baixa (< 8 anos) e média escolaridades (Sens =76%, Espec = 97%).
< 26 pontos para alta escolaridade (≥ 8 anos; Sens = 80%, Espec = 96%).
Fonte: Bertolucci e colaboradores.[42]

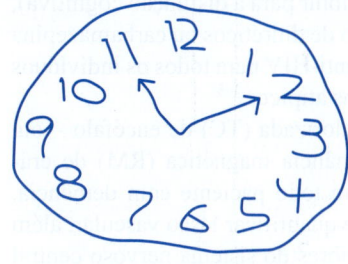

FIGURA 53.5 → Teste do desenho do relógio.
Fonte: Sunderland e colaboradores.[37]

LISTA DE PALAVRAS PARA FIXAÇÃO E RECORDAÇÃO					
1ª tentativa	Ordem	2ª tentativa	Ordem	3ª tentativa	Ordem
Manteiga		Praia		Cabana	
Braço		Braço		Bilhete	
Praia		Cabana		Poste	
Carta		Manteiga		Rainha	
Rainha		Poste		Motor	
Cabana		Motor		Carta	
Poste		Erva		Erva	
Bilhete		Rainha		Braço	
Erva		Bilhete		Manteiga	
Motor		Carta		Praia	
Escore*					

FIGURA 53.6 → Teste de lista de palavras do *Consortium to Establish a Registry for Alzheimer's Disease* (CERAD).
* A pontuação é obtida pela soma das palavras evocadas nas 3 tentativas, com um escore máximo de 30 pontos. O ponto de corte ≤ 13 pontos apresenta sensibilidade de 83% e especificidade de 77% para demência.
Fonte: Bertolucci e colaboradores.[38]

Exames complementares

Todo paciente com diagnóstico sindrômico de demência deve ser investigado para causas potencialmente reversíveis com os seguintes exames laboratoriais: tiroxina (T_4) livre, hormônio estimulante da tireoide (TSH, do inglês *thyroid-stimulating hormone*), glicemia de jejum, vitamina B_{12}, ácido fólico, VDRL (do inglês, *Venereal Disease Research Laboratory*) ou anticorpo treponêmico fluorescente absorvido (FTA-ABS, do inglês *fluorescent treponemal antibody-absorption*) – este é muito mais sensível e específico (acurácia de 70% vs. 99%) –, creatinina (insuficiência renal crônica pode ser causa de demência reversível ou estar associada à demência vascular), tempo de protrombina (insuficiência hepática pode contribuir para a disfunção cognitiva), sódio para pacientes em uso de diuréticos ou carbamazepina (hiponatremia) e, por fim, anti-HIV para todos os indivíduos com idade < 70 anos e casos atípicos.[1-8]

A tomografia computadorizada (TC) de encéfalo – ou, preferencialmente, a ressonância magnética (RM) de crânio – deve ser realizada em todo paciente com demência. Seus objetivos são afastar e quantificar lesão vascular, além de detectar infecções e tumores do sistema nervoso central (SNC). A não ser que haja suspeita de neoplasia do SNC, deve ser realizada sem contraste.[1-8]

Já é possível confirmar o diagnóstico de demência da doença de Alzheimer e de CCL com acurado grau de certeza por meio de métodos bioquímicos no líquido cerebrospinal (LCS) e/ou de imagem.[6,7,39,40] Entretanto, como ainda não há tratamento modificador da história natural dessa doença, esse assunto foge ao escopo deste capítulo.

DIAGNÓSTICO DIFERENCIAL DE DEMÊNCIA: *DELIRIUM* E PSEUDODEMÊNCIA DEPRESSIVA

Delirium

Um passo inicial na avaliação do paciente com disfunção cognitiva consiste em afastar *delirium* (insuficiência cerebral aguda reversível). Portanto, o *delirium* pode ser definido como uma síndrome cerebral orgânica (encefalopatia) de natureza aguda, curso flutuante e causa potencialmente reversível. Diferentemente, a demência raramente se instala de modo súbito, exceto se houver uma história pertinente de AVC, trauma ou infecção.[39]

Outra característica do *delirium* é que o principal domínio cognitivo afetado é o da atenção, esteja o indivíduo sonolento (*delirium* hipoativo) ou agitado (*delirium* hiperativo). De fato, apenas secundariamente ao déficit na atenção é que o *delirium* causa uma disfunção cognitiva global.[39]

Classicamente, o *delirium* é descrito como completamente reversível. Entretanto, pacientes idosos podem sair do *delirium* em uma fase um pouco mais avançada do declínio cognitivo do que quando entraram nele.

Frequentemente, o *delirium* é causado por infecção (pulmonar, urinária ou intestinal), causa metabólica (p. ex., insuficiência renal aguda e hiponatremia) ou medicamentos (benzodiazepínicos [BZDs], neurolépticos e outros) (ver Capítulo Avaliação Multidimensional do Idoso). Assim, é sinônimo de encefalopatia infecciosa, metabólica e tóxica (introdução ou abstinência). O *delirium tremens* é uma causa menos comum de *delirium* em idosos.[39]

Pessoas idosas com CCL têm maior risco de *delirium* porque possuem menor reserva cognitiva. O *delirium* pode também se instalar em uma pessoa com história prévia de demência, mesmo que esse diagnóstico sindrômico ainda não tenha sido dado. Nesse caso, diz-se que o *delirium* é sobreposto ao quadro demencial. Após identificada e tratada a causa do *delirium*, o indivíduo frequentemente retorna ao estado prévio, ou próximo dele.[39]

Depressão com comprometimento cognitivo (leve ou maior – antiga "pseudodemência depressiva")

Outra causa comum no diagnóstico diferencial de demência é a depressão apresentando-se com um quadro dominante de comprometimento cognitivo, seja ele leve ou até mesmo maior (antiga pseudodemência depressiva no idoso).[32,33] Ou seja, a depressão pode apresentar-se de modo atípico, "mascarada" de demência. Como a depressão no idoso pode tanto causar quanto ser consequência reativa ao processo de perda da autonomia, a distinção entre as duas situações nem sempre é fácil. Além disso, a depressão, assim como os transtornos de ansiedade de início na idade sênior, pode ser o primeiro sintoma de um processo degenerativo ou microvascular em evolução, como pode ser o caso no Alzheimer, no Parkinson e na demência microvascular.[32]

Depressão geriátrica é a depressão que se apresenta pela primeira vez na vida de uma pessoa idosa, sem que haja história de episódio depressivo na idade adulta (< 60 anos).[32,33]

A depressão de início tardio está frequentemente associada a:[32,33]

→ reação a perdas de pessoas queridas, privação econômica ou isolamento social (causas psicossociais);
→ dor crônica incapacitante;
→ limitação funcional de qualquer causa não cerebral (p. ex., enfisema, insuficiência cardíaca congestiva, fratura de colo do fêmur);

→ doença cerebral orgânica de natureza crônica (processos demenciais neurodegenerativos e cerebrovasculares, doença de Parkinson, etc.);
→ privação neurossensorial grave (amaurose e hipoacusia).

O hipotireoidismo no idoso, mesmo quando subclínico, é causa associada tanto a maior risco de depressão quanto de comprometimento cognitivo, devendo sempre ser tratado.

Na suspeita de depressão de qualquer causa, o médico deve aplicar a escala de depressão geriátrica (FIGURA 53.7), versão de 15 itens.[31] Escores ≥ 6 devem fazer o clínico atentar para um possível diagnóstico de depressão (sensibilidade de 80%, especificidade de 75%).

Na dúvida, o clínico deve ter baixo limiar para o diagnóstico de depressão, iniciar o tratamento antidepressivo e reavaliar o caso após 30 dias. Se houver melhora significativa do humor, mas não da cognição, exclui-se pseudodemência e deve-se iniciar o diagnóstico diferencial etiológico para demência propriamente dita (ver Capítulo Depressão).[32,33]

Os antidepressivos inibidores seletivos da recaptação da serotonina (ISRSs) em monoterapia são o tratamento farmacológico preferencial nos idosos devido ao seu perfil de segurança e relativa eficácia **B**.[34] Ademais, comparados aos antidepressivos tricíclicos (ADTs), os ISRSs possuem eficácia semelhante na melhora dos sintomas depressivos **B**, além de melhor tolerabilidade, com taxa 24% inferior de descontinuação por efeitos colaterais (número necessário para causar dano [NNH, do inglês *number needed to harm*] = 12-15 para ADTs) **B**.[34] Depressão associada à apatia costuma responder bem à fluoxetina, em doses progressivamente escalonadas de 20 a 60 mg/dia, conforme a necessidade. A sertralina, utilizada em doses de 25 a 100 mg, possui um perfil mais sedativo do que a fluoxetina, sendo uma opção para pacientes com depressão associada a uma ansiedade significativa. O escitalopram está entre os ISRSs que menos causam efeitos colaterais em idosos.[34,35]

Pacientes que não responderem bem aos ISRSs podem ser tratados com inibidores duais de recaptação (da serotonina e da noradrenalina), como a duloxetina e a venlafaxina. Algumas evidências apontam no sentido de a vortioxetina (multimodal) ser o antidepressivo com mais evidência de melhora cognitiva, seguido da duloxetina.[34,35]

Presença de dor crônica regional e/ou fibromialgia sugerem o uso de duloxetina 30 a 60 mg/dia. Se houver insônia e/ou cefaleia tensional associada, a nortriptilina 25 a 75 mg, administrada à noite, pode ser uma excelente alternativa.

A nortriptilina é o ADT mais bem estudado e utilizado no idoso.[34] Entre todos os ADTs, a nortriptilina é o que possui menos efeitos colaterais anticolinérgicos, como boca seca, constipação, hipotensão postural e sonolência diurna. Esta última costuma ocorrer apenas no início do tratamento e no aumento das doses. Esses efeitos colaterais anticolinérgicos são apenas ligeiramente superiores aos da paroxetina, mas significativamente inferiores aos da amitriptilina. Todos esses efeitos colaterais podem ser minimizados com o aumento progressivo da dose da nortriptilina de 10 a 75 mg/dia. Em particular, pacientes com depressão grave, ansiedade, insônia, agitação noturna, dor crônica e/ou urgeincontinência costumam se beneficiar da nortriptilina. A nortriptilina deve ser evitada em pacientes com arritmias graves, obesos, com sonolência excessiva, hipotensão e/ou instabilidade postural, apraxia de marcha e quedas.[34,35]

Assim como a nortriptilina, a mirtazapina (15-45 mg/dia) pode ter a vantagem de aumentar o apetite e induzir ao sono, caso seja conveniente.

Os BZDs nunca devem ser utilizados para tratar ansiedade secundária à depressão, especialmente no idoso. Além de poder agravar a depressão, pode proporcionar declínio da memória e da cognição em geral, aumentando o risco de quedas em idosos – mesmo naqueles sem demência.

Como mencionado, a depressão pode ocorrer de modo isolado em um idoso com um cérebro saudável, ou pode estar associada a algum processo demencial, seja ele de natureza neurodegenerativa ou vascular.[33] Neste último, em particular, idosos com hipertensão moderada a grave, diabetes melito ou história de tabagismo têm risco maior de apresentar declínio cognitivo de origem vascular associado à depressão vascular.[33]

COMPROMETIMENTO COGNITIVO LEVE

O conceito de CCL foi criado no fim da década de 1990.[6,41] O CCL é caracterizado pela presença de deterioração cognitiva devidamente comprovada pela anamnese (idealmente complementada por um familiar) e pela avaliação neuropsicológica, sem que haja, entretanto, significativa e

QUESTÕES	ESCORE	
	NÃO	SIM
1. Encontra-se satisfeito com a sua vida em termos gerais?	1	0
2. Tem abandonado muitos de seus interesses e atividades?	0	1
3. Você sente que a sua vida está vazia?	0	1
4. Você se aborrece com frequência?	0	1
5. Você se sente de bom humor a maior parte do tempo?	1	0
6. Tem medo que algum mal vá lhe acontecer?	0	1
7. Você se sente feliz a maior parte do tempo?	1	0
8. Você sente que sua situação não tem saída?	0	1
9. Você prefere ficar em casa em vez de sair e fazer coisas novas?	0	1
10. Você se sente com mais problemas de memória do que a maioria?	0	1
11. Você acha maravilhoso estar vivo?	1	0
12. Você se sente um inútil nas atuais circunstâncias?	0	1
13. Você se encontra cheio de energia?	1	0
14. Você acha que sua situação é sem esperança?	0	1
15. Você acha que a maioria das pessoas está melhor do que você?	0	1
Total:		___ Pontos

Avaliação da pontuação:
≤ 5 pontos = ausência de depressão
6 a 10 pontos = depressão leve a moderada
≥ 11 pontos = depressão grave

FIGURA 53.7 → Escala de depressão geriátrica (GDS-15).
Fonte: Almeida e Almeida.[41]

consistente dependência para as atividades da vida diária.[6] Entretanto, pode já existir no CCL um maior esforço de memória ou planejamento por parte do indivíduo para que ele consiga realizar tarefas previamente menos árduas. Pode já haver algum comprometimento das atividades instrumentais da vida diária, ou outras atividades ainda mais complexas, como habilidade para lidar com negócios e perda da capacidade produtiva laboral.[6,42]

De acordo com o Consenso da Alzheimer's Association, os critérios diagnósticos para o CCL são:[7]

1. Paciente executa as AVDs básicas e instrumentais de forma independente, mas o comprometimento cognitivo pode resultar em leve, mas detectável, impacto funcional para as AVDs complexas, como gerenciamento financeiro.
2. Desempenho cognitivo abaixo da faixa esperada para a escolaridade do paciente com base em todas as informações disponíveis, incluindo avaliação clínica e testagem cognitiva **OU** evidência de declínio longitudinal no desempenho cognitivo do paciente, ainda que esse desempenho permaneça dentro da faixa normativa populacional. Essa possibilidade existe sobretudo em indivíduos com QI acima da média. O declínio longitudinal pode ser observado por mudança em testes cognitivos longitudinais e/ou relatado por familiar e/ou ainda pelo próprio indivíduo, conforme julgamento clínico.
3. Pode ser caracterizado por apresentações cognitivas de disfunção na memória episódica recente ou ainda nas funções executivas, linguísticas ou espaciais.
4. Embora o comprometimento cognitivo seja o critério clínico central, o distúrbio neurocomportamental pode ser a característica mais proeminente do quadro clínico (variante comportamental do CCL), incluindo os casos de transtornos de personalidade premórbido que evoluem com Alzheimer e aqueles de pessoas sem transtornos de personalidade que evoluem com demência com corpúsculos de Lewy e demência frontotemporal. Por exemplo, idosos que têm o primeiro surto psicótico inclusive sem histórico prévio cognitivo quase invariavelmente possuem doença cerebral em evolução.

O DSM-5 nomeou o CCL como "Transtorno Neurocognitivo Maior". Os termos são basicamente equivalentes, sendo o primeiro mais utilizado por geriatras e neurologistas, e o último, por psiquiatras.

Uma característica frequentemente encontrada no CCL é o uso de estratégias compensatórias para lidar com situações novas ou complexas, como a delegação de negócios que envolvam valor monetário maior aos filhos, o distanciamento da direção de automóveis e o receio de aventurar-se em lugares menos conhecidos pelo risco de perder-se. Frequentemente, a família funcional percebe essas circunstâncias e passa a proteger o idoso com CCL dessas situações.[42]

Uma vez identificado um déficit, recomenda-se a investigação de causas potencialmente reversíveis (como drogas, depressão e hipotireoidismo) de CCL, incluindo a solicitação dos mesmos exames complementares indicados na avaliação da demência.[42]

O CCL pode ser subdividido em quatro subtipos, de acordo com o número de domínios cognitivos comprometidos e a presença ou não de envolvimento da memória (FIGURA 53.7).[42]

O CCL amnéstico associado a alterações liquóricas e neurorradiológicas tem sido considerado como Alzheimer prodrômico.[6,7] Nessa visão, o início da demência é apenas um estágio muito avançado da doença de Alzheimer.

Um estudo do nosso grupo (Roriz-Cruz) demonstrou que indivíduos com CCL amnéstico tinham chance 6 vezes maior de possuírem biomarcadores liquóricos alterados, quando comparados ao grupo com transtorno subjetivo da memória (*mild subjective impairment*), mas sem alterações objetivas na testagem neuropsicológica.[42]

No caso de desinibição e comportamento hipersexualizado na ausência de comprometimento mnemônico inicial, o principal diagnóstico diferencial a ser feito é entre a demência frontotemporal e o transtorno afetivo bipolar. Desinibição e comportamento hipersexualizado iniciado após os 60 anos quase sempre se devem a doença orgânica, sendo a demência frontotemporal a doença mais comum nesse caso.

O algoritmo que mostra os passos para investigar queixas cognitivas (FIGURA 53.8) não salienta a importância do exame físico, especialmente no diagnóstico de CCL de origem vascular. Assim, na presença de sinal de Babinski ou outro sinal focal, deve-se considerar esse diagnóstico. A depressão e o Alzheimer prodrômico "puros" ou isolados quase nunca são causas de CCL na presença de alteração de marcha de origem não osteomuscular.[15] Nesse caso, considerar especialmente a possibilidade de origem vascular ou, no caso de TC normal, demência com corpúsculos de Lewy ou demência frontotemporal prodrômicos.[15]

O CCL pode, após meses ou anos, evoluir para franca demência, ficar estacionado ou até mesmo desaparecer por completo, e é possível que o paciente retorne ao seu nível de funcionamento cognitivo prévio. Esses diferentes padrões de evolução têm, naturalmente, relação com a etiologia do CCL. Exemplos típicos dessas três possibilidades são, respectivamente, a doença de Alzheimer, a demência vascular com fatores de risco controlados, e a depressão tratada ou dependência de BZDs resolvida, com resolução dos déficits cognitivos.[6,43]

O tratamento de cada subtipo de CCL remete, necessariamente, à sua causa mais provável. Assim, a identificação precoce de doença cerebral microvascular por meio do exame físico e/ou da TC de encéfalo deve levar o clínico a intensificar o controle dos fatores de risco cerebrovasculares como a hipertensão, o diabetes, a síndrome metabólica e o tabagismo, enquanto o controle da depressão é o seu tratamento, e o da dependência a BZDs, a sua retirada gradual.

Pacientes com CCL microvascular devem apenas ser acompanhados, com intensificação do controle dos fatores de risco cerebrovasculares, com vistas à redução do risco de evolução para demência.

Muitos pacientes com Alzheimer prodrômico ou outro processo neurodegenerativo demencial em progressão apresentam um quadro clínico com mais alterações comportamentais do que cognitivas. Diversos estudos longitudinais com biomarcadores têm demonstrado que os transtornos de

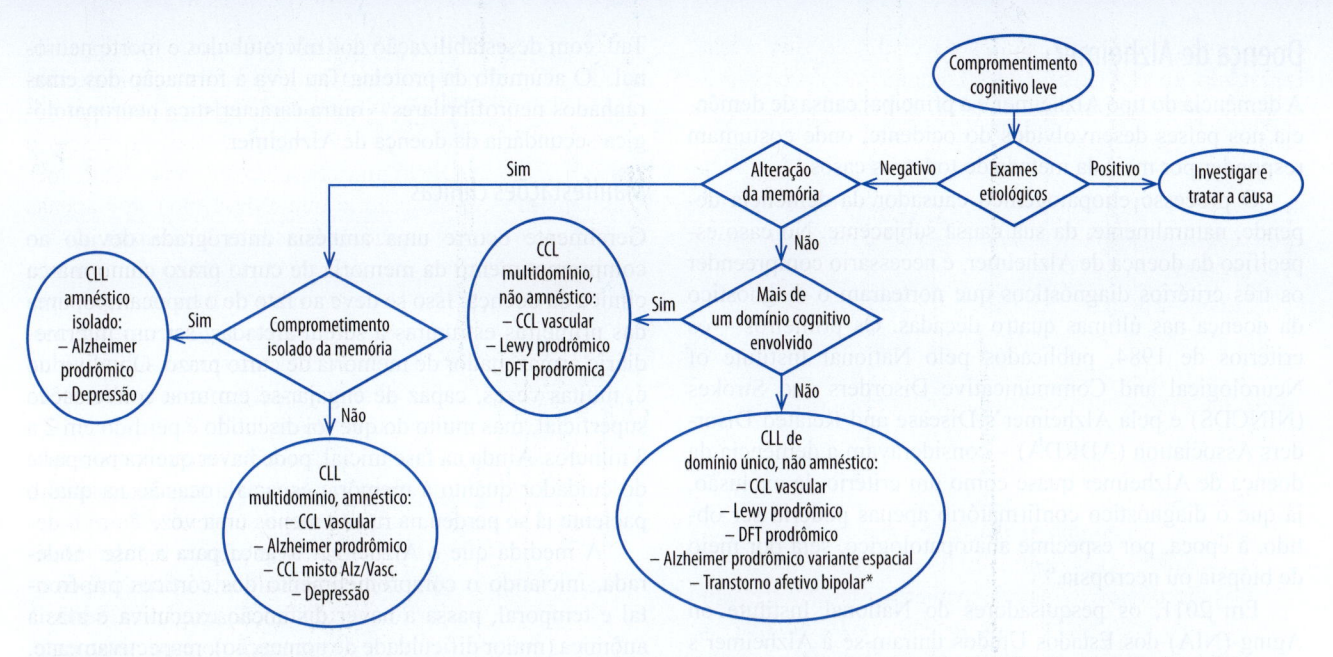

FIGURA 53.8 → Algoritmo de investigação de queixa cognitiva levando ao diagnóstico sindrômico de comprometimento cognitivo leve (CCL) e à sua investigação etiológica. DFT, demência frontotemporal.
*No caso de desinibição e comportamento hipersexualizado na ausência de comprometimento mnemônico inicial, o principal diagnóstico diferencial a ser feito é entre DFT e transtorno afetivo bipolar. Desinibição e comportamento hipersexualizado iniciados após os 60 anos quase sempre se devem a doença orgânica, sendo a DFT a doença mais comum neste caso.
Fonte: Falk e colaboradores,[8] Brasil[9] e Norton e colaboradores.[22]

ansiedade de início na idade sênior não raro caracterizam um primeiro sintoma da doença de Alzheimer em evolução.[44] De modo análogo, sintomas de apatia no Parkinson e de alucinações visuais na demência com corpúsculos de Lewy ou mesmo surtos psicóticos de início após os 60 anos (antiga esquizofrenia "senil") frequentemente significam processo demencial em evolução.[44] Na ausência de uma causa identificável para o CCL, deve-se adotar uma estratégia preventiva abrangente visando lentificar ao máximo a progressão para demência.

CLASSIFICAÇÃO DAS DEMÊNCIAS

As demências podem ser classificadas conforme sua causa:[1–8]

→ **evolutivas**, como aquelas resultantes de declínio progressivo por doença neurodegenerativa, vascular ou infecciosa crônica;

→ **estáticas**, como aquelas causadas por demência vascular com fatores de risco controlados ou por sequela de lesão cerebral aguda isolada, por trauma ou infecção resolvida;

→ **potencialmente reversíveis**, como aquelas causadas pelo hipotireoidismo e pela hipovitaminose B_{12} (parcialmente reversível).

Quanto ao local primário de acometimento, as demências dividem-se em corticais e subcorticais. O protótipo das demências **corticais** é a doença de Alzheimer. Mesmo a demência frontotemporal, classicamente considerada uma demência cortical, pode, em cerca de um terço dos casos, apresentar sinais subcorticais desde o seu início.[1–8]

O paradigma das demências **subcorticais** é a demência microvascular, mas também a demência parkinsoniana e as demências associadas a parkinsonismos atípicos. A clínica da demência com corpúsculos de Lewy pode demonstrar a expressão do envolvimento tanto cortical quanto subcortical desde o seu início. Também a demência por múltiplos infartos, se envolver regiões corticais, pode gerar um quadro demencial misto cortical/subcortical.

Outra classificação das demências diz respeito à etiologia: **degenerativa**, **vascular**, **infecciosa**, **traumática**, **alcoólica**, **reversível**, **neoplásica**, entre outras.

Os seis principais tipos de demência mais encontrados são: doença de Alzheimer, demência vascular, demência mista, demência com corpúsculos de Lewy, demência da doença de Parkinson e variante comportamental da demência frontotemporal. O clínico também necessita lembrar-se de causas potencialmente reversíveis, como o hipotireoidismo e a hipovitaminose B_{12}. A demência alcoólica e a síndrome de Korsakoff, frequentemente associadas, podem estabilizar-se ou é possível até mesmo obter leve melhora com a abstinência e a reposição de tiamina, respectivamente. (Ver Capítulo Problemas Relacionados ao Consumo de Álcool.) Também teceremos alguns comentários acerca da polêmica entidade hidrocefalia de pressão normal.[1–8]

As demências rapidamente progressivas são um grupo à parte de doenças encefálicas que evoluem rapidamente para demência em meses a 1 ano. São causas de demência rapidamente progressiva: encefalites associadas à imunodeficiência (criptococo, tuberculose, etc.), encefalite herpética, encefalite autoimune (paraneoplásica ou não), neoplasias infiltrativas (linfomas, gliomas ou leucemias) do SNC, doenças priônicas (Creutzfeldt-Jakob), AVCs rapidamente sequenciais, entre outras. Todo paciente portador de demência de rápida evolução deve ser encaminhado com urgência a um neurologista.[5,8]

Doença de Alzheimer

A demência do tipo Alzheimer é a principal causa de demência nos países desenvolvidos do ocidente, onde costumam responder por mais da metade de todos os casos.[1-8]

O processo etiopatogênico causador da demência depende, naturalmente, da sua causa subjacente. No caso específico da doença de Alzheimer, é necessário compreender os três critérios diagnósticos que nortearam o diagnóstico da doença nas últimas quatro décadas. Os primeiros – os critérios de 1984, publicados pelo National Institute of Neurological and Communicative Disorders and Strokes (NINCDS) e pela Alzheimer's Disease and Related Disorders Association (ADRDA) – consideravam a demência da doença de Alzheimer quase como um critério de exclusão, já que o diagnóstico confirmatório apenas poderia ser obtido, à época, por espécime anatopatológico, seja por meio de biópsia ou necropsia.[6,7]

Em 2011, os pesquisadores do National Institute on Aging (NIA) dos Estados Unidos uniram-se à Alzheimer's Association para criar o segundo, um critério *continnum* da doença de Alzheimer, cuja fase demencial passou a ser considerada apenas como uma fase que ocorre ao menos cerca de 20 anos após o início do processo patogênico em nível molecular (ver FIGURA S53.1 do QR code), estabelecendo que pode ser necessária uma sucessão de avaliações para a definição diagnóstica. O terceiro, o critério de CCL de Petersen associado aos biomarcadores positivos para o Alzheimer (β-amiloide 42 e proteína Tau [p-Tau]) no LCS ou tomografia computadorizada por emissão de pósitrons (PET [do inglês, *positron emission computed tomography*]), passou a ser considerado pelo termo "Alzheimer prodrômico", já que esses indivíduos possuem alto risco de evoluir para a fase demencial da doença.[6,7]

Um estudo longitudinal do grupo Roriz-Cruz analisou biomarcadores por anos no LCS e demonstrou que idosos gaúchos com CCL amnéstico que possuíam alteração basal nos níveis das proteínas β-amiloide 42 tiveram risco 17 vezes maior de evoluir para a fase demencial em 3 anos, quando comparado a idosos com CCL com níveis normais de β-amiloide no LCS. Juntos, o β-amiloide e a p-Tau no LCS explicaram mais de 40% na variância do declínio na memória verbal desses idosos em 3 anos.[45]

Em 2018, houve uma nova atualização pelo mesmo grupo, o qual manteve a mesma definição da doença de Alzheimer centrada no conceito de ambos os biomarcadores, porém fez avanços ao criar a classificação ATN-C, na qual A significa amiloide, T significa Tau, N significa neurodegeneração (imagem) e C significa cognição em termos de normal, CCL e fases leve, moderada e avançada de demência.[7]

Portanto, a doença de Alzheimer é uma amiloidopatia do tipo beta (na amiloidose clássica, o acúmulo amiloide é do tipo alfa).[7] O acúmulo da proteína β-amiloide no cérebro se dá por meio da deposição de placas senis. Oligômeros do β-amiloide 42 desencadeiam a hiperfosforilação da proteína Tau, com desestabilização dos microtúbulos e morte neuronal.[7] O acúmulo da proteína Tau leva à formação dos emaranhados neurofibrilares – outra característica neuropatológica secundária da doença de Alzheimer.

Manifestações clínicas

Geralmente ocorre uma amnésia anterógrada devido ao comprometimento da memória de curto prazo como marca clínica da doença. Isso se deve ao fato de o hipocampo, uma das primeiras estruturas a serem afetadas, ser um intermediário armazenador de memória de curto prazo. O indivíduo é, muitas vezes, capaz de engajar-se em uma conversação superficial, mas muito do que foi discutido é perdido em 2 a 3 minutos. Ainda na fase inicial, pode haver queixa por parte do cuidador quanto à memória espacial, ocasião na qual o paciente já se perdeu na rua ao menos uma vez.[1-8]

À medida que o Alzheimer avança para a fase moderada, iniciando o comprometimento dos córtices pré-frontal e temporal, passa a haver disfunção executiva e afasia anômica (maior dificuldade de nomeação), respectivamente. Com o envolvimento do córtex parietal associativo, pode haver agnosia visual, inclusive para rostos (prosopagnosia) e piora da desorientação espacial, ocasião na qual o paciente pode até mesmo não lembrar da disposição dos aposentos do lar. O envolvimento da área pré-motora costuma ser mais tardio no Alzheimer, razão pela qual apraxias, inclusive da marcha, costumam aparecer apenas nas fases moderada a avançada da doença. Como os córtices pré-motor e motor primário são os últimos a serem acometidos, o paciente com Alzheimer "puro" (sem componente vascular) apenas deixa de deambular em fases muito avançadas da doença.[17]

Delírios e alucinações podem começar a ocorrer em qualquer estágio, mas iniciam, classicamente, na fase moderada da doença. Pacientes com personalidades de base do tipo esquizoide ou paranoide, entretanto, podem iniciar precocemente com delírios. A presença de alucinações precoces deve fazer o clínico suspeitar de outra demência, como Lewy ou vascular, especialmente se houver parkinsonismo espontâneo. As alucinações visuais são comuns no paciente com Parkinson em uso de levodopa.

É muito importante enfatizar que apraxia de marcha e parkinsonismo não fazem parte do quadro de Alzheimer até fases muito avançadas. Portanto, todo paciente com história diagnóstica de Alzheimer em fase leve a moderada que apresente apraxia de marcha deve ter esse diagnóstico questionado.[1-8,17-19,30]

Tratamento

Até o momento, não há tratamento modificador da história natural específico para a doença de Alzheimer.[1-8,44-47] Há apenas medicamentos sintomáticos que podem ter algum impacto, geralmente modesto, em melhorar a memória do paciente enquanto o medicamento é utilizado. Os inibidores da acetilcolinesterase (donepezila, rivastigmina e galantamina), nas fases inicial a moderada B, e a memantina, um antiglutamatérgico, nas fases moderada a avançada B, produzem pequeno benefício – uma melhora média inferior a 4 pontos em uma escala de 70 pontos após 6 meses de uso (avaliação cognitiva da Alzheimer's Disease Assessment Scale [ADAS--cog]) (TE = 0,20-0,40).[45-48] Deve-se observar o resultado do tratamento por um tempo de 2 a 3 meses. Menos de 50% dos pacientes apresentam melhora significativa na impressão do clínico com *input* do cuidador, a ponto de justificar a manutenção do tratamento. Nos pacientes que não obtiveram melhora, o medicamento deve ser suspenso. Eventualmente não se nota uma melhora na introdução do medicamento, mas sim uma piora na retirada. Nesses casos, havendo convicção da relação causa-efeito, pode-se também optar por manter o medicamento até nova reavaliação B.[46-49]

Dos três anticolinesterásicos desenvolvidos e em uso atualmente, a donepezila e a galantamina podem ser utilizadas em dose única diária (via oral [VO], apenas). Já a rivastigmina necessita de 2 doses diárias, VO, dada sua meia-vida mais curta. Essa desvantagem da apresentação oral da rivastigmina é contrabalanceada pela alternativa de administração controlada transdérmica (*patch*), de liberação controlada nas 24 horas.[47]

A donepezila deve ser iniciada com 5 mg após uma das refeições. Essa dose possui a melhor relação entre uma resposta positiva e menos efeitos colaterais. Após 2 meses, os pacientes que não tenham melhorado significativamente, não tenham tido náusea e pesem mais de 70 kg podem ser escalonados para 10 mg B.[49]

De modo análogo, a galantamina pode ser utilizada em tomada única, na forma de liberação prolongada e a dose pode ser escalonada conforme a resposta e a tolerância (8, 16 e 24 mg). O mesmo raciocínio é válido também para a rivastigmina VO (1,5, 3, 4,5 e 6 mg), após o desjejum e alimento noturno.[46-48]

Sintomas gastrintestinais relevantes de náuseas, vômitos e diarreia estão presentes em cerca de 20% dos pacientes iniciados com qualquer dos três anticolinesterásicos supracitados, sendo causa comum de descontinuação do tratamento. Para esse subgrupo de pacientes, a rivastigmina transdérmica (4,6, 9,5 e 13,3 mg, de 24/24 horas, correspondentes aos adesivos de 5, 10 e 15 cm^2, respectivamente) é uma opção factível, já que causa menos efeitos colaterais gastrintestinais e maior adesão ao tratamento por parte do paciente e do cuidador.[44,50] De modo análogo aos demais anticolinesterásicos, deve-se escalonar lentamente a dose conforme a resposta e a tolerância.

A memantina deve ser iniciada na dose de 5 mg à noite e escalonada em 5 mg a cada semana de modo a incluir a mesma dose matutina, 10 mg à noite e, por fim, 10 mg, de 12/12 horas.[45] Pacientes na fase moderada da doença de Alzheimer podem beneficiar-se com a associação de um anticolinesterásico com a memantina B.[46,49] Novamente, vale aqui a regra de adicionar um medicamento por vez e avaliar a resposta após 60 a 90 dias.

Todos os anticolinesterásicos supracitados (exceto rivastigmina transdérmica na dose correspondente ao adesivo de 15 cm^2), além da memantina, estão disponíveis como medicamento especial via Sistema Único de Saúde (SUS) por meio do preenchimento de protocolo-padrão para cada Estado que costuma envolver história clínica, MEEM, alguns exames complementares e escala *Clinical Dementia Rating* (CDR).[9] Os medicamentos disponíveis pelo SUS via medicamentos especiais encontram-se listados na **TABELA 53.3**.

Além do potencial benefício cognitivo em geral e mnemônico em especial, tanto os anticolinesterásicos quanto a memantina são uma opção no tratamento dos sintomas neuropsiquiátricos do Alzheimer, frequentemente evitando-se ou reduzindo-se a dose dos antipsicóticos.[44-49]

É possível prevenir a demência da doença de Alzheimer? De acordo com evidências indiretas a partir de algumas metanálises, sim, mas apenas parcialmente. Alta escolaridade/atividade intelectual, tratamento da depressão, controle rigoroso do diabetes e da hipertensão, além de atividade física regular, alimentação saudável e evitar obesidade e tabagismo poderiam reduzir a prevalência de Alzheimer em 40% B.[10,22]

O estudo multintervencional FINGER (dieta, exercício, treino cognitivo e monitorização dos fatores de risco cerebrovascular) demonstrou, após 2 anos de intervenção, que idosos submetidos ao grupo de intervenção tiveram probabilidade significativamente maior de melhorar ou ao menos não declinar em termos de funcionamento cognitivo.[51]

Demência vascular: prevenível e negligenciada

A demência vascular é a 2ª ou 3ª causa mais comum de demência no mundo desenvolvido e a 1ª causa em muitos países de baixa e média renda.[3,18] No Brasil, apesar de ser a 2ª causa de demência, tem a sua prevalência frequentemente subestimada.[3] Não se deve esperar uma história de AVC ou sinais óbvios de hemiparesia para suspeitar dela, já que menos da metade dos pacientes possuem esses achados. Por outro lado, a maioria dos casos de CCL com apraxia de marcha

TABELA 53.3 → Medicamentos aprovados para uso sintomático nas demências de Alzheimer (e de Parkinson)

MEDICAMENTOS	INDICAÇÃO	DOSE DIÁRIA	PRINCIPAIS EFEITOS COLATERAIS	DISPONÍVEL NO SISTEMA ÚNICO DE SAÚDE (SUS) COMO MEDICAMENTO ESPECIAL PARA
Anticolinesterásicos	Alzheimer CDR 1 e 2		Náuseas, vômitos, diarreia	Alzheimer CDR 1 e 2
Donepezila comprimidos		5-10 mg	20%	Sim
Rivastigmina oral (comprimidos ou solução 2 mg/mL)	Inclui demência da doença de Parkinson	1,5-6 mg, de 12/12 horas	20%	Sim
Rivastigmina transdérmica	Inclui demência da doença de Parkinson	4,6 mg (5 cm^2), 9,5 mg (10 cm^2), 13,3 mg (15 cm^2)	3%	Sim, exceto o adesivo de 15 cm^2
Galantamina cápsulas		8-24 mg	20%	Sim
Antiglutamatérgico	CDR 2 e 3			Alzheimer CDR 2 e 3
Memantina		10 mg, de 12/12 horas	Tontura (16%) e sonolência (10%)	Sim

CDR, *Clinical Dementia Rating*.

evolui para demência vascular, caso os fatores de risco cerebrovasculares não sejam controlados.[17]

Etiopatogenia

Cerca de 75% de todos os casos de demência vascular são subcorticais, ou seja, não possuem AVC tromboembólico ou aterotrombótico de grandes vasos que levem a uma lesão cortical.[18] A demência vascular subcortical se deve à doença microvascular, seja ela de natureza periventricular isquêmica crônica (leucoaraiose extensa levando à chamada demência de Binswanger), ou a múltiplas lacunas nos núcleos da base e na substância branca profunda (entre o córtex e os ventrículos laterais/núcleos da base). Esta última situação caracteriza a demência multinfarto, termo que não deve ser usado como sinônimo de demência de Binswanger. Quando o indivíduo possuir significativa leucoaraiose periventricular e múltiplas lacunas (estado lacunar), deve-se preferir utilizar o termo mais inclusivo "demência microvascular", o qual se refere a ambos os tipos de lesões.[18]

Além do estado lacunar, a doença microvascular frequentemente causa também atrofia da substância branca, levando a uma dilatação dos espaços perivasculares de Virchow-Robin, em especial ao nível dos núcleos da base. Quando há aumento difuso desses espaços, dá-se o nome de "estado crivoso".[18]

A hipertensão, o diabetes e o tabagismo são, nessa ordem, os principais fatores de risco para demência vascular, respondendo, respectivamente, por cerca de 60%, 20% e 10% do risco atribuível de demência vascular na população.[10,22] Afora o diabetes, o pré-diabetes também é significativo e frequentemente é subestimado como fator de risco para doença microvascular, especialmente se coexistir com outros componentes da síndrome metabólica.[13,20] Juntos, esses fatores somam mais de 90% do risco atribuível na população, razão pela qual a proporção de demência vascular em relação ao total de casos de demência varia largamente de acordo com a prevalência desses fatores de risco na população.[10,22]

Manifestações clínicas

Na maioria dos casos, as primeiras manifestações de demência vascular são a disfunção executiva, frequentemente não devidamente problematizada pela família, a incontinência urinária do tipo urgência (deve-se afastar hiperplasia prostática benigna no homem e incontinência de estresse na mulher) e a apraxia de marcha.[18] Algumas vezes, os dois últimos (sintomas não cognitivos) podem anteceder os sintomas cognitivos. Trata-se, portanto, não apenas de uma demência, mas de demência como uma síndrome clínica que extrapola os domínios cognitivos. Na demência vascular, o déficit de memória é desproporcionalmente pequeno quando comparado à doença de Alzheimer e aos outros domínios afetados, como a apraxia de marcha e a disfunção executiva do "subtipo lentificação do raciocínio".[18]

Em uma série de pacientes com demência vascular, o grupo de sinais neurológicos mais sensíveis foi o de alteração de marcha, com marcha hemiparética (25%) ou apráxica (57%), estando presentes em 82% dos pacientes.[15-19]

A apraxia de marcha inclui a marcha de passos curtos e a falência em iniciar a marcha (festinação) ou, ainda, qualquer outra anormalidade neurológica da marcha que não exclusivamente atáxica (p. ex., abasia, caracterizada pelo alargamento da base). Não obstante, apraxias de marcha menos óbvias podem ser percebidas em quase todos os pacientes com demência vascular. Na série, apenas 44% apresentaram hemiparesia, e a disartria foi um sinal mais sensível de demência vascular (43%) do que o sinal de Babinski (38%).[15-19]

A relativa pequena sensibilidade dos clássicos sinais neurológicos focais de liberação piramidal no AVC comparada à maior sensibilidade da apraxia de marcha para o diagnóstico de demência vascular deve-se, sobretudo, ao fato de a maioria dos casos ser do tipo microvascular/subcortical, acometendo ambos os hemisférios cerebrais em proporção similar – 74% dos casos se deveram à doença cerebral de pequenos vasos, sendo que apenas 18% foram causados por AVC cortical (de grande vaso) e 8% se deveram à combinação de ambos os tipos de lesão.[24] Além disso, 30% dos pacientes tinham 4 lacunas ou mais.[19]

As características clínicas que mais ajudam a diferenciar a doença de Alzheimer da demência vascular são ilustradas na TABELA 53.4. A presença de déficit cognitivo predominantemente executivo, e não de memória ou orientação espacial, associado à alteração de marcha de origem não osteomuscular, aumenta em 13 vezes a chance de a demência dever-se a outra etiologia que não Alzheimer (em especial vascular). A presença de uma ou outra dessas manifestações

TABELA 53.4 → Principais diferenças clínicas entre as demências do tipo Alzheimer e a demência vascular

ACHADO CLÍNICO	DEMÊNCIA DO TIPO ALZHEIMER	DEMÊNCIA VASCULAR
Início	Insidioso	Insidioso ou súbito
História compatível com acidente vascular cerebral (AVC)*	Não há	1/3 dos casos
Déficit neurológico focal	Não há	Frequente
Sinal de Babinski	Ausente	Frequente†
Principal alteração cognitiva	Memória	Função executiva
Alteração de marcha	Ausente	Quase sempre‡
Rigidez	Ausente	Frequente§
Depressão	Comum	Muito comum**
Urgeincontinência	Pode haver	Muito comum
Hipertensão e/ou diabetes	Pode haver	Quase sempre

* Pacientes e familiares frequentemente confundem síncopes, convulsões e transtornos conversivos com AVC. Deve-se avaliar se houve déficit focal que perdurou por mais de 24 horas.
† 38% na forma clássica; entretanto, o clínico deve considerar que a presença de significativa assimetria do reflexo flexor pode ser considerada um sinal localizatório no contexto de demência, sugerindo etiologia vascular.
‡ 82% em um estudo.
§ Classicamente do tipo paratonia, caracterizada pela resistência semi-involuntária contínua (sem roda denteada), no sentido contrário ao da movimentação pelo examinador.
** Apesar de não específico, o caráter apático nas fases iniciais da doença é mais sugestivo de demência vascular do que de Alzheimer. Conforme a doença evolui e o paciente se torna acamado, a apatia domina o quadro também na doença de Alzheimer.
Fonte: Galluzzi e colaboradores,[15] Gorczevski e colaboradores,[16] Verghese e colaboradores,[17] O'Brien e colaboradores,[18] e Staekenborg e colaboradores.[19]

isoladamente eleva em 6 vezes a possibilidade de o diagnóstico não ser Alzheimer.[15-19]

Sem investigação maior, geralmente desnecessária, sugere-se que o diagnóstico de demência vascular se aplique sempre que um indivíduo preencha os critérios diagnósticos gerais de demência e apresente ao menos um dos seguintes achados:[18]

→ **sinal de lesão cortical focal**, seja ela piramidal como hemiparesia e Babinski, ou de outro domínio, como linguagem (p. ex., afasia de expressão) ou visuoespacial (p. ex., heminegligência). Esses sinais devem ter seguido um episódio agudo. Quadro unilateral de início mais insidioso pode sugerir tumor ou infecção cerebral;
→ **história de AVC** confirmada por neurologista. Lembrando que síncope ou parestesias isoladas raramente são causadas por doenças cerebrovasculares;
→ **apraxia de marcha do tipo pequenos passos**, de início insidioso por muitos meses ou anos, na ausência de outra causa que melhor explique o parkinsonismo de membros inferiores, como uso de neurolépticos, doença de Parkinson e demência com corpúsculos de Lewy;
→ **exame de imagem** (TC ou RM) confirmando ao menos uma área de necrose causada por um AVC e/ou evidenciando significativa e confluente leucoaraiose periventricular.

Apenas muito raramente um paciente com quadro clínico típico de demência vascular e evidência de sinal focal terá esse diagnóstico excluído por uma TC de encéfalo.

Demência em pacientes jovens e/ou sem fatores de risco significativos para doença cardiovascular também deve levantar a suspeita de outro diagnóstico. Em certas apresentações, é importante considerar a possibilidade de lesão neoplásica cerebral, neuroinfecção ou esclerose múltipla como causa dos achados. Deve-se sempre pensar em neuroinfecção (p. ex., neurotoxoplasmose) ou linfoma do SNC em pacientes com vírus da imunodeficiência humana (HIV [do inglês, *human immunodeficiency virus*]) evoluindo com sinal focal e rápida deterioração cognitiva. Pacientes que apresentam insidiosa progressão de sinal focal e/ou cefaleia nova, atípica e/ou crescente associadas à piora cognitiva também devem ser cuidadosamente investigados para neuroinfecção ou tumores primários ou metastáticos do SNC, mesmo se negativos para HIV. A esclerose múltipla, mais comum fora dos trópicos, como nas Regiões Sul e Sudeste do Brasil, costuma apresentar-se em episódios de surto-remissão, sendo que os surtos costumam causar sinais focais que evoluem em muitas horas ou poucos dias, diferentemente do AVC, que costuma evoluir em segundos, minutos ou, no máximo, em poucas horas.[15-19]

Profilaxia e tratamento da demência vascular

A melhor maneira de tratar uma demência vascular é prevenindo-a. Muitas vezes, é possível identificar um indivíduo com CCL vascular que invariavelmente evoluirá para demência se os seus fatores de risco para doença cardiovascular não forem adequadamente tratados. Logo, deve-se incluir controle rigoroso da pressão arterial e da glicose sérica, cessação do tabagismo, além de prevenção secundária com ácido acetilsalicílico (ver Capítulo Prevenção Clínica das Doenças Cardiovasculares).[15-19]

Os pacientes com demência vascular têm maior risco de depressão (cerca de 50%) quando comparados aos pacientes com doença de Alzheimer (cerca de 30%).[33] Esse componente de "depressão vascular", na maioria das vezes, gera uma depressão do tipo apática, a qual proporciona uma lentificação mais acentuada no processo de velocidade de processamento cognitivo.[29]

Anticolinesterásicos podem melhorar a função cognitiva de alguns pacientes com demência vascular leve a moderada, em especial do tipo subcortical/microvascular **B**.[18] Entretanto, o efeito parece ser ainda menor do que aquele verificado para a doença de Alzheimer. Assim, esses efeitos marginais tornam sua utilidade clínica incerta na prática clínica. Frequentemente se observam melhoras cognitivas mais importantes com o devido tratamento do componente de depressão vascular do que com o próprio uso de anticolinesterásicos.[33]

Assim como as demais demências subcorticais, a demência vascular também costuma causar apatia como sintoma neurológico, independentemente da presença de anedonia na depressão.[33]

Demência mista (doença de Alzheimer com demência vascular)

Alguns estudos neuropatológicos *post-mortem* realizados na comunidade sugerem que a demência mista é a mais comum das demências entre os idosos, respondendo por mais da metade dos casos.[23] Deve-se suspeitar de uma etiologia mista para o quadro demencial apresentado pelo paciente sempre que houver, na história e no exame neuropsicológico, dados que sugiram componentes não frequentemente encontrados em uma evolução típica de doença de Alzheimer, e exame neurológico que sugira a ocorrência de um AVC pelo fato de o paciente apresentar algum déficit ou sinal localizatório.[23]

A comum associação entre a doença de Alzheimer e a demência vascular não é coincidente, e há uma demonstração de que o estresse oxidativo causado pelos fatores de risco cerebrovasculares e a doença microvascular estimulam a deposição do β-amiloide.[23]

Naturalmente, o tratamento de demência mista deve levar em consideração os aspectos supramencionados referentes a ambas as doenças, com enfoque na otimização do controle dos fatores de risco cerebrovasculares.

Demência com corpúsculos de Lewy e demência parkinsoniana

O parkinsonismo caracteriza-se pela ocorrência de dois dos seguintes componentes: bradicinesia, rigidez, tremor de repouso e instabilidade postural. Quando espontâneo e associado à demência de início em idade > 65 anos, sem os achados tomográficos de demência microvascular, é sugestivo de sinucleinopatia com formação dos corpúsculos de Lewy.[8,30] Juntas, a demência com corpúsculos de Lewy e a demência parkinsoniana correspondem à 3ª causa mais comum de demência (6-8%).[30,31]

Em termos de estrutura neuropatológica, a demência com corpúsculos de Lewy e a demência parkinsoniana são muito semelhantes.[31] Ambas são sinucleinopatias, causadas pela agregação da proteína α-sinucleína, causando a formação dos corpúsculos de Lewy e morte neuronal. A diferenciação entre elas é clínica. No entanto, enquanto a doença de Parkinson costuma seguir os estágios de progressão de Braak, expandindo-se do córtex entorrinal à substância negra e demais núcleos da base, para apenas depois envolver o córtex, na demência com corpúsculos de Lewy esses estágios não são progressivos, ocorrendo deposição dos corpúsculos de Lewy no córtex e nos núcleos da base simultaneamente.[30,31]

Em termos clínicos, a doença de Parkinson e a demência com corpúsculos de Lewy constituem, portanto, um espectro de manifestações motoras e cognitivas. Há a sugestão difundida de que pacientes que apresentam sintomas motores e cognitivos dentro do período de 1 ano devem ser interpretados como tendo o diagnóstico de demência com corpúsculos de Lewy. Quando os sintomas cognitivos iniciam após 1 ano do início dos sintomas motores, a interpretação maior deve ser para doença de Parkinson.[30,31]

É preciso ter em mente que muitos pacientes com Parkinson podem apresentar depressão e disfunção executiva que pode iniciar até 5 anos antes dos sintomas motores dessa doença.[31] Se não forem suficientes para caracterizar demência, entretanto, esses sintomas neurocognitivo-afetivos devem ser atribuídos exclusivamente à demência parkinsoniana e não à demência com corpúsculos de Lewy.[30,31]

Assim como o parkinsonismo microvascular, o parkinsonismo da demência com corpúsculos de Lewy tende a ser menos assimétrico e a apresentar-se com ocorrência reduzida de tremores.[52] Por outro lado, em pacientes mais jovens (< 60 anos) com demência parkinsoniana, a demência costuma manifestar-se apenas após ao menos 10 anos de evolução da doença. Pacientes mais idosos com demência parkinsoniana podem apresentar demência em muito menos tempo. Naturalmente, um paciente de 80 anos com doença de Parkinson tem, como qualquer outro idoso nessa idade, uma probabilidade pré-teste (i.e., prevalência) de cerca de 20% para doença de Alzheimer e 10% para demência vascular.[30,31]

Pacientes com ambas as doenças podem apresentar outras manifestações não motoras clássicas da doença de Parkinson, como disautonomias (p. ex., constipação, impotência sexual, hipotensão postural), transtorno paradoxal do sono REM (do inglês, *rapid eye movement*), maior suscetibilidade à dor crônica, pele oleosa, etc.

Uma das características que mais ajudam a diferenciar a demência com corpúsculos de Lewy da demência parkinsoniana é a presença precoce de alucinações visuais, caracteristicamente vívidas e bem detalhadas. No entanto, isso ocorre antes do início do uso da levodopa, medicamento que ocasionalmente gera alucinações em pacientes com doença de Parkinson. O uso de biperideno, entre outros anticolinérgicos potentes, é um dos maiores erros que se pode cometer no manejo de um paciente idoso com doença de Parkinson – especialmente na presença de disfunção cognitiva – devido ao altíssimo risco de confusão mental, delírios e alucinações, além de hipotensão postural e quedas. Na dúvida diagnóstica ou de manejo, deve-se encaminhar o paciente ao ambulatório de especialidade (ver **FIGURA 53.3**).[31]

Tanto a demência com corpúsculos de Lewy quanto a demência da doença de Parkinson costumam responder um tanto mais favoravelmente aos anticolinesterásicos do que a própria doença de Alzheimer, em termos cognitivos e neuropsiquiátricos **B**. A rivastigmina é o único anticolinesterásico que tem seu uso aprovado – em bula, inclusive – no tratamento da doença de Parkinson. Ainda há alguma evidência de que os anticolinesterásicos possam melhorar o fenômeno conhecido como congelamento de marcha nos pacientes com Parkinson.[53]

Pacientes com qualquer dos dois primeiros tipos de demência costumam manifestar mais sintomas neuropsiquiátricos, como ansiedade, agitação, delírios e alucinações, do que indivíduos com Alzheimer. Aqui, anticolinesterásicos como a rivastigmina podem aliviar esses sintomas a ponto de tornar desnecessário ou reduzir a necessidade do uso ou da dose de antipsicóticos.[34]

Entretanto, nunca é demais frisar que não se recomenda a utilização de antipsicóticos típicos nas demências de Lewy ou Parkinson. Prefere-se, nesses casos, o uso de quetiapina na dose de 25 a 150 mg, pela menor ocorrência de efeitos extrapiramidais.[35] A clozapina, utilizada em dose semelhante, é menos custosa, mas requer monitorização semanal do hemograma, pelo risco pequeno, mas grave, de agranulocitose.

Pode-se, ainda, tentar manejar os sintomas comportamentais não psicóticos desses pacientes com carbamazepina ou ácido valproico, ambos disponíveis na rede do SUS. Esses medicamentos sedativos, classicamente utilizados como anticonvulsivantes e estabilizadores do humor, também têm a vantagem – assim como a quetiapina – de não proporcionarem efeitos extrapiramidais.[31] Inicia-se com 1 comprimido à noite e aumenta-se paulatinamente até 1 comprimido, de 8/8 horas, se necessário. Apesar de realçarmos as utilidades da carbamazepina e do valproato em ambas as doenças em questão, pelo risco de agravamento do parkinsonismo associado aos neurolépticos disponíveis na rede do SUS, pacientes com sintomas de agitação associados a qualquer demência podem se beneficiar do uso desses medicamentos no seu manejo comportamental, em uso combinado ou isolado.[35]

Demência frontotemporal: variantes comportamental e de linguagem (não fluente e semântica)

A degeneração lobar frontotemporal constitui um grupo heterogêneo de doenças que apresentam fenótipos semelhantes, os quais estão associados a uma degeneração predominantemente temporal e frontal.[39]

Alguns casos de degeneração lobar frontotemporal podem evoluir com demência associada ao parkinsonismo. Nesse caso, a diferença é que a degeneração lobar frontotemporal não costuma gerar alucinações visuais precoces.[39] Além disso, diferentemente da demência com corpúsculos de Lewy, o processo demencial geralmente inicia antes dos 65 anos de idade, mais comumente entre 57 e 65 anos. Entretanto, a maioria dos casos não apresenta parkinsonismo precoce (85%).[39]

Quanto às manifestações exclusivamente cognitivas, 80% da apresentações iniciais são da variante comportamental da demência frontotemporal, com atrofia predominante do circuito orbitofrontal.[39] Os outros 20% representam as chamadas variantes de linguagem da demência frontotemporal, já que iniciam com afasia progressiva, seja do tipo de expressão, seja do tipo de compreensão. No primeiro caso, trata-se da afasia primária progressiva (15% do total de demência frontotemporal); no segundo caso, trata-se da demência semântica.[39] Frequentemente, esses casos merecem encaminhamento para manejo por neurologista, preferencialmente em ambulatórios especializados em neurologia cognitivo-comportamental ou neurogeriatria (ver **FIGURA 53.3C**).

Variante comportamental da demência frontotemporal

Na variante comportamental da demência frontotemporal, o indivíduo geralmente começa a apresentar inadequação social, com comportamento excessiva e inapropriadamente desinibido. Há declínio precoce da conduta social interpessoal e perda da capacidade de empatia ou "tato social". O comportamento passa a ser perseverativo e estereotipado, e há dificuldade de inibir um ato iniciado pela vontade. A capacidade de planejamento executivo diminui significativamente, levando o indivíduo a uma certa distratibilidade e falta de persistência em obedecer a comandos menos simples.[28,39]

A hipersexualidade é uma característica frequentemente marcante, mas pode não estar presente. Aliado a esse quadro executivo-comportamental supradescrito, há uma relativa preservação inicial da memória. A demência frontotemporal constitui um dos poucos subtipos demenciais nos quais pode haver hiperoralidade com aumento do apetite e do peso, principalmente na sua fase inicial. Ainda em relação à variante comportamental, o paciente costuma apresentar discurso estereotipado. Nas fases moderada e avançada da doença, pode haver ecolalia, afasia de expressão e compreensão e, por fim, mutismo.[39]

Ao exame neurológico, costumam estar presentes sinais de liberação frontal mais precocemente do que ocorre para os demais tipos de demência. São eles: preensão palmar, reflexo palmomentoniano, reflexo glabelar inesgotável e mento-orbicular. Como a continência urinária é mantida pela inibição frontal sobre o detrusor, urgeincontinência costuma ocorrer precocemente no curso da doença.[28,39]

Variantes de linguagem

As variantes de linguagem da demência frontotemporal constituem a afasia primária progressiva e a demência semântica. A primeira é 3 vezes mais comum que a segunda. Para considerar a demência como causada por uma das variantes linguísticas, todos os critérios da **TABELA 53.5**[54] devem ser presentes.[27,39,40]

A afasia progressiva primária se caracteriza por progressiva disfunção na produção da linguagem, com perda da capacidade de elaboração sintática (frases), anomias e parafasias. A linguagem torna-se forçosa e difícil, como se a

TABELA 53.5 → Critérios diagnósticos para variantes de linguagem da demência frontotemporal

→ O déficit cognitivo mais proeminente é o déficit de linguagem
→ Os déficits de linguagem correspondem à principal causa pela qual o indivíduo tornou-se incapacitado para o trabalho ou para as atividades da vida diária
→ A afasia deve ser o sintoma mais proeminente ao início do processo demencial
→ O padrão da doença não é mais bem explicado por uma doença neuropsiquiátrica, como depressão grave (depressão leve costuma estar associada em qualquer demência) ou transtorno bipolar
→ Não há déficit importante na memória episódica (déficit executivo associado a uma leve apatia costuma estar presente)
→ Não há desinibição comportamental

Fonte: Chare e colaboradores[39] e Gorno-Tempini e Hillis.[40]

pessoa estivesse aprendendo um novo idioma. Assemelha-se a uma afasia de Broca lentamente progressiva. Deve-se a uma progressiva desconexão semântico-léxica, com dificuldade em encontrar as palavras que representam os símbolos e conceitos mentais.[39,40]

A demência semântica é caracterizada por perda progressiva na capacidade de entender discursos mais complexos e, posteriormente, palavras isoladas na ausência de alteração da memória de curto prazo. Deve-se a uma progressiva desconexão léxico-semântica, ou seja, na capacidade de transformar as palavras e suas associações em ideias e símbolos mentais.[39,40]

Já a afasia logopênica é uma variante da demência de Alzheimer cuja característica essencial é uma progressiva dificuldade em encontrar palavras (anomia) e na elaboração de frases (sintaxe). Em geral, já há alteração na memória episódica à testagem neuropsicológica, mas os sintomas e achados de linguagem se sobressaem ainda mais do que os de esquecimento.

Devido ao frequente envolvimento do sistema límbico nas variantes linguísticas, sem que haja, ao menos inicialmente, lesão dos circuitos frontais inibitórios, o paciente se apresenta, na maioria das vezes, com um quadro de apatia, associada ou não à depressão, e não com comportamento desinibido.[39,40]

Assim como para os demais processos demenciais neurodegenerativos, aqui também não há tratamento modificador da doença. Tampouco há evidência minimamente suficiente para recomendar o uso de anticolinesterásicos na demência frontotemporal.[39] O tratamento deve voltar-se exclusivamente, portanto, para o manejo neuropsiquiátrico. Os sintomas de desinibição social, assim como delírios e alucinações, se presentes, podem ser tratados com antipsicóticos e/ou estabilizadores do humor.

Assim como nos demais casos de demência que não se devem à doença de Alzheimer e causas cerebrovasculares, esses pacientes devem consultar ao menos uma vez um ambulatório especializado de neurogeriatria para confirmação diagnóstica.

Hidrocefalia de pressão normal

A hidrocefalia de pressão normal é uma entidade clássica da neurologia, mais especialmente da neurocirurgia, que vem encontrando forte oposição como entidade nosológica, com posições fervorosas de ambos os lados. Caracteriza-se, tradicionalmente, pela tríade de Hakim-Adams: apraxia da marcha, incontinência urinária e demência. Essa tríade não é específica da hidrocefalia de pressão normal, sendo comumente encontrada em diversas demências não Alzheimer (demências subcorticais), as quais também costumam cursar precocemente com apraxia de marcha e incontinência tipo urgência, sendo a mais comum delas a demência microvascular.[55,56]

O benefício com o tratamento cirúrgico derivativo pode ser possível quando todas estas características estão presentes:[55]

→ possuir idade < 80 anos;
→ estágio demencial leve;
→ predomínio evolutivo e de gravidade da apraxia de marcha e da incontinência sobre o estágio demencial, o qual deve ser idealmente leve e, no máximo, moderado;
→ não possuir doença microvascular significativa;
→ não ter doença de Parkinson, parkinsonismo medicamentoso e parkinsonismo atípico;
→ ter resposta favorável da marcha nas 6 horas que se seguem à retirada de 30 a 40 mL de LCS (*tap test*).[57]

Pacientes com suspeita de hidrocefalia de pressão normal à TC de crânio e que preencham os primeiros quatro critérios supracitados podem ser encaminhados ao neurologista, preferencialmente especialista em neurologia cognitiva ou neurogeriatria, para fazer o diagnóstico diferencial e a indicação cirúrgica eletiva, antes do encaminhamento ao neurocirurgião.

Outras causas de demência/demências potencialmente reversíveis

As demências potencialmente reversíveis representam menos de 1 a 2% de todas as demências, sendo que a sua frequência vem caindo nas últimas décadas, aparentemente devido ao seu diagnóstico precoce – em fase ainda pré-demencial – ou ao aumento do diagnóstico concomitante de causas como as demências de Alzheimer e vascular.[28,42,58]

Depressão "mascarada" e uso inapropriado de fármacos com efeito colateral na cognição encontram-se entre as causas mais comuns de demências potencialmente reversíveis. Entre os fármacos com efeito colateral na cognição encontram-se os BZDs, os hipnóticos (incluindo o zolpidém) e os anticolinérgicos, como biperideno e oxibutinina, entre outros.[42,58]

Quando graves, tanto a hipovitaminose B_{12} quanto o hipotireoidismo são causas potencialmente reversíveis de demência, sendo a última mais reversível do que a primeira.[42,58] Apesar de raramente serem causas de demência isolada, o hipotireoidismo subclínico (TSH alto com T_4 normal) e valores de B_{12} entre 200 e 350 devem ser sempre tratados **C/D**. A vitamina B_{12} deve ser reposta em doses diárias de 5.000 μg, intramuscular (IM), por 5 dias, mesma dose semanal por 5 semanas e mesma dose mensal continuamente **C/D**.[28,42,58] Como alternativa, pode-se tentar vitamina B_{12} 5.000 μg, VO, 1 cápsula/dia, a qual, entretanto, não é bem absorvida em caso de gastrite atrófica.

Pacientes com VDRL positivo devem ter FTA-ABS solicitado. Após confirmada a positividade do FTA-ABS (idealmente incluindo IgM), esses pacientes devem ser encaminhados a um ambulatório de neurologia para planejamento de punção lombar com análise do VDRL no LCS (sensível e específico para neurossífilis), diferentemente do VDRL no sangue.

Pacientes com diagnóstico de demência alcoólica e/ou síndrome de Korsakoff, distúrbios cognitivos por deficiência de tiamina, frequentemente associada ao alcoolismo, devem ter orientação de internação hospitalar se ainda consumirem álcool, posto que o diagnóstico de demência torna o paciente civilmente incapaz de decidir o que é melhor para si, sendo a necessidade de desintoxicação premente. A síndrome de Wernicke tem a mesma causa da demência de Korsakoff, mas, sendo aguda, é uma encefalopatia e não uma demência.

CLASSIFICAÇÃO EVOLUTIVA DO DECLÍNIO COGNITIVO: DO COMPROMETIMENTO COGNITIVO LEVE À DEMÊNCIA AVANÇADA

Em média, um paciente com diagnóstico recente de demência da doença de Alzheimer em fase inicial evolui para a fase terminal da doença e o óbito em cerca de 8 anos, mas essa média varia cerca de 50% a depender do caso.[1] No caso da demência vascular, apesar de a média ser ligeiramente inferior, esse tempo é mais variável, dependendo do controle dos fatores de risco cardiovasculares.

A escala CDR validada para a língua portuguesa permite o diagnóstico do estágio evolutivo do declínio cognitivo e da demência em inicial, intermediário e avançado **(TABELA 53.6)**.[54] Não obstante, é importante frisar que pacientes com demência muito avançada ou demência extrema, já sem vida de relação, não estão previstos na classificação dessa escala.

Cada domínio da escala CDR deve ser respondido com o máximo de independência dos demais. Na dúvida sobre a gravidade do déficit, considerar o mais avançado. Apesar de a soma das caixas poder ser utilizada, a classificação final equivalente à CCL ou à demência inicial, moderada ou avançada segue algumas regras básicas **(TABELA 53.7)**, pois a classificação se refere ao grau de independência cognitivo-funcional. Para essa escala, por exemplo, se o indivíduo é completamente dependente em termos cognitivos, pouco importa se ele ainda deambula ou não. Portanto, ao ser classificado como "avançado", não quer dizer que o paciente não tenha vida de relação, e muito menos que sua sobrevida seja necessariamente breve.

MANEJO DOS SINTOMAS NEUROPSIQUIÁTRICOS NO PACIENTE COM DEMÊNCIA

Alterações neuropsiquiátricas são frequentes em indivíduos com demência, especialmente nas fases moderada e avançada. A depressão é a principal delas e já foi discutida anteriormente. Delírios, alucinações, agitação, verbalização excessiva e desproposidata, agressividade, alteração do ritmo sono-vigília, fenômeno do pôr do sol (*sundowning*), insônia e comportamento motor aberrante são as alterações mais

TABELA 53.6 → Avaliação clínica da demência – escala CDR (Clinical Dementia Rating)

DOMÍNIO	SAUDÁVEL CDR 0	DEMÊNCIA QUESTIONÁVEL CDR 0,5	DEMÊNCIA LEVE CDR 1	DEMÊNCIA MODERADA CDR 2	DEMÊNCIA GRAVE CDR 3
Memória	Sem perda de memória, ou apenas esquecimento discreto e inconsistente	Esquecimento leve e consistente; lembrança parcial de eventos; "esquecimento benigno"	Perda moderada de memória, mais acentuada para fatos recentes; o déficit interfere em atividades do dia a dia	Perda grave de memória; apenas material muito aprendido é retido; materiais novos são rapidamente perdidos	Perda grave de memória; apenas fragmentos permanecem
Orientação	Plenamente orientado	Plenamente orientado	Dificuldade moderada com as relações de tempo; orientado no espaço no exame, mas pode ter desorientação geográfica em outros locais	Geralmente desorientado	Orientação pessoal apenas
Julgamento e solução de problemas	Resolve bem problemas do dia a dia; juízo crítico é bom em relação ao desempenho passado	Leve comprometimento na solução de problemas, semelhanças e diferenças	Dificuldade moderada na solução de problemas, semelhanças e diferenças; julgamento social geralmente mantido	Gravemente comprometido para solução de problemas, semelhanças e diferenças; juízo social geralmente comprometido	Incapaz de resolver problemas ou de ter qualquer juízo crítico
Assuntos na comunidade	Função independente na função habitual de trabalho, compras, negócios, finanças e grupos sociais	Leve dificuldade nessas atividades	Incapaz de funcionar independentemente nessas atividades, embora ainda possa desempenhar algumas; pode parecer normal à avaliação superficial	Sem possibilidade de desempenho fora de casa; parece suficientemente bem para ser levado a atividades fora de casa	Sem possibilidade de desempenho fora de casa; parece muito doente para ser levado a atividades fora de casa
Lar e passatempos	Vida em casa, passatempos e interesses intelectuais mantidos	Vida em casa, passatempos e interesses intelectuais levemente afetados	Comprometimento leve, mas evidente, em casa; abandono das tarefas mais difíceis; passatempos e interesses mais complicados também são abandonados	Só realiza as tarefas mais simples; interesses muito limitados e pouco mantidos	Sem qualquer atividade significativa em casa
Cuidados pessoais	Plenamente capaz	Plenamente capaz	Necessita de assistência ocasional	Requer assistência para vestir-se e para sua higiene	Requer muito auxílio nos cuidados pessoais; geralmente incontinente

Fonte: Maia e colaboradores.[54]

TABELA 53.7 → Regras básicas de pontuação da escala CDR (Clinical Dementia Rating)

1. Se pelo menos 3 domínios são = Memória,* então CDR = Memória
2. Se 3 ou mais domínios são > (ou <) Memória, então CDR = maioria dos domínios (> ou < Memória)
3. Sempre que 3 domínios têm pontuação de um lado de memória e as outras duas têm pontuações do outro lado, CDR = Memória
4. Se Memória = 0,5 e 3 ou mais domínios são pontuados ≥ 1, então CDR = 1
5. Se Memória = 0,5, CDR não pode ser 0 (zero), só pode ser 0,5 ou 1
6. Se Memória = 0, então CDR = 0, exceto se 2 ou mais domínios ≥ 0,5, então CDR = 0,5

* Memória = valor no domínio Memória. Casos não previstos podem ter a classificação CDR final confirmada nas Leituras Recomendadas.
Fonte: Maia e colaboradores.[54]

frequentemente encontradas nesses pacientes. Esses distúrbios podem ser manejados com medidas comportamentais ou, na falha delas, com tratamento medicamentoso.[36]

Medidas comportamentais

As seguintes medidas comportamentais foram demonstradas como benéficas, aliviando os sintomas neuropsiquiátricos[59] e melhorando a qualidade de vida de idosos com demência C/D:[60,61]

→ manter ao máximo a rotina diária;
→ não modificar bruscamente o ambiente onde o idoso vive;
→ exposição à luz solar no período da manhã por ao menos 60 minutos (até às 10 horas, com a devida proteção e sem óculos escuros);
→ praticar caminhadas ou atividade física;
→ evitar luminosidade e barulho à noite;
→ tomar banhos com água em temperatura ideal (35-40°C);
→ estímulo cognitivo e emotivo por meio da linguagem verbal e não verbal (TE = 0,41);
→ terapia do toque;
→ musicoterapia;
→ treinamento de cuidadores para medidas de intervenção comportamental.

Tratamento farmacológico

Neurolépticos (antipsicóticos)

Todos os neurolépticos podem ocasionar parkinsonismo medicamentoso em idosos com demência, mesmo se utilizados em doses mais baixas. Diversos laboratórios já produzem medicamentos genéricos da quetiapina, um dos fármacos que menos frequentemente acarretam sintomas extrapiramidais, tornando esse medicamento mais acessível a populações de classe média. Muitos Estados também disponibilizam a quetiapina como medicamento especial por meio de formulários específicos, apesar de muitos deles autorizarem o fornecimento desse medicamento apenas para pacientes esquizofrênicos.[62,63] A quetiapina apresenta efeito reduzido (TE = ~0,30) nos sintomas comportamentais e psicológicos na demência **B**; logo, sua significância clínica é incerta. Em pacientes com demência, a quetiapina pode ser utilizada na dose de 25 a 200 mg, em dose única noturna ou, conforme a necessidade, em doses divididas durante o dia.[36]

Em especial, pacientes com demências do tipo não Alzheimer, frequentemente associadas a formas de parkinsonismo – como é o caso da demência microvascular e, sobretudo, de Lewy –, não devem receber neurolépticos típicos, especialmente se ainda deambularem, pelo risco aumentado de quedas consequentes à associação do parkinsonismo iatrogênico sobreposto ao parkinsonismo.[16] há hipotensão postural em indivíduos propensos, também pode ser um mecanismo pelo qual o neuroléptico pode contribuir para um aumento do número de quedas.[30,31,36]

Pacientes com doença de Alzheimer que ainda deambulam com facilidade, ou aqueles com qualquer demência e que já estejam acamados, podem receber neurolépticos típicos em baixa dose, caso necessário, para controle de agitação **B**. Pode-se utilizar clorpromazina 25 a 150 mg ou haloperidol 1 a 2,5 mg ao dia, conforme a idade, a massa corporal e a tolerância (rigidez). A clorpromazina (50 mg) é mais sedativa e menos antipsicótica e produz menos efeito extrapiramidal do que doses equivalentes do haloperidol (1 mg).[36]

Assim, como os sintomas psicóticos em pacientes com demência são frequentemente menos significativos do que os sintomas comportamentais de agitação, a clorpromazina na dose de 25 a 100 mg à noite torna-se uma interessante opção. Doses de risperidona > 1 mg frequentemente causam impregnação em idosos. Por esse motivo, recomenda-se a prescrição de fármacos disponíveis na rede do SUS ou parte-se diretamente para a solicitação de quetiapina, adquirida por meio da rede estadual ou de modo particular, conforme a realidade de cada Estado e a possibilidade da família.[36]

No uso de qualquer neuroléptico, ao menos dois terços da dose total diária deve ser utilizada à noite. Pacientes com o fenômeno do pôr do sol podem receber 1 dose 2 horas antes do início da agitação. De modo paradoxal, alguns pacientes podem ficar mais confusos e agitados com o uso de alguns tipos de neurolépticos (efeito idiossincrático). Nesse caso, pode-se tentar outro neuroléptico ou, ainda, psicotrópicos não neurolépticos. Deve-se, ainda, considerar que o uso de neurolépticos, típicos e atípicos, está associado a um aumento na mortalidade na ordem de 30 a 100% em estudos retrospectivos e/ou observacionais (não randomizados).[36]

Psicotrópicos não neurolépticos

Os BZDs nunca devem ser utilizados em pacientes com demência, por invariavelmente piorarem o nível da atenção, induzirem apatia e depressão, aumentarem os sintomas cognitivos, como os déficits de memória, e neuropsiquiátricos, como delírios e alucinações, além do risco de quedas **B**.[64]

No início, o efeito sedativo pode ser tentador em um paciente agitado, mas induz rapidamente tolerância e dependência, necessitando de doses cada vez maiores e causando os graves efeitos colaterais já explicitados.[36]

Outros psicotrópicos não neurolépticos são uma alternativa especialmente para os pacientes com maior propensão ao parkinsonismo medicamentoso induzido por neurolépticos ou que possuam QT corrigido prolongado (≥ 430 mm), ocasionando risco de arritmias malignas.[36]

Anticolinesterásicos utilizados primariamente na doença de Alzheimer, como a donepezila, podem, em alguns pacientes com demência, aliviar os sintomas neuropsiquiátricos, mesmo que não haja melhora objetiva na cognição em si **B**. Contudo, o efeito parece ser pequeno, e o benefício clínico, incerto. Anticonvulsivantes/estabilizadores do humor como a carbamazepina (200-400 mg) e o ácido valproico (250-500 mg) em tomada única noturna ou fracionada podem ser alternativas no manejo de sintomas neuropsiquiátricos, especialmente em pacientes com parkinsonismo **C/D**.

Não obstante, as evidências são insuficientes para suportar seu uso rotineiro. Deve-se atentar para hiponatremia (carbamazepina) e epigastralgia (ácido valproico) ao usar esses medicamentos.[36,65]

Como última alternativa, a combinação de um neuroléptico típico em dose baixa (como a clorpromazina na dose de 50 mg à noite) com um estabilizador do humor (como o ácido valproico na dose de 250-500 mg também à noite) pode ser suficiente para manejar sintomas comportamentais de pacientes com demência **C/D**.[36] Casos mais graves devem ser encaminhados ao neurologista, ao geriatra ou ao psiquiatra geriátrico.

Ainda não há qualquer lugar para o uso clínico do canabidiol nas demências. Por ora, o tema segue sendo investigacional apenas.

CUIDADOS PALIATIVOS NO PACIENTE ACAMADO POR DEMÊNCIA EXTREMA

Todos os pacientes com demência ficarão acamados caso vivam durante tempo suficiente.[64] Entre todas as demências mais comuns, a demência de Alzheimer na sua forma pura é a que provavelmente leva mais tempo para causar incapacidade de deambulação. Antes de tornar-se incapaz de caminhar, o indivíduo com apraxia de marcha – sintoma frequente e que geralmente está presente – pode ter sofrido várias quedas. A devida indicação do uso da bengala simples, da bengala de quatro pontas e do andador deve ser oportuna e proporcional ao grau de instabilidade da marcha, retardando a restrição funcional e postergando a restrição ao leito.[64]

Salvo exceções (p. ex., hemiparesia grau ≤ 3), ser acamado significa que seu estágio demencial é muito avançado. Nessa circunstância, dois são os cuidados principais no paciente com demência extrema: integridade da pele e prevenção de escaras, e nutrição.[5,64]

Integridade da pele e prevenção de escaras

Para manter a integridade da pele e prevenir escaras, o paciente demenciado acamado deve dispor ao menos de um colchão piramidal. Como o paciente, em geral, é incapaz de virar-se sozinho no leito, ele deve ser mudado de decúbito no máximo a cada 3 horas. O estado de subnutrição facilita o surgimento das escaras, que evoluem de grau I (hiperemia), II (isquemia até a derme), III (necrose até o subcutâneo) a IV (ulceração, com penetração musculotendínea e óssea).[64] Detalhes quanto à prevenção e ao manejo de úlceras de decúbito fogem ao propósito deste capítulo.

Nutrição no paciente acamado por demência extrema

A nutrição de pacientes acamados por demência muito avançada é motivo de polêmica. A alimentação suplementar é uma intervenção medicamentosa, e não uma consequência natural do estado de subnutrição do paciente.[5,64]

Não há qualquer evidência de que a suplementação alimentar enteral por qualquer meio (gastrostomia ou duodenostomia) aumente a sobrevida de pacientes com demência muito avançada C/D.⁶⁶ Por outro lado, a suplementação alimentar enteral pode aumentar o risco de pneumonia aspirativa por manter o esfíncter inferior do esôfago permanentemente aberto. Ademais, a alimentação enteral suplementar restringe ainda mais a ingesta oral desses pacientes, limitando um dos poucos prazeres que lhe restam.[64]

Pacientes demenciados em estado muito avançado evoluem para a síndrome da anorexia-caquexia (*failure to thrive*) e acabam não se beneficiando da suplementação alimentar fornecida com o objetivo de aumentar o peso. Devido à disfagia, frequentemente presente, a consistência do alimento fornecido deve ser pastosa e espessa. Nesse sentido, salvo exceções, a disfagia grave no paciente com demência avançada deve ser encarada como um sinal de processo degenerativo cerebral adiantado.[5,64]

Ao se decidir, com a família, sobre a introdução ou não da alimentação enteral, uma estratégia adequada seria perguntar o que eles acham que o paciente gostaria para si, se ainda fosse capaz de decidir. Não há motivo para indicar suplementação alimentar enteral via sonda nasoenteral em pacientes nos quais não há perspectiva de recuperação da disfagia em 90 dias (exemplos de indicação de uso temporário de sonda nasoentérica: AVC, *delirium* por pneumonia ou outra causa). Nos pacientes com demência macrovascular pós-AVC, deve-se reavaliar a necessidade de suplementação alimentar enteral em até 90 dias.[5,64]

Não havendo perspectiva de recuperação da disfagia em 90 dias e caso decida-se pela nutrição enteral permanente, a conduta correta é a realização de jejunostomia ou gastrostomia endoscópica o mais rápido possível. É uma realidade inadmissível, típica de países sem infraestrutura adequada em saúde, deixar idosos com demência avançada por meses e até anos esperando por um procedimento definitivo via SUS, caso seja essa a decisão tomada.[64]

Sugestões de encaminhamento

Deve-se solicitar avaliação:
- → **do neurologista**, em casos demenciais de maior dificuldade diagnóstica, uma vez excluídas ao menos as apresentações clássicas das demências de Alzheimer e vascular, e em casos de difícil manejo comportamental;
- → **do geriatra**, como alternativa aos casos supracitados e no caso de pacientes demenciados com idade > 80 anos, com múltiplas comorbidades e/ou outras síndromes geriátricas associadas;
- → **do psiquiatra**, em casos de pseudodemência depressiva que não esteja respondendo às terapias indicadas ou de outra natureza psiquiátrica, como transtornos dissociativos amnésticos;
- → **em emergência clínica** para pacientes com suspeita de *delirium* de etiologia infecciosa ou metabólica (excluir efeito de novos fármacos ou aumento de doses);
- → **em emergência psiquiátrica** para pacientes com pseudodemência depressiva grave ou demência e depressão comórbida grave e risco de suicídio.

REFERÊNCIAS

1. Scheltens P, Blennow K, Breteler MMB, Strooper B de, Frisoni GB, Salloway S, et al. Alzheimer's disease. Lancet. 2016;388(10043):505–17.
2. Hofman A, de Jong PTVM, van Duijn CM, Breteler MMB. Epidemiology of neurological diseases in elderly people: what did we learn from the Rotterdam Study? Lancet Neurol. 2006;5(6):545–50.
3. Rizzi L, Rosset I, Roriz-Cruz M. Global epidemiology of dementia: Alzheimer's and vascular types. BioMed Res Int. 2014;2014:908915.
4. Alzheimer's Association. 2020 Alzheimer's disease facts and figures. Alzheimers Dement. 2020;16(3):391–460.
5. Royal Australian College of General practitioners. Care of patients with dementia in general practice: guidelines. Sidney: NSW Dept. of Health; 2019.
6. Albert MS, DeKosky ST, Dickson D, Dubois B, Feldman HH, Fox NC, et al. The diagnosis of mild cognitive impairment due to Alzheimer's disease: recommendations from the National Institute on Aging-Alzheimer's Association workgroups on diagnostic guidelines for Alzheimer's disease. Alzheimers Dement. 2011;7(3):270–9.
7. Jack CR, Bennett DA, Blennow K, Carrillo MC, Dunn B, Haeberlein SB, et al. NIA-AA research framework: toward a biological definition of Alzheimer's disease. Alzheimers Dement. 2018;14(4):535–62.
8. Falk N, Cole A, Meredith TJ. Evaluation of suspected dementia. Am Fam Physician. 2018;97(6):398–405.
9. Brasil. Ministério da Saúde. Portaria conjunta nº 13, de 28 de novembro de 2017 [Internet]. Brasília: MS; 2017 [capturado em 28 abr. 2021]. Disponível em: https://portalarquivos2.saude.gov.br/images/pdf/2017/dezembro/08/465660-17-10-MINUTA-de-Portaria-Conjunta-PCDT-Alzheimer-27-11-2017---COMPLETA.pdf
10. Mukadam N, Sommerlad A, Huntley J, Livingston G. Population attributable fractions for risk factors for dementia in low-income and middle-income countries: an analysis using cross-sectional survey data. Lancet Glob Health. 2019;7(5):e596–603.
11. Mesulam MM. From sensation to cognition. Brain. 1998;121 (Pt 6):1013–52.
12. Tucker-Drob EM. Differentiation of cognitive abilities across the life span. Dev Psychol. 2009;45(4):1097–118.
13. Roriz-Cruz M, Rosset I, Wada T, Sakagami T, Ishine M, De Sá Roriz-Filho J, et al. Cognitive impairment and frontal-subcortical geriatric syndrome are associated with metabolic syndrome in a stroke-free population. Neurobiol Aging. 2007;28(11):1723–36.
14. Foster L, Roriz-Cruz M. Neuropsycholpogical aspects of cognitive aging. In: Gariépy Q, Ménard R, editors. Handbook of cognitive aging: causes, processes, and effects. New York: Nova Biomedical; 2010. Chapter XV, p. 387-402.
15. Galluzzi S, Sheu C-F, Zanetti O, Frisoni GB. Distinctive clinical features of mild cognitive impairment with subcortical cerebrovascular disease. Dement Geriatr Cogn Disord. 2005;19(4):196–203.
16. Gorczevski I, Heisler A, Chaves M, Roriz-Cruz M. Vascular factors on Alzheimer's disease. In: Jacobsen SR, editor. Vascular dementia: risk factors, diagnosis, and treatment. Hauppauge: Nova Biomedical; 2011.
17. Verghese J, Lipton RB, Hall CB, Kuslansky G, Katz MJ, Buschke H. Abnormality of gait as a predictor of non-Alzheimer's dementia. N Engl J Med. 2002;347(22):1761–8.
18. O'Brien JT, Thomas A. Vascular dementia. Lancet. 2015;386(10004): 1698–706.
19. Staekenborg SS, van der Flier WM, van Straaten ECW, Lane R, Barkhof F, Scheltens P. Neurological signs in relation to type of cerebrovascular disease in vascular dementia. Stroke. 2008;39(2):317–22.
20. Roriz-Filho JS, Sá-Roriz TM, Rosset I, Camozzato AL, Santos AC, Chaves MLF, et al. (Pre)diabetes, brain aging, and cognition. Biochim Biophys Acta. 2009;1792(5):432–43.
21. O'Donnell MJ, Chin SL, Rangarajan S, Xavier D, Liu L, Zhang H, et al. Global and regional effects of potentially modifiable risk factors

associated with acute stroke in 32 countries (INTERSTROKE): a case-control study. Lancet. 2016;388(10046):761–75.

22. Norton S, Matthews FE, Barnes DE, Yaffe K, Brayne C. Potential for primary prevention of Alzheimer's disease: an analysis of population-based data. Lancet Neurol. 2014;13(8):788–94.

23. Schneider JA, Arvanitakis Z, Bang W, Bennett DA. Mixed brain pathologies account for most dementia cases in community-dwelling older persons. Neurology. 2007;69(24):2197–204.

24. Formighieri PF, Roriz-Filho JS, Roriz-Cruz M. The Microvascular Fronto-Subcortical Geriatric Syndrome: a new conceptual framework for cognitive aging. In: Gariépy Q, Ménard R, editors. Handbook of cognitive aging: causes, processes, and effects. New York: Nova Biomedical; 2010. Chapter IV, p. 181-208.

25. Rouch L, Cestac P, Hanon O, Cool C, Helmer C, Bouhanick B, et al. Antihypertensive drugs, prevention of cognitive decline and dementia: a systematic review of observational studies, randomized controlled trials and meta-analyses, with discussion of potential mechanisms. CNS Drugs. 2015;29(2):113–30.

26. SPRINT MIND Investigators for the SPRINT Research Group, Williamson JD, Pajewski NM, Auchus AP, Bryan RN, Chelune G, et al. Effect of intensive vs standard blood pressure control on probable dementia: a randomized clinical trial. JAMA. 2019;321(6):553–61.

27. Livingston G, Huntley J, Sommerlad A, Ames D, Ballard C, Banerjee S, et al. Dementia prevention, intervention, and care: 2020 report of the Lancet Commission. Lancet. 2020 8;396(10248):413-46.

28. Knopman DS, Boeve BF, Petersen RC. Essentials of the proper diagnoses of mild cognitive impairment, dementia, and major subtypes of dementia. Mayo Clin Proc. 2003;78(10):1290–308.

29. Cerveira MO, Dias RG, Heisler A, Borba E, Onyszko D, Gorczevski I, et al. P3-042: Were elderly patients, who were escorted by family members for medical appointments, more likely to present cognitive dysfunction? Alzheimers Dement. 2010;6(4S_Part_15):S461–S461.

30. McKeith IG, Boeve BF, Dickson DW, Halliday G, Taylor J-P, Weintraub D, et al. Diagnosis and management of dementia with Lewy bodies: Fourth consensus report of the DLB Consortium. Neurology. 2017;89(1):88–100.

31. Jellinger KA, Korczyn AD. Are dementia with Lewy bodies and Parkinson's disease dementia the same disease? BMC Med. 2018;16(1):34.

32. Camozzato A, Roriz-Cruz M. Interactions between Dementia and depression: causes, consequences, and common mechanisms. In: Gariépy Q, Ménard R, editors. Handbook of cognitive aging: causes, processes, and effects. New York: Nova Biomedical; 2010. Chapter XIII, p. 347-66.

33. Aizenstein HJ, Baskys A, Boldrini M, Butters MA, Diniz BS, Jaiswal MK, et al. Vascular depression consensus report – a critical update. BMC Med. 2016;14(1):161.

34. Mottram P, Wilson K, Strobl J. Antidepressants for depressed elderly. Cochrane Database Syst Rev. 2006;(1):CD003491.

35. Tham A, Jonsson U, Andersson G, Söderlund A, Allard P, Bertilsson G. Efficacy and tolerability of antidepressants in people aged 65 years or older with major depressive disorder – a systematic review and a meta-analysis. J Affect Disord. 2016;205:1–12.

36. Reus VI, Fochtmann LJ, Eyler AE, Hilty DM, Horvitz-Lennon M, Jibson MD, et al. The American Psychiatric Association practice guideline on the use of antipsychotics to treat agitation or psychosis in patients with dementia. Am J Psychiatry. 2016;173(5):543–6.

37. Sunderland T, Hill JL, Mellow AM, Lawlor BA, Gundersheimer J, Newhouse PA, et al. Clock drawing in Alzheimer's disease. A novel measure of dementia severity. J Am Geriatr Soc. 1989;37(8):725–9.

38. Bertolucci PHF, Okamoto IH, Brucki SMD, Siviero MO, Toniolo Neto J, Ramos LR. Applicability of the CERAD neuropsychological battery to Brazilian elderly. Arq Neuropsiquiatr. 2001;59:532–6.

39. Chare L, Hodges JR, Leyton CE, McGinley C, Tan RH, Kril JJ, et al. New criteria for frontotemporal dementia syndromes: clinical and pathological diagnostic implications. J Neurol Neurosurg Psychiatry. 2014;85(8):865–70.

40. Gorno-Tempini ML, Hillis AE, Weintraub S, Kertesz A, Mendez M, Cappa SF, et al. Classification of primary progressive aphasia and its variants. Neurology. 2011;76(11):1006–14.

41. Almeida OP, Almeida SA. Short versions of the geriatric depression scale: a study of their validity for the diagnosis of a major depressive episode according to ICD-10 and DSM-IV. Int J Geriatr Psychiatry. 1999;14(10):858–65.

42. Gray SL, Anderson ML, Dublin S, Hanlon JT, Hubbard R, Walker R, et al. Cumulative use of strong anticholinergics and incident dementia: a prospective cohort study. JAMA Intern Med. 2015;175(3):401–7.

43. Bertolucci PHF, Brucki SMD, Campacci SR, Juliano Y. O mini--exame do estado mental em uma população geral: impacto da escolaridade. Arq Neuropsiquiatr. 1994;52(1):01–7.

44. Rizzi L, Maria Portal M, Batista CEA, Missiaggia L, Roriz-Cruz M. CSF Aβ1-42, but not p-Tau181, differentiates aMCI from SCI. Brain Res. 2018;1678:27–31.

45. Rizzi L, Missiaggia L, Roriz-Cruz M. CSF Aβ1-42, but not p-Tau181, predicted progression from dmnestic MCI to Alzheimer's gisease dementia. Neuromolecular Med. 2018;20(4):491–7.

46. Tricco AC, Ashoor HM, Soobiah C, Rios P, Veroniki AA, Hamid JS, et al. Comparative effectiveness and safety of cognitive enhancers for treating alzheimer's disease: systematic review and network metaanalysis. J Am Geriatr Soc. 2018;66(1):170–8.

47. Inouye SK, Westendorp RGJ, Saczynski JS. Delirium in elderly people. Lancet. 2014;383(9920):911–22.

48. Langa KM, Levine DA. The diagnosis and management of mild cognitive impairment: a clinical review. JAMA. 2014;312(23):2551–61.

49. O'Regan J, Lanctôt KL, Mazereeuw G, Herrmann N. Cholinesterase inhibitor discontinuation in patients with Alzheimer's disease: a meta-analysis of randomized controlled trials. J Clin Psychiatry. 2015;76(11):e1424-1431.

50. Ismail Z, Agüera-Ortiz L, Brodaty H, Cieslak A, Cummings J, Fischer CE, et al. The Mild Behavioral Impairment Checklist (MBI-C): a rating scale for neuropsychiatric symptoms in pre-dementia populations. J Alzheimers Dis. 2017;56(3):929–38.

51. Schneider LS, Olin JT, Doody RS, Clark CM, Morris JC, Reisberg B, et al. Validity and reliability of the Alzheimer's Disease Cooperative Study-Clinical Global Impression of Change. The Alzheimer's Disease Cooperative Study. Alzheimer Dis Assoc Disord. 1997;11 Suppl 2:S22-32.

52. Dodel R, Csoti I, Ebersbach G, Fuchs G, Hahne M, Kuhn W, et al. Lewy body dementia and Parkinson's disease with dementia. J Neurol. 2008;255 Suppl 5:39–47.

53. Rolinski M, Fox C, Maidment I, McShane R. Cholinesterase inhibitors for dementia with Lewy bodies, Parkinson's disease dementia and cognitive impairment in Parkinson's disease. Cochrane Database Syst Rev. 2012;(3):CD006504.

54. Maia ALG, Godinho C, Ferreira ED, Almeida V, Schuh A, Kaye J, et al. Aplicação da versão brasileira da escala de avaliação clínica da demência (Clinical Dementia Rating – CDR) em amostras de pacientes com demência. Arq Neuropsiquiatr. 2006;64(2B):485–9.

55. Nassar BR, Lippa CF. Idiopathic normal pressure hydrocephalus: a review for general practitioners. Gerontol Geriatr Med. 2016;2:2333721416643702.

56. Tullberg M, Hultin L, Ekholm S, Månsson J-E, Fredman P, Wikkelsø C. White matter changes in normal pressure hydrocephalus and Binswanger disease: specificity, predictive value and correlations to axonal degeneration and demyelination. Acta Neurol Scand. 2002;105(6):417–26.

57. Graff-Radford NR. Normal pressure hydrocephalus [Internet]. UpToDate. Waltham: UpToDate; 2020 [capturado em 26 abr. 2021]. Disponível em: https://www.uptodate.com/contents/normal-pressure-hydrocephalus.

58. Hukins D, Macleod U, Boland JW. Identifying potentially inappropriate prescribing in older people with dementia: a systematic review. Eur J Clin Pharmacol. 2019;75(4):467–81.

59. Livingston G, Johnston K, Katona C, Paton J, Lyketsos CG, Old Age Task Force of the World Federation of Biological Psychiatry. Systematic review of psychological approaches to the management of neuropsychiatric symptoms of dementia. Am J Psychiatry. 2005;162(11):1996–2021.
60. Abraha I, Rimland JM, Trotta FM, Dell'Aquila G, Cruz-Jentoft A, Petrovic M, et al. Systematic review of systematic reviews of non--pharmacological interventions to treat behavioural disturbances in older patients with dementia. The SENATOR-OnTop series. BMJ Open. 2017;7(3):e012759.
61. Möhler R, Renom A, Renom H, Meyer G. Personally tailored activities for improving psychosocial outcomes for people with dementia in long-term care. Cochrane Database Syst Rev. 2018;2:CD009812.
62. Motsinger CD, Perron GA, Lacy TJ. Use of atypical antipsychotic drugs in patients with dementia. Am Fam Physician. 2003;67(11):2335–40.
63. Sink KM, Holden KF, Yaffe K. Pharmacological treatment of neuropsychiatric symptoms of dementia: a review of the evidence. JAMA. 2005;293(5):596–608.
64. American Geriatrics Society Beers Criteria® Update Expert Panel. American Geriatrics Society 2019 updated ags beers criteria® for potentially inappropriate medication use in older adults. J Am Geriatr Soc. 2019;67(4):674–94.
65. Wang J, Yu J-T, Wang H-F, Meng X-F, Wang C, Tan C-C, et al. Pharmacological treatment of neuropsychiatric symptoms in Alzheimer's disease: a systematic review and meta-analysis. J Neurol Neurosurg Psychiatry. 2015;86(1):101–9.
66. Volkert D, Chourdakis M, Faxen-Irving G, Frühwald T, Landi F, Suominen MH, et al. ESPEN guidelines on nutrition in dementia. Clin Nutr. 2015;34(6):1052–73.

LEITURAS RECOMENDADAS

Alzheimer's Disease International. 2019 World Alzheimer Report. London: Alzheimer´s Disease International; 2019.

Documento que traz o impacto social das demências, tanto em termos de custos diretos ao sistema saúde quanto em relação ao custo societal indireto (cuidadores, etc). Faz um paralelo com o baixo investimento em pesquisas na área.

Brasil. Ministério da Saúde. Protocolo clínico e diretrizes terapêuticas para doença de Alzheimer. Brasília: MS; 2017.

Uma das mais extensas revisões em português acerca das evidências científicas que devem nortear o Clínico na escolha terapêutica no Alzheimer.

Dyer SM, Laver K, Pond CD, Cumming RG, Whitehead C, Crotty M. Clinical practice guidelines and principles of care for people with dementia in Australia. Aust Fam Physician. 2016;45(12):884-9.

Diretrizes australianas sobre o manejo da demência em atenção primária. Prática, baseada em evidências e voltada para a realidade do clínico.

Moyer VA, U.S. Preventive Services Task Force. Screening for cognitive impairment in older adults: U.S. Preventive Services Task Force recommendation statement. Ann Intern Med. 2014;160(11):791-7.

Força-tarefa norte-americana acerca das evidências científicas no rastreamento de demência em atenção primária.

Roriz-Cruz M, Rosset I, Wada T, Sakagami T, Ishine M, De Sá Roriz-Filho J, et al. Cognitive impairment and frontal-subcortical geriatric syndrome are associated with metabolic syndrome in a stroke-free population. Neurobiol Aging. 2007;28(11):1723-36.

Estabelece os primeiros critérios diagnósticos para a síndrome microvascular frontossubcortical geriátrica, encontra prevalência de cerca de 10% entre idosos vivendo na comunidade e a associa com a síndrome metabólica.

Capítulo 54
DOENÇAS CEREBROVASCULARES

Rosane Brondani
Sheila Ouriques Martins
Matheus Roriz
Thaís Leite Secchi

A doença cerebrovascular inclui os acidentes vasculares cerebrais (AVCs), o acidente isquêmico transitório (AIT), a doença microvascular e a trombose venosa cerebral. Ela apresenta múltiplas etiologias e manifestações clínicas, dependendo do local e da extensão do acometimento encefálico.[1-5] A doença microvascular progressiva, frequente causa de declínio cognitivo e demência entre idosos, é abordada no Capítulo Síndromes Demenciais e Comprometimento Cognitivo Leve.

O AVC pode ser definido como qualquer alteração focal e súbita no fluxo sanguíneo cerebral, com correspondente manifestação neurológica. Conforme o tipo, o tamanho e a localização do vaso acometido, pode ser sintomático ou assintomático.

Quanto aos tipos, é classificado como AVC isquêmico (AVCi) ou AVC hemorrágico (AVCh). O AVCh, por sua vez, é subdividido em hemorragia intraparenquimatosa e hemorragia subaracnóidea.

Por definição, AIT é qualquer diminuição súbita e localizada no fluxo sanguíneo cerebral que cause disfunção neuronal temporária, a qual é completamente revertida uma vez restaurado o fluxo sanguíneo antes que haja morte neuronal. A definição atual de AIT exige que os sintomas não tenham se estendido por mais de 1 hora e que a neuroimagem não apresente alterações isquêmicas recentes.[6]

EPIDEMIOLOGIA

O AVC é a segunda causa de óbito no Brasil, atrás apenas do infarto agudo do miocárdio (IAM). A mortalidade por AVC em 2017 foi de 101.195 habitantes, o que corresponde a cerca de 10% de todas as causas de óbitos no País.[7] Acredita-se, ainda, que esses dados possam estar subestimados, se for considerada a mortalidade decorrente das complicações causadas pelo AVC, como pneumonia, tromboembolismo pulmonar, desnutrição, etc. Nessas situações, frequentemente, o AVC não consta como causa da morte no atestado de óbito.

O risco de um indivíduo que sofre um AVC morrer (letalidade) é significativamente maior nos países mais pobres. Ocorrem 13,7 milhões de AVCs a cada ano no mundo, 5,5 milhões de óbitos, e existem 80 milhões de pessoas sobreviventes de um AVC, 50 milhões vivendo com alguma incapacidade.[8]

Além de poder causar grave impacto na vida de um indivíduo e de sua família, o AVC custa muito caro para a sociedade como um todo, não apenas devido aos gastos com medicamentos, reabilitação e segurança social, mas sobretudo devido à frequente perda da capacidade laboral do indivíduo e do seu cuidador (familiar ou não).

PAPEL DO MÉDICO DE ATENÇÃO PRIMÁRIA À SAÚDE NA DOENÇA CEREBROVASCULAR

A doença cerebrovascular é uma das doenças neurológicas mais comumente vistas por médicos de atenção primária à saúde (APS) no mundo. Além de fazer a prevenção primária e acompanhar os casos crônicos, com prevenção secundária e manejo das complicações, o médico de APS costuma deparar-se com eventos cerebrovasculares agudos. O reconhecimento do AVC é de extrema importância, considerando que se trata de uma doença tempo-dependente. Cabe ao médico da APS fazer a hipótese diagnóstica, estabilizar e encaminhar o paciente para centros de tratamento habilitados no manejo da fase aguda do AVC.

No Brasil, uma equipe de Estratégia Saúde da Família (ESF) que cubra uma população de 4.500 pessoas terá aproximadamente 10 novos casos de AVCi por ano, 3 a 4 casos de AIT, 1 a 2 casos de hemorragia intraparenquimatosa e 0,5 a 1 caso de hemorragia subaracnóidea. Considerando uma sobrevida média de 10 anos pós-AVC, a equipe acompanhará regularmente cerca de 10 vezes o número de pacientes com cada um desses subtipos de AVC, em uma frequência entre mensal e semestral. É de extrema importância o acompanhamento regular desses pacientes com o controle de fatores de risco, estimulando hábitos de vida saudáveis, reforçando a adesão ao tratamento medicamentoso, além de orientações ao paciente e aos familiares para uma prevenção secundária realmente efetiva.

FATORES DE RISCO PARA DOENÇA CEREBROVASCULAR

Os fatores de risco não modificáveis para AVC são idade, gênero masculino, história de AVC na família e evento cerebrovascular prévio.[1,2]

Os principais fatores de risco modificáveis são hipertensão arterial sistêmica (HAS), tabagismo ativo ou passivo, diabetes, dislipidemia, estresse, doença carotídea, fibrilação atrial e outras doenças cardíacas.[1,2] Obesidade, em especial do tipo abdominal, dieta aterogênica ou hipersódica, sedentarismo, síndrome metabólica e apneia obstrutiva do sono também são considerados fatores de risco para doença cerebrovascular.[9–11]

Outros fatores de risco não aterogênicos do AVC incluem abuso de álcool ou outras drogas ilícitas (como cocaína), anemia falciforme, migrânea (principalmente migrânea com aura), reposição hormonal pós-menopáusica e uso de contraceptivo oral, especialmente se associado ao tabagismo, à obesidade e à presença de comunicação interatrial.[1,2]

ANATOMIA CEREBROVASCULAR

O encéfalo corresponde a apenas 2% do peso do corpo humano, mas recebe cerca de 14% de todo o débito cardíaco.[1,2] Cerca de 80% da irrigação cerebral provém do sistema carotídeo (circulação anterior), enquanto os 20% restantes são alimentados pelo sistema vertebrobasilar (circulação posterior). Essa também é a frequência aproximada da distribuição dos eventos cerebrovasculares agudos.[1–5] Portanto, um trombo intracardíaco costuma alojar-se mais frequentemente nos ramos distais da circulação anterior, pelo maior aporte sanguíneo.

A TABELA 54.1 resume os territórios vasculares da circulação anterior e posterior, bem como as manifestações clínicas associadas a eventos em cada um desses territórios.

DIAGNÓSTICO DO AVC E DO AIT

Manifestações clínicas

Apenas cerca da metade dos casos de AVC agudo cursam com hemiparesia evidente (força ≤ grau III = não vence a força da gravidade), facilmente observada pelo paciente ou seu familiar. Outros 25% terão apenas leve a moderada paresia facial e/ou hemiparesia (força grau IV = vence a gravidade). O quarto restante dos pacientes não terá qualquer perda de força.[1–5]

Os sintomas súbitos que mesmo na ausência de hemiparesia também sugerem fortemente o diagnóstico de AVC são:
→ distúrbios de linguagem ou da articulação da fala (afasia ou disartria);
→ alterações visuais bioculares, como hemianopsia, quadrantonopsia e diplopia, ou, ainda, monoculares, como borramento visual ou amaurose súbita;
→ ataxia de marcha.

TABELA 54.1 → Frequência aproximada dos sinais e sintomas de acidente vascular cerebral (AVC) de circulação anterior (sistema carotídeo) e posterior (sistema vertebrobasilar)

SINAL/SINTOMA	CIRCULAÇÃO	
	ANTERIOR (80%)	POSTERIOR (20%)
Hemiparesia (± paresia facial)	90%	50%
Linguagem		
Afasia/heminegligência	50%	0%
Disartria	40%	40%
Visuais		
Hemianopsia homônima	15%	25%
Diplopia	0%	10%
Monocular	10%	0%
Outros		
Ataxia de marcha	0%	46%
Síncope (não isolada)	0%	15%
Vertigem	0%	30%
Disfagia	20%	35%
Náuseas/vômitos	Raros	Comuns
Desvio do olhar	Contralateral à hemiparesia	Ipsilateral à hemiparesia

Fonte: Adaptada de Gulli e Markus.[12]

O surgimento súbito de ao menos um dos seguintes sinais/sintomas identifica quase a totalidade dos AVCs (alta sensibilidade):
→ hemiparesia (com ou sem paralisia facial aguda);
→ alterações na linguagem ou na articulação da fala (afasia ou disartria) ou heminegligência;
→ ataxia de marcha;
→ sintomas visuais (amaurose ou hemianopsia);
→ vertigem associada a outro sinal/sintoma neurológico como ataxia ou alteração de nervos cranianos, como paralisia facial, diplopia, disfagia, disartria ou disfonia;
→ cefaleia intensa, descrita como a pior cefaleia da vida, associada à rigidez de nuca (mas sem febre ≥ 38 °C) ou à presença de sinal focal, incluindo acometimento de nervo craniano.[12]

Pacientes com qualquer desses sintomas agudos devem ser encaminhados à emergência do hospital mais próximo para avaliação e atendimento por um médico neurologista.

Avaliação clínica

O instrumento FAST (*face* [rosto], *arm* [braço] *and speech* [fala] *test*) foi desenvolvido na Inglaterra com vistas a facilitar a identificação do AVC por paramédicos que trabalham em ambulâncias.[13] Além disso, tem-se mostrado um prático instrumento de identificação do AVC para o público em geral.

No Brasil, a campanha "FAST" do mundo anglo-saxão vem sendo divulgada com o *slogan* "**S**orria, **A**brace, cante uma **M**úsica, **U**rgente: ligue **SAMU** 192". Esse teste considera a simetria da face e a força nos membros superiores (MMSS), além da avaliação da fala. O comprometimento de ao menos 2 dos 3 itens avaliados confere sensibilidade de 88 a 89% para os AVCs da circulação anterior, e o paciente deve ser encaminhado com urgência para um Centro de Referência para o Atendimento do paciente com AVC mais próximo (ou emergência neurológica, onde os Centros de Referência ainda não estiverem implantados), de preferência por meio do Serviço de Atendimento Móvel de Urgência (SAMU) 192 onde este estiver implantado.[14]

Esse instrumento é, entretanto, pouco sensível para detectar tanto AVC de circulação posterior quanto hemorragia subaracnóidea, já que não inclui sintomas como ataxia, alteração visual e cefaleia intensa. Um estudo demonstrou que a simples adição da ataxia ou alterações visuais ao FAST aumentou a sensibilidade desse teste de 61% para cerca de 80% para o AVC de circulação posterior.[12]

Deixar de colocar o paciente para deambular, pela fácil execução e interpretação, é um dos erros mais comuns que levam o médico a não pensar seriamente na possibilidade de AVC de circulação posterior, deixando de encaminhar o paciente com urgência.

A apresentação clínica do AIT e do AVC são similares, sendo sua diferenciação realizada por meio da duração da sintomatologia. O AIT é caracterizado pela duração dos sintomas < 1 hora, frequentemente com duração < 10 minutos, além de a neuroimagem não apresentar lesão isquêmica aguda. É comum os pacientes descreverem episódios de AITs antes da ocorrência de um AVC, principalmente quando associado à doença aterosclerótica. Assim, um sintoma frequente na apresentação clínica do AIT é a amaurose fugaz uniocular, que é um sinal de alerta devido à sua alta associação com doença carotídea ipsilateral. Esses pacientes obrigatoriamente devem ser investigados com urgência por meio de ultrassonografia (US) de carótidas ou angiotomografia computadorizada (angio-TC) de vasos cervicais para definição do tratamento adequado. O AIT, da mesma forma que o AVC, é uma emergência médica e deve ser assim investigado e tratado.

A cefaleia é a principal manifestação clínica na hemorragia subaracnóidea e pode ocorrer de forma isolada em 40% dos casos. A maioria dos pacientes a descreve como a pior cefaleia da sua vida. Normalmente, tem início súbito e atinge a sua máxima intensidade dentro de poucos segundos, descrita com cefaleia em *thunderclap* ou em trovoadas. A cefaleia-sentinela (cefaleia que precede em alguns dias a ruptura do aneurisma intracraniano) é relatada em aproximadamente 40% dos pacientes com hemorragia subaracnóidea. Outros sintomas incluem náuseas, vômitos, rigidez de nuca, rebaixamento do nível de consciência e sinal neurológico associado (como paresia de nervo craniano, alteração de força, alteração de linguagem ou negligência).[15]

A síncope isolada raramente é uma manifestação clínica de doença cerebrovascular. Nessa situação, outras etiologias devem ser obrigatoriamente investigadas, como as doenças cardíacas.

Exame neurológico

No contexto da suspeita de AVC agudo, o benefício do tratamento de reperfusão é tempo-dependente, portanto o exame neurológico deve ser breve o suficiente apenas para pressupor esse diagnóstico, já que o paciente deve ser encaminhado imediatamente à emergência local capacitada para o atendimento. O objetivo final do manejo agudo do AVCi é conseguir administrar o tratamento de reperfusão para todos os pacientes que preencherem os critérios de elegibilidade, assim que iniciarem os sintomas. Caso o médico seja contatado por telefone, havendo a mínima suspeita de AVC, ele deve orientar o familiar a chamar o SAMU ou a levar o paciente o mais rápido possível à emergência preparada para o atendimento.

Buscando otimizar o tempo de atendimento, utilizam-se escalas para a avaliação de gravidade e acompanhamento da evolução clínica do AVC, sendo a mais aplicada a *National Institutes of Health Stroke Scale* (NIHSS). (Ver QR code.) Essa escala foi desenvolvida para ser aplicada rapidamente, em 5 a 8 minutos, e sua pontuação pode variar de 0 a 42, consistindo em um exame neurológico abreviado. Baseia-se em 11 itens do exame neurológico que são frequentemente afetados pelo AVC: nível de consciência, desvio ocular, paresia facial, linguagem (capacidade de compreensão e expressão), articulação da fala (fala "enrolada" ou "arrastada"), extinção/desatenção, ataxia (provas do índex-nariz e calcanhar-joelho), função motora e sensitiva dos membros. Essa escala é comumente aplicada pelo médico neurologista no momento da chegada do paciente no hospital de referência, mas pela sua facilidade na execução pode ser realizada pelo médico da APS antes do encaminhamento para o hospital terciário, caso não atrase o processo de transferência.

Apesar de simples, a avaliação da simetria facial (FIGURA 54.1) é de extrema importância dentro do exame neurológico. Comandos como pedir para o paciente sorrir e fechar os olhos devem ser sempre realizados. Observar o apagamento do sulco nasolabial com a musculatura facial em repouso também é muito útil na identificação do déficit neurológico. Da mesma forma, é fundamental a avaliação cuidadosa da força. Uma manobra que pode ajudar a avaliar a assimetria do tônus muscular no paciente desacordado ou não cooperativo é elevar, de forma simétrica, os seus membros superiores (MMSS) e deixar que eles caiam sobre o leito. No caso dos membros inferiores (MMII), deve-se fletir simetricamente os joelhos do paciente deitado, mantendo as plantas dos pés apoiadas sobre o leito. A maior abdução de um joelho do que do outro indica um menor tônus (ou força) muscular desse lado.

O exame físico do paciente com AVC deve incluir não apenas a avaliação do sistema neurológico, mas também deve abranger um exame sumário cardiovascular e osteomuscular. A ausculta cardíaca e a palpação do pulso periférico podem revelar a presença de um ritmo irregular, indicando uma possível etiologia para o evento cerebrovascular (fibrilação atrial). Dentro da avaliação da força, devem-se excluir doenças osteomusculares prévias como causa da paresia – por exemplo, uma fratura de colo de fêmur ou artrose. Também nesses casos, a anamnese e o exame físico ajudam a esclarecer o(s) diagnóstico(s).

Após a alta hospitalar, o acompanhamento desses pacientes muitas vezes é realizado na APS. É importante repetir o exame neurológico nas consultas médicas para definir o grau de sequela e funcionalidade pós-AVC. Dentro disso, a escala de Rankin modificada é a mais utilizada, variando de 0 a 6. Quanto maior o grau, pior a funcionalidade. Por exemplo, na pontuação de 0 a 2, os pacientes apresentam independência funcional. Na pontuação de 4 a 5, são pacientes dependentes que necessitam de cuidados de outras pessoas. Sempre que houver uma piora na graduação da escala de Rankin, o paciente precisa ser avaliado para descartar um novo evento cerebrovascular.[16]

Exames complementares

Exames de imagem

A neuroimagem tem papel fundamental no diagnóstico e na definição do tratamento a ser instituído.[17,18] A tomografia computadorizada (TC) de crânio sem contraste é o exame mais utilizado na fase aguda do AVC por ser de rápida aquisição, maior disponibilidade e baixo custo.

Dentro da investigação etiológica, o uso do ecocardiograma é importante para a avaliação de potenciais fontes de embolia, e a US de carótidas (ou a angio-TC de vasos cerebrais e cervicais), para avaliar a doença aterosclerótica. Os demais exames de investigação dependerão da complexidade e do acompanhamento do quadro clínico[1,2] (ver QR code).

Exames de sangue

Incluem perfil lipídico, glicemia de jejum, creatinina, ureia, sódio, potássio, hemograma, plaquetas, tempo de protrombina e tempo de tromboplastina parcial ativada e, se necessário, curva glicêmica e hemoglobina glicada.

Na fase aguda, excluir hipoglicemia como causa da manifestação neurológica. Hiponatremia pode cursar com *delirium*. VDRL ou, de preferência, anticorpo treponêmico fluorescente, absorvido (FTA-ABS) (mais específico) no sangue devem ser sempre solicitados, já que a sífilis ainda é causa de vasculite relativamente comum em nosso meio.

Mais raramente, hipertireoidismo pode causar AVC cardioembólico por induzir arritmias, inclusive fibrilação atrial. Assim, a investigação deve incluir também o hormônio estimulante da tireoide sérico.

CLASSIFICAÇÃO ETIOLÓGICA DO AVC E DO AIT

Cerca de 85% de todos os AVCs são isquêmicos, enquanto os outros 15% são hemorrágicos.[1-5]

AVC isquêmico

A etiologia do AVCi é classificada pelos critérios TOAST (*Trial of Org 10172 in Acute Stroke Treatment*) em cardioembólico, aterotrombótico, lacunar, outras etiologias e indeterminado. A proporção de cada subtipo varia substancialmente de acordo com a população estudada, a prevalência da hipertensão arterial, a metodologia do estudo e a capacidade

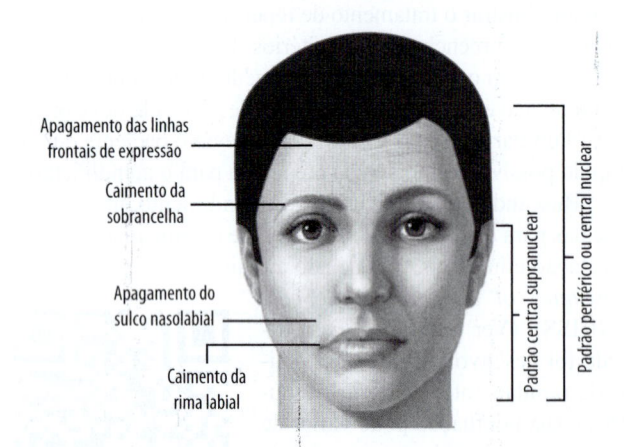

FIGURA 54.1 → Paralisia não supranuclear (periférica ou central nuclear) direita. O lado esquerdo da paciente hipotética é o lado normal, mas ilustra as regiões faciais de acometimento das paralisias do tipo central supranuclear (dois terços inferiores) e não supranuclear, isto é, periférica ou central nuclear (toda a face). Nem sempre a paralisia do tipo "periférica" tem origem no VII par craniano (nervo facial) em si. Se houver sinais compatíveis com uma lesão central (ponte), como déficit sensitivo-motor contralateral ou comprometimento de outros nervos cranianos (em especial, VI e VIII pares cranianos [nervo abducente e nervo vestibulococlear, respectivamente]), causando oftalmoplegia, diplopia, nistagmo ou vertigem, ou, ainda, o envolvimento de funções cerebelares (ataxia), deve ser atribuída causa central e o paciente deve ser encaminhado à emergência.

de investigação completa dos pacientes, mas costuma obedecer à "regra do 1/3". Ou seja, cada uma das causas lacunar, aterotrombótica e cardioembólica corresponde a cerca de 30% dos casos de AVCi. Outros 10% dos AVCi são de outra etiologia ou origem indeterminada.[1-5,19]

A investigação de AVC em paciente jovem (< 50 anos) deve incluir a investigação de dissecção arterial, das trombofilias, das vasculites e dos defeitos interatriais, devendo geralmente ser feita por neurologista.

AVC aterotrombótico

É definido como AVCi em paciente que apresenta estenose > 50% de grande vaso intra ou extracraniano correspondente ao território isquêmico ou a presença de placas complexas na aorta (placas de tamanho > 4 mm, com ou sem ulceração, com ou sem trombos aderidos). A doença carotídea é a fonte mais comum de AVCi aterotrombótico, isto é, oclusão local da carótida ou embolia artério-arterial de fragmentos da placa ou trombo que se deslocam e impactam distalmente em vaso intracraniano de menor calibre.

Na doença carotídea, a embolização distal do trombo é fator mais frequente do que a oclusão carotídea completa. Se a oclusão completa ocorrer agudamente, os sintomas poderão ser catastróficos, afetando os dois terços anteriores do hemisfério cerebral. Entretanto, pacientes que evoluem com lenta oclusão carotídea unilateral podem até mesmo ser assintomáticos se houver circulação contralateral suficiente via polígono de Willis.[1,2] Uma estenose carotídea que reduz o lúmen distal em índice ≥ 70% compromete a capacidade de autorregulação da perfusão cerebral. Nesse sentido, a manutenção da pressão de perfusão cerebral fica altamente dependente de maiores níveis de pressão arterial média. Assim, apesar de cronicamente a hipertensão ser o principal fator de risco para doença cerebrovascular, inclusive carotídea, níveis pressóricos mais altos ajudam a manter uma adequada pressão de perfusão na falência da autorregulação cerebral.[1,2]

Uma história de dois ou mais eventos cerebrovasculares agudos no mesmo território carotídeo, mesmo se menores (AIT ou AVC menor), sobretudo se houver episódios de amaurose fugaz no olho ipsilateral a esse território – e se esses sintomas ocorrerem temporalmente muito próximos –, é altamente sugestiva de doença carotídea sintomática.[1-5] Esses pacientes precisam ter, obrigatoriamente, estudo de vasos, preferencialmente com angio-TC para avaliar também estenose intracraniana.

Episódios de ateroembolismo chegam a ser responsáveis por quase metade dos episódios de AVCi de circulação posterior.[1,2] Em especial, uma artéria basilar dolicoectásica pode ser fonte de êmbolos distais. A avaliação pode ser feita com angio-TC ou angiorressonância magnética (angio-RM).

AVC cardioembólico

Os AVCs cardioembólicos são decorrentes de oclusão de vaso cerebral por êmbolos provenientes do coração. As principais doenças cardíacas potencialmente emboligênicas podem ser classificadas em alto e médio risco (TABELA 54.2). Cerca de 50% dos pacientes com AVC cardioembólico têm fibrilação atrial

TABELA 54.2 → Fontes potenciais de alto e médio risco para cardioembolia, segundo a classificação do TOAST

FONTES DE ALTO RISCO	FONTES DE MÉDIO RISCO
→ Prótese valvar sintética	→ Prolapso de valva mitral
→ Estenose mitral com fibrilação atrial	→ Calcificação do anel mitral
→ Fibrilação atrial (que não seja isolada)	→ Estenose mitral sem fibrilação atrial
→ Trombo atrial esquerdo séssil	→ Turbulência atrial esquerda
→ Doença do nó sinusal	→ Aneurisma de septo atrial
→ IAM recente (< 4 semanas)	→ Forame oval patente
→ Trombo ventricular esquerdo	→ Flutter atrial
→ Miocardiopatia dilatada	→ Fibrilação atrial isolada
→ Segmento acinético do ventrículo esquerdo	→ Prótese valvar biológica
→ Mixoma atrial	→ Endocardite asséptica
→ Endocardite infecciosa	→ Insuficiência cardíaca congestiva
	→ Segmento hipocinético do ventrículo esquerdo
	→ IAM com mais de 4 semanas e menos de 6 meses

IAM, infarto agudo do miocárdio; TOAST, *Trial of Org 10172 in Acute Stroke Treatment*.
Fonte: Cabral e colaboradores.[60]

não valvar, 30% têm trombo intramural (ventrículo esquerdo) e 20% têm doença valvar com ou sem fibrilação atrial. Cerca de 60% dos pacientes com AVC devido a um trombo mural apresentam IAM como causa primária. De fato, cerca de um terço dos pacientes com IAM tem trombos detectáveis no ventrículo esquerdo por até 2 semanas após o evento, apesar de a maioria deles não sofrer AVC. Os 40% restantes dos pacientes que sofrem AVC por trombo mural têm insuficiência cardíaca sistólica por miocardiopatia dilatada.

O AVC causado pela fibrilação atrial é mais grave que os AVCs por outras causas. Os pacientes ficam mais incapacitados e a mortalidade é maior. Até um terço dos pacientes com AVCi e fibrilação atrial apresentam outras possíveis causas de AVCi, como estenose carotídea ipsilateral.[1,2] Nesses casos, a conduta deve basear-se na causa mais provável do AVC, mas não invalida um eventual tratamento de ambas as causas (p. ex., endarterectomia + anticoagulação).

A presença de fibrilação atrial intermitente deve ser suspeitada sempre que não houver uma causa óbvia para o AVCi, especialmente em indivíduos com evidência de sobrecarga atrial esquerda ao eletrocardiograma (ECG) ou aumento do átrio esquerdo ao ecocardiograma.[1-5] Nesses casos, um Holter de 24 horas deve ser solicitado. No caso de resultado normal e mantida a forte suspeita, recomenda-se realizar até três Holters de 24 horas para excluir fibrilação atrial intermitente.

AVC lacunar ou aterotrombótico de pequenos vasos

A doença de pequenos vasos é causada por lipo-hialinose (infiltração de gordura na camada média) de vasos com 0,3 a 3 mm de diâmetro, provocando lacunas que, por definição, são isquemias profundas (núcleos da base, tálamo, coroa radiada, cápsula interna e tronco encefálico) de até 1,5 cm de diâmetro pela TC de crânio. Por serem pequenos, após alguns dias os AVCs lacunares costumam possuir uma recuperação mais completa do que os AVCs maiores que envolvem o córtex, chegando, pelo quadro clínico, até mesmo a serem confundidos com AIT.[1] O AVC lacunar também pode ser causado por aterotrombose de pequenos vasos intracranianos.

O conceito de doença microvascular subclínica inclui não apenas os AVCs lacunares assintomáticos, mas também a doença microvascular da substância branca periventricular (leucoaraiose). Não fazendo parte da classificação dos AVCs clínicos, por não ocasionarem verdadeiros "acidentes" agudos, os AVCs lacunares assintomáticos e a doença microvascular que causa a leucoaraiose periventricular são, entretanto, causas de grande morbidade direta e morbimortalidade indireta. De fato, ambas as causas de doença microangiopática podem levar à lentificação psicomotora, ao declínio cognitivo leve e à demência vascular, além de serem frequentes causas de depressão de origem vascular, marcha apráxica "de passos curtos", disfagia, hipofonia, parkinsonismo vascular e urgeincontinência por desinibição detrusora.[1-5]

Em estudo realizado com idosos gaúchos vivendo na comunidade, a prevalência estimada de lacunas assintomáticas foi superior a 40%.[20] O número de fatores de risco ateroscleróticos e a síndrome metabólica estiveram positivamente associados a disfunção cognitiva leve, depressão, marcha de pequenos passos, risco de quedas e urgeincontinência, mesmo após serem excluídos casos com história ou exame condizente com AVC clínico.[20] Juntos, esses sinais e sintomas clínicos caracterizam a chamada síndrome microvascular frontossubcortical geriátrica, a qual esteve presente em cerca de 10% dos indivíduos idosos dessa população.[20] Essa síndrome não deve ser confundida com a demência frontotemporal, doença neurodegenerativa descrita no Capítulo Síndromes Demenciais e Comprometimento Cognitivo Leve. Não obstante, o extremo da síndrome isquêmica frontossubcortical geriátrica é caracterizado pela própria demência vascular, a qual está longe de ter apenas manifestações cognitivas.

A correta identificação e o controle dos fatores de risco para a doença microvascular (hipertensão, diabetes e síndrome metabólica) teriam o potencial de diminuir consideravelmente o risco de a doença progredir para demência vascular.[36] Desse modo, quando se considera apenas o impacto do AVC clínico sobre a morbidade, subestima-se, de modo considerável, o efeito da doença cerebral de pequenos vasos sobre essa morbidade.

Outras etiologias e causa indeterminada

Um AVCi que ocorre em um indivíduo com idade < 50 anos e com poucos fatores de risco cardiovascular deve alertar o clínico para a possibilidade de outras etiologias associadas ao evento cerebrovascular. Nesse contexto, devem-se investigar forame oval patente (FOP), dissecção arterial, trombofilias, doenças autoimunes e outras causas menos comuns de AVCi em paciente jovem.

Aproximadamente 20% dos AVCi permanecem sem etiologia definida apesar de extensa investigação. Esse grupo é hiper-representado entre os indivíduos mais jovens e nos pacientes com fibrilação atrial oculta não diagnosticada. Trombofilias e doenças autoimunes podem, por vezes, não serem diagnosticadas. A porcentagem de AVCs classificados como criptogênicos em cada centro de atendimento dependerá da complexidade da investigação realizada.

Acidente isquêmico transitório

A avaliação da causa do AIT deve seguir os mesmos passos daquela do AVCi. Deve-se, ainda, considerar no AIT, assim como no AVCi, a possibilidade de hipofluxo associado a estenose crítica arterial nos vasos cervicais ou intracranianos. Diante dessa condição, devem-se manter níveis tensionais mais elevados e repouso absoluto no leito buscando aumentar o fluxo sanguíneo cerebral, evitando, consequentemente, o dano isquêmico irreversível até ser possível realizar a abordagem cirúrgica ou endovascular.[1-5]

AVC hemorrágico

Os AVCh se subdividem em hemorragia intraparenquimatosa e hemorragia subaracnóidea, sendo responsáveis por cerca de 10 a 15% e 5% de todas as causas de AVC, respectivamente.[1,2] Nessa estatística, não estão incluídos os hematomas epidurais e subdurais agudos, já que estes são quase exclusivamente encontrados no contexto do traumatismo craniencefálico e raramente atendidos na APS. Já os hematomas subdurais subagudos e crônicos, os quais podem causar hemiparesia progressiva e/ou demência, são atendidos de forma mais frequente pelo médico de saúde da família (ver Capítulo Síndromes Demenciais e Comprometimento Cognitivo Leve).

Enquanto a hemorragia intraparenquimatosa é localizada, a hemorragia subaracnóidea difunde-se para o espaço subaracnóideo e, por vezes, ventricular. Ambas apresentam uma maior mortalidade quando comparadas ao AVCi. Os AVCh habitualmente cursam com cefaleia, vômitos, rebaixamento do sensório, crises convulsivas e pressão arterial mais elevada do que os AVCi.[1-5] Apesar de essas manifestações clínicas sugerirem mais o AVCh, apenas o exame de imagem pode confirmar o diagnóstico e diferenciar os eventos hemorrágicos dos isquêmicos.[1,2]

Hemorragia intraparenquimatosa

As manifestações clínicas da hemorragia intraparenquimatosa podem, em algumas situações, ser similares às do AVCi. A hemorragia intraparenquimatosa costuma, todavia, ser mais grave e com maiores índices de mortalidade (~50%).[1,2] O aumento contínuo do hematoma faz os sintomas se tornarem mais intensos, com piora progressiva da cefaleia e da sonolência que pode evoluir para torpor, coma e até mesmo óbito, à medida que se eleva a pressão intracraniana.

As principais causas de hemorragia intraparenquimatosa são a HAS crônica (60%) e a angiopatia amiloide (25%).[1,2] Além dessas causas primárias, outras possíveis causas são as malformações vasculares, os tumores intracerebrais primários ou metastáticos, as coagulopatias (incluindo as iatrogênicas), a transformação espontânea ou após tratamento trombolítico de um AVCi, a trombose de seio venoso com sangramento secundário, além de algumas vasculites infecciosas e autoimunes.[1,2]

São, ainda, fatores de risco para AVCh o tabagismo, o alcoolismo, o uso de algumas drogas como as anfetaminas, a cocaína, a heroína e o *crack*.[1,2] A maioria dessas drogas é também fator de risco para AVCi por induzir HAS e vasoconstrição cerebral aguda. Níveis séricos de colesterol total < 160 mg/dL também estão associados a um maior risco de sangramento, apesar de esse achado poder estar associado a fatores de confusão como desnutrição e alcoolismo.[1,2]

A HAS leva cronicamente ao desenvolvimento de microaneurismas (de Charcot-Bouchard), sobretudo nas artérias penetrantes (lenticuloestriadas) da artéria cerebral média, mas também das tálamo-perfurantes e, ainda, nas arteríolas do cerebelo e da ponte. Esses microaneurismas são a principal fonte da hemorragia intraparenquimatosa e não devem ser confundidos com os grandes aneurismas do polígono de Willis, causadores da hemorragia subaracnóidea. Relacionadas com a anatomia antes descrita, as localizações mais comuns da hemorragia intraparenquimatosa incluem, portanto, os núcleos da base (35%, especialmente o putame), a substância branca profunda (25%), o tálamo (25%), o cerebelo (10%) e a ponte (5%).[1,2]

Apesar de a HAS ser causa de hemorragia intraparenquimatosa em qualquer idade, o risco de hemorragia intraparenquimatosa devido à angiopatia amiloide aumenta com a idade, em especial após os 70 anos.[1,2] Enquanto o sangramento associado à HAS costuma ser profundo, o da angiopatia amiloide ocorre entre o córtex e a substância branca dos lobos cerebrais (sangramento lobar). Além disso, outra característica da angiopatia amiloide é a presença de leucoaraiose na TC de crânio.[1,2] Pacientes com doença de Alzheimer têm maior risco de apresentar sangramento por angiopatia amiloide, e os depósitos amiloides perivasculares são muito semelhantes àqueles encontrados nas placas amiloides parenquimatosas de cérebros com diagnóstico neuropatológico de Alzheimer[1,2] (ver Capítulo Síndromes Demenciais e Comprometimento Cognitivo Leve). Múltiplos pequenos sangramentos secundários à angiopatia amiloide podem, inclusive, ser um mecanismo contribuinte ao declínio cognitivo na própria demência do tipo Alzheimer.[2]

Hemorragia subaracnóidea

O clássico sintoma da hemorragia subaracnóidea é uma cefaleia súbita, explosiva, em geral referida como "a pior dor de cabeça da minha vida", que costuma ser acompanhada por rigidez e dor nucal. Essa nucalgia pode, em alguns casos, irradiar-se ou referir-se para a coluna torácica. Contudo, a rigidez nucal não vem a ser causada pelo sangue em si, mas é consequência da irritação química provocada por seu processamento (meningite química). Essa cefaleia pode não estar presente nas primeiras 6 horas do início dos sintomas. A probabilidade de se tratar de hemorragia subaracnóidea aumenta se a dor tiver iniciado após esforço e o paciente não tiver história de migrânea ou cefaleia tensional crônica. Assim como a migrânea, a hemorragia subaracnóidea frequentemente cursa com fotofobia. Crises convulsivas podem ocorrer em cerca de 30% dos casos de hemorragia subaracnóidea geralmente no momento da ruptura aneurismática. Outra complicação frequente é o vasoespasmo, que pode acontecer especialmente entre o 3º e o 14º dia e deve ser monitorado por meio do Doppler transcraniano e, se necessário, tratado farmacologicamente para prevenção de dano isquêmico secundário.[1,2]

Por volta de 15% dos pacientes que apresentam hemorragia subaracnóidea morrem antes de receber atenção médica, e cerca de 50% morrem em até 30 dias.[2] Uma vez ultrapassada essa fase de possíveis complicações, entretanto, a maioria dos pacientes (75%) retoma a independência.[1,2]

Múltiplos aneurismas são encontrados em cerca de 15% das pessoas que sofrem uma hemorragia subaracnóidea de causa aneurismática.[1] Entre 10 e 20% dos pacientes com aneurismas têm história familiar. O rastreamento dos outros membros da família é recomendado quando existem dois ou mais parentes de primeiro ou segundo grau com história de hemorragia subaracnóidea aneurismática. Além disso, indivíduos portadores de doença renal policística, displasia fibromuscular e pseudoxantoma elástico devem, pela alta prevalência de aneurismas intracranianos, realizar investigação com estudo de vasos intracranianos.

O desenvolvimento de hidrocefalia crônica é uma possível complicação tardia da hemorragia subaracnóidea, e sua causa é a lesão das vilosidades aracnóideas que absorvem o líquido cerebrospinal, provocada pela meningite química. É, portanto, uma hidrocefalia comunicante que, em geral, cursa com pressão intraliquórica normal (hidrocefalia de pressão normal). Assim, pacientes que desenvolvem apraxia de marcha, incontinência urinária e/ou declínio cognitivo (tríade de Hakim-Adams) semanas a meses após uma hemorragia subaracnóidea devem ser reencaminhados à neurocirurgia para que sejam avaliados quanto à necessidade de derivação liquórica permanente.[1,2] Esses pacientes não devem ser confundidos com indivíduos evoluindo com demência microvascular, a qual costuma cursar com quadro semelhante.[20]

DIAGNÓSTICO DIFERENCIAL DO AVC

Diversas doenças podem mimetizar um AVC. Os diagnósticos mais confundidos com AVC por médicos de APS são ilustrados na **TABELA 54.3**, a qual também contém algumas orientações que podem auxiliar no diagnóstico diferencial.

Os quadros clínicos como síncope, paralisia de toda a hemiface (Bell), vertigem e confusão mental quando se apresentam de forma isolada dificilmente serão uma manifestação de um evento cerebrovascular agudo. Quando esses sintomas estiverem presentes, deve-se testar força nos quatro membros e movimentação ocular e excluir ataxia.[1–5] Persistindo a dúvida, sobretudo em pacientes de alto risco para AVC, deve-se encaminhar o paciente à emergência neurológica.

O termo paralisia facial "periférica" deve ser evitado, já que paralisias de toda a hemiface podem ser de origem central, envolvendo o núcleo pontino do VII par craniano (nervo facial). Por esse motivo, enquanto as paralisias ditas "centrais" são mais apropriadamente designadas supranucleares e nucleares, as denominadas "periféricas" devem, de modo mais apropriado, ser designadas infranucleares.

Pacientes adultos com crise convulsiva, sem diagnóstico prévio de epilepsia, devem ser encaminhados urgentemente para avaliação neurológica. O AVC é uma das causas mais frequentes de epilepsia secundária no adulto, sendo a principal causa de epilepsia no idoso. É responsável por 30% de novos diagnósticos de crises epilépticas em pacientes com idade > 60 anos.[1,2]

TABELA 54.3 → Diagnósticos mais confundidos com acidente vascular cerebral (AVC) por médicos de atenção primária à saúde

DIAGNÓSTICOS MAIS CONFUNDIDOS COM AVC		INFORMAÇÕES QUE PODEM AJUDAR NO DIAGNÓSTICO DIFERENCIAL
Delirium sem demência prévia	17%	Não há déficit focal; há confusão mental e marcada flutuação do sensório; o paciente pode alternar períodos de sonolência com agitação; broncopneumonia ou infecção do trato urinário são causas comuns (ver Capítulo O Cuidado do Paciente Idoso)
Convulsão	13%	Pode ser consequência de um AVC; a história de déficit focal segundos ou minutos antes da convulsão pode ajudar a diferenciar; déficit focal após convulsão focal pode ser por "esgotamento" (paralisia de Todd)
Tumores intracranianos	9%	Em geral, o início é mais insidioso
Síndromes conversivas sensitivas/motoras	8%	Membro superior cai "em bloco", sem pronação da mão; história de estressor agudo incomum
Delirium sobreposto à demência	8%	Não há déficit focal; história anterior de declínio cognitivo (ver Capítulo Síndromes Demenciais e Comprometimento Cognitivo Leve)
Hematoma subdural	8%	Idoso que iniciou com sintomas dias ou semanas após queda; confusão mental costuma ser mais importante do que paresia (se houver)
Síncope cardiovascular	7%	Episódio súbito (1-5 segundos), com perda e recuperação completa da consciência em poucos minutos; frequentemente de causa vagal, sobretudo após esforço evacuatório ou mictório
Labirintopatias agudas	6%	Não há sinal neurológico focal somático ou de nervo craniano; o paciente consegue deambular, apesar da intensa vertigem; piora da vertigem à movimentação cervical
Causas periféricas (nervo/músculo)*	6%	Às vezes, uma neuropatia periférica aguda ou um "ponto-gatilho" muscular que cause limitação funcional por dor ou mesmo parestesias referidas no mesmo miótomo podem ser confundidas com AVC
Intoxicação aguda por drogas ilícitas	5%	Um quadro de *delirium* de qualquer natureza pode ser causado por suspensão aguda das drogas; história coletada também com familiares é sempre útil; exceto se houver AVC causado por drogas (ver texto), não há sinal focal
Hiponatremia	4%	Pode causar astenia generalizada e sonolência, mas não sinal focal
Hipoglicemia do diabético	4%	Sempre fazer um hemoglicoteste se disponível
Migrânea hemiplégica ou hemissensitiva	3%	Difícil diagnóstico diferencial; solicitar consultoria neurológica
Piora aguda na doença de Parkinson	3%	Perda de força de causa extrapiramidal; às vezes, um membro ou todo um hemicorpo pode ficar mais rígido e com menos força devido à piora do Parkinson
Cefaleia tensional	3%	Nunca causa sinal focal; um ponto-gatilho cervical pode irradiar-se para a face
Meningoencefalite	2%	Encefalite viral frequentemente causa confusão mental aguda e febre; rigidez de nuca e sinais de Kernig e Brudzinski podem estar presentes se houver meningite; encefalite com efeito de massa, como na toxoplasmose e em outras infecções oportunistas, pode causar lesão focal; entretanto, a história é mais insidiosa; em qualquer caso, sempre encaminhar para emergência

*Persistindo a dúvida, encaminhar para a emergência neurológica mais próxima.

CUIDADOS IMEDIATOS DIANTE DO AVC AGUDO

O benefício da trombólise intravenosa (IV) com alteplase está diretamente relacionado com o tempo até o início do tratamento; uma das medidas que comprova essa afirmação é o número necessário para tratar (NNT) para o paciente ficar com mínima ou nenhuma incapacidade (0-1 na escala de Rankin modificada).[16] Se o tratamento com alteplase for instituído até 1,5 hora do início dos sintomas, o NNT é de 5; entre 1,5 e 3 horas, NNT é de 9; e entre 3 e 4,5 horas, o NNT é de 15. Esses números reforçam que o AVC deve sempre ser encarado como uma emergência médica, e o paciente deve ser transferido o mais rápido possível (no máximo, em 1 hora) para um hospital que disponha de unidade de AVC, neurologista, TC de crânio e terapia trombolítica. A trombectomia mecânica permite o tratamento de reperfusão em pacientes mais graves e com oclusão de grandes vasos até 8 horas do início dos sintomas e, em casos selecionados, até 24 horas do início. No contexto do Sistema Único de Saúde (SUS), aumentou a probabilidade de desfecho mais favorável (escore de Rankin 0-2; NNT = 7).[21] Esse tratamento só pode ser utilizado em centros de AVC de alta complexidade, com disponibilidade de hemodinâmica e neurorradiologista intervencionista 24 horas.

Mesmo que o paciente se apresente fora de janela terapêutica para trombólise ou para trombectomia, o AVC é uma urgência e o paciente deve ser transferido o mais rápido possível para um hospital de referência.

Se não houver certeza sobre o momento de início dos sintomas, considerar o último momento no qual o paciente foi visto bem. Assim, se o paciente foi deitar assintomático e acordou sintomático, considera-se o horário do início dos sintomas a hora em que o paciente foi deitar.

É importante que os profissionais de APS saibam, de antemão, quais são as emergências de hospitais mais próximas que contam com unidades de AVC e com terapia trombolítica (centro de AVC), bem como o tempo de deslocamento até elas, para poder priorizar o encaminhamento de pacientes de acordo com o tempo desde o aparecimento dos sintomas. Uma forma de reconhecer os centros de AVC em todo o País é por meio do aplicativo para *smartphones* AVC Brasil, disponível no Google Play, com acesso gratuito. (Ver QR code.) Nesse aplicativo, estão listados todos os centros de AVC do Brasil, por ordem de distância do usuário, com a informação sobre se o centro atende pacientes SUS ou privados/convênios, com o endereço e o telefone de cada um dos hospitais.

Idade > 80 anos não contraindica o tratamento de reperfusão, e esses pacientes também devem ser encaminhados rapidamente para o centro de AVC.

Quando o paciente receber o tratamento com trombolítico IV, o ácido acetilsalicílico deve ser administrado somente 24 horas após o término da infusão da medicação e se a TC de controle não apresentar transformação hemorrágica.

Os pacientes não elegíveis à trombólise IV devem fazer uso de ácido acetilsalicílico 100 a 300 mg, por via oral (VO), até 48 horas do AVC agudo. A administração do ácido acetilsalicílico está associada a menor incapacidade e mortalidade (NNT = 77), além de reduzir a recorrência de AVCi em 14 dias (NNT = 90) e de mortalidade em 1 mês (RRR = 14%; NNT = 170) A.[22,23] No atendimento em nível de APS, caso haja dúvida sobre se o paciente será elegível para a trombólise IV, não se deve administrar o ácido acetilsalicílico.

O risco de transformação hemorrágica com o uso de ácido acetilsalicílico no AVCi é insignificante (2 casos a mais a cada 1.000 tratados). O ácido acetilsalicílico deve ser evitado quando houver história de hipersensibilidade a essa substância.

A pressão arterial no paciente com suspeita de AVCi agudo não deve ser reduzida, salvo situações de emergência hipertensiva, uma vez que a redução aguda está associada a uma pior evolução neurológica B.[24,25] A elevação da pressão arterial é uma resposta fisiológica do organismo para tentar manter a perfusão cerebral na área de sofrimento isquêmico (penumbra). A pressão arterial só deve ser reduzida antes de o paciente chegar ao hospital em caso de pressão sistólica ≥ 220 mmHg ou diastólica ≥ 120 mmHg. Nessa situação, aumenta significativamente o risco de transformação hemorrágica, além do risco de eventos coronarianos, e a pressão arterial deve ser reduzida para algo em torno de 180 a 200/100 a 110 mmHg C.

PREVENÇÃO PRIMÁRIA E SECUNDÁRIA DA DOENÇA CEREBROVASCULAR

A prevenção primária, no contexto da doença cerebrovascular, é realizada pelo controle dos fatores de risco cardiovasculares em pacientes sem história prévia de AVC. Os principais fatores de risco associados ao AVC são HAS, diabetes melito, tabagismo e fibrilação atrial.[1-5] A HAS é o principal fator de risco modificável (ver Capítulo Hipertensão Arterial Sistêmica), mas vários outros fatores modificáveis oferecem opções para minimizar risco via prevenção primária e secundária (ver Capítulo Prevenção Clínica das Doenças Cardiovasculares).

Pacientes com AVC têm risco de recorrência de 8% ao ano, o que corresponde a uma chance 9 vezes maior do que indivíduos sem AVC.[2] Ainda há o risco de esse paciente evoluir com múltiplos AVCs "assintomáticos" que podem levar à demência vascular.

Cerca de um terço dos pacientes que sofrem um AVC tiveram ao menos um episódio de AIT prévio.[11] Por outro lado, até 50% dos pacientes que sofreram um AIT terão um AVC em 5 anos, sendo esse risco 7 vezes maior do que em controles da mesma faixa etária.[11] Apesar do risco de recorrência ser maior do que o da população, ele é ainda maior nos primeiros 7 dias (10%), em especial nas primeiras 48 horas (7%). Por outro lado, mesmo os pacientes que sofreram AIT há mais de 7 dias precisam ter a sua causa investigada e devem iniciar medidas de prevenção secundária, que consistem no controle agressivo dos fatores de risco, como hipertensão, tabagismo, sedentarismo, uso de álcool, dieta rica em gorduras saturadas e intervenções específicas, detalhadas a seguir.[11]

Antiagregantes plaquetários

Os antiagregantes plaquetários atualmente disponíveis são o ácido acetilsalicílico (também chamado de AAS ou aspirina), o clopidogrel, o ticagrelor, a ticlopidina e o dipiridamol (que geralmente é usado em associação com o ácido acetilsalicílico).

Em termos de prevenção primária, não há evidência inequívoca de que o ácido acetilsalicílico ou qualquer outro antiagregante plaquetário reduza o risco de eventos cerebrovasculares, devendo ser usado apenas em pacientes com alto risco para AVC ou IAM.[9] Há aumento na ocorrência de AVCh na prevenção primária com ácido acetilsalicílico B; com isso, o benefício no total de eventos cerebrovasculares pode ser considerado pequeno ou inexistente C/D.[26]

Em termos de prevenção secundária, o objetivo é reduzir tanto os eventos cardiovasculares como cerebrovasculares, uma vez que ambos compartilham dos mesmos fatores de risco. O ácido acetilsalicílico na dose de 40 a 325 mg está associado a uma redução no risco de AVC (RRR = 13%; NNT = 126-889) B. Sugere-se a administração de ácido acetilsalicílico (100 mg/dia) após uma das refeições como primeira escolha, dada a excelente relação custo-benefício e perfil de segurança.[22]

O clopidogrel (75 mg/dia) (NNT = 196) B, a associação de clopidogrel e ácido acetilsalicílico (RRR = 29%; NNT = 30-62) A ou a combinação[27,28] de dipiridamol e ácido acetilsalicílico (RRR = 23%; NNT = 31-91) B são superiores na prevenção de eventos cardiovasculares/AVC em relação à monoterapia com ácido acetilsalicílico, porém com custo mais elevado e maior risco de sangramentos.[22] A cefaleia é o principal efeito colateral do dipiridamol, sendo a causa mais comum de interrupção do tratamento.[11] Como a combinação de ácido acetilsalicílico com dipiridamol não está disponível no Brasil, uma alternativa de menor custo é usar dipiridamol (75 mg, 2×/dia) associado ao ácido acetilsalicílico (70-100 mg/dia) em dose única.

Para pacientes com intolerância gástrica ou alergia ao ácido acetilsalicílico, pode-se associar omeprazol (20 mg) em jejum ou, idealmente, substituir o ácido acetilsalicílico por clopidogrel (75 mg/dia) ou mesmo ticlopidina (250 mg, 12/12 horas).[11] A ticlopidina, apesar de possuir efetividade não inferior à do ácido acetilsalicílico A e apresentar menor custo do que o clopidogrel, tem a neutropenia como reação adversa potencialmente grave (apesar de infrequente [< 1%]).[11] Desse modo, o uso da ticlopidina deve ficar restrito apenas aos pacientes intolerantes ao ácido acetilsalicílico que não podem adquirir o clopidogrel. Diarreia e *rash* são efeitos colaterais mais comuns com a ticlopidina e com o clopidogrel do que com o ácido acetilsalicílico.[11] Por outro lado, sangramentos gastrintestinais são menos comuns com esses antiagregantes do que com o ácido acetilsalicílico. De modo geral, a relação custo-benefício em nível de saúde pública é incomparavelmente mais favorável ao ácido acetilsalicílico do que ao clopidogrel ou à ticlopidina.

Atualmente, a dupla antiagregação plaquetária com clopidogrel e ácido acetilsalicílico tem sido mais estudada quando administrada para a prevenção secundária dentro de 24 horas após AIT de alto risco ou nos chamados AVCs isquêmicos menores. Nesse contexto, reduziu o risco de recorrência de eventos cerebrovasculares (RRR = 30%; NNT = 50). Habitualmente, utiliza-se essa combinação por 21 a 30 dias em AIT e AVCi menores e por até 3 meses nos pacientes com aterosclerose significativa.[27]

Dislipidemia

Na prevenção secundária do AVC cuja etiologia é aterotrombótica, o uso de estatina é mandatório.[11] O seu uso regular reduz em 26% a ocorrência de novos eventos cardiovasculares maiores (RRR = 26%; NNT = 14-26) **A**.[29,30]

Para prevenção primária, ver Capítulo Prevenção Clínica das Doenças Cardiovasculares.

Doença carotídea e indicação de endarterectomia/angioplastia

A estenose carotídea é responsável por 10 a 20% de todos os AVCi.[1,2] Entretanto, a presença de estenose carotídea *per se*, mesmo se acima de 70%, não afasta a possibilidade de outra etiologia para o AVC. Por exemplo, podemos encontrar pacientes com estenose carotídea e fibrilação atrial, sendo classificados nos critérios TOAST como indeterminado por ter mais de uma causa.

A endarterectomia carotídea reduz o risco de recorrência de evento cerebrovascular nos pacientes com AIT ou AVCi que apresentam estenose carotídea ≥ 70% (RRR = 53%; NNT = 6-35 em 5 anos).[31] O benefício maior desse procedimento acontece se o paciente tiver uma sobrevida esperada de no mínimo 5 anos, e a equipe cirúrgica apresentar uma taxa de complicações cirúrgicas (AVC ou óbito) não superior a 6%. A lesão estenótica deve ser acessível ao cirurgião para a realização da endarterectomia. Outro procedimento que pode ser realizado no tratamento da doença carotídea é a angioplastia com colocação de *stent*. Esse é o procedimento de escolha em pacientes com alto risco cirúrgico ou em alguns casos em que o paciente apresenta estenose intracraniana concomitante. O benefício do procedimento carotídeo (endarterectomia ou angioplastia com *stent*) é maior nas primeiras 2 semanas após o evento cerebrovascular agudo, com redução no risco de AVC de até 30%, enquanto os pacientes submetidos a procedimento entre 3 e 6 meses têm apenas 9% de redução nesse risco.[31] Dessa forma, a endarterectomia/angioplastia deve ser idealmente realizada nas primeiras 2 semanas após o evento agudo e não depois de mais de 6 meses. Após 6 meses sem novos sintomas de AIT/AVC referentes ao mesmo território carotídeo, esse vaso passa a ser considerado "assintomático" pela provável estabilização da placa, mesmo ainda havendo estenose significativa.

O benefício da intervenção nos casos de estenoses carotídeas sintomáticas entre 50 e 69% é menor do que nos pacientes com estenoses > 70%; no entanto, a intervenção pode estar indicada quando o paciente apresenta falha ou não aderência à terapia medicamentosa. Também se considera a morfologia da placa e não apenas o grau de estenose na indicação do tratamento invasivo.

Já os pacientes com estenose carotídea assintomática (estenose não relacionada a nenhum evento cerebrovascular nos últimos 6 meses) > 70% possuem risco anual de sofrerem um AVC 3 vezes maior do que a população-controle (5,4% vs. 1,7%). O declínio constante no risco de AVC em pacientes tratados clinicamente de 1980 a 2010, com estudos relatando taxas de menos de 1% ao ano, demonstra que os benefícios da endarterectomia nessa população são menos claros do que a eficácia já bem estabelecida nos pacientes com estenose carotídea sintomática de alto grau. Portanto, atualmente, não existe recomendação de rastreamento para doença carotídea assintomática.[32]

Fibrilação atrial, outras cardiopatias e anticoagulação oral

Os AVCi causados pela fibrilação atrial (cardioembólicos) costumam ser mais extensos e incapacitantes do que os AVCs de outras etiologias.[1-5] O risco relativo de um paciente com fibrilação sofrer um AVC aumenta com a idade – de 2,6 entre 50 e 69 anos para 4,5 entre 80 e 89 anos. Além disso, a prevalência da fibrilação atrial aumenta de forma significativa com o envelhecimento, sendo igual a 1% e 9% para as faixas etárias recém-descritas, respectivamente. Dessa forma, o risco atribuível na população da fibrilação atrial como causa de AVC aumenta de cerca de 2% para 24%, respectivamente.[11]

> **O principal objetivo do tratamento de pacientes com fibrilação atrial é a prevenção de eventos tromboembólicos com o uso dos anticoagulantes. O uso de varfarina reduziu em 64% a ocorrência de AVC (NNT = 25) e demonstrou redução de mortalidade por qualquer causa (NNT = 42) A.[33,34]**

A taxa de hemorragias graves foi de 1,3% ao ano com a anticoagulação e 1% ao ano no grupo-controle, representando um incremento de apenas três sangramentos maiores a cada 1.000 pacientes tratados.[35] Portanto, a decisão de anticoagulação depende do risco basal individual de desenvolver eventos isquêmicos e da chance de sangramento.

Caso haja indicação, o médico não deve deixar de considerar iniciar com anticoagulante (ver Capítulo Manejo Ambulatorial do Paciente Anticoagulado) mesmo nos pacientes idosos, sendo que tanto a redução no risco relativo quanto o benefício absoluto do seu uso tendem a ser maiores quanto mais idoso for o paciente.[11] Uma possível exceção são os pacientes que deambulam com dificuldade e têm elevado risco de cair e apresentar hemorragia intracraniana traumática. Nos pacientes idosos que não tenham risco maior de quedas ou naqueles que não mais deambulam, mas possuem vida de relação, a anticoagulação devem ser considerada.[11]

O tempo de início da anticoagulação oral (varfarina ou anticoagulantes não antagonistas da vitamina K – anticoagulantes orais diretos [AODs]) após o evento isquêmico agudo é avaliado de forma individual, levando-se em conta a extensão da área isquêmica e a presença de transformação hemorrágica, podendo variar normalmente entre 3 e 21 dias. Na definição da anticoagulação precoce, também deve ser considerado o alto risco de recorrência de evento tromboembólico, como nos pacientes com trombo intracardíaco identificado no ecocardiograma. Portanto, caso o médico da APS se depare com um paciente com fibrilação que tenha sofrido um AVCi há mais de 30 dias e que não apresente contraindicação à anticoagulação, deverá considerar a instituição do anticoagulante imediatamente nesse indivíduo, devendo acompanhá-lo semanalmente até que se atinjam níveis estáveis da razão normalizada internacional (INR, [do inglês, *international normalized ratio*]), caso opte pelo uso de varfarina.

Forame oval patente e aneurisma de septo interatrial

O forame oval patente (FOP) e o aneurisma de septo interatrial são encontrados em cerca de 25% e 3% dos indivíduos vivendo na comunidade, respectivamente. Nesse sentido, a presença de um FOP não significa necessariamente que este seja a causa do AVC. Enquanto a grande maioria dos pacientes com FOP não tem aneurisma de septo interatrial associado, cerca de 50% dos pacientes com aneurisma de septo interatrial também possui FOP. Em pacientes jovens com AVC criptogênico, aqueles com a presença da associação FOP e aneurisma de septo interatrial tiveram risco 4 vezes maior que o de pacientes sem nenhum desses dois achados.[36] No entanto, a presença de FOP ou aneurisma de septo interatrial isolados não aumentou significativamente esse risco.

Em pacientes com idade até 55 anos, com AVC criptogênico (etiologia não identificada) e com FOP, o fechamento do FOP associado à terapia antiplaquetária confere redução substancial de recorrência de AVC, com risco pequeno de fibrilação atrial/*flutter* (RRR = 88%; NNT vs. terapia antiplaquetária = 12). A anticoagulação, com evidências mais modestas, pode oferecer redução semelhante no risco de AVC comparado ao fechamento do FOP **B**.[37,38]

TRANSIÇÃO DO CUIDADO HOSPITAL-DOMICÍLIO

Além dos cuidados médicos e de enfermagem, o manejo agudo e pós-agudo do paciente com AVC deve envolver a reabilitação, incluindo a fisioterapia, a terapia ocupacional, a fonoterapia e o suporte psicológico do paciente e da sua família.[39]

O período pós-alta traz insegurança para os pacientes e seus familiares. Nesse momento, deve entrar em ação a equipe de APS para auxiliar nessa transição. Mesmo em países desenvolvidos, a proporção de cuidadores familiares que acredita não ter havido uma adequada transição entre os cuidados do hospital e o domicílio chega a um terço.[40] Por outro lado, a sensação de não se sentir preparado para cuidar do seu familiar com AVC só aumenta (de 30% para 70%) após 9 meses da alta, provavelmente em associação não com o preparo técnico do cuidador, mas sim com o estresse/sobrecarga deste.[41]

Os familiares que exercem o papel de cuidadores, em geral, lidam melhor com as limitações físicas dos pacientes do que com as limitações cognitivas e afetivas. Quando as necessidades psicossociais dos pacientes com AVC e suas famílias são adequadamente supridas pela equipe de saúde e pela rede de apoio social, observa-se diminuição na prevalência de estresse do cuidador, além de redução no risco de transtornos depressivo e de ansiedade nos pacientes[5] (ver Capítulo O Cuidado do Paciente Idoso). Isso contribui para uma melhor e mais rápida reintegração do paciente à vida familiar e comunitária, o que reflete inclusive em um menor risco de readmissão hospitalar ou institucionalização.[5]

A reabilitação em nível domiciliar e comunitário tem a propriedade de amenizar o efeito da incapacidade sobre o cuidador principal e o restante da família.[5] O período de internação de pacientes hospitalizados por AVC pode ser reduzido em até 1 semana com os programas de implementação de transferência de cuidados do nível hospitalar para a atenção primária e secundária.[5] A reabilitação pode ser realizada no próprio domicílio do paciente ou em serviços de reabilitação.

ABORDAGEM DAS COMPLICAÇÕES CRÔNICAS DO AVC

Limitação funcional

Pacientes com AVC podem ser classificados em cinco grupos funcionais, de acordo com a escala de Rankin modificada (TABELA 54.4).[1,2] A ocorrência de um AVC incapacitante (Rankin ≥ 4) conduz frequentemente a um círculo vicioso em que a perda da autonomia leva à inatividade física, a qual, por sua vez, leva a uma perda de condicionamento motor e cardiorrespiratório.[5] A inatividade física também faz diminuir a massa muscular e aumentar a deposição de gordura central, o que eleva o risco cardiovascular do paciente.[5]

Reabilitação motora

Vários estudos têm demonstrado que a implementação de exercícios aeróbicos e contra resistência melhoram a força, o equilíbrio e a mobilidade de pacientes incapacitados por AVC.[41,42] O desafio da equipe de APS, especialmente nos primeiros seis

TABELA 54.4 → Classificação funcional de pacientes com acidente vascular cerebral (AVC)

CLASSIFICAÇÃO	SINTOMAS E GRAU DE INCAPACIDADE
Rankin 0	Sem sequelas
Rankin 1	Sintomas mínimos que não interferem no dia a dia do paciente
Rankin 2	Leve incapacidade para algumas atividades prévias, mas ainda há independência para as atividades básicas de vida diária (ABVDs)
Rankin 3	Incapacidade moderada; necessita de ajuda parcial apenas para algumas ABVDs; ainda é capaz de deambular sem auxílio (pode usar bengala ou andador)
Rankin 4	Incapacidade moderada a severa; necessita de ajuda para a maioria das ABVDs; é incapaz de deambular sem auxílio
Rankin 5	Incapacidade severa; acamado, necessitando saúde atenção integral
Rankin 6	Óbito

meses, é de tentar conduzir um plano de reabilitação fisioterápica intensa que leve o paciente a atingir o melhor nível funcional possível. Posteriormente, devem ser mantidos níveis de atividade física adequadas, visando à redução da recorrência do AVC e à manutenção da independência atingida.

Assim, todos os pacientes com sequela de AVC devem estar integrados à programas de reabilitação com vistas ao fortalecimento do grupo muscular afetado B.[43] Na impossibilidade de exercícios ativos, a mobilização passiva do membro afetado contribui para reduzir o grau de espasticidade e alívio da dor. Na falta de um fisioterapeuta, tais atividades devem ser orientadas pelo próprio médico ou outro profissional de saúde.

Serviços de reabilitação comunitários (reabilitação domiciliar ou em centro comunitário de reabilitação) oferecidos a pacientes com AVC recente reduziram a probabilidade de desfechos adversos como óbito, hospitalização ou institucionalização em 28%, melhorando a deambulação independente e a capacidade funcional, e reduzindo o risco de quedas e outros eventos adversos (NNT=14) C/D.[39] Esses programas podem também ter a vantagem de serem mais custo-efetivos do que manter o paciente hospitalizado apenas para a reabilitação.[4] A reabilitação a domicílio é tão eficaz do que a conduzida no centro comunitário de reabilitação e está associada a uma satisfação maior dos cuidadores, com riscos menores de readmissão hospitalar e institucionalização permanente.[4,5]

A reabilitação deve se estender pelo tempo necessário (em média 6 meses), até que o paciente possa reassumir suas atividades prévias ou continuar praticando sozinho no seu domicílio, com reavaliações periódicas.

Reabilitação da marcha

Por terem menor reserva funcional, períodos pequenos restritos ao leito já podem ser suficientes para que muitos pacientes idosos percam a capacidade de deambular, independentemente da causa que levou à restrição ao leito. Naturalmente, esse risco é muito maior no AVC com hemiparesia. Desse modo, é muito importante que a reabilitação da marcha inicie cedo, seja no hospital, no domicílio ou no centro de reabilitação comunitário.

O uso de barras de apoio laterais é um excelente meio de iniciar uma reabilitação da marcha, mas simples exercícios domésticos de reabilitação, como auxílio à marcha e sentar e levantar seguidamente de uma cadeira, também são eficazes e podem ser realizados em casa.[44] Mesmo que o paciente não consiga deambular, o cuidador deve estimular para que o paciente permaneça em pé (apoiado em algo, se necessário) pelo maior tempo possível.[4] Os exercícios de flexão do quadril e extensão da perna a partir da posição deitada ou sentada também podem ser realizados no domicílio para pacientes que ainda não conseguem ficar em pé.[4]

Desnutrição

Cerca de 15 a 20% dos pacientes com AVC vivendo na comunidade são desnutridos. Os familiares dos pacientes desnutridos portadores de AVC devem receber orientação de nutricionista ou médico com vistas a uma melhor adequação da dieta VO.[4] Não há benefício da alimentação suplementar por sonda nasoenteral de rotina em pacientes com AVC B,[45] exceto na presença de disfagia.[4]

Disfagia

A disfagia clinicamente detectável ocorre em cerca de 50% dos pacientes na fase aguda do AVC, estando associada a maior risco de desnutrição, desidratação, pneumonia aspirativa, longa permanência hospitalar e institucionalização. Antes de alimentar o paciente após um AVC agudo, o médico deve certificar-se de que o sensório esteja preservado e de que também estejam presentes tanto a elevação simétrica do palato quanto o reflexo do vômito. Em caso afirmativo, deve-se solicitar ao paciente que, progressivamente, engula saliva, ingira 1 colher de chá (10 mL) de água, seguida de 1 colher de sopa (20 mL), 50 mL e, por fim, 100 mL de água. A presença de sonolência excessiva ou engasgo temporariamente contraindica a alimentação VO e necessariamente o paciente deve ser avaliado por fonoaudiólogo. Caso não haja essa possibilidade, deve-se hidratar e alimentar o paciente apenas por sonda nasoenteral nesse período.

Pacientes com disfagia grave o suficiente para limitar ou impedir sua ingesta oral devem receber suplementação alimentar por sonda nasoenteral pelo menos no 1º mês pós-AVC C/D.[19] Nesse caso, a alimentação suplementar por sonda nasoenteral deve ocorrer por, no máximo, 3 meses, período durante o qual o fonoaudiólogo realiza a reabilitação da deglutição.[4] Persistindo a disfagia após 3 meses, está indicada gastrostomia endoscópica ou duodenostomia definitivas.[19,46] Não há indicação de manutenção de sonda nasoenteral em longo prazo, já que esta, além de diminuir muito a qualidade de vida do paciente, está associada a pneumonias aspirativas de repetição por deixar permanentemente aberto o esfíncter esofágico inferior em pacientes que costumam ter o mecanismo de tosse enfraquecido.[5]

Pacientes com disfagia moderada a grave que recebem alta com alimentação por sonda nasoenteral não devem ter a sonda removida a menos que passem por avaliação especializada.[4] A testagem videofluoroscópica com bário ainda é considerada o padrão-ouro no diagnóstico da disfagia, sendo importante para quantificar o nível de gravidade do problema.

Incontinência urinária

Cerca de um terço dos pacientes desenvolvem incontinência urinária após um AVC. A incontinência urinária pós-AVC costuma ser do tipo urgência miccional, por desinibição detrusora de origem central.[20] Naturalmente, a limitação funcional também é fator de risco para a incontinência urinária (ver Capítulo O Cuidado do Paciente Idoso). Os pacientes com retenção urinária podem ser avaliados por meio de cateterismo vesical intermitente pós-miccional com registro de volume (ver Capítulo Problemas Urológicos Comuns).[41]

Dor crônica

Apesar de menos intensa, a dor crônica de origem osteomuscular é mais comum após um AVC (30%) do que a dor do tipo central, de origem talâmica (5%). Em ambos os casos, recomenda-se, como tratamento de primeira linha, amitriptilina 25 a 50 mg à noite, iniciando com 12,5 mg e aumentando lentamente B, ou lamotrigina 25 mg/dia com aumento gradual a cada 2 semanas B. A pregabalina (75 mg, 2×/dia), a gabapentina (400 mg, 3×/dia) e a carbamazepina (800-1.200 mg/dia) são os fármacos recomendados como segunda linha de tratamento para dor crônica pós-AVC.[41]

Os pacientes com síndrome miofascial podem beneficiar-se do agulhamento de possíveis pontos-gatilho centrais associados a um programa de reabilitação fisioterápica. Dores musculares associadas à espasticidade podem ser aliviadas por exercícios fisioterápicos, em especial os de alongamento.

O uso da toxina botulínica em músculos cuidadosamente selecionados pode melhorar o controle voluntário do movimento e da função motora. Porém, o seu benefício no tratamento da espasticidade segue controverso B.[47-49]

Dor/subluxação no ombro

A dor no ombro é o tipo de dor muscular crônica mais frequente no paciente pós-AVC. A incidência de dor no ombro parético após um AVC chega a 72% em 1 ano e pode retardar a recuperação da função do membro superior correspondente, causar insônia e contribuir para a depressão. O reconhecimento precoce de lesões no ombro parético, associado às medidas de intervenção correspondentes, é capaz de diminuir a incidência da síndrome regional complexa (antiga distrofia simpático-reflexa ou síndrome ombro-mão) de 27% para apenas 8%.[50]

A mobilização passiva das articulações impede o desenvolvimento de anquiloses e contraturas musculares, que podem levar ao "ombro congelado" C/D. Deve-se prestar atenção especial aos exercícios passivos realizados com o ombro parético, os quais devem ser feitos no sentido de sua abdução, flexão e rotação externa, isto é, com a mão se movendo para trás, mas não acima da cabeça. Deve-se poupar o paciente de exercícios que elevem a mão parética acima da cabeça, evitando, assim, traumas adicionais ao ombro parético.[5]

Nos casos de ombro doloroso pós-AVC, se houver dor por espasticidade grave, o uso de toxina botulínica injetável pode ser considerado B,[51] ou bloqueio do nervo supraescapular como terapêutica adjuvante C/D. O uso de injeções subacromiais ou glenoumerais de corticoides não está bem estabelecido C/D.

Depressão

Todo paciente com AVC deve ser considerado de potencial risco para desenvolver quadros depressivos. Aproximadamente 50% dos pacientes apresentam depressão até 1 ano após o AVC, sendo 30% nos primeiros 3 meses.[5] Os antidepressivos são a primeira escolha no tratamento de depressão pós-AVC (RRR = 30%; NNT = 4-14) B; a psicoterapia de forma isolada não é recomendada pela falta de evidência de benefícios C/D.[52]

Assim, sugere-se que indivíduos com depressão pós-AVC recebam tratamento antidepressivo medicamentoso. Nenhum medicamento ou classe de medicamento é considerado superior a outros para depressão pós-AVC. Entretanto, alguns inibidores da recaptação da serotonina podem ser preferíveis com base no perfil de eventos adversos A.[4,5,53] A depressão está frequentemente associada à labilidade emocional, ao declínio cognitivo e ao parkinsonismo vascular, de predomínio rígido-acinético, com baixa prevalência de tremor.[20]

Outros 20% dos pacientes com AVC sofrem de labilidade emocional (choros e risos imotivados) isolada, na ausência de depressão. A labilidade emocional faz parte dos chamados sintomas "pseudobulbares", que também incluem apraxia de marcha, disfagia, hipofonia, urgeincontinência, parkinsonismo vascular e declínio cognitivo.[4,5,53]

Existem basicamente dois subtipos de depressão "vascular": a depressão pós-AVC e a depressão "microvascular". Esta última está associada à significativa doença da substância branca, seja por leucoaraiose periventricular, seja por múltiplas lacunas com frequência assintomáticas. A depressão pode afetar o engajamento do paciente nos exercícios de reabilitação, estando associada a um progresso mais lento na reaquisição da independência funcional.

Por esses motivos, o clínico deve ter limiar baixo para prescrever antidepressivo para o paciente com suspeita de depressão pós-AVC. O fármaco de escolha é a fluoxetina após o café da manhã, começando com 20 mg e, se necessário, escalonando até 60 mg.

A prevalência de depressão entre cuidadores familiares é quase tão alta quanto a da própria depressão pós-AVC, estando quase sempre associada à sobrecarga do cuidador. O médico deve estar atento para essa situação, muitas vezes ignorada em nosso meio (ver Capítulo Depressão).

Demência e transtorno cognitivo leve de origem vascular

A relação entre a demência enquanto síndrome e o AVC é multifacetada. Se, por um lado, 10% dos pacientes que sofrem um AVC desenvolvem demência, outros 10% já possuíam demência previamente com atual agravamento do quadro cognitivo devido ao AVC.[4] Mais comum, entretanto, é o paciente apenas desenvolver demência após múltiplos infartos cerebrais, sejam eles sintomáticos ou não.

De fato, mais de um terço dos pacientes que sofrem AVC desenvolvem demência vascular até o final de suas vidas, sendo que esse número pode ser maior devido ao subdiagnóstico de casos menos avançados desse tipo de demência[4] (ver Capítulo Síndromes Demenciais e Comprometimento Cognitivo Leve).

AVC e condução de veículos

Os distúrbios motores da força, e as alterações sensitivas, atencionais, cognitivas e da percepção visual ou espacial (hemianopsia e negligência visuoespacial) podem comprometer seriamente a capacidade de uma pessoa dirigir veículos. Pacientes com qualquer desses déficits devem ser desaconselhados a dirigir veículos. A epilepsia pós-AVC não controlada também configura contraindicação formal ao ato de dirigir.

Em muitos países, o médico é obrigado por lei a comunicar a incapacidade para dirigir veículos automotores.[4,5,54] No Brasil, não há uma legislação específica que obrigue o médico a fazer isso. Não obstante, é importante que o médico, para não ser considerado negligente, registre no prontuário que a orientação supracitada foi fornecida tanto ao paciente quanto aos seus familiares.

Epilepsia pós-AVC

A frequência de crises epilépticas após AVC está estimada em 10%.[1,2] O envolvimento cortical da área isquêmica, o AVCh, a transformação hemorrágica do AVCi, bem como o maior tamanho e a extensão da lesão cerebral são fatores de risco para o desenvolvimento de crises epilépticas.[1,2,4,5,55] A epilepsia pós-AVC tem maior risco de ocorrer nos casos em que houve crise epiléptica após a 1ª semana do evento cerebral.[56] Entretanto, o uso profilático de anticonvulsivantes após um AVC não está justificado **B**.[19] Na decisão sobre o tratamento, é fundamental a diferenciação do paciente que teve uma única crise epiléptica daquele que desenvolveu epilepsia (crises epilépticas repetidas). É muito discutível o início de tratamento para paciente com crise única, devendo ser avaliado caso a caso pelo neurologista. É importante lembrar que todo anticonvulsivante é depressor do sistema nervoso central e, como tal, pode aumentar o risco de quedas e esquecimentos em idosos frágeis. No paciente que desenvolveu crises epilépticas recorrentes, deve-se iniciar tratamento anticonvulsivante **C/D**.

Embora não haja evidências de superioridade entre os fármacos anticonvulsivantes para manejo de epilepsia pós-AVC, prefere-se utilizar carbamazepina, levetiracetam, oxcarbazepina ou lamotrigina, por tratar-se de epilepsia focal, mesmo que secundariamente generalizada (ver Capítulo Epilepsia). Pela ampla disponibilidade na rede do SUS, carbamazepina 200 mg à noite é recomendada, a qual deve ser aumentada em 200 mg a cada 5 dias até atingir 600 a 1.400 mg por dia divididos em 3 doses diárias. Deve-se ter atenção com o uso de varfarina concomitante à carbamazepina devido à interação farmacológica, pois a carbamazepina é indutora do metabolismo hepático, fazendo doses maiores do anticoagulante serem necessárias para manter o INR na faixa terapêutica.[57] Uma das vantagens do levetiracetam é sua pequena interação medicamentosa, sendo uma das escolhas nos pacientes anticoagulados que possam adquirir esse medicamento.

Tromboembolismo pulmonar

O tromboembolismo pulmonar (TEP) é uma complicação da fase aguda do evento cerebrovascular, mas pode ocorrer em qualquer fase nos pacientes acamados. O TEP é a terceira causa mais comum de óbito após um AVC, sendo responsável por 5% da mortalidade nesse grupo de pacientes (atrás de pneumonia e de um novo AVC). A mobilização precoce e principalmente o uso de heparina (24-48 horas após o AVC) em doses profiláticas diminuem o risco de TEP.[4]

Insatisfação sexual

A insatisfação sexual após um AVC é comum, atingindo 50 a 80% dos pacientes, os quais em geral não demonstram diminuição da libido, exceto na coexistência de depressão. Mudanças na percepção da imagem corporal, baixa autoestima e incapacidade para rediscutir o relacionamento do ponto de vista sexual parecem estar envolvidos nessa situação. Muitos pacientes têm vergonha de conversar sobre esse assunto com o seu médico; assim, cabe ao médico e à equipe da APS questionar e orientar sobre problemas sexuais que porventura existam.[4,58,59]

No caso de impotência sexual, apenas relatos de caso tentaram relacionar o uso de sildenafila e outros vasodilatadores com casos de AVC agudo, porém com evidências inconsistentes. Pacientes com estenoses carotídeas ou intracranianas podem, entretanto, estar teoricamente submetidos a um maior risco de AITs ou, mais remotamente, AVCs, provocados por episódios hipotensivos induzidos por esses medicamentos.

ENCAMINHAMENTO

Deve-se encaminhar para um hospital para avaliação neurológica de forma emergente:

→ pacientes com suspeita de AVC em janela para terapia de reperfusão com trombolítico IV (tempo < 4,5 horas);
→ pacientes com suspeita de AVC com oclusão de grande vaso (déficit neurológico com NIHSS ≥ 8);
→ pacientes não epilépticos com idade > 50 anos com primeiro episódio convulsivo, devido à alta probabilidade de a etiologia ser um AVC.

Deve-se encaminhar, de forma urgente (< 24 horas), pacientes com:

→ qualquer suspeita de AVC ou AIT;
→ quadro de confusão mental de início agudo sem antecedentes psiquiátricos de crises semelhantes (raras vezes pode ser AVC, mais comumente *delirium* em idosos ou encefalite em jovens).

Deve-se considerar interconsulta para avaliação:

→ para o neurologista, qualquer paciente com AVC ou AIT há mais de 7 dias;
→ para o internista, cardiologista ou nefrologista pacientes com AVC associado à hipertensão grave, de difícil controle;
→ para o internista, pacientes com AVC associado a múltiplos fatores de risco e/ou comorbidades associadas e/ou lesões em órgãos-alvo;
→ para o geriatra, pacientes idosos cujo manejo do AVC não possa ser dissociado do manejo geriátrico, além dos idosos frágeis (ver Capítulo Avaliação Multidimensional do Idoso) que apresentem outras comorbidades ou que possuam demência, depressão, incontinência, tontura, quedas;
→ para o fisiatra/clínica de reabilitação, todos os pacientes com sequelas motoras que interfiram na capacidade de realizar qualquer tarefa (Rankin ≥ 2).

REFERÊNCIAS

1. Smith WS, Johnston SC, Hemphill III JC. Cerebrovascular diseases. In: Jameson JL, Fauci AS, Kasper DL, Hauser SL, Longo DL, Loscalzo J, organizadores. Harrison's principles of internal medicine. 20th ed. New York: McGraw-Hill Education; 2018.

2. Goldstein LB. Approach to cerebrovascular diseases. In: Goldman L, Schafer AI, organizadores. Goldman-Cecil medicine. 26th ed. Philadelphia: Elsevier; 2020. p. 2386-95.

3. Royal College of Physicians. Stroke guidelines [Internet]. London: RCP London; 2016 [capturado em 14 abr. 2020]. Disponível em: https://www.rcplondon.ac.uk/guidelines-policy/stroke-guidelines.

4. Stroke Foundation. Clinical guidelines for stroke management [Internet]. Melbourne: InformMe; 2019 [capturado em 14 abr. 2020]. Disponível em: https://informme.org.au/en/Guidelines/Clinical-Guidelines-for-Stroke-Management-2017.

5. Casaubon LK, Boulanger J-M, Glasser E, Blacquiere D, Boucher S, Brown K, et al. Canadian stroke best practice recommendations: acute inpatient stroke care guidelines, update 2015. Int J Stroke. 2016;11(2):239-52.

6. Amarenco P. Transient ischemic attack. N Engl J Med. 2020;382(20):1933-41.

7. Brasil. Ministério da Saúde. Informações de saúde (TABNET) [Internet]. Brasília: Portal da Saúde; 2008 [capturado em 27 fev. 2020]. Disponível em: http://www2.datasus.gov.br/DATASUS/index.php?area=02.

8. Johnson CO, Nguyen M, Roth GA, Nichols E, Alam T, Abate D, et al. Global, regional, and national burden of stroke, 1990-2016: a systematic analysis for the Global Burden of Disease Study 2016. Lancet Neurol. 2019;18(5):439-58.

9. Meschia JF, Bushnell C, Boden-Albala B, Braun LT, Bravata DM, Chaturvedi S, et al. Guidelines for the primary prevention of stroke. Stroke. 2014;45(12):3754-832.

10. Poorthuis MHF, Algra AM, Algra A, Kappelle LJ, Klijn CJM. Female- and male-specific risk factors for stroke: a systematic review and meta-analysis. JAMA Neurol. 2017;74(1):75-81.

11. Kernan WN, Ovbiagele B, Black HR, Bravata DM, Chimowitz MI, Ezekowitz MD, et al. Guidelines for the prevention of stroke in patients with stroke and transient ischemic attack: a guideline for healthcare professionals from the American Heart Association/American Stroke Association. Stroke. 2014;45(7):2160-236.

12. Gulli G, Markus HS. The use of FAST and ABCD2 scores in posterior circulation, compared with anterior circulation, stroke and transient ischemic attack. J Neurol Neurosurg Psychiatry. 2012;83(2):228-9.

13. National Institute for Health and Care Excellence. Stroke and transient ischaemic attack in over 16s: diagnosis and initial management [Internet]. NICE guideline. NICE; 2019 [capturado em 14 abr. 2020]. Disponível em: https://www.nice.org.uk/guidance/ng128.

14. Brasil. Ministério da Saúde. Portaria nº 664, de 12 de abril de 2012 [Internet]. Brasília; 2012 [capturado em 17 nov. 2020]. Disponível em: http://bvsms.saude.gov.br/bvs/saudelegis/gm/2012/PRT0664_12_04_2012.html.

15. Lawton MT, Vates GE. Subarachnoid hemorrhage. N Engl J Med. 2017;377(3):257-66.

16. Baggio JAO, Santos-Pontelli TEG, Cougo-Pinto PT, Camilo M, Silva NF, Antunes P, et al. Validation of a structured interview for telephone assessment of the modified Rankin Scale in Brazilian stroke patients. Cerebrovasc Dis Basel Switz. 2014;38(4):297-301.

17. Kamalian S, Lev MH. Stroke imaging. Radiol Clin North Am. 2019;57(4):717-32.

18. Zerna C, Thomalla G, Campbell BCV, Rha J-H, Hill MD. Current practice and future directions in the diagnosis and acute treatment of ischaemic stroke. Lancet. 2018;392(10154):1247-56.

19. Powers WJ, Rabinstein AA, Ackerson T, Adeoye OM, Bambakidis NC, Becker K, et al. 2018 guidelines for the early management of patients with acute ischemic stroke: a guideline for healthcare professionals from the American Heart Association/American Stroke Association. Stroke. 2018;49(3):e46-110.

20. Roriz-Cruz M, Rosset I, Wada T, Sakagami T, Ishine M, De Sá Roriz-Filho J, et al. Cognitive impairment and frontal-subcortical geriatric syndrome are associated with metabolic syndrome in a stroke-free population. Neurobiol Aging. 2007;28(11):1723-36.

21. Martins SO, Mont'Alverne F, Rebello LC, Abud DG, Silva GS, Lima FO, et al. Thrombectomy for stroke in the public health care system of brazil. N Engl J Med. 2020;382(24):2316-26.

22. Sandercock PAG, Counsell C, Tseng M-C, Cecconi E. Oral antiplatelet therapy for acute ischaemic stroke. Cochrane Database Syst Rev. 2014;(3):CD000029.

23. Zinkstok SM, Roos YB, ARTIS investigators. Early administration of aspirin in patients treated with alteplase for acute ischaemic stroke: a randomised controlled trial. Lancet. 2012;380(9843):731-7.

24. Bath PMW, Krishnan K. Interventions for deliberately altering blood pressure in acute stroke. Cochrane Database Syst Rev. 2014;(10):CD000039.

25. Wang H, Tang Y, Rong X, Li H, Pan R, Wang Y, et al. Effects of early blood pressure lowering on early and long-term outcomes after acute stroke: an updated meta-analysis. PloS One. 2014;9(5):e97917.

26. Arnett DK, Blumenthal RS, Albert MA, Buroker AB, Goldberger ZD, Hahn EJ, et al. 2019 ACC/AHA guideline on the primary prevention of cardiovascular disease: a report of the American College of Cardiology/American Heart Association Task Force on clinical practice guidelines. Circulation. 2019;140(11):e596-646.

27. Hao Q, Tampi M, O'Donnell M, Foroutan F, Siemieniuk RA, Guyatt G. Clopidogrel plus aspirin versus aspirin alone for acute minor ischaemic stroke or high risk transient ischaemic attack: systematic review and meta-analysis. BMJ. 2018;363:k5108.

28. Del Brutto VJ, Chaturvedi S, Diener H-C, Romano JG, Sacco RL. Antithrombotic therapy to prevent recurrent strokes in ischemic cerebrovascular disease: JACC scientific expert panel. J Am Coll Cardiol. 2019;74(6):786-803.

29. Diener H-C, Hankey GJ. Primary and secondary prevention of ischemic stroke and cerebral hemorrhage: JACC focus seminar. J Am Coll Cardiol. 2020;75(15):1804-18.

30. Wilson PWF, Polonsky TS, Miedema MD, Khera A, Kosinski AS, Kuvin JT. Systematic review for the 2018 AHA/ACC/AACVPR/AAPA/ABC/ACPM/ADA/AGS/APhA/ASPC/NLA/PCNA guideline on the management of blood cholesterol: a report of the American College of Cardiology/American Heart Association Task Force on clinical practice guidelines. Circulation. 2019;139(25):e1144-61.

31. Orrapin S, Rerkasem K. Carotid endarterectomy for symptomatic carotid stenosis. Cochrane Database Syst Rev. 2017;6:CD001081.

32. Moresoli P, Habib B, Reynier P, Secrest MH, Eisenberg MJ, Filion KB. Carotid stenting versus endarterectomy for asymptomatic carotid artery stenosis: a systematic review and meta-analysis. Stroke. 2017;48(8):2150-7.

33. López-López JA, Sterne JAC, Thom HHZ, Higgins JPT, Hingorani AD, Okoli GN, et al. Oral anticoagulants for prevention of stroke in atrial fibrillation: systematic review, network meta-analysis, and cost effectiveness analysis. BMJ. 2017;359:j5058.

34. Lopes RD, Hong H, Harskamp RE, Bhatt DL, Mehran R, Cannon CP, et al. Safety and efficacy of antithrombotic strategies in patients with atrial fibrillation undergoing percutaneous coronary intervention: a network meta-analysis of randomized controlled trials. JAMA Cardiol. 2019;4(8):747-55.

35. January CT, Wann LS, Calkins H, Chen LY, Cigarroa JE, Cleveland JC, et al. 2019 AHA/ACC/HRS focused update of the 2014 AHA/ACC/HRS guideline for the management of patients with atrial fibrillation: a report of the American College of Cardiology/American Heart Association Task Force on clinical practice guidelines and the Heart Rhythm Society in collaboration with the Society of Thoracic Surgeons. Circulation. 2019;140(2):e125-51.

36. Pizzino F, Khandheria B, Carerj S, Oreto G, Cusmà-Piccione M, Todaro MC, et al. PFO: button me up, but wait ... comprehensive evaluation of the patient. J Cardiol. 2016;67(6):485-92.

37. Kuijpers T, Spencer FA, Siemieniuk RAC, Vandvik PO, Otto CM, Lytvyn L, et al. Patent foramen ovale closure, antiplatelet therapy or anticoagulation therapy alone for management of cryptogenic stroke? a clinical practice guideline. BMJ. 2018;362:k2515.

38. De Rosa S, Sievert H, Sabatino J, Polimeni A, Sorrentino S, Indolfi C. Percutaneous closure versus medical treatment in stroke patients with patent foramen ovale: a systematic review and meta-analysis. Ann Intern Med. 2018;168(5):343–50.

39. Fearon P, Langhorne P, Early Supported Discharge Trialists. Services for reducing duration of hospital care for acute stroke patients. Cochrane Database Syst Rev. 2012;(9):CD000443.

40. Pindus DM, Mullis R, Lim L, Wellwood I, Rundell AV, Aziz NAA, et al. Stroke survivors' and informal caregivers' experiences of primary care and community healthcare services – a systematic review and meta-ethnography. PLOS ONE. 2018;13(2):e0192533.

41. Winstein CJ, Stein J, Arena R, Bates B, Cherney LR, Cramer SC, et al. Guidelines for adult stroke rehabilitation and recovery: a guideline for healthcare professionals from the American Heart Association/American Stroke Association. Stroke. 2016;47(6):e98–169.

42. Jolliffe L, Lannin NA, Cadilhac DA, Hoffmann T. Systematic review of clinical practice guidelines to identify recommendations for rehabilitation after stroke and other acquired brain injuries. BMJ Open. 2018;8(2):e018791.

43. Pollock A, Baer G, Campbell P, Choo PL, Forster A, Morris J, et al. Physical rehabilitation approaches for the recovery of function and mobility following stroke. Cochrane Database Syst Rev. 2014;(4):CD001920.

44. Ada L, Dean CM, Vargas J, Ennis S. Mechanically assisted walking with body weight support results in more independent walking than assisted overground walking in non-ambulatory patients early after stroke: a systematic review. J Physiother. 2010;56(3):153–61.

45. Dennis MS, Lewis SC, Warlow C, FOOD Trial Collaboration. Routine oral nutritional supplementation for stroke patients in hospital (FOOD): a multicentre randomised controlled trial. Lancet. 2005;365(9461):755–63.

46. Scottish Intercollegiate Guidelines Network. SIGN 119: management of patients with stroke: identification and management of dysphagia: a national clinical guideline. Edinburgh: SIGN; 2010.

47. Sun L-C, Chen R, Fu C, Chen Y, Wu Q, Chen R, et al. Efficacy and safety of botulinum toxin type a for limb spasticity after stroke: a meta-analysis of randomized controlled trials. BioMed Res Int. 2019;2019:e8329306.

48. Jia S, Liu Y, Shen L, Liang X, Xu X, Wei Y. Botulinum toxin type a for upper limb spasticity in poststroke patients: a meta-analysis of randomized controlled trials. J Stroke Cerebrovasc Dis. 2020;29(6):104682.

49. Li S. Spasticity, motor recovery, and neural plasticity after stroke. Front Neurol. 2017;8:120.

50. Hebert D, Lindsay MP, McIntyre A, Kirton A, Rumney PG, Bagg S, et al. Canadian stroke best practice recommendations: stroke rehabilitation practice guidelines, update 2015. Int J Stroke. 2016;11(4):459–84.

51. Andringa A, van de Port I, van Wegen E, Ket J, Meskers C, Kwakkel G. Effectiveness of botulinum toxin treatment for upper limb spasticity poststroke over different ICF domains: a systematic review and meta-analysis. Arch Phys Med Rehabil. 2019;100(9):1703–25.

52. Allida S, Cox KL, Hsieh C-F, Lang H, House A, Hackett ML. Pharmacological, psychological, and non-invasive brain stimulation interventions for treating depression after stroke. Cochrane Database Syst Rev. 2020;1:CD003437.

53. Villa RF, Ferrari F, Moretti A. Post-stroke depression: mechanisms and pharmacological treatment. Pharmacol Ther. 2018;184:131–44.

54. Rabadi MH, Akinwuntan A, Gorelick P. The safety of driving a commercial motor vehicle after a stroke. Stroke. 2010;41(12):2991–6.

55. Brondani R, Garcia de Almeida A, Abrahim Cherubini P, Mandelli Mota S, de Alencastro LC, Antunes ACM, et al. High risk of seizures and epilepsy after decompressive hemicraniectomy for malignant middle cerebral artery stroke. Cerebrovasc Dis Extra. 2017;7(1):51–61.

56. Brondani R, de Almeida AG, Cherubini PA, Secchi TL, de Oliveira MA, Martins SCO, et al. Risk factors for epilepsy after thrombolysis for ischemic stroke: a cohort study. Front Neurol. 2019;10:1256.

57. Wang JZ, Vyas MV, Saposnik G, Burneo JG. Incidence and management of seizures after ischemic stroke: Systematic review and meta-analysis. Neurology. 2017;89(12):1220–8.

58. Grenier-Genest A, Gérard M, Courtois F. Stroke and sexual functioning: a literature review. NeuroRehabilitation. 2017;41(2):293–315.

59. Park J-H, Ovbiagele B, Feng W. Stroke and sexual dysfunction – a narrative review. J Neurol Sci. 2015;350(1–2):7–13.

60. Cabral NL, Longo AL, Moro CH, Amaral CH, Kiss HC. [Epidemiology of cerebrovascular disease in Joinville, Brazil. an institutional study]. Arq Neuropsiquiatr. 1997;55(3A):357–63.

LEITURAS RECOMENDADAS

Boulanger JM, Lindsay MP, Gubitz G, Smith EE, Stotts G, Foley N et al. Canadian Stroke Best Practice Recommendations for Acute Stroke Management: Prehospital, Emergency Department, and Acute Inpatient Stroke Care, 6th Edition, Update 2018. Int J Stroke. 2018;13(9):949-84.
Diretrizes canadenses de cuidados médicos para AVC.

European Stroke Organization. ESO Guideline Directory. Basel: ESO; 2015 [capturado em 18 mar. 2021]. Disponível em: https://eso-stroke.org/guidelines/eso-guideline-directory/.
Compêndio de diretrizes de Europa sobre a abordagem clínica dos diferentes momentos de prevenção, diagnóstico e manejo de AVC/AIT e suas complicações.

Intercollegiate Stroke Working Party. National Clinical Guideline for Stroke [Internet]. 5th ed. London: Royal College of Physicians; 2016 [capturado em 18 mar. 2021]. Disponível em: https://www.strokeaudit.org/SupportFiles/Documents/Guidelines/2016-National-Clinical-Guideline-for-Stroke-5t-(1).aspx.
Diretrizes do Reino Unido acerca do manejo da doença cerebrovascular.

Meschia JF, Bushnell C, Boden-Albala B, Braun LT, Bravata DM, Chaturvedi S, et al. Guidelines for the primary prevention of stroke: a statement for healthcare professionals from the American Heart Association/American Stroke Association. Stroke. 2014;45(12):3754–832.
Diretrizes norte-americanas de prevenção primária e cuidados iniciais para doença cerebrovascular.

National Institute for Health and Care Excellence. Stroke rehabilitation in adults [Internet]. London: NICE; 2016. Disponível em: https://www.nice.org.uk/guidance/cg162.
Interessante artigo de revisão sobre o valor da reabilitação no AVC.

O'Donnell MJ, Chin SL, Rangarajan S, Xavier D, Liu L, Zhang H et al. Global and regional effects of potentially modifiable risk factors associated with acute stroke in 32 countries (INTERSTROKE): a case-control study. Lancet. 2016;388(10046):761–75.
Estimativa dos riscos atribuíveis na população para cada fator de risco cerebrovascular nos AVCs isquêmicos e hemorrágicos.

Powers WJ. Acute Ischemic Stroke. NEJM. 2020;383(3):252-60.
Revisão concisa sobre AVC.

Powers WJ, Rabinstein AA, Ackerson T, Adeoye OM, Bambakidis NC, Becker K et al. 2018 Guidelines for the Early Management of Patients With Acute Ischemic Stroke: A Guideline for Healthcare Professionals From the American Heart Association/American Stroke Association. Stroke. 2018;49(3):e46-e110.

Stroke Foundation. Clinical guidelines for stroke management 2017: Summary of recommendations 2017 [Internet]. Melbourne: Stroke Foundation; 2017 [capturado em 18 mar. 2021]. Disponível em: https://informme.org.au/-/media/F078D725330F420F8F3246EFFEAA2A65.ashx?la=en.
Diretrizes australianas para o manejo do AVC.

SEÇÃO VI

Coordenadores: *João Victor Bohn de A. Alves*
Pedro H. Braga
Renato Cony Seródio

Sinais, Sintomas e Alterações Laboratoriais Comuns

55. O Raciocínio Clínico na Atenção Primária à Saúde 656
Moisés Vieira Nunes, Adelson Guaraci Jantsch

56. Alterações do Sono 665
Gabriela de Moraes Costa, Leonardo Evangelista da Silveira, Felipe Gutiérrez Carvalho, Maria Paz Hidalgo, Analuiza Camozzato

57. Vertigens e Tonturas 680
Joel Lavinsky, Michelle Lavinsky Wolff, Luiz Lavinsky, Diogo Luis Scalco, Mariele Bressan

58. Avaliação da Tosse Subaguda e Crônica 690
Pablo de Lannoy Stürmer, Roberto Fábio Lehmkuhl, Cassia Kirsch Lanes

59. Dispneia 696
Thiago Gomes da Trindade, André Luís Marques da Silveira, Marcelo Rodrigues Gonçalves

60. Dor Torácica 703
Carisi Anne Polanczyk

61. Sopros Cardíacos 713
Lucia Campos Pellanda, William Brasil de Souza, Aloyzio Achutti, Flavia Kessler Borges

62. Avaliação Inicial da Dor Abdominal Aguda 721
Luciano Paludo Marcelino, Alessandro Bersch Osvaldt, Mário Sérgio Trindade Borges da Costa

63. Dispepsia e Refluxo 729
Antônio de Barros Lopes, Enrique Falceto de Barros, Laureen Engel, Sergio Gabriel Silva de Barros

64. Náusea e Vômitos 741
Tainá de Freitas Calvette, Cassia Kirsch Lanes, Carlo Roberto Hackmann da Cunha

65. Icterícia, Alteração de Transaminases e Outras Manifestações de Problemas Hepáticos Comuns 750
Fernando Herz Wolff, Rodrigo Caprio Leite de Castro, Matheus Truccolo Michalczuk, Alexandre de Araujo

66. Problemas Digestivos Baixos 763
Carla Baumvol Berger, Dolores Noronha Galdeano, Francisco de Souza Silva, Lucas Gurgel Tiso

67. Avaliação do Edema em Membros Inferiores 772
Beatriz Graeff Santos Seligman

68. Febre em Adultos 776
Flavia Kessler Borges, Gustavo Faulhaber, Tania Weber Furlanetto, Sergio Henrique Prezzi

69. Avaliação de Linfadenopatias 781
Marcos Adams Goldraich, Renata Chaves, Hudson Pabst, Michael Schmidt Duncan

70. Cansaço ou Fadiga 790
André Klafke, Danyella da Silva Barreto, Michael Schmidt Duncan

71. Perda de Peso Involuntária 796
Rogério Friedman, Mirela Jobim de Azevedo†

72. Anemias no Adulto 800
Marcelo Rodrigues Gonçalves, Maria da Silva Pitombeira, Beatriz Stela Gomes de Souza Pitombeira

Capítulo 55
O RACIOCÍNIO CLÍNICO NA ATENÇÃO PRIMÁRIA À SAÚDE

Moisés Vieira Nunes
Adelson Guaraci Jantsch

A consulta médica em atenção primária à saúde (APS) é um evento com características próprias, no qual uma pessoa, que assume o papel de paciente, busca outra pessoa, que detém o papel de médico, para auxiliá-la em sua saúde. Esses papéis condicionam os comportamentos esperados de cada um deles e a bagagem de conhecimento que cada um carrega para a consulta. Pode-se dizer, portanto, que a consulta médica é um encontro entre dois especialistas.[1] O paciente – ou pessoa em cuidado, especialista em si mesmo e no seu próprio problema – é detentor de ideias, preocupações e expectativas sobre o seu problema de saúde e do conhecimento sobre os recursos e condições que lhe são acessíveis para seu cuidado. Já o médico é um especialista na arte de cuidar – lida com problemas e situações de saúde utilizando conhecimentos técnicos para encontrar soluções de cuidado, sejam elas explicativas, diagnósticas, prognósticas, terapêuticas ou pragmáticas.

No encontro desses dois especialistas, colocam-se elementos decisivos para o sucesso ou insucesso do cuidado em saúde. Conhecer esses elementos, compreender como eles podem influenciar no cuidado e ser capaz de decidir e raciocinar junto com o paciente de acordo com as diversas situações são competências essenciais para os profissionais de saúde na APS.[2]

Este capítulo aborda o raciocínio envolvido nesse encontro. Inclui reflexões sobre o raciocínio clínico, suas características intrínsecas e sua relação com a medicina baseada em evidências e com a bagagem de conhecimento prévio do médico. Características do raciocínio clínico aqui apresentadas podem ser extrapoladas para outros níveis da atenção à saúde, mas, neste capítulo, o objetivo é apresentá-las a partir da ótica da APS e dos problemas de saúde mais comuns nesse nível de atenção.

PROBLEMAS CLÍNICOS NA ATENÇÃO PRIMÁRIA À SAÚDE

O universo dos problemas clínicos presentes na APS é vasto: acompanhamento de doenças já diagnosticadas que requerem cuidado longitudinal (p. ex., diabetes, hipertensão, tuberculose e câncer); acompanhamento de condições de saúde que não configuram doença, mas definem uma população em risco (p. ex., pré-natal, puericultura, fatores de risco para doenças crônicas); e, por fim, abordagem de queixas novas, muitas vezes indiferenciadas, para as quais o paciente busca o médico com o objetivo de esclarecer o que ele tem. Embora muitas das ferramentas abordadas neste capítulo também se apliquem aos demais problemas clínicos, o foco principal será no terceiro grupo, isto é, na abordagem diagnóstica de problemas novos trazidos pelo paciente.

Para orientações sobre o acompanhamento longitudinal de condições crônicas já diagnosticadas, ver Capítulo Cuidados Longitudinais e Integrais a Pessoas com Condições Crônicas.

O universo das queixas indiferenciadas

Como a APS é a principal porta de entrada do sistema de saúde, é fundamental que o paciente se sinta à vontade para trazer os problemas que lhe causam preocupação ou desconforto, que podem se apresentar em momentos diferentes de sua evolução. Isso torna o universo de apresentação de queixas bastante heterogêneo, e a tarefa do raciocínio clínico, por vezes complexa e desafiadora. A seguir, estão listados alguns exemplos frequentes de formas de apresentação, que ilustram essa complexidade:

→ incômodos leves em estágios iniciais, posicionados sobre a linha que separa o normal do patológico;
→ problemas que envolvem simultaneamente diferentes sistemas corporais, mas cujos sintomas podem ou não evoluir de forma sincronizada;
→ problemas acobertados ou potencializados por outras morbidades crônicas preexistentes;
→ problemas acobertados ou potencializados por condições socioculturais adoecedoras (p. ex., violência, opressões);
→ problemas que aparecem paralelamente a outras situações clínicas agudas e em diferentes momentos de sua evolução.

Prevalência de problemas, organização da rede de saúde e suas implicações para o raciocínio clínico na atenção primária à saúde

As consultas por problemas de maior gravidade ou morbimortalidade acelerada são relativamente infrequentes quando comparadas ao montante de consultas por problemas de baixa gravidade ou para manejo de condições crônicas e cuidados programáticos de saúde. Consultas motivadas por doenças raras são muito incomuns na APS, uma vez que o fragmento da população assistido tende a obedecer a prevalência e a incidência no total da população.

Nesse contexto, pode-se dizer que o raciocínio clínico e a gama principal de conhecimentos com os quais o médico da APS é desafiado a lidar se desenvolvem em sintonia não só com a prevalência local de doenças, mas também com a cultura comunitária do que seja o cuidado e com a organização da rede de assistência. Esta última, por exemplo, normalmente estabelece para a APS uma carteira de serviços mais ou menos ampla ou resolutiva de acordo com o planejamento em saúde e a organização para o acesso a outras especialidades. A capacidade de adaptar-se às diferentes circunstâncias é a primeira grande característica do raciocínio clínico do médico que atua na APS.

TIPOS DE RACIOCÍNIO E IMPLICAÇÕES PARA A TOMADA DE DECISÃO NA ATENÇÃO PRIMÁRIA À SAÚDE

A grande amplitude de problemas de saúde manejados na APS implica o desenvolvimento de modelos de raciocínio clínico peculiares, que guardam semelhanças e diferenças com aqueles demandados em outros cenários de atenção. Em unidades de emergência, por exemplo, o desafio de estabilizar o paciente com parâmetros vitais alterados demanda pronta ação e torna mais adequado um raciocínio que utiliza reconhecimento de padrão e fluxogramas de forma clara e veloz e criatividade para adaptar-se a situações inesperadas.[3] Nas especialidades visuais (dermatologia, radiologia ou anatomia patológica), o raciocínio clínico é fortemente sustentado no reconhecimento e na comparação de padrões.[4] Já na APS, utiliza-se predominantemente uma mistura do raciocínio heurístico (processos cognitivos rápidos, simplificados e inconscientes, adequados para processar grande quantidade de informações e de diagnósticos diferenciais), com raciocínio probabilístico que utiliza a projeção de cenários para lidar com um elevado grau de incerteza nas decisões.[5]

A teoria dupla e sua aplicação no raciocínio clínico

A chamada "teoria dupla" propõe olhar para a tomada de decisão a partir dos mecanismos cognitivos e sugere que o ser humano utilize uma combinação entre um raciocínio intuitivo e outro mais consciente em nossas decisões.[6]

O raciocínio intuitivo é composto por diversos sistemas mentais que funcionam de forma autônoma à consciência. São rápidos, não sobrecarregam a capacidade de processamento da consciência e são associativos,[7] ou seja, comparam as informações observadas com padrões e experiências clínicas prévias presentes em nossa memória de longo prazo.[8] Em uma abordagem evolutiva do pensamento, o predomínio do raciocínio rápido é vantajoso, por tornar as inúmeras tomadas de decisão diárias mais velozes e por consumir menos energia.[9] Alguns exemplos disso acontecem quando um médico identifica rapidamente apenas uma hipótese observando características de uma lesão ou até mesmo quando se depara com uma história muito característica de um diagnóstico.

O raciocínio intuitivo não segue uma lógica formal ou uma lógica de categorização ou de decomposição em partes para as suas associações.[7] Ele permite associar uma situação clínica diretamente com um tratamento ou com um prognóstico, sem estabelecer necessariamente um diagnóstico etiológico. Não obedece, portanto, a conhecida sequência de uma anamnese que gera qualificadores semânticos, que, por sua vez, geram diagnósticos, estadiamentos, prognósticos e, por fim, terapias,[10] que constitui a forma analítica de pensamento.

O raciocínio reflexivo (ou analítico) é lento, promove a divisão da situação clínica em elementos menores, simula cenários e hipóteses e trabalha diretamente com probabilidades. Para tanto, utiliza a memória de trabalho, uma reserva mental situada em nossa consciência, para simulações e cálculos. É, portanto, o raciocínio mais associado às medições gerais de inteligência humana, como o teste de quociente de inteligência (QI).[7,8] Esse tipo de raciocínio é mais observado no momento da consulta conhecido como refinamento,[11] no qual o médico testa a situação observada utilizando estratégias de metodologias definidas, como a testagem de diagnósticos do raciocínio hipotético-dedutivo, o raciocínio algorítmico, as estratégias mnemônicas e as regras de predição clínica.

Como resumido na **FIGURA 55.1**, os dois tipos de raciocínio – intuitivo e analítico – estão envolvidos no processo

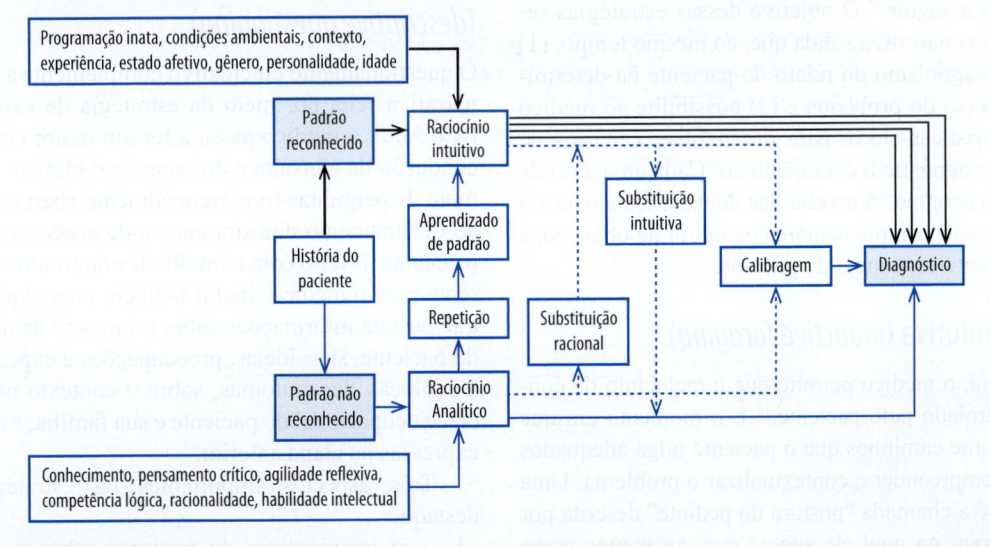

FIGURA 55.1 → Simultaneidade e complementaridade dos dois sistemas – intuitivo e analítico. A história do paciente é comparada, de forma inconsciente, intuitiva, com experiências anteriores do médico (*setas em preto*, à esquerda), levando rapidamente ao diagnóstico por meio do reconhecimento de padrões (múltiplas setas em preto). Ela também é testada em processos cognitivos complexos que envolvem o conhecimento, o pensamento crítico, a lógica e a probabilidade (*setas azuis*, à esquerda), processo esse que leva ao diagnóstico de forma mais lenta (seta única azul na parte de baixo, à direita). Esses processos mentais atuam cooperativamente, somando-se ou calibrando-se (*setas pontilhadas*) na busca de um diagnóstico de trabalho que suporte o exercício do cuidado. No centro, a prática de análises de qualidade forma o repertório de experiências que moldarão um médico com *expertise* diagnóstica.
Fonte: Cooper e Frain.[14]

diagnóstico, de forma complementar. A atuação simultânea dos dois sistemas permite uma complementaridade e uma atuação moduladora de um sobre o outro: decisões automáticas e associativas são frequentemente postas à prova por testagens analíticas; médicos experientes, a despeito dos indícios e das probabilidades, recorrem à sua intuição em decisões de maior risco ou mesmo para ações mais conservadoras (*gut feeling*),[12] tendem a utilizar menos o raciocínio reflexivo e a concentrar a sua utilização em situações mais complexas ou menos comuns.

Essa alternância entre os sistemas é um dos mecanismos desenvolvidos para o aprendizado. A maioria dos autores considera que o raciocínio intuitivo de qualidade deve ser desenvolvido a partir da exposição tutorada e refletida a boas experiências clínicas e processos analíticos crescentes em complexidade. Nos primeiros anos de experiência clínica, a exposição inicial aos problemas de saúde mais comuns permitiria a formação de conceituações mentais sólidas das principais doenças, os chamados *illness scripts*[13] e, assim, quando necessário, padrões incomuns seriam reconhecidos, e o raciocínio analítico seria ativado.[14] Na **FIGURA 55.1**, o processo de desenvolver capacidade para o raciocínio rápido é representado pela sequência: raciocínio reflexivo → repetição → aprendizado de padrão → raciocínio rápido.

OS MOMENTOS INICIAIS DA CONSULTA E SUA IMPORTÂNCIA PARA O RACIOCÍNIO CLÍNICO

Um grupo liderado pelo médico de família alemão Norbert Donner-Banzhoff vem estudando os processos cognitivos utilizados em consultas reais de APS. A partir da observação de consultas de médicos de família experientes, ele descreveu três estratégias presentes no início das consultas da APS, descritas a seguir.[15] O objetivo dessas estratégias seria construir uma narrativa sólida que, ao mesmo tempo, (1) estimule o protagonismo do relato do paciente na determinação do universo do problema e (2) possibilite ao médico buscar características-chave para desenvolver cenários de diagnósticos, prognósticos e terapêuticas. Cada uma das três estratégias não acontece à revelia das demais, e, na maioria das vezes, elas são complementares na tarefa de obter bons dados para orientar o manejo do paciente.

Exploração indutiva (*inductive foraging*)

Nessa estratégia, o médico permite que o raciocínio da consulta seja controlado pelo paciente.[16] É o momento em que a consulta assume caminhos que o paciente julga adequados para melhor compreender e contextualizar o problema. Uma boa ilustração é a chamada "postura do pedinte" descrita por Roger Neighbour, na qual ele sugere que, ao menos nessa etapa, o médico tome a postura de um pedinte[17] que demanda despretensiosamente informações do paciente, sem nunca agir ativamente para buscar a causa do problema, mas pedindo sempre mais informações. Isso daria ao médico a possibilidade de angariar o máximo de informações do paciente sem a interferência dos seus pré-julgamentos e de ajudar o paciente a expressar suas ideias, preocupações e expectativas (IPE) para além dos dados da história do seu problema/sintoma e dos contornos psicológicos, sociais e ocupacionais.[18]

Nesse momento, o médico se posiciona como observador ativo e utiliza um amplo espectro de processos mentais – sua capacidade de observação e concentração, memória, conhecimentos e instintos.[15] Ele adota uma postura atenta a características-chave de situações clínicas comuns e a situações que fujam desses padrões, bem como dos problemas esperados para esse paciente, de acordo com as suas comorbidades e de outros conhecimentos prévios que o médico tenha sobre ele. A observação e a exploração da narrativa **induzem** o afunilamento do infinito universo de possibilidades em duas ou três hipóteses que serão exploradas ao longo da consulta, o que, na perspectiva da lógica aristotélica, equivale ao raciocínio indutivo – que parte dos dados particulares (informações obtidas do paciente) para a produção de hipóteses.

O oposto dessa postura seria direcionar ostensiva e deliberadamente sua atenção para o universo das doenças possíveis, para então **deduzir** o diagnóstico, testando uma infinidade de hipóteses.

A exploração indutiva, ao permitir abordagem ampla e integral dos problemas nos momentos iniciais da consulta, aproxima o raciocínio clínico de outros saberes mais consagrados do cuidado na APS. Dialoga, assim, com atributos essenciais e derivados da APS, com o método clínico centrado na pessoa[19] e com a medicina narrativa.[20] A abordagem se integra também às teorias sobre comunicação clínica na APS, até porque a comunicação é uma ação executora de objetivos estabelecidos ao longo de processos cognitivos invisíveis, de difícil caracterização pelo próprio profissional de saúde.[21]

Questionamento elucidativo (*descriptive questioning*)

O questionamento elucidativo complementa a construção da narrativa feita por meio da estratégia de exploração indutiva. Aqui, o médico passa a ter um maior controle sobre a condução da consulta e do raciocínio clínico. É a busca por meio de perguntas (preferencialmente abertas) direcionadas ao detalhamento dos sintomas e de aspectos associados ao problema. É feito com o intuito de atingir uma narrativa coerente para o médico. Inclui também uma exploração ampla que busque informações sobre o impacto da doença na vida do paciente, suas ideias, preocupações e expectativas, sobre a evolução dos sintomas, sobre o contexto psicológico social e ocupacional do paciente e sua família, e que não foram expressas na etapa anterior.

Três aspectos importantes da estratégia merecem destaque:

1. o raciocínio livre do paciente sobre o seu problema ainda deve ser estimulado sem bruscas interrupções. O foco das ações é a apresentação da narrativa do paciente. Cabe ao médico convidá-lo ativamente a reflexões mais profundas sobre aspectos mais relevantes do problema;

2. jargões comuns na apresentação do problema como "há muito tempo", "o tempo todo", "apareceu do nada" devem ser mais detalhados por meio de perguntas exploratórias;
3. os esforços do médico ainda devem estar voltados à construção de uma narrativa coerente. Ele deve evitar fechar precocemente seu raciocínio clínico em uma hipótese diagnóstica. Como será descrito adiante, a associação do problema do paciente com padrões reconhecidos e hipóteses diagnósticas é um reflexo mental inconsciente. No entanto, a definição prematura ou mesmo testagens específicas de uma hipótese frequentemente podem levar o médico a erros diagnósticos, pois perguntas direcionadas a obter do paciente respostas confirmatórias apresentam grande chance indutora de vieses, tanto na resposta dada pelo paciente quanto na interpretação dessa resposta pelo médico.[22]

Rotinas de avaliação (*triggered routines*)

As rotinas de avaliação são estratégias de raciocínio mais controladas pelo médico, mas ainda sem ter como fim a testagem das hipóteses diagnósticas específicas. São compostas por perguntas tanto abertas como fechadas, mas mais focadas e que buscam informações que o médico avalia serem relevantes sobre a área que circunda o problema, como informações específicas sobre um sistema orgânico ou qualificadores semânticos.

Os qualificadores semânticos são adjetivos que classificam as informações do paciente e as traduzem de modo a aproximá-las do conhecimento clínico organizado.[23] Eles delimitam os achados clínicos, facilitando a comparação com os *scripts* das doenças e o desenvolvimento do raciocínio. Alguns exemplos de qualificadores semânticos são distinções como agudo/crônico, monoarticular/oligoarticular/poliarticular, tosse seca/produtiva, etc.

As listas de verificação (*checklists*) para avaliação de sinais de alerta pertencem a essa estratégia de raciocínio. Os sinais de alerta são informações, normalmente com elevada sensibilidade, cujo objetivo é verificar a existência de sinais que denotem situações de maior gravidade ou urgência. Essas informações não estão necessariamente atreladas a uma hipótese diagnóstica específica, mas sim ao risco de ocorrência de um desfecho desfavorável ao paciente.

Os instrumentos de predição clínica também podem ser utilizados nesse momento, em especial aqueles não atrelados a uma hipótese específica, como os preditores de risco (Framingham, FRAX) ou de benefício de hospitalização. Esses instrumentos, no entanto, em sua maioria, têm função de avaliar hipóteses e serão abordados posteriormente.

MOMENTO DE REFINAMENTO DAS HIPÓTESES

Esse é o momento do raciocínio posicionado após a etapa inicial da consulta, quando já existe uma narrativa do problema e hipóteses de trabalho bem definidas. Seu objetivo principal consiste em testar essas hipóteses a fim de obter:

→ uma maior certeza probabilística;
→ a sua confirmação;
→ a sua exclusão;
→ a suspensão temporária de uma hipótese enquanto se estudam outras hipóteses mais prováveis ou pertinentes.

O refinamento diagnóstico é composto por estratégias racionais diversas, cada uma com um objetivo específico a ser utilizado. As estratégias podem estar incorporadas em roteiros mentais de médicos mais experientes, mais próprios do raciocínio intuitivo, mas são apresentadas, a seguir, em sua formulação analítica.

Estratégia 1: diagnósticos diferenciais por categorias

O método descrito por Murtagh[24] é uma forma sistematizada de lidar com diagnósticos diferenciais em momentos de insegurança e também é muito útil para fins didáticos. Consiste no exercício mental de listar forçadamente diagnósticos diferenciais seguindo algumas categorias que seriam acionadas quando respondemos às seguintes perguntas:

1. Quais são os diagnósticos mais prováveis?
2. Que doenças mais graves não podem ser esquecidas?
3. Quais condições são frequentemente esquecidas (armadilhas)?
4. O paciente pode ter uma das **condições mascaradas** (TABELA 55.1) da prática médica?
5. O paciente está querendo nos dizer algo mais?

Ao organizar uma lista das possíveis causas para o problema, o método contribui para prevenção de erros,[25] relembrando condições pouco frequentes e que são comumente esquecidas, e prevenindo que causas graves e preocupantes ocupem todo o conjunto de possibilidades. Diversos capítulos deste livro usam as três primeiras perguntas listadas acima para estruturar o raciocínio clínico diagnóstico.

Estratégia 2: pistas anatomopatológicas

Um estudo que avaliou consultas de médicos de família experientes sugeriu que os conhecimentos sobre ciências básicas, como fisiopatologia e anatomia, são coadjuvantes no processo de raciocínio clínico.[11] São utilizados mais como pistas de memória para trazer à consciência hipóteses em momentos de maiores dúvidas do que para o refinamento ou a definição de uma conduta.

TABELA 55.1 → Condições mascaradas na prática médica segundo Murtagh

Condições mascaradas ocorrem com doenças que possuem muitos sintomas e os sintomas são indiferenciados, devendo ser consideradas sempre que houver um dilema diagnóstico. Segundo Murtagh, há sete condições mascaradas comuns e outras mais raras, listadas a seguir.	
Condições mascaradas mais comuns	Depressão, diabetes melito, uso de drogas (iatrogenia e abuso), anemia, distúrbios da tireoide, disfunção espinal, infecção do trato urinário (em pessoas muito idosas ou muito jovens)
Condições mascaradas mais raras	Insuficiência renal crônica, doença maligna, Aids, infecções de mais difícil identificação (virais, bacterianas ou por protozoários), dilemas neurológicos e doenças do tecido vascular e conectivo

O conhecimento fisiopatológico é fundamental para a pesquisa clínica e a elaboração de novos conhecimentos, novos testes e novas terapias. No entanto, no raciocínio clínico da consulta, os conhecimentos advindos das evidências clínicas e da epidemiologia são mais utilizados.[26] A atribuição de um papel hipertrofiado à análise anatomopatológica durante a consulta clínica pode trazer como consequências a supervalorização de hipóteses raras e a solicitação exagerada de exames complementares com o objetivo de "enxergar" o problema em seus aspectos fisiopatológicos.

Estratégia 3: raciocínio hipotético-dedutivo ou pensamento probabilístico

O raciocínio hipotético-dedutivo[27] é uma estratégia analítica de maior interface com a lógica bayesiana e com alguns conceitos da epidemiologia clínica, como razão de verossimilhança, sensibilidade, especificidade, probabilidade pré e pós-teste. (Ver Capítulo Conceitos de Epidemiologia Clínica para a Tomada de Decisões Clínicas na Atenção Primária.)

Sua utilização é mais relevante quando a dúvida sobre a necessidade de exames complementares e sua interpretação têm implicações clínicas importantes. Apesar de não ser evidente, esse raciocínio está implícito sempre que o médico parar para pensar se um teste é útil para "entender o que está acontecendo com esse paciente".

Por exemplo, ao procurar o sinal de Murphy em um paciente com dor abdominal, ele está realizando um teste para confirmar a hipótese de que colecistite seria a causa da dor, acreditando que um resultado positivo ou negativo pode contribuir para valorizar ou desvalorizar sua hipótese. No entanto, essa informação seria suficiente para excluir ou confirmar a hipótese? Será que o teste clínico tem acurácia suficiente para sustentar uma definição diagnóstica?

O raciocínio hipotético-dedutivo atua de forma ponderada sobre essas questões, para que um teste positivo não seja sinônimo da confirmação da hipótese de colecistite e um teste negativo não a exclua, mas sim atuem no raciocínio, aumentando ou diminuindo a probabilidade de a colecistite ser a causa da dor.

Abordagem prática do raciocínio hipotético-dedutivo

Considerando o contexto deste tópico, focado em sinais e sintomas, é importante frisar que qualquer tipo de nova informação obtida para confrontar uma hipótese pode ser considerada como um teste diagnóstico. Um achado do exame físico ou uma pergunta direcionada para esclarecer uma hipótese têm o mesmo papel de um exame complementar. Todos são considerados, no âmbito do raciocínio probabilístico, informações capazes de alterar a probabilidade de uma hipótese.

Desde o início, cada hipótese diagnóstica possui uma probabilidade própria de ser a causa do problema, a chamada probabilidade pré-teste. Estimar cada uma delas e decidir quais são e como testá-las não é simples para quem está iniciando, mas a facilidade aumenta com a experiência.

O valor da probabilidade pode resultar de informações como a prevalência do problema na população geral, o resultado de um exame complementar ou a prevalência em uma população específica. No entanto, essas informações objetivas nem sempre estão disponíveis, seja na memória ou em fontes de consultas imediatas. Mesmo quando disponíveis, sua utilização demanda adaptação dos dados às especificidades do paciente.

Na prática, portanto, essa probabilidade pré-teste é a melhor estimativa clínica advinda de avaliações subjetivas sobrepostas com a probabilidade estimada de esse problema estar acontecendo.

Limiares de decisão

Quando a probabilidade de uma determinada doença é suficientemente alta, dizemos que ela ultrapassou o limiar para iniciar o tratamento (FIGURA 55.2),[28] ou seja, as informações disponíveis até o momento já promovem segurança suficiente para a tomada de decisões, de forma que outras informações ou testagens seriam pouco úteis, trazendo mais riscos e custos que benefícios. Essa forma de descrever a decisão clínica é conhecida como teoria dos limiares e é muito útil em processos didáticos e no aprendizado de como lidar com incertezas.

Quando não há uma hipótese predominante, a probabilidade das hipóteses se situa abaixo do limiar terapêutico. A partir daí, os testes utilizados irão alterar, com seus resultados, as probabilidades das hipóteses em avaliação. A utilização seriada de testes é realizada até que uma das hipóteses atinja uma probabilidade acima do limiar e até que seja considerada suficientemente segura para prosseguir na etapa terapêutica (ver FIGURA 55.2).

A FIGURA 55.3 mostra as situações clínicas diversas que alteram os limiares de decisão, dependentes de fatores como gravidade da doença, presença de sinais de emergência, características relacionadas aos exames e efetividade do tratamento a ser instituído. Outros fatores, como custo ou facilidade de acesso a um exame, vigência de epidemia ou

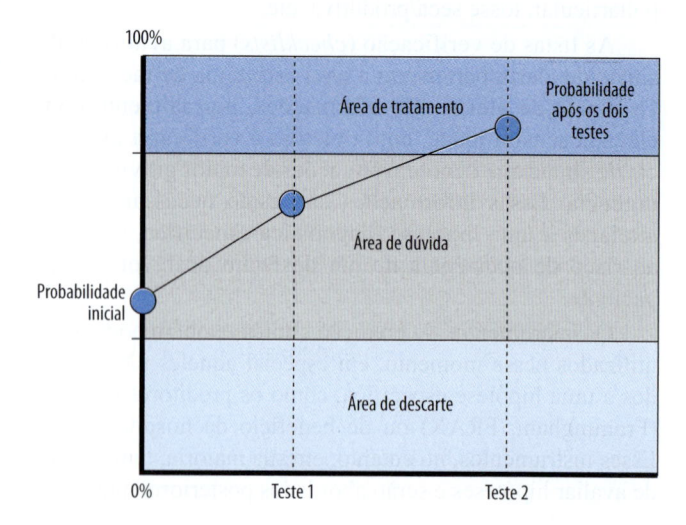

FIGURA 55.2 → Gráfico demonstrativo dos limiares de decisão. O eixo Y é dividido em três limiares: o médico 1) tem segurança para iniciar o tratamento (área de tratamento); 2) tem dúvida sobre como proceder (área de dúvida); ou 3) considera suficientemente pequena a probabilidade da hipótese diagnóstica, podendo deixar de ser considerada (área de descarte).
Fonte: Pauker e Kassirer.[28]

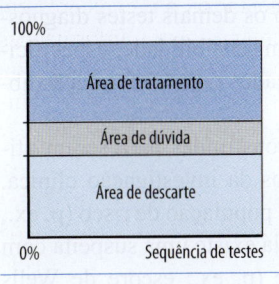

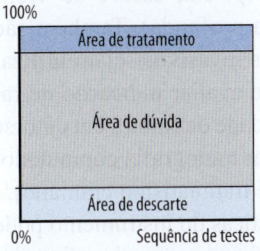

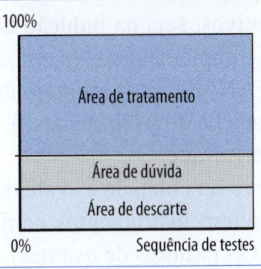

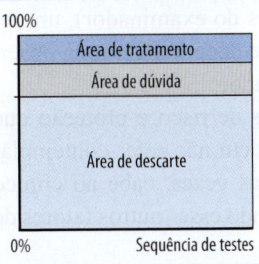

FIGURA 55.3 → Limiares distintos para situações clínicas diversas.

mesmo a expectativa e a preocupação do médico ou do paciente, também são capazes de alterar os limiares. Nessas situações, compartilhar a definição de limiares com o paciente pode contribuir para melhores decisões clínicas.

Razões de verossimilhança (*likelihood ratio*)

O que determina o quanto um teste altera a probabilidade de uma hipótese? Isso pode ser compreendido com a utilização da razão de verossimilhança (RV). A RV é uma grandeza derivada da sensibilidade e da especificidade dos testes. Ela representa o quanto um resultado positivo ou negativo altera a probabilidade pré-teste de uma hipótese. Ao aplicar a RV à probabilidade pré-teste, o resultado será a probabilidade pós-teste.

Para testes com resultado positivo, a RV varia de 1 até o infinito. Na RV+, quanto maior o seu valor, melhor é um teste e maior o seu impacto sobre a probabilidade inicial.

Para testes com resultado negativo, a razão de verossimilhança (RV−) varia de 1 até zero. Na RV−, quanto mais próximo de 0, melhor o teste e maior será esse impacto. Ou seja, quanto mais próximo de 1, menos a RV de um teste impacta a mudança de uma probabilidade pré-teste para uma probabilidade pós-teste.

Embora não seja difícil calcular a probabilidade pós-teste diretamente quando se dispõem da probabilidade e da RV, o cálculo envolve transformar probabilidade em *odds* e *odds* em probabilidade, o que não é muito prático na clínica. Calculadoras estão disponíveis para esse fim (ver QR code).

A utilização do nomograma de Fagan **(FIGURA 55.4)** também facilita o processo. Nessa régua, traça-se uma linha reta, ligando a probabilidade pré-teste ao valor da RV (positivo ou negativo); a continuidade dessa linha demonstra a probabilidade final. De forma geral, uma informação, ou um conjunto delas, de valor positivo e de alta especificidade ou elevado valor de RV (RV+ > 10) tem potencial para se configurar como característica-chave para a confirmação de um diagnóstico. Por outro lado, as informações negativas de alta sensibilidade ou de baixo RV (RV− < 0,1) têm potencial para excluir uma hipótese.

O conhecimento (ou o fácil acesso) do valor ou da ordem de grandeza dos testes (RV alta, baixa e mediana) possibilita uma avaliação mais qualificada do impacto dos testes sobre as hipóteses diagnósticas, auxiliando na decisão de solicitar ou não exames complementares e quais solicitar.

Valores de probabilidade pré-teste e RVs podem ser encontrados nos capítulos deste livro ou em obras focadas na abordagem baseada em evidências de sinais e sintomas, como *Symptom to diagnosis*,[10] *The rational clinical*

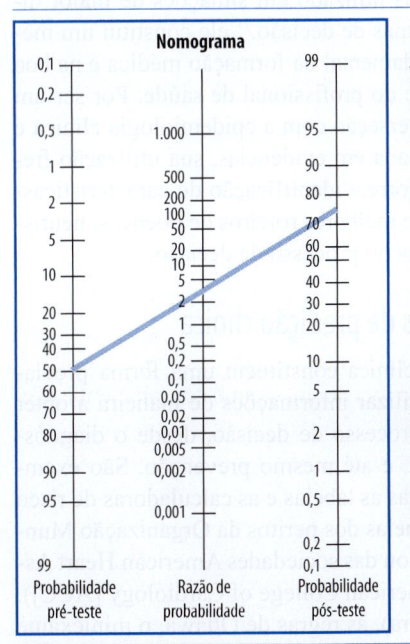

Em um caso de uma mulher jovem com disúria e polaciúria, levantamos duas possíveis causas: infecção do trato urinário (ITU) e vulvovaginite.
A probabilidade pré-teste de ITU em mulheres com um ou mais sintomas é de aproximadamente 50%. Para refinar o diagnóstico, perguntamos se ela apresenta corrimento vaginal, pois, na sua ausência, a probabilidade de ITU aumenta (RV ≅ 3).
Com a resposta negativa (ver nomograma) a probabilidade que era de 50% (pré-teste) passa para 75% (pós-teste). Essa maior probabilidade, aliada a um tratamento efetivo e com poucos efeitos adversos, justifica a decisão de tratamento empírico para ITU sem a realização de cultura ou fita urinária.[29]

FIGURA 55.4 → Nomograma para utilização da razão de verossimilhança (RV) na transformação de uma probabilidade pré-teste em pós-teste.

examination[29] e *The patient history*,[30] bem como em plataformas digitais (p. ex., DynaMed e UpToDate).

A RV também ajuda a compreender por que não devem ser testadas todas as hipóteses diagnósticas que surgem durante uma consulta. Nas hipóteses de baixa probabilidade pré-teste, seja por baixa prevalência, seja por similaridade apenas remota com o padrão, mesmo testes com uma grande RV seriam incapazes de elevar a probabilidade o suficiente para chegar ao limiar terapêutico. Em outras palavras, hipóteses pouco prováveis, mesmo diante de um teste positivo bom, se tornarão apenas "um pouco mais prováveis", pois a probabilidade pós-teste depende da probabilidade pré-teste.

A utilização de testes em situações de baixa prevalência é uma causa frequente de erros por resultados falso-positivos e desencadeamento de cascata diagnóstica nociva. Se não constituírem razão para um risco iminente à vida do paciente, hipóteses muito raras ou de muito baixa probabilidade são mais bem manejadas como hipóteses possíveis, acionadas apenas quando outras mais prováveis tiverem sido descartadas, como discutido mais adiante.

Características-chave (*key features*)

No raciocínio hipotético-dedutivo, as características de um teste que têm maior sensibilidade ou especificidade, e consequentemente maior RV+ e RV–, são conhecidas como características-chave.[31]

Essas características são "chave" por permitirem diferenciar os aspectos clínicos mais importantes dos menos relevantes para cada hipótese[32] no processo de tomada de decisão. Alguns exemplos são a bulha cardíaca B3 utilizada no diagnóstico de insuficiência cardíaca (RV+ = 11) em paciente com dispneia e o sinal de Flick para síndrome do túnel do carpo (RV+ = 21) em paciente com disestesia da mão.

É importante ressaltar que, apesar de o modelo hipotético dedutivo ser mais utilizado em situações de maior dificuldade ou em dilemas de decisão,[11] ele constitui um método diagnóstico fundamental na formação médica e na boa educação permanente do profissional de saúde. Por ser um método de grande interseção com a epidemiologia clínica e com a medicina baseada em evidências, sua utilização frequente possibilita a correta identificação de características-chave, a formação de melhores roteiros de doenças, heurísticas sólidas e eficazes no processo de decisão.

Estratégia 4: regras de predição clínica

Regras de predição clínica constituem uma forma previamente validada de utilizar informações de maneira a obter resultados úteis no processo de decisão, desde o diagnóstico até a terapêutica, e até mesmo prevenção. São exemplos dessas ferramentas as tabelas e as calculadoras de risco cardiovascular (as tabelas dos peritos da Organização Mundial da Saúde [OMS] ou das sociedades American Heart Association [AHA]/ American College of Cardiology [ACC]), FRAX (risco de fratura), as regras de Ottawa, o miniexame do estado mental, etc.

Por sua aplicabilidade, são bastante utilizadas. No entanto, é importante situá-las dentro da complexidade do raciocínio clínico, pois, como os demais testes diagnósticos, esses instrumentos possuem sensibilidade, especificidade e RV e não podem ser utilizados como informação absoluta, desprovida de erro.

As regras de predição são construídas para serem utilizadas em momentos específicos da investigação clínica. Por exemplo, no rastreamento de população de risco (p. ex., risco cardiovascular) ou quando já existe uma suspeita com razoável probabilidade pré-teste (p. ex., escore de Wells para suspeita de trombose venosa profunda). Também são úteis para evitar que exames mais invasivos sejam utilizados (p. ex., regras de Ottawa para avaliar indicação de radiografia para investigar possibilidade de fratura em entorse de tornozelo, ou regras para indicar tomografia computadorizada de crânio para avaliação de traumatismo craniano).

Não considerar essas caraterísticas do instrumento pode prejudicar o raciocínio clínico, seja por meio dos diagnósticos falso-positivos ou falso-negativos, seja na indução de solicitação equivocada de exames complementares (p. ex., a solicitação de fator antinuclear [FAN] ou fator reumatoide [FR] em investigação indiscriminada de dores articulares).

Além disso, é importante observar que:
→ cada componente do escore deve ser coletado e avaliado de forma independente. Por serem instrumentos compostos por informações objetivas (valores de exames) e outras subjetivas (dependentes do examinador), um resultado positivo em um exame pode induzir uma observação equivocada do examinador;
→ outras informações ou fatores de risco e proteção que interferem no diagnóstico podem não estar contemplados no escore. Na maioria das vezes, cabe ao clínico ponderar os resultados, incluindo esses outros fatores de risco e de proteção;
→ os escores, algoritmos e consensos são elaborados para uma população específica de uma determinada região ou país que tem especificidades genéticas, climáticas, etárias, alimentares e culturais, além de acesso diferente a recursos econômicos ou de assistência à saúde. Essas características frequentemente interferem ou conflituam com especificidades de outras regiões, cabendo novamente ao clínico avaliar a pertinência e a adaptabilidade dessas ferramentas à realidade do seu paciente.

> A capacidade de pensar de forma complacente[33] é um domínio mental fundamental durante o processo de raciocínio clínico e na aplicação de evidências clínicas. Isso não significa utilizar evidências ruins, mas extrapolar boas evidências, adequando-as ao contexto específico.

ESTRATÉGIAS PARA DEFINIÇÕES DA CONSULTA

O plano de ação diante do paciente que está diante do médico deve ser balizado, entre outros fatores, pelo grau de certeza ou incerteza que há na lista de possíveis diagnósticos. Algumas estratégias úteis são abordadas a seguir.

Prova terapêutica

A prova terapêutica é uma estratégia que se propõe a solucionar diagnósticos incertos, mas prováveis, iniciando um tratamento e utilizando seu desfecho como teste para sua confirmação.[34] É muito utilizada na APS, uma vez que, nesse nível de atenção, as doenças frequentemente se manifestam em estágios iniciais e indiferenciados, portanto mais incertos. É um teste diagnóstico que possui algumas características:

→ deve ser realizado de forma planejada, tanto na terapêutica empregada quanto no prazo de reavaliação do paciente;
→ é mais útil em apresentações clínicas atípicas ou quadros ainda indefinidos, quando existem várias possibilidades diagnósticas e o teste terapêutico se apresenta como uma possibilidade custo-efetiva e de baixo risco;
→ pode ser usado quando se quer testar uma entre várias possibilidades terapêuticas;
→ o tratamento utilizado como teste deve ser reconhecidamente eficaz;
→ o desfecho deve, preferencialmente, ser mensurado de forma objetiva e em curto prazo.

É importante estar atento aos vieses cognitivos da prova terapêutica, em especial por serem práticas adaptadas e pouco estudadas para esse fim.[34] Falsos-positivos podem surgir de efeito-placebo, remissão espontânea e pelo fato de um tratamento poder ser eficaz em diferentes situações clínicas. Falsos-negativos podem ocorrer por subdose ou tempo de tratamento reduzido ou, ainda, por pacientes especialmente não responsivos, ou quando a eficácia do tratamento é insuficiente para seu uso como teste terapêutico (elevado NNT).[35]

Demora permitida (uso do teste do tempo)

A apresentação de problemas em estágios iniciais de evolução ou em situações de raridade torna o tempo um recurso valioso como ferramenta diagnóstica na APS. O conceito de demora permitida, desenvolvido no Capítulo O Diagnóstico Clínico: Estratégias e Táticas, pelo seu autor, é uma estratégia em que se utiliza o acompanhamento ao longo de um período definido para permitir que um quadro clínico ainda indefinido, porém de prognóstico aparentemente benigno, se defina melhor,[36] antes de fazer uma intervenção, seja ela diagnóstica ou terapêutica.

A estratégia é utilizada em situações não emergenciais (de baixo risco iminente), depois que já se tenha clareza do contexto do paciente. Ao observar (de forma assistida) a evolução de um quadro clínico ou de um problema, o médico poderá diferenciá-lo de outros quadros de início semelhante, o que aumentará a probabilidade pré-teste de uma hipótese principal, podendo abordá-la de forma mais qualificada. A estratégia permite evitar tratamentos e exames desnecessários,[37-39] respeitando o fato de que boa parte dos problemas em saúde trazidos pelos pacientes evoluem naturalmente para uma resolução espontânea.

É importante que a demora permitida seja fruto de uma decisão compartilhada e que sejam utilizados parâmetros científicos na determinação do tempo de espera, da estratégia utilizada para cuidar de sintomas indesejados e da observação assistida (incluindo parâmetros para retorno ou teleatendimento). É importante também que haja pactuação sobre o que fazer em caso de complicações excepcionais. Isso corresponde ao componente da rede de segurança, que ocorre na etapa final dos modelos de consulta clínica (ver Capítulo 10, Modelo de Consulta e Habilidades de Comunicação).

VIESES NO RACIOCÍNIO CLÍNICO

Apesar de trazer consigo uma conotação negativa, o viés é uma característica inerente ao processo de raciocínio. A palavra "viés" deriva do grego, significando "oblíquo" ou "linha diagonal", e pode ser definida como uma disposição cognitiva para uma determinada resposta, independentemente de ela estar certa ou errada.[22] Pode, portanto, ser observada em qualquer consulta quando se atenta para o quanto um médico está previamente inclinado a assumir uma determinada conduta. Médicos possuem vieses de conduta e diagnósticos de acordo com o ambiente onde estão praticando, com sua formação, com os recursos aos quais têm acesso, com a especialidade praticada[40] e com características pessoais.

Os vieses, portanto, só são considerados erros quando direcionam fortemente para uma conclusão ou resultado não desejado ou, ainda, quando ocorrem de maneira despercebida ou incontrolada, sendo decorrência direta da operação do sistema intuitivo. Reconhecer e ter a capacidade de detectá-los é o primeiro passo para minimizá-los e reduzir suas consequências. A seguir, estão listados alguns desses vieses:[22,41]

→ **ancoragem:** a tendência de confiar e se fixar na primeira informação oferecida (a "âncora") ou mesmo no primeiro diagnóstico que venha à mente;
→ **encerramento prematuro:** a tendência para fechar prematuramente o processo de tomada de decisão e aceitar um diagnóstico antes que esta e outras possibilidades tenham sido totalmente exploradas;
→ **disponibilidade:** a tendência em atribuir uma probabilidade a uma doença de acordo com a vivacidade da memória, tanto por contato recente, quanto por contato com casos emblemáticos, ou por ter estudado recentemente uma condição em particular;
→ **viés de determinação:** acontece quando o clínico enxerga aquilo que ele espera ver ("profecia autorrealizável"); é a tendência de interpretar as informações disponíveis ou de procurar na história informações com o objetivo de confirmar uma concepção já definida;
→ **negligência da taxa-base:** a tendência a ignorar a probabilidade pré-teste de uma doença, distorcendo o raciocínio bayesiano;
→ **viés de comprometimento:** ação decorrente de forte desejo para "fazer alguma coisa"; a tendência que o clínico pode ter para a ação, mesmo quando não há o que fazer ou quando a melhor conduta é observar e aguardar;
→ **erro de atribuição:** processo de atribuir causalidade a eventos observados de forma prematura – por exemplo, quando o clínico define um diagnóstico com base na

melhora de um paciente por um determinado tratamento ministrado;
→ **a falácia do jogador:** a crença equivocada de que, se algo acontece com mais frequência do que o normal, isso acontecerá com menos frequência no futuro (ou vice-versa);
→ **viés da retrospectiva:** o conhecimento do resultado (particularmente os mais dramáticos) influencia profundamente a avaliação de eventos passados e a tomada de decisões futuras, impedindo uma avaliação realista do que realmente ocorreu;
→ **vieses decorrentes de preconceitos:** diferenças de tratamento, empenho e uso de preconcepções com base no seu gênero, cor de pele ou orientação sexual;
→ **inércia diagnóstica:** uma vez que um rótulo de diagnóstico tenha sido anexado a um paciente (pelo próprio paciente ou por outros profissionais de saúde), ele pode ganhar impulso a cada novo atendimento, sem ser revisado e sem que outras explicações sejam consideradas;
→ **guarda-chuva de problemas:** quando um diagnóstico passar a ser explicação para outros problemas não necessariamente relacionados a ele;
→ **diagnóstico de exclusão:** diagnóstico estabelecido sem evidências próprias, apenas porque não foram encontradas outras explicações. Normalmente se trata de uma condição que não apresenta sinais ou sintomas muito específicos, e o diagnóstico frequentemente se torna apenas um rótulo desnecessário, que pouco acrescenta ao cuidado;
→ **consulta de exame:** resultados de exames solicitados por outros profissionais sob forma de "resposta a perguntas que não fizemos" (e muitas vezes que não faríamos). Nesses casos, a sequência do raciocínio clínico é subvertida e uma informação clínica não necessariamente relevante se apresenta sob forma de problemas;
→ **incidentalomas:** informações verdadeiras, porém irrelevantes para a condução do cuidado (incidentalomas). São supervalorizadas e geram uma cascata de avaliações e cuidados desnecessários;
→ **artefato de especialistas:** diagnóstico muito específico que destaca um determinado sintoma em uma síndrome mais ampla. Isso é frequente nas síndromes funcionais, cujos diagnósticos são definidos pelo olhar de diferentes especialistas. Por exemplo, uma pessoa com quadro de ansiedade, com aumento da frequência evacuatória, fadiga e dores no corpo, quando avaliada sob o prisma de diferentes especialidades, poderia receber diferentes diagnósticos, como síndrome do intestino irritável, síndrome da fadiga crônica ou transtorno de ansiedade. Nessas situações, é importante assegurar que o diagnóstico específico não se constitua em apenas mais um rótulo que aumentará a impressão de estar ainda mais doente. Embora esses diagnósticos possam ser importantes para o médico acessar as evidências para o manejo de cada componente, para o paciente é preciso que seja esclarecido que se está falando do quadro mais amplo. (Ver Capítulo Abordando os Sintomas Físicos de Difícil Caracterização.)
→ **sobrediagnóstico:** diagnóstico correto realizado no momento errado; erro de prognóstico. Nessas situações, a existência do diagnóstico não gera benefícios para a saúde do paciente – pelo contrário, traz apenas os efeitos colaterais e os riscos inerentes ao cuidado.

METACOGNIÇÃO

Metacognição é a habilidade de pensar sobre como se está pensando,[42] ou seja, é a capacidade de estabelecer a vigilância sobre os processos mentais e avaliar se eles são adequados para o enfrentamento da situação vivenciada. Segundo Croskerry[42], a metacognição é o caminho para o desenvolvimento de estratégias de melhoria em nossa tomada de decisões.

A metacognição permite ao médico também observar seus próprios limites do estado físico e mental e das estruturas que sustentam as decisões tomadas para, a partir daí, ponderar sobre os riscos inerentes à consulta e a todo o processo racional que a envolve.

A partir da metacognição, é possível aprimorar a relação estabelecida entre os dois sistemas de raciocínio (intuitivo e analítico), instituir estratégias para o início, o refinamento e as decisões finais, estar atento aos vieses e estabelecer uma rotina de prevenção de erros.

Nessa perspectiva, apresentamos cinco sugestões de perguntas para serem utilizadas ao longo da consulta ou ao final da consulta. Seus objetivos são estabelecer, de forma simples, uma autoavaliação da consulta como processo cognitivo compartilhado com o paciente e estimular o aperfeiçoamento gradativo do raciocínio clínico e da metacognição do médico que atua na APS. São elas:

1. Considerei, estimulei e convidei o paciente a raciocinar na apresentação do seu problema, na busca de causalidades, na definição diagnóstica e na elaboração do plano?
2. Tenho consciência das estratégias de raciocínio que utilizei na consulta?
3. Tenho segurança nos dados e evidências que utilizei analiticamente na minha tomada de decisão?
4. Consigo identificar as informações-chave que orientaram a minha decisão?
5. Considerei possíveis vieses de diagnóstico e conduta?

REFERÊNCIAS

1. Tuckett D. Meetings between experts: an approach to sharing ideas in medical consultations. London; New York: Tavistock; 1985. 290 p.
2. Sociedade Brasileira de Medicina de Família e Comunidade. Currículo baseado em competências para medicina de família e comunidade [Internet]. Rio de Janeiro: SBMFC; 2014 [capturado em 11 jul. 2021]. Disponível em: http://www.sbmfc.org.br/wp-content/uploads/media/Curriculo%20Baseado%20em%20Competencias(1).pdf.
3. Bösner S, Abushi J, Feufel M, Donner-Banzhoff N. Diagnostic strategies in general practice and the emergency department: a comparative qualitative analysis. BMJ Open. 2019;9(5):e026222.
4. Norman GR, Coblentz CL, Brooks LR, Babcook CJ. Expertise in visual diagnosis: a review of the literature. Acad Med. 1992;67(10):S78-83.
5. Croskerry P. A universal model of diagnostic reasoning. Acad Med. 2009;84(8):1022–8.
6. Kahneman D. Thinking, fast and slow. New York: Farrar, Straus and Giroux; 2013. 499 p.

7. Evans JStBT, Stanovich KE. Dual-process theories of higher cognition: advancing the debate. Perspect Psychol Sci. 2013;8(3):223–41.
8. Hruska P, Krigolson O, Coderre S, McLaughlin K, Cortese F, Doig C, et al. Working memory, reasoning, and expertise in medicine—insights into their relationship using functional neuroimaging. Adv Health Sci Educ. 2016;21(5):935–52.
9. Todd PM, Gigerenzer G, editors. Ecological rationality: intelligence in the world. Oxford ; New York: Oxford University; 2012. 590 p. (Evolution and cognition series).
10. Stern S, Cifu A, Altkorn D. Symptom to diagnosis an evidence based guide. 4th ed. New York: McGraw-Hill Education; 2019. 624 p.
11. Heneghan C, Glasziou P, Thompson M, Rose P, Balla J, Lasserson D, et al. Diagnostic strategies used in primary care. BMJ. 2009;338:b946.
12. Biswas A. Gut feeling: does it have a place in the modern physician's toolkit? Med Teach. 2015;37(4):309–11.
13. Charlin B, Tardif J, Boshuizen HPA. Scripts and medical diagnostic knowledge: theory and applications for clinical reasoning instruction and research. Acad Med. 2000;75(2):182–90.
14. Cooper N, Frain J, editors. ABC of clinical reasoning. Hoboken: John Wiley & Sons; 2016.
15. Donner-Banzhoff N, Seidel J, Sikeler AM, Bösner S, Vogelmeier M, Westram A, et al. The phenomenology of the diagnostic process: a primary care–based survey. Med Decis Making. 2017;37(1):27–34.
16. Donner-Banzhoff N, Hertwig R. Inductive foraging: improving the diagnostic yield of primary care consultations. Eur J Gen Pract. 2014;20(1):69–73.
17. Neighbour R. The inner consultation: how to develop an effective and intuitive consulting style. 2nd. ed. Oxford: Radcliffe; 2005. 275 p.
18. Silverman J, Kurtz SM, Draper J. Skills for communicating with patients. 3rd. ed. London; New York: Radcliffe; 2013. 305 p.
19. Stewart M, Brown JB, Weston WW, McWhinney IR, McWilliam CL, Freeman TR. Medicina centrada na pessoa: transformando o método clínico. 3. ed. Porto Alegre: Artmed; 2017. 416 p.
20. Greenhalgh T. Narrative based medicine: narrative based medicine in an evidence based world. BMJ. 1999;318(7179):323–5.
21. Tesser CD. Cuidado clínico e sobremedicalização na atenção primária à saúde. Trab Educ E Saúde. 2019;17(2):e0020537.
22. Croskerry P. Achieving quality in clinical decision making: cognitive strategies and detection of bias. Acad Emerg Med. 2002;9(11):1184–204.
23. Bordage G. Prototypes and semantic qualifiers: from past to present: commentaries. Med Educ. 2007;41(12):1117–21.
24. Murtagh J, Rosenblatt J. John Murtagh's general practice. 6th ed. North Ryde: McGraw-Hill Education; 2015. 1603 p.
25. Croskerry P. Cognitive forcing strategies in clinical decision making. Ann Emerg Med. 2003;41(1):110–20.
26. Kassirer JP, Wong JB, Kopelman RI. Learning clinical reasoning. 2nd ed. Baltimore: Lippincott Williams & Wilkins Health; 2010. 329 p.
27. Elstein A S, Shulman LS, Sprafka SA. Medical problem solving: an analysis of clinical reasoning. Newsl Sci Technol Hum Values. 1978;3(3):50–1.
28. Pauker SG, Kassirer JP. The threshold approach to clinical decision making. N Engl J Med. 1980;302(20):1109–17.
29. Simel DL, Rennie D, Keitz SA, editors. The rational clinical examination: evidence-based clinical diagnosis. New York: McGraw-Hill; 2009. 744 p.
30. Henderson M, Tierney L, Smetana G. Patient history. New York: McGraw-Hill; 2012
31. Page G, Bordage G, Allen T. Developing key-feature problems and examinations to assess clinical decision-making skills: Acad Med. 1995;70(3):194–201.
32. Botti SH de O, Rego S. Processo ensino-aprendizagem na residência médica. Rev Bras Educ Médica. 2010;34(1):132–40.
33. Correia LC. Aplicabilidade de evidências sobre terapia: princípio da complacência. Medicina Baseada em Evidências [Internet]. 2012 [capturado em 11 jul. 2021]. Disponível em: https://medicinabaseadaemevidencias.blogspot.com/2012/07/aplicabilidade-de-evidencias-sobre.html.
34. Glasziou P, Rose P, Heneghan C, Balla J. Diagnosis using "test of treatment". BMJ. 2009;338:b1312.
35. Mustafa FA. Test of treatment in psychiatric practice. Psychopharmacol Bull. 2011;44(1):61–4.
36. Kloetzel K. Raciocínio clínico. São Paulo: EPU Pedagógica e Universitária; 1977.
37. May L, Franks P, Jerant A, Fenton J. Watchful waiting strategy may reduce low-value diagnostic testing. J Am Board Fam Med. 2016;29(6):710–7.
38. Islam R, Weir CR, Jones M, Del Fiol G, Samore MH. Understanding complex clinical reasoning in infectious diseases for improving clinical decision support design. BMC Med Inform Decis Mak. 2015;15(1):101.
39. Irving G, Holden J. The time-efficiency principle: time as the key diagnostic strategy in primary care. Fam Pract. 2013;30(4):386–9.
40. Wessely S, Nimnuan C, Sharpe M. Functional somatic syndromes: one or many? Lancet. 1999;354(9182):936–9.
41. Barddal R. Raciocínio clínico e ergonomia cognitiva: uma abordagem dos erros diagnósticos a partir da teoria dos dois sistemas. [dissertação]. Florianópolis: Universidade Federal de Santa Catarina; 2016.
42. Croskerry P. Metacognition and cognitive debiasing. In: Cooper N, Frain J, editors. ABC of clinical reasoning. Hoboken: John Wiley & Sons; 2016. p. 33-38.

Capítulo 56
ALTERAÇÕES DO SONO

Gabriela de Moraes Costa
Leonardo Evangelista da Silveira
Felipe Gutiérrez Carvalho
Maria Paz Hidalgo
Analuiza Camozzato

As funções fisiológicas do sono têm sido o foco de muitos estudos. Em estudos de privação do sono e neuroimagem, a ativação e a desativação de determinadas áreas cerebrais, cujas funções são conhecidas, sugerem que o sono possui importante papel na consolidação dos processos de aprendizagem e memória, bem como na regulação da temperatura corporal, dos processos autonômicos e do apetite. Hoje dormimos cerca de 25% menos do que nossos ancestrais dormiam um século atrás, embora não haja evidências de que tenhamos menos necessidade de sono.[1]

Ao longo de uma noite típica, as fases REM (do inglês, *rapid eye movement*) e NREM (do inglês, *non-rapid eye movement*) se alternam periodicamente. Na primeira parte da noite, ocorre a maior parte do sono NREM profundo (estágio de ondas lentas).[2] Mais próximo da manhã, os episódios de sono REM se tornam mais longos e intensos, com maior número de movimentos oculares e sonhos mais complexos.

Os estágios do sono e seus principais parâmetros eletrofisiológicos estão sumarizados na **TABELA 56.1**.[3]

Oscilações circadianas nos diferentes níveis biológicos (manifestações moleculares, fisiológicas e comportamentais) influenciam os parâmetros de sono de forma significativa, sendo o ritmo sono/vigília o comportamento que mais claramente se evidencia no nosso componente circadiano.[4] As necessidades individuais de sono para manter um nível diário adequado de vigília, bem como a sensibilidade e a capacidade de adaptação à privação de sono, são bastante variáveis entre as pessoas.[3] Os indivíduos variam tanto nas fases quanto na duração do sono.

Com relação à fase do sono, as pessoas podem ser caracterizadas em uma dimensão que vai desde os matutinos extremos aos vespertinos extremos. Os matutinos são aqueles que espontaneamente acordam e dormem cedo e se sentem completamente aptos no início do dia para realizar suas tarefas. Os vespertinos são aqueles que acordam e dormem tarde e apresentam maior disposição à noite.

Já a diminuição do tempo de sono pode ser consequência de hábitos de vida, fatores ambientais ou presença de doença ou de um transtorno do sono-vigília.[5] A diminuição da duração do sono parece estar associada a maior mortalidade.[6,7] As entidades National Sleep Foundation (NSF) (dos Estados Unidos), American Academy of Sleep Medicine (AASM) e Sleep Research Society (SRS) reconhecem ser adequado para um indivíduo adulto uma duração de sono de 7 a 9 horas/noite (7-8 horas/noite em indivíduos com idade > 65 anos).[8,9] Portanto, na avaliação clínica do sono é fundamental caracterizar o sono e a vigília antes da percepção da alteração do sono.

As alterações do sono (aumento ou redução, bem como má qualidade) estão associadas a maior morbimortalidade, principalmente por doenças cardiovasculares, metabólicas (incluindo diabetes, obesidade e resistência à insulina) e doença de Alzheimer.[10-12] Além disso, os transtornos do sono também podem representar uma expressão prodrômica de um episódio de doença mental, cujo reconhecimento possibilita intervenções que visam à prevenção de quadros mais graves.[13,14] De mesma maneira, distúrbios do sono estão associados ao risco de suicídio. Fatores como déficits neurocognitivos, desregulação emocional, alterações nos ritmos circadianos e impulsividade, induzidos pela privação do sono, podem elevar o risco de comportamento suicida, tornando-se um alvo terapêutico potencial.[15]

CLASSIFICAÇÃO DOS TRANSTORNOS DO SONO

As duas classificações de transtornos do sono apresentadas na **TABELA 56.2** são a da 3ª edição da Classificação internacional dos transtornos do sono (ICSD-3, do inglês *International classification of sleep disorders*), feita pela AASM,[16] e a do capítulo de Transtornos do Sono-Vigília da 5ª edição do *Manual diagnóstico e estatístico de transtornos mentais* (DSM-5),[17] elaborado pela American Psychiatric Association (APA). Publicadas em 2014, as duas classificações apresentam algumas diferenças – a ICSD-3 descreve 7 grandes categorias, enquanto a DSM-5 descreve 10 grandes grupos de patologias. Ambas implicam uma abordagem multidimensional na avaliação, no planejamento e no gerenciamento do tratamento da insônia coexistente com outras doenças médicas e/ou psiquiátricas.

Neste capítulo, por serem mais prevalentes na população geral, daremos ênfase aos seguintes transtornos: insônia, síndrome da apneia/hipopneia obstrutiva do sono, transtornos do ritmo circadiano e síndrome das pernas inquietas.

Transtornos do sono em crianças têm características próprias e são abordados no Capítulo Abordagem da Saúde Mental na Infância.

Insônia

Um terço dos adultos, em média, experimenta semanalmente problemas de sono, incluindo dificuldade para adormecer, sono interrompido ou despertar precoce.[18] Por outro

TABELA 56.1 → Estágios do sono e seus principais parâmetros eletrofisiológicos

ESTADIAMENTO CLÁSSICO	ESTADIAMENTO REVISADO	ELETRENCEFALOGRAMA	ELETROMIOGRAMA	ELETRO-OCULOGRAMA
Acordado	Estágio W	Atividade de baixa voltagem e frequência mista; atividade alfa (8-13 cps) com olhos fechados	Atividade tônica, movimentos musculares elevados	Movimentos oculares, piscadas
Estágio I	Estágio N1	Atividade de baixa voltagem e frequência mista; atividade teta (3-7 cps), ondas agudas do vértex	Atividade tônica ligeiramente reduzida (em comparação com estágio acordado)	Movimentos oculares lentos
Estágio II	Estágio N2	Frequência mista de baixa voltagem com fusos de sono (complexos de 12-14 cps) e complexos K (onda aguda negativa, seguida de onda lenta positiva)	Baixa atividade tônica	Ausência de movimentos oculares
Estágio III	Estágio N3*	Ondas lentas (≤ 2 cps) de alta amplitude (≥ 75 mV) ocupando 20-50% do período	Baixa atividade tônica	Ausência de movimentos oculares
Estágio IV		Ondas lentas de alta amplitude ocupando mais de 50% do período	Baixa atividade tônica	Ausência de movimentos oculares
Estágio REM	Estágio R	Atividade de baixa voltagem e frequência mista; ondas em dente de serra, atividade teta e atividade alfa lenta	Atonia, contrações fásicas	Movimentos oculares rápidos

* Estágio N3 equivale a ambos os estágios III e IV do estadiamento clássico.
cps, ciclos por segundo; mV, microvolts; REM, *rapid eye moviment*.
Fonte: Adaptada de Berry[2] e Sadock.[3]

TABELA 56.2 → Principais classificações dos transtornos do sono

ICSD-3	DSM-5
→ Insônia crônica	→ Transtorno de insônia
→ Transtornos do sono relacionados a transtornos da respiração	→ Transtornos do sono relacionados à respiração
→ Transtornos de hipersonolência centrais	→ Transtorno de hipersonolência
→ Transtorno do ritmo circadiano de sono-vigília	→ Narcolepsia
→ Transtornos do sono relacionados a transtornos de movimento	→ Transtorno do ritmo circadiano de sono-vigília
→ Parassonias	→ Transtorno comportamental do sono REM
→ Outros transtornos do sono	→ Transtornos de despertar do sono não REM
	→ Transtorno do pesadelo
	→ Transtorno do sono induzido por substância/medicamento
	→ Síndrome das pernas inquietas

DSM-5, 5ª edição do *Manual diagnóstico e estatístico de transtornos mentais*; ICSD-3, 3ª edição da Classificação internacional dos transtornos do sono; REM, *rapid eye movement*.
Fonte: International Classification of Sleep Disorders[16] e American Psychiatric Association.[17]

lado, 10 a 15% também experimentam prejuízos diurnos associados, e 6 a 10% apresentam sintomas que atendem aos critérios do transtorno de insônia.[17]

A **insônia** é definida pela percepção subjetiva de dificuldades com início, duração, consolidação ou qualidade do sono, que ocorre a despeito de adequada oportunidade para dormir e impõe ao indivíduo algum tipo de prejuízo ou sofrimento.[16,17] Para satisfazer os critérios diagnósticos de um transtorno de insônia,[17] as dificuldades relacionadas ao sono devem ocorrer pelo menos 3 noites por semana, permanecendo durante pelo menos 3 meses. Além disso, os sintomas não podem ser mais bem explicados por ocorrer exclusivamente durante o curso de outro transtorno do sono-vigília; tampouco podem ser atribuídos aos efeitos psicofisiológicos de alguma substância (medicamento ou droga de abuso). Ressalta-se que a comorbidade com outros transtornos mentais ou condições médicas gerais não invalida o diagnóstico do transtorno de insônia, contanto que essas outras patologias falhem em consubstanciar a queixa predominante de insônia e que ela seja suficientemente grave para justificar atenção clínica independente. O diagnóstico de insônia crônica pela ICSD-3[16] tem praticamente os mesmos critérios, excluindo a questão quanto à presença de comorbidade. É enfatizado que, na presença de doenças clínicas e psiquiátricas, o diagnóstico de insônia crônica deve ser usado apenas quando a insônia for proeminente ou prolongada, sendo o foco a avaliação clínica e o tratamento. A última versão de ambas as classificações diagnósticas abandonou a diferenciação entre insônia primária e secundária, enfatizando que o transtorno de insônia deve receber a devida atenção, acompanhado ou não de comorbidades.

Apesar de ser comum nos indivíduos que buscam atendimento em serviços de atenção primária à saúde (APS), a insônia raramente apresenta-se como queixa principal de uma consulta médica, e dificilmente é investigada na anamnese. Com a cronicidade dos sintomas, os pacientes podem apresentar maior tolerância a um padrão ruim de sono.[1]

Os pacientes com insônia podem desenvolver comportamentos que acabam perpetuando, de maneira não intencional, o transtorno do sono. Esses indivíduos apresentam maior preocupação e ansiedade diante da proximidade da hora de dormir.

Sintomas de insônia com duração < 3 meses (insônia aguda e insônia de curto prazo) costumam estar temporalmente associados a um fator estressante identificável. A resolução desse tipo de sintoma costuma ocorrer com a cessação do fator estressor ou com a adaptação do indivíduo a essa situação. Os estressores podem ser físicos, psicológicos, psicossociais, interpessoais ou ambientais. Essas insônias não persistentes são codificadas no DSM-5 sob "outro transtorno de insônia especificado" e como "insônia aguda (curto prazo)" na ICSD-3.

Síndrome da apneia obstrutiva do sono

A **síndrome da apneia obstrutiva do sono** (**SAOS**) está incluída na categoria dos distúrbios respiratórios relacionados ao sono da ICSD-3.[16] Caracteriza-se pelo colabamento das vias aéreas superiores durante o sono, levando à suspensão (apneia) ou à redução do fluxo respiratório (hipopneia), podendo ocasionar dessaturação da oxi-hemoglobina e microdespertares.[19] Considera-se patológico o índice de apneia/hipopneia (IAH) > 5 eventos por hora de sono. Sua prevalência apresenta uma variação ampla de acordo com os critérios adotados para a sua identificação. Em estudos que consideram o diagnóstico de SAOS para IAH por hora de sono ≥ 10 eventos, estima-se uma prevalência em torno de 4% para os homens e 2% para as mulheres, sendo sua ocorrência maior entre os indivíduos com idades entre 40 e 60 anos.[20]

O quadro clínico inclui, na maioria das vezes, roncos de forte intensidade, quase sempre notados pelo companheiro de leito. A queixa respiratória pode frequentemente progredir para pausas respiratórias ao longo da noite (apneias presenciadas), achado que não é incomum. Outra queixa comum é a sonolência diurna excessiva. A obesidade e o sobrepeso são agravantes e aumentam consideravelmente o risco de desenvolver SAOS, mas não são necessariamente determinantes da síndrome. Queixas relacionadas a prejuízo cognitivo (memória e concentração) e alterações de humor também podem estar presentes. A SAOS é fator de risco independente para hipertensão arterial e está associada às morbidades cardiovascular e cerebrovascular.

Transtornos do ritmo circadiano

Transtornos do ritmo circadiano, de acordo com a ICSD-3,[16] podem ser definidos como transtornos do sono, persistentes ou recorrentes, que ocorrem sobretudo devido a alterações intrínsecas na regulação do sistema circadiano, ou a desajustes neste por fatores exógenos que afetem o horário ou a duração do sono.

Entre eles, podem ser citados o *jet lag* (distúrbio secundário ao deslocamento rápido de fuso horário) e as alterações decorrentes do trabalho em turnos, abordados mais adiante neste capítulo. Atualmente, tem sido proposto um novo conceito de alteração de ritmo circadiano encontrado em grande parte da população urbana. Trata-se do *jet lag* social, que é consequência do deslocamento da fase do sono entre os dias de trabalho e os dias livres.[21] O *jet lag* social pode ocorrer quando trabalhadores necessitam forçar um despertar mais precoce do que a sua predisposição biológica permitiria. Por exemplo, uma pessoa vespertina que acorda às 6 horas para trabalhar durante a semana e acaba compensando essa dessincronização nos finais de semana; na segunda-feira subsequente, passa a apresentar sintomas semelhantes aos do *jet lag*.[22]

Síndrome das pernas inquietas

A **síndrome das pernas inquietas** está incluída na categoria dos distúrbios do movimento relacionados ao sono da ICSD-3.[16] Caracteriza-se por uma intensa necessidade de movimentar as extremidades (em geral, as pernas), que costuma ser acompanhada por uma sensação desagradável descrita como queimação, prurido, parestesia ou dor. Os sintomas iniciam-se ou acentuam-se com o repouso ou durante períodos de inatividade, como em viagens prolongadas, e manifestam-se mais frequentemente ao entardecer e durante o período noturno. Sua principal característica é desconforto importante, transtorno de sono associado ou algum grau significativo de prejuízo.

Essa síndrome pode ser idiopática (mais frequente) ou secundária, havendo quadros clínicos sabidamente relacionados à exacerbação das queixas, como deficiência de ferro, gestação em andamento, uso de determinados medicamentos/substâncias e alteração grave na função renal. A prevalência varia entre 2 e 15%, sendo mais comum em idosos.[23]

AVALIAÇÃO DIAGNÓSTICA DAS ALTERAÇÕES DO SONO

Muitas vezes, os pacientes ou seus familiares trazem espontaneamente a queixa de alterações do sono. Entretanto, como grande parte dos pacientes com transtornos crônicos do sono não informa o profissional médico sobre o problema, o diagnóstico deve ser investigado em algumas situações.

Sintomas que devem levantar a suspeita diagnóstica incluem cansaço, fadiga excessiva, irritabilidade, dificuldades de concentração, prejuízo no desempenho geral (associação com acidentes automobilísticos ou laborais) e síndrome depressiva. A sonolência excessiva pode ser interpretada de maneira equivocada como desmotivação, falta de interesse e inadequação intelectual. Pode até mesmo ser erroneamente diagnosticada como algum tipo de crise convulsiva, episódio depressivo, transtorno neurocognitivo, entre outros.[24]

Na presença de quaisquer dessas queixas, deve-se questionar sobre:

→ dificuldade para iniciar ou manter o sono;
→ sonolência diurna;
→ atividades anormais relacionadas ao sono (pausas respiratórias, movimentação de pernas ou outros movimentos não habituais);
→ uso de substâncias.

Avaliação geral dos transtornos do sono

A queixa de alteração do sono deve ser detalhada por meio da investigação dos fatores descritos a seguir, preferencialmente consubstanciada por dados do exame físico e do estado mental, de instrumentos padronizados complementares[25] e/ou informantes objetivos (p. ex., cônjuge ou cuidador do paciente):[24]

→ início e evolução da queixa de sono;
→ duração (maior ou menor do que 3 meses);
→ fatores desencadeantes e de atenuação e forma de ocorrência ao longo dos dias ou semanas;
→ ambiente onde o indivíduo dorme;
→ hábitos de sono e outros aspectos da higiene do sono;
→ efeitos no humor, no comportamento, no trabalho, na vida social e familiar;
→ resposta a tratamentos prévios;
→ presença de um estressor psicológico desencadeando o quadro;
→ eventos noturnos, como roncos ou movimentos anormais;
→ duração e qualidade do período de sono;
→ avaliação da história social e ocupacional;
→ exame físico;
→ exame do estado mental;
→ presença de doenças clínicas e/ou psiquiátricas concomitantes.

Grande parte das alterações de sono observadas em contexto ambulatorial tem componente preponderantemente relacionado a maus hábitos de higiene do sono, os quais podem ser identificados pelos itens supracitados. A alta prevalência de condições clínicas e/ou psiquiátricas concomitantes torna necessária a investigação de possíveis condições clínicas subjacentes ou comorbidades. Podem ser solicitados testes para avaliar função tireoidiana, glicose sérica, ureia, creatinina ou exames que avaliem deficiência de ferro, conforme critério clínico. Também podem ser usados testes de rastreamento para depressão e ansiedade (ver Capítulo Transtornos Relacionados à Ansiedade e Depressão), mas estes não substituem uma boa anamnese direcionada à investigação de transtornos psiquiátricos. No entanto, muitos transtornos do sono exigem exame complementar (polissonografia [PSG] e/ou teste de latências múltiplas de sono) para que o diagnóstico seja feito de forma precisa.

A queixa de sonolência diurna excessiva deve ser diferenciada de fadiga, caracterizada por cansaço, sensação de fraqueza ou falta de energia (ver Capítulo Cansaço ou Fadiga). Uma boa maneira para diferenciar essas duas queixas é investigar a predisposição a cochilos, independentemente de horário e contexto. A prevalência de sonolência diurna excessiva é de aproximadamente 20% da população adulta. A sonolência diurna excessiva pode ser secundária à privação de sono, ao efeito de medicamentos, ao uso de drogas ilícitas, à apneia obstrutiva do sono e a transtornos psiquiátricos (as hipersonias de origem central primárias, como narcolepsia, são menos comuns).[26] É possível avaliá-la por meio da escala de sonolência de Epworth (ESS-BR) **(TABELA 56.3)**. O ponto de corte dessa escala é de 10 pontos.[25]

A sonolência diurna excessiva pode ter consequências graves como acidentes automobilísticos, mas também pode ser implicada em desempenho acadêmico e profissional abaixo da expectativa, bem como ser confundida com déficit de atenção.[26]

Quando confirmada a sonolência diurna excessiva, deve-se fazer o diagnóstico diferencial entre as diversas condições que causam esse sintoma, algumas delas não constituindo transtornos do sono propriamente ditos (TABELA 56.4).

Quem acompanha o paciente durante o sono pode informar sobre dificuldades respiratórias e movimentação anormal.

Avaliação da insônia

Os itens recém-sugeridos em relação à avaliação geral dos transtornos do sono se aplicam à avaliação da insônia. No detalhamento da queixa de insônia, é necessário investigar o momento em que ela afeta o sono. Define-se, então, insônia inicial como dificuldade para iniciar o sono; intermediária ou de manutenção quando há dificuldade para permanecer dormindo, com despertares e problemas para voltar a conciliar o sono; e terminal ou despertar precoce quando o indivíduo acorda antes do horário habitual e não consegue mais voltar a dormir. As consequências impostas pela alteração de sono devem ser ativamente questionadas. Além disso, a frequência e a duração da insônia devem ser caracterizadas, podendo-se, então, definir se há cronicidade.[17,27]

Além dessa avaliação inicial, a investigação sobre potenciais fatores desencadeantes e de alívio é de grande auxílio. A resposta a tratamentos anteriores deve ser considerada para determinar a futura abordagem. É fundamental investigar a relação com estresse ou fatores psicológicos ou com presença de doenças clínicas comórbidas. Questões relacionadas ao turno de trabalho ou suas alterações são importantes. Informações sobre eventos noturnos, pesadelos, sensação de terror, pânico, alterações comportamentais associadas ao sono, cefaleia, dor, refluxo gastresofágico, noctúria, suores noturnos, calorões, paralisia relacionada ao sono e alucinações devem ser consideradas. Deve-se questionar sobre atividades realizadas antes de dormir (principalmente que levem à exacerbação de atividade emocional, cognitiva e física). Também se deve questionar sobre ingestão de determinados alimentos antes de ir para a cama.[27]

Podem-se identificar alterações cognitivas como expectativas negativas ("nunca vou conseguir dormir"), distorções ("preciso de 8 horas de sono para funcionar"; "tenho que ficar na cama mesmo sem sono para descansar"; "não durmo sem o remédio"). A investigação ativa sobre doenças ou sintomas psiquiátricos torna-se fundamental. Uma avaliação sobre uso de drogas ou medicamentos que podem precipitar insônia deve ser realizada. Doenças ou condições fisiológicas associadas à insônia devem ser excluídas durante a investigação (dor crônica, cefaleia, refluxo gastresofágico, doença pulmonar crônica, angina noturna, insuficiência cardíaca congestiva, insuficiência renal, câncer, HIV/Aids, menopausa, demências e isquemia cerebral). Deve-se estar atento para o efeito paradoxal de benzodiazepínicos (BZDs) em idosos, podendo provocar insônia.[27]

Vale lembrar que as correlações entre a descrição subjetiva do sono e os achados objetivos são fracas a moderadas, com tendência de os indivíduos subestimarem o tempo total de sono e superestimarem a latência para o sono. Registros de sono tendem a indicar mais a percepção individual sobre a dificuldade de dormir do que a quantificação da alteração do sono.[28]

Embora não exista uma avaliação quantitativa para diagnosticar insônia, o diário do sono é um instrumento que visa auxiliar essa avaliação. Os parâmetros que comumente podem ser indicativos de sono alterado, obtidos a partir das informações do diário, são latência para sono (minutos) e tempo para despertar (minutos) após conciliar sono > 30 minutos; eficiência do sono (tempo total de sono dividido pelo tempo total na cama) < 85%; e tempo total de sono < 6,5 horas. É essencial que o clínico se certifique de que essas queixas ocorrem mesmo havendo disponibilidade de tempo

TABELA 56.3 → Escala de sonolência de Epworth (ESS-BR)

QUAL É A PROBABILIDADE DE VOCÊ COCHILAR OU DORMIR, E NÃO APENAS SE SENTIR CANSADO, NAS SEGUINTES SITUAÇÕES?				
Considere o modo de vida que você tem levado recentemente. Mesmo que você não tenha feito algumas destas coisas ultimamente, tente imaginar como elas o afetariam. Escolha o número mais apropriado para responder a cada questão.*				
0 = nunca cochilaria				
1 = pequena probabilidade de cochilar				
2 = probabilidade média de cochilar				
3 = grande probabilidade de cochilar				
Situação	Probabilidade de cochilar			
Sentado e lendo	0	1	2	3
Assistindo à televisão	0	1	2	3
Sentado, quieto, em um lugar público (p. ex., em um teatro, reunião ou palestra)	0	1	2	3
Andando de carro por 1 hora sem parar, como passageiro	0	1	2	3
Sentado, quieto, após o almoço, sem bebida alcoólica	0	1	2	3
Em um carro, parado no trânsito, por alguns minutos	0	1	2	3

*Pontuação > 10 é compatível com sonolência excessiva.
Fonte: Pagel.[26]

TABELA 56.4 → Causas de sonolência diurna

→ Síndrome da apneia obstrutiva do sono
→ Dor ou outros sintomas que comprometem o sono
→ Privação de sono ou falta de tempo adequado para dormir (p. ex., trabalhadores em turno)
→ Narcolepsia
→ Episódio depressivo
→ Movimentos periódicos durante o sono
→ Medicamentos (p. ex., sedativos, betabloqueadores, inibidores seletivos da recaptação da serotonina)
→ Hipotireoidismo
→ Doenças neurológicas (p. ex., parkinsonismo, trauma craniencefálico prévio, doença do neurônio motor)

Fonte: Allen e colaboradores.[23]

adequado para dormir, e não por privação fisiológica.[29] (Ver QR code para modelo de diário de sono.)

O clínico solicita que o paciente responda a algumas questões sobre o sono durante o período médio de 10 dias. É importante que seja incluído ao menos um fim de semana. Para evitar que sejam potencializados possíveis componentes de ansiedade, assim como perturbações na higiene do sono, sempre é solicitado ao paciente que preencha o diário do sono na manhã seguinte à noite de sono. As perguntas são:

→ Hora em que fui deitar.
→ Hora em que dormi.
→ Durante a noite tive despertares? Se sim, quantos?
→ Qual foi a duração aproximada de cada despertar?
→ Hora em que acordei.
→ Hora em que levantei.
→ Se eu tivesse que comparar o sono desta noite com o sono da semana anterior, que nota eu daria?
→ Sinto que tive sono reparador?

Avaliação da síndrome da apneia obstrutiva do sono

A SAOS é definida clinicamente pela ocorrência de sonolência diurna (queixa inicial comum) ou insônia e eventos de obstrução ou dificuldade respiratória durante o período de sono. É importante observar que o paciente pode não estar ciente do problema, mas o diagnóstico pode ser feito com base no relato de pessoas que testemunharam os sinais. Fatores associados incluem roncos, cefaleia matinal, boca seca ao acordar e, em jovens, retração torácica. Os sintomas podem estar associados a outras doenças clínicas ou a outros transtornos do sono.[16]

O ronco é uma queixa comum nos consultórios e está presente em grande parte dos pacientes com SAOS. Em geral, é alto e interrompido por episódios de silêncio (correspondentes às apneias). O ronco é, na sua maioria, crescente, progressivo e inicia em decúbito dorsal, até que, com o passar do tempo, torna-se independente do decúbito adotado. As pausas respiratórias que se interpõem aos roncos são relatadas em cerca de 75% dos casos, sendo observadas pelo(a) companheiro(a), podendo terminar em engasgos, sensação de sufocamento, vocalizações ou breves despertares. Como resultado, ocorre fragmentação do sono e consequente sonolência diurna e cansaço – sintomas que são subjetivos e muitas vezes não reconhecidos pelo paciente.[30]

Fatores de risco para a SAOS incluem obesidade, insuficiência cardíaca congestiva, fibrilação atrial, hipertensão arterial refratária, diabetes melito tipo 2, acidente vascular cerebral, disritmias noturnas, hipertensão pulmonar, síndrome de Down e longas horas de atividade (p. ex., caminhoneiros).[31]

A avaliação inicial deve incluir questões sobre roncos, sonolência diurna e identificação de fatores de risco. Se a avaliação for sugestiva de SAOS, impõe-se investigação mais abrangente, com registro detalhado sobre a queixa e realização de exame físico.[31]

As variáveis com maior valor preditivo para diagnóstico de SAOS são circunferência do pescoço, índice de massa corporal (IMC), história de hipertensão arterial sistêmica, história de roncos e relato do companheiro de quarto sobre apneias durante o sono.[32]

No exame físico, avalia-se a presença de obesidade, com medida do IMC. Preconiza-se, também, a medição da circunferência do pescoço na altura da membrana cricotireóidea e com o paciente em posição supina. Valores > 40 cm estão associados a um risco aumentado para SAOS, mesmo na ausência de obesidade.[32]

Avalia-se, também, o esqueleto craniofacial para determinar a posição relativa da mandíbula e da maxila, assim como a oclusão dentária. Anormalidades (p. ex., redução da altura da face, retrognatia, micrognatia e deslocamento da articulação temporomandibular) estão associadas a um risco aumentado para SAOS.[30]

Na avaliação das vias aéreas superiores, observa-se que a faringe dos pacientes com SAOS tende a apresentar-se reduzida lateralmente e, como consequência, o eixo principal fica anormalmente orientado no diâmetro anteroposterior.

O exame da cavidade nasal deve ser realizado à procura de possíveis causas de obstrução nasal. Anormalidades incluem assimetria de tecidos moles, colapso da válvula nasal, edema de mucosa, desvio do septo, hipertrofia de cornetos e pólipos.

Para o exame da cavidade oral e da orofaringe, além da verificação da proporção relativa de língua (macroglossia), da presença de palato arqueado e profundo (ogival), do aumento de tecidos moles (hipertrofia adenoamigdaliana, de úvula ou de paredes faríngeas) e de redundância do pilar posterior (palato *web*), preconiza-se a utilização da classificação de Mallampati modificada.

Para avaliação da Mallampati, solicita-se ao paciente que abra a boca e permaneça com a língua relaxada dentro dela. Os índices de Mallampati *modificada* são classe I (toda a orofaringe pode ser visualizada, incluindo tonsilas, palato mole e ponta da úvula), classe II (apenas o polo superior da tonsila e da úvula pode ser visualizado), classe III (apenas a base da úvula e o palato mole podem ser vistos) e classe IV (apenas o palato duro e parte do palato mole podem ser visualizados).[30]

O questionário de Berlin (ver QR code) é frequentemente utilizado para identificação de pacientes com maior risco para SAOS na APS.[33]

O diagnóstico definitivo pode ser considerado quando houver quadro clínico compatível (sonolência diurna excessiva, roncos e apneias observadas) com exame de PSG que demonstre pelo menos 5 eventos respiratórios/hora de sono; ou por exame de PSG isolado que demonstre pelo menos 15 eventos respiratórios/hora de sono (sem necessidade de quadro clínico concomitante). A gravidade da SAOS é medida também pelo número de eventos respiratórios ao longo do tempo de sono, sendo considerada SAOS leve para IAH entre 5 e 15 eventos/hora; SAOS moderada para IAH entre 15 e 30 eventos/hora; e SAOS grave para IAH > 30 eventos/hora de sono.

Avaliação dos transtornos do ritmo circadiano

Os transtornos relacionados ao trabalho em turno, ou *shift work*, são encontrados em pessoas que realizam suas atividades laborais durante amplo espectro de horários de trabalho fora do padrão individual, variando desde plantões noturnos ocasionais até horários rotativos e trabalho noturno permanente. São caracterizados por queixas de insônia e/ou sonolência em pessoas que trabalham em horas em que poderiam estar sincronizadas com o ciclo claro-escuro. Podem ter, como consequências, insônia, sonolência diurna excessiva, obesidade, diabetes melito, hipertensão arterial sistêmica, dificuldade de concentração, dores de cabeça e fadiga, podendo ocorrer queda do desempenho funcional e aumento do risco de acidentes no trabalho ou fora dele.[34]

O *jet lag* é uma mudança imposta no tempo de sono que provoca um desalinhamento entre os fatores exógenos que o afetam e o "relógio biológico" do indivíduo, sendo comumente causado por longas viagens (transmeridionais), passando por vários fusos horários. Os sintomas costumam incluir disfunção gastrintestinal, mal-estar, sonolência diurna excessiva, dificuldade para dormir à noite e diminuição do desempenho físico e/ou mental durante o dia.

Características relacionadas ao adiantamento e ao atraso de fase do ritmo circadiano podem fazer parte de achados não patológicos relacionados a fases do desenvolvimento e do ciclo vital. Adolescentes tendem a apresentar ritmos circadianos de características vespertinas (atraso de fase), enquanto idosos tendem a apresentar ritmos circadianos de características matutinas (adiantamento de fase). Os transtornos de adiantamento e de atraso de fase decorrem da ruptura fisiológica provocada pela dessincronização dos seus ritmos internos com os ritmos sociais, trazendo prejuízo e sofrimento ao indivíduo.

Avaliação da síndrome das pernas inquietas

O diagnóstico da síndrome das pernas inquietas baseia-se na história clínica e na presença de um exame físico normal. Nos quadros idiopáticos ou primários, há um forte componente genético, com história familiar positiva em até 50% dos casos.

Pode ser também um sintoma de outras patologias ou situações fisiológicas especiais, sendo as causas mais comuns gestação (em até 20% das gestantes, geralmente no 3º trimestre), deficiência de ferro (em até 25% das pessoas com síndrome das pernas inquietas) e doença renal crônica avançada (em cerca de 20% dos pacientes em hemodiálise). Deve-se dosar ferritina sérica em todos os pacientes com síndrome das pernas inquietas. Os demais exames complementares devem ser solicitados de acordo com a suspeita clínica de causas secundárias específicas.

Outras doenças frequentemente associadas incluem doença de Parkinson, neuropatia periférica, artrite reumatoide, diabetes, hipotireoidismo e fibromialgia. Medicamentos que podem estar associados incluem antidepressivos (tricíclicos e inibidores seletivos da recaptação da serotonina [ISRSs]), neurolépticos, antidopaminérgicos (p. ex., metoclopramida), anti-histamínicos sedativos, lítio e bloqueadores dos canais de cálcio.[23]

O diagnóstico diferencial deve ser feito com cãibras noturnas, neuropatia periférica (podem coexistir, mas a neuropatia periférica não ocorre apenas à noite), doença vascular periférica, acatisia e distúrbio do sono associado ao sono REM (em geral, movimentos mais violentos e complexos à noite, na 6ª ou 7ª sétima década de vida).[23]

Avaliação de narcolepsia

A narcolepsia é uma doença rara de etiologia ainda desconhecida, caracterizada pela tétrade de sintomas: sonolência diurna excessiva, ataques de sono, cataplexia (súbito episódio de fraqueza devido à diminuição do tônus muscular) e alucinações hipnagógicas (na transição vigília-sono) ou hipnopômpicas (na transição sono-vigília), que podem ser auditivas, táteis ou visuais.[35]

É importante identificá-la corretamente na APS, pois se trata de um diagnóstico muitas vezes ignorado e está associado a comprometimento funcional significativo. Em geral, inicia na adolescência, com forte padrão familiar. Normalmente, inicia-se apenas com sonolência diurna excessiva, acompanhada ou seguida de cataplexia. Os outros sinais podem não estar presentes e não são essenciais para o diagnóstico. Esses pacientes devem ser encaminhados ao neurologista. O tratamento costuma envolver o uso de psicoestimulantes.[35]

EXAMES COMPLEMENTARES PARA AVALIAÇÃO DE TRANSTORNOS DO SONO

Polissonografia

A polissonografia (PSG) é um procedimento diagnóstico que pode ser realizado em laboratório especializado, em que o paciente dorme enquanto são monitoradas variáveis neurofisiológicas (eletrencefalograma, eletro-oculograma, eletromiograma submentoniano e do músculo tibial anterior) e cardiorrespiratórias (fluxo aéreo, movimentos respiratórios, eletrocardiograma e oximetria). Para casos com alta probabilidade diagnóstica, pode ser realizada a PSG portátil, a qual possibilita uma menor abrangência de variáveis para monitoração.[36] Embora apresente menor especificidade, essa variação do exame facilita a sua execução.

A PSG é utilizada na avaliação da SAOS para diagnóstico e planejamento terapêutico. É especialmente útil para definir os parâmetros usados nos dispositivos de pressão positiva contínua nas vias aéreas (CPAP, do inglês *continuous positive airway pressure*), usados no tratamento de alguns transtornos do sono. Pode ser utilizada também na avaliação da respiração de Cheyne-Stokes, hipoventilação, movimentos periódicos durante o sono, parassonias e transtornos do comportamento associados ao sono REM. Nesse exame, podem também ser detectados episódios convulsivos durante o sono.[37]

Actimetria

A investigação diagnóstica e o acompanhamento das alterações do sono, incluindo a insônia e as alterações de ritmos circadianos, podem ser complementados com actimetria. Para tanto, são utilizados actígrafos – aparelhos leves e compactos que mensuram níveis de atividade e de repouso por períodos contínuos de tempo.[38] Além de sua utilidade diagnóstica, são úteis também na avaliação da resposta a medidas terapêuticas.[39,40]

PRINCIPAIS COMORBIDADES E PLANEJAMENTO TERAPÊUTICO

Como visto na seção de avaliação, os transtornos do sono muitas vezes podem fazer parte do diagnóstico diferencial um do outro. Além disso, podem coexistir como transtornos distintos – por exemplo, a insônia e a SAOS podem coexistir, exigindo um tratamento combinado ou sequencial.[41]

As comorbidades podem incluir transtornos psiquiátricos, doenças clínicas ou condições fisiológicas (TABELA 56.5). A seguir, são descritas as principais comorbidades e sua associação com o sono, dando maior destaque para a insônia e a SAOS. As comorbidades associadas à síndrome das pernas inquietas são as causas secundárias dessa síndrome e foram mencionadas anteriormente.

Comorbidades psiquiátricas

A comorbidade com transtornos psiquiátricos, mais comum na insônia, ocorre sobremaneira com os transtornos de humor e com os transtornos de ansiedade.[16,42,43] A relação entre transtornos psiquiátricos e transtornos do sono é bidirecional, isto é, transtornos psiquiátricos e seus tratamentos podem ocasionar ou ser consequência dos transtornos do sono; por isso a abordagem integral é tão importante.[42]

A presença de insônia persistente pode ser fator de risco para depressão, ansiedade, psicose e abuso de álcool.[44] É preciso estar alerta para a possibilidade de surgimento de depressão ou transtornos de ansiedade em paciente com insônia persistente, uma vez que a insônia demonstrou ser fator de risco para essas condições em alguns estudos epidemiológicos.[45]

TABELA 56.5 → Comorbidades psiquiátricas e clínicas e situações fisiológicas frequentemente associadas à insônia e à síndrome da apneia obstrutiva do sono

- → Transtornos do humor (principalmente depressão maior)
- → Transtornos de ansiedade
- → Transtorno de estresse pós-traumático
- → Transtornos relacionados ao uso de substâncias psicoativas
- → Refluxo gastresofágico
- → Insuficiência renal crônica
- → Insuficiência cardíaca
- → Fibromialgia
- → Obesidade
- → Hipotireoidismo
- → Doença pulmonar obstrutiva crônica
- → Menopausa

No transtorno bipolar, a diminuição da necessidade de sono pode antecipar o início da doença, especialmente de um episódio maníaco; a hipersonia esteve mais associada ao desenvolvimento de um episódio depressivo, enquanto a insônia precedeu episódios tanto de mania quanto de depressão.[13]

O transtorno de estresse pós-traumático é outra condição que cursa com dificuldade de iniciar ou manter o sono. Essa alteração de sono ocorre com frequência secundariamente ao estresse agudo. Nesses casos, é interessante também investigar se há abuso de substâncias psicoativas e transtorno de humor, frequentes em pessoas que foram submetidas a traumas graves.[42] Ademais, como ainda não foram estabelecidas a eficácia e a segurança dos BZDs logo após um evento traumático, o seu uso clínico pós-trauma não é preconizado.[46,47]

Comorbidades clínicas e condições fisiológicas

Comorbidades clínicas também precisam ser avaliadas e tratadas. A qualidade de vida dos pacientes com insônia associada à doença clínica fica prejudicada e, provavelmente, também a percepção dos sintomas da doença clínica. Por isso, é essencial buscar seu diagnóstico de forma ativa. Com frequência, a resolução de uma condição clínica associada faz o problema de sono diminuir ou até mesmo desaparecer.[48]

A doença do refluxo gastresofágico (ver Capítulo Dispepsia e Refluxo) é comum em pacientes com transtorno do sono, ocorrendo em torno de 10% dos casos.[49] Sensação de queimação epigástrica, desconforto abdominal, tosse e gosto ruim na boca, decorrentes do refluxo, fazem o indivíduo ter dificuldade de iniciar e/ou manter o sono. Mesmo pacientes com grau leve de refluxo podem procurar atendimento médico por queixas de insônia. Na apneia obstrutiva do sono, o refluxo costuma ocorrer devido ao esforço de restabelecer a respiração, especialmente se o paciente ingeriu grande quantidade de comida antes de deitar. É essencial, então, que o refluxo seja investigado e tratado em pacientes com queixas de sono B.[48]

Dificuldades para iniciar o sono, acordar muito cedo pela manhã, despertares frequentes durante a noite e sonolência diurna excessiva também são queixas comuns em pacientes com insuficiência renal crônica terminal em diálise (ver Capítulo Doença Renal Crônica).[48]

Problemas relacionados ao sono são bastante comuns em pacientes com fibromialgia, agravando sua percepção da dor e piorando seu funcionamento social.[50]

A SAOS é frequentemente acompanhada por obesidade, e a maioria dos pacientes tem os sintomas intensificados com o aumento do peso. A perda de peso – com dieta e atividade física – pode melhorar os sintomas sem necessidade de outras intervenções B.[51] É importante ressaltar que o aumento da prevalência de obesidade infantil faz outras faixas etárias também apresentarem risco para esse transtorno. Outra comorbidade comum é o hipotireoidismo, e seus sintomas podem sobrepor-se aos da síndrome. Em especial na presença de obesidade, deve-se investigar a existência de hipertensão e diabetes melito.

Em indivíduos não obesos com história de ronco e apneia do sono, deve-se averiguar se existe alargamento adenotonsilar ou malformação maxilomandibular.[31]

Pacientes com doença pulmonar obstrutiva crônica, asma e doença restritiva pulmonar costumam ter insônia, despertando várias vezes à noite devido à tosse e à dispneia. Ademais, isso pode ser agravado pela doença do refluxo gastresofágico. O sono é geralmente complicado também pela hipoxemia associada a essas doenças. O tratamento clínico – por exemplo, a inalação de corticoides e o uso de β_2-agonistas de longa duração na asma – costuma ser efetivo na melhora dos problemas de sono apresentados.[48]

A instabilidade vasomotora e os fogachos apresentados por mulheres durante a menopausa são causa frequente de insônia. A reposição hormonal parece ser benéfica nesses casos B,[52] mas o risco-benefício da reposição deve ser sempre considerado (ver Capítulo Climatério).[53]

ABORDAGENS PARA UM TRATAMENTO INTEGRAL

Manejo da insônia

Tratamento não farmacológico

O tratamento não farmacológico deve ser sempre indicado, podendo ser associado ao tratamento medicamentoso de pacientes com insônia persistente nos casos em que haja indicação. Essa medida é importante para reduzir o uso não racional de indutores do sono e hipnóticos, uma vez que pacientes com insônia podem acabar utilizando esses medicamentos de maneira equivocada por longo tempo.[54,55]

A terapia cognitivo-comportamental (TCC) é tão efetiva quanto os fármacos padronizados B, demonstrando efeitos semelhantes em curto prazo e com benefícios mais duradouros em longo prazo, além de apresentar efeitos colaterais mínimos. Pela sua efetividade, recomenda-se que a TCC seja utilizada como tratamento inicial para a insônia crônica.[56]

Consiste na combinação de terapia cognitiva (abordando preocupações, pensamentos intrusivos, falsas atitudes e crenças sobre o sono e as consequências da insônia), intervenções comportamentais (como restrição de sono e controle de estímulo) e intervenções educacionais (como higiene do sono).

Intervenções educacionais e comportamentais

Higiene do sono (TABELA 56.6)[57]

É uma abordagem educacional que visa orientar sobre hábitos e comportamentos saudáveis que propiciam um sono de melhor qualidade. São fornecidas informações básicas de como determinados comportamentos interferem no ato de dormir para que o indivíduo identifique fatores específicos que possam estar alterando o próprio sono, e então os modifique para dormir melhor. Como essas medidas exigem uma mudança de hábitos, sugere-se acompanhamento constante e monitoramento do progresso alcançado.

TABELA 56.6 → Intervenções para o tratamento da insônia: higiene do sono

- → Evitar bebidas com cafeína 4-6 horas antes de dormir (p. ex., café, chá-preto, chimarrão, chocolate, guaraná)
- → Evitar cigarro e terapias de reposição de nicotina próximo ao horário de dormir e durante a noite
- → Evitar álcool 4-6 horas antes de dormir
- → Evitar refeições fartas
- → Exercitar-se ao menos 20 minutos/dia; evitar exercícios intensos 6 horas antes de dormir
- → Evitar atividades estimulantes antes de dormir, como assistir à televisão ou usar o computador
- → Manter o quarto em temperatura agradável; evitar barulho e luz
- → Levantar no mesmo horário todos os dias, a despeito do horário de adormecer

Fonte: Toward Optimized Practice Program.[57]

Terapia de controle de estímulos C/D (TABELA 56.7)

Consiste em fornecer um conjunto de instruções que objetivam fortalecer a associação do momento e do local de dormir com o rápido início do sono de modo a poder estabelecer um ritmo circadiano de sono-vigília regular.

Terapia de restrição de sono B[58]

Essa técnica consiste em adequar o tempo de permanência na cama ao tempo real que o indivíduo dorme, visando atingir um sono mais consolidado e eficiente. Ela se baseia no fato de as pessoas com insônia, muitas vezes, permanecerem um maior tempo na cama, na tentativa de criar uma oportunidade para dormir, o que pode resultar em um sono fragmentado e de baixa qualidade. Assim, deve-se diminuir o tempo na cama, a fim de que este coincida com a necessidade total de sono do paciente, sendo os horários de sono e vigília prescritos individualmente.

Assim, essa técnica cria um leve estado de privação de sono, propiciando uma rápida consolidação, facilitando o adormecer, melhorando a eficiência do sono e diminuindo a variabilidade entre as noites. Todavia, é importante alertar os pacientes de que, na fase inicial dessa terapia, eles podem sofrer de sonolência diurna ao comprimir o seu horário de sono. A técnica deve ser usada com cautela em pacientes com transtorno de humor bipolar, epilepsia e parassonias.

Assim, uma prescrição de sono pode ser planejada para o paciente, com horários fixos para deitar-se e levantar, conforme as orientações descritas a seguir:

→ determinar o tempo total médio de sono (p. ex., com base no diário de sono);
→ prescrever o tempo total na cama como o tempo total de sono adicionado de 30 minutos;

TABELA 56.7 → Intervenções para o tratamento da insônia: controle de estímulos

- → Dormir apenas o necessário para sentir-se descansado
- → Ir para a cama apenas quando estiver com sono (evitar "forçar" o sono)
- → Organizar as atividades do dia seguinte fora da cama, antes do horário de dormir
- → Usar a cama somente para o sono e para a atividade sexual
- → Evitar cochilos diurnos prolongados
- → Não dormir mais depois de uma noite ruim
- → Não ficar olhando para o relógio
- → Se houver dificuldade para dormir, sair da cama e procurar uma atividade relaxante até ficar sonolento (evitar o uso da televisão e do computador)

Fonte: Irwin e colaboradores.[58]

→ o tempo mínimo de sono deve ser de pelo menos 5 horas;
→ estabelecer um horário a ser cumprido nos 7 dias da semana.

O tempo na cama é determinado com base no seguinte cálculo, levando em conta o horário fixo de acordar: para um indivíduo que durma 5 a 6 horas e que permaneça na cama por 8 horas, a eficiência do sono é de 5,5/8 = 68%. Para estabelecer uma eficiência de sono de mais de 85%, o tempo total de sono deverá ser de 6,5 a 7 horas por noite. Se o horário de acordar é às 6 horas, ele deverá dormir entre 23h e 23h30min.

É fundamental monitorar a adesão ao protocolo durante o primeiro mês de sua prescrição, bem como advertir o paciente de que cochilos durante o dia podem reduzir a eficácia do sono. O tempo total de sono para as pessoas é, em média, de 6 a 8 horas, e o diário de sono pode ser utilizado. Quando o paciente for capaz de dormir por 85 a 90% do tempo na cama, pode-se aumentar esse tempo em 15 a 30 minutos a cada semana. A terapia é bem-sucedida quando a eficiência de sono for maior do que 90%.

Técnicas de relaxamento[58]

Não raro, as pessoas com insônia apresentam um nível de alerta (fisiológico e cognitivo) elevado. O treinamento de relaxamento pode produzir benefício duplo: reduzir o alerta diurno e ajudar a adormecer. Ele inclui diferentes procedimentos, sendo os mais comuns o relaxamento muscular progressivo, exercícios de respiração diafragmática e técnicas de visualização. É importante que o profissional, junto ao paciente, identifique qual a melhor modalidade de relaxamento e realize um treinamento adequado (pode-se, p. ex., selecionar determinada técnica e praticá-la durante o dia por algumas semanas, tendo como foco a redução do nível de alerta).[55,57,59]

Intervenções cognitivas

Além das intervenções comportamentais, a TCC engloba intervenções cognitivas, entre as quais se pode citar a reestruturação cognitiva. Com a reestruturação cognitiva, procura-se avaliar e modificar pensamentos, atitudes e expectativas disfuncionais, por exemplo: falsas ideias sobre as causas da insônia; amplificação das consequências do sono ruim; expectativas irreais quanto à necessidade de horas dormidas; diminuição do reconhecimento de sua capacidade em obter o sono; e atribuição à insônia da culpa de todos os problemas ocorridos durante o dia.[60] Examinar as evidências é uma das técnicas cognitivas para os pensamentos catastróficos em relação à insônia – por exemplo: fazer o paciente recordar de situações em que não teve uma boa noite de sono e mesmo assim conseguiu funcionar suficientemente bem no trabalho. Outra técnica consiste em fazer o paciente listar, no início da tarde, 3 ou mais problemas que potencialmente gerarão preocupação à noite e, para cada problema, listar eventuais possíveis soluções. Se essas preocupações o acordarem durante a noite, o paciente deverá lembrar que ele já pensou nos problemas e em maneiras de resolvê-los em horas em que podia ser mais efetivo para fazer isso.[55]

Manejo farmacológico

Como a insônia muito frequentemente é associada a transtorno psiquiátrico ou clínico, o tratamento farmacológico inicial pode compreender o tratamento do transtorno comórbido. Nos casos de depressão ou ansiedade comórbida, uma justificativa adicional para o tratamento específico da insônia é a latência para o início do efeito dos fármacos usados especificamente para esses transtornos. Optando-se por tratar a insônia, ressalta-se a importância em instituir as estratégias não farmacológicas descritas, uma vez que são consideradas intervenções de primeira escolha para o tratamento da insônia.[55]

No que se refere à evidência de efetividade do tratamento farmacológico da insônia, há limitações em relação à heterogeneidade das publicações. O pequeno número de estudos, com amostras pequenas e selecionadas, o tempo de acompanhamento (máximo de 8 semanas), entre outras características tornam a força da evidência da recomendação fraca para quaisquer dos fármacos utilizados.[61] Além disso, faltam estudos com metodologia apropriada para tratamento da insônia em populações específicas, como crianças e adolescentes, pacientes com prejuízo cognitivo, pacientes em uso de substâncias psicoativas, ou mesmo para avaliar a efetividade de medicamentos frequentemente usados na prática clínica, como a trazodona, a quetiapina e a gabapentina.[55]

Os fármacos que demonstram evidência de eficácia para insônia por meio de estudos duplo-cegos controlados são os BZDs, os hipnóticos não BZDs (grupo "z"), a rameltona, a doxepina e o suvorexanto (os dois últimos ainda não comercializados no Brasil),[55,61] sendo que os dois primeiros têm as melhores evidências para tratamento (TABELAS 56.8[20,59,62] e 56.9,[27,55,63-65] respectivamente). Ainda assim, vale ressaltar que esse uso deve ser feito por um curto espaço de tempo (2-4 semanas) e que os fármacos devem ser retirados de forma gradual para evitar sintomas de abstinência.[66] Os BZDs incluídos em metanálise recente foram o triazolam e o temazepam (o último não comercializado no Brasil).[61]

Tanto os BZDs quanto os não BZDs são efetivos para o tratamento da insônia crônica, apresentando efetividade semelhante (NNT = 13 para melhora na qualidade do sono na população com idade > 60 anos) B.[55,61,67-69]

Ambas as classes de fármacos possuem potencial de abuso e risco ao usuário B.[55,61] Os hipnóticos não BZDs não possuem propriedades ansiolíticas,[55] provocam menor efeito residual diurno e menor prejuízo da capacidade de dirigir na manhã seguinte ao uso.[67] Apesar de o benefício também ter sido demonstrado em idosos, ele é contrabalanceado pelos efeitos adversos cognitivos, psicomotores (incluindo quedas) e constitucionais, como fadiga, não justificando a sua utilização na maioria das situações (número necessário para causar dano [NNH – do inglês, *number needed to harm*] = 6 para ocorrência de eventos adversos) B.[68] Assim, mediante a sub-representação de determinados grupos de pacientes nos ensaios clínicos randomizados de alguns medicamentos, os resultados podem não ter mostrado todo o espectro de

TABELA 56.8 → Hipnóticos benzodiazepínicos

MEDICAMENTO	APRESENTAÇÃO	POSOLOGIA	TAXA DE ABSORÇÃO ORAL	METABOLIZAÇÃO HEPÁTICA	METABÓLITOS ATIVOS	MEIA-VIDA DE ELIMINAÇÃO [METABÓLITO ATIVO] (HORAS)
Alprazolam*	0,25, 0,5, 1 e 2 mg	0,25-1 mg	Rápida	Sim	Sim	12-15
Bromazepam*	3, 6 mg e 2,5 mg/mL	1,5-9 mg	Rápida	Sim	Sim	8-19
Clonazepam*	0,25, 0,5, 2 mg e 2,5 mg/mL	0,5-2 mg	Rápida	Sim	Não	18-50
Clorazepato*	5, 10 e 15 mg	7,5-22,5 mg	Rápida	Sim	Sim	[36-200]
Diazepam*	5, 10 mg e 10 mg/2 mL (injetável)	2,5-10 mg	Rápida	Sim	Sim	20-50 [36-200]
Flunitrazepam	1 e 2 mg	0,5-2 mg	Rápida	Sim	Sim	20-30 [36-200]
Flurazepam	30 mg	15-30 mg	Rápida	Sim	Sim	50-80 [40-250]
Lorazepam*	1 e 2 mg	1-4 mg	Intermediária	Não	Não	10-14
Triazolam	0,125 e 0,25 mg	0,125-0,25 mg	Rápida	Sim	Não	2-5

Os benzodiazepínicos exercem suas funções por meio dos receptores para o ácido gama-aminobutírico (GABA), potencializando os efeitos desse neurotransmissor endógeno. Eles reduzem a latência de sono e o número de despertares e aumentam a qualidade e o tempo total de sono.[59]

As diferenças entre os benzodiazepínicos são explicadas por diferenças na farmacocinética. Para indivíduos com dificuldade em iniciar o sono (insônia inicial), deve-se dar preferência a benzodiazepínicos de rápido início de ação, o que pode ser verificado pela taxa de absorção oral, nesta tabela. Quando não há dificuldade na manutenção do sono, devem-se usar medicamentos de meia-vida mais curta, para evitar sedação residual. Fármacos de meia-vida mais longa podem ser usados no tratamento de indivíduos com insônia intermediária e final, ou seja, quando há dificuldade para permanecer adormecido ou quando há despertar precoce (considerado 2 horas antes do habitual), bem como naqueles em que se deseja efeito ansiolítico associado.

Há aumento de risco quando usados em determinadas populações: gestantes, alcoolistas, indivíduos com apneia do sono ou portadores de patologias hepáticas, renais e pulmonares e em idosos. Apresentam risco de dependência, abstinência, insônia de rebote, sedação diurna, depressão respiratória, acidentes e quedas. Podem induzir problemas na coordenação motora e alterações na função cognitiva (amnésia anterógrada). Fármacos como oxazepam e lorazepam são melhores opções para pacientes com função hepática alterada em função do perfil farmacocinético e pela menor produção de metabólitos ativos.

Informações sobre estratégias de retirada podem ser encontradas no Capítulo Drogas: Uso, Uso Nocivo e Dependência.

* Não aprovado pela Agência Nacional de Vigilância Sanitária (Anvisa) para o tratamento da insônia, a não ser quando secundária a transtorno de ansiedade. O uso para insônia pode ser considerado a critério médico, mas é uma indicação fora da bula. As doses para o tratamento de transtorno de ansiedade são apresentadas no Capítulo Transtornos Relacionados à Ansiedade.

Fonte: Holbrook e colaboradores,[59] Dupont e Dupont[62] e Poyares e colaboradores.[20]

TABELA 56.9 → Hipnóticos não benzodiazepínicos

FÁRMACO	APRESENTAÇÕES	POSOLOGIA	INÍCIO DE AÇÃO (PICO PLASMÁTICO)	MEIA-VIDA	EFEITOS RESIDUAIS
Zolpidém	10 mg	½ a 1 comprimido à noite	Rápido (0,5-2,6 horas)	1,5-3,2 horas	Mínimos
Eszopiclona	2 e 3 mg	½ a 1 comprimido à noite	Ultrarrápido	5-6 horas	Presentes
Zopiclona	7,5 mg	½ a 1 comprimido à noite	Ultrarrápido (15 minutos)	5-6 horas	Presentes
Zaleplona	Suspensa no Brasil	5-10 mg	Rápido (1 hora)	1 hora	Mínimos

Os hipnóticos não benzodiazepínicos constituem um grupo de fármacos que atuam como agonistas dos receptores dos benzodiazepínicos. O zolpidém e a zaleplona não interferem na estrutura normal do sono e, diferentemente dos benzodiazepínicos, têm pouco efeito sobre as funções cognitivas e a psicomotricidade. Já a zopiclona é similar aos benzodiazepínicos em potencial de sonolência residual pela manhã e interferência na arquitetura do sono. O zolpidém está disponível também na forma de liberação prolongada, que compreende um comprimido com duas camadas, sendo a primeira dissolvida rapidamente para a indução do sono e a segunda liberada de maneira gradual, a fim de auxiliar na manutenção do sono.

Potencial de abuso também ocorre com esse grupo de fármacos.[55,61] Assim, esses medicamentos devem ser usados com cautela, sobretudo em pacientes com comorbidades psiquiátricas ou história prévia de abuso de substâncias. Todos têm metabolização hepática e devem ter sua dose reduzida em idosos. A eszopiclona ainda não teve a sua segurança bem estabelecida em indivíduos com idade > 65 anos, por isso o seu uso não é recomendado à população geriátrica.[64]

Comportamentos complexos, como dirigir dormindo, foram relatados com o uso dessa classe farmacológica. Assim, após a ingesta, os pacientes devem limitar suas atividades àquelas estritamente necessárias na preparação para dormir, além de não fazer uso concomitante de outros depressores do sistema nervoso central.[63,65]

possíveis eventos adversos (p. ex., uso da eszopiclona em idosos com insônia).[64] Portanto, é necessário cautela em indivíduos idosos com comprometimentos cognitivos e motores e indivíduos com maior risco de usar indutores do sono de maneira não recomendada.[66]

Além dos hipnóticos BZDs e não BZDs, outros fármacos têm demonstrado eficácia em pelo menos um ensaio clínico duplo-cego randomizado controlado por placebo.[61]

O **suvorexanto** (não comercializado no Brasil), fármaco antagonista dos receptores das orexinas (peptídeos hipotalâmicos associados ao despertar), demonstrou eficácia para manutenção do sono nas doses de 10 a 40 mg B, tendo como principal efeito colateral sedação diurna e potencial de abuso a definir.[55,61]

A **ramelteona**, agonista potente e altamente seletivo de receptores de melatonina, teve eficácia comprovada para tratamento de insônia inicial na dose de 8 mg B, apresentando, como efeitos colaterais, cefaleia, sedação, fadiga e náusea, mas sem potencial de abuso.[55,61]

Antidepressivos com efeitos sedativos são frequentemente utilizados na prática clínica para tratamento de insônia, entre eles a amitriptilina, a trazodona, a mirtazapina e a paroxetina. No entanto, é incerta a efetividade dos antidepressivos ISRSs comparados ao placebo no tratamento do transtorno de insônia em adultos, em razão de limitações metodológicas C/D. Foi encontrada uma pequena melhora na qualidade do sono com o uso em curto prazo de **doxepina** (não comercializada no Brasil) em dose baixa e da

trazodona em comparação com o placebo. Não foi encontrada evidência para a amitriptilina (apesar do uso comum na prática clínica) ou de uso prolongado de antidepressivos para insônia. Ressalta-se que poucos estudos atenderam aos critérios de elegibilidade, sendo eles predominantemente pequenos, com acompanhamento de curto prazo e portadores de limitações metodológicas, ficando evidente a necessidade de ensaios clínicos randomizados de melhor qualidade para elevar o grau de certeza da evidência.[70] A doxepina teve uma recomendação fraca na insônia de manutenção, enquanto os resultados dos estudos com trazodona não permitem a recomendação desse fármaco até o presente momento,[61] e os outros antidepressivos foram ainda menos estudados.[55,61]

Outros fármacos, como anticonvulsivantes, antipsicóticos com perfil sedativo ou suplementos como melatonina ou valeriana, não apresentam evidência suficiente para tratamento da insônia **B**.[55,61,71]

Um algoritmo final do manejo da insônia é apresentado com base no que foi exposto até aqui **(FIGURA 56.1)**. As fases desse algoritmo podem ser realizadas na APS, devendo-se encaminhar o paciente quando não houver resposta às terapias descritas. Isso evita a cronificação e os efeitos da insônia sobre os outros sistemas.

Manejo da síndrome da apneia obstrutiva do sono

O manejo conservador na APS está indicado nos casos leves e inclui as seguintes medidas: perder peso **B**; não ingerir bebidas alcoólicas à noite; e dormir de lado (uma cinta com bola de tênis costurada posteriormente ajuda o paciente a aprender a dormir de lado) **C/D**. Vale lembrar que o uso de sedativos ou hipnóticos não é recomendado **C/D**.

Em muitos pacientes com apneia obstrutiva do sono, a frequência e a duração das apneias podem ser influenciadas pela posição do corpo. Nesses casos, tratamento por meio de dispositivos para terapia posicional (um pequeno dispositivo é conectado ao pescoço ou tórax, fornecendo um estímulo vibratório sutil a fim de evitar que o paciente adote a posição supina) reduz, em curto prazo, sono em posição supina em 84% e a IAH em 54% (TE = −1,94) **B**.[72]

Nos casos moderados a graves, recomenda-se encaminhamento ao especialista. Nessas situações, estão indicados

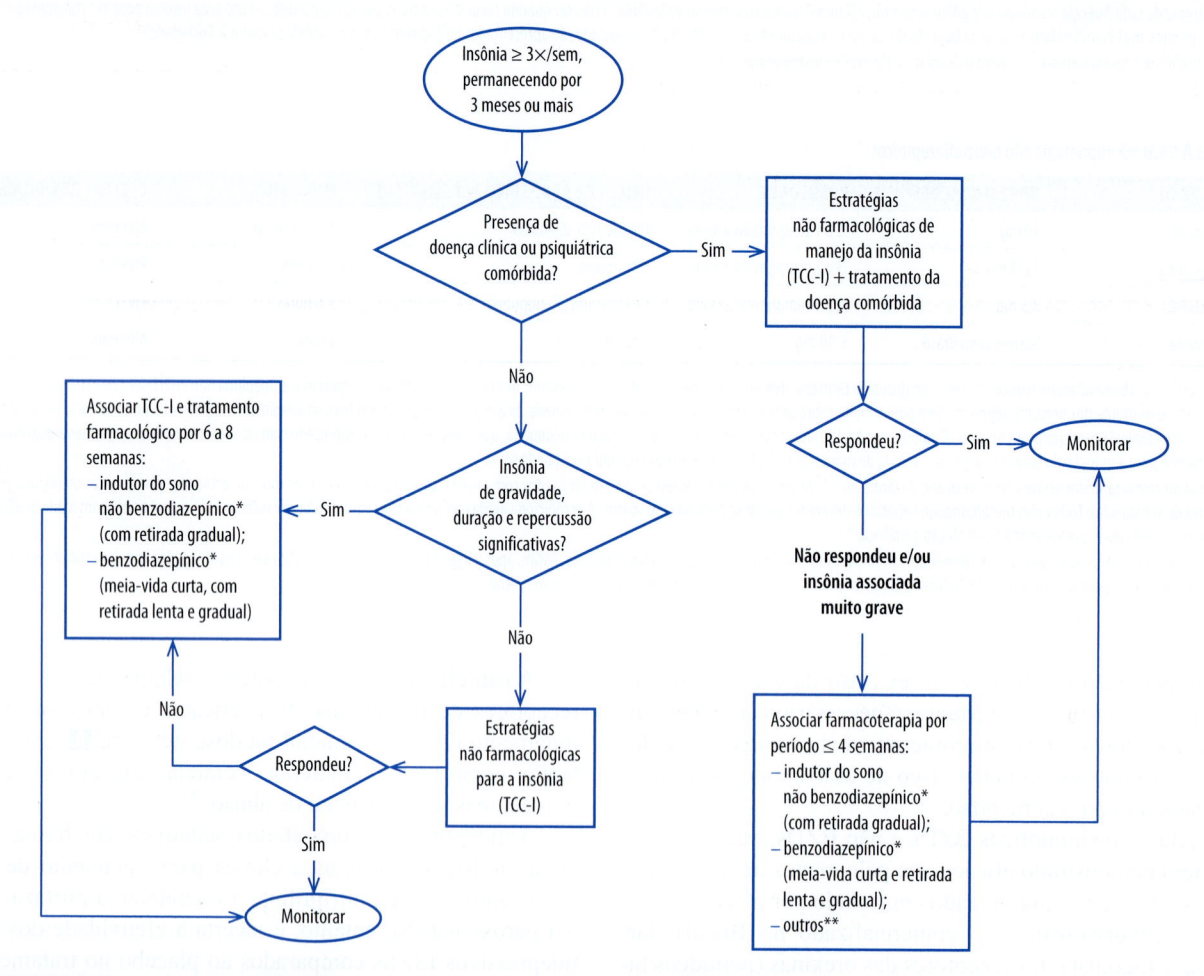

FIGURA 56.1 → Algoritmo para o manejo da insônia.
* Mediante decisão compartilhada, considerar os riscos quanto a efeitos adversos e dependência.
** O uso de fármacos de outras categorias pode ser recomendado mediante indicação de uso por comorbidade clínico-psiquiátrica.
TCC-I = Terapia cognitivo-comportamental para insônia.

CPAP **B**[73,74] e aparelhos intrabucais **C/D**.[75,76] O tratamento farmacológico tem eficácia limitada nos casos graves **C/D**.

Manejo dos transtornos do ritmo circadiano

A base do manejo dos transtornos do sono em trabalhadores em turnos e do *jet lag* é comportamental. Melatonina (nas doses de 0,5-5 mg) pode ser usada tanto na prevenção como na redução dos sintomas associados ao *jet lag*, especialmente se o paciente já tiver experimentado os sintomas em outras viagens **B**.[77]

Hipnóticos BZDs e não BZDs podem ser usados por curtos períodos, conforme descrito antes neste capítulo para o manejo da insônia **A**.

Recomendações breves de manejo comportamental para trabalhadores em turnos **C/D** incluem:
→ fazer a rotação entre os turnos em sentido horário (p. ex., do dia para a tarde e desta para a noite, e não o contrário);
→ planejar cochilos antes ou durante o turno de trabalho;
→ expor-se à luz forte durante o turno de trabalho;
→ beber café.[78]

Recomendações breves de manejo comportamental para o *jet lag* **C/D** incluem:
→ evitar a privação de sono nas noites anteriores à viagem;
→ fazer refeições leves e evitar bebidas alcoólicas antes e durante os voos;
→ procurar dormir durante o voo (inclinando a poltrona, utilizando máscara para os olhos e tampões para os ouvidos) e não ficar acordado assistindo a filmes;
→ na chegada ao destino, procurar aproveitar a luz natural ou luz de alta intensidade durante o dia;
→ evitar luz intensa à noite;
→ procurar dormir a mesma quantidade de horas que dormiria no seu local de origem;
→ evitar cochilos durante o dia no local de destino.

Manejo da síndrome das pernas inquietas

As causas secundárias identificadas devem ser manejadas dentro do possível. Na presença de ferritina < 50 ng/L (ou saturação da transferrina < 20%), mesmo na ausência de anemia, recomenda-se fazer reposição de ferro **B**.[79-81] Quando os sintomas surgem durante a gestação, não exigem manejo específico além das medidas gerais, geralmente desaparecendo após o parto. Terapia com ferro resultou em melhora da inquietação e redução da gravidade dos sintomas da síndrome das pernas inquietas (TE = −0,74), e em melhora da qualidade de vida (TE = 0,51) **B**, apresentando boa tolerabilidade. Todavia, o seu efeito sobre desfechos secundários, como funcionamento diurno e qualidade geral do sono, bem como o momento ideal de administração e a formulação (intravenoso ou via oral), requerem estudos adicionais.[82]

Medidas não farmacológicas costumam ser suficientes para casos leves. Elas incluem medidas para prevenir os sintomas, como boa higiene do sono, redução da cafeína e do consumo de álcool, cessação do tabagismo e aumento da atividade física.[83] Quando os sintomas aparecem, podem ser aliviados com caminhadas e alongamentos, banho frio ou quente, exercícios de relaxamento, exercícios de distração e massagem nas pernas **B**.[84]

Para casos moderados a graves, recomenda-se tratamento farmacológico (TABELA 56.10). Os fármacos de primeira linha são levodopa **B**[85] e agonistas dopaminérgicos (cabergolina e pramipexol) **A**.[86,87] Pode haver uma piora dos sintomas com o tratamento farmacológico (aumentação). A maior associação desse paraefeito com o uso da levodopa necessita de maior evidência **B**,[85,86] embora consensos de especialistas recomendem a levodopa sob demanda em caso com sintomas intermitentes (menos de 3×/semana) para minimizar a probabilidade de ocorrência desse paraefeito.[79,80] A gabapentina enacarbila tem sido descrita como alternativa de tratamento, mostrando bons resultados na melhora de sintomas em ensaios clínicos randomizados **B**.[88-90] Quando os sintomas pioram após o início do tratamento farmacológico, sugere-se que o paciente seja encaminhado ao especialista.

TABELA 56.10 → Manejo farmacológico da síndrome das pernas inquietas

FÁRMACO	POSOLOGIA	COMENTÁRIO
Levodopa-carbidopa (25/100 mg)	½ a 1 comprimido 1-2 horas antes de deitar ou no surgimento dos sintomas	Rápido início de ação (15-30 minutos) Com o uso prolongado, pode haver piora dos sintomas (aumentação) em até 70% dos pacientes O risco de aumentação é maior com doses > 200 mg de levodopa e quando há ferritina/ferro sérico baixos Pode ser usada de forma intermitente É segura durante a gravidez
Agonistas dopaminérgicos	Bromocriptina (2,5-7,5 mg); cabergolina (0,5-2 mg); pergolida (0,05-0,5 mg); pramipexol (0,125-0,75 mg); ropinirol (0,25-1 mg); rotigotina (adesivo de 4-6 mg) Administrar 2 horas antes do horário habitual dos sintomas, em dose única diária	Risco menor de aumentação (30%) Como o início de ação é mais lento (2 horas, em média), não são adequados para uso intermitente
Gabapentina (300 mg)	Iniciar com 1 cápsula 2 horas antes do horário habitual do aparecimento dos sintomas, com aumento gradual (a cada 3-7 dias) até resposta terapêutica, que ocorre em média com 1.800 mg diários	Particularmente útil para pacientes com sintomas dolorosos ou com coexistência de neuropatia
Clonazepam (0,5-2 mg)	Administrar 0,2-1 mg ao deitar	Risco de sonolência diurna

REFERÊNCIAS

1. Doghramji PP. Detection of insomnia in primary care. J Clin Psychiatry. 2001;62(Suppl 10):18–26.
2. Berry R. The AASM manual for the scoring of sleep and associated events. Version 2.6. Darien: American Academy of Sleep Medicine; 2020.
3. Sadock BJ, Sadock VA, Ruiz P, Schestatsky G, Graeff-Martins AS, Pinheiro AP, et al. Compêndio de psiquiatria: ciência do comportamento e psiquiatria clínica. 11. ed. Porto Alegre: Artmed; 2016.
4. Sollars PJ, Pickard GE. The neurobiology of circadian rhythms. Psychiatr Clin North Am. 2015;38(4):645–65.

5. Tobaldini E, Fiorelli EM, Solbiati M, Costantino G, Nobili L, Montano N. Short sleep duration and cardiometabolic risk: from pathophysiology to clinical evidence. Nat Rev Cardiol. 2019;16(4):213–24.
6. Lovato N, Lack L. Insomnia and mortality: a meta-analysis. Sleep Med Rev. 2019;43:71–83.
7. da Silva AA, de Mello RGB, Schaan CW, Fuchs FD, Redline S, Fuchs SC. Sleep duration and mortality in the elderly: a systematic review with meta-analysis. BMJ Open. 2016;6(2):e008119.
8. Watson L, Ellis B, Leng GC. Exercise for intermittent claudication. Cochrane Database Syst Rev. 2008;(4):CD000990.
9. Hirshkowitz M, Whiton K, Albert SM, Alessi C, Bruni O, DonCarlos L, et al. National Sleep Foundation's updated sleep duration recommendations: final report. Sleep Health. 2015;1(4):233–43.
10. Lian Y, Yuan Q, Wang G, Tang F. Association between sleep quality and metabolic syndrome: a systematic review and meta-analysis. Psychiatry Res. 2019;274:66–74.
11. Bubu OM, Brannick M, Mortimer J, Umasabor-Bubu O, Sebastião YV, Wen Y, et al. Sleep, cognitive impairment, and Alzheimer's disease: a systematic review and meta-analysis. Sleep. 2017;40(1):zsw032.
12. Yin J, Jin X, Shan Z, Li S, Huang H, Li P, et al. Relationship of sleep duration with all-cause mortality and cardiovascular events: a systematic review and dose-response meta-analysis of prospective cohort studies. J Am Heart Assoc. 2017;6(9):e005947.
13. Pancheri C, Verdolini N, Pacchiarotti I, Samalin L, Delle Chiaie R, Biondi M, et al. A systematic review on sleep alterations anticipating the onset of bipolar disorder. Eur Psychiatry. 2019;58:45–53.
14. Freeman D, Sheaves B, Waite F, Harvey AG, Harrison PJ. Sleep disturbance and psychiatric disorders. Lancet Psychiatry. 2020;7(7):628–37.
15. Porras-Segovia A, Pérez-Rodríguez MM, López-Esteban P, Courtet P, Barrigón M ML, López-Castromán J, et al. Contribution of sleep deprivation to suicidal behaviour: a systematic review. Sleep Med Rev. 2019;44:37–47.
16. American Academy of Sleep Medicine. International classification of sleep disorders. 3rd ed. Darien: AASM; 2014.
17. American Psychiatric Association. Manual diagnóstico e estatístico de transtornos mentais: DSM-5. 5. ed. Porto Alegre: Artmed; 2014.
18. Winkelman JW. CLINICAL PRACTICE. Insomnia Disorder. N Engl J Med. 2015;373(15):1437–44.
19. Jordan AS, McSharry DG, Malhotra A. Adult obstructive sleep apnoea. Lancet. 2014;383(9918):736–47.
20. Poyares DR, Bittencourt LR, Tufik S. 50 FAQ – frequently asked questions: sonolência excessiva diurna. São Paulo: Editora de Projetos Médicos; 2009.
21. Beauvalet JC, Quiles CL, Oliveira MAB de, Ilgenfritz CAV, Hidalgo MPL, Tonon AC. Social jetlag in health and behavioral research: a systematic review. CPT. 2017;7:19–31.
22. Wittmann M, Dinich J, Merrow M, Roenneberg T. Social jetlag: misalignment of biological and social time. Chronobiol Int. 2006;23(1–2):497–509.
23. Allen RP, Picchietti D, Hening WA, Trenkwalder C, Walters AS, Montplaisi J, et al. Restless legs syndrome: diagnostic criteria, special considerations, and epidemiology. A report from the restless legs syndrome diagnosis and epidemiology workshop at the National Institutes of Health. Sleep Med. 2003;4(2):101–19.
24. Stores G. Clinical diagnosis and misdiagnosis of sleep disorders. J Neurol Neurosurg Psychiatry. 2007;78(12):1293–7.
25. Bertolazi AN, Fagondes SC, Hoff LS, Pedro VD, Menna Barreto SS, Johns MW. Portuguese-language version of the Epworth sleepiness scale: validation for use in Brazil. J Bras Pneumol. 2009;35(9):877–83.
26. Pagel JF. Excessive daytime sleepiness. Am Fam Physician. 2009;79(5):391–6.
27. Sateia MJ. International classification of sleep disorders-third edition. Chest. 2014;146(5):1387–94.
28. Summers MO, Crisostomo MI, Stepanski EJ. Recent developments in the classification, evaluation, and treatment of insomnia. Chest. 2006;130(1):276–86.
29. Schutte-Rodin S, Broch L, Buysse D, Dorsey C, Sateia M. Clinical guideline for the evaluation and management of chronic insomnia in adults. J Clin Sleep Med. 2008;4(5):487–504.
30. Guimarães GM. História clínica e exame físico em SAOS: clinical history and physical examination. J Bras Pneumol. 2010;36(suppl 2):10–2.
31. Epstein LJ, Kristo D, Strollo PJ, Friedman N, Malhotra A, Patil SP, et al. Clinical guideline for the evaluation, management and long-term care of obstructive sleep apnea in adults. J Clin Sleep Med. 2009;5(3):263–76.
32. Davies RJ, Ali NJ, Stradling JR. Neck circumference and other clinical features in the diagnosis of the obstructive sleep apnoea syndrome. Thorax. 1992;47(2):101–5.
33. American Sleep Apnea Association. Berlin questionnaire: sleep apnea [Internet]. 2015 [capturado em 19 mar. 2020]. Disponível em: https://www.sleepapnea.org/wp-content/uploads/2017/02/berlin-questionnaire.pdf.
34. Spiegel K, Tasali E, Leproult R, Van Cauter E. Effects of poor and short sleep on glucose metabolism and obesity risk. Nat Rev Endocrinol. 2009;5(5):253–61.
35. Pabón Meneses R-M, García de Gurtubay I, Morales G, Urriza J, Imirizaldu L, Ramos-Argüelles F. [Narcolepsy: update on etiology, clinical features and treatment]. An Sist Sanit Navar. 2010;33(2):191–201.
36. Canadian Agency for Drugs and Technologies in Health. Portable monitoring devices for diagnosis of obstructive sleep apnea at home: review of accuracy, cost-effectiveness, guidelines, and coverage in Canada. CADTH Technol Overv. 2010;1(4):e0123.
37. Kushida CA, Littner MR, Morgenthaler T, Alessi CA, Bailey D, Coleman J, et al. Practice parameters for the indications for polysomnography and related procedures: an update for 2005. Sleep. 2005;28(4):499–521.
38. Ancoli-Israel S, Cole R, Alessi C, Chambers M, Moorcroft W, Pollak CP. The role of actigraphy in the study of sleep and circadian rhythms. Sleep. 2003;26(3):342–92.
39. Morgenthaler T, Alessi C, Friedman L, Owens J, Kapur V, Boehlecke B, et al. Practice parameters for the use of actigraphy in the assessment of sleep and sleep disorders: an update for 2007. Sleep. 2007;30(4):519–29.
40. Smith MT, McCrae CS, Cheung J, Martin JL, Harrod CG, Heald JL, et al. Use of actigraphy for the evaluation of sleep disorders and circadian rhythm sleep-wake disorders: an American Academy of Sleep Medicine clinical practice guideline. J Clin Sleep Med. 2018;14(7):1231–7.
41. Wickwire EM, Collop NA. Insomnia and sleep-related breathing disorders. Chest. 2010;137(6):1449–63.
42. Sateia MJ. Update on sleep and psychiatric disorders. Chest. 2009;135(5):1370–9.
43. Buysse DJ, Reynolds CF, Kupfer DJ, Thorpy MJ, Bixler E, Manfredi R, et al. Clinical diagnoses in 216 insomnia patients using the International Classification of Sleep Disorders (ICSD), DSM-IV and ICD-10 categories: a report from the APA/NIMH DSM-IV Field Trial. Sleep. 1994;17(7):630–7.
44. Hertenstein E, Feige B, Gmeiner T, Kienzler C, Spiegelhalder K, Johann A, et al. Insomnia as a predictor of mental disorders: a systematic review and meta-analysis. Sleep Med Rev. 2019;43:96–105.
45. Neckelmann D, Mykletun A, Dahl AA. Chronic insomnia as a risk factor for developing anxiety and depression. Sleep. 2007;30(7):873–80.
46. Yehuda R, Hoge CW, McFarlane AC, Vermetten E, Lanius RA, Nievergelt CM, et al. Post-traumatic stress disorder. Nat Rev Dis Primers. 2015;1:15057.
47. Costa G de M. New insights into cortisol levels in PTSD. Rev Bras Psiquiatr. 2016;38(2):176.
48. Parish JM. Sleep-related problems in common medical conditions. Chest. 2009;135(2):563–72.

49. Farup C, Kleinman L, Sloan S, Ganoczy D, Chee E, Lee C, et al. The impact of nocturnal symptoms associated with gastroesophageal reflux disease on health-related quality of life. Arch Intern Med. 2001;161(1):45–52.

50. Theadom A, Cropley M, Humphrey K-L. Exploring the role of sleep and coping in quality of life in fibromyalgia. J Psychosom Res. 2007;62(2):145–51.

51. Tuomilehto H, Seppä J, Uusitupa M. Obesity and obstructive sleep apnea--clinical significance of weight loss. Sleep Med Rev. 2013;17(5):321–9.

52. Pinkerton JV, Pan K, Abraham L, Racketa J, Ryan KA, Chines AA, et al. Sleep parameters and health-related quality of life with bazedoxifene/conjugated estrogens: a randomized trial. Menopause. 2014;21(3):252–9.

53. Eichling PS, Sahni J. Menopause related sleep disorders. J Clin Sleep Med. 2005;1(3):291–300.

54. Cunnington D, Junge M. Chronic insomnia: diagnosis and non-pharmacological management. BMJ. 2016;355:i5819.

55. Krystal AD, Prather AA, Ashbrook LH. The assessment and management of insomnia: an update. World Psychiatry. 2019;18(3):337–52.

56. van Straten A, van der Zweerde T, Kleiboer A, Cuijpers P, Morin CM, Lancee J. Cognitive and behavioral therapies in the treatment of insomnia: A meta-analysis. Sleep Med Rev. 2018;38:3–16.

57. Toward Optimized Practice. Assessment to management of adult insomnia clinical practice guideline [Internet]. Vancouver: TOP; 2015 [capturado em 20 mar. 2020]. Disponível em: https://actt.albertadoctors.org/CPGs/Lists/CPGDocumentList/Adult-Insomnia-CPG.pdf.

58. Irwin MR, Cole JC, Nicassio PM. Comparative meta-analysis of behavioral interventions for insomnia and their efficacy in middle-aged adults and in older adults 55+ years of age. Health Psychol. 2006;25(1):3–14.

59. Holbrook AM, Crowther R, Lotter A, Cheng C, King D. The diagnosis and management of insomnia in clinical practice: a practical evidence-based approach. Can Med Assoc J. 2000;162(2):216–20.

60. Harsora P, Kessmann J. Nonpharmacologic management of chronic insomnia. Am Fam Physician. 2009;79(2):125–30.

61. Sateia MJ, Buysse DJ, Krystal AD, Neubauer DN, Heald JL. Clinical Practice Guideline for the Pharmacologic Treatment of Chronic Insomnia in Adults: An American Academy of Sleep Medicine Clinical Practice Guideline. J Clin Sleep Med. 2017;13(2):307–49.

62. Dupont E, Andersen A, Boas J, Boisen E, Borgmann R, Helgetveit AC, et al. Sustained-release Madopar HBS compared with standard Madopar in the long-term treatment of de novo parkinsonian patients. Acta Neurol Scand. 1996;93(1):14–20.

63. Daley C, McNiel DE, Binder RL. "I did what?" Zolpidem and the courts. J Am Acad Psychiatry Law. 2011;39(4):535–42.

64. Rösner S, Englbrecht C, Wehrle R, Hajak G, Soyka M. Eszopiclone for insomnia. Cochrane Database Syst Rev. 2018;10:CD010703.

65. Gunja N. In the Zzz zone: the effects of Z-drugs on human performance and driving. J Med Toxicol. 2013;9(2):163–71.

66. Soyka M. Treatment of benzodiazepine dependence. N Engl J Med. 2017;376(12):1147–57.

67. Verster JC, Veldhuijzen DS, Patat A, Olivier B, Volkerts ER. Hypnotics and driving safety: meta-analyses of randomized controlled trials applying the on-the-road driving test. Curr Drug Saf. 2006;1(1):63–71.

68. Glass J, Lanctôt KL, Herrmann N, Sproule BA, Busto UE. Sedative hypnotics in older people with insomnia: meta-analysis of risks and benefits. BMJ. 2005;331(7526):1169.

69. Pinto Jr LR, Alves RC, Caixeta E, Fontenelle JA, Bacellar A, Poyares D, et al. New guidelines for diagnosis and treatment of insomnia. Arq Neuro-Psiquiatr. 2010;68(4):666–75.

70. Everitt H, Baldwin DS, Stuart B, Lipinska G, Mayers A, Malizia AL, et al. Antidepressants for insomnia in adults. Cochrane Database Syst Rev. 2018;5:CD010753.

71. Lewis SR, Pritchard MW, Schofield-Robinson OJ, Alderson P, Smith AF. Melatonin for the promotion of sleep in adults in the intensive care unit. Cochrane Database Syst Rev. 2018;5:CD012455.

72. Ravesloot MJL, White D, Heinzer R, Oksenberg A, Pépin J-L. Efficacy of the new generation of devices for positional therapy for patients with positional obstructive sleep apnea: a systematic review of the literature and meta-analysis. J Clin Sleep Med. 2017;13(6):813–24.

73. McDaid C, Griffin S, Weatherly H, Durée K, van der Burgt M, van Hout S, et al. Continuous positive airway pressure devices for the treatment of obstructive sleep apnoea-hypopnoea syndrome: a systematic review and economic analysis. Health Technol Assess. 2009;13(4):iii–iv, xi–xiv, 1–119, 143–274.

74. Giles TL, Lasserson TJ, Smith BH, White J, Wright J, Cates CJ. Continuous positive airways pressure for obstructive sleep apnoea in adults. Cochrane Database Syst Rev. 2006;(3):CD001106.

75. Ahrens A, McGrath C, Hägg U. A systematic review of the efficacy of oral appliance design in the management of obstructive sleep apnoea. Eur J Orthod. 2011;33(3):318–24.

76. Vecchierini M-F, Attali V, Collet J-M, d'Ortho M-P, El Chater P, Kerbrat J-B, et al. A custom-made mandibular repositioning device for obstructive sleep apnoea-hypopnoea syndrome: the ORCADES study. Sleep Med. 2016;19:131–40.

77. Herxheimer A, Petrie KJ. Melatonin for the prevention and treatment of jet lag. Cochrane Database Syst Rev. 2002;(2):CD001520.

78. Ker K, Edwards PJ, Felix LM, Blackhall K, Roberts I. Caffeine for the prevention of injuries and errors in shift workers. Cochrane Database Syst Rev. 2010;(5):CD008508.

79. National Heart, Lung, and Blood Institute Working Group on Restless Legs Syndrome. Restless legs syndrome: detection and management in primary care. Am Fam Physician. 2000;62(1):108–14.

80. Silber MH, Ehrenberg BL, Allen RP, Buchfuhrer MJ, Earley CJ, Hening WA, et al. An algorithm for the management of restless legs syndrome. Mayo Clin Proc. 2004;79(7):916–22.

81. Gamaldo CE, Earley CJ. Restless legs syndrome: a clinical update. Chest. 2006;130(5):1596–604.

82. Trotti LM, Becker LA. Iron for the treatment of restless legs syndrome. Cochrane Database Syst Rev. 2019;1:CD007834.

83. Sakkas GK, Hadjigeorgiou GM, Karatzaferi C, Maridaki MD, Giannaki CD, Mertens PR, et al. Intradialytic aerobic exercise training ameliorates symptoms of restless legs syndrome and improves functional capacity in patients on hemodialysis: a pilot study. ASAIO J. 2008;54(2):185–90.

84. Aukerman MM, Aukerman D, Bayard M, Tudiver F, Thorp L, Bailey B. Exercise and restless legs syndrome: a randomized controlled trial. J Am Board Fam Med. 2006;19(5):487–93.

85. Scholz H, Trenkwalder C, Kohnen R, Riemann D, Kriston L, Hornyak M. Levodopa for restless legs syndrome. Cochrane Database Syst Rev. 2011;(2):CD005504.

86. Scholz H, Trenkwalder C, Kohnen R, Riemann D, Kriston L, Hornyak M. Dopamine agonists for restless legs syndrome. Cochrane Database Syst Rev. 2011;(3):CD006009.

87. Högl B, Garcia-Borreguero D, Trenkwalder C, Ferini-Strambi L, Hening W, Poewe W, et al. Efficacy and augmentation during 6 months of double-blind pramipexole for restless legs syndrome. Sleep Med. 2011;12(4):351–60.

88. Aurora RN, Kristo DA, Bista SR, Rowley JA, Zak RS, Casey KR, et al. The treatment of restless legs syndrome and periodic limb movement disorder in adults--an update for 2012: practice parameters with an evidence-based systematic review and meta-analyses: an American Academy of Sleep Medicine Clinical Practice Guideline. Sleep. 2012;35(8):1039–62.

89. Iftikhar IH, Alghothani L, Trotti LM. Gabapentin enacarbil, pregabalin and rotigotine are equally effective in restless legs syndrome: a comparative meta-analysis. Eur J Neurol. 2017;24(12):1446–56.

90. Ahmed M, Hays R, Steven Poceta J, Jaros MJ, Kim R, Shang G. Effect of Gabapentin Enacarbil on Individual Items of the International

Restless Legs Study Group Rating Scale and Post-sleep Questionnaire in Adults with Moderate-to-Severe Primary Restless Legs Syndrome: Pooled Analysis of 3 Randomized Trials. Clin Ther. 2016;38(7):1726-1737.e1.

LEITURAS RECOMENDADAS

Freeman D, Sheaves B, Waite F, Harvey AG, Harrison PJ. Sleep disturbance and psychiatric disorders. Lancet Psychiatry. 2020;7(7):628-37.
Revisão atualizada sobre distúrbios do sono e transtornos psiquiátricos.

Veasey SC, Rosen IM. Obstructive Sleep Apnea in Adults. N Engl J Med. 2019;380(15):1442-9.
Revisão atualizada sobre síndrome da apneia obstrutiva do sono.

Sateia MJ, Buysse DJ, Krystal AD, Neubauer DN, Heald JL. Clinical practice guideline for the pharmacologic treatment of chronic insomnia in adults: an American Academy of Sleep Medicine clinical practice guideline. J Clin Sleep Med. 2017;13(2):307–49.

Qaseem A, Kansagara D, Forciea MA, Cooke M, Denberg TD; Clinical Guidelines Committee of the American College of Physicians. Management of Chronic Insomnia Disorder in Adults: A Clinical Practice Guideline From the American College of Physicians. Ann Intern Med. 2016;165(2):125-33

Riemann D, Baglioni C, Bassetti C, Bjorvatn B, Dolenc Groselj L, Ellis JG, et al. European guideline for the diagnosis and treatment of insomnia. J Sleep Res. 2017;26(6):675-700.

Edinger JD, Arnedt JT, Bertisch SM, Carney CE, Harrington JJ, Lichstein KL, et al. Behavioral and psychological treatments for chronic insomnia disorder in adults: an American Academy of Sleep Medicine clinical practice guideline. J Clin Sleep Med. 2021;17(2):255-62.
Os trabalhos acima apresentam as diretrizes para avaliação e manejos farmacológico e não farmacológico do transtorno de insônia em adultos.

Capítulo 57
VERTIGENS E TONTURAS

Joel Lavinsky
Michelle Lavinsky Wolff
Luiz Lavinsky
Diogo Luis Scalco
Mariele Bressan

A tontura afeta, anualmente, 15 a 20% da população adulta. Sua prevalência aumenta com a idade e é 2 a 3 vezes maior em mulheres do que em homens.[1] É uma das queixas mais comuns entre indivíduos com idade > 70 anos, atingindo prevalências de 47% entre homens e 61% entre mulheres. Em 1 ano, aproximadamente 8% dos idosos com idade > 65 anos consultam com seu médico de família e comunidade por queixa de tontura.[2] Devido ao rápido crescimento da população idosa no Brasil, o clínico deve estar preparado para o diagnóstico e o tratamento apropriado dessa condição, especialmente em função do risco de quedas nessa faixa etária.

Quando o paciente se queixa de tontura, pode estar referindo-se a uma série de fenômenos diferentes. Uma história detalhada é fundamental para a categorização do sintoma em um dos grupos a seguir, dando foco aos diagnósticos diferenciais:

→ a vertigem é caracterizada pela sensação subjetiva de rotação do sujeito ou dos objetos ao seu redor, sendo uma ilusão de movimento do corpo ou do ambiente;[3]
→ a pré-síncope refere-se à sensação iminente de síncope/perda da consciência, por vezes acompanhada de sensação de calor, diaforese, náuseas e borramento visual;
→ o desequilíbrio corresponde a uma sensação de instabilidade postural, agravada durante a deambulação, sem a sensação ilusória de rotação característica da vertigem. Por vezes é descrito pelo paciente como "vindo das pernas, e não da cabeça";
→ a tontura inespecífica engloba os sintomas não possíveis de categorizar como vertigem, pré-síncope ou desequilíbrio. Frequentemente os pacientes têm dificuldade para descrever a sintomatologia.

VERTIGEM

A vertigem é o sintoma predominante resultante de uma assimetria aguda do sistema vestibular, podendo ser classificada como de causa periférica ou central.

As vestibulopatias periféricas são distúrbios decorrentes do sistema vestibular periférico, ou seja, do órgão vestibular na orelha interna até a entrada do nervo vestibular no tronco encefálico. A diferença de atividade entre os dois labirintos gera uma assimetria que chega ao núcleo vestibular, sendo interpretada pelo cérebro como uma falsa sensação de movimento.[4]

As vestibulopatias centrais advêm de lesões ao nível do sistema nervoso central. São causadas por um distúrbio nos centros de interação vestíbulo-ocular no tronco encefálico e cerebelo ou nas vias sensoriais ao nível do tálamo.

Abordagem diagnóstica

Embora a maioria dos pacientes que apresentam vertigem tenha uma etiologia benigna para seus sintomas, um pequeno grupo desses indivíduos pode ter uma doença grave subjacente. Causas graves geralmente são de origem central, tornando importante a diferenciação entre vestibulopatia periférica e central.

A obtenção de uma boa história clínica e do exame físico é fundamental para o manejo adequado dos pacientes com vertigem, seja para definir o diagnóstico e iniciar tratamento imediato, para seguir com a investigação por meio de exames complementares ou para referenciar os casos que necessitam de avaliação especializada.

Na TABELA 57.1, sugere-se um modelo de estratégia diagnóstica para pacientes com vertigem, enquanto, na TABELA 57.2, são citadas diferentes causas de vertigem de acordo com a duração dos sintomas.

TABELA 57.1 → Estratégia diagnóstica para pacientes com vertigem

CAUSAS MAIS COMUNS
- → Vertigem posicional paroxística benigna
- → Neuronite vestibular aguda/labirintite aguda
- → Cinetose

CAUSAS GRAVES QUE DEVEM SER CONSIDERADAS
- → Neoplasia: neuroma do nervo acústico; tumor de fossa posterior; outros tumores cerebrais, primários ou secundários
- → Insuficiência vertebrobasilar/acidente vascular cerebral/acidente isquêmico transitório
- → Esclerose múltipla

CAUSAS FREQUENTEMENTE ESQUECIDAS
- → Cerume impactado
- → Hiperventilação/ansiedade
- → Migrânea vestibular
- → Pós-trauma craniano
- → Disfunção cervical
- → Síndrome de Ménière (em alguns ambientes, superdiagnosticada)

RARAS
- → Fístula labiríntica
- → Otossífilis
- → Síndrome de Ramsay-Hunt (herpes-zóster ótico)
- → Ototoxicidade vestibular
- → Doenças autoimunes

TABELA 57.2 → Diagnóstico diferencial de vertigem de acordo com a duração média das crises

DURAÇÃO DOS EPISÓDIOS DE VERTIGEM	DIAGNÓSTICO DIFERENCIAL
Segundos/minutos	→ Vertigem posicional paroxística benigna (posição-dependente) → Vestibulopatia central (posição-independente)
Horas	→ Doença de Ménière
Dias	→ Neuronite vestibular (regressão progressiva dos sintomas) → Vestibulopatia central (piora progressiva dos sintomas)
Meses	→ Psicogênica
Variável	→ Fístula perilinfática → Neuroma do acústico → Insuficiência vertebrobasilar (incluindo acidente vascular cerebral e acidente isquêmico transitório) → Enxaqueca → Labirintites → Esclerose múltipla

TABELA 57.3 → Sintomas-chave das principais vestibulopatias

SINTOMAS	DIAGNÓSTICO DIFERENCIAL
Jejum prolongado ou após a ingestão de açúcares	→ Labirintopatia metabólica
Ruído intenso e pressão	→ Fístula perilinfática
Hipoacusia flutuante e zumbido	→ Doença de Ménière
Hipoacusia progressiva e desequilíbrio	→ Tumor de ângulo pontocerebelar
Cefaleia do tipo enxaqueca	→ Enxaqueca vertebrobasilar
Posição da cabeça	→ Vertigem posicional paroxística benigna
Quedas bruscas, parestesias, diplopia	→ Insuficiência vertebrobasilar → Acidente vascular cerebral
Criança	→ Vertigem paroxística benigna na infância → Tumores → Torcicolo congênito
Indefinidos	→ Intoxicações → Hiperventilação → Psicogênicas
Vertigem súbita	→ Labirintite (com surdez e febre) → Neuronite vestibular (sem surdez)
Arreflexia vestibular bilateral	→ Ototoxicidade
Cervicalgia	→ Síndrome do simpático posterior

História clínica

A **TABELA 57.3** sumariza os principais sintomas identificados nos diferentes quadros clínicos. Na anamnese, alguns dados da história podem ser úteis para iniciar a definição do diagnóstico topográfico.

As vestibulopatias centrais são mais comuns na população idosa e pediátrica. Raramente a tontura é um sintoma isolado, sendo mais frequente o desequilíbrio (ataxia), não rotatório, com predomínio de instabilidade e quedas. As crises costumam ser de longa duração e com sintomas mais brandos quando comparadas às periféricas. Sintomas neurológicos concomitantes, como cefaleia, diplopia, disartria, parestesia, fraqueza muscular e ataxia, devem ser questionados, assim como a presença de sintomas neurovegetativos, como vômito, sudorese e palpitações. Não é comum a presença de sintomas auditivos (hipoacusia, zumbido ou plenitude aural) durante as crises. História de intoxicação por drogas e álcool, risco cardiovascular (hipertensão arterial, diabetes, tabagismo, angina) e enxaqueca devem ser avaliados, pois são agravantes frequentes dos quadros centrais.

As vestibulopatias periféricas predominam na faixa etária adulta (30-50 anos). O sintoma clássico é uma intensa crise de tontura rotatória (vertigem), frequentemente recorrente. Sintomas neurovegetativos podem acompanhar os episódios. Sintomas otológicos, como perda auditiva, zumbido, plenitude aural ou otorreia, também podem estar presentes.

As crises nas vestibulopatias periféricas variam em duração, podendo estender-se por segundos, minutos, horas ou até dias. O paciente pode referir uma tendência à queda para um lado específico, em geral o do labirinto comprometido.[4] Movimentos da cabeça ou do corpo e os olhos fechados podem intensificar a vertigem. A **TABELA 57.2** sumariza os principais diagnósticos diferenciais de vertigem periférica de acordo com o tempo de duração do episódio vertiginoso. As principais questões a serem abordadas na avaliação de um paciente com vertigem estão listadas na **TABELA 57.4**.

Exame físico

O exame físico é uma importante ferramenta na diferenciação das vestibulopatias centrais e periféricas. Didaticamente, sugere-se a seguinte sequência na avaliação do paciente com vertigem:

- → **avaliação neurológica:** pares cranianos, função cerebelar (marcha, coordenação, reflexos, teste índex-nariz) e fundoscopia (quando possível). Também é importante observar sinais de neuropatia periférica;

TABELA 57.4 → Principais questões que devem ser abordadas na avaliação de um paciente com vertigem

- Sintomas paroxísticos ou contínuos
- Duração do episódio
- Presença de fatores desencadeantes ou agravantes – por exemplo, movimento da cabeça, barulho, manobra de Valsalva (tosse, espirro, defecação)
- Sintomas concomitantes – por exemplo, sintomas visuais, aura (enxaqueca), zumbido, perda auditiva, náusea ou vômito, sintomas neurológicos (parestesia/paresia facial, incoordenação motora, alteração da marcha)
- Trauma craniano recente
- Resfriado recente
- Ansiedade ou depressão
- História prévia de enxaqueca, doença ou fatores de risco para doença cardiovascular
- História familiar de enxaqueca ou de doença de Ménière
- Uso de medicamentos (aminoglicosídeos, furosemida, antidepressivos, antipsicóticos, anticonvulsivantes) ou intoxicação aguda por álcool

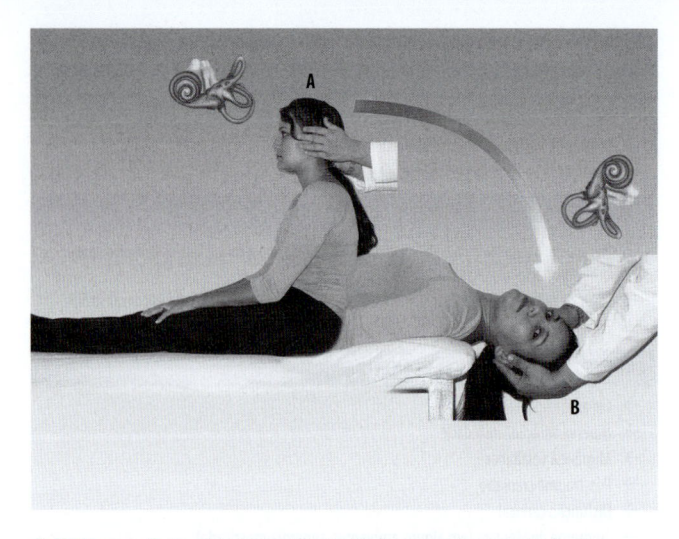

FIGURA 57.1 → Manobra de Dix-Hallpike. **(A)** O paciente fica sentado, de olhos abertos, a uma altura que, quando deitado, sua cabeça permaneça fora da maca. **(B)** A cabeça é virada 45 graus para o lado a ser avaliado. Deita-se rapidamente a cabeça do paciente, sendo segurada pendente por 20 segundos, e a presença do nistagmo é pesquisada. Pesquisa-se mais uma vez a presença do nistagmo com o paciente levantado na posição sentada. Repete-se a mesma manobra do lado oposto.
Fonte: Santos.[5]

- **otoscopia:** é necessário afastar causas otológicas, sobretudo as inflamatórias (otorreia, otite média, tampão de cerume e vesículas no pavilhão auricular);
- **acumetria:** deve-se avaliar hipoacusia, solicitando que o paciente repita palavras ou números sussurrados próximos ao ouvido (fonoacumetria ou "teste do sussurro"). Quando identificada perda auditiva, pesquisa-se, com o diapasão, por meio da execução dos testes de Rinne e Weber, se ela é condutiva ou neurossensorial;
- **pesquisa de nistagmo:** representa a função do sistema vestibular sobre a movimentação ocular (reflexo vestíbulo-ocular). Geralmente o nistagmo de origem central não tem latência (intervalo de tempo entre o estímulo e o início do nistagmo), piora com a fixação ocular e é multidirecional, enquanto o periférico tem latência, é fatigável e unidirecional. A presença de nistagmo espontâneo, bem como induzido por meio de qualquer manobra referida pelo paciente como causadora de vertigem, deve ser investigada;
- **teste de Dix-Hallpike:** deve ser realizado, conforme exemplificado na **FIGURA 57.1**,[5] quando há suspeita de vertigem posicional paroxística benigna (VPPB) (ver QR code). O teste é considerado positivo para VPPB se vertigem e nistagmo estão presentes e o nistagmo inicia após um período de latência de poucos segundos, com frequência torcional, geotrópico (fase rápida do nistagmo com batimento no sentido da orelha estimulada, que está voltada para o solo) e fatigável (resposta progressivamente menos intensa a cada repetição da manobra). Deve-se ter cautela na realização da manobra de Dix-Hallpike (ver QR code) nos pacientes com história de patologias cervicais ou estenose de carótida;
- **testes de equilíbrio:** avaliam o reflexo vestibuloespinal por meio dos testes de equilíbrio estático (Romberg simples ou sensibilizado) e dinâmico (Babinsky-Weil e Unterberger). Geralmente, nos quadros periféricos existe a tendência de queda para o lado do labirinto deficitário (propulsão lateral), e nos centrais predominam a ataxia e os movimentos anteroposteriores (retropulsão):[6]
  - no **teste de Romberg**, o indivíduo aproxima os pés, deixando os braços ao longo do corpo na posição anatômica, e fecha os olhos. O teste é considerado positivo com oscilações ou queda. O teste de Romberg sensibilizado é realizado com a ponta do pé próximo ao calcanhar do pé oposto. Caracteriza-se como periférico quando existe latência entre o fechamento dos olhos e a queda (no sentido do labirinto lesado). Nos casos centrais, a queda é precoce e abrupta;
  - no **teste de Babinski-Weil**, pede-se que o paciente ande para a frente (5 a 6 passos) e volte de costas com os olhos fechados. A tendência é de desvio da marcha para o lado do labirinto lesado;
  - no **teste de Unterberger**, pede-se que o paciente ande de olhos fechados sem sair do lugar por 1 minuto ou dê 90 passos sem deslocar-se com os olhos fechados. A queda tende a ocorrer para o lado do labirinto lesado;
- **HINTS** refere-se ao acrônimo que envolve três testes: teste de impulso da cabeça (em inglês, *head-impulse test*), teste do **n**istagmo e **t**este de *skew*. (Ver QR code.) Eles devem ser utilizados para diferenciar vertigem contínua com causa central e causa periférica (labirintite aguda/neuronite vestibular):[6]
  - **teste de impulso da cabeça:** sentado, o paciente

tem sua cabeça mobilizada rapidamente 10 graus para a direita e 10 graus para a esquerda, repetidamente, enquanto permanece com o olhar direcionado para o nariz do examinador. Caso ocorra uma sacada compensatória (movimento rápido do olho), o teste é considerado positivo, sugestivo de lesão vestibular periférica. A ausência de sacada compensatória sugere fortemente causa central;

→ **teste do nistagmo:** o paciente deve seguir o dedo do examinador com os olhos enquanto o dedo se move lentamente para a direita e para a esquerda. Presença de nistagmo horizontal unidirecional que piora quando o olhar é direcionado para o lado do componente de fase rápida sugere lesão periférica. Nistagmo vertical ou bidirecional (muda a direção do componente da fase rápida conforme a direção do olhar) sugere lesão central;

→ **teste de *skew*:** o paciente deve olhar para a frente e ocluir os olhos alternadamente. O desvio vertical do olho, após descoberto, sugere lesão central.

A **TABELA 57.5** resume os principais achados semiológicos nos testes de equilíbrio na diferenciação das vestibulopatias centrais e periféricas.

Exames complementares

Podem ser úteis para confirmação do diagnóstico topográfico e das doenças vestibulares específicas. Os exames mais frequentemente realizados, em geral solicitados por otorrinolaringologista/neurologista, os quais serão indicados mediante suspeição clínica, são:

→ **audiometria tonal e vocal** para identificação de evidências de perda auditiva;
→ **eletronistagmografia**, ou **videonistagmografia**, que permite o registro gráfico dado pela direção do componente rápido do nistagmo. Esse exame permite identificar achados topográficos anormais periféricos (inclusive identificando o lado lesado) ou centrais, utilizando uma bateria de testes da função vestíbulo-ocular;
→ **ressonância magnética de crânio**, meio de imagem preferencial na detecção das principais afecções centrais. Os achados patológicos mais comuns são de neoplasias da fossa posterior, focos de desmielinização da esclerose múltipla, áreas isquêmicas e degenerativas.

Principais quadros clínicos

Vestibulopatias periféricas

Vertigem posicional paroxística benigna

A VPPB é um tipo de tontura causada por uma reação anormal do sistema equilibrador a certas posições da cabeça. Entre 17 e 42% dos pacientes com vertigem recebem o diagnóstico de VPPB.[7]

Em geral, a prevalência de VPPB tem sido relatada variando de 10,7 a 140 a cada 100 mil habitantes. As mulheres são mais frequentemente afetadas que os homens, com uma proporção mulher:homem de 2,2-1,5:1. A VPPB é o distúrbio vestibular mais comum ao longo da vida, sendo a idade de início mais comum entre a 5ª e a 7ª décadas de vida. É definida como uma doença da orelha interna com repercussões nos canais semicirculares (superior, horizontal e posterior). A VPPB do canal posterior é a mais comum, constituindo 85 a 95% dos casos de VPPB.[7]

A fisiopatologia envolve uma diferença de densidade entre a cúpula e a endolinfa do canal semicircular acometido. Partículas provenientes de otólitos degenerados permanecem em suspensão na endolinfa (canalitíase) ou aderidas à cúpula do canal semicircular (cupulolitíase), sendo a primeira a mais comum. Quando ocorre algum movimento da cabeça, a orientação do canal se modifica em relação ao plano gravitacional e o deslocamento de partículas por ação da gravidade promove uma ativação anômala da crista ampular.

Caracteriza-se por episódios recorrentes de vertigem posicional, ou seja, é desencadeada em posições específicas da cabeça. A vertigem costuma durar de poucos segundos a um minuto, sendo precipitada por movimentos específicos da cabeça (girar na cama, olhar para cima). Pode ocorrer náusea, porém raras vezes é associada a vômitos. Com frequência, após as crises, surgem sintomas de desequilíbrio que podem durar minutos a horas. Não costuma estar relacionada com hipoacusia e zumbido. Ocorre espontaneamente na maioria das vezes, porém pode ser precipitada por trauma craniencefálico, cirurgia otológica e labirintite. Pode coexistir com outras doenças da orelha interna, em especial doença de Ménière.

A história clínica compatível e a manobra de Dix-Hallpike positiva sugerem o diagnóstico de VPPB, embora a manobra negativa não exclua o diagnóstico (em cenário de atenção primária à saúde [APS], apresenta valor preditivo positivo de 83% e valor preditivo negativo de 52%).[4]

O tratamento mais frequentemente utilizado para a VPPB de canal posterior é a manobra de Epley exemplificada na **FIGURA 57.2** (ver também QR code). É eficaz, seguro e leva à resolução de sintomas em menor tempo **A**.[8,9] Pacientes tratados com a manobra de Epley

TABELA 57.5 → Achados semiológicos nos testes de equilíbrio na diferenciação das vestibulopatias centrais e periféricas

TESTES DE EQUILÍBRIO	PERIFÉRICAS	CENTRAIS
Romberg	Desvio para o lado lesado	Sem lado preferencial
Babinski-Weil	Desvio para o lado lesado	Marcha instável
Unterberger	Rotação para o lado lesado	Sem lado preferencial
Provas de coordenação	Normal	Dismetria
Teste de impulso da cabeça	Presença de sacada compensatória	Normal
Teste do nistagmo	Unidirecional; piora quando o olhar é direcionado para o lado do componente de fase rápida	Vertical ou bidirecional
Teste de *skew*	Normal	Nistagmo vertical

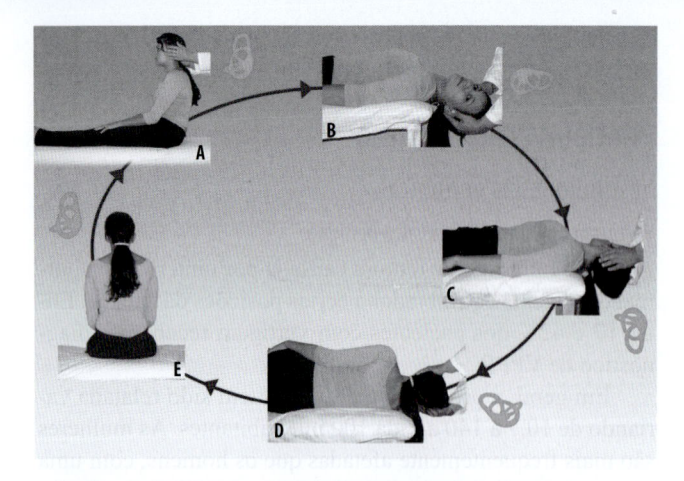

FIGURA 57.2 → Manobra de reposicionamento otolítico (Epley). **(A)** Coloca-se o paciente na posição de Dix-Hallpike, do lado em que há aparecimento de vertigem e/ou nistagmo. **(B)** Conduz-se a cabeça, devagar, para o lado oposto a 45 graus. **(C)** Orienta-se que o paciente se deite sobre o ombro, do mesmo lado, sendo que a cabeça está segura pelo terapeuta. Desloca-se a cabeça para baixo até que o nariz fique apontado para o chão. **(D)** Coloca-se o paciente na posição sentada. **(E)** Devem-se manter as posições por um período 30 a 45 segundos cada.
Fonte: Santos.[5]

apresentam chance 6,5 vezes maior de melhora clínica em relação a pacientes que não são submetidos à manobra.[10] Porém, sua efetividade em longo prazo não está definida. A taxa de conversão com a manobra é de 66 a 89%, mas o paciente pode permanecer levemente sintomático por mais alguns dias. A manobra (ver QR code) pode ser repetida após 1 semana, sendo dispensável a necessidade de restrições de movimentos bruscos com a cabeça nos dias subsequentes **A**.[7,11]

Pode-se considerar, de preferência após avaliação de otorrinolaringologista, a realização das manobras de Brandt-Daroff **C/D**, as quais podem ser feitas em casa, somente nas situações em que a manobra de Epley for contraindicada, pois uma única manobra de Epley é 10 vezes mais eficaz que 1 semana de exercícios de Brandt-Daroff.[12] O tratamento medicamentoso em longo prazo com medicamentos supressores vestibulares (anti-histamínicos e/ou benzodiazepínicos) não é recomendado **C/D**.[7]

A avaliação complementar com otorrinolaringologista pode ser útil nos casos de incerteza diagnóstica, insucesso nas manobras de reposição otolítica (até 2 tentativas) e recorrência de mais de 3 episódios.

A VPPB apresenta um curso intermitente, e o paciente pode permanecer assintomático por vários anos. A taxa média de recorrência é 10 a 18% ao ano. Pode ocorrer cura espontânea em aproximadamente 50% dos pacientes em um período de 3 meses. No entanto, existe um importante impacto na qualidade de vida, com prejuízo no desempenho das atividades diárias e, especialmente, maior risco de quedas.[7]

Neuronite vestibular e labirintites

Ambas são vestibulopatias periféricas caracterizadas por vertigem aguda, com episódio único, em geral. Acometem indivíduos saudáveis, em especial adultos jovens e de meia-idade.[1,13] A neuronite vestibular é uma inflamação do nervo vestibular que ocorre principalmente após uma infecção viral. Não acomete a audição, sendo uma mononeuropatia do ramo vestibular. A labirintite acomete tanto o labirinto como o nervo vestibular, podendo apresentar hipoacusia e zumbido.

O início é abrupto com evolução lenta, apresentando duração de semanas. A vertigem pode ser intensa e incapacitante. A tendência é a melhora progressiva em função do processo de compensação vestibular central. Deve-se encorajar o retorno às atividades diárias.

Os medicamentos supressores vestibulares devem ser usados para controle sintomático, porém apenas em estágios precoces e por curto prazo, para não comprometer a compensação vestibular fisiológica.[14] Na síndrome vestibular aguda, o seguinte tratamento sintomático pode ser prescrito nos primeiros 3 dias: anti-histamínico, como dimenidrinato 50 mg, por via oral (VO), a cada 4 a 6 horas, benzodiazepínico, como diazepam 5 a 10 mg, VO, a cada 4 a 6 horas, ou clonazepam 0,5 mg, VO, a cada 4 a 8 horas **C/D**.[15]

A **TABELA 57.6** apresenta os principais antivertiginosos empregados no tratamento da vertigem aguda. O uso de antivirais não é recomendado **C/D**.[16] O manejo também pode incluir o uso de corticoides **B**, embora ainda seja controroso,[14,16-19] e reabilitação vestibular **B** (ver QR code), especialmente nos casos refratários.[20,21] Exercícios de reabilitação vestibular (exercícios de Cawthorne-Cooksey) são benéficos nos pacientes que permaneceram com disfunção vestibular unilateral **B**.[21,22] A avaliação complementar com otorrinolaringologista deve ser

TABELA 57.6 → Principais medicamentos utilizados no tratamento da vertigem aguda

MEDICAMENTO	DOSES	SEDAÇÃO	ANTIÊMESE
Dimenidrinato	25-100 mg, a cada 6-8 horas (VO, IM ou IV)	Leve	Moderada
Meclizina*	12,5-50 mg, a cada 6-8 horas (VO)	Moderada	Moderada
Cinarizina	12,5-25 mg, a cada 8 horas (VO)	Leve	Leve
Flunarizina	10 mg, 1 ×/dia (VO)	Moderada	Leve
Prometazina	25 mg, a cada 8 horas (VO ou IM)	Intensa	Intensa
Clonazepam	0,25-0,5 mg, 1-2 ×/dia	Moderada	Leve
Diazepam	2-10 mg, a cada 6-8 horas (VO ou IV)	Moderada	Leve
Metoclopramida	5-10 mg, a cada 6-8 horas (VO, IM ou IV lento)	Leve	Intensa
Ondansetrona	4-8 mg, a cada 8 horas (VO ou IV)	Leve	Intensa

*Primeira escolha em gestantes.
IM, intramuscular; IV, intravenosa; VO, via oral.

considerada nos casos de incerteza diagnóstica ou nos casos sem melhora após 1 semana do início dos sintomas.

Síndrome de Ménière

A síndrome de Ménière é uma patologia da orelha interna que se caracteriza por crises recorrentes de vertigem (sintoma principal), hipoacusia, zumbido e plenitude aural. Em geral é unilateral, mas pode ser bilateral em até 30% dos casos. A prevalência estimada é de 1 a cada 1.000 indivíduos, sendo mais frequente em mulheres. O pico de incidência varia de 30 a 60 anos, sendo rara em crianças.[23]

A etiologia da síndrome é multifatorial. As principais causas envolvem distúrbios metabólicos, especialmente dos carboidratos. Entre os possíveis fatores de risco envolvidos na gênese desse distúrbio estão dislipidemia, tireoidopatia, autoimunidade, alergia, infecção viral, alterações vasculares e predisposição genética. O diagnóstico etiológico é relevante no manejo terapêutico.[24]

O diagnóstico da doença de Ménière é baseado em critérios clínicos e requer a observação de uma síndrome de vertigem episódica associada à perda auditiva neurossensorial e sintomas auditivos flutuantes (audição, zumbido e/ou plenitude) no ouvido afetado. A duração dos episódios de vertigem é limitada a um período de 20 minutos a 12 horas.[25] Diante de suspeita clínica, sugere-se referenciar o paciente para avaliação por otorrinolaringologista. Em geral, a confirmação diagnóstica envolve a realização de exames eletrofisiológicos específicos (eletrococleografia e potenciais miogênicos vestibulares evocados) e o teste do glicerol (audiometrias seriadas após administração de potente diurético).[26]

A audiometria pode indicar perda auditiva neurossensorial nas frequências baixas (tons graves). A investigação laboratorial envolve a busca etiológica das principais doenças metabólicas (intolerância à glicose/diabetes, hipotireoidismo e dislipidemia). Diferentes estudos mostraram que o hiperinsulinismo é um distúrbio metabólico comum em pacientes que apresentam Ménière, com prevalência de 76,6%, devendo sempre ser investigado. Pacientes com Ménière e hiperinsulinismo/resistência insulínica apresentam maior comprometimento auditivo do que pacientes normoinsulinêmicos. Uma dieta baseada em baixo teor de carboidratos deve ser associada ao tratamento **C/D**.[27]

O tratamento clínico preventivo pode ser considerado para o controle das crises e alívio dos sintomas na síndrome. O medicamento-padrão é a betaistina 24 mg, 2 ×/dia, ou 16 mg, 3 ×/dia, porém há limitação nas atuais evidências para afirmar sua eficácia **B**.[28,29] É discutível se a associação com diurético (hidroclorotiazida 25-50 mg/dia) ajuda **C/D**.[23,30] Embora também seja de efetividade controversa, a instituição de dieta hipossódica, alta ingesta hídrica e restrição de cafeína apresenta poucos efeitos adversos e pode ser aconselhada **C/D**.[28,31] Nos casos refratários ao manejo clínico, o tratamento cirúrgico pode ser indicado pelo otorrinolaringologista, sendo a quimiocirurgia intratimpânica com gentamicina (de preferência, nos pacientes com perda auditiva) ou corticoides e a descompressão do saco endolinfático as abordagens mais utilizadas.

As crises da síndrome costumam ser intensas e com duração de horas a dias. Frequentemente são incapacitantes. O intervalo entre as crises é variável, mas tende a aumentar com a evolução da doença. As crises podem ser abortadas com a associação de ansiolíticos (clonazepam 0,25-0,5 mg, 1-2 ×/dia) e sedativos labirínticos (dimenidrinato 50-100 mg, a cada 4-8 horas) **C/D**.[32]

Labirintopatias hormonais e metabólicas

São mais comuns em mulheres a partir da 3ª década de vida. Os sintomas costumam ser cíclicos e vagos, como cabeça leve, instabilidade e zumbidos de alta frequência. As principais etiologias são os distúrbios do metabolismo dos carboidratos (hiperinsulinemia, intolerância à glicose, diabetes), da tireoide (hipo ou hipertireoidismo) e dos ovários.[33] A audiometria pode apresentar uma perda auditiva neurossensorial "plana" ou "em U invertido". Uma avaliação glicêmica e tireoidiana está indicada em pacientes que apresentam esse padrão de perda. Recomenda-se a correção do distúrbio metabólico em questão **C/D**.[27,34]

Cinetose

A cinetose é uma síndrome caracterizada por tontura, palidez, sudorese, náusea, vômito, salivação e mal-estar generalizado originado pela estimulação excessiva do sistema vestibular, geralmente em viagens de carro ou barco. Ocorre em função do conflito de informações entre os três sistemas do equilíbrio corporal (vestibular, visual e proprioceptivo).

Os sintomas são provocados pela movimentação (linear ou angular) da cabeça. A remissão é espontânea, em geral algumas horas após a exposição. O diagnóstico é clínico, sendo importante afastar outras labirintopatias.

O tratamento consiste em mudança de hábitos e reabilitação. O conflito sensorial pode ser minimizado com a fixação dos olhos em ponto fixo durante os movimentos que provocam o mal-estar. A prática de exercício físico auxilia na compensação central. Em alguns casos mais intensos, torna-se necessário o uso de reabilitação vestibular (exercícios de Cawthorne-Cooksey) e tratamento medicamentoso sintomático com sedativos labirínticos (p. ex., dimenidrinato) **C/D**.[6]

Fístula labiríntica

A fístula labiríntica é uma condição rara provocada pela comunicação anormal entre a orelha interna e a cavidade timpânica. Pode ocorrer de forma espontânea, traumática, por esforço físico ou em associação com infecções otológicas.

Os sintomas mais comuns são os de perda auditiva súbita ou progressiva associada à vertigem. Em alguns casos, a vertigem pode ser desencadeada por som intenso ou por manobra de Valsalva.

O tratamento é cirúrgico para o fechamento da fístula.

Vestibulopatias centrais

Migrânea vestibular

Estima-se que 30 a 40% dos pacientes com enxaqueca já tenham apresentado vertigem episódica. Os critérios diagnósticos incluem: (1) ≥ 5 episódios de sintomas vestibulares com duração de 5 minutos a 72 horas, (2) sintomas atuais ou história de enxaqueca, (3) ≥ 1 sintoma de enxaqueca durante pelo menos 50% dos episódios vertiginosos e (4) outras causas descartadas por investigações apropriadas.[35,36]

A vertigem ocorre na fase da aura, sendo exacerbada por movimentos da cabeça. Os pacientes com migrânea vestibular são suscetíveis à cinetose. Os episódios de vertigem aguda duram minutos a poucas horas. Entre os principais diagnósticos diferenciais estão eventos vasculares agudos do tronco encefálico e doença de Ménière.

Um tipo particular de migrânea é a enxaqueca basilar, caracterizada por cefaleia occipital com sintomas ou sinais de nervos cranianos e/ou tronco encefálico (ataxia, distúrbios de fala, disfagia, amaurose). Outros equivalentes de enxaqueca são a vertigem paroxística benigna infantil e o torcicolo paroxístico (abordados no tópico Tontura na Infância, a seguir).

O tratamento da migrânea vestibular é semelhante ao tratamento da migrânea clássica (ver Capítulo Cefaleia).[29]

Insuficiência vertebrobasilar

A insuficiência vertebrobasilar é uma diminuição do fluxo sanguíneo das artérias vertebrais e basilar em função da presença de placas de ateroma, alterações hemodinâmicas (hipotensão ortostática) ou compressão extrínseca (contratura dos músculos escalenos ou osteófitos). O quadro pode variar desde hipoperfusão transitória até isquemia aguda grave.

Acomete mais frequentemente indivíduos com idade > 50 anos com antecedentes cardiovasculares. Os fatores de risco são diabetes, hipertensão arterial e dislipidemia. Predomina o desequilíbrio/instabilidade constante, vertigem súbita ao girar a cabeça, alterações visuais (escotomas e diplopias) e *drop attack* (queda súbita, sem perda de consciência). Pode estar acompanhada de outros sintomas neurológicos como fraqueza nas extremidades, parestesias, cefaleia e confusão mental. No exame físico, são importantes a aferição da pressão arterial (PA) e a ausculta cervical em busca de sopros carotídeos.[37]

Na suspeita clínica, avaliar a solicitação de exames de imagem (p. ex., angiotomografia computadorizada de vasos cervicais, angiorressonância magnética de vasos cervicais ou Doppler arterial de vasos cervicais) ou encaminhar ao especialista (neurologista ou otorrinolaringologista) para fins de avaliação diagnóstica.

O manejo da insuficiência vertebrobasilar envolve o tratamento da patologia de base (doença vascular aterosclerótica, hipercoagulabilidade, hiperviscosidade, osteoartrite). Os fatores de risco devem ser tratados (diabetes, hipertensão arterial e dislipidemia). (Para mais informações, ver Capítulo Doenças Cerebrovasculares.) Depressores vestibulares devem ser utilizados com cautela, já que podem prejudicar a compensação central. Programas de reabilitação vestibular com fisioterapia podem ser empregados nesse quadro C/D.[38]

A síndrome do simpático posterior (Barré-Liéou) é a compressão extrínseca da artéria vertebral e seus ramos por osteófitos cervicais, gerando um quadro de insuficiência vertebrobasilar. As queixas mais frequentes são vertigem, cefaleia unilateral e posterior, dores cervicais e alterações visuais. Exames de imagem como radiografia e tomografia computadorizada de coluna cervical podem auxiliar no diagnóstico (níveis cervicais C4 a C7), porém é necessária muita cautela na correlação dos achados radiológicos com os achados clínicos, uma vez que alterações degenerativas na coluna cervical são muito frequentes, mesmo em pacientes assintomáticos.

Outras causas raras de vestibulopatias centrais

A esclerose múltipla, a neoplasia intracraniana (a mais associada é o schwanoma vestibular), a malformação de Arnold-Chiari e a epilepsia podem causar vertigem.

Cabe ressaltar que, embora a hiperventilação relacionada com ansiedade ou outros problemas de ordem emocional sejam considerados diagnóstico de exclusão, também podem estar associados a quadros de vertigem, apesar de serem mais comuns nos casos de tontura inespecífica.

PRÉ-SÍNCOPE E SÍNCOPE

Com duração curta, geralmente de segundos ou minutos, a pré-síncope costuma ser descrita pelo paciente como "sensação de desmaio" ou de "apagão", embora nos casos menos intensos a descrição possa ser menos clara. Não é incomum o aparecimento concomitante de sensação de calor, diaforese, náusea e borramento visual, bem como a percepção de palidez por um observador externo. Além disso, a pré-síncope costuma ocorrer quando o indivíduo está na posição ortostática ou sentado, raras vezes na posição supina.

Entre os mecanismos fisiopatológicos envolvidos na gênese da pré-síncope, extrapolando que sejam os mesmos da síncope, estão redução aguda do fluxo sanguíneo cerebral (p. ex., hipotensão, cardiopatias, etc.), alterações químicas do sangue que chega ao cérebro (p. ex., hipoglicemia, hipocapnia, hipoxia, etc.) e causas psicológicas.

Abordagem diagnóstica

Visa estabelecer a etiologia da pré-síncope, na maioria das vezes obtida por meio de uma boa história clínica e realização de exame físico adequado, embora não sejam incomuns casos sem diagnóstico mesmo após investigação mais detalhada.

A TABELA 57.7 sugere uma estratégia diagnóstica para pré-síncope. Os principais diagnósticos diferenciais podem ser divididos em cinco grandes grupos: hipotensão, condições metabólicas, doença cardíaca, condições intracranianas e transtornos mentais. As causas de hipotensão que podem levar à pré-síncope são listadas na TABELA 57.8.

Entre os dados da anamnese importantes para o diagnóstico etiológico da pré-síncope, estão:
→ relação do sintoma com a atividade que estava realizando no momento do seu início:
    → posição ou mudanças de postura;

- → atividade física;
- → fator estressante psicológico/físico;
- → presença de sintomas neurológicos;
- → presença de sintomas cardíacos como palpitação ou dor torácica;
- → sintomas de ansiedade/alteração do humor;
- → medicamentos em uso;
- → história prévia de sintomatologia semelhante;
- → história de cardiopatia prévia;
- → uso de álcool ou drogas ilícitas.

TABELA 57.7 → Estratégia diagnóstica para pacientes com pré-síncope/síncope

CAUSAS MAIS COMUNS
→ Reflexo vasovagal
→ Hipotensão ortostática (ver **TABELA 57.8**)
CAUSAS/DIAGNÓSTICOS DIFERENCIAIS GRAVES QUE DEVEM SER CONSIDERADOS
→ Cardiovasculares: arritmias, infarto agudo do miocárdio
→ Obstrução do fluxo de saída do coração (estenose aórtica, hipertrofia septal assimétrica)
→ Insuficiência vertebrobasilar/acidente isquêmico transitório/acidente vascular cerebral
→ Hipertensão intracraniana aguda
→ Hemorragia subaracnóidea
→ Crise convulsiva
→ Embolia pulmonar
CAUSAS/DIAGNÓSTICOS DIFERENCIAIS FREQUENTEMENTE ESQUECIDOS
→ Causas psicogênicas/hiperventilação
→ Condições metabólicas: hipoglicemia, hiperglicemia, anemia, hiponatremia
→ Uso de álcool e outras drogas
→ "Síncope" associada à tosse ou à micção
→ Disfunção cervical
RARAS
→ Síndrome do roubo da subclávia
→ Enxaqueca

TABELA 57.8 → Causas de hipotensão associada à pré-síncope

CONDIÇÕES CIRCULATÓRIAS E NEUROLÓGICAS	
→ Vasovagal	
→ Medicamentos vasodilatadores	
→ Medicamentos que afetam a função autonômica	
→ Neuropatia autonômica (neuropatia periférica, pós-simpatectomia, Parkinson, pseudotabes diabético)	
→ Mobilização após longo período imobilizado	
→ Depleção do volume sanguíneo (hemorragia, jejum, déficit de sal e água, diuréticos, insuficiência suprarrenal, hipoalbuminemia)	
→ Estase venosa (posição ortostática por longos períodos, veias varicosas, gestação, pós-exercício)	
→ Ortostase da idade	
→ Hipersensibilidade do seio carotídeo	
→ Redução do fluxo sanguíneo cerebral por osteoartrite cervical ou síndrome do roubo da subclávia	
→ Embolia pulmonar	
CONDIÇÕES METABÓLICAS	**CONDIÇÕES PSIQUIÁTRICAS**
→ Hiponatremia, hipocalemia ou hipocalcemia	→ Ansiedade generalizada/síndrome do pânico
→ Hipocapnia	→ Depressão
→ Hipoxia (anemia)	→ Transtornos de somatização
	→ Crise conversiva
	→ Alcoolismo

Deve-se realizar exame físico geral, atentando para execução de exame cardiovascular e neurológico meticulosos, sobretudo com medição da PA e frequência cardíaca na posição deitada e após 1 a 2 minutos na posição ortostática, além de ausculta cardíaca e de carótidas.

No que diz respeito à investigação complementar, um eletrocardiograma de repouso pode ser indicado para todos os pacientes com síncope se uma causa óbvia não for identificada por meio da história e do exame físico. Demais exames complementares, como Holter, ecocardiograma, teste de inclinação ortostática (em inglês, *tilt test*) e laboratório, devem ser solicitados de acordo com a suspeição clínica.

Principais quadros clínicos

Vasovagal

Também conhecida como "síncope neurocardiogênica" ou "vasodepressora", é a forma mais comum de pré-síncope. Ela afeta pessoas de todas as idades e pode ser responsável por 30 a 70% dos casos de síncope em salas de emergência.[39-41] É comumente associada a momentos ansiogênicos, como durante punção venosa ou episódios de dor importante. Logo depois do episódio, o paciente pode apresentar rubor e certo grau de confusão que pode persistir por cerca de 10 minutos, sobretudo em idosos. A bradicardia pode durar até 30 minutos após o episódio. Durante esse período, recomenda-se que o paciente permaneça em posição supina.

O diagnóstico é eminentemente clínico e de exclusão, uma vez que história e exame físico costumam ser "não diagnósticos". O teste de inclinação ortostática confirma a suscetibilidade à síncope vasovagal, podendo ser usado em pacientes cuja informação seja necessária para tomada de decisão clínica.

O manejo inclui a orientação para que o paciente se deite assim que notar os sintomas, a fim de abortar a síncope.

Hipotensão ortostática

Ocorre pré-síncope quando há queda abrupta da PA ao levantar-se. O diagnóstico pode ser confirmado por meio da aferição da PA enquanto deitado ou sentado e após levantar-se. Entre as muitas causas que contribuem para essa condição, estão:

- → **medicamentos:** principalmente anti-hipertensivos, mas também aqueles que afetam a função autonômica (neurolépticos, antidepressivos, antiparkinsonianos, agentes colinérgicos e anti-histamínicos), entre outros. O tratamento envolve a redução ou retirada completa do medicamento;
- → **idade:** a ortostase da idade é frequentemente multifatorial e pode estar somada à disfunção vestibular, à isquemia cerebral, à propriocepção anormal e à redução da acuidade visual;
- → **pós-repouso prolongado:** comum em idosos com pouca mobilidade ou indivíduos que, por alguma razão, ficaram acamados por longos períodos;
- → **outras:** calor, tempo prolongado na posição ortostática, redução do volume intravascular, neuropatia autonômica, gestação, etc.

Para todas essas situações, recomenda-se que o indivíduo que pretende se levantar faça isso de forma gradual, procurando sentar-se na cama com as pernas pendentes por alguns segundos ou minutos antes de ficar de pé.

Causas cardíacas

Arritmias (p. ex., bloqueios cardíacos, bradiarritmias e taquiarritmias) devem sempre ser consideradas em indivíduos idosos, com história de cardiopatia prévia, que têm palpitação ou que apresentam sintomatologia enquanto deitados ou sentados. Diante da suspeita de arritmia, eletrocardiograma de repouso e até mesmo Holter devem ser considerados (ver Capítulo Arritmias Cardíacas e Apêndice Eletrocardiograma: Interpretação, Principais Alterações e Uso na Prática Ambulatorial).

Pré-síncope por estenose aórtica e miocardiopatia hipertrófica geralmente ocorrem durante exercício físico, em associação com precordialgia. A ausculta cardíaca pode revelar sopro, e a ecocardiografia costuma confirmar o diagnóstico.

Embora o infarto agudo do miocárdio possa apresentar-se com síncope resultante de arritmia, dor intensa ou baixo débito cardíaco, é uma causa mais incomum (ver Capítulo Cardiopatia Isquêmica).

Encaminhamento

O encaminhamento de pacientes para serviço de emergência deve ser baseado na suspeição da etiologia da síncope/pré-síncope e deve ser considerado nas seguintes situações:

→ suspeita de causas graves como cardiopatias (arritmias, infarto agudo do miocárdio, estenose aórtica), doença cerebrovascular aguda (acidente vascular cerebral), hipertensão intracraniana, hemorragia subaracnóidea, crise convulsiva (paciente sem diagnóstico de epilepsia confirmado) ou embolia pulmonar, por exemplo;
→ alto risco de recorrência de síncope/pré-síncope com chance de consequente dano/lesão (devido a uma queda, p. ex.) em pacientes mais fragilizados.

De outro modo, pode-se afirmar que não há necessidade de encaminhamento no caso de indivíduo com antecedente de síncope "vasovagal" (ou de outra etiologia benigna), sem evidência clínica de cardiopatia ou outra doença grave, com eletrocardiograma prévio normal.

OUTRAS TONTURAS

Desequilíbrio

Mais comum em idosos, pode ser causado por um conjunto de múltiplos déficits sensoriais (perda auditiva e visual, disfunção da propriocepção ou disfunção vestibular), paresia de extremidades (seja por sequela de acidente vascular cerebral, atrofia após longo período de inatividade ou neuropatia periférica), dores em articulações de carga (quadril, joelho ou tornozelo), ataxia cerebelar, início recente de medicamentos (especialmente ansiolíticos, hipnóticos e neurolépticos) ou início recente de doença progressiva do sistema nervoso central (Parkinson, mielopatias). Espondilose cervical e alcoolismo crônico também podem contribuir para os sintomas.

Observação da marcha, avaliação da capacidade visual, exame de sensibilidade dos pés e exame do sistema musculoesquelético (sinais de artrose, atrofia muscular, paresia) são importantes para a detecção das causas do desequilíbrio.

Não são incomuns o agravamento dos sintomas em ambientes pouco iluminados e a melhora quando o paciente se apoia ou segura em um objeto estacionário (quando a sensibilidade das mãos substitui a perda de sensibilidade dos pés). Nesses casos, o uso de bengalas pode ser benéfico. O manejo é sempre direcionado para a correção ou o tratamento das causas possíveis (p. ex., encaminhamento para avaliação de oftalmologista em caso de distúrbio visual, fisioterapia para os casos de atrofia muscular, descontinuação de medicamentos associados quando ligados ao aparecimento dos sintomas, etc.).

Tontura inespecífica

Não são poucos os indivíduos que procuram o médico em ambiente de APS com queixa de tontura que se enquadram nesse subgrupo. É a tontura que não pode ser enquadrada em nenhum dos outros subgrupos: vertigem, pré-síncope e desequilíbrio.

Em geral, são sintomas vagos, difíceis de serem descritos pelo paciente, o qual muitas vezes apenas afirma: "estou tonto". Nesses casos, a causa mais comum consiste em distúrbios de origem emocional, por vezes associados a transtornos psiquiátricos específicos, como depressão, transtorno de ansiedade generalizada ou síndrome do pânico, transtorno somatoforme, dependência de álcool ou simplesmente associados a sintomas como ansiedade ou tristeza (ver Capítulo Abordando os Sintomas Físicos de Difícil Caracterização). É necessário lembrar-se também das causas metabólicas descritas antes, que podem estar associadas a sintomas vagos de tontura.

A hiperventilação está comumente associada a essas situações, e os sintomas podem ser reproduzidos em ambulatório (teste diagnóstico) por meio de sua realização forçada: solicita-se que o paciente faça 20 a 25 respirações por minuto em um período de 2 minutos.

Outras condições possivelmente associadas à tontura inespecífica são fibromialgia, pós-trauma craniano, medicamentos (sobretudo antidepressivos e anticolinérgicos – tanto pela introdução como pela retirada) e hipoglicemia.

O tratamento deve ser voltado para a causa-base do sintoma. Apenas demonstrar que a tontura é provocada pela hiperventilação e que não há outra causa grave subjacente já pode ser terapêutico.

Tontura no idoso

O desequilíbrio corporal aumenta o risco de queda nos idosos, sendo responsável pelo aumento na morbidade e na mortalidade nesse grupo. As doenças cardiovasculares, os efeitos adversos de múltiplos medicamentos e o comprometimento progressivo da propriocepção e da visão podem provocar o sintoma de tontura na terceira idade.[42]

A presbilabirintopatia é uma redução da resposta vestibular em consequência da perda das células sensoriais do labirinto. A prova calórica (teste da avaliação otoneurológica que verifica a integridade do reflexo vestíbulo-ocular e possibilita avaliar cada labirinto separadamente) é deficitária bilateralmente. A compensação com exercícios e reabilitação vestibular é lenta. Deve-se evitar o uso de medicamentos sedativos labirínticos e hipnóticos por períodos prolongados, pois podem agravar o quadro.

A hipotensão ortostática também pode ser confundida com uma vestibulopatia, sendo, em alguns casos, efeito adverso de medicamentos utilizados nessa faixa etária. Fármacos como metildopa, nifedipino, betabloqueadores e nitratos podem gerar hipotensão ortostática. Além disso, o reflexo de sede do idoso costuma estar prejudicado, intensificando a hipotensão por déficit de ingestão hídrica.

A ocorrência de um acidente isquêmico transitório pode ser confundida com uma vestibulopatia aguda. Vertigem de início súbito associada a sintomas neurológicos (diplopia, disartria, disfagia, ataxia) no idoso pode sugerir um evento isquêmico.

Tontura na infância

A tontura na infância pode ser dividida em dois grupos: vertigem e pseudovertigem.

O sintoma vertigem da criança é o mesmo do adulto, descrito anteriormente. No entanto, para uma criança pequena que não consegue descrever o sintoma, deve-se pesquisar história de ataxia, vômitos, irritabilidade, desejo de permanecer deitada e nistagmo.

A doença vestibular mais encontrada na faixa etária pediátrica é a vertigem paroxística benigna infantil, afastadas doenças infecciosas da orelha média (labirintite serosa por otites).

A vertigem paroxística benigna infantil é caracterizada por ataques súbitos e fugazes de vertigem acompanhada por náuseas, vômitos, nistagmos e sinais de enxaqueca (palidez, fonofobia e fotofobia). Ocorre mais frequentemente entre 3 e 8 anos de idade. O principal diagnóstico diferencial é com a epilepsia.[43]

O torcicolo paroxístico benigno da infância é caracterizado por uma inclinação com leve rotação da cabeça para um lado e do corpo para o lado oposto, sendo acompanhado por náuseas, vômitos, palidez com ou sem nistagmo. Tem início nos primeiros meses de vida. A crise tem duração de minutos a dias. O torcicolo paroxístico benigno da infância parece ser um precursor da vertigem paroxística benigna infantil, sendo a enxaqueca vestibular a fase final. Ambos são considerados equivalentes migranosos.

Recomenda-se que toda criança com história de vertigem seja referenciada para otorrinolaringologista/neurologista a fim de avaliar a necessidade de exames de ressonância magnética, já que até 3% dessa população apresenta neoplasias cerebrais.

A pseudovertigem refere-se a todas as causas de tontura em crianças não enquadradas como vertigem. Exame clínico minucioso, com atenção para uma boa história, exame físico cardíaco (incluindo medição da PA nas posições supina e ortostática) e neurológico e a realização de exames complementares guiados pela suspeita clínica (p. ex., hemograma, glicose, eletrocardiograma) são capazes de identificar a maioria dos diagnósticos diferenciais:
→ **comuns:** anemia, ansiedade, depressão, hiperventilação, gestação (adolescentes), hipotensão ortostática e pré-síncope e distúrbios visuais;
→ **graves:** arritmias, hipoglicemia e intoxicação ou efeito adverso de medicamentos.

A identificação de uma causa grave ou incerteza diagnóstica são elementos indicativos da necessidade de avaliação por especialista da doença em questão.

REFERÊNCIAS

1. Neuhauser HK. The epidemiology of dizziness and vertigo. Handb Clin Neurol. 2016;137:67–82.
2. Maarsingh OR, Dros J, Schellevis FG, van Weert HC, Bindels PJ, Horst HE van der. Dizziness reported by elderly patients in family practice: prevalence, incidence, and clinical characteristics. BMC Fam Pract. 2010;11:2.
3. Barraclough K, Bronstein A. Vertigo. BMJ. 2009;339:b3493.
4. Hanley K, O' Dowd T. Symptoms of vertigo in general practice: a prospective study of diagnosis. Br J Gen Pract. 2002;52(483):809–12.
5. Santos I. O que é uma vertigem posicional paroxística benigna (VPPB)? In: Lavinsky L. Tratamento em otologia. Rio de Janeiro: Thieme Revinter; 2006. p. 567–73.
6. Muncie HL, Sirmans SM, James E. Dizziness: approach to evaluation and management. Am Fam Physician. 2017;95(3):154–62.
7. Bhattacharyya N, Gubbels SP, Schwartz SR, Edlow JA, El-Kashlan H, Fife T, et al. Clinical practice guideline: benign paroxysmal positional vertigo (update). Otolaryngol Head Neck Surg. 2017;156(3_suppl):S1–47.
8. Bruintjes TD, Companjen J, van der Zaag-Loonen HJ, van Benthem PPG. A randomised sham-controlled trial to assess the long-term effect of the Epley manoeuvre for treatment of posterior canal benign paroxysmal positional vertigo. Clin Otolaryngol. 2014;39(1):39–44.
9. Hilton MP, Pinder DK. The Epley (canalith repositioning) manoeuvre for benign paroxysmal positional vertigo. Cochrane Database Syst Rev. 2014;(12):CD003162.
10. Prim-Espada MP, De Diego-Sastre JI, Pérez-Fernández E. [Meta-analysis on the efficacy of Epley's manoeuvre in benign paroxysmal positional vertigo]. Neurol Barc Spain. 2010;25(5):295–9.
11. Oh S-Y, Kim J-S, Choi K-D, Park J-Y, Jeong S-H, Lee S-H, et al. Switch to Semont maneuver is no better than repetition of Epley maneuver in treating refractory BPPV. J Neurol. 2017;264(9):1892–8.
12. Amor-Dorado JC, Barreira-Fernández MP, Aran-Gonzalez I, Casariego-Vales E, Llorca J, González-Gay MA. Particle repositioning maneuver versus Brandt-Daroff exercise for treatment of unilateral idiopathic BPPV of the posterior semicircular canal: a randomized prospective clinical trial with short- and long-term outcome. Otol Neurotol. 2012;33(8):1401–7.
13. Muelleman T, Shew M, Subbarayan R, Shum A, Sykes K, Staecker H, et al. Epidemiology of dizzy patient population in a neurotology clinic and predictors of peripheral etiology. Otol Neurotol. 2017;38(6):870–5.
14. Strupp M, Mandalà M, López-Escámez JA. Peripheral vestibular disorders: an update. Curr Opin Neurol. 2019;32(1):165–73.

15. Strupp M, Kremmyda O, Brandt T. Pharmacotherapy of vestibular disorders and nystagmus. Semin Neurol. 2013;33(3):286–96.
16. Strupp M, Zingler VC, Arbusow V, Niklas D, Maag KP, Dieterich M, et al. Methylprednisolone, valacyclovir, or the combination for vestibular neuritis. N Engl J Med. 2004;351(4):354–61.
17. Strupp M, Magnusson M. Acute unilateral vestibulopathy. Neurol Clin. 2015;33(3):669–85, x.
18. Batuecas-Caletrío A, Yañez-Gonzalez R, Sanchez-Blanco C, Pérez PB, González-Sanchez E, Sanchez LAG, et al. Glucocorticoids improve acute dizziness symptoms following acute unilateral vestibulopathy. J Neurol. 2015;262(11):2578–82.
19. Fishman JM, Burgess C, Waddell A. Corticosteroids for the treatment of idiopathic acute vestibular dysfunction (vestibular neuritis). Cochrane Database Syst Rev. 2011;(5):CD008607.
20. Crane BT, Schubert MC. An adaptive vestibular rehabilitation technique. Laryngoscope. 2018;128(3):713–8.
21. McDonnell MN, Hillier SL. Vestibular rehabilitation for unilateral peripheral vestibular dysfunction. Cochrane Database Syst Rev. 2015;1:CD005397.
22. Hillier SL, McDonnell M. Vestibular rehabilitation for unilateral peripheral vestibular dysfunction. Cochrane Database Syst Rev. 2011;(2):CD005397.
23. Wright T. Ménière's disease. BMJ Clin Evid. 2015;2015:0505.
24. D'Avila C, Lavinsky L. Tratamento das alterações metabólicas dos carboidratos com repercussão da orelha interna. In: Lavinsky L. Tratamento em otologia. Rio de Janeiro: Thieme Revinter; 2006. p. 373–7.
25. Lopez-Escamez JA, Carey J, Chung W-H, Goebel JA, Magnusson M, Mandalà M, et al. Diagnostic criteria for Ménière's disease. J Vestib Res Equilib Orientat. 2015;25(1):1–7.
26. Saeed SR. Fortnightly review. Diagnosis and treatment of Ménière's disease. BMJ. 1998;316(7128):368–72.
27. Lavinsky J, Wolff ML, Trasel AR, Valerio MM, Lavinsky L. Effect of hyperinsulinism on sensorineural hearing impairment in Ménière's disease: a cohort study. Otol Neurotol. 2014;35(1):155–61.
28. Magnan J, Özgirgin ON, Trabalzini F, Lacour M, Escamez AL, Magnusson M, et al. European position statement on diagnosis, and treatment of Meniere's disease. J Int Adv Otol. 2018;14(2):317–21.
29. Murdin L, Hussain K, Schilder AGM. Betahistine for symptoms of vertigo. Cochrane Database Syst Rev. 2016;(6):CD010696.
30. Thirlwall AS, Kundu S. Diuretics for Ménière's disease or syndrome. Cochrane Database Syst Rev. 2006;(3):CD003599.
31. Hussain K, Murdin L, Schilder AG. Restriction of salt, caffeine and alcohol intake for the treatment of Ménière's disease or syndrome. Cochrane Database Syst Rev. 2018;12:CD012173.
32. Shih RD, Walsh B, Eskin B, Allegra J, Fiesseler FW, Salo D, et al. Diazepam and meclizine are equally effective in the treatment of vertigo: an emergency department randomized double-blind placebo-controlled trial. J Emerg Med. 2017;52(1):23–7.
33. Bird JC, Beynon GJ, Prevost AT, Baguley DM. An analysis of referral patterns for dizziness in the primary care setting. Br J Gen Pract J R Coll Gen Pract. 1998;48(437):1828–32.
34. Kraft JR. Hyperinsulinemia: The Common Denominator of Subjective Idiopathic Tinnitus and Other Idiopathic Central and Peripheral Neurootologic Disorders. Int Tinnitus J. 1995;1(1):46–53.
35. Seemungal B, Kaski D, Lopez-Escamez JA. Early Diagnosis and management of acute vertigo from vestibular migraine and Ménière's disease. Neurol Clin. 2015;33(3):619–28, ix.
36. Lempert T, Olesen J, Furman J, Waterston J, Seemungal B, Carey J, et al. Vestibular migraine: diagnostic criteria. J Vestib Res Equilib Orientat. 2012;22(4):167–72.
37. Tinetti ME, Williams CS, Gill TM. Dizziness among older adults: a possible geriatric syndrome. Ann Intern Med. 2000;132(5):337–44.
38. Devaraja K. Approach to cervicogenic dizziness: a comprehensive review of its aetiopathology and management. Eur Arch Otorhinolaryngol. 2018;275(10):2421–33.
39. Martin GJ, Adams SL, Martin HG, Mathews J, Zull D, Scanlon PJ. Prospective evaluation of syncope. Ann Emerg Med. 1984;13(7):499–504.
40. Ammirati F, Colivicchi F, Santini M. Diagnosing syncope in clinical practice. Implementation of a simplified diagnostic algorithm in a multicentre prospective trial – the OESIL 2 study (Osservatorio Epidemiologico della Sincope nel Lazio). Eur Heart J. 2000;21(11):935–40.
41. Sarasin FP, Louis-Simonet M, Carballo D, Slama S, Rajeswaran A, Metzger JT, et al. Prospective evaluation of patients with syncope: a population-based study. Am J Med. 2001;111(3):177–84.
42. Lalwani AK. Vertigo, dysequilibrium, and imbalance with aging. In: Jackler RK, Brackmann DE, editors. Neurotology. 2nd ed. Philadelphia: Mosby; 2005. p. 533–9.
43. Fried MP. The evaluation of dizziness in children. Laryngoscope. 1980;90(9):1548–60.

Capítulo 58
AVALIAÇÃO DA TOSSE SUBAGUDA E CRÔNICA

Pablo de Lannoy Stürmer
Roberto Fábio Lehmkuhl
Cassia Kirsch Lanes

A tosse é um dos sintomas mais comuns entre as pessoas que consultam em serviços de atenção primária à saúde (APS). Apesar de, na maioria das vezes, tratar-se de um mecanismo de defesa das vias aéreas cuja supressão é indesejável, a tosse é um meio de propagação de doenças infecciosas. Quando persistente, é causa de desconforto ao paciente e àqueles que convivem com ele, além de possivelmente representar um sintoma causado por agravo que demande tratamento imediato. Nesse sentido, a elucidação diagnóstica da tosse é um papel importante e desafiador do médico de APS.

ETIOPATOGENIA

A tosse é o resultado da ativação de um arco reflexo. A via aferente é ativada quando irritantes químicos (secreção ácida, poluentes, capsaicina) e mecânicos estimulam receptores localizados em toda a árvore respiratória, no esôfago, no estômago e no ouvido externo (reflexo de Arnold), gerando impulsos nervosos que são conduzidos pelos nervos glossofaríngeo e vago até o centro da tosse, localizado na medula espinal e no núcleo do trato solitário. Nesse ponto, a modulação pelo sistema nervoso central exerce um papel importante que explica, em parte, as variações interindividuais de resposta a um estímulo tussígeno, a melhora sintomática ao placebo e a origem da tosse psicogênica. A via eferente desse arco promove a contração do diafragma e dos músculos expiratórios e o fechamento e a abertura da glote, resultando na tosse.

Outras respostas somáticas que podem ser consequências desse reflexo são o espirro, o aumento da secreção respiratória, o broncospasmo e a vasodilatação. A presença de inflamação nas vias aéreas pode aumentar a sensibilidade dos receptores aos estímulos, bem como o aumento da secreção respiratória e o broncospasmo também podem ser causas de ativação da tosse.

AVALIAÇÃO DA TOSSE

Muitas pessoas que buscam atendimento por tosse desejam apenas o alívio do sintoma. Indivíduos com tosse frequentemente têm prejuízo do sono, interferência nas relações sociais e sintomas desconfortáveis associados, como vômitos e incontinência urinária. Outro fator que motiva a ida ao clínico é o medo de doenças mais graves, como tuberculose e câncer. Além da abordagem diagnóstica, o médico de APS deve, portanto, ser sensível ao significado do sintoma para a pessoa e responder às suas expectativas.

Como regra, a tosse é apenas uma manifestação clínica de uma doença de base, às vezes o seu único sintoma. Dessa forma, a cessação da tosse só ocorre com a resolução de sua causa, seja de maneira espontânea em situações autolimitadas ou após o tratamento etiológico adequado.

Para adultos buscando atendimento por tosse, sugere-se que a estimativa do tempo de duração do sintoma seja o primeiro passo para o levantamento e a seleção das suspeitas diagnósticas.[1]

A tosse com duração < 3 semanas é considerada aguda. Em geral, sua causa é atribuída a infecções respiratórias ou a exacerbações de doenças crônicas. Para mais detalhes, ver Capítulos Infecção Respiratória Aguda na Criança e Infecções de Trato Respiratório em Adultos.

A tosse com duração entre 3 e 8 semanas é classificada como subaguda, e aquela com duração > 8 semanas, como crônica. Essa diferenciação é útil nos casos pós-infecciosos, em que doenças importantes de duração subaguda devem ser reconhecidas e tratadas.

Nas demais situações de tosse com duração > 3 semanas, alguns poucos diagnósticos perfazem a grande maioria das causas (TABELA 58.1). Além deles, no entanto, doenças menos frequentes não podem ser esquecidas diante de um paciente com tosse que apresente sinais de alerta (*red flags*) (TABELA 58.2).[2,3] Mesmo após uma investigação cuidadosa, é possível que nenhuma causa seja encontrada.[4]

A anamnese de um paciente com tosse é dirigida à identificação das causas mais comuns e à exclusão das doenças mais graves. Sintomas de vias aéreas superiores (rinorreia, obstrução nasal, aspiração nasofaríngea e gotejamento pós-nasal), sibilância, pirose, ou história de exposição a alérgenos, tabagismo e uso de inibidores da enzima conversora da angiotensina (IECAs) podem auxiliar a revelar a etiologia. A presença de febre, emagrecimento, prostração, dispneia ou exposição de risco a doenças infecciosas, como tuberculose, infecção pelo vírus da imunodeficiência humana (HIV, do inglês *human immunodeficiency virus*) ou coqueluche, bem como os demais sinais da TABELA 58.2, deve direcionar a investigação a causas potencialmente graves.[1]

TABELA 58.1 → Causas de tosse persistente

CAUSAS MAIS COMUNS
→ Síndrome de tosse das vias aéreas superiores
→ Asma
→ DRGE
→ Uso de IECA
→ DPOC
CAUSAS GRAVES QUE DEVEM SER CONSIDERADAS
→ Tuberculose
→ Carcinoma brônquico ou de laringe
→ Insuficiência cardíaca
→ Inalação de corpo estranho (crianças)
CAUSAS FREQUENTEMENTE ESQUECIDAS
→ Bronquite eosinofílica
→ Coqueluche
→ Pneumonia atípica

DPOC, doença pulmonar obstrutiva crônica; DRGE, doença do refluxo gastresofágico; IECA, inibidor da enzima conversora da angiotensina.

TABELA 58.2 → Sinais de alerta (*red flags*) em paciente com tosse

→ Hemoptise
→ Fumante com idade > 45 anos e alteração na voz ou mudança no padrão da tosse
→ Adultos com idade entre 55-80 anos com carga tabágica de 30 maços-ano que ainda fumam ou pararam nos últimos 15 anos
→ Dispneia proeminente à noite ou em repouso
→ Rouquidão
→ Sintomas sistêmicos (febre, perda de peso ou edema periférico com ganho de peso)
→ Disfagia
→ Vômitos
→ Pneumonia de repetição

Fonte: Irwin e colaboradores.[1]

O exame físico pode identificar alterações da mucosa nasal (palidez, edema, hiperemia e secreção) e faríngea (aspecto de paralelepípedo, gota pós-nasal), ou alterações da ausculta respiratória (sibilos, roncos e crepitantes). A presença de disfunção respiratória e outros sinais de infecção ou doença subjacente graves (ver TABELA 58.2) indicam a necessidade de avaliação imediata.

Embora compartilhem algumas etiologias, adultos e crianças apresentam certas diferenças quanto à frequência das causas de tosse. Esse dado, associado a um perfil de resposta farmacológica variado, faz a avaliação da tosse persistente ser distinta conforme a faixa etária.[5]

TOSSE NO ADULTO

Tosse subaguda

Uma das causas mais importantes de tosse subaguda é a tosse pós-infecciosa. Quando o início da tosse coincide com um quadro de infecção respiratória, a ausência de sintomas sistêmicos, como febre e prostração, associada a um exame físico respiratório sem alterações e um padrão de tosse seca ou pouco produtiva definem o diagnóstico de tosse pós-infecciosa.[6]

Nesses casos, a tosse em geral é autolimitada, não necessitando de tratamento específico. Em caso de desconforto, opções a considerar incluem: um curso de ipratrópio inalatório B; corticoides inalatórios caso haja prejuízo significativo à qualidade de vida C/D; curso breve de prednisona 30 a 40 mg/dia em caso de paroxismos severos C/D; e medicamentos antitussígenos centrais em caso de falha terapêutica no controle dos sintomas C/D.

A associação de anti-histamínicos de primeira geração e descongestionantes pode ser considerada C/D.[7] Uma opção útil seria maleato de dexclorfeniramina 2 mg + pseudoefedrina até 4 ×/dia.[6] Os anti-histamínicos de última geração, não sedantes, como a loratadina, não parecem ter consistentes benefícios em controlar a tosse.

Não sendo pós-infecciosa, a tosse deve ser manejada como se fosse crônica.

Em locais de alta incidência de tuberculose e em indivíduos de alto risco de infecção, deve-se considerar a doença como causa mesmo em caso de radiografia de tórax normal.

Tosse crônica

A anamnese e o exame físico podem sugerir um diagnóstico específico para a tosse crônica (TABELA 58.3). Nesse caso, o tratamento deve ser direcionado a essa causa. Todavia, muitas vezes, a tosse crônica é causada por mais de uma condição. Por conseguinte, é possível que mais de uma terapêutica seja necessária. Destaca-se, novamente, a importância da exploração da presença de sinais de alerta (ver TABELA 58.2) para afastar diagnósticos de maior gravidade, assim como da presença de exposição ambiental e ocupacional a fatores que podem estar contribuindo para a manutenção do sintoma.

Também convém avaliar se o paciente está usando um IECA. A tosse causada por IECA geralmente começa com 1 semana de uso do medicamento, mas pode surgir até 6 meses após a primeira tomada. O tratamento é a interrupção da medicação. Em geral, a tosse se resolve em até 4 dias, mas é necessário aguardar até 4 semanas sem resposta clínica para descartar essa hipótese como causa da tosse.

Além disso, é fundamental questionar sobre tabagismo. Parar de fumar é quase sempre uma estratégia bem-sucedida em eliminar a tosse em 4 semanas. Se o paciente tiver desenvolvido doença pulmonar obstrutiva crônica (DPOC), a tosse pode persistir após a cessação do tabagismo.

Quando nenhuma causa é identificada e a tosse persiste por período > 8 semanas, uma radiografia de tórax deve ser realizada.

Em regiões brasileiras com alta prevalência de tuberculose, essa possibilidade deve ser excluída nos quadros de tosse e expectoração por período > 3 semanas mediante solicitação de radiografia de tórax e baciloscopia de escarro.[8]

Na ausência de um quadro clínico específico sugestivo, pacientes com tosse crônica, que não fumam, não fazem uso de IECA e apresentam radiografia de tórax normal devem ser tratados empiricamente para as causas mais frequentes B, conforme sequência adiante e de acordo com a FIGURA 58.1 e a TABELA 58.4.[9]

Síndrome de tosse das vias aéreas superiores

As principais características da síndrome, além de tosse, incluem rinorreia e gota pós-nasal. O aspecto de paralelepípedo na mucosa nasofaríngea, com ou sem a presença de

TABELA 58.3 → Sinais e sintomas sugestivos das principais causas de tosse

CAUSAS MAIS COMUNS	SINAIS E SINTOMAS
Síndrome de tosse das vias aéreas superiores	Rinorreia, pigarro, gota pós-nasal Aspecto de paralelepípedo na mucosa nasofaríngea
Asma	História familiar de asma Outras manifestações de atopia (rinite alérgica, dermatite atópica) Sintomas episódicos, desencadeados por exercícios, frio ou emoções, associados à dispneia e à sibilância
DRGE	Pirose, especialmente após as refeições ou ao deitar-se
DPOC	Tabagismo Dispneia progressiva

DPOC, doença pulmonar obstrutiva crônica; DRGE, doença do refluxo gastresofágico.

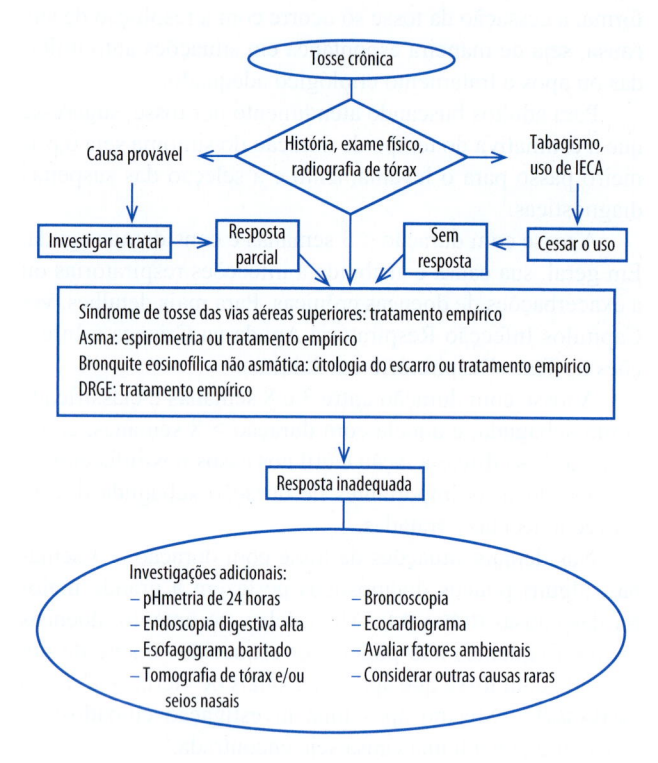

FIGURA 58.1 → Fluxograma de manejo da tosse crônica.
DRGE, doença do refluxo gastresofágico; IECA, inibidor da enzima conversora da angiotensina.
Fonte: Adaptada de Coughlin.[9]

TABELA 58.4 → Tratamento inicial para as causas mais comuns de tosse crônica em adultos

→ Síndrome de tosse das vias aéreas superiores: anti-histamínicos/descongestionantes
→ Asma: corticoides inalatórios, broncodilatadores, antileucotrienos
→ Bronquite eosinofílica não asmática: corticoides inalatórios
→ DRGE: mudanças de estilo de vida e de dieta e inibidores da bomba de prótons

DRGE, doença do refluxo gastresofágico.

muco, também é sugestivo. Entretanto, esses achados são inespecíficos e podem inclusive estar ausentes no quadro clínico. A síndrome apresenta etiologias diversas, incluindo rinite alérgica, sazonal ou vasomotora, faringite aguda e sinusite.[4,10]

O tratamento específico depende da causa de base. Em geral, o tratamento baseia-se na associação de anti-histamínicos/descongestionantes de primeira geração C/D.[7,11] Anti-histamínicos não sedativos mais recentes (p. ex., loratadina e fexofenadina) não parecem exercer efeito clinicamente importante no alívio da tosse C/D.[6,7] Corticoides inalatórios reduzem a sintomatologia[12] nos sintomas nasais persistentes. Se a tosse é intensa, pode-se prescrever prednisona 30 a 40 mg/dia por um curto período B. Agentes opioides são os medicamentos mais efetivos no tratamento sintomático da tosse B[7,11] quando outros tratamentos falham. A prescrição de codeína 15 a 30 mg, de 6/6 horas, pode ser considerada.

Se o paciente tem apenas resolução parcial dos sintomas e não há sinais de síndrome de tosse das vias aéreas superiores, deve ser avaliado para asma.

Asma induzindo tosse crônica

A asma é a segunda principal causa de tosse crônica em adultos. A forma episódica de sintomas, associada à sibilância e à dispneia, facilita o diagnóstico. No entanto, a tosse pode ser a única manifestação da asma, situação chamada de tosse variante de asma. Em adultos fumantes, pode ser difícil a diferenciação entre esse diagnóstico e o de DPOC (ver Capítulo Doença Pulmonar Obstrutiva Crônica). A tosse é raramente constante, podendo ser desencadeada por exercícios, frio ou emoções. A maioria dos pacientes responde ao tratamento com corticoides e β-agonistas inalatórios. Os sintomas tendem a aliviar com 1 semana de tratamento, mas a resolução completa pode demorar até 8 semanas (ver Capítulo Asma).

É importante lembrar que, antes de avançar na terapêutica medicamentosa, a possibilidade de tosse causada pelo corticoide inalatório, pelo uso incorreto do inalador ou outra etiologia complicadora da asma, como doença do refluxo gastresofágico (DRGE), deve ser excluída.

Se os tratamentos para síndrome da tosse das vias aéreas superiores e para asma se mostrarem ineficazes, a bronquite eosinofílica não asmática deve ser considerada.

Bronquite eosinofílica não asmática

A bronquite eosinofílica não asmática é definida pela presença de tosse crônica em pacientes sem broncoconstrição e hiper-responsividade das vias aéreas.

O quadro clínico se apresenta com tosse seca ou produtiva, sem evidência de ser causada por outra doença pulmonar. O diagnóstico é confirmado pela presença de eosinofilia no escarro, mas quando esse exame não está disponível a resposta ao tratamento é o melhor indicador dessa condição.

O tratamento deve ser feito com corticoides inalatórios B.[13] Broncodilatadores são ineficazes devido à fisiopatologia da doença. Caso haja algum irritante ocupacional, este deve ser afastado. A tosse deve resolver-se em até 4 semanas de tratamento. A história natural da doença tende a ser autolimitada; apenas uma minoria de pacientes evolui para asma.

Doença do refluxo gastresofágico induzindo tosse

A tosse pode manifestar-se após refeições ou ao deitar-se. Qualquer paciente que não responda às terapias anteriores ou obtenha apenas melhora parcial deve ser empiricamente tratado para DRGE. O tratamento deve incluir uma dieta antirrefluxo, modificações do estilo de vida e inibidor de bomba de prótons C/D.[14] A resposta é muito variável, de poucas semanas a alguns meses. Se houve pouca ou nenhuma resposta, fármacos pró-cinéticos devem ser considerados[1] (ver Capítulo Dispepsia e Refluxo).

Considerações importantes no tratamento

→ Aprimore a terapêutica para cada diagnóstico.
→ Verifique a adesão.
→ Mantenha todos os tratamentos parcialmente efetivos.

Exames complementares

Radiografia de tórax. É a primeira linha de investigação em qualquer paciente com tosse crônica quando o diagnóstico não ficar claro pela anamnese e pelo exame físico.[4] Se os achados radiográficos forem alterados, o tratamento depende do achado específico. Massas, achados sugestivos de insuficiência cardíaca ou infecção são possibilidades. Algumas vezes, é a única forma de diagnóstico de causas menos comuns.

Espirometria. Pode detectar asma ou DPOC, mas não há evidências sobre quão útil é o exame na ausência de sintomas indicativos do diagnóstico. A broncoprovocação é positiva na asma e negativa na bronquite eosinofílica.[15]

Exame de escarro. É fundamental para o diagnóstico dos casos bacilíferos de tuberculose; devem ser solicitadas 2 amostras, segundo o Ministério da Saúde.[8] A pesquisa de eosinofilia é útil como indicativa de bronquite eosinofílica não asmática.[1]

Encaminhamento

Se nenhuma dessas terapias tiver sido bem-sucedida e a investigação complementar realizada na APS não tiver sido elucidativa, uma investigação adicional é necessária. Nesse momento, deve-se considerar o encaminhamento a um pneumologista.

TOSSE NA CRIANÇA

Apesar da alta prevalência de tosse em crianças, o assunto é relativamente pouco pesquisado, e os estudos sobre etiologias da tosse crônica apresentam resultados conflitantes.

Uma tosse persistente gera ansiedade e insônia nos pais, que se preocupam que seu filho se engasgue durante o sono, o que leva a uma grande procura por consultas médicas.[16] A maioria das crianças apresenta tosse em decorrência de alguma condição que não é grave, e em alguns casos ocorre resolução espontânea.

Avaliação

Crianças com tosse crônica necessitam de uma avaliação cuidadosa e sistemática para identificação de fatores diagnósticos específicos. No entanto, não existem muitos estudos sobre tosse prolongada em crianças na APS que determinem a frequência e as prováveis etiologias. A investigação vai depender das hipóteses clínicas. Evidências sugerem que o relato dos pais sobre a tosse ser seca ou produtiva parece ser acurado, em contrapartida à frequência ou à intensidade da tosse e à presença de sibilos ou estridor, que não são relatados adequadamente.

Infecções

A causa mais comum de tosse prolongada em crianças e adolescentes é bronquite bacteriana, por patógenos comuns como *Haemophilus influenzae*, *Moraxella catarrhalis* e *Streptococcus pneumoniae*. Deve-se pensar também em coqueluche (ver Capítulo Infecção Respiratória Aguda na Criança) e tuberculose (ver Capítulo Tuberculose). A possibilidade de pneumonia bacteriana deve ser considerada se a criança apresenta febre, desconforto respiratório e aumento da frequência respiratória. Se a criança encontra-se em estado bom o suficiente para tratamento ambulatorial, não é necessário realizar uma radiografia de tórax para instituir o tratamento. A tosse recorrente em crianças pode ser frequentemente explicada por infecções respiratórias subsequentes, o que costuma acontecer quando crianças são expostas a outras crianças.

O uso de antibióticos para bronquite aguda é frequente, porém controverso. Eles promovem melhora da tosse **C/D**; entretanto, o benefício tem questionável relevância clínica, como a diminuição da tosse em menos de um dia de duração,[17] estando associado a efeitos adversos e aumento da resistência a antibióticos.

Para adolescentes com idade > 14 anos com tosse produtiva há período > 4 semanas, sem doenças de base, é recomendado o tratamento com antibiótico para os patógenos mais comuns (*S. pneumoniae*, *H. influenzae*, *M. catarrhalis*) por 2 semanas.[18]

A aplicação noturna de cânfora, mentol e eucalipto (VapoRub®)[19] confere melhora dos sintomas respiratórios, incluindo tosse, nos resfriados comuns **C/D**, mas sua eficácia na tosse crônica não foi avaliada. Além disso, existe uma preocupação quanto à relação entre o uso dessas substâncias e a ocorrência de efeitos adversos (ver tópico Tratamento Sintomático, adiante).

A suspeita de rinossinusite não requer radiografia de seios da face, uma vez que, em crianças com idade < 6 anos, 88% dos exames são positivos se existe suspeita clínica.

Não há evidência da utilidade da contagem de leucócitos para avaliação de tosse crônica.

Tosse pós-infecciosa

Aproximadamente 10% das crianças ainda tossem 25 dias após uma infecção de vias aéreas superiores (IVAS). Uma sucessão de infecções ou agentes específicos como adenovírus, vírus sincicial respiratório, *Mycoplasma pneumoniae* e *Chlamydia pneumoniae* podem estar envolvidos na apresentação de tosse prolongada em crianças. Um dos possíveis mecanismos é uma hiper-responsividade das vias aéreas e inflamação persistente que pode ocorrer após infecções. Nesses casos, a doença é autolimitada e o paciente melhora sem tratamento.

Asma

Não se pode negligenciar a asma, que em crianças pode ter uma apresentação atípica, embora crianças com tosse e sem sibilos ou dispneia raramente tenham asma (ver Capítulo Asma).

Na suspeita de asma, se tiverem idade apropriada (≥ 5 anos), os pacientes devem ser submetidos a uma espirometria.[1,5] Algumas diretrizes recomendam um teste terapêutico com salbutamol inalatório na dose de 200 µg, de 4/4 horas,[1] o que pode ter particular utilidade em crianças pequenas que não conseguem realizar espirometria; no entanto, como a resposta não é específica para asma, esses testes terapêuticos não devem ser realizados rotineiramente e o diagnóstico de asma não deve ser feito após um único episódio de tosse que responde à medicação, na ausência de outros sintomas.

Síndrome de tosse das vias aéreas superiores

O mecanismo da tosse nesse caso não está bem claro. Pode ser devida a gota pós-nasal, irritação direta, ou inflamação dos receptores de tosse da via aérea superior.[5] A causa mais comum é rinossinusite ou rinite alérgica. Além da tosse, são comuns queixas de irritação na garganta, congestão nasal e rinorreia. O tratamento consiste em evitar os alérgenos, realizar higiene nasal com solução salina e utilizar anti-histamínicos e corticoides nasais. (Ver Capítulos Rinite e Rinossinusite.)

Agentes ambientais

Muitos estudos já demonstraram que o fumo passivo aumenta a incidência de tosse, sinusite e asma em crianças. A relação entre fatores no ambiente da criança (óxido nítrico, aquecedores, querosene, fumaça) também já foi demonstrada em estudos observacionais.[16]

Doença do refluxo gastresofágico

Apesar de ser uma das causas mais comuns de tosse crônica em adultos, a relação entre DRGE e tosse em crianças não está bem estabelecida.[5] Além disso, não existem evidências da eficácia dos inibidores da bomba de prótons no controle da tosse por DRGE em crianças.[20] Pode ser necessária pHmetria de 24 horas para estabelecer relação temporal com a tosse. (Ver Capítulo Dispepsia e Refluxo.)

Tosse psicogênica

Em pacientes pediátricos com tosse crônica inexplicada, problemas psicossociais comuns devem ser considerados, como ansiedade, depressão, violência doméstica, abuso e negligência, pois estão associados à somatização. O hábito de tossir pode acontecer em crianças com fobia escolar. O diagnóstico de tosse psicogênica só pode ser feito após avaliação de tiques e síndrome de Tourette e se melhorar com medidas específicas como terapia comportamental. As características da tosse podem ser sugestivas, porém não diagnósticas, de tosse psicogênica. A tosse psicogênica não ocorre durante o sono e não piora com infecções ou esforços, e parece uma tosse alta e ruidosa, que aumenta com a atenção; no entanto, a presença ou ausência de tosse noturna não deve ser usada para diagnóstico ou exclusão.[1]

Tratamento sintomático

Poucos estudos avaliaram o tratamento para crianças com tosse crônica de etiologia desconhecida, sendo incerta a efetividade da maioria das intervenções farmacológicas. Os médicos devem orientar os pais sobre o fato de que a tosse provavelmente se resolverá de forma espontânea e nenhum tratamento é necessário a não ser que a tosse seja dolorosa, interfira no sono ou cause insônia, vômitos ou fadiga. A primeira recomendação é evitar o fumo passivo ou outros irritantes.[16] O tratamento da tosse em crianças deve ser baseado na etiologia, e existem poucas evidências para o uso de medicamentos para alívio sintomático, sendo essa prática desaconselhada, uma vez que, além de benefício incerto, pode causar eventos adversos.

Os medicamentos popularmente utilizados para tosse são compostos, em geral, por pelo menos dois agentes dos seguintes: anti-histamínicos, antitussígenos, expectorantes, descongestionantes e antipiréticos. Os usuários mais comuns são crianças com idade entre 2 e 5 anos, seguidos por crianças com idade < 2 anos.

Antes de 1 ano de idade, nenhum antitussígeno deve ser prescrito. A Food and Drug Administration (FDA) não aprovou nenhum medicamento para resfriado ou tosse para uso em crianças com idade < 2 anos. Nessa faixa etária, o uso deve ser excepcional e mediante indicação médica. Devido ao risco de superdosagem não intencional por medicamentos para resfriado e tosse, a FDA e a Health Canada recomendam que não sejam usados em crianças com idade < 6 anos por falta de evidência de efetividade e risco aumentado de malefício.[21,22]

Não há evidências consistentes que apoiam o uso de tratamentos caseiros ou de remédios tradicionalmente dispensados sem receita C/D. Anti-histamínicos e dextrometorfano parecem não ter efeito em reduzir a frequência da tosse ou melhorar o sono da criança ou dos pais C/D.[23]

Noscapina e derivados de fenotiazinas são contraindicados.[16]

A codeína utilizada em baixas doses possui efeito antitussígeno mediado pelo sistema nervoso central. A melhora da qualidade do sono em vigência de tosse pode ser uma das indicações para o seu uso, mas, em função de sua possível inefetividade para supressão da tosse em doenças pulmonares, doenças inflamatórias e outras doenças que causem secreção aumentada ou anormal, ela pode ser contraindicada e até perigosa.[24]

Devido à possibilidade de efeitos neurológicos, o uso de cânfora deve ser evitado, e eucalipto e mentol devem ser empregados com cuidado. A cânfora possui associação com risco de convulsões quando ingerida, e o risco de efeitos adversos graves por exposição dérmica ocorre geralmente em crianças pequenas, em quem a aplicação de VapoRub® deve ser evitada. A FDA aprovou a cânfora como antitussígeno efetivo em preparação com concentração até 11%, e as concentrações nas fórmulas brasileiras ficam em torno de 5%. Não foi encontrado nenhum ensaio clínico randomizado sobre a eficácia de mentol, cânfora, eucalipto, clobutinol, dimetoxano e hidrato de cloral para tosse crônica em crianças.[16] Mel pode ser usado em crianças com idade > 1 ano, para diminuir a tosse e amenizar o desconforto das crianças e dos pais, em uma dose única na hora de dormir.[25,26]

COMPLICAÇÕES

A principal complicação da tosse ocorre na esfera psicossocial. Pessoas com tosse crônica têm pior qualidade de vida, queixam-se mais de sintomas somáticos e apresentam dificuldades em certas atividades interpessoais, como trabalho e lazer.

A tosse persistente pode causar dor torácica e abdominal, cefaleia, incontinência urinária, tonturas e síncope. Pessoas com doenças crônicas, como DPOC, podem desenvolver hérnias inguinais devido aos inúmeros episódios de aumento de pressão intra-abdominal. Em casos mais graves, pode haver fratura de costelas.[27]

REFERÊNCIAS

1. Irwin RS, French CL, Chang AB, Altman KW, CHEST Expert Cough Panel. Classification of Cough as a Symptom in Adults and Management Algorithms: CHEST Guideline and Expert Panel Report. Chest. 2018;153(1):196–209.

2. Murtagh J. Cough. In: Murtagh J. Murtagh's general practice. [Internet]. 5th. New York: McGraw-Hill; 2011. Chapter 43, p. 434-48

3. Gibson PG, Chang AB, Glasgow NJ, Holmes PW, Katelaris P, Kemp AS, et al. CICADA: Cough in Children and Adults: Diagnosis and Assessment. Australian cough guidelines summary statement. Med J Aust. 2010;192(5):265–71.

4. Polmear A, Glasziou P. Evidence-based diagnosis in primary care: practical solutions to common problems. Edinburgh, New York: Butterworth-Heinemann; 2008. 536 p.

5. Chang AB, Glomb WB. Guidelines for evaluating chronic cough in pediatrics: ACCP evidence-based clinical practice guidelines. Chest. 2006;129(1 Suppl):260S-283S.

6. Pratter MR. Cough and the common cold: ACCP evidence-based clinical practice guidelines. Chest. 2006;129(1 Suppl):72S-4S.

7. Schroeder K, Fahey T. Systematic review of randomised controlled trials of over the counter cough medicines for acute cough in adults. BMJ. 2002;324(7333):329–31.
8. Brasil. Ministério da Saúde. Manual de recomendações para o controle da Tuberculose no Brasil | Departamento de Doenças de Condições Crônicas e Infecções Sexualmente Transmissíveis Brasília: MS; 2019.
9. Coughlin L. Cough: diagnosis and management. AFP. 2007;75(4):567.
10. Weinberger SE, Silvestri RC. Treatment of subacute and chronic cough in adults. Waltham: UpToDate [Internet]. Waltham: UpToDate; 2018 [capturado em 15 jun. 2021]. Disponível em: http://www.uptodate.com/contents/treatment-of-subacute-and-chronic-cough-in-adults.
11. Yancy WS, McCrory DC, Coeytaux RR, Schmit KM, Kemper AR, Goode A, et al. Efficacy and tolerability of treatments for chronic cough: a systematic review and meta-analysis. Chest. 2013;144(6):1827–38.
12. El-Gohary M, Hay AD, Coventry P, Moore M, Stuart B, Little P. Corticosteroids for acute and subacute cough following respiratory tract infection: a systematic review. Fam Pract. 2013;30(5):492–500.
13. Johnstone KJ, Chang AB, Fong KM, Bowman RV, Yang IA. Inhaled corticosteroids for subacute and chronic cough in adults. Cochrane Database Syst Rev. 2013;(3):CD009305.
14. Kahrilas PJ, Altman KW, Chang AB, Field SK, Harding SM, Lane AP, et al. Chronic Cough Due to Gastroesophageal Reflux in Adults: CHEST Guideline and Expert Panel Report. Chest. 2016;150(6):1341–60.
15. Pereira CAC. Testes de função pulmonar: bases, interpretação e aplicações clínicas. Rio de Janeiro: Atheneu; 2021.
16. Leconte S, Paulus D, Degryse J. Prolonged cough in children: a summary of the Belgian primary care clinical guideline. Prim Care Respir J. 2008;17(4):206–11.
17. Smith SM, Fahey T, Smucny J, Becker LA. Antibiotics for acute bronchitis. Cochrane Database Syst Rev. 2014;(3):CD000245.
18. Chang AB, Oppenheimer JJ, Irwin RS, CHEST Expert Cough Panel. Managing Chronic Cough as a Symptom in Children and Management Algorithms: CHEST Guideline and Expert Panel Report. Chest. 2020;158(1):303–29.
19. Paul IM, Beiler JS, King TS, Clapp ER, Vallati J, Berlin CM. Vapor rub, petrolatum, and no treatment for children with nocturnal cough and cold symptoms. Pediatrics. 2010;126(6):1092–9.
20. Rosen R, Vandenplas Y, Singendonk M, Cabana M, Di Lorenzo C, Gottrand F, et al. Pediatric gastroesophageal reflux clinical practice guidelines: Joint Recommendations of the North American Society for Pediatric Gastroenterology, Hepatology, and Nutrition (NASPGHAN) and the European Society for Pediatric Gastroenterology, Hepatology, and Nutrition (ESPGHAN). J Pediatr Gastroenterol Nutr. 2018;66(3):516–54.
21. WCG FDAnews. Advisory Committees Recommend Against Cough and Cold Medications in Children Under 6 [Internet]. Washington: WCG FDAnews; 2007 [capturado em 15 jun. 2021]. Disponível em: https://www.fdanews.com/articles/100166-advisory-committees-recommend-against-cough-and-cold-medications-in-children-under-6.
22. Canada HC. Recalls and safety alerts [Internet]. Ottawa: Canada Health; c2021 [capturado em 15 jun. 2021]. Disponível em: https://healthycanadians.gc.ca/recall-alert-rappel-avis/index-eng.php.
23. Smith SM, Schroeder K, Fahey T. Over-the-counter (OTC) medications for acute cough in children and adults in community settings. Cochrane Database Syst Rev. 2014;(11):CD001831.
24. Goldman RD. Codeine for acute cough in children. Can Fam Physician. 2010;56(12):1293–4.
25. Goldman RD. Honey for treatment of cough in children. Can Fam Physician. 2014;60(12):1107–10.
26. Oduwole O, Meremikwu MM, Oyo-Ita A, Udoh EE. Honey for acute cough in children. Cochrane Database Syst Rev. 2012;(3):CD007094.
27. Silvestri RC, Weinberger SE. Evaluation of subacute and chronic cough in adults [Internet]. Waltham: UpToDate; 2017 [capturado em 15 jun. 2021]. Disponível em: http://www.uptodate.com/contents/evaluation-of-subacute-and-chronic-cough-in-adults.

LEITURAS RECOMENDADAS

II Diretrizes brasileiras no manejo da tosse crônica. J Bras Pneumol [Internet]. 2006 [capturado em 8 jun. 2021];32 Supl 6:S403-46. Disponível em: http://dx.doi.org/10.1590/S1806-37132006001000002.
Diretrizes brasileiras sobre tosse crônica.

Irwin RS, Baumann MH, Bolser DC, Boulet L-P, Braman SS, Brightling CE, et al. Diagnosis and management of cough – executive summary: ACCP evidence-based clinical practice guidelines. Chest [Internet]. 2006 [capturado em 8 jun. 2021];129(1 Suppl):1S-23S. Disponível em: https://journal.chestnet.org/action/showPdf?pii=S0012-3692%2815%2952825-0
Diretrizes do American College of Chest Physicians para investigação e manejo de tosse em crianças e adultos.

Capítulo 59
DISPNEIA

Thiago Gomes da Trindade
André Luís Marques da Silveira
Marcelo Rodrigues Gonçalves

Dispneia é definida como uma sensação de desconforto ou dificuldade para respirar, tomando-se como base a experiência prévia daquele indivíduo. Pode apresentar-se de forma aguda ou crônica, sendo esta última classificada quando a duração for superior a 30 dias.[1] É fundamental que o médico atuando na atenção primária à saúde (APS) saiba identificar os sinais de alerta que indicam intervenção imediata na dispneia aguda, mas que também seja capaz de investigar e tratar a maioria das causas de dispneia crônica.

As principais causas de dispneia são doenças pulmonares e cardíacas (essas duas responsáveis por dois terços dos casos), obesidade, anemia (hipoxia tecidual) e hiperventilação funcional.[2,3] Em um estudo realizado no contexto da APS da Holanda,[4] as principais causas de dispneia foram bronquite/bronquiolite (27%), asma (10%), insuficiência cardíaca (9%) e hiperventilação (8%), seguidas por infecção das vias aéreas superiores (IVAS) (7%), doença pulmonar obstrutiva crônica (DPOC) (4%), laringite/traqueíte (3%), pneumonia (3%), doença coronariana aguda (2%) e ansiedade/estresse, sinusite e fibrilação atrial (1% cada). Na Alemanha,[5] as principais causas de dispneia em consultas na APS foram bronquite/bronquiolite (24,7%), IVAS (9,7%), outras infecções das vias aéreas (6,5%), insuficiência cardíaca (5,4%), DPOC (5,4%) e asma (5,4%). Em pacientes de idade mais avançada, observa-se diminuição na probabilidade de asma e aumento da insuficiência cardíaca como causa de dispneia. Outro dado importante é que um terço dos pacientes apresenta dispneia de origem multifatorial.[1] No Brasil, em diagnóstico de demanda realizado na cidade de Florianópolis, no Estado de Santa Catarina,[6] a dispneia esteve entre os 20 principais motivos de consulta na APS.

Apesar de ser uma sensação subjetiva e complexa, pode ser necessário quantificar a intensidade da dispneia. Uma das formas validadas para essa aferição é a utilização da escala de dispneia modificada do Medical Research Council (mMRC). Essa escala permite classificar o sintoma em 5 graus:

→ **grau 0:** dispneia que surge apenas com exercícios extenuantes;
→ **grau 1:** dispneia ao caminhar apressado ou em subidas;
→ **grau 2:** dispneia ao caminhar no passo habitual com necessidade de pausa para respiração ou fazendo a pessoa caminhar mais devagar do que as pessoas da mesma idade;
→ **grau 3:** dispneia que obriga o paciente a parar para respirar após andar cerca de 100 metros ou poucos minutos em terreno plano;
→ **grau 4:** dispneia ao vestir-se ou que impede o indivíduo de sair de casa.[7]

Um estudo transversal da população sul-australiana revelou os seguintes dados: 6,2% dos entrevistados relataram falta de ar durante exercício intenso, quando apressavam o passo, subiam escadas ou ladeiras (mMRC 0 ou 1); 1,1% queixaram-se de falta de ar quando tentavam caminhar no mesmo ritmo que pessoas da mesma idade no plano (mMRC 2); 1% tiveram que parar muitas vezes devido à falta de ar quando andavam cerca de 100 metros ou após poucos minutos de caminhada no plano (mMRC 3); e 0,3% sentiam falta de ar a ponto de impedi-los de sair de casa ou vestir-se (mMRC 4).[8] Por outro lado, na população com idade > 65 anos, uma revisão sistemática documentou prevalência de mMRC ≥ 2 de 36%.[3]

Sabendo que as principais causas de dispneia são as doenças cardíacas e pulmonares, e que a anamnese e o exame físico são suficientes para identificar a maioria das causas de dispneia, os profissionais médicos atuando na APS devem ser capazes de, essencialmente, identificar rapidamente situações de emergência, efetivando a pronta intervenção terapêutica e investigação complementar necessária, e, nas demais situações, desencadear a investigação diagnóstica e a coordenação do cuidado, ofertando tratamento adequado da doença subjacente e alívio dos sintomas.

No raciocínio clínico na APS, é preciso levar em consideração as causas mais prováveis, os problemas menos frequentes – mas com potencial gravidade e que não podem ser esquecidos – e aqueles normalmente negligenciados (TABELA 59.1).[2]

AVALIAÇÃO DIAGNÓSTICA

A anamnese e o exame físico apurados desempenham um papel importante, podendo elucidar 90% dos casos de dispneia aguda na APS. Na menor fração dos casos em que foram necessários exames complementares para o diagnóstico, os mais utilizados foram exames laboratoriais, eletrocardiograma e radiografia.[9]

Nas queixas de dispneia crônica, é possível chegar ao diagnóstico em dois terços dos casos sem exames complementares. Destaca-se que, na anamnese, devem ser investigados fatores de risco associados, como tabagismo, exposições a produtos químicos e uso de medicamentos. No entanto, em cerca de um terço dos pacientes, a causa da dispneia é multifatorial. Diante da necessidade de exames complementares, podem ser solicitados como testes iniciais de investigação: radiografia de tórax, eletrocardiograma, espirometria, hemograma completo e painel metabólico básico. Em casos específicos, o peptídeo natriurético cerebral (BNP, do inglês *brain natriuretic peptide*) pode ser

TABELA 59.1 → Dispneia – modelo estratégico para o raciocínio diagnóstico

PROBLEMAS DE MAIOR PROBABILIDADE
→ Asma brônquica
→ Bronquite
→ Bronquiolite (criança)
→ Doença pulmonar obstrutiva crônica
→ Insuficiência cardíaca esquerda
→ Falta de condicionamento
→ Obesidade
→ Hiperventilação (transtorno de pânico e outros transtornos de ansiedade)

PROBLEMAS GRAVES (QUE NÃO PODEM SER ESQUECIDOS)
→ Cardiovasculares
→ Infarto agudo do miocárdio
→ Arritmia
→ Embolismo pulmonar
→ Hipertensão pulmonar
→ Aneurisma dissecante
→ Miocardiopatia
→ Tamponamento pericárdico
→ Anafilaxia
→ Respiratórios
→ Corpo estranho inalado
→ Obstrução de vias áreas superiores
→ Pneumotórax
→ Atelectasia
→ Derrame pleural
→ Tuberculose
→ Neuromusculares
→ Polineurite
→ Poliomielite
→ Infecciosos
→ Síndrome respiratória aguda grave
→ Pneumonia
→ *Influenza* (formas graves)
→ Covid-19 (doença do coronavírus 2019) (formas graves)
→ Epiglotite (crianças)
→ Neoplásicos (carcinoma brônquico)

PROBLEMAS NORMALMENTE ESQUECIDOS
→ Doença pulmonar intersticial
→ Pneumonite química
→ Anemia
→ Doenças otorrinolaringológicas
→ Acidose metabólica
→ Radioterapia
→ Uremia
→ Fármacos e envenenamentos

Fonte: Rosenblatt e colaboradores.[2]

útil devido ao seu valor preditivo negativo para excluir insuficiência cardíaca. Nas suspeitas de causas pulmonares, principalmente neoplasias,[1] a tomografia computadorizada do tórax é o estudo de imagem mais adequado.

Diante disso, uma das formas de organizar o raciocínio diagnóstico é pelo tempo do início dos sintomas (TABELA 59.2).[2]

Entrevista clínica

Na avaliação clínica inicial, deve-se, em primeiro lugar, identificar as condições gerais do paciente. Se ele apresentar dificuldade para falar, seja pela gravidade da dispneia ou por encontrar-se clinicamente instável, é fundamental que o paciente seja estabilizado para uma situação de conforto e segurança das vias aéreas. Apenas depois de tomadas essas medidas é que se deve prosseguir com a entrevista.

Considerando a dispneia uma sensação subjetiva do paciente, é importante utilizar, na entrevista clínica, o método clínico centrado na pessoa[10] e explorar também a experiência de adoecimento (sentimentos, ideias, funções e expectativas). Com isso, pode-se identificar a experiência prévia com o sintoma e como o paciente lidou com a situação em momentos anteriores. É interessante começar a entrevista com questões abertas, como "Conte-me sobre sua dificuldade de respirar".[11] Na sequência, deve-se prosseguir a entrevista com perguntas mais fechadas, que envolvam os seguintes elementos:

→ duração dos sintomas;
→ descrição detalhada da dispneia (tempo e evolução, posição de melhora ou piora);
→ sinais e sintomas associados;
→ fatores de risco para condições causadoras de dispneia a partir da história médica pregressa, exposições ocupacionais, hábitos de vida (especialmente tabagismo) e história familiar.

Na anamnese, é importante identificar a presença de doença cardíaca ou pulmonar, além de medicamentos em uso e sua adesão, bem como avaliar a capacidade funcional.

Exame físico

O exame físico deve ser orientado ao quadro de dispneia, guiado pelos achados da anamnese, na procura de sinais que elucidem as principais hipóteses diagnósticas. A cada etapa podem aparecer sinais mais evidentes e específicos de cada hipótese, seja ela cardíaca, pulmonar, metabólica, psicogênica ou outra menos frequente.

No exame físico inicial, é importante avaliar os sinais vitais, que são indicativos da gravidade do quadro, assim como uma boa ectoscopia (inspeção visual), a qual pode revelar comprometimento sistêmico decorrente da hipoxigenação (cianose e má perfusão de extremidades e alteração do estado de consciência). Outros sinais indicativos de gravidade da dispneia são o uso da musculatura acessória e a presença de tiragem.

Os seguintes termos descrevem alterações do padrão respiratório observáveis no exame físico:

→ taquipneia é o aumento persistente da frequência respiratória – adultos, > 20 movimentos respiratórios por minuto (mrpm); crianças de 0 a 2 meses de idade, > 60 mrpm; crianças de 2 a 12 meses, > 50 mrpm; e crianças de 1 a 5 anos, > 40 mrpm;
→ hiperpneia é o aumento anormal da profundidade e da frequência da respiração, com aumento do volume-minuto;
→ hipopneia é a redução anormal da profundidade e da frequência da respiração;
→ hiperventilação (ver QR code) é caracterizada por um aumento na quantidade de ar que chega aos alvéolos, causando hipocapnia e alcalose respiratória;
→ bradipneia se refere a uma diminuição persistente da frequência respiratória (em adultos, < 12 mrpm);
→ apneia significa parada respiratória.

Outros aspectos a serem observados são a presença de obesidade grave e a aparência hipocorada, a qual pode indicar anemia grave.

No exame otorrinolaringológico, deve-se avaliar a presença de obstrução importante de vias áreas superiores, tanto na região nasal (hipertrofia de cornetos, pólipos, desvio de septo, sinais de sinusites) quanto em orofaringe (hipertrofia amigdaliana), além de identificar, na ausculta, a presença de estridor laríngeo.

TABELA 59.2 → Causas típicas de dispneia pelo tempo do início dos sintomas

SÚBITO
→ Atelectasia
→ Corpo estranho inalado/outro tipo de asfixia
→ Pneumotórax espontâneo
→ Arritmias
→ Anafilaxia
→ Infarto agudo do miocárdio
→ Tromboembolismo pulmonar

RÁPIDO (ALGUMAS HORAS)
→ Asma
→ Hiperventilação (pode ocorrer de forma súbita)
→ Exacerbação aguda de DPOC
→ Pneumonia
→ Cetoacidose diabética
→ Alveolite alérgica extrínseca
→ Altitude elevada
→ Insuficiência cardíaca esquerda (edema agudo pulmonar)
→ Tamponamento cardíaco
→ Envenenamentos

DIAS OU SEMANAS
→ Insuficiência cardíaca congestiva
→ Derrame pleural
→ Carcinoma brônquico ou traqueal

MESES OU ANOS
→ DPOC
→ Tuberculose
→ Fibrose pulmonar
→ Pneumoconiose

DPOC, doença pulmonar obstrutiva crônica.
Fonte: Rosenblatt e colaboradores.[2]

Ao examinar o tórax e o pescoço, é indicado obedecer a uma sequência semiológica de inspeção, palpação, percussão e ausculta, para que não sejam negligenciados aspectos importantes. Na inspeção, devem-se avaliar, por exemplo, alterações na coluna, as quais podem ser indicativas de cifoescoliose, a presença de estase venosa (turgência jugular) sugerindo insuficiência cardíaca direita, o diâmetro anteroposterior torácico aumentado, sugestivo de DPOC, entre outros achados.

Pode haver desvio da traqueia com relação à linha média para o lado patológico com atelectasia, e desvio contralateral com pneumotórax ou derrame pleural de grande volume.

A palpação pode apresentar um *ictus cordis* aumentado ou desviado sugestivo de miocardiopatia dilatada, bem como frêmito toracovocal aumentado, que pode ser um sinal de consolidação pulmonar por quadro infeccioso ou neoplásico. Na percussão, a presença de macicez pode indicar consolidação pulmonar.

A ausculta cardíaca é uma fonte preciosa de informações e pode indicar várias patologias. Ritmo irregular sugere a presença de arritmia; ausculta de terceira bulha indica sobrecarga de volume, como na cardiopatia dilatada; abafamento de bulhas levanta a hipótese de tamponamento pericárdico; e sopros sugerem valvulopatias.

A ausculta pulmonar (ver QR codes para ausculta com sons pulmonares normais e anormais) com diminuição do murmúrio vesicular ou murmúrio rude pode sugerir DPOC. Ruídos adventícios, como sibilos, sugerem asma, DPOC ou, em crianças pequenas, bronquiolite. Se localizados, também podem significar um corpo estranho, compressão extrínseca ou muco espesso e pegajoso decorrente de uma infecção bloqueando um brônquio. A presença de estertores (crepitações) diz respeito às pneumonias, à bronquite crônica (DPOC) ou à insuficiência cardíaca descompensada, às vezes representando edema agudo de pulmão. A comparação entre os achados no exame físico de diversos problemas pulmonares pode ser vista na TABELA 59.3.

O exame do abdome pode fornecer indícios de doença hepática ou renal, como presença de visceromegalias, o que pode levar a quadros de ascite e ocasionar dispneia. A presença de refluxo hepatojugular (ver QR code) é indicativa de insuficiência cardíaca. O exame do sistema neuromuscular pode evidenciar a diminuição de força nos membros superiores ou inferiores, indicando patologias neuromusculares. Já o exame físico das extremidades busca avaliar edema e sinais sugestivos de trombose venosa profunda. A presença de baqueteamento digital é indicativa de hipoxemia crônica (FIGURA 59.1). A avaliação do estado psíquico pode auxiliar no diagnóstico de transtornos de ansiedade.

No exercício do raciocínio diagnóstico, é importante estar atento aos sinais e sintomas de alerta (TABELA 59.4).[11,12]

TABELA 59.3 → Comparação dos achados no exame físico para diversos problemas pulmonares

	INSPEÇÃO: TRAQUEIA	INSPEÇÃO: MOVIMENTO DA PAREDE TORÁCICA	PERCUSSÃO	MURMÚRIOS	FRÊMITO VOCAL	RUÍDOS ADVENTÍCIOS
Normal	Centralizada	Simétrico	Ressonante	Vesiculares	Normal	Nenhum ou poucos e transitórios crepitantes basais
Asma	Centralizada	Diminuído (bilateral)	Ressonante	Vesiculares – expiração prolongada	Normal ou diminuído	Sibilos expiratórios
DPOC	Centralizada	Diminuído (bilateral)	Ressonante ou hiper-ressonante	Vesiculares – diminuídos	Diminuído	Nenhum ou crepitantes e sibilos da bronquite crônica
Consolidação (p. ex., broncopneumonia lobar)	Centralizada	Diminuído do lado afetado	Macicez	Brônquicos	Aumentado	Crepitantes inspiratórios finos
Colapso: brônquio principal	Desvio para o lado afetado	Diminuído (unilateral)	Macicez	Ausentes ou diminuídos	Ausente ou diminuído	Nenhum
Colapso: brônquios periféricos	Desvio para o lado afetado	Diminuído (unilateral)	Macicez	Brônquicos	Aumentado	Crepitantes grosseiros
Derrame pleural (> 500 mL)	Desvio para o lado oposto	Diminuído (unilateral)	Macicez	Ausentes ou diminuídos	Ausente ou diminuído	Nenhum
Pneumotórax	Desvio para o lado oposto	Diminuído (unilateral)	Hiper-ressonante	Ausentes ou diminuídos	Ausente ou diminuído	Nenhum
Fibrose (generalizada)	Centralizada	Diminuído (bilateral)	Ressonante	Vesiculares	Aumentado	Crepitantes finos
Bronquiectasia	Centralizada	Levemente diminuído	Ressonante a macicez	Brônquicos	Normal ou diminuído	Crepitantes finos e/ou sibilos localizados

Fonte: Rosenblatt e colaboradores.[2]

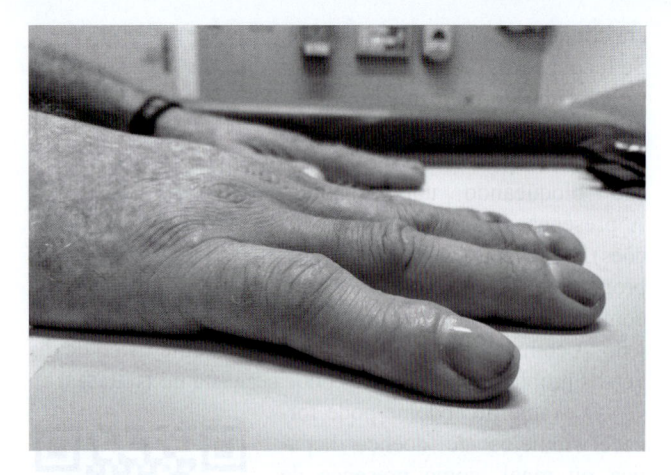

FIGURA 59.1 → Baqueteamento digital em paciente com carga tabágica superior a 20 maços-ano.

TABELA 59.5 → Hipótese diagnóstica e investigação complementar

HIPÓTESE DIAGNÓSTICA	INVESTIGAÇÃO COMPLEMENTAR
Anemia	Hematócrito e hemoglobina
Doença da tireoide	Provas de função tireoidiana
Condicionamento físico inadequado	Teste ergométrico
Doença pulmonar e cardíaca	Espirometria e teste ergométrico
Miocardiopatia	Ecocardiograma
Doença arterial coronariana	Eletrocardiograma, ergometria ou cintilografia miocárdica
Doença obstrutiva de via aérea	*Peak flow*, espirometria
Doença intersticial pulmonar	Função pulmonar e tomografia computadorizada de tórax
Hipertensão pulmonar	Cintilografia pulmonar, ecocardiografia, angiografia pulmonar

Fonte: Adaptada de Furian e Seligman.[19]

TABELA 59.4 → Sinais e sintomas de alerta para causas específicas de dispneia

SINAIS E SINTOMAS DE ALERTA	CAUSAS POSSÍVEIS
Dor em pontada, unilateral, que aumenta com a respiração	→ Pneumotórax espontâneo → Embolia pulmonar → DD: síndrome de Tietze
Edema labial, urticária ou sibilância	→ Anafilaxia ou angioedema
Pressão em região subesternal	→ Infarto ou isquemia aguda do miocárdio → DD: espasmo esofágico
Escarro espumoso e rosado	→ Edema agudo pulmonar
Febre, escarro produtivo e crepitantes inspiratórios	→ Pneumonia aguda → DPOC infectada
Febre e sinais de infecção grave ou choque	→ SARS
Fraqueza em membros inferiores ou fraqueza neuromuscular	→ Síndrome de Guillain-Barré → Miastenia grave
Estridor, salivação e febre	→ Epiglotite
Diabetes ou insuficiência renal conhecida ou suspeitada	→ Cetoacidose diabética ou acidose metabólica
Perda de peso	→ Neoplasias
Tentativa de suicídio, artrite conhecida ou suspeita	→ Intoxicação com ácido acetilsalicílico → DD: transtorno do pânico

DD, diagnóstico diferencial benigno; DPOC, doença pulmonar obstrutiva crônica; SARS, síndrome respiratória aguda grave.
Fonte: Henderson e colaboradores;[11] Polmear e Glasziou.[12]

Exames complementares

Os exames complementares podem auxiliar na confirmação da hipótese diagnóstica e, no caso de causas cardiopulmonares, na avaliação da limitação funcional. No entanto, deve-se estar atento ao uso racional desses recursos e aos potenciais riscos e custos envolvidos, de acordo com a perspectiva da prevenção quaternária. A **TABELA 59.5** sintetiza os principais exames indicados de acordo com a suspeita clínica, tendo em mente que a sua escolha deve ser criteriosa e individualizada.

Exames laboratoriais – em geral hemograma, glicemia, hormônio estimulante da tireoide (TSH, do inglês *thyroid-stimulating hormone*), ureia e eletrólitos – são úteis na suspeita de causas metabólicas (anemia, alterações tireoidianas, acidose, entre outras). Já o BNP pode ajudar na diferenciação entre quadros de insuficiência cardíaca e causas pulmonares (ver Capítulo Insuficiência Cardíaca).

A radiografia de tórax tem valor limitado como exame geral para um quadro indiferenciado de dispneia, sendo mais útil para confirmar ou refutar uma suspeita clínica já levantada. Somada à história clínica e ao exame físico, pode auxiliar no diagnóstico de diversas causas cardiopulmonares, ainda que muitas vezes não apresente alterações, sobretudo em suas fases iniciais. Nos quadros mais avançados de DPOC, pode apresentar aspecto típico com hiperinsuflação pulmonar, aumento dos espaços intercostais e retificação das cúpulas diafragmáticas. Na insuficiência cardíaca, os achados característicos incluem um índice cardiotorácico aumentado, inversão do fluxo vascular pulmonar e linhas B de Kerley quando houver congestão.

O eletrocardiograma pode mostrar alterações cardiológicas indiretas de insuficiência cardíaca, como sobrecarga ventricular esquerda, e de hipertensão pulmonar, como sobrecarga atrial. Em casos de arritmias sustentadas e de infarto agudo do miocárdio, pode ser de grande utilidade diagnóstica, quando realizado em tempo oportuno. Também pode apresentar achados sugestivos de tamponamento cardíaco, que pode cursar com dispneia.

Testes respiratórios são muito úteis na elucidação dos quadros pulmonares, auxiliando na diferenciação entre quadros restritivos (p. ex., pneumopatias intersticiais) e obstrutivos, especialmente asma e DPOC. Na ausência de disponibilidade da espirometria, pode-se lançar mão de dispositivos ambulatoriais para medição da taxa de pico de fluxo (*peak flow*) expiratório (ver QR code), bem como de espirômetros portáteis, ainda que o uso desses dispositivos seja controverso e deva ser feito de forma crítica e criteriosa.

Com ponto de corte de 150 L/min, a taxa de pico de fluxo expiratório tem sensibilidade de 87% e especificidade de 78% (razão de verossimilhança positiva de 3,9 e negativa de

$0,2)^{13}$ para identificar a causa da dispneia de origem respiratória, sendo ligeiramente melhor do que o julgamento clínico. Em contexto de APS, um resultado abaixo desse ponto de corte indica probabilidade de 72% de que a causa seja respiratória.[14]

A espirometria é o padrão-ouro para avaliação da função pulmonar. As medidas da capacidade vital forçada (CVF) e do volume expiratório forçado em 1 segundo (VEF_1) provêm informações extremamente úteis quanto ao tipo de déficit ventilatório. O VEF_1, expresso como uma porcentagem da CVF, é uma excelente medida para identificar a limitação do fluxo aéreo, considerada anormal quando abaixo de 70%. Quando se utiliza o espirômetro portátil, substitui-se a CVF pelo volume expiratório forçado em 6 segundos (VEF_6). Assim, o índice VEF_1/CVF utilizado na espirometria para avaliar obstrução pulmonar é substituído pelo índice VEF_1/VEF_6. Entretanto, o espirômetro portátil ainda é pouco utilizado na APS, tendo papel mais destacado para identificação de doença pulmonar obstrutiva crônica, sem substituir a espirometria para confirmar o diagnóstico. Não há clareza sobre o seu papel nas demais situações clínicas, mas pode ter algum papel no acompanhamento, especialmente quando se utiliza como comparação o valor anterior produzido utilizando o mesmo dispositivo. (Ver QR code.)

A oximetria, quando disponível, ajuda nos quadros agudos pela quantificação da oxigenação sanguínea periférica. Quando abaixo de 95%, pode indicar a necessidade de intervenção imediata, seja pela oferta de oxigênio no local e/ou pelo encaminhamento urgente para um serviço de emergência.[15] Deve-se atentar, no entanto, à exceção de pacientes que convivem com hipoxemia crônica que podem desenvolver hipercapnia e acidose respiratória quando submetidos à oferta desnecessária de O_2. Além disso, há que se ter em mente que o ponto de corte de 95% é sensível, mas frequentemente uma saturação entre 90 e 95% não se correlaciona com disfunção respiratória, motivo pelo qual alguns protocolos para adultos fora da gestação consideram o ponto de corte de 90% como critério de gravidade e sugerem correlação clínica e reavaliações quando entre 90-95%. Um elemento que contribui para esse problema é a grande variabilidade entre os oxímetros.

Outros exames complementares podem ser necessários no decorrer das investigações, tanto para diagnóstico quanto para avaliação funcional. O teste ergométrico, por exemplo, pode ser indicado na suspeita de cardiopatia isquêmica (ver Capítulos Eletrocardiograma: Interpretação, Principais Alterações e Uso na Prática Ambulatorial, Dor Torácica e Cardiopatia Isquêmica). A tomografia computadorizada ou a ressonância magnética também podem ser úteis para o esclarecimento diagnóstico de quadros pleuropulmonares, para os quais a radiografia apresenta limitações.

Nos casos em que ainda persistem dúvidas diagnósticas, pode ser necessário o encaminhamento a um especialista (em geral, pneumologista, cardiologista ou clínico), bem como a realização de testes mais específicos, como a ergoespirometria.

ABORDAGEM CLÍNICA INTEGRADA

Diante de um paciente que se apresenta com dispneia, sugere-se uma linha de raciocínio diagnóstico (FIGURA 59.2) que perpassa as causas mais comuns de dispneia sem que sejam esquecidas as etiologias menos frequentes e com potencial de alto risco para o paciente.

Primeiramente, avalia-se a aparência geral do paciente com dispneia. Na vigência de doença infecciosa que coloque a saúde dos profissionais em risco – a exemplo da pandemia de Covid –, devem-se reforçar medidas de controle precoce e paramentação adequada: máscara cirúrgica, luvas, óculos ou protetor facial e avental descartável. Caso seja necessário realizar oroscopia ou outros procedimentos produtores de aerossóis, deve-se usar, nesses casos, máscara N95/PFF2. Em seguida, verificam-se os sinais vitais para identificar corretamente as condições que podem exigir intervenção imediata. Atenção especial deve ser direcionada à cor da pele, à frequência respiratória e esforço, à capacidade de falar e ao estado mental. Deve-se caracterizar o início dos sintomas e definir se está diante de um quadro de dispneia aguda que surgiu subitamente ou em questão de minutos. Normalmente essas situações indicam condições agudas e graves que podem apresentar risco à vida (ver TABELA 59.2).[15-17]

Na apresentação aguda ou subaguda, o primeiro passo é a avaliação inicial da gravidade do quadro clínico com base no protocolo ABCDE – vias aéreas (*airway*), respiração (*breathing*), circulação (*circulation*), incapacidade (*disability*), exposição (*exposure*).[1,2] É essencial identificar a presença de outros sintomas associados, como febre (ver Doença pelo Coronavírus 2019 – Covid-19), dor torácica, sibilos e as características da dor (pleurítica ou não), estando atento para possíveis sinais de alerta (ver TABELA 59.4).

Nos casos de dispneia crônica, deve-se investigar a presença de fatores de risco, sinais e sintomas para as doenças mais prevalentes e para outras causas pertinentes, de acordo com as particularidades de cada indivíduo. Informações importantes podem ser obtidas da história familiar e de hábitos e exposições ocupacionais, bem como de características ambientais das moradias dos pacientes. Por exemplo, tosse e dispneia com sibilos ao exame físico e história familiar de asma, em uma criança, são altamente sugestivas de asma. Da mesma forma, uma história similar em paciente com alta carga tabágica (> 20 maços-ano) é sugestiva de DPOC.

Causas psicogênicas de dispneia devem ser consideradas no diagnóstico; no entanto, a identificação de um problema psicológico como potencial causa contribuidora não deve impedir ou retardar a investigação de causas físicas. Um exemplo são pacientes com problemas físicos bem definidos (DPOC e insuficiência cardíaca) e componentes importantes de ansiedade, o que leva a uma percepção mais intensa da sensação de falta de ar. Entre as causas psíquicas de dispneia, as mais comuns estão relacionadas com os transtornos de ansiedade, como transtorno de pânico e ansiedade generalizada. As crises ou ataques de pânico cursam com sintomas associados, como sensações parestésicas, tontura ou sensação de desmaio, palpitação, sudorese e calafrios, medo de morrer e sensação de asfixia ou de sufocamento.

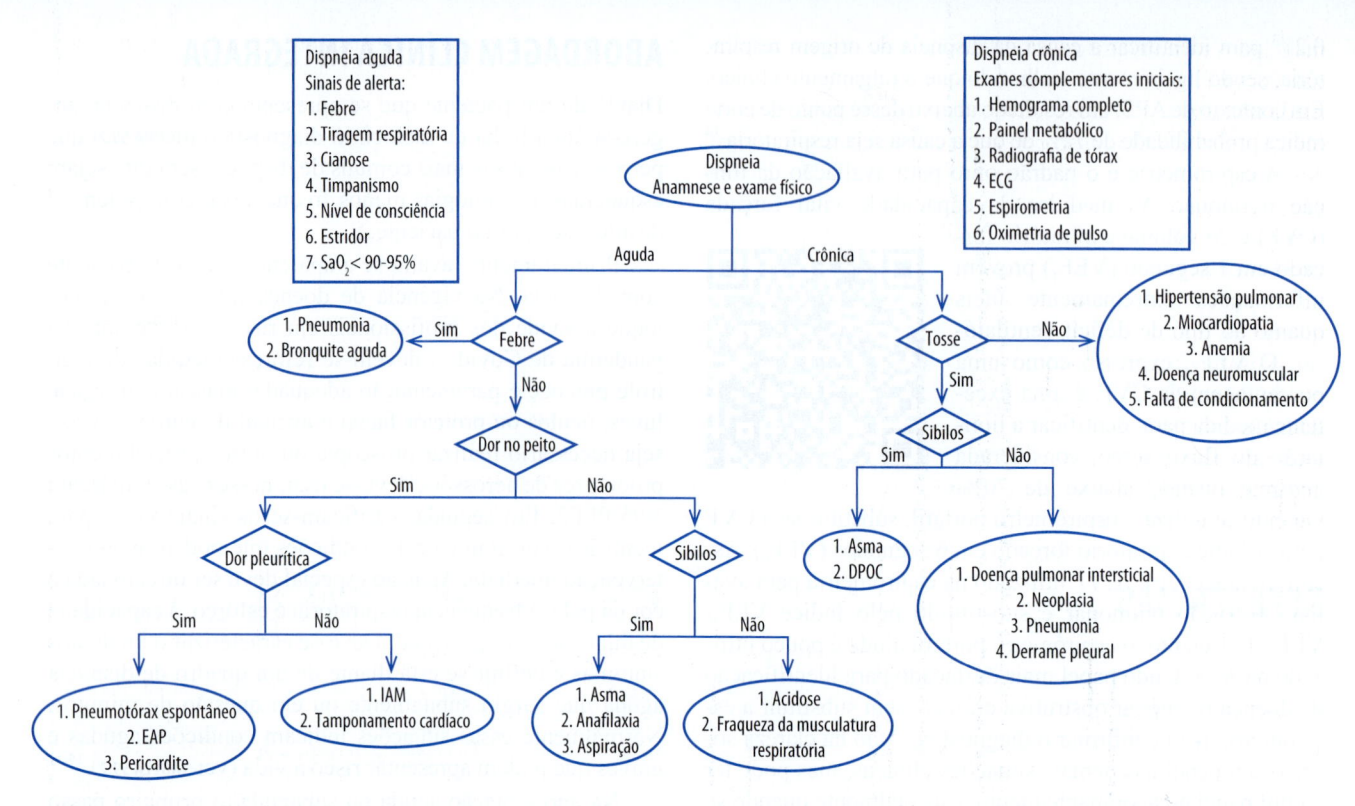

FIGURA 59.2 → Fluxograma da avaliação de dispneia. DPOC, doença pulmonar obstrutiva crônica; EAP, edema agudo pulmonar; ECG, eletrocardiograma; IAM, infarto agudo do miocárdio; SaO$_2$, saturação de oxigênio.
Fonte: Furian e Seligman.[19]

Situações específicas

As causas mais comuns de dispneia variam em prevalência, de acordo com o grupo etário e com fatores de risco específicos. É fundamental estar atento a essas particularidades durante o raciocínio diagnóstico desse sintoma em crianças, idosos e outras populações (como tabagistas com alta carga tabágica e trabalhadores expostos a risco de pneumoconioses).

Em crianças, as causas infecciosas respiratórias são extremamente frequentes, especialmente em regiões com variações sazonais bem definidas. São comuns os quadros de bronquiolite em lactentes, causados pelo vírus sincicial respiratório, além das infecções de vias aéreas superiores, causadoras de epiglotite. Com menos frequência, mas também devendo ser lembradas em crianças, estão as cardiopatias congênitas.

Em idosos, à medida que a idade avança, aumenta a prevalência de quadros crônicos cardiopulmonares, especialmente insuficiência cardíaca, cardiopatia isquêmica e DPOC. Outro grupo de doenças que também deve ser levado em consideração nessa faixa etária são as neoplasias (carcinoma brônquico e metástases) e suas complicações (ascite e derrames pleurais).

ENCAMINHAMENTO

Deve-se encaminhar o paciente para serviço de emergência quando apresentar quadro de dispneia súbita grave:[15,17,18]

→ frequência respiratória > 30 respirações por minuto;
→ taquicardia > 130 batimentos por minuto;
→ pressão arterial < 90/60 mmHg (a menos que isso seja normal para o paciente);
→ saturação de oxigênio (se sua avaliação estiver disponível) < 90-95%,[17] ou cianose central (na ausência de história de hipoxia crônica);
→ pico de fluxo expiratório < 33% do previsto;
→ alteração do estado de consciência;
→ grande esforço respiratório (especialmente se a pessoa está se esgotando);
→ estridor;
→ características clínicas de embolia pulmonar ou pneumotórax;
→ eletrocardiograma sugestivo de arritmia cardíaca ou infarto do miocárdio;
→ persistência ou aumento da febre por mais de 3 dias ou retorno após 48 horas de período afebril.

Deve-se referenciar o paciente ao especialista em situações nas quais a causa-base da dispneia não possa ser estabelecida e haja dúvida etiológica ou desproporção entre os sintomas e a gravidade aparente da causa, quando há necessidade de investigação complementar por procedimentos específicos, como biópsia pulmonar ou cateterismo cardíaco, ou quando o paciente não responde satisfatoriamente à terapêutica convencional.

TRATAMENTO – PRINCÍPIOS GERAIS

Com exceção de situações de emergência, os quadros comuns de dispneia – agudos ou crônicos – são mais bem manejados no contexto da APS. Para isso, é necessário, além das competências clínicas, ter acesso e disponibilidade de medicamentos essenciais, insumos e exames necessários (como oximetria de pulso, *peak flow* e eletrocardiograma). Nos quadros agudos, é importante a pronta estabilização do paciente de acordo com a patologia de base. É importante que o serviço de saúde de APS tenha disponível, para intervenção imediata, oxigênio, broncodilatadores inalatórios (beta-agonistas e anticolinérgicos), corticoides, ansiolíticos, opioides, diuréticos, digoxina, vasodilatadores e antibióticos.[1,2,5,9]

Nos quadros crônicos, deve-se buscar o tratamento adequado de acordo com a causa, prevenindo a agudização de doenças crônicas, além de elaborar um plano de cuidados integrais para o paciente e sua família, com a colaboração dos demais membros da equipe de APS. Para mais detalhes, ver capítulos específicos.

REFERÊNCIAS

1. Wahls SA. Causes and evaluation of chronic dyspnea. Am Fam Physician. 2012;86(2):173–82.
2. Rosenblatt J, Coleman J, Murtagh C. Dyspnoea. In: Murtagh J, Rosenblatt J, Coleman J, Murtagh C, eds. Murtagh's general practice. 7th. ed. Philadelphia: McGraw-Hill Education; 2018.
3. van Mourik Y, Rutten FH, Moons KGM, Bertens LCM, Hoes AW, Reitsma JB. Prevalence and underlying causes of dyspnoea in older people: a systematic review. Age Ageing. 2014;43(3):319–26.
4. Okkes IM, Oskam SK, Lamberts H. The probability of specific diagnoses for patients presenting with common symptoms to Dutch family physicians. J Fam Pract. 2002;51(1):31–6.
5. Frese T, Sobeck C, Herrmann K, Sandholzer H. Dyspnea as the reason for encounter in general practice. J Clin Med Res. 2011;3(5):239–46.
6. Gusso GDF. Diagnóstico de demanda em Florianópolis utilizando a Classificação Internacional de Atenção Primária: 2º edição (CIAP-2) [Internet]. [Tese]. São Paulo: Universidade de São Paulo; 2009 [capturado em 16 set. 2020]. Disponível em: https://www.teses.usp.br/teses/disponiveis/5/5159/tde-08032010-164025/.
7. Jones PW, Adamek L, Nadeau G, Banik N. Comparisons of health status scores with MRC grades in COPD: implications for the GOLD 2011 classification. Eur Respir J. 2013;42(3):647–54.
8. Currow DC, Plummer JL, Crockett A, Abernethy AP. A community population survey of prevalence and severity of dyspnea in adults. J Pain Symptom Manage. 2009;38(4):533–45.
9. von Winckelmann K, Renier W, Thompson M, Buntinx F. The frequency and outcome of acute dyspnoea in primary care: an observational study. Eur J Gen Pract. 2016;22(4):240–6.
10. Stewart M, Brown JB, Donner A, McWhinney IR, Oates J, Weston WW, et al. The impact of patient-centered care on outcomes. J Fam Pract. 2000;49(9):796–804.
11. Henderson M, Tierney L, Smetana G. The patient history: evidence-based approach. 2nd. ed. New York: McGraw-Hill Education; 2012.
12. Polmear A, Glasziou P. Evidence-based diagnosis in primary care: practical solutions to common problems. Edinburgh: Butterworth-Heinemann; 2008.
13. McNamara RM, Cionni DJ. Utility of the peak expiratory flow rate in the differentiation of acute dyspnea. Cardiac vs pulmonary origin. Chest. 1992;101(1):129–32.
14. Ailani RK, Ravakhah K, DiGiovine B, Jacobsen G, Tun T, Epstein D, et al. Dyspnea differentiation index: A new method for the rapid separation of cardiac vs pulmonary dyspnea. Chest. 1999;116(4):1100–4.
15. Brasil. Ministério da Saúde. Protocolo de manejo clínico do coronavírus (Covid-19) na Atenção Primária à Saúde. Versão 9 [Internet]. Brasília: MS; 2020 [capturado em 15 jun. 2020]. Disponível em: https://www.sbmfc.org.br/wp-content/uploads/2020/05/PROTOCOLO_COVID_APS_MAIO-2020.pdf.
16. Berliner D, Schneider N, Welte T, Bauersachs J. The differential diagnosis of dyspnea. Dtsch Ärztebl Int. 2016;113(49):834–45.
17. World Health Organization. Clinical management of severe acute respiratory infection when Covid-19 is suspected [Internet]. Geneva: WHO; 2020 [capturado em 27 dez. 2020]. Disponível em: https://www.who.int/publications-detail/clinical-management-of-severe-acute-respiratory-infection-when-novel-coronavirus-(ncov)-infection-is-suspected.
18. Scottish Intercollegiate Guidelines Network. Healthcare Improvement Scotland. British guideline on the management of asthma – SIGN158 [Internet]. Edinburgh: SIGN; 2019 [capturado em 15 dez. 2020]. Disponível em: https://www.sign.ac.uk/sign-158-british-guideline-on-the-management-of-asthma.
19. Furian TQ, Seligman R. Dispneia. In: Rosa AAA, Soares JLMF, Barros E, organizadores. Sintomas e sinais na prática médica: consulta rápida. 2. ed. Porto Alegre: Artmed; 2019. Cap. 36, p. 245-51.

LEITURAS RECOMENDADAS

Baron RM. Dispneia. In: Kasper DL, Fauci AS, Hauser SL, Longo DL, Jameson JL, Loscalzo J. Manual de medicina de Harrison. 20. ed. Porto Alegre: AMGH, 2021. Cap. 33, p. 226-30.

Fang JC, O'Gara PT. The history and physical examination: na evidence-based approach. In: Mann DL, Zipes DP, Libby P, Bonow RO. Braunwald's heart disease: a textbook of cardiovascular medicine. 10th. ed. Philadelphia: Elsevier; 2015.

Parshall MB, Schwartzstein RM, Adams L, Banzett RB, Manning HL, Bourbeau J, et al. An official American Thoracic Society statement: update on the mechanisms, assessment, and management of dyspnea. Am J Respir Crit Care Med. 2012;185(4):435-52.

Tintinalli JE, Stapcynzki JS, Ma OJ, Cline D, Meckler GD, Yealy DM, editors. Tintinalli's emergency medicine: a comprehensive study guide. 8th. ed. New York: McGraw-Hill; 2016.

As obras acima são livros-texto com capítulos relevantes.

Capítulo 60
DOR TORÁCICA*

Carisi Anne Polanczyk

A dor torácica é definida como dor ou desconforto em qualquer local entre a mandíbula e a cicatriz umbilical, incluindo os membros superiores e o dorso. É um sintoma comum. Pela ampla diversidade de diagnósticos possíveis, alguns benignos e outros com elevada morbimortalidade, representa um desafio para o médico clínico (TABELA 60.1).[1]

Na atenção primária à saúde (APS), a chave no manejo adequado está em cuidadosamente conduzir história e exame físico focados, com o reconhecimento das principais características das diferentes causas de dor e pronto encaminhamento para serviços especializados ou hospitalares,

---

*Nota: A autora agradece e reconhece as contribuições da Dra. Josiane de Souza na versão anterior deste capítulo na 3ª edição do livro.

TABELA 60.1 → Estratégia diagnóstica de dor torácica

CAUSAS MAIS PROVÁVEIS
- → Angina de peito
- → Musculoesqueléticas
- → Psicogênicas

CAUSAS GRAVES QUE DEVEM SER CONSIDERADAS
- → Cardiovasculares
  - → Síndromes coronarianas agudas
  - → Outras causas cardiovasculares
    - → Origem isquêmica
      - → Estenose aórtica
      - → Miocardiopatia hipertrófica
      - → Hipertensão arterial grave
      - → Hipertensão grave de ventrículo direito
      - → Insuficiência aórtica
      - → Anemia/hipoxia
    - → Origem não isquêmica
      - → Dissecção de aorta
      - → Pericardite
- → Neuromusculoesqueléticas
  - → Síndrome do desfiladeiro torácico
  - → Disfunção da coluna cervical/torácica
- → Pulmonares
  - → Embolia pulmonar/infarto pulmonar
  - → Pneumotórax
  - → Pneumonia/pleurisia
  - → Neoplasias torácicas
- → Gastrintestinais
  - → Ruptura do esôfago
  - → Úlcera péptica

CAUSAS FREQUENTEMENTE ESQUECIDAS
- → Herpes-zóster
- → Espasmo esofágico
- → Refluxo gastresofágico
- → Cólica biliar
- → Fratura costal
- → Prolapso de válvula mitral
- → Síndrome do pânico
- → Dor psicogênica

TABELA 60.2 → Etiologia de dor torácica em vários cenários clínicos (%)

	AMBULATORIAIS*	PRONTO--ATENDIMENTO	EMERGÊNCIA*
Cardíaca	16-22	60	45
Musculoesquelética	36-49	6	14
Pulmonar	3-7	4	5
Gastrintestinal	2-19	6	6
Psiquiátrica	4-11	5	8
Outras	16-17	19	26

*Fonte: Bösner e colaboradores.[2]

quando necessário. Por ser um sintoma potencialmente crítico e recorrente, o acolhimento e seguimento próximo de cada caso é fundamental para reduzir angústia e sofrimento desnecessários do paciente e dos familiares.

CAUSAS DE DOR TORÁCICA

A causa subjacente da dor torácica varia dependendo do centro de atendimento que o paciente procura.[2,3] Pacientes atendidos em pronto-atendimentos e serviços de emergência têm percentual maior de origem cardíaca do que o observado em ambulatórios. O inverso é observado para as doenças musculoesqueléticas, muito mais frequentes no contexto ambulatorial. A distribuição das etiologias nos diferentes cenários é mostrada na **TABELA 60.2**.

Dor torácica de origem cardíaca

Como as doenças cardiovasculares são a principal causa de mortalidade no Brasil,[4] é importante diagnosticar precisamente a dor torácica de origem cardíaca – sobretudo a angina de peito e o infarto agudo do miocárdio (IAM). O infarto se mostra fatal em um terço dos pacientes, trazendo também consequências psicossociais e econômicas, já que com frequência acomete indivíduos nos seus anos mais produtivos.[4] Contudo, estima-se que somente 10 a 15% dos pacientes que são atendidos na emergência por dor no peito apresentam realmente infarto, e menos de 3% dos casos atendidos em APS apresentam infarto como causa.[5]

Nas últimas décadas, a implementação de protocolos estruturados e o uso de marcadores de lesão miocárdica mais sensíveis permitiram redução significativa dos casos de infarto liberados inapropriadamente dos serviços de emergência.[6] A meta internacional é assegurar que menos de 1% dos casos sejam dispensados sem correto diagnóstico. Por outro lado, estima-se que 15 a 20% das consultas por dor torácica em ambulatórios clínicos não tenham um diagnóstico confirmado.[7]

Deve-se suspeitar de dor torácica de origem cardíaca nos pacientes com idade > 30 anos que se apresentem com dor, desconforto ou pressão torácica; com ou sem irradiação para mandíbula, membros superiores ou abdome superior; acompanhados ou não de náuseas, sudorese, dispneia, tonturas ou síncope, sem evidência de outras causas que explicariam o quadro clínico (doenças agudas infecciosas, trauma, lesões de pele).

É muito importante ter em mente que, por ser uma dor visceral, é frequentemente mal localizada, difícil de descrever e nem sempre referida como "dor" (*angina* significa "pressão", e não dor), mas um desconforto ou angústia.

Dor cardíaca por isquemia e lesão miocárdica

Isquemia miocárdica ocorre quando a oferta de oxigênio e nutrientes é insuficiente para atender as demandas metabólicas. A causa mais comum de isquemia miocárdica é doença aterosclerótica envolvendo as artérias coronárias. As situações em que ocorre aumento da necessidade de consumo cardíaco de oxigênio podem resultar em isquemia, bem como nos casos agudos de redução do fluxo coronariano por obstrução aterotrombótica aguda.[8]

Angina de peito

A dor anginosa apresenta as características típicas de dor de origem cardíaca. Na descrição dos sintomas, devem ser considerados localização, características, duração, fatores precipitantes e de alívio da dor torácica.

TABELA 60.3 → Probabilidade pré-teste de doença aterosclerótica coronariana em pacientes sintomáticos de acordo com idade, sexo, tipo de sintomas em dados atualizados*

IDADE	DOR NÃO ANGINOSA		ANGINA ATÍPICA		ANGINA TÍPICA		DISPNEIA	
	HOMENS	MULHERES	HOMENS	MULHERES	HOMENS	MULHERES	HOMENS	MULHERES
30-39	1	1	4	3	3	5	0	3
40-49	3	2	10	6	22	10	12	3
50-59	11	3	17	6	32	13	20	9
60-69	22	6	26	11	44	16	27	14
+70	24	10	34	19	52	27	32	12

Obs.: A presença dos fatores de risco diabetes, tabagismo ou hipercolesterolemia (colesterol > 240 mg/dL) aumenta em 2-3 vezes as estimativas supracitadas.
*Adaptada de dados combinados do CAD Consortium e dados combinados contemporâneos. Em destaque azul-escuro, estão probabilidades > 15% de doença; em azul-claro, probabilidades de 5-15% de doença.
Fonte: Knuuti e colaboradores,[8] Aerts e colaboradores,[12] Bittencourt e colaboradores.[13]

Tradicionalmente, a partir desses dados, é possível classificar a dor em três grupos (TABELA 60.3):
→ angina típica (definida): desconforto torácico como recém-descrito que é:
  → subesternal;
  → provocado por exercício ou estresse emocional;
  → aliviado rapidamente em repouso ou com nitratos;
→ angina atípica (provável): preenche apenas duas das três características recém-enumeradas;
→ dor torácica não cardíaca: apresenta apenas uma ou nenhuma dessas três características.

Na medida em que muitos pacientes, especialmente mulheres e pessoas idosas, apresentam sintomas distintos dos usuais, tem sido recomendado evitar o uso da expressão "angina atípica" ou "não cardíaca", e optar por descrever a dor como não específica até o diagnóstico ser estabelecido.

A angina é denominada estável se as características da dor estão presentes há pelo menos 2 meses. A angina estável costuma ser desencadeada por exercício, estresse emocional e refeições fartas e alivia em minutos com repouso ou com nitroglicerina sublingual. Na maioria dos pacientes, os sintomas refletem isquemia miocárdica por uma doença de artéria coronária epicárdica.

Para pacientes com suspeita de diagnóstico de doença coronariana, três etapas são fundamentais para avaliação diagnóstica: estabelecer o risco iminente à vida para encaminhamentos dos casos de urgência a centros especializados; estimar a probabilidade pré-teste de doença coronariana; e decidir sobre métodos de investigação adicionais.[9]

De acordo com as características da dor, a idade do paciente, o sexo e os achados do exame clínico e, em alguns casos, o eletrocardiograma (ECG), é possível estabelecer a probabilidade de os sintomas serem atribuídos à isquemia miocárdica (ver TABELAS 60.3 e 60.4).[8,10–12] Essas tabelas de predição clínica têm sido frequentemente atualizadas levando em consideração a redução da incidência da doença aterosclerótica na maioria dos países.[8,13] É importante destacar que os dados contemporâneos apresentados foram validados em coortes de indivíduos de países desenvolvidos. Para pacientes com probabilidade muito baixa (< 5%), a orientação é investigar outras etiologias dos sintomas. Aqueles com probabilidade muito elevada baseada na história clínica não necessitam de testes adicionais e devem ser imediatamente tratados.

Um número significativo encontra-se em faixas intermediárias de risco (15-60%), e, para estes, testes adicionais são necessários para diagnóstico e avaliação prognóstica. Dois grupos de testes estão disponíveis: não invasivos de isquemia miocárdica, como teste ergométrico, cintilografia, ecocardiografia e ressonância magnética de estresse; e avaliação da anatomia coronária por meio de angiotomografia computadorizada e escore de cálcio coronariano (ver Capítulo Cardiopatia Isquêmica e Apêndice Eletrocardiograma: Interpretação, Principais Alterações e Uso na Prática Ambulatorial).

A regra de decisão e as probabilidades esperadas estão descritas na TABELA 60.4.[10] Pacientes com escore < 3 pontos têm probabilidade de doença coronariana de 2,1% (valor preditivo negativo 97,8%), e aqueles com escore ≥ 4 têm probabilidade de doença superior a 40%. O uso do ECG ajuda na decisão em paciente com risco moderado, no qual alterações indicativas de isquemia devem desencadear avaliação adicional e/ou encaminhamento para serviço de emergência.[12]

Em pacientes com quadro de angina estável crônica, a classificação geralmente utilizada para angina é da Sociedade Canadense de Cardiologia,[14] que estabelece quatro categorias:
→ **classe I:** atividades comuns não causam angina, como caminhar e subir escadas. Ocorre com esforços extenuantes e/ou prolongados no trabalho ou lazer;
→ **classe II:** limitação leve às atividades comuns. Angina para caminhar mais que duas quadras no plano ou subir mais que um lance de escadas;

TABELA 60.4 → Regra de decisão para identificar pacientes com dor torácica aguda causada por doença arterial coronariana em serviço de atenção primária

VARIÁVEL	PONTOS
Homens > 55 anos; mulheres > 65 anos	1
Doença cardiovascular ou cerebrovascular conhecida	1
Dor não reproduzível à palpação	1
Dor que piora com atividade física	1
Dor descrita como pressão no peito	1
Suspeita médica de ser uma condição grave	1
TOTAL	**0 a 6**

Fonte: Aerts e colaboradores.[12]

→ **classe III:** limitação marcada às atividades comuns, com angina para caminhar 1 a 2 quadras e/ou subir um lance de escadas;
→ **classe IV:** angina com qualquer atividade física, podendo estar presente mesmo em repouso.

Angina instável e infarto agudo do miocárdio

Na evolução natural da doença isquêmica cardíaca, o quadro pode tornar-se instável, o que na maioria dos casos é provocado por ruptura de uma placa aterosclerótica e formação de trombo intraluminal. Indivíduos com síndrome isquêmica aguda, o que pode variar desde casos de angina instável até IAM, apresentam risco de morte iminente, devendo ser prontamente identificados e imediatamente encaminhados para serviços de emergência.

A angina instável pode apresentar-se:
→ em repouso, geralmente com duração > 20 minutos, de origem aguda e recente, de horas a dias; ou
→ com início ou aumento da gravidade nos últimos 2 meses com sintomas pelo menos aos pequenos esforços (Sociedade Canadense de Cardiologia classe III).[14]

Esses pacientes têm probabilidade muito maior de eventos coronarianos agudos em curto prazo. Se não forem tratados, o risco de morte e infarto pode chegar a 15 a 20% em 30 dias.

No IAM, a dor, na maioria dos casos, é intensa e, algumas vezes, insuportável. Sua duração é prolongada, de 30 minutos até várias horas. O desconforto é descrito como compressão, esmagamento, sufocamento ou aperto, associado em geral a sudorese, náuseas e vômitos, tonturas, sensação de morte iminente. Em alguns pacientes – sobretudo idosos e diabéticos –, os sintomas principais são dispneia, mal-estar, síncope, arritmias e, em alguns casos, parada cardíaca.[15]

O exame físico costuma ser inespecífico, podendo ser normal e não excluir o diagnóstico. Se realizado durante o episódio de dor, pode ser mais sensível. A presença de hipotensão, terceira bulha, estertores pulmonares, diaforese, sopro de regurgitação mitral transitório ou impulsões paraesternais aumenta as chances de os sintomas serem de origem cardíaca (TABELA 60.5). O ECG de repouso é fundamental nos pacientes com suspeita de quadros instáveis agudos, facilitando a decisão de pronta transferência. Na presença de alterações isquêmicas (presença de onda Q, alterações de segmento ST), esses pacientes devem ser encaminhados a serviços de emergência. Pacientes com sintomas agudos, mas que estão sem dor há mais de 72 horas, podem ser avaliados em caráter ambulatorial, de acordo com demais preditores de risco e se o ECG não mostrar alterações de isquemia.[8,15]

Os pacientes com suspeita de angina instável ou IAM devem receber:
→ ácido acetilsalicílico (AAS) 160 a 325 mg mastigado, que reduz em cerca de 30% a mortalidade (NNT = 27) nos casos de IAM **A**;[15–17]
→ dinitrato de isossorbida 5 mg sublingual até 3 vezes com intervalo de 5 minutos **C/D**; e[15]

TABELA 60.5 → Características da dor torácica e probabilidade de doença cardíaca

CARACTERÍSTICAS	RAZÃO DE VEROSSIMILHANÇA
Dor torácica com irradiação para a esquerda	2,3 (1,7-3,1)
Dor torácica com irradiação para a direita	4,7 (1,9-12)
Dor torácica com irradiação bilateral	4,1 (2,5-6,5)
Dor em pressão, aperto, contínua	1,3 (1,2-1,5)
Dor pleurítica, em pontada, aguda, posicional, reprodutível à palpação	0,3 (0,2-0,5)
Náuseas, vômitos e diaforese	2,0 (1,9-2,2)
Achados físicos e laboratoriais	
ECG normal	0,1-0,3
Hipotensão	3,0
Presença de terceira bulha	3,2
Elevação do segmento ST nova	5,7-53,9

ECG, eletrocardiograma.
Fonte: Scottish Intercollegiate Guidelines Network[11] e Panju e colaboradores.[22]

→ opioide (morfina 5-10 mg intravenosa [IV]), para alívio da dor se não responder com nitrato, se disponível **C/D**.[15]

Devem ser encaminhados imediatamente para avaliação em nível hospitalar pacientes:[9]
→ com suspeita de isquemia aguda e sintomas presentes;
→ com alívio dos sintomas há mais de 12 horas e ECG com alterações agudas; ou
→ com episódio de dor entre 12 e 72 horas, mas com clínica sugerindo complicações ou quadro recorrente.

É importante lembrar de uso de cocaína e derivados como causa de síndrome coronariana aguda em indivíduos jovens, com tendência mundial de aumento nos últimos anos.[18] Pacientes usuários de cocaína podem apresentar quadro de IAM e estão em maior risco de complicações do que aqueles com doença aterosclerótica. Algumas séries demonstram que até 25% dos pacientes com dor torácica usuários de cocaína têm síndrome coronariana aguda. O diagnóstico diferencial e confirmatório é semelhante ao da população em geral, sendo mais frequente em homens jovens, usuários de outras substâncias. O risco é maior nas primeiras horas de uso da droga, mas permanece elevado por até 24 a 48 horas.[19,20]

Esses indivíduos devem ser avaliados e transferidos para unidades de emergência pelo risco elevado de complicações, especialmente nas primeiras 12 horas. O manejo é semelhante ao das demais síndromes coronarianas agudas, sendo realizado utilizando AAS **C/D**, nitratos **C/D** e benzodiazepínicos IV **C/D**.[14,19,20] O uso precoce de AAS é fundamental no tratamento da dor torácica associada ao uso da cocaína, em especial devido à propensão da cocaína em induzir a formação de trombos em razão da estimulação da agregação plaquetária e potencialização da produção de tromboxano. Nitroglicerina sublingual ou IV e bloqueadores do canal de cálcio parecem ser seguros e efetivos em pacientes com desconforto torácico e desnivelamento do segmento ST; podem também ser utilizados em pacientes sem alterações eletrocardiográficas. Betabloqueadores são tradicionalmente contraindicados nesses casos. Com base no mecanismo fisiopatológico do bloqueio seletivo dos receptores beta, eles podem levar à maior ação da cocaína sobre os receptores alfa-adrenérgicos, causando vasoconstrição, elevação da pressão arterial e piora da isquemia C/D. Metanálises recentes não corroboram o risco aumentado, mas os dados são observacionais.[21]

Outras causas cardíacas

A isquemia miocárdica também pode ser causada por miocardiopatia hipertrófica ou hipertensiva, ou estenose aórtica com sintomas semelhantes aos de angina de peito. Outros achados da história e do exame físico podem auxiliar no diagnóstico diferencial, como história familiar, presença de hipertrofia ventricular (ECG e exame físico) e sopro cardíaco.[22]

Pericardite

Pericardite é a inflamação do pericárdio, e suas manifestações clínicas dependem da sua etiologia, além da quantidade e do tipo de derrame pericárdico. A causa mais comum é infecção viral, que em geral se resolve em poucas semanas sem sequelas. Outras causas descritas incluem infecção bacteriana (comum em tuberculose), malignidade, trauma, uremia, doenças do colágeno (especialmente lúpus eritematoso sistêmico), hipotireoidismo, infarto (entre o 2º e o 4º dia pós-infarto), fármacos (o mais comum sendo hidralazina), cirurgia ou radioterapia.

Os pacientes apresentam dor aguda, contínua e ventilatório-dependente, que melhora na posição sentada com o corpo inclinado para a frente, em especial nos casos de origem viral. Atrito pericárdico pode ou não estar presente. O acúmulo rápido e agudo de líquido no pericárdio causa sinais de comprometimento hemodinâmico no tamponamento cardíaco, com taquicardia, hipotensão, pulso paradoxal (queda ≥ 10 mmHg na pressão arterial sistólica durante a inspiração) e turgência jugular. Ao contrário dos pacientes com insuficiência cardíaca, a ausculta pulmonar pode ser normal. Na pericardite constritiva crônica, há uma marcada turgência jugular que aumenta na inspiração, sem evidência de pulso paradoxal. Um estalido chamado "*knock*" pericárdico pode ser ouvido precocemente na diástole. Apesar dos pulmões limpos, pela congestão da veia cava inferior, há hepatomegalia, ascite e edema de membros inferiores.

O diagnóstico da pericardite e suas complicações é feito quando o clínico mantém alto índice de suspeita para esse diagnóstico e pode ser confirmado por ECG, radiografia de tórax e exames laboratoriais. As alterações eletrocardiográficas (supradesnível do segmento ST difuso com concavidade para cima, infradesnível do segmento PR) confirmam o diagnóstico. Ao contrário do infarto, não há alterações "em espelho" nem inversão de onda T naquele segmento ST. No tamponamento cardíaco e na pericardite constritiva crônica, há baixa voltagem do complexo QRS com alterações difusas do impulso elétrico. Na radiografia de tórax, há alargamento da silhueta cardíaca em derrames com mais de 250 mL, e calcificações pericárdicas podem ser vistas nos casos crônicos (tuberculose). Exames laboratoriais de fase aguda, como velocidade de hemossedimentação, proteína C-reativa e leucograma, podem estar alterados, e, nos casos de miocardite associada, as troponinas cardíacas estão elevadas.[23]

No tratamento da pericardite aguda, os objetivos são alívio da dor, resolução da dor e, se presente, da efusão pericárdica. A maioria dos pacientes com pericardite viral ou idiopática aguda pode ser manejada com anti-inflamatórios não esteroides (AINEs) (ibuprofeno 600 mg 8/8 horas ou ácido acetilsalicílico 500-1.000 mg 6/6 horas) por 7 a 14 dias, sendo efetivos em 70 a 80% dos casos A.[23,24] O uso associado de colchicina (1 mg no primeiro dia, seguido de 0,5 mg 1 a 2×/dia, por 3 meses) é recomendado, uma vez que sua adição a AINEs aumenta a taxa de sucesso (NNT = 4 para ausência de dor em 72 horas) e reduz a recorrência da pericardite (NNT = 5 após 18 meses) A.[23,24] Nos casos de contraindicação a AINE ou falha no esquema, corticoides (prednisona 5-10 mg/dia) podem ser usados por 1 ou 2 semanas C/D,[23] sendo preferíveis em casos de falha e com doenças autoimunes; doses maiores devem ser evitadas pelo risco de recorrência de pericardite. A redução da dose deve ser gradual. Pacientes devem fazer restrição da atividade física até completa resolução dos sintomas e exames subsidiários. Para atletas ou aqueles com exercícios intensos, esse período deve ser estendido para 3 a 6 meses, mantendo atividades comuns do dia a dia.

Casos em que exista suspeita de derrame com repercussão clínica, imunossupressão, trauma agudo ou falha em terapêutica com anti-inflamatório por 7 dias devem ser encaminhados para a emergência, enquanto situações de suspeita de pericardite constritiva ou recorrente devem ser avaliadas por um cardiologista.

Dissecção de aorta e aneurisma de aorta

Dissecção da aorta é uma situação rara com risco elevado e iminente de vida, com incidência estimada em 3 casos a cada 100 mil pacientes por ano. Ocorre, na maioria dos casos, por ruptura da íntima da artéria com separação entre as camadas íntima e média. Entre as causas não traumáticas, a hipertensão arterial sistêmica é o fator predisponente mais importante.

A dissecção de aorta se manifesta como dor intensa, excruciante, tipo lacerante com irradiação para o dorso, podendo acompanhar-se de síncope ou outras alterações neurológicas. Em alguns casos, pode haver sintomas de comprometimento da circulação em órgãos abdominais e membros inferiores. A ruptura da aorta pode manifestar-se como tamponamento cardíaco ou derrame pleural. O exame físico pode revelar diferença de pulsos arteriais entre os membros superiores ou inferiores, bem como manifestação de diminuição do fluxo em outras áreas afetadas.[25] A radiografia de tórax pode mostrar aumento da aorta e alargamento do mediastino. Por ser uma condição com elevada mortalidade – 1% por hora nas primeiras 24 horas e 25% na primeira semana –, o paciente deve ser encaminhado imediatamente para atendimento de emergência hospitalar.

Pacientes com aneurisma de aorta também podem apresentar sintomas de dor torácica crônica alternados com períodos de maior agudização. Alguns relatam tosse, sensação de dispneia e dificuldade ou dor ao deglutir alimentos. A avaliação médica deve ter alto nível de suspeita clínica, levando em consideração presença de fatores de risco cardiovasculares (em especial tabagismo e hipertensão arterial), doença de Marfan ou de válvula aórtica conhecida, história familiar de doença arterial, aneurisma ou morte súbita. A investigação diagnóstica requer exames complementares geralmente disponíveis em centros especializados.

Pneumotórax

No pneumotórax, a dor tem início súbito, sendo acompanhada de dispneia e dor em pressão no hemitórax afetado, que piora com inspiração profunda ou tosse. Na ausculta pulmonar, observa-se murmúrio vesicular diminuído ou ausente no lado afetado. A radiografia de tórax confirma o diagnóstico.[22] Um paciente com pneumotórax espontâneo primário pode ser observado em nível ambulatorial se tiver acompanhamento frequente e confiável. Se o pneumotórax for secundário ou associado a sintomas significativos, o paciente deve ser hospitalizado para observação. Em geral, pacientes com pneumotórax maior do que 10 a 20% do campo pulmonar necessitam de drenagem de tórax.

Embolia pulmonar

A incidência de embolia pulmonar é estimada em 0,5 a 2 casos a cada 1.000 pacientes por ano, mas essa incidência pode ser superior em função dos casos não diagnosticados, com tendência mundial de aumento pelo envelhecimento da população, aumento de internações e acúmulo de morbidades. É a terceira causa de casos agudos cardiovasculares, após IAM e acidente vascular cerebral. Casos não tratados têm mortalidade alta, de 30%, sendo embolia recorrente a principal causa de morte. As manifestações clínicas de embolia pulmonar são taquipneia (frequência respiratória > 20 mpm), dispneia, dor torácica pleurítica, taquicardia, apreensão, tosse e hemoptise.[26] Pode-se suspeitar de embolia pulmonar quando a história médica ou o exame clínico sugerem doença tromboembólica – embolia pulmonar e/ou trombose venosa profunda dos membros inferiores (ver Capítulo Doenças Venosas dos Membros Inferiores), além da presença de fatores de risco para doença.

A impressão clínica não é específica de embolia pulmonar aguda, sendo a sensibilidade e a especificidade estimadas em 85% e 51%, respectivamente.[27] Pela alta proporção de casos não detectados, diversos escores existem para caracterizar o paciente em risco de embolia pulmonar e auxiliar o médico no diagnóstico, como o escore de Wells e o escore de Geneva, ambos revisados para auxiliar na prática clínica. Para situações de baixa prevalência de embolia pulmonar, como cenário ambulatorial, tem sido preconizado o uso de regras de exclusão desse diagnóstico com base somente na clínica (critério PERC). A presença de todos os achados a seguir torna pouco provável o diagnóstico de embolia:

→ idade < 65 anos;
→ frequência cardíaca ≤ 95 bpm;
→ sem hemoptise;
→ sem uso de estrogênio;
→ sem câncer ativo;
→ sem história prévia de embolia pulmonar ou venosa;
→ sem edema ou dor de membro inferior unilateral;
→ sem cirurgia ou trauma com hospitalização nas últimas 4 semanas.

A hipoxemia avaliada pela redução da saturação de oxigênio e/ou taquipneia é frequente nesse cenário; entretanto, em cerca de 40% dos casos, os níveis de oxigenação são normais. De acordo com a aplicação desse algoritmo, não seria necessário o uso de exames adicionais para excluir embolia pulmonar, com sensibilidade de 97% e especificidade de 22%. A probabilidade de doença é inferior a 10% nos casos com < 2 dos fatores supradescritos.[26] Entretanto, isso parece ser aplicável somente a situações com baixa prevalência de doença.

Pacientes com suspeita de tromboembolismo pulmonar agudo ou recorrente devem sempre ser encaminhados para confirmação do diagnóstico e tratamento em nível hospitalar de emergência.

Pneumonia e pleurisia

Pacientes com pneumonia podem ter dor pleurítica ventilatório-dependente. Esses pacientes queixam-se de uma doença respiratória de via aérea superior prodrômica curta, seguida de febre, calafrios, dor torácica pleurítica com escarro purulento ou "ferruginoso". O exame físico pode revelar sinais de consolidação que são confirmados pela radiografia de tórax (ver Capítulo Infecções do Trato Respiratório em Adultos). Outras causas de dor pleurítica são doenças do colágeno, como lúpus, artrite reumatoide, doenças inflamatórias sistêmicas e neoplasias.

Doenças gastresofágicas

Dor esofágica causada pelo refluxo do conteúdo gástrico do estômago, por espasmo ou obstrução, é causa comum de dor torácica não cardíaca. Dados epidemiológicos mostram que 10 a 20% da população adulta ocidental referem queimação ou ardência em algum momento da vida. Os sintomas de refluxo são queimação retroesternal ou sensação de aperto em torno do pescoço, regurgitação ácida e disfagia. Quando os dois últimos sintomas são dominantes, a especificidade é alta o suficiente (89% e 95%, respectivamente) para estabelecer o diagnóstico de refluxo. A presença de refluxo ácido para a boca (pirose) ou disfagia aumenta ainda mais a probabilidade de doença esofágica.[28]

Outros sintomas incluem sialorreia (hipersalivação associada a um episódio de exposição ao ácido), disfagia e sensação de *globus*. Frequentemente ocorrem após alimentação, sobretudo após grandes refeições. Esses sintomas pioram quando o paciente se deita, ou podem ser exacerbados com estresse emocional e, em geral, melhoram com antiácidos.

É necessária investigação adicional em pacientes com sintomas gastrintestinais inespecíficos, para ajudar a estabelecer o diagnóstico, assim como naqueles que não melhoram com tratamento clínico, pela chance de apresentar outras patologias subjacentes. Também está indicada investigação diagnóstica para os pacientes que, mesmo com sintomas típicos, apresentam os seguintes agravantes: sintomas com > 10 anos de duração, disfagia, hematêmese ou melena, perda de peso ou início da sintomatologia após os 65 anos de idade (ver Capítulo Dispepsia e Refluxo). Em atenção primária, sem a presença de agravantes, o teste terapêutico com inibidores de bomba pode ser muito efetivo. A administração de inibidores da bomba de prótons (omeprazol, 40mg em jejum pela manhã e 20 mg antes da janta) por 7 dias e alívio da dor têm valor preditivo positivo superior a 90% A.[28,29]

A dor torácica pode resultar também de outras alterações do trato gastrintestinal, incluindo úlcera péptica, doença das vias biliares e pancreatite.

Casos agudos de dor torácica intensa podem estar associados à ruptura de esôfago que ocorre de modo espontâneo relacionado com aumento da pressão intraesofágica e pressão negativa intratorácica, como vômitos intensos ou esforço. Podem também ocorrer por ingestão de materiais perfurocortantes, abrasivos ou iatrogênicos. A história clínica é muito sugestiva de um fator ou evento desencadeador seguido de dor intensa retroesternal e abdominal superior. Pacientes com suspeita de ruptura são uma emergência médica e devem ser prontamente encaminhados.

Condições musculoesqueléticas

Problemas musculoesqueléticos caracterizam-se por dor na parede torácica reprodutível à palpação que acompanha um dermátomo ou um grupo muscular, e são o diagnóstico final da maioria dos atendimentos por dor torácica na prática clínica ambulatorial (ver TABELA 60.2).

As dores torácicas musculoesqueléticas costumam ser insidiosas, persistentes, com duração de horas a dias. São frequentemente agudas em uma localização específica, mas também podem ser difusas. O sintoma tende a modificar-se com a posição, o movimento ou a respiração profunda. O exame físico é importante para identificar pontos álgicos, alterações de parede ou processos inflamatórios.

As síndromes costocondrais e condroesternais são causas comuns de dor torácica anterior não cardíaca. A maioria dos casos apresenta-se com sintoma predominante de dor. As características clínicas que melhor caracterizam síndrome de parede torácica de outras causas são dor reprodutível à palpação, dor descrita como não sendo em aperto ou opressão, localizada no lado esquerdo, não induzida por esforço e dor relacionada com movimento ou posição. Em alguns casos, pode haver, além da dor, edema, rubor e calor das articulações costoesternais (síndrome de Tietze). A digitopressão das articulações reproduz a dor e auxilia no diagnóstico.[36]

O tratamento consiste em AINEs para resolução dos sintomas (ver TABELA 181.5 do Capítulo Abordagem da Dor na APS.).

A dor torácica pode ter origem miofascial, caracterizada pela presença de pontos-gatilho, que, quando pressionados, provocam dor à distância (ver Capítulos Abordagem da Dor na APS e Dor Miofascial e Outras Dores Mecânicas). Os pontos-gatilho que mais desencadeiam dor torácica são o escaleno, os peitorais, o serrátil anterior e os intercostais.[30] Muitas vezes, a dor miofascial é acompanhada de sintomas autonômicos, como sudorese, cianose e palidez, o que pode confundir a avaliação diagnóstica.

Contusão muscular também é frequente. Em geral, apresenta história recente de trauma ou esforço além do normal com aquele grupo muscular em questão. O tratamento é sintomático.

Outra causa frequente, sobremaneira em crianças e adolescentes, é a síndrome da fisgada precordial. É de origem desconhecida, mas provavelmente musculoesquelética. Caracteriza-se por dor em fisgada, intensa, no hemitórax esquerdo, bem localizada, muitas vezes piorando com a respiração ou com o movimento, com duração variando de poucos segundos a alguns minutos, e frequência variando de esporádica a diversas vezes ao dia. A dor tem resolução espontânea, não necessitando de tratamento farmacológico.

De modo geral, as intervenções disponíveis para manejo da dor de origem musculoesquelética são múltiplas: educação e tranquilização do paciente sobre a origem dos sintomas, remoção de fatores causais ou agravantes, terapia tópica não farmacológica (calor local, fisioterapia), anti-inflamatórios, relaxantes musculares, anticonvulsivantes, até casos de injeção de corticoides e anestésicos tópicos e agulhamento seco (ver Capítulo Abordagem da Dor na APS).

Herpes-zóster

O herpes-zóster caracteriza-se por um *rash* cutâneo doloroso com vesículas umbilicadas em pacientes com história prévia de varicela, com frequência exacerbadas nos períodos de imunodepressão, que acompanham o trajeto do dermátomo. É extremamente doloroso, e, como a dor precede as lesões em cerca de 24 a 48 horas, pode, nesse período, lembrar IAM, úlcera péptica e abdome agudo. Algumas vezes, mesmo após o desaparecimento das lesões, o paciente permanece com dor por vários meses, em um quadro de difícil tratamento chamado de neuralgia pós-herpética[31] (ver Capítulo Infecções pelo Herpesvírus e pelo Vírus Varicela-Zóster).

Transtornos emocionais e psiquiátricos

Estima-se que cerca de 10% dos pacientes que procuram atendimento de emergência por dor torácica apresentam síndrome de hiperventilação aguda como diagnóstico primário. Ocorre mais frequentemente em mulheres do que em homens (7:1), com pico de incidência de idade entre 15 e 55 anos.[32] A proporção de diagnóstico primário de dor torácica psicogênica é difícil de estimar e tem sido evitada. A recomendação tem sido considerar fatores psicológicos relacionados com a percepção da dor torácica em vez de estabelecer uma relação causal, na medida em que outras doenças podem coexistir e dificultar o diagnóstico etiológico do sintoma.

A dor torácica psicogênica localiza-se geralmente na projeção do *ictus cardíaco*, é persistente, dura horas e piora ou alterna com crises de dor aguda inframamária esquerda de 1 a 2 segundos, quase sempre desencadeadas por estresse emocional. O paciente pode apresentar-se com grande agitação e ansiedade, além de sensação de sufocação. As manifestações são parestesias em extremidades (em geral, bilaterais) e região perioral, síncope, convulsões, sensação de despersonalização e até mesmo alucinações visuais (para discussão adicional sobre hiperventilação, ver Capítulo Vertigens e Tonturas).

Alguns pacientes podem referir outros sintomas psiquiátricos, como história de depressão ou ideação suicida, medo de perder o controle de si ou sensação de despersonalização. Muitos sofrem de transtorno obsessivo-compulsivo, dificuldades sexuais e conjugais e má adaptação ao estresse.[32] Nos casos crônicos, os pacientes podem apresentar sintomas que lembram doenças orgânicas graves, mas com características atípicas das doenças. As principais complicações dessas doenças são ligadas aos procedimentos invasivos gerados pela investigação para afastar outras causas orgânicas (p. ex., cineangiocoronariografia) ou aos sintomas produzidos indiretamente pela hiperventilação (p. ex., quedas durante um episódio de síncope).

Não é aconselhável a hiperventilação em sacos de papel, pois, apesar de ser um excelente meio de diagnóstico e tratamento da hiperventilação, foram relatadas mortes de pacientes com IAM, pneumotórax e tromboembolismo pulmonar confundidos com hiperventilação e tratados com respiração excessiva. O paciente deve ser orientado a esvaziar completamente o tórax superior – com compressão física, se necessário – para diminuir a hiperinsuflação pulmonar e respirar somente usando o diafragma.

Atenção deveria ser direcionada a estresse psicossocial, sofrimento emocional e transtornos mentais (ver Capítulo Abordando os Sintomas Físicos de Difícil Caracterização). Em longo prazo, são usados também betabloqueadores, antidepressivos tricíclicos e inibidores seletivos da recaptação da serotonina, com bons resultados no controle dos sintomas.

ESTRATÉGIA DIAGNÓSTICA PARA PACIENTE COM DOR TORÁCICA

A avaliação dos casos de dor torácica de início recente começa com a identificação ou exclusão de causas potencialmente de risco, incluindo síndrome coronariana aguda, embolia pulmonar, dissecção de aorta, pneumotórax e ruptura esofágica. A obtenção de história com descrição da dor e sintomas associados, fatores de risco adicionais, exame físico, ECG e radiografia de tórax é suficiente na maioria dos casos para direcionamento inicial dos cuidados.[12]

O raciocínio diagnóstico do paciente com dor torácica deve, inicialmente, identificar as causas de maior risco à vida. São quatro passos (FIGURA 60.1A-D):

1. Dor sugestiva de origem cardiovascular
   → Sintomas agudos: avaliar necessidade de emergência.

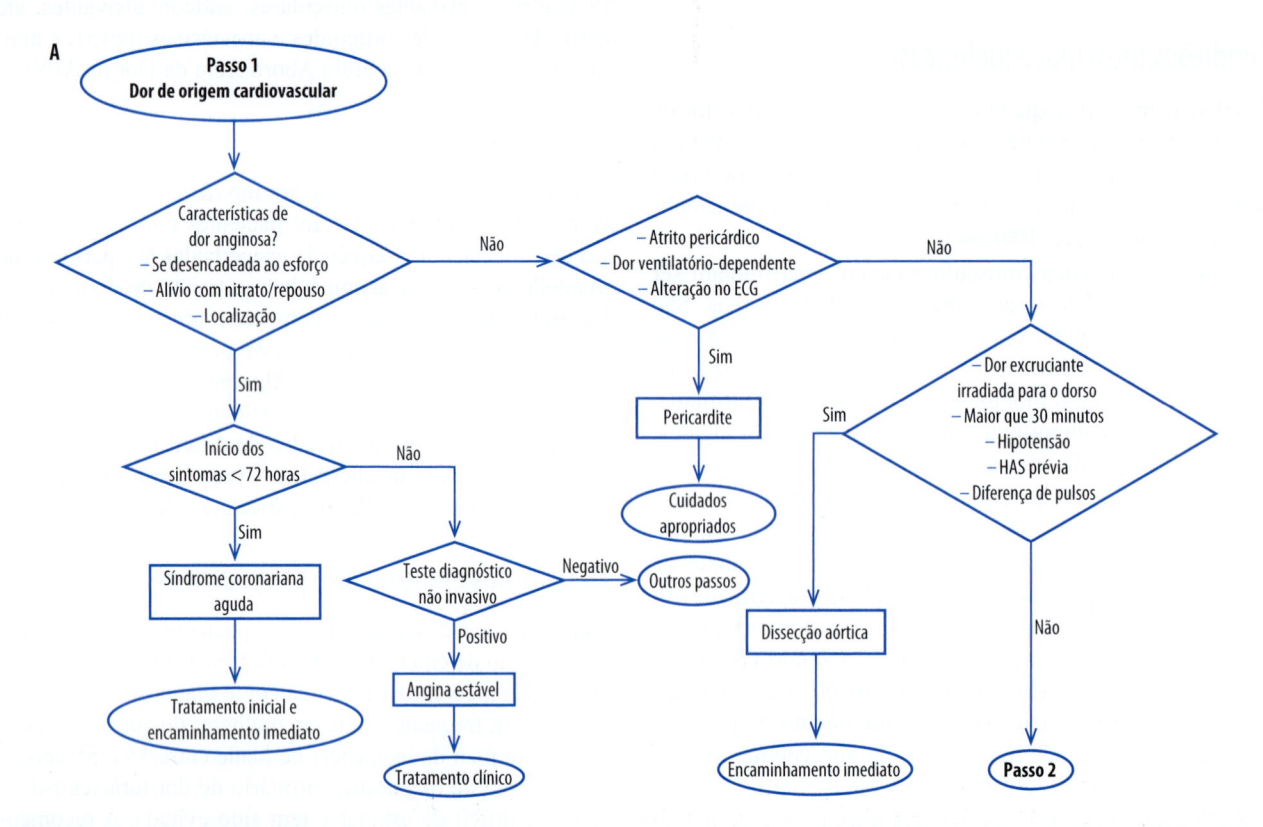

FIGURA 60.1 → Algoritmo para identificar as causas de maior risco à vida.

Seção VI → Sinais, Sintomas e Alterações Laboratoriais Comuns

B

Passo 2
Dor de origem pulmonar
↓
Dispneia? — Não → Passo 3
↓ Sim

— Fatores de risco para TVP
— Hemoptise
— Hipoxemia
→ Não → — Tosse produtiva / — Febre → Não → Pneumotórax
↓ Sim ↓ Sim ↓
Tromboembolismo pulmonar Infecção respiratória Radiografia e cuidados apropriados
↓ ↓
Encaminhamento imediato Cuidados apropriados

C

Passo 3
Dor de origem gastresofágica
↓
— Pirose
— Disfagia
— Piora ao deitar-se
— Alívio com antiácidos
→ Não → Passo 4
↓ Sim
Ver **FIGURA 63.2** do Capítulo Dispepsia e Refluxo

D

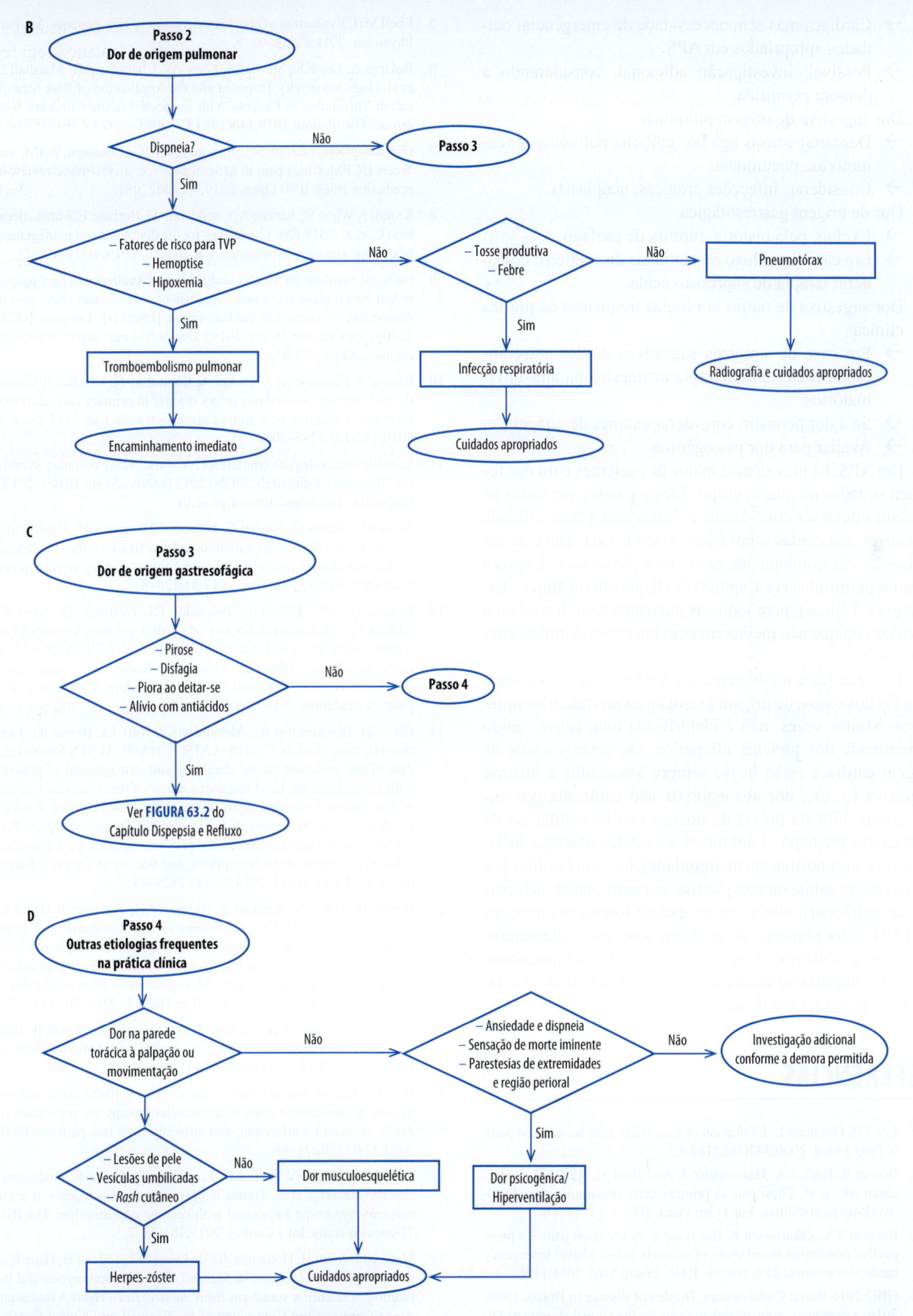

Passo 4
Outras etiologias frequentes na prática clínica
↓
Dor na parede torácica à palpação ou movimentação
→ Não → — Ansiedade e dispneia / — Sensação de morte iminente / — Parestesias de extremidades e região perioral → Não → Investigação adicional conforme a demora permitida
↓ Sim ↓ Sim

— Lesões de pele
— Vesículas umbilicadas
— *Rash* cutâneo
→ Não → Dor musculoesquelética   Dor psicogênica/Hiperventilação
↓ Sim ↓
Herpes-zóster   Cuidados apropriados

FIGURA 60.1 → Algoritmo para identificar as causas de maior risco à vida.
ECG, eletrocardiograma; HAS, hipertensão arterial sistêmica; TVP, trombose venosa profunda.

→ Cardíaca mas sem necessidade de emergência: cuidados apropriados em APS.
→ Possível: investigação adicional, considerando a demora permitida.
2. Dor sugestiva de origem pulmonar
→ Descartar causas agudas: embolia pulmonar, pneumotórax, pneumonia.
→ Considerar: infecções crônicas, neoplasias.
3. Dor de origem gastresofágica
→ Excluir, pela história, ruptura de esôfago.
→ Em caso de refluxo ou sintomas dispépticos: considerar terapia de supressão ácida.
4. Dor sugestiva de outras etiologias frequentes na prática clínica
→ Em caso de sintomas sugestivos de dor musculoesquelética: tentar terapia analgésica ou anti-inflamatórios.
→ Se a dor persistir: considerar exames de imagem.
→ Avaliar para dor psicogênica.

Em APS, há prevalência maior de pacientes com dor torácica situados no quarto grupo. Mesmo assim, em todos os pacientes deve ser considerada e descartada a possibilidade de causas associadas a um maior risco à vida. Deve-se recomendar encaminhamento para avaliação adicional, após a demora permitida (ver Capítulo O Diagnóstico Clínico: Estratégia e Táticas), para todos os pacientes com diagnóstico duvidoso ou que não melhorem com um curso de tratamento adequado.

Em crianças e adolescentes, a dor torácica é, na grande maioria dos casos, de origem psicogênica ou musculoesquelética. Muitas vezes, não é identificada uma causa, sendo denominada dor torácica idiopática. Os poucos casos de origem cardíaca estão quase sempre associados a história sugestiva (p. ex., dor aos esforços não explicada por outra causa), história prévia de doença cardiovascular ou de doença que predispõe à dor torácica cardíaca (doenças inflamatórias, trombofilias ou malignidade), história familiar positiva (morte súbita ou inexplicada, miocardiopatia ou hipertensão pulmonar), alterações no exame físico ou alterações no ECG.[33] Na presença de qualquer um desses elementos, sugere-se a realização de ecocardiograma. Em adolescentes, é sempre importante estar atento à possibilidade de dor isquêmica induzida por drogas.

REFERÊNCIAS

1. Lee TH, Goldman L. Evaluation of the patient with acute chest pain. N Engl J Med. 2000;342(16):1187–95.
2. Bösner S, Becker A, Haasenritter J, Abu Hani M, Keller H, Sönnichsen AC, et al. Chest pain in primary care: epidemiology and pre-work-up probabilities. Eur J Gen Pract. 2009;15(3):141–6.
3. Burman RA, Zakariassen E, Hunskaar S. Acute chest pain – a prospective population based study of contacts to Norwegian emergency medical communication centres. BMC Emerg Med. 2011;11:9.
4. GBD 2016 Brazil Collaborators. Burden of disease in Brazil, 1990-2016: a systematic subnational analysis for the Global Burden of Disease Study 2016. Lancet. 2018;392(10149):760–75.
5. Ebell MH. Evaluation of chest pain in primary care patients. Am Fam Physician. 2011;83(5):603–5.
6. Bularga A, Lee KK, Stewart S, Ferry AV, Chapman AR, Marshall L, et al. High-Sensitivity Troponin and the Application of Risk Stratification Thresholds in Patients With Suspected Acute Coronary Syndrome. Circulation. 2019;140(19):1557–68.
7. Harskamp RE, Laeven SC, Himmelreich JC, Lucassen WAM, van Weert HCPM. Chest pain in general practice: a systematic review of prediction rules. BMJ Open. 2019;9(2):e027081.
8. Knuuti J, Wijns W, Saraste A, Capodanno D, Barbato E, Funck-Brentano C, et al. 2019 ESC Guidelines for the diagnosis and management of chronic coronary syndromes. Eur Heart J. 2019;41(3):407–77.
9. National Institute for Health and Clinical Excellence. Chest pain of recent onset: assessment and diagnosis of recent onset chest pain or discomfort of suspected cardiac origin [Internet]. London: NICE; 2010 [capturado em 16 dez. 2019]. Disponível em: https://www.nice.org.uk/guidance/CG95.
10. Bösner S, Haasenritter J, Becker A, Karatolios K, Vaucher P, Gencer B, et al. Ruling out coronary artery disease in primary care: development and validation of a simple prediction rule. Can Med Assoc J. 2010;182(12):1295–300.
11. Scottish Intercollegiate Guidelines Network. Acute coronary syndromes [Internet]. Edinburgh: SIGN; 2013 [capturado em 16 dez. 2019]. Disponível em: https://www.sign.ac.uk/.
12. Aerts M, Minalu G, Bösner S, Buntinx F, Burnand B, Haasenritter J, et al. Pooled individual patient data from five countries were used to derive a clinical prediction rule for coronary artery disease in primary care. J Clin Epidemiol. 2017;81:120–8.
13. Bittencourt MS, Hulten E, Polonsky TS, Hoffman U, Nasir K, Abbara S, et al. European Society of Cardiology-Recommended Coronary Artery Disease Consortium Pretest Probability Scores More Accurately Predict Obstructive Coronary Disease and Cardiovascular Events Than the Diamond and Forrester Score: The Partners Registry. Circulation. 2016;134(3):201–11.
14. Fihn SD, Blankenship JC, Alexander KP, Bittl JA, Byrne JG, Fletcher BJ, et al. 2014 ACC/AHA/AATS/PCNA/SCAI/STS focused update of the guideline for the diagnosis and management of patients with stable ischemic heart disease: a report of the American College of Cardiology/American Heart Association Task Force on Practice Guidelines, and the American Association for Thoracic Surgery, Preventive Cardiovascular Nurses Association, Society for Cardiovascular Angiography and Interventions, and Society of Thoracic Surgeons. J Am Coll Cardiol. 2014;64(18):1929–49.
15. Ibanez B, James S, Agewall S, Antunes MJ, Bucciarelli-Ducci C, Bueno H, et al. 2017 ESC Guidelines for the management of acute myocardial infarction in patients presenting with ST-segment elevation: The Task Force for the management of acute myocardial infarction in patients presenting with ST-segment elevation of the European Society of Cardiology (ESC). Eur Heart J. 2018;39(2):119–77.
16. Serrano CV, Soeiro A de M, Leal TCAT, Godoy LC, Biselli B, Hata LA, et al. Statement on Antiplatelet Agents and Anticoagulants in Cardiology – 2019. Arq Bras Cardiol. 2019;113(1):111–34.
17. British Medical Journal Publishing Group. Collaborative meta-analysis of randomised trials of antiplatelet therapy for prevention of death, myocardial infarction, and stroke in high risk patients. BMJ. 2002;324(7329):71–86.
18. Carrillo X, Vilalta V, Cediel G, Fernandez-Nofrerias E, Rodriguez-Leor O, Mauri J, et al. Trends in prevalence and outcomes of acute coronary syndrome associated with cocaine consumption: The RUTI-cocaine study. Int J Cardiol. 2019;283:23–7.
19. McCord J, Jneid H, Hollander JE, de Lemos JA, Cercek B, Hsue P, et al. Management of cocaine-associated chest pain and myocardial infarction: a scientific statement from the American Heart Association Acute Cardiac Care Committee of the Council on Clinical Cardiology. Circulation. 2008;117(14):1897–907.

20. Honderick T, Williams D, Seaberg D, Wears R. A prospective, randomized, controlled trial of benzodiazepines and nitroglycerine or nitroglycerine alone in the treatment of cocaine-associated acute coronary syndromes. Am J Emerg Med. 2003;21(1):39–42.

21. Lo KB, Virk HUH, Lakhter V, Ram P, Gongora C, Pressman G, et al. Clinical Outcomes After Treatment of Cocaine-Induced Chest Pain with Beta-Blockers: A Systematic Review and Meta-Analysis. Am J Med. 2019;132(4):505–9.

22. Panju A, Hemmelgarn B, Nishikawa J, Cook D, Kitching A. A Critical Appraisal of the Cardiovascular History and Physical Examination. In: Yusuf S, Cairns JA, Camm AJ, Fallen EL, Gersh BJ, editors. Evidence-based Cardiology [Internet]. 2nd ed. London: BMJ Books; 2003 [capturado em 16 dez. 2019]. p. 14–23. Disponível em: https://onlinelibrary.wiley.com/doi/abs/10.1002/9780470986882.ch2.

23. Adler Y, Charron P, Imazio M, Badano L, Barón-Esquivias G, Bogaert J, et al. 2015 ESC Guidelines for the diagnosis and management of pericardial diseases: The Task Force for the Diagnosis and Management of Pericardial Diseases of the European Society of Cardiology (ESC)Endorsed by: The European Association for Cardio-Thoracic Surgery (EACTS). Eur Heart J. 2015;36(42):2921–64.

24. Lutschinger LL, Rigopoulos AG, Schlattmann P, Matiakis M, Sedding D, Schulze PC, et al. Meta-analysis for the value of colchicine for the therapy of pericarditis and of postpericardiotomy syndrome. BMC Cardiovasc Disord. 2019;19(1):207.

25. Erbel R, Aboyans V, Boileau C, Bossone E, Di Bartolomeo R, Eggebrecht H, et al. Corrigendum to: 2014 ESC Guidelines on the diagnosis and treatment of aortic diseases. Eur Heart J. 2015;36(41):2779.

26. Konstantinides SV, Meyer G, Becattini C, Bueno H, Geersing G-J, Harjola V-P, et al. 2019 ESC Guidelines for the diagnosis and management of acute pulmonary embolism developed in collaboration with the European Respiratory Society (ERS). Eur Heart J. 2019;

27. Lucassen W, Geersing G-J, Erkens PMG, Reitsma JB, Moons KGM, Büller H, et al. Clinical decision rules for excluding pulmonary embolism: a meta-analysis. Ann Intern Med. 2011;155(7):448–60.

28. Kellerman R, Kintanar T. Gastroesophageal Reflux Disease. Prim Care. 2017;44(4):561–73.

29. Kahrilas PJ, Shaheen NJ, Vaezi MF, Hiltz SW, Black E, Modlin IM, et al. American Gastroenterological Association Medical Position Statement on the management of gastroesophageal reflux disease. Gastroenterology. 2008;135(4):1383–91, 1391.e1-5.

30. Ronga A, Vaucher P, Haasenritter J, Donner-Banzhoff N, Bösner S, Verdon F, et al. Development and validation of a clinical prediction rule for chest wall syndrome in primary care. BMC Fam Pract. 2012;13:74.

31. Forbes HJ, Thomas SL, Smeeth L, Clayton T, Farmer R, Bhaskaran K, et al. A systematic review and meta-analysis of risk factors for postherpetic neuralgia. Pain. 2016;157(1):30–54.

32. Jeejeebhoy FM, Dorian P, Newman DM. Panic disorder and the heart: a cardiology perspective. J Psychosom Res. 2000;48(4–5):393–403.

33. Friedman KG, Kane DA, Rathod RH, Renaud A, Farias M, Geggel R, et al. Management of pediatric chest pain using a standardized assessment and management plan. Pediatrics. 2011;128(2):239–45.

LEITURAS RECOMENDADAS

National Institute of Clinical Excellence. Chest pain of recent onset: assessment and diagnosis Clinical guideline Published: 24 March 2010 www.nice.org.uk/guidance/cg95 [updated in September 2019]

Diretriz do NICE para avaliação de dor torácica de início recente, com foco em sintoma de suspeita cardiológica. Usa as evidências sobre a acurácia dos métodos diagnósticos para tomada de decisão frente a diferentes perfis de risco.

McConaghy JR. Outpatient evaluation of the adult with chest pain. Waltham: UpToDate; 2019 [capturado em 12 de dezembro de 2019]. Disponível em: https://www.uptodate.com/contents/outpatient-evaluation-of-the-adult-with-chest-pain?s

Capítulo do livro digital up to date sobre o diagnóstico diferencial de dor torácica em adultos em nível ambulatorial. Aborda as principais patologias, sintomas e sinais mais comuns. Para as síndromes mais prevalentes, sugere alguns exames diagnósticos iniciais.

American Academy of Family Physicians (AAFP). Disponível em: http://www.aafp.org/afp

Site oficial da sociedade americana de médicos de família, com acesso livre, pesquisa Medline nos seus arquivos e acesso aos artigos de suas revistas.

American College of Cardiology (ACC). Disponível em: http://www.acc.org

American Heart Association (AHA). Disponível em: http://www.heart.org/HEARTORG/

Sites oficiais de sociedades de cardiologia norte-americanas nas quais estão disponíveis diretrizes para avaliação e manejo de síndromes isquêmicas agudas e angina estável.

European Society of Cardiology (ESC). Disponível em: http://www.escardio.org/Pages/index.aspx

Site oficial da European Society of Cardiology com acesso livre a pesquisa, revistas e diretrizes.

National Institute for Health and Clinical Excellence (NICE). Disponível em: http://www.nice.org.uk

Site do instituto, da Inglaterra, para profissionais de saúde, onde são apresentados os protocolos e diretrizes aprovadas para implementação pelo sistema de saúde inglês (NHS).

Sociedade Brasileira de Cardiologia (SBC). Disponível em: http://www.cardiol.br/

Site oficial da Sociedade Brasileira de Cardiologia com pesquisa livre para profissionais e pacientes, incluindo diretrizes da sociedade sobre dor torácica.

Capítulo 61
SOPROS CARDÍACOS

Lucia Campos Pellanda
William Brasil de Souza
Aloyzio Achutti
Flavia Kessler Borges

Apesar do grande desenvolvimento das técnicas de diagnóstico em cardiologia, a ausculta permanece sendo um elemento fundamental na avaliação do paciente com queixas ou suspeita de patologias do sistema circulatório. Trata-se de uma das mais úteis ferramentas de investigação que o médico pode usar no ambulatório para detectar alterações na anatomia e na fisiologia cardiovascular. Uma das possíveis alterações encontradas na ausculta é o sopro – um ruído.

A maioria dos pacientes com doença valvar é diagnosticada pela primeira vez com base no achado de um sopro.

A ausculta cardíaca tem sensibilidade relatada de até 70% e especificidade de até 98% para detecção de doença cardíaca valvar. No entanto, a sensibilidade e a especificidade variam substancialmente com a experiência do examinador. A experiência e a proficiência em ausculta têm diminuído na era moderna, o que levou a uma maior dependência de técnicas de imagem mais caras.[1-3]

FISIOPATOLOGIA DOS SOPROS

Os sopros cardíacos são o resultado direto da turbulência do fluxo sanguíneo. Podem ser produzidos por diversos mecanismos capazes de causar distúrbios da laminaridade do fluxo sanguíneo, produzindo vórtices e vibrações com frequências do espectro audível – como a turbulência do fluxo sanguíneo em estreitamentos, dilatações e outras irregularidades nas câmaras cardíacas ou vasos, a regurgitação através de uma válvula incompetente ou, ainda, simplesmente, o aumento do fluxo por meio de estruturas normais. O grau de turbulência e, consequentemente, a intensidade de um sopro cardíaco dependem de múltiplos fatores: o tamanho do orifício ou vaso através do qual o sangue flui; a diferença ou gradiente de pressão ao longo do estreitamento; e o fluxo ou volume sanguíneo no local.[1,4] Os sopros são geralmente mais altos perto do ponto de origem, pois apesar de o som irradiar para longe, sua intensidade diminui com a distância. Outros fatores influenciam essa relação, incluindo as características de transmissão do som pelos tecidos (p. ex., gordura e ar), a distância do local da ausculta até a origem do sopro (p. ex., obesidade, enfisema) e o curso do fluxo.

A produção de sopros relaciona-se com três fatores principais: (1) aumento da velocidade do fluxo sanguíneo através de orifícios normais ou anormais; (2) fluxo anterógrado através de um orifício regular ou estreitado para uma câmara ou para um vaso dilatado; e (3) fluxo retrógrado ou regurgitante através de uma valva incompetente, de um defeito septal ou de canal arterial pérvio. Com frequência, mais de um desses fatores podem coexistir. Para que o fenômeno acústico ocorra, é necessário que haja determinada velocidade da massa sanguínea, turbilhonamento do fluxo e frequência e amplitude adequadas.

Alguns sopros flagrados em condições hipercinéticas (durante ou logo após um exercício físico, excitação, gravidez ou estado febril) podem fazer parte da expressão normal da função cardiovascular. Portanto, a simples presença de um sopro não constitui diagnóstico de cardiopatia e pode não estar ligada a qualquer outra condição mórbida (ver tópico Sopros Inocentes). Por outro lado, algumas cardiopatias, mesmo complexas, podem não apresentar sopros, se as condições para a produção do fenômeno acústico não estiverem presentes.

EXAME CLÍNICO

Ao auscultar um sopro (ver QR code), deve-se atentar para a localização, a intensidade, a duração, a relação com as bulhas cardíacas, o timbre, a irradiação, as variações com o ciclo respiratório e com a postura, e o comportamento após a realização de determinadas manobras. Vários *sites* oferecem áudios com os principais achados da ausculta (ver QR codes). Esses dados, no conjunto de um exame clínico meticuloso, podem fornecer informações suficientes para excluir a presença de uma cardiopatia, permitindo rotular o sopro como inocente, ou podem orientar o estabelecimento de um diagnóstico de problemas cardíacos – ou não associados.

O médico deve desenvolver uma rotina de ausculta sistemática de todos os componentes do ciclo cardíaco e de todas as áreas auscultatórias. O momento do sopro é mais bem situado pela identificação de primeira bulha (B_1) e segunda bulha (B_2), pela observação do pulso carotídeo ou pela palpação do pulso radial.

É útil avaliar rotineiramente pelo menos quatro áreas anatômicas de superfície com o estetoscópio. Deve-se iniciar a ausculta em uma ordem, por exemplo, pelos focos mitral, tricúspide, aórtico e pulmonar (FIGURA 61.1),[5] seguindo até a região lateral esquerda, porções infra-axilares, axilares, infraclaviculares, lateral direita e pescoço:

→ **foco mitral:** localizado no ápice cardíaco, que geralmente está no quinto espaço intercostal na linha medioclavicular. Essa área também pode estender-se medialmente à borda esternal esquerda e lateralmente à região da axila;

→ **foco tricúspide:** encontra-se entre o quarto e o quinto espaço intercostal ao longo da borda esternal esquerda, geralmente se estendendo para a direita do esterno e para baixo, até a área subxifoesternal;

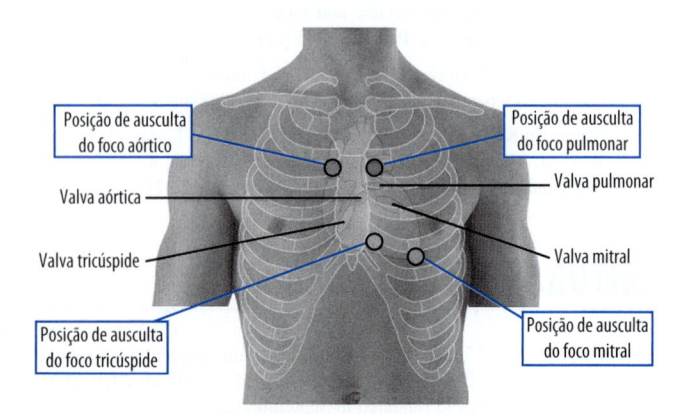

FIGURA 61.1 → Localização dos focos de referência para a ausculta cardíaca, notando-se que não coincidem com a projeção superficial das valvas do coração.
Fonte: Drake e colaboradores.[5]

→ **foco aórtico:** principalmente centralizada no segundo espaço intercostal direito, podendo estender-se até a área supraesternal, o pescoço e inferiormente ao terceiro espaço intercostal esquerdo;
→ **foco pulmonar:** situado no segundo espaço intercostal ao longo da borda esternal esquerda. Os sopros mais bem ouvidos nessa área também podem estender-se para a área infraclavicular esquerda ou baixar ao longo da borda esternal esquerda até o terceiro espaço intercostal.

Quanto à situação no ciclo cardíaco, os sopros podem ser caracterizados como sistólicos, se ocorrem no intervalo entre B_1 e B_2, ou como diastólicos, se ocorrem no intervalo entre B_2 e B_1, ou, ainda, como contínuos, se começam na sístole e continuam por parte da (ou por toda a) diástole.[6] Também é importante definir se o sopro auscultado é proto (início), meso (meio), tele (final) ou holo (todo) sistólico ou diastólico (FIGURA 61.2).[7]

A intensidade de um sopro é determinada principalmente pela quantidade e pela velocidade do fluxo sanguíneo no local de origem, pela característica de transmissão dos tecidos entre o fluxo sanguíneo e o estetoscópio, e pelo local de ausculta. Em geral, a intensidade diminui na presença de obesidade, enfisema e derrame pericárdico. Sopros são geralmente mais altos em indivíduos magros. Costuma-se graduar a intensidade em seis categorias:

→ **grau 1:** muito fraco, quase imperceptível;
→ **grau 2:** fraco, porém logo percebido;
→ **grau 3:** moderado, sem produção de frêmito;
→ **grau 4:** moderado, com produção de frêmito;
→ **grau 5:** forte, com frêmito, audível em todo o precórdio, podendo ser ouvido com o estetoscópio parcialmente afastado do tórax;
→ **grau 6:** muito forte, podendo ser ouvido com o estetoscópio inteiramente afastado do tórax.

Outro aspecto a ser avaliado é a forma do sopro, que pode ser em crescendo (inicia fraco e fica cada vez mais forte), em decrescendo (inicia com intensidade máxima e se torna progressivamente mais fraco), em crescendo-decrescendo (sofre aumento de intensidade até um pico e depois diminui) ou em platô (quando possui sempre a mesma intensidade constante).

A descoberta de um sopro no exame clínico não significa que o paciente deva ser necessariamente investigado ou encaminhado para um especialista. Todos os médicos, e em especial aqueles que se dedicam à assistência primária, devem estar capacitados para identificar um sopro inocente, bem como sopros patológicos de menor significado clínico, para poder tranquilizar o paciente e sua família sem a necessidade de recorrer a outros recursos.

A **TABELA 61.1** descreve a sensibilidade, a especificidade e as razões de verossimilhança (*likelihood ratios*) para os achados do exame físico em situações específicas (para indicações de ecocardiografia na presença de sopro cardíaco ao exame físico, ver Leituras Recomendadas).[8]

SOPROS INOCENTES

Sempre que um sopro sistólico for encontrado e não estiver associado a anormalidades anatômicas ou fisiológicas do coração e da circulação, nem apresentar outros sintomas relacionados, ele pode ser considerado inocente. Também podem ser utilizados como sinônimos os termos "funcional", "fisiológico", "benigno" ou "normal". Esses sopros podem ocorrer em todas as idades, embora sejam especialmente evidentes em crianças.

A anamnese e o exame físico sustentam o pilar central do diagnóstico cardiológico, bem como a base para considerações sobre diagnósticos diferenciais, sobre a necessidade de investigação complementar e, eventualmente, de uma avaliação pelo especialista. A ausculta deve ser feita de modo sistemático, com o paciente, sobretudo se for criança, em pé e deitado. Todo o precórdio e os campos pulmonares devem ser auscultados. É necessário identificar a sístole e a diástole. Quando uma criança é incapaz de sentar ou ficar em pé, é importante examiná-la em diferentes posições, pois um dos critérios diagnósticos para definir a presença de um sopro inocente é a sua variação de intensidade com a mudança de posição.

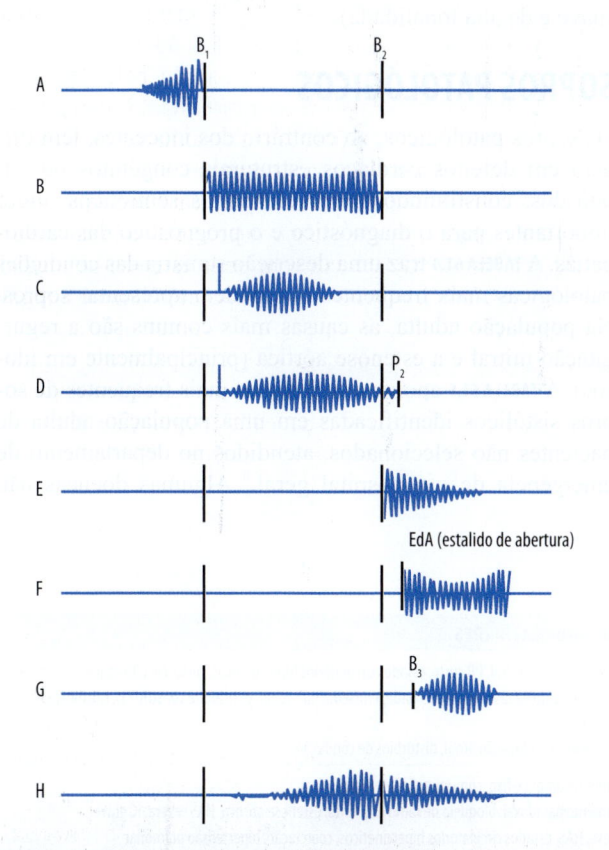

FIGURA 61.2 → Diagrama que representa os principais sopros cardíacos. Em **A**, sopro pré-sistólico de estenose mitral ou tricúspide. Em **B**, sopro holossistólico de insuficiência mitral ou tricúspide ou de defeito septal ventricular. Em **C**, sopro de ejeção aórtica que começa com um clique de ejeção e diminui de intensidade antes da segunda bulha (B_2) cardíaca. Em **D**, sopro sistólico da estenose pulmonar que se prolonga até após a B_2 aórtica, sendo que o fechamento da valva pulmonar é retardado. Em **E**, sopro diastólico aórtico ou pulmonar. Em **F**, sopro diastólico longo de estenose mitral após o estalido de abertura. Em **G**, sopro com influxo mesodiastólico curto após uma terceira bulha (B_3) cardíaca. Em **H**, sopro contínuo de ducto arterioso permeável.
Fonte: Jameson e colaboradores.[7]

TABELA 61.1 → Propriedades diagnósticas do exame cardiológico em situações específicas

ACHADO	SENSIBI-LIDADE (%)	ESPECIFI-CIDADE (%)	RV(+)	RV(−)
EXAME CARDIOLÓGICO ANORMAL*				
Para detectar qualquer doença valvular	70	98	38,3	0,3
SOPRO SISTÓLICO CARACTERÍSTICO†				
Para detectar estenose aórtica	96	71	3,3	0,1
Para detectar regurgitação mitral (incluindo lesões leves)	56-75	89-93	5,4	0,4
Para detectar regurgitação mitral moderada a severa	84-93	65-76	3,3	0,2
Para detectar regurgitação tricúspide (incluindo lesões leves)	23	98	14,6	0,8
Para detectar regurgitação tricúspide moderada a severa	62	94	10,1	0,4
SOPRO DIASTÓLICO CARACTERÍSTICO†				
Para detectar regurgitação aórtica (incluindo lesões leves)	54-87	75-98	9,9	0,3
Para detectar regurgitação aórtica moderada a severa	88-98	52-88	4,3	0,1
Para detectar regurgitação pulmonar	15	99	17,4	NS

Observação: para uma discussão mais detalhada desses conceitos, ver Capítulo Conceitos de Epidemiologia Clínica para a Tomada de Decisões Clínicas na Atenção Primária.
*Exame cardiológico anormal: qualquer sopro detectado ao exame físico.
†Sopro característico: sopro característico da lesão considerada. Por exemplo, para regurgitação aórtica, o achado refere-se ao sopro protodiastólico de alta frequência ao longo da borda esternal, e não a qualquer sopro diastólico (ver TABELA 61.4).
NS, não significativo; RV(+), razão de verossimilhança, teste positivo; RV(−), razão de verossimilhança, teste negativo.
Fonte: McGree.[8]

São condições necessárias para suspeita de sopro inocente:
→ exame e história não sugestivos de patologia orgânica, com ausência de cianose, taquipneia, dificuldade respiratória, baixo ganho ponderal, fadiga ou palpitações;
→ ausência de outros achados físicos, incluindo ausculta normal (exceto pelo sopro) e B_2 com desdobramento inspiratório (ver descrição das bulhas cardíacas na TABELA 61.2), pulsos bem palpáveis e simétricos, precórdio sem hiperatividade e pressão arterial dentro dos limites para a faixa etária. Um exame físico bem-feito pode até mesmo evitar a necessidade de exames complementares com um nível maior de complexidade.

Para fins práticos, os sopros considerados inocentes são majoritariamente sistólicos. Os sopros diastólicos são quase sempre patológicos, tornando necessária uma investigação subsequente com exame complementar e, eventualmente, com avaliação de um especialista. Também devem ser considerados suspeitos os sopros sistólicos ou diastólicos cujo foco de maior intensidade é o segundo espaço intercostal direito.

Na TABELA 61.3, são descritos alguns tipos de sopros inocentes. Outros sopros inocentes são o supraclavicular (de alta frequência, desaparecendo com a abdução do ombro) e o sopro da artéria mamária (ocasional em adolescentes e mulheres jovens, mais comum em grávidas e lactantes, podendo ser contínuo ou sistólico e caracterizado por som suave e de alta tonalidade).

SOPROS PATOLÓGICOS

Os sopros patológicos, ao contrário dos inocentes, têm origem em defeitos cardíacos estruturais congênitos ou adquiridos, constituindo-se em elementos semióticos muito importantes para o diagnóstico e o prognóstico das cardiopatias. A TABELA 61.4 traz uma descrição sumária das condições patológicas mais frequentes que podem apresentar sopros. Na população adulta, as causas mais comuns são a regurgitação mitral e a estenose aórtica (principalmente em idosos). A TABELA 61.5 aponta as etiologias mais frequentes de sopros sistólicos identificadas em uma população adulta de pacientes não selecionados, atendidos no departamento de emergência de um hospital geral.[9] Algumas doenças não

TABELA 61.2 → Bulhas cardíacas

BULHAS E SUAS CARACTERÍSTICAS	RELAÇÃO COM O CICLO CARDÍACO	EXEMPLOS DE ANORMALIDADES
B_1: dois componentes de alta frequência, mais evidente na área do ventrículo esquerdo	Primeiro componente relacionado com o início da sístole mecânica do ventrículo esquerdo; o segundo, com o mesmo fenômeno do lado direito	→ Hiperfonese: estenose mitral, PR curto, estados circulatórios hipercinéticos, curto-circuito esquerda-direita → Hipofonese: aumento da distância (obesidade, enfisema pulmonar, pericardite constritiva), calcificação mitral, PR longo → Intensidade variável: fibrilação atrial, distúrbios de condução
B_2: dois componentes, duração menor que B_1, mais audível no segundo espaço intercostal esquerdo	Relacionada com o início da diástole mecânica ou fim da sístole	→ Desdobramento amplo e fixo: comunicação interatrial → Desdobramento paradoxal: bloqueio de ramo esquerdo, estenose aórtica, HAS severa, IC grave → Hiperfonese: HAS, estados circulatórios hipercinéticos, coarctação, hipertensão pulmonar
B_3: baixa frequência, audível com a campânula do estetoscópio segurada frouxamente	Final da fase de enchimento rápido na diástole	→ Pode ser fisiológica na ausência de cardiopatia, especialmente em crianças e adolescentes, em atletas e em estados circulatórios hipercinéticos → Patológica: IC, insuficiência mitral, CIV, PCA, miocardiopatias → Ritmo de galope: ritmo de três tempos com taquicardia
B_4: frequência muito baixa, audível com a campânula do estetoscópio segurada frouxamente	Contração ou sístole atrial, logo antes de B_1	→ HAS, estenose aórtica severa, coarctação aórtica → Miocardiopatia, estenose pulmonar, hipertensão pulmonar, IAM, angina, anemia, hipertireoidismo → Galope de soma: ritmo de quatro tempos, com B_3 e B_4, na vigência de taquicardia e/ou bloqueio atrioventricular de primeiro grau

CIV, comunicação interventricular; HAS, hipertensão arterial sistêmica; IAM, infarto agudo do miocárdio; IC, insuficiência cardíaca; PCA, persistência do canal arterial.

TABELA 61.3 → Sopros inocentes

TIPO	CARACTERÍSTICAS FUNDAMENTAIS	DIAGNÓSTICOS DIFERENCIAIS
Sopro de Still	→ É o sopro inocente mais comum → Tonalidade musical e vibratória → Tem irradiação limitada e é mais audível entre a borda esquerda do esterno e o ápice → Sistólico e curto, intensidade variável de graus 1 a 3 → Aumenta na vigência de febre, exercícios, excitação e anemia	Miocardiopatia obstrutiva hipertrófica, comunicação interventricular pequena
Sopro pulmonar inocente	→ Representa ±15% de todos os sopros inocentes → Mais audível na borda superior esquerda do esterno, pode irradiar-se para as axilas e para o dorso, mas não é bem ouvido em outras localizações → Mais audível com o paciente em posição supina, no final da expiração completa → Sistólico, com graus 1 a 3 → Aumenta na vigência de febre e exercícios → B_2 é normal e o sopro inocente não é acompanhado por estalidos	Estenose pulmonar, comunicação interatrial e outras condições patológicas acompanhadas de hipercinesia
Sopro pulmonar periférico	→ Encontrado em recém-nascidos, principalmente prematuros → Sopro sistólico curto, grau 1 a 2, sendo audível na borda superior do esterno, à esquerda ou à direita, irradiando-se bem para o dorso e axilas bilateralmente → Aparece entre o nascimento e 2 semanas de vida, desaparecendo com 1-8 semanas → Aumenta com o exercício durante a mamada, ou com o choro	Estenose pulmonar, estenose de ramos pulmonares; é importante certificar-se da ausência de história de rubéola na gestação (estenose de ramos pulmonares)
Zumbido venoso	→ Sopro contínuo → É muito comum, sobretudo em crianças de 2-5 anos → Suave, de tonalidade alta; tem crescendo diastólico → Acentua-se na posição supina e com a extensão do pescoço, e quase desaparece com sua flexão → Abolido com a compressão da jugular	Persistência do canal arterial, malformação arteriovenosa

cardiovasculares também podem produzir sopros que nada mais são do que o exagero de sopros fisiológicos ou inocentes. Essas doenças são as que produzem hipercinesia, como doenças febris, anemia, hipertireoidismo e doença de Paget.

Em adultos com sopros ainda não investigados, o exame clínico pode diferenciar um sopro funcional de um sopro patológico. No entanto, esse exame é limitado para determinar as causas do sopro patológico, especialmente se houver mais de uma lesão presente. Assim, a ecocardiografia é recomendada se houver suspeita de lesão significativa.[10]

São indícios de lesões significativas: presença de sopro diastólico; sopros de grau elevado (≥ 3/6); evidência clínica de disfunção cardiovascular (dispneia, edema de membros inferiores, história de síncope ou angina); sopro audível acima da cabeça da clavícula; presença de frêmito; B_2 reduzida ou ausente; retardo no pulso carotídeo; impulsão apical sustentada; e achados de hipertrofia ventricular esquerda ao eletrocardiograma.[11] Uma vez identificado sopro com provável origem patológica, deve ser considerada uma avaliação complementar por um cardiologista.

Se for diagnosticado defeito estrutural, congênito ou adquirido, é importante orientar o paciente sobre a prevenção da endocardite infecciosa e, no caso de lesão resultante de febre reumática, também sobre os cuidados profiláticos indicados para cada caso (ver Capítulo Febre Reumática e Prevenção de Endocardite Infecciosa).

Na coordenação do cuidado longitudinal, em conjunto com o cardiologista, deve-se observar atentamente possíveis modificações do sopro ou de outros sinais e sintomas que possam denunciar agravamento ou complicação das condições clínicas.

TABELA 61.4 → Sopros patológicos

DOENÇA	CARACTERÍSTICAS DO SOPRO	OUTRAS OBSERVAÇÕES
Estenose mitral	→ Sopro diastólico, timbre baixo, mais forte no ápice; pode irradiar-se para a axila ou borda inferior do esterno → Em geral, os sopros mais longos estão associados a uma estenose mais severa → Mais bem auscultado em decúbito lateral esquerdo	→ O sopro diastólico pode ser acompanhado de B_1 hiperfonética, estalido de abertura após B_2, sopro pré-sistólico → ↓ na inspiração, Valsalva, obesidade, enfisema, baixo débito cardíaco → ↑ na expiração e no exercício
Insuficiência mitral	→ Sopro sistólico (pode ser pan ou telessistólico, ou pansistólico com acentuação no final da sístole), timbre alto, intensidade constante, mais forte no ápice; pode irradiar-se para a axila ou área infraescapular esquerda	→ Pode haver B_1↓ e B_2 amplamente desdobradas → Sofre pouca variação com a respiração → ↓ quando o paciente fica de pé subitamente e na manobra de Valsalva → ↑ na posição de cócoras e com exercício isométrico → Impulso apical hipercinético
Estenose aórtica	→ Sopro sistólico ejetivo, crescendo-decrescendo, mais bem audível na base; pode irradiar-se para as carótidas e ápice → Em geral, os sopros mais longos estão associados a uma estenose mais grave	→ B_1 normal ou suave, B_4 proeminente → O estalido aórtico depende da mobilidade da válvula e pode desaparecer quando esta é severamente calcificada → ↑ na posição de cócoras → ↓ Valsalva → O sopro varia de intensidade a cada ciclo quando há variação do enchimento diastólico, como na fibrilação atrial ou após uma extrassístole (o que ajuda a diferenciar da insuficiência mitral) → O sopro pode acompanhar-se de pulso *parvus tardus*
Prolapso da válvula mitral	→ Estalido sistólico, frequentemente seguido de um sopro meso ou telessistólico em crescendo → Em geral, a duração do sopro correlaciona-se bem com o grau de regurgitação mitral; quando a regurgitação é grave, o sopro começa antes e torna-se holossistólico → Ocasionalmente, há múltiplos estalidos ao longo da borda esternal esquerda	→ O prolapso da válvula mitral é uma condição clínica comum, podendo estar presente em até 5-10% da população → Pode ser primário ou estar associado a outras doenças, como a síndrome de Marfan e deformidades torácicas (cifoescoliose, *pectus excavatum* ou *carinatum*), entre outras

(continua)

TABELA 61.4 → Sopros patológicos (Continuação)

DOENÇA	CARACTERÍSTICAS DO SOPRO	OUTRAS OBSERVAÇÕES
Insuficiência aórtica	→ Sopro diastólico em decrescendo, timbre alto, mais bem audível na borda esquerda do esterno; em geral, a duração do sopro correlaciona-se bem com o grau de anormalidade hemodinâmica → O sopro de Austin-Flint é um som surdo e retumbante, meso e telediastólico, audível no ápice; esse sopro sugere insuficiência severa; é de difícil diferenciação do sopro de estenose mitral, mas, ao contrário deste, não é acompanhado de estalido de abertura ou B_1 hiperfonética	O sopro pode acompanhar-se de: → Pulsos em martelo d'água, pulsações visíveis nos leitos ungueais e na úvula → ↑ pressão sistólica e ↓ pressão diastólica → Impulso apical deslocado inferior e lateralmente → Pulsações visíveis na artéria retiniana, o que sugere insuficiência aórtica significativa → B_3 → As manifestações periféricas clássicas da insuficiência aórtica crônica podem estar ausentes ou atenuadas na doença aguda
Endocardite infecciosa	→ O surgimento de um sopro ou a mudança das características de um sopro preexistente (exceto mudanças de intensidade por diferenças de débito cardíaco ou frequência cardíaca) podem sugerir endocardite em paciente com quadro clínico compatível	→ O diagnóstico de endocardite deve ser sempre considerado em um paciente com sopro cardíaco e quadro febril inexplicado com duração > 5 dias
Comunicação interatrial	→ Sopro sistólico ejetivo em área pulmonar (por aumento de fluxo através dessa válvula) → Quando o defeito é hemodinamicamente significativo, pode haver um rolar diastólico	→ Uma característica importante da ausculta é a presença de desdobramento fixo de B_2 → No adolescente ou no adulto, quando há aumento da resistência vascular pulmonar e diminuição do fluxo da esquerda para a direita através do defeito, pode haver diminuição dos sopros e intensificação do componente P2; a cianose acompanha a reversão desse fluxo da direita para a esquerda
Comunicação interventricular	→ Sopro pansistólico rude, mais bem audível na borda esquerda do esterno; pode irradiar-se para a região precordial → Um rolar diastólico no ápice pode ser observado quando há um defeito hemodinamicamente significativo	→ Pode acompanhar-se de frêmito na borda esquerda do esterno → Impulso apical hipercinético → Pode haver fechamento espontâneo do defeito, acompanhado de desaparecimento do sopro → A diminuição de intensidade ou desaparecimento do sopro e a melhora clínica, em uma criança com defeito hemodinamicamente significativo, também pode estar associada ao desenvolvimento de doença vascular pulmonar (nesse caso, há diminuição progressiva do fluxo da esquerda para a direita, até a reversão do seu sentido)
Regurgitação pulmonar	→ Sopro diastólico, imediatamente após B_2 → Mais audível no segundo espaço intercostal esquerdo	→ Aumenta na inspiração
Estenose pulmonar	→ Sopro ejetivo sistólico → Mais audível no segundo espaço intercostal esquerdo	→ Pode ser acompanhado de sinais de hipertrofia ventricular direita
Regurgitação tricúspide	→ Sopro pansistólico → Mais audível na borda esternal direita	→ Aumenta na inspiração → Pode ser acompanhado de onda sistólica no pulso venoso jugular e pulsação hepática
Miocardiopatia hipertrófica	→ Sopro mesossistólico, pode gerar abafamento de B_2 → Mais audível na borda esternal esquerda inferior e ápice	→ Aumenta na manobra de Valsalva → Pode ser acompanhado de hipertrofia ventricular esquerda no eletrocardiograma

TABELA 61.5 → Etiologias de sopros sistólicos na população adulta

CAUSAS MAIS PROVÁVEIS (%)*
- → Sopro funcional (65)
- → Regurgitação mitral (21)
- → Estenose aórtica (17)
- → Regurgitação aórtica (14)
- → Regurgitação tricúspide (7)

CAUSAS GRAVES QUE DEVEM SER CONSIDERADAS
- → Hipertensão arterial pulmonar (2)
- → Miocardiopatia dilatada (2)
- → Miocardiopatia hipertrófica (< 1)
- → Endocardite bacteriana

CAUSAS FREQUENTEMENTE ESQUECIDAS
- → Comunicação interatrial
- → Comunicação interventricular (< 1)

*É possível haver achados múltiplos em um paciente.
Fonte: Reichlin e colaboradores.[9]

SOPROS NA GRAVIDEZ

É importante identificar pacientes com alterações cardiovasculares antes ou durante a gestação, de modo que os cuidados apropriados possam ser ofertados. A identificação será mais difícil se a primeira avaliação ocorrer em um estágio mais avançado da gestação, porque a intensidade de alguns sopros varia bastante durante as modificações hemodinâmicas da gravidez. O débito cardíaco tende a elevar-se no decorrer do 1º trimestre e permanece elevado durante o 3º trimestre. Paralelamente, a resistência vascular sistêmica diminui durante o 1º e o 2º trimestres, sendo mantida em um nível mais baixo, muitas vezes com a redução da pressão arterial média. O volume sanguíneo circulante aumenta, e são encontrados, na maioria das gestantes, um sopro mesossistólico, sem relevância, bem como uma terceira bulha (B_3) fisiológica (sobrecarga de volume).

Devido à diminuição da resistência vascular sistêmica, os sopros da regurgitação mitral ou aórtica costumam ser mais suaves em gestantes que apresentam essas condições. Quando não ocorre a redução da intensidade dos sopros de regurgitação mitral e aórtica durante a gravidez, isso se deve, muitas vezes, ao aparecimento ou à exacerbação de hipertensão sistêmica materna.

O *soufflé* mamário é um sopro contínuo auscultado na borda esternal esquerda em muitas gestantes ou lactantes, quando estão em decúbito. É resultado do fluxo sanguíneo através das artérias mamárias superficiais das mamas. Quando presente, esse sopro contínuo pode ser auscultado até mesmo no 2º ou no 3º trimestre da gravidez, podendo persistir durante a lactação. A manobra de Valsalva não tem efeito sobre o referido sopro, diferenciando-o do zumbido venoso, que desaparece durante a manobra. A adoção da posição ortostática faz o *soufflé* mamário diminuir de intensidade ou desaparecer.

SOPROS EM CRIANÇAS

Sopros cardíacos constituem a causa mais frequente de encaminhamentos de crianças ao cardiologista pediátrico. Pelo fato de muitas cardiopatias, mesmo quando complexas, poderem apresentar-se de forma assintomática, a avaliação inicial desses pacientes torna-se extremamente importante em seu prognóstico. Um terço a três quartos das crianças poderão apresentar um sopro cardíaco inocente em algum momento entre 1 e 14 anos de idade, mas sua identificação como inocente ou como patológico pode ser difícil, variando com a experiência do examinador e com as peculiaridades de cada caso.

Assim como no adulto, os sopros são classificados pela intensidade e pela qualidade do som que geram, em qual momento do ciclo cardíaco eles ocorrem e se irradiam para alguma área. Grande parte dos sopros são sistólicos e de ejeção ou regurgitação. Os sopros auscultados ao longo da borda esternal superior esquerda podem ser causados por estenose aórtica ou estenose arterial pulmonar, tetralogia de Fallot ou coarctação da aorta. Sopros auscultados ao longo da borda esternal inferior esquerda podem ser causados por defeito septal ventricular, regurgitação tricúspide, tetralogia de Fallot, estenose subaórtica hipertrófica idiopática ou sopro de Still. Sopros localizados no ápice cardíaco podem ser causados por regurgitação mitral, prolapso da valva mitral, estenose aórtica, estenose subaórtica hipertrófica idiopática ou um sopro inocente.

Sopros diastólicos podem ser proto, meso ou telediastólicos. Os protodiastólicos são causados por incompetência valvar aórtica ou pulmonar. Os mesodiastólicos ocorrem devido a estenoses da valva mitral ou tricúspide e, geralmente, são precedidos por uma B_3. Os sopros telediastólicos são causados por uma forte contração atrial, resultando em uma rápida injeção de sangue no ventrículo.

Um sopro contínuo inicia na sístole e se mantém durante a diástole. Sopros contínuos podem ser auscultados em pacientes com coarctação da aorta, canal arterial patente ou com um zumbido venoso.

É comum em crianças a presença de um sopro inocente ou funcional sem anormalidade anatômica, como o sopro transitório mais bem ouvido sobre o precórdio esquerdo em pacientes com aumento do débito cardíaco secundário à febre. Um sopro inocente de grau 1 a 3 observado na primeira infância é o resultado da estenose de ramos pulmonares periféricos, mais bem auscultado na base do coração e bilateralmente em cada axila e nas costas. O sopro contínuo de um zumbido venoso ocorre nos primeiros anos da infância, é mais facilmente audível sobre as áreas superiores do tórax e jugular com o paciente na posição vertical e desaparece quando uma ligeira pressão é aplicada à veia jugular ou quando a cabeça do paciente é girada totalmente para o ombro oposto. O sopro inocente de ejeção pulmonar, detectado com mais frequência em adolescentes, é mais bem auscultado no segundo espaço intercostal esquerdo e tem intensidade não superior a grau 3.

Em crianças com sopro sistólico isolado, com características de sopro inocente à ausculta e sem outras anormalidades ao exame físico, é muito baixa a probabilidade de lesão.[12] Já em recém-nascidos na mesma situação, a frequência de doença estrutural importante é bem maior, sendo recomendado um grau maior de suspeita. Se houver qualquer sinal de significância clínica do sopro, como cianose, disfunção respiratória, taquicardia ou bradicardia, dificuldades de alimentação ou alteração dos pulsos periféricos, sugere-se a investigação por especialista, incluindo ecocardiografia.[12] Em recém-nascidos com sopro associado a outras malformações congênitas, filhos de mães diabéticas ou características dismórficas ao exame físico, recomenda-se investigar em todos os casos. Sempre que houver dúvida, a criança deve ser revisada clinicamente em um curto prazo, para avaliar mudanças das características clínicas do sopro. A medida da saturação periférica nos membros superiores e inferiores, o eletrocardiograma (ECG) e a radiografia de tórax podem ser úteis na investigação complementar de cardiopatia.

SOPROS EM IDOSOS

À ausculta do idoso, podem ser observadas alterações senis dos tecidos cardiovasculares. As bulhas podem ser, com frequência, hipofonéticas. É comum a presença de uma quarta bulha (B_4) (sobrecarga de pressão), devido à redução da complacência, porém sem significado necessariamente patológico. Também pode ser auscultado um estalido de abertura protossistólico resultante de dilatação e perda de elasticidade da aorta ascendente. A presença de B_3 audível é sempre anormal, indicando comprometimento miocárdico e aumento da pré-carga (sobrecarga de volume).

Assim, os sopros sistólicos são audíveis em até 60% dos idosos, no entanto, sem corresponder a comprometimento importante, em geral. O mais comum deles é o ejetivo, localizado em área aórtica, que pode estar relacionado com fluxo turbulento devido à dilatação e ao enrijecimento da aorta ou a espessamento e calcificação das cúspides. O estalido mesossistólico ou telessistólico em foco mitral e mesocárdico costuma estar presente nos pacientes portadores de prolapso mitral.

Um sopro diastólico referente à insuficiência aórtica, audível em focos aórtico e aórtico acessório, é o mais comum, sua presença pode ser considerada o achado do exame físico mais útil para estabelecimento desse diagnóstico, com uma razão de verossimilhança positiva de 8,8. Um sopro sistólico regurgitante em área mitral pode ser causado por dilatação dos músculos papilares ou outras alterações da própria valva, em função do envelhecimento, não implicando obrigatoriamente regurgitação significativa. Nos casos em que existe comprometimento significativo, que são a minoria, há outros sinais como frêmitos ou alterações da pressão arterial e dos pulsos. Por outro lado, os sopros diastólicos são sempre patológicos.

SOPROS CONTÍNUOS

Os sopros contínuos são definidos como sopros que começam na sístole e se estendem até a diástole sem interrupção. Eles não precisam necessariamente ocupar a duração total da sístole e da diástole. São resultantes do fluxo sanguíneo de uma câmara ou vaso de pressão mais alta para um sistema mais baixo associado a um gradiente de pressão persistente entre essas áreas durante a sístole e a diástole. Esses sopros podem ocorrer devido a conexões aortopulmonares, comunicação arteriovenosa e distúrbios nos padrões de fluxo nas artérias ou nas veias.

Ducto arterioso patente. É uma causa relativamente comum de sopro contínuo em adultos. A pressão aórtica é maior que a pressão da artéria pulmonar durante a sístole e a diástole; o fluxo sanguíneo da descida de alta pressão na aorta torácica para a artéria pulmonar de baixa pressão causa o sopro contínuo (sopro de Gibson ou sopro de maquinaria). A intensidade máxima do sopro geralmente ocorre em B_2. A duração do sopro depende da diferença de pressão entre a aorta e a artéria pulmonar. Com hipertensão pulmonar, a pressão diastólica da artéria pulmonar aumenta; quando se aproxima do nível sistêmico, a porção diastólica do sopro contínuo torna-se mais curta e, por fim, ausente. Com a hipertensão pulmonar mais grave, a pressão sistólica da artéria pulmonar pode igualar-se à pressão sistólica da aorta e o componente sistólico do sopro também pode estar ausente (canal silencioso). Cianose diferencial devido à reversão do desvio e sinais de hipertensão pulmonar com ou sem evidência de insuficiência cardíaca do lado direito são os únicos achados físicos reconhecíveis à beira do leito nessas circunstâncias.

Janela aortopulmonar. Sopros contínuos podem estar presentes com uma janela aortopulmonar. No entanto, devido ao grande tamanho da comunicação, a resistência vascular pulmonar e a pressão diastólica da artéria pulmonar tendem a ser maiores, o que está associado a uma menor duração do componente diastólico do sopro contínuo.

Shunts. Um desvio da esquerda para a direita através de um pequeno defeito do septo atrial na presença de obstrução da válvula mitral, conhecida como síndrome de Lutembacher, pode ocasionalmente causar um sopro contínuo.[13] A drenagem anômala total das veias pulmonares, um pequeno defeito do septo atrial sem obstrução da válvula mitral e estenose mitral com veia cava superior esquerda persistente são causas muito raras de sopros contínuos.

Coarctação da aorta. Na coarctação da aorta, um sopro contínuo pode ser ouvido nas costas, sobre a área de constrição. Os sopros contínuos podem originar-se em grandes artérias colaterais tortuosas na coarctação da aorta, que também são ouvidos nas costas nas regiões interescapulares. Às vezes, grandes vasos intercostais tortuosos são visíveis quando os ombros são girados medialmente e para a frente para separar as escápulas (sinal de Suzman).

ECOCARDIOGRAFIA

A ecocardiografia é um dos mais valiosos instrumentos de avaliação cardíaca não invasiva na prática clínica, pois permite o estudo anatômico e funcional em uma grande gama de patologias cardíacas. Na prática clínica, a ecocardiografia é o padrão para estabelecer a causa de um sopro. Como observado nas principais diretrizes, uma ecocardiografia é indicada para o diagnóstico e a avaliação de pacientes com suspeita de doença valvar.[1,2]

A ecocardiografia não é necessária em pacientes assintomáticos com sopro de fluxo benigno, mas é apropriada em pacientes com sintomas cardíacos e qualquer sopro cardíaco. Também é indicada em pacientes assintomáticos com sopro diastólico, sopro sistólico de grau 3 ou superior ou sopro sistólico associado a outros achados anormais no exame, como clique sistólico ou aumento da carga carotídea, bem como para pacientes com sopros contínuos não causados por um zumbido venoso ou sopro mamário. A realização de ecocardiografia seriada fornece informações muito importantes durante o acompanhamento de indivíduos assintomáticos com cardiopatia valvar e pode influenciar decisões quanto ao momento da cirurgia.[14]

Para casos assintomáticos com sopro mesossistólico de grau 1 ou 2 sem outros sinais de cardiopatia, pode-se considerar o encaminhamento do paciente a algum especialista se houver dúvidas sobre a importância do sopro após o exame inicial, mas a realização de ecocardiografia de rotina não está indicada.

REFERÊNCIAS

1. Nishimura RA, Otto CM, Bonow RO, Carabello BA, Erwin JP, Fleisher LA, et al. 2017 AHA/ACC Focused Update of the 2014 AHA/ACC Guideline for the management of patients with valvular heart disease: a report of the American College of Cardiology/American Heart Association Task Force on Clinical Practice Guidelines. Circulation. 2017;135(25):e1159–95.
2. Baumgartner H, Falk V, Bax JJ, De Bonis M, Hamm C, Holm PJ, et al. 2017 ESC/EACTS Guidelines for the management of valvular heart disease. Eur Heart J. 2017;38(36):2739–91.
3. Klocko DJ, Hanifin C. Cardiac auscultation: using physiologic maneuvers to further identify heart murmurs. JAAPA. 2019;32(12):21–5.
4. Pelech AN. The physiology of cardiac auscultation. Pediatr Clin North Am. 2004;51(6):1515–35, vii–viii.
5. Drake RL, Vogl AW, Mitchell AWM. Gray's anatomy for students. 4th ed. Philadelphia: Elsevier; 2019.
6. Ginghină C, Năstase OA, Ghiorghiu I, Egher L. Continuous murmur--the auscultatory expression of a variety of pathological conditions. J Med Life. 2012;5(1):39–46.
7. Jameson JL, Fauci AS, Kasper DL, Hauser SL, Longo DL, Loscalzo J. Medicina interna de Harrison. 20. ed. Porto Alegre: AMGH; 2019. 2 v.
8. McGee, S. Evidence-based physical diagnosis. 5th ed. Philadelphia: Elsevier; 2021.
9. Reichlin S, Dieterle T, Camli C, Leimenstoll B, Schoenenberger RA, Martina B. Initial clinical evaluation of cardiac systolic murmurs in the ED by noncardiologists. Am J Emerg Med. 2004;22(2):71–5.
10. Attenhofer Jost CH, Turina J, Mayer K, Seifert B, Amann FW, Buechi M, et al. Echocardiography in the evaluation of systolic murmurs of unknown cause. Am J Med. 2000;108(8):614–20.
11. Polmear A. A cardiac murmur. In: Glasziou P, Polmear A, editors. Evidence-based diagnosis in primary care: practical solutions to common

problems. Edinburgh; New York: Butterworth-Heinemann; 2008. p. 23–32.

12. Sumski CA, Goot BH. Evaluating chest pain and heart murmurs in pediatric and adolescent patients. Pediatr Clin North Am. 2020;67(5):783–99.
13. Steinbrunn W, Cohn KE, Selzer A. Atrial septal defect associated with mitral stenosis. The Lutembacher syndrome revisited. Am J Med. 1970;48(3):295–302.
14. Sopros cardíacos, valvopatias, próteses valvares e endocardite. Arq Bras Cardiol. 2009;93:274–80.

LEITURAS RECOMENDADAS

Barberato SH, Romano MM, Beck AL, Rodrigues AC, Almeida AL, Assunção BM, et al. Posicionamento sobre indicações da ecocardiografia em Adultos – 2019. Arq Bras Cardiol. 2019; 113(1): 135–181.
Diretrizes para o uso da ecocardiografia, incluindo as indicações para avaliação de sopros em diferentes contextos.

Shindler DM. Practical cardiac auscultation. Crit Care Nurs Q. 2007;30(2):166-80.
Artigo sobre ausculta, focando nas técnicas de uso do estetoscópio.

Malik MB, Goyal A. Cardiac Exam. In: StatPearls. Treasure Island: StatPearls; 2021.

Sumski CA, Goot BH. Evaluating Chest Pain and Heart Murmurs in Pediatric and Adolescent Patients. Pediatr Clin North Am. 2020;67(5):783-799.
Artigos orientando o exame cardiológico.

Flint A. Classics in cardiology: on heart murmurs. Heart Views. 2011;12(4):185-90; Heart Views. 2012;13(1):26-8; 2012;13(2):77-83.
Textos clássicos de Dr. Austin Flint, reproduzidos e disponibilizados gratuitamente.

Ginghină C, Năstase OA, Ghiorghiu I, Egher L. Continuous murmur: the auscultatory expression of a variety of pathological conditions. J Med Life. 2012;5(1):39-46.
Revisão de livre acesso na PubMed Central, sobre as causas mais comuns de sopros contínuos.

Loiselle KA, Lee JL, Gilleland J, Campbell R, Simpson P, Johnson G, et al. Factors associated with healthcare utilization among children with noncardiac chest pain and innocent heart murmurs. J Pediatr Psychol. 2012;37(7):817-25.
Os autores identificam fatores associados a uma utilização maior dos serviços de saúde por crianças com sopros inocentes, e sugerem estratégias para reduzir o alto índice de utilização.

Capítulo 62
AVALIAÇÃO INICIAL DA DOR ABDOMINAL AGUDA

Luciano Paludo Marcelino
Alessandro Bersch Osvaldt
Mário Sérgio Trindade Borges da Costa

Na atenção primária à saúde (APS), o médico frequentemente se depara com pacientes com dor abdominal, sendo esse sintoma de alta prevalência em todas as faixas etárias, acarretando altos custos aos sistemas de saúde – tanto em nível ambulatorial quanto de emergência. Mesmo após extensa investigação clínica, com exames complementares, um percentual elevado de pacientes permanece sem diagnóstico definitivo.[1] Sendo assim, o principal desafio do profissional da APS é realizar uma avaliação clínica que permita distinguir os quadros abdominais agudos que requerem cirurgia daqueles que podem ser tratados clinicamente em regime ambulatorial.

Apesar de alguns quadros de dor abdominal aguda serem típicos e de fácil diagnóstico, muitos pacientes apresentam condições clínicas que podem alterar os sinais e sintomas, como idade avançada, gestação, corticoterapia, imunodepressão, transtornos mentais, como depressão e ansiedade, ou uso corrente de antibioticoterapia. Também é importante lembrar que, apesar de todo o cuidado empregado na avaliação do paciente e de seus exames complementares, um percentual alto de quadros de dor abdominal não tem diagnóstico etiológico definido, e podem ser tratados com medicamentos sintomáticos, orientações e reavaliação clínica (ver Capítulo Abordagem Diagnóstica de Sinais e Sintomas).

CORRELAÇÃO CLÍNICA E FISIOPATOLÓGICA DA DOR ABDOMINAL

O peritônio é uma membrana serosa sensitiva que recobre as vísceras e a parede abdominal. Estímulos dolorosos ao peritônio e seu conteúdo resultam em dores de diversos tipos que podem ser classificadas em visceral, parietal e referida. Esses conceitos são importantes para melhor discriminar os quadros clínicos dos cirúrgicos.

A dor visceral é caracterizada por ser difusa, profunda ou mal delimitada, e é causada por inflamação, distensão, tração, isquemia ou aumento de pressão do peritônio visceral. Fibras aferentes do sistema nervoso autônomo, principalmente simpático, conduzem esses estímulos dolorosos.

A dor parietal geralmente manifesta-se com maior intensidade que a dor visceral, além de ser mais bem localizada. É causada pelo estímulo doloroso sobre o peritônio parietal, e transmite-se pela inervação somática, o que justifica a contratura dos músculos abdominais, sinal presente em alguns casos de dores abdominais com irritação parietal.

O estímulo doloroso originado em algum órgão abdominal pode manifestar-se em outra área do corpo, desde que essas duas áreas compartilhem fibras sensitivas ao mesmo nível da espinha dorsal – por exemplo, a vesícula biliar e a região escapular direita. Essa manifestação é chamada de dor referida. Além do exemplo citado, são comuns a dor no ombro decorrente da irritação diafragmática, a dor testicular secundária à ureterolitíase, e a dor periumbilical por inflamação do apêndice cecal.

Além de caracterizar o tipo de dor, é importante avaliar o modo de surgimento (gradual ou súbito) e a intensidade inicial. Os quadros inflamatórios têm início com dor de fraca intensidade, pouco precisa na localização. Sua evolução com o passar das horas sugere o diagnóstico, como no caso da apendicite aguda, em que a dor é inicialmente difusa e pouco localizada e, conforme a evolução do quadro, passa a ser localizada, geralmente na fossa ilíaca direita.

Nos casos de perfuração gastrintestinal, a dor é intensa e localizada desde o início, com piora progressiva do estado geral. Um exemplo é a perfuração de úlcera gástrica ou duodenal, caracterizada por dor de forte intensidade, em epigástrio, e que provoca maior irritação peritoneal conforme ocorre mais extravasamento de conteúdo gástrico para a cavidade peritoneal.

A dor em cólica, ou espasmódica, surge subitamente; é de forte intensidade e difusa, e é seguida por período de atenuação ou ausência da dor. Geralmente é secundária à obstrução ou à suboclusão do trânsito gastrintestinal. Quando a obstrução é mais proximal – por exemplo, no jejuno proximal –, as dores são mais frequentes e acompanhadas por vômitos biliosos. Nas obstruções mais distais, como em alças do cólon, as dores são menos frequentes, e podem ser acompanhadas por vômitos de aspecto fecaloide.

Quadros de abdome agudo causado por etiologia vascular, como a isquemia mesentérica, apresentam-se de forma variável. Geralmente, a dor e a distensão abdominal são difusas, seguidas por choque séptico, e o grau de suspeição é baseado nas comorbidades do paciente.

A ocorrência precoce de choque é característica de quadros hemorrágicos. Nos quadros de sepse ou hipovolemia decorrentes de vômitos, diarreia ou transudação de líquidos para a cavidade peritoneal ou retroperitônio, o choque é mais tardio.

A distensão abdominal é determinada pelo relaxamento das fibras musculares lisas intestinais e pelo aumento do conteúdo intraluminar por exsudação ou acúmulo de gases e secreções digestivas. Ocorre tanto nas obstruções baixas do trato gastrintestinal como na fase tardia das peritonites. A anorexia acompanha a maioria dos quadros inflamatórios e infecciosos abdominais.

A dor de parede abdominal, muitas vezes esquecida, deve ser suspeitada quando a dor não se altera com a alimentação ou a evacuação e não é acompanhada de náuseas, vômitos ou diarreia. Em geral, está associada à dor abdominal recorrente ou constante, mas pode apresentar-se como dor abdominal aguda. Causas frequentes incluem hérnias da parede abdominal, hematomas de parede abdominal, aprisionamento do nervo do reto ou cutâneo lateral torácico, herpes-zóster ou dor miofascial.

CONDIÇÕES CLÍNICAS MENOS GRAVES QUE DEVEM SER CONSIDERADAS

Deve-se ter em mente que existem várias condições clínicas não emergentes que, no lado mais exuberante de sua sintomatologia, apresentam quadros que podem ser confundidos com aqueles de um abdome agudo. Essas condições incluem gastrite, gastroenterite infecciosa, úlcera péptica não perfurada, síndrome do intestino irritável, ileíte regional por doença de Crohn, constipação ou fecaloma, ovulação dolorosa, doença inflamatória pélvica, dismenorreia, litíase urinária, síndromes de estiramento muscular ou aprisionamento de nervo, além de transtornos mentais, como a síndrome de Münchhausen.

SEQUÊNCIA DIAGNÓSTICA

Condições prováveis, graves e frequentemente não lembradas são apresentadas na TABELA 62.1.

História clínica

A sequência da anamnese está sumarizada na TABELA 62.2. Os detalhes específicos de cada diagnóstico são discutidos a seguir. A localização da dor é um bom ponto de partida para o diagnóstico diferencial (FIGURA 62.1).[2]

Exame físico

O exame físico deve ser o mais completo possível para que sejam atingidos os objetivos principais: determinar a causa da dor abdominal e definir se há necessidade de tratamento cirúrgico imediato. Os sinais vitais podem indicar gravidade quando há hipotensão arterial, taquicardia,

TABELA 62.1 → Estratégia diagnóstica de dor abdominal aguda

CAUSAS MAIS PROVÁVEIS
→ Gastrenterite aguda (ver Capítulo Diarreia Aguda na Criança)
→ Apendicite aguda
→ Colecistites (aguda ou crônica)
→ Cólica biliar
→ Litíase urinária
→ Diverticulite aguda

CAUSAS GRAVES QUE DEVEM SER CONSIDERADAS
→ Cardiovasculares
→ Infarto (ver Capítulo Dor Torácica)
→ Ruptura de aneurisma da aorta (ver Capítulo Doenças do Sistema Arterial Periférico)
→ Dissecção da aorta (ver Capítulo Doenças do Sistema Arterial Periférico)
→ Isquemia mesentérica aguda
→ Obstrução intestinal por neoplasia colorretal
→ Infecções graves
→ Doença inflamatória pélvica (ver Capítulo Dor Pélvica)
→ Peritonite bacteriana primária ou secundária
→ Colangite aguda e outras complicações biliares
→ Abscesso intra-abdominal
→ Pancreatite aguda
→ Gravidez ectópica (ver Capítulo Dor Pélvica)
→ Obstrução intestinal de delgado
→ Volvo de sigmoide
→ Perfuração de úlcera duodenal ou de divertículo intestinal

CAUSAS FREQUENTEMENTE ESQUECIDAS
→ Constipação e fecaloma (ver Capítulo Problemas Digestivos Baixos)
→ Ileíte regional
→ Síndrome do intestino irritável
→ Causas pulmonares
→ Pneumonia (ver Capítulos Infecção Respiratória Aguda na Criança e Infecções de Trato Respiratório em Adultos)
→ Embolia pulmonar
→ Dor da ovulação/dismenorreia (ver Capítulo Dor Pélvica)
→ Herpes-zóster (ver Capítulo Dor Torácica)
→ Cetoacidose diabética (ver Capítulo Diabetes Melito: Diagnóstico, Classificação e Organização do Cuidado)
→ Infecção urinária (ver Capítulo Infecção do Trato Urinário)
→ Causas raras (porfiria, hemocromatose, anemia falciforme, *tabes dorsalis*, hemoglobinúria, doença de Addison)

TABELA 62.2 → Principais aspectos da avaliação diagnóstica inicial na dor abdominal aguda

ANAMNESE
- Dor: localização, irradiação, tipo, modo de início e evolução, fatores desencadeantes, agravantes ou atenuantes, correlação com outras manifestações
- Sintomas gastrintestinais: anorexia, náuseas, vômitos (aspecto, frequência, relação com a dor), evacuações, gases, etc.
- Doenças associadas ou pregressas
- Medicamentos em uso
- Cirurgias abdominais prévias
- Viagens recentes
- Antecedentes ginecológicos: leucorreia, data da última menstruação, alterações menstruais, métodos contraceptivos, doenças prévias, etc.
- Sistema urinário: ardência miccional, disúria, polaciúria, hematúria, eliminação de cálculos, etc.

EXAME FÍSICO
- Avaliação do estado geral do paciente e dos sinais vitais
- Tórax: inspeção, percussão e ausculta (pulmonar e cardíaca)
- Abdome: inspeção, ausculta, palpação e percussão
- Exame ginecológico e toque retal

EXAMES COMPLEMENTARES
- Hemograma, exame comum de urina e conforme a suspeita clínica: glicemia, creatinina, ureia, eletrólitos, amilase, lipase, provas de função hepática, provas de coagulação, eletrocardiograma, etc.
- Exames de imagem devem ser solicitados de modo seletivo (ver texto): radiografia de tórax (anteroposterior e perfil) e abdome (três incidências); ultrassonografia abdominal; tomografia computadorizada abdominal total

---

taquipneia ou febre. A expressão facial e o comportamento do paciente na maca ao ser examinado denotam a intensidade da dor.

O exame abdominal é o mais informativo para o diagnóstico, e deve ser realizado com o paciente em decúbito dorsal. À inspeção, deve-se pesquisar distensão, cicatrizes prévias e hérnias em linha média ou regiões inguinocrurais. Os ruídos hidroaéreos estão aumentados (hipercinesia nos quadros obstrutivos) ou diminuídos (hipocinesia na peritonite ou na fase tardia da obstrução intestinal). Dor intensa induzida pela tosse indica irritação peritoneal. A palpação deve ser vagarosa e delicada, começando pelo ponto menos doloroso, pesquisando a presença de dor à descompressão súbita (indicativo de peritonite), massas e hérnias. Durante a palpação é importante conversar com o paciente para distraí-lo, evitando a defesa voluntária. A percussão auxilia na delimitação de massas e na constatação de ascite e de acúmulo de gases intestinais (timpanismo). O toque retal é importante para a avaliação do peritônio pélvico e a detecção de tumores, estenoses e sangramentos, bem como de fecaloma. Nas mulheres, o toque vaginal é útil no diagnóstico diferencial com doenças ginecológicas. Nos homens, o escroto e os testículos devem ser examinados.

Hipocôndrio direito	Afecções
Vesícula biliar	Cólica biliar
Vias biliares	Colecistite
	Colangite
Fígado	Hepatite

Periumbilical	Afecções
Jejuno/íleo	Obstrução intestinal
	Adenite mesentérica
Apêndice cecal	Apendicite inicial
Aorta	Ruptura de AAA
	Isquemia mesentérica

FID	Afecções
Apêndice cecal	Apendicite
Ceco/íleo	Doença de Crohn
	Divertículo de Meckel
Rim/ureter	Calculose urinária

Inguinal/escrotal	Afecções
	Torção testicular
	Epididimite
	Hérnia inguinoescrotal

Epigástrica	Afecções
Esôfago	DRGE
Estômago	Úlcera péptica
Vesícula biliar	Colecistite
Pâncreas	Pancreatite
Coração	IAM diafragmático

Hipocôndrio esquerdo	Afecções
Baço	Infarto esplênico
	Ruptura esplênica
Rim	Calculose urinária
	Pielonefrite

Infraumbilical medial	Afecções
Intestino grosso	Obstrução intestinal

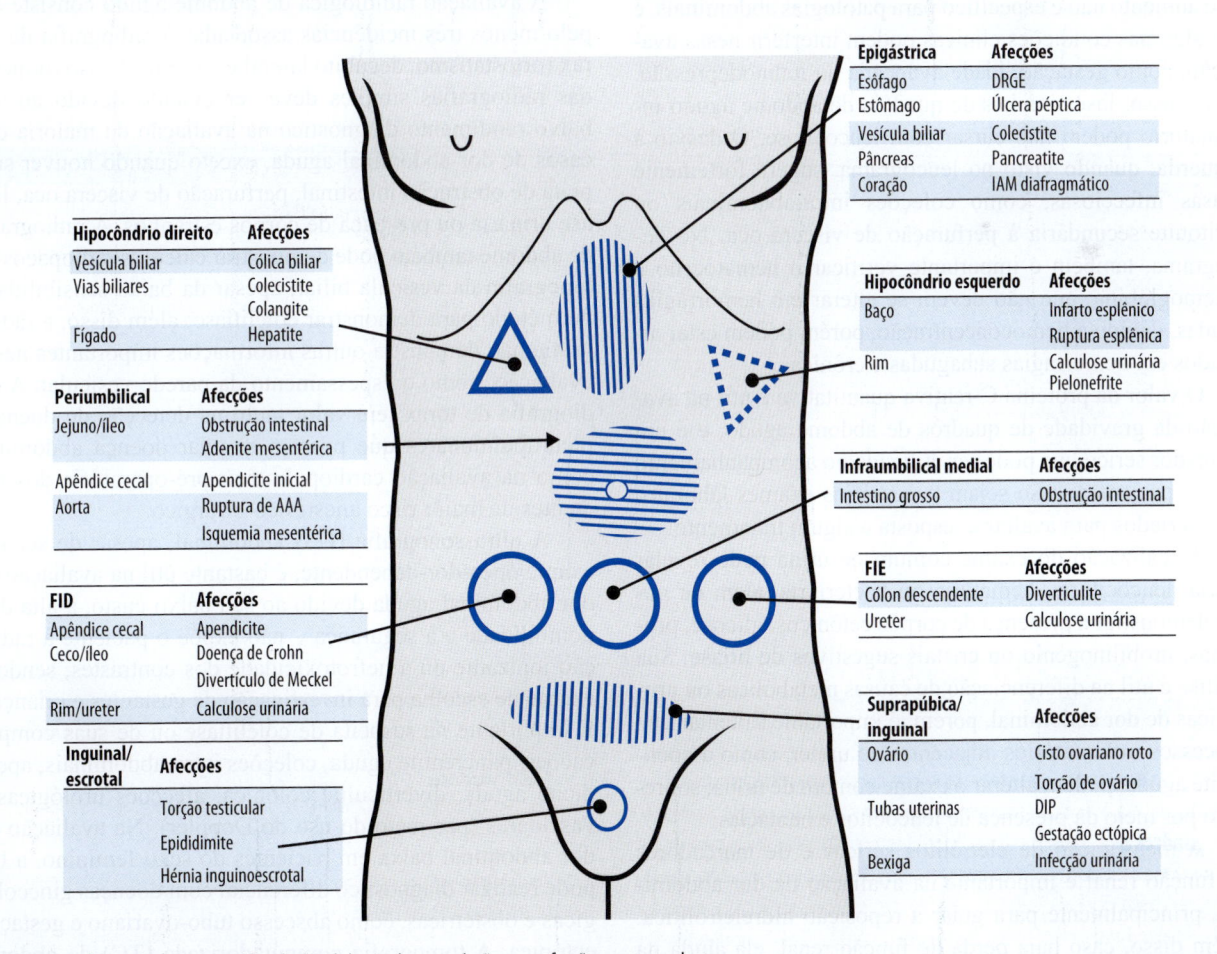

FIE	Afecções
Cólon descendente	Diverticulite
Ureter	Calculose urinária

Suprapúbica/inguinal	Afecções
Ovário	Cisto ovariano roto
	Torção de ovário
Tubas uterinas	DIP
	Gestação ectópica
Bexiga	Infecção urinária

FIGURA 62.1 → Localização topográfica da dor abdominal com os órgãos e as afecções correspondentes.
AAA, aneurisma de aorta abdominal; DIP, doença inflamatória pélvica; DRGE, doença do refluxo gastresofágico; FID, flanco inferior direito; FIE, flanco inferior esquerdo; IAM, infarto agudo do miocárdio.
Fonte: Adaptada de Murtagh e Rosenblatt.[2]

Além do exame físico abdominal, as auscultas pulmonar e cardíaca podem revelar alterações compatíveis com pneumonia basal, atelectasia, derrame pleural ou arritmias cardíacas. Os pulsos periféricos também devem ser palpados.

Exames complementares

Os exames complementares que devem ser solicitados variam conforme a suspeita diagnóstica e o perfil clínico do paciente. Eles podem alterar, de maneira importante, a probabilidade diagnóstica de condições específicas, fornecendo indicativos da necessidade de tratamento cirúrgico. Apesar de geralmente não estarem disponíveis nas unidades de atendimento ambulatorial, são brevemente descritos nesta seção para orientar a interpretação após o paciente retornar de uma avaliação em uma unidade de urgência. Muitas vezes, exames de maior complexidade não estão indicados em uma avaliação inicial, mas passam a ser necessários após a evolução clínica e, portanto, ao reavaliar o paciente, o médico de APS deve analisar os exames que já foram realizados.

O leucograma é útil na avaliação da dor abdominal aguda, e espera-se uma elevação do número total de leucócitos em quadros inflamatórios – infecciosos ou não. Porém, o médico que interpreta o exame sempre deve considerar que esse aumento não é específico para patologias abdominais, e que algumas condições clínicas podem interferir nessa avaliação, como gestação, idade avançada ou imunodepressão. Além disso, fases iniciais de quadros de abdome agudo inflamatório podem não cursar com leucocitose. O desvio à esquerda, quando visto no leucograma, sugere fortemente causas infecciosas, como coleções intra-abdominais ou peritonite secundária à perfuração de víscera oca. No hemograma, também é importante verificar o hematócrito e a hemoglobina, que não devem se alterar em hemorragias agudas, devido à hemoconcentração, porém podem estar alterados em hemorragias subagudas e crônicas.

O valor da proteína C-reativa quantitativa é útil na avaliação da gravidade de quadros de abdome agudo, e é um marcador sérico que pode ser utilizado no acompanhamento desses pacientes, caso sejam necessários exames laboratoriais seriados para avaliar a resposta a algum tratamento.

A realização do exame comum de urina pode revelar piúria, leucocitúria, hematúria ou bacteriúria, além de poder demonstrar a presença de corpos cetônicos, glicose, proteínas, urobilinogênio ou cristais sugestivos de litíase. Sua análise é útil na diferenciação de causas metabólicas ou urológicas de dor abdominal, porém, é importante salientar que processos inflamatórios adjacentes ao ureter, como a apendicite aguda, podem alterar o exame comum de urina, sobretudo por meio da presença de leucócitos e hemácias.

A mensuração de eletrólitos séricos e de marcadores da função renal é importante na avaliação da dor abdominal, principalmente para guiar a reposição hidreletrolítica. Além disso, caso haja perda de função renal, ela ajuda na diferenciação de alterações agudas, crônicas ou sobrepostas. Em casos específicos, a glicemia sérica e a hemoglobina glicosilada podem demonstrar um quadro de diabetes melito mal controlado.

Na investigação de dores abdominais em andar superior do abdome, sobretudo em hipocôndrio direito, é importante a solicitação de marcadores hepáticos e de colestase, como as transaminases, fosfatase alcalina, bilirrubinas e a gamaglutamiltransferase. Quando há suspeita de pancreatite aguda – dor abdominal de forte intensidade, em andar superior ou difusa –, a solicitação de amilase e lipase é fundamental para o diagnóstico.

Um teste de gravidez (β-hCG urinário ou sérico) deve ser solicitado para mulheres em idade reprodutiva, tanto para pesquisa diagnóstica como para evitar exposição a exames radiológicos. O coagulograma deve ser solicitado com base em dados da história do paciente, como hematomas ou hemorragias frequentes, ou uso de anticoagulantes. Pacientes com idade > 40 anos e dor abdominal alta devem ser submetidos a eletrocardiograma para avaliar a possibilidade de isquemia miocárdica. Os exames de imagem têm sido utilizados para aumentar a acurácia diagnóstica. O método radiológico inicial a ser solicitado dependerá da suspeita clínica, da disponibilidade do exame no sistema de saúde no qual o paciente está sendo atendido e da existência ou não de protocolos assistenciais locais.[3,4]

A avaliação radiológica de abdome agudo consiste em pelo menos três incidências associadas à radiografia de tórax (ortostatismo, decúbito lateral e ventral). O uso rotineiro das radiografias simples deve ser evitado devido ao seu baixo rendimento diagnóstico na avaliação da maioria dos casos de dor abdominal aguda, exceto quando houver suspeita de obstrução intestinal, perfuração de víscera oca, litíase urinária ou presença de corpos estranhos. A radiografia de abdome também pode demonstrar cálculos radiopacos na topografia da vesícula biliar, apesar da baixa sensibilidade do método para demonstrar colelitíase; além disso, a radiografia não demonstra outras informações importantes nessa avaliação, como o espessamento da parede vesicular. A radiografia de tórax tem valor tanto na detecção de doenças pleuropulmonares que possam simular doença abdominal como na avaliação cardiopulmonar pré-operatória dos pacientes de maior risco anestésico-cirúrgico.

A ultrassonografia (US) abdominal, apesar de ser um exame operador-dependente, é bastante útil na avaliação da dor abdominal aguda devido ao seu baixo custo, à alta disponibilidade e à segurança – não expõe o paciente à radiação ionizante ou à nefrotoxicidade dos contrastes, sendo o exame de escolha para investigação de gestantes e crianças. É importante na suspeita de colelitíase ou de suas complicações, pancreatite aguda, coleções intra-abdominais, apendicite aguda, diverticulite colônica, afecções urológicas e vasculares (por meio do uso do Doppler). Na avaliação da dor abdominal baixa em pacientes do sexo feminino, a US pode realizar diagnóstico diferencial com doenças ginecológicas e obstétricas, como abscesso tubo-ovariano e gestação ectópica. A tomografia computadorizada (TC) de abdome tornou-se um exame essencial para a avaliação de muitos quadros abdominais agudos. Sempre que estiver disponível, esse é o método diagnóstico de escolha quando há suspeita de diverticulite aguda, apendicite aguda (casos duvidosos), doenças pancreáticas e retroperitoneais. Também nos quadros sugestivos de obstrução intestinal, vasculopatia (aorta e seus ramos) ou doenças de rins e vias urinárias, a TC é uma ferramenta de extrema valia. É, sem dúvida, a melhor opção nos pacientes com laparotomias prévias, obesos ou idosos.

A ressonância magnética apresenta poucas indicações na investigação da dor abdominal aguda, principalmente pelo seu alto custo e limitada disponibilidade. Contudo, deve-se lembrar que é uma opção na investigação de pacientes gestantes e crianças, por não utilizar radiação ionizante. A videolaparoscopia diagnóstica também apresenta papel restrito, devendo ser realizada quando ainda houver dúvida diagnóstica após a utilização dos demais métodos diagnósticos.

PRINCIPAIS QUADROS CLÍNICOS

Aplicando-se a sequência de investigação resumida na **TABELA 62.2**, é possível enquadrar o paciente em uma das principais síndromes clínicas (inflamatória, obstrutiva, hemorrágica ou vascular). A seguir, descreveremos algumas das principais causas de dor abdominal aguda, de acordo com o local e a forma de apresentação.

Dor abdominal central

A dor mesogástrica ou periumbilical, na ausência de outros sintomas concomitantes, pode indicar o início de um quadro mais agudo, como apendicite aguda, obstrução intestinal, pancreatite aguda, ou até um quadro de isquemia mesentérica aguda. Se o exame físico não for definitivo, reavaliações sequenciais podem ser necessárias para orientar a investigação.

Isquemia mesentérica aguda

A isquemia mesentérica pode ocorrer por diferentes mecanismos: embolia ou trombose arterial, trombose venosa ou por baixo débito na circulação esplâncnica (isquemia mesentérica não oclusiva). Cada uma dessas etiologias possui diferentes fatores de risco, e, entre elas, destacam-se: arritmias, infarto do miocárdio recente, doenças valvares, hipertensão arterial sistêmica, diabetes melito, doença arterial periférica, tabagismo, choque, hipovolemia, trombofilia, pancreatite aguda, estados de hipercoagulabilidade ou hipertensão portal, entre outros.

O diagnóstico depende da suspeição, baseada nesses fatores de risco, uma vez que as manifestações clínicas são inespecíficas e, por vezes, incompatíveis com a gravidade do quadro. Dor e distensão abdominal, vômitos, alterações dos ruídos hidroaéreos, febre, irritação peritoneal e choque são os sintomas e sinais mais frequentes, mas podem ocorrer na doença avançada.

Leucocitose e acidose metabólica são os achados laboratoriais mais frequentes, podendo haver aumento de amilase, lactato e creatinofosfoquinase séricas. As radiografias de abdome são pouco específicas, mas nos casos tardios observa-se pneumatose intestinal. A TC de abdome com uso de contraste intravenoso é o método preferível para o diagnóstico. Mesmo com avanços nas técnicas diagnósticas e de tratamento, a mortalidade após isquemia mesentérica aguda segue elevada, entre 50 e 70%.[5]

Dor abdominal central e hipotensão

A primeira hipótese diagnóstica a ser considerada é o aneurisma de aorta abdominal em expansão (ver Capítulo Doenças do Sistema Arterial Periférico). Deve-se iniciar reposição volêmica agressiva com cristaloides em veia periférica e encaminhamento urgente para centro com cirurgião vascular. Outras causas, também graves, incluem pancreatite aguda com repercussão hemodinâmica, dissecção aórtica ou gestação ectópica rota.

Dor abdominal em cólica com distensão abdominal progressiva

Essa situação está geralmente associada à obstrução do trato gastrintestinal. O objetivo semiológico é localizar o ponto de obstrução, que pode ocorrer em três níveis: gastrojejunal proximal, ileojejunal e colônico.

→ **Obstrução gastrojejunal proximal:** as causas mais comuns são neoplasias, bridas (cirurgias prévias), doença ulcerosa péptica e bezoar. O quadro clínico é de dor mais localizada no epigástrio, em cólica, com períodos indolores, distensão predominando no abdome superior e vômitos esverdeados ou biliosos. A dor e os vômitos têm início quase simultâneo.

→ **Obstrução ileojejunal:** as causas principais são bridas, hérnias encarceradas e intussuscepção. A dor é periumbilical, com as mesmas características anteriores. Os vômitos são mais tardios e de aspecto que varia de bilioso a fecaloide, quanto mais distal o segmento obstruído. A distensão abdominal é maior, mais lenta e progressiva. Há interrupção da eliminação de gases e fezes.

→ **Obstrução colônica:** a instalação dos sintomas é ainda mais gradual, os vômitos são fecaloides e tardios, e a distensão é exuberante. Há parada completa da eliminação de gases e fezes. O toque retal mostra a ampola vazia, e, em muitos casos de tumor retal obstrutivo, este é detectável. Em 15 a 20% dos pacientes, há obstrução colônica em alça fechada devido à competência da válvula ileocecal. As principais causas de obstrução são neoplasias colônicas, volvo de sigmoide, diverticulite com estenose colônica e fecalomas.

As radiografias de abdome são suficientes para confirmar a presença de obstrução intestinal na grande maioria dos pacientes. Nos casos duvidosos, a TC de abdome com contraste está indicada. Na obstrução alta, há dilatação do estômago, do intestino delgado até a zona da obstrução. Os demais segmentos intestinais não estão distendidos, e há gases e fezes no reto. Nas obstruções de jejuno e íleo, a distensão gasosa e o acúmulo de líquido em segmentos mais extensos de intestino levam à formação de níveis hidroaéreos (ortostatismo) e imagens de "pilhas de moedas" (decúbito dorsal). Nas obstruções colorretais, há distensão colônica proximal com formação de haustrações. Havendo incompetência da válvula ileocecal, observa-se distensão do intestino delgado concomitante.

Nas suboclusões, pode haver "diarreia paradoxal" (passagem de fezes líquidas sob pressão pelo local da obstrução). Isso deve ser considerado no diagnóstico diferencial com diarreia infecciosa, a qual costuma ser acompanhada de febre. A suboclusão intestinal pode responder ao tratamento clínico com sonda nasogástrica, nada por via oral (NPO), analgesia e hidratação. O uso de contrastes de elevada osmolaridade, como a gastrografina, também é opção no manejo conservador das suboclusões intestinais por bridas.[6] Nas obstruções intestinais, o tratamento é cirúrgico, porém o tratamento clínico também deve ser empregado até que o paciente seja avaliado pelo cirurgião e encaminhado ao bloco cirúrgico.

Dor em hipocôndrio direito

Colecistite aguda

A colecistite aguda é caracterizada por dor no hipocôndrio direito, em cólica ou constante, de início súbito, com irradiação dorsal, em geral pós-alimentar. É acompanhada de náuseas, vômitos biliosos, febre e, algumas vezes, icterícia leve. Manifestações semelhantes prévias são frequentemente relatadas. Ao exame físico, há dor à palpação no hipocôndrio direito com sinal de Murphy presente, que consiste na parada abrupta de uma inspiração profunda por dor quando a mão do examinador palpa a vesícula biliar em processo inflamatório.

O hemograma pode apresentar leucocitose. Sempre deve ser solicitada amilasemia para o diagnóstico diferencial com pancreatite aguda, embora esta também possa estar pouco elevada (1-2 vezes o limite superior da normalidade) na colecistite aguda.

A US abdominal pode demonstrar barro biliar ou cálculos na vesícula biliar. Entretanto, a inflamação que corresponde, na US, ao espessamento das paredes da vesícula, com ou sem presença de cálculos, é essencial para o diagnóstico de colecistite. Em uma metanálise que avaliou o desempenho diagnóstico da US na colecistite aguda, foram observadas sensibilidade de 94% e especificidade de 78%.[7] O tratamento é cirúrgico, preferencialmente por videolaparoscopia e de maneira precoce, exigindo, portanto, encaminhamento a serviço de urgência (ver Capítulo Icterícia, Alteração de Transaminases e Outras Manifestações de Problemas Hepáticos Comuns).

Outros diagnósticos a considerar são as complicações biliares, como colangite, pancreatite aguda biliar, coledocolitíase ou afecções que se apresentam com dor em hipocôndrio direito, isto é, abscesso hepático (amebiano ou não) e subdiafragmático, derrame e empiema pleural, pneumonia basal, nefrolitíase e pielonefrite.

Dor em hipocôndrio esquerdo

As causas de dor no hipocôndrio esquerdo são pouco comuns. As doenças que acometem o baço, como o infarto esplênico, a ruptura esplênica e a esplenomegalia, estabelecem-se cronicamente ou são consequência de trauma e outras causas de abdome agudo. Em raros casos, pancreatite aguda ou úlcera gástrica perfurada e bloqueada podem manifestar-se por meio de dor nessa região. Deve-se sempre estar atento às causas extraperitoneais, como causas torácicas e urinárias.

Dor epigástrica

Os quadros mais comuns de dor epigástrica aguda que demandam diagnóstico e encaminhamento hospitalar mais rápido são a úlcera péptica perfurada e a pancreatite aguda. Doença ulcerosa péptica não complicada, gastrite, doença do refluxo gastresofágico, litíase biliar e doenças extra-abdominais (infarto do miocárdio, pericardite) também devem ser consideradas.

Úlcera péptica perfurada

Manifesta-se inicialmente com dor epigástrica intensa, difundindo-se para todo o abdome, acompanhada de náusea e extremidades frias. Após, há uma fase intermediária, em que a dor diminui e cessam os vômitos, seguida pela fase de apresentação mais tardia, em que há peritonite generalizada, choque hipovolêmico e fácies hipocrática.

Ao exame, o abdome apresenta-se distendido, com peritonismo difuso e rigidez involuntária (conhecida como abdome em tábua). História pregressa de sintomas ulcerosos ou de uso de anti-inflamatórios não esteroides é frequente. Pneumoperitônio (ar livre em cavidade peritoneal) pode ser visto nas radiografias em ortostatismo ou decúbito lateral esquerdo em 85% dos casos.

O manejo inicial inclui sondagem nasogástrica, ressuscitação volêmica, inibidor da bomba de prótons intravenoso em alta dose, e antibioticoterapia de amplo espectro. O tratamento é cirúrgico, seja por videolaparoscopia ou laparotomia.

Pancreatite aguda

A apresentação típica é a "dor em faixa" no abdome superior com irradiação para as costas. No exame físico, a dor tem epicentro no epigástrio com defesa abdominal voluntária à palpação. Podem estar presentes hipotensão, taquicardia, febre e icterícia. A etiologia predominante é biliar, seguida pela alcoólica, porém causas menos frequentes como hipertrigliceridemia e medicamentos devem ser consideradas.

O tratamento imediato é de suporte clínico: jejum inicial com reintrodução de dieta enteral assim que possível, analgesia e hidratação parenteral em nível hospitalar. Pacientes com pancreatite aguda leve resolvida, causada por cálculos biliares, devem ser encaminhados para avaliação cirúrgica para realização de colecistectomia assim que possível, a fim de evitar um quadro subsequente de pancreatite.

Dor em fossa ilíaca direita

Apendicite aguda

É a principal emergência cirúrgica no mundo, acometendo 1 a cada 10 pessoas ao longo da vida. Nos casos típicos, o sintoma inicial é a dor periumbilical de pequena intensidade, migrando para a fossa ilíaca direita entre 6 e 24 horas depois, o que ocorre em 50 a 60% dos casos. Náuseas, vômitos, anorexia e febrícula surgem após o início da dor. O quadro clínico varia conforme a localização anatômica do apêndice, podendo a extremidade deste situar-se na fossa ilíaca, na pelve, no hipocôndrio direito ou no retroperitônio (apêndice retrocecal), produzindo manifestações atípicas que levam ao diagnóstico equivocado ou tardio. Sintomas urinários e alterações no exame de urina não são infrequentes.

O exame físico demonstra dor à palpação da fossa ilíaca direita, com rigidez muscular local. Dor à descompressão súbita do abdome é característica de irritação peritoneal (sinal de Blumberg), que pode estar ausente quando o apêndice está em posição retrocecal. Outros sinais podem estar presentes, como o de Rovsing (palpação em fossa ilíaca esquerda com dor referida em fossa ilíaca direita), do obturador (quando o apêndice localiza-se junto ao canal do obturador, a rotação externa da coxa produz dor) e do psoas (dor à extensão da coxa). O toque retal pode apresentar aumento de calor, dor, abaulamento ou massa, projetando-se à direita no fundo de saco.

Alguns exames complementares reforçam o diagnóstico clínico. O hemograma costuma apresentar leucocitose moderada nos casos não complicados (até 15.000/μL), porém pode ser normal na fase precoce. O β-hCG deve ser solicitado para mulheres em idade fértil. As radiografias do abdome, embora pouco específicas para o diagnóstico, podem demonstrar escoliose dextrocôncava, borramento da borda do músculo psoas, níveis hidroaéreos e apendicolito (fecalito) no quadrante inferior direito. Recomenda-se não solicitar esse exame como rotina na avaliação de casos de apendicite aguda pela baixa especificidade dos seus achados.

A US abdominal é útil na confirmação diagnóstica, sobretudo na diferenciação de quadros ginecológicos e urológicos, bem como nas gestantes e nas crianças. À US, o apêndice inflamado apresenta-se aumentado de volume e com espessamento de paredes (diâmetro > 6 mm). Pode-se detectar líquido periapendicular e apendicolito em alguns casos. Contudo, embora a US seja facilmente disponível e barata, tem as desvantagens de ser muito operador-dependente e sofrer limitações em pacientes obesos ou com distensão gasosa intestinal. A crescente disponibilização da TC abdominal e a sua maior acurácia fizeram desse exame a melhor opção de imagem para auxiliar no diagnóstico de apendicite nos quadros duvidosos.[8,9]

É fundamental que os pacientes com a associação de dor abdominal aguda com migração da região periumbilical para a fossa ilíaca direita, acompanhada por palpação dolorosa com defesa voluntária na fossa ilíaca direita, sejam encaminhados para avaliação cirúrgica, visto que, nesses casos, a probabilidade de apendicite aguda é de 95%. O tratamento é apendicectomia, preferencialmente por via videolaparoscópica.[9]

Diverticulite de Meckel

O divertículo de Meckel ocorre no íleo terminal (40-100 cm distais), e sua inflamação produz um quadro clínico muito semelhante ao da apendicite aguda. Na maioria das vezes, o diagnóstico só é feito na cirurgia.

Dor em fossa ilíaca esquerda

Diverticulite aguda

A diverticulose do cólon é geralmente assintomática, porém, a proliferação bacteriana em um dos divertículos ou uma microperfuração causa a diverticulite aguda. O quadro clínico é de dor no flanco esquerdo, em cólica ou fixa, com irradiação para a coxa, a região lombar ou periumbilical. Seguem-se febre e mudança do hábito intestinal. O exame físico demonstra dor com defesa voluntária local, evoluindo para o peritonismo nos estágios mais avançados. Muitas vezes, palpa-se massa localizada que representa bloqueio por epíplon ou abscesso peridiverticular.

Outras complicações são a peritonite generalizada e as fístulas cutâneas, intestinais, vaginais e vesicais. Embora a US abdominal seja útil para avaliar suspeitas de diverticulite aguda, o exame de imagem de escolha nessa situação é a TC abdominal com contraste intravenoso. Os pacientes com sintomas leves e leucograma pouco alterado podem ser tratados com antibioticoterapia por via oral (ver Capítulo Problemas Digestivos Baixos). Já os pacientes com dor intensa, febre ou complicações locais necessitam de hospitalização e antibioticoterapia intravenosa. Por vezes, é necessária punção percutânea, com ou sem colocação de dreno para tratamento de abscessos locais. A cirurgia está indicada em casos que não estejam respondendo ao manejo percutâneo, ou que apresentam sangramento ou peritonite generalizada.

Entre as outras doenças relacionadas com dor na fossa ilíaca esquerda, estão a colite isquêmica, a colite pseudomembranosa e a retocolite ulcerativa, além das doenças ginecológicas e urológicas.

Afecções urológicas

Dor em um dos flancos, intensa, em cólica, irradiada para o dorso ou região genital, acompanhada de sudorese é a apresentação típica de urolitíase obstrutiva ou em passagem pelo ureter. No exame físico, não há irritação peritoneal, e o exame comum de urina apresenta hematúria e cristais. A radiografia simples de abdome demonstra imagem compatível com cálculo em topografia renal ou de ureter na maioria dos casos. A US abdominal é útil na identificação dos cálculos e de complicações locais (hidronefrose e abscesso perirrenal). A TC abdominal está indicada para os casos não esclarecidos pelos outros métodos de imagem.

A pielonefrite aguda manifesta-se por dor lombar, febre alta, náusea e vômitos. O leucograma e o exame comum estão alterados. Exames de imagem ajudam a confirmar o diagnóstico e afastar complicações locais, como abscessos. A antibioticoterapia deve ser iniciada precocemente, após amostra de urina ser enviada à cultura, se disponível.

Mais detalhes podem ser encontrados no Capítulo Doenças Comuns em Urologia.

Afecções ginecológicas

Dor súbita e intensa no abdome inferior com sinais de hipovolemia em mulheres com atraso menstrual é compatível com gestação ectópica rota. A dor que surge nos 7 dias subsequentes à menstruação, com duração > 2 dias, sem queixa de anorexia ou náuseas, acompanhada de leucorreia e dor à mobilização do colo do útero, leva ao diagnóstico de doença inflamatória pélvica. A manifestação mais expressiva da torção de massas ovarianas é a dor súbita e intensa no lado comprometido do abdome inferior (ver Capítulo Dor Pélvica).

DIAGNÓSTICO DIFERENCIAL COM AFECÇÕES CLÍNICAS

Algumas doenças como pneumonia basal, embolia pulmonar, infarto do miocárdio (parede diafragmática), pericardite, herpes-zóster, radiculite, distúrbios metabólicos e outros (cetoacidose diabética, porfiria, crises de anemia falciforme, hematoma de parede abdominal, insuficiência suprarrenal aguda) podem ter apresentação inicial como dor abdominal aguda. Nestas, são ainda mais importantes uma história clínica minuciosa, sobretudo história médica pregressa, e um exame físico cuidadoso. Muitas vezes, só são investigadas após a exclusão com exames de imagem de um abdome agudo cirúrgico.

REFERÊNCIA IMEDIATA AO CIRURGIÃO

Pacientes com dor abdominal aguda associada à rigidez abdominal à palpação, à instabilidade hemodinâmica, ao pneumoperitônio, além das indicações inerentes às síndromes clínicas citadas, devem ser encaminhados para avaliação cirúrgica assim que possível.

ACOMPANHAMENTO

Cerca de 30% dos pacientes com dor abdominal aguda avaliados em serviços de urgência não têm a etiologia definida, mesmo após uma extensa avaliação diagnóstica.[10] Em unidades de APS, provavelmente essa porcentagem é maior. Em geral, a dor cede após o uso de analgésicos não opioides. Esses pacientes, na maioria das vezes, apresentam um curso benigno, tendo seu quadro rotulado como dor abdominal inespecífica. Entretanto, deve haver cautela ao firmar esse diagnóstico na vigência da dor, devendo ser precedido de anamnese e exame físico cuidadosos e, se necessário, avaliação com exames laboratoriais e de imagem. Inicialmente, deve ser encarado como uma hipótese de trabalho, que pode mudar com a evolução temporal do quadro clínico.

É fundamental, no plano de acompanhamento, construir uma rede de segurança que estabeleça os sinais de alerta e local para reavaliação em cada cenário de evolução, devendo-se dar especial atenção às primeiras 12 a 24 horas após o início dos sintomas (ver Capítulo Modelo de Consulta e Habilidades de Comunicação). Merecem atenção especial os pacientes idosos, crianças e gestantes, cujo quadro agudo pode não ter uma manifestação tão clara.

REFERÊNCIAS

1. Wallander M-A, Johansson S, Ruigómez A, García Rodríguez LA. Unspecified abdominal pain in primary care: the role of gastrointestinal morbidity. Int J Clin Pract. 2007;61(10):1663–70.
2. Murtagh J, Rosenblatt J, Coleman J, Murtagh C. Murtagh's general practice. 7th ed. Sydney: McGraw-Hill; 2018.
3. van Randen A, Laméris W, Luitse JSK, Gorzeman M, Hesselink EJ, Dolmans DEJGJ, et al. The role of plain radiographs in patients with acute abdominal pain at the ED. Am J Emerg Med. 2011;29(6):582-589.e2.
4. Natesan S, Lee J, Volkamer H, Thoureen T. Evidence-based medicine approach to abdominal pain. Emerg Med Clin North Am. 2016;34(2):165–90.
5. Clair DG, Beach JM. Mesenteric ischemia. N Engl J Med. 2016;374(10):959–68.
6. Rahmani N, Mohammadpour RA, Khoshnood P, Ahmadi A, Assadpour S. Prospective evaluation of oral gastrografin® in the management of postoperative adhesive small bowel obstruction. Indian J Surg. 2013;75(3):195–9.
7. Cartwright SL, Knudson MP. Evaluation of acute abdominal pain in adults. Am Fam Physician. 2008;77(7):971–8.
8. Bhangu A, Søreide K, Di Saverio S, Assarsson JH, Drake FT. Acute appendicitis: modern understanding of pathogenesis, diagnosis, and management. Lancet. 2015;386(10000):1278–87.
9. Parks NA, Schroeppel TJ. Update on imaging for acute appendicitis. Surg Clin North Am. 2011;91(1):141–54.
10. Cervellin G, Mora R, Ticinesi A, Meschi T, Comelli I, Catena F, et al. Epidemiology and outcomes of acute abdominal pain in a large urban Emergency Department: retrospective analysis of 5,340 cases. Ann Transl Med. 2016;4(19):362.

LEITURAS RECOMENDADAS

Borges da Costa MS, Osvaldt AB, Rohde L. Dor e síndromes abdominais agudas. In: Rohde L, Osvaldt AB, organizadores. Rotinas em cirurgia digestiva. 3. ed. Porto Alegre: Artmed; 2018. p. 843-50.
Algoritmo com condutas sobre dor abdominal aguda.

Silen W. Cope's early diagnosis of the acute abdomen. 22nd ed. New York: Oxford; 2010.
Excelente sistematização da fisiopatologia e do diagnóstico diferencial pela avaliação clínica.

Mayumi T, Yoshida M, Tazuma S, Furukawa A, Nishii O, Shigematsu K, et al. The Practice Guidelines for Primary Care of Acute Abdomen 2015. Jpn J Radiol. 2016;34(1):80-115.
Guideline com avaliação das evidências para epidemiologia, diagnóstico, diagnóstico diferencial e tratamento inicial do abdome agudo.

Capítulo 63
DISPEPSIA E REFLUXO

Antônio de Barros Lopes
Enrique Falceto de Barros
Laureen Engel
Sergio Gabriel Silva de Barros

As prevalências de sintomas dispépticos e de refluxo na população adulta brasileira são altas, resultando em redução na qualidade de vida e importante custo socioeconômico[1] por absenteísmo, uso de fármacos, utilização muito frequente dos serviços de saúde e de recursos diagnósticos e terapêuticos onerosos, incluindo hospitalizações. Estima-se que sintomas dispépticos acometam 10 a 44,4% da população brasileira, correspondendo a 1% dos motivos de consulta em atenção primária à saúde (APS).[2] Sintomas de refluxo, como pirose semanal, podem acometer 10 a 30% da população brasileira, sendo de grande relevância na prática clínica.[2]

Dor epigástrica e demais sintomas dispépticos estão comumente associados a disfunções no esôfago, no estômago e/ou no duodeno; entretanto, também podem ser originados pelo acometimento de outros órgãos (TABELA 63.1). A avaliação de dor abdominal aguda é abordada no Capítulo Avaliação Inicial da Dor Abdominal Aguda.

DISPEPSIA

Dispepsia foi originalmente definida como qualquer sintoma referente ao trato digestivo superior e pode ser descrita como dor abdominal vaga, queimação epigástrica, má digestão, indigestão, falta de apetite, eructações e "gastrite" (que no seu uso popular não apresenta correlação com o achado anatomopatológico denominado gastrite; isto é, inflamação da mucosa gástrica observada à microscopia). Esses sintomas – sejam de início recente ou recorrentes ao longo de muitos anos – indicam maior probabilidade de disfunções do trato digestivo alto sem, necessariamente, associação com lesões anatomopatológicas.[3]

O exame físico é importante, mas detecta poucos achados, sendo o mais frequente a defesa à palpação do epigástrio, que tem baixas sensibilidade (64%) e especificidade (30%) para indicar lesões patológicas no trato digestivo alto. Entretanto, o exame físico é importante, pois exclui organomegalias ou massas tumorais no abdome.

A avaliação clínica e o manejo da dispepsia são apresentados na FIGURA 63.1 e discutidos no texto. Para fins didáticos, pode-se dividir a dispepsia em dois grupos (embora na prática clínica eles possam se sobrepor).[4] Após a investigação, outros tipos de dispepsia surgem na discussão:
→ dispepsia não investigada;
→ dispepsia investigada:
    → dispepsia secundária (p. ex., ulcerosa, por neoplasia);
    → dispepsia associada ao *Helicobacter pylori* (HP);[5]
    → dispepsia funcional.

Dispepsia não investigada

Dispepsia é uma condição com alta prevalência nos países ocidentais, mas a maioria dos indivíduos não consulta o médico somente por esses sintomas. Além do desejo de abordar esse sintoma, as principais razões que podem levar os indivíduos a consultar são:[6]
→ desejo de descartar doenças graves;
→ história familiar de câncer gástrico;
→ crise situacional recente (evento estressante ou risco à vida nos últimos 6 meses);
→ encorajamento por familiares;
→ ansiedade.

Além disso, a presença de infecção por HP e o baixo nível socioeconômico também são fatores que aumentam a chance de o paciente consultar por dispepsia.

É importante entender as expectativas e as características de pacientes com dispepsia para que a estratégia de manejo possa ser o mais efetiva possível (ver Capítulo O Diagnóstico Clínico: Estratégia e Táticas), cabendo aqui o aforismo (atribuído a Sir William Osler) "mais vale entender o tipo de pessoa que tem certa doença do que conhecer a doença que certa pessoa tem". Assim, é preciso, após caracterizar a dispepsia, explorar o entorno da queixa. Existem outros sintomas associados? Quais são os medos do paciente a respeito dos sintomas? Há evidência de estresse emocional? Quais são as expectativas do paciente a respeito da abordagem médica? Por meio dessa exploração atenta e indutiva do entorno, é possível ter mais segurança sobre o caminho a seguir. Pode ficar claro que, apesar de ter sido a queixa de apresentação na consulta, a dispepsia não é o sintoma que mais incomoda o paciente ou que ela faz parte de um quadro clínico mais amplo (p. ex., evento estressante

---

TABELA 63.1 → Estratégia diagnóstica de epigastralgia e pirose

CAUSAS MAIS PROVÁVEIS
→ Dispepsia funcional
→ Doença do refluxo gastresofágico

CAUSAS GRAVES QUE DEVEM SER CONSIDERADAS
→ Úlcera péptica
→ Câncer de esôfago e estômago

CAUSAS FREQUENTEMENTE ESQUECIDAS
→ Cardiopatia isquêmica
→ Intolerância à lactose
→ Alergia ao glúten
→ Doença das vias biliares (p. ex., litíase)
→ Síndrome do intestino irritável
→ Pancreatite crônica
→ Síndrome miofascial
→ Esofagite
→ Dismotilidade esofágica/gástrica
→ Gastrite/duodenite erosiva

Nota: para sintomas agudos, ver Capítulo Avaliação Inicial da Dor Abdominal Aguda.

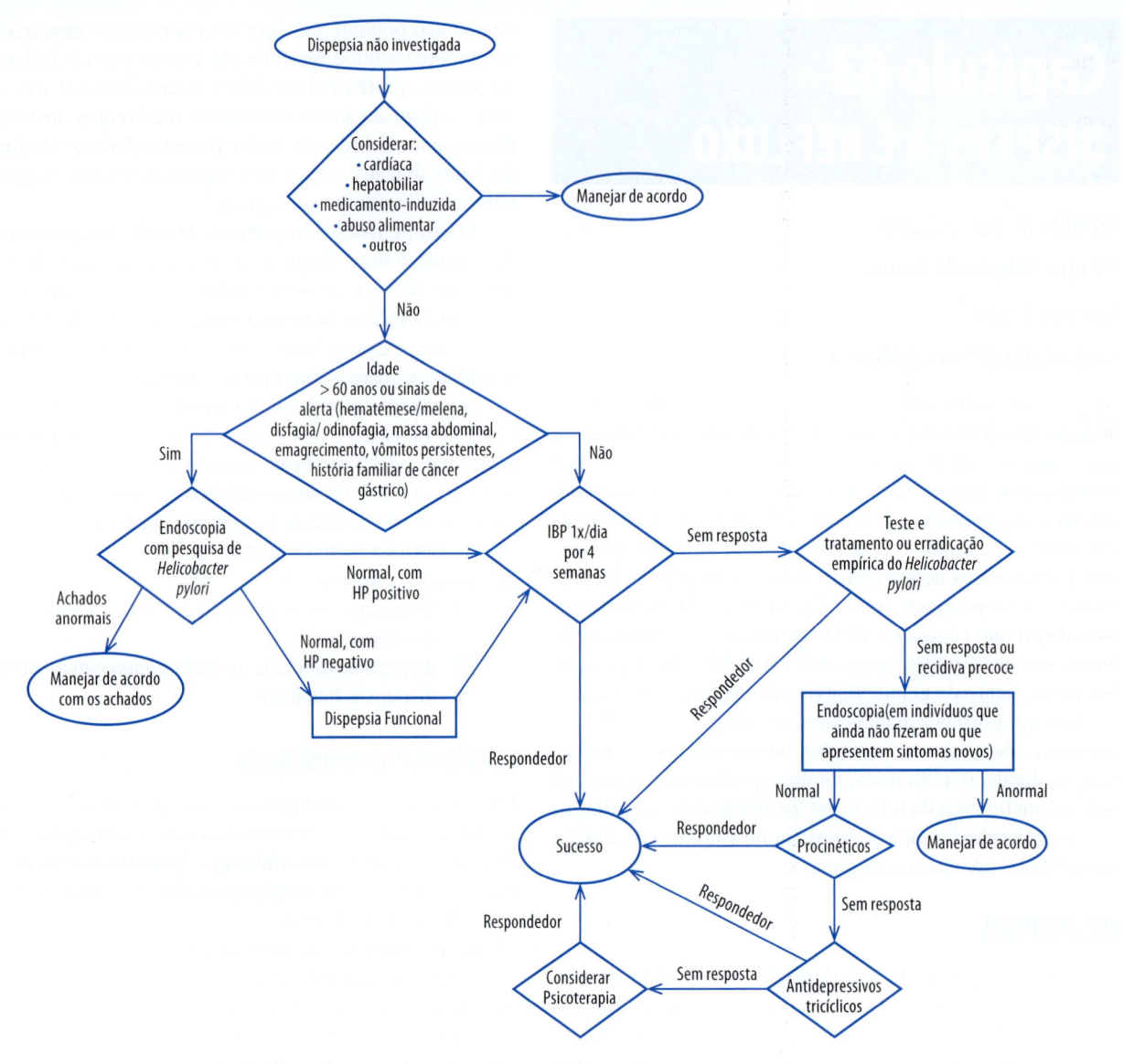

FIGURA 63.1 → Manejo de dispepsia não investigada. HP, *Helicobacter pylori*; IBP, inibidor da bomba de prótons.
Fonte: Adaptada de Moayyedi e colaboradores.[7]

agudo ou transtorno de ansiedade), ou até mesmo que o paciente não deseja tratamento, apenas quer certificar-se de que não tem nada grave (ver Capítulo O Raciocínio Clínico na Atenção Primária à Saúde).

O tratamento dos sintomas dispépticos ainda se apresenta como um desafio, pois muitos pacientes persistem sintomáticos mesmo após diversos tratamentos e intervenções, o que enfatiza a importância da relação médico-paciente e de decisões compartilhadas no manejo dessa queixa. Por um lado, as intervenções com maior nível de evidência ainda resultam em falha terapêutica em mais da metade dos pacientes, associado a risco de efeitos adversos, indução de resistência a antibióticos e custo financeiro elevado. Por outro, há de se reconhecer que nos estudos sobre tratamento da dispepsia, a intervenção-placebo é efetiva para 30 a 40% dos pacientes, e o placebo é fortemente modulado pela relação médico-paciente e pela confiança de que o paciente está recebendo o melhor tratamento para a sua realidade.[4]

Nesse contexto, o médico da APS deve identificar indivíduos que podem se beneficiar de medidas gerais não farmacológicas e/ou supressão ácida apenas, separando aqueles com sinais de alerta (ver a seguir) que precisam de exames complementares (bioquímica, endoscopia digestiva alta [EDA] ou radiografia contrastada de esôfago, estômago e duodeno se a endoscopia estiver indisponível) e/ou encaminhando-os para especialistas (gastrenterologista ou cirurgião geral) com a maior brevidade possível. Para exercer com excelência essa função primordial – além de competência ao exame clínico com técnica acurada de coleta da história do paciente e adequado exame físico –, deve-se ter um adequado conhecimento sobre os recursos de saúde disponíveis na localidade e na região, as características culturais e epidemiológicas da comunidade e também o acompanhamento longitudinal das famílias.

Os sinais de alerta para indicação de EDA em pacientes com dispepsia são:
→ disfagia;
→ hematêmese (considerar encaminhamento para emergência);
→ perda de peso involuntária;
→ persistência de sintomas após tratamento;
→ anemia ou queda no nível de hemoglobina.

Perda de peso involuntária e persistência de sintomas após tratamento são sinais de alerta em pacientes com idade ≥ 60 anos.[7]

O câncer de esôfago ou o câncer de estômago raramente se apresentam apenas por meio de sintomas dispépticos. Sinais de alerta identificam pacientes com risco aumentado de causas estruturais para seus sintomas, incluindo câncer e úlceras.

Dados da Grã-Bretanha sugerem que taxas de cura de câncer gástrico podem ser mais altas com detecção precoce e indicam que a maioria dos pacientes jovens com câncer esofágico ou gástrico apresenta algum sinal de alerta associado à dispepsia. Quatro estudos de prevalência com 5.933 pacientes relataram que câncer esofágico e gástrico raras vezes são causas de dispepsia isolada em jovens e, mais significativamente, não houve casos identificados desses cânceres em pacientes com idade < 45 anos.[8]

Um estudo prospectivo norte-americano com 2.741 pacientes de APS dispépticos, mas sem sinais de alerta e com qualquer idade, submetidos à endoscopia, encontrou alterações em 635 pacientes (23%), sendo 15% de esofagites erosivas, 3% de úlceras gástricas, 2% de úlceras duodenais e 0,2% de cânceres digestivos altos, concluindo que se somente pacientes dispépticos com idade > 50 anos fossem submetidos à endoscopia, um caso de câncer esofágico e nenhum caso de câncer gástrico seria perdido inicialmente.[9]

Outro estudo prospectivo canadense com 1.040 pacientes com dispepsia não investigada submetidos à pronta endoscopia identificou 603 (58%) com achados significativos: 43% com esofagite erosiva, 5% com úlcera péptica e 2 casos de câncer (somente em pacientes com idade > 50 anos).[10] Por fim, uma revisão sistemática avaliou cinco ensaios clínicos que compararam as estratégias de pronta endoscopia *versus* "testar e tratar" a infecção por HP, encontrando efetividade muito semelhante no diagnóstico e no controle de sintomas.[11]

Uma diretriz recente do American College of Gastroenterology enfatiza que o risco de neoplasia gastrintestinal em pessoas com idade < 60 anos é menor que 1% e, portanto, não está recomendada a realização de EDA em pacientes com idade < 60 anos sem sinais de alerta.[7]

Em muitos países desenvolvidos (com baixas prevalências de infecção por HP), os sintomas sugestivos de úlcera em pacientes com até 55 anos em geral não são investigados por endoscopia, mas testados não invasivamente para HP (teste respiratório com ureia ou sorologia no sangue).

O fundamento para essa estratégia de testar e tratar para HP é que, em uma proporção dos pacientes, os sintomas serão causados por doença ulcerosa subjacente que será curada pelo tratamento para HP. Além disso, deve-se lembrar que doença maligna é rara em jovens na ausência de sinais de alerta.[12]

Fundamento para a abordagem diagnóstica

Destaca-se, entretanto, que a estratégia inicial de testar e tratar parece não ser a melhor opção para países em desenvolvimento com alta prevalência de infecção por HP como o Brasil (prevalência de 80%).[13]

As formas de detecção não invasiva do HP estão pouco disponíveis em nosso meio (teste respiratório com ureia e teste do antígeno fecal, que têm altíssimas sensibilidade e especificidade para infecção ativa, e sorologia no sangue, que detecta anticorpos IgG contra HP mas não diferencia infecção ativa de infecções prévias).

Como a probabilidade pré-teste (prevalência de infecção por HP) em nosso meio é muito alta, e a disponibilidade dos testes não invasivos é restrita, a melhor alternativa parece ser passar diretamente para a antibioticoterapia sem testar para HP.[13] Por outro lado, preocupações mais recentes com resistência a antibióticos e o surgimento das ditas "superbactérias" fornecem suporte para a estratégia inicial de supressão ácida com inibidor da bomba de prótons (IBP), por cerca de 1 mês, sem a utilização inicial de antibioticoterapia.[7] Esse intervalo também permite realizar a abordagem não farmacológica e explorar os fatores psicossociais que podem estar contribuindo para o sintoma.

Manejo inicial de dispepsia não investigada sem sinais de alerta

O tratamento não farmacológico consiste em oferecer simples orientações de mudança de estilo de vida, incluindo alimentação saudável, controle de peso e suspensão do tabagismo, bem como buscar evitar conhecidos desencadeantes associados à dispepsia (podendo incluir uso do cigarro, álcool, café, chocolate, alimentos gordurosos/frituras) e ingestão alimentar em grandes quantidades. Deve-se orientar que o paciente evite o uso de anti-inflamatórios não esteroides (AINEs), se possível. A clínica médica brasileira apresenta larga experiência no uso da dipirona por via oral (VO) para manejo de dores prevalentes em APS,[14] pois esse fármaco apresenta um perfil de efeitos adversos favorável, tornando-se uma boa opção para substituir AINEs.[15]

A utilização adjuvante sob demanda de infusão de *Maytenus ilicifolia* – chamado popularmente de chá de espinheira-santa – para sintomas dispépticos apresenta razoável segurança clínica e aceitabilidade na APS brasileira, conforme descrição no Memento Fitoterápico.[16]

Em termos de tratamento farmacológico, o autotratamento com antiácidos sob demanda (p. ex., com hidróxido de magnésio + hidróxido de alumínio, VO, até 6 colheres de sopa por dia) pode ser suficiente para muitos pacientes C/D.[17] Entretanto, terapia adicional é apropriada quando os sintomas são recorrentes e afetam a qualidade de vida.

O uso de IBP é efetivo na melhora clínica da dispepsia funcional, mas seu efeito é discreto comparado a placebo (RRR = 15%; NNT = 10)[7] **B**.

A estratégia inicial de manejo da dispepsia na APS com um curso empírico de supressão ácida com omeprazol 20 mg em jejum (30-60 minutos antes do desjejum) por 1 mês – embora ainda precise de comprovação por ensaios clínicos em um contexto de alta prevalência de HP – demonstra bom controle sintomático e comprovada efetividade, reservando-se o tratamento em longo prazo para pacientes com recidivas.[13] No caso de controle dos sintomas após tratamento por 4 semanas de IBP, é possível sugerir o seu uso conforme demanda para recidivas infrequentes. Se houver recidiva precoce e/ou frequente dos sintomas após a interrupção de IBP, sugere-se reintroduzir esse medicamento e reduzir sua dose para obter a menor dosagem efetiva. Na persistência dos sintomas, deve-se proceder com o tratamento empírico para HP ou investigação com endoscopia. O uso de IBP em longo prazo será descrito em mais detalhes no final deste capítulo, avaliando seus riscos e benefícios (item "Uso em longo prazo dos inibidores da bomba de prótons: controvérsias quanto à segurança e aos efeitos adversos"). Devem ser oferecidas consultas anuais para o acompanhamento dos pacientes com necessidade de manejo em longo prazo.

Psicoterapias podem reduzir sintomas dispépticos[7] **C/D**, porém, devido ao seu custo financeiro e prolongado tempo, essas intervenções são pouco utilizadas. Embora não estudadas especificamente para dispepsia, intervenções psicossociais desenvolvidas para as queixas físicas sem explicação médica podem ser úteis (ver Capítulo Abordando os Sintomas Físicos de Difícil Caracterização).

Dispepsia associada ao *Helicobacter pylori*

Devido à alta prevalência de infecção por HP na população brasileira, muitos portadores dessa infecção não apresentam sintomas. Entretanto, pacientes com dispepsia que apresentam exame complementar com HP positivo devem receber tratamento para erradicação da bactéria. A melhora da dispepsia, quando relacionada ao HP, pode ocorrer em 6 a 12 meses após o término do tratamento, e uma EDA de controle deve ser considerada para confirmar a erradicação a partir de 60 dias após o término do tratamento contra o HP. Quando não se percebe melhora dos sintomas dispépticos, excluídas causas orgânicas (ulceração e câncer gástrico) e com HP erradicado, classifica-se a dispepsia como funcional.[13]

Em pacientes com dispepsia não ulcerosa e com pesquisa de HP positiva (dispepsia associada ao HP), está indicada a erradicação da bactéria para melhora sintomática (RRR = 9%; NNT = 13) **A**.[7] Outras situações clínicas também podem ser passíveis de erradicação de HP, mesmo quando sem sintomas dispépticos, como anemia ferropriva, deficiência de vitamina B_{12} e púrpura trombocitopênica idiopática.[13] A primeira escolha para erradicação de HP são os IBPs 2 ×/dia + amoxicilina 1.000 mg 2 ×/dia + claritromicina 500 mg 2 ×/dia por 14 dias **A**. Alguns estudos sugerem que IBPs de nova geração (rabeprazol 20 mg ou esomeprazol 40 mg) podem aumentar a taxa de erradicação, porém o alto custo desses medicamentos pode ser limitante ao seu uso. Para os alérgicos à amoxicilina, o regime recomendado é: IBPs 2 ×/dia + metronidazol 400 mg 3 ×/dia + subcitrato de bismuto coloidal 120 mg 4 ×/dia ou 240 mg 2 ×/dia + tetraciclina 500 mg 4 ×/dia (no caso de falta de tetraciclina, pode-se substituí-la por doxiciclina 100 mg 2 ×/dia) por 10 a 14 dias.[13]

O uso de AINEs e antiagregantes plaquetários aumenta o risco de doença ulcerosa. Os pacientes de alto risco para úlcera (idade > 65 anos, tabagistas, história de úlcera prévia, uso de AINEs combinados) que entrarão em tratamentos com uso prolongado desses medicamentos podem se beneficiar de pesquisa de HP e sua erradicação, caso positiva.[13] A erradicação do HP isoladamente não previne o sangramento da ulceração e, portanto, o uso concomitante de IBP é mandatório.[13] Também é sugerido uso de IBP preventivo em indivíduos com alto risco para úlcera em localidades onde a pesquisa de HP não está disponível.[13]

Vale lembrar que a prevalência de parasitoses intestinais no Brasil ainda é elevada, podendo a dispepsia ser um sintoma de infestação parasitária, principalmente, na estrongiloidíase e na giardíase. Por esse motivo, recomenda-se considerar o uso de antiparasitários em pacientes com dispepsia com ou sem exame parasitológico de fezes positivo.[13]

Dispepsia funcional

A dispepsia funcional não tem prevalência populacional estabelecida, mas aceita-se que represente a maioria dos casos de dispepsia no mundo ocidental, atingindo 20 a 30% dessa população.[4] A dispepsia funcional é definida pelo Consenso de Roma IV como a combinação de um ou mais dos seguintes sintomas, causando interferência diária na vida do paciente: estufamento pós-prandial, saciedade precoce, dor epigástrica e/ou queimação epigástrica (que devem estar presentes pelo menos 3 ×/semana nos últimos 3 meses, com início dos sintomas há mais de 6 meses) na ausência de qualquer doença orgânica, sistêmica ou metabólica identificável (TABELA 63.2).

A dispepsia funcional pode ser subdividida em síndrome de dor epigástrica ou síndrome do estresse pós-prandial.[4] A primeira tem predomínio de dor, e a segunda, de saciedade precoce e estufamento abdominal. No entanto, não há recomendação de usar o tipo de sintoma para guiar a terapêutica incial.[7] Vários outros termos são também utilizados

TABELA 63.2 → Critérios do Consenso de Roma IV para dispepsia funcional

1. Um ou mais dos sintomas a seguir presentes pelos últimos 3 meses com início de sintoma pelo menos 6 meses antes do diagnóstico: → Estufamento pós-prandial desconfortável → Saciedade precoce → Dor epigástrica → Queimação epigástrica
E
2. Nenhuma evidência de doença estrutural (após endoscopia digestiva alta) que possivelmente explique os sintomas

Fonte: Drossman e colaboradores.[4]

para denominar esse quadro, como síndrome pseudoúlcera, dispepsia não ulcerosa e dispepsia nervosa; no entanto, o emprego desses termos deve ser evitado.

As evidências disponíveis até o momento não esclarecem sobre os benefícios de medidas não farmacológicas como dietas específicas e/ou psicoterapia na dispepsia funcional. Algumas abordagens como a psicoterapia, a hipnose e a terapia cognitivo-comportamental podem ter certo benefício C/D. O tratamento é indicado na presença de comorbidades psiquiátricas associadas.[18]

Vários fármacos, como IBPs (omeprazol), bloqueadores H2 (cimetidina e ranitidina), pró-cinéticos (domperidona) e antiácidos, foram testados no tratamento da dispepsia funcional com resultados variáveis. Os antiácidos não são eficazes C/D. Os IBPs mostraram-se efetivos no manejo (RRR = 25%; NNT = 6)[7] B.

Estudos com pró-cinéticos sugeriram a sua efetividade[7] C/D, mas alguns problemas metodológicos têm sido apontados nesses estudos, e a maioria deles ainda não avaliou o uso alternativo de metoclopramida ou domperidona. Entre os pró-cinéticos mais disponíveis em nosso meio, a domperidona apresenta um perfil favorável de segurança, enquanto a metoclopramida em uso crônico pode causar síndromes extrapiramidais, sobretudo em idosos, e seu uso é desaconselhado para um período > 3 meses.[7]

Considerando a natureza crônica dos sintomas da dispepsia funcional e o benefício da supressão ácida, mesmo com IBPs, é preciso levar em conta os custos e os possíveis efeitos adversos em longo prazo. A erradicação do HP apresenta benefícios no manejo clínico (RRR = 25%; NNT = 6) B.[7] Finalmente, estão sendo utilizados antidepressivos tricíclicos na dispepsia funcional, nos pacientes que não apresentaram melhora sintomática com IBP (p. ex., amitriptilina 25 mg/dia, VO), com NNT = 6. B.[7] Os inibidores seletivos da recaptação da serotonina (ISRSs) não mostraram melhora dos sintomas nos estudos realizados até o momento. Ao propor essa terapia com antidepressivos, deve-se levar em consideração a história prévia do paciente e outras comorbidades, bem como enfatizar a contribuição dos antidepressivos para reforço na tolerância aos sintomas.[14]

O tratamento da dispepsia funcional pode ser frustrante para médicos e pacientes porque poucas opções terapêuticas demonstraram efetividade. Em geral, pacientes precisam do suporte contínuo de seus médicos assistentes, salientando-se o fato de que se trata de doença crônica e recorrente. A critério clínico, pode-se optar por testar diferentes modalidades de tratamento e/ou terapias alternativas com potencial alívio significativo, mas ainda sem evidências científicas sólidas ou com mecanismo biológico comprovado. Uma revisão recente do American College of Gastroenterology sumariza que terapias alternativas com produtos naturais (p. ex., alcachofra, pó de banana, menta, açafrão-da-terra [*Curcuma longa*]) podem oferecer melhora sintomática na dispepsia funcional, apesar do grau de evidência ser fraco para embasar as condutas.[19] A acupuntura é uma terapia alternativa milenar que contribuiu para a melhora de sintomas de saciedade precoce e plenitude pós-prandial quando comparado com pró-cinéticos ou placebo, em revisão sistemática B.[20] No entanto, o grau de evidência é considerado baixo pela heterogeneidade e baixa qualidade dos estudos incluídos.[19] Nos casos de dispepsia funcional refratária, deve-se considerar uma avaliação com gastrenterologista e/ou psiquiatra, destacando a coexistência de altas taxas de depressão e patologias psiquiátricas neste último grupo.[4,7]

Dispepsia secundária

A dispepsia secundária pode ser causada por múltiplas doenças como as neoplasias, as úlceras pépticas e o uso de medicamentos (p. ex., metformina, metronidazol).[4] A doença ulcerosa na mucosa gástrica ou duodenal apresentou enorme impacto na morbidade e mortalidade nas últimas décadas do século XX, quando tendências epidemiológicas começaram a apontar para quedas na sua incidência. Dois importantes marcos históricos associam-se à queda das taxas de incidência e morbidade por úlceras pépticas: o desenvolvimento de potentes e efetivos antissecretores ácidos e a descoberta e erradicação do HP por antibioticoterapia. Com a revolucionária descoberta da infecção gástrica pelo HP, a etiopatogênese e o tratamento da doença péptica ulcerosa foram reescritos no final do século XX, mudando a visão de uma patologia derivada de acidez para a de uma doença infecciosa.[12]

O sintoma dominante na úlcera péptica é a dor epigástrica, que pode ser acompanhada por outros sintomas dispépticos, como estufamento, saciedade precoce e náusea.[3] Em pacientes com úlceras duodenais, a dor epigástrica geralmente ocorre durante o jejum e/ou até mesmo à noite, e costuma ser aliviada pela ingestão de alimentos ou antiácidos. Cerca de um terço desses pacientes também apresenta pirose, na sua grande maioria sem esofagite erosiva. Úlceras crônicas, entretanto, podem ser assintomáticas. Em particular, a ausência de sintomas também é vista em úlceras induzidas por AINEs, que podem apresentar-se, primariamente, por sangramento ou perfuração gastrintestinal alta. A complicação mais grave das úlceras pépticas é o sangramento, com incidência anual de 50 a 70 casos a cada 100 mil pessoas, com maior risco em indivíduos com idade > 60 anos. Perfuração é bem menos frequente que hemorragia, com incidência de 7 a 10 a cada 100 mil pessoas. Penetração de órgãos retroperitoneais é rara e caracterizada por dor abdominal e lombar intensa constante.

A úlcera péptica é diagnosticada à endoscopia quando há penetração da mucosa ≥ 5 mm em profundidade, recoberta com fibrina, enquanto a penetração mais superficial, < 5 mm, é chamada de erosão.[12] O local típico da úlcera duodenal é o bulbo, onde o conteúdo gástrico penetra no intestino delgado. O sítio mais frequente das úlceras gástricas é no ângulo gástrico da pequena curvatura. O diagnóstico endoscópico de úlcera péptica deve ser acompanhado por biópsias da mucosa no antro e corpo ou fundo gástrico para exclusão de neoplasia e detecção de HP por teste rápido de urease ainda na sala de endoscopia ou pelo exame histológico realizado no laboratório. É necessário suspender IBPs 2 semanas antes, antagonista do receptor H2 24 horas antes e antibióticos 4 semanas antes da endoscopia para não reduzir a sensibilidade da pesquisa para HP.[13]

A gastrite e a duodenite erosivas são causas frequentemente esquecidas de dispepsia, ao passo que a presença de simples enantema na mucosa gástrica ou duodenal observada pela endoscopia não apresenta correlação com o sintoma.

Tratamento

> O esquema tríplice anteriormente descrito, por 14 dias, é o fundamento no tratamento da úlcera péptica HP-positiva (ver tratamento da dispepsia associada ao HP), aumentando taxas de cura e diminuindo em cerca de 80% as taxas de recidiva **A**, devendo-se suspender AINEs sempre que possível.

Úlceras HP-negativas costumam ser causadas por uso voluntário e casual de AINEs pelos pacientes.[21]

É recomendável repetir a EDA com biópsias para confirmar a cura da úlcera péptica gástrica em pacientes com risco de neoplasia, sintomas persistentes e/ou para confirmação de erradicação do HP. Não há necessidade de repetição de endoscopia em pacientes com gastrite erosiva ou enantematosa, hérnia de hiato, esofagite leve ou duodenite – mesmo em pacientes HP-positivos. A orientação sobre o seguimento dos diferentes achados endoscópicos é descrita na subseção sobre Endoscopia Digestiva Alta na seção seguinte, sobre Doença do Refluxo Gastresofágico. As úlceras pépticas podem recorrer após a cura inicial, sobremaneira se houver persistência de infecção por HP, visto que o HP é a principal causa na maioria das úlceras.

Além dessa terapia, deve-se recomendar a cessação do tabagismo, quando presente. Se o paciente estiver usando ácido acetilsalicílico, considerar suspendê-lo ou trocá-lo para clopidogrel, quando a indicação for para uso de antiplaquetários, e/ou adicionar um IBP enquanto o uso de ácido acetilsalicílico/AINE for necessário.

Doença do refluxo gastresofágico

O refluxo de conteúdo gastroduodenal para o esôfago ocorre de modo fisiológico em pequeno volume, principalmente após as refeições. Quando o refluxo passa a causar sintomas frequentes (como pirose e/ou regurgitação) e/ou complicações (como esofagite erosiva, estenose péptica ou esôfago de Barrett), torna-se uma doença – a doença do refluxo gastresofágico (DRGE).[22] A definição consensual de DRGE propõe que seja classificada em síndromes esofágicas e/ou extraesofágicas (TABELA 63.3).

Na APS, a adequada caracterização dos sintomas apresentados pelos pacientes é importante para diferenciar DRGE de dispepsia, pois seus tratamentos podem apresentar significativas diferenças. Pirose e regurgitação são consideradas sintomas típicos da DRGE. A pirose é mais comum e definida como uma sensação de queimação retroesternal que irradia desde o epigástrio até a base do pescoço, podendo ocorrer espontaneamente ou após as refeições (sobretudo as refeições volumosas e/ou ricas em gorduras) e/ou após o decúbito, sendo reduzida pela ingestão de água, leite ou antiácidos líquidos. A regurgitação é definida pela sensação de retorno de conteúdo gástrico até a boca ou hipofaringe, sem a percepção de queimação da pirose. Na prática clínica, é comum que os pacientes considerem outros sintomas como estufamento, queimação epigástrica ou, ainda, desconforto na boca do estômago como sinônimos de refluxo, mas na verdade estes são indicativos de dispepsia.

TABELA 63.3 → Consenso de Montreal – síndromes associadas à doença do refluxo gastresofágico

SÍNDROMES ESOFÁGICAS		SÍNDROMES EXTRAESOFÁGICAS	
SÍNDROMES SINTOMÁTICAS	SÍNDROMES COM DANO ESOFÁGICO	ASSOCIAÇÕES ESTABELECIDAS	ASSOCIAÇÕES PROPOSTAS
→ Síndrome de refluxo típico (pirose e/ou regurgitação) → Síndrome da dor torácica por refluxo	→ Esofagite de refluxo → Estenose péptica → Esôfago de Barrett → Adenocarcinoma do esôfago	→ Tosse crônica → Laringite de refluxo → Asma → Erosões dentárias	→ Faringite → Sinusite → Fibrose pulmonar idiopática → Otite média de repetição

Fonte: Vakil e colaboradores.[22]

A presença de pirose é um bom marcador de refluxo gastresofágico e apresenta boa correlação com a presença de refluxo patológico demonstrada à pHmetria de 24 horas. O sintoma pirose tem alta sensibilidade (70%) para o diagnóstico correto de DRGE, e, quando associada à regurgitação, a sensibilidade pode atingir 80%. A pirose, 1 vez ou mais por semana, é encontrada em 10 a 20% da população ocidental[23] e chega a atingir até 30% da população na Região Sul do Brasil.[2]

A intensidade, a duração ou a frequência da pirose não predizem nem a presença de lesão, tipo esofagite, nem a gravidade da doença do refluxo, tampouco a presença de complicações associadas, como estenose péptica, esôfago de Barrett, displasias ou adenocarcinoma.

Pirose e/ou regurgitação, quando acometem indivíduos jovens que não apresentam sinais ou sintomas de alerta (emagrecimento, disfagia, odinofagia, anemia, hematêmese, melena), podem ser tratadas na primeira consulta sem uma investigação complementar inicial.[24] A melhora sintomática ocorre em 70 a 80% dos pacientes jovens com o tratamento inicial por 4 semanas.[24] Na ausência de melhora dos sintomas, deve-se considerar uma investigação complementar para avaliar eventuais complicações da DRGE, pirose funcional, esôfago hipersensível, esofagite eosinofílica ou acalásia.[24]

A pirose é muito frequente na gravidez, acometendo até 80% das gestantes no terceiro trimestre, mas podendo apresentar-se já nos estágios iniciais da gestação. Os sintomas podem levar a gestante a dormir com a cabeceira elevada ou na posição sentada. Entretanto, essa forte sintomatologia parece não reduzir a qualidade de vida das gestantes.[25]

A dor torácica, semelhante à dor por isquemia miocárdica, pode ser uma manifestação da DRGE, associada a espasmo esofágico difuso ou esôfago hipercontrátil (esôfago em quebra-nozes) ou acalásia. Quando a dor torácica é recorrente, associada a pirose/regurgitação e melhora após a ingestão de água, a origem esofágica é mais provável, diminuindo a probabilidade de origem miocárdica. Como descrito antes, a dor torácica de origem esofágica pode ser indistinguível da dor cardíaca, e a origem cardíaca deve ser sempre descartada inicialmente.[22,24]

Na investigação de dor torácica recorrente com suspeita de origem esofágica, um teste terapêutico com IBPs em dose matinal e antes do jantar por 4 semanas tem sensibilidade e especificidade aceitáveis para diagnóstico de DRGE.[24] Em caso de persistência de dor torácica, a EDA deve ser obtida e, quando não demonstrar sinais (erosões, úlceras) de DRGE, pode ser seguida por manometria esofágica e pHmetria de 24 horas, para excluir, respectivamente, doenças motoras do esôfago ou DRGE.[24,26]

> **Quando os sintomas atípicos (tosse crônica, rouquidão e asma) são dominantes, mas associados à pirose frequente, a probabilidade de DRGE é alta e um teste terapêutico com IBP é recomendado durante 8 semanas.[24] É importante salientar que a pirose rapidamente melhora com o tratamento, mas tosse, rouquidão ou asma respondem de maneira lenta e, às vezes, melhoram somente após 3 a 6 meses de tratamento.**

Por outro lado, na ausência de pirose/regurgitação, é recomendável a investigação complementar para confirmar DRGE e/ou descartar outras doenças.

É consenso que a maioria dos pacientes com pirose/regurgitação que procuram os sistemas de saúde não precisa de investigação complementar. Quando necessária, em geral para sintomas atípicos, a investigação complementar deve basear-se em critérios definidos, como apresentados na TABELA 63.4 e na FIGURA 63.2. A FIGURA 63.2 mostra um fluxograma para a avaliação e o manejo da DRGE.

Exames complementares

Endoscopia digestiva alta (TABELA 63.5)

A EDA, ao contrário do pensamento médico dominante, identifica lesões em somente 30 a 40% dos pacientes com DRGE e, portanto, tem baixa sensibilidade diagnóstica, não confirmando a DRGE na maioria dos pacientes examinados.[26] Entretanto, sua capacidade de estimar o risco de complicações em longo prazo é útil e, quando não revela lesões atribuíveis ao refluxo, orienta o médico a evitar novas endoscopias (ver a seguir).[24] Outra informação importante é que não há uma boa correlação entre gravidade dos achados endoscópicos e a intensidade dos sintomas, podendo ser encontradas lesões acentuadas em indivíduos oligossintomáticos e ausência de lesões em indivíduos muito sintomáticos.[26] Os achados endoscópicos diagnósticos de DRGE são esofagite erosiva graus C e D de Los Angeles, estenose péptica e esôfago de Barrett. Os achados de esofagite grau A e B devem ser analisados com reserva, pois indivíduos assintomáticos podem apresentar esses achados e não necessitam de tratamento específico.[26]

Pacientes com sintomas de refluxo gastresofágico com achados endoscópicos anormais como presença de erosões, ulcerações ou estenoses no esôfago tendem a apresentar boa resposta ao tratamento, ao passo que, nos indivíduos sem lesões definidas, a resposta terapêutica convencional para a DRGE é, em geral, insatisfatória.

Biópsias devem ser obtidas na presença de lesões ulceradas/estenosantes ou na suspeita de esôfago de Barrett e/ou neoplasia. Entretanto, quando a mucosa tem aspecto normal à endoscopia, a coleta de biópsias tem valor limitado pela sua sensibilidade diagnóstica baixa a moderada em comparação com a pHmetria esofágica. Entretanto, é recomendável a obtenção de biópsias quando, além de sintomas típicos, houver também disfagia ou impactação, pela probabilidade de esofagite eosinofílica.[26] A coleta de biópsias durante a endoscopia é simples e rápida, e tem baixíssimo risco de complicações.

Após o diagnóstico e a avaliação endoscópica inicial, não é necessária a reavaliação endoscópica na maioria dos pacientes depois do tratamento (ver TABELA 63.5), exceto em caso de:[24,26]

→ esofagite acentuada (graus C e D da classificação de Los Angeles), pelo risco de o esôfago de Barrett estar oculto pelas erosões agudas na mucosa;
→ esôfago de Barrett confirmado por biópsias;
→ estenose péptica;
→ úlcera esofágica;
→ quando houver piora clínica, especialmente quando o paciente também apresenta sintomas ou sinais de alerta (disfagia, odinofagia, emagrecimento, anemia, melena, hematêmese).

O diagnóstico de hérnia hiatal deslizante pela endoscopia deve ser visto com cautela, pois há muitas "hérnias" falsamente positivas, em especial quando descritas com pequenas dimensões. Nessa situação específica, se não houver melhora clínica com o tratamento e for considerada abordagem cirúrgica, um estudo radiológico contrastado do esôfago terá maior sensibilidade para caracterizar e aferir essa alteração anatômica.[27]

Exames radiológicos

O estudo radiológico do esôfago contrastado com deglutição de bário é importante na presença de disfagia e/ou dor

TABELA 63.4 → Quando investigar pacientes com sintomas atípicos suspeitos de doença do refluxo gastresofágico

SINTOMA	EXCLUIR INICIALMENTE	MÉTODO PARA AVALIAÇÃO ESOFÁGICA
Dor torácica	Cardiopatia isquêmica	EDA, manometria e pHmetria de 24 horas
Tosse crônica	Tuberculose, sinusite	pHmetria de 24 horas
Rouquidão	Doenças da laringe, massa mediastinal	pHmetria de 24 horas
Broncospasmo	Asma brônquica, DPOC	pHmetria de 24 horas
Disfagia	Estenose péptica, acalasia, câncer de esôfago	EDA, radiografia contrastada de esôfago, manometria
Odinofagia	Estenose péptica, úlcera esofágica, câncer de esôfago	EDA
Anemia, melena, hematêmese, perda de peso	Estenose péptica, úlcera esofágica, câncer de esôfago	EDA

DPOC, doença pulmonar obstrutiva crônica; EDA, endoscopia digestiva alta.

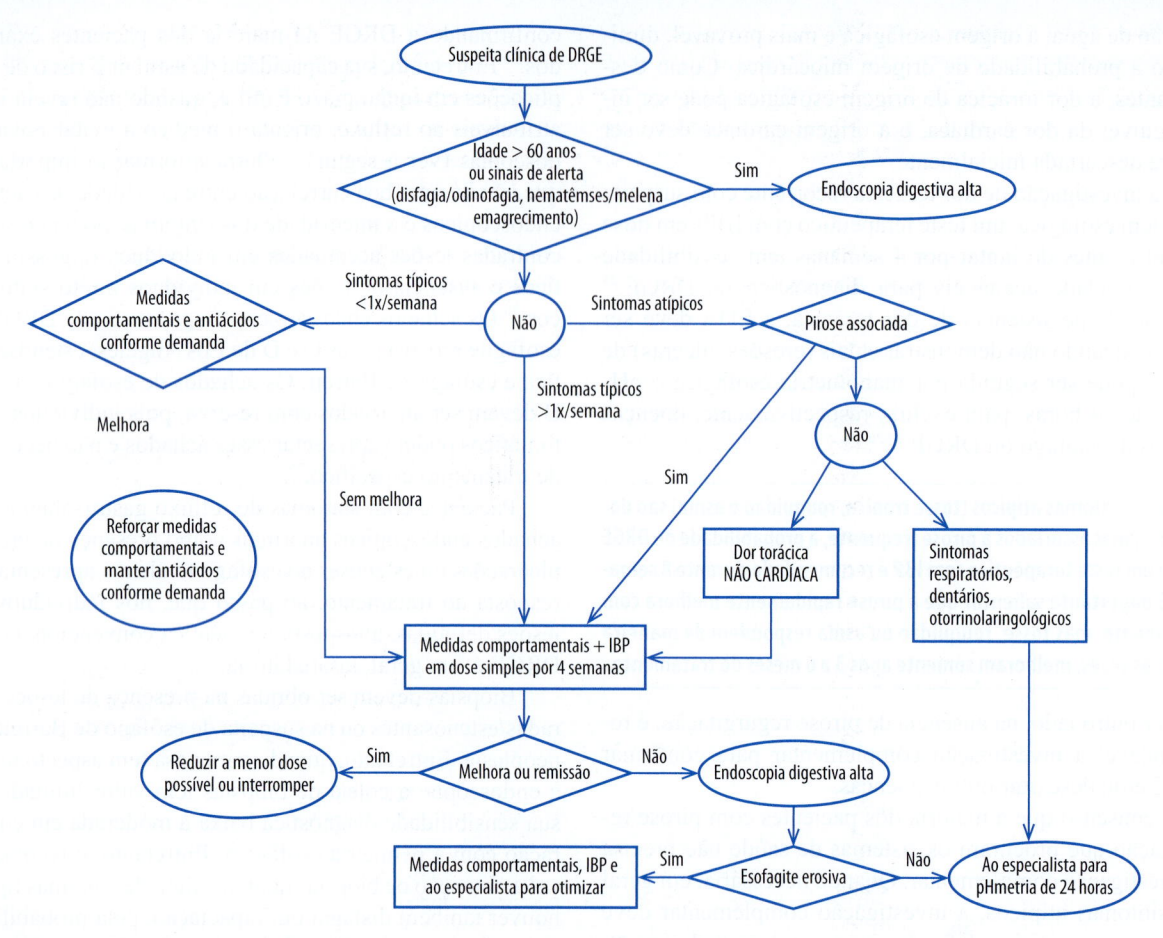

FIGURA 63.2 → Fluxograma de investigação e tratamento da doença do refluxo gastresofágico (DRGE). IBP, inibidor da bomba de prótons.
Fonte: Adaptada de Katz e colaboradores[24] e Gyawali e colaboradores.[26]

torácica associadas à pirose, pois permite a detecção de alterações anatômicas observadas nas dismotilidades (p. ex., acalásia, espasmo esofágico difuso) e nas estenoses pépticas e neoplásicas. Como salientado no parágrafo anterior, também tem indicação nos casos de falha do tratamento convencional da DRGE com medidas gerais e IBPs, quando a EDA não estiver disponível.

TABELA 63.5 → Achados endoscópicos mais frequentes em pacientes com sintomas dispépticos ou de doença do refluxo

ACHADO	DESCRIÇÃO ENDOSCÓPICA		COMENTÁRIOS/CONDUTA	INDICAÇÃO DE ACOMPANHAMENTO ENDOSCÓPICO
Hérnia hiatal	Migração da junção esofagogástrica mais de 2 cm acima do pinçamento diafragmático		Esse achado é um fator de risco para DRGE; no entanto, a presença de hérnia hiatal não é sinônimo de DRGE; assim, o tratamento deve ser administrado (clínico ou cirúrgico) somente em indivíduos sintomáticos	NÃO Repetir EDA somente em caso de piora dos sintomas sem resposta a tratamento clínico ou surgimento de sintomas/sinais de alerta
Esofagite conforme classificação de Los Angeles	Grau A	Uma ou mais erosões lineares, com até 5 mm cada, que não se estendem entre 2 pregas longitudinais	Esse achado é encontrado em 5-7,5% dos indivíduos assintomáticos; pode ser tratado com IBP em dose simples por 4 semanas, somente se o paciente apresentar sintomas de DRGE	
	Grau B	Uma ou mais erosões lineares, com mais de 5 mm cada, que não se estendem entre 2 pregas longitudinais	Achado compatível com DRGE; pode ser tratado com IBP em dose simples por 4 semanas, se o paciente apresentar sintomas de DRGE	
	Grau C	Erosões contíguas entre o topo de 2 ou mais pregas, porém envolvendo menos de 75% da circunferência do esôfago	Achados compatíveis com DRGE moderada a acentuada; devem ser tratados com IBP em dose dupla; deve ser considerado uso crônico, pela alta frequência de recidiva dos sintomas, sendo sugerido titular para a menor dose efetiva	SIM Sugere-se repetir EDA após tratamento com IBP para avaliar se houve cicatrização e se há esôfago de Barrett associado que estava encoberto pela esofagite; se não existir Barrett subjacente, encerra-se a indicação de de EDA de rotina.
	Grau D	Erosões contíguas envolvendo mais de 75% da circunferência do esôfago		

(continua)

TABELA 63.5 → Achados endoscópicos mais frequentes em pacientes com sintomas dispépticos ou de doença do refluxo *(Continuação)*

ACHADO	DESCRIÇÃO ENDOSCÓPICA	COMENTÁRIOS/CONDUTA	INDICAÇÃO DE ACOMPANHAMENTO ENDOSCÓPICO
Esôfago de Barrett	Projeções de epitélio colunar com metaplasia intestinal com células caliciformes (confirmado por biópsia) atingindo o esôfago (proximal ao início das pregas gástricas). A classificação mais indicada é a de Praga, representada pelo maior comprimento longitudinal de acometimento circunferencial (C) e o maior comprimento de lingueta isolada (M); exemplo: C2M3 significa que há acometimento circunferencial de 2 cm e uma lingueta isolada que tem 3 cm de comprimento (1 comprimento além do acometimento circunferencial)	Achado compatível com DRGE complicado, com risco de adenocarcinoma de esôfago; deve ser tratado com IBP em dose dupla em uso crônico ou cirurgia antirrefluxo	SIM — Sugere-se acompanhamento em centro de referência para acompanhamento endoscópico
Estenose péptica	Áreas de estreitamento no esôfago distal, frequentemente acompanhada de esofagite acentuada (grau D de Los Angeles)	Achado compatível com DRGE complicado, com risco de impactação alimentar; conforme a intensidade da estenose e a presença de disfagia/impactação, pode ser tratada com dilatação endoscópica; deve ser tratada com IBP em dose dupla em uso crônico ou cirurgia antirrefluxo	SIM — Sugere-se repetir EDA após tratamento com IBP para avaliar se houve cicatrização e se há esôfago de Barrett associado
Úlcera péptica (gástrica e duodenal)	Penetração na mucosa esofágica distal ≥ 5 mm em profundidade, recoberta por fibrina	As principais causas de úlceras pépticas são o uso de AINEs e/ou infecção por HP; úlceras gástricas devem ser biopsiadas para exclusão de adenocarcinoma	SIM — Sugere-se controle endoscópico somente em caso de úlcera gástrica
Gastrite endoscópica erosiva	Definida por erosões na mucosa gástrica; pode ser leve (≤ 5 erosões), moderada (6-10 erosões) ou acentuada (> 10 erosões)	Gastrite erosiva pode ser resultado de uso de AINEs ou ácido acetilsalicílico, ou infecção por HP, e apresenta correlação com sintomas dispépticos	NÃO — O controle endoscópico somente é necessário se as biópsias endoscópicas demonstrarem metaplasia intestinal ou atrofia; na presença destas últimas alterações, encaminhar para centro de referência para avaliação
Gastrite endoscópica enantematosa	Definida pela presença de enantema na mucosa gástrica	Gastrite enantematosa pode ser resultado de vasodilatação na mucosa gástrica ou até mesmo de variações da imagem endoscópica; além disso, é um achado com menos concordância interobservador; há pouca correlação desse achado com sintomas	
Pólipos — Glândulas fúndicas		Pólipos de comportamento benigno; não causam sintomas; são o tipo mais frequentemente encontrado e podem ter surgimento espontâneo ou associado ao uso crônico de IBP; sua presença não indica a suspensão de IBP	NÃO
Pólipos — Hiperplásicos		Pólipos de comportamento benigno; não causam sintomas; podem estar associados à infecção por HP e/ou à atrofia gástrica; a erradicação do HP pode resultar em resolução desses pólipos	NÃO — Em pólipos sem displasia, o controle endoscópico somente é necessário se as biópsias endoscópicas demonstrarem atrofia
Pólipos — Adenomatosos		Pólipos com potencial de evolução para adenocarcinoma; devem ser completamente removidos e ter HP erradicado	SIM — Paciente deve ser encaminhado para centro de referência, onde será submetido a acompanhamento endoscópico

AINEs, anti-inflamatórios não esteroides; DRGE, doença do refluxo gastresofágico; EDA, endoscopia digestiva alta; HP, *Helicobacter pylori*; IBP, inibidor de bomba de prótons.
Fonte: Thomson e colaboradores,[10] Katz e colaboradores[24] e Gyawali e colaboradores.[26]

pHmetria de 24 horas e manometria esofágica

A pHmetria de 24 horas detecta diretamente a presença de refluxo ácido, permite sua quantificação e estabelece a associação dos episódios de refluxo com sintomas como tosse e/ou dor durante o exame. Esse procedimento é obtido com a colocação de um fino cateter via nasal com a sua extremidade no esôfago distal. O cateter possui um ou dois sensores para detecção das variações do pH, registrando, durante 24 horas, a porcentagem de tempo em que o pH se mantém abaixo de 4 e sua correlação com sintomas registrados pelo paciente. A correta posição do cateter é determinada pela correta localização do esfíncter esofágico inferior por meio da manometria esofágica, que deve preceder o exame pHmétrico.[26]

A pHmetria tem alta sensibilidade e especificidade diagnóstica (> 70%), além de grande valor em pacientes com sintomas atípicos quando o exame endoscópico do esôfago é frequentemente normal. Todavia, a pHmetria ainda é restrita a poucos centros médicos e deve ser interpretada por profissionais médicos experientes, junto com a história clínica e outros exames complementares. Em pacientes sem comprovação prévia de DRGE, a pHmetria deve ser realizada 7 dias após a suspensão de IBPs ou bloqueadores H2. Em pacientes com diagnóstico de DRGE, sem resposta ao tratamento, a pHmetria pode ser realizada durante o uso de medicamentos antirrefluxo, para avaliar se o refluxo persiste apesar do tratamento, indicando que o tratamento pode ser insuficiente, ou que existe uma resistência ou tolerância aos medicamentos utilizados.[26]

A manometria esofágica avalia a força e a coordenação da contração esofágica e a competência do esfíncter esofágico inferior. Ela não estabelece diagnóstico de DRGE, mas é imprescindível antes da pHmetria de 24 horas, permitindo o correto posicionamento do sensor da pHmetria. É importante na investigação de sintomas associados ao refluxo gastresofágico, como a disfagia e a dor torácica, podendo revelar doenças motoras do esôfago, como espasmo esofágico difuso, esôfago em quebra-nozes ou disfunção dos esfíncteres esofágicos que merecem tratamento adicional. É importante para descartar acalásia, que mimetiza os sintomas de DRGE, especialmente a regurgitação. A avaliação manométrica deve ser sempre obtida antes de cirurgia antirrefluxo, sobretudo para excluir acalásia.[24,26,27]

Tratamento

As condutas terapêuticas visam aliviar os sintomas, cicatrizar as lesões e prevenir as recidivas e complicações, propiciando boa qualidade de vida. A abordagem deve ser articulada, concentrando-se na educação do paciente e de seus familiares acerca da sua própria doença, diminuindo a agressão do suco gástrico e/ou biliar à mucosa esofágica pelo controle da secreção ácida e melhorando a função do esfíncter esofágico inferior e do esvaziamento gástrico.

Educação do paciente

A DRGE é uma doença crônica que exige a participação ativa do paciente no tratamento. Os fármacos com grande eficácia atualmente disponíveis e a abordagem cirúrgica propiciam ótimas alternativas terapêuticas, mas não são considerados soluções definitivas, pois a história natural dessa doença revela significativa porcentagem de recorrência dos sintomas após longo prazo com qualquer forma de tratamento.

As medidas comportamentais são importantes para obter bons resultados, especialmente em casos mais leves, mas são insuficientes para um bom controle da doença nos casos mais intensos.[22,24] Existem poucos dados na literatura que demonstram, de forma consistente, a eficácia dessas intervenções comportamentais, porém sua simplicidade e o impacto observado na prática clínica estimulam seu uso. Entre as medidas com benefício mais bem estabelecido estão a perda de peso, a interrupção do tabagismo não seguida de ganho de peso e, nos indivíduos com sintomas noturnos, a elevação da cabeceira da cama, além de evitar refeições antes de deitar por 2 horas.[28]

É importante ressaltar que se devem evitar radicalismos na orientação das medidas. Por exemplo, aos pacientes com regurgitação noturna, é recomendável a elevação da cabeceira do leito, mas, na sua ausência, essa recomendação não é consensual. A discussão dessas medidas e a flexibilização (do que pode e do que não pode) ajuda a estabelecer um vínculo de confiança do paciente com seu médico, que servirá de alicerce para eventual repetição de exames invasivos como endoscopia e/ou pHmetria e, em alguns casos, decisões terapêuticas mais complexas, como cirurgias.

O sobrepeso corporal e a obesidade são fatores de risco não só para os sintomas ou lesões do refluxo, mas também para o adenocarcinoma do esôfago.[29] O controle da DRGE passa pelo adequado controle do sobrepeso e da obesidade, em especial pelas suas características epidêmicas no mundo ocidental.[24,28]

A TABELA 63.6 traz algumas orientações básicas de educação do paciente e medidas comportamentais.

Tratamento farmacológico

Os medicamentos disponíveis hoje para o tratamento da DRGE são eficazes e produzem poucos efeitos colaterais (TABELA 63.7).

> Os IBPs têm maior eficácia na inibição de sintomas e na cicatrização da esofagite, mesmo quando comparados a bloqueadores dos receptores H2 da histamina (RRR = 59%; NNT = 4),[30] devendo ser usados como primeira opção no tratamento **A**.[24,30]

Não há evidência definida de superioridade farmacológica de quaisquer IBPs sobre os demais **A**, sendo recomendável a prescrição do omeprazol na sua forma genérica. É importante reforçar o uso dos IBPs 30 minutos antes do desjejum matinal para maior eficácia. Quando necessário o uso à noite, a administração deve ser feita 30 minutos antes do jantar, sob pena de perda de efetividade clínica.[31] O uso alternativo de outros IBPs é indicado após falha da dose máxima com omeprazol quando há falha no controle dos sintomas na DRGE bem estabelecida **C/D**. Entretanto, os custos elevados de outros IBPs levam à baixa adesão pelos pacientes. Também é importante salientar que, diante de endoscopia normal e ausência de melhora dos sintomas com IBP em dose dupla, devem ser consideradas as hipóteses de pirose funcional ou esôfago hipersensível, sendo necessária avaliação com pHmetria (pHmetria sem uso concomitante de IBP) para o diagnóstico dessas doenças funcionais do esôfago.[24]

> Os antiácidos são menos efetivos no tratamento sintomático da DRGE **C/D**.[24,30] Os inibidores H2 são eficazes, sendo uma alternativa válida no tratamento (RRR = 36%; NNT = 5) **B**,[24,30] mas seu benefício é inferior ao dos IBPs **A**.[24,30]

TABELA 63.6 → Educação do paciente e medidas comportamentais no tratamento da doença do refluxo gastresofágico (DRGE)

- → Educar o paciente sobre a DRGE por meio de entrevista médica, fornecendo-lhe material informativo/ilustrativo
- → Evitar refeições copiosas
- → Evitar deitar por 2 horas após as refeições
- → Moderar a ingestão de alimentos gordurosos, chocolate, café, chá-preto, chimarrão, bebidas alcoólicas, bebidas gasosas, menta, hortelã e produtos à base de tomate
- → Evitar medicamentos "de risco", como bloqueadores dos canais de cálcio, anticolinérgicos, teofilina, alendronato
- → Suspender o tabagismo
- → Reduzir o peso corporal em obesos
- → Em pacientes com sintomas noturnos, sugere-se elevar a cabeceira da cama (15 cm)

Fonte: Katz e colaboradores.[24]

TABELA 63.7 → Medicamentos empregados na doença do refluxo gastresofágico

CLASSE	NOME GENÉRICO	DOSE-PADRÃO	EFEITOS COLATERAIS MAIS COMUNS
Antiácidos e alcalinos			
	Hidróxido de alumínio	Variável conforme apresentação	Constipação
	Hidróxido de magnésio	Variável conforme apresentação	Diarreia
Antiácidos à base de alginato	Alginato de sódio + bicarbonato de potássio	5-10 mL após as 3 principais refeições (no máximo, 40 mL/dia)	Reações alérgicas raras
Bloqueadores dos receptores H2 da histamina			Cefaleia, diarreia, tonturas, fadiga, confusão mental
	Cimetidina	400 mg, 2 ×/dia	
	Ranitidina	150 mg, 2 ×/dia	
	Famotidina	20 mg, 2 ×/dia	
	Nizatidina	150 mg, 2 ×/dia	
Inibidores da bomba de prótons			Cefaleia, diarreia, constipação, dor abdominal
	Omeprazol	20 mg, antes do café	
	Pantoprazol	40 mg, antes do café	
	Esomeprazol	40 mg, antes do café	
	Lansoprazol	30 mg, antes do café	
	Rabeprazol	20 mg, antes do café	
	Dexlansoprazol	30-60 mg, 1 ×/dia	
Pró-cinéticos			
	Domperidona	10 mg, antes das refeições	Sintomas extrapiramidais são raros
	Metoclopramida	10 mg, antes das refeições	Agitação, sintomas extrapiramidais
	Bromoprida	10 mg, antes das refeições	Semelhantes aos da metoclopramida
Inibidores de relaxamentos transitórios do esfíncter esofágico inferior			
	Baclofeno	10 mg, 3 ×/dia (iniciar dose noturna e, após, incluir as outras doses)	Tontura, sonolência, tremores

Em pacientes com DRGE e associação com sintomas dispépticos, como plenitude pós-prandial, o uso de pró-cinéticos pode ser efetivo B.[24]

A EDA pode ter um papel no estadiamento da DRGE, estimando risco de complicações futuras. Indivíduos com esofagite acentuada (graus C ou D) frequentemente necessitam de tratamentos crônicos com medidas não farmacológicas e IBP. Indivíduos com complicações da DRGE, como úlcera esofágica, estenose péptica ou esôfago de Barrett, necessitam de tratamento crônico com IBP em dose dupla ou cirurgia antirrefluxo, pois a persistência de refluxo patológico pode resultar em hemorragia digestiva, impactação alimentar ou desenvolvimento de adenocarcinoma do esôfago.[24] Além de tratamento mais intensivo, os indivíduos com estenose péptica, úlcera ou esôfago de Barrett devem ser referenciados para serviços especializados para acompanhamento endoscópico e eventual controle da efetividade do tratamento antirrefluxo com pHmetria.

Uso em longo prazo dos inibidores da bomba de prótons: controvérsias quanto à segurança e aos efeitos adversos

O uso de IBPs em longo prazo é útil em uma série de situações clínicas, como no esôfago de Barrett, na DRGE com recidivas frequentes e em pacientes com alto risco para úlcera péptica. Entretanto, há muitas indicações desnecessárias documentadas no mundo inteiro, totalizando 20 a 50% de indicações não baseadas em protocolos vigentes.[32,33] É de suma importância que reavaliações sejam realizadas para interromper o uso de IBPs quando estes não são mais necessários. O uso prolongado de IBPs produz hipergastrinemia, que, após a interrupção abrupta do tratamento, leva a uma secreção ácida exacerbada, causando sintomas dispépticos mesmo em indivíduos previamente assintomáticos.[34] Para evitar esse fenômeno, chamado de rebote ácido, a indicação de IBPs deve ser cuidadosa, e a sua retirada, gradual, podendo-se optar por uso de IBPs sob demanda e controle do paciente, a fim de evitar o estado de hipergastrinemia persistente.[34] Não há uma estratégia bem definida na retirada gradual dos IBPs. A redução para a metade da dose por 4 semanas, seguida de mais 4 semanas em dias alternados e, então, interrupção do uso de IBP, pode ser uma estratégia útil.

Muitos estudos retrospectivos sugerem associação de uso crônico de IBPs com inúmeras complicações, como osteoporose, pneumonias, acidente vascular cerebral (AVC), demência, etc.[35] Estudos prospectivos não têm sustentado uma relação de causalidade entre o uso de IBP e essas complicações. Há muitos exemplos de estudos prospectivos que não sustentam a causalidade. Um deles foi publicado em 2018 por Nguyen e colaboradores[33] e acompanhou mais de 97 mil indivíduos por mais de 12 anos (930 mil pessoas/ano), sendo observados mais de 2.500 AVCs incidentes, não sendo observada associação significativa de todos os tipos de AVC com uso crônico de IBP. Demência também foi assunto de estudos prospectivos, e já há uma revisão sistemática que não encontrou causalidade entre o uso de IBPs e essa doença.[36] No entanto, há efeitos adversos comprovados do uso de IBPs em longo prazo – por exemplo, hipomagnesemia, má-absorção de vitamina B_{12} e cálcio, presença de pólipos de glândulas fúndicas (sem consequência em longo prazo) e gastrenterite bacteriana.[35]

É digna de nota a discussão do estudo de Cheung e colaboradores,[37] realizado em Hong Kong e publicado em 2017, com acompanhamento de mais de 63 mil indivíduos após tratamento do HP. Esse estudo relata um risco 2,4 vezes maior de câncer gástrico em indivíduos em uso de IBP, quando comparados a não usuários. Esse risco não aumentou em usuários de bloqueadores H2. Porém, esse estudo tem vieses importantes, como a presença de mais tabagistas no grupo de indivíduos em uso de IBPs e a não realização de biópsias gástricas na inclusão, sendo questionado se as lesões precursoras ao câncer já estavam presentes previamente à erradicação de HP. Além disso, a incidência de adenocarcinoma gástrico na população oriental parece ser maior que na ocidental, reduzindo a validade dos achados para a população brasileira.[37]

Estudos recentes têm demonstrado que o uso de IBPs na gestação é seguro, mesmo durante o primeiro trimestre de gestação.[38]

Interações dos IBPs e clopidogrel parecem ocorrer em estudos experimentais, porém sem aumento de eventos cardiovasculares documentados. Pelo contrário, estudos com desfecho clínico têm demonstrado aumento do risco de sangramento digestivo quando o clopidogrel é utilizado isoladamente.[39] Portanto, IBPs, se bem indicados, podem ser utilizados com clopidogrel.

Doença do refluxo gastresofágico refratária ao tratamento

Indivíduos com DRGE são considerados refratários ao tratamento quando a DRGE não responde a IBP em dose dupla. Nessa situação, é importante averiguar o uso correto dos IBPs, especialmente a sua ingestão ao menos 30 minutos antes das refeições e a adesão.[31] Quando há refratariedade ao tratamento, é recomendável fazer uma revisão com um especialista para confirmar o diagnóstico e considerar tratamentos alternativos como o uso de baclofeno, que inibe o relaxamento transitório do esfincter esofágico inferior, ou a abordagem cirúrgica.

Cirurgia antirrefluxo

A cirurgia antirrefluxo – quando praticada em centros médicos com experiência – tem bons resultados no tratamento da DRGE comprovada, comparáveis ao tratamento clínico, e o desfecho em longo prazo é semelhante.[40] Quando praticada por cirurgiões com pouca experiência, o índice de sucesso é muito inferior ao do tratamento clínico.

A técnica operatória mais utilizada é a fundoplicatura de Nissen por videolaparoscopia, permitindo internação hospitalar de curta duração (24-48 horas). É frequente o desenvolvimento de disfagia leve a moderada, transitória, até 60 dias após a cirurgia e sem perda de peso significativa. A falha da fundoplicatura (por deiscência) com recidiva dos sintomas é proporcional à experiência do cirurgião. Também cabe ressaltar que, em longo prazo (acompanhamento de 10 anos), uma parcela significativa dos pacientes necessita usar IBP novamente. A indicação cirúrgica parece mais adequada em pacientes mais jovens com necessidade de uso contínuo e em longo prazo dos IBPs, ou pacientes que apresentam melhora da pirose, mas com persistência de regurgitação.

A resposta prévia a IBPs e a presença de defeitos anatômicos como hérnia hiatal ou hipotonia do esfincter esofágico inferior são preditores de sucesso da cirurgia no controle da DRGE. São condições obrigatórias para a cirurgia antirrefluxo a manometria pré-operatória e a escolha de cirurgião com experiência em cirurgia antirrefluxo. Essas afirmações sobre seleção dos melhores candidatos à cirurgia antirrefluxo foi reforçado pelo ICARUS (International Consensus Regarding Preoperative Examinations and Clinical Characteristics Assessment to Select Adult Patients for Antireflux Surgery) de 2019, que envolveu as maiores autoridades internacionais na área da DRGE, incluindo cirurgiões e clínicos.[27]

REFERÊNCIAS

1. Agréus L, Borgquist L. The cost of gastro-oesophageal reflux disease, dyspepsia and peptic ulcer disease in Sweden. Pharmacoeconomics. 2002;20(5):347–55.
2. Almeida AM, Martins LAG, Cunha PLT, Brasil VW, Feliz LGF, Passos MCF. Prevalence of dyspeptic symptoms and heartburn of adults in Belo Horizonte, Brazil. Arq Gastroenterol. 2017;54(1):46–50.
3. Moayyedi P, Talley NJ, Fennerty MB, Vakil N. Can the clinical history distinguish between organic and functional dyspepsia? JAMA. 2006;295(13):1566-76.
4. Drossman DA, Chang LC, Kellow WJ, Tack J, Whitehead WE, editors. Rome IV functional gastrointestinal disorders: disorders of gut-brain interaction. I. Raleigh: Rome Foundation; 2016.
5. Veldhuyzen van Zanten SJ, Flook N, Chiba N, Armstrong D, Barkun A, Bradette M, et al. An evidence-based approach to the management of uninvestigated dyspepsia in the era of Helicobacter pylori. CMAJ. 2000;162(12 Suppl):S3–23.
6. Hungin APS, Hill C, Raghunath A. Systematic review: frequency and reasons for consultation for gastro-oesophageal reflux disease and dyspepsia. Aliment Pharmacol Ther. 2009;30(4):331–42.
7. Moayyedi PM, Lacy BE, Andrews CN. ACG and CAG clinical guideline: management of dyspepsia. Am J Gastroenterol. 2017;112(7):988–1013.
8. Veldhuyzen van Zanten SJO, Bradette M, Chiba N, Armstrong D, Barkun A, Flook N, et al. Evidence-based recommendations for short-and long-term management of uninvestigated dyspepsia in primary care: an update of the Canadian Dyspepsia Working Group (CanDys) clinical management tool. Can J Gastroenterol. 2005;19(5):285–303.
9. Vakil N, Talley N, van Zanten SV, Flook N, Persson T, Björck E, et al. Cost of detecting malignant lesions by endoscopy in 2741 primary care dyspeptic patients without alarm symptoms. Clin Gastroenterol Hepatol. 2009;7(7):756–61.
10. Thomson ABR, Barkun AN, Armstrong D, Chiba N, White RJ, Daniels S, et al. The prevalence of clinically significant endoscopic findings in primary care patients with uninvestigated dyspepsia: the Canadian Adult Dyspepsia Empiric Treatment – Prompt Endoscopy (CADET-PE) study. Aliment Pharmacol Ther. 2003;17(12):1481–91.
11. Delaney B, Ford AC, Forman D, Moayyedi P, Qume M. Initial management strategies for dyspepsia. Cochrane Database Syst Rev. 2009;(4):CD001961.
12. Malfertheiner P, Chan FKL, McColl KEL. Peptic ulcer disease. Lancet. 2009;374(9699):1449–61.
13. Coelho LGV, Marinho JR, Genta R, Ribeiro LT, Passos MCF, et al. IVth Brazilian Consensus Conference on Helicobacter pylori infection. Arq Gastroenterol. 2018;55(2):97–121.

14. Collares EF, Troncon LEA. Effects of dypirone on the digestive tract. Braz J Med Biol Res. 2019;52(2):e8103.
15. Arrais PSD, Fernandes MEP, Pizzol TSD, Ramos LR, Mengue SS. Prevalence of self-medication in Brazil and associated factors. Rev Saúde Pública. 2016;50(Suppl 2):13s
16. Brasil. Agência Nacional de Vigilância Sanitária. Memento fitoterápico da Farmacopeia Brasileira [Internet]. Brasília: ANVISA; 2016 [capturado em 14 out. 2020]. Disponível em: http://www.farmacia.pe.gov.br/sites/farmacia.saude.pe.gov.br/files/memento_fitoterapico.pdf.
17. Berman DA, Porter RS, Graber M. The GI Cocktail is no more effective than plain liquid antacid: a randomized, double blind clinical trial. J Emerg Med. 2003;25(3):239–44.
18. Calvert EL, Houghton LA, Cooper P, Morris J, Whorwell PJ. Long-term improvement in functional dyspepsia using hypnotherapy. Gastroenterology. 2002;123(6):1778–85.
19. Deutsch JK, Levitt J, Hass D. Complementary and alternative medicine for functional gastrointestinal disorders. Am J Gastroenterol. 2020;115(3):350–64.
20. Pang B, Jiang T, Du YH, Li J, Li B, Hu YC, et al. Acupuncture for functional dyspepsia: What strength does it have? A systematic review and meta-analysis of randomized controlled trials. Evid Based Complement Alternat Med. 2016;2016:3862916.
21. Mazzoleni LE, Sander GB, Francesconi CF, Mazzoleni F, Uchoa DM, De Bona LR, et al. Helicobacter pylori eradication in functional dyspepsia: HEROES trial. Arch Intern Med. 2011;171(21):1929–36.
22. Vakil N, van Zanten SV, Kahrilas P, Dent J, Jones R, Global Consensus Group. The Montreal definition and classification of gastroesophageal reflux disease: a global evidence-based consensus. Am J Gastroenterol. 2006;101(8):1900–20;quiz 1943.
23. El-Serag HB, Sweet S, Winchester CC, Dent J. Update on the epidemiology of gastro-oesophageal reflux disease: a systematic review. Gut. 2014;63(6):871–80.
24. Katz PO, Gerson LB, Vela MF. Guidelines for the diagnosis and management of gastroesophageal reflux disease. Am J Gastroenterol. 2013;108(3):308–28.
25. Dall'Alba V, Callegari-Jacques SM, Krahe C, Bruch JP, Alves BC, Barros SGS. Health-related quality of life of pregnancy women with heartburn and regurgitation. Arq Gastroenterol. 2015;52(2):100–4.
26. Gyawali CP, Kahrilas PJ, Savarino E, Zerbib F, Mion F, Smout AJPM, et al. Modern diagnosis of GERD: the Lyon Consensus. Gut. 2018;67:1351–62.
27. Pauwels A, Boecxstaens V, Andrews CN, Attwood SE, Berrisford R, Bisschops R, et al. How to select patients for antireflux surgery? The ICARUS guidelines (international consensus regarding preoperative examinations and clinical characteristics assessment to select adult patients for antireflux surgery). Gut. 2019;68(11):1928–41.
28. Ness-Jensen E, Hveem K, El-Serag H, Lagergren J. Lifestyle intervention in gastroesophageal reflux disease. Clin Gastroenterol Hepatol. 2016;14(2):175–82. e1-3.
29. Hampel H, Abraham NS, El-Serag HB. Meta-analysis: obesity and the risk for gastroesophageal reflux disease and its complications. Ann Intern Med. 2005;143(3):199-211.
30. Moayyedi P, Santana J, Khan M, Preston C, Donnellan C. WITHDRAWN: medical treatments in the short term management of reflux oesophagitis. Cochrane Database Syst Rev. 2011;(2):CD003244.
31. Fass R, Sifrim D. Management of heartburn not responding to proton pump inhibitors. Gut. 2009;58(2):295–309.
32. Heidelbaugh JJ, Goldberg KL, Inadomi JM. Magnitude and economic effect of overuse of antisecretory therapy in the ambulatory care setting. Am J Manag Care. 2010;16(9):e228–34.
33. Nguyen LH, Lochhead P, Joshi AD, Cao Y, Ma W, Khalili H, et al. No significant association between proton pump inhibitor use and risk of stroke after adjustment for lifestyle factors and indication. Gastroenterology. 2018;154(5):1290–7.
34. Targownik L. Discontinuing long-term PPI therapy: why, with whom, and how? Am J Gastroenterol. 2018;113(4):519–528.
35. Vaezi MF, Yang Y, Howden CW. Complications of proton pump inhibitor therapy. Gastroenterology. 2017;153(1):35–48.
36. Hussain S, Singh A, Zameer S, Jamali MC, Baxi H, Rahman SO, et al. No association between proton pump inhibitor use and risk of dementia: evidence from a meta-analysis. J Gastroenterol Hepatol. 2020;35(1):19–28.
37. Cheung KS, Chan EW, Wong AYS, Chen L, Wong ICK, Leung WK. Long-term proton pump inhibitors and risk of gastric cancer development after treatment for *Helicobacter pylori*: a population-based study. Gut. 2018;67(1):28–35.
38. Pasternak B, Hviid A. Use of proton-pump inhibitors in early pregnancy and the risk of birth defects. N Engl J Med. 2010;363(22):2114–23.
39. Schmidt M, Johansen MB, Robertson DJ, Maeng M, Kaltoft A, Jensen LO, et al. Concomitant use of clopidogrel and proton pump inhibitors is not associated with major adverse cardiovascular events following coronary stent implantation. Aliment Pharmacol Ther. 2012;35(1):165–74.
40. Emken BG, Lundell LR, Wallin L, Myrvold HE, Engström C, Montgomery M, Malm AR, Lind T, Hatlebakk JG, SOPRAN Study Group. Effects of omeprazole or anti-reflux surgery on lower oesophageal sphincter characteristics and oesophageal acid exposure over 10 years, Scandinavian Journal of Gastroenterology 2017;52(1):11–7.

LEITURAS RECOMENDADAS

GI Motility Online. Synopses index. http://www.nature.com/gimo/contents/synopsis.html.
Site gratuito do conglomerado da Nature com exaustivas explanações e figuras sobre fisiopatologia digestiva alta.

Rome Foundation (RF). Clinical algorithms project. https://theromefoundation.org/clinical-algorithms-project/.
Portal do grupo ROME com excelentes fluxogramas clínicos para diagnóstico e tratamento de doenças funcionais do aparelho digestivo.

Capítulo 64
NÁUSEA E VÔMITOS

Tainá de Freitas Calvette
Cassia Kirsch Lanes
Carlo Roberto Hackmann da Cunha

Náusea é a sensação desagradável de que se pode potencialmente vomitar, muitas vezes acompanhada de sintomas autonômicos, como tontura, palidez e sudorese. O ato de vomitar é uma resposta autonômica e organizada que resulta na expulsão forçada do conteúdo gástrico para fora da boca, constituindo uma proteção contra substâncias potencialmente danosas ao organismo. O vômito é, em geral, precedido por náusea, e, quando isso não ocorre, deve alertar para transtornos alimentares ou elevação da pressão intracraniana

(PIC). A regurgitação oral refere-se à êmese do conteúdo alimentar, feita sem esforço, geralmente pós-prandial.

Náuseas e vômitos são sintomas extremamente comuns e podem ser causados por uma grande variedade de afecções médicas. A manifestação pode ser aguda ou crônica e varia de um sintoma leve e incômodo a uma condição que prejudica a qualidade de vida ou é um marcador de uma doença que oferece risco à vida. Náusea e vômitos afetam significativamente a qualidade de vida, representando uma causa importante de consultas médicas, além de diminuição de produtividade e de dias trabalhados. Cerca de 25% das pessoas que experimentam esses sintomas chegam a buscar atendimento, representando 1 a 2% de todas as consultas em ambulatório de atenção primária à saúde (APS).[1]

A TABELA 64.1 apresenta as definições conceituais desses eventos.[2]

FISIOPATOLOGIA

A compreensão dos mecanismos geradores desses reflexos é importante para tornar o tratamento mais eficaz, tendo em vista que os medicamentos antieméticos são predominantemente agentes bloqueadores de neurotransmissores. Eles atuam em diferentes receptores e, como consequência, tratam diferentes causas de vômitos.[1] Existem dois mecanismos gerais de náuseas e vômitos:

1. **neurológico:** estimulação da área postrema, que "sente" os agentes químicos nocivos (p. ex., venenos, agentes de quimioterapia, digoxina) e subsequentemente estimula os núcleos vagais, os quais evocam as náuseas e coordenam o reflexo de êmese. Doenças do sistema nervoso central (SNC), como infecções ou tumores cerebrais, estimulam as estruturas do SNC e induzem náuseas e vômitos, basicamente por meio de vias vagais;
2. **periférico:** doenças e distúrbios que se originam nos sistemas de órgãos periféricos, como o trato gastrintestinal, estimulam o nervo vago ou nervos espinais aferentes que se conectam com o núcleo sensorial vagal (do trato solitário) e o núcleo motor eferente vagal. Por fim, os centros corticais nos quais as náuseas são percebidas e as vias eferentes que mediam os vômitos são estimulados. Tumores, infecções e medicamentos na periferia podem causar disfunção local em diversos sistemas de órgãos, sendo que esta é percebida como náusea, e náuseas intensas provocam vômitos.

O vômito é acionado por impulsos aferentes ao centro do vômito, na formação reticular da medula. Os impulsos são recebidos de centros sensórios, como a zona quimiorreceptora do gatilho, o córtex cerebral e aferentes viscerais da faringe e do trato gastrintestinal. Quando excitados, os impulsos aferentes são integrados pelo centro do vômito, resultando em impulsos eferentes para o centro da salivação, centro respiratório e músculos gastrintestinais, abdominais e faríngeos, resultando nos sintomas.[1] Os mecanismos corticais envolvidos na gênese da náusea ainda são pouco compreendidos, especialmente os componentes distintos daqueles envolvidos no reflexo do vômito.

A TABELA 64.2 explica as vias e os neurotransmissores envolvidos no reflexo do vômito.

AVALIAÇÃO CLÍNICA

Náuseas e vômitos são sintomas comuns a diversas patologias. Por isso, é fundamental uma metodologia investigativa adequada. Devem-se valorizar os sinais e sintomas associados, sendo todo o processo semiótico indispensável. Para a maioria dos casos, anamnese e exame físico bem-feitos são suficientes, mas exames complementares laboratoriais e de imagem devem ser solicitados quando o quadro clínico indicar. Os testes investigativos iniciais, quando indicados, geralmente se restringem a exames laboratoriais e de imagem simples, com o objetivo de excluir emergências e complicações que exigem hospitalização. Demais exames complementares devem ser solicitados conforme a complexidade do caso.[1]

Em geral, sintomas agudos são o resultado de causas infecciosas, inflamatórias ou iatrogênicas. Causas gastrintestinais incluem obstrução, distúrbios funcionais e doenças orgânicas. Doenças de etiologia central estão primariamente relacionadas com elevação da PIC e costumam gerar sinais

TABELA 64.1 → Definições dos sintomas apresentados

- → **Náusea:** sensação incômoda que pode ou não gerar vômitos
- → **Vômitos:** expulsão forçada do conteúdo gástrico, pelo esfincter esofágico superior e para fora da boca
- → **Ânsia de vômito:** movimento involuntário de vômito, sem haver expulsão de conteúdo gástrico, pois o esfincter esofágico inferior permanece fechado
- → **Regurgitação:** passagem de conteúdo gástrico para a boca, sem náuseas e sem contrações diafragmáticas
- → **Ruminação:** regurgitação de comida recentemente ingerida para a boca, sendo que o alimento é novamente mastigado, engolido ou cuspido fora
- → **Hematêmese:** vômito com presença de sangue

Fonte: Adaptada de Murtagh, Rosenblatt e Coleman[2] e Rauce e colaboradores.[4]

TABELA 64.2 → Vias e receptores de neurotransmissores envolvidos no reflexo do vômito

ETIOLOGIA	EXEMPLOS
Causas viscerais (aferentes vagais simpáticos, receptores D2 e 5HT4)	→ Irritação gástrica → Câncer abdominal → Obstrução intestinal → Constipação → Doença hepática → Distensão visceral → Dor cardíaca → Estase gástrica
Alteração química no sangue ou no líquido cerebrospinal (zona quimiorreceptora do gatilho, receptores D e 5HT3)	→ Fármacos/drogas → Alterações bioquímicas → Toxinas
Alteração vestibular (núcleo vestibular, receptores M e H)	→ Distúrbios posicionais ou do movimento
Sistema nervoso central (receptores H)	→ Dor → Fatores emocionais → Câncer no sistema nervoso central → Pressão intracraniana

5HT3, receptores serotoninérgicos do grupo 3; 5HT4, receptores serotoninérgicos do grupo 4; D2, receptores dopaminérgicos; H1, receptores histamínicos; M, receptores muscarínicos.

neurológicos. Gestação é causa frequente de náusea e deveria ser considerada em todas as mulheres em idade fértil.[1]

Anamnese

Na anamnese, é importante avaliar a duração, a frequência e o horário em que aparecem os sintomas, bem como a gravidade e as características dos vômitos (quando presentes) e demais sintomas associados.

- **duração dos sintomas:** náusea e vômitos, enquanto sintomas agudos, são mais frequentemente associados à gastrenterite de origem infecciosa (na maioria das vezes, de origem viral), à intoxicação alimentar ou a quadros induzidos por fármacos (TABELA 64.3). Outros quadros agudos estão associados a traumatismo craniano, isquemia gastrintestinal, neuronite vestibular, meningite, cetoacidose diabética, pancreatite, hipercalcemia, estados urêmicos e hipoxemia. Já a cronicidade é característica de obstrução mecânica do trato gastrintestinal, doença do refluxo gastresofágico (DRGE), tumores intracranianos, distúrbios de motilidade, colelitíase, causas metabólicas (TABELA 64.4) ou, ainda, causas psicogênicas (TABELA 64.5);
- **horário:** a manifestação dos sintomas nas primeiras horas da manhã sugere gestação, efeito colateral de contraceptivos orais ou outras causas metabólicas ou psicogênicas;
- **conteúdo e odor do material eliminado:** a presença de alimentos digeridos há muitas horas sugere causa obstrutiva (gástrica ou intestinal alta) ou distúrbio motor (gastroparesia); se possuir característica de alimento não digerido, sugere distúrbio esofágico (acalásia) ou bulimia. Hematêmese sugere doença ulcerosa. Conteúdo biliar sugere colecistite. Odor fecal sugere obstrução intestinal baixa, peritonite ou fístula gastrocólica;
- **relação com alimentação:** em casos de distúrbio alimentar ou úlcera em região do piloro, o quadro se manifesta logo após a refeição; quando ocorre cerca de 1 hora depois da refeição, deve-se pensar em distúrbios de obstrução ou de motilidade gástrica (como gastroparesia diabética) ou DRGE. Vômitos tardios são raros e, quando ocorrem, sugerem obstrução gástrica ou atonia. O início súbito de náuseas e vômitos é provavelmente devido à ingestão de uma toxina pré-formada, como a enterotoxina de *Staphylococcus aureus* ou a toxina emética de *Bacillus cereus*, ou um irritante químico. A gastrenterite causada por outros patógenos, principalmente vírus, também pode apresentar-se com vômitos como sintoma predominante.

TABELA 64.3 → Principais grupos farmacológicos associados a quadro de náusea e vômitos

- Quimioterápicos
- Antibióticos
- Xantinas
- Agonistas dopaminérgicos
- Antiparkinsonianos
- Anticonvulsivantes
- Antidepressivos
- Analgésicos opioides
- Anti-inflamatórios não esteroides
- Digitálicos
- Antiarrítmicos
- Diuréticos
- Betabloqueadores
- Antagonistas dos canais de cálcio
- Antidiabéticos orais
- Anticoncepcionais

TABELA 64.4 → Principais distúrbios metabólicos associados a quadro de náusea e vômitos

- Cetoacidose diabética
- Hipertireoidismo
- Hiperparatireoidismo
- Hipoparatireoidismo
- Insuficiência suprarrenal
- Hipercalcemia
- Estados urêmicos
- Hipoxemia
- Porfiria intermitente aguda

TABELA 64.5 → Características clínicas de vômitos induzidos por causas psicogênicas

- Paciente apresenta sintomas há vários anos, podendo revelar presença do sintoma desde a infância ou adolescência
- História familiar de vômitos
- Não é precedido por náusea
- Ocorre logo após a alimentação
- Se necessário, pode ser suprimido
- O apetite costuma ser normal, porém pode apresentar transtorno alimentar associado (anorexia nervosa e bulimia)
- Geralmente são pacientes magros e, em alguns, a perda de peso pode ser intensa

Exame físico

O exame físico ajudará no diagnóstico diferencial e na avaliação da gravidade do problema (ver **TABELA 64.6**). Devem-se observar sinais de desidratação ou perda de peso, icterícia, distensão abdominal, herniações ou presença de massas palpáveis e pressão arterial elevada.

Exames complementares

Patologias agudas

Exames laboratoriais. Devem ser solicitados com critério, caso a origem dos sintomas não esteja claramente identificada na história e no exame físico ou caso os sinais e sintomas indiquem alguma complicação (atentar para o estado hidreletrolítico) ou etiologia grave.[3]

- Hemograma completo, testes de função hepática, medidas de enzimas pancreáticas (amilase/lipase). Considerar perfil metabólico.
- A análise de eletrólitos séricos e função renal deve ser solicitada para os pacientes com depleção de volume, que podem precisar de fluidoterapia intravenosa.
- Em caso de suspeita de meningite ou de pseudotumor cerebral, deve ser realizada uma punção lombar.
- Em caso de suspeita de hepatite viral, devem ser solicitados exames de anticorpos da hepatite A.

TABELA 64.6 → Exame físico do paciente apresentando náusea e vômitos

EXAME FÍSICO	CARACTERÍSTICA ENCONTRADA	DIAGNÓSTICO DIFERENCIAL
Geral	Presença de prega cutânea	Desidratação
	Mucosas secas	
Sinais vitais	Febre	Gastrenterite, colecistite, apendicite, hepatite, perfuração intestinal
	Taquicardia	Desidratação
Cabeça e pescoço	Nistagmo	Neuronite vestibular Insuficiência vertebrobasilar Sangramento ou infarto cerebelar
	Papiledema	Hipertensão intracraniana, tumor ou sangramento no SNC
Abdome	Distensão abdominal	Obstrução intestinal, gastroparesia
	Ondas peristálticas	Obstrução gástrica
	RHA aumentados	Obstrução intestinal
	RHA diminuídos	Íleo
	Hérnias ou cicatrizes cirúrgicas	Possível obstrução intestinal
	Sinais de irritação peritoneal	Apendicite, colecistite Víscera perfurada
Neurológico	Alterações do estado mental	Patologia do SNC
	Alterações cerebelares	
	Alterações no exame dos pares cranianos	

RHA, ruídos hidroaéreos; SNC, sistema nervoso central.

Radiografia de abdome agudo. Sempre pedir em casos de abdome agudo associado (p. ex., causa obstrutiva).

Ultrassonografia (US) abdominal, enema opaco, tomografia computadorizada (TC) de abdome. Em quadros complexos de etiologia indeterminada, suspeitas de quadros obstrutivos ou outras causas orgânicas não elucidadas por investigação simples (p. ex., colecistite, pancreatite).

TC de crânio. Para elucidação de quadros neurológicos.

Patologias crônicas

Exames laboratoriais. Exclusão de causas metabólicas (p. ex., glicose, hormônio estimulante da tireoide [TSH, do inglês *thyroid-stimulating hormone*], hormônio adrenocorticotrófico [ACTH, do inglês *adrenocorticotropic hormone*]).

Exame parasitológico de fezes com pesquisa de *Giardia lamblia* (ver Capítulo Parasitoses Intestinais).

US abdominal. Para elucidação de causas orgânicas (p. ex., colelitíase).

TC de crânio. Para elucidação de causas neurológicas (p. ex., tumores cerebrais).

Estudos da motilidade esofágica.

Endoscopia digestiva alta (EDA). Para elucidação de dispepsia crônica, que muitas vezes se apresenta com náusea e vômitos, sem outros sintomas.

DIAGNÓSTICO DIFERENCIAL

A **TABELA 64.7** apresenta as causas mais comuns, as causas graves que devem ser descartadas e aquelas frequentemente esquecidas no diagnóstico diferencial de náusea e vômitos.

A seguir, são destacadas algumas dessas causas, seja pela sua importância ou por não terem sido abordadas anteriormente neste capítulo.

> Em todas as idades, a gastrenterite está entre as principais causas. As gastrenterites de etiologia viral representam 50 a 70% dos casos agudos.

Na gastrenterite, o tipo e a gravidade dos sintomas dependem da qualidade e da quantidade do microrganismo ou da toxina ingerida. Os sintomas também variam de acordo com a resistência do indivíduo à doença. Iniciam-se de forma súbita ou em até 48 horas, apresentando-se com perda do apetite, náusea ou vômitos. Além disso, o indivíduo pode apresentar ruídos intestinais audíveis, cólicas abdominais e diarreia com ou sem sangue e muco visíveis. A distensão de alças intestinais pelo acúmulo de gás pode provocar dor.[1]

TABELA 64.7 → Estratégia diagnóstica de náusea e vômitos (diagnóstico diferencial)

CAUSAS MAIS PROVÁVEIS
- → Todas as idades: gastrenterite aguda, cinetose, drogas/medicamentos, variadas infecções
- → Lactentes: técnica alimentar inadequada, refluxo gastresofágico
- → Crianças: infecções virais/febre, otite média, infecção do trato urinário
- → Adultos: gastrites, intoxicação alcoólica, gestação, migrânea

CAUSAS GRAVES QUE DEVEM SER DESCARTADAS
- → Obstrução intestinal
- → Atresia esofágica (neonatos)
- → Estenose pilórica (< 3 meses)
- → Rotação intestinal
- → Intussuscepção
- → Malignidade (p. ex., esôfago, estômago)
- → Infecção grave
- → Intoxicação por toxina botulínica
- → Septicemia
- → Meningite/encefalite
- → Endocardite infecciosa
- → Outras (p. ex., hepatite viral aguda)
- → Malignidade
- → Distúrbios intracranianos: malignidade, hemorragia cerebelar
- → Apendicite aguda
- → Pancreatite aguda
- → Infarto agudo do miocárdio

CAUSAS FREQUENTEMENTE ESQUECIDAS
- → Gestação
- → Síndrome dos vômitos cíclicos
- → Falência orgânica: hepática, renal (uremia), cardíaca, respiratória
- → Distúrbios do labirinto: síndrome de Ménière, neuronite vestibular
- → Intoxicação: alimentar, química
- → Distúrbios da motilidade do aparelho digestório: acalásia
- → Íleo paralítico
- → Abuso de substâncias
- → Radioterapia
- → Hipercalcemia
- → Obstrução funcional: gastroparesia diabética, gastroparesia idiopática

Especialmente em crianças, infecções de outros órgãos, como otite média aguda e infecção do trato urinário, também são causa frequente de náusea e vômitos. Em qualquer idade, pode ser manifestação de infecções mais graves, como sepse, meningite/encefalite, endocardite bacteriana e hepatites virais.

No lactente, é importante estar atento para **erros na técnica alimentar**, como oferta excessiva de leite artificial, ingestão excessiva de ar antes ou durante as mamadas e o fato de não deixar a criança arrotar após as mamadas, que podem favorecer regurgitação e vômitos. A **regurgitação simples** ocorre em quase 50% dos bebês. Em 90% deles, os sintomas limitam-se às regurgitações orais e remitem, na maioria dos casos, quando eles atingem a idade de 1 ano. Causas menos comuns, mas que são potencialmente graves no lactente, incluem atresia esofágica, que deve ser suspeitada quando a criança vomita já na primeira mamada após nascer, apresentando também sialorreia e sintomas respiratórios, como tosse, dispneia e tiragem, bem como estenose pilórica, mais comum em meninos, que costuma se manifestar entre a 3ª e a 6ª semana de vida, com vômitos em jato, perda de peso e massa palpável em região epigástrica. (Ver Capítulo Problemas Comuns nos Primeiros Meses de Vida.)

A **síndrome dos vômitos cíclicos**, frequentemente subdiagnosticada, consiste em três ou mais períodos intensos de náusea aguda e vômitos incoercíveis, que duram horas ou dias, com intervalos livres de sintomas (de semanas a meses), não associados a doenças metabólicas e gastrintestinais e doenças estruturais e bioquímicas do SNC. Os episódios tendem a iniciar sempre, em cada paciente, na mesma hora do dia, em geral durante a noite ou bem cedo, pela manhã.[4]

Esse é um diagnóstico de exclusão, que só pode ser feito depois de descartadas causas inflamatórias, metabólicas e neoplásicas. Frequentemente, é observado em crianças, especialmente adolescentes e do sexo feminino, com prevalência estimada de 2% em crianças em idade escolar. A princípio, os episódios podem ser confundidos com uma gastrenterite viral prolongada. A suspeita surge quando o padrão estereotípico se estabelece. Essas crianças, bem como seus familiares, podem apresentar, com frequência relativamente alta, outros sintomas funcionais como enxaquecas, cinetoses e distúrbios gastrintestinais. Acompanhando os vômitos, pode haver palidez, fotofobia, intolerância a odores e barulho, fraqueza, salivação abundante, dor abdominal, cefaleia, taquicardia, hipertensão, febre, diarreia, manchas na pele e leucocitose. Cerca de um terço desses pacientes tem transtornos psiquiátricos como ansiedade e depressão.

TRATAMENTO

A instituição de terapêutica adequada inicia com uma decisão conjunta entre o médico e a pessoa atendida, devendo-se sempre individualizar a situação quanto ao diagnóstico estabelecido e a classificação dos episódios em agudos, crônicos, leves, graves, relacionados com cuidados paliativos (ver Capítulo Cuidados Paliativos), gestação (ver tópico específico a seguir), distúrbios psicogênicos e pós-operatório. Após a identificação de sinais de alerta e intervenções emergenciais apropriadas, é necessária a avaliação dos fluidos e eletrólitos em casos mais intensos, com a reposição adequada (ver Capítulo Diarreia Aguda na Criança).

A maioria dos casos de náusea e vômitos resolve-se espontaneamente, não necessitando de qualquer intervenção. A maioria dos quadros relacionados com infecções é autolimitada e requer intervenções mínimas. Causas iatrogênicas podem ser resolvidas removendo-se o agente agressor.

Quando a causa não pode ser determinada, a terapia empírica com sintomáticos é indicada, utilizando pró-cinéticos e antieméticos. Para sintomas crônicos, outras etiologias devem ser consideradas, como bulimia, ruminação e outras causas funcionais e psicogênicas.[1]

Em alguns casos, a terapêutica proposta pode ser a não farmacológica, optando-se por adaptar alimentação e hábitos ou com o emprego de terapias complementares como fitoterapia, acupuntura e psicoterapia.

Tratamento não farmacológico

Modificação de hábitos

Pode ser útil modificar e evitar hábitos que geram aversão ou náusea. Esses hábitos potencialmente agravadores do quadro incluem alimentação excessiva, escovar os dentes logo após as refeições, realizar mudanças bruscas de posição, dormir pouco e expor-se a odores fortes, calor, umidade ou barulho.

Dieta

Comer antes de sentir fome, fracionar as refeições, reduzir o conteúdo de gorduras da dieta e eliminar bebidas gaseificadas ajudam a evitar os sintomas. Líquidos são mais bem tolerados quando gelados, levemente ácidos (p. ex., limonada) ou com sabor de gengibre e quando tomados em pequenas quantidades entre as refeições C/D.[5]

Aromaterapia

Um estudo realizado em pronto-socorro mostrou que aromaterapia com álcool isopropílico inalado proporciona maior alívio da náusea do que ondansetrona por via oral (VO) isoladamente B.[6] Sugere-se que o uso de aromaterapia com odor refrescante, como limão, menta ou laranja, também pode ser útil C/D.[7]

Acupuntura

Tecnicamente indolor, a acupuntura reduz ansiedade, dor e potenciais efeitos adversos induzidos por fármacos. É indicada sobretudo para o tratamento de náusea e vômitos associados ao pós-operatório B. A acupuntura pode ser considerada uma abordagem adjuvante em casos de náuseas e vômitos como efeito adverso do tratamento por quimioterapia, podendo aliviar a gravidade dos sintomas em comparação com acupuntura *sham* C/D.[7]

Os efeitos mais importantes para o tratamento de náusea e vômitos induzidos por fármacos são obtidos pela eletroacupuntura ou injeção de ponto C/D. Os pontos de acupuntura relacionados com o tratamento de náusea e vômitos, segundo a medicina tradicional chinesa, são P6 B, E36, IG4, Ren Mai

12, E21, E25, B17 a B21.[8] A aplicação de métodos invasivos deve ser efetuada por profissional treinado, reduzindo, assim, a possibilidade de lesões iatrogênicas. O uso de eletroestimulação está contraindicado em portadores de marca-passo.

Tratamento farmacológico

Apesar da ocorrência frequente de náusea e vômitos, existem relativamente poucos estudos avaliando a eficácia dos antieméticos comuns em distúrbios específicos. A maioria dos estudos avalia o benefício das intervenções farmacológicas em pacientes submetidos à quimioterapia ou na prevenção de sintomas no pós-operatório. Estudos determinando a efetividade específica dos medicamentos no contexto de APS são limitados; por isso, um teste com qualquer medicamento pode ser razoável no plano individual.

Em caso de sintomas leves, o tratamento pode ser realizado VO, mas episódios mais graves podem necessitar de terapia parenteral. Existem muitas classes de antieméticos que antagonizam os receptores de neurotransmissores sabidamente envolvidos na fisiopatologia de náusea e vômitos. Os fármacos antieméticos são classificados de acordo com seu sítio primário de ação, mas alguns agem em múltiplos receptores (TABELA 64.8). O conhecimento das vias neuronais e dos neurorreceptores envolvidos aumenta o sucesso do tratamento.[1]

Na gastrenterite em crianças e adolescentes, o uso de antieméticos foi efetivo na cessação de vômitos (NNT = 3-7), reduzindo inclusive necessidade de hospitalização (RRR = 60%) **A**.[9]

Os pró-cinéticos, como a domperidona, também parecem ser efetivos na redução de náusea e vômitos, e são uma alternativa terapêutica interessante em pacientes que apresentam, concomitantemente, dispepsia funcional ou gastroparesia **C/D**.[9–12] No entanto, a domperidona foi proibida em diversos países por causar síndrome do QT longo.

Os agentes pró-cinéticos parecem ser mais eficazes no controle da náusea, enquanto os antieméticos costumam controlar melhor os vômitos. Grande parte dos efeitos adversos secundários aos antieméticos está relacionada com a dose e o tempo de tratamento. Como uma resposta satisfatória costuma ocorrer já nas primeiras doses, recomenda-se que o tratamento seja mantido com a menor dose efetiva e pelo menor tempo necessário.[9,11,12] Um efeito adverso frequente da metocloporamida é as reações extrapiramidais, em especial a acatisia. São mais frequentes em crianças e adultos jovens, especialmente com a administração rápida IV. Por esse motivo, ela está contraindicada em crianças com menos de 1 ano. A TABELA 64.9 mostra a posologia dos principais agentes

TABELA 64.8 → Antieméticos de acordo com mecanismos de ação

AGENTE	LOCAL DE AÇÃO	MECANISMO DE AÇÃO
Anticolinérgicos		
Atropina	Zona do gatilho	Diminuição da captação de estímulos na zona do gatilho
Escopolamina	Receptores no núcleo vestibular	Diminuição da estimulação e condução nas vias biliares
	Receptores muscarínicos no trato gastrintestinal	Inibição da motilidade gastrintestinal
Anti-histamínicos		
Dimenidrinato	Centro do vômito	Alteração das vias neurais originadas no labirinto
Difenidramina	Aparelho vestibular	
Hidroxizina		
Meclozina		
Prometazina		
Antidopaminérgicos		
Fenotiazinas (prometazina, clorpromazina, perfenazina)	Zona do gatilho	Bloqueio dopaminérgico, mas também possuem efeito anti-histamínico e antimuscarínico
Butirofenonas (haloperidol, droperidol)	Zona do gatilho	Bloqueio dopaminérgico
Metoclopramida	Zona do gatilho	Bloqueio direto da zona do gatilho
Domperidona	Receptores dopaminérgicos periféricos	Aumento do esvaziamento gástrico, relaxamento do esfíncter esofágico inferior
Antisserotoninérgicos		
Ondansetrona	Zona do gatilho	Bloqueio serotoninérgico
Dolasetrona	Centro do vômito	
Granisetrona		
Outros		
Antidepressivos tricíclicos	Estruturas centrais	Ação anticolinérgica; outra*
Benzodiazepínicos	Córtex cerebral	Inibição dos estímulos aferentes centrais
Canabinoides	Córtex cerebral	Desconhecido
Corticoides	Estruturas periféricas e centrais	Possível ação antiprostaglandinas

* Provável ação por meio de outros mecanismos ainda não compreendidos.

TABELA 64.9 → Orientações posológicas dos principais agentes antieméticos

FÁRMACO	VIA	DOSE (mg)	INTERVALO (h)
Anticolinérgico			
Atropina	IM, SC, IV	0,4-0,6	4-6
Anti-histamínicos			
Meclozina	VO	25-50	12-24
Prometazina	VO	25	12
	VR, IM	12,5-25	4-6
Difenidramina	VO	50	6
	IM	10-50	2-3
Dimenidrinato	VO, IM	50-100	4-6 (máximo de 400 mg/24 h)
	VR	100	12-24
Antidopaminérgicos			
Metoclopramida	VO, IM, IV	10-30	6-8
Domperidona	VO	10-30	6-8
	VR	60	8
Antisserotoninérgico			
Ondansetrona	VO	8-16	4-8
	IV	8-32	4-8
Outros			
Haloperidol	VO, IM	1,5-10	8-12
Droperidol	IV	2,5-5	2
Amitriptilina	VO	100-400	12-24
Imipramina	VO	50-100	12-24
Diazepam	VO, IV	5-20	24
Lorazepam	SL	1	2-3

IM, intramuscular; IV, intravenoso; SC, subcutâneo; SL, sublingual; VO, via oral; VR, via retal.

antieméticos. Os efeitos adversos e as contraindicações desses medicamentos estão sumarizados na **TABELA 64.10**.

Entre os antieméticos, antagonistas serotoninérgicos como a ondansetrona são mais efetivos e mais bem tolerados, sendo a base do tratamento para controle de êmese aguda desencadeada por agentes quimioterápicos de potencial emetogênico moderado e alto.[9,11,12]

Náusea, vômitos ou tontura devidos à cinetose são as principais indicações para o dimenidrinato e a difenidramina (25-50 mg, 30 minutos antes da exposição ao movimento, e a cada 4-6 horas enquanto durar a exposição; máximo de 300 mg/dia) **B**. A meclozina também pode ser usada (25-50 mg, 1 ×/dia) **C/D**.[13] Existe também a indicação de adesivo de escopolamina (RRR = 52%) **B** e hidrobrometo de escopolamina para cinetose, mas essas apresentações não existem no Brasil. A apresentação existente – butilbrometo de escopolamina – não possui indicação para esse uso.[14,15]

Náusea e vômitos crônicos (funcionais) podem responder a uma dose baixa de antidepressivos tricíclicos (p. ex., amitriptilina 25 mg à noite, começando com 12,5 mg e aumentando lentamente) **C/D**.[16] Para a síndrome dos vômitos cíclicos, os antieméticos parecem não ser efetivos nesses casos. A primeira escolha para abortar as crises é o uso de tratamento antimigranoso, em particular se houver história familiar de enxaqueca. Nesses casos, triptanos podem ser efetivos, podendo ser administrados por via subcutânea, nasal ou VO no início do episódio **C/D** (ver Capítulo Cefaleia).[9,11,17] Pessoas apresentando síndrome dos vômitos cíclicos podem requerer hidratação e medicação IV durante um episódio agudo.

Quando fatores emocionais forem responsáveis pelos sintomas, uma abordagem específica é essencial. Ansiolíticos, como os benzodiazepínicos, podem ser úteis.

Náusea e vômitos devidos à irritação gástrica por fármacos são mais bem manejados pela suspensão do medicamento agressor, se possível, ou por sua administração concomitante com alimentação ou com um antagonista H_2, ou, ainda, por uso do fármaco por via retal.

EMERGÊNCIAS EM ATENÇÃO PRIMÁRIA À SAÚDE

Vômitos representam cerca de 3% das consultas em emergências nos Estados Unidos, com 75% dessas consultas sendo de crianças e adolescentes com idade < 15 anos. Como os vômitos são constituídos predominantemente de cloreto, pacientes com quadro de vômitos estão mais suscetíveis à alcalose metabólica e à hipocalemia, dependendo da quantidade de cloreto gástrico perdido nos episódios de vômitos. Nos casos graves, a reposição de volume com cloreto de sódio hipertônico e cloreto de potássio resolve o desequilíbrio metabólico produzido. O tratamento com bloqueadores H_1 (cimetidina e ranitidina) pode diminuir a secreção de ácido pelo estômago e diminuir a necessidade de fluidos nessas pessoas.[9,12]

Episódios de vômitos prolongados ou forçados podem estar associados à ruptura da mucosa proximal do estômago (Mallory-Weiss) e também raramente à ruptura de esôfago no espaço pleural esquerdo (síndrome de Boerhaave). A herniação da cárdia pelo diafragma durante o vômito pode desencadear essas lesões.

A aspiração do conteúdo gástrico, particularmente por pacientes com diminuição do sensório, pode causar queimadura dos pulmões (síndrome de Mendelson) ou pneumonia por aspiração de conteúdo orofaríngeo.

Antieméticos IV, como a ondansetrona e a metoclopramida, são medicamentos recomendados em adultos com

TABELA 64.10 → Efeitos adversos e contraindicações dos principais agentes antieméticos

FÁRMACO	EFEITOS ADVERSOS COMUNS	EFEITOS ADVERSOS OCASIONAIS	CONTRAINDICAÇÕES
Metoclopramida*	Sedação, agitação, sonolência e fadiga ocorrem em cerca de 10% dos pacientes que recebem a dose-padrão de 10 mg, 4 ×/dia	Reação extrapiramidal, como reações distônicas agudas (0,2%), irritabilidade, constipação, agitação, diarreia, boca seca, edema orbitário, dor e rigidez do pescoço; também pode ocorrer insônia, cefaleia, confusão, depressão com ideação suicida (raramente)	Epilepsia, síndromes extrapiramidais, perfuração ou hemorragia digestiva, obstrução intestinal mecânica, feocromocitoma, hipersensibilidade ao fármaco
Domperidona	Boca seca		
Fenotiazinas*	Sedação	Hipotensão, reação extrapiramidal	Síndrome de Reye, insuficiência cardíaca e hepática; não usar em pacientes comatosos ou em uso de grandes quantidades de depressores do sistema nervoso central (álcool, barbitúricos, narcóticos, etc.)
Butirofenonas		Reação extrapiramidal	Parkinson
Anti-histamínicos*	Sedação, agitação	Efeitos anticolinérgicos, efeitos teratogênicos, reações extrapiramidais, incoordenação, fadiga, visão borrada, euforia, diplopia, nervosismo, tremores, crises convulsivas, crises oculogíricas, excitação, histeria, alucinações; urticária, asma, fotossensibilidade, icterícia colestática	Pacientes comatosos
Anticolinérgicos	Efeitos atropínicos	Retenção urinária, sedação, psicose tóxica	Glaucoma, prostatismo
Antisserotoninérgicos	Diarreia, cefaleia, febre, fadiga, constipação	Casos raros de angina, alterações eletrocardiográficas, hipotensão, taquicardia; *rash* cutâneo	
Corticoides	Letargia, fraqueza, euforia	Edema generalizado	Diabetes instável

* Estão relacionados com comprometimento das habilidades físicas e mentais durante o uso. Orientar os pacientes quanto à precaução ao dirigir ou desempenhar funções que exijam atenção.

náusea e vômitos nas situações de emergência **C/D**. Sugere-se a infusão lenta de metoclopramida, em período de 15 minutos, para reduzir o risco de acatisia.[12]

A prometazina IV pode ser altamente irritante para os vasos sanguíneos e não é recomendada de rotina.

Em especial nas crianças, deve ser feita avaliação do estado geral e do grau de desidratação. Para o tratamento da desidratação, ver Capítulo Diarreia Aguda na Criança.

A **TABELA 64.11** resume a abordagem de náusea e vômitos como situação de urgência.

INDICAÇÕES DE REFERÊNCIA E INTERNAÇÃO HOSPITALAR

O reconhecimento de complicações decorrentes do quadro de náusea e vômitos não solucionadas no atendimento inicial ou que coloquem a pessoa em risco à vida, como déficit nutricional e depleção de fluidos ou eletrólitos (apresentando sinais de desidratação, hipotensão postural), indica a necessidade de avaliação em ambiente hospitalar para instituição de medidas terapêuticas. Deve ser dada atenção especial às pessoas em extremos de idade. Também devem ser referenciados para atendimento em serviço de urgência aqueles que estiverem apresentando quadro sugestivo de obstrução intestinal, emergências neurológicas ou metabólicas.[9,12]

Pessoas que, durante a avaliação, apresentam-se com quadro persistente e sem causa de base estabelecida após investigação inicial no nível primário, deveriam ser referenciadas para avaliação no nível secundário. Quando a suspeita estiver relacionada com uma causa psicogênica, pode ser considerada uma avaliação com profissional da área de saúde mental. Deve-se estar atento ao fato de que tentativas de suicídio podem ocorrer entre pessoas com bulimia ou causas psicogênicas de náusea e vômitos.

SITUAÇÕES ESPECÍFICAS

Crianças

Não é possível recomendar uma abordagem padronizada única para crianças com náusea e vômitos, porque esses sintomas podem ser causados por muitos estados patológicos envolvendo sistemas variados – gastrintestinal, neurológico, renal e psiquiátrico. Crianças pequenas não conseguem descrever a náusea, o que pode complicar o processo diagnóstico. A abordagem deve ser direcionada pela anamnese, levando em consideração os aspectos clínicos de distúrbios específicos e sua frequência relativa nas diferentes faixas etárias, e o tratamento deve ser direcionado para a etiologia.[9,11,12]

As causas mais comuns em crianças são infecções, causas gastrintestinais, efeitos de medicamentos, alergias e intolerâncias alimentares.

Distúrbios metabólicos, eletrolíticos e nutricionais devem ser corrigidos. Intervenções cognitivo-comportamentais são úteis para vômitos associados à dispepsia, à ruminação e à bulimia. Pró-cinéticos como a metoclopramida,

TABELA 64.11 → Manejo de urgência para náusea e vômitos

ANAMNESE
→ Avaliar duração e frequência dos vômitos
→ Caracterizar os episódios de vômitos
→ Identificar sintomas associados

EXAME FÍSICO
→ Verificar sinais de alerta
→ Avaliar estado de hidratação

MEDICAÇÃO INTRAVENOSA
→ Metoclopramida 10 mg
→ Prometazina 25 mg
→ Ondansetrona 4 mg

HIDRATAÇÃO INTRAVENOSA
→ Cloreto de sódio (NaCl) a 0,9% ou Ringer com lactato 1-2 L em 1 hora
→ Cloreto de potássio (KCl) 20 mEq/L ou 0,4-0,5 mEq/kg/h em soro fisiológico*

*Casos graves de desidratação ou hipocalemia (potássio < 2,5).

com dose apropriada, são benéficos quando existe anormalidade da motilidade esofagogástrica. (Ver QR code.)

Em geral, os antieméticos não são recomendados, especialmente se a causa dos vômitos for desconhecida – nem em bebês, nem em pacientes com suspeita de obstrução ou de PIC aumentada. Quando indicados, o uso de antieméticos em crianças tem-se mostrado seguro, e grande parte dos efeitos adversos provocados por esses agentes em crianças deve-se à superdosagem. Um destaque que vem sendo mais discutido é em relação à metoclopramida. Como destacado anteriormente, os efeitos extrapiramidais da metoclopramida são mais comuns em crianças, especialmente em superdosagem ou com administração rápida IV, e ela é contraindicada pela Anvisa em crianças com menos de 1 ano. A **TABELA 64.12** traz a posologia recomendada para alguns antieméticos utilizados em crianças.

Os antieméticos são úteis para evitar distúrbios eletrolíticos em vômitos persistentes. São os medicamentos de escolha para cinetose, vômitos pós-operatórios, síndrome dos vômitos cíclicos e distúrbios da motilidade gastrintestinal. No entanto, não são recomendados em casos de etiologia desconhecida e são contraindicados em crianças com anormalidades anatômicas ou em casos de suspeita clínica de abdome agudo. Geralmente se recomenda evitar seu uso em lactentes.[9,11,12]

A ondansetrona é o antiemético com maior evidência de benefício em crianças, tendo demonstrado eficácia em reduzir vômitos, necessidade de reidratação IV e hospitalizações em crianças com quadro inicial de gastrenterite aguda. Além disso, pode facilitar reidratação oral em crianças com gastrenterite que não toleram ingesta oral. O uso de ondansetrona VO reduziu em 60% as taxas de internação hospitalar (NNT = 17) e a necessidade de reidratação IV em emergência (NNT = 5) **B**.[9,18,19]

TABELA 64.12 → Antieméticos recomendados para crianças

FÁRMACO	VIA	DOSE	INTERVALO ENTRE DOSES (h)
Metoclopramida	VO	Solução oral – 1 mg/mL: * 0,5-1 mg/kg/dia Gotas – 4 mg/mL: 0,6-0,8 gotas/kg/dose	6-8
	IM	0,15 mg/kg (máximo de 10 mg)	6-8
Bromoprida	VO	Solução oral – 1 mg/mL: 0,5-1 mg/kg/dia Gotas – 4 mg/mL: 1-2 gotas/kg/dose	8
	IM	0,15 mg/kg (máximo de 10 mg)	
Dimenidrinato	VO	1,25 mg/kg/dose 5 mg/kg/dia 2-5 anos: máximo de 75 mg/dia 5-10 mL/dose (máximo de 30 mL/dia) 6-12 anos: máximo de 150 mg/dia 10-20 mL/dose (máximo de 60 mL/dia)	6-8
Ondansetrona[†]	VO, IV	0,15 mg/kg (máximo de 8 mg)	8

* No Brasil, não existe a apresentação em solução oral.
IM, intramuscular; IV, intravenoso; VO, via oral.

O uso de meclozina em crianças com idade < 12 anos não possui segurança estabelecida. O dimenidrinato e outros anti-histamínicos podem provocar alucinações, convulsões ou morte em casos de superdosagem. Não foram encontrados relatos de eventos adversos com o uso terapêutico agudo de dimenidrinato em crianças com idade > 6 anos. O dimenidrinato supositório parece ser efetivo, diminuindo em cerca de 8 horas o tempo médio para cessação dos vômitos **B**. A prometazina não é recomendada para crianças com idade < 2 anos, além de possuir risco de depressão respiratória.[9,12]

Gestantes

Náusea e vômitos são comuns na gravidez, ocorrendo mais frequentemente entre 5 e 18 semanas de gestação (mais intensos entre 9-12 semanas, podendo persistir, em algumas mulheres, até o 3º trimestre), com mais intensidade pela manhã, mas podendo ocorrer também em qualquer período do dia.[20]

A patogênese dos sintomas não é bem definida, mas pode estar relacionada com fatores emocionais, variações hormonais (alta concentração de gonadotrofina coriônica humana [hCG, do inglês *human chorionic gonadotropin*]), motilidade gástrica anormal e gastroparesia. Os casos mais graves podem estar associados a distúrbios emocionais, doença trofoblástica gestacional ou gravidez gemelar.[20]

Hiperêmese gravídica é definida como o extremo mais importante dos sintomas e é considerada distúrbio patológico. A incidência de grávidas com sintomas graves varia de 0,3 a 2%. Objetivamente, hiperêmese pode ser definida como vômitos frequentes associados à perda de peso excedendo 5% do peso da gestante, podendo provocar desidratação, alterações eletrolíticas e cetoacidose.

Deve-se, primeiramente, reforçar as medidas não farmacológicas descritas anteriormente **B**.[21] O hábito de descansar ou dormir em determinados períodos do dia, em especial após as refeições, reduz a frequência, a gravidade e a duração da náusea e dos vômitos da gestação **C/D**. Terapia cognitiva baseada em *mindfulness* (atenção plena) somada à vitamina B_6 (piridoxina) reduz vômitos na gravidez **B**.[22] Acupuntura ou acupressão pode ser efetiva **C/D**.[23] A composição da alimentação também é um fator não farmacológico importante na prevenção de náusea na gestante. Refeições à base de proteínas, quando comparadas a refeições ricas em carboidratos, reduziram a frequência de náusea em mulheres no 1º trimestre da gestação **C/D**.[20]

A suplementação com vitamina B_6 10 mg, até 3 ×/dia, possui benefício incerto, podendo reduzir sintomas de náusea, sem efeito sobre vômitos na gestação **B**.[21] O uso de cápsulas de 250 mg de raiz seca de gengibre, 4 ×/dia, parece estar associado à redução de náuseas e vômitos, mas os resultados são pouco consistentes **B**.[24]

Quando as medidas não farmacológicas ou de suplementação nutricional não forem efetivas na redução dos sintomas, o uso de fármacos deve ser considerado. Assim, vários anti-histamínicos têm sido usados e têm demonstrado segurança. Entre eles, o mais estudado é a doxilamina; na dose de 10 mg, 2 a 3 ×/dia, em combinação com a piridoxina, mostrou-se efetiva na melhora dos sintomas **B**. Entretanto, essa associação não está disponível no Brasil, sendo frequentemente utilizada em seu lugar a associação de dimenidrinato com piridoxina (Dramin B6®). A metoclopramida também pode ser utilizada durante o 1º trimestre da gestação **B**, não mostrando risco aumentado de malformações, aborto espontâneo ou redução do crescimento intrauterino. A ondansetrona é tão efetiva quanto a metoclopramida, e apresenta menos paraefeitos **B**.[25]

REFERÊNCIAS

1. Stern RM, Koch KL, Andrews P. Nausea: mechanisms and management. New York: Oxford University Press; 2011.
2. Murtagh J, Rosenblatt J, Coleman J, Murtagh C. Murtagh's general practice. 7. ed. Sydney: McGraw-Hill Education; 2018.
3. Anderson WD, Strayer SM. Evaluation of nausea and vomiting: a case-based approach. Am Fam Physician. 2013;88(6):371–9.
4. Raucci U, Borrelli O, Di Nardo G, Tambucci R, Pavone P, Salvatore S, et al. Cyclic vomiting syndrome in children. Front Neurol. 2020;11:583425.
5. Tóth B, Lantos T, Hegyi P, Viola R, Vasas A, Benkő R, et al. Ginger (Zingiber officinale): an alternative for the prevention of postoperative nausea and vomiting. a meta-analysis. Phytomedicine. 2018;50:8–18.
6. April MD, Oliver JJ, Davis WT, Ong D, Simon EM, Ng PC, et al. Aromatherapy Versus Oral Ondansetron for Antiemetic Therapy Among Adult Emergency Department Patients: A Randomized Controlled Trial. Ann Emerg Med. 2018;72(2):184–93.
7. Li Q-W, Yu M-W, Wang X-M, Yang G-W, Wang H, Zhang C-X, et al. Efficacy of acupuncture in the prevention and treatment of chemotherapy-induced nausea and vomiting in patients with advanced cancer: a multi-center, single-blind, randomized, sham-controlled clinical research. Chin Med. 2020;15:57.

8. Lee A, Chan SKC, Fan LTY. Stimulation of the wrist acupuncture point PC6 for preventing postoperative nausea and vomiting. Cochrane Database Syst Rev. 2015;(11):CD003281.
9. Fedorowicz Z, Jagannath VA, Carter B. Antiemetics for reducing vomiting related to acute gastroenteritis in children and adolescents. Cochrane Database Syst Rev. 2011;(9):CD005506.
10. Sugumar A, Singh A, Pasricha PJ. A systematic review of the efficacy of domperidone for the treatment of diabetic gastroparesis. Clin Gastroenterol Hepatol. 2008;6(7):726–33.
11. Olden KW, Chepyala P. Functional nausea and vomiting. Nat Clin Pract Gastroenterol Hepatol. 2008;5(4):202–8.
12. Patanwala AE, Amini R, Hays DP, Rosen P. Antiemetic therapy for nausea and vomiting in the emergency department. J Emerg Med. 2010;39(3):330–6.
13. Boussageon R, Vanderkam P, Tudrej B, Manach C, Huas C, Rat C, et al. Efficacité clinique de l'acétylleucine, de la méclozine et de la béthahistine dans les vertiges. Exercer. 2017;133:216–23.
14. Kranke P, Morin AM, Roewer N, Eberhart LHJ. Dimenhydrinate for prophylaxis of postoperative nausea and vomiting: a meta-analysis of randomized controlled trials. Acta Anaesthesiol Scand. 2002;46(3):238–44.
15. Spinks A, Wasiak J. Scopolamine (hyoscine) for preventing and treating motion sickness. Cochrane Database Syst Rev. 2011;(6):CD002851.
16. Lu Y, Chen M, Huang Z, Tang C. Antidepressants in the treatment of functional dyspepsia: a systematic review and meta-analysis. PLoS One. 2016;11(6):e0157798.
17. Venkatesan T, Levinthal DJ, Tarbell SE, Jaradeh SS, Hasler WL, Issenman RM, et al. Guidelines on management of cyclic vomiting syndrome in adults by the American Neurogastroenterology and Motility Society and the Cyclic Vomiting Syndrome Association. Neurogastroenterol Motil. 2019;31 Suppl 2:e13604.
18. Epifanio M, Portela J de L, Piva JP, Ferreira CHT, Sarria EE, Mattiello R. Bromopride, metoclopramide, or ondansetron for the treatment of vomiting in the pediatric emergency department: a randomized controlled trial. J Pediatr. 2018;94(1):62–8.
19. American Association of Neurological Surgeons (AANS), American Society of Neuroradiology (ASNR), Cardiovascular and Interventional Radiology Society of Europe (CIRSE), Canadian Interventional Radiology Association (CIRA), Congress of Neurological Surgeons (CNS), European Society of Minimally Invasive Neurological Therapy (ESMINT), European Society of Neuroradiology (ESNR), European Stroke Organization (ESO), Society for Cardiovascular Angiography and Interventions (SCAI), Society of Interventional Radiology (SIR), Society of NeuroInterventional Surgery (SNIS), and World Stroke Organization (WSO), Sacks D, Baxter B, Campbell BCV, Carpenter JS, Cognard C, et al. Multisociety consensus quality improvement revised consensus statement for endovascular therapy of acute ischemic stroke. Int J Stroke. 2018;13(6):612–32.
20. Lacasse A, Rey E, Ferreira E, Morin C, Bérard A. Nausea and vomiting of pregnancy: what about quality of life? BJOG. 2008;115(12):1484–93.
21. Committee on Practice Bulletins-Obstetrics. ACOG practice bulletin no. 189: nausea and vomiting of pregnancy. Obstet Gynecol. 2018;131(1):e15–30.
22. Faramarzi M, Yazdani S, Barat S. A RCT of psychotherapy in women with nausea and vomiting of pregnancy. Hum Reprod. 2015;30(12):2764–73.
23. Boelig RC, Barton SJ, Saccone G, Kelly AJ, Edwards SJ, Berghella V. Interventions for treating hyperemesis gravidarum. Cochrane Database Syst Rev. 2016;(5):CD010607.
24. Matthews A, Haas DM, O'Mathúna DP, Dowswell T. Interventions for nausea and vomiting in early pregnancy. Cochrane Database Syst Rev. 2015;(9):CD007575.
25. Abas MN, Tan PC, Azmi N, Omar SZ. Ondansetron compared with metoclopramide for hyperemesis gravidarum: a randomized controlled trial. Obstet Gynecol. 2014;123(6):1272–9.

Capítulo 65
ICTERÍCIA, ALTERAÇÃO DE TRANSAMINASES E OUTRAS MANIFESTAÇÕES DE PROBLEMAS HEPÁTICOS COMUNS

Fernando Herz Wolff
Rodrigo Caprio Leite de Castro
Matheus Truccolo Michalczuk
Alexandre de Araujo

A incidência de doença hepática vem aumentando em todo o mundo, sendo que, no Brasil, a cirrose hepática é a primeira causa de óbito entre as doenças gastrenterológicas.[1]

Doenças como as hepatites virais, a doença hepática alcoólica, a hepatite medicamentosa e, com importância crescente, a doença hepática gordurosa não alcoólica são diagnósticos comuns em atenção primária à saúde (APS).

Esses diagnósticos podem resultar de investigação específica ou surgir durante a avaliação de pacientes assintomáticos que vão à consulta por alterações de transaminases ou em ultrassonografia (US) abdominal realizada por outras causas ou como rotina de acompanhamento. Além disso, a crescente disponibilidade e sensibilidade dos exames de imagem torna frequente, em consultas de APS, a necessidade de esclarecimento de nódulos hepáticos e esteatose detectados incidentalmente em paciente sem queixas específicas.

Também na APS ocorre a abordagem de pacientes sintomáticos, cirróticos ou não, que se apresentam com icterícia, dor abdominal, ascite, encefalopatia hepática ou estigmas de hepatopatia crônica, necessitando de manejo e investigação iniciais, bem como a identificação das situações que devem ser encaminhadas para atenção secundária ou emergência. (Para diretrizes sobre o manejo de várias sociedades ver QR codes.)

Considerando, ainda, a integralidade e a longitudinalidade do cuidado em APS, ressalta-se a necessidade do manejo de outras comorbidades nos pacientes com hepatopatia e do acompanhamento de pacientes que retornam ao nível primário após terem sido atendidos em centros secundários ou terciários e que precisarão de acompanhamento.

ABORDAGEM DO PACIENTE ASSINTOMÁTICO

Em APS, é frequente deparar-se com pacientes que trazem resultados alterados de exames potencialmente relacionados com doenças hepatobiliares. Também não é raro, na investigação de queixas inespecíficas, serem detectadas alterações laboratoriais ou em US que podem exigir avaliação adicional.

Aminotransferases

As aminotransferases (ou transaminases) – alanina aminotransferase (ALT, ou transaminase glutâmico-pirúvica, TGP) e aspartato aminotransferase (AST, ou transaminase glutâmico-oxaloacética, TGO) – são enzimas hepáticas intracelulares liberadas na circulação quando há comprometimento na membrana do hepatócito. Ambas estão presentes normalmente no soro em pequenas concentrações, e níveis elevados de aminotransferases são indicadores de lesão hepatocelular. Há alguma variação nos limiares de normalidade de transaminases por sexo e faixa etária, devendo-se suspeitar de alteração hepática em mulheres jovens com enzimas > 19 a 25 UI/L e em homens jovens com valores > 29 a 33 UI/L.[2,3]

Além do fígado, a AST também é encontrada no coração, no músculo esquelético, no cérebro, nos rins, no pâncreas, nos pulmões, nos leucócitos e nas hemácias, sendo a ALT mais específica de dano hepatocelular. As causas mais comuns de elevação dessas enzimas em pacientes assintomáticos são hepatites virais crônicas, abuso de álcool, esteato-hepatite não alcoólica e hepatite medicamentosa. Hemocromatose, hepatite autoimune, doença de Wilson e deficiência de α_1-antitripsina são causas menos frequentes.[2–4]

A magnitude da elevação das transaminases é útil na avaliação diagnóstica. Considera-se leve a elevação de transaminases que não supera 5 × o limite superior da normalidade (LSN), moderada quando os valores estão entre 5 e 15 × o LSN e acentuada quando acima de 15 × o LSN. Devido ao extenso diagnóstico diferencial, é útil pensar nas causas mais prováveis, nas causas graves que devem ser consideradas e naquelas frequentemente esquecidas, sem ignorar a possibilidade de estar diante de alguma causa rara (TABELA 65.1).[3]

Abordagem do paciente com alteração de transaminases

A prevalência de hipertransaminasemia assintomática na população em geral varia entre 4 e 22%.[1,2] Como a elevação pode ser transitória em cerca de 30% dos casos,[3] a repetição dos exames é descrita como a medida mais custo-efetiva de abordagem inicial em pacientes sem outros fatores de risco para hepatopatia e sem sinais de gravidade.[2,3]

Medidas iniciais nesse período incluem a suspensão do consumo de álcool e de medicamentos não essenciais com potencial hepatotóxico. Confirmando-se a elevação de transaminases, a investigação complementar inclui as sorologias ou testes rápidos para hepatites virais A (anti-HAV IgM e IgG), B (HBsAg) e C (anti-HCV) (ver Capítulo Hepatites Virais) e a avaliação de colestase (fosfatase alcalina [FA], gamaglutamiltransferase [GGT], bilirrubinas).

A estimativa da função hepática pode ser obtida por meio de provas como albumina sérica, tempo de protrombina (TP) e bilirrubinas. A avaliação para hemocromatose (ferritina e saturação da transferrina), hepatite autoimune (fator antinuclear e antimúsculo liso) e colangite biliar primária (antimitocôndria) está indicada em casos cuja avaliação inicial resulta negativa ou quando há suspeita específica.

TABELA 65.1 → Estratégia diagnóstica para hipertransaminasemia e/ou icterícia

CAUSAS MAIS PROVÁVEIS	PREDOMÍNIO
Hepatites virais A, B, C (considerar D e E em áreas endêmicas)	B e T
Doença hepática alcoólica	B e T
Esteatose e esteato-hepatite	T > B
Cálculos biliares	B > T
Hepatite medicamentosa (incluindo hormônios, "suplementos" nutricionais, fitoterápicos e chás)	B e T
CAUSAS GRAVES QUE DEVEM SER CONSIDERADAS	
Cirrose	B e T
Câncer (de pâncreas, das vias biliares, hepatocelular, metástases)	B e T
Infecções graves ou choque (sepse, colangite, leptospirose)	B e T
Alterações hepáticas da gestação	B e T
CAUSAS FREQUENTEMENTE ESQUECIDAS	
Hemocromatose	T > B
Síndrome de Gilbert	B > T
Hepatite autoimune	B e T
Cirrose biliar primária	B > T
Colangite esclerosante primária	B > T
Doença celíaca	B e T
Hemólise	B > T
Disfunção de tireoide	B e T
Exercício físico vigoroso	T > B
Miopatia	T > B
Síndrome de Budd-Chiari aguda	T > B
Outras infecções (p. ex., vírus Epstein-Barr, citomegalovírus, herpes-vírus, toxoplasmose, tuberculose, sífilis)	T > B
Insuficiência cardíaca	T > B
Doenças infiltrativas (amiloidose, linfoma, sarcoidose)	B e T
Leptospirose	B e T
RARIDADES	
Doença de Wilson	T > B
Deficiência de α_1-antitripsina	T > B
Macro-AST	T > B
Síndrome de Reye	B e T
Ligadura cirúrgica de artéria hepática	B e T

B e T: elevação de bilirrubinas e transaminases – a predominância pode variar.
T > B: o aumento das transaminases é a alteração predominante na maioria dos casos.
B > T: o aumento das bilirrubinas é a alteração predominante na maioria dos casos.
AST, aspartato-aminotransferase.

Em pacientes jovens, especialmente na presença de alteração neuropsiquiátrica, o rastreamento para doença de Wilson com medida da ceruloplasmina sérica deve ser realizado. A US abdominal superior, possibilitando o reconhecimento de esteatose hepática, sinais de cirrose, de hipertensão portal e de obstruções biliares, também faz parte da avaliação de pacientes com elevação de transaminases.[2,5] Vale destacar, no entanto, que a presença de esteatose na US não é suficiente para considerá-la como a causa da elevação de transaminases, devendo sempre ser excluídas outras patologias concomitantes.

Quando, após uma medida inicial alterada sem causa identificada, a repetição das transaminases em 4 semanas resulta normal, esse achado também deve ser interpretado com cautela, já que a flutuação desses valores é comum em hepatopatias crônicas. Sendo assim, em pacientes com elevação de transaminases, 2 a 3 medidas consecutivas normais em um intervalo de 6 a 8 meses estão indicadas para excluir hepatopatia.

Resultados falso-positivos de hipertransaminasemia são mais prováveis em pacientes que têm baixa probabilidade pré-teste de ter doença hepática. Entre as causas de elevação de aminotransferases sem doença hepática estão a doença muscular primária (sugerida por um concomitante aumento de creatinofosfoquinase e lactato desidrogenase [LDH]), a doença celíaca subclínica, o hipo ou hipertireoidismo e a insuficiência suprarrenal.[2,5]

Bilirrubinas

A elevação da bilirrubina não conjugada ocorre devido a eventos que levam ao aumento em sua produção (principalmente por hemólise), defeitos de captação ou conjugação hepática. O aumento nos níveis de bilirrubina conjugada indica defeito na excreção da bilirrubina, por obstrução intra ou extra-hepática, ou defeitos bioquímicos em sua secreção[2,3] (ver Abordagem do paciente sintomático: Icterícia, adiante).

Tempo de protrombina

O tempo de protrombina (TP) reflete, de forma indireta, a função de síntese hepatocelular, pois depende da atividade dos fatores de coagulação I, II, V, VII e X que são produzidos pelo fígado. Portanto, um TP prolongado sugere déficit na função hepática quando excluídos uso de anticoagulantes orais, deficiência de vitamina K e coagulopatia por consumo.[2,4] O TP é o exame da prática clínica mais utilizado para estimar a gravidade da disfunção hepática, seja em casos agudos ou crônicos.

A alteração do TP na vigência de hepatopatia aguda indica a necessidade de avaliação especializada pelo potencial de evolução para formas graves ou fulminantes, ao passo que elevações, mesmo que acentuadas, de transaminases com TP normal sugerem função hepática preservada. Já em pacientes com hepatopatia crônica, a alteração do TP está associada à evolução da doença, à progressão da insuficiência hepática e à mortalidade, estando, por isso, presente nos principais escores utilizados na avaliação de gravidade da doença hepática, como o Child-Pugh e o Modelo para Doença Hepática Terminal (MELD [do inglês, *Model for End-Stage liver Disease*]).

Albumina

A albumina é uma proteína sintetizada pelos hepatócitos, e seus níveis encontram-se diminuídos em casos de hepatopatia crônica terminal, sendo importante fator prognóstico na cirrose. Porém, diversas outras situações podem influenciar seus níveis, como desnutrição proteico-calórica, síndrome nefrótica, quadros de má-absorção intestinal e estados hipercatabólicos.[3]

Fosfatase alcalina

A FA é uma enzima encontrada na superfície dos ductos biliares. Sua síntese e liberação aumentam em quadros colestáticos. Ela tem meia-vida aproximada de 7 dias, fato que explica por que seus níveis se elevam tardiamente e diminuem lentamente em um cenário de colestase.

Elevações de FA devem ser investigadas com exames de imagem para definição do sítio de colestase (intra ou extra-hepático). A FA também pode estar elevada na ausência de hepatopatia em adolescentes, devido à atividade óssea aumentada, em gestantes, sobretudo no terceiro trimestre, devido à atividade placentária, além de outras situações menos comuns, como doenças ósseas, ou origem intestinal, renal ou leucocitária. A origem hepatobiliar da FA pode ser suspeitada quando há elevação concomitante de GGT (ver adiante), transaminases, bilirrubinas ou anormalidades na US abdominal.[2,4]

Gamaglutamiltransferase

A GGT é uma enzima microssomal, presente principalmente nos hepatócitos e nas células do epitélio biliar. Também é encontrada nos microtúbulos renais, no pâncreas e no intestino.

Os mecanismos de alteração e etiologia de aumento da GGT são similares aos descritos para a FA, porém a atividade da GGT pode ser induzida por uma série de medicamentos, como anticonvulsivantes e contraceptivos orais. Além disso, podem ser observados níveis elevados na doença pulmonar obstrutiva crônica, na insuficiência renal e no infarto agudo do miocárdio. Na doença hepática alcoólica, devido à indução enzimática e à deficiência em sua depuração, os níveis de GGT também estão aumentados.

Quando o aumento de GGT é associado à elevação de AST e ALT, sendo a relação AST:ALT > 2:1 e ambas não superam 300 UI/L, deve ser fortemente considerada a possibilidade de doença hepática alcoólica. Devido à sua pequena especificidade, elevações isoladas de GGT não devem ser consideradas diagnósticos de hepatopatia e tampouco de alcoolismo.

Ultrassonografia com alteração hepática

A descrição de lesão nodular hepática e o aumento de ecogenicidade associada à esteatose são comuns em USs de pacientes assintomáticos ou sem queixas relacionadas com os achados.[2,4]

ABORDAGEM DO PACIENTE SINTOMÁTICO

Na maioria dos casos, o diagnóstico de doença hepática em pacientes sintomáticos pode ser realizado por história, exame físico, exames laboratoriais básicos e US abdominal. As doenças hepáticas, embora muitas vezes necessitem de cuidados na atenção secundária ou em emergência clínica, devem ser reconhecidas na APS, para que o encaminhamento seja realizado adequadamente.

As principais apresentações clínicas das doenças hepáticas incluem a icterícia, a dor abdominal, a ascite, a encefalopatia hepática e os sinais de hepatopatia crônica, também conhecidos como estigmas de hepatopatia crônica.

Icterícia

Icterícia é uma apresentação comum das doenças do fígado. É caracterizada pela coloração amarelada da pele e das mucosas devido à deposição de bilirrubina nesses tecidos. A icterícia torna-se detectável com níveis > 2 a 3 mg/dL, dependendo da cor da pele do paciente. Os locais mais sensíveis para a observação da icterícia são as mucosas da conjuntiva inferior e da cavidade oral.

A coloração amarelada da pele na ausência de hiperbilirrubinemia pode ocorrer em condições como hiperlipidemia, diabetes melito, nefrite e hipotireoidismo, embora a causa mais comum seja consumo excessivo de alimentos ricos em betacaroteno (verduras, legumes e frutas amarelas, alaranjadas ou verde-escuras). Neste último caso, a coloração amarelada não acomete as mucosas, mas sim as palmas das mãos e as plantas dos pés.

A classificação fisiopatológica da icterícia é uma abordagem útil no reconhecimento de dois grupos distintos de patologias: as icterícias com predomínio da forma indireta (não conjugada) ou direta (conjugada). O catabolismo das moléculas heme originadas nas hemácias senescentes origina a bilirrubina indireta, que é transportada no sangue ligada à albumina, até ser captada e conjugada pelo hepatócito, para então, na forma direta, ser excretada na bile por meio dos canais biliares até o duodeno. A **TABELA 65.1**, apresentada anteriormente, também lista o diagnóstico diferencial da elevação das bilirrubinas e da icterícia.

A hiperbilirrubinemia indireta (não conjugada) é causada pelo aumento da liberação de bilirrubinas, como ocorre na hemólise (anemia hemolítica, eritropoiese não efetiva, transfusão sanguínea, reabsorção de hematomas, entre outros – ver Capítulo Anemias no Adulto), ou pela diminuição da captação ou conjugação da bilirrubina pelos hepatócitos vistas, por exemplo, na síndrome de Gilbert.

A hiperbilirrubinemia direta (conjugada) é causada por alterações na excreção da bile após a conjugação e pode ser de causa intra ou extra-hepática. As causas intra-hepáticas se devem à lesão hepatocelular ou à obstrução intra-hepática à circulação da bile (colestase intra-hepática). A colestase extra-hepática ocorre pela obstrução ao fluxo da bile em algum local entre o hilo hepático e a papila duodenal (ampola de Vater). Nas colestases, embora ocorra também certo aumento de bilirrubina indireta, há aumento preponderante da bilirrubina direta.

São causas de colestase intra-hepática: as doenças hepatocelulares agudas ou crônicas como as hepatites virais agudas, as hepatites medicamentosas ou tóxicas, a hepatite alcoólica, a hepatite autoimune, a cirrose biliar primária, os distúrbios metabólicos do cobre (doença de Wilson) e do ferro (hemocromatose) ou a deficiência de α_1-antitripsina, além dos estágios avançados de cirrose de qualquer etiologia. Doenças granulomatosas, neoplasias hepáticas primárias ou metastáticas, sarcoidose ou amiloidose, e alterações hepáticas da gestação (colestase benigna ou doença hepática gordurosa) também são causas de hiperbilirrubinemia direta de causa intra-hepática.

Entre as causas de colestase extra-hepática, estão a coledocolitíase, as neoplasias periampulares (neoplasias das vias biliares, pâncreas, papila ou duodeno), os linfomas ou adenomegalias comprometendo o hilo hepático, as colangites infecciosas, a colangite esclerosante primária, a compressão do colédoco por cálculo no ducto cístico (síndrome de Mirizzi) ou a lesão biliar secundária à cirurgia prévia.

A hiperbilirrubinemia conjugada (direta) é a forma mais comum de icterícia. Em pacientes jovens, as causas mais prevalentes são as hepatites agudas, enquanto, em adultos e idosos, prevalecem os casos de litíase biliar, cirrose e neoplasias, além da hepatite medicamentosa. A história e o exame físico fornecem dados fundamentais para o diagnóstico ou a indicação da fisiopatologia subjacente, confirmada, na maioria dos casos, por testes laboratoriais básicos e/ou US abdominal.

A colúria e a acolia confirmam a hiperbilirrubinemia conjugada e estão presentes tanto nas doenças hepatocelulares como nas doenças obstrutivas. Outros sintomas frequentes em pacientes ictéricos são prurido, anorexia, náuseas e vômitos, porém são achados que pouco contribuem para a elucidação diagnóstica.

Na história, a presença de icterícia associada à dor abdominal aguda, intermitente, intensa, com irradiação para o dorso, sugere obstrução biliar por litíase, enquanto a associação com dor persistente, leve a moderada, associada a mal-estar, mialgia e febre baixa sugere a possibilidade de hepatite viral.

A possibilidade de neoplasia obstrutiva deve ser lembrada na presença de icterícia progressiva, associada à perda de peso e ao desconforto ou dor abdominal, sobremaneira em adultos e idosos. Icterícia acompanhada de febre, calafrios e dor abdominal no hipocôndrio direito (tríade de Charcot) é característica de colangite, seja associada à litíase ou à neoplasia. A história de alcoolismo na vigência de icterícia deve levar à suspeita de hepatite alcoólica ou cirrose.

Outros dados relevantes da história clínica são a presença de comorbidades, como a síndrome da imunodeficiência adquirida (Aids, do inglês *acquired immunodeficiency syndrome*), que aumenta o risco de hepatites por agentes oportunistas. O uso de qualquer tipo de medicamento, suplemento alimentar/vitamínico, produtos "naturais" e chás deve ser detalhadamente investigado nos pacientes ictéricos pela possibilidade de hepatite/colestase medicamentosa ou tóxica. A história de cirurgia prévia da árvore biliar, incluindo colecistectomia, exige investigação de causas obstrutivas extra-hepáticas. Icterícia flutuante ou episódica ocorre na síndrome de Gilbert, presente em 3 a 7% da população, sendo caracterizada por hiperbilirrubinemia não conjugada.

Ao exame físico, são indicadores de doença hepática crônica: a atrofia hepática (fígado não palpável ou com superfície irregular, reduzido de tamanho à percussão, aumento da proporção entre os lobos esquerdo e direito), a hipertensão portal (ascite, esplenomegalia, circulação colateral no abdome), o asteríxis (*flapping*), as aranhas vasculares, a ginecomastia e o eritema palmar.

Hepatomegalia pode ocorrer nas hepatites agudas ou crônicas não avançadas, nos casos de obstrução extra-hepática, na infiltração hepática por neoplasias e na congestão hepática, seja por causa cardíaca ou por obstrução das veias supra-hepáticas (síndrome de Budd-Chiari). A vesícula biliar palpável e não dolorosa (sinal de Courvoisier-Terrier) sugere obstrução maligna da via biliar distal. A presença do sinal de Murphy (suspensão da inspiração por dor à palpação abdominal abaixo do rebordo costal direito) é indicativa de colecistite (a icterícia presente em um quadro de colecistite é indicativa de obstrução concomitante).

Na avaliação laboratorial do paciente com icterícia, a dosagem de bilirrubina total e frações (direta e indireta) confirma e quantifica a impressão clínica, além de indicar o mecanismo fisiopatológico envolvido. Hemograma, contagem de reticulócitos, LDH e esfregaço do sangue periférico são úteis para descartar hemólise. Leucocitose no hemograma sugere infecção ou hepatite alcoólica. Os marcadores virais para hepatites A, B e C devem ser realizados na suspeita de causas hepatocelulares.

Outros exames laboratoriais de função hepática (TP, albumina), de dano hepatocelular (TGO e TGP) e de colestase (FA e GGT) são importantes na complementação diagnóstica inicial. Em paciente com suspeita de lesão obstrutiva ou neoplásica, a US abdominal é o exame inicial de escolha.

Exames específicos podem ser solicitados após os primeiros resultados para investigar hepatite autoimune (anticorpos antinuclear e antimúsculo liso), colangite biliar primária (anticorpo antimitocôndria), doença de Wilson (ceruloplasmina), hemocromatose (ferritina e saturação de transferrina) e deficiência de α_1-antitripsina. A avaliação detalhada da via biliar por exames de imagem adicionais está indicada em casos específicos, sendo a ressonância magnética (RM) com colangiorressonância a opção para prosseguimento da investigação quando necessário.

O encaminhamento para emergência, atenção secundária ambulatorial ou internação hospitalar depende do acesso a esses serviços e da condição clínica do paciente. Quadros infecciosos como colangite ou colecistite, descritos em mais detalhes adiante, devem ser manejados em emergência; quadros sugestivos de obstrução biliar podem ser investigados em internação hospitalar, visando ao rápido diagnóstico por meio de exames de imagem complementares (tomografia computadorizada [TC], RM, colangiorressonância) e à instituição do tratamento, como antibioticoterapia intravenosa, colangiografia endoscópica retrógrada ou cirurgia.

Dor abdominal

Na anamnese do paciente com dor abdominal, devem ser abordados o tempo de início da dor, a sua intensidade e qualidade, a irradiação, os fatores desencadeantes e de alívio, além da ocorrência de febre, calafrios, mal-estar, fraqueza, anorexia, náuseas, vômitos, icterícia, colúria, acolia, hematêmese, melena, emagrecimento, episódios prévios ou recorrentes de dor e história de cirurgias abdominais.

As localizações da dor no hipocôndrio direito ou no epigástrio são, entre as dores abdominais, as que, potencialmente, estão mais associadas a etiologias hepatobiliares, ainda que patologias gastroduodenais, renais, colônicas e pancreáticas também possam manifestar-se com dor nesses locais. Assim como na avaliação da icterícia, o conhecimento da história de alcoolismo, das comorbidades atuais e prévias e dos medicamentos usados nas últimas 2 semanas também é importante na investigação da causa da dor. O exame físico do abdome é fundamental para a avaliação diagnóstica, devendo ser realizadas a inspeção, a ausculta, a percussão e a palpação superficial e profunda.

A cólica biliar consiste, em geral, em dor abdominal aguda, localizada no hipocôndrio direito, intermitente, intensa, com irradiação para o dorso, e iniciada após as refeições. A colecistite é caracterizada pela associação da dor com febre, anorexia, náusea e vômito, além da presença do sinal de Murphy. A tríade de Charcot (dor, febre e icterícia) é característica de colangite. A distensão ou inflamação da cápsula hepática (peritônio parietal) por hepatomegalia também pode ocasionar dor/desconforto no hipocôndrio direito, como acontece em casos de hepatite aguda, abscesso, neoplasias hepáticas e congestão hepática.

Causas não hepatobiliares de dor atingindo o epigástrio e o hipocôndrio direito são doença péptica, gastrenterites e colites, suboclusão e obstrução intestinal, diverticulite, pancreatite, apendicite, doenças vasculares abdominais (colite isquêmica, isquemia mesentérica), urolitíase, isquemia e infarto do miocárdio, pericardite, pneumonias, herpes-zóster, entre outras (ver Capítulos Avaliação Inicial da Dor Abdominal Aguda e Dispepsia e Refluxo).

Em situações de urgência, o médico de APS deve encaminhar o paciente para nível secundário ou emergência clínica, conforme sua condição clínica, e acesso a exames complementares, como radiografia e US de abdome e vias urinárias, TC, RM e endoscopia/colonoscopia.

Ascite

Ascite significa líquido livre na cavidade peritoneal, podendo ser suspeitada, na inspeção, por ocorrência de abdome globoso ou, ainda, abdome em aventar. A presença de macicez móvel à percussão confirma a ascite, sendo necessários cerca de 1.500 mL de líquido para o diagnóstico clínico. O sinal do piparote ou da onda líquida é pouco sensível, pois está presente em pacientes com ascite > 5 L.

Na dúvida diagnóstica, a US é útil, evidenciando volumes mínimos, a partir de cerca de 100 mL. Para a investigação etiológica da ascite, a paracentese é, na maioria das vezes, necessária. A paracentese permite a contagem celular total e diferencial, citopatológico (pesquisa de células neoplásicas), bacterioscopia, cultura e bioquímica (sendo especialmente importantes a albumina e as proteínas totais).

O gradiente de albumina soro-ascite (GASA), calculado a partir da diferença entre a albumina sérica e a albumina do líquido de ascite, é o teste de escolha, com acurácia de 97% na diferenciação de ascites associadas à hipertensão portal (GASA ≥ 1,1 g/dL) daquelas não associadas à hipertensão portal (GASA < 1,1 g/dL). O cálculo do GASA é superior ao conceito de transudato e exsudato, devendo-se substituir esses conceitos pela descrição de ascite com GASA alto (≥ 1,1) ou baixo (< 1,1).[6]

As causas mais comuns de ascite com GASA elevado são cirrose e insuficiência cardíaca. Causas menos comuns são trombose das veias supra-hepáticas (síndrome de Budd-Chiari), hepatite alcoólica, neoplasias hepáticas extensas e pericardite constritiva. Ascite com GASA < 1,1 g/dL indica outra causa que não seja a hipertensão portal como causa da ascite, sugerindo primariamente carcinomatose ou tuberculose peritoneais. Causas menos frequentes de ascite com GASA baixo são pancreatite, serosite e síndrome nefrótica.

Na paracentese de pacientes cirróticos ou com suspeita de cirrose, a exclusão de peritonite bacteriana espontânea é fundamental e deve ser realizada pela contagem de polimorfonucleares no líquido de ascite. Contagens ≥ 250 células/mm^3 devem ser consideradas diagnósticas desse tipo de infecção e indicam necessidade de tratamento imediato.[7] Em APS, o paciente com ascite deve ser encaminhado para paracentese e manejo conforme a causa.

> **Pacientes com um primeiro episódio de ascite ou cirróticos com piora rápida da ascite devem ser avaliados em serviço de emergência com brevidade, para definição da etiologia e identificação de infecção. Nos casos em que o paciente apresenta ascite cronicamente, e houve reacúmulo de líquido, o encaminhamento pode ser feito em poucos dias, visando ao ajuste do medicamento e à detecção de fatores contribuintes para a descompensação.**

Encefalopatia hepática

A encefalopatia hepática, ou encefalopatia portossistêmica (EPS), é uma síndrome neuropsiquiátrica que indica insuficiência hepática, seja por evolução da cirrose, descompensação aguda da cirrose ou hepatite aguda grave ou fulminante. São fatores precipitantes de EPS em pacientes cirróticos as infecções, o sangramento gastrintestinal, a anemia, a hipoglicemia, os distúrbios hidreletrolíticos (desidratação, hipocalemia, alcalose metabólica, uso de diuréticos), a insuficiência renal, a constipação e o uso de benzodiazepínicos ou sedativos. Raramente, dieta hiperproteica pode ser considerada precipante de EPS. Mesmo assim, dietas restritas em proteínas não estão indicadas em pacientes cirróticos devido ao risco de desnutrição e hipoalbuminemia.

O diagnóstico da EPS é essencialmente clínico, não sendo utilizados exames complementares de rotina. Observam-se progressivamente na encefalopatia, no estágio 1, alterações do humor, diminuição da atenção ou da capacidade de concentração, sonolência ou insônia, alteração do ciclo sono-vigília, incoordenação motora e alterações leves na fala. No estágio 2, observam-se letargia ou apatia, desorientação intermitente, comportamentos inadequados, asteríxis (*flapping*), déficits mentais grosseiros com incapacidade de realizar tarefas mentais simples, além de progressão das alterações apresentadas antes, como alteração do ciclo sono-vigília e piora da fala. No estágio 3, o paciente encontra-se sonolento, incapaz de realizar tarefas mentais, desorientado, confuso e com fala incompreensível. No estágio 4, há perda de reflexos, nistagmo e inconsciência (coma).

Estágios precoces da encefalopatia, chamados de EPS subclínica ou mínima, têm sido identificados com mais frequência, observando-se que pacientes cirróticos, mesmo antes de apresentarem as manifestações típicas da encefalopatia, podem apresentar alterações em exames psicométricos, prejuízo da capacidade intelectual e da qualidade de vida.[7]

O diagnóstico diferencial com lesões intracranianas (p. ex., neoplasias), infecções, alterações metabólicas (p. ex., hipoglicemia, distúrbio hidreletrolítico, uremia) e encefalopatia pós-convulsional ou alcoólica deve ser considerado. A investigação complementar pode exigir TC de crânio, punção lombar, eletrencefalograma, hemograma, eletrólitos, função hepática e renal, paracentese diagnóstica, gasometria, hemo e urocultura, sendo realizada em atenção secundária ou em emergência clínica.

Uma vez diagnosticada a encefalopatia sem fator desencadeante que exija tratamento específico, a manutenção e os ajustes no manejo podem ser realizados em APS.[8] A base do tratamento, nesses casos, inclui a administração de lactulose (20-30 mL, via oral [VO], 2-4 ×/dia; ou enemas de 300 mL diluídos em 700 mL de água, via retal, 1-2 ×/dia), devendo a dose ser ajustada a fim de obter 2 a 3 evacuações amolecidas por dia, evitando a constipação ou a diarreia (RRR = 38%; NNT = 4-223).[9]

Antibióticos não absorvíveis, como o metronidazol (250 mg, VO, 8/8 horas) ou a rifaximina (ainda não disponível no Brasil), também podem ser utilizados, melhorando sintomas da encefalopatia clínica **B**.[9] A escolha deve ser feita por disponibilidade, preferência e perfil de efeitos adversos.[10] Contudo, a rifaximina provou ser efetiva na prevenção de recorrência de encefalopatia, reduzindo em cerca de 60% a recidiva de novo episódio em 6 meses (NNT = 4) e em 50% a hospitalização por EPS (NNT = 9) **B**.[11] Além disso, mostrou-se benéfica no controle de encefalopatia mínima (subclínica), com melhora na qualidade de vida, nos testes psicométricos e nas atividades do dia a dia, como dirigir **A**.[12-14]

A administração de l-ornitina-l-aspartato (6 g, VO, 3 ×/dia) também foi superior ao placebo no controle da encefalopatia leve sintomática, promovendo melhora sintomática e da qualidade de vida nesses pacientes (RRR = 30%; NNT

= 6-13) **B**;[15,16] porém, seu benefício na encefalopatia subclínica ou mínima segue incerto.

Não há evidências suficientes para indicação de dieta hipoproteica no manejo da EPS, pois, além de não contribuir para a melhora da encefalopatia, pode piorar o estado nutricional dos pacientes.

Outros sinais, sintomas e alterações laboratoriais de hepatopatia crônica

Outras alterações frequentes em pacientes com hepatopatias crônicas, especialmente já na fase cirrótica, estão associadas à hipertensão portal, como esplenomegalia, hemorragia digestiva (por varizes esofagogástricas), ascite, circulação colateral no abdome e citopenias (anemia, leucopenia, plaquetopenia). Outras alterações são ginecomastia, atrofia testicular, aranhas vasculares no tronco e eritema palmar.

BIÓPSIA HEPÁTICA

A biópsia hepática é realizada, em geral, por via percutânea guiada por US. A taxa de complicações graves (sangramento, pneumotórax, peritonite biliar e morte) é baixa, estimada em 0,1 a 0,3%. É comum haver alguma dor local ou com irradiação para as costas e o ombro direito nas primeiras horas após o procedimento. Entretanto, dor intensa, dificuldade respiratória ou sinais e sintomas de hipotensão exigem encaminhamento ao serviço de emergência para avaliação.

A obtenção de fragmento do fígado para exame histológico apresenta três objetivos: 1) diagnóstico, 2) estadiamento e prognóstico e 3) decisão terapêutica. Com finalidade diagnóstica, a análise histológica do fígado é útil em casos atípicos para realizar diagnóstico diferencial ou quando há doenças concomitantes para identificar o fator predominante, como hepatite crônica C associada a esteatose e/ou hemocromatose. Além disso, permite identificar síndrome de sobreposição nas hepatopatias autoimunes.

Quando há insuficiência hepática aguda grave, a biópsia pode identificar o fator etiológico específico, permitindo propor o tratamento a seguir, como hepatite por herpes simples, hepatite autoimune, doença de Wilson ou infiltração hepática neoplásica. Quando há hepatomegalia relevante secundária a processo infiltrativo hepático, a biópsia permite diferenciar amiloidose ou sarcoidose de neoplasias infiltrativas hepáticas. Além disso, a biópsia hepática tem papel na investigação de alteração de enzimas hepáticas sem etiologia definida, de febre de origem obscura e de lesões hepáticas focais.

Considerando o estadiamento, a biópsia hepática pode avaliar a gravidade da doença por meio da fibrose, que é precursora da cirrose, preditora de complicações da hipertensão portal e correlaciona-se com a morbimortalidade. Quanto à decisão terapêutica, a biópsia hepática pode apresentar alterações indicativas de tratamento, como na hepatite autoimune, na hemocromatose, entre outras.

Apesar das utilidades da biópsia de fígado, há um pequeno risco de complicações, é necessária uma amostra representativa do tecido hepático e ocorre uma considerável taxa de discordância diagnóstica e erro amostral, podendo ocorrer falsos-positivos ou falsos-negativos em aproximadamente um terço dos casos para avaliação do estadiamento de fibrose.[17]

Por esses motivos, há um crescente desenvolvimento de métodos não invasivos para estadiamento da fibrose hepática. Esses métodos podem ser biomarcadores séricos ou físicos. Os biomarcadores utilizam amostras do sangue para estimar a fibrose hepática. Podem ser patenteados, como o FibroTest®, que utiliza uma fórmula considerando análise de produtos da matriz do colágeno ou podem utilizar fórmulas que incluem exames da prática clínica, como o APRI e FIB-4. O APRI (*AST to platelet ratio index*) é um marcador preditivo de cirrose simples e rápido, calculado pela fórmula AST / LSN × 100 / plaquetas (10^9/L). Esse teste apresenta acurácia de 80% para detectar fibrose avançada (F4) utilizando ponto de corte > 1,5 e ausência de fibrose significativa (F0 ou F1) com ponto de corte ≤ 0,5. Os métodos físicos utilizam aparelhos para avaliar a elasticidade do tecido hepático, denominada elastografia. A redução da elasticidade (ou maior rigidez do parênquima) se correlaciona com maior fibrose. A elastografia pode ser mensurada por meio de ondas de vibração tecidual (FibroScan®), por RM ou por US. Esses testes apresentam acurácia de 80 a 95%, considerando a biópsia como padrão de referência, com melhor desempenho para estimar fibrose nos seus extremos (ausência ou fibrose leve e fibrose avançada).[18]

PROBLEMAS HEPÁTICOS COMUNS

Doença hepática gordurosa não alcoólica

A doença hepática gordurosa não alcoólica (DHGNA) é hoje reconhecida como a causa mais comum de disfunção hepática; sua prevalência é estimada em 14 a 34% na população em geral, sendo esperado que, com o aumento da obesidade e do diabetes melito, a frequência de DHGNA continue a aumentar. Além disso, por sua natureza insidiosa e assintomática, identificar os pacientes com doença avançada, nos quais intervenções específicas podem ser necessárias, torna-se um desafio da prática clínica em APS.

A doença hepática gordurosa é caracterizada pelo acúmulo de triglicerídeos no citoplasma dos hepatócitos, com componente total de gordura correspondendo a uma taxa > 5 a 10% da massa hepática.

Em geral, o paciente apresenta-se assintomático, mas uma pequena parcela de pacientes pode apresentar sintomas abdominais inespecíficos e desconforto em hipocôndrio direito, presumivelmente devido à hepatomegalia.

A DHGNA ocorre quando há esteatose em paciente sem história de consumo excessivo de álcool, e é considerada como a manifestação hepática da síndrome metabólica, conceituada como a reunião de distúrbios metabólicos incluindo obesidade visceral, baixos índices de colesterol HDL (do inglês *high-density lipoprotein* [lipoproteína de alta densidade]), hipertrigliceridemia, hipertensão arterial sistêmica e alteração nos níveis glicêmicos.[19] Em pacientes com consumo de álcool > 20 g/dia, não se pode excluir a associação de doença hepática gordurosa alcoólica (DHGA).

Alterações em enzimas hepáticas em geral são discretas e não suficientemente sensíveis ou específicas para apoiar o diagnóstico; porém, a elevação de aminotransferases e FA ou GGT leva à suspeita de esteato-hepatite não alcoólica (EHNA), e não apenas esteatose.

O espectro da DHGNA engloba a esteatose, a EHNA, a cirrose e suas complicações, incluindo o carcinoma hepatocelular. Dos indivíduos que desenvolvem EHNA, cerca de 20% evoluem para cirrose durante a vida.[20] Portanto, um diagnóstico de EHNA deve resultar em uma abordagem terapêutica mais agressiva para os fatores de risco metabólicos envolvidos na gênese da DHGNA.

Também é importante destacar que, mesmo que a DHGNA possa evoluir para cirrose, a principal causa de morte entre indivíduos com DHGNA é a doença cardiovascular. Portanto, a esteatose e a EHNA servem como marcador de risco cardiovascular, devendo ser um alerta para os pacientes para um melhor controle dos componentes da síndrome metabólica (hipertensão, dislipidemia, obesidade, diabetes).

Clinicamente, não há como diferenciar os pacientes com esteatose dos portadores de EHNA, já que esta é uma diferenciação histológica. Porém, a indicação de biópsia para análise histológica deve ser individualizada e reservada para indivíduos com esteatose de longa duração, diabetes, síndrome metabólica, obesidade ou alteração de enzimas hepáticas.[21-23] Além disso, deve-se considerar se o resultado da biópsia vai alterar a conduta, já que, muitas vezes, existe a indicação do tratamento das comorbidades associadas independentemente da intensidade e da gravidade da doença hepática.

Variáveis associadas à maior gravidade e à chance de progressão da DHGNA são obesidade, idade avançada, presença de diabetes e hipertensão arterial sistêmica.[24]

O tratamento da DHGNA deve ser direcionado ao controle dos fatores de risco e das doenças metabólicas associadas ao seu desenvolvimento, como diabetes, hipertensão arterial sistêmica, dislipidemia e obesidade. Em pacientes com consumo excessivo de álcool e suspeita de DHGA associada, a abstenção alcoólica deve ser recomendada.[25,26]

Hepatites virais

Hepatites virais são causadas por diversos agentes e podem ser classificadas em agudas e crônicas (ver Capítulo Hepatites Virais).

Hepatite medicamentosa

A toxicidade hepática causada por medicamentos é uma situação clínica potencialmente grave, com implicações para pacientes, profissionais de saúde, indústria farmacêutica e agências de regulamentação governamental. A hepatite medicamentosa pode ser dose-dependente, como a induzida por paracetamol, ou idiossincrásica.

Os fatores de risco e a patogênese da hepatite medicamentosa idiossincrásica são mal compreendidos. A apresentação clínica pode variar de uma leve alteração em enzimas hepáticas até casos de insuficiência hepática aguda grave ou fulminante. Não há critérios diagnósticos específicos de hepatite medicamentosa, e deve haver alta suspeição clínica e exclusão de outras causas de alteração em enzimas hepáticas para firmar seu diagnóstico.[27]

Pacientes com hepatopatias crônicas estão mais sujeitos a desenvolver hepatotoxicidade por fármacos, devendo-se limitar, nesses casos, as doses de alguns agentes – por exemplo, o paracetamol, a 2 g/dia. Outros agentes devem ser evitados, como é o caso dos anti-inflamatórios não esteroides (AINEs) em pacientes cirróticos. Em certos casos, deve-se fazer vigilância mais frequente de elevação de transaminases e da função hepática, como nos pacientes com hepatopatias que necessitam utilizar antirretrovirais, anticonvulsivantes e tuberculostáticos.[28]

As principais substâncias relacionadas com alterações em enzimas hepáticas são listadas na **TABELA 65.2**.

Cirrose hepática

A hepatopatia crônica, independentemente da sua etiologia, envolve um processo de destruição progressiva e regeneração do parênquima hepático, que pode resultar em fibrose hepática e cirrose. Durante sua fase inicial, a maioria dos pacientes não apresenta sintomas, podendo-se perder facilmente oportunidades de diagnóstico e tratamento. Médicos envolvidos com APS e especialistas partilham a responsabilidade pelo diagnóstico precoce e manejo da doença.[29]

Durante a avaliação de um paciente cirrótico, a identificação da etiologia da hepatopatia crônica que resultou em cirrose é importante, a fim de instituir tratamento também para a causa básica.

TABELA 65.2 → Padrões de hepatotoxicidade por substâncias

	HEPATOTOXICIDADE DIRETA	HEPATOTOXICIDADE IDIOSSINCRÁSICA	HEPATOTOXICIDADE INDIRETA
Frequência	Comum	Rara	Intermediária
Dose relacionada	Sim	Não	Não
Previsibilidade	Sim	Não	Parcialmente
Latência	Rápida (dias)	Variável (dias a anos)	Lenta (meses)
Fenótipo	Necrose hepática aguda, alteração de enzimas hepáticas, obstrução sinusoidal, fígado gorduroso agudo, regeneração nodular	Hepatite aguda, hepatite colestática, hepatite crônica, colestase leve	Hepatite aguda, hepatite imunomediada, fígado gorduroso, hepatite crônica
Agentes mais implicados	Paracetamol em dose alta, niacina, ácido acetilsalicílico, cocaína, amiodarona IV, metotrexato IV, quimioterápicos	Amoxicilina-clavulanato, cefalosporinas, isoniazida, nitrofurantoína, minociclina, fluoroquinolonas, macrolídeos	Antineoplásicos, corticoides, anticorpos monoclonais (anti-TNF, CD20 ou proteínas *checkpoint*), inibidores da proteína-quinase
Causa	Hepatotoxicidade intrínseca quando o agente é usado em dose alta	Reação imunológica ou metabólica idiossincrásica	Ação indireta do agente no fígado ou no sistema imune

IV, intravenoso; TNF, fator de necrose tumoral.

As principais doenças que levam ao desenvolvimento de cirrose são hepatites virais crônicas B e C, alcoolismo e DHGNA. Outras doenças como hemocromatose, hepatite autoimune, cirrose biliar primária e secundária, colangite esclerosante primária, doença de Wilson e deficiência de α_1-antitripsina também devem ser consideradas em casos específicos.

A anamnese e o exame físico devem avaliar estigmas de hepatopatia crônica e suas complicações, como encefalopatia hepática, história de hemorragia digestiva e ascite.

O rastreamento de hepatocarcinoma com US a cada 6 meses tem sido recomendado para pacientes com cirrose.[24] O rastreamento com US abdominal superior a cada 6 meses e o tratamento precoce de carcinoma hepatocelular em pacientes com hepatite B reduzem em cerca de 37% a mortalidade por carcinoma hepatocelular (número necessário para rastrear [NNS, do inglês *number needed to screen*] = 2.000/ano), mas são pouco custo-efetivos devido ao grande número de pessoas que necessitam ser rastreadas para obter algum benefício. Já entre os pacientes com cirrose, o rastreamento é indicado em várias diretrizes, uma vez que a incidência de hepatocarcinoma é mais elevada, atingindo, por exemplo, 3 a 5%/ano entre os portadores de cirrose pelo vírus da hepatite C (HCV, do inglês *hepatitis C virus*). A razão de custo-efetividade para esse rastreamento ainda não foi avaliada no contexto brasileiro; estimativas variaram entre R$ 45.000 e R$ 90.000 por anos de vida ajustados pela qualidade (QALY, do inglês *quality-adjusted life years*) em outros contextos.[30,31]

Outra estratégia de rastreamento – a dosagem da alfafetoproteína sérica – possui baixa sensibilidade para detecção de hepatocarcinoma, não sendo uma boa opção para o rastreamento da doença, podendo, entretanto, ser utilizada na investigação de casos suspeitos de carcinoma hepatocelular.[31]

A gravidade da cirrose é normalmente descrita pela escala de Child-Pugh, com base em parâmetros clínicos e laboratoriais (TABELA 65.3). Os pacientes são classificados em três grupos – A, B e C –, sendo este último o mais grave e com mortalidade > 60% em 2 anos.

Outra classificação da hepatopatia crônica é o MELD, que utiliza o TP (índice normalizado internacional [INR, do inglês *international normalized ratio*]), a bilirrubina total e a creatinina no seu cálculo. O valor obtido no MELD está associado à mortalidade em 3 meses, sendo, por isso, usado atualmente como o principal critério na ordenação da lista de transplante hepático na maioria dos países e no Brasil.[32] O valor do MELD e a mortalidade associada em 3 meses podem ser obtidos em calculadoras. (Ver QR code.)

Pacientes com cirrose devem ser submetidos à endoscopia digestiva alta para pesquisa de varizes esofagogástricas **B**. Em locais com disponibilidade de elastografia hepática transitória (FibroScan®), pode-se evitar a endoscopia em pacientes com resultado de elastografia < 20 kPa e com plaquetas > 150.000, com repetição anual da elastografia no acompanhamento.[33,34]

TABELA 65.3 → Classificação de Child-Pugh para gravidade da cirrose

PARÂMETRO	PONTOS		
	1	2	3
Encefalopatia (grau)	Ausente	1-2	3-4
Ascite*	Ausente	Leve	Moderada
Bilirrubina sérica total (mg/dL)	< 2	2-3	> 3
Albumina sérica (g/dL)	> 3,5	2,8-3,5	< 2,8
Prolongamento do TP em relação ao controle do INR+	1-4 s ou INR < 1,7	5-6 s ou INR 1,7-2,3	> 6 s ou INR > 2,3

Classificação: A = 5-6 pontos; B = 7-9 pontos; C = 10-15 pontos.
*Pacientes com ascite controlada pelo uso de diuréticos devem receber 2 pontos neste item.
+A pontuação do TP é dada em segundos acima do tempo-controle.
INR, índice normalizado internacional; TP, tempo de protrombina.

A profilaxia primária de sangramento digestivo com betabloqueadores não seletivos (p. ex., propranolol) está indicada em indivíduos com varizes esofágicas a partir de médio calibre (RRR = 37%; NNT = 10) A ou com estigmas endoscópicos de alto risco para hemorragia digestiva C/D, não sendo necessária, rotineiramente, ligadura elástica endoscópica B.[34]

A dose de propranolol ou outro betabloqueador não seletivo deve ser ajustada gradualmente a fim de obter frequência cardíaca entre 55 e 60 batimentos por minuto. Como muitos dos cirróticos apresentam pressão arterial baixa, a dose inicial recomendada de propranolol costuma ser de 10 a 20 mg, VO, 2 a 3 ×/dia. Pacientes que já apresentaram sangramento por varizes esofagogástricas (RRR = 56%; NNT = 7) ou com contraindicação ou intolerância ao propranolol devem ser encaminhados para profilaxia de ressangramento por meio de ligaduras elásticas de varizes por endoscopia.[34]

Pacientes com ascite devem ser manejados no início com restrição de sódio (1-2 gramas/dia) C/D e uso de diuréticos. As combinações de espironolactona e furosemida ajustadas individualmente são os agentes de escolha B.[29]

Doses baixas de furosemida (20-40 mg/dia) costumam ser associadas à espironolactona (50-100 mg/dia) no início do tratamento. As doses podem ser incrementadas a cada 3 a 5 dias até atingir o controle da ascite ou a dose máxima de 160 mg de furosemida e 400 mg de espironolactona. Entretanto, deve haver vigilância periódica de desidratação, hiponatremia, hipercalemia e, sobretudo, perda de função renal antes de qualquer ajuste de doses. A piora de função renal e a encefalopatia hepática são os principais limitantes do aumento da dose de diuréticos nos cirróticos com ascite. A piora da função renal ou o surgimento de encefalopatia em cirrótico em uso de diurético indicam a necessidade de redução de dose ou suspensão temporária desse medicamento.

Em pacientes com encefalopatia hepática, deve-se avaliar o possível fator desencadeante (uso de diuréticos, desidratação, infecção, constipação, uso de fármacos). Além da correção da causa básica, indica-se o uso de lactulose

(20-30 mL, VO, 1-3 ×/dia), ajustando-se a dose de modo a obter cerca de 2 evacuações amolecidas por dia (RRR = 38%; NNT = 4-223) B. A dieta deve ser normoproteica A, evitando-se a restrição proteica que, além de não ser eficaz no tratamento da encefalopatia, aumenta o risco de piora do estado nutricional.

Pacientes com cirrose compensada devem ser avaliados clínica e laboratorialmente em intervalos de 3 a 6 meses. Já indivíduos com doença descompensada necessitam de manejo em centros de referência para tratamento das complicações e consideração para transplante hepático.[29]

Lesões hepáticas focais

O aumento na solicitação de exames de imagem e a maior sensibilidade dos métodos têm levado à maior detecção de lesões hepáticas focais. O diagnóstico diferencial dessas lesões é amplo e inclui condições benignas e malignas. O contexto clínico em que a lesão é encontrada é fundamental para a definição do diagnóstico e do prosseguimento da investigação.

Hemangiomas

A maioria dos hemangiomas são lesões pequenas e assintomáticas, detectadas de forma incidental como lesão hiperecogênica e bem delimitada na US. Raramente, lesões grandes (> 10 cm) podem levar ao surgimento de sintomas devido ao seu crescimento e à compressão de estruturas adjacentes. Em geral, a US caracteriza adequadamente o hemangioma, dispensando a realização de investigação complementar. Quando necessário, a TC ou, especialmente, a RM com contraste permitem diagnósticos conclusivos.

A maioria dos hemangiomas não apresenta crescimento ao longo do tempo e não exige tratamento. Biópsia hepática não é indicada, exceto em raros casos nos quais permanece dúvida diagnóstica apesar de esgotados os exames de imagem. O tratamento é considerado em pacientes sintomáticos ou quando há rápido crescimento da lesão.[35,36] Entre as opções terapêuticas, estão a ressecção cirúrgica, a embolização ou a ablação por radiofrequência.

Adenoma hepático

Na maioria dos casos, também é encontrado como achado incidental, porém pode apresentar-se com dor em casos de hemorragia intralesional. Devido ao risco de sangramento, não é indicada biópsia hepática, devendo-se complementar a investigação com TC ou RM com contraste. RM com contraste hepatoespecífico pode acrescentar na acurácia diagnóstica.

Em lesões > 5 cm, o tratamento cirúrgico deve ser considerado, devido ao risco de sangramento e potencial de transformação maligna.[35,36]

Hiperplasia nodular focal

A hiperplasia nodular focal em geral é assintomática, não necessitando de tratamento. Como é composta por hepatócitos, é detectada como lesão isoecoica à US. Os casos suspeitos de hiperplasia nodular focal à US devem ser avaliados com TC ou RM com contraste (preferencialmente hepatoespecífico) para definição diagnóstica. Em casos excepcionais, permanecendo a dúvida, pode ser indicada biópsia hepática.[35,36] Quando os exames de imagem conseguem definir o diagnóstico de hiperplasia nodular focal, não é necessário acompanhamento futuro, já que não há potencial de malignização ou risco de sangramento.

Cistos

O cisto é uma lesão hepática frequente, presente em cerca de 1% da população. Em geral, é assintomático, diagnosticado de forma incidental, com dimensões variando de menos de 1 cm a mais de 30 cm. Os sintomas, quando presentes, ocorrem devido ao tamanho do cisto por compressão de estruturas adjacentes. A US abdominal é o método de eleição para o diagnóstico de cisto hepático. A maioria dos cistos hepáticos simples não exige tratamento. Exames de imagem contrastados podem ser necessários para avaliação de lesões com crescimento e septadas, especialmente em caso de septos espessos. Lesões sintomáticas, com septos espessos e que apresentem crescimento, devem ser encaminhadas para avaliação cirúrgica, devido tanto aos sintomas como à suspeita de cistoadenoma ou cistoadenocarcinoma.[35]

Carcinoma hepatocelular

O carcinoma pode apresentar-se de forma assintomática, como nódulo hepático em exame de rastreamento, ou como fator de descompensação de cirrose.

O diagnóstico de nódulo hepático em paciente com hepatopatia crônica, em especial nos cirróticos, deve desencadear investigação complementar com brevidade. Em geral, o carcinoma hepatocelular apresenta-se como lesão nodular hipoecogênica à US, porém, como esse achado não é suficiente para o diagnóstico, a investigação deve seguir com TC ou RM com contraste, sendo o paciente encaminhado a um centro de referência para tratamento.[30,31] Nódulos suspeitos de hepatocarcinoma não devem, rotineiramente, ser biopsiados.

Metástases hepáticas

As neoplasias malignas mais comumente encontradas no parênquima hepático são lesões metastáticas. O fígado é um dos principais sítios para metástases de neoplasias epiteliais originadas em cólons, mamas, ovários, estômago, pulmões, pâncreas, vesícula biliar e pele (melanoma).[37]

A presença de lesão nodular hepática em paciente com neoplasia maligna conhecida leva à suspeita de lesão metastática, assim como o surgimento de lesões hepáticas suspeitas de metástases em paciente sem diagnóstico definitivo de neoplasia deve levar à investigação de sítio neoplásico primário.[37]

OUTRAS DOENÇAS HEPÁTICAS

Síndrome de Gilbert

Caracteriza-se por hiperbilirrubinemia não conjugada (elevação de bilirrubina indireta, com variação de 1-5 mg/dL).

Trata-se de doença benigna, leve e intermitente. Não há tratamento específico ou necessidade de acompanhamento periódico específico.

Hepatite autoimune

A hepatite autoimune (HAI) é uma doença hepática crônica caracterizada por hepatite de interface (na biópsia hepática), hipergamaglobulinemia e reatividade para autoanticorpos. Os autoanticorpos característicos são o fator antinuclear (FAN) e o anticorpo antimúsculo liso na HAI-1, enquanto na HAI-2 identifica-se anticorpo antifígado e rim (anti-LKM-1).

Em cerca de 50% dos casos, apresenta-se de forma insidiosa, com pródromos por semanas a meses como astenia, artralgias, *rash* cutâneo e desconforto abdominal, podendo desenvolver, a seguir, icterícia ou manifestações de cirrose descompensada. Em 30% dos casos, a apresentação clínica é aguda, semelhante à hepatite viral, principalmente em mulheres jovens. Casos assintomáticos ocorrem em 20% das vezes, com suspeita diagnóstica devido à alteração de aminotransferases. Ocorre evolução para cirrose em 45 a 80% dos pacientes não tratados. Em crianças, a apresentação aguda é mais frequente, há menor período prodrômico e maior incidência de cirrose na apresentação inicial.

Casos suspeitos devem ser encaminhados para investigação complementar, que costuma incluir biópsia hepática. Casos que se apresentam com icterícia ou elevação de aminotransferases > 5 × o LSN devem ser encaminhados com brevidade. O tratamento de primeira linha inclui corticoides orais e azatioprina, com boa resposta terapêutica.[38]

Colangite biliar primária

A colangite biliar primária (CBP), previamente denominada cirrose biliar primária, inicia de maneira insidiosa com prurido e fadiga. A icterícia costuma surgir 6 meses a 2 anos após o início do prurido.

Os exames laboratoriais demonstram elevação de FA e GGT, sem aumento relevante de aminotransferases. O marcador típico da doença é o anticorpo antimitocôndria, que está presente em mais de 90% dos pacientes, tendo especificidade > 95%. Casos suspeitos devem ser encaminhados para avaliação especializada, onde será decidida a realização de biópsia hepática.

O tratamento de escolha é o ácido ursodesoxicólico, com benefício na sobrevida de pacientes com CBP.[39]

Colangite esclerosante primária

A colangite esclerosante primária é uma doença colestática crônica relacionada com processo inflamatório e fibrótico de vias biliares intra e extra-hepáticas. A predominância do sexo masculino é 2:1, e a idade média de diagnóstico é 40 anos. Tem associação com doença inflamatória intestinal em 70 a 80% dos casos, sendo mais comum retocolite ulcerativa (80%).

O diagnóstico é realizado pela detecção de colestase bioquímica associada a estenoses e dilatações da via biliar intra e/ou extra-hepática demonstrada por colangiorressonância magnética ou colangiografia endoscópica retrógrada. A confirmação diagnóstica e o tratamento devem ser realizados em centros de referência.

Hemocromatose

Hemocromatose hereditária é caracterizada por sobrecarga de ferro devido à maior absorção intestinal, mediada por deficiência de hepcidina – um peptídeo sintetizado principalmente no fígado que regula os estoques de ferro por inibir a absorção intestinal. Não há processo fisiológico para excreção de ferro, exceto por perda sanguínea ou descamação das células senescentes da mucosa intestinal ou epiderme. As alterações genéticas relacionadas com hemocromatose hereditária provocam absorção excessiva de ferro da dieta com acúmulo e lesão em órgãos-alvo, como fígado, provocando cirrose e carcinoma hepatocelular; pâncreas, levando a diabetes melito; gônadas, levando a hipogonadismo; e miocárdio, evoluindo para insuficiência cardíaca, além de artropatia e coloração escurecida da pele.

O diagnóstico de hemocromatose baseia-se nos exames do metabolismo do ferro, na análise genética para detectar mutações no gene *HFE* e na histologia hepática. O teste de rastreamento é a saturação da transferrina, que é considerado positivo quando superior a 45%. É importante observar que níveis elevados de ferritina sérica frequentemente ocorrem por esteatose hepática ou inflação sistêmica, sem associação, portanto, com sobrecarga de ferro, e, por isso, cursam com saturação da transferrina normal. Por esse motivo, o exame indicado para avaliação de hemocromatose é a saturação da transferrina, e não a ferritina. O encaminhamento para serviços secundários está indicado para avaliação quanto à indicação de biópsia hepática, que permite a confirmação diagnóstica e o estadiamento da hepatopatia.

O tratamento baseia-se em flebotomias periódicas (sangrias) associadas ou não ao uso de quelante de ferro.[40]

Doença de Wilson

Doença de Wilson é uma doença hereditária que apresenta deficiência da excreção biliar de cobre e acúmulo principalmente no fígado e no cérebro. A apresentação clínica pode variar amplamente, mas os achados característicos são comprometimento hepático e cirrose, distúrbios neuropsiquiátricos, anéis de Kayser-Fleischer na membrana corneana e episódios de anemia hemolítica com teste de Coombs negativo. O início dos sintomas ocorre frequentemente em pacientes jovens, com idade entre 5 e 35 anos.

A avaliação inicial é feita por meio da dosagem da ceruloplasmina sérica, que se mostra baixa. Aumento do cobre na urina de 24 horas e presença de anéis de Kayser-Fleischer ao exame oftalmológico são diagnósticos. O encaminhamento para serviços especializados permite o diagnóstico, e o tratamento precoce previne a evolução da doença para formas irreversíveis de dano hepático e neurológico.[41]

O FÍGADO NAS DOENÇAS SISTÊMICAS

Várias doenças apresentam manifestações no fígado ou alterações nos marcadores utilizados para diagnosticar hepatopatias. A TABELA 65.4 lista algumas dessas situações.

Manejo de comorbidades em pacientes com hepatopatia

Pacientes com hepatopatia crônica devem evitar AINEs pelo risco de hepatotoxicidade, especialmente quando apresentam ascite, devido ao potencial para piora de função renal.

Recomenda-se imunização de cirróticos para influenzavírus, pneumococo e vírus das hepatites A e B.

O uso de metformina deve ser evitado em pacientes com disfunção hepática avançada devido ao risco de acidose láctica, sobretudo naqueles Child-Pugh B ou C. As estatinas devem ser usadas com cautela em pacientes com alcoolismo sem abstenção e com hepatopatia ativa, devendo-se monitorar eventuais elevações de aminotransferases. Pacientes com cirrose e ascite apresentam alto risco de insuficiência renal, motivo pelo qual, quando precisarem de antibióticos, devem evitar fármacos nefrotóxicos, especialmente aminoglicosídeos. Hepatotoxicidade é comum com amiodarona, em geral de intensidade leve. Seu uso deve ser descontinuado caso ocorra elevação de enzimas > 3 × o LSN ou se houver duplicação dos valores basais quando já alterados.

AVALIAÇÃO DE GRAVIDADE DE DOENÇAS HEPÁTICAS

Em hepatopatias agudas, os sinais de insuficiência hepática aguda grave devem ser monitorados. Ao exame clínico, a encefalopatia hepática é o principal indicador de insuficiência hepática. O TP é o principal marcador laboratorial de insuficiência hepática. Tanto a presença de encefalopatia quanto aumento do TP indicam necessidade de internação em hospital, preferencialmente com centro de transplante hepático. Entre os exames laboratoriais, a elevação de bilirrubinas também está relacionada a pior prognóstico. O fator V é um fator de coagulação produzido pelo fígado e utilizado para avaliar a função hepática especialmente quando os valores de protrombina estão alterados ou quanto há outra causa de coagulopatia. O valor de aminotransferases não apresenta correlação com a gravidade ou o prognóstico.[42]

Nas doenças hepáticas crônicas, deve-se realizar o estadiamento da fibrose hepática, geralmente por meio de método não invasivo como a elastografia. Ao exame clínico, devem-se avaliar sinais de hepatopatia crônica (eritema palmar, aranhas vasculares, ginecomastia, esplenomegalia) que denotam fibrose avançada. Icterícia, ascite e encefalopatia hepática revelam cirrose descompensada. A cirrose apresenta um espectro clínico muito variável, desde compensada sem hipertensão portal, cujo prognóstico em longo prazo é muito bom, até o desenvolvimento de hipertensão portal e, a seguir, suas manifestações clínicas, como sangramento por varizes esofagogástricas, ascite, encefalopatia hepática, síndrome hepatorrenal, hiponatremia dilucional, entre outras, caracterizando cirrose descompensada, que apresenta um prognóstico reservado. Os escores prognósticos mais frequentemente utilizados na cirrose são Child-Pugh (ver TABELA 65.3) e MELD.

Pacientes com cirrose, compensada ou descompensada, devem ser acompanhados regularmente por gastro-hepatologista com objetivo de tratar a doença de base. O tratamento específico deve controlar o fator etiológico e, com isso, reduzir a fibrogênese hepática e o risco de complicações. Dispõe-se de antivirais para hepatites virais crônicas B e C, imunossupressores para hepatite autoimune, e redução da sobrecarga de ferro e cobre para hemocromatose e doença de Wilson, respectivamente. Nos casos de fibrose ou cirrose por DHGNA, o controle dos componentes da síndrome metabólica – e, especialmente, da obesidade – é fundamental para o controle da doença.

TABELA 65.4 → Manifestações hepáticas ou alterações nos marcadores de hepatopatia em doenças sistêmicas

DOENÇAS	QUADRO CLÍNICO
Insuficiência cardíaca	Hepatomegalia, ascite, colestase bioquímica em ~20% dos casos, associada à gravidade da doença cardíaca
Reumatológicas	
Artrite reumatoide	FA e GGT aumentadas; hiperplasia nodular regenerativa por vasculite obliterativa de ramos de veia porta
Poliarterite nodosa	Associação com hepatite B em 10-20% dos casos; possibilidade de reativação do HBV por uso de imunossupressores
Síndrome de Sjögren, esclerodermia	Associação com cirrose biliar primária em 10-40% e 25% dos casos, respectivamente
Diabetes melito	Hepatomegalia pode ocorrer no diabetes tipo 1 por acúmulo de glicogênio e no diabetes tipo 2 por esteatose; elevação de aminotransferases, FA e GGT ocorrem em 80% dos diabéticos com esteatose
Tireoidopatias	Alteração leve de enzimas hepáticas ocorre na tireotoxicose, principalmente elevação de FA; ascite pode ocorrer em pacientes com mixedema
Miopatias	AST e ALT podem elevar-se por injúria muscular (trauma, polimiosite, convulsões, exercício extenuante), em geral < 5 × o LSN e com predomínio de AST; deve-se solicitar creatinoquinase e aldolase para avaliar dano muscular
Hemólise	É uma das causas não hepáticas de elevação de aminotransferases até 5 ×
Insuficiência renal	Os níveis de AST podem estar reduzidos
Doença celíaca	Elevação leve de aminotransferases (até 5 ×), predomínio de ALT, com melhora após dieta sem glúten; considerar anticorpo antitransglutaminase (anti-tTg-IgA) e biópsia duodenal se houver suspeita clínica
Amiloidose	Hepatoesplenomegalia; pode ocorrer colestase intra-hepática grave; insuficiência hepática e hipertensão portal são raras

ALT, alanino-aminotransferase; anti-tTg, anticorpos antitransglutaminase tecidual; AST, aspartato-aminotransferase; FA, fosfatase alcalina; GGT, gamaglutamiltransferase; HBV, vírus da hepatite B; LSN, limite superior da normalidade.

REFERÊNCIAS

1. Brasil. Ministério da Saúde. Informações de saúde (TABNET) [Internet]. Brasília: Portal da Saúde; 2008 [capturado em 27 set. 2020].

Disponível em: http://www2.datasus.gov.br/DATASUS/index.php?area=02.

2. Kwo PY, Cohen SM, Lim JK. ACG clinical guideline: evaluation of abnormal liver chemistries. Am J Gastroenterol. 2017;112(1):18–35.
3. Friedman LS. Approach to the patient with abnormal liver biochemical and function tests [Internet]. UpToDate. Waltham: UpToDate; 2020 [capturado em 9 out. 2020]. Disponível em: https://www.uptodate.com/contents/approach-to-the-patient-with-abnormal-liver-biochemical-and-function-tests.
4. Agrawal S, Dhiman RK, Limdi JK. Evaluation of abnormal liver function tests. Postgrad Med J. 2016;92(1086):223–34.
5. Cacciola I, Scoglio R, Alibrandi A, Squadrito G, Raimondo G, SIMG-Messina Hypertransaminasemia Study Group. Evaluation of liver enzyme levels and identification of asymptomatic liver disease patients in primary care. Intern Emerg Med. 2017;12(2):181–6.
6. Runyon BA, Montano AA, Akriviadis EA, Antillon MR, Irving MA, McHutchison JG. The serum-ascites albumin gradient is superior to the exudate-transudate concept in the differential diagnosis of ascites. Ann Intern Med. 1992;117(3):215–20.
7. Khungar V, Poordad F. Hepatic encephalopathy. Clin Liver Dis. 2012;16(2):301–20.
8. Flamm SL. Complications of cirrhosis in primary care: recognition and management of hepatic encephalopathy. Am J Med Sci. 2018;356(3):296–303.
9. Als-Nielsen B, Gluud LL, Gluud C. Non-absorbable disaccharides for hepatic encephalopathy: systematic review of randomised trials. BMJ. 2004;328(7447):1046.
10. Morgan MH, Read AE, Speller DC. Treatment of hepatic encephalopathy with metronidazole. Gut. 1982;23(1):1–7.
11. Bajaj JS, Barrett AC, Bortey E, Paterson C, Forbes WP. Prolonged remission from hepatic encephalopathy with rifaximin: results of a placebo crossover analysis. Aliment Pharmacol Ther. 2015;41(1):39–45.
12. Sanyal A, Younossi ZM, Bass NM, Mullen KD, Poordad F, Brown RS, et al. Randomised clinical trial: rifaximin improves health-related quality of life in cirrhotic patients with hepatic encephalopathy – a double-blind placebo-controlled study. Aliment Pharmacol Ther. 2011;34(8):853–61.
13. Bajaj JS, Heuman DM, Wade JB, Gibson DP, Saeian K, Wegelin JA, et al. Rifaximin improves driving simulator performance in a randomized trial of patients with minimal hepatic encephalopathy. Gastroenterology. 2011;140(2):478-487.e1.
14. Sidhu SS, Goyal O, Mishra BP, Sood A, Chhina RS, Soni RK. Rifaximin improves psychometric performance and health-related quality of life in patients with minimal hepatic encephalopathy (the RIME Trial). Am J Gastroenterol. 2011;106(2):307–16.
15. Stauch S, Kircheis G, Adler G, Beckh K, Ditschuneit H, Görtelmeyer R, et al. Oral L-ornithine-L-aspartate therapy of chronic hepatic encephalopathy: results of a placebo-controlled double-blind study. J Hepatol. 1998;28(5):856–64.
16. Ong JP, Oehler G, Krüger-Jansen C, Lambert-Baumann J, Younossi ZM. Oral L-ornithine-L-aspartate improves health-related quality of life in cirrhotic patients with hepatic encephalopathy: an open-label, prospective, multicentre observational study. Clin Drug Investig. 2011;31(4):213–20.
17. Tapper EB, Lok AS-F. Use of liver imaging and biopsy in clinical practice. N Engl J Med. 2017;377(8):756–68.
18. European Association for Study of Liver, Asociacion Latinoamericana para el Estudio del Higado. EASL-ALEH clinical practice guidelines: non-invasive tests for evaluation of liver disease severity and prognosis. J Hepatol. 2015;63(1):237–64.
19. Després J-P, Lemieux I. Abdominal obesity and metabolic syndrome. Nature. 2006;444(7121):881–7.
20. Edmison J, McCullough AJ. Pathogenesis of non-alcoholic steatohepatitis: human data. Clin Liver Dis. 2007;11(1):75–104, ix.
21. Vuppalanchi R, Chalasani N. Nonalcoholic fatty liver disease and nonalcoholic steatohepatitis: selected practical issues in their evaluation and management. Hepatology. 2009;49(1):306–17.
22. European Association for the Study of the Liver, European Association for the Study of Diabetes, European Association for the Study of Obesity. EASL-EASD-EASO clinical practice guidelines for the management of non-alcoholic fatty liver disease. J Hepatol. 2016;64(6):1388–402.
23. Angulo P. Nonalcoholic fatty liver disease. N Engl J Med. 2002;346(16):1221–31.
24. Armstrong MJ, Houlihan DD, Bentham L, Shaw JC, Cramb R, Olliff S, et al. Presence and severity of non-alcoholic fatty liver disease in a large prospective primary care cohort. J Hepatol. 2012;56(1):234–40.
25. Cheung A, Figueredo C, Rinella ME. Nonalcoholic fatty liver disease: identification and management of high-risk patients. Am J Gastroenterol. 2019;114(4):579–90.
26. Friedman SL, Neuschwander-Tetri BA, Rinella M, Sanyal AJ. Mechanisms of NAFLD development and therapeutic strategies. Nat Med. 2018;24(7):908–22.
27. Hoofnagle JH, Björnsson ES. Drug-induced liver injury – types and phenotypes. N Engl J Med. 2019;381(3):264–73.
28. European Association for the Study of the Liver. EASL clinical practice guidelines: drug-induced liver injury. J Hepatol. 2019;70(6):1222–61.
29. Fukui H, Saito H, Ueno Y, Uto H, Obara K, Sakaida I, et al. Evidence-based clinical practice guidelines for liver cirrhosis 2015. J Gastroenterol. 2016;51(7):629–50.
30. European Association for the Study of the Liver. EASL Clinical Practice Guidelines: management of hepatocellular carcinoma. J Hepatol. 2018;69(1):182–236.
31. Marrero JA, Kulik LM, Sirlin CB, Zhu AX, Finn RS, Abecassis MM, et al. Diagnosis, staging, and management of hepatocellular carcinoma: 2018 practice guidance by the american association for the study of liver diseases. Hepatology. 2018;68(2):723–50.
32. Martin P, DiMartini A, Feng S, Brown R, Fallon M. Evaluation for liver transplantation in adults: 2013 practice guideline by the American Association for the Study of Liver Diseases and the American Society of Transplantation. Hepatology. 2014;59(3):1144–65.
33. Sousa M, Fernandes S, Proença L, Silva AP, Leite S, Silva J, et al. The Baveno VI criteria for predicting esophageal varices: validation in real life practice. Rev Esp Enferm Dig. 2017;109(10):704–7.
34. de Franchis R, Baveno VI Faculty. Expanding consensus in portal hypertension: report of the Baveno VI Consensus Workshop: stratifying risk and individualizing care for portal hypertension. J Hepatol. 2015;63(3):743–52.
35. European Association for the Study of the Liver. EASL clinical practice guidelines on the management of benign liver tumours. J Hepatol. 2016;65(2):386–98.
36. Grazioli L, Ambrosini R, Frittoli B, Grazioli M, Morone M. Primary benign liver lesions. Eur J Radiol. 2017;95:378–98.
37. Marrero JA, Ahn J, Rajender Reddy K, Americal College of Gastroenterology. ACG clinical guideline: the diagnosis and management of focal liver lesions. Am J Gastroenterol. 2014;109(9):1328–47; quiz 1348.
38. Silva AEB, Cançado ELR, Porta G, Bittencourt PL. Recomendações da sociedade brasileira de hepatologia para diagnóstico e tratamento das doenças colestáticas e hepatite autoimune – parte I [Internet]. São Paulo: Sociedade Brasileira de Hepatologia; 2015 [capturado em 9 out. 2020]. Disponível em: http://sbhepatologia.org.br/pdf/RECOMENDACOES_DA_SBH_PARA_COLESTATICAS_PARTE_1_05_08_2105.pdf.
39. European Association for the Study of the Liver. EASL clinical practice guidelines: the diagnosis and management of patients with primary biliary cholangitis. J Hepatol. 2017;67(1):145–72.
40. Kowdley KV, Brown KE, Ahn J, Sundaram V. ACG clinical guideline: hereditary hemochromatosis. Am J Gastroenterol. 2019;114(8):1202–18.
41. European Association for the Study of the Liver. EASL clinical practice guidelines: Wilson's disease. J Hepatol. 2012;56(3):671–85.

42. European Association for the Study of the Liver, Clinical practice guidelines panel, Wendon, Panel members, Cordoba J, Dhawan A, et al. EASL clinical practical guidelines on the management of acute (fulminant) liver failure. J Hepatol. 2017;66(5):1047–81.

Capítulo 66
PROBLEMAS DIGESTIVOS BAIXOS

Carla Baumvol Berger
Dolores Noronha Galdeano
Francisco de Souza Silva
Lucas Gurgel Tiso

Problemas como constipação, flatulência e sangramento gastrintestinal baixo causado por doença diverticular são comuns e podem ser diagnosticados e tratados no âmbito da atenção primária à saúde (APS). Fissura anal, abscesso e hemorroidas são abordados no Capítulo Problemas Orificiais.

CONSTIPAÇÃO

Constipação é definida como episódios evacuatórios difíceis, incompletos ou de frequência reduzida. Em geral, entende-se por frequência < 3 evacuações por semana, formato dos dejetos, na maioria das vezes, endurecidos e granulosos, e dificuldade na passagem das fezes, sendo necessário esforço. A duração do quadro deve ser maior que 6 meses.[1]

Existe uma variação individual muito grande em relação ao hábito intestinal, trazendo dúvidas às pessoas do que é normal e de como se define a constipação. Em um estudo de base populacional realizado em Londrina, no Estado do Paraná (PR), identificou-se, de acordo com o autorrelato, uma prevalência de constipação intestinal de 25,2%, sendo mais prevalente no sexo feminino (37,2%) quando comparado com o sexo masculino (10,2%).[2]

A queixa de constipação é observada com mais frequência em mulheres não brancas, com idade > 65 anos e nível socioeconômico mais baixo.[3,4] Em pacientes institucionalizados, a prevalência pode chegar a 80%.[1]

Inicialmente, é importante diferenciar a constipação primária da secundária, pois isso auxilia no entendimento do caso e na opção de tratamento.[3]

Constipação primária (idiopática, funcional)

Os critérios diagnósticos para a constipação primária são apresentados na TABELA 66.1.[5] Ela pode ser dividida em três grupos:

1. **trânsito normal:** é o mais comum. Apesar de as fezes passarem em uma velocidade normal pelo cólon, os pacientes percebem dificuldade na evacuação completa, muitas vezes associada a fezes endurecidas. Diferenciam-se dos pacientes com cólon irritável, pois estes têm dor e desconforto abdominal (ver tópico Diagnóstico diferencial, a seguir);
2. **trânsito lento:** movimentos intestinais pouco frequentes e esforço ou urgência para defecar inexpressivos. É mais comum em mulheres jovens e costuma iniciar na puberdade. Esses pacientes frequentemente têm alteração da contratilidade do reto e do sigmoide e alteração da liberação de neurotransmissores, porém casos mais leves podem estar associados a padrões alimentares ou culturais;
3. **disfunção do assoalho pélvico (anismo ou dissinergia do assoalho pélvico):** pouca habilidade em coordenar o movimento desses músculos durante a defecação. Algumas vezes, é necessário grande esforço evacuatório antes de a evacuação ser bem-sucedida. Pode haver necessidade de pressão vaginal ou perineal durante a defecação para auxiliar na passagem das fezes.[3]

Constipação secundária

As causas mais comuns são:

→ **medicamentos:** anticolinérgicos, antidepressivos, anti-histamínicos, anticonvulsivantes, bloqueadores do canal de cálcio, betabloqueadores, clonidina, diuréticos, ferro, narcóticos, anti-inflamatórios, opioides, psicotrópicos, suplementos de cálcio, antiparkinsonianos, antieméticos, quimioterapia e resinas;[1]
→ **distúrbios endócrinos:** hipotireoidismo, hipercalcemia, hipocalemia, hipomagnesemia, uremia, hiperparatireoidismo e diabetes (principalmente o mau controle do diabetes);[1]
→ **condições neurológicas:** doença de Hirschsprung, neuropatia autonômica, esclerose múltipla e doença de Parkinson;
→ **anormalidades estruturais:** distúrbios anorretais, estenose ou massa no cólon com obstrução, megacólon;
→ **condições psicogênicas:** ansiedade, depressão e somatização;
→ **condições gastrintestinais:** câncer de cólon, fissura anal, prolapso da mucosa, doença de Crohn;
→ **estilo de vida:** ingestão inadequada de fibras e líquidos e ignorar a urgência para defecar.

TABELA 66.1 → Critérios diagnósticos de Roma IV para constipação funcional

Deve incluir 2 ou mais dos seguintes nos últimos 3 meses, com sintomas tendo iniciado pelo menos 6 meses antes do diagnóstico:
→ Esforço para evacuar pelo menos 25% das vezes
→ Fezes tipos Bristol I ou Bristol II (fezes ressecadas ou duras) em pelo menos 25% das vezes
→ Sensação de esvaziamento incompleto pelo menos 25% das vezes
→ Sensação de obstrução anorretal pelo menos 25% das vezes
→ Manobras manuais para facilitar as defecações (p. ex., evacuação digital) pelo menos 25% das vezes
→ Menos de 3 evacuações por semana
→ Raros episódios de fezes amolecidas sem utilização de laxativos
→ Não preenche critérios para síndrome do intestino irritável

Fonte: Drossman.[5]

Avaliação clínica

Anamnese

Deve-se avaliar a duração do sintoma, a frequência das evacuações, a consistência das fezes, a presença de sangue e os hábitos de evacuação (p. ex., a pessoa tem uma rotina/horário para usar o banheiro? Ela ignora o reflexo gastrocólico?). É importante fazer uma anamnese alimentar (incluindo alimentos com fibras), revisar medicamentos de uso contínuo e o nível de atividade física. Existem escalas (ver, no QR code, o diagrama 1 da p. 44) que permitem estimar a velocidade do trânsito colônico a partir da comparação com imagens do aspecto fecal, como a escala de Bristol para consistência de fezes, ou apenas escala de Bristol.[3]

Se há, de fato, constipação, é importante saber quando iniciaram os sintomas. Um adulto constipado desde a infância ou juventude apresenta, geralmente, um distúrbio funcional, ao passo que a mudança recente do hábito intestinal em um adulto ou idoso, sobretudo se acompanhada de queixas como perda de peso, náusea, vômito, dor abdominal, dor retal, sangramento e melena, pode estar relacionada com doenças mais graves, exigindo uma avaliação mais detalhada. Outros dados obtidos por meio de uma história clínica geral podem evidenciar uma doença sistêmica como causa de constipação, ou um passado de cirurgia abdominal ou anal, levando a aderências e estenoses secundárias.

Após uma história adequada, pode-se verificar que a constipação de alguns pacientes consiste, na verdade, em uma preocupação excessiva com o esvaziamento intestinal ou em desinformação sobre o funcionamento normal do intestino. Além disso, é importante estar atento para aspectos psicossociais que podem estar envolvidos na constipação, em especial história prévia de violência física ou sexual.[5]

Exame físico

O exame físico geral pode ser útil na identificação de uma causa sistêmica de constipação.

A palpação abdominal pode auxiliar na identificação de alguma massa. (Ver QR code.) Se a massa estiver localizada no quadrante inferior direito ou esquerdo do abdome, pode significar acúmulo de fezes. Se estiver em outras localizações, deve levantar a suspeita de causa secundária.

Anormalidades como hemorroidas externas, plicomas, prolapso retal, fissura anal e condiloma anal podem ser facilmente avaliadas na inspeção. A observação do períneo durante a manobra de esforço evacuatório pode mostrar a passagem de fezes, um alargamento do canal anal ou prolapso de hemorroidas internas. Se houver dor excruciante no exame de toque retal, isso sugere fortemente a presença de fissura anal. É importante avaliar o tônus do esfíncter anal. Um tônus aumentado em repouso pode ser a causa do distúrbio evacuatório. Para testar o reflexo anal superficial (pudendo-anal), pode-se circundar suavemente ao redor do ânus com um cotonete. A palpação das paredes retais pode identificar pólipos ou massas e ajudar a determinar se há retocele ou intussuscepção.[1]

Deve-se avaliar também a presença de fezes na ampola retal, sua consistência e se o paciente está consciente dessas fezes. Quando o paciente não as percebe, isso pode sugerir hipossensibilidade retal. Ainda durante o toque, deve-se solicitar mais uma vez que o paciente realize a manobra de esforço evacuatório. Normalmente, o esfíncter anal e o músculo puborretal devem relaxar e o períneo deve descer. Se os músculos se contraírem de forma paradoxal ou se não houver descida do períneo, isso sugere fortemente disfunção do assoalho pélvico, com valor preditivo positivo de 97%. Nesse caso, é importante palpar ao mesmo tempo o abdome, para confirmar se o paciente está de fato realizando a manobra evacuatória.[6] Um exame físico normal não consegue excluir anormalidades anorretais.[1]

Exames complementares

Em geral, não há necessidade de avaliação laboratorial, mas se houver suspeita de alguma doença sistêmica, deve-se investigar. Os exames iniciais podem incluir hormônio estimulante da tireoide (TSH, do inglês *thyroid-stimulating hormone*), hemograma e cálcio sérico.[1] É importante excluir a possibilidade de sinais de alerta na história clínica (TABELA 66.2).[1,3] A colonoscopia, se necessário, é o exame mais sensível para excluir neoplasias, porém, pode-se solicitar a retossigmoidoscopia flexível como opção.

Não se recomenda realizar colonoscopia de rotina em pacientes constipados crônicos na ausência de sinais de alerta.[1]

> Por ser um sintoma bastante comum e, em geral, relacionado com distúrbios funcionais, a constipação não costuma exigir investigação mais detalhada. Entretanto, se o paciente permanecer constipado após instituição de uma dieta adequada em fibras e retirada de todos os fármacos constipantes, deve-se fazer a exclusão de doenças anorretais ou sistêmicas.

Diagnóstico diferencial

A TABELA 66.3[4,6] lista as causas mais frequentes, as causas graves que precisam ser descartadas e aquelas frequentemente

TABELA 66.2 → Sinais de alerta na história clínica de paciente com constipação

- → Febre, perda de peso e sangue nas fezes
- → Dor abdominal
- → Vômitos
- → Interrupção de qualquer passagem de gás
- → História familiar positiva para câncer de intestino ou doença inflamatória intestinal
- → Idade > 50 anos com sintomas recentes
- → Anemia ou deficiência de ferro associadas
- → Início do quadro durante a infância

Fonte: Schuster, Kosar e Kamrul[1] e Bharucha, Pemberton e Locke.[3]

TABELA 66.3 → Estratégia diagnóstica de constipação

CAUSAS MAIS FREQUENTES
- → Dieta e ingestão de líquidos inadequadas
- → Sedentarismo
- → Medicamentos
- → Hipotireoidismo, diabetes melito
- → Gestação
- → Síndrome do cólon irritável
- → Dor anorretal (fissuras, hemorroidas)

CAUSAS GRAVES QUE PRECISAM SER DESCARTADAS
- → Câncer de cólon

CAUSAS FREQUENTEMENTE ESQUECIDAS
- → Hipercalcemia
- → Depressão
- → Megacólon, megarreto

Fonte: Paquette e colab[4] e Maruyama e colaboradores.[6]

esquecidas. A possível contribuição de erros alimentares, baixa ingesta hídrica e sedentarismo deve ser sempre considerada, mesmo se forem identificadas outras causas. Da mesma forma, os medicamentos em uso devem ser avaliados como possíveis fatores predisponentes para a constipação.[4,7]

Pacientes com constipação secundária ao diabetes melito em geral apresentam simultaneamente outras complicações, sobretudo neuropatia autonômica e/ou periférica. Do mesmo modo, quando a constipação é secundária ao hipotireoidismo, o paciente costuma apresentar outras manifestações clínicas dessa doença. Condições que cursam com hipercalcemia, como o hiperparatireoidismo, também podem provocar constipação.

A constipação pode ser um dos primeiros sinais de gestação, sendo mais frequente em mulheres grávidas em qualquer trimestre em comparação a mulheres não grávidas. Geralmente decorre do aumento da progesterona, que reduz a motilidade intestinal.

A dor anorretal, em geral secundária a fissura ou hemorroidas, pode ser causa ou consequência da constipação.

Há situações de alerta que devem sinalizar ao profissional que há necessidade de investigação mais extensiva em busca de doenças mais graves, em especial neoplasias:[4]
- → idade > 50 anos com início recente de sintomas;
- → sintomas graves não investigados (sangramento, febre ou perda de peso);
- → exames de laboratório alterados (p. ex., anemia);
- → história familiar importante de câncer de cólon, doença inflamatória intestinal e doença celíaca;
- → massa abdominal ou retal palpável.

Megacólon e megarreto são causas raras de constipação, e costumam ocorrer em pacientes idosos como resposta à retenção fecal crônica. Megacólon também pode ser causado por doença de Chagas.

Afastadas as causas secundárias mais importantes, a maioria dos casos será de constipação funcional (trânsito normal, trânsito lento ou disfunção do assoalho pélvico), conforme descrito no início deste capítulo. Um diagnóstico diferencial importante com a constipação funcional é a síndrome do cólon irritável com predominância de constipação[4] (ver Capítulo Abordando os Sintomas Físicos de Difícil Caracterização).

Tratamento

O tratamento deve ser individualizado, levando em consideração a duração e a gravidade da constipação, a idade do paciente e suas expectativas. A orientação é um passo fundamental na terapêutica. O paciente deve ser esclarecido sobre as amplas variações individuais na eliminação intestinal, salientando-se que não há necessidade de evacuações diárias para a manutenção de boa saúde. Quadro de constipação grave, refratário às intervenções na APS, em geral com trânsito intestinal lento, deve ser encaminhado.

Medidas não farmacológicas

Atividade física. Há associação entre sedentarismo e constipação. Apesar da escassez de evidências, a prática de atividade física regular parece estar associada à melhora sintomática **C/D**.[7-10]

Ingesta de fibras, líquidos e alimentos ricos em sorbitol.
- → Aumento na ingesta de fibras e suplementação hídrica continuam sendo a intervenção inicial para tratamento de constipação, promovendo melhora do padrão evacuatório, apesar de essa recomendação ser moderadamente efetiva, podendo causar efeitos colaterais gastrintestinais **B**.[4,11,12]
- → É indicado o consumo de 25 a 35 g de fibras diariamente.[13] O aumento da ingesta pode ser implementado por meio de orientações gerais para uma alimentação saudável focadas na ingestão de frutas e verduras, conforme descrito no Capítulo Alimentação Saudável do Adulto. Além disso, a ingesta de fibras pode ser aumentada com alimentos como farelo de trigo, linhaça, entre outros. O início deve ser gradual, para minimizar efeitos adversos, como flatulência e distensão abdominal. O aumento da ingestão de líquidos isoladamente não confere benefício importante; contudo, sua associação com dieta rica em fibras parece potencializar a melhora do padrão evacuatório, com aumento na frequência e diminuição na necessidade de uso de laxantes **C/D**.[4]
- → Alimentos ricos em sorbitol também têm efeito laxativo **C/D**. A principal fonte são frutas como maçã, ameixa, damasco, uvas, pêssego, pera e morango, que podem ser ingeridas também na forma de suco. A concentração do sorbitol é em torno de 5 a 10 vezes maior nas frutas secas. Entre as formas para obter melhora da constipação por meio desses alimentos, existe a opção de usar um coquetel laxativo, por exemplo: suco de laranja (130 mL), mamão (50g), ameixa (15 g) e aveia (20g), 1×/dia.

Biofeedback. Técnicas que utilizam o *biofeedback* podem ser mais efetivas no tratamento de constipação do que tratamento convencional **B**, devendo ser consideradas em especial quando refratária ao tratamento.[11,13-15] É especialmente efetivo nos casos de disfunção do assoalho pélvico, sendo, nesses casos, tratamento de primeira escolha.[3]

Reeducação intestinal. Consiste em encorajar o paciente a permanecer sentado no vaso sanitário por alguns minutos diariamente, mesmo sem sucesso, de preferência logo após acordar e em torno de 30 minutos após as refeições, para aproveitar o reflexo gastrocólico C/D. O uso de laxativos deve ser suspenso desde o primeiro dia do programa de reeducação intestinal. Em casos de maior dificuldade evacuatória, elevar os joelhos apoiando os pés em uma superfície plana (p. ex., apoio para os pés) aumenta a pressão intra-abdominal, estimulando a defecação.[4]

Medidas farmacológicas

Laxativos formadores de bolo fecal, como psílio e metilcelulose, por um período de 4 a 8 semanas, são efetivos na melhora da constipação (NNT = 3) B.[11,15,16] Junto com os laxativos osmóticos, formam a primeira linha de tratamento da constipação.

Laxativos osmóticos, como polietilenoglicol (PEG, também denominado macrogol), lactulose, sorbitol e soluções salinas, promovem aumento da eliminação hídrica intestinal, sendo efetivos no aumento das evacuações B.[11,17]

Laxativos osmóticos podem ser utilizados em forma de enema para casos de constipação grave. Desconforto abdominal e flatulência estão entre os efeitos adversos mais comuns; seu uso excessivo pode resultar em distúrbios hidreletrolíticos, em especial em pacientes com cardiopatias ou nefropatias. Entre os laxantes osmóticos, o PEG é o que apresenta melhores resultados B, mas seu custo é elevado.[17,18] O efeito se dá no aumento da frequência dos movimentos intestinais. O sorbitol não está disponível em apresentação para uso oral no Brasil, mas pode ser administrado na dieta conforme descrito anteriormente.

Laxativos estimulantes, como o bisacodil e o picossulfato de sódio, são efetivos em promover aumento na frequência evacuatória ao diminuir a absorção de água e eletrólitos, aumentar a motilidade do trânsito gastrintestinal e acelerar o trânsito colônico (NNT = 3) B.[11,17,19] Embora o uso de laxativos estimulantes por período > 4 semanas tenha mostrado melhor resultado do que placebo na melhora da constipação crônica, as evidências a respeito da segurança e da eficácia do uso desses laxativos orientam não ser aconselhado por período > 1 mês, considerando-se que existem tratamentos mais relevantes.[20] Esses laxativos podem resultar em melanose coli, uma pigmentação marrom no cólon, que não tem repercussões clínicas.

Surfactantes, como o docusato de sódio, que aumentam a incorporação de água pelo bolo fecal, também podem ser utilizados. Contudo, o docusato de sódio mostrou-se inferior ao psílio C/D e, no Brasil, está disponível apenas em associação com o bisacodil.[21]

O óleo mineral é um laxativo frequentemente utilizado e de baixo custo, apesar de não haver evidências que apoiem seu uso. Ele vem sendo desaconselhado por diminuir a absorção de vitaminas lipossolúveis, embora não haja evidências documentando o impacto dessa diminuição da absorção de vitaminas. Seu uso por via oral (VO) é contraindicado em pacientes com distúrbios da deglutição, pelo risco de pneumonia lipídica. Também é contraindicado em pacientes idosos pelo risco de aspiração.[1]

Inicialmente, no tratamento farmacológico, é indicado o uso de laxantes osmóticos de maneira isolada. Caso haja refratariedade, pode-se prescrever laxante osmótico associado a estimulante. Não havendo resposta após 6 meses de uso desses agentes em doses altas, uma alternativa é tentar o uso de agente secretor (prucaloprida) B, embora seu preço possa representar uma barreira.[22] Se não houver melhora após 4 semanas de uso, pode-se referenciar para exames investigativos (p. ex., manometria anorretal, teste de expulsão de balão ou estudo do trânsito do cólon).

Alguns pacientes são dependentes de laxativos e resistentes à sua retirada. Se retirados de forma abrupta, há uma demora inevitável até a próxima evacuação, pela ausência de alimentos no cólon. Nesse espaço de tempo, entre a interrupção do medicamento e a ocorrência de uma movimentação intestinal, é necessário orientar e tranquilizar os pacientes, que podem até entrar em pânico e recorrer novamente ao laxativo. A conduta é utilizar um laxativo formador de bolo associado, se necessário, a um supositório, para estimular a defecação. Esse procedimento, com o passar do tempo, permite uma transição gradual do uso diário de laxativos para o não uso. Há também os pacientes que fazem uso abusivo dos laxativos, tendo evacuações líquidas diárias e risco de hipocalemia. Esses pacientes, em geral, sofrem de transtornos alimentares e/ou psiquiátricos e devem ser tratados de acordo com a causa primária do problema.

A TABELA 66.4 apresenta os laxativos comumente utilizados no tratamento da constipação.

Há evidências limitadas para o manejo da constipação em pacientes com distúrbios neurológicos. Esses pacientes podem não responder à mudança dietética, estando indicado o uso ocasional de supositório ou enemas, ou o uso de laxativos leves, como o hidróxido de magnésio, se a cada três dias o paciente não evacuar e queixar-se de desconforto C/D.[23] O uso de enemas e supositórios tem a vantagem de estimular o reflexo de distensão do reto. Em um estudo, foi demonstrada a incidência de efeitos adversos e taxa de mortalidade em 30 dias que o uso do enema pode trazer, por meio de riscos como perfuração do cólon e hiperfosfatemia.[24]

Probióticos são moderadamente efetivos para melhora da constipação funcional em adultos, principalmente os de cepa única, quando comparados aos de cepa múltipla.[25] A suplementação com fibras não é adequada para pacientes com lesões obstrutivas do trato gastrintestinal ou para aqueles com megacólon ou megarreto.

O manejo da síndrome do intestino irritável é abordado em mais detalhes no Capítulo Abordando os Sintomas Físicos de Difícil Caracterização, no contexto de síndromes funcionais.

FLATULÊNCIA

Pessoas saudáveis eliminam gases até 20 vezes ao dia. A eliminação excessiva de gases pelo ânus pode levar o indivíduo a achar que tem um problema digestivo grave ou até ser um fator de embaraço social. A TABELA 66.5 mostra as principais causas de flatulência.[26]

TABELA 66.4 → Laxantes comumente empregados no tratamento da constipação

CLASSIFICAÇÃO E INGREDIENTE ATIVO	EXEMPLOS	DOSE	MÉDIA DE TEMPO PARA INÍCIO DE AÇÃO	POTENCIAIS EFEITOS ADVERSOS
Formadores de bolo Psílio Inulina Goma guar	Metamucil®	1 sachê ou 1 colher de sobremesa em 240 mL de água, 1-3 ×/dia	12-72 horas	Gases e distensão abdominal
Emolientes Docusato de sódio	Humectol D® (em associação com bisacodil)	1-2 cápsulas, antes de deitar (mesma posologia do bisacodil)	12-72 horas	Gosto amargo na boca
Estimulantes Bisacodil	Dulcolax®	1-2 comprimidos, à noite	10-12 horas	Cólicas e dor abdominal
Senna	Naturetti® e Tamarine®	1-2 cápsulas, à noite		
Cáscara-sagrada	Verilax®	1-2 cápsulas, à noite		Cólicas e dor abdominal
Picossulfato de sódio	Diltin®, Guttalax®, Rapilax®	10-20 gotas, à noite		Diarreia, dor abdominal, angioedema, erupções cutâneas
Osmóticos Lactulose	Lactulona® xarope	15-30 mL/dia, pela manhã ou à noite	24-72 horas	Produção de gás
Hidróxido de magnésio	Leite de magnésia®	2-4 colheres de sopa divididas em 2-3 tomadas diárias, longe das refeições	3-6 horas	Hipermagnesemia, hipocalcemia, hiperfosfatemia crônicos
Macrogol (PEG)	Muvinlax® (associado a eletrólitos)	1-2 sachês/dia (máximo de 8 sachês/dia), em água, chá ou suco	24-48 horas	Diarreia, flatulência, dor abdominal, cólicas
Enemas e supositórios Sorbitol	Minilax®	Enema de 1-2 bisnagas por vez	5-40 minutos	Boa tolerabilidade
Supositório de glicerina		Usar 1 ×/dia	15-30 minutos	Costuma apresentar boa tolerabilidade
	Fosfoenema glicerinado®	Inserir 1 supositório por via retal e procurar retê-lo até sentir vontade de evacuar		Raramente, cólica, diarreia, formação de gases e irritação local
Enema glicerinado		250-1.000 mL/dia, por via retal	15-30 minutos	Cólicas intestinais e diarreia
Supositório de bisacodil	Dulcolax®	1 supositório (em casos extremos, 2 supositórios) por vez	15-30 minutos	Em casos raros, desconforto abdominal e diarreia
Mecanismo único de ação Prucaloprida	Resolor®	Prucaloprida 1 mg ou 2 mg; 1 ×/dia se 2 mg, e 2 comprimidos por dia se 1 mg	1 hora e 30 minutos	Diarreia, desconforto abdominal e náuseas
Lubiprostona	Amitiza®	Lubiprostona 24 µg, 2 ×/dia, junto com alimentos		

Fonte: Schuster Kosar e Kamrul[1]

TABELA 66.5 → Estratégia diagnóstica de flatulência

CAUSAS MAIS PROVÁVEIS
→ Aerofagia
→ Má absorção de carboidratos
→ Deficiência de lactase
→ Ingestão de maiores quantidades de fibra alimentar
CAUSAS GRAVES QUE DEVEM SER CONSIDERADAS
→ Doença celíaca

Fonte: Abraczinskas.[26]

A flatulência excessiva pode ser consequência de aerofagia ou de produção aumentada de gases no lúmen intestinal. Este último caso ocorre em função de má absorção de carboidratos e consequente fermentação, ou por desequilíbrio entre as bactérias consumidoras e produtoras de gás. Pode ocorrer também por ingestão elevada de carboidratos complexos e fibras, mesmo nas faixas recomendadas como saudáveis para a população adulta.

Outra causa comum de flatulência é a deficiência de lactase. A prevalência desse quadro varia entre os grupos étnicos, sendo menor em europeus e americanos de descendência europeia, e mais observado em afro-americanos, hispânicos, asiáticos, asiático-americanos e americanos nativos.[27]

O diagnóstico pode ser feito excluindo laticínios da dieta por um período de 3 semanas. Dessa forma, há um menor desconforto do paciente em realizar o teste e já serve como teste terapêutico. Pode também ser confirmado por um teste para intolerância à lactose. Nesse teste, em que o paciente bebe um copo de água contendo 50 a 100 g de lactose, mede-se lactose em jejum e de 4 a 5 vezes em um espaço de 2 horas após a tomada de lactose. Quando a diferença entre a dosagem sanguínea da lactose de jejum e o pico da curva das demais medidas for menor do que 20 mg/dL, o teste é considerado positivo, indicando má absorção de lactose. O teste respiratório, considerado mais sensível, é pouco disponível em nosso meio.

O tratamento da deficiência de lactase é feito pela diminuição da ingestão de alimentos contendo lactose (laticínios) **C/D**.[27] É importante observar que vários outros alimentos, incluindo pães e similares, além de adoçantes artificiais, contêm lactose. Entre as opções para diminuir o desconforto estão a utilização do leite com baixo teor de lactose (apenas 1 g em 1 litro de leite, enquanto o leite comum possui em média 4,9 g de lactose) ou a utilização da lactase, uma enzima que hidrolisa a lactose e facilita a digestão. Além disso, pode ser feita a substituição por produtos derivados da soja.

Indivíduos com problemas de má absorção (p. ex., doença celíaca) também podem apresentar significativo aumento na produção de flatos.

A produção de gases com mau cheiro também é uma queixa comum e deve-se à presença de substratos à base de enxofre no lúmen intestinal. Estudos realizados até o momento não foram conclusivos a respeito da responsabilidade de alimentos específicos por esses fenômenos (como os popularmente responsabilizados cerveja, repolho ou queijo). Não há evidências de que a simeticona ou o carvão ativado sejam úteis para aliviar esses sintomas, porém uma dieta pobre em leite e seus derivados, amidos e leguminosas reduz a flatulência na maioria das pessoas C/D.[27]

SANGRAMENTO GASTRINTESTINAL BAIXO

A presença de sangue nas fezes, visível ou não, é um importante indício de doença orgânica, que pode estar localizada em qualquer porção do trato gastrintestinal.

O sangramento pode manifestar-se como sangue oculto nas fezes, quando não altera o aspecto do bolo fecal, sendo detectado apenas por métodos laboratoriais; hematoquezia, quando o sangue é vermelho-vivo misturado às fezes; melena, quando as fezes são pretas, pastosas e malcheirosas; ou hemorragia maciça.

A descrição do tipo de sangramento tem valor na tentativa de localização da doença. Assim, a hematoquezia leva a pensar em lesão localizada ao longo do ceco, cólon, reto ou ânus, enquanto a melena costuma indicar sangramento no trato gastrintestinal digestivo alto.

Todos os casos de sangramento devem ser avaliados e a causa deve ser identificada, mesmo nas situações em que há presença de sangue apenas no papel higiênico, após a higiene anal. Um estudo de pacientes em APS identificou hemorroidas, fissura, pólipo, doença diverticular e angiodisplasias como causas mais comuns. A identificação de hemorroidas ou fissura como a causa provável de sangramento reduz a necessidade de investigação maior no momento. No entanto, indica-se prosseguir a avaliação em casos de idade avançada, história familiar de doença intestinal inflamatória ou neoplásica e persistência do sangramento após o tratamento da condição que supostamente o havia causado.[28]

Deve-se ter em mente que condições patológicas de maior gravidade, como neoplasias e pólipos intestinais, podem causar sangramento intermitente. A TABELA 66.6 apresenta as causas mais frequentes e as causas raras para sangramento do trato gastrintestinal baixo.

Avaliação clínica

Uma cuidadosa coleta de dados, que relacione os achados de história e exame físico com a provável causa do sangramento, permite orientar a sequência da realização dos exames complementares. Deve-se pesquisar se há dor abdominal, história de viagem e episódios prévios, bem como características do sangramento, como cor, frequência e duração e mudança de hábito fecal.[28]

Para o diagnóstico e o tratamento das condições anorretais que causam sangramentos, ver Capítulo Problemas Orificiais.

TABELA 66.6 → Principais causas de sangramento do trato gastrintestinal baixo

FREQUENTES	POUCO FREQUENTES

Doenças perianais
  Hemorroidas
  Fissura anal
	Colite isquêmica

Doença diverticular	Malformações arteriovenosas
Pólipo colorretal	Proctite por radiação
Carcinoma colorretal	Varizes anorretais
Doenças intestinais inflamatórias	Divertículo de Meckel
Colite infecciosa	Fístula arterioenteral
Esofagite	
Gastrite	
Úlcera péptica ou duodenal	
Câncer gástrico	

Fonte: Coda e Thillainayagam.[28]

Exames complementares

A escolha e a ordem em que são realizados os exames complementares dependem da formulação de uma hipótese diagnóstica baseada na história e no exame físico; entretanto, hemograma, eletrólitos, ferro sérico e coagulograma são exames iniciais para a investigação. A determinação do hematócrito ajuda a estruturar a magnitude da perda crônica de sangue. Em pacientes com sangue oculto nas fezes ou hematoquezia, a investigação começa pelo trato gastrintestinal baixo. A presença de melena obriga uma investigação rápida, devendo o paciente ser encaminhado a um serviço de emergência.[28] Na presença de sangramento, em pacientes com idade > 50 anos, todo o cólon deve ser avaliado.

Cabe salientar que o rastreamento para câncer de cólon é fortemente recomendado em múltiplas diretrizes, que diferem entre si (ver Capítulo Rastreamento de Adultos para Tratamento Preventivo).[29,30] Em pacientes com idade > 45 anos, a investigação com sigmoidoscopia, no contexto norte-americano, não somente previne câncer, mas também diminui os custos. Abaixo dessa idade, o custo, em relação ao benefício, cresce de maneira exponencial.[31]

> A colonoscopia é mandatória se o sangramento for acompanhado de sintoma sistêmico, se houver suspeita clínica de lesão do ceco ou do cólon ascendente ou quando a causa não puder ser estabelecida.

Encaminhamento/hospitalização

O paciente com hematoquezia aguda volumosa com alterações hemodinâmicas presentes deve ser encaminhado para o serviço de emergência hospitalar a fim de realizar a colonoscopia. Se estiver hemodinamicamente estável e se houver possibilidade de investigação ambulatorial, de acordo com os recursos disponíveis, não há necessidade de internação hospitalar.

Pacientes com idade > 40 anos que relatam alteração na aparência das fezes ou na frequência de evacuação associada à presença de sangramento por período ≥ 6 semanas, ou pacientes com idade > 60 anos com uma dessas duas apresentações, precisam de encaminhamento urgente para avaliação a fim de excluir a hipótese de neoplasia. Pacientes com massa no quadrante inferior direito do abdome, massa palpável no reto, ou hemoglobina < 11 g/dL nos homens e < 10 g/dL nas mulheres sem menstruação também devem ser avaliados por colonoscopia com urgência. Exames adicionais não devem retardar o encaminhamento desses pacientes.[30,31]

Os casos de suspeita de malformações vasculares e neoplasias de cólon devem ser encaminhados ao proctologista ou ao gastrenterologista.

DOENÇA DIVERTICULAR

É importante fazer uma diferenciação entre as diversas formas de doença diverticular em função de aspectos etiológicos e prognósticos. Utiliza-se a terminologia de diverticulite não complicada e complicada, sendo esta referente à associação com abscesso, perfuração, fístula e estenose. Outra proposta de nomenclatura se dá quanto à presença ou não de sintoma associado à diverticulose. Se o paciente estiver sintomático, com dor ou alteração do hábito intestinal, desde que sem inflamação, trata-se de doença diverticular sintomática. A diverticulite é a inflamação de um ou mais divertículos.[32]

A doença diverticular sintomática representa cerca de 20% dos casos, dos quais 5% podem apresentar episódios complicados.[33] A diverticulose não complicada é a mais comum e se apresenta como dor localizada e sensibilidade aumentada no quadrante inferior esquerdo do abdome, associada à leucocitose e à ausência de alteração em exame de imagem. Para discussão do diagnóstico e do manejo de diverticulite, ver Capítulo Avaliação Inicial da Dor Abdominal Aguda.

A diverticulose é mais frequente após a 6ª década de vida, sendo o sigmoide o local mais comumente acometido. Acredita-se que ela seja consequência do enfraquecimento da parede intestinal devido a múltiplos fatores: a baixa ingesta de fibras por muitos anos, alteração da motilidade intestinal e a redução da força de tensão parietal associada à senescência.[34,35]

Avaliação clínica

A maioria dos pacientes com doença diverticular é assintomática, e o exame físico é inocente. O diagnóstico é realizado por acaso em exames de imagem solicitados por outros motivos. Quando sintomáticos, apresentam dor abdominal, tipo cólica ou contínua, em geral no quadrante inferior esquerdo do abdome, que piora após a alimentação e alivia após eliminação de gases ou evacuação. Pode, ocasionalmente, provocar constipação. O exame para avaliação é a colonoscopia.[36]

Fatores de risco

Em uma revisão comparando as principais diretrizes sobre doença diverticular, há concordância entre todas as incluídas de que obesidade, baixa ingestão de fibras e baixa frequência de atividades físicas são fatores de riscos já conhecidos e que podem ser modificados preventivamente.[32]

Tratamento

Em geral, não exige internação na ausência de complicações, de sinais de peritonite, da incapacidade de ingerir líquidos ou da possibilidade de apoio em casa **B**.[37] A orientação para esses pacientes é manter uma dieta rica em fibras **B** e evitar o uso de laxativos **C/D**. O uso de sintomáticos pode ser feito com escopolamina 10 mg, 1 comprimido, de 6/6 horas, VO, associada ou não a paracetamol 500 mg, 1 comprimido, de 6/6 horas, VO, para a dor, conforme a necessidade **C/D**. O uso de probióticos na doença diverticular não complicada pode melhorar a distensão decorrente da dieta rica em fibras.[35] O tratamento de diverticulite não complicada não exige a utilização de antibióticos **B**.[33] Para sintomas leves mas persistentes ou que pioram no tratamento ambulatorial, as opções de antibióticos incluem sulfametoxazol + trimetoprima 800 mg + 160 mg, VO, de 12/12 horas, mais metronidazol 500 mg, VO, a cada 6 a 8 horas, ou amoxicilina + clavulanato 875 mg + 125 mg, VO, de 12/12 horas, por 7 a 10 dias.

A diverticulite não complicada deve melhorar dentro de 2 a 3 dias. Se não melhorar com tratamento médico, suspeitar de diverticulite complicada e considerar interconsulta.

Por ser uma doença crônica, o paciente deve ser informado de que os sintomas são recorrentes e estimulado a modificar os fatores de risco.

PÓLIPOS DE CÓLON

São pequenas protuberâncias no lúmen intestinal. Em geral, são assintomáticos, mas podem sangrar, causar tenesmo e até uma obstrução intestinal se crescerem demais.[38]

A colonoscopia é o padrão-ouro para o diagnóstico de pólipo de cólon, em geral, durante rastreamento para neoplasia de cólon, ou para avaliação de sangramento intestinal (ver Capítulos Câncer e Rastreamento de Adultos para Tratamento Preventivo). Dentre os métodos disponíveis para diagnóstico, a colonoscopia é o mais sensível, se comparado ao enema opaco, para diagnóstico sobretudo dos pólipos pequenos, e é preferível à sigmoidoscopia, por visualizar todo o cólon. Porém, a má preparação intestinal é um dos fatores que contribui fortemente para a ineficácia da colonoscopia.[38,39]

As características avaliadas para o prognóstico e para a classificação são o tamanho da lesão, a morfologia e a localização anatômica, e há três tipos de pólipos, segundo a classificação patológica (TABELA 66.7).[38,40] Dessas características, o tamanho da lesão é o mais importante, possui relação com o grau de displasia e é fundamental para determinar a propedêutica. Morfologia e localização anatômica ajudam a melhorar a precisão do prognóstico. A polipomatose familiar é uma condição herdada geneticamente e estreitamente relacionada com neoplasia de cólon.

TABELA 66.7 → Classificação de pólipos

TIPOS	CARACTERÍSTICAS	TAMANHO E LOCALIZAÇÃO
Neoplásicos	Adenomatosos	Aproximadamente dois terços de todos os pólipos do cólon são adenomas, e a maioria dos adenocarcinomas de cólon deriva dessas lesões; a retirada desses pólipos em uma colonoscopia reduz significativamente a incidência de câncer de cólon. Subtipos: tubular, tubuloviloso e viloso (maior risco)
	Serrilhados	Grupo heterogêneo de pólipos com potencial de malignidade variável para evoluir para câncer colorretal. Subtipos: hiperplásicos, adenoma serrilhado séssil, com ou sem displasia, e adenoma serrilhado tradicional
Não neoplásicos	Hiperplásicos	Pólipos não neoplásicos mais comuns no cólon e subtipo mais comum de pólipos serrilhados (80-90%), em geral no retossigmoide e < 5 mm; raramente malignizam
	Hamartomas	Pólipos juvenis; em geral são retirados pelo potencial de sangramento
	Inflamatórios	Resultam de regeneração da mucosa na doença inflamatória intestinal
Submucosos	Lipomas, hemangiomas, carcinoides, agregados linfoides	São resultantes de hiperplasia de tecido linfoide normal

Fonte: Macrae[40] e Gago e colaboradores.[38]

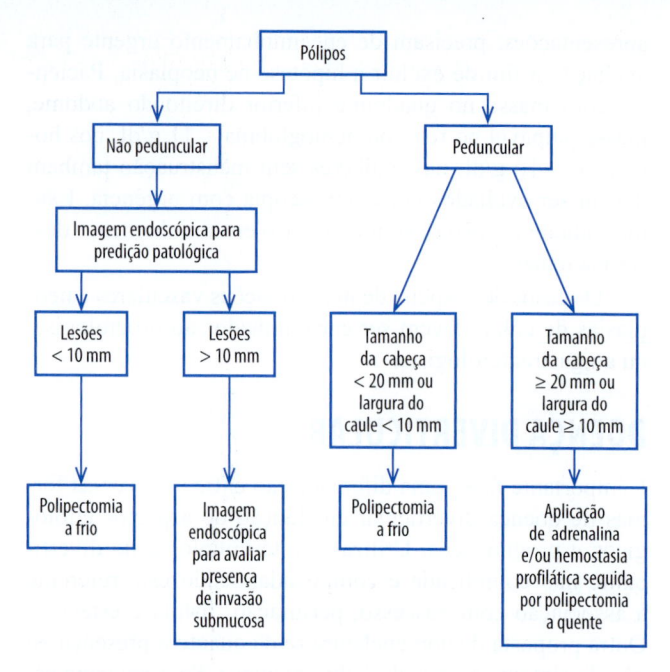

FIGURA 66.1 → Condutas diante uma colonoscopia que apresenta pólipos.
Fonte: Adaptada de Kaltenbach e colaboradores.[41]

É importante entender as definições que envolvem o tamanho dos pólipos para ter melhor compreensão das condutas a serem tomadas. Quanto ao tamanho, os pólipos podem apresentar-se como lesões diminutas (1-5 mm), lesões pequenas (6-9 mm), lesões médias (10-19 mm), lesões grandes (> 20 mm) e lesões gigantes (> 30 mm). As taxas de displasia de alto grau para os pólipos varia na literatura. Para lesões diminutas, encontram-se valores entre 0,3 e 1,2% e, para lesões pequenas, varia de 0 a 5,3%, considerando-se também valores das taxas de histologia avançada (componente viloso, displasia de alto grau ou câncer invasivo). Revisões recentes apontam que apenas 1% dos pólipos com tamanho entre 10 e 20 mm possuem lesão cancerosa invasiva e, ainda, das lesões colorretais ressecadas com pólipos de tamanho > 30 mm, aproximadamente 50% não se apresentam como cânceres invasivos (na maioria dos casos, adenomas tubulovilosos, adenomas vilosos e pólipos serrilhados).[39]

Na FIGURA 66.1,[41] encontram-se as possíveis condutas diante uma colonoscopia que apresenta pólipos. Na FIGURA 66.2,[42] tem-se o intervalo de tempo entre as colonoscopias com base na estratificação de risco.

Prevenção

A polipectomia é um meio efetivo de prevenção para neoplasia de cólon, tendo como base o fato de que, a partir da introdução de rastreamento amplo nos Estados Unidos, houve diminuição de sua incidência.

Fatores de risco para desenvolvimento de pólipos serráteis incluem tabagismo (risco relativo [RR] = 2,5), consumo de álcool (RR = 1,3) e maior índice de massa corporal (IMC) (RR = 1,4). O tabagismo e o consumo de álcool são fatores de risco mais fortes para adenomas e pólipos serrilhados sésseis do que para pólipos hiperplásicos. Pequenas mudanças na dieta e atividade física ao longo de 3 a 8 anos podem reduzir risco de pólipos, embora não diminuam o risco de neoplasia.

Fármacos que reduzem significativamente os riscos para desenvolvimento de pólipos serrilhados são os anti-inflamatórios não esteroides (RR = 0,77) ou ácido acetilsalicílico (RR = 0,81). Também há redução do risco com maior ingestão de folato, cálcio ou fibras. Não foi encontrada na revisão nenhuma associação de risco significativa entre pólipos serrilhados e atividade física ou terapia de reposição hormonal.[43]

Recomenda-se dieta com pouca gordura e muitas frutas, vegetais e fibras, manutenção do peso por meio de exercícios físicos, e evitação do tabagismo e do uso excessivo de álcool.

A complementação de cálcio e vitamina D na dieta também não reduziu a incidência de neoplasia.[43]

REFERÊNCIAS

1. Schuster BG, Kosar L, Kamrul R. Constipation in older adults: stepwise approach to keep things moving. Can Fam Physician. 2015;61(2):152–8.
2. Schmidt FMQ, Santos VLC de G, Domansky R de C, Barros E, Bandeira MA, Tenório MA de M, et al. Prevalência de constipação

Seção VI → Sinais, Sintomas e Alterações Laboratoriais Comuns

Colonoscopia de alta qualidade:
- Avaliação completa até o ceco
- Preparo adequado do intestino para avaliação de pólipos > 5 mm
- Colonoscopista experiente
- Ressecção completa do pólipo

↓

Intervalo da colonoscopia com estratificação de risco

10 anos
- Colonoscopia normal
- ≤ 20 pólipos hiperplásicos < 10 mm

7-10 anos
- 1-2 adenomas < 10 mm

5-10 anos
- 1-2 pólipos serrilhados sésseis < 10 mm

3-5 anos
- 3-4 adenomas < 10 mm
- 3-4 pólipos serrilhados sésseis < 10 mm
- pólipo hiperplásico ≥ 10 mm

3 anos
- 5-10 adenomas
- 5-10 pólipos serrilhados sésseis ≥ 10 mm
- Pólipo hiperplásico ≥ 10 mm
- Adenoma viloso ou ubuloviloso, e/ou displasia de alto grau
- Pólipos serrilhados sésseis com displasia
- Adenoma serrilhado tradicional

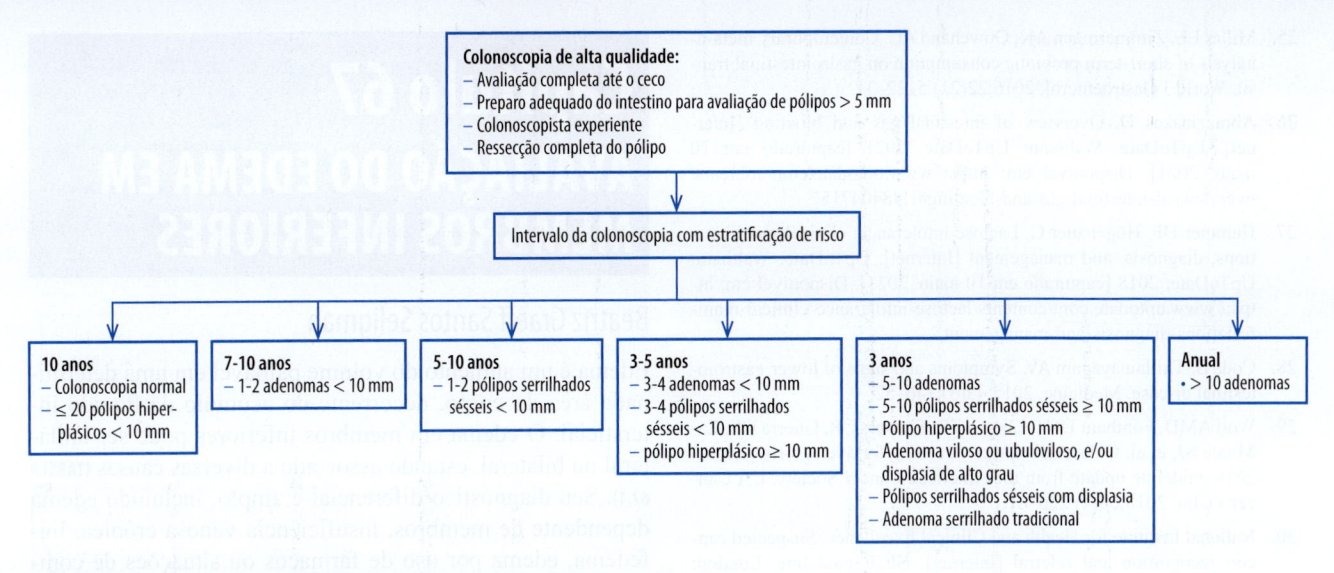

Anual
- > 10 adenomas

FIGURA 66.2 → Intervalo de tempo entre as colonoscopias com base na estratificação de risco.
Fonte: Adaptada de Gupta e colaboradores.[42]

---

intestinal autorreferida em adultos da população geral. Rev Esc Enferm USP. 2015;49(3):443–52.

3. Bharucha AE, Pemberton JH, Locke GR. American Gastroenterological Association technical review on constipation. Gastroenterology. 2013;144(1):218–38.

4. Paquette IM, Varma M, Ternent C, Melton-Meaux G, Rafferty JF, Feingold D, et al. The American Society of Colon and Rectal Surgeons' clinical practice guideline for the evaluation and management of constipation. Dis Colon Rectum. 2016;59(6):479–92.

5. Drossman DA. Functional gastrointestinal disorders: history, pathophysiology, clinical features, and rome IV. Gastroenterology. 2016;150(6):1262-1279.e2.

6. Maruyama M, Kamimura K, Sugita M, Nakajima N, Takahashi Y, Isokawa O, et al. The management of constipation: current status and future prospects. In: Mózsik G, organizador. Constipation. London: IntechOpen; 2019.

7. Andreoli CS, Vieira-Ribeiro SA, Fonseca PCA, Moreira AVB, Ribeiro SMR, Morais MB de, et al. Eating habits, lifestyle and intestinal constipation in children aged four to seven years. Nutr Hosp. 2019;36(1):25–31.

8. Aoyagi Y, Amamoto R, Park S, Honda Y, Shimamoto K, Kushiro A, et al. Independent and interactive effects of habitually ingesting fermented milk products containing lactobacillus casei strain shirota and of engaging in moderate habitual daily physical activity on the intestinal health of older people. Front Microbiol. 2019;10:1477.

9. Gao R, Tao Y, Zhou C, Li J, Wang X, Chen L, et al. Exercise therapy in patients with constipation: a systematic review and meta-analysis of randomized controlled trials. Scand J Gastroenterol. 2019;54(2):169–77.

10. Antunes MD, Oliveira KCC de, Acencio FR, Oliveira DV de, Garcez DAG, Bennemann RM. Constipação intestinal em idosos e a relação com atividade física, alimentação e cognição: uma revisão sistemática. Rev Med. 2019;98(3):202–7.

11. Lacy BE, Mearin F, Chang L, Chey WD, Lembo AJ, Simren M, et al. Bowel disorders. Gastroenterology. 2016;150(6):1393-1407.e5.

12. Weiner BC. Constipation in adults [American Society of Colon and Rectal Surgeons (ASCRS) grading system for recommendations] [Internet]. Ipswich: DynaMed; 2018 [capturado em 10 maio. 2021]. Disponível em: https://www.dynamed.com/condition/constipation-in-adults#GUID-BA55AE50-4C9E-4CEE-AB0A-4B410DD9F5A0.

13. Christodoulides S, Dimidi E, Fragkos KC, Farmer AD, Whelan K, Scott SM. Systematic review with meta-analysis: effect of fibre supplementation on chronic idiopathic constipation in adults. Aliment Pharmacol Ther. 2016;44(2):103–16.

14. Woodward S, Norton C, Chiarelli P. Biofeedback for treatment of chronic idiopathic constipation in adults. Cochrane Database Syst Rev. 2014;(3):CD008486.

15. Rao SSC, Rattanakovit K, Patcharatrakul T. Diagnosis and management of chronic constipation in adults. Nat Rev Gastroenterol Hepatol. 2016;13(5):295–305.

16. Chiarioni G. Biofeedback treatment of chronic constipation: myths and misconceptions. Tech Coloproctol. 2016;20(9):611–8.

17. Vitton V, Damon H, Benezech A, Bouchard D, Brardjanian S, Brochard C, et al. Clinical practice guidelines from the French National Society of Coloproctology in treating chronic constipation. Eur J Gastroenterol Hepatol. 2018;30(4):357–63.

18. Lee-Robichaud H, Thomas K, Morgan J, Nelson RL. Lactulose versus polyethylene glycol for chronic constipation. Cochrane Database Syst Rev. 2010;(7):CD007570.

19. Brenner DM. Stimulant laxatives for the treatment of chronic constipation: is it time to change the paradigm? Gastroenterology. 2012;142(2):402–4.

20. Noergaard M, Traerup Andersen J, Jimenez-Solem E, Bring Christensen M. Long term treatment with stimulant laxatives – clinical evidence for effectiveness and safety? Scand J Gastroenterol. 2019;54(1):27–34.

21. Paré P, Fedorak RN. Systematic review of stimulant and nonstimulant laxatives for the treatment of functional constipation. Can J Gastroenterol Hepatol. 2014;28(10):549–57.

22. Vijayvargiya P, Camilleri M. Use of prucalopride in adults with chronic idiopathic constipation. Expert Rev Clin Pharmacol. 2019;12(7):579–89.

23. Coggrave M, Norton C, Cody JD. Management of faecal incontinence and constipation in adults with central neurological diseases. Cochrane Database Syst Rev. 2014;(1):CD002115.

24. Niv G, Grinberg T, Dickman R, Wasserberg N, Niv Y. Perforation and mortality after cleansing enema for acute constipation are not rare but are preventable. Int J Gen Med. 2013;6:323–8.

25. Miller LE, Zimmermann AK, Ouwehand AC. Contemporary meta-analysis of short-term probiotic consumption on gastrointestinal transit. World J Gastroenterol. 2016;22(21):5122–31.
26. Abraczinskas D. Overview of intestinal gas and bloating [Internet]. UpToDate. Waltham: UpToDate; 2021 [capturado em 10 maio. 2021]. Disponível em: https://www.uptodate.com/contents/overview-of-intestinal-gas-and-bloating#H484047157.
27. Hammer HF, Högenauer C. Lactose intolerance: clinical manifestations, diagnosis, and management [Internet]. UpToDate. Waltham: UpToDate; 2018 [capturado em 10 maio. 2021]. Disponível em: https://www.uptodate.com/contents/lactose-intolerance-clinical-manifestations-diagnosis-and-management.
28. Coda S, Thillainayagam AV. Symptoms and signs of lower gastrointestinal disease. Medicine. 2015;43(3):146–52.
29. Wolf AMD, Fontham ETH, Church TR, Flowers CR, Guerra CE, LaMonte SJ, et al. Colorectal cancer screening for average-risk adults: 2018 guideline update from the American Cancer Society. CA Cancer J Clin. 2018;68(4):250–81.
30. National Institute for Health and Clinical Excellence. Suspected cancer: recognition and referral [Internet]. NICE guideline. London: NICE; 2021 [capturado em 10 maio. 2021]. Disponível em: https://www.nice.org.uk/guidance/ng12/chapter/Introduction.
31. Strate LL, Gralnek IM. ACG clinical guideline: management of patients with acute lower gastrointestinal bleeding. Am J Gastroenterol. 2016;111(4):459–74.
32. Galetin T, Galetin A, Vestweber K-H, Rink AD. Systematic review and comparison of national and international guidelines on diverticular disease. Int J Colorectal Dis. 2018;33(3):261–72.
33. Mege D, Yeo H. Meta-analyses of current strategies to treat uncomplicated diverticulitis. Dis Colon Rectum. 2019;62(3):371–8.
34. Wilkins T, Embry K, George R. Diagnosis and management of acute diverticulitis. Am Fam Physician. 2013;87(9):612–20.
35. Ojetti V, Petruzziello C, Cardone S, Saviano L, Migneco A, Santarelli L, et al. The use of probiotics in different phases of diverticular disease. Rev Recent Clin Trials. 2018;13(2):89–96.
36. Schreyer AG, Layer G, German Society of Digestive and Metabolic Diseases (DGVS) as well as the German Society of General and Visceral Surgery (DGAV) in collaboration with the German Radiology Society (DRG). S2k guidlines for diverticular disease and diverticulitis: diagnosis, classification, and therapy for the radiologist. Rofo. 2015;187(8):676–84.
37. Feingold D, Steele SR, Lee S, Kaiser A, Boushey R, Buie WD, et al. Practice parameters for the treatment of sigmoid diverticulitis. Dis Colon Rectum. 2014;57(3):284–94.
38. Gago T, Vaz AM, Queirós P, Roseira J, Cunha AC, Araújo AC, et al. Pólipos colo-rectais e sua importância clínica. Rev Port Coloproctologia. 2017;14(2):50–60.
39. Pickhardt PJ, Pooler BD, Kim DH, Hassan C, Matkowskyj KA, Halberg RB. The natural history of colorectal polyps: overview of predictive static and dynamic features. Gastroenterol Clin North Am. 2018;47(3):515–36.
40. Macrae FA. Overview of colon polyps [Internet]. UpToDate. Waltham; 2020 [capturado em 10 maio. 2021]. Disponível em: https://www.uptodate.com/contents/overview-of-colon-polyps.
41. Kaltenbach T, Anderson JC, Burke CA, Dominitz JA, Gupta S, Lieberman D, et al. Endoscopic removal of colorectal lesions: recommendations by the US Multi-society Task Force on Colorectal Cancer. Am J Gastroenterol. 2020;115(3):435–64.
42. Gupta S, Lieberman D, Anderson JC, Burke CA, Dominitz JA, Kaltenbach T, et al. Recommendations for follow-up after colonoscopy and polypectomy: a consensus update by the US Multi-society Task Force on Colorectal Cancer. Gastroenterology. 2020;158(4):1131-1153.e5.
43. Bailie L, Loughrey MB, Coleman HG. Lifestyle risk factors for serrated colorectal polyps: a systematic review and meta-analysis. Gastroenterology. 2017;152(1):92–104.

Capítulo 67
AVALIAÇÃO DO EDEMA EM MEMBROS INFERIORES

Beatriz Graeff Santos Seligman

Edema é um aumento do volume palpável em uma determinada área do corpo, decorrente do acúmulo de líquido intersticial. O edema em membros inferiores pode ser unilateral ou bilateral, estando associado a diversas causas (TABELA 67.1). Seu diagnóstico diferencial é amplo, incluindo edema dependente de membros, insuficiência venosa crônica, linfedema, edema por uso de fármacos ou situações de compressão crônica de vasos. Dados de história e exame físico podem ser pistas importantes para a abordagem e o tratamento. Este capítulo aborda a investigação diagnóstica,[1,2] remetendo aos respectivos capítulos para o manejo de acordo com as etiologias.

MECANISMOS ASSOCIADOS

Os principais mecanismos de edema de membros inferiores são:
- → aumento da pressão venosa (insuficiência venosa, insuficiência cardíaca, outros mecanismos associados à retenção de sódio e água);
- → aumento da permeabilidade vascular (inflamação, alergia e fármacos com vasodilatação local);
- → redução da pressão oncótica (hipoalbuminemia);
- → obstrução linfática (linfedema);
- → depósito tecidual (mixedema).

TABELA 67.1 → Causas de edema em membros inferiores

CAUSAS MAIS COMUNS
→ Insuficiência venosa crônica
→ Celulite/erisipela
→ Insuficiência cardíaca com disfunção sistólica ou diastólica
→ Fármacos
CAUSAS GRAVES QUE DEVEM SER CONSIDERADAS
→ Trombose venosa profunda (em geral, unilateral)
→ Celulite/erisipela (em geral, unilateral)
→ Insuficiência cardíaca e hipertensão pulmonar
→ Glomerulopatias/injúria renal
→ Compressão de veia cava
→ Sobrecarga rápida de volume
CAUSAS FREQUENTEMENTE ESQUECIDAS
→ Mixedema
→ Linfedema
→ Hipertensão arterial pulmonar/apneia do sono
→ Desnutrição proteico-calórica/má absorção
→ Picada de inseto, picada de cobra
→ Lipedema
→ Síndrome de May-Turner ou outras compressões venosas ou linfáticas

APRESENTAÇÃO CLÍNICA

Na avaliação inicial do paciente com edema em membros inferiores, é importante observar os seguintes questionamentos:[3]
→ É isolado em membros inferiores ou está presente em outros locais?
→ É unilateral ou bilateral?
→ É de surgimento recente (< 72 horas)?
→ Estão presentes sinais de alerta?
→ Existem outros sintomas associados?
→ Quais são os achados do exame físico?
→ O paciente faz uso de medicamentos que possam contribuir para o surgimento do edema?

Essas perguntas ajudam a determinar os sinais e sintomas que permitem a elaboração de uma hipótese clínica e serão, muitas vezes, suficientes para determinar a etiologia do edema e/ou para elaborar uma proposta terapêutica. Apresentações de edema que envolvem mais de um local sugerem etiologias sistêmicas com envolvimento renal primário (injúria renal aguda, glomerulopatias, insuficiência renal crônica) ou secundárias a outras patologias (hipoalbuminemia, hepatopatias, má absorção). Edemas unilaterais (TABELA 67.2), por exemplo, são mais frequentes na trombose venosa profunda (TVP), na erisipela e na celulite, que também podem apresentar menos de 72 horas de evolução, assim como os edemas causados por fenômenos alérgicos. Casos em que o paciente refere dispneia ou apresenta esforço respiratório, cianose ou má perfusão periférica, febre, taquicardia, hipotensão, agitação ou sonolência implicam um manejo rápido do quadro, eventualmente com início de tratamento empírico. Alguns medicamentos de uso habitual também podem causar edema, com frequência relativamente alta (TABELA 67.3). Sempre que possível, em quadros sem causa aparente, deve-se avaliar a possibilidade de suspendê-los caso se suspeite de que seja secundário ao uso de determinado fármaco.

Uma forma tradicionalmente utilizada no raciocínio clínico das causas de edema em membros inferiores é a sua divisão em edema bilateral e edema unilateral.

EDEMA BILATERAL

O edema bilateral está mais relacionado à insuficiência cardíaca, à insuficiência venosa crônica, à hipertensão arterial pulmonar sem disfunção ventricular esquerda, à injúria renal aguda e crônica, à sobrecarga rápida de volume e ao uso de fármacos.[1,4,5]

Além disso, o edema bilateral de membros inferiores pode apresentar-se no contexto de causas sistêmicas associadas a edema generalizado. O surgimento agudo de edema bilateral de membros inferiores costuma estar mais associado à descompensação de doenças sistêmicas, à trombose venosa bilateral ou à síndrome de veia cava inferior, seja por trombose ou compressão.[2]

Insuficiência cardíaca e hipertensão pulmonar

Tanto a redução do débito cardíaco quanto a elevação da pressão arterial pulmonar ativam processos neuro-humorais que levam à retenção de sódio e água, bem como ao aumento da pressão hidrostática capilar. O edema ocorre, em geral, nas extremidades e é simétrico. Pacientes que deambulam

TABELA 67.2 → Apresentação e achados clínicos e laboratoriais nas causas mais comuns de edema unilateral de membro inferior

CONDIÇÃO	APRESENTAÇÃO	ACHADOS
Apresentação aguda		
TVP	Dolorosa, unilateral, surgimento recente, empastamento – condições predisponentes devem ser avaliadas, como imobilização, neoplasias, etc.	Escore de Wells alto, ultrassonografia com Doppler de membros inferiores positivo; dímeros D normais, ajustados para a idade, podem excluir, se solicitados de acordo com a probabilidade pré-teste (escore de Wells ou outros)
Celulite/erisipela	Dor, eritema, empastamento, porta de entrada para bactérias (trauma, cirurgia, tinha interdigital), envolvimento sistêmico frequente	Febre, leucocitose, desvio à esquerda, elevação de PCR, eventualmente adenopatia regional presente
Picada de inseto ou de cobra	Dor e eritema local associado a empastamento; prurido local é frequente com picada de inseto	Sinais locais na porta de entrada
Ruptura de cisto de Baker	Pacientes com doença articular degenerativa de joelhos, artrite reumatoide ou história de patologia de menisco e baixa probabilidade de TVP	Cisto localizado na fossa poplítea, associado a doença degenerativa ou condições inflamatórias do joelho; pode produzir aumento característico na fossa poplítea e dor à palpação; pode ter aumento de dímeros D pela compressão venosa local
Estiramento ou ruptura do gastrocnêmio	Surgimento doloroso após dorsi-flexão abrupta do pé ou menisco; baixa probabilidade de TVP	Edema na panturrilha com área de afundamento na direção do tornozelo
Surgimento lento		
Linfedema	Sem cacifo, pouca dor Compressão de veias pélvicas por linfonodos ou tumor tem apresentação semelhante (paramétrio, pelve)	Alterações tróficas da pele, com espessamento e edema duro, pouca melhora com elevação dos membros; pode haver massa em exame de imagem de abdome e pelve

TVP, trombose venosa profunda; PCR, proteína C-reativa.

TABELA 67.3 → Fármacos que podem causar edema em membros inferiores

ANTI-HIPERTENSIVOS
→ Bloqueadores dos canais de cálcio
→ Hidralazina
→ Minoxidil
→ Metildopa
→ Clonidina
→ Betabloqueadores
HORMÔNIOS
→ Corticoides
→ Estrogênios
→ Progestagênios
→ Esteroides anabolizantes (herbais também)
OUTROS
→ Anti-inflamatórios não esteroides (causa comum)
→ Pioglitazona, rosiglitazona
→ Ciclosporina, levodopa, inibidores da monoaminoxidase
→ Outros: quetiapina, gabapentina, duloxetina, clozapina,[13] olanzapina,[14] antidepressivos[15]

apresentam edema em membros inferiores que é mole, frio, indolor e com cacifo – caracterizado pela manutenção da depressão na pele após a compressão do polegar sobre a tíbia. Indivíduos imobilizados podem desenvolver edema em nádegas, bolsa escrotal ou edema unilateral, a depender do posicionamento corporal e da frequência da alternância entre diferentes posições.

Na suspeita de insuficiência cardíaca ou congestão, a presença de turgência jugular no exame físico é um dado acurado para a predição de aumento da pressão venosa central (PVC).[6] Pericardite constritiva ou derrame pericárdico progressivo também são causas importantes de edema bilateral em membros inferiores associado à turgência jugular. A observação da veia jugular distendida visível acima da clavícula com o paciente sentado apresenta sensibilidade de 65% e especificidade de 85% para identificar elevação da PVC.[3,7] Uma maneira bem efetiva de avaliar congestão/elevação de pressão pulmonar é o reconhecimento do colapso inspiratório da jugular distendida – esse achado, se presente, afasta tamponamento cardíaco.[8] O achado isolado de edema em membros inferiores sem a avaliação da pressão venosa não é preditivo para o diagnóstico de insuficiência cardíaca (ver Capítulo Insuficiência Cardíaca).

Apneia obstrutiva do sono e hipertensão pulmonar

Indivíduos com apneia obstrutiva do sono e hipertensão pulmonar podem apresentar edema bilateral crônico de membros inferiores. Achados de hipertensão pulmonar sem causa aparente em pacientes obesos com diâmetro cervical aumentado e roncos devem direcionar para essa possibilidade (ver Capítulo Alterações do Sono).[4]

Hipoproteinemia

Ao contrário do edema de origem cardíaca, o edema resultante de hipoproteinemia é menos dependente da posição. Costuma associar-se a edema de face e pálpebra ao acordar, é macio e produz cacifo. Surge, em geral, com níveis séricos de proteínas totais < 5 g/dL e de albumina entre 1,5 e 2,5 g/dL. As causas de edema por hipoproteinemia incluem síndrome nefrótica, hepatopatias, gastroenteropatia exsudativa (doenças disabsortivas, doença inflamatória intestinal, espru) e desnutrição proteico-calórica, além de inflamação crônica.

Uma pista diagnóstica para o edema hipoproteico é o surgimento rápido do cacifo 1 a 2 segundos após a pressão do polegar sobre a tíbia, seguido de rápida recuperação após sua retirada.[5,9]

Reações alérgicas

Indivíduos com reações alérgicas podem apresentar edema de face de instalação aguda associado ou não a edema em membros inferiores. Deve ser considerado no diagnóstico diferencial de edemas generalizados ou em áreas incomuns. (Ver Capítulo Prurido e Lesões Papulosas e Nodulares.)

Glomerulopatias

Nas glomerulonefrites e na injúria renal aguda, pode ocorrer edema bilateral por aumento da permeabilidade capilar com retenção de sódio e água, redução da taxa de filtração glomerular (TFG) e proteinúria. O edema de membros inferiores costuma associar-se a edema palpebral e facial matinais, produz cacifo, é macio e persistente, sem sinais inflamatórios. A pressão arterial pode estar elevada ou não – na síndrome nefrótica, há aumento da água corporal total e edema progressivos, mas frequentemente sem grandes elevações da pressão arterial e até com hipotensão eventual – e o volume efetivo circulante pode estar reduzido, apesar da água corporal total aumentada. Já nas glomerulonefrites rapidamente progressivas, hipertensão de difícil manejo é a regra e pode preceder o edema que surge quando há perda mais pronunciada de função renal e diminuição da diurese (ver Capítulo Hipertensão Arterial Sistêmica).

Edemas em gestantes

Edemas são achados comuns nas gestantes, geralmente em membros inferiores. Comumente iniciam durante o 2º trimestre e acompanham a gestante até o final da gravidez, podendo apresentar-se apenas tardiamente. As principais causas do edema nas gestantes são as alterações hidreletrolíticas, o aumento da compressão de grandes vasos abdominais e pélvicos, a venodilatação e o aumento da permeabilidade vascular, sendo, majoritariamente, achados benignos. No entanto, edema de surgimento rápido com ganho de peso > 2,3 kg/semana, associado a edema facial, são mais comuns na pré-eclâmpsia e devem garantir uma avaliação cautelosa no acompanhamento pré-natal.

Em gestantes hipertensas, o edema deve alertar para possibilidade de pré-eclâmpsia e eclâmpsia.

Insuficiência venosa crônica

Doença venosa crônica com refluxo venoso está frequentemente associada a edema de tornozelo, apresentando-se inicialmente apenas ao final do dia, progredindo em duração, extensão e eventualmente apresentando alterações tróficas da pele e úlceras venosas.

O decúbito ou elevação do membro favorece a diminuição dos sintomas. O edema não é um achado específico da insuficiência venosa, mas a presença de outros sinais aumenta a chance do diagnóstico. Podem ser observados depósitos de hemossiderina na derme, de cor acastanhada, conhecidos como dermatite ocre. Também são comuns as veias varicosas visíveis à inspeção e telangiectasias (ver Capítulo Doenças Venosas dos Membros Inferiores).[2]

Linfedema

O linfedema é causado pelo acúmulo intersticial de fluido linfático quando há desequilíbrio entre a sua produção e a capacidade de transporte. Pacientes com linfedema têm TFG normal e não há sobrecarga dos vasos linfáticos por uma quantidade excessiva de infiltrado capilar, como ocorre no mixedema ou na anasarca.[10] As situações de baixo débito do sistema linfático podem ocorrer por malformação congênita – linfedema primário – ou por obstrução – linfedema secundário. O excesso de linfa tecidual promove a proliferação de adipócitos e a deposição de fibras colágenas em torno dos vasos linfáticos.

As causas mais comuns são as neoplasias abdominais ou pélvicas, a radioterapia ou cirurgia envolvendo o sistema linfático, as infecções ou sequelas destas (filariose, erisipelas ou celulites de repetição, mais comuns em pacientes com insuficiência venosa crônica).[6] Estima-se que 140 a 250 milhões de pessoas tenham linfedema, sendo 16 milhões desses casos atribuídos à infecção por parasitas nematódeos que causam a filariose (*Wuchereria bancrofti*, *Brugia malayi* e *Brugia timori*). O linfedema primário é raro em crianças e sua incidência em adultos tem difícil medição, uma vez que se confunde com o linfedema secundário. Neoplasias malignas são associadas à maioria dos casos de edema secundário a linfedema.

O diagnóstico de linfedema é clínico e baseado em informações de história e exame físico. Apresenta-se como edema duro (podendo apresentar cacifo no início do quadro) e, em geral, tem início lento e progressivo, gerando alterações tróficas na pele e sendo indolor à palpação. A orientação da progressão se dá a partir da extremidade do membro, evoluindo proximalmente. Diferentemente do edema da insuficiência venosa, o decúbito e a elevação dos membros não favorecem a remissão dos sintomas. Pode ser unilateral ou bilateral, dependendo do segmento acometido e da etiologia. O membro afetado normalmente mostra mudanças mínimas de pigmentação, raramente sofre ulceração e pode apresentar alterações com aspecto verrucoso. Ao exame, há hiperceratose, pele aderida e empastada e acometimento dos pés e dedos. Uma manobra útil é a tentativa de pinçar uma prega cutânea dorsal do pé na base do segundo pododáctilo – no linfedema, a pele infiltrada é aderida, não podendo ser pinçada.[7]

Endocrinopatias – mixedema

O mixedema é uma causa endocrinológica de edema. É caracterizado pelo depósito intersticial de mucopolissacarídeos hidrofílicos com redução da drenagem linfática. Mais frequentemente, está associado a quadros graves de hipotireoidismo, podendo ser generalizado ou predominantemente pré-tibial, indolor, firme, não produzindo cacifo com a pressão do polegar.

Rouquidão, fadiga, bradipsiquismo, pele seca, constipação, intolerância ao frio e baixa voltagem no eletrocardiograma aumentam as suspeitas de edema associado ao hipotireoidismo. Raramente, pacientes com tireotoxicose podem apresentar mixedema com hiperemia cutânea e achados clínicos e laboratoriais característicos do hipertireoidismo.[8]

Fármacos

Diversos fármacos são capazes de causar edema bilateral,[2,9-11] podendo ocorrer com surgimento agudo ou crônico. A **TABELA 67.3** apresenta alguns fármacos mais comumente implicados, mas novos fármacos podem estar associados a edema.

> Deve-se considerar essa possibilidade especialmente quando o edema surge após a introdução de novo medicamento, alopático ou não.

Edema idiopático

O edema idiopático pode ser descrito como uma síndrome de retenção de líquidos que pode se apresentar em face, mãos, tronco e membros. Ocorre, comumente, em mulheres na pré-menopausa e na ausência de doença cardíaca, hepática ou renal. Diabetes, obesidade e problemas de saúde mental, incluindo depressão, fazem, frequentemente, parte da síndrome. Essa relação pode ser explicada por uma deficiência de dopamina, podendo ser responsável pela formação de edema de diferentes maneiras: prejudicando a função hipotalâmica com consequente secreção anormal de prolactina e hormônio luteinizante; alterando diretamente a hemodinâmica capilar; e reduzindo a excreção de sódio, uma vez que a dopamina é, normalmente, um hormônio natriurético. Também há uma associação com comportamentos purgativos como uso de diuréticos, laxantes ou vômitos provocados para perda de peso. Angioedema hereditário é uma doença rara causada por deficiência na produção ou na função de inibidor C1 do complemento, e tem tratamento específico. Manifesta-se como episódios de angioedema em face, lábios ou diferentes áreas do corpo, às vezes dolorosos e desfigurantes.

Na tentativa de explicar a fisiopatologia da retenção de líquidos do edema idiopático, três mecanismos principais foram descritos:

1. **vazamento capilar:** esse processo está relacionado à exacerbação de um mecanismo normal existente em indivíduos saudáveis. Existe, naturalmente, um grau leve de depleção do volume plasmático relacionado ao acúmulo de líquido extracelular, acentuado pela gravidade e, principalmente, nas extremidades dos membros inferiores. Nesses casos, ocorre redução na excreção urinária de sódio e um possível ganho diurno de peso que pode chegar a até 1,5 kg/dia. Pessoas que apresentam edema idiopático têm resposta anormal a esse mesmo mecanismo, podendo perder quantidades consideravelmente maiores de líquido para fora do espaço vascular. Em casos mais graves, essa perda de líquido para o espaço intersticial pode gerar um aumento do peso corporal de até 5 kg em um único dia;

2. **realimentação:** é comum ocorrerem reduções drásticas na ingestão alimentar na tentativa de reduzir o peso corporal. A reintrodução de alimentos depois de um longo período de jejum pode gerar o fenômeno chamado de edema de realimentação. Nesse caso, o aumento da liberação de insulina associado à ativação do sistema renina-angiotensina-aldosterona podem promover retenção de sódio com aumento da reabsorção tubular com consequente retenção hídrica;

3. **edema induzido por uso de diuréticos:** nessa situação, por conta do uso contínuo de diuréticos com o objetivo de redução de edema, alguns pacientes podem desenvolver, paradoxalmente, uma piora do problema por meio de uma ativação anormal nos mecanismos de retenção de sódio ligados ao sistema renina-angiotensina-aldosterona. Se, por algum motivo, o uso do diurético for interrompido, a readaptação hormonal desse sistema pode não acontecer rapidamente, resultando na formação de edema e, frequentemente, na reintrodução do uso do medicamento com intuito de reduzi-lo. No entanto, observa-se com frequência que, caso o paciente se mantenha sem o uso do diurético por um período de 1 a 3 semanas, pode haver uma retomada da diurese espontânea com consequente redução do edema.

O diagnóstico de edema idiopático é de exclusão e só deve ser considerado quando a concentração plasmática de albumina e a pressão venosa jugular estão normais e quando não há evidência de doença cardíaca, hepática ou renal. O edema idiopático também deve ser diferenciado do edema pré-menstrual.

EDEMA PRÉ-MENSTRUAL

O edema pré-menstrual deve ser considerado em mulheres que apresentam sintomas autolimitados, que precedem o sangramento menstrual. O edema pode ser localizado em mamas, membros ou abdome ou ser generalizado. Geralmente, é acompanhado de outros sintomas que compõem a síndrome disfórica pré-menstrual. Uma das possíveis explicações para o edema é a retenção de sal e água causada pelo estrogênio, e a consequente congestão venosa.

EDEMA UNILATERAL

A apresentação e os achados típicos das causas mais comuns de edema unilateral de membro inferior são sumarizados na **TABELA 67.2**. Uma questão importante na avaliação de edema unilateral é considerar se o surgimento foi agudo ou houve instalação lenta – nesse caso, é importante excluir TVP (ver Capítulo Doenças Venosas dos Membros Inferiores). Outras causas comuns são celulite ou erisipela, picada de inseto ou cobra, ruptura de cisto de Baker, linfedema e ruptura traumática do gastrocnêmio.[2]

Causas mais raras incluem paniculite, síndrome compartimental, compressão localizada de veia e envolvimento paraneoplásico por infiltração local.[5] Escores de probabilidade para trombose venosa e biomarcadores de fibrinólise devem ser utilizados como ferramentas importantes no esclarecimento etiológico e no diagnóstico do edema unilateral. A aferição dos dímeros D é uma ferramenta útil para afastar TVP – quando usado um ponto de corte ajustado para a idade os valores preditivos negativos podem variar de 89,7 a 100%.[11,12] Ultrassonografia (US) com Doppler de membros inferiores é teste diagnóstico de escolha para confirmar o diagnóstico de TVP (ver Capítulo Doenças Venosas dos Membros Inferiores). Além disso, a US à beira do leito (*point of care* [POCUS]) tem sido incorporada aos dados clínicos, com sensibilidade e especificidade altas.

REFERÊNCIAS

1. Ratchford EV, Evans NS. Approach to lower extremity edema. Curr Treat Options Cardiovasc Med 2017;19(13):16.
2. Mandal AK. Edema: a systematic approach to diagnosis and management. Compr Ther 2008;34(2):77-88.
3. Collins DR, Collins RD. Algorithmic diagnosis of symptoms and signs: a cost-effective approach. Philadelphia: Lippincott Williams & Wilkins; 2012.
4. Ely JW, Osheroff JA, Chambliss ML, Ebell MH. Approach to leg edema of unclear etiology. J Am Board Fam Med. 2006;19(2):148-60.
5. McGee S. Evidence-based physical diagnosis. 3rd ed. Amsterdam: Elsevier; 2012.
6. Ferrante G, Pugliese F, Di Mario C. Jugular venous pressure: a cardinal sign. Lancet. 2010;376:802.
7. Sinisalo J, Rapola J, Rossinen J, Kupari M. Simplifying the estimation of jugular venous pressure. Am J Cardiol 2007;100(12):1779-81.
8. Conn RD, O'Keefe JH. Simplified evaluation of the jugular venous pressure: significance of inspiratory collapse of jugular veins. Mo Med 2012;109(2):150-2.
9. McGee S. Teaching evidence-based physical diagnosis: six bedside lessons. South Med J 2016;109(12):738-42.
10. Borman P. Lymphedema diagnosis, treatment, and follow-up from the view point of physical medicine and rehabilitation specialists. Turk J Phys Med Rehabil 2018;64(3):179-97.
11. Nybo M, Hvas A. Age-adjusted D-dimer cut-off in the diagnostic strategy for deep vein thrombosis: a systematic review. Scand J Clin Lab Invest. 2017;77(8):568-73.
12. Singer AJ, Zheng H, Francis S, Fermann GJ, Chang AM, Parry BA, et al. D-dimer levels in VTE patients with distal and proximal clots. Am J Emerg Med 2019;37(1):33-7.
13. Huttlin EA, Herrera DG. Periorbital edema associated with clozapine and gabapentins: a case report. J Clin Psychopharmacol 2020;40(2):198-9.
14. Cook EA, Shipman D, Fowler TG. Whole-body edema with olanzapine: a case report and literature review. Ment Health Clin 2020;10(5):291-5.
15. Kontoangelos K, Ecomomou M, Papageorgiou C. Ankle edema after administration of selective serotonin reuptake inhibitors. Ment Illn 2018;10(1):7364.

Capítulo 68
FEBRE EM ADULTOS

Flavia Kessler Borges
Gustavo Faulhaber
Tania Weber Furlanetto
Sergio Henrique Prezzi

Os mecanismos fisiológicos de regulação da temperatura agem para mantê-la constante em cada indivíduo. A febre ocorre por aumento do ponto de regulação hipotalâmico da temperatura e é uma resposta a diversas situações associadas à lesão tecidual.[1] A hipertermia é o aumento da temperatura por latência ou perda/diminuição da eficiência dos mecanismos de regulação da temperatura, podendo ser extremamente grave (p. ex., no caso de exercício físico vigoroso, hipertireoidismo, drogas que interferem na termorregulação, reação a anestésicos, desidratação ou lesão do centro regulador hipotalâmico).[2,3]

Os valores normais de temperatura ficam em torno de 37 °C (oral: 36,4-37,2 °C; retal: 36,3-38,2 °C; axilar: 35,7-37,6 °C).[2] As mulheres podem ter uma variação maior da temperatura durante o mês, de acordo com o ciclo menstrual. Em condições normais, a temperatura corporal é aproximadamente 0,6 °C mais elevada à tarde do que pela manhã. Temperaturas > 41,5 °C são rotuladas como hiperpirexia e acompanham, frequentemente, lesões graves do sistema nervoso central ou infecções graves.

ETIOLOGIA

A causa mais frequente de febre é a infecção, mais comumente viral. Na maioria dos pacientes, o diagnóstico é sugerido por sinais ou sintomas de localização (TABELA 68.1). Quando a febre ocorre acompanhada apenas por manifestações inespecíficas, como mal-estar, anorexia, mialgia, cefaleia e calafrios, há maior dificuldade diagnóstica.

A duração da febre pode ser útil para determinar sua causa: quando dura de 3 a 4 dias, em geral se deve a uma infecção viral do trato respiratório superior. O quadro clínico costuma incluir coriza, congestão nasal, tosse, dor de garganta e febre autolimitada, inferior a 38,5 °C (ver Capítulo Infecções de Trato Respiratório em Adultos). No entanto, uma avaliação clínica cuidadosa deve ser feita para identificar infecções potencialmente mais graves, como pneumonia e infecção renal. A infecção por *influenza* pode ter curso grave e letal, sobretudo em pacientes com idade > 65 anos, gestantes e imunocomprometidos. Quando a duração da febre é de 4 a 14 dias, outras infecções devem ser consideradas, como descrito na TABELA 68.1.

As infecções bacterianas também são importantes causas de febre, devendo ser prontamente identificadas, uma vez que o tratamento precoce com antimicrobianos é em geral eficaz e reduz o tempo de duração dos sintomas e a incidência de complicações graves e óbitos. Os locais mais comprometidos são os aparelhos respiratório e urinário, a pele e o tecido celular subcutâneo. Os sinais e sintomas dessas infecções fornecem importantes elementos para o diagnóstico, e estão descritos na TABELA 68.1.

Dados epidemiológicos locais, por vezes relacionados com a estação do ano, podem ser úteis na determinação da etiologia da febre, como a possibilidade de leptospirose quando há alagamentos e contaminação da água por fezes e urina de ratos (ver Capítulo Leptospirose). Doenças que existem em locais específicos, como malária e dengue, devem ser consideradas quando há história de viagem ou moradia nesses locais (ver Capítulos Dengue, Zika e Chikungunya, e Malária).

Se o paciente apresenta febre aguda, sem sinais ou sintomas de localização, a causa mais comum é uma infecção autolimitada, com duração de até 14 dias e etiologia provavelmente viral. Em algumas infecções, como mononucleose infecciosa, hepatite viral aguda, varicela e rubéola,

TABELA 68.1 → Sinais e sintomas importantes na avaliação de um paciente com febre

LOCAL COMPROMETIDO	SINTOMAS	SINAIS
Causas mais prováveis		
Ouvido, nariz e garganta	Dor no ouvido, nos seios da face e na garganta	Tímpano avermelhado, dor à compressão dos seios da face e hiperemia da faringe
Trato respiratório inferior	Falta de ar, tosse, expectoração purulenta e dor torácica	Atrito pleural, ausculta pulmonar anormal
Trato gastrintestinal	Dor abdominal, náuseas, vômitos, diarreia	Dor abdominal à palpação, hepatomegalia, icterícia
Sistema urogenital	Hematúria, disúria, polaciúria e dor no flanco	Dor à percussão do ângulo costovertebral
Pele		Lesões cutâneas, marcas de punção venosa
Causas graves		
Coração	Dor torácica	Atrito pericárdico, sopro novo ou variável
Sistema osteomuscular	Mialgias, artralgias	Artrite, dor óssea localizada
Sistema nervoso	Cefaleia, dor no pescoço, convulsões	Meningismo, alterações do sensório
Causas frequentemente esquecidas		
Tecido linfático		Esplenomegalia e linfadenomegalias dolorosas
Uso de fármacos	Prurido	*Rash* cutâneo

os achados diagnósticos podem aparecer um ou mais dias após o surgimento da febre. Por isso, a observação clínica acurada, com repetição da anamnese e do exame clínico, é importante e pode ser suficiente nesses casos.

A presença de febre predominantemente noturna, acompanhada de suores noturnos e emagrecimento, sugere a presença de doença infecciosa crônica, como tuberculose ou histoplasmose. O diagnóstico diferencial dessa apresentação clínica se faz com as neoplasias hematológicas, em especial linfoma.

A febre pode ser o único sinal de doença infecciosa grave em pacientes suscetíveis, sobretudo naqueles portadores de algum tipo de imunocomprometimento, conforme TABELA 68.2. Por outro lado, pacientes com idade mais avançada podem apresentar infecções graves com febre baixa ou mesmo ausente.[2]

O surgimento de febre acompanhada de algum dos sinais de alerta descritos na TABELA 68.3 indica a possibilidade de infecção grave, devendo haver pronta avaliação.

As causas não infecciosas, como fármacos, costumam ser esquecidas no diagnóstico diferencial da febre. Quase todos os medicamentos podem causá-la. Em geral, esta ocorre alguns dias após o início do tratamento, associada ou não a lesões cutâneas e eosinofilia. Após a suspensão do fármaco, a febre pode persistir por vários dias.[3] Os anticonvulsivantes e os antibióticos, particularmente os betalactâmicos, são os fármacos que mais têm sido associados à febre provocada por fármacos.

TABELA 68.2 → Causas prováveis de febre em pacientes com maior risco de infecção grave

SITUAÇÕES DE RISCO	INFECÇÕES COMUNS
Aids	Pneumocistose, toxoplasmose, tuberculose, meningite criptocócica, histoplasmose, citomegalovirose e outros patógenos oportunistas
Uso de glicocorticoides Linfoma	Infecções por herpes-zóster, infecções bacterianas e fúngicas
Valvulopatia reumática ou congênita Prótese ou enxerto valvular	Endocardite bacteriana ou infecção endovascular
Mieloma múltiplo Paciente esplenectomizado Hemoglobinopatias	Bacteriemia espontânea por pneumococo, hemófilos ou espécie de *Salmonella*
Cirrose hepática, especialmente com ascite	Peritonite bacteriana espontânea
Uso de drogas intravenosas, com más condições de higiene	Endocardite bacteriana
Idade avançada Alcoolismo	Empiema, pneumonia ou infecção intra-abdominal localizada
Uso de fármacos imunossupressores Transplante de órgãos	Infecção por herpes-zóster, citomegalovírus, infecções bacterianas e fúngicas
Neutropenia[19]	Bacteriemia por bacilos gram-negativos, cocos gram-positivos e infecções invasivas por fungos filamentosos

TABELA 68.3 → Sinais de alerta de doença grave em pacientes com febre

→ Febre alta (> 39 °C)
→ Calafrios
→ Sudorese noturna
→ Mialgia severa (leptospirose, sepse, infecção pelo vírus H1N1)
→ Dor localizada severa (sepse)
→ Dor de garganta e disfagia severas
→ Alteração de estado mental
→ Vômitos incoercíveis
→ *Rash* inexplicado (meningococemia)
→ Icterícia
→ Palidez marcada
→ Taquicardia
→ Taquipneia

Diversas outras situações, como neoplasias, lesões inflamatórias, doença vascular oclusiva, embolia pulmonar, infarto agudo do miocárdio e episódios hemolíticos, também podem causar febre.

AVALIAÇÃO

Na avaliação inicial de um paciente com febre, devem-se buscar dados que possam sugerir ou determinar o diagnóstico. A história clínica deve ser meticulosa, com especial atenção para uso de medicamentos, prescritos ou não; procedimentos cirúrgicos ou dentários; exames invasivos; contato com portadores de doenças infecciosas ou animais; ingestão de alimentos potencialmente contaminados; exposição a materiais tóxicos e uso de drogas; exposição a doenças endêmicas ou epidêmicas. É importante também a história de transfusões e alergias prévias.[4] A história familiar de tuberculose, anemias ou artrites pode sugerir possibilidade de transmissão ambiental de doenças ou predisposição genética a doenças. Os achados semiológicos mais importantes a serem investigados nesses pacientes são apresentados na **TABELA 68.1**.

Nos pacientes com maior risco de infecção, história de procedimentos dentários, exames invasivos, cirurgias recentes ou naqueles com febre há mais de 2 semanas, deve-se proceder a uma avaliação laboratorial geral conforme a **TABELA 68.4**. Os exames devem ser selecionados conforme quadro clínico individual e suspeita diagnóstica. Outros exames adicionais, não incluídos nessa tabela, podem ser necessários.

Os pacientes com sinais ou sintomas sugestivos de localização específica serão avaliados e/ou tratados conforme o diagnóstico sugerido.

FEBRE DE ORIGEM INDETERMINADA

Atualmente, a febre de origem indeterminada é classificada em quatro subtipos: clássica, nosocomial, em imunossuprimidos ou associada à infecção pelo vírus da imunodeficiência humana (HIV, do inglês *human immunodeficiency virus*) **(TABELA 68.5)**.[5,6]

As causas mais comuns variam conforme o perfil epidemiológico local e consistem em infecções (26-43%), doenças inflamatórias não infecciosas (17-24%) e neoplasias (13-17%). Uma miscelânea de outras doenças compreende outras causas (19%), e o diagnóstico não é definido em torno de 8 a 30% dos pacientes.[7–9] O diagnóstico é feito geralmente pela combinação de métodos microbiológicos, sorológicos e de imagem e biópsia. Sendo assim, esses pacientes serão beneficiados com o encaminhamento para hospitais mais providos de recursos, devendo ser internados, na maioria dos casos, para investigação diagnóstica.

A febre de origem indeterminada é considerada recorrente quando se observam intervalos de pelo menos 2 semanas sem febre. Em geral, esse grupo de pacientes tem bom prognóstico e deve ser acompanhado, após avaliação inicial, para elucidação diagnóstica.

Nos casos de febre associada à infecção pelo HIV, a soroconversão, com um quadro semelhante ao da

TABELA 68.4 → Avaliação diagnóstica dos pacientes com febre

EXAMES GERAIS	EXAMES SELECIONADOS
Hemograma	Outras culturas: escarro, fezes
Bioquímica: função renal, perfil hepático, eletrólitos, creatinofosfoquinase	Fator antinuclear
Exame comum de urina	Fator reumatoide
Radiografia de tórax anteroposterior e de perfil	Sorologias: citomegalovírus, monoteste, toxoplasmose, hepatites, vírus da imunodeficiência humana (HIV), *Venereal Disease Research Laboratory* (VDRL)
Marcadores inflamatórios: velocidade de hemossedimentação (VHS), proteína C-reativa	Reação de Mantoux
Culturais: sangue e urina	Ultrassonografias: cardíaca, Doppler de membros inferiores Tomografias: tórax, abdome, pelve Ressonância magnética

TABELA 68.5 → Definição e causas de febre de origem indeterminada de acordo com a classificação

	CLÁSSICA	NOSOCOMIAL	EM IMUNOSSUPRIMIDOS	ASSOCIADA À INFECÇÃO PELO HIV
Definição	Febre > 38 °C, com duração > 3 semanas em pacientes submetidos à avaliação hospitalar por 3 dias ou por 2 ou mais consultas ambulatoriais, sem obtenção de diagnóstico	Febre > 38 °C sem diagnóstico por período > 3 dias, sem infecção presente ou em incubação na admissão, investigados adequadamente	Febre > 38 °C sem diagnóstico por período > 3 dias com investigação apropriada e culturas negativas após 48 horas	Febre > 38 °C com duração > 3 semanas, ou > 3 dias em pacientes internados, sem obtenção de diagnóstico após investigação apropriada
Mais prováveis	Infecções: abscessos, endocardite, tuberculose, infecções do trato urinário complicadas, osteomielite	Infecções	Infecções: bacterianas, fúngicas, toxoplasmose, micobacteriose, virais (vírus Epstein-Barr, citomegalovirose, herpes-vírus simples)	Soroconversão
	Neoplasias: linfomas, leucemias, hepatocarcinoma, metástases hepáticas, carcinoma de células renais, cólon, pâncreas	Complicações pós-operatórias e pós-procedimentos invasivos	Neoplasias	Infecções: micobacterioses típicas e atípicas, pneumocistose, citomegalovirose, histoplasmose, toxoplasmose, criptococose
	Doenças do tecido conectivo: doença de Still, artrite reumatoide, lúpus eritematoso sistêmico	Medicamentos	Medicamentos	Linfoma
Outras causas graves que devem ser consideradas	Vasculites sistêmicas: arterite temporal e outras	Embolia pulmonar recorrente	Doença enxerto contra hospedeiro pós-transplante	Sarcoma de Kaposi
	Tireotoxicose	Colite pseudomembranosa	Aspergilose	Aspergilose
Frequentemente esquecidas	Febre dos viajantes: dengue, malária, abscesso hepático amebiano, febre tifoide, hepatites virais	Tromboflebite séptica	Legionelose	Síndrome de imunorreconstituição
	Doença inflamatória intestinal	Hipertermia maligna		Insuficiência suprarrenal
	Sarcoidose	Síndrome neuroléptica maligna		
	Factícia	Pós-acidente vascular cerebral		
	Doença de Addison			
	Drogas/medicamentos			

mononucleose, pode ser uma causa comum de febre de origem indeterminada. Entretanto, nos pacientes com Aids, o HIV é uma causa pouco frequente de febre. Nas fases tardias da doença, a febre costuma ser sinal de infecções oportunistas subjacentes com apresentação atípica. Quando o quadro clínico é arrastado e de difícil diagnóstico, as causas mais prováveis são bacteriemia por *Mycobacterium avium-intracellulare*, pneumonia por *Pneumocystis jirovecii*, infecção por citomegalovírus, histoplasmose e linfomas (ver Capítulo Infecção pelo HIV em Adultos).[10]

TRATAMENTO

A temperatura dos pacientes com febre por problemas clínicos raramente excede 41 °C e, na maioria dos casos, não traz maiores riscos. Assim, exceto nas condições descritas adiante, deve-se evitar tratar a febre de pacientes que não tenham diagnóstico etiológico firmado **C/D**.[11] Além disso, a febre pode ter efeito favorável sobre o curso clínico de algumas doenças.[12]

O tratamento da febre é indicado apenas em situações especiais **C/D**:

1. pacientes com grande desconforto associado à febre;
2. pacientes com reserva funcional miocárdica baixa, que podem desenvolver ou agravar isquemia ou insuficiência cardíaca pela febre;
3. pacientes com lesões neurológicas agudas, como acidente vascular cerebral ou trauma **C/D**;[11,13,14]
4. pacientes desidratados ou com maior risco de desidratação;
5. pacientes idosos ou alcoolistas, que podem apresentar confusão e delírio pela febre;
6. pacientes com temperatura > 41 °C.

O uso de antipiréticos pode trazer problemas pelos efeitos adversos dos próprios medicamentos e pelo fato de, ao reduzirem a temperatura, tornarem a observação clínica menos informativa sobre o curso da doença. Esses aspectos devem ser considerados no momento da decisão terapêutica.[12]

Os medicamentos mais usados para o tratamento da febre são o ácido acetilsalicílico na dose de 500 mg (até 3,5 g/dia) e o paracetamol na dose de 500 mg (até 4 g/dia). É importante salientar que pacientes com lesão hepática prévia podem desenvolver intoxicação por paracetamol com doses < 4 g/dia.

Os anti-inflamatórios não esteroides, como o ibuprofeno, podem ser utilizados para tratar febre;[15] deve-se, no entanto, considerar a possibilidade de paraefeitos graves, sobretudo em pacientes idosos e provavelmente em indivíduos com infarto agudo do miocárdio prévio. A dipirona (320-960 mg, até 4 ×/dia) é outro antipirético disponível em nosso meio.[16] Embora estudado principalmente em crianças, há evidência de que a associação paracetamol + ibuprofeno é mais efetiva do que a monoterapia para redução da febre C/D.¹⁷

Medidas não farmacológicas, como a utilização de compressas úmidas, também são controversas na redução da temperatura, com dados insuficientes para uso em crianças.

Diferentemente dos pacientes febris, os pacientes com hipertermia não se beneficiam do uso de antipiréticos de ação central. O corpo deve ser resfriado com banhos e compressas frias, além da administração de fluidos com o objetivo de trazer a temperatura central para níveis próximos do normal e reverter a desidratação C/D.¹¹,¹⁸

Antibioticoterapia em pacientes com febre de origem indeterminada

Em pacientes com febre de origem indeterminada, deve-se evitar o uso de antibióticos às cegas, pois estes podem tornar mais complexo o diagnóstico clínico e trazer problemas adicionais de toxicidade e custo C/D.¹¹

No entanto, quando os pacientes estão gravemente doentes ou em situações de alto risco, conforme citadas na TABELA 68.2, com possível exceção dos idosos e dos alcoolistas, devem ser imediatamente encaminhados ou internados para avaliação. Nesses casos, justifica-se o uso de antibióticos C/D.¹¹ A escolha de um esquema empírico de antibióticos é feita considerando os germes com mais probabilidade de estarem envolvidos na situação clínica em questão, buscando um espectro bactericida amplo, enquanto se aguardam os resultados dos exames. Nessa circunstância, o uso empírico de antibióticos ocorre, em geral, fora do nível primário.

ACOMPANHAMENTO NA ATENÇÃO PRIMÁRIA À SAÚDE

Recomenda-se uma conduta expectante quando não houver evidências de localização e o quadro clínico não for grave, reavaliando o paciente de modo periódico ou quando surgirem dados novos. Os pacientes gravemente doentes com sinais de choque, como hipotensão, oligúria e sinais de má perfusão periférica, devem ser encaminhados para avaliação de emergência C/D. A TABELA 68.3 mostra sinais de alerta para evolução potencialmente grave se não encaminhados e tratados de forma adequada.

REFERÊNCIAS

1. Evans SS, Repasky EA, Fisher DT. Fever and the thermal regulation of immunity: the immune system feels the heat. Nat Rev Immunol. 2015;15(6):335–49.
2. Murtagh J, Rosenblatt J, Murtagh C, Coleman J. Fever and chills. In: Murtagh J, Rosenblatt J, Murtagh C, Coleman J. Murtagh's General Practice. 7. ed. McGraw-Hill Medical; 2018. Chapter 53.
3. Knowles SR, Uetrecht J, Shear NH. Idiosyncratic drug reactions: the reactive metabolite syndromes. Lancet. 2000;356(9241):1587–91.
4. DeWitt S, Chavez SA, Perkins J, Long B, Koyfman A. Evaluation of fever in the emergency department. Am J Emerg Med. 2017;35(11):1755–8.
5. Attard L, Tadolini M, De Rose DU, Cattalini M. Overview of fever of unknown origin in adult and paediatric patients. Clin Exp Rheumatol. 2018;36 Suppl 110(1):10–24.
6. Cunha BA, Lortholary O, Cunha CB. Fever of unknown origin: a clinical approach. Am J Med. 2015;128(10):1138.e1-1138.e15.
7. de Kleijn EM, Vandenbroucke JP, van der Meer JW. Fever of unknown origin (FUO). I A. prospective multicenter study of 167 patients with FUO, using fixed epidemiologic entry criteria. The Netherlands FUO Study Group. Medicine (Baltimore). 1997;76(6):392–400.
8. Lambertucci JR, Ávila RE de, Voieta I. Febre de origem indeterminada em adultos. Rev Soc Bras Med Trop. 2005;38(6):507–13.
9. Lambertucci JR. Febre: diagnóstico e tratamento. Rio de Janeiro: Editora Medsi; 1991.
10. Hot A, Schmulewitz L, Viard J-P, Lortholary O. Fever of unknown origin in HIV/AIDS patients. Infect Dis Clin North Am. 2007;21(4):1013–32, ix.
11. Hayakawa K, Ramasamy B, Chandrasekar PH. Fever of unknown origin: an evidence-based review. Am J Med Sci. 2012;344(4):307–16.
12. Greisman LA, Mackowiak PA. Fever: beneficial and detrimental effects of antipyretics. Curr Opin Infect Dis. 2002;15(3):241–5.
13. Thompson HJ. Evidence-base for fever interventions following stroke. Stroke. 2015;46(5):e98–100.
14. Jauch EC, Saver JL, Adams HP, Bruno A, Connors JJB, Demaerschalk BM, et al. Guidelines for the early management of patients with acute ischemic stroke: a guideline for healthcare professionals from the American Heart Association/American Stroke Association. Stroke. 2013;44(3):870–947.
15. Southey ER, Soares-Weiser K, Kleijnen J. Systematic review and meta-analysis of the clinical safety and tolerability of ibuprofen compared with paracetamol in paediatric pain and fever. Curr Med Res Opin. 2009;25(9):2207–22.
16. de Leeuw TG, Dirckx M, Gonzalez Candel A, Scoones GP, Huygen FJPM, de Wildt SN. The use of dipyrone (metamizol) as an analgesic in children: What is the evidence? A review. Paediatr Anaesth. 2017;27(12):1193–201.
17. Wong T, Stang AS, Ganshorn H, Hartling L, Maconochie IK, Thomsen AM, et al. Combined and alternating paracetamol and ibuprofen therapy for febrile children. Cochrane Database Syst Rev. 2013;(10):CD009572.
18. Meremikwu M, Oyo-Ita A. Physical methods for treating fever in children. Cochrane Database Syst Rev. 2003;(2):CD004264.
19. White L, Ybarra M. Neutropenic fever. Hematol Oncol Clin North Am. 2017;31(6):981–93.

LEITURAS RECOMENDADAS

Eyers S, Weatherall M, Shirtcliffe P, Perrin K, Beasley R. The effect on mortality of antipyretics in the treatment of influenza infection: systematic review and meta- analysis. J R Soc Med. 2010;103(10):403-11.

Artigo de revisão sobre o efeito do tratamento da febre causada por infecção por influenza, mostrando aumento da mortalidade em animais; no entanto, ainda não há estudos em humanos que permitam uma conclusão adequada.

Walter EJ, Hanna-Jumma S, Carraretto M, Forni L. The pathophysiological basis and consequences of fever. Crit Care. 2016;20(1):200.

Artigo de revisão sobre febre, suas implicações e seus mecanismos.

Capítulo 69
AVALIAÇÃO DE LINFADENOPATIAS

Marcos Adams Goldraich
Renata Chaves
Hudson Pabst
Michael Schmidt Duncan

O linfonodo aumentado é um achado frequente em atenção primária à saúde (APS), podendo representar desde um aumento reacional por um processo infeccioso até evidência de neoplasia. Cabe ao médico uma estratégia racional de avaliação, protegendo de uma investigação invasiva e iatrogênica a grande maioria dos pacientes que têm quadros claramente benignos, ao mesmo tempo em que permite identificar aqueles com doenças graves, que se beneficiam de tratamento imediato em nível secundário ou terciário.

Estudos clássicos na APS sugerem que apenas 3% dos casos de linfadenopatia necessitam de biópsias,[1] e que, das pessoas que consultam com clínico geral por essa queixa, apenas 1,1% tem como causa neoplasia.[2] Já em outro cenário, de ambulatório de hospital terciário, com pessoas referenciadas pelo clínico geral, 17,3% tiveram câncer como causa da linfadenopatia.[3]

ANATOMIA E FISIOPATOLOGIA DO SISTEMA LINFÁTICO

O corpo humano tem aproximadamente 600 linfonodos distribuídos em diversas cadeias linfáticas. As cadeias se dividem em superficiais, ou periféricas (FIGURA 69.1), que podem ser palpadas em indivíduos normais ou na vigência de alguma patologia, e profundas. As cadeias que podem eventualmente ser palpadas em pessoas saudáveis são: submandibular, cervical, axilar e inguinal. A grande maioria das cadeias restantes é profunda, sendo seu aumento detectado somente por meio de exames de imagem – como é o caso, por exemplo, das cadeias mediastinais e retroperitoneais.

Os linfonodos, juntamente com baço, tonsilas palatinas, adenoides e timo, são centros altamente organizados de células do sistema imune, que filtram os antígenos do fluido extracelular. Esses órgãos formam o sistema linfático, que é composto, ainda, pela linfa e por vasos linfáticos.

O sistema linfático, além de filtrar patógenos do sangue, tem a função de transportar o excesso de fluidos dos tecidos para a corrente sanguínea. O líquido intersticial presente nos tecidos entra nos capilares linfáticos, sendo, então, transportado aos vasos linfáticos e incorporado à linfa.

Durante a inflamação, a circulação de linfa é aumentada para auxiliar na drenagem de edema e fluido que se acumulam nos tecidos. Os linfonodos também aumentam de tamanho em processos inflamatórios, tanto pelo aumento do volume de linfa como pela proliferação de linfócitos e macrófagos em resposta a antígenos.

Além de processos inflamatórios, neoplasias podem causar aumentos linfonodais. Células neoplásicas podem espalhar-se pelo corpo tanto pela corrente sanguínea como pelos vasos linfáticos e, ao serem filtradas pelos linfonodos, causam aumento nodal endurecido e aderido aos tecidos adjacentes. Isso significa que o tumor não está mais restrito ao sítio primário, alterando o estadiamento e a proposta terapêutica.

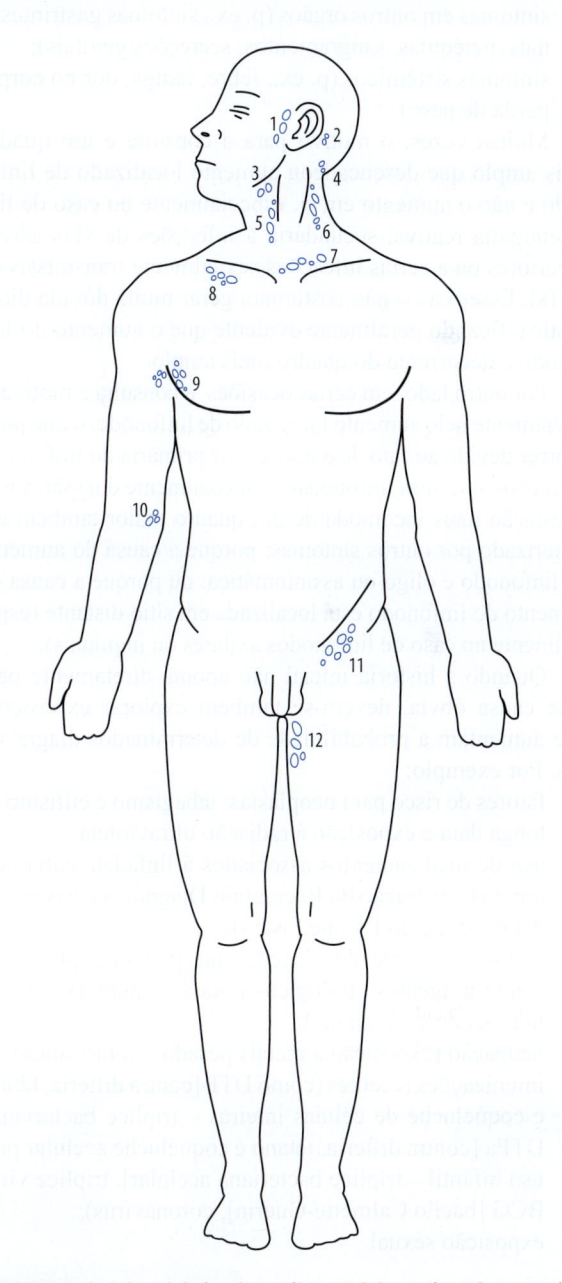

FIGURA 69.1 → Cadeias de linfonodos periféricos. 1: Pré-auricular; 2: Retroauricular; 3: Submandibular; 4: Occipital; 5: Cervical anterior; 6: Cervical posterior; 7: Supraclavicular; 8: Infraclavicular; 9: Axilar; 10: Epitroclear; 11: Inguinal (grupo horizontal); 12: Inguinal (grupo vertical).

ABORDAGEM DIAGNÓSTICA

História clínica

O primeiro passo da coleta da história clínica é explorar, de forma aberta e cuidadosa, o que motivou o paciente a procurar atendimento, construindo uma narrativa clara e cronológica dos sintomas. Nessa exploração, deve-se estar atento para:

→ sintomas relacionados ao linfonodo (p. ex., há apenas aumento de tamanho? Está associado a dor? Há linfonodo aumentado em apenas uma região ou mais regiões?);
→ sintomas em regiões próximas ao linfonodo (p. ex., sintomas de infecção na sua área de drenagem);
→ sintomas em outros órgãos (p. ex., sintomas gastrintestinais, petéquias, sangramentos, secreções genitais);
→ sintomas sistêmicos (p. ex., febre, fadiga, dor no corpo, perda de peso).

Muitas vezes, o motivo para a consulta é um quadro mais amplo que desencadeou aumento localizado de linfonodo e não o aumento em si, especialmente no caso de linfadenopatia reativa, secundária a infecções de vias aéreas superiores ou a certas infecções sexualmente transmissíveis (ISTs). Esses casos não costumam gerar muita dúvida diagnóstica, ficando geralmente evidente que o aumento do linfonodo é decorrente do quadro mais amplo.

Por outro lado, em certas ocasiões, a consulta é motivada diretamente pelo aumento localizado de linfonodo, o que pode ocorrer devido ao fato de a doença ser primária do linfonodo; porque os sintomas linfonodais (especialmente dor) são a manifestação mais incômoda de um quadro maior também caracterizado por outros sintomas; porque a causa do aumento do linfonodo é oligo ou assintomática; ou porque a causa do aumento do linfonodo está localizada em sítio distante (especialmente no caso de linfonodos axilares ou inguinais).

Quando a história inicial não aponta diretamente para uma causa óbvia, devem-se também explorar exposições que aumentam a probabilidade de determinados diagnósticos. Por exemplo:

→ fatores de risco para neoplasias: tabagismo e etilismo de longa data e exposição à radiação ultravioleta;
→ uso de medicamentos associados à linfadenopatia (ver tópico Construção do Raciocínio Diagnóstico a partir da Anamnese e do Exame Físico);
→ histórico recente de viagens, que podem expor o paciente a agentes etiológicos pouco comuns (ver Capítulo Saúde do Viajante);
→ ocupação (exposição a metais pesados, como sílica);
→ imunizações recentes (como DTP [contra difteria, tétano e coqueluche de células inteiras – tríplice bacteriana], DTPa [contra difteria, tétano e coqueluche acelular para uso infantil – tríplice bacteriana acelular], tríplice viral, BCG [bacilo Calmette-Guérin], coronavírus);
→ exposição sexual.

Exame físico

Linfonodos normais em adultos têm tamanho < 1 cm de diâmetro (até 1,5 cm na região inguinal e 0,5 cm na região epitroclear). Geralmente são maiores em crianças, podendo chegar a 2 cm na região cervical. Normalmente têm consistência elástica, são indolores à palpação e móveis em relação às estruturas adjacentes. Alterações desse padrão podem sugerir causas de linfadenopatia. A dor à palpação pode ocorrer por qualquer causa que leve a aumento de linfonodos, devido à distensão da cápsula. Flutuação, calor local e eritema de pele adjacente sugerem supuração, geralmente associada à linfadenite bacteriana. Linfadenites virais e linfadenopatia reativa geralmente levam apenas ao aumento doloroso dos linfonodos. Em crianças, é comum os processos virais estarem associados a linfonodos palpáveis e dolorosos em região cervical, porém de tamanho normal. Linfonodos associados a processos neoplásicos (primários ou metastáticos) tendem a ser endurecidos, indolores e aderidos aos tecidos adjacentes.

Sobretudo em casos de linfadenopatia generalizada, é importante pesquisar hepatomegalia e esplenomegalia ao exame físico do abdome, bem como avaliar as mucosas para procurar hipocromia relevante sugestiva de anemia e pequenos sangramentos de mucosa oral e conjuntival que possam sugerir trombocitopenia. Esses sinais aumentam a probabilidade da hipótese de neoplasia hematológica, estando presentes em até 50% dos casos de linfoma/leucemia linfoblástica aguda em adultos.

Mesmo quando a linfadenopatia parece inicialmente ser localizada, é importante sempre perguntar e examinar o paciente, procurando aumento de linfonodos em outras localizações.

Construção do raciocínio diagnóstico a partir da anamnese e do exame físico

É realmente linfadenopatia?

Primeiramente, é preciso estar atento para o diagnóstico diferencial com algumas outras condições que são frequentemente confundidas com linfadenopatia (TABELA 69.1) e que devem ser levadas em conta na elaboração diagnóstica.

Considerações sobre idade

É extremamente importante considerar a idade do paciente na abordagem das linfadenopatias. O tamanho dos linfonodos normais varia conforme a faixa etária. Em geral, eles não são palpáveis nos recém-nascidos, porém, durante a

TABELA 69.1 → Condições que podem ser confundidas com linfadenopatia

→ Infecções ou cálculos nas glândulas salivares
→ Cisto tireoglosso
→ Cisto branquial
→ Bócio ou nódulos de tireoide
→ Hematomas
→ Abscessos
→ Hérnia inguinal
→ Hemangiomas
→ Lipomas
→ Nódulos reumatoides
→ Edema de partes moles por trauma
→ Picadas de insetos
→ Teratomas

infância, costumam ser detectáveis no exame físico de crianças hígidas, especialmente na faixa etária entre 3 e 5 anos de idade. Muitas crianças nessa faixa etária inclusive podem manter linfonodos persistentemente aumentados após infecções virais. Na adolescência, eles tendem a ser maiores do que na vida adulta.

Pacientes com idade mais avançada são muito mais propensos a terem neoplasias. Em um estudo sobre as causas de linfadenopatia em um serviço de APS na Holanda, 4% das pessoas com idade > 40 anos tinham como causa neoplasia maligna, enquanto apenas 0,4% das pessoas com idade < 40 anos tinham malignidade como causa.[2]

Localizada versus generalizada

A linfadenopatia localizada restringe-se a apenas uma cadeia ou a cadeias contíguas e geralmente ocorre por processos inflamatórios ou infecciosos locais, sejam eles no próprio linfonodo (linfadenite bacteriana ou viral aguda) ou em sua área de drenagem (linfadenopatia reativa), indicando a necessidade do pronto e minucioso exame dessa área. Deve-se estar atento também para a possibilidade de neoplasias, toxoplasmose ou tuberculose ganglionar. A ocorrência de linfadenopatia supraclavicular deve alertar para a possibilidade de condições torácicas ou abdominais graves.

A **TABELA 69.2** apresenta as causas de linfadenopatia localizada.

A linfadenopatia generalizada é caracterizada pelo aumento de duas ou mais cadeias não contíguas de linfonodos.

Suas causas costumam ser menos óbvias, geralmente consistindo em infecções sistêmicas e inespecíficas, algumas delas potencialmente graves, como a infecção aguda pelo vírus da imunodeficiência humana (HIV, do inglês *human immunodeficiency virus*). Em geral, essas causas também apresentam manifestações extralinfonodais, como *rash* cutâneo, icterícia, hepatoesplenomegalia e sintomas sistêmicos (p. ex., febre, perda de peso, sintomas gastrintestinais, fadiga e dor generalizada), que também podem estar presentes na linfadenopatia localizada, embora menos frequentemente.

A **TABELA 69.3** lista as causas de linfadenopatia generalizada.

Sinais de alerta para neoplasias em geral

A presença de alguns fatores pode sugerir alto risco para malignidade, como idade > 40 anos, característica do linfonodo (nódulo endurecido, crescimento rápido ou localização supraclavicular), presença de outros sintomas (febre, sudorese noturna, perda de peso) e fatores de risco (p. ex., nódulo endurecido em região cervical de paciente tabagista).

Sinais de alerta para neoplasias hematológicas

Quando não se identifica uma causa óbvia para a linfadenopatia, em especial na linfadenopatia generalizada, é essencial estar atento para a presença de sinais de alerta para neoplasia hematológica. Deve-se dar especial atenção aos "sintomas B", definidos formalmente como febre persistente > 38 °C, sudorese profusa noturna e perda ponderal > 10% do peso corporal em período < 6 meses, pois esses sintomas associados à linfadenopatia requerem investigação mandatória para neoplasia hematológica. Além disso, pesquisar sintomas que podem ocorrer com citopenias pode corroborar a hipótese de que se trata de uma neoplasia hematológica, como cansaço e palidez cutânea que podem sugerir anemia, infecções recorrentes que podem sugerir leucopenia

TABELA 69.2 → Causas de linfadenopatia localizada

LOCALIZAÇÃO	ÁREA DE DRENAGEM	CAUSAS
Pré-auricular	Pálpebras e conjuntiva, região temporal, orelha externa	Conjuntivite, otite externa, infecção local
Retroauricular	Conduto auditivo externo, orelha externa e couro cabeludo	Otite externa, infecções no couro cabeludo, rubéola
Occipital	Couro cabeludo e cabeça	Infecções locais, tinha da cabeça, pediculose, roséola
Submandibular	Língua, glândula submaxilar, lábios e boca, conjuntiva	Infecções na cabeça, bucais, dentárias, olhos, ouvido, faringite
Cervical	Nasofaringe, tireoide, pele da cabeça, couro cabeludo e pescoço	Infecção de vias aéreas superiores, infecções bucais, dentárias, da pele, doença de Graves, tuberculose, neoplasias de nasofaringe, doença da arranhadura do gato
Supraclavicular direita	Mediastino, pulmões e esôfago	Neoplasias de pulmão, retroperitoneais, mediastinais ou gastrintestinais
Supraclavicular esquerda	Tórax e abdome	Linfoma, neoplasias retroperitoneais ou torácicas, infecções bacterianas ou fúngicas
Axilar	Braço, parede torácica e mama	Infecções locais, doença da arranhadura do gato, linfoma, câncer de mama
Epitroclear	Cotovelo, antebraço e mão	Infecções locais, sarcoidose, doença da arranhadura do gato, doença reumatológica nas mãos e nos punhos
Inguinal	Perna e genitália	Infecções do membro inferior, infecção sexualmente transmissível, linfoma, neoplasia pélvica, micose interdigital

TABELA 69.3 → Causas de linfadenopatia generalizada

Infecções virais	Mononucleose, HIV, citomegalovírus, rubéola, sarampo, hepatites virais agudas, varicela
Infecções bacterianas	Estreptococo β-hemolítico do grupo A (escarlatina), sífilis secundária (especialmente linfonodos epitrocleares), leptospirose, febre tifoide, brucelose,* doença de Lyme,* tularemia*
Infecções por fungos	Paracoccidioidomicose, histoplasmose, criptococose, coccidioidomicose*
Infecções parasitárias	Toxoplasmose, malária, leishmaniose
Infecções por micobactérias	Tuberculose miliar e micobacteriose atípica
Neoplasias	Linfoma, leucemia, mieloma múltiplo, metástases
Causas reumatológicas	Lúpus eritematoso sistêmico, artrite reumatoide, síndrome de Sjögren
Medicamentos	Alopurinol, ácido acetilsalicílico, atenolol, barbitúricos, captopril, carbamazepina, cefalosporinas, fenilbutazona, fenobarbital, fenitoína, hidralazina, isoniazida, sais de ouro, penicilina, pirimetamina, primidona, quinidina, sulfonamidas, tetraciclina
Variadas	Doença de Kawasaki, sarcoidose, amiloidose, hipertireoidismo

*Sem relatos, ou poucos relatos de casos no Brasil.
HIV, vírus da imunodeficiência humana.

e sangramentos espontâneos de mucosa ou cutâneos que podem sugerir trombocitopenia.

Algoritmos diagnósticos

A **TABELA 69.4** indica as causas mais comuns, as mais graves e as mais frequentemente esquecidas no diagnóstico diferencial das linfadenopatias.

> Na ausência de fatores que sugiram neoplasia, pessoas com linfadenopatia localizada (exceto supraclavicular) podem ser observadas por 3 a 4 semanas. Ao final desse período de observação, é muito provável que a linfadenopatia se tenha resolvido, ou então que sua causa tenha se tornado evidente, sem que se percam, normalmente, oportunidades terapêuticas. Linfadenopatia generalizada, bem como presença de sinais e sintomas sistêmicos, demandam investigação imediata.

Apesar de ser visto com frequência na prática, o tratamento empírico com antibióticos não está recomendado na ausência de sinais que sugiram linfadenite aguda ou infecção na área de drenagem da cadeia de linfonodo C/D.[4]

A **FIGURA 69.2** sumariza uma proposta de abordagem diagnóstica de linfadenopatias na APS.

Exames complementares

A ultrassonografia (US) pode auxiliar a diferenciar a linfadenopatia de outras condições com apresentação semelhante. Além disso, pode ser útil para estabelecer com maior precisão o número de linfonodos, o tamanho, a localização, o formato, as margens e a estrutura interna, podendo ajudar a estabelecer a etiologia mais provável. A US com Doppler colorido também permite avaliar o padrão vascular,

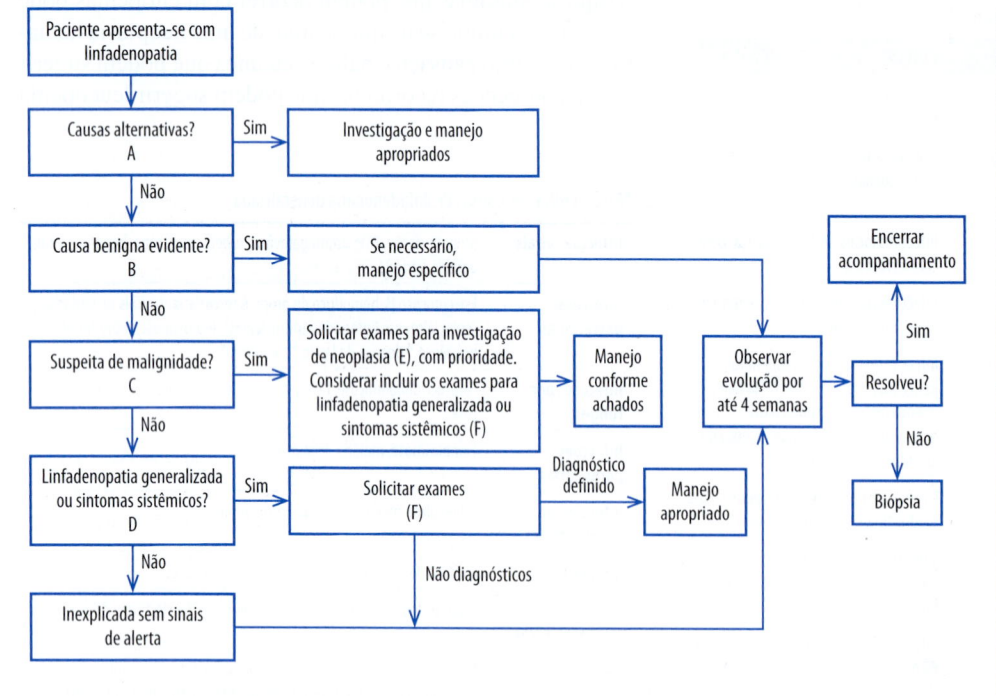

TABELA 69.4 → Causas prováveis, causas graves e causas frequentemente esquecidas de linfadenopatias

CAUSAS MAIS PROVÁVEIS
→ Linfadenopatia reativa
→ Infecções de vias aéreas superiores
→ Infecções de pele
→ ISTs
→ Linfadenite estreptocócica ou estafilocócica
→ Tuberculose (escrófulo) (em regiões de maior prevalência)
→ Mononucleose

CAUSAS GRAVES QUE DEVEM SEMPRE SER CONSIDERADAS
→ Doença de Kawasaki
→ Infecção pelo HIV e doenças oportunísticas
→ Neoplasia metastática
→ Linfoma
→ Leucemia

CAUSAS FREQUENTEMENTE ESQUECIDAS
→ Doença de Kawasaki
→ Micoses sistêmicas
→ Doença da arranhadura do gato
→ Doenças reumáticas
→ Sarcoidose
→ Medicamentos

HIV, vírus da imunodeficiência humana; ISTs, infecções sexualmente transmissíveis.

FIGURA 69.2 → Abordagem diagnóstica de linfadenopatias na atenção primária à saúde.
CMV, citomegalovírus; FAN, fator antinuclear; ISTs, infecções sexualmente transmissíveis; PPD, derivado proteico purificado; US, ultrassonografia.

A) Causas alternativas: Infecções ou cálculos nas glândulas salivares, cisto tireoglosso, cisto branquial, bócio ou nódulos de tireoide, hematomas, abscessos, hérnia inguinal, hemangiomas, lipomas, nódulos reumatoides, edema de partes moles por trauma, picadas de insetos, teratomas

B) Causas benignas evidentes: Presença de infecção na área de drenagem; quadro compatível com linfadenite aguda; associação temporal com vacina ou com medicamento que causa linfadenopatia.

C) Suspeita de malignidade: história prévia de neoplasia, idade, exposições de risco, linfonodos endurecidos, linfonodo supraclavicular, sintomas B.

D) Sintomas sistêmicos: febre, fadiga, perda de peso, sintomas gastrintestinais, *rash* cutâneo

E) Exames para suspeita de neoplasia: Para avaliar o linfonodo, US de preferência com Doppler e biópsia excisional. Complementar com exames específicos para a neoplasia suspeitada. Considerar solicitar os exames listados a seguir para sintomas sistêmicos.

F) Exames para linfadenopatia generalizada ou sintomas sistêmicos: radiografia de tórax, PPD, hemograma, sorologias ou testes rápidos para ISTs. Considerar toxoplasmose e CMV. Se demais negativos, considerar FAN. Se área endêmica para micoses sistêmicas e quadro compatível, considerar encaminhar para investigação.

o deslocamento da vascularidade, o índice de resistência vascular (IR) e o índice de pulsatilidade (IP), o que, além de ajudar a diferenciar lesões benignas de malignas, pode diferenciar lesões cicatriciais de linfadenopatias ativas. Em geral, patologias inflamatórias e infecciosas cursam com ingurgitamento hilar e vasos intra-hilares com IR e IP baixos, enquanto patologias neoplásicas (neoplasias hematológicas ou metástase de tumores sólidos) cursam com espessamento do córtex linfonodal com vasos intracorticais com IR e IP elevados. A TABELA 69.5 sumariza as características que ajudam a diferenciar lesões benignas de malignas à US. Cabe destacar que, apesar de a US ajudar nessa diferenciação, ela não substitui inteiramente a biópsia, tendo em vista que as características descritas não são patognomônicas.[5,6]

Algumas características que sugerem linfadenite tuberculosa são o acometimento de múltiplos linfonodos, com tendência à fusão e a fortes ecos internos, devido à calcificação, além de formação de áreas de necrose cística intranodal que são marcadamente hipoecogênicas e sem vascularização ao mapeamento com Doppler, deslocando os vasos corticais. A tomografia computadorizada e a ressonância magnética podem ser úteis para avaliar linfonodos torácicos ou na cavidade abdominopélvica.

A radiografia de tórax deve ser solicitada quando houver linfadenopatia generalizada, para investigar linfadenopatia hilar, ou quando se suspeita de tuberculose ou neoplasia.

Outros exames que podem ser solicitados na investigação de linfadenopatia generalizada sem causa definida a partir da avaliação clínica inicial incluem hemograma completo, Mantoux, anti-HIV, antígeno de superfície da hepatite B (HBsAg, do inglês *hepatitis B surface antigen*), sorologias para toxoplasmose e citomegalovírus e fator antinuclear (FAN).

Biópsia

Uma vez que se decida pela biópsia, deve-se encaminhar o paciente para serviço especializado. Há três modalidades de biópsia que podem ser realizadas para investigação da causa da linfadenopatia: punção aspirativa por agulha fina (PAAF), *core-biopsy* e biópsia excisional.

A PAAF apresenta baixa acurácia diagnóstica para etiologias neoplásicas de linfadenopatia, sendo mais utilizada para avaliação de recorrência tumoral por ser menos invasiva e raramente apresentar falsos-positivos (p. ex., em pacientes tireoidectomizados por neoplasia maligna de tireoide que evoluíram com linfonodomegalia cervical no acompanhamento pós-operatório). Além disso, pode ser suficiente na suspeita de tuberculose ganglionar: estudo com pequeno tamanho de amostra realizado no Paquistão encontrou sensibilidade de 77% e especificidade de 93% na PAAF para diagnóstico de linfadenopatia tuberculosa.[7]

A *core-biopsy* apresenta maior acurácia diagnóstica comparada à PAAF, permitindo também colher tecido para imuno-histoquímica na suspeita de linfomas. Ela é menos invasiva que a biópsia excisional e tem menor risco de complicações, facilitando em casos em que a excisão completa do linfonodo não é de fácil acessibilidade cirúrgica. No entanto, para casos de linfoma, não exclui completamente a necessidade da biópsia excisional.

Por fim, a biópsia excisional é o método de melhor acurácia diagnóstica pois consegue identificar tecido linfonodal intacto, presença de células anormais (carcinomas, microrganismos) e arquitetura linfonodal anormal, que é útil para o diagnóstico de linfoma, sendo, portanto, em geral o método de escolha.

No histopatológico, os casos de metástase de tumor sólido evidenciarão diferentes tipos histológicos que não existem fisiologicamente na arquitetura linfonodal (como células de carcinoma ou adenocarcinoma). Já nos casos de linfoma pode haver diferentes padrões (linfócitos em padrão nodular, folicular, difuso) e a técnica de imuno-histoquímica pode auxiliar na diferenciação dos diferentes tipos de linfoma, de neoplasias não hematológicas e de linfonodos reacionais.

Por fim, hiperplasia folicular reativa é evidenciada em etiologias inflamatórias e infecciosas em geral, e a presença de focos de necrose caseosa sugere o diagnóstico de micobacterioses, como a tuberculose, sendo confirmado por cultura e pela identificação de bacilos álcool-ácido-resistentes (BAAR) pela coloração de Ziehl-Neelsen.

QUADRO CLÍNICO DE CAUSAS SELECIONADAS

Linfadenopatia reativa

É mais comum em crianças, adolescentes e adultos jovens.

Decorre de uma hiperplasia linfoide geralmente secundária a algum processo infeccioso ou inflamatório externo ao linfonodo, porém na sua área de drenagem. A hiperplasia é estimulada em reação a diferentes antígenos. As causas mais frequentes são infecções de vias aéreas superiores, infecções odontológicas, infecções cutâneas e certas ISTs, provocando linfadenopatia localizada. Alguns medicamentos, toxinas ambientais e certos processos autoimunes também podem resultar em linfadenopatia generalizada.

O linfonodo frequentemente está aumentado de tamanho, doloroso à palpação, porém sua consistência mantém-se fibroelástica. Na maioria das vezes, a causa é evidente pela história e/ou pelo exame físico, não sendo necessários exames adicionais. Quando biopsiado, geralmente o linfonodo mantém sua arquitetura preservada, porém certos processos

TABELA 69.5 → Características linfonodais na ultrassonografia

	FORMATO	BORDA	RAZÃO L/s	ECOGENICIDADE INTERNA	HILO	IR	IP	DISTRIBUIÇÃO DO FLUXO SANGUÍNEO
Doenças benignas	Ovoide	Sem padrão definido	> 2	Isoecoico	Presente-normal	< 0,8	< 1,5	Hilar
Doenças malignas	Arredondado	Bordas nítidas	< 2	Hipoecoico	Ausente	> 0,8	> 1,5	Periférico/miscelânea

autoimunes podem estar associados a áreas de necrose. Além disso, em certas doenças cutâneas crônicas, pode estar presente o padrão de linfadenopatia dermatopática.

Linfadenite estafilocócica ou estreptocócica

A infecção do linfonodo por estafilococo ou estreptococo do grupo A é a causa mais comum de linfadenite cervical unilateral aguda, sendo responsável por até 80% dos casos, sobretudo em crianças com idade < 5 anos e em crianças com história recente de infecção de vias aéreas superiores, odontológica ou cutânea. Os linfonodos submandibulares são os mais envolvidos. O quadro tem início agudo e pode, em alguns casos, ser acompanhado de sintomatologia sistêmica, como febre e mal-estar. O linfonodo afetado é bastante aumentado, doloroso, com eritema e calor, podendo evoluir para supuração.

Em pacientes com poucos sintomas, sem comprometimento sistêmico, a conduta expectante é recomendada, com registro das características do linfonodo (principalmente suas dimensões) e revisão em 7 dias C/D. Em casos com sintomas moderados, com febre e dor local, mas sem flutuação, deve ser iniciada antibioticoterapia por via oral por 10 a 14 dias C/D.[8]

Os antibióticos de escolha são as cefalosporinas de primeira ou segunda geração, eritromicina, clindamicina ou amoxicilina com ácido clavulânico – este último, em particular, se a causa provável da linfadenite for periodontal.[9,10] Na ausência de melhora clínica em até 72 horas, deve ser avaliada a necessidade de drenagem cirúrgica ou de troca do antibiótico C/D.[11]

A aspiração pode ser considerada uma alternativa à drenagem cirúrgica, sendo relativamente segura e efetiva na maioria dos casos C/D.[12,13] Pacientes com doença grave, associada à celulite, devem ser internados para tratamento com antibióticos por via intravenosa (IV).

Quadro clínico da linfadenite bacteriana:
→ Linfadenopatia cervical aguda unilateral, sobretudo submandibular
→ Aumento linfonodal geralmente entre 3 e 6 cm
→ Gânglio doloroso, com sinais flogísticos de eritema e calor, evoluindo ou não para supuração
→ Sintomas sistêmicos de febre e mal-estar não são comuns, mas podem ocorrer em casos moderados e graves

Doença da arranhadura do gato

A doença da arranhadura do gato é uma condição benigna, subaguda e normalmente autolimitada, causada pelo bacilo gram-negativo *Bartonella henselae*. É mais comum em crianças e adultos jovens – 80% dos casos ocorrem em pessoas com idade < 21 anos. Mordedura ou arranhadura de gatos estão presentes na maioria das vezes, embora nem sempre sejam lembradas pelo paciente. É uma causa frequente de linfadenopatia nos Estados Unidos e é menos conhecida no Brasil, não havendo dados epidemiológicos referentes à população brasileira.

O diagnóstico é clínico e pode ser confirmado por sorologia (IgG e IgM), que, no entanto, não exclui infecção, por ter baixa sensibilidade (28-67%, dependendo do método), nem é útil para monitorar a atividade da doença. Em casos selecionados, o diagnóstico também pode ser confirmado por cultura ou biópsia. Em casos raros, a doença pode ser mais disseminada, podendo afetar fígado, baço, conjuntiva, retina, sistema musculoesquelético e sistema nervoso central.

A maioria dos casos é autolimitada, não sendo recomendado o tratamento de rotina em pacientes imunocompetentes, com doença leve a moderada.[14,15]

Em caso de linfadenopatia generalizada, pode-se optar por antibioticoterapia; nesse caso, a azitromicina parece acelerar a diminuição do tamanho dos linfonodos C/D.[16] Outros antibióticos frequentemente utilizados são rifampicina, ciprofloxacino, sulfametoxazol + trimetoprima e gentamicina.[16] A drenagem cirúrgica não costuma ser necessária; a aspiração pode ser utilizada em casos selecionados para alívio sintomático C/D.

Quadro clínico da doença da arranhadura do gato:
→ Após 3 a 5 dias da inoculação: pápulas eritematosas ou vesículas, que regridem em poucos dias, podendo permanecer como máculas por 2 a 3 meses
→ Após 2 a 3 semanas da inoculação: aumento de linfonodo regional, doloroso, quente, levemente eritematoso, próximo do local do ferimento
→ Até 30% dos pacientes terão febre baixa e sintomas sistêmicos leves, durante 4 a 6 semanas
→ Cadeias mais acometidas: axilar, epitroclear, cervical, supraclavicular e submandibular
→ Diâmetro médio: 1 a 5 cm, podendo chegar a 8 a 10 cm
→ Linfadenopatia solitária em 85% dos casos; pode acometer múltiplos linfonodos
→ Pode permanecer aumentado por até 3 meses
→ Há supuração em até 10% dos casos
→ Até 30% dos pacientes terão febre baixa e sintomas sistêmicos leves, durante 4 a 6 semanas

Infecção aguda pelo vírus da imunodeficiência humana

Dentro de 2 a 4 semanas após o contágio, o paciente apresenta um quadro com duração entre 1 e 4 semanas, com sintomas e sinais variados e inespecíficos, descritos a seguir. Deve-se avaliar cuidadosamente a exposição a fatores de risco e considerar a janela imunológica (ver Capítulo Infecção pelo HIV em Adultos).

Quadro clínico da infecção aguda pelo HIV:
→ Febre (38-40°C)
→ Linfadenopatias (cervical anterior e posterior, submandibular, occipital e axilar) indolores, simétricas e móveis
→ Náusea
→ Diarreia
→ Perda de peso

→ Dor de garganta
→ *Rash* cutâneo
→ Ulcerações mucocutâneas
→ Mialgia/artralgia
→ Cefaleia
→ Meningite asséptica

Toxoplasmose

É uma infecção causada pelo protozoário intracelular *Toxoplasma gondii*, cujo ciclo reprodutivo ocorre em felinos, que eliminam oocistos pelas fezes. A forma mais comum de infecção em humanos é a ingestão de carne de animais contaminados. Pode ocorrer também pelo contato com solo ou ingestão de alimentos contaminados pelas fezes de felinos, pela transmissão vertical mãe-feto e pela transfusão de sangue. O diagnóstico é feito por sorologia. Quando os testes de IgM e IgG não são reagentes, eles praticamente excluem a infecção. Quando apenas o IgG é reagente, exclui infecção recente e indica imunidade. IgG e IgM reagentes indicam infecção, mas não necessariamente recente, pois o IgM pode permanecer reagente por vários meses.

Em indivíduos imunocompetentes, a infecção costuma ser autolimitada, não requerendo tratamento específico **C/D**.[18] A toxoplasmose na gestação e no paciente com HIV é abordada, respectivamente, nos Capítulos Infecções na Gestação e Infecção pelo HIV em Adultos.

Quadro clínico da toxoplasmose em pacientes imunocompetentes:
→ De 80 a 90% dos casos são assintomáticos
→ Manifestação mais comum: linfadenopatia cervical bilateral, simétrica, diâmetro < 3 cm, indolor e não flutuante
→ De 20 a 30% dos pacientes sintomáticos têm linfadenopatias generalizadas
→ Podem ocorrer sintomas constitucionais leves, como febre, calafrios e sudorese
→ Manifestações raras: cefaleia, mialgias, faringite, *rash* maculopapular não pruriginoso, hepatoesplenomegalia
→ Duração de semanas a meses; raras vezes superior a 1 ano
→ Coriorretinite (comum): congênita ou pós-natal; mais raramente, adquirida na vida adulta; recorrências frequentes devido à reativação

Mononucleose infecciosa

É uma síndrome causada pelo vírus Epstein-Barr, caracterizada por febre, faringite, linfadenopatia, fadiga e linfocitose atípica. Atinge sobremaneira crianças e adolescentes, entre 10 e 19 anos, sendo o contato com saliva contaminada a principal forma de transmissão – por esse motivo é conhecida como "doença do beijo".

Há a linfadenopatia simétrica, muitas vezes generalizada, distinguindo a mononucleose de outras possíveis causas de faringite. A presença de petéquias no palato, esplenomegalia (50% dos casos) e linfadenopatia cervical posterior é altamente sugestiva de mononucleose. Por outro lado, a ausência de linfadenopatia cervical e fadiga quase afasta a possibilidade do diagnóstico. Outra manifestação clínica muito comum é um exantema maculopapular pruriginoso, quase sempre após administração de antibióticos betalactâmicos.[19]

O quadro clínico característico, somado às alterações hematológicas típicas (20% de linfócitos atípicos, ou linfocitose de mais de 50%, com pelo menos 10% de linfócitos atípicos), é altamente sugestivo de mononucleose. O diagnóstico é confirmado pelo teste de anticorpos heterófilos (monoteste). Caso o teste seja negativo, deve ser repetido em 5 a 7 dias.

O tratamento é essencialmente sintomático (anti-inflamatórios não esteroides ou paracetamol para mialgias e febre), com cuidados para a hidratação adequada **C/D**. Os corticoides parecem conferir benefício adicional de alívio mais precoce da dor de garganta, sem impacto sobre os demais sintomas **B**; por ser uma doença em geral autolimitada, sugere-se restringir seu uso para casos mais sintomáticos ou mais graves, com edema excessivo da faringe.[20]

O uso de antivirais não é indicado **C/D**. Deve-se evitar esportes de contato no primeiro mês da doença, pela possibilidade de ruptura esplênica **C/D**. Mesmo após a remissão dos sintomas, os pacientes ainda podem queixar-se de fadiga por alguns meses (ver Capítulo Dor de Garganta).[21]

Quadro clínico de mononucleose infecciosa:
→ Linfadenopatia dolorosa, simétrica, podendo ser generalizada
→ Cadeia mais acometida: cervical posterior
→ Faringotonsilite está presente em quase todos os casos, junto com febre e fadiga
→ A tríade de petéquias no palato, linfadenopatia cervical posterior e esplenomegalia é altamente sugestiva do diagnóstico
→ É comum a presença de *rash* maculopapular pruriginoso após administração de betalactâmicos
→ Até 50% dos casos têm esplenomegalia. Pode haver também hepatomegalia, icterícia, plaquetopenia e ruptura esplênica

Leishmaniose

É uma zoonose causada pelo protozoário do gênero *Leishmania* e transmitida pelo mosquito flebotomíneo do gênero *Lutzomyia*, conhecido popularmente como mosquito-palha, que adquire o parasita ao picar os reservatórios – sobretudo o cão doméstico, mas também animais silvestres, como raposas.

A leishmaniose cutânea apresenta-se classicamente como pápulas que evoluem para úlceras com fundo granulomatoso e bordas infiltradas em moldura, que podem ser únicas ou múltiplas, e em geral indolores. Também pode apresentar-se como placas verrucosas, papulosas, nodulares, localizadas ou difusas. Linfadenopatia localizada pode ocorrer.

Na leishmaniose visceral, o espectro clínico pode variar desde manifestações clínicas discretas até formas graves. O início da doença pode ser tanto agudo quanto insidioso. O quadro clínico inclui febre, calafrios, sudorese, fraqueza, anorexia, perda de peso, palidez mucocutânea, tosse, diarreia, hepatoesplenomegalia e linfadenopatia generalizada. O diagnóstico é clínico-epidemiológico e laboratorial (exame sorológico, exame parasitológico, hemograma, dosagem de proteínas) (ver Capítulo Leishmaniose).

Escrófulo (linfadenite tuberculosa)

A linfadenite é a forma mais frequente de apresentação de tuberculose extrapulmonar, atingindo qualquer faixa etária, embora seja mais comum em crianças com idade > 5 anos. O aumento ganglionar da tuberculose ocorre principalmente na região cervical, sendo a cadeia cervical anterior a mais acometida, seguida de linfonodos das cadeias cervical posterior, submandibular e supraclavicular. Apresenta-se como massa unilateral, de início subagudo ou crônico, indolor, de consistência endurecida, em geral sem comprometimento sistêmico. Pode ocorrer a fusão com linfonodos próximos, com diminuição da mobilidade, flutuação e supuração. Também pode apresentar-se como linfadenopatia axilar, inguinal, mediastinal ou mesentérica.

Em pacientes com coinfecção pelo HIV, a escrofulose é mais frequente em caso de contagem de linfócitos CD4 < 300 células/µL e costuma apresentar-se com a sintomatologia sistêmica típica da tuberculose, que inclui emagrecimento, sudorese noturna e febre vespertina.

O diagnóstico do escrófulo acontece por meio de cultura e bacterioscopia de material coletado por PAAF, ou de biópsia excisional. A reação de Mantoux é positiva na grande maioria dos casos. A radiografia de tórax pode mostrar linfadenopatia mediastinal ou doença pulmonar ativa. O tratamento do escrófulo obedece ao esquema básico do tratamento da tuberculose[22] (ver Capítulo Tuberculose).

Quadro clínico do escrófulo:
→ Linfadenopatia cervical anterior, posterior, submandibular ou supraclavicular de início subagudo ou crônico
→ Massa unilateral indolor, endurecida, com mobilidade diminuída
→ Pode ocorrer fusão com linfonodos próximos, ou haver flutuação e supuração
→ Em pacientes imunocompetentes, geralmente apresenta-se sem sintomas sistêmicos

Micoses

A paracoccidioidomicose é uma doença causada pelo fungo *Paracoccidioides brasiliensis*, espécie endêmica no Brasil, que habita o solo, razão pela qual a maioria dos casos ocorre em trabalhadores rurais. Afeta sobremaneira homens entre 30 e 60 anos, mas sua forma aguda atinge mormente as crianças. Seus principais achados clínicos são linfadenopatia generalizada, febre, perda de peso, anemia, fadiga e hepatoesplenomegalia. Muitas vezes também há acometimento pulmonar, com tosse produtiva e dispneia. O diagnóstico é feito por meio da visualização do fungo em material obtido de linfonodos e escarro, ou por sorologia específica.

A histoplasmose é causada pelo fungo Histoplasma capsulatum, também endêmico no Brasil. O homem adquire a infecção pela inalação dos conídeos na natureza, presentes nas fezes de morcegos ou aves infectadas. Em pessoas imunocompetentes, a maioria das infecções é leve ou subclínica, com tosse seca e febre. Já em pessoas imunocomprometidas, pode evoluir para a forma disseminada, que é acompanhada de hepatoesplenomegalia, linfadenopatia generalizada, lesões mucocutâneas e pancitopenia, causada por infiltração medular. Pacientes com Aids em geral apresentam evolução rápida da doença. O diagnóstico é realizado pela identificação do fungo em secreções ou tecidos.

A criptococose afeta quase sempre imunodeprimidos, causando meningite, pneumonia, lesões cutâneas, além de linfadenopatia (ver Capítulo Infecção pelo HIV em Adultos).

Outras micoses causadoras de linfadenopatia que ocorrem no Brasil manifestam-se principalmente por lesões mucocutâneas (cromomicose, esporotricose, lobomicose e micetomas), cujo diagnóstico diferencial é feito por biópsia.

Em caso de suspeita de micose sistêmica, o paciente deve ser encaminhado para atendimento especializado para confirmação diagnóstica e tratamento.

Doença de Kawasaki

A doença de Kawasaki é uma das vasculites mais comuns da infância – em 80% dos casos ela ocorre entre os 6 meses e os 5 anos de idade. Deve ser considerada quando há linfadenopatia cervical anterior unilateral, febre alta (> 38,5 °C) por pelo menos 5 dias, *rash* cutâneo polimorfo (que inicia com eritema perineal e descamação), eritema de lábios e mucosa oral, conjuntivite, artrite e edema de extremidades. Muitas vezes, é confundida com outras doenças exantemáticas da infância (ver Capítulo Doença Febril Exantemática). A presença de linfadenopatia generalizada sugere outro diagnóstico. Costuma ser autolimitada; porém, suas potenciais complicações cardiovasculares levam à morbimortalidade significativa. O paciente deve ser hospitalizado, e o tratamento consiste em altas doses de ácido acetilsalicílico e imunoglobulina IV.

Quadro clínico da doença de Kawasaki:
→ Linfadenopatia cervical anterior unilateral aguda
→ Febre alta (> 38,5 °C) por pelo menos 5 dias
→ *Rash* cutâneo, eritema de lábios e mucosa oral, mucosite, conjuntivite, edema de extremidades e artrite
→ Complicações cardiovasculares (aneurisma de artérias coronárias, insuficiência cardíaca, infarto agudo do miocárdio e arritmias) levam à morbimortalidade significativa

Linfomas

O linfoma de Hodgkin afeta predominantemente os adultos jovens e em geral se apresenta como linfadenopatia periférica indolor, firme e móvel. Com menor frequência, acomete linfonodo mediastinal, podendo manifestar-se com tosse, dispneia, dor torácica ou achado radiográfico de linfadenopatia ou massa mediastinal. Costuma acometer também o baço e, menos frequentemente, pulmão, fígado e medula óssea. Sintomas "B" sistêmicos (febre > 38 °C, sudorese noturna e perda de peso > 10% nos últimos 6 meses) podem estar presentes, assim como prurido cutâneo.

Os linfomas não Hodgkin têm apresentação clínica extremamente variável, dependendo do subtipo de linfoma e das áreas acometidas. Os sinais mais comuns são linfadenopatia generalizada e hepatoesplenomegalia. Os sintomas "B" também podem estar presentes.

Para o diagnóstico de um linfoma, é necessária a biópsia de um linfonodo afetado.

Leucemias

A linfadenopatia das leucemias costuma ser generalizada, indolor e de crescimento rápido. A leucemia é o tipo de câncer mais comum na infância, sendo frequentemente acompanhada de sintomas sistêmicos, como febre, mal-estar, perda de peso, sangramentos, petéquias e hepatoesplenomegalia. O hemograma revela alterações como anemia, leucocitose, linfocitose e aumento dos blastos. Pacientes que tiverem essas alterações clínicas ou laboratoriais devem ser encaminhados de forma urgente para acompanhamento especializado.[23]

Neoplasia metastática

Alguns fatores que sugerem a possibilidade de neoplasia metastática como causa da linfadenopatia são: idade avançada do paciente, duração > 2 semanas, bem como características do linfonodo acometido (endurecido, aderido aos tecidos adjacentes). Algumas vezes, o sítio primário do tumor é difícil de ser identificado, e o único sinal da doença é a linfadenopatia. De forma geral, os primeiros linfonodos afetados são os que se encontram na cadeia linfática do processo tumoral. Assim, linfadenopatias supraclaviculares são comumente encontradas em neoplasias pulmonares, bem como linfadenopatias axilares em neoplasias de mama, e linfadenopatias inguinais em neoplasias da vulva e do pênis e melanomas de membros inferiores.

Outras causas

A sarcoidose tem como principal manifestação a linfadenopatia hilar, sendo frequentemente acompanhada por infiltrados pulmonares, com manifestações clínicas secundárias, como tosse e dispneia. Raras vezes se apresenta com linfadenopatia periférica.

A linfadenopatia generalizada pode também ser secundária a doenças reumáticas, em especial lúpus eritematoso sistêmico, artrite reumatoide e síndrome de Sjögren, muitas vezes nos estágios iniciais. Entretanto, há que se ter em mente que essas doenças reumáticas estão associadas a risco aumentado de linfoma.

Outras causas menos comuns (p. ex., doença de Castleman e doença de Kimura) exigem biópsia para o diagnóstico e não são abordadas neste capítulo.

Linfadenopatia no paciente HIV-positivo

A abordagem diagnóstica dos pacientes com HIV e linfadenopatia é complexa. A linfadenopatia generalizada persistente, definida como pelo menos 2 linfonodos com tamanho > 1 cm em sítios extrainguinais, e por período > 3 meses, é muitas vezes o primeiro sinal da infecção pelo HIV.

Causas de linfadenopatia em paciente HIV-positivo:
→ **Infecciosas:** infecção aguda pelo HIV, tuberculose, toxoplasmose, sífilis, histoplasmose, criptococose, citomegalovirose
→ **Neoplásicas:** sarcoma de Kaposi, linfoma (principalmente não Hodgkin)

REFERÊNCIAS

1. Williamson HA. Lymphadenopathy in a family practice: a descriptive study of 249 cases. J Fam Pract. 1985;20(5):449–52.
2. Fijten GH, Blijham GH. Unexplained lymphadenopathy in family practice. An evaluation of the probability of malignant causes and the effectiveness of physicians' workup. J Fam Pract. 1988;27(4):373–6.
3. Chau I, Kelleher MT, Cunningham D, Norman AR, Wotherspoon A, Trott P, et al. Rapid access multidisciplinary lymph node diagnostic clinic: analysis of 550 patients. Br J Cancer. 2003;88(3):354–61.
4. Pynnonen MA, Gillespie MB, Roman B, Rosenfeld RM, Tunkel DE, Bontempo L, et al. Clinical practice guideline: evaluation of the neck mass in adults. Otolaryngol Head Neck Surg. 2017;157(2_suppl):S1–30.
5. Khanna R, Sharma AD, Khanna S, Kumar M, Shukla RC. Usefulness of ultrasonography for the evaluation of cervical lymphadenopathy. World J Surg Oncol. 2011;9:29.
6. Weinstock MS, Patel NA, Smith LP. Pediatric cervical lymphadenopathy. Pediatr Rev. 2018;39(9):433–43.
7. Khan MM, Mushtaq S, Mamoon N, Ahmad M, Ahmad S. Morphological spectrum and accuracy of fine needle aspiration cytology in tuberculous lymphadenitis. Gomal J. Med. Sci. 2013;11(2):230-4.
8. Chiappini E, Camaioni A, Benazzo M, Biondi A, Bottero S, De Masi S, et al. Development of an algorithm for the management of cervical lymphadenopathy in children: consensus of the Italian Society of Preventive and Social Pediatrics, jointly with the Italian Society of Pediatric Infectious Diseases and the Italian Society of Pediatric Otorhinolaryngology. Expert Rev Anti Infect Ther. 2015;13(12):1557–67.
9. Cherry J, Demmler-Harrison GJ, Kaplan SL, Steinbach WJ, Hotez P. Cervical lymphadenitis. In: Cherry J, Demmler-Harrison GJ, Kaplan SL, Steinbach WJ, Hotez P, editors. Feigin and Cherry's textbook of pediatric infectious diseases. 8th. ed. Philadelphia: Elsevier; 2018. 2 v. Chapter 12.
10. Dulin MF, Kennard TP, Leach L, Williams R. Management of cervical lymphadenitis in children. Am Fam Physician. 2008;78(9):1097–8.
11. Gosche JR, Vick L. Acute, subacute, and chronic cervical lymphadenitis in children. Semin Pediatr Surg. 2006;15(2):99–106.
12. Serour F, Gorenstein A, Somekh E. Needle aspiration for suppurative cervical lymphadenitis. Clin Pediatr (Phila). 2002;41(7):471–4.
13. Baek MY, Park KH, We JH, Park SE. Needle aspiration as therapeutic management for suppurative cervical lymphadenitis in children. Korean J Pediatr. 2010;53(8):801–4.
14. Rolain JM, Brouqui P, Koehler JE, Maguina C, Dolan MJ, Raoult D. Recommendations for treatment of human infections caused by Bartonella species. Antimicrob Agents Chemother. 2004;48(6):1921–33.
15. Biswas S, Rolain J-M. Bartonella infection: treatment and drug resistance. Future Microbiol. 2010;5(11):1719–31.

16. Bass JW, Freitas BC, Freitas AD, Sisler CL, Chan DS, Vincent JM, et al. Prospective randomized double blind placebo-controlled evaluation of azithromycin for treatment of cat-scratch disease. Pediatr Infect Dis J. 1998;17(6):447–52.
17. Klotz SA, Ianas V, Elliott SP. Cat-scratch Disease. Am Fam Physician. 2011;83(2):152–5.
18. Montoya JG, Liesenfeld O. Toxoplasmosis. Lancet. 2004;363(9425):1965–76.
19. Ebell MH, Call M, Shinholser J, Gardner J. Does This patient have infectious mononucleosis? The rational clinical examination systematic review. JAMA. 2016;315(14):1502-9.
20. Rezk E, Nofal YH, Hamzeh A, Aboujaib MF, AlKheder MA, Al Hammad MF. Steroids for symptom control in infectious mononucleosis. Cochrane Database Syst Rev. 2015;(11):CD004402.
21. Lennon P, Crotty M, Fenton JE. Infectious mononucleosis. BMJ. 2015;350:h1825.
22. Brasil. Ministério da Saúde. Manual de recomendações para o controle da tuberculose no Brasil. [Internet]. 2. ed. Brasília: MS; 2019 [capturado em 27 jul. 2021]. Disponível em: https://bvsms.saude.gov.br/bvs/publicacoes/manual_recomendacoes_controle_tuberculose_brasil_2_ed.pdf.
23. National Institute for Health and Clinical Excellence. Suspected cancer: recognition and referral [Internet]. NICE Guideline. London: NICE; 2021 [capturado em 10 ago. 2021]. Disponível em: https://www.nice.org.uk/guidance/ng12/chapter/Introduction.

LEITURAS RECOMENDADAS

Brasil. Ministério da Saúde. Secretaria de Vigilância em Saúde. Departamento de Vigilância Epidemiológica. Doenças infecciosas e parasitárias: guia de bolso [Internet]. 8. ed. rev. Brasília: MS; 2010 [capturado em 20 fev. 2021]. Disponível em: https://bvsms.saude.gov.br/bvs/publicacoes/doencas_infecciosas_parasitaria_guia_bolso.pdf.
Guia de bolso do Ministério da Saúde sobre doenças infecciosas e parasitárias. Apresenta descrição sucinta e prática das principais doenças infecciosas abordadas neste capítulo.

Gaddey HL, Riegel AM. Unexplained lymphadenopathy: evaluation and differential diagnosis. Am Fam Physician. 2016;94(11):896-903.
Artigo didático sobre avaliação de linfadenopatias, voltado para médicos de família.

Capítulo 70
CANSAÇO OU FADIGA

André Klafke
Danyella da Silva Barreto
Michael Schmidt Duncan

Entre os motivos de consulta médica em atenção primária à saúde (APS), um dos mais comuns e talvez desafiadores é a queixa vaga de cansaço ou fadiga. É a queixa principal em 6,5 a 8,2%[1-4] das vezes; porém, sua prevalência em pacientes que consultam na APS é consideravelmente maior, variando de 32,5 a 59%,[3,5-7] sendo mais comum em mulheres.[2,4,7-9] Embora sejam importantes para o paciente, as queixas de cansaço ou fadiga costumam causar rechaço no médico pela dificuldade de estabelecer um diagnóstico preciso.

A fadiga é frequentemente confundida com fraqueza, caracterizada por perda de força muscular. Um fato que contribui para essa confusão é que a fraqueza transitória, desencadeada pelo uso excessivo da musculatura no esforço físico, é denominada fadiga periférica, ou fatigabilidade. O foco deste capítulo é na fadiga central, a partir de agora denominada simplesmente fadiga. Outra confusão terminológica frequente é com a sonolência, que tem muitas semelhanças com a fadiga, porém se trata de um conceito distinto.

A fadiga pode ser compreendida por suas dimensões mental/cognitiva – dificuldade para se concentrar ou desempenhar atividades cognitivas – e física – dificuldade para realizar atividades físicas que requerem motivação.[10] O estado motivacional é de grande importância nesse contexto, uma vez que a fadiga pode ser considerada um quadro amotivacional ou hipomotivacional, no qual se avalia que os custos de iniciar ou prosseguir uma atividade superam as recompensas.

Em relação à duração, a fadiga é considerada aguda se tiver duração < 30 dias, prolongada se durar entre 1 e 6 meses, e crônica se persistir por período ≥ 6 meses.[11] Além disso, pode ser definida como secundária se for resultante de uma condição médica subjacente.

PROCESSOS FISIOPATOLÓGICOS ENVOLVIDOS NA FADIGA

Fica mais fácil compreender a base fisiopatológica da fadiga quando se considera sua função fisiológica. A fadiga é, acima de tudo, um processo fisiológico, que leva ao repouso e à preservação de energia após esforço prolongado, após privação de sono ou quando processos infecciosos requerem redirecionamento dos recursos energéticos para combater um patógeno.[10] Sob essa perspectiva fisiológica, a fadiga resulta de uma avaliação de que os custos energéticos necessários para iniciar ou manter uma determinada tarefa superam os benefícios que podem advir da realização dessa tarefa, permitindo à pessoa focar em tarefas mais eficientes do ponto de vista energético. Na fadiga patológica, essa avaliação de custos energéticos/benefícios esperados passa a ocorrer de forma disfuncional, perdendo sua função adaptativa.

Múltiplas áreas cerebrais e redes neurais estão envolvidas na gênese da fadiga. Em especial, as vias dopaminérgicas mesolímbicas, nos núcleos da base, desempenham importante papel em comportamentos motivados relacionados ao esforço, e costumam estar envolvidas na fadiga associada a quadros infecciosos e inflamatórios. Já o córtex cingulado anterior (CCA), área importante relacionada ao controle cognitivo, parece estar mais envolvido na fadiga mental/cognitiva. Um aumento da ativação do CCA correlaciona-se à sensação de que é necessário realizar mais esforço para conseguir cumprir uma tarefa. Outra área cerebral frequentemente envolvida na fadiga é a ínsula anterior, que desempenha papel-chave na interocepção, isto é, na percepção sobre o estado e o funcionamento do corpo.

A inflamação está frequentemente envolvida na fadiga, podendo atuar por via neuronal – por meio das fibras aferentes do nervo vago – ou humoral. A inflamação é diretamente responsável pela fadiga em grande parte das causas associadas a esse sintoma, como nos quadros infecciosos, nas doenças reumáticas e no câncer. Ademais, a inflamação aguda desencadeia o assim chamado comportamento de doença, bastante frequente nos quadros infecciosos agudos, no qual a fadiga tem importante papel, e que visa promover o repouso e a recuperação do corpo. Algumas doenças neurológicas também provocam fadiga por alterações mais específicas das áreas cerebrais citadas anteriormente. Além disso, muitas vezes a fadiga surge durante ou logo após um processo infeccioso e persiste por semanas, meses ou até mesmo cronicamente, após cessado o evento agudo que a desencadeou, caracterizando a fadiga pós-infecciosa.

Os mecanismos que ligam a fadiga aos transtornos psiquiátricos, em especial a depressão e o transtorno de ansiedade generalizada, precisam ser mais bem esclarecidos, porém a baixa motivação ou prazer nas atividades, a fadiga mental/cognitiva e a fadiga física são elementos marcantes dos quadros depressivos, e, no caso do transtorno de ansiedade generalizada, a fadiga faz inclusive parte dos critérios diagnósticos.

FADIGA CRÔNICA IDIOPÁTICA, SÍNDROME DA FADIGA CRÔNICA E OUTRAS SÍNDROMES FUNCIONAIS

A fadiga que perdura por período ≥ 6 meses é denominada fadiga crônica,[12] acometendo 11,2 a 18,3% dos adultos.[7,13-16] Trata-se de um quadro heterogêneo, cujas manifestações clínicas dependem das causas envolvidas na fadiga, bem como das características da pessoa afetada. Quando não se identifica uma causa que atualmente explique a fadiga, ela é compreendida como uma síndrome funcional, isto é, provocada por uma disfunção nos mecanismos que dão origem ao sintoma. Muitas vezes, há um evento desencadeante no início do quadro, mas esse evento não explica a cronificação da fadiga. O protótipo da fadiga crônica como síndrome funcional é a síndrome da fadiga crônica (SFC), uma forma grave e persistente de fadiga que será descrita adiante. Quando o quadro não preenche os critérios de SFC, fala-se em fadiga crônica idiopática.

Em pacientes com fadiga crônica, é importante pesquisar a presença de sintomas pertencentes a outras síndromes funcionais (p. ex., fibromialgia e síndrome do intestino irritável), pois elas frequentemente se sobrepõem. Para a *Classificação estatística internacional de doenças e problemas relacionados à saúde* (CID-11), foi proposto, a partir de grandes estudos epidemiológicos, um novo diagnóstico baseado na sobreposição de diferentes síndromes funcionais, o transtorno do desconforto corporal (*bodily distress disorder*), e, para a versão de APS da CID-11 (CID-11-AP), uma versão mais simples denominada síndrome do estresse corporal (*bodily stress syndrome*). Ambos são discutidos no Capítulo Abordando os Sintomas Físicos de Difícil Caracterização.

Mais recentemente, com a pandemia da Covid-19 vem sendo descrita uma fadiga persistente após cessado o quadro infeccioso agudo, denominada fadiga pós-Covid. Trata-se de uma fadiga pós-viral, geralmente transitória; porém, em alguns casos, ocorre cronificação, em um padrão que parece ser semelhante ao da SFC (ver Capítulo Doença pelo Coronavírus 2019).

Síndrome da fadiga crônica (encefalomielite miálgica)

A SFC é um subtipo de fadiga crônica que leva a um prejuízo importante da capacidade de realizar as atividades laborais por período > 6 meses. Sua incidência acontece em dois picos: um na adolescência e outro entre 30 e 50 anos de idade.[17] Cerca de 40% dos pacientes com SFC têm depressão clínica e/ou ansiedade, havendo também um risco aumentado de suicídio quando comparados à população geral. Trata-se de um diagnóstico cercado de controvérsias na literatura internacional, especialmente no que diz respeito à sua caracterização como um quadro de síndrome funcional ou somatização. Diversas associações de pacientes com SFC, especialmente no Reino Unido, repudiam essa caracterização sob a visão da somatização, que, de fato, tem o inconveniente de parecer atribuir, ao paciente, culpa por estar se sentindo como está. Essas associações de pacientes destacam a SFC como uma SFC pós-viral, atribuindo o nome de encefalomielite miálgica.[18]

De fato, o início do quadro frequentemente coincide com episódio infeccioso, sendo também possíveis outros desencadeantes, como eventos estressantes e toxinas ambientais.[18] Cabe destacar que, além do desencadeante, há que se considerar os fatores perpetuantes, isto é, que contribuem para a manutenção ou exacerbação dos sintomas. Estes incluem diversas formas de sofrimento e gatilhos em diferentes pontos do espectro biopsicossocial, o que reforça a importância de uma abordagem não dualista pelos profissionais de saúde. (Ver Capítulo Abordando os Sintomas Físicos de Difícil Caracterização.)

Na literatura, existe mais de um conjunto de critérios clínicos para o seu diagnóstico, sendo o mais recente proposto em 2015 pelo Institute of Medicine (IOM). Essa nova definição pode impactar na prevalência da doença, mas não existem estudos representativos utilizando os critérios atuais. Conforme essa definição, o diagnóstico de SFC será estabelecido se o paciente apresentar os três sintomas a seguir, desde que estejam presentes em pelo menos metade do tempo e sejam de intensidade moderada ou grave:[19]

→ redução substancial da capacidade de realizar as atividades laborais ou sociais comparada com a fase pré-mórbida, que persiste por período > 6 meses. Vem acompanhada de fadiga, muitas vezes profunda, de início definido; que não é resultado de esforço excessivo contínuo; e que não é aliviada substancialmente por repouso;

→ mal-estar/exaustão pós-esforço, com piora dos sintomas após exposição a estressores físicos ou cognitivos leves que eram normalmente tolerados antes do início da doença. O mal-estar é de recuperação lenta e seu alívio pode levar mais de 24 horas (esse é o sintoma mais característico da SFC);
→ sono não restaurador.

Além dos sintomas descritos, o paciente também deve apresentar pelo menos um dos seguintes:
→ comprometimento cognitivo;
→ intolerância ortostática, que pode se manifestar como queixas de tontura ou desmaio, sensação de instabilidade ao levantar-se ou distúrbio do equilíbrio.

Os sintomas de dor e a hiperalgesia sistêmica não foram incluídos nos critérios do IOM, como acontecia nos anteriores, por não serem específicos da SFC.[19] No entanto, além dos sintomas relacionados aos critérios diagnósticos, a SFC pode vir acompanhada de diversos outros, como dor de garganta, cefaleia, artralgia, mialgia, linfadenopatia, rinopatia alérgica ou instabilidade térmica.

ABORDAGEM DIAGNÓSTICA

O primeiro passo na abordagem dos pacientes com cansaço é compreender o que a pessoa realmente está sentindo. Pelo fato de consistir em uma sensação muitas vezes imprecisa, o médico pode interpretar a queixa do paciente de maneira equivocada, desenvolvendo uma abordagem diagnóstica e terapêutica não direcionada à sua necessidade. Sendo assim, é essencial tentar caracterizar bem o sintoma, diferenciando-o de outros como fraqueza muscular (diminuição da força), sonolência e dispneia, que podem indicar etiologias diferentes (ver Capítulos Alterações do Sono e Dispneia).

> A primeira impressão diagnóstica diante do sintoma de fadiga costuma ser antagônica para médicos e pacientes: os últimos, em geral, estão preocupados com a possibilidade de uma causa orgânica (p. ex., anemia ou câncer), enquanto os primeiros tendem a pressupor uma etiologia funcional. O médico deve estar atento a isso e não deixar que o paciente pense que sua queixa foi subestimada, pois isso pode prejudicar a relação médico-paciente, dificultando a abordagem.

De fato, as causas mais frequentes de fadiga, quando é possível identificá-las, são psíquicas. Uma revisão sistemática recente sobre diagnóstico diferencial de fadiga mostrou que, na maioria dos casos, a etiologia desse sintoma não é encontrada;[20] entretanto, quando se consegue descobrir, a depressão é a causa mais comum, em 18,5% (intervalo de confiança [IC] 95% = 16,2-21); seguida por doenças somáticas graves, em 3,1% (IC 95% = 2,7-6,7); anemia, em 2,8% (IC 95% = 1,6-4,8); neoplasias, em 0,6% (IC 95% = 0,3-1,3); e SFC, em menos de 2%. A proporção de fatores psicossociais associados à fadiga é maior nos casos de fadiga prolongada e crônica do que nos casos de fadiga aguda. Deve-se dar especial atenção a formas de sofrimento psíquico que não caracterizam transtorno de saúde mental, mas estão associadas à relação da pessoa com seu meio social, familiar ou ocupacional, ou mesmo às fases do ciclo de vida em que se encontra (ver Capítulo Abordagem Familiar).

Devido à ausência de estudos bem delineados avaliando qual a melhor abordagem ao paciente com fadiga, sua investigação é dirigida para suas possíveis causas (TABELA 70.1). Entretanto, é importante ter em mente que, como as possíveis causas de fadiga são condições relativamente frequentes na população geral, a simples presença de uma dessas condições em um paciente não significa que ela seja a responsável pela fadiga. O fator identificado pode ser somente mais um elemento em uma complexa cadeia etiológica ou apenas consistir em uma comorbidade, sem uma relação direta com a fadiga. Definir se uma alteração encontrada na anamnese, no exame físico ou no exame complementar é, de fato, a causa da fadiga é, por vezes, difícil, podendo exigir uma cuidadosa reflexão sobre as queixas do paciente e seus sinais, interpretando-os conforme seu estágio no ciclo de vida e seu contexto social.

Anamnese

A anamnese é o componente mais importante na avaliação do paciente com fadiga. Depois de confirmado que o sintoma consiste de fato em fadiga, deve-se caracterizá-lo quanto à sua duração, ao seu padrão de instalação (abrupto ou gradual), à sua evolução (estável, com melhora ou piora), aos seus fatores de alívio ou exacerbação, ao seu impacto na vida diária e às modificações induzidas para que o indivíduo se adapte a ele.[21] Além dos fatores listados na TABELA 70.1, deve-se avaliar o estilo de vida (incluindo hábitos alimentares, ambiente familiar, estresse, lazer, atividade física, qualidade do sono) e a presença de sinais e sintomas de alerta (TABELA 70.2). Uma pista importante para o envolvimento

TABELA 70.1 → Causas de cansaço ou fadiga

→ Psíquicas: estresse emocional/situacional, somatização, depressão, ansiedade, transtorno do pânico
→ Psicossociais
→ Cardíacas: cardiopatia isquêmica, insuficiência cardíaca, fibrilação atrial
→ Distúrbios do sono: insônia, apneia obstrutiva do sono, síndrome das pernas inquietas
→ Endocrinológicas: diabetes melito, hipo/hipertireoidismo, insuficiência suprarrenal
→ Gastrintestinais: hepatites virais crônicas, doença colestática, cirrose biliar primária
→ Hematológicas: anemia, deficiência de ferro
→ Infecciosas: Covid-19, *influenza*, mononucleose infecciosa, HIV, tuberculose, citomegalovirose, toxoplasmose, doença de Lyme, brucelose, bacteriemia oculta
→ Musculoesqueléticas
→ Neoplasias
→ Neurológicas: AVC, doença de Parkinson
→ Respiratórias: asma e DPOC
→ Renais: insuficiência renal
→ Reumatológicas: artrite reumatoide, fibromialgia, lúpus eritematoso sistêmico, polimialgia reumática
→ Substâncias psicoativas: álcool, cocaína e outros estimulantes, maconha
→ Medicamentos: agonistas α_2 de ação central, anticolinérgicos, anti-histamínicos, antidepressivos, antipsicóticos, ansiolíticos, anticonvulsivantes, betabloqueadores, opioides, relaxantes musculares
→ Outras: alterações eletrolíticas, doença autoimune
→ Síndrome da fadiga crônica
→ Fadiga crônica idiopática

AVC, acidente vascular cerebral; DPOC, doença pulmonar obstrutiva crônica; HIV, vírus da imunodeficiência humana.

TABELA 70.2 → Sinais e sintomas que requerem atenção em pacientes com cansaço ou fadiga

- → Perda de prazer nas atividades
- → Agitação, nervosismo
- → Febre
- → Linfadenopatia inexplicada
- → Perda de peso involuntária
- → Início recente de fadiga em idoso previamente hígido
- → Dor precordial ou dispneia
- → Poliúria e polidipsia
- → Pele seca e intolerância ao frio
- → Fraqueza
- → Ronco noturno e sonolência diurna
- → Artralgias, mialgias ou *rash* cutâneo

de uma determinada causa na etiologia da fadiga é a associação temporal entre a introdução do fator (p. ex., desencadeante de episódio depressivo) e o início ou mudança de padrão da fadiga.

Explorar os contextos de alívio e exacerbação da fadiga permite também explorar a sua perspectiva motivacional. A fadiga que ocorre prioritariamente em determinados contextos sociais (p. ex., relações familiares, trabalho) ou que surge associada a uma determinada fase do ciclo de vida da pessoa deve chamar a atenção para fatores emocionais envolvidos, levantando a hipótese de que a fadiga representa uma avaliação de que não está valendo a pena o investimento que está sendo feito nesse contexto social.

Cabe destacar que, muitas vezes, a queixa de fadiga trazida pelo paciente corresponde a uma fadiga fisiológica decorrente de uma rotina estressante, rotina de sono ruim e pouco tempo para descanso. O paciente pode estar tão imerso nessa rotina que inicialmente não percebe sua ligação com os sintomas que apresenta. Pistas que devem alertar para fadiga patológica consistem em fadiga que não é aliviada pelo sono ou repouso e que é desproporcional ao grau de atividade física.

Exame físico

O exame físico deve ser voltado para as possíveis causas de fadiga e para os sinais e sintomas de alerta. Assim, deve incluir avaliação do estado geral, dos sinais vitais, da presença de palidez, dos aparelhos cardiorrespiratório (buscando especialmente sinais de insuficiência cardíaca e doença pulmonar crônica) e neurológico (incluindo a avaliação da massa muscular, tônus e força), da tireoide e dos linfonodos.[21,22]

Exames complementares

Exames complementares contribuem para o diagnóstico de fadiga em apenas 5 a 9% dos casos,[8,23-25] e não existem bons estudos avaliando quais exames têm impacto positivo em quais situações. Entretanto, sugere-se investigação complementar em indivíduos com fadiga de etiologia não identificada após anamnese e exame físico, devido à possibilidade de identificação de uma causa tratável.[12,21,22,26,27] Quando for identificada uma potencial causa, pode-se focar na sua abordagem antes de considerar solicitação de exames. Para os casos sem etiologia definida, solicitar uma quantidade limitada de exames é praticamente tão útil quanto fazer uma investigação mais extensa, com menores custo e possibilidade de danos ao paciente (por resultados falso-positivos).[24]

Exames que podem contribuir na investigação dessas pessoas são hemograma, velocidade de hemossedimentação (VHS) e/ou proteína C-reativa, ferritina sérica, glicemia de jejum, eletrólitos, ureia, creatinina, alanina-aminotransferase (ALT), aspartato-aminotransferase (AST), hormônio estimulante da tireoide (TSH) e anti-HIV. Conforme a presença de outros sinais e sintomas, pode-se solicitar creatina-quinase (CK), cálcio, albumina, fosfatase alcalina (FA), bilirrubinas, fator reumatoide (FR), fator antinuclear (FAN), cortisol sérico livre ou urinário de 24 horas, sorologia para hepatites, pesquisa de bacilo álcool-ácido-resistente (BAAR) no escarro, marcadores tumorais como lactato-desidrogenase (LDH), fração beta da gonadotrofina coriônica humana (β-hCG, do inglês *human chorionic gonadotropin*), exame comum de urina, radiografia de tórax e eletrocardiograma (ECG).[8,12,21,22]

Acompanhamento

A reconsulta para mostrar os exames permite a reavaliação dos sintomas após decorrido certo período de tempo. A possibilidade do acompanhamento longitudinal na APS permite que, ao longo das consultas, informações relevantes sejam reveladas pelo paciente à medida que o vínculo entre ele e o médico se fortaleça. Os sintomas podem melhorar, ou podem surgir novas queixas que auxiliem no diagnóstico. A essa altura, o paciente também teve mais tempo para pensar sobre o seu problema com base nas impressões que o médico ofereceu na avaliação inicial. Ele também pode ter tido algum *insight* que lhe permita cogitar a possibilidade de algum fator psicossocial estar contribuindo para o sintoma. Ademais, os resultados dos exames laboratoriais podem oferecer dados que permitam orientar o diagnóstico para uma causa orgânica. Devido à alta proporção de condições psíquicas na etiologia da fadiga, sua presença deve ser particularmente considerada em pacientes sem anormalidades nos exames físico e complementares.[28] O Capítulo Abordando os Sintomas Físicos de Difícil Caracterização descreve como abordar esses pacientes.

TRATAMENTO

O tratamento da fadiga pode ser facilitado por uma abordagem realista e centrada na pessoa desde o primeiro contato com o médico por essa queixa. O médico deve reconhecer que a fadiga é, acima de tudo, uma experiência real e limitante, com múltiplas possíveis causas que interagem entre si. Mesmo quando não se encontra uma causa física, a fadiga é sentida pelo paciente, que espera uma postura empática por parte do médico. Usar o vínculo e a longitudinalidade do cuidado é de grande importância.

O tratamento da fadiga é dirigido para sua causa, quando esta é conhecida, ou para os fatores associados que possam estar contribuindo para sua ocorrência.

Quando não é possível estabelecer uma causa para a fadiga, a identificação de crenças sobre a origem da doença deve ser amplamente discutida. É provável que exista uma interação de fatores biopsicossociais contribuindo para a condição, e isso deve ser abordado de modo explícito com o paciente. Trazer para o paciente a perspectiva da fadiga como quadro de baixa motivação pode facilitar a abertura para discutir e manejar fatores contextuais, identificando o que está motivando pouco o paciente e explorando alternativas mais motivadoras. Estratégias da terapia de ativação comportamental, discutida no Capítulo Depressão, podem ser úteis nesse contexto.

Quanto à incapacidade de determinar sua causa, é importante estabelecer uma abordagem racional e mostrar ao indivíduo que, independentemente da etiologia, existe uma possibilidade de recuperação funcional.[12,29]

Medicamentos cujo uso possa causar fadiga devem ser substituídos.

Adultos com fadiga e deficiência de ferro sem anemia tiveram melhora de ferritina sérica, hemoglobina e medidas subjetivas de fadiga com suplementação de ferro, mas não na capacidade física aferida objetivamente.[30] O sintoma isolado de fadiga tem baixa sensibilidade para o diagnóstico de hipotireoidismo,[31] e o benefício da levotiroxina nos casos de fadiga associada ao hipotireoidismo subclínico é incerto.

O ginseng-americano ou ginseng-asiático pode ser indicado para a fadiga, na dose que varia de 400 a 2.000 mg/dia, com baixo risco de efeitos adversos e benefício incerto[31] **C/D**. O *tai chi* pode ser uma alternativa segura e eficaz ou complementar às terapias existentes para pessoas com fadiga.[32] Essa modalidade melhorou a fadiga (TE = −0,47) **B**, inclusive aquela relacionada ao câncer, mas não houve efeito significativo para a esclerose múltipla ou para a fadiga relacionada à idade. A duração sugerida foi de 1 hora; no entanto, a frequência semanal e o tempo de tratamento não estão definidos.

Intervenções baseadas em *mindfulness* (atenção plena) não mostraram efeito na fadiga **B**.[33] A terapia cognitivo-comportamental (TCC) mostrou efeitos significativos em pacientes com depressão, mas não nos sintomas de fadiga **B**.[34]

O estresse social e ocupacional também deve ser abordado. Os pacientes que persistem trabalhando podem sofrer aumento do estresse; aqueles que deixam de trabalhar podem ficar inativos e ter dificuldade no retorno às atividades habituais. É necessário controlar o estresse daqueles que continuam a trabalhar e planejar o retorno ao trabalho dos que pararam, ou considerar uma atividade profissional alternativa enquanto persistirem os sintomas.[29]

Fadiga crônica

Assim como na fadiga aguda e na fadiga prolongada, o tratamento da fadiga crônica também deve ser orientado para a causa da fadiga, se conhecida.

Para a SFC, revisões sistemáticas da Cochrane concluíram que TCC e terapia com exercícios são efetivas na redução da fadiga, embora a TCC tenha sido avaliada por poucos estudos, com resultados inconsistentes, e a terapia com exercícios necessite de ensaios clínicos com baixo risco de viés para investigar o tipo, a duração e a intensidade dos exercícios mais benéficos.[35,36] Entretanto, reanálises dessas revisões sistemáticas questionaram suas conclusões, pois em vários estudos o mal-estar pós-esforço não foi critério obrigatório de inclusão, a gravidade dos sintomas não foi estratificada e os danos não foram devidamente relatados.[37,38] A TCC tem sido questionada em estudos recentes porque não garantiu uma melhora objetiva da aptidão física, retorno ao trabalho e nem melhora significativa na qualidade de vida **B**.[38] Da mesma forma, uma revisão recente concluiu que a terapia de esforço gradual (TEG) é um tratamento ineficaz para SFC, podendo trazer prejuízos no sintoma de mal-estar pós-esforço **B**.[37]

Diante disso, a TCC pode ser indicada para pacientes com depressão ou ansiedade como comorbidade;[34] entretanto, para alívio dos sintomas da SFC, os resultados são controversos. A TEG também é controversa e pode piorar os sintomas em pacientes graves.[37] O tratamento de reabilitação multidisciplinar mostrou-se mais eficiente na redução da intensidade da fadiga em longo prazo do que a TCC.[39]

Uma revisão sistemática encontrou melhor efeito na SFC com acupuntura e moxabustão do que com outros tratamentos **C/D**.[40] No entanto, os estudos incluídos na análise têm qualidade relativamente baixa, necessitando de estudos de maior qualidade para confirmar essas conclusões.

O benefício dos antidepressivos na SFC é incerto **C/D**,[41,42] mas eles podem ser utilizados de acordo com a presença de outras comorbidades, como depressão, insônia ou mialgias **C/D**. Imunomoduladores e glicocorticoides mostraram resultados inconclusivos **C/D**.[43,44] Outras intervenções, como uso de suplemento nutricional na dieta, galantamina e valaciclovir, não se mostraram efetivas no tratamento da SFC,[38,45,46] não devendo, portanto, ser usadas para o tratamento dessa doença.

Diante do resultado desses estudos, o objetivo do tratamento da SFC é manejar os sintomas, tratar comorbidades e melhorar a capacidade funcional.

Na fadiga crônica idiopática (FCI) pode ser indicado tratamento empírico com inibidores seletivos da recaptação da serotonina (ISRSs) quando há sintomas de depressão sem o preenchimento dos critérios para depressão maior. Também pode ser estimulada a prática regular de exercícios físicos se não houver contraindicação.[47,48] Já para a fadiga relacionada ao câncer, os benefícios do exercício são incertos, apesar de não haver piora dos sintomas.[49]

> O paciente com fadiga crônica sem um diagnóstico específico necessita de acompanhamento com um plano terapêutico voltado para suas particularidades. O paciente deve ser adequadamente informado de que sua condição é comum e tratável e de que o tratamento não será dirigido a nenhuma doença em particular, visto que a investigação realizada não identificou uma causa específica.
>
> O encaminhamento a outro nível de atenção pode satisfazer a angústia do paciente (ou a do médico), mas raras vezes é produtivo se a abordagem sugerida foi realizada e nenhuma anormalidade foi encontrada. Oferecer ao paciente tempo para pensar sobre seu problema e agendar nova reavaliação após algum tempo pode ser uma alternativa adequada.

PROGNÓSTICO

O prognóstico do paciente com fadiga é muito variável, com relatos de melhora em 1 ano de 28 a 67%.[50,51] O acompanhamento de 1 ano de pacientes com episódio novo de fadiga observou que seu curso apresentou quatro padrões na maioria deles: persistência do sintoma (26%), melhora rápida (17%), melhora lenta (25%) e melhora inicial seguida de recorrência (32%).[52]

O prognóstico depende da causa subjacente da fadiga. Alguns fatores estão associados a um melhor prognóstico no paciente com fadiga, como ser jovem, apresentar VHS normal, ter realizado menos consultas de acompanhamento e apresentar fadiga de menor intensidade e com menor impacto em sua vida.[50,53]

Na fadiga crônica, o prognóstico de retorno ao estado prévio não é favorável: 64% dos pacientes apresentam pouca melhora e apenas 2% apresentam resolução completa do sintoma em longo prazo.[12] São preditores da persistência da fadiga: idade > 38 anos no início dos sintomas, período < 16 anos de educação formal, duração da fadiga > 1 ano e meio, história de distimia e mais de 8 sintomas físicos inexplicados.[21]

Pacientes com SFC apresentam menores taxas de melhora da função e de redução dos sintomas do que aqueles com FCI.[21] Apresentam taxa mediana de melhora de 39,5% e de recuperação de 5% com tratamento,[21] com mediana de duração da doença de 80 dias por ano.[54] Na FCI, são preditores de melhora: apresentar menos sintomas somatoformes, acordar menos durante a noite e ser casado.[55]

QUANDO ENCAMINHAR

Os pacientes com fadiga aguda geralmente têm quadros autolimitados, mas pode-se considerar encaminhamento a depender da causa da fadiga. A maioria dos pacientes com fadiga crônica pode ser adequadamente conduzida na APS. Contudo, para alguns grupos, citados a seguir, deve-se considerar avaliação por um especialista mais apropriado:[29]
→ crianças;
→ pacientes com suspeita de doença oculta apesar de avaliação inicial inconclusiva;
→ pacientes com doença psiquiátrica grave;
→ pacientes que necessitam de tratamento especializado por transtorno do sono;
→ pacientes que não melhoram com o manejo na APS.

REFERÊNCIAS

1. Cathébras PJ, Robbins JM, Kirmayer LJ, Hayton BC. Fatigue in primary care: prevalence, psychiatric comorbidity, illness behavior, and outcome. J Gen Intern Med. 1992;7(3):276–86.
2. Cullen W, Kearney Y, Bury G. Prevalence of fatigue in general practice. Ir J Med Sci. 2002;171(1):10–2.
3. Fuhrer R, Wessely S. The epidemiology of fatigue and depression: a French primary-care study. Psychol Med. 1995;25(5):895–905.
4. Nicholson K, Stewart M, Thind A. Examining the symptom of fatigue in primary care: a comparative study using electronic medical records. J Innov Health Inform. 2015;22(1):235–43.
5. Bates DW, Schmitt W, Buchwald D, Ware NC, Lee J, Thoyer E, et al. Prevalence of fatigue and chronic fatigue syndrome in a primary care practice. Arch Intern Med. 1993;153(24):2759–65.
6. Maghout-Juratli S, Janisse J, Schwartz K, Arnetz BB. The causal role of fatigue in the stress-perceived health relationship: a MetroNet study. J Am Board Fam Med. 2010;23(2):212–9.
7. Pawlikowska T, Chalder T, Hirsch SR, Wallace P, Wright DJ, Wessely SC. Population based study of fatigue and psychological distress. BMJ. 1994;308(6931):763–6.
8. Ridsdale L, Evans A, Jerrett W, Mandalia S, Osler K, Vora H. Patients with fatigue in general practice: a prospective study. BMJ. 1993;307(6896):103–6.
9. Wijeratne C, Hickie I, Brodaty H. The characteristics of fatigue in an older primary care sample. J Psychosom Res. 2007;62(2):153–8.
10. Karshikoff B, Sundelin T, Lasselin J. Role of inflammation in human fatigue: relevance of multidimensional assessments and potential neuronal mechanisms. Front Immunol. 2017;8:21.
11. Fukuda K, Straus SE, Hickie I, Sharpe MC, Dobbins JG, Komaroff A. The chronic fatigue syndrome: a comprehensive approach to its definition and study. International Chronic Fatigue Syndrome Study Group. Ann Intern Med. 1994;121(12):953–9.
12. Rosenthal TC, Majeroni BA, Pretorius R, Malik K. Fatigue: an overview. Am Fam Physician. 2008;78(10):1173–9.
13. Buchwald D, Umali P, Umali J, Kith P, Pearlman T, Komaroff AL. Chronic fatigue and the chronic fatigue syndrome: prevalence in a Pacific Northwest health care system. Ann Intern Med. 1995;123(2):81–8.
14. Cho HJ, Bhugra D, Wessely S. 'Physical or psychological?'- a comparative study of causal attribution for chronic fatigue in Brazilian and British primary care patients. Acta Psychiatr Scand. 2008;118(1):34–41.
15. McDonald E, David AS, Pelosi AJ, Mann AH. Chronic fatigue in primary care attenders. Psychol Med. 1993;23(4):987–98.
16. Wessely S, Chalder T, Hirsch S, Wallace P, Wright D. The prevalence and morbidity of chronic fatigue and chronic fatigue syndrome: a prospective primary care study. Am J Public Health. 1997;87(9):1449–55.
17. Jason LA, Richman JA, Rademaker AW, Jordan KM, Plioplys AV, Taylor RR, et al. A community-based study of chronic fatigue syndrome. Arch Intern Med. 1999;159(18):2129–37.
18. Chu L, Valencia IJ, Garvert DW, Montoya JG. Onset patterns and course of myalgic encephalomyelitis/chronic fatigue syndrome. Front Pediatr. 2019;7:12.
19. Committee on the Diagnostic Criteria for Myalgic Encephalomyelitis/Chronic Fatigue Syndrome, Board on the Health of Select Populations, Institute of Medicine. Beyond myalgic encephalomyelitis/chronic fatigue syndrome: redefining an illness. Washington: National Academies Press; 2015.
20. Stadje R, Dornieden K, Baum E, Becker A, Biroga T, Bösner S, et al. The differential diagnosis of tiredness: a systematic review. BMC Fam Pract. 2016;17(1):147.
21. Fosnocht KM, Ende J. Approach to the adult patient with fatigue [Internet]. UpToDate. Waltham: UpToDate; 2021 [capturado em 28 jul. 2021]. Disponível em: https://www.uptodate.com/contents/approach-to-the-adult-patient-with-fatigue.
22. Morrison RE, Keating HJ. Fatigue in primary care. Obstet Gynecol Clin North Am. 2001;28(2):225–40, v–vi.
23. Kitai E, Blumberg G, Levy D, Golan-Cohen A, Vinker S. Fatigue as a first-time presenting symptom: management by family doctors and one year follow-up. Isr Med Assoc J. 2012;14(9):555–9.
24. Koch H, van Bokhoven MA, ter Riet G, van Alphen-Jager JT, van der Weijden T, Dinant G-J, et al. Ordering blood tests for patients with unexplained fatigue in general practice: what does it yield? Results of the VAMPIRE trial. Br J Gen Pract. 2009;59(561):e93-100.
25. Lane TJ, Matthews DA, Manu P. The low yield of physical examinations and laboratory investigations of patients with chronic fatigue. Am J Med Sci. 1990;299(5):313–8.

26. Polmear A, organizador. Fatigue. In: Evidence-based diagnosis in primary care: practical solutions to common problems. Edinburgh: Butterworth-Heinemann; 2008. p. 110–7.
27. Murtagh J, Rosenblatt J, Murtagh C, Coleman J. Tiredness/fatigue. In: Murtagh J, Rosenblatt J, Murtagh C, Coleman J. Murtagh's general practice. 7th ed. Sydney: McGraw-Hill Medical; 2018. Cap. 74, p. 859–65.
28. Manu P, Lane TJ, Matthews DA. The frequency of the chronic fatigue syndrome in patients with symptoms of persistent fatigue. Ann Intern Med. 1988;109(7):554–6.
29. Sharpe M, Wilks D. Fatigue. BMJ. 2002;325(7362):480–3.
30. Houston BL, Hurrie D, Graham J, Perija B, Rimmer E, Rabbani R, et al. Efficacy of iron supplementation on fatigue and physical capacity in non-anaemic iron-deficient adults: a systematic review of randomised controlled trials. BMJ Open. 2018;8(4):e019240.
31. Arring NM, Millstine D, Marks LA, Nail LM. Ginseng as a treatment for fatigue: a systematic review. J Altern Complement Med. 2018;24(7):624–33.
32. Xiang Y, Lu L, Chen X, Wen Z. Does Tai Chi relieve fatigue? A systematic review and meta-analysis of randomized controlled trials. PLoS One. 2017;12(4):e0174872.
33. Daya Z, Hearn JH. Mindfulness interventions in medical education: A systematic review of their impact on medical student stress, depression, fatigue and burnout. Med Teach. 2018;40(2):146–53.
34. Ballesio A, Aquino MRJV, Feige B, Johann AF, Kyle SD, Spiegelhalder K, et al. The effectiveness of behavioural and cognitive behavioural therapies for insomnia on depressive and fatigue symptoms: A systematic review and network meta-analysis. Sleep Med Rev. 2018;37:114–29.
35. Larun L, Brurberg KG, Odgaard-Jensen J, Price JR. Exercise therapy for chronic fatigue syndrome. Cochrane Database Syst Rev. 2019;10:CD003200.
36. Price JR, Mitchell E, Tidy E, Hunot V. Cognitive behaviour therapy for chronic fatigue syndrome in adults. Cochrane Database Syst Rev. 2008;(3):CD001027.
37. Vink M, Vink-Niese A. Graded exercise therapy for myalgic encephalomyelitis/chronic fatigue syndrome is not effective and unsafe. Re-analysis of a Cochrane review. Health Psychol Open. 2018;5(2):2055102918805187.
38. Vink M, Vink-Niese A. Cognitive behavioural therapy for myalgic encephalomyelitis/chronic fatigue syndrome is not effective. Re-analysis of a Cochrane review. Health Psychol Open. 2019;6(1):2055102919840614.
39. Vos-Vromans DCWM, Smeets RJEM, Huijnen IPJ, Köke AJA, Hitters WMGC, Rijnders LJM, et al. Multidisciplinary rehabilitation treatment versus cognitive behavioural therapy for patients with chronic fatigue syndrome: a randomized controlled trial. J Intern Med. 2016;279(3):268–82.
40. Wang T, Xu C, Pan K, Xiong H. Acupuncture and moxibustion for chronic fatigue syndrome in traditional Chinese medicine: a systematic review and meta-analysis. BMC Complement Altern Med. 2017;17(1):163.
41. Natelson BH, Cheu J, Pareja J, Ellis SP, Policastro T, Findley TW. Randomized, double blind, controlled placebo-phase in trial of low dose phenelzine in the chronic fatigue syndrome. Psychopharmacology (Berl). 1996;124(3):226–30.
42. Vercoulen JH, Swanink CM, Zitman FG, Vreden SG, Hoofs MP, Fennis JF, et al. Randomised, double-blind, placebo-controlled study of fluoxetine in chronic fatigue syndrome. Lancet. 1996;347(9005):858–61.
43. Gluckman SJ. Treatment of myalgic encephalomyelitis/chronic fatigue syndrome [Internet]. UpToDate. Waltham: UpToDate; 2021 [capturado em 28 jul. 2021]. Disponível em: http://www.uptodate.com/contents/treatment-of-chronic-fatigue-syndrome.
44. Whiting P, Bagnall AM, Sowden AJ, Cornell JE, Mulrow CD, Ramírez G. Interventions for the treatment and management of chronic fatigue syndrome: a systematic review. JAMA. 2001;286(11):1360–8.
45. Blacker CVR, Greenwood DT, Wesnes KA, Wilson R, Woodward C, Howe I, et al. Effect of galantamine hydrobromide in chronic fatigue syndrome: a randomized controlled trial. JAMA. 2004;292(10):1195–204.
46. Straus SE, Dale JK, Tobi M, Lawley T, Preble O, Blaese RM, et al. Acyclovir treatment of the chronic fatigue syndrome. Lack of efficacy in a placebo-controlled trial. N Engl J Med. 1988;319(26):1692–8.
47. Puetz TW, O'Connor PJ, Dishman RK. Effects of chronic exercise on feelings of energy and fatigue: a quantitative synthesis. Psychol Bull. 2006;132(6):866–76.
48. Ridsdale L, Darbishire L, Seed PT. Is graded exercise better than cognitive behaviour therapy for fatigue? A UK randomized trial in primary care. Psychol Med. 2004;34(1):37–49.
49. Kelley GA, Kelley KS. Exercise and cancer-related fatigue in adults: a systematic review of previous systematic reviews with meta-analyses. BMC Cancer. 2017;17(1):693.
50. Kroenke K, Wood DR, Mangelsdorff AD, Meier NJ, Powell JB. Chronic fatigue in primary care. Prevalence, patient characteristics, and outcome. JAMA. 1988;260(7):929–34.
51. Nelson E, Kirk J, McHugo G, Douglass R, Ohler J, Wasson J, et al. Chief complaint fatigue: a longitudinal study from the patient's perspective. Fam Pract Res J. 1987;6(4):175–88.
52. Nijrolder I, van der Windt DAWM, van der Horst HE. Prognosis of fatigue and functioning in primary care: a 1-year follow-up study. Ann Fam Med. 2008;6(6):519–27.
53. Nijrolder I, van der Horst H, van der Windt D. Prognosis of fatigue. A systematic review. J Psychosom Res. 2008;64(4):335–49.
54. Hamilton WT, Gallagher AM, Thomas JM, White PD. The prognosis of different fatigue diagnostic labels: a longitudinal survey. Fam Pract. 2005;22(4):383–8.
55. Hartz AJ, Kuhn EM, Bentler SE, Levine PH, London R. Prognostic factors for persons with idiopathic chronic fatigue. Arch Fam Med. 1999;8(6):495–501.

LEITURA COMPLEMENTAR

Wilson J, Morgan S, Magin PJ, van Driel ML. Fatigue – a rational approach to investigation. Aust Fam Physician. 2014;43(7):457-61.

Artigo de revisão que enfoca a abordagem do paciente com queixa de fadiga na atenção primária à saúde.

Capítulo 71
PERDA DE PESO INVOLUNTÁRIA

Rogério Friedman

Mirela Jobim de Azevedo[†]

A perda de peso pode ser voluntária ou involuntária. Pode ser o motivo da consulta médica, um achado incidental durante a avaliação clínica ou uma constatação do médico ou de um familiar. Resulta de redução na ingestão de nutrientes, aumento do gasto energético ou perda energética na urina ou nas fezes.

A perda de peso involuntária (PPI) deve ser distinguida da queixa de "magreza", na qual o paciente tem uma constituição magra há bastante tempo. Na PPI, o indivíduo não se sente necessariamente magro, mas manifesta preocupação pelo fato de estar perdendo peso em um período determinado de tempo. Em casos de anorexia nervosa, o paciente pode estar muito magro, mas não se sentir magro, nem se queixar de perda de peso.

A PPI é quase sempre uma manifestação precoce de doença aguda ou crônica; por isso, deve ser investigada.[1,2] Na maioria dos casos de PPI, é fácil detectar a causa, em geral associada a doença física ou mental, ou a problemas psicossociais. Não existe uma recomendação internacionalmente aceita para avaliação da PPI, em especial nos casos em que não existe uma causa óbvia para tal. Doenças crônicas, independentemente do órgão ou sistema afetado, podem causar perda de peso, em geral associada à anorexia.

A PPI é uma queixa frequente, que se associa a taxas elevadas de morbidade e mortalidade,[3] sobretudo em idosos[4] e em pacientes institucionalizados.[1] Em mulheres adultas, um ou mais episódios de PPI de pelo menos 10 kg associaram-se a aumento de risco de mortalidade geral da ordem de 26 a 57%.[5]

DEFINIÇÕES

O valor percentual ou absoluto de perda ponderal que define a PPI como problema médico não está firmemente estabelecido. A maioria dos estudos define PPI como redução de 5% (ou mais) do peso corporal, em um período de 6 a 12 meses.[6,7]

Algumas situações devem ser distinguidas de PPI. A caquexia, também associada a aumento de mortalidade, caracteriza-se por perda de peso extrema, com perda muscular maior do que perda de gordura corporal; ela está associada à perda de proteínas viscerais, anormalidades da imunidade e da resposta inflamatória sistêmica.[8] Em idosos saudáveis, pode ocorrer a chamada perda de peso associada ao envelhecimento, que deve ser distinguida da PPI. A perda de peso associada ao envelhecimento não ultrapassa 0,1 a 2 kg/ano.[9] Também entra no diagnóstico diferencial a **sarcopenia**, que representa a perda de músculo esquelético relacionada com o envelhecimento e se associa à redução de força ou de desempenho físico.[10] Ocorre em 9 a 18% dos indivíduos com idade > 65 anos e está associada à fragilidade, à incapacidade funcional, ao aumento de morbidade e à mortalidade.[11]

ETIOLOGIA

As causas de PPI podem ser classificadas como orgânicas (neoplásicas ou não neoplásicas), psicológicas ou sociais e relacionadas com medicamentos ou drogas. É importante ressaltar que 16 a 25% dos casos não têm causa definida após extensa investigação.[6,7,12] De maneira geral, a PPI em indivíduos jovens tem uma causa orgânica, ao passo que, em idosos, os fatores psiquiátricos e socioeconômicos assumem maior importância, especialmente a depressão.[8]

A PPI associa-se à idade avançada, ao comprometimento do estado geral de saúde, ao tabagismo, ao índice de massa corporal baixo e, apenas em homens, à viuvez ou ao baixo nível educacional.[13] Em pacientes institucionalizados, indicadores clínicos de PPI podem ser incapacidade funcional, anorexia, redução da ingestão de alimentos por mais de 3 dias e problemas de mastigação.[14]

A TABELA 71.1 apresenta as causas orgânicas mais comuns de PPI. Ressalta-se que, em pacientes infectados pelo vírus da imunodeficiência humana (HIV, do inglês *human immunodeficiency virus*), a PPI aguda pode estar relacionada com a presença de infecção; a PPI gradual é mais frequentemente resultado de doença gastrintestinal e diarreia do que de redução na ingestão de alimentos.[15] Note-se também que a PPI associada a diabetes melito e tireotoxicose em geral não se acompanha de anorexia, e que outras endocrinopatias, como feocromocitoma e insuficiência suprarrenal, também podem causar PPI.

Condições psicológicas podem ser causas não aparentes de PPI, sobretudo em idosos. As doenças psiquiátricas são responsáveis por PPI em 9 a 36% dos pacientes, sendo a depressão o distúrbio mais comum,[2,12,16] particularmente naqueles institucionalizados (36%).[17] Outros transtornos psiquiátricos, como o transtorno de humor bipolar e o transtorno de ansiedade generalizada, podem ser acompanhados de PPI. Deve-se considerar também problemas odontológicos, dificuldades socioeconômicas e desadaptação ao meio (p. ex., idosos solitários).

O uso crônico de drogas (álcool, nicotina, opiáceos, cocaína, anfetaminas, suspensão de uso crônico de maconha) ou medicamentos (antibióticos, inibidores seletivos da recaptação da serotonina, antipsicóticos, benzodiazepínicos, digoxina, metformina, anti-inflamatórios não esteroides, antineoplásicos) pode reduzir o apetite e levar à PPI.

Além disso, medicamentos que causem náuseas ou vômitos (antibióticos, bisfosfonatos, digoxina, agonistas dopaminérgicos, levodopa, inibidores seletivos da recaptação da serotonina, antidepressivos tricíclicos), boca seca (anticolinérgicos, diuréticos de alça, anti-histamínicos), alterações de olfato ou paladar (inibidores da enzima conversora da angiotensina, bloqueadores de canal de cálcio, propranolol, espironolactona, ferro, antiparkinsonianos, opiáceos, alopurinol) ou disfagia (bisfosfonatos, antibióticos, levodopa,

TABELA 71.1 → Causas orgânicas de perda de peso involuntária em diversos contextos

CAUSA	FREQUÊNCIA
Câncer	6-36%
Problemas gastrintestinais	9-19%
Doenças cardíacas	2-11%
Doenças pulmonares	6%
Doenças endócrinas	4-11%
Doenças neurológicas	2-7%
Insuficiência renal	4%
Doenças reumáticas	2-7%
Doenças infecciosas	2-5%

Fonte: Bilbao-Garay e colaboradores,[2] Metalidis e colaboradores,[6] Lankisch e colaboradores,[7] McMinn e colaboradores,[8] Chen e colaboradores,[16] Marton e colaboradores,[19] Hernández e colaboradores[20]

ferro, anti-inflamatórios não esteroides, potássio) podem estar associados à PPI.[8] Alguns compostos que não necessitam de prescrição médica também podem estar associados à PPI, como quitosanas, cáscara-sagrada, guaraná, ervas diuréticas e goma guar.

> **Em estudo prospectivo recente, os autores não conseguiram identificar a causa da PPI, inicialmente, em 375 (14%) dos 2.677 pacientes acompanhados. Destes, em apenas 19 (9%) foi identificada neoplasia maligna nos 28 meses seguintes. Em 14 pacientes, o diagnóstico etiológico só foi esclarecido em autópsia.[18]**

É importante salientar que a maioria dos estudos que avaliaram a etiologia da PPI[2,6,7,9,12,19,20] o fez em indivíduos com mais de 60 anos de idade, nos quais causas não aparentes levam à investigação adicional. Dentre esses estudos, alguns são retrospectivos, e a maioria estudou um número relativamente limitado de pacientes (50 a 158 pacientes), e a avaliação ocorreu em diferentes contextos (hospitais, centros de cuidados secundários, atendimento ambulatorial em atenção primária à saúde). O tempo de acompanhamento variou de 6 meses a 3 anos.

AVALIAÇÃO DIAGNÓSTICA

A anamnese, o exame físico e alguns exames subsidiários são suficientes para indicar a conduta diante de um caso de PPI na maioria dos pacientes.

Anamnese

Inicialmente, é necessário confirmar a perda de peso. Não havendo registro prévio do peso, pode-se utilizar como referência relatos sobre diminuição da numeração de roupas, ajuste do cinto, observação de familiares, etc. Sempre que possível, deve-se quantificar a perda de peso e situá-la no tempo (p. ex., a perda de peso associada ao envelhecimento é inferior a 2 kg/ano[9]). Nem sempre o paciente estima corretamente sua perda ponderal. Pacientes com neoplasia tendem a subestimar a perda de peso, enquanto pacientes sem doença orgânica tendem a superestimar seu emagrecimento.[21]

Na anamnese, um dado importante é a presença ou não de anorexia; uma descrição detalhada do tipo de dieta (qualidade, quantidade e frequência de ingestão) deve ser feita. Se o apetite for aumentado, a provável causa da perda de peso é diabetes melito ou hipertireoidismo (deve ser lembrado, no entanto, que indivíduos idosos com hipertireoidismo podem não apresentar aumento de apetite, queixando-se, inclusive, de anorexia[22]). Síndromes de má absorção e exercício físico em excesso também podem causar PPI com apetite aumentado. A presença de anorexia ocorre, em geral, nos quadros de neoplasia, infecções (incluindo HIV[23,24] e tuberculose), transtornos psiquiátricos, insuficiência cardíaca terminal, hepatopatia crônica, insuficiência renal, doenças do trato gastrintestinal e uso de alguns medicamentos. O apetite pode estar preservado nas síndromes de má absorção, uso abusivo de laxativos ou condições nas quais a ingestão está diminuída sem redução do apetite (dificuldades de deglutição por problemas da boca e/ou esôfago, distúrbios neurológicos e alcoolismo).

A depressão pode ser identificada por distúrbios de apetite e sono, desmotivação, perda da libido, "falta de energia", sentimentos de desvalia, dificuldades de concentração ou de memória e queixas somáticas inespecíficas. A realização de anamnese junto com familiares ou cuidadores é útil nos pacientes com alterações cognitivas. Recomenda-se que todo paciente idoso com PPI seja avaliado para a presença de depressão e de distúrbios cognitivos. Além disso, a anamnese alimentar, com a avaliação de nutricionista, se possível, é de grande valia, uma vez que a desnutrição em idosos é muito prevalente e pode estar presente mesmo quando uma causa orgânica de PPI não é identificada.[9]

Exame físico

O exame físico inicial deve levar em conta aspecto geral, humor e estado mental, bem como as possibilidades sugeridas pela história clínica. A procura de linfonodos no pescoço e na região inguinal é sempre importante.

Causas de PPI podem ser procuradas a partir do exame de mamas, próstata, abdome, reto, pelve, e dos sistemas circulatório, respiratório e musculoesquelético. O exame da cavidade oral pode identificar problemas dentários óbvios, higiene oral pobre, boca seca, ou lesões que estejam dificultando a ingestão de alimentos.

É indispensável pesar e medir o paciente já na primeira consulta, o que, além de fornecer um dado objetivo do momento, permite o estabelecimento de um padrão de comparação para que se acompanhe a evolução do peso do paciente.

Exames subsidiários

> **É impossível investigar com exames subsidiários todas as causas de perda de peso. Os dados obtidos na anamnese e no exame físico originam duas situações:**
> → **existe uma provável causa física para a perda de peso. Nesse caso, os exames subsidiários são dirigidos para confirmação ou não da suspeita clínica;**
> → **não existem elementos no exame clínico para nortear a investigação da perda de peso.**

Neste último caso, pode-se conduzir uma avaliação laboratorial mínima, que inclui testes suficientemente acurados para indicar doenças associadas à PPI, ou bastante sensíveis para rastrear doenças que podem causar PPI. O painel inclui: hemograma, hemossedimentação ou proteína C-reativa, glicemia, creatinina, ureia, eletrólitos, exame comum de urina, pesquisa de sangue oculto nas fezes, hormônio estimulante da tireoide(TSH), testes de função hepática (enzimas hepáticas, gamaglutamiltransferase, fosfatase alcalina), albumina, lactato desidrogenase (LDH), cálcio, fósforo, anti-HIV e radiografia de tórax. Um resultado de LDH > 500 UI confere probabilidade de câncer superior a 90%.[20] Marcadores tumorais não devem ser solicitados na avaliação inicial como testes de rastreamento para PPI.[25]

Caso não tenha sido encontrada, ao exame físico, sugestão de causa de PPI e na anamnese tenha sido observada a possibilidade de transtorno psiquiátrico, além dos exames subsidiários iniciais, deve-se procurar aprofundar a avaliação psicossocial, lembrando que o diagnóstico de doença psiquiátrica como causa de emagrecimento é feito por exclusão.

Em um estudo realizado em hospital universitário, foi demonstrado que médicos de família solicitam menos exames subsidiários, sem perda de acurácia diagnóstica, sugerindo que o conhecimento da condição prévia do paciente é muito significativo na investigação.[26]

Adicionalmente, fatores que podem guiar a intensidade da investigação, por serem preditivos de doença orgânica, são: idade avançada (> 50 anos), tabagismo, presença de sintomas sugestivos de envolvimento de órgão específico, anemia e ausência de doença psiquiátrica.[2]

Quando a investigação não é conclusiva, a frequência de problemas gastrintestinais como causa de PPI justificaria a realização de endoscopia digestiva alta e colonoscopia. Entretanto, na ausência de sintomas específicos, essa conduta é sujeita a críticas por envolver exames invasivos. Alguns autores recomendam sua realização apenas na presença de sangramento gastrintestinal ou de anemia ferropriva.[8] Também deveriam ser considerados na investigação: mamografia, esfregaço de cérvice uterina (Papanicolau) e antígeno prostático.[27]

Quando toda a avaliação, incluindo os exames subsidiários, não identifica uma causa para a PPI, as evidências disponíveis sugerem que investigações adicionais, muitas vezes invasivas e de alto custo, não são úteis. Nessa situação, recomenda-se uma observação atenta e reavaliação em 3 meses.[8] É importante observar que não ganhar peso após um período prolongado de acompanhamento não é uma evidência de causa orgânica de PPI.[28]

TRATAMENTO

O tratamento da perda de peso é voltado para a causa do problema. Enquanto não for esclarecida a causa básica para a perda ponderal, o médico não deve perder tempo em tratamentos que visem apenas engordar o paciente. Durante essas tentativas, a atenção do profissional pode ser desviada do diagnóstico e uma doença subjacente poderá continuar a evoluir sem ser identificada, privando o paciente da chance de receber terapêutica adequada em tempo hábil.

Contudo, se o estado nutricional do paciente exigir, alguns cuidados devem ser tomados durante a avaliação diagnóstica:

→ fracionar a dieta, utilizando alimentos de alto valor calórico (mel, sorvete, alimentos líquidos, etc.) e evitando dietas restritivas, mesmo se relacionadas com a investigação;
→ evitar medicamentos que possam suprimir o apetite ou perturbar a função gastrintestinal, dentro do possível;
→ usar, se necessário, em idosos desnutridos, suplementos nutricionais dietéticos (proteico-energéticos), os quais, no entanto, não devem ser vistos como substitutos de uma dieta balanceada. São em geral prescritos sob a supervisão de nutricionistas e utilizados entre as refeições para evitar redução do apetite no horário da refeição usual.[29] Promovem pequeno – mas consistente – ganho de peso em idosos e estão associados à redução de mortalidade nessa faixa etária;[30]
→ recomendar, sempre que possível, atividade física, exercícios contra resistência ou até mesmo fisioterapia para pacientes idosos com fragilidade, a fim de melhorar o apetite e prevenir a sarcopenia.[8]

Não existem evidências consistentes da utilidade de medicamentos específicos para aumentar o peso dos pacientes com PPI.[3] Medicações como acetato de megestrol, dronabinol e hormônio do crescimento podem ter paraefeitos importantes, sobremaneira em idosos frágeis, nos quais a PPI é comumente observada.[31]

O uso de multivitamínicos não modifica a PPI, mas é recomendado por alguns autores para pacientes idosos devido à alta prevalência de deficiências nutricionais nessa faixa etária.[8]

CONCLUSÃO

A PPI é um problema de saúde prevalente, apontando para risco de morbidade e mortalidade. Deve ser esclarecida com objetividade, a partir de dados clínicos coletados exaustivamente. A causa subjacente, sempre que possível, deve ser tratada. Em paralelo, o paciente deve ser manejado com cautela e com foco na manutenção e na restauração do estado nutricional.

REFERÊNCIAS

1. Bouras EP, Lange SM, Scolapio JS. Rational approach to patients with unintentional weight loss. Mayo Clin Proc. 2001;76(9):923-9.
2. Bilbao-Garay J, Barba R, Losa-García JE, Martín H, García de Casasola G, Castilla V, et al. Assessing clinical probability of organic disease in patients with involuntary weight loss: a simple score. Eur J Intern Med. 2002;13(4):240-5.
3. Alibhai SMH, Greenwood C, Payette H. An approach to the management of unintentional weight loss in elderly people. CMAJ. 2005;172(6):773-80.
4. Harrington M, Gibson S, Cottrell RC. A review and meta-analysis of the effect of weight loss on all-cause mortality risk. Nutr Res Rev. 2009;22(1):93-108.
5. French SA, Folsom AR, Jeffery RW, Williamson DF. Prospective study of intentionality of weight loss and mortality in older women: the Iowa Women's Health Study. Am J Epidemiol. 1999;149(6):504-14.
6. Metalidis C, Knockaert DC, Bobbaers H, Vanderschueren S. Involuntary weight loss. Does a negative baseline evaluation provide adequate reassurance? Eur J Intern Med. 2008;19(5):345-9.
7. Lankisch P, Gerzmann M, Gerzmann JF, Lehnick D. Unintentional weight loss: diagnosis and prognosis. The first prospective follow-up study from a secondary referral centre. J Intern Med. 2001;249(1):41-6.
8. McMinn J, Steel C, Bowman A. Investigation and management of unintentional weight loss in older adults. BMJ. 2011;342:d1732.

9. Wallace JI, Schwartz RS. Epidemiology of weight loss in humans with special reference to wasting in the elderly. Int J Cardiol. 2002;85(1):15-21.
10. Cruz-Jentoft AJ, Baeyens JP, Bauer JM, Boirie Y, Cederholm T, Landi F, et al. Sarcopenia: European consensus on definition and diagnosis: report of the European Working Group on Sarcopenia in Older People. Age Ageing. 2010;39(4):412-23.
11. Sayer AA. Sarcopenia. BMJ. 2010;341:c4097.
12. Rabinovitz M, Pitlik SD, Leifer M, Garty M, Rosenfeld JB. Unintentional weight loss. A retrospective analysis of 154 cases. Arch Intern Med. 1986;146(1):186-7.
13. Meltzer AA, Everhart JE. Unintentional weight loss in the United States. Am J Epidemiol. 1995;142(10):1039-46.
14. Gilmore SA, Robinson G, Posthauer ME, Raymond J. Clinical indicators associated with unintentional weight loss and pressure ulcers in elderly residents of nursing facilities. J Am Diet Assoc. 1995;95(9):984-92.
15. Grunfeld C. What causes wasting in AIDS? N Engl J Med. 1995;333(2):123-4.
16. Chen S-P, Peng L-N, Lin M-H, Lai H-Y, Hwang S-J, Chen L-K. Evaluating probability of cancer among older people with unexplained, unintentional weight loss. Arch Gerontol Geriatr. 2010;50 Suppl 1:S27-9.
17. Morley JE, Kraenzle D. Causes of weight loss in a community nursing home. J Am Geriatr Soc. 1994;42(6):583-5.
18. Bosch X, Monclús E, Escoda O, Guerra-García M, Moreno P, Guasch N, et al. Unintentional weight loss: clinical characteristics and outcomes in a prospective cohort of 2677 patients. PLoS ONE. 2017;12(4):e0175125.
19. Marton KI, Sox HC Jr, Krupp JR. Involuntary weight loss: diagnostic and prognostic significance. Ann Intern Med. 1981;95(5):568-74.
20. Hernández JL, Riancho JA, Matorras P, González-Macías J. Clinical evaluation for cancer in patients with involuntary weight loss without specific symptoms. Am J Med. 2003;114(8):631-7.
21. Ramboer C, Verhamme M, Vermeire L. Patients' perception of involuntary weight loss: implications of underestimation and overestimation. Br Med J (Clin Res Ed). 1985;291(6502):1091.
22. Trivalle C, Doucet J, Chassagne P, Landrin I, Kadri N, Menard JF, et al. Differences in the signs and symptoms of hyperthyroidism in older and younger patients. J Am Geriatr Soc. 1996;44(1):50-3.
23. Parisien C, Gélinas MD, Cossette M. Comparison of anthropometric measures of men with HIV: asymptomatic, symptomatic, and AIDS. J Am Diet Assoc. 1993;93(12):1404-8.
24. Nahlen BL, Chu SY, Nwanyanwu OC, Berkelman RL, Martinez SA, Rullan JV. HIV wasting syndrome in the United States. AIDS. 1993;7(2):183-8.
25. Sturgeon CM, Lai LC, Duffy MJ. Serum tumour markers: how to order and interpret them. BMJ. 2009;339:b3527.
26. Lin HW, Li CM, Lee YC, Lee LT, Leung KK. Differences in diagnostic approach between family physicians and other specialists in patients with unintentional body weight loss. Fam Pract. 1999;16(6):586-90.
27. Moriguti JC, Moriguti EK, Ferriolli E, de Castilho Cação J, Iucif N Jr, Marchini JS. Involuntary weight loss in elderly individuals: assessment and treatment. Sao Paulo Med J. 2001;119(2):72-7.
28. Wallace JI, Schwartz RS, LaCroix AZ, Uhlmann RF, Pearlman RA. Involuntary weight loss in older outpatients: incidence and clinical significance. J Am Geriatr Soc. 1995;43(4):329-37.
29. Smith KL, Greenwood C, Payette H, Alibhai SMH. An approach to the nonpharmacologic and pharmacologic management of unintentional weight loss among older adults. Geriatr Aging. 2007;10(2):91-8.
30. Milne AC, Potter J, Vivanti A, Avenell A. Protein and energy supplementation in elderly people at risk from malnutrition. Cochrane Database Syst Rev. 2009;(2):CD003288.
31. Visvanathan R, Chapman IM. Undernutrition and anorexia in the older person. Gastroenterol Clin North Am. 2009;38(3):393-409.

Capítulo 72
ANEMIAS NO ADULTO

Marcelo Rodrigues Gonçalves
Maria da Silva Pitombeira
Beatriz Stela Gomes de Souza Pitombeira

Anemia é um achado frequente na prática do médico de atenção primária à saúde (APS). Embora os quadros de anemia ferropriva (ou anemia por deficiência de ferro) sejam os mais prevalentes,[1] conseguir diferenciá-los das diversas outras formas de anemia é tarefa importante e, muitas vezes, complexa de executar.

Este capítulo aborda a definição, o diagnóstico, a classificação e o manejo das principais causas de anemia em adultos, seja mediante cuidado integral pela equipe de APS ou pela indicação mais adequada de acompanhamento conjunto com o hematologista.

DEFINIÇÃO

Anemia é a diminuição da massa eritrocitária. O grau de anemia pode ser determinado pelo volume de hemácias (ou eritrócitos) expresso em porcentagem do volume sanguíneo (hematócrito), bem como pela concentração plasmática de hemoglobina. A Organização Mundial da Saúde (OMS)[2] define anemia, de acordo com o sexo e a idade, considerando valores da concentração de hemoglobina inferiores aos especificados na TABELA 72.1.

A diminuição do número de hemácias, do hematócrito e da concentração da hemoglobina deve ser analisada sob dois contextos:

1. **anemia relativa:** quando ocorre um aumento do volume plasmático, sem aumento correspondente das hemácias, determinando uma hemodiluição (gravidez, hiper-hidratação em pacientes com insuficiência renal ou cardíaca);
2. **anemia verdadeira:** quando existe redução do volume total de hemácias no organismo.

TABELA 72.1 → Níveis de hemoglobina para diagnóstico de anemia ao nível do mar (g/dL)

POPULAÇÃO	SEM ANEMIA	ANEMIA LEVE	ANEMIA MODERADA	ANEMIA GRAVE
Crianças com 6 meses a 5 anos de idade	≥ 11	10-10,9	7-9,9	< 7
Crianças com 5 a 11 anos de idade	≥ 11,5	11-11,4	8-10,9	< 8
Crianças com 12 a 14 anos de idade	≥ 12	11-11,9	8-10,9	< 8
Mulheres não grávidas	≥ 12	11-11,9	8-10,9	< 8
Mulheres grávidas	≥ 11	10-10,9	7-9,9	< 7
Homens (idade > 15 anos)	≥ 13	11-12,9	8-10,9	< 8

Fonte: Adaptada da Organização Mundial da Saúde (OMS), 2011.[2]

O indivíduo pode ter anemia por três mecanismos básicos (TABELA 72.2):[3]

→ **diminuição da produção de hemácias:** é a forma mais comum das anemias, podendo ter valores de reticulócitos diminuídos ou normais. A menor produção de hemácias pode ser resultante de um distúrbio da diferenciação (secundária a substâncias tóxicas, fármacos, infecções, irradiação ou mecanismos imunológicos), da proliferação (secundária à deficiência de vitamina B_{12} e/ou folatos) ou da maturação dos eritroblastos na medula óssea (anemia ferropriva, talassemias, anemias sideroblásticas e de doença crônica);

→ **diminuição da sobrevida das hemácias:** a partir da liberação do reticulócito da medula óssea para a circulação periférica, a hemácia tem uma vida média de 90 a 120 dias. Várias condições anormais podem resultar em encurtamento da sobrevida eritrocitária, como anormalidades da membrana, da hemoglobina ou das enzimas das vias metabólicas ou agressão às hemácias por medicamentos, anticorpos ou lesão mecânica, resultando no quadro das anemias hemolíticas;

→ **perda excessiva de sangue:** é representada pelos quadros de hemorragias agudas ou crônicas. Quando a perda não é de grande monta, o organismo dispõe de mecanismos compensatórios fisiológicos que permitem uma recuperação espontânea. Nas perdas maiores, como acidentes, cirurgias, ruptura de varizes esofágicas ou hemorragia pós-parto, cria-se uma situação de emergência, exigindo reposição imediata para evitar o choque hipovolêmico. Nas primeiras horas após a perda aguda de sangue total, os valores de hematócrito e hemoglobina não refletem o grau da anemia.

TABELA 72.2 → Etiologia das principais anemias

DIMINUIÇÃO DA PRODUÇÃO DE HEMÁCIAS	DIMINUIÇÃO DA SOBREVIDA DAS HEMÁCIAS (HEMÓLISE)	PERDA EXCESSIVA DE SANGUE
Deficiência de nutrientes	Defeitos extracorpusculares	Agudas
→ Ferro	→ Imunológicos	→ Acidentes
→ Vitamina B_{12}	Infecções	→ Cirurgias
→ Ácido fólico	Sequestração esplênica	→ Parto
Aplasias (de medula) globais	Fármacos	Crônicas
Infiltração da medula óssea	Agentes químicos e físicos	→ Epistaxes
Leucemias	Defeitos intracorpusculares	→ Hemorroidas
Linfomas	Hereditários	→ Úlceras gástricas
Metástases	→ Deficiência de G6PD	→ Neoplasia de estômago
Doenças endócrinas	→ Talassemias	→ Neoplasia de rim
→ Hipotireoidismo	→ Doença falciforme	→ Neoplasia de bexiga
→ Doença de Addison	Adquiridas	→ Menorragia
Doenças crônicas	→ Hemoglobinúria paroxística noturna	Uso frequente de ácido acetilsalicílico
→ Inflamatórias	→ Intoxicação por chumbo	Uso frequente de AINE
→ Infecciosas		
→ Neoplásicas		

AINE, anti-inflamatório não esteroide.

DIAGNÓSTICO

Sinais e sintomas

Na maioria das vezes, a anamnese e o exame físico ajudam a direcionar o diagnóstico diferencial; em algumas situações, no entanto, há necessidade de exames complementares para o diagnóstico definitivo.

Em geral, os sintomas descritos pelo paciente com anemia são inespecíficos, e seu surgimento depende de fatores como gravidade e velocidade de instalação, além da idade e de outras morbidades presentes. As manifestações clínicas relacionadas podem ser divididas em agudas e crônicas. Algumas etiologias apresentam achados mais específicos, que serão discutidos ao longo do capítulo.

Quando a anemia se instala rapidamente (p. ex., perda sanguínea aguda), as manifestações estão relacionadas ao decréscimo acentuado do volume intravascular, como tontura, hipotensão postural, síncope e taquicardia. Nas situações mais graves, pode haver evolução para quadros de hipotensão persistente e choque hipovolêmico. Caso o tratamento não seja instituído prontamente, o risco de morte é iminente.

Nas anemias crônicas, todas as manifestações clínicas são decorrentes da redução da capacidade de transporte de oxigênio e, como consequência, da menor oxigenação dos tecidos. Nos quadros de evolução lenta, os mecanismos compensatórios, como a redução da afinidade da hemoglobina pelo oxigênio e o aumento da frequência e do débito cardíaco, conseguem manter a distribuição de oxigênio aos tecidos, fazendo o paciente permanecer assintomático mesmo com níveis baixos de hemoglobina. Essa tolerância é menor em idosos e em indivíduos portadores de doenças cardíacas e pulmonares.

O surgimento dos sintomas dá-se de forma vaga e inespecífica, e o paciente pode queixar-se de fadiga, letargia, cefaleia, tontura, dificuldade de concentração, vertigens, lipotimia e palpitações. Em anemias mais acentuadas e quando há comorbidades associadas, os mecanismos compensatórios podem ser sobrepujados, provocando desde dispneia até angina.

No exame físico, o achado mais característico é a palidez cutaneomucosa, mas podem ser encontrados sinais como taquicardia. Nos casos mais graves, podem ser encontrados pulso amplo, edema de membros inferiores, estase jugular, sopro cardíaco de ejeção e hepatomegalia congestiva, compatíveis com síndrome de insuficiência cardíaca de alto débito.

Outro aspecto importante da anemia é o fato de ser um achado frequente em doenças sistêmicas. Sua presença é considerada anormal e sempre deve ser investigada. Os achados clínicos também podem direcionar para uma etiologia específica da anemia. Na anamnese desses pacientes, é importante pesquisar a história de sangramentos e infecções, avaliar a presença de doenças pregressas, além de outros pontos que são discutidos em seções específicas ao longo deste capítulo.

Entre os achados no exame físico, a presença de petéquias e equimoses pode sugerir aplasia de medula óssea ou infiltração medular por leucemias. Linfadenopatias são encontradas em doenças infecciosas locais ou disseminadas, mas também em neoplasias (ver Capítulo Avaliação de Linfadenopatias). Nas anemias hemolíticas, os pacientes podem apresentar icterícia e esplenomegalia. O aumento do baço também é encontrado em neoplasias (leucemias e linfomas) ou infecções sistêmicas (mononucleose, malária, endocardite). A presença de massas abdominais sempre deve ser investigada, devido à possibilidade de neoplasias, as quais podem levar a perdas crônicas de sangue.

Alterações ungueais, como unhas quebradiças e coiloníquia ("unhas em formato de colher"), além de queilite angular, são encontradas nas anemias ferroprivas. Língua lisa por atrofia das papilas, parestesias e outras alterações do exame neurológico são achados na megaloblastose. Esses sinais clínicos adicionais, quando presentes, permitem, na maioria dos casos, um diagnóstico muito aproximado da causa e do mecanismo da anemia, os quais poderão ser confirmados com o auxílio de exames complementares.

Exames complementares

Hemograma

O hemograma é o exame que avalia quantitativa e qualitativamente os elementos celulares do sangue. É constituído pelo eritrograma, que estuda o setor eritroide; pelo leucograma, que estuda os setores granulocítico, monocítico e linfocítico; e pelo plaquetograma, que estuda o setor megacariocítico.

O eritrograma inicia pela contagem de hemácias, expressa em milhões por mm^3; é seguido pela concentração de hemoglobina, expressa em g/dL e que está diretamente relacionada com anemia; e pelo hematócrito, que é o volume relativo das hemácias dentro do volume de sangue total, expresso percentualmente. Os métodos empregados para realização do hemograma incluem: contagem de hemácias, por meio de contadores eletrônicos pelo princípio de Coulter (pulsos de impedância); determinação do hematócrito, tanto pela técnica manual (centrifugação do sangue e leitura da coluna de hemácias) quanto pela contagem eletrônica; e determinação da hemoglobina por espectrofotometria. Alguns fatores podem interferir na qualidade e na interpretação do hemograma, alterando as determinações hematológicas, como atividade física do paciente (associada à leucocitose), nível de hidratação (inversamente proporcional ao hematócrito), medicamentos, sexo, idade, raça, tabagismo (associado à neutrofilia e ao hematócrito elevado) e ansiedade (associada à neutrofilia).

Em seguida, avaliam-se os índices hematimétricos. O volume corpuscular médio (VCM) avalia o volume (tamanho) médio das hemácias e tem 80 a 100 fL como valores normais, sendo considerado o principal índice para classificação das anemias. A hemoglobina corpuscular média (HCM) corresponde à média de hemoglobina por hemácia e tem 27 a 32 pg como valores normais. A concentração da hemoglobina corpuscular média (CHCM) é a média da concentração de hemoglobina pelo volume total de hemácias, tendo 32 a 36 g/dL como valores normais. O RDW (do inglês, *red cell distribution width*) é a expressão matemática da variação no tamanho das hemácias (anisocitose), calculada pelos contadores eletrônicos de células (valor de referência [VR]: 12-15%).

A **TABELA 72.3** apresenta a classificação das anemias segundo o VCM e o RDW.

A avaliação morfológica das hemácias – estudo do sangue periférico – permite analisar as alterações da coloração e do formato e as inclusões celulares, as quais se encontram descritas na **TABELA 72.4**. No leucograma, a alteração morfológica de maior valor no diagnóstico das anemias é a presença de granulócitos polissegmentados nas anemias megaloblásticas.[4]

Reticulócitos

São hemácias circulantes que contêm resíduos de organelas citoplasmáticas. Sua contagem é considerada um dos métodos mais simples e econômicos para classificação preliminar da anemia, sendo indicador da eritropoiese na medula óssea (VR: 0,5-2%, 25-90 × 10^9/L).[5] Assim, pode ajudar a diferenciar uma anemia hiperproliferativa (anemias hemolíticas) de uma anemia hipoproliferativa (p. ex., anemia de doença crônica), conforme visto adiante no tópico Anemias Normocíticas. Também pode avaliar a resposta ao tratamento de reposição de ferro na anemia ferropriva ou nas anemias megaloblásticas, em geral 7 a 10 dias após o início do tratamento.

Ferritina e ferro sérico

A ferritina é a mais importante proteína de reserva do ferro, encontrada em todas as células. A ferritina circulante reflete diretamente o nível de ferro estocado no organismo, sendo um dos parâmetros utilizados para diagnóstico diferencial da anemia ferropriva, detecção do excesso de ferro e avaliação do estado férrico (VR: 12-300 ng/mL).[6] Entretanto, ela também é uma proteína de fase aguda e, junto com a transferrina e seu receptor, coordena a defesa celular contra o estresse oxidativo e a inflamação. Portanto, está falsamente elevada em condições como hepatopatias, alcoolismo, malignidade, doenças infecciosas e inflamatórias, hipertireoidismo, infarto agudo do miocárdio, doença renal avançada

TABELA 72.3 → Classificação das anemias segundo VCM e RDW

	RDW NORMAL	RDW AUMENTADO
VCM < 80 fL	Talassemia menor	Anemia ferropriva
	Anemia das doenças crônicas	Talassemia maior
VCM > 80 < 100 fL	Anemia da insuficiência renal	Anemia ferropriva
	Anemia das doenças crônicas	Drepanocitose
	Esferocitose, anemia aplásica	Anemia sideroblástica
VCM > 100 fL	Anemia das hepatopatias	Anemia megaloblástica
	Anemia aplásica	AHAI
	Anemia do hipotireoidismo	Mielodisplasia

AHAI, anemia hemolítica autoimune; RDW, *red cell distribution width*; VCM, volume corpuscular médio.

TABELA 72.4 → Avaliação morfológica das hemácias – alterações mais comuns observadas no estudo de esfregaço periférico

ALTERAÇÕES DAS HEMÁCIAS	QUADRO CLÍNICO
Alterações de cor	
Hipocromia: diminuição da concentração da hemoglobina	Deficiência de ferro; talassemias
Anisocromia: variação da concentração da hemoglobina	Anemias hemolíticas; deficiência de ferro
Policromasia: hemácias de cor azulada	Reticulocitose
Alterações de formato (poiquilocitose)	
Eliptócitos/ovalócitos	Eliptocitose; anemias carenciais; talassemias
Esferócitos	Esferocitose hereditária; AHAI; queimados
Hemácias em alvo	Talassemias; hemoglobinopatia C; icterícia obstrutiva; doença hepática severa
Drepanócitos (hemácias em foice)	Doença falciforme
Esquizócitos (hemácias fragmentadas)	Anemias microangiopáticas de todas as causas
Acantócitos	Dislipidemias; cirrose hepática; anemias hemolíticas; esplenectomizados; após uso de heparina
Hemácias crenadas	Doença renal
Hemácias em gota (ou em lágrima)	Hematopoiese extramedular; esplenectomizados
Hemácias em *rouleaux* (aumento plasmático de fibrinogênio e/ou globulinas)	Gamopatias monoclonais; calazar; HIV/Aids
Inclusões celulares	
Anel de Cabot (restos de mitoses anômalas)	Anemias megaloblásticas; eritropoiese ineficaz
Pontilhado basófilo (precipitação de ribossomos)	Intoxicação por metais pesados (p. ex., chumbo); talassemias; álcool; mielodisplasias; fármacos citotóxicos
Corpúsculos de Pappenheimer (ribossomos remanescentes)	Anemias hemolíticas; anemias sideroblásticas

AHAI, anemia hemolítica autoimune; HIV, vírus da imunodeficiência humana.

e sobrecarga de ferro (hemossiderose e hemocromatose). Apesar dessa limitação, é o melhor exame para diferenciar a anemia ferropriva da anemia não ferropriva.

O ferro sérico representa o ferro circulante ligado à proteína (transferrina) (VR: 50-150 μg/dL). Apresenta variação diurna, com níveis maiores pela manhã. Está diminuído na anemia ferropriva e, em menor grau, na anemia da doença crônica.

Tanto a ferritina quanto o ferro sérico estão aumentados em usuárias de contraceptivos orais.

Capacidade ferropéxica e índice de saturação da transferrina

A capacidade ferropéxica (capacidade total de ligação do ferro, ou CTLF) é a capacidade do sangue de ligar o ferro à transferrina. É medida acrescentando-se ferro a uma amostra até saturar a transferrina (VR: 228-428 μg/dL).[7]

O índice de saturação da transferrina (IST) representa a relação entre o ferro plasmático e a CTLF (VR: 20-40%), sendo calculado pela seguinte fórmula: IST = ferro sérico/CTLF × 100.

Tanto a capacidade ferropéxica quanto o IST estão aumentados em usuárias de contraceptivos orais.

Mielograma

É o estudo citomorfológico do material obtido por punção aspirativa da medula óssea (esterno ou crista ilíaca posterior) que permite avaliar o grau de celularidade, o processo maturativo e a morfologia das diferentes linhagens celulares, além de pesquisar células anormais e parasitas.

Teste de falcização

É usado para detecção da hemoglobina (Hb) S. Consiste em expor hemácias do paciente a um meio contendo substância redutora (metabissulfito de sódio), onde eles tomam o formato de foice.

Eletroforese da hemoglobina

É usada para identificar hemoglobinas anormais. A eletroforese em pH alcalino é importante como primeira abordagem no diagnóstico das hemoglobinopatias.

Os valores de referência são:
→ **Hb A1:** 94,3 a 96,5%;
→ **Hb A2:** 2,5 a 3,7%;
→ **Hb fetal:** até 2%.

PROBABILIDADES PRÉ-TESTE DE DIFERENTES CAUSAS DE ANEMIA

Idade e sexo permitem estimar as probabilidades pré-teste das diferentes causas de anemia:[8]
→ **mulheres na pré-menopausa:** 80 a 90% dos casos são anemia ferropriva;
→ **mulheres na pós-menopausa e homens:** há predomínio de anemia da doença crônica, seguida por anemia ferropriva;
→ **pacientes com idade > 70 anos:** 47% dos casos são doença crônica; 19%, devidos à insuficiência renal; e 18%, anemia ferropriva.

ANEMIAS MICROCÍTICAS

A principal causa de anemia microcítica é a deficiência de ferro, considerada universalmente a forma mais comum de anemia. Outras causas incluem a anemia pela intoxicação por chumbo, a anemia sideroblástica, as talassemias e a anemia associada à doença crônica, embora esta última seja mais comumente normocítica.

A **TABELA 72.5** apresenta o diagnóstico diferencial das anemias microcíticas e hipocrômicas segundo os achados laboratoriais.[9] A maioria dos exames laboratoriais usados nesse diagnóstico diferencial tem valores aumentados em usuárias de contraceptivos orais; entretanto, essas mulheres, como apresentado antes, têm probabilidade pré-teste de 80 a 90% para anemia ferropriva, justificando tratamento empírico com reposição de ferro sem investigação laboratorial adicional. Além disso, a associação com doença crônica, como artrite reumatoide, doenças malignas ou quadros infecciosos/

TABELA 72.5 → Diagnóstico diferencial das anemias microcíticas e hipocrômicas

EXAMES	DEFICIÊNCIA DE FERRO	TALASSEMIA MENOR	ANEMIA DA DOENÇA CRÔNICA	ANEMIA SIDEROBLÁSTICA	INTOXICAÇÃO PELO CHUMBO
Ferritina sérica	Diminuída	Aumentada ou normal	Aumentada ou normal	Aumentada	Normal
Ferro sérico	Diminuído ou normal	Aumentado ou normal	Diminuído	Aumentado	Variável
CTLF	Aumentada	Normal	Diminuída	Diminuída ou normal	Normal
IST	Diminuído	Aumentado ou normal	Diminuído	Aumentado	Aumentado
Ferro medular	Ausente	Aumentado ou normal	Aumentado ou normal	Aumentado	Normal
Sideroblastos na medula óssea	Ausentes	Normais	Ausentes/raros	Aumentados (anel)	Normais (anel)
Exames especiais	Nenhum	Aumento da Hb A2 (talassemia β menor)	Testes para inflamação/infecção/câncer	Nenhum	Aumento do ALA na urina e do chumbo no sangue total

ALA, ácido δ-aminolevulínico; CTLF, capacidade total de ligação do ferro; IST, índice de saturação da transferrina.
Fonte: Adaptada de Rodak.[9]

inflamatórios, pode resultar em valor normal ou aumentado da ferritinemia; portanto, esse resultado deve ser analisado com cuidado.

Se esses exames não estiverem disponíveis, uma alternativa é tratar como anemia ferropriva e solicitar contagem de reticulócitos entre 7 e 10 dias após o início do tratamento para observar se houve resposta. Outra forma de avaliar se houve resposta é pelo aumento da hemoglobina, que deve aumentar 0,5 a 1 g/dL por semana. Se apenas um exame for solicitado para avaliar resposta, sugere-se dosar hemoglobina 3 semanas após o início do tratamento.[8]

Na presença de ferritina normal ou elevada, ferro sérico normal ou elevado, CTLF normal e IST normal ou elevado, deve-se solicitar eletroforese de hemoglobina para descartar a possibilidade de traço talassêmico β e de outras formas de hemoglobinopatias. Na suspeita de intoxicação por chumbo, deve-se solicitar chumbo sérico. Outras possibilidades diagnósticas são a anemia sideroblástica, que é diagnosticada por biópsia de medula óssea, e o traço talassêmico α, que frequentemente é um diagnóstico de exclusão. Assim, caso a eletroforese não seja sugestiva de traço talassêmico β, deve-se encaminhar o paciente ao hematologista.

A **FIGURA 72.1** sumariza uma proposta de investigação da anemia microcítica.

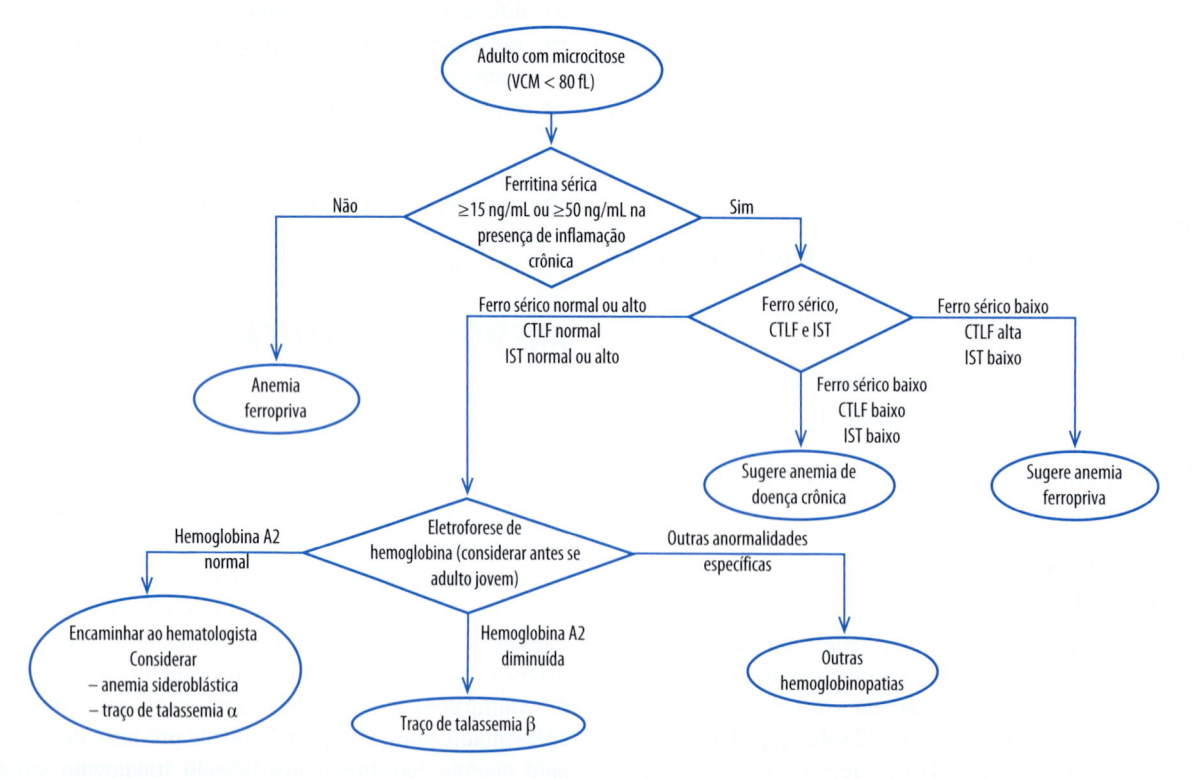

FIGURA 72.1 → Avaliação da anemia microcítica.
CTLF, capacidade total de ligação do ferro; IST, índice de saturação da transferrina; VCM, volume corpuscular médio.
Fonte: Adaptada de Van Vranken.[20]

Anemia ferropriva

O ferro é um dos principais componentes do organismo, sendo que mais de dois terços estão na molécula de hemoglobina; por isso, a anemia é um sinal preponderante de carência de ferro.[7] A instalação da anemia ferropriva é progressiva (TABELA 72.6). Ocorre inicialmente uma redução gradativa dos estoques de ferro, expressa por uma diminuição dos valores da ferritina sérica. Em seguida, começam a instalar-se a deficiência na eritropoiese, as falhas na hemoglobinização das hemácias, embora com níveis de hemoglobina ainda normais, e a elevação dos valores de transferrina sérica e CTLF. Por último, surgem as alterações periféricas relacionadas com o quadro de anemia, com trombocitose reativa possivelmente decorrente do estímulo das citocinas trombopoiéticas. Entretanto, esse mecanismo ainda permanece incerto e controverso.[10]

Quadro clínico

A anemia por deficiência de ferro produz sinais e sintomas comuns a todas as anemias, como fadiga, tonturas, astenia, palpitações, palidez cutaneomucosa e alguns sintomas mais específicos como a perversão do apetite – desejo de ingerir substâncias não comuns, como gelo (pagofagia), barro (geofagia), arroz cru (amilofagia) – e, ainda, glossite (inflamação da língua), queilose (fissuras nas comissuras labiais), estrias nas unhas ou até mesmo coiloníquia.[11] A síndrome das pernas inquietas pode estar relacionada com anemia ferropriva, devido a uma menor concentração de ferro em áreas específicas do cérebro (regiões nigroestriatal e núcleo rubro).[12]

Diagnóstico clínico

Para um correto diagnóstico, é importante uma história clínica bem-feita, abordando todas as possíveis causas de perda crônica de sangue, considerando idade e sexo do paciente.

Ao exame físico, a palidez deve ser quantificada de +/4 a ++++/4, avaliando, principalmente, mucosas, leitos ungueais e regiões palmares; nos casos de anemias graves, podem ocorrer sopros cardíacos. Baço palpável tem sido descrito em até 10% dos casos.

Diagnóstico laboratorial

O hemograma mostra diminuição da hemoglobina, em geral < 10 g/dL, VCM < 80 fL, RDW aumentado e HCM diminuída. O estudo do metabolismo do ferro mostra valores de ferro sérico e ferritina sérica diminuídos, CTLF e capacidade latente de ligação do ferro (CLLF) aumentadas. O IST pode estar muito diminuído, chegando a 1 a 2%.

A TABELA 72.7 mostra as razões de verossimilhança para diferentes resultados de exames laboratoriais no diagnóstico de anemia ferropriva.[13]

Investigação etiológica

Após o diagnóstico de anemia ferropriva, é importante identificar a causa da ferropenia. Em mulheres, devem-se avaliar características da menstruação e história recente de gestação, parto ou amamentação. Em homens e mulheres, deve-se também avaliar história de úlcera gástrica ou duodenal, infecção por *Helicobacter pylori*, varizes esofágicas, história familiar de distúrbios da coagulação (p. ex., doença de von Willebrand), história familiar de câncer de cólon e história de múltiplas doações de sangue e participação em maratonas.[14]

Exceto no caso de mulheres em idade menstrual, todos os pacientes adultos com anemia ferropriva devem ser submetidos à endoscopia digestiva alta e à colonoscopia. Quando o acesso à colonoscopia for difícil, pode-se solicitar enema opaco com duplo contraste, que apresenta elevada sensibilidade para câncer de cólon. Também se justifica realizar tratamento empírico antes de investigar causa de sangramento em pacientes gastrectomizados ou doadores de sangue frequentes.[8]

TABELA 72.7 → Razões de verossimilhança (RV) para diferentes resultados de exames laboratoriais no diagnóstico de anemia ferropriva

ADULTOS		ADULTOS COM IDADE > 65 ANOS	
TESTE	RV	TESTE	RV
VCM		**VCM**	
< 70 µm³	12,5	< 75 µm³	8,82
70-74 µm³	3,3	75-85 µm³	1,35
75-79 µm³	1	86-91 µm³	0,64
80-84 µm³	0,91	92-95 µm³	0,34
85-89 µm³	0,76	> 95 µm³	0,11
≥ 90 µm³	0,29		
Ferritina		**Ferritina**	
< 15 ng/mL	51,8	< 19 ng/mL	41
15-24 ng/mL	8,8	19-45 ng/mL	3,1
25-34 ng/mL	2,5	46-100 ng/mL	0,46
35-44 ng/mL	1,8	> 100 ng/mL	0,13
45-100 ng/mL	0,54		
> 100 ng/mL	0,08		
IST		**IST**	
< 5%	10,5	< 5%	16,51
5-9%	2,5	5-8%	1,43
10-19%	0,81	8-21%	0,57
20-29%	0,52	> 21%	0,28
30-49%	0,43		
≥ 50%	0,15		

IST, índice de saturação da transferrina; VCM, volume corpuscular médio.
Fonte: Killip e colaboradores.[13]

TABELA 72.6 → Estágios da anemia ferropriva

ESTÁGIOS	EXPRESSÃO CENTRAL (MO)	EXPRESSÃO PERIFÉRICA (SP)
1	Depleção das reservas de ferro	Redução da ferritina sérica
2	Redução da produção de hemácias	Discreto grau de anisocitose
3	Redução na hemoglobinização	Acentuada anisocitose; RDW aumentado
4	Aceleração na divisão celular	VCM, HCM e Ht reduzidos
5	Ferro medular muito diminuído	Anemia acentuada; trombocitose

HCM, hemoglobina corpuscular média; Ht, hematócrito; MO, medula óssea; RDW, *red cell distribution width*; SP, sangue periférico; VCM, volume corpuscular médio.

Em caso de anemia ferropriva não responsiva ao tratamento, deve-se investigar a presença de doença celíaca e infecção por *H. pylori*.

Tratamento

O tratamento da anemia por deficiência de ferro consiste, fundamentalmente, em identificar e tratar a causa que determinou a anemia. Deve-se realizar a reposição do ferro em dose adequada por um período suficiente para corrigir a anemia e refazer os depósitos de ferro, aliada a uma boa orientação nutricional C/D.[15]

A melhor opção de tratamento é com ferro oral, sob a forma de sais ferrosos, sais férricos, ferro aminoquelado, complexo de ferro polimaltosado e ferro carbonila. A dose terapêutica de ferro elementar recomendada para tratamento da anemia por deficiência de ferro é de 3 a 5 mg/kg/dia, por um período de 1 a 2 meses para normalizar os valores da hemoglobina, e por 3 a 6 meses para restaurar os estoques normais de ferro no organismo (valor mínimo da ferritina sérica de 15 ng/mL para crianças e 30 ng/mL para adultos) B. Doses > 200 mg/dia não são recomendadas, considerando que a mucosa intestinal atua como barreira, impedindo a interiorização e a absorção do metal; assim, provavelmente não conferem benefício adicional e aumentam a incidência de eventos adversos C/D.[16,17] Outro fator importante a considerar é a adesão do paciente ao tratamento.

A TABELA 72.8 apresenta os compostos de ferro disponíveis no Brasil para tratamento oral da deficiência de ferro.[18]

Em alguns casos específicos, há indicação de tratamento com ferro intravenoso (IV), como intolerância ao tratamento por via oral, anemia grave (Hb < 8) com necessidade de reposição rápida, pacientes com insuficiência cardíaca com anemia ferropriva A, pacientes com doença inflamatória intestinal com má resposta à absorção de ferro ou pacientes com doença renal crônica recebendo agentes estimuladores da eritropoiese. Para cálculo da dose, pode ser utilizada a seguinte fórmula (ver também QR code):

[Hb (g/dL) desejada – Hb (g/dL) encontrada] × peso corporal (kg) × 2,4 + 500

Devido aos potenciais efeitos adversos graves (reação anafilática), a aplicação de ferrodextrana de alto peso molecular deve sempre ser realizada em ambiente hospitalar. A administração de outros compostos de ferro, como o sacarato de hidróxido férrico (Noripurum®) pode ser feita ambulatorialmente, por via intramuscular (IM) (ampolas de 100 mg de ferro elementar/2 mL) ou IV (ampolas de 100 mg de ferro elementar/5 mL). Apesar de sua absorção irregular pela via IM e dos efeitos adversos locais indesejados, os autores recomendam a utilização IV de preferência em ambiente com equipamentos, medicamentos e equipe capacitada para situações de emergência, como efeitos adversos à infusão. Outros compostos de ferro administrado por via IV são a carboximaltose férrica e a derisomaltose férrica (ver QR code).[19]

Ao lado da resposta clínica, deve ser avaliada a resposta hematológica ao tratamento. Após o início do tratamento com ferro, ocorre uma reticulocitose, atingindo 5 a 10% entre o 7º e o 10º dia de tratamento. Assim, pode-se solicitar contagem de reticulócitos nesse período como forma de confirmar se a anemia é ferropriva, especialmente em casos de probabilidade intermediária ou quando não estão disponíveis os demais exames para investigação da anemia microcítica. O valor da hemoglobina também aumenta nesse período, 0,5 a 1 g/dL por semana, mas o VCM continua baixo por 2 a 3 meses.

Na falta de resposta ao tratamento da anemia por deficiência de ferro, considerar:[18]

→ diagnóstico incorreto (investigar outras causas de anemia microcítica);

→ outras doenças associadas (doença renal crônica, doença inflamatória, quadro infeccioso);

→ falta de adesão ao tratamento (efeitos adversos gastrintestinais; considerar barreiras ao tratamento e se, para vencê-las, é útil mudar a posologia, a apresentação ou a via de administração);

→ dose inadequada (dose e/ou duração insuficiente do tratamento para repor os estoques);

TABELA 72.8 → Compostos de ferro disponíveis para tratamento oral da deficiência de ferro

COMPOSTO COM FERRO	FERRO ELEMENTAR POR COMPRIMIDO (mg)	FERRO ELEMENTAR NA APRESENTAÇÃO LÍQUIDA (mg)	POSOLOGIA	VANTAGENS	DESVANTAGENS

Sais ferrosos:
   Sulfato ferroso
   Fumarato ferroso
   Gliconato ferroso
	
	40-60
	30-60
	36
		1 mL (20 gotas) = 25 mg*
		 5 mL xarope = 25-35 mg*
			Sulfato: 120 mg/dia (2 comprimidos de 60 ou 3 de 40)
			 Fumarato: idem ao sulfato
			 Gliconato: 4 comprimidos/dia (menor teor de ferro elementar por comprimido)
				Eficácia elevada; mais disponível	Efeitos adversos mais frequentes; menor adesão ao tratamento

Ferripolimaltose	100	1 mL (20 gotas) = 50 mg 5 mL xarope = 50 mg	Comprimidos: 2 comprimidos/dia Gotas: 40 gotas, 2 ×/dia Xarope: 10 mL, 2 ×/dia	Eficácia elevada; menor toxicidade; menos efeitos adversos	Absorção mais lenta; preço mais elevado
Ferro quelatoglicinato	30-100	Flaconete de 5 mL = 50 mg	Comprimidos: 2-3 comprimidos/dia Flaconetes: 2/dia	Menos eficientes; menos efeitos adversos que os sais ferrosos	Biodisponibilidade variável

*Ambos para sulfato ferroso.

- perda de ferro maior do que a ingesta (não correção de perda sanguínea crônica e/ou não identificação de causa de sangramento oculto, como neoplasia de cólon);
- má absorção do ferro (doença celíaca, gastrite atrófica autoimune, infecção por *H. pylori*).

Talassemias

As talassemias são um grupo heterogêneo de doenças congênitas, hereditárias, resultantes da ausência ou de um desequilíbrio na síntese de uma ou mais cadeias de aminoácidos que constituem a hemoglobina. As talassemias são classificadas de acordo com a cadeia de aminoácidos afetada: talassemia α, comum em indivíduos de raça negra, e talassemia β, comum em indivíduos da área do Mediterrâneo e do Sudeste Asiático. O diagnóstico da talassemia é baseado na quantificação da hemoglobina e das frações de cadeia da globina por eletroforese (ver FIGURA 72.1). A concomitância da anemia por deficiência de ferro pode diminuir os níveis de Hb A2, motivo pelo qual ela deve ser corrigida antes da realização da eletroforese de hemoglobina.[20]

As talassemias também podem ser classificadas pelo número de genes afetados:

- **talassemia menor:** pode ser do tipo α ou β. O eritrograma revela anemia microcítica e hipocrômica, podendo apresentar alterações da morfologia eritrocitária com a presença de esquizócitos e ponteado basófilo. Na população brasileira, a prevalência de talassemia α menor é de cerca de 3%. A prevalência da forma heterozigota da talassemia β menor (portador assintomático, em geral sem anemia) chega a 10 a 20%. Nesses casos, frequentemente a eletroforese de hemoglobina é normal, mas pode mostrar bandas de Hb H. Na talassemia β menor, há aumento da concentração de Hb A2 (> 4-7%) e de Hb fetal (2-5%). Sua importância clínica para o médico de APS reside no fato de ser um diagnóstico diferencial entre as anemias microcíticas e na possível redução mais acentuada da hemoglobina em períodos como infância, infecções ou processos inflamatórios crônicos, e durante a gravidez. Nessas situações, o acompanhamento com o hematologista pode ser necessário. Além disso, quando um dos integrantes de um casal que deseja engravidar tem talassemia menor, é importante investigar se o parceiro também apresenta a condição, pois nesse caso a chance de a prole ter talassemia maior é de 25%;
- **talassemia intermédia:** esta é uma classificação eminentemente clínica, na qual se enquadram os pacientes portadores de talassemias α ou β com manifestações clínicas mais evidentes do que as observadas na talassemia menor (p. ex., esplenomegalia, redução na massa muscular, úlceras crônicas em pernas e alterações faciais), porém menos graves do que aquelas da talassemia maior;
- **talassemia maior:** é a forma mais grave das talassemias. Quando a talassemia maior se deve a lesões nos genes α, os quatro genes são afetados e não há formação de hemoglobina funcional além do estágio embrionário. Então, instalam-se asfixia tecidual, edema e insuficiência cardíaca congestiva, resultando no quadro de hidropsia fetal. A talassemia maior por lesão no gene β (síntese diminuída ou nenhuma síntese da β globina) tem expressão clínica de gravidade variável, com anemia intensa ou muito intensa, presença de eritroblastos circulantes e acentuada elevação da Hb fetal. Nas formas mais graves, pode ocorrer icterícia, úlceras de perna, cálculos biliares e grande esplenomegalia. Com o diagnóstico precoce, vacinações específicas e protocolos de transfusões de sangue regulares, a talassemia β evolui relativamente bem até a idade adulta. O diagnóstico das talassemias é baseado no histórico hereditário do paciente e em exames especiais para identificação das alterações estruturais da hemoglobina.[3]

Tanto nos quadros de talassemia intermédia quanto nos de talassemia maior, o médico de APS deve acompanhar o paciente junto com o hematologista (ver QR code).

ANEMIAS NORMOCÍTICAS

As anemias normocíticas são, por definição, a queda de hemoglobina com manutenção do VCM da hemácia dentro do limite da normalidade (VR: 80-100). Esse grupo é bastante heterogêneo, podendo ser dividido em causas hiperproliferativas (contagem de reticulócitos elevada), nos casos em que a medula óssea aumenta a produção de precursores hematopoiéticos em resposta à perda sanguínea aguda ou à destruição periférica (hemorragias e hemólises); e em causas hipoproliferativas (contagem de reticulócitos normal ou baixa), quando a medula óssea não tem a capacidade de aumentar a sua produção de hemácias em resposta à anemia. As causas normocíticas também podem ser resultado de um somatório de condições superpostas que causam anemias microcíticas e macrocíticas simultaneamente, apresentando o VCM dentro do limite da normalidade ao hemograma. A FIGURA 72.2 resume a avaliação diagnóstica das anemias normocíticas.[20-22]

Anemias hiperproliferativas

As anemias hiperproliferativas cursam com aumento da produção de precursores eritroides e são causadas por perda sanguínea aguda ou por destruição periférica das hemácias nas diversas causas de hemólise.

Perdas sanguíneas agudas

A hemorragia aguda é, em geral, uma causa facilmente diagnosticada de anemia, a qual necessita de intervenção imediata para evitar repercussões hemodinâmicas mais graves, como choque hipovolêmico. Nas primeiras horas após o início da hemorragia, a dosagem de hemoglobina e hematócrito não reflete o volume de sangue perdido, pois há perda simultânea de plasma e hemácias. Nas etapas seguintes, os

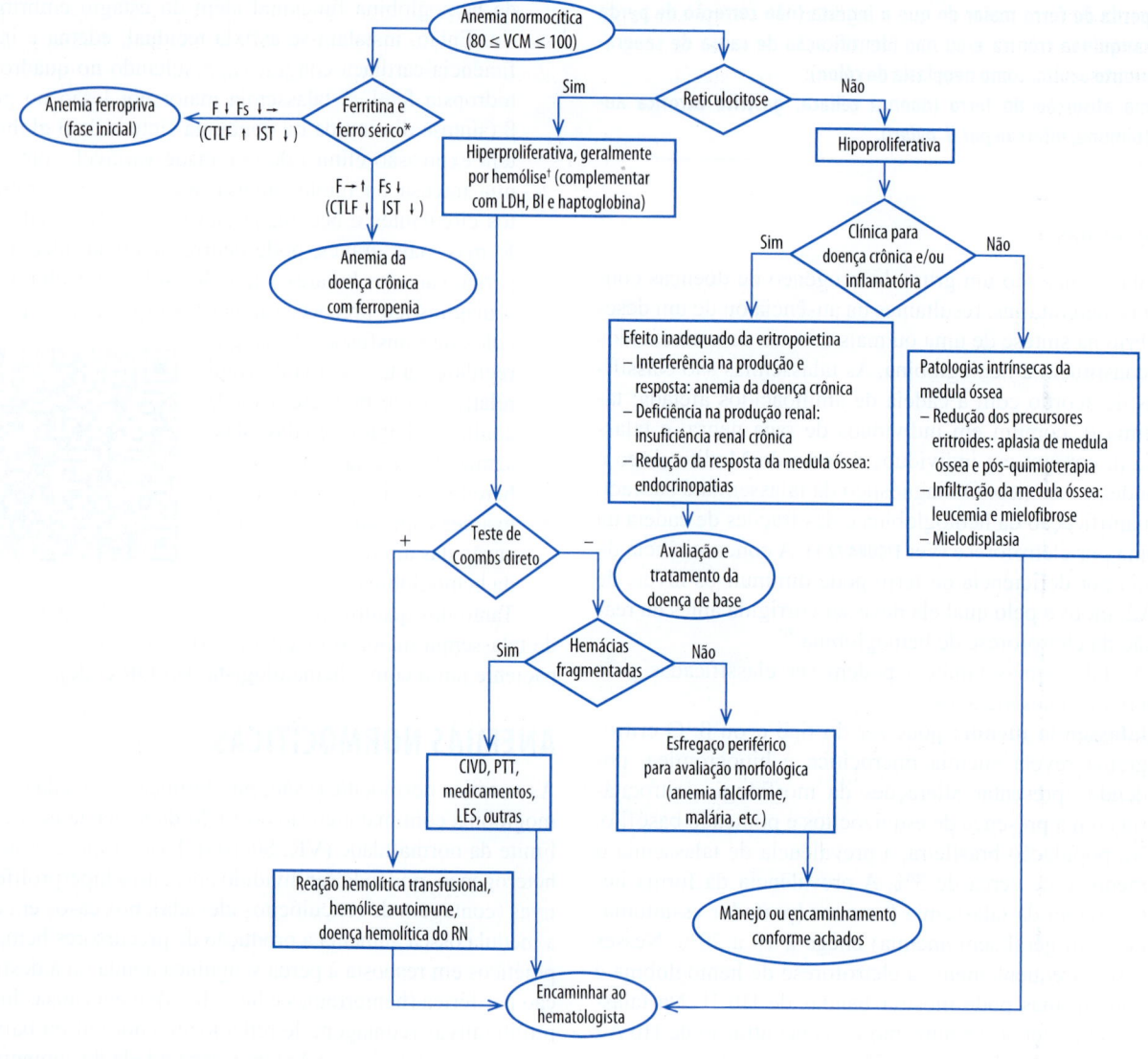

FIGURA 72.2 → Avaliação diagnóstica das anemias normocíticas.
* Podem ser complementados por CTLF e IST.
† A hemorragia aguda também se manifesta com padrão hiperproliferativo.
BI, bilirrubinas indiretas; CIVD, coagulação intravascular disseminada; CTLF, capacidade total de ligação do ferro; F, ferritina; Fs, ferro sérico; IST, índice de saturação da transferrina; LDH, lactato desidrogenase; LES, lúpus eritematoso sistêmico; PTT, púrpura trombocitopênica trombótica; RN, recém-nascido; VCM, volume corpuscular médio.
Fonte: Adaptada de Barth e Hirschmann.[22]

mecanismos hormonais atuam retendo água e eletrólitos, só então ocorrendo a diluição das hemácias e a progressiva redução da dosagem de hemoglobina. A consequente hipoxia renal determina o aumento da eritropoietina, estimulando a medula óssea a aumentar sua produção. A partir do 3º ao 5º dia, ocorre uma elevação do número de reticulócitos. Portanto, se a hemorragia não for tão intensa, o organismo é capaz de recompor o volume de sangue perdido em 2 a 3 semanas após o evento agudo. Nos casos mais graves, o manejo desses pacientes tem como intenção inicial manter o volume sanguíneo circulante adequado, por meio da infusão de soluções cristaloides e coloides, e da reposição da massa de hemácias e das proteínas da coagulação perdidas, pela administração de hemocomponentes baseada nos protocolos de transfusão maciça.[23]

Anemias hemolíticas

Ao final de 120 dias, em média, as hemácias são removidas da circulação pelo sistema reticuloendotelial. Na hemólise, ocorre destruição precoce das hemácias com consequente redução da sua vida média, estimulando a medula óssea a aumentar a sua produção. Quando a fabricação não consegue mais compensar a destruição periférica, ocorre queda da hemoglobina, determinando a anemia hemolítica.

Na hemólise, o aumento do número de reticulócitos – célula mais jovem e com maior tamanho – pode elevar o VCM no hemograma. Portanto, a possibilidade de hemólise deve fazer parte do diagnóstico diferencial das anemias normocíticas, assim como das anemias macrocíticas.[24]

Quanto ao local de hemólise, as anemias podem ser divididas em causas intravasculares, nas quais há liberação da hemoglobina no plasma, podendo determinar aparecimento de hemoglobinemia e hemoglobinúria; e em causas extravasculares, nas quais a remoção é feita pelos macrófagos no baço, no fígado e na medula óssea (TABELA 72.9). Devido aos vários mecanismos de anemia, informações da anamnese, exame físico e avaliação laboratorial podem determinar o diagnóstico das hemólises e ajudam a definir a etiologia. Anemia hemolítica deve ser suspeitada em pacientes com achados de síndrome anêmica, podendo ter sinais ao exame físico de esplenomegalia, icterícia, úlceras de membros inferiores e alterações na fácies.

Nos exames complementares, apresentam elevação do índice reticulocitário, da lactato desidrogenase (LDH) e da bilirrubina indireta, e queda da haptoglobina. Para diferenciação das causas intravasculares, é possível evidenciar a presença de hemoglobinemia, hemoglobinúria (na ausência de hemácias no sedimento urinário) e hemossiderina urinária. A avaliação do esfregaço periférico deve ser sempre realizada na busca de alterações na morfologia das hemácias que possam direcionar para a etiologia da hemólise, como a visualização de esquizócitos nas microangiopatias trombóticas, ou de drepanócitos nas doenças falciformes. Outros testes amplamente empregados para avaliação etiológica das anemias hemolíticas são o teste de Coombs e a eletroforese de hemoglobina.

O tratamento dessas patologias é muito específico, cabendo ao médico da APS o reconhecimento e o correto encaminhamento do paciente para avaliação e acompanhamento com hematologista.

Anemias hipoproliferativas

As anemias hipoproliferativas cursam com resposta medular inadequada ao nível de hemoglobina, apresentando, portanto, contagem de reticulócitos normal ou abaixo do valor de referência. Esse grupo de anemias pode ser consequência de diversas patologias sistêmicas, assim como de desordens primárias do sangue, podendo ser divididas em patologias intrínsecas da medula óssea, secundárias à ação inadequada da eritropoietina e secundárias a causas carenciais.

Patologias intrínsecas da medula óssea

Anemia aplásica

É uma condição rara, caracterizada por pancitopenia e hipocelularidade acentuada na medula óssea por destruição dos precursores hematopoiéticos, sem evidência de infiltração neoplásica ou fibrose. Seu diagnóstico é de exclusão; portanto, sempre devem ser investigadas outras causas de citopenias. A maioria dos casos parece ser imunomediada, mas pode estar relacionada com exposição a agentes tóxicos, infecções e gravidez, assim como a patologias hereditárias, como a anemia de Fanconi. Suas manifestações clínicas são os achados de insuficiência medular, como fadiga (secundária à anemia), petéquias, equimoses e sangramentos de mucosas (relacionados à plaquetopenia), além de febre e sintomas infecciosos (relacionados à neutropenia). Há uma entidade conhecida como aplasia pura de células vermelhas, em que ocorre destruição apenas dos precursores da linhagem eritroide, cursando o paciente somente com anemia. O tratamento da anemia aplásica deve ser conduzido pelo hematologista, com base em terapia imunossupressora e transplante de medula óssea.[25]

Leucemias, linfomas e neoplasias sólidas com invasão da medula óssea

As leucemias são doenças clonais do tecido hematopoiético caracterizadas pela proliferação anormal de células imaturas da medula óssea, ocasionando produção insuficiente das células maduras normais do sangue. Podem ser classificadas em agudas, caracterizadas por proliferação anormal de células progenitoras e parada da sua maturação; ou crônicas, com proliferação de células maduras. A classificação também é determinada pelo tipo de célula envolvida: linfoide ou mieloide.

A ocupação do espaço da medula por células malignas determina sinais e sintomas relacionados à anemia, neutropenia e plaquetopenia. O exame físico também pode evidenciar hepatoesplenomegalia, linfonodomegalias e hiperplasia gengival.

Os achados laboratoriais que auxiliam no diagnóstico são de anemia, plaquetopenia, leucocitose ou leucopenia, podendo haver presença de blastos (células hematopoiéticas imaturas) no esfregaço periférico.

Os linfomas são neoplasias do sistema linfático que podem acometer qualquer órgão, principalmente os gânglios linfáticos. Sua apresentação clínica pode ser das formas mais variadas, com linfonodomegalia, hepatoesplenomegalia e lesões cutâneas, podendo ser inicialmente vistos por médicos da APS ou das mais diversas especialidades. Em estágios avançados, podem determinar invasão da medula óssea, ocasionando anemia, leucopenia e/ou plaquetopenia.

Os tumores sólidos metastáticos também podem ser causa de anemia, não somente por invasão da medula óssea, mas também por aumentar a apoptose e restringir a diferenciação das células precursoras eritroides.

TABELA 72.9 → Anemias hemolíticas: causas extravasculares e intravasculares

CAUSAS EXTRAVASCULARES
→ Deficiências enzimáticas (deficiência de G6PD, deficiência de piruvato-quinase)
→ Hemoglobinopatias (anemia falciforme, talassemias, hemoglobinas instáveis)
→ Defeitos de membrana (esferocitose hereditária, eliptocitose)
→ Doença hepática
→ Hiperesplenismo
→ Infecções (*Bartonella*, *Babesia*, malária)
→ Agentes oxidantes (dapsona, nitritos)
→ Anemia hemolítica autoimune
→ Infusão de imunoglobulina intravenosa

CAUSAS INTRAVASCULARES
→ Microangiopatia (púrpura trombocitopênica trombótica, síndrome hemolítico-urêmica, drogas, válvula cardíaca metálica, coagulação intravascular disseminada)
→ Reações transfusionais (incompatibilidade ABO)
→ Infecções
→ Hemoglobinúria paroxística ao frio
→ Hemoglobinúria paroxística noturna
→ Após infusão de Ig anti-D
→ Após infusão de soluções hipotônicas
→ Doença das crioaglutininas
→ Veneno de cobra

G6PD, glicose-6-fosfato-desidrogenase; Ig, imunoglobulina.

As leucemias, os linfomas e os tumores sólidos, de forma geral, são tratados por médicos hematologistas ou oncologistas com protocolos específicos de quimioterapia e radioterapia. As neoplasias hematológicas e alguns subtipos de tumores sólidos podem necessitar de terapêutica adicional com transplante de medula óssea.[26,27]

Mielodisplasia

As mielodisplasias incluem um grupo heterogêneo de desordens clonais com eritropoiese ineficaz, caracterizadas por citopenias no sangue periférico e um risco variável de progressão para leucemias agudas. Podem cursar com anemia normocítica ou macrocítica (ver tópico Anemias Macrocíticas).

Efeito inadequado da eritropoetina

Anemia da inflamação

Também conhecida como anemia da doença crônica, ela é uma das causas mais comuns de anemia, sendo a mais frequente em pacientes hospitalizados ou cronicamente enfermos. Ocorre em associação a estados inflamatórios agudos ou crônicos, sendo causada por ativação do sistema imunológico. O aumento das citocinas inflamatórias pode inibir diretamente a eritropoiese, interferindo na produção e na ação da eritropoietina, e na homeostase do ferro, caracterizada por redução da absorção do ferro e da sua liberação pelo sistema reticuloendotelial.[28]

Várias condições clínicas podem precipitar esse quadro, como infecções, doenças reumatológicas, neoplasias, insuficiência cardíaca, diabetes melito, entre outras. Na maioria dos casos, a anemia é leve, normocítica e normocrômica, porém pode haver microcitose em até 30% dos casos.

A avaliação do estudo do ferro é geralmente utilizada para distinguir a anemia da inflamação da anemia ferropriva, porém pode haver sobreposição das duas etiologias. Observam-se elevação dos estoques de ferro, evidenciada por ferritina normal ou elevada, e redução do ferro sérico, do IST e da CTLF.

Nesse grupo de pacientes, a melhor terapêutica deve ser priorizar o tratamento da doença de base e a correção de outras causas que possam estar contribuindo para a anemia (deficiência de ferro ou de eritropoietina). Apesar de as transfusões de concentrados de hemácias serem a maneira mais rápida para a correção da hemoglobina, estas só devem ser utilizadas em situações de urgência. Estudos demonstraram bons resultados com altas doses de eritropoietina nesses pacientes.[29]

Doença renal crônica

A presença de anemia acrescenta significativa morbimortalidade aos pacientes com doença renal crônica. Embora seja multifatorial, a principal causa de anemia nesse caso é a redução da produção de eritropoietina, um hormônio sintetizado pelo rim, que tem papel essencial na proliferação, na maturação e na diferenciação dos precursores eritroides. Outros mecanismos podem estar envolvidos, como a alteração da homeostase do ferro vista na anemia da doença crônica, as alterações de membrana secundárias à uremia e o hiperparatireoidismo secundário.

A avaliação laboratorial mostra anemia geralmente normocítica e normocrômica, podendo mudar esse padrão se houver deficiência de ferro ou vitaminas associadas. O estudo do ferro pode estar normal ou assemelhar-se à anemia da inflamação.[29]

O tratamento com eritropoietina recombinante humana tem modificado esse quadro, melhorando a capacidade para o exercício e a qualidade de vida.[30]

Endocrinopatias

A anemia pode ser a primeira manifestação de endocrinopatias. A anemia nas deficiências hormonais pode estar relacionada com a influência dos hormônios na eritropoiese. No hipotireoidismo, a anemia costuma ser leve a moderada e sua fisiopatologia parece estar relacionada com a deficiência do hormônio tireóideo, embora possam coexistir fatores como deficiência de vitamina B_{12} e folato, além de deficiência de ferro – em pacientes predispostas a ter menorragia. A resposta à reposição hormonal é gradual. Também podem cursar com anemia as insuficiências suprarrenais, hipofisárias e de andrógenos, assim como o hipertireoidismo e o hiperparatireoidismo.[30]

Carência de ferro

A anemia ferropriva precocemente diagnosticada também pode cursar com padrão normocítico hipoproliferativo (ver tópico Anemias Microcíticas).

ANEMIAS MACROCÍTICAS

As anemias macrocíticas (VCM > 100 fL) são as menos frequentes. São mais comuns na população idosa, mas podem ocorrer em qualquer idade. A macrocitose pode estar presente sem anemia, porém o processo diagnóstico deve ser o mesmo para ambas as situações. Primeiramente, uma anamnese dirigida às principais causas deve ser realizada, com ênfase no consumo de álcool, história de hepatopatias, hipotireoidismo, hábitos alimentares (vegetarianismo estrito) e uso de fármacos. A investigação inicial é complementada pelos seguintes exames: hemograma completo com contagem de plaquetas, reticulócitos, provas de função hepática, hormônio estimulante da tireoide (TSH, do inglês *thyroid-stimulating hormone*), dosagem sérica de vitamina B_{12} e ácido fólico. Os valores do VCM podem sugerir as causas mais prováveis, conforme a **TABELA 72.10**.[31]

Entre as principais causas de anemia macrocítica, encontram-se as relacionadas com alcoolismo, hepatopatias e hipotireoidismo, além das causas de origem hematológica, principalmente as anemias megaloblásticas (deficiência de vitamina B_{12} e/ou ácido fólico) e as síndromes mielodisplásicas. Outras causas menos comuns de macrocitose são as hemorragias agudas e as hemólises, as quais foram discutidas anteriormente. A **FIGURA 72.3** apresenta um fluxograma para abordagem diagnóstica das macrocitoses.[32,33]

Álcool e hepatopatias

Alcoolismo e doenças hepáticas estão entre as principais causas de macrocitose, podendo agir como fatores de risco

Seção VI → Sinais, Sintomas e Alterações Laboratoriais Comuns

TABELA 72.10 → Causas mais prováveis de acordo com a elevação do volume corpuscular médio (VCM)

ALTA ELEVAÇÃO DO VCM (> 130 fL)	MODERADA ELEVAÇÃO DO VCM (> 115 fL)	MODESTA ELEVAÇÃO DO VCM (95-115 fL)
→ Deficiência de vitamina B_{12} → Deficiência de folato	→ Deficiência de vitamina B_{12} → Deficiência de folato → Doenças hepáticas → Abuso de álcool → Neoplasias	→ Abuso de álcool → Anemia perniciosa e outras causas de deficiência de vitamina B_{12} → Deficiência de folato → Doenças hepáticas → Mielodisplasia → Perdas sanguíneas ou hemólise → Hipotireoidismo → Insuficiência respiratória crônica → Infecção pelo HIV → Fármacos

HIV, vírus da imunodeficiência humana.
Fonte: Adaptada de Murtagh.[31]

tanto individual quanto sinergicamente. A macrocitose pode ser uma das primeiras manifestações do abuso de álcool (presente em 90-96% dos casos), muitas vezes não relatada pelo paciente. Embora a macrocitose possa ser secundária à má nutrição, a toxicidade direta pelo álcool à medula é uma causa frequente. A macrocitose do alcoolismo em geral é revertida após meses de abstinência do álcool.[34]

As hepatopatias crônicas, especialmente a cirrose hepática com hipertensão porta, cursam com anemia e possuem patogênese multifatorial (mecanismos gerais das doenças crônicas, hiperesplenismo, hemólise e aumento dos depósitos de colesterol e/ou fosfolipídeos na membrana das hemácias).[32,34] Na presença de anemia macrocítica, devem-se buscar sinais de hepatopatia e realizar provas de função hepática.

Toxicidade por fármacos

As macrocitoses induzidas por fármacos estão entre as causas mais comuns em pacientes não alcoolistas. Apresentam pouco significado clínico, não necessitando de correção, a menos que estejam associadas à anemia ou a outras citopenias.[31] As principais classes envolvidas estão listadas na **TABELA 72.11**.

Anemias megaloblásticas

As anemias megaloblásticas ocorrem por deficiência de vitamina B_{12} e/ou ácido fólico, substratos importantes para a síntese do DNA, o qual é responsável pela maturação das células hematopoiéticas. As principais alterações decorrentes dessa condição são megaloblastose (núcleo imaturo com citoplasma grande); hipersegmentação nuclear dos granulócitos; e hematopoiese ineficaz, com consequente anemia macrocítica, podendo também haver leucopenia e trombocitopenia. A **TABELA 72.12** mostra algumas das principais causas de anemia megaloblástica.

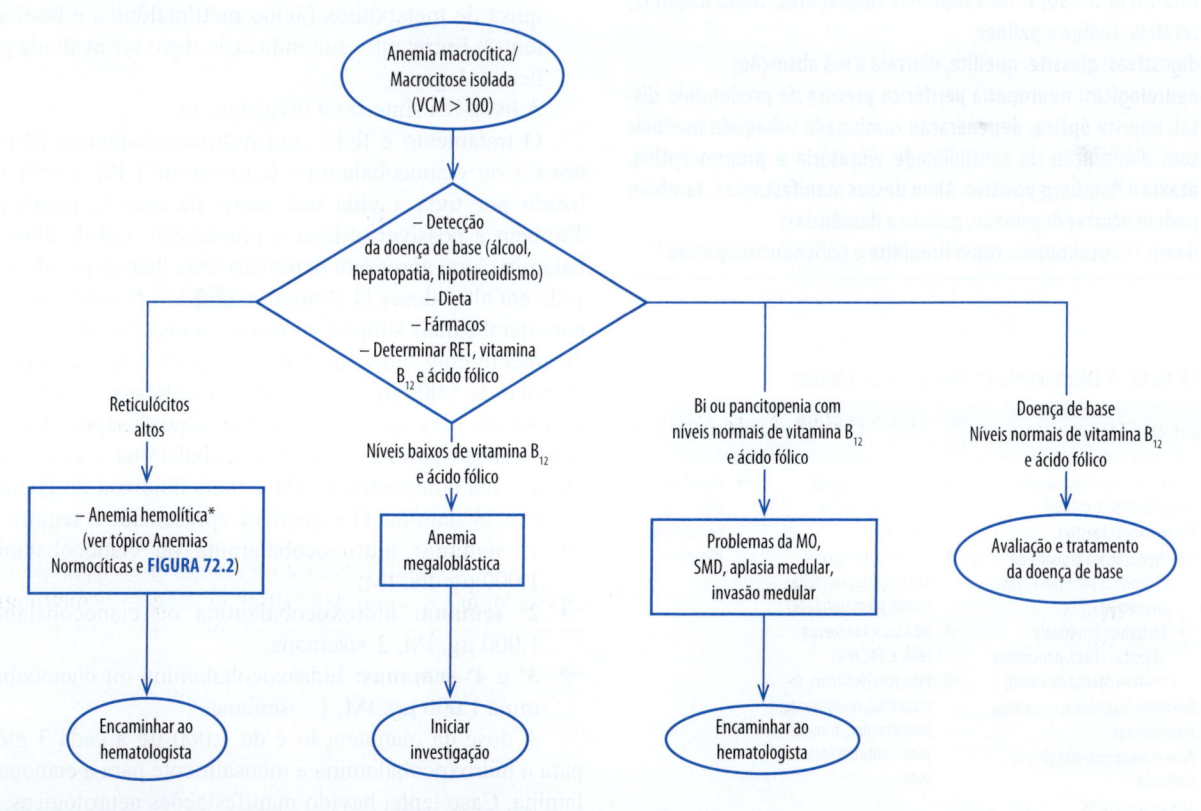

FIGURA 72.3 → Fluxograma para abordagem diagnóstica das macrocitoses.
*Deve-se excluir história de sangramento maior recente, que também pode provocar anemia macrocítica com reticulócitos elevados.
MO, medula óssea; RET, reticulócitos; SMD, síndrome mielodisplásica; VCM, volume corpuscular médio.
Fonte: Adaptada de MatamorosIraola e Casals Fransí.[32]

TABELA 72.11 → Principais classes de fármacos relacionadas com macrocitose

→ Antifolatos: metotrexato
→ Análogos da purina: azatioprina
→ Análogos da pirimidina: zidovudina (AZT)
→ Inibidores da redutase ribonucleotídeo: hidroxiureia
→ Anticonvulsivantes: fenitoína, fenobarbital
→ Outros: metformina, colchicina, anticoncepcional oral, trimetoprima, inibidores da tirosina-quinase

Fonte: Adaptada de Murtagh.[31]

Deficiência de vitamina B_{12} (anemia perniciosa)

Entre as anemias carenciais, a anemia por deficiência de vitamina B_{12} é a de menor prevalência. A vitamina B_{12} pode ser encontrada em alimentos de origem animal, incluindo leite e ovos, porém não nos vegetais. Para sua absorção no íleo terminal, é necessária a ligação com o fator intrínseco, produzido pelas células parietais gástricas, sendo que as reservas de vitamina B_{12} podem durar até 3 anos no fígado.[33]

A deficiência de vitamina B_{12} pela dieta é rara, mas pode resultar das seguintes situações: falta de fator intrínseco; e má absorção secundária a diversos fatores, conforme listados na **TABELA 72.12**.

As principais manifestações clínicas da deficiência de vitamina B_{12} e doenças associadas são:
→ **hematológicas**: anemia macrocítica com importante macrocitose (VCM > 130) e seus sintomas subjacentes, como dispneia, cefaleia, fadiga e palidez;
→ **digestivas**: glossite, queilite, diarreia e má absorção;
→ **neurológicas**: neuropatia periférica precoce de predomínio distal, neurite óptica, degeneração combinada subaguda medular com diminuição da sensibilidade vibratória e proprioceptiva, ataxia e Romberg positivo. Além dessas manifestações, também podem ocorrer depressão, psicose e demências;
→ **doenças autoimunes**, como tireoidite e poliendocrinopatias.[35]

TABELA 72.12 → Etiopatogenia das anemias megaloblásticas

DEFICIÊNCIA DE VITAMINA B_{12}	DEFICIÊNCIA DE ÁCIDO FÓLICO	MISTA

→ Aporte dietético inadequado (vegetarianismo estrito)
→ Má absorção digestiva
   → Produção inadequada de FI (anemia perniciosa, gastrectomia)
   → Distúrbios intestinais (doença celíaca, pancreatite crônica, doença de Crohn)
→ Fármacos (colchicina, neomicina, metformina)
→ Alterações congênitas (homocistinúria)
→ Tabagismo e DPOC
	→ Ingesta inadequada (idosos, alcoolistas, indigentes)
	→ Aumento das necessidades (gestação, aleitamento, prematuridade)
	→ Má absorção (doença celíaca, DII, HIV)
	→ Fármacos (fenitoína, fenobarbital, metotrexato, pirimetamina, trimetoprima, anticoncepcionais orais)
		→ Álcool, hepatopatia crônica, nutrição parenteral

DII, doença inflamatória intestinal; DPOC, doença pulmonar obstrutiva crônica; FI, fator intrínseco; HIV, vírus da imunodeficiência humana.
Fonte: Adaptada de MatamorosIraola e Casals Fransí.[32]

Tanto as manifestações neurológicas quanto digestivas podem ocorrer sem anemia e apresentam boa resposta ao tratamento de reposição da vitamina B_{12}. A investigação inicial consiste em hemograma completo com contagem de plaquetas e dosagem sérica de vitamina B_{12} (valores normais > 300). A interpretação dos resultados da dosagem sérica deve levar em consideração os sintomas clínicos e suas possíveis limitações, entre elas a grande variabilidade entre os níveis normais e o fato de não aferir os metabólitos ativos (ácido metilmalônico e homocisteína).[36]

A investigação adicional para anemia perniciosa pode ser conduzida na APS, preferencialmente com auxílio de hematologista, e inclui:
→ esfregaço de sangue periférico nos casos de incerteza diagnóstica, para identificação de macro-ovalócitos e neutrófilos hipersegmentados;
→ pesquisa de anticorpos anticélulas parietais (ACP) e anticorpos antifator intrínseco (AFI), para determinar se há doença autoimune envolvida na deficiência de vitamina B_{12} (o AFI é extremamente específico para anemia perniciosa, mas tem baixa sensibilidade [50%] – sua ausência não descarta o diagnóstico –; os ACPs possuem boa sensibilidade (90%) e especificidade < 50%, podendo ocorrer em outras situações clínicas, como gastrite atrófica e em pacientes idosos);[36]
→ teste de Schilling, cuja função é medir a excreção urinária de vitamina B_{12} marcada com isótopos, fazendo parte da sequência investigativa, assim como a pesquisa de metabólitos (ácido metilmalônico e homocisteína). Entretanto, sua indicação deve ser avaliada pelo hematologista.

A **FIGURA 72.4** sintetiza a investigação.

O tratamento é feito com hidroxocobalamina (Rubranova®) ou cianocobalamina (Citoneurin®) IM e será realizado por toda a vida nos casos de anemia perniciosa. Também é possível utilizar a preparação oral de cianocobalamina, que apresenta benefício semelhante quando utilizada em altas doses (1-2 mg/dia) **C/D**.[37-39] No entanto, a via parenteral é mais simples e menos onerosa. No Brasil, o medicamento com hidroxocobalamina pura é apresentado em ampolas de 5.000 μg, que podem ser utilizadas sem maiores problemas, pois não existe risco de superdosagem. Como a apresentação parenteral da cianocobalamina é em veículo oleoso, sua administração IM é mais dolorosa do que a da hidroxocobalamina. O esquema é apresentado a seguir:
→ **1ª semana**: hidroxocobalamina ou cianocobalamina 1.000 μg/dia, IM;
→ **2ª semana**: hidroxocobalamina ou cianocobalamina 1.000 μg, IM, 2 ×/semana;
→ **3ª e 4ª semanas**: hidroxocobalamina ou cianocobalamina 1.000 μg, IM, 1 ×/semana.

A dose de manutenção é de 1.000 μg a cada 3 meses para a hidroxocobalamina e mensalmente para a cianocobalamina. Caso tenha havido manifestações neurológicas, devem ser realizadas 2 doses/semana nos primeiros 6 meses.

Após o início do tratamento, recomenda-se realizar hemograma completo entre o 10º e o 14º dia, para documentar

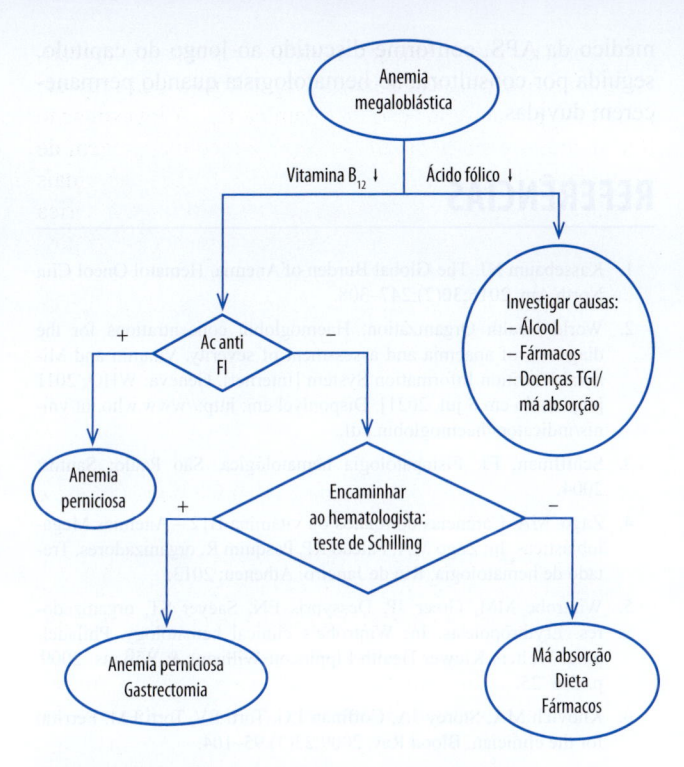

FIGURA 72.4 → Investigação diagnóstica da anemia megaloblástica.
AFI, anticorpos antifator intrínseco; TGI, trato gastrintestinal.

a resposta, e na 8ª semana, para confirmar o retorno à normalidade. O monitoramento em longo prazo não é consensual, mas pode ser realizado anualmente nos casos de anemia perniciosa.[34]

Deficiência de ácido fólico

A deficiência de ácido fólico está presente, em maior ou menor grau, na maioria dos países, sobretudo naqueles em desenvolvimento.[40] A principal causa é a baixa ingesta de folato associada à idade avançada, à pobreza e à má nutrição, esta geralmente relacionada com alcoolismo. As demais causas estão descritas na **TABELA 72.12**.

As manifestações clínicas de deficiência de ácido fólico são semelhantes às que ocorrem na deficiência de vitamina B_{12}, porém com repercussão mais acentuada no trato gastrintestinal e sem alterações neurológicas relevantes.[32]

A investigação básica consiste em hemograma completo com contagem de plaquetas e dosagem sérica de ácido fólico (valores normais: 5-15 ng/mL). O folato eritrocitário é um teste acurado para a avaliação dos depósitos de folato, porém está em desuso por sofrer influência dos níveis séricos de vitamina B_{12} e de transfusões recentes. O esfregaço de sangue periférico pode auxiliar na identificação etiológica da anemia, principalmente na presença de macro-ovalócitos e neutrófilos hipersegmentados, os quais são mais marcantes na anemia por deficiência de vitamina B_{12}.

O manejo da deficiência de ácido fólico consiste, primeiramente, no reconhecimento e na correção de suas causas, quando isso for possível, além de recomendação de dieta rica em folato (frutas e vegetais, em especial frutas cítricas e vegetais de folhas verdes).[31] O tratamento medicamentoso é feito com ácido fólico 5 mg/dia por 4 meses para reposição das reservas, sendo a manutenção realizada com 5 mg/semana, sobretudo nos pacientes em que a causa de base é persistente **A**.[36]

> Antes de iniciar a reposição com ácido fólico, deve-se sempre descartar a deficiência de vitamina B_{12}, pois as manifestações neurológicas podem ser exacerbadas com o tratamento isolado.

Após o início do tratamento, recomenda-se realizar hemograma completo entre o 10º e o 14º dia, para documentar a resposta, e na 8ª semana, para confirmar o retorno à normalidade. O monitoramento em longo prazo não é necessário, a menos que a causa persista.[34]

A prevenção da deficiência de ácido fólico deve ser oferecida aos grupos de maior risco, entre eles gestantes, crianças prematuras, portadores de anemias hemolíticas crônicas (talassemias, anemia falciforme, entre outras) e populações com alta prevalência dessa carência.[40]

Síndrome mielodisplásica

As síndromes mielodisplásicas (SMDs) agrupam doenças de espectro clínico intensamente variável, que podem servir de modelo tanto para neoplasias indolentes (anemias refratárias) quanto para outras de curso clínico muito agressivo (anemia refratária com excesso de blastos). A morbimortalidade da doença está relacionada com citopenias periféricas, hematopoiese ineficaz e evolução para leucemia aguda.[41] Elas são mais comuns em idosos, afetando sobretudo homens com idade > 60 anos, mas podem ocorrer em qualquer faixa etária. As SMDs apresentam risco de transformação leucêmica, uma das causas de mortalidade, junto com as complicações hemorrágicas e infecciosas.

Normalmente cursam com anemia macrocítica e dosagem sérica de vitamina B_{12} e ácido fólico normais. Estão associadas a neutropenia e/ou trombocitopenia progressivas e intratáveis, expressando-se no sangue periférico como pancitopenia em 50% dos casos, anemia e trombocitopenia em 25%, anemia e leucopenia em 10%, e também como leucopenia, trombocitopenia ou monocitose sem anemia.

O diagnóstico e a classificação das SMDs são realizados por biópsia da medula óssea, para a avaliação do seu funcionamento e a verificação de possíveis invasões por células tumorais, granulomas ou fibroses, displasia no mielograma ≥ 10%. É importante estudar as alterações na citogenética e as mutações.

O acompanhamento desses casos deve sempre ser realizado junto com o hematologista. O tratamento está baseado em suporte transfusional, fatores de crescimento hematopoiético e, no caso de pacientes jovens, transplante de medula óssea.[31,32] Na era do tratamento com hipometilante (azacitidina e decitabina) e condicionamento de intensidade reduzida, pacientes com idade > 60 anos com boa condição clínica também podem beneficiar-se do transplante de medula óssea (único tratamento curativo).[42,43]

ABORDAGEM DA ANEMIA NO IDOSO

A anemia é uma condição multifatorial comum no idoso, e sua prevalência aumenta em pacientes hospitalizados, institucionalizados, principalmente em homens, e progride com a idade.[44,45] Estudos têm mostrado que a anemia é um fator de risco independente para morbidade e mortalidade, além de interferir no desempenho físico e mental, prejudicando o indivíduo no exercício de suas atividades rotineiras. As causas de anemia têm sido agrupadas em: anemia por deficiência nutricional, anemia da doença crônica e anemia inexplicada.

Anemia por deficiência nutricional

Deficiência de ferro. É comum no idoso, e resulta de perda crônica de sangue, em geral, secundária à gastrite fármaco-induzida (ácido acetilsalicílico, anti-inflamatórios não esteroides ou outros analgésicos); úlceras gastrintestinais, câncer de cólon, divertículos, angiodisplasia e hemorroidas sangrantes. Quando não houver uma causa inequívoca para a anemia microcítica, deve-se sempre descartar a possibilidade de neoplasias do trato gastrintestinal, por meio de endoscopia digestiva alta e colonoscopia.[33]

Deficiência de vitamina B_{12}. Baixos níveis de vitamina B_{12} são encontrados em 10 a 15% dos idosos, e a anemia por deficiência de vitamina B_{12} ocorre em 1 a 2%. Um aspecto importante é que podem existir baixos níveis de vitamina B_{12} não associados à anemia, levando à interpretação de uma "falsa" anormalidade. Portanto, o médico deve estar alerta para a ausência de macrocitose, pois, em geral, essa alteração precede a anemia (exceto nos casos de talassemia ou concomitante deficiência de ferro).

Anemia da doença crônica

É uma anemia secundária a processos inflamatórios (artrite reumatoide, lúpus eritematoso sistêmico, doenças do tecido conectivo, entre outros), infecções (virais, bacterianas, parasitárias ou fúngicas) e câncer (neoplasias hematológicas ou tumores sólidos). É a segunda causa mais prevalente de anemia.[46]

Sua etiologia é multifatorial, podendo decorrer do desequilíbrio do metabolismo do ferro; do encurtamento da sobrevida das hemácias; da inibição da hematopoiese; e da deficiência relativa da eritropoietina, conforme abordado antes nesta seção.

Anemia inexplicada

É a anemia de causa desconhecida no idoso, e costuma ser leve (10-12 g/dL) e normocítica. Anemia moderada ou grave nunca deve ser atribuída à idade. Apesar da alta prevalência, a anemia no idoso não deve ser considerada consequência inevitável do envelhecimento.[41,47] É diagnóstico de exclusão, exigindo uma avaliação clínico-laboratorial inicial do médico da APS, conforme discutido ao longo do capítulo, seguida por consultoria ao hematologista quando permanecerem dúvidas.

REFERÊNCIAS

1. Kassebaum NJ. The Global Burden of Anemia. Hematol Oncol Clin North Am. 2016;30(2):247–308.
2. World Health Organization. Haemoglobin concentrations for the diagnosis of anaemia and assessment of severity. Vitamin and Mineral Nutrition Information System [Internet]. Geneva: WHO; 2011 [capturado em 8 jul. 2021]. Disponível em: http://www.who.int/vmnis/indicators/haemoglobin.pdf.
3. Schiffman, FJ. Fisiopatologia hematológica. São Paulo: Santos; 2004.
4. Zago, MA. Carências de folatos ou vitamina B12 – Anemias Megaloblásticas. In: Zago MA, Falcão RP, Pasquini R, organizadores. Tratado de hematologia. Rio de Janeiro: Atheneu; 2013.
5. Wintrobe MM, Greer JP, Dessypris EN, Saeyer ST, organizadores. Erythropoiesis. In: Wintrobe's clinical hematology. Philadelphia: Wolters Kluwer Health/Lippincott Williams & Wilkins; 2009. p. 106–25.
6. Knovich MA, Storey JA, Coffman LG, Torti SV, Torti FM. Ferritin for the clinician. Blood Rev. 2009;23(3):95–104.
7. Grotto HZW. Diagnóstico laboratorial da deficiência de ferro. Rev Bras Hematol Hemoter. 2010;32:22–8.
8. Polmear A, Glasziou P. Evidence-based diagnosis in primary care: practical solutions to common problems. Edinburgh; New York: Butterworth Heinemann Elsevier; 2008.
9. Rodak BF. Diagnostic hematology. Philadelphia: Saunders; 2000. 736 p.
10. Dan K. Thrombocytosis in iron deficiency anemia. Intern Med. 2005;44(10):1025–6.
11. Silva RM da, Machado CA. Clinical evaluation of the paleness: agreement between observers and comparison with hemoglobin levels. Rev Bras Hematol Hemoter. 2010;32:444–8.
12. Masuko AH, Prado LBF do, Prado GF do. Síndrome das pernas inquietas. Rev Neurocienc. 2004;12(1):18–20.
13. Killip S, Bennett JM, Chambers MD. Iron deficiency anemia. Am Fam Physician. 2007;75(5):671–8.
14. Schrier SL. Causes and diagnosis of iron deficiency and iron deficiency anemia in adults – UpToDate [Internet]. Waltham: UpToDate; 2011 [capturado em 8 jul. 2021]. Disponível em: https://www.uptodate.com/contents/causes-and-diagnosis-of-iron-deficiency-and-iron-deficiency-anemia-in-adults.
15. Bortolini GA, Fisberg M. Orientação nutricional do paciente com deficiência de ferro. Rev Bras Hematol Hemoter. 2010;32:105–13.
16. Rimon E, Kagansky N, Kagansky M, Mechnick L, Mashiah T, Namir M, et al. Are we giving too much iron? Low-dose iron therapy is effective in octogenarians. Am J Med. 2005;118(10):1142–7.
17. Ioannou G, Debley C. Low dose iron supplementation was effective in older patients with iron deficiency anaemia. Evid Based Med. 2006;11(3):89.
18. Cançado RD, Lobo C, Friedrich JR. Tratamento da anemia ferropriva com ferro por via oral. Rev Bras Hematol Hemoter. 2010;32:114–20.
19. Cançado RD, Lobo C, Friedrich JR. Tratamento da anemia ferropriva com ferro por via parenteral. Rev Bras Hematol Hemoter. 2010;32:121–8.
20. Van Vranken M. Evaluation of microcytosis. Am Fam Physician. 2010;82(9):1117–22.

21. Brill JR, Baumgardner DJ. Normocytic anemia. Am Fam Physician. 2000;62(10):2255–64.
22. Barth D, Hirschmann JV. Anemia. In: Tkachuk DC, Hirschmann JV, editors. Wintrobe´s atlas of clinical hematology. Philadelphia: WoltersKluwer-Lippincott Williams & Wilkins; 2007. p. 1–47.
23. Hillman RS, Hershko C. Acute blood loss anemia. In: Kaushansky K, Lichtman M, Beutler E, Kipps T, Prchal J, Seligsohn U, editors. Williams hematology. 8th ed. New York: McGraw-Hill Education; 2010. p. 767–71.
24. Phillips J, Henderson AC. Hemolytic anemia: evaluation and differential diagnosis. Am Fam Physician. 2018;98(6):354–61.
25. Young NS. Aplastic anemia. N Engl J Med. 2018;379(17):1643–56.
26. Armitage JO, Gascoyne RD, Lunning MA, Cavalli F. Non-Hodgkin lymphoma. Lancet. 2017;390(10091):298–310.
27. Koury MJ, Rhodes M. How to approach chronic anemia. Hematology Am Soc Hematol Educ Program. 2012;2012:183–90.
28. Weiss G, Ganz T, Goodnough LT. Anemia of inflammation. Blood. 2019;133(1):40–50.
29. Narla M, Powers JM. Acquired underproduction anemias. Washington: American Society of Hematology; 2019.
30. Gregg XT. Erythropoietic effects of endocrine disorders. In: Kaushansky K, Lichtman MA, Prchal JT, Levi MM, Press OW, Burns LJ, et al., editors. Williams hematology. 9th. ed New York: McGraw-Hill Education; 2015.
31. Murtagh J, Rosenblatt J, Coleman J, Murtagh C. Murtagh's general practice. 7th ed. Sydney: McGraw-Hill Education; 2018.
32. Matamoros Iraola J, Casals Fransí J. Hematología. In: Martín Zurro A, Cano Pérez JF, editores. Compendio de atención primaria: conceptos, organización y práctica clínica. 3. ed. Barcelona: Elsevier; 2010. p. 1461–91.
33. Martín Zurro A, Cano Pérez JF. Atención primaria: conceptos, organización y práctica clínica. Barcelona: Elsevier; 2003.
34. Smellie WSA, Wilson D, McNulty C a. M, Galloway MJ, Spickett GA, Finnigan DI, et al. Best practice in primary care pathology: review 1. J Clin Pathol. 2005;58(10):1016–24.
35. Zulfiqar AA, Andres E. Association pernicious anemia and autoimmune polyendocrinopathy: a retrospective study. J Med Life. 2017;10(4):250–3.
36. NHS Health A-Z. Vitamin B12 or folate deficiency anaemia [Internet]. London: NHS UK; 2017 [capturado em 8 jul. 2021]. Disponível em: https://www.nhs.uk/conditions/vitamin-b12-or-folate-deficiency-anaemia/.
37. Andrès E, Dali-Youcef N, Vogel T, Serraj K, Zimmer J. Oral cobalamin (vitamin B12) treatment. An update. Int J Lab Hematol. 2009;31(1):1–8.
38. Bolaman Z, Kadikoylu G, Yukselen V, Yavasoglu I, Barutca S, Senturk T. Oral versus intramuscular cobalamin treatment in megaloblastic anemia: a single-center, prospective, randomized, open-label study. Clin Ther. 2003;25(12):3124–34.
39. Butler CC, Vidal-Alaball J, Cannings-John R, McCaddon A, Hood K, Papaioannou A, et al. Oral vitamin B12 versus intramuscular vitamin B12 for vitamin B12 deficiency: a systematic review of randomized controlled trials. Fam Pract. 2006;23(3):279–85.
40. Lavender H. Anaemia. In: Jones R, Britten N, Culpepper L, Gass D, Mant D, Grol R, editors. Oxford Textbook of Primary Medical Care. Oxford: Oxford University; 2005. p. 663–9.
41. World Health Organization. International Agency of Research Cancer. WHO Classification of Tumours of Haematopoietic and Lymphoid Tissues. 4th. ed. Geneva: WHO; 2017.
42. Duarte FB, Barbosa MC, Santos TEJ, Lemes RPG, Vasconcelos JP, de Vasconcelos PRL, et al. Bone marrow fibrosis at diagnosis is associated with TP53 overexpression and adverse prognosis in low-risk myelodysplastic syndrome. Br J Haematol. 2018;181(4):547–9.
43. Duarte FB, Santos TEJ, Barbosa MC, Kaufman J, Vasconcelos JP de, Lemes RPG, et al. Relevance of prognostic factors in the decision-making of stem cell transplantation in Myelodysplastic Syndromes. Rev Assoc Med Bras. 2016;62:25–8.
44. Michalak SS, Rupa-Matysek J, Hus I, Gil L. Unexplained anemia in the elderly – a real life analysis of 981 patients. Arch Med Sci. 2020;16(4):834–41.
45. Lanier JB, Park JJ, Callahan RC. Anemia in older adults. Am Fam Physician. 2018;98(7):437–42.
46. Weiss G, Goodnough LT. Anemia of chronic disease. N Engl J Med. 2005;352(10):1011–23.
47. Eisenstaedt R, Penninx BWJH, Woodman RC. Anemia in the elderly: current understanding and emerging concepts. Blood Rev. 2006;20(4):213–26.

SEÇÃO VII

Coordenadoras: *Michelle Lavinsky Wolff*
Camila Furtado de Souza

Problemas de Olho, Ouvido, Nariz, Boca e Garganta

73. Olho Vermelho 818
Jorge Esteves, Nelson Telichevesky, Eduardo de Araujo-Silva, Camila Furtado de Souza

74. Alteração da Visão 822
Jorge Esteves, Nelson Telichevesky, Diogo Luis Scalco

75. Outras Patologias Oculares 826
Fernando Procianoy

76. Epistaxe 830
Elisabeth Araujo, Raphaella Migliavacca, Denise Rotta Ruttkay Pereira

77. Rinite 837
Michelle Menon Miyake, Monica Aidar Menon Miyake, Elisabeth Araujo

78. Rinossinusite 847
Michelle Menon Miyake, Elisabeth Araujo

79. Otite Média 855
Boaventura Antonio dos Santos, Berenice Dias Ramos

80. Otite Externa 865
José Faibes Lubianca Neto, Maurício Schreiner Miura, Moacyr Saffer

81. Dor de Garganta 872
Boaventura Antonio dos Santos, Elsa R. J. Giugliani, Adão Machado

82. Problemas da Cavidade Oral 879
Adriane Vienel Fagundes, Amanda Ramos da Cunha, Caren Serra Bavaresco, Diogo Luis Scalco

Capítulo 73
OLHO VERMELHO

Jorge Esteves
Nelson Telichevesky
Eduardo de Araujo-Silva
Camila Furtado de Souza

O olho vermelho é um sinal oftalmológico representado pela hiperemia da conjuntiva bulbar. Qualquer doença que afete a córnea, a conjuntiva, a íris ou o corpo ciliar pode se expressar por olho vermelho. Algumas dessas doenças são patologias sem gravidade; outras podem causar graves danos à função visual. A maioria dos pacientes com olho vermelho tem um problema de fácil diagnóstico e tratamento em atenção primária à saúde (APS) (TABELA 73.1).

ABORDAGEM DIAGNÓSTICA

A queixa de olho vermelho é uma das principais causas oftalmológicas de consulta em APS. Diante de uma pessoa com essa alteração, é importante realizar uma anamnese em busca de sintomas associados e um exame físico direcionado. (Ver anatomias interna e externa do olho.) Com esses elementos, torna-se possível identificar sinais de alerta que indiquem a necessidade de referência ao oftalmologista (TABELA 73.2).

A alteração da acuidade visual é um sintoma que, associado ao olho vermelho, em geral sugere condição grave, como glaucoma agudo e iridociclite. Preferencialmente, ela deve ser aferida por meio da tabela de Snellen; entretanto, na indisponibilidade desse material, pode ser realizada uma triagem simples, como a leitura de um texto com o uso das lentes corretivas habituais. A incapacidade de visão diante desse teste já deve indicar avaliação oftalmológica imediata.

A sensação de corpo estranho e a fotofobia são queixas comuns que podem representar um desconforto subjetivo, presente na conjuntivite, ou um sinal de lesão corneana que necessita de avaliação. A diferenciação ocorre pela observação do paciente em um ambiente claro; nos casos graves, ele é incapaz de manter o olho aberto nessa situação. Na iridociclite, a fotofobia não é acompanhada de sensação de corpo estranho.

A história de trauma ocular não pode passar despercebida, bem como a de contato com fagulhas (como esmeril de solda ou fragmentos vegetais), a partir da qual um exame corneano minucioso, com o uso de fluoresceína, deve ser realizado. A presença de hifema (sangue na câmara anterior) pode indicar associação com trauma retiniano ou lesão penetrante no globo ocular.

TABELA 73.1 → Possibilidades diagnósticas do olho vermelho

CAUSAS MAIS COMUNS
→ Conjuntivite bacteriana
→ Conjuntivite viral
→ Conjuntivite alérgica
CAUSAS GRAVES QUE DEVEM SER CONSIDERADAS
→ Glaucoma agudo
→ Iridociclite
→ Queimadura física
→ Queimadura química
→ Herpes simples oftálmico
CAUSAS FREQUENTEMENTE ESQUECIDAS
→ Corpo estranho
→ Erosão de córnea
→ Blefarite

A queixa de secreção ocular deve ser avaliada para diferenciar entre lacrimejamento, comum em lesões corneanas, corpo estranho e glaucoma; a secreção aquosa está presente nas conjuntivites virais e alérgicas, e a secreção purulenta é encontrada em infecções bacterianas.

No exame físico, o padrão de hiperemia ocular pode indicar a etiologia mais provável (FIGURA 73.1). O acometimento de toda a conjuntiva bulbar e da conjuntiva palpebral sugere conjuntivite, enquanto a hiperemia perilimbar (na transição entre a córnea e a esclera) está mais relacionada com condições graves, como iridociclite e glaucoma. Outro aspecto importante é o exame pupilar: no glaucoma agudo, há midríase irregular, sem reação à luz, e na iridociclite, observa-se miose, também irregular.

As principais causas de olho vermelho (ver, no QR code, as Figuras 3 a 10 do artigo), com seu quadro clínico, tratamento, prognóstico e encaminhamento, são sumarizadas na TABELA 73.3.

CONJUNTIVITE

Conjuntivite é o processo inflamatório da conjuntiva, em geral secundário a uma infecção bacteriana ou viral, ou a uma reação alérgica. O diagnóstico clínico de conjuntivite bacteriana, viral ou alérgica, quando comparado com o diagnóstico feito laboratorialmente, mostra uma acurácia diagnóstica de até 75%. Mesmo na ausência de terapia específica, a grande maioria das conjuntivites tem uma história natural autolimitada e de pouca morbidade. Assim, os

TABELA 73.2 → Sinais de alerta em paciente com olho vermelho

→ Diminuição de acuidade visual
→ Dor ocular profunda
→ Reflexo pupilar ausente ou diminuído
→ História de trauma
→ Hipópio
→ Hifema

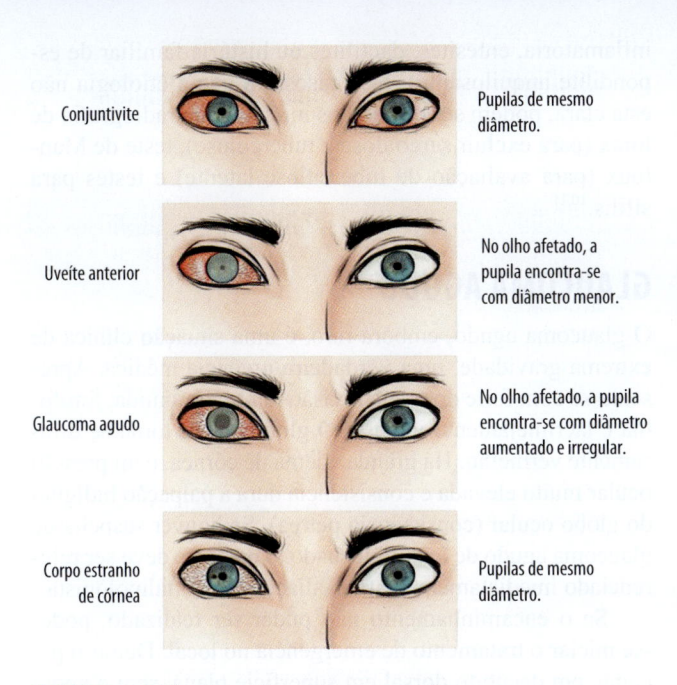

FIGURA 73.1 → Diagnóstico diferencial do olho vermelho.

Legendas da figura:
- Conjuntivite — Pupilas de mesmo diâmetro.
- Uveíte anterior — No olho afetado, a pupila encontra-se com diâmetro menor.
- Glaucoma agudo — No olho afetado, a pupila encontra-se com diâmetro aumentado e irregular.
- Corpo estranho de córnea — Pupilas de mesmo diâmetro.

elementos clínicos costumam fornecer dados suficientes para fundamentar o diagnóstico diferencial. A obtenção de culturas conjuntivais é geralmente reservada para casos de suspeita de conjuntivite infecciosa neonatal, conjuntivite recorrente, conjuntivite resistente à terapia, conjuntivite com secreção purulenta grave e casos suspeitos de infecção gonocócica ou por clamídia.[1]

Para o diagnóstico diferencial entre infecção bacteriana, viral ou reação alérgica, os seguintes elementos são importantes: a conjuntivite bacteriana tem, em geral, secreção mucopurulenta, conjuntivas lisas e inflamadas, com pontos vermelhos, e sem adenopatia pré-auricular; a conjuntivite viral tende a produzir secreção mais aquosa, folículos translúcidos circundados por vasos sanguíneos e adenopatia pré-auricular; e a conjuntivite alérgica apresenta ardência, prurido e secreção mucoide, ocorrendo, na maioria das vezes, em pacientes com história de exposição recente a uma substância alergênica. A queixa de amanhecer com o "olho grudado", isoladamente, não pode ser utilizada para diferenciar a conjuntivite entre bacteriana, viral ou alérgica.

As conjuntivites bacterianas – e, em especial, as virais – são transmissíveis. O manejo do indivíduo com conjuntivite infecciosa deve iniciar com a orientação do paciente e de sua família sobre cuidados com a higiene das mãos, soluções oftálmicas e toalhas. Precauções semelhantes também são aplicáveis à equipe de saúde. A secreção palpebral deve ser limpa com gaze umedecida com água limpa e fervida. O uso de lentes de contato deve ser interrompido por pelo menos 24 horas após o término do tratamento ou até não haver mais sinal ou sintoma de doença infecciosa ocular C/D.[2]

Embora a conjuntivite bacteriana seja, frequentemente, autolimitada, a probabilidade de resolução clínica dos sintomas é 31% maior (NNT = 10) com antibiótico tópico em relação ao placebo entre o 2º e o 5º dia de tratamento e 55% maior entre o 6º e o 10º dia. Embora seja um resultado modesto, o uso de antibiótico tópico pode ser considerado para diminuir o tempo de resolução dos sintomas, bem como o tempo de infecção B.[3]

Para o tratamento da conjuntivite bacteriana, existe uma variedade de antibióticos tópicos de eficácia semelhante, entre eles os colírios de cloranfenicol a 0,5% (1 gota de 2/2 horas por 2 dias; após, 1 gota de 4/4 horas por 5 dias durante a vigília), gentamicina, neomicina mais polimixina B, tobramicina, ofloxacino e cloridrato de ciprofloxacinoB B.[3,4] Os colírios com fluoroquinolonas são os agentes preferidos em usuários de lentes de contato devido à alta incidência de infecção por *Pseudomonas aeruginosa*. Para esses pacientes, deve ser considerada avaliação pelo especialista devido ao maior risco de ceratite infecciosa.[5] Pomadas oftalmológicas podem ser usadas em crianças e nas pessoas com pouca adesão, já que permanecem por mais tempo na pálpebra, embora possam ofuscar a visão por alguns minutos.

Não existe tratamento curativo para a conjuntivite viral. Para evitar infecção bacteriana secundária, pode ser utilizado antibiótico tópico por 10 a 14 dias C/D. Preparações tópicas com esteroides não devem ser empregadas por não especialistas, devido à dificuldade de afastar conjuntivite herpética não diagnosticada, glaucoma e catarata, que podem ser agravados com o uso desses medicamentos C/D.[1]

TABELA 73.3 → Quadro clínico e manejo do olho vermelho

MANIFESTAÇÕES CLÍNICAS	IRIDOCICLITE	GLAUCOMA AGUDO	CONJUNTIVITE AGUDA	TRAUMA CORNEANO
Dor	Moderada	Muito intensa	Ausente ou leve	Intensa
Visão	Normal ou levemente turva	Muito borrada	Normal ou levemente borrada	Normal
Vermelhidão ocular	Pericorneana	Olho intensamente vermelho	Bulbar e próximo às pálpebras	Pericorneana
Pressão ocular	Normal ou pouco elevada	Muito elevada	Normal	Normal
Secreção	Ausente	Ausente	Amarela e abundante	Ausente
Fotofobia e lacrimejamento	Intensos	Intensos	Discretos	Muito intensos
Transparência da córnea	Levemente opaca	Muito opaca	Normal	Normal
Pupilas	Mióticas	Midríase irregular	Normais	Normais
Tratamento	Atropina e corticoide tópico	Pilocarpina a 2% e acetazolamida 250 mg, por via oral, 6/6 horas	Colírio de antibiótico	Anestésico tópico, remoção do corpo estranho, analgesia por via oral
Prognóstico	Bom	Regular	Ótimo	Bom

A conjuntivite herpética ou herpes-zóster oftálmico (envolvimento da primeira divisão do nervo trigêmeo) ocorre em cerca de 10 a 25% dos casos de herpes-zóster e, geralmente, apresenta-se como erupção vesicular periorbital com a pálpebra superior frequentemente envolvida, podendo estar edemaciada, resultando em ptose; a conjuntiva também pode estar edemaciada. O sinal de Hutchinson (presença de vesículas na ponta do nariz – área de dermátomo do nervo nasociliar) está presente em até 25% dos casos de infecção herpética e pode preceder os sintomas oftalmológicos. A infecção herpética pode ter padrão de captação dendrítica com coloração com fluoresceína. A suspeita desse tipo de infecção requer consulta oftalmológica imediata.[6]

Os pacientes com conjuntivite alérgica devem ser orientados a remover lentes de contato, evitar exposição a alérgenos e não esfregar os olhos. A aplicação de compressas frias sobre o local afetado é recomendada C/D. Pode ser considerado o uso de vasoconstritores tópicos C/D (p. ex., cloridrato de nafazolina com maleato de feniramina por 1 a 2 dias e anti-histamínicos sistêmicos por 24 horas B). Estabilizadores de mastócitos tópicos (cromoglicato sódico, nedocromila, lodoxamida) foram superiores ao placebo se avaliada a proporção de pacientes que perceberam melhora ou remissão dos sintomas alérgicos oculares B. Colírios com ação anti-histamínica e estabilizadora de mastócitos (olopatadina, azelastina, epinastina, cetotifeno e alcaftadina) são medicamentos seguros e eficazes na redução do prurido e hiperemia ocular e podem ser utilizados tanto em pacientes com episódios frequentes quanto naqueles com conjuntivite alérgica sazonal. O início de ação é de minutos, e o tempo de uso é de no mínimo 2 semanas para eficácia plena do medicamento. Anti-histamínicos são contraindicados em pacientes com glaucoma de ângulo fechado.[1,7,8]

Em casos de conjuntivite que não melhoram em 1 semana, o paciente deve ser encaminhado ao oftalmologista.

IRIDOCICLITE

A iridociclite é a inflamação da íris e do corpo ciliar. É pouco frequente e manifesta-se por forte dor ocular, visão borrada, fotofobia e lacrimejamento. Trata-se de uma uveíte anterior, condição geralmente associada a doenças infecciosas ou sistêmicas, como tuberculose, sífilis, herpes, citomegalovirose, toxoplasmose, sarcoidose, artrite reumatoide e espondiloartropatia soronegativa, especialmente a espondilite anquilosante.(5)

Ao exame, nota-se hiperemia pericorneana de tom violáceo. O olho afetado costuma apresentar uma pupila pequena, fixa e irregular. O tratamento inicial consiste na aplicação de corticoides tópicos, colírios de atropina a 1% e outros midriáticos C/D.[9] O paciente deve ser encaminhado prontamente ao oftalmologista. O diagnóstico da iridociclite deve também alertar o médico da APS para a investigação de sinais e sintomas de doenças reumatológicas ou infecciosas. O rastreamento dessas condições deve ser restrito e levar sempre em consideração a suspeita clínica diante da anamnese, do exame físico e da avaliação do oftalmologista (p. ex., a testagem HLA-B27 em pessoas com dor lombar inflamatória, entesites, dactilites ou história familiar de espondilite anquilosante). Nos casos em que a etiologia não está clara, podem ser oferecidos inicialmente radiografia de tórax (para excluir sarcoidose e tuberculose), teste de Mantoux (para avaliação de tuberculose latente) e testes para sífilis.[10,11]

GLAUCOMA AGUDO

O glaucoma agudo, embora raro, é uma situação clínica de extrema gravidade, uma verdadeira urgência médica. Apresenta-se com forte dor ocular, visão muito diminuída, fotofobia e lacrimejamento intenso. O globo ocular torna-se difusamente vermelho. Há grande edema de córnea, com pressão ocular muito elevada e consistência dura à palpação bidigital do globo ocular (consistência pétrea). Se houver suspeita de glaucoma agudo de ângulo fechado, o paciente deve ser referenciado imediatamente para avaliação com oftalmologista.

Se o encaminhamento não puder ser realizado, pode-se iniciar o tratamento de emergência no local. Deitar o paciente em decúbito dorsal em superfície plana, sem o apoio de travesseiros sob a cabeça, pode aliviar o fechamento angular em algum grau C/D. O tratamento inicial consiste em mióticos (colírio de pilocarpina a 2%) instilados de 15/15 minutos, diuréticos (acetazolamida 250 mg, por via oral, de 6/6 horas, e/ou manitol a 20%, 250 mL, 70 gotas/minuto por via intravenosa) C/D.[12] Após normalizada a cifra tensional intraocular, o paciente deve ser encaminhado ao oftalmologista para procedimento cirúrgico que reduz permanentemente a pressão intraocular e evita danos maiores ao nervo óptico. Convém tratar preventivamente o outro olho, o qual anatomicamente poderá ter também estreito ângulo camerular (espaço entre a íris e a córnea). Utiliza-se, no outro olho, colírios de pilocarpina a 2%, 4×/dia, visando manter pupila miótica e, assim, impedir o fechamento do ângulo camerular.

O uso de medicamentos tópicos ou sistêmicos, especialmente aqueles com efeito simpaticomimético ou anticolinérgico, merece atenção como fator de risco, pois pode precipitar episódios de glaucoma agudo.[13]

CORPO ESTRANHO

Corpos estranhos constituem, logo após as conjuntivites, a maioria dos casos de atendimento oftalmológico de urgência. O quadro clínico consiste em dor, fotofobia, lacrimejamento, sensação de corpo estranho e, em geral, história de trauma prévio. Após a instilação de algumas gotas de colírio anestésico (cloridrato de proximetacaína a 0,5%) com auxílio de uma boa iluminação e, às vezes, de uma lupa, na maioria dos casos se localiza o corpo estranho. Por vezes, é necessário inverter a pálpebra superior. Para isso, o paciente é instruído a olhar para baixo com os olhos abertos. O médico segura os cílios da pálpebra superior, levantando-os, ao mesmo tempo em que baixa a pálpebra no ponto médio, com o auxílio de um cotonete (ver Técnica). Com frequência, o corpo estranho encontra-se aderido à mucosa tarsal superior.

A remoção de corpos estranhos superficiais pode ser feita pelo médico em APS, se houver infraestrutura e experiência. Para remover um corpo estranho da conjuntiva, pode-se usar um cotonete molhado com colírio anestésico ou uma pinça sem dentes. A remoção de corpo estranho da córnea é mais difícil. Após instilar colírio anestésico, deve-se tentar irrigar a córnea com solução fisiológica estéril na direção do corpo estranho. Se não funcionar, tenta-se passar levemente um cotonete molhado. Em último caso, pode ser utilizada, com muita cautela, uma agulha de insulina, montada na sua própria seringa. É necessária boa iluminação. Pacientes com corpo estranho resistente à remoção por essas medidas simples devem ser encaminhados ao oftalmologista.

Se for notada laceração após a remoção do corpo estranho da conjuntiva, deve-se pensar na possibilidade de mais corpos estranhos e/ou laceração da esclerótica. Se for notada redução da profundidade da câmara anterior ou perda de líquido intraocular da córnea após remoção do corpo estranho da córnea, suspeita-se de perfuração da córnea. As suspeitas de corpo estranho adicional, laceração da esclerótica ou perfuração de córnea são indicações de encaminhamento imediato a serviço de oftalmologia.

Corpos estranhos de ferro ou ligas de ferro causam sua oxidação (ferrugem) no tecido corneano após 2 a 4 horas. Se permanecer um anel de ferrugem após a remoção do corpo estranho, o paciente deve ser encaminhado ao especialista. Casos com corpo estranho metálico na córnea por mais de 1 dia também demandam encaminhamento. Pacientes com corpos estranhos maiores ou mais profundos devem ser encaminhados de imediato. Convém, sempre que possível, encaminhar o paciente com curativo oclusivo.

A infecção ocular por corpo estranho é rara, porém, em razão de sua potencial gravidade, está indicado que, após a remoção do corpo estranho, seja administrado antibiótico tópico, como cloranfenicol a 0,5%, gentamicina ou cloridrato de ciprofloxacino (de 3/3 horas) nas primeiras 24 a 48 horas C/D.[14] Os demais aspectos do manejo são os mesmos que os da erosão de córnea, discutida no próximo tópico.

O prognóstico de pacientes com corpo estranho costuma ser bom. Se, após 3 dias, o paciente continuar com sintomas, deve-se encaminhá-lo ao oftalmologista para acompanhamento. Isso deve ser feito em todos os casos de corpo estranho localizado na parte central da córnea.

EROSÃO DE CÓRNEA

A erosão de córnea também é comum e ocorre por desepitelização de um setor da córnea, após trauma com objetos pequenos como pontas de lápis, unhas, lentes de contato, etc. O paciente queixa-se de sensação de corpo estranho, ardência, fotofobia e dor local.

A maioria das erosões pode ser manejada pelo médico da APS. Elas podem ser vistas com a ajuda de iluminação oblíqua da córnea com uma lanterna. A iluminação direta ou levemente tangencial produz, às vezes, uma sombra na superfície da íris, que se move na direção oposta à da luz. A aplicação de corante de fluoresceína destaca a área danificada.

Afastada a possibilidade de corpo estranho, pode-se prosseguir para o tratamento. Pequenas lesões curam espontaneamente em 12 a 24 horas. Analgésicos orais podem ser prescritos de acordo com a necessidade. Os casos em que a dor persiste 48 horas após a consulta devem ser encaminhados a um oftalmologista.

Colírios de anestésicos ou colírios de esteroides não devem ser utilizados C/D.[15] Não há indicação para o uso de anti-inflamatórios não esteroides tópicos C/D.[16] O uso de curativo oclusivo por 24 horas, associado ou não à pomada oftalmológica, não está indicado em erosões pequenas, já que não aumenta a probabilidade de cicatrização da lesão após 24 horas e não reduz a dor, além de impedir a visão binocular no período B.[17] Faltam evidências quanto ao uso desses curativos em erosões grandes (> 10 mm). Embora não se recomende o uso de ciclopégico em casos não complicados, o seu uso pode ser considerado em casos de abrasão corneana com irite traumática, em que o alívio do espasmo ciliar melhora significativamente a dor C/D.[15]

QUEIMADURAS QUÍMICAS

Embora menos comuns, as queimaduras químicas exigem tratamento imediato e adequado. Quando produzidas por agentes alcalinos, podem prejudicar a visão do paciente definitivamente. Os agentes ácidos produzem quadros oculares menos graves. O tratamento para ambas as condições consiste em lavagem imediata e demorada do olho atingido com qualquer fonte de água disponível, analgésicos sistêmicos, colírio de atropina e corticoide, além de oclusão com pomada de antibiótico C/D. O paciente deve ser encaminhado rapidamente ao oftalmologista. No trajeto entre o local do primeiro atendimento e a unidade oftalmológica referenciada, pode-se permanecer irrigando os olhos afetados abundantemente com soro fisiológico.[18,19]

QUEIMADURAS FÍSICAS

Queimaduras físicas são infrequentes. Costumam ocorrer após exposição à irradiação ultravioleta (solda elétrica) sem a devida proteção com óculos de segurança especiais. Os sintomas surgem 10 a 12 horas após a exposição, com intensa dor e vermelhidão ocular, blefarospasmo, fotofobia e lacrimejamento. Em geral, o paciente não associa esses sintomas à sua causa. O tratamento consiste em curativo oclusivo com pomada de antibiótico binocular, sedação e repouso por 24 horas e orientações sobre prevenção de futuros eventos C/D.[18]

HEMORRAGIA SUBCONJUNTIVAL

A presença localizada de coleção sanguínea entre a conjuntiva e a esclerótica, com margens limitadas, é característica de hemorragia subconjuntival (hiposfagma). O paciente é assintomático e só percebe a lesão ao se olhar no espelho ou ao ser avisado por terceiros. Embora não seja grave, pode causar preocupações em razão de seu aspecto. É importante tranquilizar o paciente e seus familiares, informando-os acerca da remissão espontânea em 1 a 2 semanas.

Pequenos traumas, manobras de Valsalva, uso de lentes e esfregar os olhos com força são fatores de risco comuns, porém a maioria dos casos é considerada idiopática. Nos pacientes em que a hemorragia subconjuntival é recorrente ou persistente, é indicada avaliação adicional incluindo investigação de hipertensão arterial sistêmica, diabetes melito, distúrbios hemorrágicos, neoplasias sistêmicas e oculares e efeitos colaterais de medicamentos.[20]

SÍNDROME DO OLHO SECO

Insuficiência na produção ou na qualidade da lágrima é a característica de uma condição denominada síndrome do olho seco. Os sintomas dessa síndrome são principalmente: sensação de areia, irritação, olho vermelho, ardência, queimação, prurido ocular, lacrimejamento, fotofobia, secreção mucosa e embaçamento da visão. Avançar da idade, uso de medicamentos e doenças sistêmicas são causas comuns, e o manejo é sintomático. (Ver Capítulo Outras Patologias Oculares.)

REFERÊNCIAS

1. Varu DM, Rhee MK, Akpek EK, Amescua G, Farid M, Garcia-Ferrer FJ, et al. Conjunctivitis Preferred Practice Pattern®. Ophthalmology. 2019;126(1):P94–169.
2. American Academy of Ophthalmology. American Academy of Ophthalmology Cornea/External Disease Panel. Preferred Practice Pattern Guidelines. Conjunctivitis [Internet]. 2013[capturado em 24 abr 2020]. Disponível em: https://www.aao.org/
3. Sheikh A, Hurwitz B, van Schayck CP, McLean S, Nurmatov U. Antibiotics versus placebo for acute bacterial conjunctivitis. Cochrane Database Syst Rev. 2012;(9):CD001211.
4. Azari AA, Barney NP. Conjunctivitis. JAMA. 2013;310(16):1721–9.
5. Tarff A, Behrens A. Ocular emergencies: red eye. Med Clin North Am. 2017;101(3):615–39.
6. Johnson JL, Amzat R, Martin N. Herpes Zoster Ophthalmicus. Prim Care. 2015;42(3):285–303.
7. Kam KW, Chen LJ, Wat N, Young AL. Topical Olopatadine in the treatment of allergic conjunctivitis: a systematic review and meta-analysis. Ocul Immunol Inflamm. 2017;25(5):663–77.
8. Castillo M, Scott NW, Mustafa MZ, Mustafa MS, Azuara-Blanco A. Topical antihistamines and mast cell stabilisers for treating seasonal and perennial allergic conjunctivitis. Cochrane Database Syst Rev. 2015;(6):CD009566.
9. AHFS Drug Information, McEvoy GK, editors. Atropine sulfate. Bethesda: American Society of Health-System Pharmacists; 2008.
10. D'Ambrosio EM, La Cava M, Tortorella P, Gharbiya M, Campanella M, Iannetti L. Clinical features and complications of the HLA-B-27-associated acute anterior uveitis: a metanalysis. Semin Ophthalmol. 2017;32(6):689–701.
11. Agrawal RV, Murthy S, Sangwan V, Biswas J. Current approach in diagnosis and management of anterior uveitis. Indian J Ophthalmol. 2010;58(1):11–9.
12. Prum BE, Herndon LW, Moroi SE, Mansberger SL, Stein JD, Lim MC, et al. Primary Angle Closure Preferred Practice Pattern(®) Guidelines. Ophthalmology. 2016;123(1):P1–40.
13. Flores-Sánchez BC, Tatham AJ. Acute angle closure glaucoma. Br J Hosp Med. 2019;80(12):C174–9.
14. Ahmed F, House RJ, Feldman BH. Corneal abrasions and corneal foreign bodies. Prim Care Clin Off Pract. 2015;42(3):363–75.
15. Wipperman J, Dorsch JN. Evaluation and management of corneal abrasions. Am Fam Physician. 2013;87(2):114–20.
16. Wakai A, Lawrenson JG, Lawrenson AL, Wang Y, Brown MD, Quirke M, et al. Topical non-steroidal anti-inflammatory drugs for analgesia in traumatic corneal abrasions. Cochrane Database Syst Rev. 2017;5:CD009781.
17. Lim CHL, Turner A, Lim BX. Patching for corneal abrasion. Cochrane Database Syst Rev. 2016;7(7):CD004764.
18. Spector J, Fernandez WG. Chemical, thermal, and biological ocular exposures. Emerg Med Clin North Am. 2008;26(1):125–36.
19. Merle H, Gérard M, Schrage N. [Ocular burns]. J Fr Ophtalmol. 2008;31(7):723–34.
20. Boyd K, Mendoza O. What is a subconjunctival hemorrhage? [Internet]. American Academy of Ophthalmology. 2019 [capturado em 24 abr 2020]. Disponível em: https://www.aao.org/eye-health/diseases/what-is-subconjunctival-hemorrhage

Capítulo 74
ALTERAÇÃO DA VISÃO

Jorge Esteves

Nelson Telichevesky

Diogo Luis Scalco

A forma mais simples de diagnosticar a limitação da visão é medir a acuidade visual com a escala de Snellen – um conjunto de linhas com figuras, letras, números ou símbolos de forma padronizada, de tamanhos progressivamente menores, chamados optótipos.

Um paciente apresenta acuidade visual normal quando, ao ser colocado diante de uma escala de Snellen, consegue ler os menores números ou letras que nela se encontram. Um paciente apresenta limitação da visão quando não enxerga um ou mais números ou letras da escala. Quanto maiores forem os símbolos percebidos da escala, mais acentuada é a limitação.

Para as instituições periciais e para fins de incapacidade profissional, considera-se que um paciente é portador de cegueira legal quando, mesmo com o auxílio de recursos ópticos, não consegue distinguir o maior símbolo (20/200) da escala de Snellen ou similares.[1,2] Deve-se frisar que o indivíduo com cegueira legal pode, ainda, apresentar visão útil para suas atividades socioambientais, porém é marcadamente deficiente para ocupações laborativas.

A cegueira total (cegueira absoluta ou amaurose) é a incapacidade absoluta de perceber a presença de uma fonte luminosa próxima, como a luz de uma lanterna, a luz do otoscópio ou a luz do oftalmoscópio.

No Brasil, em 2015, estimava-se 750 mil cegos, com a prevalência variando conforme a idade: 0,06% em pessoas com até 15 anos, 0,15% em pessoas com idade entre 15 e 49 anos e 1,3% em pessoas com idade > 50 anos.[3]

CLASSIFICAÇÃO

As causas de limitação de visão podem ser divididas, a princípio, em dois grandes grupos: defeitos ópticos (necessidade de óculos ou lentes de contato) e patologias do globo ocular ou das vias ópticas.

Defeitos ópticos

Os principais defeitos ópticos são miopia, hipermetropia, astigmatismo e presbiopia.

A miopia pode ser caracterizada como a diminuição da visão para longe. É uma condição que se inicia na infância, desenvolvendo-se de modo gradual até os 30 anos. Tem marcado traço hereditário, com herança do tipo autossômico dominante. Pode ser corrigida com óculos, lentes de contato e, mais recentemente, com algumas técnicas cirúrgicas como a fotoablação corneana por raio *laser*.

A hipermetropia pode ser descrita como a diminuição da visão para perto. É uma condição fisiológica ao nascimento, diminuindo progressivamente durante a infância. Graus elevados de hipermetropia podem causar limitação e desconforto visuais, em especial para os trabalhos de leitura e escrita. Algumas formas de estrabismo são desencadeadas por hipermetropias não corrigidas. A melhor maneira de proporcionar conforto visual aos pacientes é pelo uso de óculos de grau ou lentes de contato.

O astigmatismo resulta de graus variáveis de refração no olho, com distorção da visão. É a condição vista com mais frequência em consultórios de oftalmologia. Uma parte considerável da população é portadora de sintomas desagradáveis, como cefaleia, decorrentes desse vício de refração não corrigido. Em geral, a acuidade visual é boa nos graus baixos e muito comprometida nos graus elevados. A correção é feita por meio de óculos ou lentes de contato.

A presbiopia é uma situação considerada fisiológica. Surge de modo gradual, próximo dos 40 anos de idade, independentemente de sexo, profissão ou utilização excessiva dos olhos. O paciente queixa-se de dificuldade visual para perto, sobremaneira em atividades como ler ou costurar. A correção é feita com lentes de óculos (bifocais ou multifocais) ou com lentes de contato.

A cirurgia refrativa pode ser uma opção para casos especiais em que se deseja abolir o uso de óculos, por motivação estética ou em situações nas quais não é possível usar óculos. É mais indicada em casos de miopia e astigmatismo.

Doenças do globo ocular

As principais patologias do globo ocular são catarata e glaucoma.

Catarata é a opacificação da lente (cristalino) que se encontra no interior do globo ocular. Trata-se de uma patologia própria dos pacientes idosos (catarata senil) ou com alterações metabólicas (catarata diabética), embora também possa estar associada a uso de fármacos (p. ex., esteroides), tabagismo, exposição prolongada à radiação solar, trauma ocular ou presença de afecções como uveíte.

Os sintomas típicos da catarata incluem visão turva (dificuldade para ler e reconhecer faces), dificuldade para enxergar à noite, aumento da sensibilidade ocular à luz e presença de halo claro ao redor de focos de luz. O exame pode demonstrar redução da acuidade visual, pupila branca e teste do reflexo vermelho diminuído.

O único tratamento efetivo para catarata é a remoção do cristalino opaco por intermédio de técnica cirúrgica. A cirurgia é eletiva e sua indicação depende do grau de incapacidade visual do paciente. O pós-operatório envolve a necessidade do reforço de alguns conselhos ao paciente, como evitar inclinar-se para a frente por algumas semanas e evitar a realização de exercícios vigorosos. Existe também uma forma congênita de catarata que deve ser precocemente operada para que a visão possa desenvolver-se na criança.

Glaucoma é um grupo de afecções oculares em que o dano progressivo do nervo óptico leva à disfunção da visão, podendo provocar cegueira. Em geral, é associado à elevação da pressão intraocular, e apresenta-se sob três formas clínicas: agudo, crônico e congênito.

No glaucoma agudo, o paciente apresenta limitação súbita da visão, olho intensamente vermelho e dolorido e com pressão intraocular muito elevada (ver Capítulo Olho Vermelho).

No glaucoma crônico, o paciente é assintomático e a limitação da visão inicia-se por uma restrição do seu campo visual, sendo que a visão central só é atingida nas etapas mais finais da doença, e é sempre irreversível. O diagnóstico é feito por tonometria, análise dos campos visuais ou escavação acentuada da papila ao exame oftalmoscópico. O tratamento adequado, feito por oftalmologista, pode prevenir a perda do campo visual e é baseado no uso de medicamentos tópicos (colírios), como betabloqueadores (p. ex., timolol), análogos da prostaglandina (p. ex., latanoprosta), simpatomiméticos (p. ex., dipivefrina) ou inibidores da anidrase carbônica (p. ex., brinzolamida), que também podem ser receitados via oral (acetazolamida). Procedimento cirúrgico ou terapia a *laser* são reservados para casos não responsivos ao tratamento medicamentoso.

O glaucoma congênito caracteriza-se por globos oculares de tamanho aumentado (buftalmia – "olho de boi"), fotofobia, blefarospasmo e lacrimejamento. As córneas também têm diâmetro aumentado e são pouco transparentes. O tratamento cirúrgico deve ser instituído imediatamente para normalizar as cifras tensionais.

Há, ainda, outras doenças que podem causar limitação da visão, como as patologias da retina e da úvea.

As doenças que comprometem a retina podem ser próprias desse sítio anatômico (descolamento de retina, maculopatia senil, retinite pigmentar) ou secundárias a uma doença sistêmica (retinopatia diabética). Nesta última circunstância, o tratamento deve ser dirigido à doença básica e à microangiopatia da circulação retiniana (ver Capítulo Diabetes Melito: Diagnóstico, Classificação e Avaliação para Manejo Clínico).

Em geral, as doenças da úvea são secundárias a infecções granulomatosas, doenças autoimunes ou tumores. A limitação da visão ocorre sobretudo pela turvação do vítreo e pela extensão dos processos inflamatórios para a retina.

Por fim, qualquer processo inflamatório, desmielinizante, tumoral ou hemorrágico que comprometa a integridade anatômica ou funcional do nervo e das vias ópticas repercutirá produzindo limitação visual, com perdas de campo visual parciais ou totais. Os exemplos mais ilustrativos são as neurites ópticas, os tumores na região do quiasma óptico e os acidentes vasculares cerebrais.

A **TABELA 74.1**[4] traz uma lista com as principais doenças associadas à limitação da visão.

DIAGNÓSTICO

Para diagnosticar a limitação da visão, deve-se colocar o paciente em frente à escala de Snellen ou similar, fixada na parede, a uma distância predeterminada (em geral, 5-6 metros), testando-se cada olho em separado. Para tanto, o paciente deve ocluir o outro olho com a mão ou um pequeno cartão, sem exercer pressão. Se habitualmente usa óculos, o teste deve ser realizado com e sem lentes, registrando-se os resultados como "corrigido" e "não corrigido".

(Ver, no QR code, exemplos da tabela de optótipos.) Na avaliação, a tabela de optótipos deve ser colocada na altura dos olhos do examinando, coincidindo a abertura palpebral do paciente sentado com a penúltima linha de figuras ou desenhos. A sala deve estar iluminada com luz artificial > 60 W ou luz natural do dia.

TABELA 74.1 → Doenças associadas à limitação da visão*

DOENÇA	EPIDEMIOLOGIA	QUADRO CLÍNICO E OBSERVAÇÕES
Defeitos ópticos		Ver texto
Catarata		Ver texto
Glaucoma		Ver texto
Retinite pigmentar	Hereditária; início na infância	Inicia com redução da visão noturna na infância, havendo redução progressiva do campo visual (da periferia para o centro); cegueira estabelecida na maioria dos pacientes aos 40 anos
Maculopatia senil	Após os 60 anos; associação a tabagismo e história familiar positiva	Perda da visão central (unilateral ou bilateral), em geral lentamente progressiva; os objetos aparecem distorcidos
Retinopatia diabética	Associação com tempo de diabetes melito	A perda visual pode ser secundária a edema macular, hemorragia provocada por neoformação vascular, descolamento de retina ou glaucoma neovascular; os sintomas costumam desenvolver-se tardiamente na evolução da doença – por isso a importância do rastreamento (ver Capítulo Diabetes Melito: Cuidado Longitudinal e Avaliação para Manejo Clínico)
Descolamento da retina	Associação com trauma, miopia, cirurgia prévia (catarata), tumores coroidais, degeneração do vítreo ou retinopatia diabética	Aparecimento súbito de *flashes* de luzes (fotopsia), "moscas volantes" ou escotomas, seguido de turvamento visual unilateral com piora progressiva; tem-se a sensação de que há uma sombra afetando parcial ou totalmente a visão
Hemorragia do vítreo	Associação com trauma, retinopatia diabética, tumores e descolamento de retina	Aparecimento súbito de "moscas volantes", podendo estar acompanhado de perda súbita da visão (unilateral); a acuidade visual é dependente da extensão da hemorragia
Uveíte	Reações imunológicas, inflamatórias, infecciosas ou tumorais; história de trauma ocular prévio	A dor e a hiperemia podem ser mínimas nas inflamações crônicas; quando não tratadas, as uveítes podem evoluir desfavoravelmente, produzindo perda visual secundária a um glaucoma de difícil manejo, catarata secundária, descolamento de retina e, às vezes, desorganização do segmento anterior dos olhos comprometidos Casos de uveíte aguda costumam cursar com "olho vermelho" (ver Capítulo Olho Vermelho)
Neurite óptica	Associação com esclerose múltipla, neurossífilis e toxinas; é mais comum em mulheres com idade de 20 a 40 anos	Perda de visão unilateral progressiva (variável) ao longo de dias, desconforto retro-ocular com movimento dos olhos; é mais comum haver perda da visão central (escotoma central)
Amaurose fugaz (isquêmica)	Associação com fatores de risco para doença aterosclerótica	Perda transitória (< 60 minutos) da visão unilateral devido à oclusão transitória da artéria central da retina; podem ocorrer outros sintomas ou sinais de isquemia cerebral; é geralmente provocada por êmbolo – a causa deve ser investigada; o episódio pode ser equivalente a um acidente isquêmico transitório
Oclusão da artéria central da retina	Associação com fatores de risco para doença aterosclerótica	Perda súbita da visão unilateral, normalmente sem sinal de percepção de luz; prognóstico em geral ruim; episódio equivalente a um acidente vascular cerebral
Trombose da veia central da retina	Idosos; associação com hipertensão arterial sistêmica, diabetes melito, glaucoma e estados de hipercoagulabilidade	Perda súbita da visão central unilateral (caso haja envolvimento da mácula); também pode ser gradual (dias de evolução)
Arterite temporal	Idade > 65 anos	Perda da visão unilateral que pode rapidamente tornar-se bilateral, em geral associada à cefaleia temporal e à dor à palpação em região de artéria temporal; VHS elevada
Corpo estranho	Suspeita de corpo estranho de córnea ou na conjuntiva tarsal superior	Penetração de pequeno fragmento de metal no olho; embora possa ser inicialmente indolor, pode acarretar perda gradativa da visão à medida que ocorre a degradação do metal; a íris pode aparentar cor de ferrugem; exames de imagem podem auxiliar no diagnóstico
Doenças da córnea	Associação ao uso de lentes de contato, a infecções e à exposição a raios UV	Geralmente dor ou desconforto ocular acompanhado de redução da acuidade visual (ver Capítulo Olho Vermelho)
Migrânea	História familiar de migrânea	Perda de visão transitória unilateral ou bilateral com duração não superior a poucas horas, comumente acompanhada de cefaleia e náuseas (ver Capítulo Cefaleia)

*Soparkar.[4]
UV, ultravioleta; VHS, velocidade de hemossedimentação.

A visão de um olho normal é registrada como 20/20 ou 6/6 (no sistema métrico). Se o paciente só consegue ler a linha 20/30, sua visão é registrada como 20/30. Se o paciente não consegue ler nem a letra grande no alto do cartaz, deve-se movê-lo para mais perto, e essa distância é registrada.

Se o paciente não consegue ler nenhuma letra da tabela a qualquer distância, registra-se a acuidade visual de acordo com a contagem dos dedos da mão, à distância que for possível. Se não enxerga os dedos, é necessário, então, observar se ele percebe alguns movimentos ou a luz. Pacientes analfabetos ou crianças em idade pré-escolar demandam uma tabela especial, com a letra E em diversas posições ou com figuras pintadas.

Para facilitar o diagnóstico diferencial entre a limitação causada por defeitos ópticos ou por outras condições patológicas, utiliza-se um recurso óptico chamado de efeito estenopeico. Colocando-se um simples cartão com um orifício central do tamanho da cabeça de um alfinete em frente ao olho a ser examinado, observa-se que a visão desse olho melhora nos casos de limitação de visão por defeitos ópticos (como na miopia e na hipermetropia) e não se altera nos casos de limitação visual por patologia do globo ocular ou das vias ópticas. Em pacientes cuja limitação de visão é geral, e não de determinada parte do campo visual, uma melhora até níveis normais com esse procedimento evidentemente não afasta outras patologias oculares concomitantes, mas indica que os defeitos ópticos são contribuintes importantes da deficiência.

O médico que tiver um bom conhecimento do uso do oftalmoscópio pode definir com mais especificidade a causa da limitação para facilitar o encaminhamento. O exame é mais bem realizado com a pupila dilatada, mas é possível fazê-lo satisfatoriamente com uma pupila não dilatada. Há algumas recomendações necessárias: preferir uma sala escura, segurar o oftalmoscópio próximo ao olho, com a mão direita para ver o olho direito do paciente e com a mão esquerda para ver seu olho esquerdo, e pedir que o paciente fixe o olhar em um ponto distante.

Para iniciar o exame, estuda-se o clarão pupilar e a transparência dos meios intraoculares; em seguida, usa-se a lente de +8 dioptrias do oftalmoscópio, estando o médico a cerca de 20 cm do paciente.

Observa-se, então, através do oftalmoscópio, a presença de um clarão avermelhado na pupila do paciente, que corresponde ao róseo da retina e da circulação (teste do reflexo vermelho). Caso o paciente apresente alguma opacidade, o clarão pupilar não será homogêneo ou estará ausente (como nas cataratas totais, nas hemorragias vítreas, no descolamento de retina ou em tumores).

Pode-se avaliar grosseiramente a ametropia (erro de refração) através do oftalmoscópio, estimando-se de forma aproximada o defeito óptico do paciente pelo ajuste necessário no disco do aparelho. Além disso, pela visualização do fundo, imagens muito grandes correspondem a olhos míopes e imagens pequenas, a olhos hipermétropes. Por fim, consegue-se estudar a retina, a mácula, a árvore vascular e o nervo óptico. Em um olho normal, a retina será focalizada em O, desde que não haja erros de refração no examinador e no paciente. Em seguida, focaliza-se a emergência do nervo óptico, que costuma ser circular e rósea. O centro do disco pode apresentar uma escavação fisiológica que, se for muito extensa ou assimétrica, leva à suspeita de glaucoma.

Procuram-se detectar cicatrizes retinianas e outras lesões no fundo de olho. A seguir, examinam-se as artérias e as veias retinianas. As artérias são vermelhas e menores do que as veias e têm uma faixa de reflexo central brilhante. A relação artéria/veia, os cruzamentos entre os vasos (se há compressão ou estreitamento), a transparência, a tortuosidade e as dilatações devem ser avaliados, observando-se a ocorrência ou não de hemorragias ou exsudatos ao redor dos vasos. Hemorragias redondas são encontradas algumas vezes em pacientes diabéticos, e hemorragias em chama de vela podem ser encontradas em pacientes hipertensos. A periferia retiniana é vista mediante movimentação do oftalmoscópio em várias direções.

A área da mácula está situada temporalmente à emergência do nervo óptico e é mais escura do que a retina ao seu redor.

A TABELA 74.2 lista as principais hipóteses diagnósticas para cada situação de acordo com o tempo de evolução de perda visual.

DETECÇÃO

Quanto ao rastreamento em pacientes assintomáticos, embora o uso da escala de Snellen seja recomendado,[5] ainda

TABELA 74.2 → Principais causas de perda visual de acordo com o tempo de evolução dos sintomas

INÍCIO SÚBITO: MENOS DE 1 HORA
→ Amaurose fugaz
→ Oclusão da artéria central da retina
→ Hemianopsia isquêmica (êmbolo)
→ Migrânea
→ Hemorragia do vítreo
→ Glaucoma agudo
→ Papiledema
DENTRO DE 24 HORAS
→ Oclusão da veia central da retina
→ Crise conversiva
ATÉ 7 DIAS
→ Descolamento de retina
→ Neurite óptica
→ Problemas maculares agudos
ATÉ ALGUMAS SEMANAS (VARIÁVEL)
→ Coroidites
→ Hipertensão maligna
GRADUAL
→ Compressão das vias nervosas ópticas
→ Glaucoma crônico
→ Catarata
→ Retinopatia diabética
→ Retinite pigmentosa
→ Degeneração macular
→ Defeitos ópticos (erros de refração)
→ Uveítes

não há consenso a respeito da periodicidade mais adequada para o exame (ver Capítulo Rastreamento de Adultos para Tratamento Preventivo).

As avaliações devem ser realizadas com mais frequência nos pacientes considerados em risco: diabéticos, hipertensos, com história familiar de doença ocular (glaucoma, degeneração macular) ou aqueles que trabalham em ocupações que representam risco para os olhos e que utilizam lentes de contato ou medicamentos com efeitos colaterais oftalmológicos.

MANEJO

A receita de óculos para melhorar a limitação visual dos pacientes com defeitos ópticos é prescrita ou orientada pelo médico oftalmologista após exame ocular acurado e completo. Assim, é papel do médico generalista identificar pacientes com limitação da visão, realizar o exame de fundo de olho em pacientes sintomáticos quando sentir-se apto para isso,[6-8] avaliar a urgência de atendimento que o quadro clínico exige e encaminhar o paciente ao oftalmologista de acordo com a necessidade. Embora não haja um ponto de corte definido que indique quando referenciar, todo paciente com perda de visão inexplicada – seja uma queixa ou detectada por queda da capacidade visual com uso da escala de Snellen (p. ex., há 2 anos apresentava visão 20/25 e agora apresenta 20/30) – deve ser avaliado por oftalmologista. Todo distúrbio da acuidade visual agudo de causa desconhecida, bem como qualquer suspeita de alteração do disco óptico, exige encaminhamento com urgência.

No que diz respeito ao encaminhamento para o oftalmologista, o motivo mais frequente é a baixa acuidade visual, e a principal causa de diminuição da visão no mundo é o erro refrativo não corrigido.

> **Quando o médico de atenção primária à saúde (APS) encaminhar um paciente suspeito de limitação da visão e puder utilizar uma tabela de optótipos deve constar a seguinte anotação: a estimativa de visão realizada com a tabela do exame ou de figuras foi, por exemplo, 20/60 para olho direito e 20/40 para olho esquerdo.**

Isoladamente, a retinografia coletada de forma descentralizada por técnicos treinados de centros de saúde do interior e laudada por oftalmologistas de centros urbanos maiores já é uma realidade em vários países. Além disso, o uso de telepresença para a realização de avaliação oftalmológica completa, ou seja, por telediagnóstico (incluindo a refração subjetiva), também já é possível. Nos primeiros 24 meses de um projeto em andamento desde 2017, foram avaliadas, por meio de 8 salas de coleta de exames remotos, conectadas a uma central de laudos, 21.746 pessoas (crianças a partir de 8 anos de idade, adultos e idosos), de 141 municípios do Rio Grande do Sul. A necessidade de prescrição de óculos foi encontrada em 71% dos pacientes. Destes, 44% não fazia uso prévio de lentes de correção. O motivo de solicitação do telediagnóstico em oftalmologia mais frequente foi "baixa de acuidade visual", totalizando 61% das solicitações. Entre esses pacientes, apenas 32% foram referenciados para consulta presencial com oftalmologista (nesse caso, gerando encaminhamentos com alta qualidade e especificidade). Nos demais casos, o médico da APS recebeu um laudo completo de telediagnóstico oftalmológico que possibilitou a prescrição local das lentes corretivas.[9]

REFERÊNCIAS

1. Conde AJM. Definição de cegueira e baixa visão [Internet]. Rio de Janeiro: Instituto Benjamin Constant; 2017. Disponível em: http://www.ibc.gov.br/images/conteudo/AREAS_ESPECIAIS/CEGUEIRA_E_BAIXA_VISAO/ARTIGOS/Def-de-cegueira-e-baixa-viso.pdf.
2. World Health Organization. Vision impairment and blindness [Internet]. 2019 [capturado em 3 mar. 2020]. Disponível em: https://www.who.int/news-room/fact-sheets/detail/blindness-and-visual-impairment.
3. Ottaiano JAA, de Ávila MP, Umbelino CC, Taleb AC. As condições de saúde ocular no Brasil. São Paulo: Conselho Brasileiro de Oftalmologia; 2019. 104 p.
4. Medscape. Articles on Ophthalmology [Internet]. New York: Medscape Drugs and Diseases; 2020 [capturado em 26 jul. 2020]. Disponível em: https://emedicine.medscape.com/ophthalmology.
5. Clarke EL, Evans JR, Smeeth L. Community screening for visual impairment in older people. Cochrane Database Syst Rev. 2018;2:CD001054.
6. Wu EH, Fagan MJ, Reinert SE, Diaz JA. Self-confidence in and perceived utility of the physical examination: a comparison of medical students, residents, and faculty internists. J Gen Intern Med. 2007;22(12):1725–30.
7. Mackay DD, Garza PS, Bruce BB, Newman NJ, Biousse V. The demise of direct ophthalmoscopy. Neurol Clin Pract. 2015;5(2):150–7.
8. Bifolck E, Fink A, Pedersen D, Gregory T. Smartphone imaging for the ophthalmic examination in primary care. J Am Acad Physician Assist. 2018;31(8):34–8.
9. Schmitz CAA, Araujo AL, Umpierre RN. TeleOftalmologia como estratégia de atenção integral à saúde ocular junto aos médicos e pacientes da rede de Atenção Primária à Saúde do Rio Grande do Sul: Projeto Olhar Gaúcho [Internet]. APS Forte para o SUS: acesso universal. 2019 [capturado em 3 mar. 2020]. Disponível em: https://aps-redes.org/premio-aps-forte-para-o-sus-acesso-universal-2/.

Capítulo 75
OUTRAS PATOLOGIAS OCULARES

Fernando Procianoy

OLHO SECO

Os sintomas de olho seco representam algumas das queixas mais frequentes na clínica oftalmológica. O conforto e a qualidade visual são diretamente afetados pela lubrificação da superfície ocular. A secreção lacrimal se dá tanto pela glândula lacrimal principal quanto por glândulas acessórias localizadas na conjuntiva. A dinâmica palpebral é responsável pela distribuição da lágrima sobre a superfície da córnea, garantindo uma renovação constante do filme lacrimal por meio do piscar. Diante da disfunção desse processo, surgem os sinais e sintomas de olho seco – ardência ocular, sensação de corpo estranho, borramento visual com variação ao piscar, vermelhidão e lacrimejamento.[1]

É importante ressaltar que a forma mais comum de olho seco não se deve à falta de lágrimas, e sim à instabilidade do filme lacrimal. O filme lacrimal é classicamente dividido em três camadas: a de mucina, aderida ao epitélio corneano, a aquosa, intermediária, e a lipídica, mais superficial, que impede a sua evaporação. Na forma mais frequente, a deficiência de produção desta última leva à evaporação precoce da lágrima e ao quadro de olho seco. Isso explica o fato de o aparente paradoxo do lacrimejamento ser um dos sintomas de olho seco.

Nos portadores de olho seco leve a moderado, os sintomas costumam apresentar-se mais intensamente quando há exposição a fatores externos, como vento e ar seco, ou quando o indivíduo realiza atividades que exijam atenção visual (leitura, uso de computador, direção), situações nas quais a frequência do piscar diminui. As situações que levam ao olho seco por deficiência de produção aquosa estão mais relacionadas com doenças reumatológicas (síndrome de Sjögren) e deficiências primárias ou secundárias da glândula lacrimal.

Tratamento

O manejo inicial dos pacientes com olho seco inclui esclarecimentos sobre o curso natural da doença e sobre o benefício do tratamento sintomático. Deve-se orientar o paciente a evitar condições que pioram o quadro, como utilização de alguns fármacos (anti-histamínicos tópicos e sistêmicos), uso de lentes de contato, tabagismo, entre outros. Se for necessário usar o computador por longos períodos, é importante posicionar o monitor abaixo ou no nível dos olhos e lembrar-se de fazer pausas frequentes para piscar e fechar os olhos.

Os colírios lubrificantes – também chamados de "lágrimas artificiais" – são soluções hipo ou isotônicas contendo eletrólitos, surfactantes e agentes de diferentes viscosidades. Há diversas apresentações de colírios lubrificantes disponíveis no mercado (TABELA 75.1), e as principais variações entre eles se referem à concentração e à escolha dos eletrólitos, à osmolaridade, à viscosidade e à presença ou não de conservante. Quanto mais viscoso o agente, maior o tempo de duração de efeito lubrificante, porém as formulações mais viscosas (em gel) costumam causar um borramento visual desagradável logo após sua aplicação, sendo muitas vezes reservadas para uso à noite.

A maioria dos lubrificantes é composta por hipromelose ou carboximetilcelulose (podendo estar associados a outras substâncias, como glicerol, dextrana 70, etc.). Nos casos em que há necessidade de uso crônico e intensivo de lubrificantes, são recomendadas formulações sem conservante (disponíveis em flaconetes de uso único ou frascos com tecnologia de barreira microporosa e membranas filtrantes que protegem a solução de contaminação) ou com conservantes que se degradam logo após sua instilação (perborato de sódio, cloróxido) B. O cloreto de benzalcônio vem sendo utilizado com menos frequência como conservante de colírios lubrificantes devido à sua toxicidade epitelial. A maioria dos ensaios clínicos demonstra melhora dos sintomas de olho seco e de parâmetros objetivos de proteção do epitélio

TABELA 75.1 → Alguns lubrificantes oculares disponíveis no mercado

NOME COMERCIAL	COMPONENTES	CONSERVANTE
Colírios lubrificantes (lágrimas artificiais)		
Adaptis 0,5%®	Carboximetilcelulose a 0,5%	Perborato
Adaptis Fresh®	Hialuronato sódico	Sorbato de potássio
Artelac®	Hipromelose	Cetrimida
Cellufresh® (flaconetes)	Carboximetilcelulose	Ausente
Ecofilm®	Carboximetilcelulose	Perborato
Endura®	Polissorbato, glicerina	Cloróxido
Endura® (flaconetes)	Polissorbato, glicerina	Ausente
Filmcel®	Hipromelose	Parabenos
Fresh Tears®	Carboximetilcelulose a 0,5%	Cloróxido
Genteal®	Hipromelose a 0,3%	Perborato
Hyabak	Hialuronato sódico 0,15%	Ausente
Hylo®-Comod	Hialuronato sódico 0,1%	Ausente
Hylo®-Gel	Hialuronato sódico 0,2%	Ausente
Hypotears Plus®	Polividona	Benzalcônio
Hypotears Plus DU® (flaconetes)	Polividona	Ausente
Lacribell®	Hipromelose, dextrano 70	Benzalcônio
Lacrifilm®	Carboximetilcelulose	Perborato
Lacril®	Ácido polivinílico	Clorobutanol
Lacrima Plus®	Hipromelose, dextrana 70	Polyquad
Mirugell®	Macrogol, propilenoglicol, hidroxipropilguar	Perborato
Oftane®	Polietilenoglicol, propilenoglicol, guar	Polyquad
Optive®	Carboximetilcelulose, glicerina	Cloróxido
Optive UD® (flaconetes)	Carboximetilcelulose, glicerina	Ausente
Plenigell®	Carboximetilcelulose a 0,5%	Perborato
Refresh® (flaconetes)	Álcool polivinílico, povidona	Ausente
Refresh Advanced®	Carboximetilcelulose, glicerol, polissorbato 80	Cloróxido
Systane UL®	Polietilenoglicol, propilenoglicol, guar	Polyquad
TriSorb®	Hipromelose, dextrana 70, glicerol	Polyquad
Colírios de viscosidade intermediária		
Adaptis 1%®	Carboximetilcelulose a 1%	Perborato
Fresh Tears Liquigel®	Carboximetilcelulose a 1%	Cloróxido
Gel lubrificante		
Adaptis Gel®	Ácido poliacrílico	Cetrimida
Genteal Gel®	Hipromelose, carbômero	Perborato
Liposic®	Carbômero, sorbitol	Cetrimida
Refresh Gel®	Ácido poliacrílico	Benzalcônio
Vidisic Gel®	Ácido poliacrílico	Cetrimida
Viscotears®	Ácido poliacrílico	Cetrimida

da superfície ocular com a utilização de colírios lubrificantes, porém não há evidências científicas claras de que uma formulação seja superior à outra B.[2,3]

Os colírios contendo soluções vasoconstritoras (fenilefrina, nafazolina) têm seu emprego bastante difundido pela população em função de sua disponibilidade para venda sem necessidade de receita médica, baixo custo e efeito descongestionante imediato. De forma geral, essas formulações não são adequadas para o tratamento do olho seco, e seu uso crônico é contraindicado em função dos efeitos colaterais locais e sistêmicos decorrentes de seu abuso C/D.[4]

A suplementação sistêmica de substâncias ricas em ômega-3, como o óleo de linhaça, leva à discreta melhora de sintomas irritativos oculares e de parâmetros objetivos, mas as evidências são insuficientes para recomendar sua utilização B.[5]

O uso tópico de mel de Manuka tem sido apontado como método que pode melhorar a lubrificação ocular, contribuindo para redução da necessidade de aplicação de colírios lubrificantes B.[6]

Encaminhamento

O encaminhamento ao oftalmologista deve ser considerado em casos com suspeita de doença subjacente causando o olho seco ou quando, após 4 semanas de medidas terapêuticas, não houver melhora dos sintomas.

As formas mais graves de olho seco, mais frequentemente associadas a doenças sistêmicas, como síndrome de Sjögren, ou sequelas de cicatrização conjuntival, como na síndrome de Stevens-Johnson, exigem, muitas vezes, tratamentos que vão além do emprego de colírios e gel lubrificante. O uso de formulação tópica de soro autólogo, terapia imunossupressora sistêmica ou tópica (corticoides, ciclosporina, etc.) e até mesmo o transplante de glândula salivar para o fórnice conjuntival podem ser realizados para melhorar a lubrificação ocular desses pacientes.

A oclusão de pontos lacrimais é uma opção terapêutica que se baseia na teoria de retenção da lágrima, reduzindo a sua drenagem fisiológica, ou mesmo interrompendo-a quando realizada nos pontos lacrimais inferiores e superiores. Pode ser realizada mediante colocação de plugues de ponto lacrimal ou de canalículo, ou cirurgicamente (ligadura ou cauterização). Em geral, é realizado um teste de oclusão com plugues temporários ou fio absorvível para avaliar a resposta do paciente e a possível ocorrência de epífora. Se a resposta for adequada, procede-se com o tratamento definitivo. É questionável o benefício de oclusão com plugues de pontos lacrimais, sendo mais provável que proporcionem alívio em casos de olho seco grave C/D.[7]

PTERÍGIO

O pterígio é um crescimento fibrovascular da conjuntiva sobre a córnea, geralmente em direção ao seu ápice. O seu desenvolvimento tem importante relação com exposição solar, sendo sua frequência mais alta em regiões geográficas mais próximas da linha do equador. Sua localização mais comum é no lado nasal (medial) da córnea. A sintomatologia causada pelo pterígio está mais relacionada com a instabilidade do filme lacrimal provocada pela irregularidade na superfície da córnea: ardência, sensação de corpo estranho e vermelhidão ocular. Mais raramente, pterígios que chegam a acometer a região pupilar e o ápice corneano podem causar significativa redução da acuidade visual.

Tratamento

O tratamento do pterígio costuma ser clínico quando pequeno e pouco sintomático e consiste no uso de colírios lubrificantes em uma frequência de acordo com a necessidade C/D.

Encaminhamento

O tratamento cirúrgico é indicado quando a sintomatologia é importante e não apresenta resposta adequada ao tratamento clínico, bem como nos casos em que o crescimento do pterígio ameaça cobrir a pupila e a região central da córnea. A excisão simples do pterígio está associada a altas taxas de recidiva – entre 24 e 89%.[8] Para tentar reduzir as recidivas, vários tratamentos já foram associados à sua excisão, como a irradiação beta, o uso de mitomicina C, o enxerto de membrana amniótica humana e o autotransplante conjuntival.[8]

HORDÉOLO E CALÁZIO

O hordéolo é a infecção aguda das glândulas palpebrais, popularmente conhecido como terçol. Pode ser classificado como interno (acometendo as glândulas tarsais ou de Meibomius) ou externo (acometendo as glândulas acessórias dos complexos pilossebáceos ou glândulas de Zeis). Em geral, são processos agudos com sinais flogísticos clássicos (calor, hiperemia, edema e dor) e costumam apresentar resolução após a drenagem espontânea de seu conteúdo.

O calázio é o cisto com retenção crônica de material sebáceo, geralmente resultante de um hordéolo interno que não teve drenagem espontânea e que já não apresenta mais sinais significativos de inflamação aguda. Dependendo de sua localização e tamanho, o calázio pode causar diferentes graus de sintomatologia e comprometimento cosmético.[9]

Tratamento

Os hordéolos costumam ser tratados com compressas mornas por 5 a 10 minutos (3-4 ×/dia), além de pomadas de associação antibiótico + corticoide (tobramicina + dexametasona, ciprofloxacino + dexametasona, ou neomicina + polimixina B + dexametasona) C/D.[10] Em geral, leva de 1 a 3 semanas para resolver completamente. Deve-se assegurar o paciente de que a condição é autolimitada e raras vezes gera complicações importantes.

O tratamento do calázio é realizado com compressas mornas quando o paciente é sintomático ou há comprometimento cosmético. Não há benefício de adição de antibióticos tópicos ou orais na ausência de sinais de celulite C/D.[11] Por outro lado, as compressas mornas raramente levam à drenagem em lesões mais antigas (> 2 meses) ou quando não há mais sinais flogísticos, casos em que terapias mais invasivas podem ser imediatamente consideradas. Nesses casos, o paciente deve ser referenciado ao especialista para tratamento que consiste em incisão e curetagem do cisto em regime de cirurgia ambulatorial, ou injeção de corticoide intralesional (triancinolona, betametasona, etc.), associada ou não à massagem local. Entretanto, estão descritas algumas complicações relacionadas com as injeções de corticoide, que vão desde a despigmentação da pele até alguns raros casos de penetração acidental do globo ocular e perda visual por embolização C/D.[12] Além disso, essas injeções podem ser menos efetivas que a cirurgia e a curetagem na resolução do calázio.

É importante lembrar que nos casos de calázio com aparência ou evolução atípicas, ou nas recorrências, é indicada a realização de exame anatomopatológico do material excisado para diagnóstico diferencial com carcinoma sebáceo.[13]

Encaminhamento

O paciente deve ser encaminhado ao oftalmologista quando estiver indicada realização de tratamento cirúrgico do calázio e/ou injeção de corticoide intralesional. Também se deve considerar o encaminhamento para o especialista se houver sinais de celulite pré-septal ou orbital. Sinais de alerta que justificam encaminhamento são edema periorbital, protrusão do globo ocular, visão dupla, redução do movimento ocular, redução da acuidade visual, mal-estar sistêmico. Recomenda-se referenciar com urgência casos em que haja suspeita de neoplasia (aparência atípica ou recorrência da lesão no mesmo local).

BLEFARITE

A blefarite se refere à inflamação crônica das margens palpebrais. Pode estar associada à disfunção seborreica ou contaminação por *Staphylococcus aureus* (blefarite anterior) ou à disfunção das glândulas de Meibomius (meibomite). Ambos os casos podem levar a um quadro de olho seco e irritação ocular crônica, bem como predispor ao surgimento de hordéolos e calázios. A blefarite é também um achado comum nos pacientes com rosácea, assim como em outras doenças sistêmicas.[14] O diagnóstico é sugerido por sintomas de prurido, queimação e fincadas na pálpebra em ambos os olhos, piores pela manhã. Os sintomas são frequentemente intermitentes, com exacerbações e remissões ocorrendo durante longos períodos. Ao exame, as laterais das pálpebras estão inflamadas e vermelhas, e podem apresentar crostas (FIGURA 75.1).[15]

Tratamento

O tratamento da blefarite consiste na realização de higiene palpebral, no início 2 ×/dia e depois diariamente, com xampu neutro ou produtos específicos para esse propósito (p. ex., óleo de amêndoa + álcool etílico + metilparabeno, Blephagel®) C/D.[16] A higiene consiste na aplicação de compressas mornas sobre as pálpebras por alguns minutos, seguida pela massagem das pálpebras no sentido da margem e pela limpeza da margem palpebral com lenço ou cotonete umedecido em uma mistura de água e xampu neutro ou produto

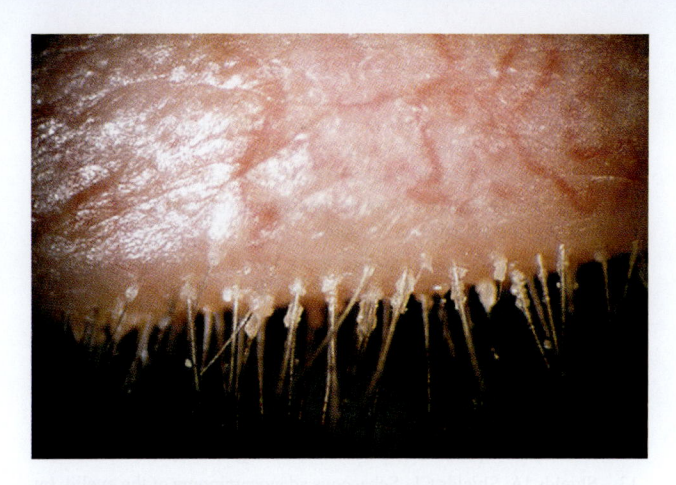

FIGURA 75.1 → Crostas nos cílios características da blefarite.
Fonte: Instituto Penido Burnier.[15]

específico. No início do tratamento, ou em períodos de exacerbação, pode ser utilizada também pomada de antibiótico associado ou não a corticoide (p. ex., hidrocortisona a 0,5%) por 7 a 14 dias C/D.[16] Essa higiene deveria continuar mesmo após a resolução dos sintomas. O paciente deve ser aconselhado a evitar o uso de produtos para maquiagem dos olhos.

Estudos sugerem que, com base no tratamento da rosácea ocular, a utilização de tetraciclinas por via oral traz benefícios para pacientes com blefarite crônica, porém a dose ideal e a duração do tratamento ainda não estão bem estabelecidas.[10,17] No caso de sensibilidade às tetraciclinas, os macrolídeos (eritromicina, azitromicina) são uma opção C/D.

Encaminhamento

Deve-se encaminhar para o oftalmologista os casos em que haja incerteza do diagnóstico, evidência de doença corneana (visão borrada, dor) ou piora da acuidade visual. Pacientes que apresentem resistência ao tratamento ou assimetria palpebral significativa também devem ser encaminhados para excluir a presença de neoplasia da margem palpebral.

REFERÊNCIAS

1. Clayton JA. Dry Eye. N Engl J Med. 2018;378(23):2212–23.
2. Pucker AD, Ng SM, Nichols JJ. Over the counter (OTC) artificial tear drops for dry eye syndrome. Cochrane Database Syst Rev. 2016;2:CD009729.
3. Craig JP, Nelson JD, Azar DT, Belmonte C, Bron AJ, Chauhan SK, et al. TFOS DEWS II Report Executive Summary. Ocul Surf. 2017;15(4):802–12.
4. Soparkar CN, Wilhelmus KR, Koch DD, Wallace GW, Jones DB. Acute and chronic conjunctivitis due to over-the-counter ophthalmic decongestants. Arch Ophthalmol. 1997;115(1):34–8.
5. Molina-Leyva I, Molina-Leyva A, Bueno-Cavanillas A. Efficacy of nutritional supplementation with omega-3 and omega-6 fatty acids in dry eye syndrome: a systematic review of randomized clinical trials. Acta Ophthalmol. 2017;95(8):e677–85.
6. Albietz JM, Schmid KL. Randomised controlled trial of topical antibacterial Manuka (Leptospermum species) honey for evaporative dry eye due to meibomian gland dysfunction. Clin Exp Optom. 2017;100(6):603–15.

7. Ervin A-M, Law A, Pucker AD. Punctal occlusion for dry eye syndrome. Cochrane Database Syst Rev. 2017;6:CD006775.
8. Sánchez-Thorin JC, Rocha G, Yelin JB. Meta-analysis on the recurrence rates after bare sclera resection with and without mitomycin C use and conjunctival autograft placement in surgery for primary pterygium. Br J Ophthalmol. 1998;82(6):661–5.
9. Nerad JA. Techniques in ophthalmic plastic surgery: a personal tutorial. Philadelphia: Saunders; 2009.
10. Lindsley K, Matsumura S, Hatef E, Akpek EK. Interventions for chronic blepharitis. Cochrane Database Syst Rev. 2012;(5):CD005556.
11. Wu AY, Gervasio KA, Gergoudis KN, Wei C, Oestreicher JH, Harvey JT. Conservative therapy for chalazia: is it really effective? Acta Ophthalmol. 2018;96(4):e503–9.
12. Aycinena ARP, Achiron A, Paul M, Burgansky-Eliash Z. Incision and curettage versus steroid injection for the treatment of chalazia: a meta-analysis. Ophthalmic Plast Reconstr Surg. 2016;32(3):220–4.
13. Shields JA, Shields CL. Sebaceous adenocarcinoma of the eyelid. Int Ophthalmol Clin. 2009;49(4):45–61.
14. Nemet AY, Vinker S, Kaiserman I. Associated morbidity of blepharitis. Ophthalmology. 2011;118(6):1062–8.
15. Instituto Penido Burnier. Blefarite [Internet]. 2015 [capturado em 17 jan. 2020]. Disponível em: https://penidoburnier.com.br/wp-content/uploads/2015/05/blefarite.jpg.
16. The College of Optometrists. Blepharitis (Lid Margin Disease) [Internet]. 2018 [capturado em 13 jan. 2020]. Disponível em: https://www.college-optometrists.org/guidance/clinical-management-guidelines/blepharitis-lid-margin-disease.html.
17. American Academy of Ophthalmology Preferred Practice Pattern Cornea/External Disease Committee. Blepharitis PPP-2018 [Internet]. 2018 [capturado em 13 jan. 2020]. Disponível em: https://www.aao.org/preferred-practice-pattern/blepharitis-ppp-2018.

LEITURAS RECOMENDADAS

Good Hope Eye Dept. Sore or Dry Eyes. Disponível em: http://www.goodhopeeyeclinic.org.uk/sore%20dry%20eye.htm
Site, em inglês, para orientação de pacientes sobre olho seco e blefarite, com vídeos demonstrando a técnica de instilação de gotas no olho e de limpeza das pálpebras.

Tear Film & Ocular Surface Society (TFOS). The 2017 Report of the International Dry Eye WorkShop – DEWS 2.
Disponível em http://www.sciencedirect.com/science/journal/15420124/15/3
Uma revisão extensa, explicitamente baseada em evidências, sobre a etiologia, o diagnóstico e o tratamento de olho seco.

Aprenda a limpar suas pálpebras (You Tube).
Disponível em: https://www.youtube.com/watch?v=LKgpPdi7JRE
Vídeo (em português) demonstrando técnica de higiene palpebral.

Capítulo 76
EPISTAXE

Elisabeth Araujo
Raphaella Migliavacca
Denise Rotta Ruttkay Pereira

A epistaxe é caracterizada por qualquer tipo de sangramento proveniente do nariz. A incidência foi estimada em 30 a cada 100 mil pessoas por ano. A incidência estimada ao longo de toda a vida é de aproximadamente 60%, sendo, entretanto, um sangramento de natureza autolimitada na maioria das vezes; apenas 6% das pessoas afetadas necessitam de intervenção médica.[1]

Pode ocorrer em todas as faixas etárias, com distribuição de idade bimodal, sendo mais comum em crianças com idade < 10 anos e em adultos com idade > 70 anos.[2] Em indivíduos mais jovens, o sangramento costuma ser leve e autolimitado, enquanto, em pessoas de faixa etária mais elevada, o quadro é potencialmente mais grave, sobretudo se acompanhado de comorbidades.[3]

ANATOMIA

O suprimento sanguíneo das fossas nasais se origina das artérias carótidas. A artéria carótida interna dá origem à artéria oftálmica. Esta se divide em artéria etmoidal anterior e artéria etmoidal posterior. A artéria carótida externa forma a artéria maxilar interna que, ao passar pelo forame esfenopalatino, origina a artéria nasal posterior lateral e a artéria septal (FIGURA 76.1).

Vale ressaltar duas áreas com relevância clínica nas epistaxes: o plexo de Kiesselbach, ou área de Little, com importância nos sangramentos anteriores, que se localiza na área septal anteroinferior, onde desembocam os ramos terminais das artérias carótidas interna e externa, e a área de Woodruff, relevante em sangramentos posteriores, que se encontra posteriormente à concha média. Essa área apresenta anastomoses entre ramos da artéria maxilar interna, em especial as artérias que passam pelo forame esfenopalatino, e ramos da artéria faríngea posterior.

O manejo da epistaxe depende do local de origem, que pode ser anterior ou posterior. Em crianças e adultos jovens, em geral o sangramento é originário do plexo de Kiesselbach, representando cerca de 80% dos casos. A epistaxe posterior normalmente é oriunda das artérias do forame

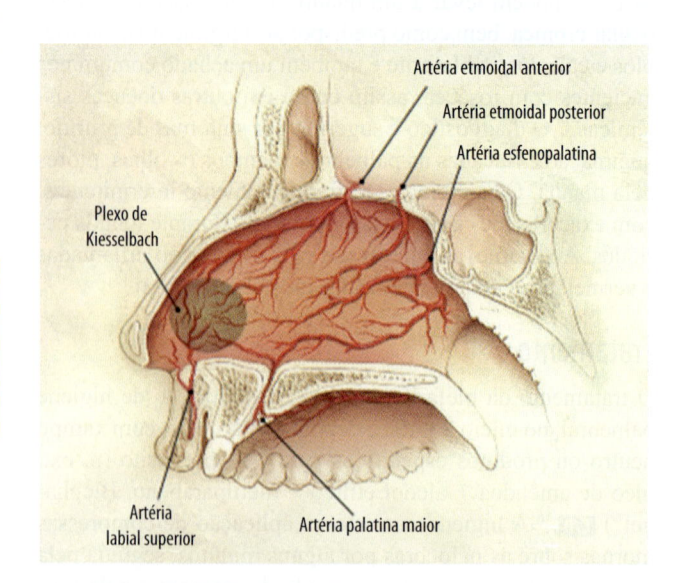

FIGURA 76.1 → Anatomia vascular da cavidade nasal.
Fonte: Adaptada de Womack.[5]

esfenopalatino e caracteriza-se por sangramento intermitente, mas profuso.[4]

ETIOLOGIA

Uma história clínica focada com exame físico permite identificação da maioria das causas de epistaxe. Comorbidades, uso de medicações e história prévia de sangramentos auxiliam no diagnóstico diferencial entre causas locais e sistêmicas (TABELA 76.1).[5]

Entre as causas locais, o trauma induzido pela manipulação constante do nariz pode provocar a ulceração da mucosa da região septal anterior, sendo uma causa bastante frequente de sangramento nasal, principalmente na população infantil. Nesses casos, o local de origem do sangramento em geral se apresenta no lado da mão dominante da criança. O tratamento consiste em cortar as unhas da criança e instruí-la sobre as causas da lesão. Corpos estranhos na cavidade nasal também são comuns quando se trata de pacientes pediátricos, podendo passar despercebidos por um longo período de tempo. Rinorreia purulenta ou mesmo piossanguinolenta unilateral e acompanhada por característico odor fétido consiste em quadro clínico de corpo estranho em fossa nasal. A remoção do corpo estranho é curativa. Em pacientes jovens do sexo masculino, o nasoangiofibroma juvenil é um exemplo clássico de sangramento nasal, em geral unilateral e recidivante. Tumores malignos primários são raros, correspondendo a < 0,5% de todas as neoplasias,[6] mas a presença de epistaxe recidivante com obstrução nasal unilateral é um sinal de alerta, especialmente na sexta década de vida ou após, em pacientes tabagistas (fator de risco para carcinoma de células escamosas) ou com exposição ocupacional por inalação de madeira ou colas (fator de risco para adenocarcinoma nasossinusal). Outros sintomas, como dor ou edema facial, proptose, diplopia, massas cervicais, denotam doença tumoral mais avançada.

Sangramento nasal também é um problema conhecido em pacientes com desordens sanguíneas congênitas, como doença de von Willebrand e hemofilia, assim como em indivíduos com alteração estrutural na vascularização nasal, como visto na telangiectasia hemorrágica hereditária (também conhecida como síndrome de Osler-Weber-Rendu). Essa doença se manifesta em indivíduos com sangramento de mucosas (nasal, oral, digestiva) e pele ou, até mesmo, com malformações arteriovenosas (cerebrais, pulmonares, intestinais, hepáticas) com história familiar positiva para sangramento, sendo uma afecção autossômica dominante.[7] A doença leva a telangiectasias friáveis com sangramento de difícil manejo, exigindo procedimentos hemostáticos tópicos e sistêmicos, sendo sempre necessário o encaminhamento adequado desses pacientes pela sua gravidade e cronicidade.

A relação entre epistaxe e hipertensão é controversa, mas uma revisão sistemática mostrou associação entre as duas condições (razão de chances [RC] = 1,5), sem conseguir identificar uma relação causal clara.[8]

Na prática clínica, as causas medicamentosas de epistaxe são bastante relevantes e prevalentes. Cerca de 24 a 33% de todos os pacientes hospitalizados por epistaxe utilizam fármacos anticoagulantes ou antiplaquetários. A ingestão de ácido acetilsalicílico aumenta a gravidade e a recorrência do sangramento nasal e da possibilidade de intervenção cirúrgica. Outras medicações relacionadas com a condição são os inibidores da fosfodiesterase-5, vasodilatadores utilizados principalmente para disfunção erétil, sendo epistaxe o efeito colateral mais frequente desses fármacos (RR = 4,7), segundo uma metanálise de estudos controlados.[9]

Sprays nasais com corticoide tópico aumentam a frequência de sangramentos locais. O uso em 12 meses pode aumentar o risco de epistaxe de 8 a 20% comparado com placebo, como demonstrou um ensaio clínico randomizado duplo-cego controlado que utilizou furoato de fluticasona. Nesse estudo, o sangramento era leve a moderado, e apenas 1 dos 605 pacientes estudados apresentou epistaxe de maior gravidade nos 12 meses de seguimento.[10] As principais medicações associadas à epistaxe estão listadas na TABELA 76.2.

ABORDAGEM DIAGNÓSTICA

A fim de determinar a causa da epistaxe, é necessária a realização de anamnese e exame físico, bem como uma investigação laboratorial apropriada, em especial nos indivíduos anticoagulados. Exames de imagem para avaliar a presença de anormalidades anatômicas ou doença local podem ser indicados em situações específicas (TABELA 76.3).

TABELA 76.1 → Fatores etiológicos da epistaxe

CAUSAS LOCAIS
Trauma – autoinfligido, uso de cocaína, corpo estranho, fraturas nasais, intubação nasal, oxigênio nasal, cirurgias
Inflamatórias – sinusites, doenças virais, doença granulomatosa, granuloma piogênico
Deformidades septais
Tumores ou malformações vasculares
CAUSAS SISTÊMICAS
Deficiência de fatores coagulantes
→ Congênitas → Hemofilia → Doença de von Willebrand → Outras (p. ex., deficiência do fator IX, XI ou XII, fibrinogênio ou protrombina) → Adquiridas → Deficiência de vitamina K → Doença hepática → Anticoagulantes (p. ex., heparina, derivados de cumarínicos)
Distúrbios plaquetários
→ Número inadequado de plaquetas → Defeito de produção (p. ex., quimioterapia, infecção) → Sequestro (p. ex., esplenomegalia) → Destruição acelerada (p. ex., drogas, autoanticorpos, infecção)
Anti-inflamatórios não esteroides
Uremia
Hipertensão
Telangiectasia hereditária hemorrágica

TABELA 76.2 → Principais medicações associadas à epistaxe

- **Femprocumona (Marcoumar®):** anticoagulante oral cumarínico com efeito antagonista da vitamina K
- **Dabigatrana (Pradaxa®):** anticoagulante oral, não requer monitoramento com tempo de protrombina
- **Rivaroxabana (Xarelto®):** anticoagulante oral, não requer monitoramento com tempo de protrombina
- **Fondaparinux (Arixtra®):** agente antitrombótico injetável para uso subcutâneo
- **Clopidogrel:** pró-fármaco inibidor da agregação plaquetária
- **Ácido acetilsalicílico (Aspirina®):** derivado sintético com propriedades antiplaquetárias
- **Inibidores da fosfodiesterase-5 (Viagra®, Cialis®):** vasodilatadores para disfunção erétil (risco relativo: 4.701)
- **Sprays nasais com corticoide**

Fonte: Adaptada de Beck.[11]

TABELA 76.3 → Abordagem diagnóstica da epistaxe

ANAMNESE
→ Intensidade, frequência, duração e lateralidade
→ Sangramento anterior ou posterior
→ Hipertensão, doença hepática, alcoolismo
→ Trauma/rinite/corpo estranho/cocaína
→ Anticoagulantes/anti-inflamatórios não esteroides
→ Homem adolescente (considerar a possibilidade de angiofibroma nasofaríngeo)
EXAME FÍSICO
→ Boa fonte de luz, luvas
→ Paciente sentado
→ Remoção de coágulos sanguíneos
→ Vasoconstrição e anestesia da mucosa
→ Rinoscopia anterior +/− telescópios de fibra óptica
→ Pesquisa do local de sangramento, desvio septal ou perfuração
→ Neoplasia
INVESTIGAÇÃO LABORATORIAL
→ Não solicitada de rotina, exceto em caso de história e exame físico sugestivos de discrasias ou comorbidade
→ Tempo de protrombina/índice de normalização internacional em pacientes anticoagulados

Anamnese

Um histórico preciso e conciso do problema do paciente é crucial. Por meio de perguntas específicas, determina-se se o sangramento é anterior ou posterior, novo ou recorrente, espontâneo ou causado por algum incidente, grave ou brando, relacionado com anticoagulantes ou coagulopatias.

Os itens mais importantes a serem pesquisados são frequência e duração das hemorragias precedentes, lado e direção do fluxo sanguíneo, trauma ou cirurgia nasal recente, uso de antiplaquetários, anticoagulantes e anti-inflamatórios não esteroides, bem como hipertensão.

Exame físico

As superfícies mucosas do nariz e da nasofaringe devem ser examinadas na tentativa de identificar o local do sangramento. Em pacientes que estão com sangramento ativo, a rinoscopia anterior com espéculo nasal associada à aplicação de vasoconstritor tópico (p. ex., oximetazolina a 0,05%) localizará a maioria dos casos de epistaxe anterior.

Quando não existe sangramento ativo, as superfícies da mucosa são observadas na busca de evidências de hemorragia recente, trauma, inflamação e neoplasia. A visualização atenta do septo nasal é de grande importância, visto que sua porção anterior é o local mais frequente de epistaxe. Deformidades ou perfurações septais potencialmente predispõem à epistaxe e, via de regra, são visualizadas durante a rinoscopia. A remoção de crostas nasais pode provocar sangramento, mas possibilita a identificação do local da hemorragia em muitos casos. Além do revestimento nasal, as superfícies mucosas da cavidade oral e faringe são examinadas, pois podem ser fontes secundárias de sangramento.

O exame físico geral identifica possíveis sinais de hipovolemia. Taquicardia, hipotensão ortostática, níveis alterados de consciência ou palidez indicam uma provável perda excessiva de sangue, mesmo quando a hemorragia não é visível. Nesses casos, a hidratação parenteral está indicada, mas transfusões raramente são necessárias. Presença de múltiplos hematomas, evidências de sangramento gastrintestinal, esplenomegalia ou hematúria sugerem uma doença sistêmica.

Exames complementares

Se o sangramento é brando e não recorrente, a investigação laboratorial não está indicada.

Na epistaxe recorrente ou intensa, está indicada a dosagem do nível de hemoglobina para determinar a gravidade da perda sanguínea, embora esse exame possa não ter acurácia logo após sangramento agudo.

O tempo de protrombina (TP) não está indicado como um exame de rotina, exceto em pacientes anticoagulados. História e exame físico sugestivos de desordem hematológica ou doença sistêmica guiam a necessidade de encaminhamentos adicionais.

Exames de imagem são desnecessários na grande maioria dos pacientes com epistaxe.

Conforme avaliação médica individualizada, tomografia computadorizada pode ser solicitada para auxílio no diagnóstico nos casos de epistaxe recorrente de etiologia não definida, especialmente no diagnóstico diferencial de tumores.[7] Adicionalmente, na suspeita de neoplasias ou de corpo estranho, há indicação de avaliação do especialista.

CONDUTAS GERAIS

O tratamento concentra-se no controle imediato da hemorragia. A conduta deve ser realizada levando em consideração:
→ grau de hemorragia e necessidade de transfusão;
→ local da epistaxe (anterior/posterior);
→ idade do paciente;
→ fatores precipitantes (trauma/cirurgia);
→ história prévia de sangramento (doença de von Willebrand);
→ condições clínicas do paciente (complicações pulmonares, cardiovasculares e hepáticas, anemia, plaquetopenia e coagulopatia);
→ uso de medicações que alteram a coagulação (antiplaquetários, anticoagulantes).

A FIGURA 76.2 mostra um algoritmo prático de tratamento da epistaxe.[11]

O tratamento da epistaxe envolve condutas de complexidade variada e que podem ser aplicadas por médicos de cuidados primários trabalhando em ambulatórios, emergencistas em salas de emergências ou otorrinolaringologistas atuando em seus consultórios ou serviços de otorrinolaringologia. Um conjunto de materiais que podem estar disponíveis em ambulatórios para o manejo inicial bem-sucedido da maioria dos episódios de sangramento nasal está listado na TABELA 76.4.

O manejo inicia com a certificação de que a via aérea está pérvia. Posteriormente, o paciente deve ser orientado a sentar-se e inclinar-se um pouco para a frente, de modo a impedir que o sangue escorra pela faringe.[11] Como a maioria dos sangramentos origina-se na parte anterior do septo nasal, a pressão digital (tratamento compressivo) torna-se bastante efetiva no controle do sangramento ativo.

TABELA 76.4 → Bandeja de epistaxe

→ Descongestionante nasal
→ Anestésico tópico
→ Nitrato de prata ou eletrocautério
→ Estilete porta-algodão ou cotonete
→ Pinça em baioneta
→ Espéculo nasal
→ Aspirador nasal
→ Material para tamponamento nasal (ver adiante o tópico específico)

Fonte: Adaptada de Morgan.[13]

O paciente deve ser instruído a pressionar o nariz entre o polegar e o indicador, comprimindo as partes móveis do nariz externo. A pressão digital deverá ser mantida por 10 a 15 minutos, sem interrupção. A compressão pode ser auxiliada pela utilização de vasoconstritor tópico (oximetazolina a 0,05%) sob a forma de *spray*, gotas ou embebido em pedaços de algodão C/D.[13,5]

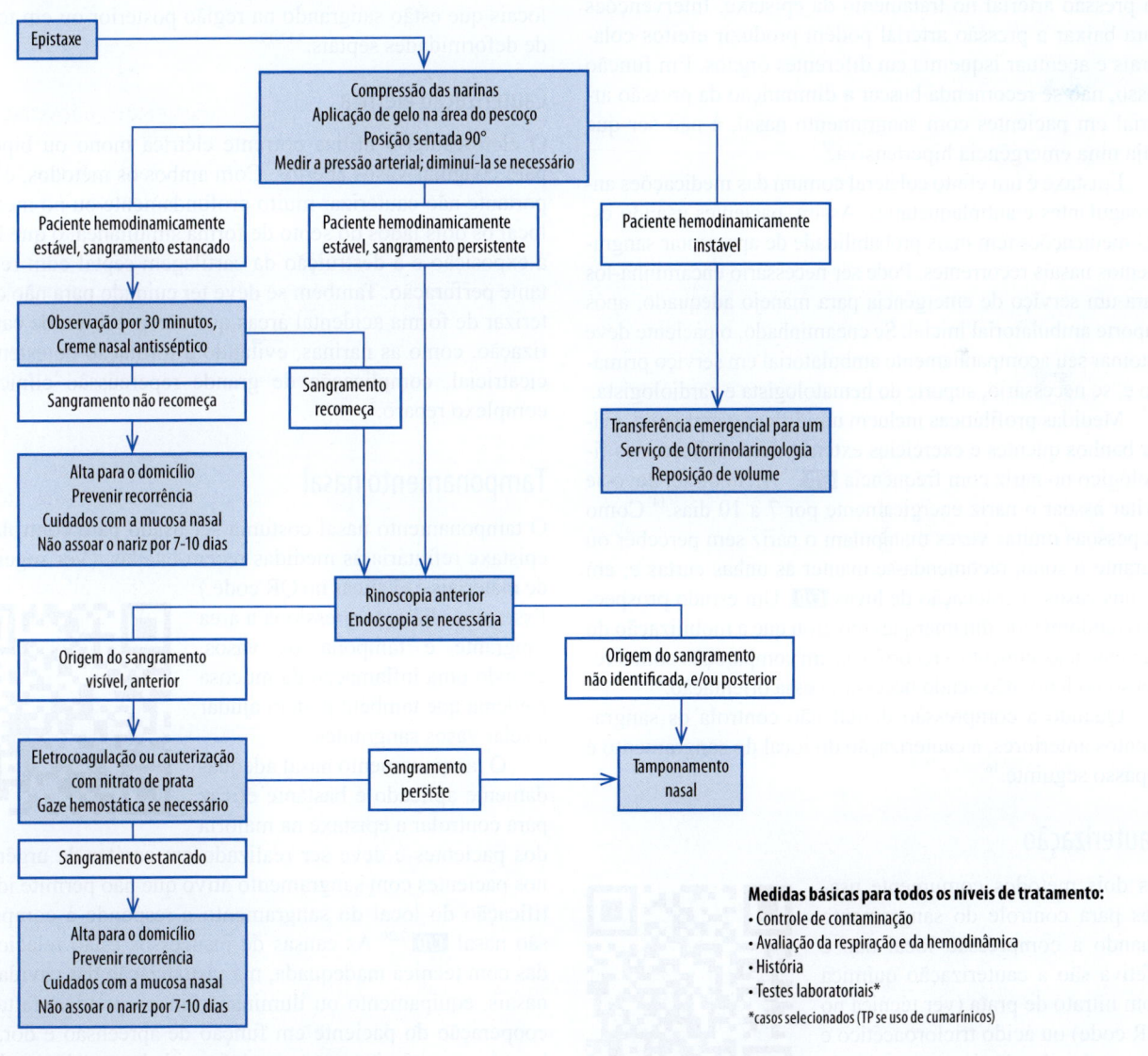

FIGURA 76.2 → Algoritmo de tratamento da epistaxe.
Fonte: Adaptada de Beck.[11]

Fluxograma:

- Epistaxe
- Compressão das narinas / Aplicação de gelo na área do pescoço / Posição sentada 90° / Medir a pressão arterial; diminuí-la se necessário

Três ramos:
1. Paciente hemodinamicamente estável, sangramento estancado → Observação por 30 minutos, Creme nasal antisséptico → Sangramento não recomeça → Alta para o domicílio / Prevenir recorrência / Cuidados com a mucosa nasal / Não assoar o nariz por 7-10 dias
2. Paciente hemodinamicamente estável, sangramento persistente → Sangramento recomeça → Rinoscopia anterior / Endoscopia se necessária
3. Paciente hemodinamicamente instável → Transferência emergencial para um Serviço de Otorrinolaringologia / Reposição de volume

Rinoscopia anterior:
- Origem do sangramento visível, anterior → Eletrocoagulação ou cauterização com nitrato de prata / Gaze hemostática se necessário → Sangramento persiste → Tamponamento nasal; ou Sangramento estancado → Alta para o domicílio / Prevenir recorrência / Cuidados com a mucosa nasal / Não assoar o nariz por 7-10 dias
- Origem do sangramento não identificada, e/ou posterior → Tamponamento nasal

Medidas básicas para todos os níveis de tratamento:
- Controle de contaminação
- Avaliação da respiração e da hemodinâmica
- História
- Testes laboratoriais*

*casos selecionados (TP se uso de cumarínicos)

Se o sangramento continuar, o paciente deve assoar o nariz de maneira lenta e repetida com o intuito de limpá-lo dos coágulos remanescentes **C/D**. O sangue parcialmente coagulado muitas vezes promove a liberação de fatores locais, levando à fibrinólise e à persistência do sangramento. Se o nariz não puder ser limpo de forma satisfatória, as fossas nasais devem ser delicadamente aspiradas com aparelhos de sucção associados à luz frontal, evitando traumatizar a cavidade nasal **C/D**.[2,12]

A aplicação local de gelo na parte de trás do pescoço visa incentivar a vasoconstrição dos vasos sanguíneos do nariz **C/D**. Seu valor terapêutico é motivo de debate e tem sido contestado na literatura, mas é uma possibilidade de cuidado adicional no manejo agudo da epistaxe.[11]

Caso as medidas compressivas sejam suficientes e se, depois do exame, o médico não detectar nenhuma outra alteração, o paciente pode ser liberado para ir para casa. O clínico deverá aconselhar o paciente a repetir o procedimento em caso de reincidência do sangramento.

Não há evidências que apoiem medidas de diminuição da pressão arterial no tratamento da epistaxe. Intervenções para baixar a pressão arterial podem produzir efeitos colaterais e acentuar isquemia em diferentes órgãos. Em função disso, não se recomenda buscar a diminuição da pressão arterial em pacientes com sangramento nasal, a não ser que haja uma emergência hipertensiva.[2]

Epistaxe é um efeito colateral comum das medicações anticoagulantes e antiplaquetárias. Assim, pacientes usando essas medicações têm mais probabilidade de apresentar sangramentos nasais recorrentes. Pode ser necessário encaminhá-los para um serviço de emergência para manejo adequado, após suporte ambulatorial inicial. Se encaminhado, o paciente deve retomar seu acompanhamento ambulatorial em serviço primário e, se necessário, suporte do hematologista e cardiologista.

Medidas profiláticas incluem umidificar o ambiente, evitar banhos quentes e exercícios extenuantes e aplicar soro fisiológico no nariz com frequência **C/D**.[13] Além disso, deve-se evitar assoar o nariz energicamente por 7 a 10 dias.[14] Como as pessoas muitas vezes manipulam o nariz sem perceber ou durante o sono, recomenda-se manter as unhas curtas e, em alguns casos, a colocação de luvas **C/D**. Um estudo prospectivo randomizado dinamarquês mostrou que a mobilização do paciente não aumenta a recorrência em comparação com o repouso no leito, não sendo necessária essa orientação.[15]

Quando a compressão digital não controla os sangramentos anteriores, a cauterização do local do sangramento é o passo seguinte.[16]

Cauterização

Os dois métodos comumente usados para controle do sangramento quando a compressão local não é efetiva são a cauterização química com nitrato de prata (ver técnica no QR code) ou ácido tricloroacético e a cauterização elétrica com o uso do eletrocautério.

Um vasoconstritor tópico (oximetazolina a 0,05%) e um anestésico (lidocaína *spray* a 4%) são aplicados. Esta última conduta pode tornar a cauterização mais eficaz e proporcionar certo alívio da dor **C/D**. Embora um anestésico tópico funcione bem, uma alternativa é a infiltração submucosa de anestésico local próximo ao ponto de sangramento para promover anestesia e tamponar o vaso de forma temporária **C/D**. Quando se opta pela cauterização, evita-se aplicar a solução em pontos que coincidam bilateralmente no septo nasal, a fim de evitar perfurações septais futuras.[2]

Cauterização química

O nitrato de prata a 75% e o ácido tricloroacético costumam ser administrados com a ponta de aplicadores comercialmente disponíveis ou cotonetes. É útil cauterizar primeiro, de maneira circunferencial, em torno do ponto que está sangrando, e depois sobre esse ponto diretamente, a fim de evitar que o vaso comece a sangrar quando cauterizado. Os aplicadores são fáceis de usar na região anterior do nariz, porém muito mais difíceis de passarem através do nariz em locais que estão sangrando na região posterior ou em torno de deformidades septais.[5,17-19]

Cauterização elétrica

O eletrocautério utiliza corrente elétrica mono ou bipolar para coagular vasos abertos. Com ambos os métodos, é importante não cauterizar muito profundamente ou no mesmo local os dois lados do septo de forma simultânea, o que leva à exposição e à destruição da cartilagem septal com resultante perfuração. Também se deve ter cuidado para não cauterizar de forma acidental áreas que não precisam de cauterização, como as narinas, evitando a formação de estenose cicatricial, complicação de grande repercussão clínica e complexo reparo.[5]

Tamponamento nasal

O tamponamento nasal costuma ser usado para controlar a epistaxe refratária às medidas recém-citadas. (Ver sugestão de materiais e técnicas no QR code.) Esse procedimento pressiona a área sangrante e tampona os vasos, criando uma inflamação da mucosa e edema que também podem ajudar a selar vasos sangrantes.

O tamponamento nasal adequadamente aplicado é bastante eficaz para controlar a epistaxe na maioria dos pacientes e deve ser realizado em caráter de urgência nos pacientes com sangramento ativo que não permite identificação do local do sangramento e responde à compressão nasal **C/D**.[2,20] As causas de insucessos estão relacionadas com técnica inadequada, má visualização das cavidades nasais, equipamento ou iluminação inapropriados, falta de cooperação do paciente em função de apreensão e dor, ou barreiras anatômicas (p. ex., deformidade septal) que bloqueiam o acesso às cavidades nasais.[21]

Tamponamento anterior

O tampão pode ser feito com gaze em fita esterilizada impregnada com vaselina, colocada na base do nariz, estendendo-se por toda a cavidade nasal (FIGURA 76.3).

Em casos de urgência, em que o sangramento não cesse com medidas mais conservadoras, outras formas de tamponamento nasal podem ser confeccionadas em ambulatório com materiais de fácil obtenção: fita esterilizada impregnada com vaselina ou tampão de dedo de luva.

O tampão de dedo de luva é feito cortando-se o dedo de uma luva cirúrgica, preenchendo seu interior com esponja ou gaze e lubrificando-o com vaselina ou pomada antibiótica antes de introduzi-lo na cavidade nasal a partir de sua extremidade fechada.

É importante lembrar-se de sempre fixar os tampões com fio e micropore para evitar sua aspiração. Na ausência de outra doença associada, o paciente pode ser tratado em ambulatório. Embora sem evidência para apoiar seu uso B, antibiótico tópico ou oral em pacientes tamponados é usual para prevenção de complicações infecciosas, como a síndrome do choque tóxico induzida por estafilococos ou rinossinusites. Devido à ausência de dados que suportem antibioticoterapia nesses pacientes, os riscos e benefícios da intervenção devem ser avaliados para cada paciente.[2,22]

O tamponamento é removido, em geral, após 48 a 72 horas pelo clínico, que deve orientar o paciente a evitar o uso de anti-inflamatórios não esteroides e atividades físicas vigorosas por 1 semana. Nos pacientes idosos ou debilitados, a hospitalização deve ser considerada.

Outros materiais sintéticos têm sido usados no manejo da epistaxe. Espumas de polímeros sintéticos como o Merocel® aparecem em alguns estudos como um meio menos propício ao *Staphylococcus aureus* hospitalar, em relação ao tampão com gaze. Espumas trombogênicas, como Surgicel®/Gelfoam®, são de fácil aplicação e confortáveis para o paciente, devendo ser consideradas em pacientes portadores de coagulopatias e vasculopatias como a telangiectasia hereditária hemorrágica, uma vez que são absorvíveis e não precisam ser retiradas das fossas nasais, evitando, assim, uma nova manipulação nasal. Entretanto, há limitação da disponibilidade desses materiais em contexto ambulatorial.[5]

Tamponamento posterior

Na epistaxe posterior, a maior parte do sangue se dirige para a faringe, e não é possível controlá-la com um tamponamento anterior. Idealmente, esse manejo deve ser realizado em serviço de urgência por profissional habilitado, mas pode ser necessário na estabilização do paciente no contexto ambulatorial ou na rota de emergência.[5] Ocorre, com maior frequência, em pacientes idosos ou após trauma nasal grave. O tamponamento posterior pode ser feito com a utilização de esponjas e gazes amarradas com fio de sutura, por meio de balões nasais ou sonda de Foley que são passados pela parte anterior do nariz e inflados a seguir **C/D** ou por meio de tratamento cirúrgico, em contexto hospitalar.

Em caráter de urgência, quando há necessidade de estabilização do paciente com sangramento ativo, a alternativa mais viável é o tamponamento com sonda de Foley. A sonda é lubrificada com anestésico sob a forma de gel e introduzida pela fossa nasal até a rinofaringe, sendo então insuflada com água e tracionada em direção à coana até "encaixar" na rinofaringe. O balonete pode ser insuflado progressivamente até a cessação do sangramento, observando-se sua capacidade máxima.

Após tamponamento nasal posterior, recomenda-se a internação do paciente, deixando o tampão instalado por 3 a 5 dias. Se o tamponamento não conseguir controlar o sangramento, são consideradas outras opções, como ligadura cirúrgica,[23,24] embolização ou novo tamponamento sob anestesia geral. A escolha de tratamento dependerá de muitos fatores, como condição clínica do paciente, experiência do médico e disponibilidade de radiologia intervencionista.

Complicações

Os tamponamentos também apresentam riscos de causar lesão isquêmica local no nariz na forma de necrose alar ou septal. Além do desconforto causado pelos tampões, os pacientes estão em risco de desenvolver rinossinusite aguda pela obstrução do complexo osteomeatal do lado afetado.

É provável que a complicação mais significativa do tamponamento posterior seja o comprometimento respiratório. Ele pode ter especial importância em crianças pequenas e neonatos ou em pacientes com doenças pulmonares. Hipoventilação e hipoxia são amplamente documentadas na

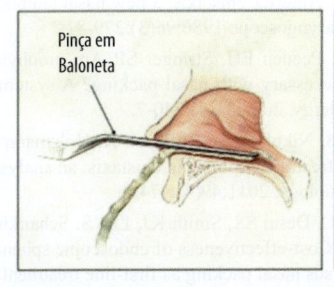

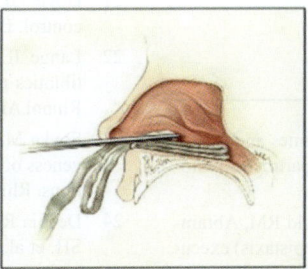

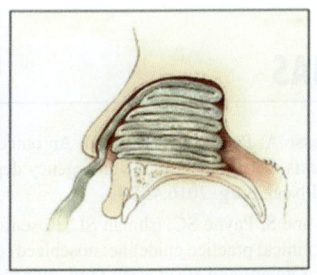

FIGURA 76.3 → Ilustração de tamponamento anterior. **(A)** Inserção de gaze com vaselina com pinça em baioneta. **(B)** A gaze é dobrada a partir do assoalho nasal, com auxílio de espéculo nasal e pinça em baioneta. **(C)** O tamponamento é continuado até toda a cavidade ser preenchida por gaze.
Fonte: Adaptada de Womack.[5]

literatura. Tampões pós-nasais grandes obliteram a nasofaringe e deprimem o palato, criando condições para uma apneia do sono iatrogênica. Recomenda-se cautela no uso de sedativos que causem depressão respiratória, e que podem agravar o quadro obstrutivo.

Em razão dessas complicações e do desconforto importante relatado por indivíduos tamponados, exceto em casos de risco ao paciente, o tamponamento nasal deve ser realizado após a tentativa das alternativas mais conservadoras descritas anteriormente (digitopressão, vasoconstrição, cauterização). Em contexto hospitalar, com serviço de otorrinolaringologia disponível, o tratamento cirúrgico por ligadura arterial endoscópica mostra-se com maior efetividade na epistaxe posterior que o tamponamento (e sem as complicações do tamponamento), com evidências que apoiam o manejo cirúrgico B.[23,24,25]

Fármacos

Fármaco com ação antifibrinolítica, o ácido tranexâmico (TXA) 500 mg, 3 ×/dia por 7 dias (para crianças: dose de 10 mg/kg), ou aplicado topicamente (ver técnica no QR code), diminui o ressangramento (RRR = 29%, NNT = 5) B.[26-29] Em pacientes usuários de medicações antiplaquetárias (ácido acetilsalicílico, clopidogrel ou ambos), o TXA tópico também pode ter um papel na epistaxe anterior, com maior efetividade do TXA tópico (500 mg em 5 mL) quando comparado com tamponamento nasal anterior com compressas de algodão cobertas com pomada de tetraciclina mantido por 3 dias.[26] Nenhum estudo no tratamento da epistaxe com TXA tópico reportou efeitos colaterais (convulsões ou eventos tromboembólicos). (Ver Leituras Recomendadas.)

ENCAMINHAMENTO

Em situações especiais, o paciente com epistaxe é encaminhado a um especialista. As principais indicações são:
→ otorrinolaringologista, em caso de epistaxe refratária e/ou com repercussão hemodinâmica, suspeita de anormalidade anatômica, neoplasia ou doença crônica como hemofilia A, von Willebrand e uremia em crianças;
→ hematologista, em caso de alterações hematológicas.

REFERÊNCIAS

1. Newton E, Lasso A, Petrcich W, Kilty SJ. An outcomes analysis of anterior epistaxis management in the emergency department. J Otolaryngol Head Neck Surg. 2016;45:24.
2. Tunkel DE, Anne S, Payne SC, Ishman SL, Rosenfeld RM, Abramson PJ, et al. Clinical practice guideline: nosebleed (epistaxis) executive summary. Otolaryngol Head Neck Surg. 2020;162(1):8-25.
3. Strong EB, Bell DA, Johnson LP, Jacobs JM. Intractable epistaxis: transantral ligation vs. embolization: efficacy review and cost analysis. Otolaryngol Head Neck Surg. 1995;113(6):674-8.
4. Marple B. Epistaxis. In: Cotton RT, Myer CM. Practical pediatric otolaryngology. Philadelphia: Lippincott-Raven; 1999. p. 427-48.
5. Womack JP, Kropa J, Jimenez Stabile M. Epistaxis: outpatient management. Am Fam Physician. 2018;98(4):240-5.
6. Turner JH, Reh DD. Incidence and survival in patients with sinonasal cancer: a historical analysis of population-based dats. Head Neck. 2012;34(6):877-85.
7. Folz BJ, Zoll B, Alfke H, Toussaint A, Maier RF, Werner JA. Manifestations of hereditary hemorrhagic telangiectasia in children and adolescents. Eur Arch Otorhinolaryngol. 2006;263(1):53-61.
8. Min HJ, Kang H, Choi GJ, Kim KS. Association between hypertension and epistaxis: systematic review and meta-analysis. Otolaryngol Head Neck Surg. 2017;157(6):921-7.
9. Giannetta E, Feola T, Gianfrilli D, Pofi R, Dall'Armi V, Badagliacca R, et al. Is chronic inhibition of phosphodiesterase type 5 cardioprotective and safe? A meta- analysis of randomized controlled trials. BMC Med. 2014;12:185.
10. Rosenblut A, Bardin PG, Muller B, Faris MA, Wu WW, Caldwell MF, et al. Long-term safety of fluticasone furoate nasal spray in adults and adolescents with perennial allergic rhinitis. Allergy 2007;62(9):1071–7.
11. Beck R, Sorge M, Schneider A, Dietz A. Current approaches to epistaxis treatment in primary and secondary care. Dtsch Arztebl Int. 2018;115(1-02): 12–22.
12. Andrade JS, Andrade NA. Epistaxe. In: Pignatari S, Anselmo-Lima W, organizadores. Tratado de Otorrinolaringologia. 3. ed. Rio de Janeiro: Grupo Editorial Nacional; 2018. p. 419-426.
13. Morgan DJ, Kellerman R. Epistaxis: evaluation and treatment. Prim Care. 2014;41(1):63-73.
14. Diamond L. Managing epistaxis. JAAPA. 2014;27(11):35–9.
15. Kristensen VG, Nielsen AL, Gaihede M, Boll B, Delmar C. Mobilisation of epistaxis patients – a prospective, randomised study documenting a safe patient care regime. J Clin Nurs. 2011;20(15-16):1598–605.
16. Pashen D, Stevens M. Management of epistaxis in general practice. Aust Fam Physician. 2002;31(8):717-21.
17. Murthy P, Nilssen EL, Rao S, McClymont LG. A randomised clinical trial of antiseptic nasal carrier cream and silver nitrate cautery in the treatment of recurrent anterior epistaxis. Clin Otolaryngol Allied Sci. 1999;24(3):228-31.
18. Calder N, Kang S, Fraser L, Kunanandam T, Montgomery J, Kubba H. A double- blind randomized controlled trial of management of recurrent nosebleeds in children. Otolaryngol Head Neck Surg. 2009;140(5):670-4.
19. Glynn F, Amin M, Sheahan P, Mc Shane D. Prospective double blind randomized clinical trial comparing 75% versus 95% silver nitrate cauterization in the management of idiopathic childhood epistaxis. Int J Pediatr Otorhinolaryngol. 2011;75(1):81-4.
20. Singer AJ, Blanda M, Cronin K, LoGiudice-Khwaja M, Gulla J, Bradshaw J, et al. Comparison of nasal tampons for the treatment of epistaxis in the emergency department: a randomized controlled trial. Ann Emerg Med. 2005;45(2):134-9.
21. Doyle DE. Anterior epistaxis: a new nasal tampon for fast, effective control. Laryngoscope 1986;96(3):279-81.
22. Lange JL, Peeden EH, Stringer SP. Are prophylactic systemic antibiotics necessary with nasal packing? A systematic review. Am J Rhinol Allergy. 2017;31(4):240-7.
23. Soyka MB, Nikolaou G, Rufibach K, Holzmann D. On the effectiveness of treatment options in epistaxis: an analysis of 678 interventions. Rhinology. 2011;49(4):474-8.
24. Dedhia RC, Desai SS, Smith KJ, Lee S, Schaitkin BM, Snyderman SH, et al. Cost-effectiveness of endoscopic sphenopalatine artery ligation versus nasal packing as first-line treatment for posterior epistaxis. Int Forum Allergy Rhinol. 2013;3(7):563-6.
25. Kilty SJ, Al-Hajry M, Al-Mutairi D, Bonaparte JP, Duval M, Hwang E, Tse D. Prospective clinical trial of gelatin-thrombin

matrix as first line treatment of posterior epistaxis. Laryngoscope. 2014;124(1):38-42.
26. Zahed R, Mousavi Jazayeri MH, Naderi A, Naderpour Z, Saeedi M. Topical tranexamic acid compared with anterior nasal packing for treatment of epistaxis in patients taking antiplatelet drugs: randomized controlled trial. Acad Emerg Med. 2018;25(3):261-6.
27. Gaillard S, Dupuis-Girod S, Boutitie F, Rivière S, Morinière S, Hatron PY, et al. Tranexamic acid for epistaxis in hereditary hemorrhagic telangiectasia patients: a European cross-over controlled trial in a rare disease. J Thromb Haemost. 2014;12(9):1494–502.
28. Zahed R, Moharamzadeh P, Alizadeharasi S, Ghasemi A, Saeedi M. A new and rapid method for epistaxis treatment using injectable form of tranexamic acid topically: a randomized controlled trial. Am J Emerg Med. 2013;31(9):1389-92.
29. Joseph J, Martinez-Devesa P, Bellorini J, Burton MJ. Tranexamic acid for patients with nasal haemorrhage (epistaxis). Cochrane Database Syst Rev. 2018;12(12):CD004328.

LEITURAS RECOMENDADAS

Nguyen QA. Epistaxis [Internet]. [New York]: Medscape; c2020 [capturado em 23 abr. 2020]. Disponível em: https://emedicine.medscape.com/article/863220-overview
Contém informações detalhadas para o não especialista.

Zahed R, Mousavi Jazayeri MH, Naderi A, Naderpour Z, Saeedi M. Topical tranexamic acid compared with anterior nasal packing for treatment of epistaxis in patients taking antiplatelet drugs: randomized controlled trial. Acad Emerg Med. 2018;25(3):261-6.
Ensaio clínico descrevendo a aplicação tópica de ácido tranexâmico.

Capítulo 77
RINITE

Michelle Menon Miyake
Monica Aidar Menon Miyake
Elisabeth Araujo

Rinite é a doença respiratória crônica mais prevalente do mundo, sempre mais associada à morbidade do que à mortalidade.[1,2] Frequentemente subdiagnosticada e subtratada, a rinite afeta a qualidade de vida dos pacientes, interferindo na alimentação, na qualidade do sono e nas funções cognitivas, causando cansaço e irritabilidade. Em crianças, pode haver impacto no crescimento, no desenvolvimento neuropsicomotor e no aprendizado. As infecções respiratórias são comorbidades frequentes, sendo comuns a otite média secretora, a faringotonsilite e as rinossinusites. O "respirador oral", quadro clínico de abordagem multidisciplinar, também está ligado às rinites não adequadamente tratadas.[3,4]

A rinite alérgica é sua causa mais prevalente e, assim, foco principal deste capítulo. Nos últimos anos, sua prevalência vem aumentando, e chega a acometer 10 a 40% da população.[1,2,4] Outras causas de rinite, conforme classificações mais recentes, serão também abordadas neste capítulo.

ASPECTOS DIAGNÓSTICOS

O diagnóstico clínico das rinites é baseado principalmente na história clínica detalhada, com o relato de rinorreia posterior e anterior, hiposmia e espirros em salvas. A obstrução nasal, relacionada com o predomínio do sistema nervoso autônomo parassimpático, é a manifestação que causa maior incômodo e define o prognóstico. O prurido nasal, ocular ou faríngeo é o sintoma mais característico da alergia, caso esta seja a causa da rinite. Geralmente, os sintomas ocorrem durante 2 ou mais dias consecutivos por mais de 1 hora na maioria dos dias.[4]

Na investigação diagnóstica da rinite, a anamnese deve incluir informações sobre fatores desencadeantes, duração, periodicidade, gravidade dos sintomas e eventuais complicações, assim como respostas a tratamentos medicamentosos. Também deve ser dada atenção às queixas sistêmicas, sobretudo presença de asma e dermatite atópica, e ser feita a pesquisa de história familiar para atopia. Como mencionado, é importante investigar a frequência de associação com infecções e investigar sua gravidade.

O exame da cavidade nasal pela rinoscopia anterior permite a visualização do aspecto e da coloração da mucosa e de anormalidades estruturais. Nos locais onde a luz frontal e o espéculo nasal não se encontram disponíveis, o otoscópio com o maior otocone permite a visualização da cavidade nasal. O exame endoscópico (nasofibroscopia) faz parte da propedêutica armada e é realizado por otorrinolaringologistas para diferenciar e documentar quadros de sintomatologia semelhante, como a polipose. O aspecto da secreção nasal também fornece subsídios diagnósticos. A rinite alérgica caracteriza-se por rinorreia mucoide e clara, enquanto a secreção purulenta em geral está associada a infecções.

RINITE ALÉRGICA

A rinite alérgica é um processo inflamatório nasal resultante da exposição de um indivíduo sensibilizado a um alérgeno.[5] Segundo a iniciativa Allergic Rhinitis and its Impact on Asthma (ARIA), e também do ponto de vista clínico, a rinite alérgica pode ser classificada em quatro subgrupos: intermitente leve, intermitente moderada/grave, persistente leve, persistente moderada/grave.[2] A classificação encontra-se resumida na **TABELA 77.1**.[2] No Brasil, as formas persistentes são as mais comuns, relacionadas com os quadros determinados por ácaros. As formas intermitentes estão mais relacionadas com polinose.

Na rinite alérgica, os sintomas nasais recém-descritos ocorrem após o contato de um alérgeno com anticorpos IgE sensibilizados acoplados a mastócitos e basófilos, induzindo sua degranulação. Como decorrência, são liberados mediadores inflamatórios, sendo a histamina o principal deles. A histamina provoca vasodilatação, aumento da permeabilidade vascular e aumento da secreção glandular, estimulando terminações nervosas. Os resultados são congestão nasal e secreção de muco, que, por sua vez, levam a edema, prurido e reflexo de espirro pela estimulação de fibras nervosas sensitivas.

Em sequência, ocorre a formação de outros mediadores, responsáveis pela manutenção do processo inflamatório,

TABELA 77.1 → Classificação da rinite alérgica segundo a iniciativa Allergic Rhinitis and its Impact on Asthma

TIPO	DURAÇÃO DOS SINTOMAS	
Intermitente	< 4 dias por semana ou < 4 semanas	Leve Todos os critérios a seguir: → Sono normal → Atividades diárias, esportivas e de recreação normais → Atividades normais na escola e no trabalho → Sem sintomas incômodos
Persistente	≥ 4 dias por semana e ≥ 4 semanas	Moderada a grave Um ou mais dos critérios a seguir: → Sono anormal → Interferência em atividades diárias, esportivas e de recreação → Dificuldades na escola e no trabalho

Fonte: Bousquet e colaboradores.[2]

que desencadeiam uma segunda salva de sintomas, já sem o contato com o alérgeno, entre 5 e 8 horas depois do primeiro contato. Essa reação, também conhecida como fase II da inflamação alérgica, ocorre nos pacientes em crise de rinite alérgica que são refratários a anti-histamínicos e só melhoram com uso de corticoides.[6]

Fatores desencadeantes

Os "alérgenos" são os antígenos de natureza proteica ou glicoproteica que induzem uma reação específica com o anticorpo IgE. Outras substâncias podem reagir como irritantes da mucosa nasal, funcionando como amplificadores da reação alérgica. Dentre eles, listam-se agentes ocupacionais, poluentes externos ou *outdoors* (produtos de combustão veicular e industrial), fumaça de cigarro (e outros poluentes *indoors*), substâncias químicas, perfumes, cloro, cosméticos, além das mudanças climáticas e do ar-condicionado, que também podem desencadear reações semelhantes à rinite alérgica sem necessariamente a presença de um alérgeno. Os alimentos podem estar relacionados à rinite alérgica, porém raramente desencadeiam sintomas respiratórios de forma isolada.[6]

Os aeroalérgenos mais frequentes em nosso meio são os ácaros (*Blomia tropicalis* e *Dermatophagoides pteronyssinus*), as baratas (*Blatella germanica* e *Periplaneta americana*) e os fungos (*Alternaria* spp. e outros). Pelos e epitélios de animais também são frequentes, os do gato e do cavalo sendo os mais alergizantes. Os polens são fatores causais de alergia respiratória em regiões de clima bem-definido, sendo que os mais prevalentes são os de gramíneas, ervas daninhas e árvores. No Brasil, há descrição de polinose em cidades como Caxias do Sul, no Estado do Rio Grande do Sul, por azevém (*Lolium multiflorum*) e em Campos de Jordão, no Estado de São Paulo, pela árvore *Araucaria angustifolia* (pinheiro).[7-9]

Diagnóstico da rinite alérgica

Manifestações clínicas

O quadro clínico é de fundamental importância no diagnóstico da rinite alérgica. Os sintomas nasais – rinorreia, espirros, obstrução nasal e prurido – podem estar associados a outras manifestações de atopia, como asma e eczema. A presença de respiração oral, olheiras e um sulco horizontal no dorso do nariz é sugestiva de alergia. Além disso, devem ser pesquisadas as condições ambientais em que o paciente mora ou trabalha, com ênfase nos fatores desencadeantes previamente discutidos.

Devido ao elevado impacto da rinite alérgica na qualidade de vida dos pacientes, a consulta clínica deve considerar uma abordagem ampla dos sintomas, incluindo o bem-estar do paciente e as principais comorbidades associadas à rinite alérgica: asma, distúrbios do sono, conjuntivite alérgica, rinossinusite aguda e crônica, otite média com efusão e alterações do desenvolvimento craniofacial das crianças respiradoras orais.

Rinoscopia

Por meio da visualização direta, as conchas nasais encontram-se hipertrofiadas, edemaciadas, pálidas e com rinorreia aquosa, e esses sinais podem ser facilmente identificados pelo médico de atenção primária ainda no terço anterior da cavidade nasal.

Avaliação por imagem

Exames de imagem, como a radiografia simples dos seios paranasais (incidências de Caldwell e Waters), não são necessários no diagnóstico da rinite alérgica. A radiografia de rinofaringe, por sua vez, pode ser útil para o diagnóstico de obstrução nasal por hipertrofia da tonsila faríngea (adenoide) ou por outros processos tumorais da rinofaringe.[10]

A tomografia computadorizada e a ressonância magnética de seios paranasais podem ser solicitadas para a avaliação de quadros inflamatórios e infecciosos crônicos sinusais, em complicações de quadros infecciosos agudos e na avaliação de processos tumorais benignos e malignos.[10] A indicação parcimoniosa e precisa remete à cumulação de radiação e às reações adversas aos contrastes.

Avaliação complementar

Os testes alérgicos podem ser realizados quando não for possível, com os dados da história, diferenciar, de maneira clara, o tipo de rinite ou identificar o alérgeno específico causador da rinite alérgica. Os exames subsidiários mais importantes no diagnóstico etiológico da rinite alérgica, tanto pela especificidade como pela sensibilidade, são o *skin prick test* (SPT) e a avaliação dos níveis séricos de IgE alérgeno-específica. O diagnóstico de alergia e a identificação dos alérgenos mais relevantes em cada caso são importantes pela perspectiva de intervenções preventivas dirigidas, como o controle ambiental, pelas opções de tratamento farmacológico e, finalmente, pela opção da imunoterapia específica com alérgenos.[4]

A mensuração da IgE sérica total e a contagem de eosinófilos no sangue periférico não fecham o diagnóstico, mas ajudam a determinar a suspeita de verminoses de ciclo respiratório. Em casos mais difíceis, o médico da atenção primária, dependendo da sua experiência, pode conduzir essa investigação, ou encaminhar o paciente para alergista e imunologista, ou otorrinolaringologista.

Diagnóstico diferencial

A **TABELA 77.2** resume o diagnóstico diferencial da rinite alérgica.

Rinite induzida por fármacos

Um grande número de medicamentos pode ser responsável por sintomas de rinite. Eles estão listados na **TABELA 77.3**.

Rinite medicamentosa

O termo "rinite medicamentosa" é aplicado à vasodilatação de rebote causada pelo uso frequente de descongestionantes tópicos **(TABELA 77.4)** simpaticomiméticos, podendo tornar-se permanente pela atonia vascular. Por essa razão, eles não devem ser usados por mais de 5 dias consecutivos, e a recomendação é de cursos curtos, de 2 a 3 dias.[5,11] Além da cessação do descongestionante, o tratamento frequentemente associa corticoides tópicos.[12]

Rinite ocupacional

A rinite ocupacional é uma reação alérgica ou uma hiper-responsividade não alérgica a um agente presente no ambiente de trabalho. As causas prevalentes incluem convivência com animais de laboratório, grãos, poeira, látex e agentes químicos, como colas e solventes. O controle da rinite é feito com medidas de proteção (máscaras, filtros) ou, quando possível, com mudança do ambiente de trabalho. Essas medidas podem exigir mudanças significativas na vida do paciente; por isso, o médico deve estar seguro do diagnóstico. A rinite ocupacional chega a ser 3 vezes mais prevalente que a asma, que está frequentemente associada em até 92% dos casos.[5]

Rinite infecciosa

O diagnóstico diferencial da rinite alérgica mais comum e desafiador é feito com o simples quadro das rinites infecciosas por vírus e bactérias, a doença mais frequente da humanidade. Espirros e prurido são sintomas geralmente relacionados a quadros não infecciosos, enquanto secreção purulenta, faringites e linfonodomegalia cervical são sugestivas de quadro infeccioso.

A rinite viral é a forma mais comum de rinite aguda em todas as faixas etárias. O rinovírus e os vírus influenza e parainfluenza são os germes mais envolvidos. Pode ser aguda, aguda recorrente, crônica ou pode ocorrer exacerbação aguda da doença crônica. Apresenta-se com sintomas comuns de rinite, acompanhados, sobremaneira em crianças, de sintomas sistêmicos como febre, mialgias e cefaleia.

A doença é autolimitada, com resolução em média dentro de 4 a 7 dias, a menos que ocorra infecção bacteriana secundária. Em cerca de 2% dos casos, a rinite viral evolui para uma infecção secundária por bactérias, os sintomas persistem por mais de 10 dias e há sensação de piora do quadro clínico, na maioria dos casos evoluindo para rinossinusite (ver Capítulo Rinossinusite).

A rinite bacteriana é caracterizada por obstrução nasal, secreção mucopurulenta, dor facial e presença de crostas nasais. Os agentes etiológicos mais isolados são *Streptococcus pneumoniae* (20-35%) e *Haemophilus influenzae* (6-26%). Entretanto, outros germes, como *Moraxella catarrhalis*, *Staphylococcus aureus* e anaeróbios, também podem ser encontrados.

TABELA 77.2 → Diagnóstico diferencial de rinite alérgica*

- → Rinite induzida por fármacos
- → Rinite medicamentosa
- → Rinite ocupacional
- → Rinite infecciosa
- → Rinite hormonal ou rinite da gestação
- → Rinite gustatória
- → Rinite eosinofílica não alérgica
- → Rinopatia não alérgica/ rinite idiopática /vasomotora
- → Rinite do idoso
- → Síndrome do nariz vazio
- → Rinite atrófica
- → Rinite autoimune, granulomatosa ou vasculítica
- → Rinite química
- → Rinite induzida por fumaça
- → Rinossinusite

*Esta tabela é específica para as diversas etiologias da rinite. Condições estruturais, como desvio de septo, tumores, fístula liquórica, corpo estranho ou doença do refluxo gastresofágico, não foram listadas aqui.
Fonte: Adaptada de Wise e colaboradores.[5]

TABELA 77.3 → Medicamentos indutores ou contribuintes para rinite induzida por fármacos/substâncias

TIPO DE RINITE INDUZIDA POR FÁRMACOS/ SUBSTÂNCIAS	CATEGORIA DO MEDICAMENTO/ SUBSTÂNCIA	EXEMPLOS
Inflamatória local		→ Ácido acetilsalicílico
		→ AINEs (ibuprofeno, indometacina, diclofenaco, cetoprofeno, naproxeno, piroxicam)
Neurogênica e neuromuscular	Moduladores de receptores α e β-adrenérgicos	→ Doxazosina, silodosina, prazosina, tansulosina, fentolamina, clonidina, metildopa, guanfacina
		→ Metoprolol, atenolol, bisoprolol, pindolol, carvedilol, labetalol, guanetidina
	Inibidor de fosfodiesterase	→ Cilostazol, sildenafila, tadalafila, vardenafila, pentoxifilina
	IECAs	→ Ramipril, captopril, lisinopril, benazepril, quinapril, enalapril
Idiopática	Psicotrópicos	→ Clorpromazina, amitriptilina, alprazolam, risperidona, reserpina, tioridazina, mianserina
	Imunomoduladores	→ Ciclosporina
	Hormônios	→ Terapia estrogênica, contraceptivos
	Anti-hipertensivos	→ Amilorida, clorotiazida, hidralazina, hidroclorotiazida
	Outros	→ Gabapentina, *gingko biloba*
	Drogas ilícitas	→ Cocaína, hidrocodona

AINEs, anti-inflamatórios não esteroides; IECAs, inibidores da enzima conversora da angiotensina.
Fonte: Adaptada de Wise e colaboradores.[5]

TABELA 77.4 → Descongestionantes associados a rinite medicamentosa

Aminas simpatomiméticas	Fenilefrina, pseudoefedrina, efedrina, anfetamina, cafeína
Derivados imidazólicos	Oximetazolina, xilometazolina, nafazolina, clonidina

Fonte: Adaptada de Wise e colaboradores.[5]

Atualmente, os fungos, como *Aspergillus*, *Alternaria*, *Bipolaris* ou *Curvularia*, têm assumido maior importância.

Além disso, podem ocorrer também rinites infecciosas cronicas especificas, bem menos comuns. Entre elas estão as doenças nasais ulcerosas e granulomatosas, como leishmaniose, hanseníase, rinosclerose (esclerose) e rinosporidiose.

Rinite hormonal e rinite da gestação

A rinorreia e a congestão nasal são sintomas passíveis de ocorrer durante o período menstrual, puberdade e gravidez, e em indivíduos com alterações endócrinas específicas, como hipotireoidismo, diabetes melito e acromegalia. A rinite gestacional ocorre em cerca de 22% das gestações. Os sintomas podem ocorrer a qualquer momento, mas geralmente iniciam no segundo mês, são mais graves no segundo trimestre,[11,13] e em geral desaparecem depois do parto.[5]

Por conta do maior risco de efeitos colaterais, o tratamento conservador é aconselhado, incluindo elevação da cabeça, adesivo dilatador e exercício físico.[11] Além disso, a lavagem nasal é segura e aconselhada por diminuir a necessidade de anti-histamínicos.[14] O medicamento mais indicado, ainda que por um período e dose restritos, é classicamente a budesonida intranasal, com uso em gestantes previsto em bula.[15] Outros corticoides tópicos, como beclometasona e fluticasona, e anti-histamínicos, como loratadina e cetirizina, também têm sido estudados e podem ser considerados; porém, vasoconstritores tópicos são desaconselháveis pelo risco inerente ao uso de simpaticomiméticos durante a gravidez.

Rinite gustatória

Os pacientes apresentam um tipo de rinite isolada pouco frequente, provocada pela ingestão de determinados alimentos, em geral contendo muitos condimentos, e álcool. A reação é considerada um reflexo não imunológico, portanto acontece pouco tempo após a ingestão e não acompanha prurido ou congestão nasal.[11]

Rinite eosinofílica não alérgica

Apresenta-se como uma eosinofilia nasal paradoxal com IgE sérica normal e testes cutâneos negativos. Ocorre de forma persistente, em surtos paroxísticos, e caracteriza-se por espirros, rinorreia aquosa, prurido e, eventualmente, hiposmia. Acontece tanto em crianças quanto em adultos, porém é mais frequente após os 20 anos de idade. Os sintomas são mais intensos durante a manhã, melhorando no decorrer do dia, e o tratamento – mais bem feito em conjunto com otorrinolaringologista – consiste na remoção dos agentes irritantes, na utilização de cursos de corticoides tópicos e na exérese de pólipos nasais, quando presentes.[1]

Rinite vasomotora

Atualmente chamada de rinite idiopática ou rinopatia não alérgica, manifesta-se como uma hiper-responsividade das vias aéreas superiores a agentes ambientais não específicos, como mudanças de temperatura e umidade, exposição ao tabaco e odores fortes. Caracteriza-se por rinorreia e obstrução nasal, sem prurido ou espirros, e ocorre principalmente em mulheres com idade entre 40 e 60 anos. A história familiar de alergia e os testes cutâneos são negativos, a IgE sérica é normal e a citologia nasal mostra poucos eosinófilos. O tratamento consiste na identificação e no afastamento dos fatores desencadeantes, bem como na utilização de anticolinérgicos intranasais, como brometo de ipratrópio (atualmente não disponível no Brasil).

Rinite do idoso ou rinite senil

As alterações morfofuncionais advindas do processo fisiológico de envelhecimento que atingem a mucosa nasal deixam os idosos mais vulneráveis a sintomas como rinorreia, congestão nasal, gotejamento posterior, ressecamento da mucosa, crostas e hiposmia.[16] A avaliação clínica e a escolha terapêutica do idoso devem levar em consideração comorbidades, polifarmácia, estado neurológico, uso de terapia alternativa e adesão medicamentosa do paciente.[17] Além dos anti-histamínicos, outros 250 fármacos agem de forma deletéria nos sintomas nasais do idoso.[18] Devido aos efeitos colaterais, corticoides sistêmicos e descongestionantes devem ser evitados nesta faixa etária.[4] Há consenso entre os rinologistas de que o uso sistemático de solução salina é uma conduta eficaz para controle de sintomas nasais na maioria dos pacientes idosos. A irrigação nasal sistemática de 150 mL de solução salina hipertônica (2%), caso necessário, melhorou sintomas nasais (10 a 13 em escala de 100) em adultos C/D.[19]

Rinite atrófica e síndrome do nariz vazio

A rinite atrófica é uma doença inflamatória crônica que se caracteriza pela atrofia progressiva da mucosa e dos ossos da cavidade nasal, com formação importante de crostas, obstrução nasal, epistaxe e rinorreia fétida. Sua etiologia é incerta, mas sempre associada à infecção bacteriana. A forma primária inicia de maneira espontânea e está quase exclusivamente associada a *Klebsiella ozaenae*; a forma secundária ocorre após lesão de um trauma, irradiação, cirurgia nasosinusal ou doença granulomatosa, e mais comumente está associada a *S. aureus*, *Proteus mirabilis* e *Escherichia coli*. O tratamento é paliativo, incluindo remoção mecânica das crostas, irrigação com solução salina e antibioticoterapia com base nos resultados da cultura.[1]

A síndrome do nariz vazio ocorre geralmente após a cirurgia de redução das conchas nasais, e os pacientes referem clínica semelhante à da rinite atrófica. Ambas podem ser diferenciadas pois, além de a rinite atrófica apresentar um volume muito maior de crostas, a síndrome do nariz vazio não está associada à infecção bacteriana. O tratamento é também paliativo e é baseado na hidratação da mucosa nasal associada à orientação do paciente e ao tratamento de doenças associadas como a depressão.[20]

Rinite autoimune, granulomatosa ou vasculítica

No caso de uma rinite com crostas e epistaxes persistentes e quando as vias aéreas superior e inferior são acometidas, outros diagnósticos sistêmicos devem ser considerados – entre eles, os mais importantes são a granulomatose com poliangeíte, antigamente conhecida como granulomatose de

Wegener, a granulomatose eosinofílica com poliangeíte, conhecida como síndrome de Churg-Strauss, a sarcoidose, e o lúpus eritematoso sistêmico.[21] Esses quadros bastante raros são caracterizados por lesões ulceradas com formação de crostas, são refratários a tratamentos convencionais, e exigem abordagem diagnóstica e terapêutica individualizada por parte de otorrinos e reumatologistas.

Miscelânea

Fatores físicos e químicos podem provocar sintomas nasais que mimetizam a rinite em pessoas especialmente sensíveis ou quando o agente irritante se encontra em concentrações altas o suficiente para causar irritação na mucosa normal. No entanto, a distinção entre uma resposta fisiológica normal e a doença não é clara, pois todos os pacientes com rinite demonstram uma resposta exagerada a estímulos físicos e químicos. A exposição ao ar frio e seco, por exemplo, está associada à obstrução nasal e à produção excessiva de coriza. Desvio septal e outras variações anatômicas estruturais podem causar sintomas nasais que mimetizam rinite. Pela alta prevalência, deve-se considerar esse diagnóstico sempre que houver resposta insuficiente ao tratamento das rinites.

A obstrução nasal unilateral, em geral, é indicativa de anormalidade anatômica, como desvio de septo, deformidade dos ossos, das conchas e da cartilagem nasal, e hipertrofia de adenoides. Obstrução nasal e perfuração septal anterior são achados clássicos em usuários de cocaína. Tumores nasais, como papiloma invertido e carcinomas, devem ser considerados no diagnóstico diferencial da obstrução nasal. A polipose nasossinusal e outros pólipos nasais únicos também são responsáveis por quadros nasais obstrutivos refratários. O estresse e o estímulo sexual podem provocar sintomas nasais, provavelmente por estimulação autonômica. Em crianças, deve-se descartar presença de corpo estranho nasal, além dos quadros de rinite provocada por refluxo gastresofágico.[1]

Manejo

O objetivo do tratamento clínico da rinite alérgica é restaurar a função nasal, a fim de manter a integridade funcional de toda a via aérea. O programa terapêutico deve ser individualizado, com base na intensidade e na duração dos sintomas, e envolve o tratamento das complicações infecciosas e mecânicas associadas. São ferramentas disponíveis o controle ambiental, a farmacoterapia e a imunoterapia. O fluxograma de tratamento proposto pelo IV Consenso Brasileiro sobre Rinite está resumido na **FIGURA 77.1**.

Controle ambiental

A higiene ambiental deve ser a primeira medida após o diagnóstico definitivo de rinite alérgica e seu agente etiológico. As principais medidas de controle estão resumidas na **TABELA 77.5**.[22]

Farmacoterapia

Os fármacos disponíveis para o tratamento da rinite (**TABELA 77.6**) são os anti-histamínicos, muito utilizados na rinite alérgica, os vasoconstritores orais e tópicos, os corticoides orais e tópicos, o cromoglicato dissódico e os antileucotrienos. Esses medicamentos podem ser usados tanto de forma isolada quanto em associação, principalmente quando o controle do ambiente físico e a higiene nasal com solução

TABELA 77.5 → Medidas de controle de ambiente

→ O quarto de dormir deve ser, de preferência, bem ventilado e ensolarado; evitar travesseiro e colchão de paina ou pena; usar os de espuma, fibra ou látex, sempre que possível envoltos em material plástico (vinil) ou em capas impermeáveis aos ácaros; o estrado da cama deve ser limpo 2 vezes por mês; as roupas de cama e os cobertores devem ser trocados e lavados regularmente com detergente e a altas temperaturas (> 55 °C) e secados ao sol ou ar quente; se possível, a superfície dos colchões deve ser aspirada com um modelo potente de aspirador doméstico

→ Evitar tapetes, carpetes, cortinas e almofadões; dar preferência a pisos laváveis (cerâmica, vinil e madeira) e cortinas do tipo persianas ou de material que possa ser limpo com pano úmido; no caso de haver carpetes ou tapetes muito pesados, de difícil remoção, devem ser aspirados se possível 2 vezes por semana após terem sido deixados ventilar

→ Camas e berços não devem ser justapostos à parede; caso não seja possível, coloque-os junto à parede sem marcas de umidade ou à mais ensolarada

→ Evitar bichos de pelúcia, estantes de livros, revistas, caixas de papelão ou qualquer outro local onde possam ser formadas colônias de ácaros no quarto de dormir; substitua-os por brinquedos de tecido para que possam ser lavados com frequência

→ Identificar e eliminar o mofo e a umidade, principalmente no quarto de dormir, reduzir a umidade a menos de 50%; verificar periodicamente as áreas úmidas de sua casa, como banheiro (cortinas plásticas do chuveiro, embaixo das pias, etc.); a solução diluída de água sanitária pode ser aplicada nos locais mofados, até sua resolução definitiva, até porque são irritantes respiratórios; é essencial investigar outras fontes de exposição aos fungos fora do domicílio (creche, escola e locais de trabalho)

→ Evitar o uso de vassouras, espanadores e aspiradores de pó comuns; passar pano úmido diariamente na casa ou usar aspiradores de pó com filtros especiais 2 vezes por semana; afastar o paciente alérgico do ambiente enquanto se faz a limpeza

→ Ambientes fechados por tempo prolongado (casa de praia ou de campo) devem ser arejados e limpos pelo menos 24 horas antes da entrada dos indivíduos com alergia respiratória

→ Evitar animais de pelo e pena, especialmente no quarto e na cama do paciente (ambiente seguro); manter a porta do quarto sempre fechada; se for impossível, restringir o animal a uma única área da moradia e usar purificadores HEPA no quarto do paciente; preferencialmente, crianças alérgicas podem ter, como animais de estimação, peixes e tartarugas

→ Evitar a exposição aos alérgenos de camundongos e ratos com intervenção profissional integrada aos cuidados de limpeza da moradia; inclusive, devem ser colocadas armadilhas, ser vedados os furos e rachaduras que possam atuar como pontos de entrada e ser aplicado raticida, nos casos de grandes infestações

→ A inspeção é passo importante no extermínio de baratas; evitar inseticidas e produtos de limpeza com forte odor, e usar o método de iscas; exterminar baratas e roedores pode ser necessário

→ Remover o lixo e manter os alimentos fechados e acondicionados, pois esses fatores atraem os roedores; não armazenar lixo dentro de casa

→ Dar preferência às pastas e aos sabões em pó para limpeza de banheiro e cozinha; evitar talcos, perfumes e, desodorantes, principalmente na forma de sprays

→ Não fumar e nem deixar que fumem dentro da casa e do automóvel; o tabagismo pré-natal, perinatal e pós-natal está associado a problemas respiratórios futuros na prole

→ Evitar banhos extremamente quentes e oscilação brusca de temperatura; a temperatura ideal da água é a temperatura corporal

→ Dar preferência à vida ao ar livre; esportes podem e devem ser praticados; evitar dias com alta exposição aos pólens ou poluentes em determinadas áreas geográficas

→ Recomenda-se aos pacientes alérgicos ao pólen manter as janelas da casa e do carro fechadas durante o dia, e abri-las à noite (menor contagem de pólens); os sistemas de ventilação de casa e do carro devem ser equipados com filtros especiais para polens; máscaras protetoras e óculos são úteis; os polens podem ser transportados para dentro de casa nas roupas e em animais domésticos; evite deixar as roupas para secar ao ar livre, se possível use secadora automática

→ Evitar atividades externas nos períodos de alta contagem de polens, entre 5 h e 10 h e em dias secos, quentes e com ventos

→ Manter os filtros dos aparelhos de ar condicionado sempre limpos; se possível, limpe-os mensalmente; evitar a exposição à temperatura ambiente muito baixa e oscilações bruscas de temperatura; lembrar que o ar condicionado é seco e pode ser irritante

Fonte: Rubini e colaboradores[22] e Sakano e colaboradores.[4]

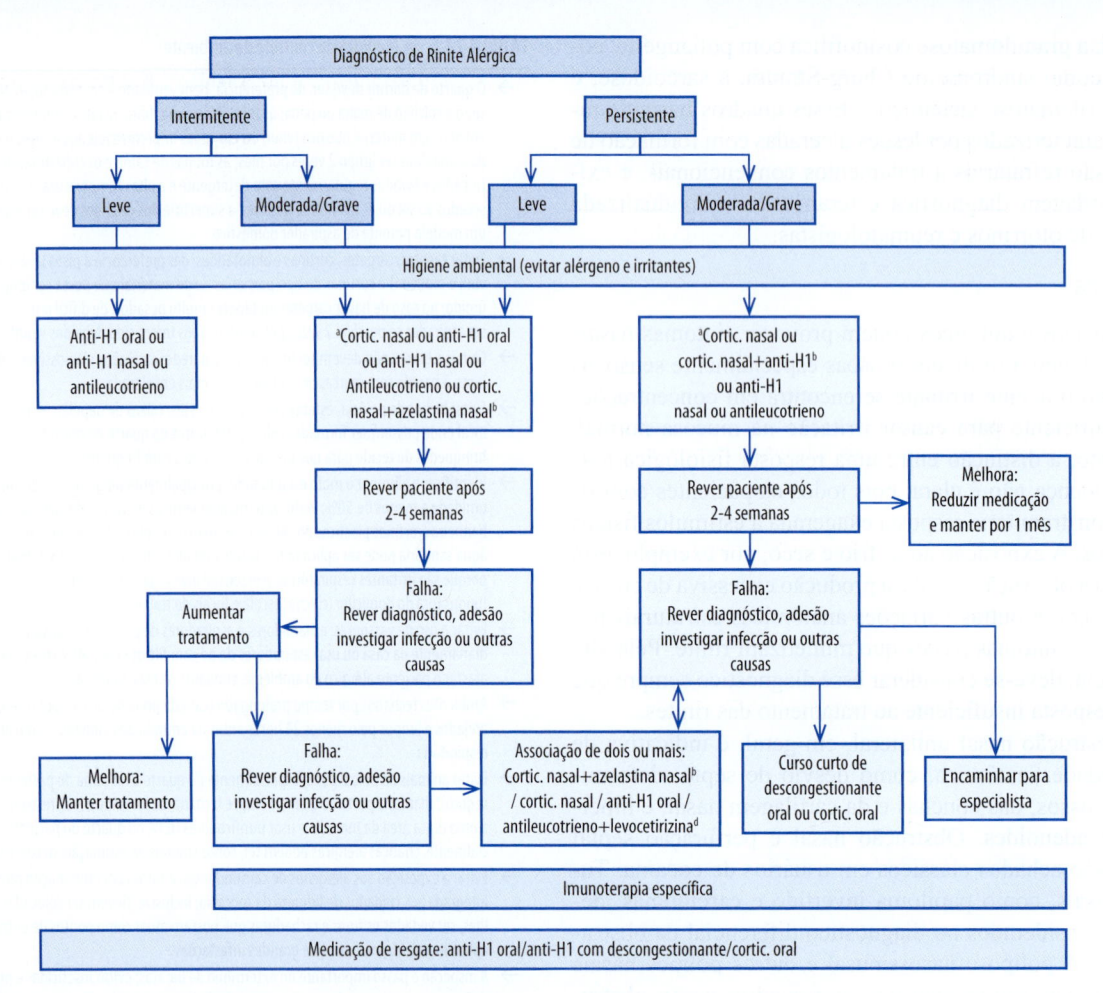

FIGURA 77.1 → Fluxograma de tratamento para a rinite alérgica segundo o IV Consenso Brasileiro sobre Rinite.
Anti-H1, anti-histamínico H1; Cortic., corticoide.
[a]Sem ordem de preferência; [b]Acima de 6 anos; [c]Em ordem de preferência; [d]Acima de 18 anos.
Fonte: Sakano e colaboradores.[4]

salina não são suficientes para diminuir a intensidade dos sintomas nasais. Além da farmacoterapia, para casos específicos e persistentes, os tratamentos modificadores incluem a cirurgia, a imunoterapia alérgeno-específica e, mais recentemente, os agentes imunobiológicos.

A escolha do tratamento pode ser dirigida pelo quadro clínico do paciente. Para aqueles com sintomas de rinite alérgica ocasionais, o anti-histamínico oral pode ser recomendado para uso de primeira linha conforme a necessidade (NNT = 7) **A**. Em casos de sintomas persistentes ou mais frequentes, torna-se aconselhável um tratamento preventivo usado de forma regular. Nesse cenário, os corticoides intranasais são os fármacos recomendados, sobretudo se obstrução nasal ou pólipos nasais estiverem presentes **B**.

Se for necessário alívio rápido dos sintomas, enquanto se aguarda o tratamento preventivo fazer efeito, os anti-histamínicos com ou sem vasoconstritores podem ser recomendados para alívio da obstrução e congestão nasal **A**. Nos casos de sintomas graves, com repercussão sobre a qualidade de vida, pode-se associar um curso de 20 a 40 mg de prednisolona oral por 5 a 10 dias **C/D**. O corticoide intranasal é o fármaco de escolha para o tratamento da rinite alérgica durante a gestação e a amamentação **C/D**. Se não for tolerado

TABELA 77.6 → Efeito dos medicamentos usados no tratamento das rinites

	PRURIDO	ESPIRRO	RINORREIA	OBSTRUÇÃO NASAL	SINTOMAS OCULARES
Anti-histamínicos					
Orais	+++	++	++	+	++
Tópicos	++	++	++	+	0
Descongestionantes					
Tópicos	0	0	0	+++	0
Orais	0	0	0	+	0
Corticoides					
Tópicos	++	+++	+++	+++	++
Cromonas	+	+	+	+	+
Antileucotrienos	0	0	+	++	++

0, ação nula; +, pouco efetivo; ++, moderadamente efetivo; +++, bastante efetivo.

ou caso haja necessidade de tratamento adicional, recomenda-se o uso de loratadina oral (10 mg 1 ×/dia).

Os **anti-histamínicos** H1 são muito eficazes no controle dos sintomas de prurido nasal, espirros, rinorreia e sintomas oculares associados, constituindo a principal classe de fármacos empregados no tratamento da rinite alérgica. São mais eficazes se utilizados previamente à exposição aos alérgenos.

Dividem-se em anti-H1 de primeira geração (clássicos) e de segunda geração. Os anti-histamínicos de primeira geração são rapidamente absorvidos quando administrados por via oral e promovem alívio dos sintomas da rinite já na primeira meia hora. Todavia, a meia-vida curta desses medicamentos torna necessária sua administração em 3 a 4 doses diárias, o que é inconveniente quando a criança frequenta a escola ou outras atividades fora de casa. Além disso, os anti-H1 clássicos atravessam facilmente a barreira hematencefálica, podendo induzir sedação em até 55% dos pacientes, e trazem efeitos anticolinérgicos periféricos indesejáveis.[23] A TABELA 77.7 mostra as associações entre anti-histamínicos clássicos e descongestionantes orais.

Os anti-H1 de segunda geração, por sua vez, também são rapidamente absorvidos por via oral, porém sua meia-vida mais longa permite a administração em dose única diária, o que é mais cômodo. Além disso, sendo grandes moléculas lipofóbicas, têm menor probabilidade de agir no sistema nervoso central e provocar sedação.[24] Devido ao excelente perfil de segurança e vantagens terapêuticas, os anti-H1 de segunda geração devem ser priorizados em relação aos compostos clássicos. O uso preferencial dos anti-histamínicos de primeira geração em crianças está restrito a duas circunstâncias: pacientes com dermatite atópica cujo prurido é tão intenso que a sedação é um efeito benéfico, e pacientes com história de anafilaxia que se beneficiam da terapia com difenidramina. A TABELA 77.8 apresenta opções disponíveis desses anti-histamínicos H1 de segunda geração.[25]

Além do uso oral, atualmente anti-histamínicos tópicos estão disponíveis para uso ocular e nasal. Estes últimos apresentam a vantagem de início de ação mais rápido e maior efetividade no controle da obstrução nasal.[4]

Os **vasoconstritores** orais são aminas simpaticomiméticas que, pela estimulação alfa-adrenérgica, promovem vasoconstrição na mucosa do trato respiratório, diminuem a congestão nasal e melhoram a permeabilidade das fossas nasais. Não se acompanham de efeito-rebote mesmo quando utilizados por tempo prolongado, mas podem causar insônia, anorexia e nervosismo excessivo. Não há vasoconstritores orais que não estejam associados a outros fármacos no mercado brasileiro. A TABELA 77.9 apresenta as opções disponíveis associadas a anti-histamínicos de segunda geração.

Os vasoconstritores tópicos apresentam início rápido de ação. Não devem ser utilizados por períodos superiores a 5 dias, pois a congestão por efeito-rebote pode ocorrer após o uso prolongado e ser seguida por rinite medicamentosa. Além disso, os efeitos colaterais cardiovasculares devem ser considerados.[2,4,21]

O **cromoglicato dissódico** é um estabilizador da membrana dos mastócitos, inibindo sua degranulação. É útil para aliviar o prurido nasal e os espirros, porém tem efeito limitado sobre a congestão nasal. É menos eficaz do que os anti-histamínicos sistêmicos e corticoides nasais no tratamento das crises agudas de rinite alérgica. Sua principal indicação é a profilaxia das crises de rinite **A**.[4,21] Uma limitação ao uso do cromoglicato é a curta duração de ação, que torna necessária a aplicação do medicamento (1 jato/narina) 4 ×/dia para obtenção do efeito pleno, gerando baixa adesão ao tratamento.

TABELA 77.7 → Associações entre anti-histamínicos clássicos e descongestionantes orais

NOME	APRESENTAÇÃO			POSOLOGIA	
	COMPRIMIDO	GOTAS	OUTROS	CRIANÇAS	ADULTOS E CRIANÇAS > 12 ANOS
Azatadina + Pseudoefedrina	Drágeas: 1 mg 120 mg		Xarope: 0,5 mg/mL 30 mg/mL	> 6 anos: 5 mL a cada 12 horas 1-6 anos: 2,5 mL a cada 12 horas	1 comprimido a cada 12 horas 10-20 mL a cada 12 horas
Bromofeniramina + Fenilefrina	12 mg 15 mg	2 mg 2,5 mg	Xarope: 2 mg/5 mL 5 mg/5 mL	> 2 anos: 2,5-5 mL a cada 6 horas > 2 anos: 2 gotas/kg a cada 8 horas	15-30 mL a cada 6 horas
Bromofeniramina + Pseudoefedrina	Cápsula: 4 mg 60 mg		Xarope: 0,2 mg/mL 3 mg/mL	> 6 meses: 0,25-0,30 mL/kg/dose a cada 6 horas	1 comprimido a cada 12 horas 20 mL a cada 6 horas 1 cápsula a cada 6 horas
Clorfeniramina + Fenilefrina + Paracetamol	Cápsula: 4 mg 4 mg 400 mg				1-2 cápsulas a cada 4 horas
Clorfeniramina + Fenilefrina + Paracetamol		1 mL = 30 gotas 2 mg/mL 2 mg/mL 100 mg/mL	Xarope: 0,6 mg 0,6 mg 40 mg	> 6 anos: 5 mL a cada 4 horas	10 mL a cada 4 horas
Tripolidina + Pseudoefedrina	2,5 mg 60 mg	2 mg/mL	Xarope: 1,25 mg/5 mL 30 mg/5 mL	2-4 anos: 17-25 gotas a cada 6 horas 4-6 anos: 25-35 gotas a cada 6 horas 2-5 anos: 2,5 mL a cada 6 horas 6-12 anos: 5 mL a cada 6 horas	10 mL a cada 6 horas 1 comprimido a cada 6 horas

TABELA 77.8 → Anti-histamínicos H1 de segunda geração

NOME	APRESENTAÇÃO			POSOLOGIA	
	COMPRIMIDO	SOLUÇÃO ORAL	OUTROS	CRIANÇAS	ADULTOS E CRIANÇAS > 12 ANOS
Cetirizina	10 mg	1 mg/mL	Gotas: 10 mg/mL	2-6 anos: 2,5 mg/dose a cada 12 horas 6-12 anos: 5 mg/dose a cada 12 horas	10 mg/dia
Desloratadina	5 mg	0,5 mg/mL		6 meses-2 anos: 2 mL, 1x/dia 2-6 anos: 2,5 mL, 1 ×/dia 6-11 anos: 5 mL, 1 ×/dia	5 mg/dia
Ebastina	10 mg		Xarope: 1 mg/mL	2-6 anos: 2,5 mL, 1 ×/dia 6-12 anos: 5 mL, 1 ×/dia	10 mg/dia
Epinastina	10 mg ou 20 mg				10-20 mg/dia
Fexofenadina	30, 60, 120 e 180 mg			6-11 anos: 30-60 mg/dia	60 mg a cada 12 horas ou 120 mg, 1 ×/dia
Levocetirizina	5 mg			> 6 anos: 5 mg/dia	5 mg/dia
Loratadina	10 mg	5 mg/mL		> 2 anos com < 30 kg: 5 mg/dia > 30 kg: 10 mg/dia	10 mg/dia
Rupatadina	10 mg				10 mg/dia

Os **corticoides tópicos** são potentes anti-inflamatórios que agem diretamente na mucosa nasal. Estão indicados para crianças e adultos com sintomas moderados a graves de rinite alérgica. São eficazes no tratamento da rinite alérgica, diminuindo a intensidade dos sintomas nasais como espirros, rinorreia, prurido e obstrução **A**, e também no controle de rinites gestacional, ocupacional e vasomotora.[15] Os corticoides tópicos são representados na **TABELA 77.10**.

O efeito terapêutico máximo é observado por volta da segunda semana de tratamento. Durante a ação terapêutica, podem surgir efeitos colaterais locais como sensação de ardor, ressecamento da mucosa nasal e epistaxe. Nos casos que cursam com edema importante da mucosa nasal, deve-se considerar o emprego do corticoide tópico em associação com outros fármacos, principalmente com os do tipo anti-histamínico-vasoconstritor oral ou vasoconstritor tópico, nos primeiros dias. Essas associações evitam abandono do tratamento e facilitam o sono, em virtude de maior ação local, com diminuição da congestão nasal.

Os corticoides intranasais são equivalentes em eficácia, mas há uma diferença farmacológica importante entre eles. Quanto maior a afinidade do fármaco pelos receptores nasais dos esteroides, menor é a absorção sistêmica, e portanto menor o risco de efeitos colaterais sistêmicos com uso prolongado **C/D**. O medicamento com maior afinidade pelos receptores esteroídicos é a mometasona, seguido da fluticasona, beclometasona, budesonida e triancinolona. A ciclesonida é um pró-fármaco muito seguro, mas avaliado sob diferente prisma. Assim, vê-se que a mometasona e a fluticasona são os corticoides intranasais que têm menor absorção – ou biodisponibilidade – sistêmica.

Recomenda-se o uso das menores doses possíveis dos corticoides intranasais pelo período mais curto possível. A aplicação do medicamento deve ser feita preferencialmente pela manhã, mas no início do tratamento dos casos graves é válido realizar aplicações a cada 12 horas.

O médico deve orientar os pais e as crianças sobre o modo de aplicação dos corticoides nasais **(TABELA 77.11)**. O uso incorreto dos medicamentos faz boa parte do fármaco ficar

TABELA 77.9 → Associados anti-histamínicos de segunda geração e descongestionantes orais

NOME	APRESENTAÇÃO			POSOLOGIA	
	COMPRIMIDO	XAROPE	CÁPSULA	CRIANÇAS	ADULTOS E CRIANÇAS > 12 ANOS
Fexofenadina + Pseudoefedrina	60 mg 120 mg				1 comprimido a cada 12 horas
Loratadina + Pseudoefedrina	5 mg 120 mg	1 mg/mL 12 mg/mL		Peso > 30 kg: 5 mL a cada 12 horas Peso < 30 kg: 2,5 mL a cada 12 horas	1 comprimido a cada 12 horas
Loratadina + Pseudoefedrina	10 mg 240 mg				1 comprimido ao dia
Ebastina + Pseudoefedrina			10 mg 120 mg		1 comprimido ao dia
Cetirizina + Pseudoefedrina			5 mg 120 mg		1 comprimido a cada 12 horas

TABELA 77.10 → Corticoides de uso tópico nasal

CORTICOIDE	DOSAGEM E ADMINISTRAÇÃO	DOSE	IDADE
Beclometasona	50 e 100 µg/jato, 1-2 jatos/narina 1-2 ×/dia	100-400 µg/dia	> 6 anos
Budesonida	32, 64, 50 e 100 µg/jato, 1-2 jatos/narina 1 ×/dia	64-400 µg/dia	> 4 anos
Propionato de fluticasona	50 µg/jato, 1-2 jatos/narina 1 ×/dia	100-200 µg/dia	> 4 anos
Mometasona	50 µg/jato, 1-2 jatos/narina 1 ×/dia	100-200 µg/dia	> 2 anos
Ciclesonida	50 µg/jato, 2 jatos em cada narina 1 ×/dia	200 µg/dia	> 6 anos
Furoato de fluticasona	27,5 µg/jato, 1-2 jatos/narina 1 ×/dia	55-110 µg/dia	> 2 anos

Fonte: Sakano e colaboradores.[4]

TABELA 77.11 → Aplicação correta de corticoides tópicos

PREPARAÇÃO
→ Limpar o nariz
→ Agitar o frasco
→ Remover a tampa

ADMINISTRAÇÃO
→ Inclinar a cabeça para a frente
→ Direcionar o jato em direção à parede lateral
→ Aspirar suavemente
→ Repetir na outra narina

no próprio aplicador ou escorrer da narina da criança, diminuindo sua ação na mucosa nasal.

A absorção sistêmica dos corticoides intranasais durante tratamentos prolongados traz a preocupação quanto aos seus efeitos no crescimento estatural das crianças e à supressão do eixo hipotálamo-hipófise-suprarrenal. Por isso, sempre que possível, retorna-se aos estágios iniciais do tratamento, ou seja, ao controle do ambiente, à higiene nasal com solução salina e, em alguns casos, ao uso de cromoglicato dissódico e anti-histamínico tópico ou oral.

Corticoides sistêmicos são reservados para casos graves, refratários ao tratamento com corticoides intranasais, em especial se associados à polipose nasal. As doses e o tempo de uso devem ser limitados, pelo risco de efeitos colaterais graves nas crianças (inibição do crescimento, supressão do eixo hipotálamo-hipófise-suprarrenal e alterações de comportamento). Recomendam-se cursos de, no máximo, 5 a 7 dias.

Os **antagonistas dos receptores de leucotrienos** bloqueiam a ação dos leucotrienos liberados pelos mastócitos, granulócitos, macrófagos e monócitos em resposta ao estímulo antigênico. A eficácia dos antileucotrienos (montelucaste) no tratamento da rinite alérgica é inferior à dos anti-histamínicos e dos corticoides intranasais, devendo ser usados apenas como segunda ou terceira linha de tratamento em caso de falha das primeiras opções. Na rinite alérgica intermitente, o uso de montelucaste sódico em associação com loratadina mostrou-se superior a ambos os fármacos empregados isoladamente (NNT = 7) **B**. É possível que os pacientes mais beneficiados com esse tratamento sejam os que apresentam rinite alérgica associada à asma e à polipose nasal, uma vez que os antileucotrienos são úteis na prevenção da recidiva dos pólipos nasais **C/D**.

O montelucaste sódico tem posologia recomendada de 4 mg/dia para crianças de 2 a 5 anos, 5 mg/dia para crianças de 6 a 14 anos e 10 mg/dia para adultos. O medicamento é apresentado em comprimidos mastigáveis e em pó para as crianças. Recentemente, uma associação entre um anti-H1 (levocetirizina 5 mg + montelucaste de sódio 10 mg) foi disponibilizada para uso em adultos. Estudos mostram que a terapia combinada é superior a ambas as medicações administradas de modo isolado.[26,27]

Imunoterapia

Um tratamento geralmente dispensado sob orientação de alergista e imunologista é a imunoterapia alérgeno-específica. É eficaz em reduzir os sintomas da rinite alérgica (TE = −0,53 enquanto recebendo terapia) e reduzir o uso de outras medicações (TE = −0,37 enquanto recebendo terapia), não estando associada a efeitos colaterais significativos **B**.[28] O benefício foi maior em adultos (TE = −0,26 para crianças e −0,56 para adultos) e para alérgenos perenais (TE = −0,37 para alérgenos sazonais e −0,91 para os perenais). Evidência para benefício após término da terapia é bem menos robusto **C**.[29]

A imunoterapia é indicada quando a higiene ambiental e a farmacoterapia são insuficientes para controlar os sintomas nasais, ou quando o tratamento farmacológico provoca efeitos indesejáveis. É imprescindível que o paciente tenha sido avaliado por teste cutâneo ou IgE específica para que se estabeleçam os antígenos a serem incluídos na vacina. Na prática clínica, a imunoterapia específica fica restrita aos casos de rinite alérgica persistente, ou intermitente moderada a grave.[30]

Mais frequentemente, a imunoterapia para rinite e asma pode ser aplicada por via subcutânea e sublingual. A imunoterapia específica ao antígeno detectado nas provas alergológicas tem melhores resultados em comparação às vacinas com múltiplos componentes. O tratamento é feito com doses crescentes do extrato alergênico até alcançar a dose de manutenção. Reações adversas – locais como edema no local da aplicação no tratamento subcutâneo e sistêmicas como exacerbação de sintomas no tratamento sublingual –, são incomuns. A ocorrência de anafilaxia é rara mas deve ser prevista, orientando-se adequadamente o manejo. A imunoterapia deve ser interrompida quando o paciente não apresenta melhora clínica após 1 ano de tratamento.[28] Não há biomarcadores que se relacionem ao sucesso do tratamento, que deve ser acompanhado clinicamente. Em crianças, a imunoterapia para rinite previne início de asma futuramente.

A imunoterapia sublingual também está associada à melhora significativa dos sintomas de rinite alérgica e à menor necessidade de uso de medicamentos, mostrando também bom perfil de segurança **B**.[31,32] A aplicação sublingual tem sido bastante indicada, diante da normatização mais recente, restritiva a aplicações de determinados medicamentos, como as vacinas subcutâneas, que podem deflagrar reações mais bem manejadas em ambiente hospitalar.[33]

Existem outras vias de administração raramente utilizadas em nosso meio. A imunoterapia por via intranasal é eficaz, mas com frequência leva a reações adversas como coriza, obstrução nasal e espirros. A imunoterapia por via oral tem menor eficácia clínica, provavelmente pela reduzida absorção do alérgeno no sistema digestivo.

Cirurgia

O tratamento cirúrgico está incluído no rol de possibilidades terapêuticas de rinite alérgica, sendo indicado nos casos pacientes refratários ao tratamento clínico que apresentem alterações anatômicas nasossinusais.[2,3,21,34] Os benefícios indicam potencial melhoria da respiração, da qualidade de vida e melhor distribuição dos medicamentos tópicos na cavidade nasal.[4]

ENCAMINHAMENTO

Existe uma variedade de situações em que são necessários o conhecimento e o treinamento de um especialista em alergia-imunologia ou em otorrinolaringologia. Recomenda-se encaminhar ao especialista quando:

→ os sintomas persistem apesar do uso correto do tratamento medicamentoso;
→ a qualidade de vida do paciente é significativamente afetada;
→ desenvolvem-se comorbidades, como infecções crônicas otorrinolaringológicas, distúrbios de sono e aprendizado, respirador oral com consequências ortodônticas e fonoaudiológicas;
→ o paciente necessita de corticoides orais **de forma persistente** para controlar os sintomas;
→ existe custo excessivo pela combinação de medicamentos; e
→ existe associação com outras patologias, como conjuntivite alérgica, sinusite crônica, otite média, pólipos nasais e desvio septal.

REFERÊNCIAS

1. Bousquet J, Schünemann HJ, Togias A, Bachert C, Erhola M, Hellings PW, et al. Next-generation allergic rhinitis and its impact on asthma (ARIA) guidelines for allergic rhinitis based on grading of recommendations assessment, development and evaluation (GRADE) and real-world evidence. J Allergy Clin Immunol. 2020;145(1):70-80.e3.
2. Bousquet J. Allergic rhinitis and its impact on asthma (ARIA). Clin Exp Allergy Rev. 2003;3(1):43–5.
3. Brożek JL, Bousquet J, Agache I, Agarwal A, Bachert C, Bosnic-Anticevich S, et al. Allergic rhinitis and its impact on asthma (ARIA) guidelines – 2016 revision. J Allergy Clin Immunol. 2017;140(4):950–8.
4. Sakano E, Sarinho ESC, Cruz AA, Pastorino AC, Tamashiro E, Kuschnir F, et al. IV Brazilian Consensus on Rhinitis – an update on allergic rhinitis. Braz J Otorhinolaryngol. 2018;84(1):3–14.
5. Wise SK, Lin SY, Toskala E, Orlandi RR, Akdis CA, Alt JA, et al. International consensus statement on allergy and rhinology: allergic rhinitis. Int Forum Allergy Rhinol. 2018;8(2):108–352.
6. Simons FER, Ardusso LRF, Bilò MB, Cardona V, Ebisawa M, El-Gamal YM, et al. International consensus on (ICON) anaphylaxis. World Allergy Organ J. 2014;7:9.
7. Chong Neto HJ, Rosário CS, Rosário BA, Chong FH, Grasselli EA, Silva FC, et al. Allergic rhinitis in preschool children from southern Brazil. Allergy. 2014;69(4):545–7.
8. Baena-Cagnani CE, Sánchez-Borges M, Zernotti ME, Larenas-Linnemann D, Cruz AA, González-Díaz SN, et al. [ARIA (Allergic Rhinitis and its Impact on Asthma). Achievements in 10 years and future needs in Latin America]. Rev Alerg Mex. 2013;60(4):184–92.
9. Vieira FM, Braga GL de, Oliveira Filho PF. Prevalência de polinose em soldados do Exército no sul do Brasil. Rev Bras Alerg E Imunopatol. 2009;32(6):221–6.
10. Joshi VM, Sansi R. Imaging in sinonasal inflammatory disease. Neuroimaging Clin N Am. 2015;25(4):549–68.
11. Hellings PW, Klimek L, Cingi C, Agache I, Akdis C, Bachert C, et al. Non-allergic rhinitis: position paper of the european academy of allergy and clinical immunology. Allergy. 2017;72(11):1657–65.
12. Zucker SM, Barton BM, McCoul ED. Management of rhinitis medicamentosa: a systematic review. Otolaryngol Head Neck Surg. 2019;160(3):429–38.
13. Ellegård E, Hellgren M, Torén K, Karlsson G. The incidence of pregnancy rhinitis. Gynecol Obstet Invest. 2000;49(2):98–101.
14. Scadding GK, Kariyawasam HH, Scadding G, Mirakian R, Buckley RJ, Dixon T, et al. BSACI guideline for the diagnosis and management of allergic and non-allergic rhinitis (revised edition 2017; first edition 2007). Clin Exp Allergy. 2017;47(7):856–89.
15. Karatzanis A, Chatzidakis A, Milioni A, Vlaminck S, Kawauchi H, Velegrakis S, et al. Contemporary use of corticosteroids in rhinology. Curr Allergy Asthma Rep. 2017;17(2).
16. Pinto JM, Jeswani S. Rhinitis in the geriatric population. Allergy Asthma Clin Immunol. 2010;6(1).
17. Baptist AP, Nyenhuis S. Rhinitis in the elderly. Immunol Allergy Clin North Am. 2016;36(2):343–57.
18. Miyake MA, Miyake MM. Afecções otorrinolaringológicas no idoso. In: Coifman H, editor. Otorrinogeriatria. São Paulo: Payá; 2019. p. 19–27.
19. Chong LY, Head K, Hopkins C, Philpott C, Glew S, Scadding G, et al. Saline irrigation for chronic rhinosinusitis. Cochrane ENT Group, organizador. Cochrane Database Syst Rev. 2016;4:CD011995.
20. Gill AS, Said M, Tollefson TT, Steele TO. Update on empty nose syndrome: disease mechanisms, diagnostic tools, and treatment strategies. Curr Opin Otolaryngol Head Neck Surg. 2019;27(4):237–42.
21. Fokkens WJ, Lund VJ, Mullol J, Bachert C, Alobid I, Baroody F, et al. EPOS 2012: European position paper on rhinosinusitis and nasal polyps 2012. a summary for otorhinolaryngologists. Rhinol J. 2012;50(1):1–12.
22. Rubini N de PM, Wandalsen GF, Rizzo MCV, Aun MV, Chong Neto HJ, Solé D. Guia prático sobre controle ambiental para pacientes com rinite alérgica. Arq Asma Alerg Imunol. 2017;1(1).
23. Blaiss MS, The Allergic Rhinitis in Schoolchildren Consensus Group. Allergic rhinitis and impairment issues in schoolchildren: a consensus report. Curr Med Res Opin. 2004;20(12):1937–52.
24. Balbani APS, Caniello M, Miyake MAM. Rinites e anti-histamínicos: impacto na cognição e psicomotricidade. Rev Bras Alerg E Imunopatol. 2001;24(3):106–14.
25. Seidman MD, Gurgel RK, Lin SY, Schwartz SR, Baroody FM, Bonner JR, et al. Clinical practice guideline: allergic rhinitis. Otolaryngol Head Neck Surg. 2015;152(suppl 1):S1–43.
26. Gupta V, Matreja PS. Efficacy of montelukast and levocetirizine as treatment for allergic rhinitis. J Allergy Ther. 2010;01(01).
27. Meltzer EO, Malmstrom K, Lu S, Prenner BM, Wei LX, Weinstein SF, et al. Concomitant montelukast and loratadine as treatment for seasonal allergic rhinitis: A randomized, placebo-controlled clinical trial. J Allergy Clin Immunol. 2000;105(5):917–22.

28. Calderon MA, Alves B, Jacobson M, Hurwitz B, Sheikh A, Durham S. Allergen injection immunotherapy for seasonal allergic rhinitis. Cochrane Database Syst Rev. 2007;CD001936.
29. Dhami S, Nurmatov U, Arasi S, Khan T, Asaria M, Zaman H, et al. Allergen immunotherapy for allergic rhinoconjunctivitis: a systematic review and meta-analysis. Allergy. 2017;72(11):1597–631.
30. Cox L, Jacobsen L. Comparison of allergen immunotherapy practice patterns in the United States and Europe. Allergy Asthma Clin Immunol. 2009;103(6):451–60.
31. Radulovic S, Wilson D, Calderon M, Durham S. Systematic reviews of sublingual immunotherapy (SLIT). Allergy. 2011;66(6):740–52.
32. Durham SR, Penagos M. Sublingual or subcutaneous immunotherapy for allergic rhinitis? J Allergy Clin Immunol. 2016;137(2):339-349.e10.
33. Bousquet J, Pfaar O, Togias A, Schünemann HJ, Ansotegui I, Papadopoulos NG, et al. 2019 ARIA Care pathways for allergen immunotherapy. Allergy. 2019;74(11):2087–102.
34. Chhabra N, Houser SM. The surgical management of allergic rhinitis. Otolaryngol Clin North Am. 2011;44(3):779–95.

LEITURA RECOMENDADA

Sakano E, Sarinho ESC, Cruz AA, Pastorino AC, Tamashiro E, Kuschnir F, et al. IV Brazilian Consensus on Rhinitis – an update on allergic rhinitis. Braz J Otorhinolaryngol. 2018;84(1):3–14.
Abordagem geral sobre o diagnóstico e tratamento de rinite no Brasil.

Capítulo 78
RINOSSINUSITE

Michelle Menon Miyake

Elisabeth Araujo

A rinossinusite é um processo inflamatório que acomete a mucosa que reveste a cavidade nasal e os seios paranasais, constituindo uma mesma unidade anatômica e funcional.[1]

A rinossinusite aguda (RSA) é uma das causas mais comuns de atendimento médico. Apesar de apresentar um quadro comumente autolimitado, a dificuldade de diferenciar o quadro bacteriano e o risco de complicações severas faz a RSA estar entre as maiores taxas de prescrição de antibióticos no mundo. A estatística exalta a importância do diagnóstico acurado diante da grande crise mundial de resistência bacteriana.

A rinossinusite crônica (RSC) abrange um grupo heterogêneo de doenças nasossinusais inflamatórias crônicas. Afeta 5 a 12% da população, gerando sobrecarga dos sistemas de saúde e perda significativa da produtividade.[1,2]

Considerando a importância e a prevalência das rinossinusites, este capítulo tem como objetivo fornecer, ao não especialista, uma síntese atualizada para o diagnóstico e o manejo clínico da rinossinusite tanto no adulto como na criança.

MICROBIOLOGIA

A microbiologia da RSA se baseia em cultura da secreção dos seios maxilares ou em aspirados do meato médio, sendo similar na criança e no adulto. As bactérias isoladas com mais frequência são *Streptococcus pneumoniae*, *Haemophilus influenzae*, *Streptococcus viridans*, *Moraxella catarrhalis* e *Staphylococcus aureus*, sendo que cerca de 70% das RSAs bacterianas são causadas pelos dois primeiros agentes.[2,3] Entre os vírus, podem ser encontrados o rinovírus, o coronavírus, o vírus sincicial respiratório, o influenzavírus, o vírus da parainfluenza, o adenovírus e o enterovírus, sendo que aproximadamente 50% dos quadros de RSAs virais em adultos são causados pelos dois primeiros agentes.[1]

Além disso, novos patógenos emergem e podem tornar-se um enorme desafio para a saúde pública. Um exemplo disso é a recente pandemia de coronavírus, que inicia com a contaminação da via aérea respiratória alta.[4] O epitélio nasal é a primeira porta de entrada do vírus, podendo desencadear a cascata inflamatória responsável pelo resfriado comum e outras síndromes respiratórias agudas, bem como formar a base para a defesa imunológica.[1]

Apesar das inúmeras pesquisas sobre o tema, a etiologia das rinossinusites permanece pouco compreendida e os possíveis papéis de comunidades microbianas permanecem em debate. Técnicas moleculares modernas, por trazerem informações microbianas além daquelas obtidas por meio de cultura, mudaram a compreensão da complexidade da ecologia microbiana dos seios da face. Por capturarem melhor a complexidade dessas comunidades, essas novas técnicas facilitaram uma mudança na perspectiva da patogênese microbiana da RSC – de uma visão baseada nos efeitos de organismos únicos a uma visão mais baseada em modelos complexos, que permitem efeitos de interação entre as comunidades microbianas e o ambiente dos tecidos hospedeiros do trato sinonasal.[5]

FATORES PREDISPONENTES

A etiopatogenia da rinossinusite é de natureza multifatorial, e o reconhecimento dos fatores de risco é fundamental no diagnóstico precoce e no tratamento adequado. Os principais fatores predisponentes para as RSAs bacterianas que podem auxiliar na diferenciação para os quadros virais encontram-se resumidos na TABELA 78.1.

DIAGNÓSTICO

Manifestações clínicas

A classificação diagnóstica das rinossinusites no adulto e na criança é importante para a diferenciação do quadro clínico e consequente escolha terapêutica. Os diferentes diagnósticos, de acordo com os sintomas e o tempo de apresentação, estão exemplificados na TABELA 78.2.

TABELA 78.1 → Fatores predisponentes para rinossinusite aguda bacteriana

Dental: infecção e procedimentos odontológicos

Causas iatrogênicas: cirurgia nasossinusal; tubo nasogástrico, tamponamento nasal, ventilação mecânica

Imunodeficiências: HIV, deficiência de imunoglobulinas, tabagismo, fibrose cística, transtornos da motilidade ciliar – síndrome de Kartagener, discinesia ciliar primária

Obstrução mecânica: desvio de septo nasal, polipose nasal, hipertrofia de cornetos médios, tumor, trauma, corpo estranho, granulomatose com poliangeíte

Edema de mucosa: infecção de via aérea superior prévia, rinite alérgica, rinite vasomotora

HIV, vírus da imunodeficiência humana.
Fonte: Elaborada a partir de Fokkens e colaboradores.[1]

O diagnóstico de rinossinusite costuma ser baseado em evidências clínicas e na duração da sintomatologia. No curso de uma infecção aguda de vias aéreas superiores, tanto no adulto quanto na criança, três diagnósticos principais devem ser levados em conta: resfriado comum, rinossinusite pós-viral e rinossinusite bacteriana. Essa diferenciação encontra-se esquematizada na FIGURA 78.1.

Resfriado comum é definido como uma RSA com duração dos sintomas < 10 dias. Deve-se suspeitar de rinossinusite pós-viral quando houver piora dos sintomas após o 5º dia ou quando a sintomatologia persistir por > 10 dias, com duração < 12 semanas.[1,3,6] Apenas uma pequena porcentagem dos casos de RSA são de origem bacteriana.[1,3] Os quadros bacterianos agudos são definidos clinicamente pela presença de pelo menos três dos seguintes sinais e sintomas: dor local intensa, doença unilateral, febre > 38 °C; aumento da proteína C-reativa (PCR)/velocidade de hemossedimentação (VHS) ou recaída dos sintomas (*double-sickening*).

Ainda diferenciando os quadros agudos, existem os casos de RSA recorrente, que devem ser abordados de forma distinta. Esses casos são definidos por quatro ou mais episódios por ano com períodos livres de sintomas, sendo que cada episódio deve obedecer aos critérios diagnósticos de RSA.

A RSC acomete todas as faixas etárias e é definida pela presença de sintomas nasossinusais por pelo menos 12 semanas (TABELA 78.2).

TABELA 78.2 → Classificação das rinossinusites

CLASSIFICAÇÃO	CRITÉRIOS
RSA em adultos	Surgimento de ≥ 2 sintomas, um dos quais deve ser: → Obstrução, congestão, entupimento nasal ou rinorreia (anterior, gotejamento posterior) → ± dor ou pressão facial → ± hiposmia ou anosmia Por < 12 semanas Com intervalos sem sintomas nos quadros recorrentes
RSA em crianças	Surgimento de ≥ 2 sintomas: → Obstrução, congestão, entupimento nasal → Rinorreia hialina → Tosse (diurna e noturna) Por < 12 semanas Com intervalos sem sintomas nos quadros recorrentes
RSA recorrente	Quadros de RSA repetitivos com resolução completa entre episódios Definida como ≥ 4 episódios/ano com intervalos sem sintomas
RSC em adultos	Surgimento de ≥ 2 sintomas, um dos quais deve ser: → Obstrução, congestão, entupimento nasal ou rinorreia (anterior, gotejamento posterior) → ± dor/pressão facial → ± hiposmia ou anosmia Por ≥ 12 semanas Com intervalos sem sintomas nos quadros recorrentes
RSC em crianças	Surgimento de ≥ 2 sintomas, um dos quais deve ser: → Obstrução, congestão, entupimento nasal ou rinorreia (anterior, gotejamento posterior) → ± dor/pressão facial → ± tosse Por ≥ 12 semanas
RSC de difícil tratamento	Pacientes com sintomas persistentes independentemente do tratamento clínico e cirúrgico apropriado Apesar de a maioria dos casos de RSC atingirem o controle dos sintomas, esses pacientes não obtêm controle em níveis aceitáveis, apesar da terapia otimizada

RSA, rinossinusite aguda; RSC, rinossinusite crônica.
Fonte: Elaborada a partir de Fokkens e colaboradores.[1]

Exame clínico

A rinoscopia anterior deve fazer parte da avaliação clínica inicial, permitindo a identificação de edema e hiperemia de conchas, além da presença de secreção em região de meato médio e fossas nasais. Nos locais onde a luz frontal e o espéculo nasal não se encontram disponíveis, o otoscópio com o maior otocone permite a visualização da cavidade nasal anterior.

Diagnóstico laboratorial

A solicitação de exames laboratoriais, a aspiração de secreção e a cultura não estão indicadas na avaliação inicial do paciente, mas devem ser consideradas nos casos de imunodeficiência ou na presença de complicações. O uso de marcadores inflamatórios como PCR, VHS e procalcitonina, apesar de menos comuns na prática ambulatorial, pode auxiliar na decisão de prescrever ou não antibióticos nos casos de RSA, já que alterações nesses parâmetros se correlacionam bem com quadros bacterianos e alterações na tomografia desses pacientes.[7,8]

Culturas nasais não ajudam a distinguir a infecção bacteriana da viral. A acurácia diagnóstica é frequentemente possível com base apenas em critérios clínicos; testes adicionais podem ser solicitados em casos persistentes ou severos.[9]

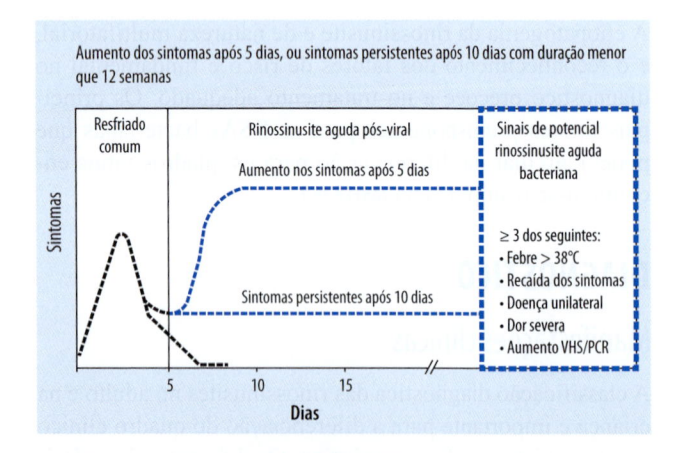

FIGURA 78.1 → Definição de rinossinusite aguda.
Fonte: Elaborada a partir de Fokkens e colaboradores.[1]

Diagnóstico por imagem

→ **Radiografia simples** – é uma técnica cada vez menos utilizada. Nos casos agudos, a radiografia simples é dispensável, visto que a história clínica e o exame físico são suficientes. Quando solicitada, deve ser na posição ortostática. A radiografia simples não é sensível o suficiente, e seu uso é bastante limitado no diagnóstico de casos crônicos pelo fato de não avaliar adequadamente o meato médio, o complexo ostiomeatal, o recesso frontal, o recesso esfenoetmoidal, assim como os dois terços superiores da cavidade nasal.[10]

→ **Tomografia computadorizada (TC)** – a TC de seios da face é o exame de imagem de escolha e auxilia a confirmar o diagnóstico e verificar a extensão da doença, além de fornecer particularidades sobre a anatomia dos seios da face. Está especialmente indicada nos casos de difícil resposta ao tratamento clínico, nos casos recorrentes ou crônicos, na vigência de complicações e no planejamento cirúrgico. Tradicionalmente, apenas cortes coronais e axiais são solicitados. Apesar de sua alta sensibilidade (93,3%) e especificidade (89,3%), apresenta a limitação do custo e da exposição à radiação.[11]

→ **Ressonância magnética (RM)** – costuma ser reservada para uso associado à TC, para investigação de casos suspeitos de neoplasia. Também pode ser útil na avaliação e no monitoramento de tecidos moles em casos de complicações orbitárias e intracranianas das rinossinusites.[12]

Diagnóstico diferencial

A avaliação do diagnóstico diferencial no adulto deve incluir principalmente rinite alérgica e não alérgica, cefaleias, síndrome dolorosa facial, alterações odontogênicas, presença de corpo estranho nasal, tumores e fístula liquórica.

Na população pediátrica, o diagnóstico de RSC deve levar em conta principalmente hipertrofia adenoideana, adenoidite, rinite alérgica, resfriado comum, fibrose cística, discinesia primária e imunodeficiências.

TRATAMENTO

Os objetivos do tratamento clínico da rinossinusite são controlar a infecção, restaurar a ventilação normal das cavidades paranasais e a patência dos óstios sinusais, melhorar a depuração mucociliar e promover a drenagem de secreções, evitando o dano tecidual.[9]

A educação e o suporte aos pacientes podem ajudar a diminuir recorrências. Nesse sentido, o médico deve fornecer orientações sobre o uso correto dos medicamentos, a adesão ao tratamento prescrito e as medidas para evitar fatores predisponentes (controle do tabagismo, tratamento correto de patologias como rinite alérgica e asma), além de informações que desestimulem o uso inadvertido de antibióticos.[11]

Opções terapêuticas

Solução salina

O tratamento da RSA pode incluir a lavagem nasal com soluções salinas isotônicas **C/D**. Além de ser um método clássico e seguro de mobilizar secreção nasal e aumentar a frequência do batimento ciliar, a lavagem nasal diminui o edema de mucosa e, consequentemente, reduz a obstrução nasal, produzindo alívio sintomático.[10]

No caso da RSC, a lavagem nasal com solução salina é a segunda terapia principal de manutenção (TE = $-1,42$) **A**. No entanto, não foi tão efetiva quanto o corticoide tópico nasal, sendo mais bem visto como seu complemento. A segurança associada com a baixa absorção sistêmica faz da solução salina, isotônica ou hipertônica, uma interessante estratégia terapêutica em longo prazo.[9]

Corticoides

Os corticoides atuam diminuindo o processo inflamatório no óstio sinusal, com consequente aumento de seu diâmetro, facilitando a drenagem de secreções acumuladas nas cavidades sinusais. O uso de corticoides nasais (flunisolida, budesonida, furoato de mometasona e propionato de fluticasona), associado à antibioticoterapia quando indicada, resulta em alívio mais frequente dos sintomas B.[13,14]

O corticoide tópico nasal tem sido amplamente utilizado e estudado para o tratamento de RSC. A apresentação em *spray* de corticoide tópico, em terapia de manutenção, demonstrou melhora importante no padrão sintomático (TE = $-0,46$ a $-1,35$) e endoscópico nos quadros de RSC sem polipose[9] e, principalmente, com polipose,[1] sem acrescentar efeitos colaterais significativos quando comparado com placebo **A**.[15] O benefício da utilização de corticoide tópico nasal em altas doses aparenta ser levemente melhor quando comparado ao uso de menores doses (p. ex., furoato de mometasona *spray* nasal 2 ×/dia vs. 1 ×/dia), embora aumente o risco de epistaxe (RR = 2,1; NNH = 6-83) **B**.[14,16]

Os corticoides sistêmicos (prednisona 0,8-1,2 mg/kg, 1 ×/dia, ou betametasona 1 mg, 1 ×/dia) podem ser utilizados como tratamento adjuvante em pacientes adultos com RSA bacteriana, sempre associados à antibioticoterapia, proporcionando maior chance de resolução ou melhora dos sintomas em curto prazo (RR = 1,4; NNT = 3-24) B. Porém, não estão indicados nos casos de RSA viral ou pós-viral.[1]

O uso de corticoides sistêmicos, com ou sem associação de corticoide tópico, resulta em redução significativa do escore de sintomas gerais, qualidade de vida e polipose nas RSCs. São indicados por um período curto e intermitente (1-3 semanas),[17] limitando-se a 1 a 2 cursos por ano. Eles podem ser uma associação útil ao tratamento tópico em pacientes com doença parcialmente ou não controlada. Apesar disso, deve-se considerar que o uso sistêmico pode levar a efeitos colaterais significativos; devido aos potenciais riscos, nos pacientes que precisam de corticoterapia prolongada, fica recomendado o uso de agentes tópicos. Nos casos crônicos, ainda há evidência internacional para o uso de *stents* de corticoide implantados pelo especialista.[1]

Antibióticos

Em pacientes previamente hígidos com quadros agudos leves, não há necessidade de antibióticos,[9] tendo em vista a etiologia viral na maioria dos casos. Medidas terapêuticas gerais e coadjuvantes costumam ser o suficiente **B**.[18]

O uso imediato de antibióticos nos quadros agudos é recomendado apenas para indivíduos com critérios diagnósticos para RSA bacteriana, que deve englobar pelo menos três dos sinais e sintomas indicativos, incluindo febre alta (> 38 °C), dor facial intensa, doença unilateral, recaída dos sintomas, aumento da VHS ou da PCR.[1] O encaminhamento imediato é reservado para todos os indivíduos que apresentarem sinais de alerta.[1] O fluxograma de abordagem na RSC e os sinais de alerta estão resumidos na FIGURA 78.2.

A terapia inicial em adultos com doença leve que tenham indicação de antibioticoterapia inclui amoxicilina, amoxicilina-inibidores da betalactamase e cefalosporinas de segunda geração (axetilcefuroxima, cefprozila, cefaclor). As diretrizes internacionais apresentam algumas variações no tratamento, principalmente em relação ao início da antibioticoterapia, nos casos indicados, e a introdução de terapias alternativas. Apesar disso, a amoxicilina, com ou sem clavulanato, continua sendo a primeira opção universal.[19]

O sulfametoxazol + trimetoprima, a doxiciclina e os macrolídeos (azitromicina, claritromicina ou roxitromicina) estão indicados em pacientes alérgicos aos antibióticos β-lactâmicos (TABELA 78.3), porém pode ocorrer falha no tratamento em 20 a 25% dos casos.[20] Amoxicilina + clavulanato tem eficácia aumentada em relação às cefalosporinas (RRR = 37% para falha clínica em 7-15 dias; NNT = 15-312), mas eficácia similar, se comparada com macrolídeos, no tratamento de RSA **A**.[18]

Quadros recorrentes ou com resposta inadequada à antibioticoterapia podem receber altas doses de amoxicilina + clavulanato[20,21] ou fluoroquinolonas respiratórias, como levofloxacino, moxifloxacino e gemifloxacino (ver TABELA 78.3) **C/D**. Em relação aos últimos, é importante lembrar que fluoroquinolonas receberam um alerta *black box* pela Food and Drug Administration (FDA) devido a seus efeitos colaterais graves. Seu uso é indicado para sinusite bacteriana aguda apenas na ausência de outras alternativas.

Na criança, por uma probabilidade maior da presença de *Haemophilus influenzae* resistente aos β-lactâmicos e de pneumococos com mutações na proteína receptora de penicilina, a amoxicilina em doses usuais (45 mg/kg) deve ser evitada em casos crônicos. Nos casos de falha do tratamento inicial, a amoxicilina deve ser preferencialmente associada aos inibidores da betalactamase (TABELA 78.4) **C/D**.[20,22]

Devido à complexa etiopatologia da RSC, as evidências disponíveis são limitadas para indicar o uso de antibióticos sistêmicos. Os ensaios clínicos são poucos, e nenhum documenta benefício inequívoco com o uso de antibióticos **C/D**. A terapêutica antimicrobiana nos casos crônicos é geralmente coadjuvante, usada com intenção de eliminar infecção e inflamação, alterar a formação de biofilme, diminuir a oclusão dos óstios sinusais e melhorar os sintomas (FIGURA 78.3).

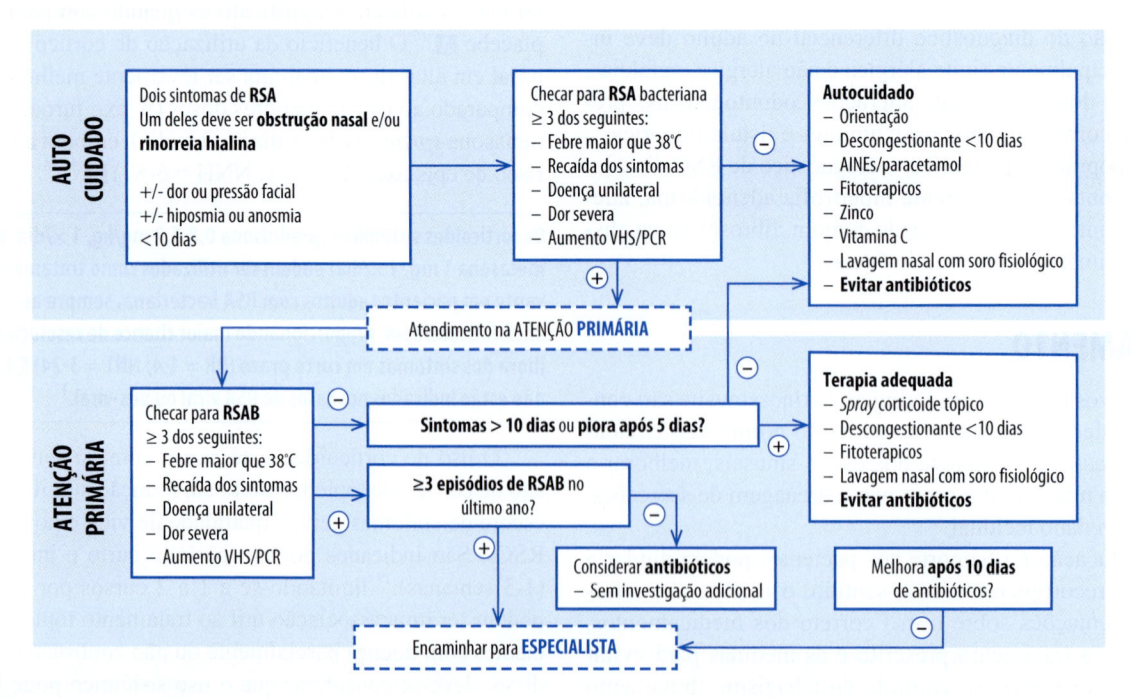

FIGURA 78.2 → Fluxograma de abordagem na rinossinusite aguda (RSA).
RSAB, rinossinusite aguda bacteriana.
Fonte: Elaborada a partir de Fokkens e colaboradores.[1]

TABELA 78.3 → Antibióticos recomendados no tratamento da rinossinusite aguda bacteriana em adultos

PRINCIPAIS OPÇÕES DE ANTIBIÓTICOS	DOSE E POSOLOGIA	TEMPO DE TRATAMENTO*	CONSIDERAÇÕES
Amoxicilina	500 mg, 3×/dia	7-14 dias	Antibiótico preferencial em pacientes sem suspeita ou confirmação de resistência bacteriana, sem uso de antibiótico prévio nos últimos 30 dias para o mesmo quadro
Amoxicilina	875 mg, 2×/dia	7-14 dias	Antibiótico preferencial em pacientes sem suspeita ou confirmação de resistência bacteriana, sem uso de antibiótico prévio nos últimos 30 dias para o mesmo quadro
Amoxicilina + clavulanato	500 mg + 125 mg, 3×/dia	7-14 dias	Indicado para bactérias produtoras de β-lactamase; diarreia ocorre em 1-10% dos casos
Amoxicilina + clavulanato	875 mg + 125 mg, 2×/dia	7-14 dias	Indicado para bactérias produtoras de β-lactamase; diarreia ocorre em 1-10% dos casos
Axetilcefuroxima	250-500 mg, 2×/dia	7-14 dias	Espectro de ação semelhante ao da amoxicilina + clavulanato; opção em casos de reações alérgicas não anafiláticas a penicilinas; evidências de indução aumentada de resistência bacteriana em relação às penicilinas
OPÇÃO EM ALÉRGICOS AOS β-LACTÂMICOS	**DOSE E POSOLOGIA**	**TEMPO DE TRATAMENTO***	**CONSIDERAÇÕES**
Claritromicina	500 mg, 2×/dia	7-14 dias	Considerar resistência elevada; contraindicação para uso concomitante de estatinas
Levofloxacino	500 mg, 1×/dia	5-7 dias	A FDA determina que a prescrição de fluoroquinolonas a pacientes com RSA bacteriana deve ocorrer apenas quando não houver outras opções de tratamento com antibiótico, pois os riscos superam os benefícios nesses casos[†,§]
Levofloxacino	750 mg, 1×/dia	5-7 dias	
Moxifloxacino	400 mg, 1×/dia	5-7 dias	
Doxiciclina	100 mg, 2×/dia	7-14 dias	Reação de fotossensibilidade
OPÇÕES EM FALHA TERAPÊUTICA[‡]	**DOSE E POSOLOGIA**	**TEMPO DE TRATAMENTO**	**CONSIDERAÇÕES**
Amoxicilina	1.000 mg, 3×/dia	7-14 dias	Conduta de exceção proposta por alguns especialistas a partir de conhecimento microbiológico, sem evidência clínica comprovada; considerar efeitos gastrintestinais exacerbados
Amoxicilina em doses altas + clavulanato	2.000 mg + 125 mg, 2×/dia	7-14 dias	Conduta de exceção proposta por alguns especialistas a partir de conhecimento microbiológico, sem evidência clínica comprovada; considerar efeitos gastrintestinais exacerbados
Levofloxacino	750 mg, 1×/dia	5-7 dias	A FDA determina que a prescrição de fluoroquinolonas a pacientes com RSA bacteriana deve ocorrer apenas quando não houver outras opções de tratamento com antibiótico, pois os riscos superam os benefícios nesses casos[†,§]
Moxifloxacino	400 mg, 1×/dia	5-7 dias	
Clindamicina	300 mg, 3-4×/dia	7-10 dias	Opção em caso de suspeita de infecção por anaeróbios ou *Staphylococcus aureus*; tomar com 300 mL de água por risco de lesão esofágica; precaução: risco de pseudocolite membranosa e diarreia por *Clostridium difficile*

*Existe uma tendência de usar antibioticoterapia por menos tempo com mesma eficácia, a fim de minimizar efeitos colaterais e geração de resistência bacteriana.
[†]Deve ser considerado individualmente, de acordo com a gravidade da doença.
[‡]Ausência de resposta ou piora clínica após 48-72 horas de tratamento.
[§]Precauções: risco de tendinopatia, artropatias, prolongamento de intervalo QT (*torsades de pointes*), problemas na retina e toxicidade para sistema nervoso central e periférico.
FDA, Food and Drug Administration; RSA, rinossinusite aguda.
Fonte: Mion e colaboradores.[13]

Em pacientes imunocomprometidos, em particular os granulocitopênicos, em pacientes portadores da síndrome de imunodeficiência adquirida (Aids) e em pacientes com fibrose cística, a possibilidade de infecções por bacilos gram-negativos aeróbios deve ser considerada, especialmente *Pseudomonas aeruginosa*. Dependendo da gravidade da apresentação, encaminhamento pode ser indicado.

TABELA 78.4 → Antibióticos recomendados no tratamento da rinossinusite aguda bacteriana na população pediátrica

TRATAMENTO INICIAL COM ANTIBIÓTICOS NO MOMENTO DO DIAGNÓSTICO OU APÓS OBSERVAÇÃO		TRATAMENTO COM ANTIBIÓTICO APÓS 48-72 HORAS DA FALHA DO TRATAMENTO INICIAL	
TRATAMENTO DE PRIMEIRA LINHA	**TRATAMENTO OPCIONAL**	**TRATAMENTO DE PRIMEIRA LINHA**	**TRATAMENTO OPCIONAL**
Amoxicilina (45-90 mg/kg/dia)	Cefuroxima (30 mg/kg/dia) (em reação alérgica à penicilina não tipo I)	Amoxicilina + clavulanato (45-90 mg/kg/dia de amoxicilina + 6,4 mg/kg/dia de clavulanato)	Ceftriaxona por 3 dias, ou clindamicina (30-40 mg/kg/dia) com ou sem cefalosporina de segunda ou terceira geração Vancomicina IV
ou		ou	
Amoxicilina + clavulanato* (45-90 mg/kg/dia de amoxicilina + 6,4 mg/kg/dia de clavulanato)	Claritromicina (15 mg/kg peso/dia) Sulfametoxazol + trimetoprima (em reação alérgica à penicilina tipo I)	Ceftriaxona (50 mg/kg/dia IM ou IV por 3 dias)	Clindamicina mais cefalosporina de segunda ou terceira geração
	Ceftriaxona (50 mg/kg/dia IM ou IV por 1-3 dias)		Consultar especialista

*Pode ser considerado uma opção em crianças que receberam amoxicilina nos últimos 30 dias ou em áreas com alta resistência bacteriana à amoxicilina.
IM, intramuscular; IV, intravenoso.
Fonte: Elaborada a partir de Piltcher e colaboradores.[22]

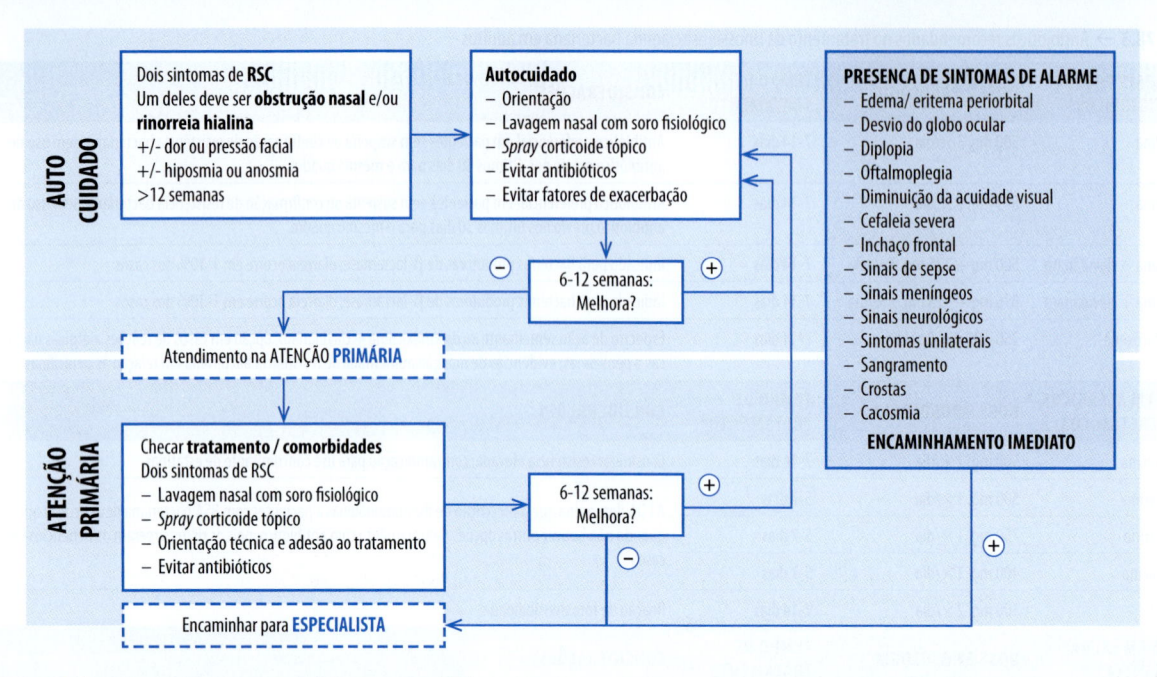

FIGURA 78.3 → Fluxograma de abordagem na rinossinusite crônica (RSC).
Fonte: Elaborada a partir de Fokkens e colaboradores.[1]

AUTOCUIDADO
- Dois sintomas de RSC
- Um deles deve ser obstrução nasal e/ou rinorreia hialina
- +/- dor ou pressão facial
- +/- hiposmia ou anosmia
- >12 semanas

Autocuidado
- Orientação
- Lavagem nasal com soro fisiológico
- Spray corticoide tópico
- Evitar antibióticos
- Evitar fatores de exacerbação

6-12 semanas: Melhora?

ATENÇÃO PRIMÁRIA

Checar tratamento / comorbidades
Dois sintomas de RSC
- Lavagem nasal com soro fisiológico
- Spray corticoide tópico
- Orientação técnica e adesão ao tratamento
- Evitar antibióticos

6-12 semanas: Melhora?

Encaminhar para ESPECIALISTA

PRESENÇA DE SINTOMAS DE ALARME
- Edema/ eritema periorbital
- Desvio do globo ocular
- Diplopia
- Oftalmoplegia
- Diminuição da acuidade visual
- Cefaleia severa
- Inchaço frontal
- Sinais de sepse
- Sinais meníngeos
- Sinais neurológicos
- Sintomas unilaterais
- Sangramento
- Crostas
- Cacosmia

ENCAMINHAMENTO IMEDIATO

Medidas adjuvantes

Os anti-histamínicos são eficazes no alívio do prurido e lacrimejamento ocular e da rinorreia, podendo ajudar a evitar o edema de mucosa e a obstrução dos seios da face nos pacientes com rinite alérgica. Nos pacientes que não apresentam fator alérgico subjacente, o uso dessa classe de medicamentos não está indicado, pelo fato de determinarem ressecamento de mucosa e espessamento das secreções **C/D**.[3,20]

Os descongestionantes tópicos (*sprays* com cloridrato de fenilefrina ou cloridrato de oximetazolina) produzem alívio sintomático imediato na congestão nasal, mas seu uso ininterrupto por > 3 a 4 dias pode causar rinite medicamentosa **C/D**. Os descongestionantes devem ser usados com cautela em pacientes com hipertensão arterial sistêmica, glaucoma, isquemia miocárdica, hiperplasia de próstata e diabetes. Esses agentes atuam aumentando o diâmetro dos óstios dos seios da face e potencializando a drenagem sinusal,[20] porém não há evidência clara de sua eficácia nos quadros de RSC com ou sem polipose.[1,3]

Os antagonistas de leucotrienos, como o montelucaste, são medicamentos com eficácia comprovada para o tratamento de asma e rinite alérgica. No tratamento das RSCs, seu uso é indicado apenas nos casos de pacientes que associam o quadro clínico a asma e intolerância ao ácido acetilsalicílico.[13]

O potencial benefício associado ao baixo risco na administração medicamentosa tópica recentemente aumentou a busca científica por um tratamento mais eficaz e pouco invasivo para a RSC. Diversos medicamentos tópicos foram descritos e são estudados, como surfactantes, mel de manuka, xilitol, probióticos, bacteriófagos e prata coloidal.[23] No entanto, estes ainda não apresentam evidências substanciais de benefícios e necessitam de mais investigação.[23]

Além disso, o uso de fitoterápicos vem sendo cada vez mais estudado. Alguns fitoterápicos, como *Pelargonium sidoides* B, mostraram redução significativa nos sintomas, devido à ausência de efeitos colaterais significativos; estes são indicados nos casos de RSA viral.

Outras recomendações para a rápida evolução e melhora do quadro clínico são mudanças comportamentais e sintomáticas. Entre essas medidas está o uso de analgésicos para redução da dor ou febre **C/D**[24] e a ingestão adequada de líquidos **C/D**.[25]

Além desses, existem outros medicamentos adjuvantes utilizados e estudados no tratamento da RSA – mucolíticos, lisados bacterianos, homeopatia, acupuntura, verapamil, furosemida, capsaicina, dieta com restrição em salicilatos, anti-IgE, anti-IL5, anti-IL4.[1,9,20,26] No entanto, apesar de a indicação ser baseada nos possíveis fatores fisiopatológicos, até o momento, estes não apresentam evidências substanciais de benefícios reportados na literatura.

Abordagem terapêutica de rinossinusite aguda

O fluxograma resumindo a abordagem terapêutica na RSA encontra-se na **FIGURA 78.2**.

Rinossinusite aguda viral

O tratamento da RSA viral encontra-se na **TABELA 78.5**. Para mais informações sobre o manejo do resfriado comum, ver Capítulo Rinite.

TABELA 78.5 → Recomendações para adultos e crianças com rinossinusite viral

TRATAMENTO	RECOMENDAÇÃO
Antibióticos	Não recomendado; sem evidência de benefício
Corticoide nasal	Sem evidência clara de benefício
Anti-histamínicos	Efeitos benéficos apenas em curto prazo (1-2 dias de tratamento) na severidade dos sintomas em geral; sem efeito significativo na obstrução nasal, rinorreia ou espirros
Descongestionante (oral/nasal)	Múltiplas doses oferecem pouco efeito nas medidas subjetivas de obstrução nasal
Lavagem nasal com soro fisiológico	Apresenta possível alívio nos sintomas de IVAS principalmente em crianças; é considerada uma opção de tratamento
Atividade física	Exercícios regulares de moderada intensidade podem ter um efeito na prevenção do resfriado comum
Paracetamol	Pode auxiliar no alívio da obstrução nasal e rinorreia apenas, sem efeito nos outros sintomas como dor de garganta, mal-estar, espirro e tosse
AINEs	Não reduz o escore total ou duração de sintomas; porém, produz benefícios significativos relacionados aos efeitos analgésicos (cefaleia, otalgia, mialgia e dor articular) e espirros; sem evidência de melhora na irritação laríngea, sintomas respiratórios, tosse e rinorreia
Combinação de anti-histamínicos + descongestionante + analgésico	Apresenta algum benefício nos sintomas gerais em adultos e adolescentes com resfriado comum; benefícios devem ser ponderados com riscos de efeitos colaterais; sem evidências de eficácia em crianças menores
Vitamina C	A consistência do efeito na redução da duração e severidade dos sintomas nos casos de resfriado comum, associada ao baixo custo e à segurança, justifica o uso de acordo com a resposta individual
Fitoterápicos	Alguns fitoterápicos, como BNO 1016, Cineol e extrato de *Andrographis paniculata* SHA-10, têm impacto significativo nos sintomas de resfriado; é necessária confirmação em revisão sistemática
Vacinas	Não existem dados conclusivos para suportar o uso na prevenção do resfriado comum, em contrapartida aos casos de vacina para gripe
Probióticos	Têm efeito melhor que placebo na prevenção de IVAS, porém qualidade de evidência muito baixa
Zinco	Sem indicação precisa; evidência limitada
Inalação/ar aquecido umidificado	Não há evidência para a indicação ou contraindicação da inalação ou ar aquecido

AINEs, anti-inflamatórios não esteroides; IVAS, infecção das vias aéreas superiores.
Fonte: Elaborada a partir de Fokkens e colaboradores.[1]

Rinossinusite aguda pós-viral

A recomendação de tratamento para RSA pós-viral em adultos encontra-se na **TABELA 78.6**, e a recomendação de tratamento em crianças encontra-se na **TABELA 78.7**.

Rinossinusite aguda bacteriana

O seleto grupo de pacientes com sinais e sintomas de um quadro bacteriano de RSA podem beneficiar-se do uso dos antibióticos. As evidências e as recomendações para adultos e crianças encontram-se resumidas respectivamente nas **TABELAS 78.3** e **78.4**.

Abordagem terapêutica de rinossinusite crônica

Apesar da evolução da pesquisa científica, fora o uso de corticoides tópicos, boa parte do tratamento da RSC ainda não encontrou um consenso mundial. Grande parte do tratamento tem evidência limitada para a indicação, incluindo o

TABELA 78.6 → Recomendações para adultos com rinossinusite pós-viral

TRATAMENTO	RECOMENDAÇÃO
Antibióticos	Não recomendado; sem evidência de benefício
Corticoide nasal	Pequena redução total do escore total dos sintomas em adultos; sem efeito na qualidade de vida; por quadro autolimitado, prescrever apenas quando a redução dos sintomas for considerada necessária
Corticoides sistêmicos	Não recomendado; pouca evidência de melhora somada a potenciais efeitos colaterais
Fitoterápicos	Alguns fitoterápicos, como *Pelargonium sidoides*, apresentam possível impacto significativo nos sintomas sem efeitos colaterais significativos
Descongestionante (oral/nasal)	Sem indicação precisa; podem ser efetivos na melhora da depuração mucociliar na fase aguda da doença, porém sem estudos avaliando a redução dos sintomas
Lavagem nasal com soro fisiológico	Sem indicação precisa; apenas um estudo, evidência limitada. Na teoria, espera-se um benefício maior que um efeito prejudicial
Homeopatia	Sem indicação precisa; apenas um estudo; evidência limitada

Fonte: Elaborada a partir de Fokkens e colaboradores.[1]

TABELA 78.7 → Recomendações para crianças com rinossinusite pós-viral

TRATAMENTO	RECOMENDAÇÃO
Antibióticos	Não recomendado; sem evidência de benefício
Corticoide nasal	Sem indicação precisa; evidência limitada. Aparente eficácia na redução total do escore total dos sintomas em crianças em relação à ineficácia dos antibióticos, porém a doença é autolimitada
Anti-histamínicos	Sem indicação precisa; apenas um estudo; evidência limitada
Lisado bacteriano	Sem indicação precisa; apenas um estudo que demonstra o benefício do uso de OM-85 BV na diminuição da duração da doença; evidência limitada

Fonte: Elaborada a partir de Fokkens e colaboradores.[1]

uso de antibióticos. As principais recomendações para adultos e crianças com RSC encontram-se resumidas nas **TABELAS 78.8** e **78.9**, respectivamente. É essencial que o clínico esteja atento aos sinais e sintomas de alerta e à necessidade de encaminhamento imediato ao otorrinolaringologista.

ENCAMINHAMENTO

Nos casos de RSC ou rinossinusite recorrente resistentes ao tratamento clínico, ou com sinais de alerta, o encaminhamento ao otorrinolaringologista está indicado para investigação das possíveis causas de rinossinusite, como anormalidades estruturais do complexo ostiomeatal, hipertrofia de tonsila faríngea, desvio do septo nasal e abscessos dentários, e para manejo especializado.[3,20] Durante o manejo na APS, é essencial que o clínico esteja atento aos sinais e sintomas de alerta e à necessidade de encaminhamento imediato ao especialista.

A sintomatologia isolada tem alta sensibilidade, porém baixa especificidade; por isso, casos complicados ou recorrentes devem ser avaliados pelo especialista e acompanhados de achados objetivos, como o diagnóstico por imagem e a endoscopia nasal.[9] Com a endoscopia nasal, é possível avaliar todas as porções da cavidade nasal, analisar a mucosa nasal e identificar eritema, edema, pólipos, crostas, sinéquias, cica-

trizes, o aspecto do muco nasal e a presença de mucopus ou secreção francamente purulenta em qualquer parte da cavidade nasal ou rinofaringe. Além de auxiliar no diagnóstico, a técnica permite a obtenção de material para exames bacteriológicos de forma não invasiva.

TABELA 78.8 → Recomendações para adultos com rinossinusite crônica

TRATAMENTO	RECOMENDAÇÃO
Antibióticos em curto prazo para RSC	Sem indicação precisa; evidência limitada Considerar frequentes efeitos colaterais gastrintestinais (diarreia e anorexia)
Antibióticos em curto prazo na exacerbação da RSC	Sem indicação precisa; evidência limitada Considerar frequentes efeitos colaterais gastrintestinais (diarreia e anorexia)
Antibióticos em longo prazo para RSC	Sem indicação precisa; evidência limitada Considerar maior risco de eventos cardiovasculares para macrolídeos
Antibióticos tópicos	Sem indicação precisa; evidência limitada para melhora dos sintomas; porém, pode apresentar uma melhora nos escores clínicos e endoscópicos quando comparados a antibióticos orais
Corticoides nasais	Uso indicado; evidência de alta qualidade tanto para a eficácia quanto para a segurança no tratamento de RSC; melhora nos sintomas nasais e na qualidade de vida, principalmente nos pacientes com polipose; boa tolerância com efeitos colaterais moderados
Corticoides sistêmicos	Uso indicado; um curso curto de corticoide sistêmico, com ou sem associação de corticoide tópico, resulta em redução significativa do escore de sintomas gerais e de polipose; 1 a 2 cursos por ano podem ser uma útil associação ao tratamento tópico em pacientes com doença parcialmente ou não controlada; o uso sistêmico pode levar a efeitos colaterais significativos
Anti-histamínicos	Sem indicação precisa; evidência limitada; apenas um estudo mostrando benefícios em pacientes alérgicos com polipose
Antileucotrienos	Sem indicação precisa; evidência limitada Uso não recomendado, com exceção de pacientes com intolerância a corticoides nasais
Descongestionante	Sem indicação precisa; evidência limitada Uso em geral não recomendado, com exceção de situações específicas nas quais o nariz se encontra muito obstruído, em que se pode considerar uma associação temporária aos corticoides nasais
Lavagem nasal com soro fisiológico	Uso indicado; evidência a favor do uso de lavagem nasal com soro fisiológico isotônico ou Ringer com lactato com ou sem adição de xilitol, hialuronato de sódio e/ou xiloglucano; evidência contra o uso de *baby* xampu e soro hipertônico devido aos efeitos colaterais

RSC, rinossinusite crônica.
Fonte: Elaborada a partir de Fokkens e colaboradores.[1]

TABELA 78.9 → Recomendações para crianças com rinossinusite crônica

TRATAMENTO	RECOMENDAÇÃO
Antibióticos	Não há evidência para suportar o uso em curto ou longo prazo
Corticoide nasal	Não há evidência suficiente para suportar a eficácia; porém, o uso é suportado pelo conhecido efeito anti-inflamatório e excelente padrão de segurança
Corticoide sistêmico	Associar o corticoide em doses decrescentes ao uso do antibiótico (ineficaz isoladamente) se mostrou mais efetivo que placebo Uso criterioso é aconselhado considerando os efeitos colaterais sistêmicos
Lavagem nasal com soro fisiológico	Poucos estudos clínicos demonstrando a eficácia; uso suportado pelo excelente padrão de segurança

Fonte: Elaborada a partir de Fokkens e colaboradores.[1]

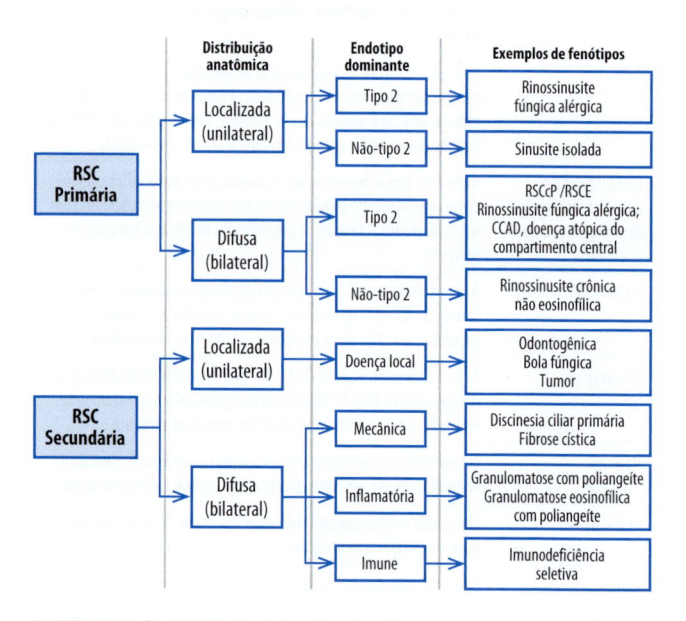

FIGURA 78.4 → Classificação de rinossinusite crônica.
RSC, rinossinusite crônica; RSCcP, rinossinusite crônica com polipose nasal; RSCE, rinossinusite crônica eosinofílica.
Fonte: Elaborada a partir de Fokkens e colaboradores.[1]

REFERÊNCIAS

1. Fokkens WJ, Lund VJ, Hopkins C, Hellings PW, Kern R, Reitsma S, et al. European Position Paper on Rhinosinusitis and Nasal Polyps 2020. Rhinology. 2020: 58(Suppl S29):1–464.
2. Hirsch AG, Stewart WF, Sundaresan AS, Young AJ, Kennedy TL, Scott Greene J, et al. Nasal and sinus symptoms and chronic rhinosinusitis in a population-based sample. Allergy. 2017;72(2):274–81.
3. Fokkens WJ, Lund VJ, Mullol J, Bachert C, Alobid I, Baroody F, et al. EPOS 2012: European position paper on rhinosinusitis and nasal polyps 2012. A summary for otorhinolaryngologists. Rhinology. 2012;50(1):1–12.
4. Zhu N, Zhang D, Wang W, Li X, Yang B, Song J, et al. A Novel Coronavirus from Patients with Pneumonia in China, 2019. N Engl J Med. 2020;382(8):727–33.
5. Hoggard M, Wagner Mackenzie B, Jain R, Taylor MW, Biswas K, Douglas RG. Chronic Rhinosinusitis and the Evolving Understanding of Microbial Ecology in Chronic Inflammatory Mucosal Disease. Clin Microbiol Rev. 2017;30(1):321–48.
6. Brożek JL, Bousquet J, Agache I, Agarwal A, Bachert C, Bosnic-Anticevich S, et al. Allergic Rhinitis and its Impact on Asthma (ARIA) Guidelines – 2016 revision. J Allergy Clin Immunol. 2017;140(4):950–8.
7. Ebell MH, McKay B, Guilbault R, Ermias Y. Diagnosis of acute rhinosinusitis in primary care: a systematic review of test accuracy. Br J Gen Pract. 2016;66(650):e612–32.
8. Lindbaek M, Hjortdahl P, Johnsen UL. Use of symptoms, signs, and blood tests to diagnose acute sinus infections in primary care: comparison with computed tomography. Fam Med. 1996;28(3):183–8.
9. Orlandi RR, Kingdom TT, Hwang PH. International Consensus Statement on Allergy and Rhinology: Rhinosinusitis Executive Summary: ICAR Executive Summary. Int Forum Allergy Rhinol. 2016;6(S1):S3–21.

10. Anselmo-Lima WT, Sakano E, Tamashiro E, Nunes AAA, Fernandes AM, Pereira EA, et al. Rhinosinusitis: evidence and experience. A summary. Braz J Otorhinolaryngol. 2015;81(1):8–18.
11. Cagici CA, Cakmak O, Hurcan C, Tercan F. Three-slice computerized tomography for the diagnosis and follow-up of rhinosinusitis. Eur Arch Otorhinolaryngol. 2005;262(9):744–50.
12. Hughes, Jones. The role of nasal endoscopy in outpatient management. Clin Otolaryngol Allied Sci. 1998;23(3):224–6.
13. Mion O de G, Mello JF de, Dutra DL, Andrade NA de, Almeida WL de C, Anselmo-Lima WT, et al. Position statement of the Brazilian Academy of Rhinology on the use of antihistamines, antileukotrienes, and oral corticosteroids in the treatment of inflammatory sinonasal diseases. Braz J Otorhinolaryngol. 2017;83(2):215–27.
14. Zalmanovici Trestioreanu A, Yaphe J. Intranasal steroids for acute sinusitis. Cochrane Database Syst Rev. 2013;2013(12):CD005149.
15. Burton MJ, Ryan MW, Rosenfeld RM. Topical Steroid for Chronic Rhinosinusitis without Polyps. Otolaryngol Head Neck Surg. 2012;146(2):175–9.
16. Meltzer E, Bachert C, Staudinger H. Treating acute rhinosinusitis: Comparing efficacy and safety of mometasone furoate nasal spray, amoxicillin, and placebo. J Allergy Clin Immunol. 2005;116(6):1289–95.
17. Rudmik L, Soler ZM. Medical therapies for adult chronic sinusitis: a systematic review. JAMA. 2015;314(9):926.
18. Ahovuo-Saloranta A, Rautakorpi U-M, Borisenko OV, Liira H, Williams Jr JW, Mäkelä M. Antibiotics for acute maxillary sinusitis in adults. Cochrane Database Syst Rev. 2015;2015(10):CD000243.
19. Gluck O, Marom T, Shemesh S, Tamir SO. Adult acute rhinosinusitis guidelines worldwide: similarities and disparities: ARS guidelines. Int Forum Allergy Rhinol. 2018;8(8):939–47.
20. Diretrizes Brasileiras de Rinossinusites. Rev Bras Otorrinolaringol. 2008;74(2):6–59.
21. Shargorodsky J, Bhattacharyya N. What is the role of nasal endoscopy in the diagnosis of chronic rhinosinusitis? Endoscopy in CRS. Laryngoscope. 2013;123(1):4–6.
22. Piltcher OB, Kosugi EM, Sakano E, Mion O, Testa JRG, Romano FR, et al. Como evitar o uso inadequado de antibióticos nas infecções de vias aéreas superiores? Posição de um painel de especialistas. Braz J Otorhinolaryngol. 2018;84(3):265–79.
23. Miyake MM, Bleier BS. Future topical medications in chronic rhinosinusitis. Int Forum Allergy Rhinol. 2019;9(S1):S32–46.
24. Eccles R. Efficacy and safety of over-the-counter analgesics in the treatment of common cold and flu. J Clin Pharm Ther. 2006;31(4):309–19.
25. Guppy MP, Mickan SM, Del Mar CB, Thorning S, Rack A. Advising patients to increase fluid intake for treating acute respiratory infections. Cochrane Acute Respiratory Infections Group, organizador. Cochrane Database Syst Rev. 2011;2011(2):CD004419.
26. Miyake MM, Nocera A, Levesque P, Guo R, Finn CA, Goldfarb J, et al. Double-blind placebo-controlled randomized clinical trial of verapamil for chronic rhinosinusitis with nasal polyps. J Allergy Clin Immunol. 2017;140(1):271–3.

LEITURAS RECOMENDADAS

Anselmo-Lima WT, Sakano E, Tamashiro E, Nunes AAA, Fernandes AM, Pereira EA, et al. Rhinosinusitis: evidence and experience. A summary. Braz J Otorhinolaryngol. 2015;81(1):8–18.
Recomendações brasileiras sobre o manejo da rinossinusite.

American Academy of Pediatrics.
https://www.aap.org/.
Portal da American Academy of Pediatrics onde podem ser pesquisadas publicações sobre rinossinusite pediátrica.

Capítulo 79
OTITE MÉDIA

Boaventura Antonio dos Santos
Berenice Dias Ramos

DEFINIÇÕES

Otite média aguda (OMA) é a presença de efusão na orelha média, associada ao início recente, geralmente súbito, de sinais e sintomas de inflamação da orelha média.[1]

Otite média aguda recorrente (OMAR) é a ocorrência de 3 episódios de otite média aguda em 6 meses ou 4 episódios em 12 meses, com pelo menos 1 episódio nos últimos 6 meses.[1]

Otite média com efusão (OME) é a presença de líquido na orelha média sem sinais ou sintomas de infecção aguda na orelha média.[2]

INCIDÊNCIA/PREVALÊNCIA

A otite média (OM) é altamente prevalente em crianças pequenas, mas também pode ocorrer em crianças maiores, adolescentes e adultos.

Estudo publicado em 2017, realizado em Rochester, nos Estados Unidos, com 615 crianças com idades entre 6 e 36 meses diagnosticadas com timpanocentese e cultura da efusão da orelha média, demonstrou que, ao final do primeiro ano de vida, 23% das crianças tinham apresentado ≥ 1 episódio de OMA; ao final dos 3 anos, 60% tinham apresentado ≥ 1 episódio de OMA e 24% tinham apresentado ≥ 3 episódios de OMA.[3] O pico de incidência ocorreu entre 6 e 12 meses de idade.[3] Estima-se uma incidência anual da OMA em 10,8% da população, sendo que 51% dos casos ocorrem em crianças com idade < 5 anos.[4]

A verdadeira incidência da OME é difícil de determinar porque a doença, por definição, é assintomática.[2] A OME é extremamente frequente na primeira infância, afetando 60% das crianças com idade < 2 anos.[2] Um estudo norte-americano verificou que a incidência cumulativa do primeiro episódio de efusão na orelha média (OMA + OME) foi de 48% até os 6 meses de idade, 79% até os 12 meses e 90% aos 24 meses.[5] Cerca de 90% das crianças têm OME antes da idade escolar e desenvolvem, em média, 4 episódios de OME todos os anos.[2]

FISIOPATOLOGIA E PATOGÊNESE

A patogênese da OM envolve interações complexas entre bactérias, vírus respiratórios e as respostas imunes inatas do hospedeiro. A infecção das vias aéreas superiores (IVAS) viral é o mais importante preditor de OMA na infância.[6] Os maiores fatores de risco para OMAR são o sexo masculino, a predisposição familiar e frequentar berçário ou creche.[3-8] O aleitamento materno é um importante fator protetor para OMAR.[3-5,7-9]

Os avanços nos métodos de detecção genéticos e de bioinformática, assim como o crescente interesse no microbioma, aumentaram a capacidade dos pesquisadores de investigar as correlações entre genes, microbioma do hospedeiro e consequente suscetibilidade à OM.[10]

Infecção das vias aéreas superiores

A OMA costuma ser precedida de uma infecção viral do epitélio da nasofaringe e da tuba auditiva: o resfriado comum ou IVAS viral.[7,11-13] Mais de 90% das crianças com OMA apresentam sintomas de IVAS.[11]

Cerca de 61% das crianças com idade < 3 anos com IVAS apresentam OMA como complicação, sendo que 37% têm OMAR e 24% têm OME.[6]

A coorte prospectiva, que acompanhou por 1 ano 294 crianças saudáveis entre 6 meses e 3 anos de idade, evidenciou 5,06 episódios de IVAS e 1,72 de OMA por criança/ano.[6] Os maiores fatores preditores para OMA foram a tenra idade e a presença de determinados vírus.[6] Cerca de metade das crianças com IVAS causada por adenovírus, vírus sincicial respiratório e coronavírus e um terço das crianças com IVAS causada por vírus da influenza, vírus da parainfluenza, enterovírus e rinovírus apresentaram OMA.[6]

A IVAS cria alterações na mucosa nasofaríngea, modificando a função imune do hospedeiro e aumentando a colonização bacteriana.[7] Acredita-se, também, que a infecção viral ativaria as células epiteliais, o que poderia resultar em aumento da aderência bacteriana às células.[11,12] A IVAS provoca congestão da mucosa nasal e nasofaríngea.[11,12] A congestão ao redor do orifício nasofaríngeo da tuba leva à sua disfunção, considerado o mais importante fator no desenvolvimento da OMA e que ocorre mais severamente em crianças com idade < 24 meses do que em crianças de 25 a 47 meses.[7,11] A tuba auditiva das crianças pequenas é mais curta, mais larga, flácida, horizontalizada e apresenta funcionamento deficiente.[7] A disfunção tubária resulta em pressão negativa na orelha média, diminuição da drenagem das secreções da orelha média e entrada de bactérias e/ou vírus nessa cavidade.[7,11,12] O risco para o desenvolvimento da OMA após IVAS é menor sem colonização e maior quando há colonização pelos três otopatógenos mais comuns: *Streptococcus pneumoniae*, *Haemophilus influenzae* e *Moraxella catarrhalis*.[7]

Fatores de risco do hospedeiro

→ **Idade** – A faixa de maior incidência do primeiro episódio de OMA situa-se entre 6 e 12 meses de vida.[3] Quanto mais precocemente acontecer o primeiro episódio de OMA, maior é o risco de recorrência, principalmente se o primeiro episódio ocorrer antes dos 6 meses de idade.[3]
→ **Sexo** – Crianças do sexo masculino têm maior tendência a desenvolver OM e OMAR do que as do sexo feminino.[3-5,7,8]
→ **Raça e etnia** – Coorte realizada nos Estados Unidos evidenciou, após análise multivariada, maior risco de OMA associada à raça branca não hispânica, mas os autores relatam que, desse grupo, 32,2% frequentavam creche, enquanto, entre os afro-americanos e os hispânicos, essa porcentagem era de apenas 19,2%.[3]
→ **História familiar de otite média recorrente** – É o principal fator de risco para OM e OMAR.[3]
→ **Genética** – As estimativas de hereditariedade da OMA e da OME variam de 40 a 70%, com os meninos tendo maior risco do que as meninas.[7]
→ **Imunodeficiências** – A orelha média é uma região imunocompetente que essencialmente mantém o meio estéril.[7] As respostas imunes são tanto sistêmicas quanto da mucosa.[7] A literatura não é clara sobre se a imunodeficiência humoral contribui para uma maior suscetibilidade à OM.[7]
→ **Hipertrofia e infecções das adenoides** – Tanto a hiperplasia das adenoides, que obstrui a tuba auditiva, quanto a sua colonização frequente por bactérias, assim como a presença de biofilmes, aumentam as chances de infecções da orelha média.[2]
→ **Anomalias craniofaciais (disfunção da tuba auditiva, fenda palatina e fenda palatina submucosa)** – Todo indivíduo com fenda palatina apresenta tuba auditiva funcionalmente obstruída, o que pode levar à doença da orelha média, caracterizada por persistência/recorrência de pressão negativa, por efusão ou ambas.[2] A OME está presente em quase todas as crianças com fenda palatina.[2] A fenda palatina submucosa também aumenta o risco de desenvolvimento de OM.[2] As crianças com síndrome de Down apresentam risco aumentado de disfunção da tuba auditiva, OMAR e OME crônica.[2]
→ **Refluxo laringofaríngeo**.[8]
→ **Atopia** – Pode ocasionar obstrução da tuba auditiva, favorecendo a OM.[3,8]
→ **Obesidade** – Alguns estudos têm relatado uma relação entre índice de massa corporal alto e disfunção da tuba auditiva, o que poderia favorecer a OMA.[4] Também se sugere que as crianças com exposição repetida à antibioticoterapia devido à OMAR poderiam ter alteração do microbioma intestinal, o que poderia ocasionar risco aumentado para obesidade.[4]
→ **Fatores emocionais** – Há relação significativa entre fatores emocionais e OM, incluindo saúde mental alterada da mãe e disciplina muito rígida.[14]

Fatores de risco ambientais e sociais

→ **Creches e berçários** – São o maior fator preditor para OMA e OMAR, provavelmente devido à maior exposição das crianças à colonização de otopatógenos nasais e à IVAS, que facilitariam a patogênese da OMA.[3]
→ **Irmãos mais velhos**.[3,7]
→ **Fumante passivo** – A relação entre OM e exposição ao fumo está bem demonstrada, pois essa exposição favoreceria a colonização da nasofaringe por otopatógenos.[8]

→ **Estação do ano** – A OM é mais frequente nos meses de inverno (também no outono e na primavera) e menos frequente no verão.

→ **Chupetas** – Alguns autores relacionaram o uso de chupetas com uma incidência maior de OMA tanto em crianças de creche como em crianças que permaneciam no seu domicílio.[8]

→ **Baixo nível socioeconômico** – Foi verificado que, nos 2 primeiros anos de vida, existe associação inversa entre tempo de efusão na orelha média e nível socioeconômico.[5]

→ **Poluição ambiental** – Embora preliminares, estudos sugerem associação entre exposição a agentes poluidores, tanto dentro das casas e edifícios quanto nos ambientes externos.[8]

→ **Desnutrição, água contaminada, baixa higiene, moradias pequenas e superlotadas, vírus da imunodeficiência humana, tuberculose, malária e dificuldade de acesso a sistemas de saúde** – São fatores que ocorrem em países em desenvolvimento e que aumentam o risco para complicações e cronicidade da OM.[7]

Fator de proteção

A amamentação é um fator protetor para a ocorrência de OMA e OMAR, principalmente quando se estende até o 6º mês de vida.[3,9] Ela estimularia a resposta imune dos bebês, desenvolvendo maiores concentrações de anticorpos contra os otopatógenos.[3]

O aleitamento materno exclusivo durante os primeiros 6 meses foi associado a uma redução de cerca de 43% de OMA nos primeiros 2 anos de vida.[9] Após os 2 anos de idade, não há evidências de que a amamentação proteja contra OMA, porque ainda há poucos estudos e a qualidade das evidências é baixa.[9]

MICROBIOLOGIA

O *S. pneumoniae*, o *H. influenzae* não tipável e a *M. catarrhalis* são as três bactérias otopatógenas relatadas globalmente, mas a dominância individual de espécies e cepas é influenciada pela localização geográfica e pela utilização da vacina pneumocócica conjugada.[3,7]

Utilizando os testes adequados, bactérias (otopatógenos juntos ou isolados) e vírus são detectados na efusão da orelha média em 96% dos casos de OMA (66% bactérias e vírus juntos; 27% somente bactérias; e 4% somente vírus).[1,11] Reações do tipo reação em cadeia da polimerase têm auxiliado na identificação desses microrganismos.[1,3,12] Comparando os vírus identificados na nasofaringe das crianças com OMA e aqueles detectados na efusão da orelha média, acredita-se que o vírus sincicial respiratório tenha maior capacidade de predispor à OM, pois foi encontrado na efusão da orelha média em 74% das crianças infectadas por ele.[12] Essa propagação da nasofaringe para a orelha média ocorreu em 52% das crianças com vírus da parainfluenza tipos 1, 2 e 3, em 42% dos casos com os vírus da *influenza* A e B, em 11% com o enterovírus, e em 2% com adenovírus.[12] Quando existe uma combinação de vírus e bactéria na cultura da efusão da orelha média, durante episódios de OMA, o *S. pneumoniae* é significativamente associado com mais frequência ao vírus da *influenza* (100%) do que ao vírus sincicial respiratório (36%) ou ao vírus da parainfluenza (10%).[12] A presença de vírus na orelha média é importante não somente em relação à etiologia e à patogênese da OM, mas também em relação à evolução, pois pioraria consideravelmente os resultados clínicos e bacteriológicos da OMA.[12]

A colonização precoce da nasofaringe com os otopatógenos bacterianos aumenta consideravelmente o risco de episódios subsequentes de OM.[7] A cultura do aspirado nasofaríngeo pode oferecer informações valiosas sobre as bactérias envolvidas na OMA, pois há alto índice de correlação entre a cepa colonizante de *S. pneumoniae* da nasofaringe e a cepa infectante da orelha média durante o episódio de OMA.[13,15]

A resistência do *S. pneumoniae* à penicilina, que estava aumentando, apresentou diminuição em função da adoção de novos critérios de concentração inibitória mínima (CIM) em 2008, que aumentam de forma considerável os valores para definição de cepa de pneumococo resistente à penicilina.[16] Por isso, os números de resistência bacteriana do *S. pneumoniae* anteriores a 2008 não podem mais ser diretamente comparados com os estudos atuais.[16] Um estudo norte-americano demonstra que, após a introdução da vacina pneumocócica heptavalente, em 2001, e da 13-valente, em 2010, ocorreu uma mudança na epidemiologia da OMA.[3] O *H. influenzae* passou a ser a bactéria mais prevalente (60%).[3] A porcentagem de cepas de *H. influenzae* produtoras de β-lactamase foi de 45%, e a porcentagem de cepas de *M. catarrhalis* produtoras de β-lactamase foi de 100%.[3] A proporção de *S. pneumoniae* com sensibilidade intermediária à penicilina foi de 24% e com resistência plena foi de 16%, somando um total de 40% de resistência.[3] Estudo realizado na Itália, em crianças com otorreia decorrente de perfuração espontânea por OMA, também identificou *H. influenzae* como o otopatógeno mais prevalente (50,8%).[17]

Em março de 2010, foi introduzida, no Brasil, a vacina pneumocócica 10-valente.[18] Em 2017, foi realizado, em São Paulo, um estudo para verificar os efeitos dessa vacinação na colonização da nasofaringe de 531 crianças.[18] Houve uma diminuição de 95,5% das cepas contidas na vacina, mas houve um aumento de 185% nas cepas não contidas na vacina, principalmente 6C e 19A.[18] O sorotipo 19A é preocupante, pois apresenta resistência intermediária à penicilina (CIM ≥ 2 mg/L).[18]

Uma publicação do Projeto Sireva, em 2019, com dados do Brasil, utilizando os novos critérios de CIM (suscetível ≤ 2 μg/mL, intermediário 4 μg/mL, resistente ≥ 8 μg/mL), mostra incidência de pneumococo com resistência intermediária em crianças com idade < 12 meses de 15,2%; entre 12 e 23 meses, 11,5%; e entre 24 e 59 meses, 21,4%.[19] Até os 5 anos de idade, além de a cepa 19A ter sido a mais frequente (33/87 casos), foi a única que apresentou resistência intermediária (14/33 casos de 19A).[19] Não foram encontrados casos de resistência plena.[19] É importante salientar que a vacina 13-valente tem a cepa 19A na sua formulação, mas esta não está disponível na rede de saúde pública brasileira, somente nas clínicas privadas.

Os seguintes fatores estão associados a um risco maior de desenvolvimento de pneumococo resistente: exposição recente a antibióticos, permanência em creches, história de OMAR, e tratamento prolongado e em doses baixas com antimicrobianos β-lactâmicos.[7]

O papel dos biofilmes

Os biofilmes bacterianos, uma colonização altamente organizada de bactérias incorporada em uma matriz extracelular aderente a uma superfície, conhecidos por proteger as bactérias do tratamento antibiótico e da resposta imune do hospedeiro, foram demonstrados na orelha média dos pacientes com OME persistente e OM que falharam no tratamento com antibióticos.[7] (Ver QR code.)

MANIFESTAÇÕES CLÍNICAS

Como a OM costuma ser uma complicação da IVAS viral, muitas vezes temos, como sintomas associados, a tosse, a obstrução e a secreção nasal.[11-13] A OM geralmente ocorre na primeira semana de IVAS, sendo que 54% ocorrem nos primeiros 4 dias.[11]

Crianças com OMA podem apresentar sinais e sintomas não específicos, como febre, irritabilidade, cefaleia, anorexia, vômitos e diarreia.[1] Irritabilidade e/ou levar a mão à orelha, sobretudo quando associados à febre e à IVAS, podem ser os únicos indicativos de dor.[1] A otalgia está presente em 50 a 60% dos casos.[1] A OMA não é um quadro frequente no adulto, e a sintomatologia costuma ser otalgia e hipoacusia. A otorreia pode ocorrer na OMA supurada, na criança com perfuração da membrana timpânica ou com tubo de ventilação.

A OME é aparentemente assintomática, silenciosa e muitas vezes não reconhecida pelos pais.[2,20] A queixa principal da criança maior é a diminuição da audição ou sensação de "orelha entupida" ou, ainda, queixa de estalos no ouvido.[2,20] Dependendo da idade em que ocorre e da duração, pode provocar alterações no desenvolvimento cognitivo e de linguagem, com diminuição da qualidade de vida.[2,20] Os sintomas relatados são otalgia (76%), sono interrompido (64%), problemas comportamentais (49%), preocupações com a audição e a fala (33-62%) e desequilíbrio (15%).[2]

DIAGNÓSTICO

O diagnóstico de OM na criança é determinado pela história e pelo exame físico. No entanto, somente a otoscopia estabelece o diagnóstico definitivo.[1] Para realizar uma boa otoscopia, é importante que o profissional disponha de um otoscópio com iluminação adequada, com o maior espéculo possível, para visualizar toda a membrana timpânica.[2] A imobilização da criança muitas vezes é necessária,

preferencialmente no colo de um dos pais. A pneumotoscopia, embora seja muito citada na literatura, é muito pouco utilizada no Brasil. A melhor forma de otoscopia, no momento, é aquela feita com um endoscópio rígido (ótica rígida) acoplado a uma fonte de luz e a um captador de imagens. Essas imagens podem ser projetadas na tela do computador ou do monitor de TV, podendo ser fotografadas ou filmadas.

Na otoscopia, a membrana timpânica normal é transparente, com coloração pérola-acinzentada e está em posição neutra, já que a pressão do ar dentro da orelha média está igual à pressão do ar do meio ambiente (ver QR code) (FIGURA 79.1).[21]

Na OMA, a membrana timpânica está abaulada, hiperemiada, edemaciada e opaca, com aumento da vascularização (FIGURA 79.2) e, na otoscopia pneumática, apresenta diminuição da mobilidade.[1,7,21] De todos esses sinais, o abaulamento é o mais importante.[1,3,7] Na OMA supurada (com otorreia), a perfuração costuma ser pequena

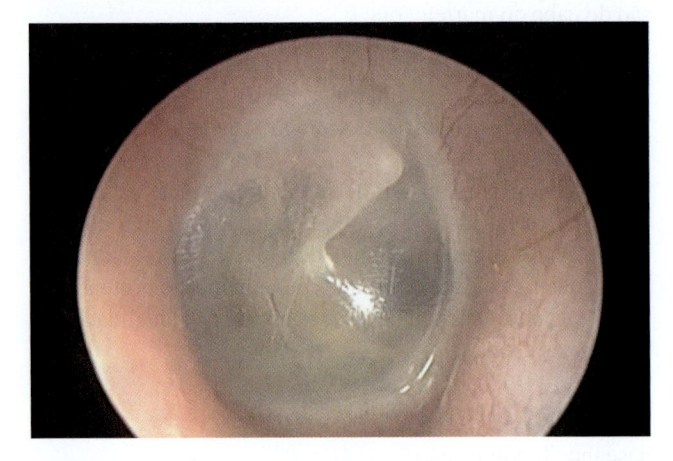

FIGURA 79.1 → Membrana timpânica normal.

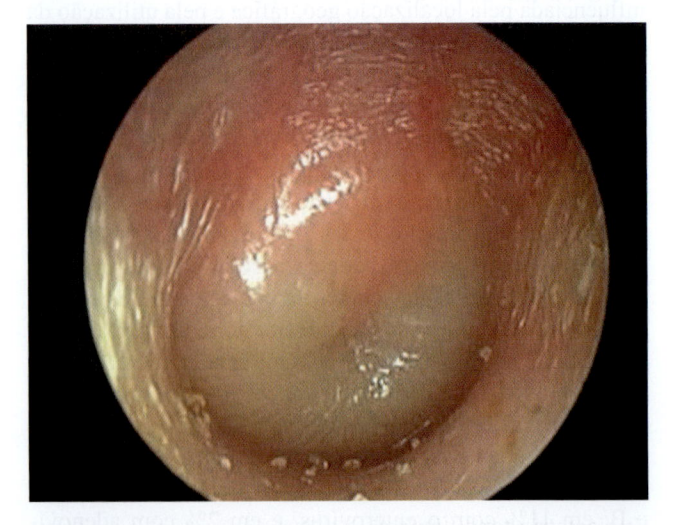

FIGURA 79.2 → Otite média aguda com membrana timpânica abaulada.

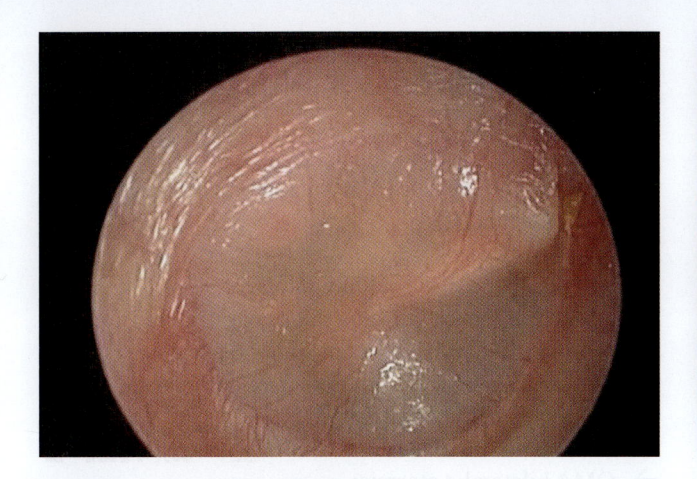

FIGURA 79.3 → Otite média com efusão.

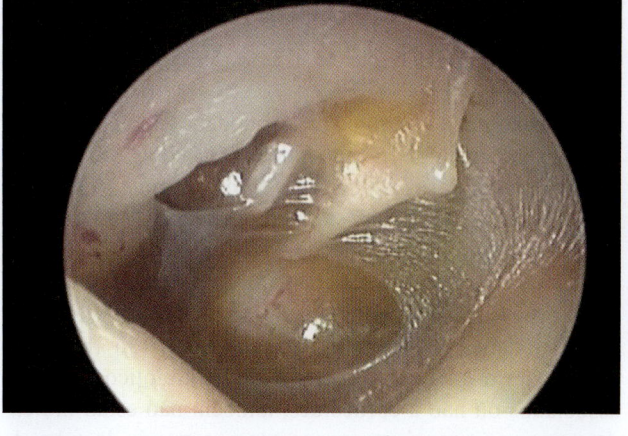

FIGURA 79.4 → Otite média com efusão com alteração estrutural da membrana timpânica.

e de difícil visualização, devido ao edema e à presença de secreção.

Na OME, a membrana timpânica está retraída, com vascularização visível, diminuição da sua mobilidade e protrusão do cabo do martelo, que pode estar mais horizontalizado **(FIGURA 79.3)**.[2,21] A coloração amarelada, branca ou azulada orienta quanto ao tipo de efusão existente na orelha média. Em quadros persistentes, pode-se encontrar alterações estruturais importantes, algumas vezes irreversíveis, da membrana timpânica, com retrações e aderências da membrana aos ossículos e ao promontório **(FIGURA 79.4)**.[2,21]

Recomenda-se que cada episódio de OM seja registrado no prontuário do paciente quanto à sua lateralidade (direita, esquerda ou bilateral), tempo de duração da efusão e presença de perfuração ou alterações estruturais da membrana timpânica.[1,2] Quando a cavidade timpânica não está totalmente preenchida com efusão (nível hidroaéreo), se não houver a possibilidade de fotografar, o ideal é realizar um desenho. Tendo o registro gráfico ou fotográfico, ao acompanhar a evolução, é possível saber se houve aumento ou diminuição da efusão.

O exame físico completo é essencial para identificar condições associadas ou predisponentes para OM, como obstrução nasal ou anomalias craniofaciais que afetam a orelha média (p. ex., fenda palatina e síndrome de Down).

EXAMES COMPLEMENTARES

Timpanometria. É um exame objetivo utilizado para avaliar a função da orelha média e auxiliar no diagnóstico da OME.[2] A transmissão normal do som através da orelha média requer que essa cavidade esteja cheia de ar e que a pressão dentro dela seja igual à pressão do meio ambiente, portanto o pico de pressão normal fica entre 0 e −100 decapascals (daPa) (curva tipo A).[20] A obstrução tubária diminui a pressão para valores < −100 daPa (curva tipo C).[20] Quando se forma uma linha plana, existe uma alta probabilidade de efusão na orelha média (curva tipo B).[2]

Audiometria tonal liminar. Na criança normal, o limiar auditivo deve ser < 20 decibéis (dB) em todas as frequências sonoras analisadas.[20] A efusão na orelha média diminui a transmissão do som, podendo provocar perdas auditivas condutivas que podem ser variáveis (0-55 dB).[20] Em média, a perda auditiva associada à OME é de 28 dB, mas cerca de 20% das crianças têm perdas auditivas > 35 dB.[20]

Esses exames não são invasivos ou dolorosos, no entanto, não devem ser realizados na fase aguda da OM, pois podem causar desconforto.

A avaliação auditiva, adequada para a idade, deve ser realizada sempre que há suspeita de perda auditiva, a efusão persistir por 3 meses ou mais, ou antes da realização da cirurgia quando for verificada a necessidade de inserção de tubo de ventilação.[20] Toda criança que apresentar perda auditiva, antes da colocação do tubo de ventilação, deve realizar audiometria pós-operatória para confirmar a normalização da audição.[20]

A OME é a principal causa de falha na triagem auditiva neonatal.[2] Quando o recém-nascido falha na triagem, deve ser monitorado e retestado após a cura da OM, para assegurar a normalidade da audição e afastar a possibilidade de uma perda auditiva neurossensorial.[2] (Ver p. S10-12 e S20-22 do QR code para discussões sobre avaliações audiológicas.)

Timpanocentese. Perfuração e aspiração do conteúdo da orelha média, que podem ser necessárias em pacientes com OMA refratária ao tratamento convencional, para identificar os otopatógenos e sua respectiva sensibilidade aos antimicrobianos.

Endoscopia nasal. A realização do exame das cavidades nasais, da nasofaringe, das adenoides e do orifício da tuba auditiva com uma ótica rígida ou flexível (em crianças) deve fazer parte do exame do paciente com OME, principalmente se houver OME unilateral, para afastar a presença de tumores de nasofaringe ou se houver indicação de adenoidectomia associada à colocação de tubo de ventilação.[22]

TRATAMENTO DA OTITE MÉDIA AGUDA

A primeira medida terapêutica deve ser o manejo da dor B.[1,23]

O tratamento sistêmico da dor poderá ser realizado utilizando paracetamol 15 mg/kg/dose (6/6 horas) ou ibuprofeno 10 mg/kg/dose (8/8 horas)[1,23] B ou dipirona C/D. O uso de gotas otológicas analgésicas ou preparados com extratos naturais não é recomendado, devido à falta de evidências de qualidade em relação à sua eficácia.[23]

Corticoides, anti-histamínicos, analgésicos locais, descongestionantes ou terapia alternativa não são recomendados para o tratamento da OMA.[1,23] Antibióticos tópicos, associados ou não a corticoides, também não estão indicados, exceto em pacientes com otorreia através do tubo de ventilação.[1,23]

A OMA é a doença bacteriana mais frequente na infância e a principal causa de prescrição de antibióticos em pediatria.[1] O diagnóstico pouco criterioso de OM com consequente prescrição desnecessária de antimicrobianos resultou em um crescente surgimento de bactérias resistentes.[1] Portanto, é extremamente importante o uso judicioso da terapia antimicrobiana.[1]

O maior questionamento na orientação terapêutica não deve ser qual o antibiótico mais apropriado para determinado paciente, mas sim se ele de fato necessita desse tratamento.[1] Metanálises de estudos comparando o tratamento da OMA com antimicrobianos ou placebo demonstraram que, embora os resultados favorecessem estatisticamente os antibióticos, foi necessário tratar vários pacientes para que um apresentasse algum benefício – por exemplo, alívio da dor em 4 a 7 dias (RRR = 0,24; NNT = 12-47) B,[24] – prevenindo complicações como perfuração da membrana timpânica (NNT = 33) B.[24] O risco de eventos adversos (RR = 1,38; NNH = 8-26) A pode equivaler ao benefício, sobremaneira nos estudos em atenção primária.[24]

> Hoje já existe consenso de que nem todas as crianças com OMA necessitam de antimicrobianos.

A grande preocupação em relação a complicações como mastoidite não se mostrou válida. Um estudo realizado no Reino Unido, no período de 1990 a 2006, demonstrou incidência de mastoidite estável, de 1,2 a cada 10 mil crianças/ano, apesar do decréscimo de 60% no uso de antibióticos para OMA no período estudado.[25]

A seguir, são listados os princípios que norteiam o tratamento da OMA:
→ por não haver estudos controlados envolvendo crianças com idade até 6 meses, todas devem receber antimicrobiano quando é estabelecido o diagnóstico de OMA;[1]
→ nem todos os pacientes, com idade > 6 meses, com OMA bacteriana devem ser tratados com antibióticos;[1]
→ o uso do antibiótico deve ser guiado pela certeza diagnóstica, pela idade da criança e pela gravidade do quadro clínico (aparência tóxica, otalgia intensa e febre > 39 °C) B.[1]

> São critérios que orientam a necessidade de uso de antibióticos: otite bilateral, principalmente em crianças com idade < 2 anos (NNT = 4), e presença de otorreia (NNT = 3).[1,26]

São contraindicações absolutas para observação sem antibioticoterapia C/D:[1]
→ idade < 6 meses;
→ deficiência ou distúrbio imunológico;
→ febre alta, doença grave ou falha do tratamento anterior;
→ quando não é possível acompanhar o paciente.

São contraindicações relativas para observação sem antibioticoterapia C/D:[1]
→ recidiva em 30 dias;
→ OMA bilateral e otorreia;
→ síndromes ou malformações craniofaciais.

Os critérios para tratamento dependem dos sintomas:
→ **sintomas severos:** otalgia moderada ou intensa, ou otalgia por pelo menos 48 horas, ou ainda temperatura ≥ 39 °C B.[1] Deve-se prescrever antibioticoterapia para OMA, unilateral ou bilateral, em crianças em qualquer idade, com sinais ou sintomas severos B;[1]
→ **sintomas não severos:** otalgia moderada por < 48 horas ou temperatura < 39 °C:[1]
  → *OMA bilateral em crianças com idade de 6 a 23 meses*: deve-se prescrever antibioticoterapia B;[1]
  → *OMA unilateral em crianças com idade de 6 a 23 meses*: pode-se prescrever antibioticoterapia ou propor observação com monitoramento próximo, com base em uma decisão tomada com os pais ou cuidadores B.[1] Em um consenso, publicado no fim de 2019 pela Sociedade Italiana de Pediatria, após revisar coortes prospectivas, é sugerida a antibioticoterapia sempre para as crianças com idade de 6 a 24 meses, com OMA unilateral e sintomas leves, pelo maior risco de falha terapêutica.[23,27,28] Quando se opta pela observação, deve-se ter mecanismos para garantir o seguimento e iniciar a antibioticoterapia, se a criança piorar ou não melhorar em 48 a 72 horas do início dos sintomas B;[1]
  → *OMA unilateral ou bilateral em crianças com idade > 24 meses*: pode-se prescrever antibioticoterapia ou propor observação com monitoramento próximo, com base em uma decisão tomada com os pais ou cuidadores B. Quando se opta pela observação, deve-se ter mecanismos para garantir o seguimento e iniciar a antibioticoterapia, se a criança piorar ou não melhorar em 48 a 72 horas do início dos sintomas B.[1]

Tratamento expectante com prescrição antecipada

Há evidências de que uma breve explanação aos pais sobre a OMA e a possibilidade de melhora espontânea diminui o uso de antibiótico em até 50% dos casos.[29] A estratégia de prescrever o antimicrobiano e orientar os pais a utilizá-lo somente se não houver melhora ou se houver piora em 24 a 72 horas é bastante aconselhável e altamente produtiva na redução do uso de antibióticos, sobretudo se associada a uma breve explicação, inclusive em serviços de emergência C/D.[29,30]

Antibióticos

O surgimento de cepas de *S. pneumoniae* resistentes à penicilina é o principal problema a ser enfrentado no tratamento da OMA.[1,23] O *S. pneumoniae* resistente à penicilina impede a aderência do antibiótico à bactéria.[1,23] Enquanto *H. influenzae* e *M. catarrhalis* resistentes produzem β-lactamase, destruindo o anel β-lactâmico das penicilinas em qualquer concentração que elas sejam administradas, *S. pneumoniae* pode apresentar resistência intermediária ou total à penicilina.[1,23]

Assim, na maioria dos casos de *S. pneumoniae* resistente à penicilina, o uso de amoxicilina 80 a 90 mg/kg/dia é suficiente para resolver a infecção C/D.[1,23]

Isso, vale ressaltar, desde que a criança não tenha utilizado amoxicilina nos últimos 30 dias, não tenha conjuntivite purulenta associada e não seja alérgica à penicilina, pois é segura, bem tolerada e tem bom espectro de ação B.[1,23] A administração de 8/8 horas mantém os níveis plasmáticos de amoxicilina mais elevados, garantindo melhor eficácia em pneumococos com resistência intermediária.[23]

Deve-se utilizar antibióticos com cobertura para β-lactamase quando a criança utilizou amoxicilina nos últimos 30 dias e/ou se tiver conjuntivite purulenta associada, otorreia decorrente de OMA com perfuração da membrana timpânica ou, ainda, se tiver OMAR que não responde à amoxicilina C/D.[1,23]

Com a medicação adequada, deve haver melhora em 48 a 72 horas. Se os sinais e sintomas não melhorarem ou piorarem, em 48 a 72 horas, deve-se reexaminar o paciente para determinar se há necessidade de modificar a terapia B[1] ou excluir outra etiologia para as manifestações clínicas.[1]

No caso de **sintomas severos ou falha clínica**, utiliza-se a associação amoxicilina-clavulanato (80-90 mg/kg/dia de amoxicilina + 6,4 mg/kg/dia de clavulanato de 12/12 horas ou de 8/8 horas) para combater cepas de *H. influenzae* e *M. catarrhalis* produtoras de β-lactamase C/D.[1,23]

Se houver falha clínica com a terapia inicial de amoxicilina-clavulanato 80 a 90 mg/kg/dia, está indicada a ceftriaxona 50 mg/kg/dia, intramuscular (IM) ou intravenosa (IV), que deve ser administrada em 3 doses, em dias consecutivos, pois essa dosagem é mais eficaz do que em dose única B.[1,23] A axetilcefuroxima 30 mg/kg/dia, de 12/12 horas, também pode ser utilizada se houver falha clínica com a associação amoxicilina-clavulanato. No entanto, o uso das cefalosporinas é restrito às falhas clínicas ou à alergia à penicilina C/D.[23] O uso de quinolonas deve ser evitado após falha clínica do tratamento de OMA.[23]

No caso de **alergia à penicilina**, pode-se utilizar axetilcefuroxima, azitromicina ou claritromicina.[1] O uso de macrolídeos só está indicado se houver história recente e/ou grave de alergia à penicilina, pois são menos eficazes e apresentam mais efeitos colaterais.[23] Utilizar preferencialmente a claritromicina 15 mg/kg/dia, devido às suas propriedades farmacodinâmicas e farmacocinéticas.[23]

Nos casos mais graves, em crianças com alergia à penicilina, está indicada a ceftriaxona 50 mg/kg/dia, IM ou IV, que deve ser administrada em 3 doses, em dias consecutivos B.[1,23]

Tempo de tratamento e acompanhamento

Para crianças com idade < 2 anos ou com sintomas severos, com ou sem perfuração da membrana timpânica, recomenda-se 10 dias de tratamento.[1,23] Para crianças com idade entre 2 e 5 anos com OMA leve a moderada, 7 dias de antibioticoterapia oral parecem ser efetivos.[1,23] Para crianças com idade ≥ 6 anos, quando os sintomas não são severos, pode-se tratar por 5 a 7 dias.[1,23]

Deve-se informar aos familiares que a persistência de efusão na orelha média após um episódio de OMA é frequente. Mesmo havendo efusão na orelha média após o tratamento da OMA, não há necessidade de outro tratamento A.[1] Algumas vezes, a secreção pode perdurar por semanas ou meses e deve, portanto, ser monitorada.[1,2]

O acompanhamento, após o tratamento, dependerá da idade da criança, da gravidade dos sintomas, da recorrência da OMA, da persistência da efusão, das comorbidades e da preocupação dos pais em relação ao quadro.[1] Na OMA, a revisão poderá ser efetuada dentro do 1º mês. Se persistir efusão na orelha média, a revisão poderá ser realizada de 3 em 3 meses, até que ocorra a cura do processo.[2]

TRATAMENTO DA OTITE MÉDIA AGUDA RECORRENTE

Os critérios de risco para recorrência de OMA são:[1,3,7,23]
- sexo masculino;
- primeiro episódio de OMA antes dos 6 meses de idade;
- história familiar de OMAR;
- não ter recebido aleitamento materno;
- usuários de creche ou berçário;
- utilização de antibiótico no último mês;
- mais que 3 episódios de OMA nos últimos 6 meses;
- idade < 2 anos.

Os pais devem ser tranquilizados com a informação de que a recorrência tende a desaparecer com o crescimento da criança.[20]

A criança que apresenta otites de repetição e que cura completamente entre um episódio e outro pode ter cada episódio tratado como descrito para OMA, pois os agentes etiológicos da OMAR são os mesmos.[1]

Não está indicada a profilaxia com antibióticos para reduzir a frequência de episódios de OMA em crianças com OMAR B.[1]

PREVENÇÃO DA OTITE MÉDIA AGUDA RECORRENTE

Uma das medidas mais baratas e eficazes na prevenção da OMAR é o aleitamento materno exclusivo por 6 meses B.[1,9] Além disso, deve-se evitar o tabagismo passivo B;[1] retardar o ingresso na creche para o 2º ou 3º ano de vida;[1] eliminar o uso de chupeta após os 6 meses de idade, principalmente na creche; e suspender o uso de mamadeira na posição deitada.[1] Recomenda-se educar adequadamente as cuidadoras das creches sobre a lavagem frequente e cuidadosa das mãos ou sobre a utilização de álcool nas mãos,[8] e orientar as mães e cuidadoras sobre como realizar as lavagens nasais nas crianças com IVAS.[8]

Imunoprofilaxia

Vacina contra o vírus da influenza. Está associada à redução de até 50% da incidência de OMA secundária à IVAS por vírus da *influenza* em crianças com idades entre 6 meses e 5 anos B.[31] Entretanto, outros vírus devem ser considerados nessas infecções (vírus sincicial respiratório, parainfluenza, adenovírus, coronavírus) e, por esse motivo, essa vacina tem menor efetividade na prevenção da OMA.[11-13]

Vacinas pneumocócicas conjugadas (VPC-7V, VPC-10V e VPC-13V). Os sorotipos incluídos nas vacinas pneumocócicas conjugadas são responsáveis por uma proporção limitada dos casos de OMA, pois existem mais de 90 sorotipos circulantes. Além disso, há uma tendência da população vacinada de apresentar uma substituição de sorotipos ou mudança de patógenos.[3] Entretanto, estudos têm demonstrado eficácia na gravidade, no uso de tubos de ventilação e na OMAR.[32]

A VPC-10V está associada à redução na incidência total de OMA (33,6%) causada pelo *S. pneumoniae* e pelo *H. influenzae* não tipável B.[33] Para mais detalhes quanto ao uso dessas vacinas, ver Capítulo Imunizações.

Prevenção cirúrgica da otite média aguda recorrente

Está indicada a colocação de tubo de ventilação bilateral, quando a criança com história de OMAR apresenta efusão na orelha média unilateral ou bilateral no momento da avaliação para a cirurgia B.[20]

Os tubos de ventilação não devem ser indicados para crianças com OMAR que não apresentam efusão em nenhuma orelha média no momento da avaliação para colocação do tubo, a menos que estejam imunossuprimidas, tenham histórico de OMA grave ou persistente, complicações relacionadas à OM, alergia ou intolerância a antibióticos ou, ainda, apresentem risco para desenvolvimento da fala, da linguagem ou da aprendizagem B.[20]

Crianças < 2 anos com OMAR se beneficiam mais da adenoidectomia, com ou sem colocação de tubo de ventilação, do que da colocação do tubo isolada B.[34]

Fatores de risco para dificuldades de desenvolvimento

Crianças com OMAR ou OME com risco para apresentar atrasos de desenvolvimento devem realizar avaliação auditiva sempre. Elas são candidatas à colocação de tubo de ventilação, e não devem ser submetidas à observação C/D.[20]

Os fatores de risco para dificuldades de desenvolvimento são:
→ deficiência auditiva permanente independente da OME;
→ atraso ou transtorno de fala e linguagem, confirmado ou não;
→ transtorno do espectro autista ou outros transtornos pervasivos do desenvolvimento;
→ síndromes (p. ex., Down) ou doenças craniofaciais que incluem atraso de fala, linguagem ou cognição;
→ cegueira ou deficiência visual grave;
→ fissura palatina, com ou sem síndrome associada;
→ atraso do desenvolvimento.

TRATAMENTO DA OTITE MÉDIA COM EFUSÃO

A conduta inicial para a criança com OME, que não é considerada de risco para problemas de desenvolvimento, é a observação durante 3 meses.[2] Quando a data do início é conhecida, a taxa de resolução da OME em 3 meses é de 90%.[2] Se a OME é espontânea e a data de início é desconhecida, a taxa de cura em 3 meses é menor (56%).[2]

Durante a observação, recomenda-se:[2]
→ controlar os fatores de risco, que são os mesmos da OMA e da OMAR;
→ informar a família sobre a diminuição temporária da audição, em especial se a efusão for bilateral, e orientar para que procurem minimizar a dificuldade auditiva, conversando com a criança com uma fala um pouco mais alta, um pouco mais lenta e de forma bem articulada, garantindo que a informação auditiva seja adequadamente processada;
→ informar a professora (os pais devem fazer isso) sobre eventuais alterações do comportamento, como desatenção, desequilíbrio, agressividade;[2]
→ na fase escolar, solicitar a colocação em assento preferencial, até a normalização dos limiares auditivos;
→ realizar avaliação audiológica e de linguagem, principalmente se a efusão permanecer por > 3 meses ou, a qualquer momento, se houver suspeita de atraso de linguagem, problemas de aprendizagem ou, ainda, se houver suspeita de perda auditiva moderada, grave ou profunda C/D.[2]

Tentar diferenciar a OMA da OME é fundamental, pois a última não requer antibioticoterapia,[2,23] que tem pequeno impacto na efusão da orelha média e não melhora a audição em médio ou longo prazos C/D.[2,22,35]

Corticoides orais ou tópicos também não têm eficácia em longo prazo e não são recomendados como tratamento de rotina B.[2,22,36,37]

Anti-histamínicos e descongestionantes não são efetivos para a OME e não são recomendados para o tratamento dessa doença **B**.[2,22,38]

Crianças com OME que são consideradas de risco para apresentar atrasos de desenvolvimento são candidatas à colocação de tubo de ventilação e não devem ser submetidas à conduta inicial de observação.[2,20]

Timpanotomia para colocação de tubo de ventilação

As indicações para esse procedimento são:
→ OME que persiste por ≥ 3 meses, com perda auditiva **B** ou outros sinais e sintomas **C/D**;[2,20]
→ OME recorrente ou persistente em criança de risco de atrasos em desenvolvimento, independentemente do limiar auditivo **C/D**;[2,20]
→ OME com alteração estrutural da membrana timpânica ou da orelha média (ver **FIGURA 161.4**) **C/D**.[2,20]

A colocação do tubo de ventilação também está indicada nas crianças que sofrem de baixa qualidade de vida ou baixo estado de saúde devido à OME: transtornos do sono, sofrimento emocional, limitações na atividade, problemas escolares, efeitos colaterais do tratamento **C/D**.[2]

Existem estudos que questionam a eficácia da cirurgia de timpanotomia para colocação do tubo de ventilação em crianças com OME persistente, afirmando que:
→ os tubos de ventilação podem melhorar a audição no período de 1 a 3 meses, comparados à observação na OME crônica, mas essa diferença não persiste aos 12 a 24 meses;[39]
→ os tubos na OME estão associados à melhora da audição, mas não parecem melhorar o desenvolvimento da linguagem ou a cognição;[40]
→ nas crianças pequenas, a colocação imediata de tubos não afeta os desfechos de desenvolvimento se comparada à colocação tardia;[41]
→ nas crianças com fissura palatina e OME, os tubos poderiam melhorar a audição mais cedo do que com medidas conservadoras, mas a audição parece similar com ou sem tubo no seguimento por longo tempo.[42]

Embora esses estudos sejam importantes, sabe-se que pelo menos 25% dos episódios de OME persistem por 3 meses e podem ser associados com perda auditiva, problemas de equilíbrio (tonturas), desempenho acadêmico pobre, problemas comportamentais, desconforto auditivo (zumbido, sensação de ouvido fechado), OMAR e diminuição da qualidade de vida.[20] As queixas relacionadas à OME, que mais alteram a qualidade de vida da criança, são comportamentais, como transtornos do sono, desatenção, desequilíbrio, hiperatividade e agressividade.[2] Esses sintomas costumam afetar não só as crianças, mas todas as pessoas que convivem com ela, como familiares, colegas de escola, professores ou cuidadores.[2] A cirurgia de tubo de ventilação costuma não só diminuir os sintomas relatados, melhorando os índices de qualidade de vida da criança e dos cuidadores, mas também diminui os episódios de OMA, com consequente diminuição de consultas, de utilização de antibióticos, de faltas escolares e perdas de horas de trabalho dos pais.[2,20] Estudos de neuroplasticidade demonstraram que existe um período sensível, que corresponde aos primeiros 3 anos e meio de vida, para o desenvolvimento das vias auditivas e das áreas auditivas corticais,[43] e que a perda auditiva transitória decorrente da OMAR ou da OME, nos primeiros anos de vida, levaria a alterações do processamento auditivo central.[44,45]

O tubo de ventilação costuma ser eliminado espontaneamente, em torno de 10 a 18 meses, embora, em alguns casos, fique por > 3 anos.[20] Enquanto o paciente estiver com o tubo, deve evitar mergulhos profundos ou banhos de imersão, pois, se houver entrada de água na orelha média, através do tubo, pode ocorrer otorreia.[20]

A otorreia, através do tubo, pode ocorrer durante episódios de IVAS.[20] Seu tratamento deve ser feito com gotas otológicas de antibiótico, preferencialmente quinolonas, por não serem ototóxicas, associadas a corticoide. Quando o meato acústico externo está ocluído por secreção, é necessária a limpeza, pois as gotas otológicas devem atravessar o meato externo e também o orifício do tubo de ventilação para poder atuar na orelha média. Não há indicação de antibioticoterapia oral para otorreia pelo tubo.[20]

Adenoidectomia

Em crianças com idade < 4 anos, a adenoidectomia não deve ser realizada como forma de tratamento da OME, a não ser que exista indicação específica, como obstrução nasal ou adenoidite crônica **B**.[34] Em crianças com idade ≥ 4 anos, a adenoidectomia, associada ou não à colocação do tubo de ventilação, diminui o risco de OME persistente (RRR = 23%; NNT = 6) **B**.[34]

REFERÊNCIAS

1. Lieberthal AS, Carroll AE, Chonmaitree T, Ganiats TG, Hoberman A, Jackson MA, et al. Clinical practice guideline. The diagnosis and management of acute otitis media. Pediatrics 2014;133(2):346.
2. Rosenfeld RM, Shin JJ, Schwartz SR, Coggins R, Gagnon L, Hackell JM, et al. Clinical practice guideline. Otitis media with effusion (Update). Otolaryngol Head Neck Surg. 2016;154(1 Suppl):S1-S41.
3. Kaur R, Morris M, Pichichero ME. Epidemiology of acute otitis media in the postpneumococcal conjugate vaccine era. Pediatrics. 2017;140(3):e2017018.
4. Monasta L, Ronfani L, Marchetti F, Montico M, Brumatti LV, Bavcar A, et al. Burden of disease caused by otitis media: systematic review and global estimates. PLos One. 2012;7(4):e36226.
5. Paradise JL, Rockette HE, Colborn DK, Bernard BS, Smith CG, Kurs-Lasky M, et al. Otitis media in 2253 Pittsburgh-area infants: prevalence and risk factors during the first two years of life. Pediatrics. 1997;99(3):318–33.
6. Chonmaitree T, Revai K, Grady JJ, Clos A, Patel JA, Nair S, et al. Viral upper respiratory tract infection and otitis media complication in young children. Clin. Infect. Dis. 2008;46(6):815–23.
7. Schilder A, Chonmaitree T, Cripps A, Rosenfeld RM, Casselbrant ML, Haggard MP, et al. Otitis media. Nat Rev Dis Primers. 2016;2(1)-16063.
8. Marchisio P, Bortone B, Ciarcià M, Motisi MA, Torretta S, Gattinara GS, et al. Updated guidelines for the management of acute otitis media in children by the Italian Society of Pediatrics – prevention. Pediatr Infect Dis J. 2019;38(12S Suppl):S22-36.

9. Bowatte G, Tham R, Allen KJ, Tan DJ, Lau M, Dai X, et al. Breastfeeding and childhood acute otitis media: a systematic review and meta-analysis. Acta Pediatr. 2015;104(467):85-95.

10. Mittal R, Sanchez-Luege SV, Wagner SM, Yan L, Liu XZ. Recent perspectives on gene-microbe interactions determining predisposition to otitis media. Front Gen 2019;10:1-15.

11. Heikkinen T, Chonmaitree T. Importance of respiratory viruses in acute otitis media. Clin Microb Rev. 2003; 16(2): 230–241.

12. Heikkinen T, Thint M, Chonmaitree T. Prevalence of various respiratory viruses in the middle ear during acute otitis media. N Engl J Med. 1999;340(4):260–264.

13. Nokso-Koivisto J, Marom T, Chonmaitree T. Importance of viruses in acute otitis media. Curr Opin Pediatr. 2015;27(1):110–115.

14. Chen KWK, Huang DTN, Chou LT, Chen KK, Huang DT, Chou LT, et al. Childhood otitis media: relationship with daycare attendance, harsh parenting, and maternal mental health. PLoS One. 2019;14(7):e0219684.

15. Kaur R, Casey JR, Pichichero ME. Emerging Streptococcus pneumoniae strains colonizing the nasopharynx in children after 13-valent (PCV13) pneumococcal conjugate vaccination in comparison to the 7-valent (PCV7) era, 2006-2015. Pediatr Infect Dis J. 2016;35(8):901–6.

16. Weinstein MP, Klugman KP, Jones RN. Rationale for revised penicillin susceptibility breakpoints versus Streptococcus pneumoniae: coping with antimicrobial susceptibility in an era of resistance. Clin Infect Dis. 2009;48(11):1596.

17. Marchisio P, Esposito S, Picca M. Prospective evaluation of the aetiology of acute otitis media with spontaneous tympanic membrane perforation. Clin Microbiol Infect. 2017;23:486.e1-486.

18. Brandileone MCC, Zanella RC, Almeida SCG, AP Cassiolato, Lemos APS, Salgado MM, et al. Long-term effect of 10-valent pneumococcal conjugate vaccine on nasopharyngeal carriage of *Streptococcus pneumoniae* in children in Brazil. Vaccine. 2019;37(36):5357-63.

19. Organização Panamericana de la Salud. Informe regional de SIREVA II, 2016. Datos por país y por grupos de edad sobre las características de los aislamientos de Streptococcus pneumoniae, Haemophilus influenzae y Neisseria meningitidis, en procesos invasivos bacterianos[Internet]. Washington: OPS; 2019 [capturado em 27 abril 2020]. Disponível em: https://iris.paho.org/bitstream/handle/10665.2/51781/9789275321850_spa.pdf?sequence=1&isAllowed=y

20. Rosenfeld RM, Schwartz SR, Pynnonen MA, Tunkel DE, Hussey HM, Fichera JS, et al. Clinical practice guideline: tympanostomy tubes in children. OHNS 2013;149(1 Suppl): S1–35.

21. Lundberg T, Laurent C, Eikelboom R. Diagnostic evaluation of tympanic membranes [Internte]. In: Swanepoel DW, Fagan J. Open access guide to audiology and hearing AIDS for otolaryngologists. Cape Town: University of Cape Town; c2020 [capturado em 8 maio 2020]. Disponível em: https://vula.uct.ac.za/access/content/group/27b5cb1b-1b65-4280-9437-a9898ddd4c40/Diagnostic%20evaluation%20of%20tympanic%20membranes.pdf%20

22. Blanc F, Ayache D, Calmels MN. Management of otitis media with effusion in children. Société française d'ORL et de chirurgie cervico--faciale clinical practice guidelines. Eur Ann Otorhinolaryngol Head Neck Dis. 2018; 135(4):269-73.

23. Marchisio P, Galli L, Bortone B, Ciarcià M, Motisi MA, Novelli A, et al. Updated guidelines for the management of acute otitis media in children by the Italian Society of Pediatrics: treatment. Pediatr Infect Dis J. 2019;38 (12S Suppl):S10-21.

24. Venekamp RP, Sanders SL, Glasziou PP, Del Mar CB, Rovers M. Antibiotics for acute otitis media in children. Cochrane Database Syst Rev. 2015;(6):CD000219

25. Thompson PL, Gilbert RE, Long PF, Saxena S, Sharland M, Wong ICK. Effect of antibiotics for otitis media on mastoiditis in children: a retrospective cohort study using the United Kingdom general practice research database. Pediatrics. 2009;123(2):424–30.

26. Rovers MM, Glasziou P, Appelman CL, Burke P, McCormick DP, Damoiseaux RA, et al. Antibiotics for acute otitis media: a meta-analysis with individual patient data. Lancet. 2006;368(9545):1429–35.

27. Hoberman A, Paradise JL, Rockette HE, Shaikh N, Wald ER, Kearney DH, et al. Treatment of acute otitis media in children under 2 years of age. N Engl J Med. 2011;364(2):105-15.

28. Tähtinen PA, Laine MK, Huovinen P, Jalava J, Ruuskanen O, Ruohola A. A placebo-controlled trial of antimicrobial treatment for acute otitis media. N Engl J Med. 2011;364(2):116-26.

29. Pshetizky Y, Naimer S, Shvartzman P. Acute otitis media – a brief explanation to parents and antibiotic use. Fam Pract. 2003;20(4):417–19.

30. Spiro DM, Tay KY, Arnold DH, Dziura JD, Baker MD, Shapiro ED. Wait-and-see prescription for the treatment of acute otitis media a randomized controlled trial. JAMA. 2006;296(10):1235-41.

31. Manzoli L, Schioppa F, Boccia A, Villari P. The efficacy of influenza vaccine for healthy children: a meta-analysis evaluating potential sources of variation in efficacy estimates including study quality. Pediatr. Infect. Dis. J. 2007;26(2):97–106.

32. Gisselsson-Solen M. Trends in otites media incidence after conjugate pneumococcal vaccination: a national observacional study. Pediatr Infect Dis J. 2017;36(11):1027-31.

33. Prymula R, Peeters P, Chrobok V, Kriz P, Novakova E, Kaliskova E, et al. Pneumococcal capsular polysaccharides conjugated to protein D for prevention of acute otitis media caused by both Streptococcus pneumoniae and non-typable Haemophilus influenzae: a randomized double-blind efficacy study. Lancet. 2006;367(9512):740–8.

34. Boonacker CWB, Rovers MM, Browning GG, Hoes AW, Schilder AGM, Burton MJ. Adenoidectomy with or without grommets for children with otitis media: an individual patient data meta-analysis. Health Technol Assess. 2014;18(5):1-118.

35. Venekamp RP, Burton MJ, van Dongen TM, van der Heijden GJ, van Zon A, Schilder AG. Antibiotics for otitis media with effusion in children. Cochrane Database Syst Rev. 2016;2016(6):CD009163.

36. Francis NA, Cannings-John R, Waldron CA. Oral steroids for resolution of otitis media with effusion in children (OSTRICH): a double-blinded, placebo-controlled randomized trial. Lancet. 2018;392(10147):557–68.

37. Simpson SA, Lewis R, van der Voort J, Butler CC. Oral or topical nasal steroids for hearing loss associated with otitis media with effusion in children. Cochrane Database Syst Rev. 2011;(5):CD001935.

38. Griffin G, Flynn CA. Antihistamines and/or decongestants for otitis media with effusion (OME) in children. Cochrane Database Syst Rev. 2011;(9):CD003423.

39. Steele DW, Adam GP, Di M, Halladay CH, Balk EM, Trikalinos TA. Effectiveness of tympanostomy tubes for otitis media: a meta-analysis. Pediatrics. 2017;139(6):e20170125.

40. Browning GG, Rovers MM, Williamson I, Lous J, Burton MJ. Grommets (ventilation tubes) for hearing loss associated with otitis media with effusion in children. Cochrane Database Syst Rev. 2010;(10):CD001801.

41. Paradise JL, Feldman HM, Campbell TF, Dollaghan CA, Colborn DK, Bernard BS, et al. Effect of early or delayed insertion of tympanostomy tubes for persistent otitis media on developmental outcomes at the age of three years. N Engl J Med. 2001;344(16):1179-87.

42. Kuo CL, Tsao YH, Cheng HM, Lien C-F, Hsu C-H, Huang C-Y, et al. Grommets for otitis media with effusion in children with cleft palate: a systematic review. Pediatrics. 2014;134(5):938-94.

43. Kral A. Auditory critical periods: a review from system's perspective. Neuroscience. 2013; 247:117–33.

44. Zumach A, Gerrits E, Chenault MN, Anteunis LJC. Otitis media and speech-in-noise recognition in school-aged children. Audiol Neurotol. 2009;14(2):121–9.

45. Whitton JP, Polley DB. Evaluating the perceptual and pathophysiological consequences of auditory deprivation in early posnatal life: A comparison of basic and clinical studies. JARO. 2011;12(5):535-46.

Capítulo 80
OTITE EXTERNA

José Faibes Lubianca Neto
Maurício Schreiner Miura
Moacyr Saffer

A otite externa é a inflamação do revestimento epitelial do canal auditivo externo e pode ser considerada uma doença dermatológica localizada na orelha. Estima-se a sua ocorrência em 10% da população geral.[1]

Estão sob particular risco as pessoas que têm contato continuado com a água, as portadoras de doenças dermatológicas (eczema, psoríase, seborreia, etc.) e os usuários de prótese auditiva.[2] Sabe-se que a otite externa é mais comum em países de clima quente e úmido, bem como em estações de aumento da temperatura ambiental e com o aumento da umidade média relativa do ar.[2]

O canal auditivo externo é um fundo de saco revestido totalmente por pele, com comprimento médio de 2,5 cm. No seu terço externo, possui arcabouço cartilaginoso e revestimento epitelial espesso, contendo glândulas serosas, sebáceas, ceruminosas e folículos pilosos, enquanto os dois terços restantes constituem o canal ósseo, no qual há pouco tecido subcutâneo e a pele está em contato direto com o periósteo, que é ricamente inervado. Por isso, inflamações nessa região são muito dolorosas, inexistindo correlação, via de regra, entre a gravidade das lesões observadas na otoscopia e a dor referida pelo paciente.[2]

O cerume é formado pela mistura das secreções das glândulas apócrinas (baixa viscosidade) e das glândulas sebáceas (alta viscosidade) com a descamação epitelial normal dessa região. Por sua característica gordurosa, atua como impermeabilizante protetor da pele, além de possuir componentes bactericidas em sua estrutura (lisozima). Se a exposição à água for persistente, os componentes hidrossolúveis serão dissolvidos, e os elementos insolúveis, removidos mecanicamente. Deve-se desencorajar a sua remoção pelo risco de infecções e pela chance de traumatismo nas estruturas do canal e da membrana timpânica, sobretudo se a limpeza for feita com material inadequado (cotonetes, grampos, tampas de caneta, clipes, chaves, etc.).[3] Além disso, a orelha tem um mecanismo de autolimpeza em que o epitélio continuamente migra no sentido da membrana timpânica para o exterior, carregando, como um "tapete rolante", o cerume excessivo a cada 6 a 12 semanas.[2]

São também fatores importantes na manutenção da defesa dessa região o pH ácido da superfície e a integridade do epitélio de revestimento. As secreções glandulares ácidas mantêm o pH do canal auditivo externo em torno de 6,5 a 6,8. Estudos em pacientes com otite externa mostraram o aumento do pH para níveis alcalinos de até 7,8.

Qualquer fator que altere o pH ácido do canal, a integridade da pele, o cerume e a imunidade do indivíduo pode predispor às inflamações do canal auditivo externo. Entre esses fatores, destacam-se a umidade ambiental elevada além de altas temperaturas, a maceração da pele durante a exposição prolongada das orelhas à umidade (como em banhos de imersão e os convencionais, com o uso excessivo de sabonete no canal), o trauma local, reações alérgicas a metais (níquel dos *piercings*), a introdução de bactérias exógenas e as imunodeficiências (como síndrome da imunodeficiência adquirida [Aids], diabetes melito). Soluções de continuidade no epitélio, causadas por microtraumatismos, e até mesmo os espaços virtuais criados pela fraca inserção dos ductos glandulares no epitélio podem servir como porta de entrada para infecções.

Há vários tipos de otite externa, sendo os mais importantes a otite externa circunscrita, a otite externa difusa aguda, a otite externa crônica, a otite externa fúngica, a otite externa eczematosa, a otite externa bolhosa, a miringite bolhosa, a dermatite de contato e a otite externa maligna. O diagnóstico é clínico, uma vez que os sinais e sintomas são característicos, e o tratamento é empírico. A cultura por *swab* fica reservada para casos de otite externa grave ou recorrente, otite externa crônica, em pacientes imunossuprimidos, infecção pós-operatória de cirurgia otológica, ou refratário ao tratamento inicial.[3]

OTITE EXTERNA CIRCUNSCRITA AGUDA

Conhecida como foliculite ou furúnculo da orelha, a otite externa circunscrita aguda é um processo agudo manifestado por uma inflamação limitada na região dos folículos pilosos. A bactéria causadora é *Staphylococcus aureus*, que se aproveita de pequenos microtraumatismos para penetrar na pele.

A introdução do otoscópio é muito dolorosa. Dependendo da evolução do processo, a otoscopia demonstra hiperemia localizada ou uma pústula com ponta amarelada (FIGURA 80.1).

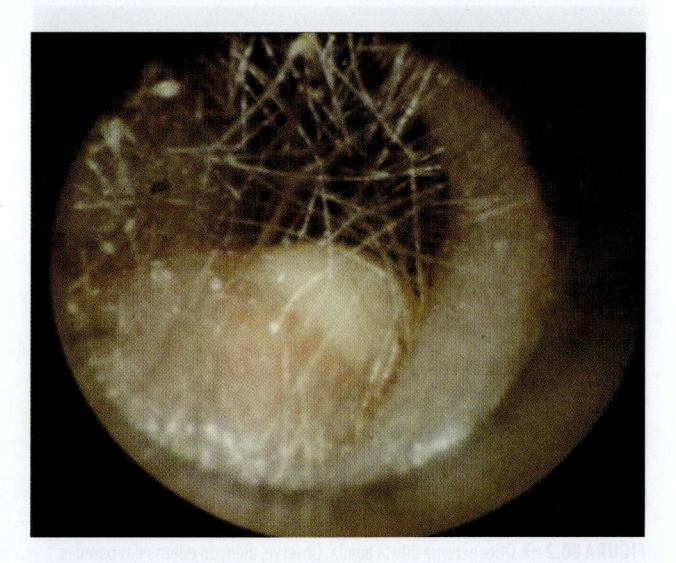

FIGURA 80.1 ▶ Otite externa circunscrita aguda. Observe a pústula na região pilosa (terço lateral) do canal auditivo externo.

Como o processo costuma ser autolimitado, recomenda-se administrar analgésicos e aplicar calor local para acelerar a resolução **C/D**. Nos casos em que a pústula já se formou, a dor diminui de intensidade naturalmente, tornando a punção uma decisão pessoal e não relacionada com a dor. Se a drenagem for realizada, recomenda-se a aplicação de pomada antibiótica (bacitracina ou mupirocina) 2 ×/dia por 5 a 7 dias **C/D**. A antibioticoterapia sistêmica deve ser utilizada somente nos casos de associação com furunculose disseminada.[3]

OTITE EXTERNA DIFUSA AGUDA

É a forma mais comum de otite externa. Também conhecida como otite do nadador, caracteriza-se pelo acometimento difuso do revestimento do canal auditivo externo. Estão propensos os nadadores, os mergulhadores, os surfistas e os frequentadores de piscinas.

O contato prolongado com a água leva à remoção dos elementos impermeabilizantes e protetores da pele do canal auditivo externo, tornando o pH mais alcalino, o que facilita a proliferação bacteriana. Ao mesmo tempo, a retenção de água por adsorção da camada de queratina pode levar à obstrução dos ductos de drenagem glandulares, favorecendo a infecção pela estase das secreções. A bactéria mais frequente é *Pseudomonas aeruginosa*, endêmica na superfície das águas das piscinas, responsável, em um estudo realizado em Porto Alegre, no Estado do Rio Grande do Sul, por 51% das ocorrências.[2]

Nesses casos, a mobilização da orelha e do canal auditivo externo é muito dolorosa, assim como a introdução do otoscópio. Visualizam-se edema e hiperemia importantes das paredes do canal, reduzindo o diâmetro e algumas vezes ocluindo o seu lúmen. A presença de secreção azul-esverdeada é típica de *Pseudomonas*, devido ao pigmento piocianina produzido pela bactéria (FIGURA 80.2).

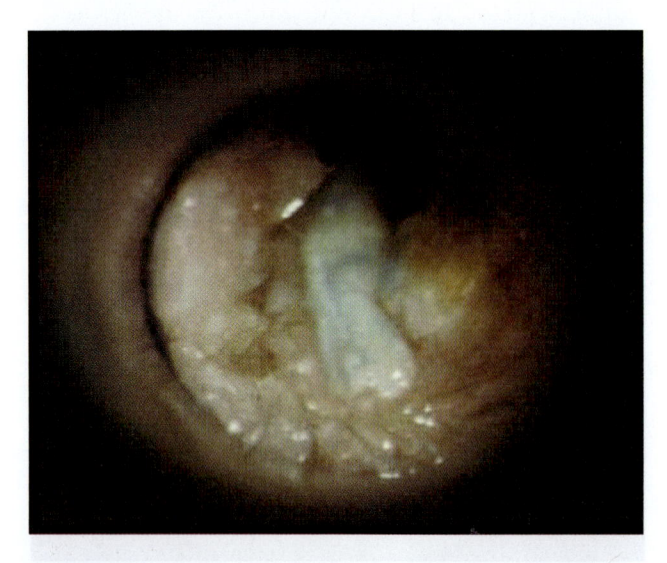

FIGURA 80.2 → Otite externa difusa aguda. Observe, além do edema das paredes do canal auditivo externo, a coloração azulada típica, dada pelo pigmento piocianina, produzida por *Pseudomonas aeruginosa*.

Tratamento

O tratamento da otite externa difusa aguda é simples, sendo rara a necessidade de encaminhamento a otorrinolaringologistas.[3]

O uso de analgésico não esteroide na fase aguda da otite externa reduz a dor de modo significativo **B**.[2] Não há indicação de uso de gotas de anestésico tópico no tratamento, uma vez que seu uso pode mascarar a progressão da doença, enquanto a dor está sendo suprimida.[3]

Deve-se orientar o paciente a não molhar a orelha durante o banho, prescrevendo-se o uso de protetores auriculares de silicone ou tampões de algodão embebidos em substância oleosa (vaselina, azeite, óleo de amêndoas, etc.) **C/D**. Esportes aquáticos devem ser evitados por 7 a 10 dias durante o tratamento. Em quadros leves, pode-se permitir nadar sem submersão prolongada. Nadadores podem competir após 2 a 3 dias de tratamento ou de alívio da dor, com uso de proteção auricular adequada. É importante educar o paciente para que não manipule a pele do conduto auditivo. Além disso, recomenda-se limitar o uso de fones de ouvido ou aparelhos auditivos até que a dor alivie ou a secreção desapareça, além de realizar a higienização regular e adequada desses equipamentos.[3]

Na era pré-antibiótico e, atualmente, com a restrição de venda de gotas de antibiótico sob prescrição médica, composições contendo ácido acético a 2% em acetato de alumínio (para acidificar a pele) ou a 5% em álcool isopropílico (pelo efeito bactericida sobre *Pseudomonas*) podem ser aplicadas **C/D**. Uma fórmula caseira útil para obter a solução de ácido acético e álcool consiste em uma solução de vinagre mais álcool etílico em uma proporção 2:8.[3]

O acetato de alumínio pode ser tão eficaz quanto antibacteriano/corticoide tópico para melhorar as taxas de cura na otite externa aguda **C/D**.[1,2] O ácido acético provavelmente aumenta a resolução da otite externa quando associado ao uso tópico de antibióticos ou corticoides, embora sua eficácia quando usado isoladamente seja desconhecida **C/D**.[1,3]

A escolha do antibiótico tópico é empírico e baseia-se na consideração de que *Pseudomonas* é o principal causador. Na prática, a cultura das secreções do canal auditivo externo restringe-se aos casos resistentes ao tratamento e aos imunossuprimidos.[1,3]

Os antibióticos tópicos aceleram significativamente a cura clínica em relação ao placebo **B**, porém estudos comparativos entre os diversos antimicrobianos demonstraram somente pequenas diferenças entre eles, as quais, em geral, foram estatisticamente insignificantes ou clinicamente irrelevantes, em desfechos substitutos **C/D**. Assim, a escolha do antibiótico deve ser determinada por fatores como ototoxicidade em situações de maior risco (maior com neomicina, polimixina B, gentamicina, principalmente em casos de perfuração timpânica associada), risco de sensibilização de contato (neomicina), risco de desenvolver resistência (raro, já que a concentração local do tratamento tópico é muito alta), disponibilidade, custo e dosagem.[3,4]

A adição de corticoides aos antimicrobianos tópicos não proporcionou maior cura em comparação ao uso somente de antibióticos **C/D**.

Há falta de evidências para o uso isolado de corticoides. Por consenso, sugere-se seu uso na redução da otalgia, embora existam poucos estudos de boa qualidade avaliando sua eficácia nessa população C/D.[1]

Em suma, diversos medicamentos tópicos podem ser usados, associados ou não a corticoides, contendo principalmente polimixina B, neomicina, gentamicina, cloranfenicol e ciprofloxacino. Na maioria dos casos, utilizam-se 3 a 5 gotas 3 ×/dia, por 3 a 7 dias, dependendo da gravidade do quadro e da resposta inicial à terapia.

O temor de usar fármacos ototóxicos tópicos na otite externa não se justifica, pelo menos nos casos com membrana timpânica íntegra, de acordo com os dados disponíveis na literatura. O uso associado de substâncias acidificantes do meio (solução de ácido acético) torna-se opcional, sendo dispensável muitas vezes em função da alta eficácia dos preparados com antibiótico e corticoide tópico.[3]

Nos casos excepcionais, em que o edema das paredes do canal dificulta a limpeza dos detritos e a penetração das soluções antibióticas, deve-se embeber uma gaze com antibióticos e soluções acidificantes e deixá-la por 24 horas dentro do canal auditivo externo, umedecendo-a 3 a 4 ×/dia. A seguir, deve-se avançar de forma progressiva no canal, trocando-se os curativos todos os dias, até que se diminua suficientemente o edema para possibilitar a entrada dos medicamentos. Em geral, em 1 a 2 dias já se consegue pingar diretamente a medicação C/D.[3] De modo alternativo, pode-se usar um absorvente interno (do tipo O.B.®) recortado em seu eixo longitudinal e embebido em solução bactericida (FIGURA 80.3).

Na otite externa difusa aguda, não se recomendam antibióticos por via oral, pois já se demonstrou que nada adicionam ao efeito dos antibióticos tópicos B.[3] Exceções são os raros casos com acometimento além do canal auditivo, ou em situações específicas, como diabetes melito descompensado, pacientes com Aids, casos de otite externa maligna ou na impossibilidade de utilizar gotas tópicas C/D.[1]

Talvez mais importante do que escolher entre os antibióticos tópicos ou antissépticos para tratar a otite externa seja garantir que o tratamento escolhido será bem executado. Somente 40% dos pacientes que autoinstilam as gotas fazem isso de forma adequada nos 3 primeiros dias, frequentemente tendendo a submedicar-se. A adesão à terapia aumenta de modo significativo quando outra pessoa que não o paciente aplica as gotas, que é a melhor forma de aplicação C/D.[3] (Ver vídeo.)

Embora não haja ensaios clínicos avaliando a efetividade da limpeza do canal auditivo no tratamento da otite externa, recomenda-se também a remoção dos detritos acumulados no canal auditivo externo (macerado epitelial, secreções, água), realizada com estilete montado em algodão ou aspiradores especiais com formato angulado, idealmente sob microscopia. (Ver vídeo.) A limpeza gentil com estilete montado em algodão ainda parece a forma de mais fácil alcance e realização pelo não especialista, e, se a otite não responde a isso e aos demais tratamentos, recomenda-se o encaminhamento ao otorrinolaringologista. A lavagem otológica não é indicada como método de limpeza do canal para remoção de debris.[3,4]

Prevenção

Relatos de séries de pacientes e opiniões de especialistas enfatizam a prevenção da umidade e retenção de água no canal. As recomendações incluem realizar a remoção de cerume obstrutivo, usar gotas de acidificantes e/ou de álcool logo após nadar, utilizar secador de cabelo para secar o canal, usar tampões para nadar e evitar traumas ao canal auditivo externo. O trauma pode ser prevenido orientando o paciente a não manipular a pele do ouvido, além da recomendação de evitar formas pouco habituais de limpeza de cerume, como o uso de velas C/D.[3]

Encaminhamento

Pacientes em risco de desenvolver otite externa aguda grave ou otite externa necrotizante necessitam ser encaminhados para o especialista. Um escore baseado em evidências foi desenvolvido com o objetivo de identificar esses casos, estratificando por fatores de risco, duração de tratamento e sinais de complicação.[6] Apresenta sensibilidade de 100% e especificidade de 90%. Seu valor preditivo negativo de 100% corrobora a decisão clínica de manter pacientes com baixo escore em tratamento na atenção primária, sem necessidade

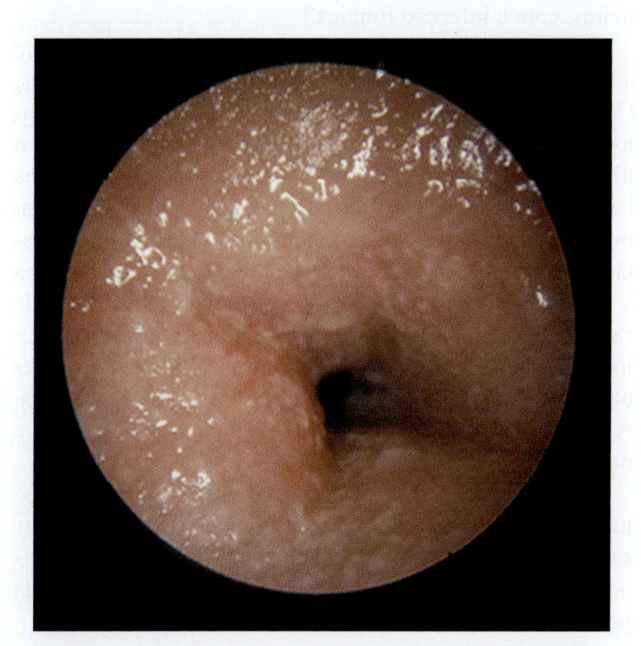

FIGURA 80.3 → Otite externa difusa aguda. Observe o grau intenso de edema das paredes do canal auditivo externo, que torna imprescindível a colocação de gaze no canal para uso das gotas antibióticas.

de referência ao especialista. Por outro lado, o paciente deve ser encaminhado com urgência na presença de um dos sinais de complicação listados (TABELA 80.1).

OTITE EXTERNA CRÔNICA

A otite externa crônica, ao contrário dos quadros agudos, tem como etiologia mais frequente reações alérgicas ou autoimunes, do que causa infecciosa. Menos de 5% das otites externas são crônicas. Pode ser causada por dermatite de contato, doenças autoimunes, doenças dermatológicas crônicas, como psoríase, ou infecção crônica por fungos ou bactérias.[7] Em geral, o paciente reclama de prurido e irritação do canal, em vez de dor. Otorreia, plenitude aural e otalgia podem estar presentes, dependendo do grau de edema e inflamação do conduto auditivo. Muitos pacientes experimentam um curso intermitente ao longo de anos com exacerbações e remissões e, por fim, podem apresentar agudizações.[7]

A aparência otoscópica varia de acordo com a causa subjacente. Os achados mais comuns são pele seca e com algum grau de atrofia. A falta de cerume é comum, e pode ser a causa – mais do que a consequência – do processo inflamatório. Ao longo dos anos, pode ocorrer um espessamento da pele do canal, com resultante estreitamento do seu lúmen. Nesse tipo de otite, existem outros fatores predisponentes, como a atrofia epitelial própria dos idosos e a irritação crônica causada pela automanipulação (prurido crônico) ou pela alergia.[7]

TABELA 80.1 → Regra clínica para orientar manejo de otite externa

Presença de um destes fatores de risco (caso presente, soma 1 ponto, independente de mais de um item)	Idade > 65 anos	1 ponto
	Otite externa aguda recorrente	
	Quimioterapia ou radioterapia em andamento	
	Diabetes melito (compensada)	
Imunocomprometido ou com diabetes melito (descompensada)		2 pontos
Reconsulta não programada com sintomas de otite externa aguda nos primeiros 10 dias de tratamento ou otite externa aguda sem resolução após 14 dias de tratamento		3 pontos
Presença de uma destas complicações	Paralisia de nervo craniano	5 pontos
	Cefaleia ipsilateral desproporcional	
	Eritema e edema da pina ou da face	
	Fechamento completo do conduto auditivo (impossibilidade de inserir espéculo otológico)	

RECOMENDAÇÕES DE ACORDO COM A SOMA DO ESCORE		
ESTRATIFICAÇÃO DE RISCO	ESCORE TOTAL	AÇÃO RECOMENDADA
Baixo risco	0	Sem necessidade de encaminhamento; alta com prescrição e retorno, se necessário
	1-2	Monitoramento é adequado; o paciente deve ser avaliado durante e ao término do tratamento
	3-4	Considerar encaminhamento com especialista de urgência em 12-48 horas
	5 ou +	Encaminhar ao especialista com urgência
Alto risco	Sinal de alerta	

Fonte: Selwyn e Lau.[6]

O diagnóstico é clínico, baseado nos sinais e sintomas típicos descritos. Uma classificação temporal, considerando pelo menos 3 meses de evolução, pode ajudar na diferenciação com quadros agudos menos típicos.[8] Na suspeita de infecção por bactérias ou fungos, é prudente realizar *swab* para cultura. Em casos sugestivos de dermatite de contato, é importante perguntar sobre o uso de agentes como neomicina, xampu, detergentes, *sprays* de cabelo, fone de ouvido e aparelhos auditivos. Distúrbios dermatológicos crônicos, como a psoríase, podem apresentar focos em outros lugares do corpo. Apesar de pouco frequente, é importante lembrar que doenças autoimunes sistêmicas, como a granulomatose de Wegener e a sarcoidose, podem manifestar-se por otite externa crônica.[7]

O tratamento vai depender da identificação do agente causador, quando possível. Uma vez que a maior parte dos casos são decorrentes de alergias ou condições dermatológicas inflamatórias, o tratamento inclui a remoção de agentes irritantes e o uso de corticoides tópicos e, em alguns casos, sistêmicos C/D.[7,8] Na suspeita ou na presença de bactérias, o tratamento inicial é feito com preparações contendo corticoides e antibióticos como polimixina B, neomicina, gentamicina, cloranfenicol e ciprofloxacino. Aplicam-se 3 a 5 gotas, 3 ×/dia, por 3 a 7 dias, dependendo da gravidade do quadro e da resposta inicial à terapia.[1]

OTITE EXTERNA FÚNGICA

Também conhecida como otomicose, esse tipo de otite acomete as porções mais profundas do canal auditivo externo e a membrana timpânica. Ela é mais comumente causada por *Aspergillus* (*A. niger*, *A. fumigatus*, *A. flavus*) e *Candida*. Não se deve confundir a colonização saprófita assintomática do canal auditivo externo, muito comum nas otoscopias rotineiras, com a infecção fúngica.[9]

Há dois tipos: a infecção superficial (mais frequente) e a infecção profunda invasiva (rara) dos imunodeprimidos. O uso prolongado de gotas otológicas com esteroides é fator predisponente, pois altera a flora bacteriana e diminui o pH do canal auditivo externo. Os fungos, ao contrário das bactérias, crescem em pH ácido. Pessoas com micoses em outras regiões do organismo, como nas unhas, também estão mais propensas, em razão da autoinoculação secundária à manipulação da orelha. A hiperglicemia é outro fator de risco para otomicose. O principal sintoma é o prurido otológico; porém, nas fases mais avançadas, podem aparecer otalgia e otorreia, devido à infecção bacteriana secundária. A otoscopia mostra um macerado epitelial com esporos e micélios evidentes.[9]

A coloração dos esporos altera-se com o tipo de fungo infectante: preto com *A. niger*, marrom com *A. fumigatus* (FIGURA 80.4) e amarelo-esbranquiçado com *A. flavus*. Em alguns pontos, consegue-se visualizar a hiperemia e a congestão da pele sob os fungos.

O tratamento inicia com o controle dos fatores predisponentes. A principal medida terapêutica é a remoção mecânica total dos fungos e do macerado epitelial C/D. Essa limpeza do canal auditivo externo pode ser feita com estilete

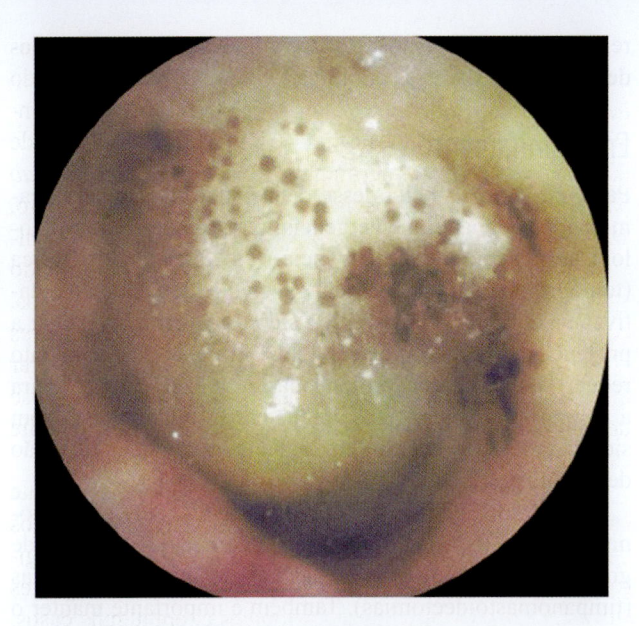

FIGURA 80.4 → Otite externa fúngica. Observe o pontilhado marrom sobre a secreção retida junto à membrana timpânica, típica de *Aspergillus fumigatus*.

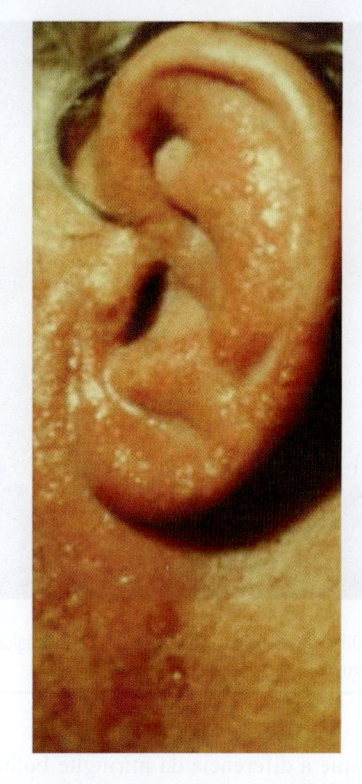

FIGURA 80.5 → Sensibilização à neomicina. Observe a reação epitelial intensa após a instilação de gotas contendo neomicina.

montado em algodão ou com aspiração, ambos sob visão otoscópica ou, quando disponível, microscópica. (Ver vídeo.) Muitas vezes, somente essas medidas já são suficientes.[9]

Podem ser necessários antifúngicos tópicos na forma de soluções ou cremes contendo nistatina, cetoconazol, fluconazol e clotrimazol C/D.[9] O clotrimazol pode ser preparado em solução a 1%, com aplicação de 4 gotas, 2 ×/dia, por 2 a 4 semanas. Já para o fluconazol em solução a 0,2%, podem ser aplicadas 3 gotas, 3 ×/dia, por 3 semanas. Em pacientes com perfuração da membrana timpânica, deve-se ter cuidado especial na seleção do fármaco pelo risco de ototoxicidade. Apesar de existirem estudos disponíveis somente *in vitro* ou em animais, sabe-se que o uso de clotrimazol não apresenta risco. Casos que não apresentem evolução favorável ou de infecção profunda invasiva devem ser encaminhados ao especialista para avaliação cirúrgica ou tratamento sistêmico.[9]

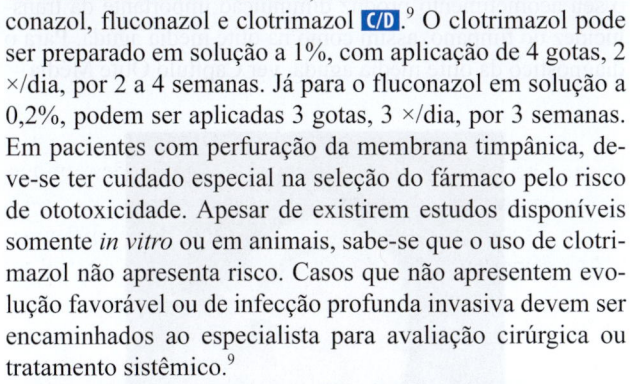

O uso de ácido acético e de acetato de alumínio, embora referido por muitos autores, nunca teve sua eficácia adequadamente testada em ensaios clínicos. Substâncias com iodo ou violeta de genciana também são úteis como fungicidas C/D.[1,3,9]

OTITE EXTERNA ECZEMATOSA

A lesão da otite externa eczematosa envolve o canal externo e porções do meato e da concha e é caracterizada por vermelhidão, prurido, edema e uma transudação seguida da formação de crostas. A diferenciação entre dermatite primária e infecção pode ser difícil. A dermatite seborreica ou uma reação de pele relacionada com a sensibilização à neomicina podem ter apresentação semelhante (FIGURA 80.5).

Deve-se diferenciá-la também da dermatite de contato, que é a reação alérgica a metais (níquel, prata), substâncias químicas (cosméticos, sabonetes, detergentes, xampu, esmalte de unhas, *sprays* de cabelos), plásticos, borracha e couro (ver Capítulo Eczemas e Reações Cutâneas Medicamentosas). O níquel é o fator causal mais comum, afetando 10% das pessoas com *piercing* nas orelhas.[10]

Quando uma porção considerável da orelha está envolvida e a lesão eczematosa parece estar disseminando-se, compressas úmidas com acetato de alumínio podem ser úteis por 24 a 48 horas. Após, podem ser empregadas soluções ou unguentos de corticoides B[11] (ver Capítulo Fundamentos de Terapêutica Tópica). Na suspeita de infecção, devem ser utilizados antibióticos tópicos, seguindo os mesmos princípios de tratamento usados na otite externa difusa aguda C/D.

Se o estágio agudo não é controlado, podem desenvolver-se alterações crônicas caracterizadas por espessamento da pele e até estenose do canal externo. O estágio crônico caracteriza-se por períodos de prurido intenso, que leva à coceira e à maior irritação do canal, casos em que está indicada a avaliação de um dermatologista.

OTITE EXTERNA BOLHOSA

Esse tipo de otite externa, menos comum do que as anteriores, é causado por *P. aeruginosa*. O sintoma principal é otalgia súbita e intensa. Na otoscopia, visualizam-se vesículas hemorrágicas (violáceas) na pele da porção óssea do canal auditivo externo, sem envolvimento da membrana

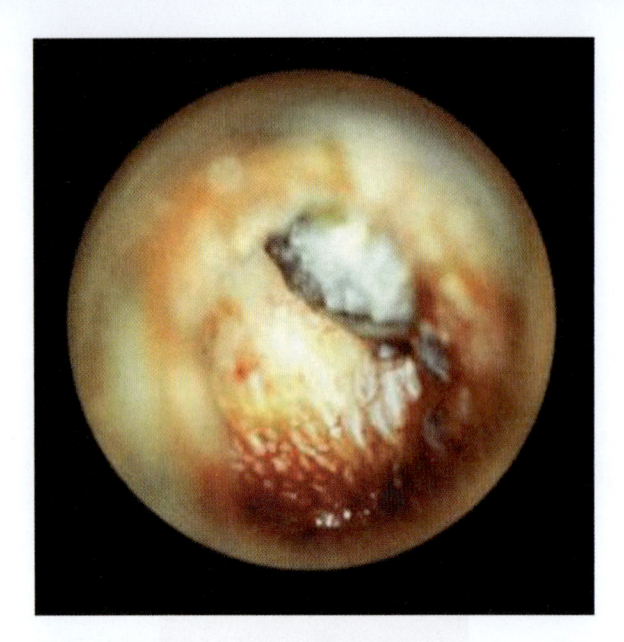

FIGURA 80.6 → Otite externa bolhosa. Observe a bolha hemorrágica no terço medial do canal auditivo externo, na sua parede posterossuperior.

timpânica, o que a diferencia da miringite bolhosa, na qual as bolhas se restringem somente à membrana timpânica e em geral não são hemorrágicas (FIGURA 80.6).

A ruptura espontânea dessas vesículas não vem acompanhada de alívio da dor e é a causa da otorreia sanguinolenta. O tratamento é feito com analgésicos sistêmicos e gotas de polimixina ou ciprofloxacino 4 ×/dia C/D. A dor leve a moderada geralmente responde a paracetamol ou anti-inflamatório não esteroide, isolados ou em combinação com opioide (paracetamol associado à codeína).

OTITE EXTERNA MALIGNA

Também conhecida como otite externa necrosante, a otite externa maligna é uma infecção em geral produzida por *Pseudomonas*, progressiva e potencialmente letal, que inicia no canal auditivo externo, mas se dissemina envolvendo o osso temporal. Os sintomas iniciais são similares aos da otite externa difusa, ou seja, dor e otorreia.[12]

Costuma-se observar tecido de granulação, isto é, há formação de tecido de coloração avermelhada e facilmente hemorrágico ao toque localizado no canal auditivo externo, normalmente envolto por secreção amarelada. A presença de tecido de granulação na otoscopia é um achado pouco comum na otite externa difusa. Com a progressão da doença, a infecção dissemina-se para os tecidos moles adjacentes e para as estruturas ósseas, desenvolvendo-se osteíte ou osteomielite do osso temporal.[13]

A infecção também pode disseminar-se por canais vasculares através da base do crânio. Os casos graves com frequência mostram envolvimento de nervos cranianos, em especial do sétimo par, com paralisia facial. Embora nos relatos iniciais de literatura a doença tenha sido descrita exclusivamente em pacientes diabéticos idosos, ela já tem sido relatada em crianças (FIGURA 80.7) e em pacientes com imunodeficiência de diversas etiologias.[12]

Encaminhamento

Pacientes com suspeita desse diagnóstico devem ser encaminhados de maneira emergencial para um otorrinolaringologista ou serviço de emergência. A avaliação radiográfica (tomografia computadorizada) é frequentemente elucidativa, e a cintilografia óssea tem sido usada para investigar a presença de osteíte ou osteomielite. Em geral, o tratamento requer hospitalização prolongada, de até 6 semanas, para a terapia intravenosa, mas alguns casos menos graves têm sido tratados com sucesso em ambulatório, com a utilização de ciprofloxacino oral C/D.[14]

Em todos os acometidos, são necessárias higiene e monitorização cuidadosas da orelha, com debridamento de granulações, ambulatorialmente ou por meio de cirurgias (timpanomastoidectomias). Também é importante manter o diabetes melito sob controle nos pacientes com essas infecções. Mesmo com todos esses cuidados, ainda hoje são relatados índices de mortalidade de até 30%.

A TABELA 80.2 traz um resumo do quadro clínico e do tratamento dos principais tipos de otite externa.

DIAGNÓSTICO DIFERENCIAL

Em casos mais graves de otite externa, com edema importante do canal, o diagnóstico diferencial com otite média aguda pode ser difícil. Como a camada externa da membrana timpânica é uma continuação da pele do canal auditivo externo, o seu acometimento produz diminuição importante da translucidez do tímpano, assim como na otite média aguda. Para o diagnóstico da otite média aguda, ver Capítulo Otite Média.

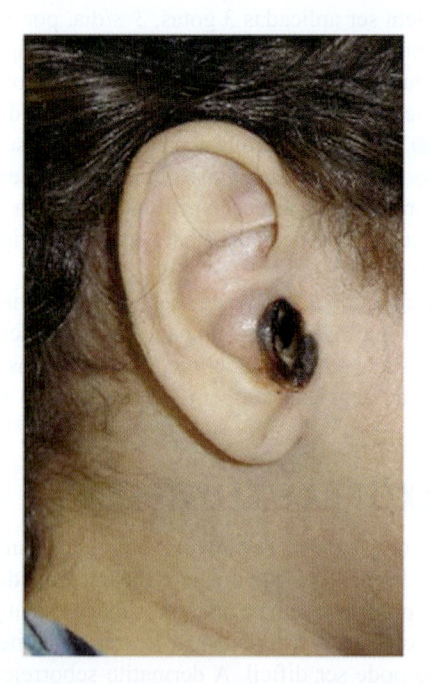

FIGURA 80.7 → Otite externa maligna ou necrosante. Observe o grau de necrose em toda a circunferência do meato acústico externo desta criança.

TABELA 80.2 → Resumo do quadro clínico e do tratamento dos principais tipos de otite externa

TIPOS DE OTITE EXTERNA	FATORES PREDISPONENTES	ETIOLOGIA	OTOSCOPIA	TRATAMENTO
Circunscrita	Trauma local	S. aureus	Pústula no terço externo do CAE	Calor local, analgésico
Difusa aguda	Calor, umidade (piscina, mar, verão)	P. aeruginosa	Hiperemia, edema do CAE, secreção azulada	Limpeza, calor local, analgésico, ATB tópico
Crônica	Trauma repetido, alergia, pacientes idosos	Inespecífica	Pele ressecada, estenose do CAE	Cremes corticoides/ATB tópico
Fúngica	Uso abusivo de gotas tópicas, hiperglicemia, autoinoculação	A. niger A. flavus A. fumigatus C. albicans	Esporos e micélios (brancos, pretos ou marrons)	Limpeza, antimicótico tópico
Eczematosa	Dermatite seborreica, hipersensibilidade, infecção	Inespecífica	Hiperemia, edema do CAE e da concha, crosta	Compressas, adstringentes, cremes corticoides
Bolhosa	Trauma	P. aeruginosa	Bolhas hemorrágicas violáceas na porção óssea do CAE	ATB tópico, analgésico
Maligna	Diabetes, imunossupressão	P. aeruginosa	Supuração, granulações, otorragia, osteítes	Limpeza, ATB intravenoso, cirurgia

ATB, antibiótico; CAE, canal auditivo externo.

O herpes-zóster otológico (doença de Ramsay-Hunt) manifesta-se pelo surgimento de paralisia facial, acompanhada de otalgia e erupção herpética envolvendo porções da orelha externa. O envolvimento vesicular da pele pode ser limitado a uma área específica do canal externo, ou estender-se pela aurícula. É possível que as lesões tenham desaparecido no momento em que o paciente vai à consulta. Outras combinações de sintomas podem existir devido ao envolvimento progressivo das fibras vestibulares e acústicas do oitavo par craniano (surdez súbita e vertigens), o que piora o prognóstico.

Embora raro, o carcinoma epidermoide do canal auditivo externo tem como sua manifestação mais precoce otorreia sanguinolenta, com frequência associada à otite externa. A dor aguda associada à otite externa geralmente responde ao tratamento local. Se a dor persiste apesar de tratamento adequado, deve-se considerar a possibilidade de carcinoma. O diagnóstico é confirmado por biópsia.

ORELHA EXTERNA NA AIDS

A orelha externa está propensa a várias condições relacionadas com a imunidade alterada da Aids.[13] A otite externa difusa e a otite externa maligna refratária ao manejo rotineiro podem avançar e envolver as estruturas circundantes. Está recomendada a higiene cuidadosa e frequente com antibióticos tópicos suplementados por agentes sistêmicos, quando apropriado. A otomicose pode responder a um tratamento similar, mas pode também exigir o uso de agentes antifúngicos sistêmicos C/D.

Tem sido relatada a infecção do canal auditivo externo por *Pneumocystis carinii*.[14] Essa condição manifesta-se por otalgia, otorreia e presença, no canal auditivo externo, de um pólipo marrom-avermelhado. O tratamento, novamente, requer uma combinação de terapias locais com antimicrobianos sistêmicos C/D.

A pele do pavilhão e do canal auditivo externo também pode ser envolvida por formas agressivas de dermatite seborreica, de molusco contagioso e de herpes-zóster.

O sarcoma de Kaposi comumente envolve o pavilhão auditivo na Aids. Ele é visto no canal auditivo externo com menos frequência. Com o avanço da terapia antirretroviral, o sarcoma de Kaposi diminuiu muito sua incidência, sendo ainda mais raro encontrar acometimento otológico.

Um estudo correlacionando infecções otorrinolaringológicas em pacientes HIV-positivos com sua contagem de CD4+ demonstrou que pacientes com otite externa apresentavam contagem de CD4+ < 200 células/mm^3. Essa dosagem é indicativa de tratamento antirretroviral, de modo que o tratamento da imunodeficiência é essencial para a resolução da otite externa, assim como desenvolvimento de complicações.[15]

Em casos de dúvida quanto ao diagnóstico, recomenda-se encaminhamento para especialista.

REFERÊNCIAS

1. Hajioff D. Otitis externa. Clin Evid. 2004;(12):755–63.
2. Saffer M. Otite externa difusa aguda. Rev AMRIGS. 1983;27(2): 194–6.
3. Rosenfeld RM, Schwartz SR, Cannon CR, Roland PS, Simon GR, Kumar KA, et al. Clinical practice guideline: acute otitis externa. Otolaryngol Head Neck Surg. 2014;150(1 Suppl): S1–24.
4. Kaushik V, Malik T, Saeed SR. Interventions for acute otitis externa. Cochrane Database Syst Rev. 2010;(1):CD004740.
5. Hajioff D, MacKeith S. Otitis externa. BMJ Clin Evid. 2015;2015.
6. Selwyn DM, Lau A. When to refer: validating the Evidence-Based Acute Otitis Externa Referral Score (EARS). Our experience of 287 cases of otitis externa in primary care. Clin Otolaryngol. 2019;44(3):475–9.
7. Wipperman J. Otitis externa. Prim Care. 2014;41(1):1–9.
8. Schaefer P, Baugh RF. Acute otitis externa: an update. Am Fam Physician. 2012;86(11):1055–61.
9. Vennewald I, Klemm E. Otomycosis: Diagnosis and treatment. Clin Dermatol. 2010;28(2):202–11.
10. Larsson-Stymne B, Widström L. Ear piercing – a cause of nickel allergy in schoolgirls? Contact Derm. 1985;13(5):289–93.
11. Jacobsson S, Karlsson G, Rignér P, Sanner E, Schrewelius C. Clinical efficacy of budesonide in the treatment of eczematous external otitis. Eur Arch Otorhinolaryngol. 1991;248(4):246–9.

12. Rubin Grandis J, Branstetter BF, Yu VL. The changing face of malignant (necrotising) external otitis: clinical, radiological, and anatomic correlations. Lancet Infect Dis. 2004;4(1):34–9.
13. Hutson KH, Watson GJ. Malignant otitis externa, an increasing burden in the twenty-first century: review of cases in a UK teaching hospital, with a proposed algorithm for diagnosis and management. J Laryngol Otol. 2019;133(5):356–62.
14. Hollis S, Evans K. Management of malignant (necrotising) otitis externa. J Laryngol Otol. 2011;125(12):1212–7.
15. Kirti YK, Yashveer JK, Poorey VK. Changing trends of HIV/AIDS in otorhinolaryngology with CD4 (+) count correlation. Indian J Otolaryngol Head Neck Surg. 2015;67(Suppl 1):12–5.

LEITURAS RECOMENDADAS

Cassisi N, Cohn A, Davidson T, Witten BR. Diffuse otitis externa: clinical and microbiologic findings in the course of a multicenter study on a new otic solution. Ann Otol Rhinol Laryngol Suppl. 1977;86(3 Pt 3 Suppl 39):1-16.

Estudo multicêntrico com 239 pacientes, nos quais foram feitas observações sobre sintomas de apresentação, sinais otoscópicos, resultado das culturas da orelha externa e eficácia de alguns antibióticos tópicos.

Rosenfeld RM, Schwartz SR, Cannon CR, Roland PS, Simon GR, Kumar KA, et al. Clinical practice guideline: acute otitis externa. Otolaryngol Head Neck Surg. 2014;150(1 Suppl):S1-S24.

Diretriz da Academia Norte-Americana de Otorrinolaringologia, atualizada, que revisa aspectos de diagnóstico e tratamento da otite externa, graduando as evidências pelo sistema GRADE.

Ansley J, Mair EA, Namini H, Lu CH, LeBel C. OTO-201 for the treatment of acute otitis externa: results from a phase 3 randomized clinical study. Ann Otol Rhinol Laryngol. 2019;128(6):524-33.

Tratamento com antibióticos tópicos apresenta limitações, como aplicações durante múltiplos dias, pouca penetração devido à descamação epitelial ou ao edema do CAE, dificuldades na aplicação pelo paciente ou familiar, assim como baixa adesão ao longo dos dias. Aplicação no consultório de ciprofloxacina tópica em dose única em alta concentração (6% versus 0,2-0,3% das formulações usuais, atualmente não disponível em nosso meio e apresentando alto custo), demonstrou melhora clínica e erradicação microbiológica semelhante aos antibióticos tópicos convencionais.

Capítulo 81
DOR DE GARGANTA

Boaventura Antonio dos Santos
Elsa R. J. Giugliani
Adão Machado

A dor de garganta é uma queixa muito comum, principalmente entre as crianças. É causada, na maioria das vezes, por um processo inflamatório na faringe, nas tonsilas palatinas (antigamente chamadas de amígdalas) e na nasofaringe. Embora esse processo possa ocorrer em várias infecções das vias aéreas superiores, este capítulo enfoca apenas as situações nas quais a garganta é a estrutura mais afetada.

A maioria das dores de garganta é de origem viral e ocorre como parte do resfriado comum. Os adultos têm, em média, 2 a 4 episódios por ano de infecções do trato respiratório superior, e as crianças, 6 a 8.[1]

ETIOLOGIA

Em quase metade dos casos de faringite aguda não se encontra nenhum agente etiológico.

Diversos vírus (Epstein-Barr, herpesvírus simples, adenovírus, Coxsackie, da *influenza*, da parainfluenza, rinovírus, enterovírus, vírus sincicial respiratório e outros) e o estreptococo β-hemolítico do grupo A são os principais agentes etiológicos. Outras bactérias (*Arcanobacterium haemolyticum, Corynebacterium diphtheriae, Mycoplasma pneumoniae, Neisseria gonorrhoeae, Haemophilus influenzae* tipo b) são responsáveis pela maioria do restante das faringites. Além das citadas, outras bactérias podem causar faringite com mais frequência do que se pensava, como os estreptococos dos grupos C e G, *Chlamydia pneumoniae, Chlamydia trachomatis, Yersinia enterocolitica, Francisella tularensis* e *Coxiella burnetii*. Enquanto novos estudos não estabelecerem a importância do diagnóstico e do tratamento das infecções por outras bactérias, o grande desafio do clínico continua sendo identificar as dores de garganta causadas pelo estreptococo β-hemolítico do grupo A, já que, se não tratadas, podem levar a complicações importantes.

A infecção por *Streptococcus pyogenes* (estreptococo β-hemolítico do grupo A) é a causa mais comum de faringite aguda bacteriana e é responsável por cerca de 5 a 15% dos casos de dor de garganta nos adultos e 20 a 30% dos casos em crianças. A faringite pelo estreptococo β-hemolítico do grupo A é incomum em crianças com idade < 5 anos.[2] Suas complicações podem ser supurativas – devidas à disseminação para tecidos adjacentes – e não supurativas, que são as sequelas imunomediadas (TABELA 81.1).[3]

Há mais de 100 tipos diferentes de estreptococos β-hemolíticos do grupo A que podem causar faringite e potencialmente levar à febre reumática. Entre eles, um pequeno grupo está associado à glomerulonefrite difusa aguda. O estudo Global Burden of Disease, de 2010, contabiliza 30 milhões de pessoas com doença cardíaca reumática e 305 mil mortes anuais diretamente atribuídas à febre reumática aguda (ver Capítulo Febre Reumática e Prevenção de Endocardite Infecciosa).[4]

Neste capítulo, são abordadas estratégias para auxiliar o profissional de saúde no manejo adequado da dor de garganta, evitando o uso desnecessário de antibióticos e suas consequências.

TABELA 81.1 → Complicações relacionadas com a faringite pelo estreptococo β-hemolítico do grupo A

SUPURATIVAS	NÃO SUPURATIVAS
→ Linfadenite cervical	→ Febre reumática aguda
→ Abscesso peritonsilar	→ Glomerulonefrite aguda
→ Abscesso retrofaríngeo	→ Coreia de Sydenham
→ Otite média	→ Artrite reacional
→ Mastoidite	→ Alteração neuropsiquiátrica autoimune
→ Sinusite	

MANIFESTAÇÕES CLÍNICAS

Faringite viral

Classicamente, a faringite de etiologia viral é descrita como um processo de início gradual acompanhado de febre, mal-estar e anorexia. A dor de garganta costuma ser moderada, podendo estar presente desde o início do processo ou, mais comumente, aparecer 1 ou mais dias após os outros sintomas. Conjuntivite, coriza, rinite, tosse, rouquidão e diarreia são achados frequentes, e a presença de 2 ou mais dessas manifestações sugere o diagnóstico de infecção viral.

A inflamação na faringe costuma ser leve, mas em alguns casos é grave, com ulcerações no palato mole e nos pilares posteriores. Pode haver exsudato nos folículos linfoides, indistinguível daquele encontrado nas faringites estreptocócicas, em especial nas infecções por adenovírus. A conjuntivite associada à faringite por adenovírus é chamada de febre faringoconjuntival. Os linfonodos cervicais muitas vezes estão moderadamente aumentados, podendo ser dolorosos.

A doença pode durar pouco mais de 24 horas e, em geral, não persiste por mais de 5 dias, exceto a faringite por adenovírus, que pode persistir por 7 dias. As complicações são raras.

Faringite estreptocócica

O quadro clínico típico da faringite estreptocócica (início súbito, calafrios, dor de garganta intensa, cefaleia, dor abdominal, orofaringe hiperemiada com exsudato, petéquias no palato mole e adenite cervical anterior dolorosa) só é encontrado em 20% das crianças que contraem a doença. Na maioria das vezes, as manifestações são menos específicas. Estudos epidemiológicos sugerem que cerca de metade dos indivíduos com faringite estreptocócica comprovada por exames sorológicos tem infecção subclínica e não procura assistência médica. Provavelmente, essa cifra é maior em populações de baixo nível socioeconômico, nas quais o problema da faringite estreptocócica e da febre reumática é maior.

As manifestações clínicas da faringite estreptocócica aparecem após um período de incubação de 2 a 5 dias e variam de acordo com a idade do indivíduo. Crianças com idade < 3 anos raramente apresentam quadro típico e, por vezes, manifestam a doença de maneira não usual, com rinite serosa, febre baixa, irritabilidade, anorexia e adenite cervical, sendo que esta pode estender-se por 4 a 8 semanas se a infecção não for tratada (febre estreptocócica).

A doença ocorre mais no inverno e na primavera. A transmissão (via gotículas) é maior durante a fase aguda, diminuindo gradualmente em semanas nos indivíduos não tratados. Após 12 a 24 horas de tratamento com antibiótico, não ocorre mais contágio.[5]

A escarlatina, causada pelas toxinas eritrogênicas dos estreptococos do grupo A, é caracterizada pelo início súbito, com febre, faringite exsudativa, cefaleia, vômitos, calafrios, toxemia e erupção cutânea de evolução característica (ver Capítulo Doença Febril Exantemática). No entanto, o diagnóstico de escarlatina não garante a etiologia estreptocócica, pois *Arcanobacterium haemolyticum*, bacilo gram-positivo encontrado em até 9% dos casos de faringite exsudativa em crianças maiores e adultos jovens, pode frequentemente (23-75% dos casos) causar um exantema escarlatiniforme.[6] Além disso, a linfadenopatia cervical ocorre em até 80% dos casos de faringite por esse bacilo.

DIAGNÓSTICO

Clínico

Escores clínicos têm sido utilizados para auxiliar no diagnóstico diferencial entre faringite estreptocócica e faringites de outras etiologias. O escore Centor[7] e sua versão modificada[8] estão entre os mais empregados para tentar excluir a faringite estreptocócica e reduzir o uso de antibióticos. Neste texto, adotamos a versão modificada (TABELA 81.2). Sua utilidade é menor em crianças do que em adultos, devido à variabilidade de apresentações clínicas em pacientes de baixa idade.[1]

Outro escore utilizado é o FeverPAIN,[9] que, segundo os seus desenvolvedores, pode ter um desempenho levemente superior ao critério Centor (TABELA 81.3).

No entanto, mesmo a utilização desses critérios leva à prescrição de antibióticos para um significativo número de pacientes que não precisariam desses medicamentos ou, inversamente, à não identificação de casos de infecção por estreptococos do grupo A, especialmente em crianças.[10]

Laboratorial

Como a diferenciação clínica entre faringite viral e faringite estreptocócica é muito difícil, a cultura de orofaringe permanece sendo o padrão-ouro para o diagnóstico microbiológico.

TABELA 81.2 → Escore clínico para auxiliar o manejo de doentes com dor de garganta (escore Centor modificado)

CRITÉRIOS	PONTUAÇÃO
Temperatura > 38 °C	1
Ausência de tosse	1
Adenopatia cervical anterior dolorosa	1
Exsudato ou edema tonsilar	1
Idade de 3 a 14 anos	1
Idade de 15 a 44 anos	0
Idade > 45 anos	−1
Escore total: _____	

Interpretação:

Escore total	Chance de infecção estreptocócica em comunidade com níveis usuais de infecção (%)
≤ 0	1-2,5
1	5-10
2	11-17
3	28-35
4	51-53

Fonte: McIsaac e colaboradores.[8]

TABELA 81.3 → Escore FeverPAIN para auxiliar no diagnóstico de doentes com dor de garganta

SINAL OU SINTOMA	PONTOS
Febre nas últimas 24 horas	1
Pus nas tonsilas palatinas	1
Busca precoce e atendimento (início dos sintomas há 3 dias ou menos)	1
Tonsilas palatinas intensamente inflamadas	1
Sem tosse, sem coriza, sem inflamação da mucosa nasal	1

PONTUAÇÃO	PROBABILIDADE DE INFECÇÃO ESTREPTOCÓCICA DE ACORDO COM A PONTUAÇÃO (%)
0 ou 1	13-18
2 ou 3	34-40
4 ou 5	62-65

Fonte: Little e colaboradores.[9]

Contudo, seu valor é limitado no diagnóstico da doença estreptocócica, e o médico deve estar ciente disso para melhor interpretar esse exame. Um número significativo de adultos e crianças com faringite e com culturas de orofaringe positivas para estreptococo β-hemolítico do grupo A não apresenta evidências sorológicas de infecção (falso-positivos). Além disso, o número de colônias de estreptococos nas culturas de orofaringe, ao contrário do que se vinha cogitando, não diferencia a infecção do estado de portador. A maior desvantagem da cultura na prática clínica é a demora para obter os resultados (14-18 horas ou mais) e a não disponibilidade para uso rotineiro. A maioria das diretrizes não considera a cultura de orofaringe um instrumento clínico de rotina para o diagnóstico do estreptococo do grupo A.[1]

Em escolas, creches ou em outras situações nas quais há concentração de pessoas em ambientes fechados, são numerosos os portadores de estreptococos do grupo A na faringe (5-15% na ausência de surto de doença estreptocócica).[11] O estado de portador assintomático reflete, em geral, infecção prévia e pode persistir por meses após a infecção aguda, sem trazer repercussões para o indivíduo ou seus contactantes (a disseminação da doença se dá principalmente na fase aguda).

Apenas 5% dos portadores assintomáticos apresentam aumento de anticorpos indicativos de infecção aguda. Assim, não está indicada, de rotina, vigilância bacteriológica por culturas nesses grupos, a não ser que ocorram um ou mais casos de febre reumática, glomerulonefrite ou síndrome do choque tóxico pelo estreptococo do grupo A. Essa síndrome está associada à hipotensão (choque), ao comprometimento renal, à coagulação intravascular disseminada ou trombocitopenia, à erupção cutânea, à destruição tecidual local e à síndrome de angústia respiratória aguda. A ocorrência de choque precoce e falência de múltiplos órgãos no curso de infecção pelo estreptococo do grupo A caracteriza a síndrome do choque tóxico estreptocócico, cuja mortalidade é bastante alta (30%).

Os testes para diagnóstico rápido de faringite por estreptococos do grupo A, quando o material é coletado adequadamente (esfregaço vigoroso do *swab* nas tonsilas palatinas e na faringe posterior), podem ser muito úteis, e algumas diretrizes, como a norte-americana, consideram esses testes essenciais para o tratamento apropriado de pacientes com dor de garganta.[2] Eles têm alta especificidade e sensibilidade variada (50-70%). A acurácia também depende da qualidade do espécime coletado e da experiência pessoal. Quando o teste for negativo, deve ser obtida uma cultura; se o teste for positivo, é desnecessária a confirmação por cultura.[2] Mais recentemente, testes rápidos utilizando reação em cadeia da polimerase mostraram resultados superiores aos dos testes rápidos tradicionais, com sensibilidade de 95,5% e especificidade de 99,3% para diagnóstico de faringite estreptocócica em pacientes de 3 a 18 anos.[12] No momento em que escrevemos este texto, esses testes por reação em cadeia da polimerase não estavam disponíveis para uso clínico amplo no Brasil, e ainda são debatidos os aspectos práticos de sua utilização.[13]

Os fatores a serem considerados na decisão para obter diagnóstico laboratorial (teste rápido ou cultura) em crianças com faringite são idade (> 3 anos), presença de sinais clínicos de infecção estreptocócica, sazonalidade e epidemiologia familiar e da comunidade, incluindo contatos com infecção estreptocócica e/ou presença na família de pessoas com história de febre reumática aguda ou glomerulonefrite pós-estreptocócica. Em indivíduos com possibilidade significativa, mas não alta, de infecção estreptocócica, deve-se considerar o uso do teste rápido para detecção do estreptococo do grupo A, quando disponível. No entanto, atualmente, muitas vezes esses testes não estão facilmente disponíveis para uso.

Os contatos familiares sintomáticos de infecção estreptocócica devem coletar material para cultura ou ser tratados com antibióticos se o quadro clínico for compatível e não houver acesso às culturas. Os assintomáticos não necessitam desse exame, a não ser em surtos ou na presença de familiar com síndrome do choque tóxico. A cultura após o tratamento está indicada somente em doentes (ou familiares) com alto risco para febre reumática ou que permanecem sintomáticos.[5]

O leucograma tem pouco valor na diferenciação entre faringite viral e bacteriana, havendo leucocitose em ambas.

O diagnóstico definitivo de infecção por estreptococo só pode ser feito por meio de dosagens de anticorpos antiestreptocócicos (a mais usada é a antiestreptolisina O), mas seu papel é limitado porque, frequentemente, refletem infecções ocorridas no passado.

Quando tratar com antibióticos

Estão publicadas várias diretrizes para auxiliar o médico na decisão de tratar um indivíduo com dor de garganta. Todas têm a finalidade de evitar o uso desnecessário de antibióticos e, assim, contribuir para a prevenção da resistência bacteriana.[1,2,15-17]

A American Academy of Family Physicians baseia-se no escore Centor e no teste rápido para detecção de antígenos (RADT, do inglês *rapid antigen detection test*) para a decisão de tratar com antibiótico (FIGURA 81.1).[18] A Infectious Diseases Society of America dá pouca importância aos escores clínicos e enfatiza os testes antigênicos rápidos e de culturas.[2] O National Institute for Health and Care Excellence (NICE) da Inglaterra[17] enfatiza o uso dos escores Centor e FeverPAIN para detecção dos pacientes que terão maior probabilidade de beneficiar-se com o uso de antibióticos, sem enfatizar a importância de testes laboratoriais.

Pesquisadores brasileiros propuseram um novo sistema de escore para manejo da faringite em crianças, em locais com poucos recursos (TABELA 81.4).[19] Uma metanálise sugeriu que esses critérios são úteis para situações em que não são utilizados testes rápidos, mas apresentam baixa sensibilidade.[20] Recomendamos, em geral, seguir a orientação dessa tabela. Em lugares com a disponibilidade de RADT e cultura, recomenda-se seguir a orientação da FIGURA 81.1.

TRATAMENTO

As faringites virais não apresentam tratamento específico, apenas sintomático. O valor da terapia antimicrobiana está em reduzir a morbidade aguda e diminuir as sequelas não supurativas.

A faringite estreptocócica deve ser tratada com antibióticos, pois há evidências de que o tratamento previne o aparecimento da febre reumática A,[14] além de reduzir a disseminação do estreptococo (o indivíduo deixa de ser contagioso 12-24 horas após o início do tratamento) e abortar surtos epidêmicos em populações fechadas C/D.[14]

TABELA 81.4 → Sistema simplificado de escore para manejo da faringite em crianças

Idade?	Pontuação
≤ 35 meses	1
36 a 59 meses	2
≥ 60 meses	3

+ Número de sinais bacterianos (adicionar um ponto para cada sinal presente)

Sinais bacterianos?
- Adenopatia cervical dolorosa ☐
- Cefaleia ☐
- Petéquias no palato ☐
- Dor abdominal ☐
- Início súbito (<12 horas) ☐

− Número de sinais virais (diminuir um ponto para cada sinal presente)

Sinais virais?
- Conjuntivite ☐
- Coriza ☐
- Diarreia ☐

= Escore total

Em locais onde não há disponibilidade de teste rápido:
Escore ≤ 2 – tratamento sintomático
Escore ≥ 3 – tratamento com antibiótico

Em locais com escassez de teste rápido:
Escore ≤ 2 – tratamento sintomático
Escore 3 – fazer o teste – tratar com antibiótico se positivo
Escore ≥ 4 – tratamento com antibiótico

Fonte: Adaptada de Joachim e colaboradores.[19]

A resolução da febre e da dor de garganta parece ser acelerada pela administração precoce de antibióticos, sendo o máximo benefício alcançado quando a terapia é iniciada nas primeiras 24 horas da doença C/D.[14] Na ausência de tratamento antimicrobiano, a febre e a dor de garganta melhoram dentro de 4 dias, e a maioria dos doentes está assintomática em 7 dias.

A escolha do antibiótico

Os antibióticos de escolha para o tratamento da faringite estreptocócica continuam sendo as penicilinas A,[1,2,5,10,14] que podem ser administradas por via oral ou intramuscular.

Infelizmente começam a surgir os primeiros relatos de redução de sensibilidade do *Streptococcus pyogenes* a antibióticos β-lactâmicos,[21,22] o que pode tornar o tratamento mais complicado no futuro.

A penicilina benzatina intramuscular em dose única garante o tratamento completo. A amoxicilina é muito efetiva e

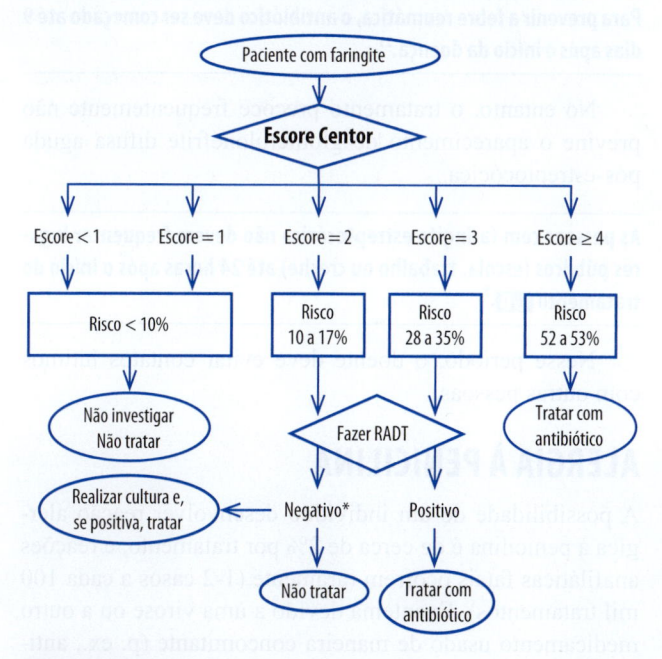

FIGURA 81.1 → Fluxograma para o manejo da faringite.
RADT, teste rápido para detecção de antígenos.
*ou não disponível
Fonte: Snow e colaboradores.[18]

Fluxograma:
- Paciente com faringite → Escore Centor
  - Escore < 1 → Risco < 10% → Não investigar, Não tratar
  - Escore = 1 → Realizar cultura e, se positiva, tratar
  - Escore = 2 → Risco 10 a 17% → Fazer RADT → Negativo* → Não tratar / Positivo → Tratar com antibiótico
  - Escore = 3 → Risco 28 a 35% → Fazer RADT
  - Escore ≥ 4 → Risco 52 a 53% → Tratar com antibiótico

pode ser administrada 1 (especialmente interessante em termos de adesão ao tratamento), 2 ou 3 vezes ao dia com eficácia equivalente à de outras penicilinas **A**.[23-26] Os macrolídeos são os fármacos de escolha nos casos de hipersensibilidade à penicilina, sendo a clindamicina uma alternativa para esses casos.[2]

A resistência à eritromicina e outros macrolídeos, como claritromicina e azitromicina, ainda é relativamente baixa, mas está aumentando de forma significativa.[27,28] Assim, esses fármacos não são primeira escolha para o tratamento da faringite estreptocócica e devem ser reservados para indivíduos alérgicos à penicilina.

A clindamicina é outra opção para indivíduos alérgicos à penicilina. As cefalosporinas orais cefalexina, cefadroxila e cefuroxima também são usadas, particularmente em indivíduos alérgicos à penicilina. É importante lembrar que 2 a 15% das pessoas alérgicas à penicilina também são alérgicas às cefalosporinas, e que esses antibióticos são poderosos indutores de resistência bacteriana, devendo ser usados com muito critério. Algumas dessas cefalosporinas permitem tratamentos de curta duração (cefuroxima por 5 dias) e tratamentos de dose única diária (cefadroxila), o que é benéfico se a adesão ao tratamento for insatisfatória e a penicilina benzatina não for uma boa opção. As evidências de eficácia na erradicação dos estreptococos e na resposta clínica são boas.[15]

A **TABELA 81.5** detalha o tratamento da faringite estreptocócica com antibióticos de primeira linha, e a **TABELA 81.6** apresenta as opções de tratamento para os doentes alérgicos à penicilina.

Falhas ou recorrências após o tratamento podem ocorrer, e diversas hipóteses foram levantadas para explicá-las. Alguns autores sugeriram que a microbiota do trato respiratório superior produtora de betalactamases poderia interferir na eficácia da penicilina no tratamento da faringite estreptocócica, mas essa hipótese nunca foi demonstrada. Hipóteses mais prováveis incluem erro diagnóstico, reinfecção (sabe-se, p. ex., que os estreptococos podem permanecer viáveis nas escovas de dentes e nos aparelhos ortodônticos por tempo significativo), infecção viral intercorrente e não adesão ao tratamento. A conduta nas recorrências pode ser a repetição do antibiótico anteriormente empregado, o uso de outro antibiótico ou, então, a utilização de tratamentos que garantam a adesão, como penicilina benzatina.

Crianças em famílias com múltiplos episódios documentados de faringite estreptocócica por várias semanas necessitam de tratamento especial. Devem ser obtidas culturas simultâneas de toda a família. Os indivíduos com cultura positiva devem ser tratados de preferência com penicilina benzatina e submetidos à nova cultura de orofaringe após 3 ou 4 semanas. Se permanecerem com cultura positiva, deve ser feito um segundo curso de tratamento.

As sulfas e a tetraciclina não estão indicadas no tratamento da faringite por estreptococo, pois existem muitas cepas resistentes à tetraciclina e as sulfas não erradicam o microrganismo das vias aéreas.

> **Para prevenir a febre reumática, o antibiótico deve ser começado até 9 dias após o início da doença.**[23]

No entanto, o tratamento precoce frequentemente não previne o aparecimento de glomerulonefrite difusa aguda pós-estreptocócica.

> **As pessoas com faringite estreptocócica não devem frequentar lugares públicos (escola, trabalho ou creche) até 24 horas após o início do tratamento C/D.**[5]

Nesse período, o doente deve evitar contatos íntimos com outras pessoas.

ALERGIA À PENICILINA

A possibilidade de um indivíduo desenvolver reação alérgica à penicilina é de cerca de 2% por tratamento, e reações anafiláticas fatais ocorrem raramente (1-2 casos a cada 100 mil tratamentos). Exantema devido a uma virose ou a outro medicamento usado de maneira concomitante (p. ex., antitérmicos não hormonais) pode erroneamente ser interpretado como manifestação de alergia à penicilina.

O teste intradérmico realizado com a penicilina benzatina não é recomendado para testar a alergia ao medicamento,

TABELA 81.5 → Opções de primeira linha para o tratamento da faringite estreptocócica

AGENTE	CRIANÇAS (< 27 KG)	ADOLESCENTES/ ADULTOS (> 27 KG)	INTERVALO	DURAÇÃO
Penicilina V	250 mg/dose, VO	500 mg/dose, VO	12 horas	10 dias
Penicilina benzatina	600.000 UI, IM	1.200.000 UI, IM	Dose única	Dose única
Amoxicilina	50 mg/kg/dia, VO, máximo de 1.000 mg/dia	1.000 mg	1×/dia	10 dias

IM, intramuscular; VO, via oral.

TABELA 81.6 → Tratamento da faringite estreptocócica para indivíduos alérgicos à penicilina

AGENTE	DOSE	INTERVALO	DURAÇÃO
Claritromicina	Crianças: 15 mg/kg/dia (máximo de 500 mg) Adultos: 500 mg/dia	12 horas	10 dias
Azitromicina	12 mg/kg/dia no 1º dia, depois 6 mg/kg/dia (máximo de 500 mg no 1º dia e 250 mg nos dias subsequentes) Adultos: 500 mg/dia	24 horas	5 dias
Clindamicina	Crianças: 20-25 mg/kg/dia (máximo de 1,8 g/dia) Adultos: 900 mg/dia	8 horas	10 dias
Cefadroxila	Crianças: 20-40 mg/kg/dia (máximo de 1.000 mg) Adultos: 500 mg a 1000 mg/dia	12 ou 24 horas	10 dias
Cefuroxima	Crianças: 30 mg/kg/dia (máximo de 500 mg/dia) Adultos: 500 mg/dia	12 horas	5 dias

Fonte: Adaptada de Pelucchi e colaboradores,[1] Shulman e colaboradores,[2] American Academy of Pediatrics[5] e Kalra e colaboradores.[38]

pois pode resultar em reações não específicas (falso-positivo) ou até mesmo desencadear choque anafilático. Os testes cutâneos são úteis somente para reações que envolvem anticorpos da classe IgE, não tendo valor preditivo para as reações tardias. O Manual de Testes de Sensibilidade à Penicilina do Ministério da Saúde[29] disponibiliza as técnicas de preparo e de aplicação desse teste.

Como na maioria das vezes o médico não sabe se a pessoa tem hipersensibilidade à penicilina e os testes cutâneos não são disponíveis, é obrigatória a observação médica do doente por pelo menos 30 minutos após a injeção de penicilina. Se houver anafilaxia, o tratamento deve ser instituído imediatamente (ver Capítulo Papel da Atenção Primária à Saúde em Urgências e Emergências).

DIAGNÓSTICO DIFERENCIAL

Difteria

Causada por *Corynebacterium diphtheriae*, a difteria é uma doença grave, de início insidioso, que pode ter como complicações miocardite, neurite e colapso respiratório e/ou circulatório. Após um período de incubação de 2 a 5 dias, a doença manifesta-se primeiramente com anorexia, mal-estar, febre baixa e dor de garganta. Após 1 ou 2 dias, aparece uma membrana na orofaringe que varia de extensão, dependendo do estado imunológico do hospedeiro. Em alguns indivíduos parcialmente imunes à doença, a membrana pode não se desenvolver. A membrana, branca ou cinza, costuma ser aderente e pode cobrir as tonsilas palatinas e os pilares faríngeos e estender-se para a úvula e o palato mole ou descer para a laringe e a traqueia. Na tentativa de remoção da membrana, costuma ocorrer sangramento. A linfadenite cervical é variável e, em alguns casos, está associada a intenso edema dos tecidos moles do pescoço.

O diagnóstico é basicamente clínico, já que o tratamento não pode ser postergado até a confirmação bacteriológica, pois o estado das pessoas com a doença pode deteriorar-se rápido. O exame bacterioscópico não é um método preciso. O diagnóstico é confirmado pela cultura de secreção existente debaixo das placas da orofaringe e fossas nasais. O laboratório deve ser avisado da suspeita clínica, haja vista ser necessário um meio de cultura especial para isolar a bactéria causadora da difteria. Infecções por *Arcanobacterium haemolyticum* podem mimetizar a difteria, inclusive com formação de membrana; *C. diphtheriae* e *A. haemolyticum* são semelhantes ao microscópio, o que dificulta ainda mais o diagnóstico diferencial.

O tratamento da difteria é feito em nível hospitalar, com soro antidiftérico, antibióticos e medidas de suporte.

Os antibióticos são importantes para interromper a produção de toxinas e prevenir a transmissão para os contatos. O microrganismo é sensível *in vitro* a muitos antibióticos, mas os únicos avaliados em ensaios prospectivos foram a penicilina e a eritromicina.[30,31] O doente deve ser rigorosamente isolado até que sejam obtidas, após o tratamento, 2 culturas negativas de orofaringe e fossas nasais, colhidas com, no mínimo, 24 horas de intervalo.

Todos os contatos mais íntimos, independentemente do estado de imunização, devem realizar culturas de orofaringe e fossas nasais e ficar em observação por 7 dias. Quando a cultura for positiva, o tratamento com antibióticos deve ser iniciado. Contatos íntimos, assintomáticos e previamente imunizados devem receber uma dose de reforço da vacina antidiftérica, caso a última dose tenha sido dada há mais de 5 anos. Para os contatos não imunizados ou cujo estado de imunidade é desconhecido, recomenda-se profilaxia com eritromicina ou penicilina benzatina, nas mesmas doses e duração recomendadas para o tratamento das tonsilites estreptocócicas C/D.[32]

Uvulite aguda

A infecção da úvula não é comum, caracterizando-se por febre, dor de garganta, hiperemia e aumento do volume da úvula. Muitos casos são devidos ao estreptococo β-hemolítico do grupo A ou a *Haemophilus influenzae* tipo b e costumam estar associados à faringite e à epiglotite, respectivamente. No entanto, a uvulite pode ocorrer isoladamente.

Em geral, a uvulite estreptocócica tende a ocorrer em crianças com idade > 5 anos, e a uvulite causada por hemófilo, em crianças menores; porém, a ocorrência desta diminuiu muito após a inclusão da vacina anti-hemófilos no calendário básico de vacinação do Sistema Único de Saúde (SUS).

Quando houver suspeita de uvulite em crianças menores, está indicada a sua hospitalização para comprovação diagnóstica (hemocultura e cultura de orofaringe) e tratamento com cefalosporinas de terceira geração (ceftriaxona, cefotaxima).

As crianças maiores podem ser tratadas da mesma maneira que para faringite estreptocócica C/D.

Mononucleose infecciosa

É uma infecção causada pelo vírus Epstein-Barr que, como os demais membros da família Herpesviridae, passada a fase aguda, estabelece um quadro de infecção latente por toda a vida, podendo levar a complicações tardias graves.[33] Após um período de incubação estimado em 30 a 50 dias, a doença manifesta-se por meio de febre, letargia, cefaleia, dor de garganta (muitas vezes com exsudato) e linfadenopatia, sobretudo dos gânglios cervicais posteriores. Alguns pacientes também apresentam erupção cutânea eritematosa, principalmente do tipo macular. Em crianças, a doença é, em geral, leve e difícil de ser identificada. A icterícia ocorre em cerca de 4% dos adultos jovens infectados, e a esplenomegalia, em 50%. Infecções assintomáticas são comuns em adultos e crianças.[34,35] Por outro lado, podem ocorrer casos complicados que levam à hospitalização, especialmente em crianças, com quadros de febre prolongada, linfadenopatias, esplenomegalia e hepatomegalia.[36]

É importante lembrar que a presença ou as características do exsudato faríngeo ou tonsilar não são úteis na diferenciação entre mononucleose e outras faringites.

O diagnóstico pode ser confirmado por meio do leucograma (50% ou mais de linfócitos, sendo no mínimo 10% deles atípicos), da sorologia para vírus Epstein-Barr (exame mais sensível e específico entre os disponíveis atualmente) ou do monoteste, um teste rápido que pode ser feito durante o atendimento. O monoteste é preferível à contagem dos leucócitos, porém o leucograma é sobremaneira útil nos casos altamente sugestivos de mononucleose infecciosa com monoteste negativo, já que o teste pode dar um resultado falso-negativo na fase inicial da doença. O monoteste é frequentemente negativo em casos de mononucleose em pacientes com idade ≤ 10 anos.

A sorologia específica para o vírus é o exame mais sensível e específico para o diagnóstico de mononucleose infecciosa, e tem especial valor em indivíduos com anticorpos heterófilos (monoteste) negativos. Os testes comumente usados detectam anticorpos contra o antígeno capsídeo viral (VCA, do inglês *viral-capsid antigen*), o antígeno nuclear (EBNA, do inglês *Epstein-Barr nuclear antigen*) e os chamados antígenos precoces (EA, do inglês *early antigen*). A IgM anti-VCA identifica infecção aguda, mas podem ocorrer alguns falsos-negativos. A presença de IgG anti-VCA na ausência de IgG anti-EBNA é diagnóstica de infecção aguda. A presença de todos os anticorpos – IgG anti-VCA (em geral, em altos títulos), anti-EBNA e anti-EA – significa reativação da infecção.

Uma síndrome semelhante à mononucleose infecciosa pode ser causada pelo citomegalovírus, outro herpesvírus. Essa doença também causa linfocitose com células atípicas. A presença de altos níveis de anticorpos IgM contra o citomegalovírus confirma o diagnóstico.

O tratamento da mononucleose infecciosa é sintomático (repouso relativo, analgésicos, antitérmicos), e apenas os casos mais graves requerem hospitalização. O tratamento antiviral não é indicado na rotina B.

Faringites causadas pelo vírus Coxsackie

Diferentes tipos do vírus Coxsackie do grupo A causam faringites clinicamente distintas, incluindo a herpangina, a doença mão-pé-boca e a faringite linfonodular aguda.

A herpangina ou faringite vesicular apresenta início súbito, febre e pequenas lesões faríngeas papulovesiculares (1-2 mm) sobre uma base eritematosa. Estas costumam evoluir para úlceras maiores, localizadas preferencialmente nos pilares anteriores da orofaringe, no palato mole, na úvula e nas tonsilas palatinas.

A doença mão-pé-boca, ou estomatite vesicular com exantema, difere da herpangina quanto às lesões orais, que são mais difusas, podendo ocorrer na face interna das bochechas, nas gengivas e nas bordas da língua. As lesões papulovesiculares ocorrem concomitantemente com exantema palmoplantar.

A faringite linfonodular aguda caracteriza-se por lesões constituídas por nódulos isolados, firmes, elevados, de cor esbranquiçada ou amarelada, circundados por uma zona de eritema. As lesões ocorrem predominantemente na úvula, nos pilares anteriores e na faringe posterior.

As faringites causadas pelo vírus Coxsackie são autolimitadas e não exigem tratamento específico, apenas sintomático.

Infecção retroviral aguda

A síndrome retroviral aguda, que ocorre frequentemente em indivíduos recentemente infectados pelo vírus da imunodeficiência humana (HIV, do inglês *human immunodeficiency virus*), pode manifestar-se de forma semelhante à mononucleose infecciosa, com febre, dor de garganta, linfadenopatias e erupção cutânea.[37] Uma das características mais distintas da infecção aguda pelo HIV é a presença de lesões mucocutâneas dolorosas. A ocorrência de exsudato faríngeo está ausente na maioria dos casos, mas podem ocorrer lesões orais ulceradas dolorosas, com halo eritematoso, que levantam a suspeita de infecção pelo HIV. A presença concomitante de erupção cutânea generalizada, geralmente maculopapular, também deve levantar suspeitas de infecção pelo HIV.

REFERÊNCIAS

1. Pelucchi C, Grigoryan L, Galeone C, Esposito S, Huovinen P, LittleP, Verheij T. Guideline for the management of acute sore throat. Clin Microbiol Infect. 2012; 18(suppl 1):1-27.
2. Shulman ST, Bisno AL, Clegg HW, Gerber MA, Kaplan AL, Lee G, Martin JM, Van Beneden C. Clinical Practice Guidelines for the diagnosis and management of group A streptococcal pharyngitis: 2012 update by the Infectious Diseases Society of America. Clin Infect Dis. 2012;55:e86-102.
3. Regoli M, Chiappini E, Bonsignori F, Galli L, de Martino M. Update on the management of acute pharyngitis in children. Ital J Pediatr. 2011;37(1):10.
4. Lozano R, Naghavi M, Foreman K, Lim F, Shibuya K, Aboyans V, et al. Global and regional mortality from 235 causes of death for 20 age groups in 1990 and 2010: a systematic analysis of the Global Burden of Disease Study 2010. Lancet. 2012; 380:2095-2128.
5. American Academy of Pediatrics. Group A Streptococcal Infections. In: Kimberlin DW, Brady MT, Jacson MA, Long SS, editors. Red Book: 2018 Report of the Committee of Infectious Diseases. 31st ed. Itaca: American Academy of Pediatrics; 2018. p. 748-62.
6. Bratcher DF. Arcanobacterium haemolyticum. In: Long SS, editor. Principles and practice of pediatric infectious diseases. 5th ed. Philadelphia: Elsevier; 2018. p. 768-70.
7. McIsaac WJ, White D, Tannenbaum D, Low DE. A clinical score to reduce unnecessary antibiotic use in patients with sore throat. CMAJ. 1998;158(1):75-83.
8. McIsaac WJ1, Kellner JD, Aufricht P, Vanjaka A, Low DE. Empirical validation of guidelines for the management of pharyngitis in children and adults. JAMA. 2004; 291(13):1587-95.
9. Little P, Hobbs FD, Moore M, Mant D, Williamson I, McNulty C, et al. Clinical score and rapid antigen detection test to guide antibiotic use for sore throats: randomised controlled trial of PRISM (primary care streptococcal management). BMJ. 2013;347:f5806.
10. Rogen I, van Berlaer G, Gordts F, Pierard D, Hobloue I. Centor criteria in children in a paediatric emergency department:for what it is worth. BMJ. 2013; 3(4):e002712.
11. Othman MA, Assayaghi RW, Al-Shami HZ, Saif-ali R. Asymptomatic carriage of Streptococcus pyogenes among school children em Sana'a city, Yemen. BMC Res Notes. 2019;12(1):339.

12. Rao A, Berg B, Quezada T, Fader R, Walker K, Tang S, et al. Diagnosis and antibiotic treatment of group a streptococcal pharyngitis in children in a primary care setting: impact of point-of-care polymerase chain reaction. BMC Pediatr. 2019;19(1):24.
13. Graf EH. Can rapid molecular Streptococcus pyogenes lead to better antimicrobial stewardship for acute pharyngitis? J Appl Lab Med. 2019; 4(2):140-2.
14. Del Mar CB, Glasziou PP, Spinks AB. Antibiotics for sore throat. Cochrane Database Syst Rev. 2006;(4):CD000023.
15. van Driel ML, De Sutter AIM, Habraken H, Thorning S, Christiaens T. Different antibiotic treatments for group A streptococcal pharyngitis. Cochrane Database Syst Rev. 2016;9(9):CD004406.
16. Chiappini E, Regoli M, Bonsignori F, Sollai S, Parretti A, Galli L, et al. Analysis of different recommendations from international guidelines for the management of acute pharyngitis in adults and children. Clin Ther. 2011;33(1):48-58.
17. National Institute for Health and Clinical Excellence. Sore throat (acute): antimicrobial prescribing. [Internet]. London: NICE; 2018 [capturado em 23 jan. 2021]. Disponível em: http://www.nice.org.uk/guidance/ng84
18. Snow V, Mottur-Pilson C, Cooper RJ, Hoffman JR; American Academy of Family Physicians – American Society of Internal Medicine; Centers for Disease Control. Principles of appropriate antibiotic use for acute pharyngitis in adults. Ann Intern Med. 2001;134(6):506-8.
19. Joachim L, Campos D Jr, Smeesters PR. Pragmatic scoring system for pharyngitis in low-resource settings. Pediatrics. 2010;126(3):e608-14.
20. Le Marechal F, Martinot A, Duhamel A, Pruvost I, Dubos F. Streptococcal pharyngitis in children: a meta-analysis of clinical decision rules and their clinical variables. BMJ. 2013; 3(3):e001482.
21. Vannice K, Ricaldi J, Nanduri S, Fang FC, Lynch J, Bryson-Cahn C, et al. Streptococcus pyogenes pbp2x mutation confers reduced susceptibility to β-lactam antibiotics. Clin Infect Dis. Clin Infect Dis. 2020;71(1):201-204. Erratum in: Clin Infect Dis. 2020;70(6):1265.
22. Musser JM, Beres SB, Zhu L, Olsen RJ, Vuopio J, Hyyryläinen HL, et al. Reduced in vitro susceptibility of Streptococcus pyogenes to beta-lactams associated with mutations in the pbp2x gene is geographically widespread. J Clin Microbiol. 2020;58(4):e01993-19.
23. Gerber MA, Baltimore RS, Eaton CB, Gewitz M, Rowley AH, Shulman ST, et al. Prevention of rheumatic fever and diagnosis and treatment of acute Streptococcal pharyngitis: a scientific statement from the American Heart Association Rheumatic Fever, Endocarditis, and Kawasaki Disease Committee of the Council on Cardiovascular Disease in the Young, the Interdisciplinary Council on Functional Genomics and Translational Biology, and the Interdisciplinary Council on Quality of Care and Outcomes Research: endorsed by the American Academy of Pediatrics. Circulation. 2009;119(11):1541-51.
24. Lan AJ, Colford JM, Colford Jr JM. The impact of dosing frequency on the efficacy of 10-day penicillin or amoxicillin therapy for streptococcal tonsillopharyngitis: a meta- analysis. Pediatrics. 2000;105(2):E19.
25. Llerena Santa Cruz ED, Buñuel Álvarez JC, Porcar Farrán D, Solà Pou J, Fortea Gimeno E, Cortés Marina RB, et al. Treatment of streptococcal tonsillitis with once-a- day amoxicillin: a meta-analysis. An Pediatr (Barc). 2011;75(5):298-306.
26. Nakao A, Nisata K, Fujimori M, Matsunaga N, Komatsu M, Shimizu T. Amoxycillin effect on bacterial load in group A streptococcal pharyngitis: comparison of single and multiple dosage regimens. BMC Pediatrics. 2019;19(1):205.
27. DeMuri GP, Sterkel AK, Kubica PA, Duster MN, Reed KD, Wald ER. Macrolide and clindamycin resistance in Group A streptococci isolated from children with pharyngitis. Pediatr Infect Dis J. 2017; 36(3):342-4.
28. Abraham T, Sista S. Trends in antimicrobial resistance patterns of Group A streptococci: molecular basis and implications. Indian J Med Microbiol. 2018;36(2):186-91.
29. Brasil. Ministério da Saúde. Coordenação Nacional da DST e Aids. Testes de sensibilidade à penicilina: manual [Internet]. Brasília: MS; 1999 [capturado em 07 março. 2020]. Disponível em: http://bvsms.saude.gov.br/bvs/publicacoes/testes_sensibilidade.pdf.
30. Kneen R, Pham NG, Solomon T, Tran TM, Nguyen TT, Tran BL, et al. Penicillin vs. erythromycin in the treatment of diphtheria. Clin Infect Dis. 1998;27(4):845-50.
31. Miller LW, Bickham S, Jones WL, Heather CD, Morris RH. Diphtheria carriers and the effect of erythromycin therapy. Antimicrob Agents Chemother. 1974;6(2):166-9.
32. Farizo KM, Strebel PM, Chen RT, Kimbler A, Cleary TJ, Cochi SL. Fatal respiratory disease due to Corynebacterium diphtheriae: case report and review of guidelines for management, investigation, and control. Clin Infect Dis. 1993;16(1):59- 68.
33. Fugl A, Andersen CL. Epstein-Barr vírus and its association with disease – a review of relevance to general practice. BMC Family Practice. 2019;20(1):62.
34. Abbott RJ, Pachnio A, Pedroza-Pacheco I, Leese AM, Begum J, Long HM, et al. Asymptomatic primary infection with epstein-barr virus: observations on young adult cases. J Virol. 2017;91(21):e00382-17.
35. Rostgaard K, Balfour Jr HH, Jarrett R, Erikstrup C, Pedersen O, Ullum H, et al. Primary Epstein-Barr virus infection with and without infectious mononucleosis. PLoS One. 2019;14(12):e0226436.
36. Çağlar İ, Topal S, Çokboz M, Düzgöl M, Kara A, Bayram SN, et al. Clinical features and laboratory findings in children hospitalized with acute Epstein-Barr virus infection: a crosssectional study in a tertiary care hospital. Turk J Pediatr. 2019;61(3):368-73.
37. Crowell TA, Colby DJ, Pinyakorn S, Fletcher JLK, Kroon E, Schuetz A, et al. Acute retroviral syndrome is associated with high viral burden, CD4 depletion, and immune activation in systemic and tissue compartments. Clin Infect Dis. 2018; 66(10):1540-9.
38. Kalra MG, Higgins KE, Perez E. Common questions about streptococcal pharyngitis. Am Fam Physician. 2016;94(1):24-31.

Capítulo 82
PROBLEMAS DA CAVIDADE ORAL

Adriane Vienel Fagundes
Amanda Ramos da Cunha
Caren Serra Bavaresco
Diogo Luis Scalco

EXAME CLÍNICO DA CAVIDADE ORAL

O exame da cavidade oral deve ser precedido pela inspeção da face e do pescoço, à procura de sinais, manchas, assimetrias e feridas que sangram ou não cicatrizam, bem como pela palpação das regiões submentonianas e submandibulares.

O exame sistemático da cavidade oral inclui a avaliação de lábios, mucosa oral, ductos salivares (orifício do ducto da parótida – oposto ao segundo molar superior; orifício do ducto submandibular – ao lado do freio da língua), palato mole, palato duro, pilares amigdalianos, língua, assoalho da boca, gengiva e dentes, em busca de possíveis desvios da normalidade.

Em relação aos tecidos duros, o exame dentário, geralmente feito por cirurgião-dentista, envolve a contagem dos dentes (32 dentes permanentes nos adultos, e 20 dentes decíduos nas crianças), seu posicionamento e a presença de cavidades, erosões, abrasões e abfrações (perda de estrutura dental calcificada por repetida pressão sobre os dentes) e fraturas dentárias (FIGURA 82.1).[1] Além disso, inclui investigação da saúde gengival,[2-3] sendo considerada característica de normalidade uma coloração rósea e superfície opaca e firme, sem sangramento à sondagem.[2]

HIGIENE BUCAL

O biofilme dentário (também conhecido como placa dentária), passo inicial no processo de desenvolvimento de periodontite, é composto por microrganismos sobre uma camada de proteína denominada película adquirida, que é constituída por glicoproteínas salivares, fosfoproteínas, lipídeos e componentes do fluido gengival. Seu desenvolvimento culmina com a formação da placa madura.[2]

Embora a escovação dentária e o uso de fio dental sejam recomendados para contrapor esse processo, até o presente momento não se sabe qual é a melhor técnica de escovação a ser indicada, uma vez que questões como habilidade do operador, mecanismos de ensino e aprendizagem e movimentos preconizados pelas próprias técnicas são fatores intervenientes no desfecho remoção de biofilme. Em relação ao uso de escovas elétricas, estudos apontam que, em longo prazo, há uma redução expressiva da quantidade de biofilme bem como gengivite, profundidade de sondagem periodontal e perda de inserção clínica. Todavia, a análise de custo-efetividade ainda não apresenta dados consistentes C/D.[5,6]

CÁRIE DENTÁRIA

Cárie dentária é uma doença caracterizada pela desmineralização dos tecidos duros dos dentes. Entre os principais fatores de risco associados ao seu surgimento, estão higiene bucal inadequada e dieta rica em carboidratos simples.[5] A lesão inicial de cárie – mancha branca – deve-se às alterações ópticas do esmalte dentário. A fratura da superfície do esmalte proporciona o aparecimento de lesões cavitadas de cárie.[7]

O tratamento da doença cárie tem como objetivo restabelecer o equilíbrio entre os processos de desmineralização e remineralização das estruturas dentárias, paralisar ou reduzir a progressão das lesões, e promover a restauração/reabilitação quando necessário. O tratamento deve ser individualizado e compreende:[7]

→ instrução sobre higiene bucal, incluindo orientações sobre escovação dentária e uso do fio dental B;
→ remoção profissional de placa, por meio de raspagem e/ou utilização de instrumentos rotatórios ou vibratórios apropriados C/D;
→ adequação do meio bucal e/ou restauração/reabilitação C/D.

A decisão sobre a restauração do dente deve ser conservadora, evitando-se a intervenção sempre que possível. As lesões restritas ao esmalte dentário (manchas brancas) devem ser monitoradas pelo cirurgião-dentista, não sendo indicada a abertura de sulcos escurecidos. As lesões não cavitadas e com alteração de cor, que indicam possibilidade de cárie na dentina, devem ser avaliadas por cirurgião-dentista para ter seu diagnóstico complementado com radiografia C/D.[7]

No tratamento das lesões cavitadas em dentina, procura-se conservar a maior quantidade de tecidos dentários, evitando, assim, a exposição pulpar por meio da remoção parcial de dentina cariada em cavidades profundas. Nos casos de exposição pulpar, os tratamentos conservadores (pulpotomias e capeamentos), quando indicados, devem sempre ser incentivados em relação às extrações dentárias C/D.[8] A prevenção, bem como o controle da atividade da cárie, envolve intervenção sobre os fatores determinantes e inclui ações educativas para controle do biofilme (escovação dentária/uso de fio dental), fluoretação da água de abastecimento de uso público e/ou uso tópico de flúor de acordo com a indicação e o risco e aconselhamento dietético (redução no consumo de carboidratos/sacarose).[7]

> A utilização de formas tópicas de flúor, como bochechos e aplicação de flúor-gel, é efetiva na redução da cárie dentária, fornecendo um benefício extra mesmo quando associada à ingestão de água fluoretada e ao uso de dentifrício fluoretado B.[9-12]

Segundo recomendações para uso de fluoretos no Brasil,[13] indica-se, para os indivíduos com cárie, a solução concentrada, em geral de fluoreto de sódio (NaF), para ser bochechada diariamente (NaF a 0,05%), semanal ou quinzenalmente (NaF a 0,2%) C/D. Mesmo no caso do emprego diário da técnica, mais recomendado para uso individual (domiciliar), o bochecho pode ser considerado, de modo análogo aos dentifrícios, como um meio de repercussão coletiva de uso de flúor. Entre suas vantagens, estão a facilidade de

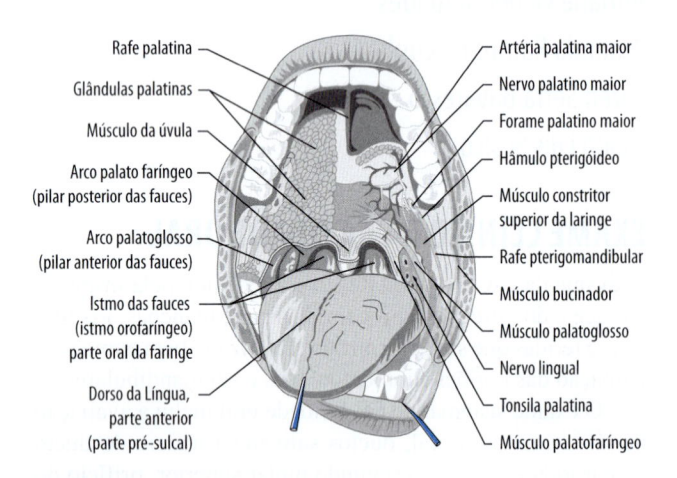

FIGURA 82.1 → Desenho esquemático da boca.
Fonte: Martins.[1]

aplicação e o baixo custo. Exigem-se pelo menos 25 bochechos semanais/ano, sem interrupções prolongadas.

Estão indicados, com periodicidade semanal (NaF a 0,2%), para populações nas quais se constate uma ou mais das seguintes situações:
→ exposição à água de abastecimento sem flúor;
→ exposição à água de abastecimento com teores de fluoretos abaixo da concentração indicada (até 0,54 ppm F);
→ índice de dentes cariados, perdidos e obturados (CPOD) médio > 3 aos 12 anos de idade;
→ < 30% dos indivíduos do grupo livres de cárie aos 12 anos de idade;
→ populações com condições sociais e econômicas que indiquem baixa exposição a dentifrícios fluoretados C/D.[13]

Como alternativa aos bochechos fluoretados, pode-se optar pelo gel acidulado a 1,23%, sendo uma melhor escolha para populações nas quais os métodos de alta frequência são difíceis (p. ex., populações isoladas ou distantes dos centros urbanos). Como método populacional, deve ser aplicado semestral ou quadrimestralmente. Pode ser usado em moldeiras ou por meio de escovação sem necessidade de profilaxia prévia. Para a definição por uma das duas técnicas, devem ser considerados os custos e os aspectos operacionais inerentes a cada uma delas. A frequência de aplicação é de 2 a 3 ×/ano, e possibilita, com um mesmo grupo de profissionais, maior cobertura em comparação com os bochechos C/D.[13]

PULPITE

Pulpite é a inflamação da polpa dentária, decorrente, na maioria das vezes, de progressão da lesão de cárie ou traumatismo dentário, levando ao estabelecimento de alterações no tecido conectivo pulpar e presença de bactérias dentro do canal radicular.

As pulpites reversíveis são aquelas cuja sensação dolorosa está associada a algum estímulo (químico, térmico ou físico) com duração passageira (< 60 segundos). Nesses casos, o tratamento inclui remoção das lesões de cárie e/ou fraturas nas restaurações.

Nas situações em que a pulpite torna-se irreversível, a sensibilidade dolorosa passa a ser intensa, contínua e espontânea, localizada ou difusa. Nesses casos, com ou sem necrose pulpar, a remoção da polpa dentária, seguida de tratamento endodôntico, está indicada.[14] A necrose pulpar não tratada pode evoluir para abscesso periapical agudo, que se apresenta com febre, trismo e disfagia, e progride para um quadro de celulite facial.

Nessas situações, o manejo deve ser feito de acordo com o grau de comprometimento local e sistêmico:
→ **pacientes afebris, sem edema extraoral ou intraoral:** analgesia e encaminhamento para cirurgião-dentista em até 24 horas. É importante destacar que não há evidência que justifique o uso de antibióticos nos casos de pulpite irreversível;[15]
→ **pacientes com febre baixa ou edema extraoral ou intraoral discreto:** analgesia, antibioticoterapia e encaminhamento para cirurgião-dentista em 12 a 24 horas;
→ **pacientes com febre > 38,5 °C ou edema extraoral ou intraoral importantes:** analgesia, antibioticoterapia e encaminhamento imediato para cirurgião-dentista/emergência C/D.[14,15]

A analgesia pode ser feita com anti-inflamatórios como o ibuprofeno (600 mg, 8/8 horas) e/ou paracetamol (750 mg, 6/6 horas). Nos casos de dor intensa, podem-se acrescentar compostos contendo codeína (p. ex., 7,5 mg de codeína e 500 mg de paracetamol, 4/4 horas). A amoxicilina (500 mg, 8/8 horas, ou 875 mg, 12/12 horas) é o antibiótico mais utilizado; porém, estudos com eritromicina, tetraciclina e metronidazol também tiveram resultados favoráveis e superiores ao não uso de antibióticos C/D.[15] A eritromicina é a alternativa mais usada para pacientes alérgicos a betalactâmicos. O tempo normal de tratamento com antibiótico é de 7 a 10 dias, mas evidências observacionais sugerem que, após a drenagem do abscesso ou extração dentária, cursos de 2 a 3 dias de tratamento são eficazes e suficientes C/D. A indicação de antibióticos, na maioria dos casos, ocorre quando a drenagem (abordagem cirúrgica) não é efetiva.

DOENÇA PERIODONTAL

Apesar da redução gradual do risco biológico para cárie observada com a aproximação da vida adulta, cresce o risco para doenças periodontais. Uma gengiva de aspecto edemaciado, com volume aumentado (hiperplásica), contorno gengival alterado, margem gengival mais espessa e sensível ao toque ou que sangre ao toque ou após a escovação indica algum tipo de patologia periodontal. Entre os fatores de risco associados ao seu surgimento, estão má-higiene bucal, tabagismo, diabetes melito, imunossupressão e idade avançada.[2]

Gengivite

A gengivite é a doença periodontal mais comum na adolescência e na vida adulta. As superfícies linguais e proximais dos molares são mais afetadas. É uma doença inflamatória que atinge somente a gengiva marginal, seja localizada ou generalizada, causada por acúmulo de placa bacteriana (biofilme), devido à higiene bucal inadequada. Cálculo, irritação mecânica e irregularidades na posição dos dentes podem ser fatores contribuintes, pois facilitam o acúmulo de placa bacteriana e dificultam a higienização.[2]

O tratamento da gengivite pode incluir desde apenas a remoção do biofilme mediante escovação dentária/uso do fio dental pelo paciente, até o tratamento pelo cirurgião-dentista, incluindo raspagem, alisamento e polimento coronário e radicular (quando existir cálculo dental) e tratamento ortodôntico (apinhamento) C/D.[2]

Periodontite

A periodontite provoca alteração nas estruturas periodontais mais profundas, causando reabsorção óssea alveolar, perda de inserção, formação de bolsas periodontais e mobilidade dentária.[2] Evidências sugerem correlação entre presença de doença periodontal e doenças respiratórias,[16] doenças cardiovasculares,[17] doenças cerebrais[18] e diabetes melito.[19]

O tratamento da periodontite é semelhante ao da gengivite, aliado à remoção de cálculo supra e subgengival realizado pelo cirurgião-dentista, sendo a terapia de manutenção muito importante.[2] O controle de fatores sistêmicos, como o diabetes melito, e a cessação do tabagismo contribuem positivamente no tratamento da periodontite. Os antibióticos sistêmicos não são indicados na maioria dos casos em que a terapia mecânica é bem estabelecida. Quando necessários, sugere-se metronidazol (400 mg, 8/8 horas, por 7 dias) C/D.[2]

Doença periodontal necrosante

As doenças periodontais necrosantes apresentam dor, necrose gengival, sangramento da gengiva e destruição do tecido ósseo alveolar como principais características clínicas. Pode-se encontrar ainda mau odor, febre, linfadenopatia e mal-estar e uma "pseudomembrana" de cor branco-amarelada ou cinza cobrindo as úlceras gengivais.[20] O diagnóstico diferencial inclui gengivoestomatite herpética primária, pênfigo benigno das membranas mucosas, eritema multiforme exsudativo, gengivite estreptocócica, gengivite gonocócica e leucemia aguda.

Sua etiologia está associada à presença bacteriana (principalmente das bactérias *Treponema* sp., *Selenomonas* sp., *Fusobacterium* sp., *Prevotella intermedia*), mas também a outros fatores, como estresse psicológico, imunodepressão, má-nutrição, tabagismo, alcoolismo e má-higiene bucal.[20]

O encaminhamento para avaliação por cirurgião-dentista deve ser feito em caráter de urgência. Devem ser iniciados imediatamente enxaguatórios bucais (p. ex., clorexidina a 0,2% ou peróxido de hidrogênio a 3%), analgesia para alívio da dor e metronidazol (250 mg, 8/8 horas, por 5 dias) C/D.[2]

Pericoronarite

A pericoronarite, mais comum entre 15 e 25 anos de idade, está relacionada com o processo de erupção dos terceiros molares, sobretudo os localizados na mandíbula. A superfície oclusal do dente afetado costuma ser revestida por um tecido gengival denominado opérculo, o qual favorece o acúmulo de alimentos e proliferação bacteriana. Além do incômodo causado pelos sinais e sintomas clínicos, como dor, sangramento, halitose e trismo, há risco de complicações devido à disseminação da infecção. Em algumas situações mais graves, os nódulos linfáticos adjacentes podem aumentar de tamanho, e pode ocorrer trismo mandibular.

O tratamento para a pericoronarite varia de acordo com o grau da infecção que atinge os tecidos periodontais. Nos casos em que a pericoronarite está restrita, sem que sejam observados exsudação purulenta, dor forte, febre, linfadenomegalias ou mal-estar, o tratamento pode ser conservador, incluindo desbridamento e irrigações locais com digliconato de clorexidina a 0,12% (pelo menos 2 ×/dia). Nos casos em que a pericoronarite é mais grave, com comprometimento sistêmico, é indicado o acréscimo de antibioticoterapia sistêmica, sendo a amoxicilina a escolha mais frequente C/D.[21]

LESÕES ESTOMATOLÓGICAS

Língua fissurada

A língua fissurada é uma condição caracterizada pela existência de fissuras ou sulcos localizados no dorso da língua, que variam de 2 a 6 mm de profundidade.[22] É apontada, por alguns estudos, como o mais frequente distúrbio da língua.[23] Embora assintomática, acúmulos de alimentos e microrganismos nas fissuras podem levar à irritação dessas regiões.[22] (Ver QR code.)

A etiologia é desconhecida; seu aparecimento pode estar relacionado com hipossalivação, e é observada, com maior frequência, em adultos mais velhos.[22,24,25] Não exige tratamento, mas escovar sutilmente a superfície dorsal da língua pode evitar inflamações nas fissuras C/D.[21]

Eritema migratório

Também conhecido como glossite migratória benigna ou língua geográfica, o eritema migratório é caracterizado pela presença de áreas de atrofia das papilas filiformes. Essas áreas, localizadas na superfície dorsal da língua, apresentam-se eritematosas e circundadas por um halo branco ou branco-amarelado.[21,22] (Ver QR code.)

É uma condição de caráter benigno, que acomete todas as faixas etárias, tem etiologia desconhecida e apresenta comportamento migratório: as lesões surgem em algumas regiões, regridem espontaneamente em dias ou semanas e reaparecem em outras áreas diferentes, sempre no dorso da língua. Em geral, não apresenta sintomatologia, mas alguns pacientes relatam sensibilidade dolorosa a alimentos ácidos e picantes.[26,27] Estudos sugerem associação com psoríase.[28,29]

Não exige tratamento e regride de forma espontânea. Corticoides tópicos, como triancinolona acetonida, são descritos como opção terapêutica para os casos mais severos. Entretanto, a literatura não é conclusiva sobre o melhor tratamento nessas situações.[30]

Língua pilosa

A língua pilosa é um distúrbio benigno, caracterizado por alongamento e hipertrofia das papilas filiformes. Ocorre em função de inadequada descamação e/ou acúmulo excessivo de queratina nessas papilas, o que gera um aspecto de "pelos" sobre a língua. Acomete a superfície dorsal da língua e pode apresentar coloração pode apresentar coloração branca, marrom ou negra.[22] Em geral, é uma condição assintomática, e a principal queixa é de origem estética;[31,32] porém, gosto metálico e halitose são relatados em alguns casos.[22] (Ver QR code.)

Embora sua etiologia não esteja completamente elucidada, alguns fatores têm sido frequentemente associados, como uso de tabaco, consumo de café, má-higiene bucal, uso de enxaguatórios bucais com agentes oxidantes, terapia antibiótica prolongada, antipsicóticos, irradiação em áreas de cabeça e pescoço, neuralgia do trigêmeo, bem como condições sistêmicas como desidratação, câncer e infecção pelo vírus da imunodeficiência humana (HIV, do inglês *human immunodeficiency virus*). Infecções secundárias por *Candida albicans* e outros microrganismos da cavidade oral podem estar envolvidas.[32]

A língua pilosa é um distúrbio que, em geral, regride espontaneamente à medida que se eliminam os fatores predisponentes. Cuidados locais, como higienização da língua com raspador de língua ou escova dental macia, auxiliam na descamação tecidual e podem melhorar o quadro clínico C/D.[31,33]

Mucocele

A mucocele consiste em uma lesão que afeta as glândulas salivares, mais comumente as glândulas salivares menores. É uma condição benigna secundária a traumatismo no ducto excretor da glândula, gerando o rompimento desse ducto e o consequente acúmulo de secreção salivar nos tecidos moles adjacentes.[34] É o diagnóstico mais frequente entre as biópsias realizadas em crianças e adolescentes.[35-37]

Apresenta-se como uma elevação superficial, em geral arredondada, de consistência amolecida e conteúdo líquido, caracteristicamente flutuante à palpação, com tempo de evolução que pode variar de poucos dias a muitos anos. Lesões mais profundas apresentam-se recobertas de mucosa de coloração normal, e lesões mais superficiais podem apresentar uma coloração azulada.[38] É geralmente assintomática, mas pode causar desconforto na mastigação, dependendo de seu tamanho e localização.[34] Suas características clínicas são semelhantes às do cisto do ducto salivar, porém não é considerada um cisto verdadeiro, por não possuir revestimento epitelial circundante.[21]

O local mais acometido por essa lesão é o lábio inferior (FIGURA 82.2), podendo ocorrer também no palato, na região retromolar, na região anterior do ventre da língua, na mucosa jugal, no assoalho da boca e no lábio superior.[39] Mucoceles localizadas no assoalho da boca são denominadas rânulas, que podem ser originárias da glândula sublingual, da glândula submandibular ou de glândulas menores dessa região.[40]

Pode ocorrer resolução temporária com o rompimento da lesão por trauma, havendo extravasamento do conteúdo salivar e regressão do quadro, que recidiva em pouco tempo.[40] O tratamento de eleição é a excisão cirúrgica.[21,34]

Sialadenite

A sialadenite é uma inflamação das glândulas salivares, de origem infecciosa (viral ou bacteriana) ou não infecciosa. A infecção bacteriana da glândula – sialadenite bacteriana aguda – ocorre, em geral, pela migração retrógrada de bactérias provenientes da cavidade oral, decorrente de redução do fluxo salivar ou de obstrução ductal. O bloqueio do ducto pode ser decorrente da presença de cálculos salivares (sialolitíase [FIGURA 82.3]). Sua ocorrência é mais comum na glândula parótida; no entanto, quando oriunda de sialolitíase, acomete, predominantemente, a glândula submandibular (80-90% dos casos).[41,42] Os sinais e sintomas da sialadenite bacteriana aguda incluem aumento de volume da glândula afetada e dor, podendo haver drenagem de secreção purulenta pelo seu ducto. Além disso, a pele sobrejacente pode apresentar-se quente e eritematosa,[21] e o paciente pode apresentar febre, trismo e linfadenopatia.[42] No caso de sialolitíase, dor e aumento de volume local são desencadeados pela refeição ou no período que a antecipa. Se os sialólitos estiverem localizados na porção terminal do ducto, eles podem ser identificados, logo abaixo da mucosa, com a palpação do assoalho da boca.[21] A identificação pela palpação fica facilitada com o paciente fechando parcialmente a boca e relaxando a musculatura. Para investigação de sialólitos não palpáveis, o paciente deve ser encaminhado ao cirurgião-dentista, que poderá identificá-los por exames radiográficos da face, como a radiografia panorâmica.

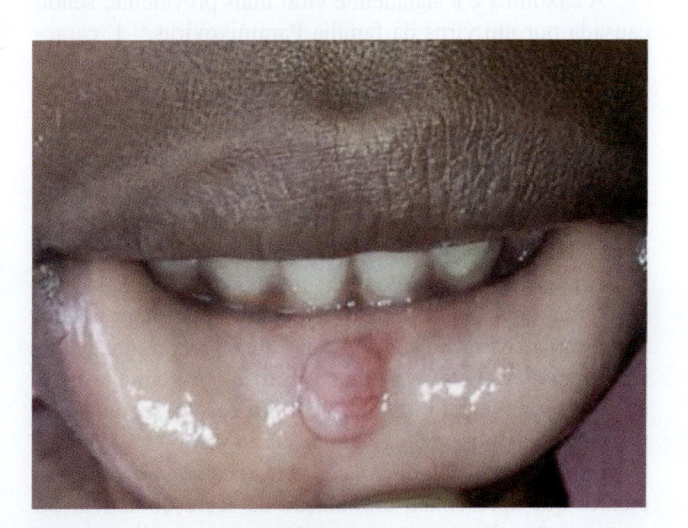

FIGURA 82.2 → Mucocele em lábio inferior.
Fonte: Fotografia gentilmente cedida pela Dra. Tatiana Wannmacher Lepper e Dra. Luciana Zaffari – Hospital Santa Casa de Misericórdia de Porto Alegre.

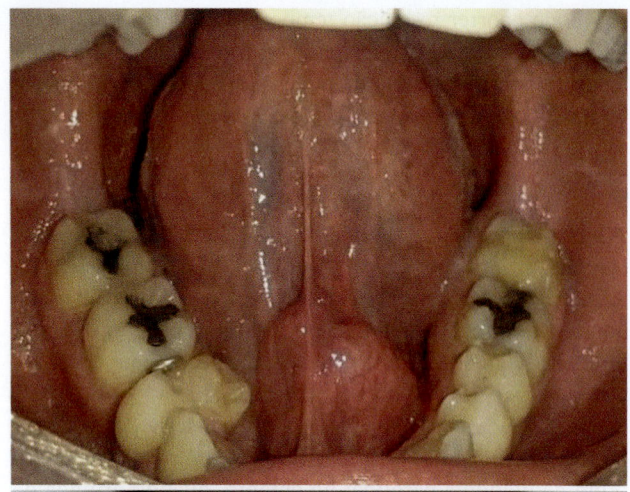

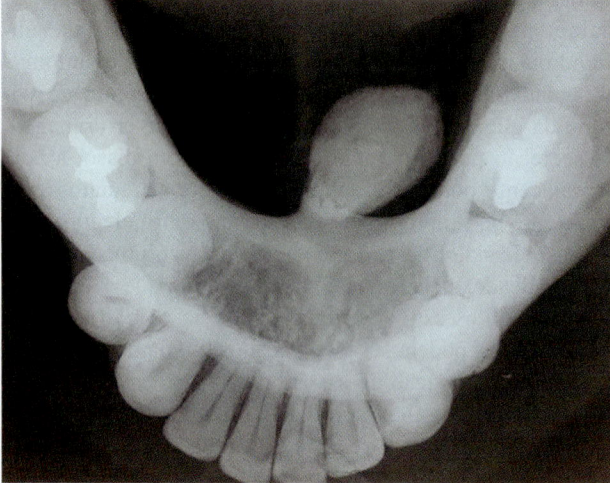

FIGURA 82.3 → Sialolitíase.
Fonte: Fotografia gentilmente cedida pelo Dr. André Caroli Rocha – Hospital das Clínicas da Faculdade de Medicina da Universidade de São Paulo.

A caxumba é a sialadenite viral mais prevalente, sendo causada por um vírus da família Paramixovirus.[21] É caracterizada por dor aguda e aumento de volume da glândula afetada, acometendo, com mais frequência, a glândula parótida, uni ou bilateralmente. Sintomas prodrômicos, como febre baixa, anorexia, mal-estar, cefaleia e mialgia, podem ocorrer. Acomete, mais comumente, as crianças, mas pode ocorrer em adultos, população na qual se apresenta de forma mais intensa (ver Capítulo Imunizações).

A presença de cálculos salivares (sialólitos), estenoses, corpos estranhos ou compressões externas por tumor podem levar a uma obstrução ductal persistente ou recorrente, resultando em sialadenite crônica obstrutiva.[21] A glândula mais afetada é a submandibular (80-90% dos casos), seguida pela parótida (5-10%) e pela glândula sublingual (< 1%). A sialadenite crônica bacteriana acomete, mais comumente, pacientes que apresentam diminuição da secreção salivar ou composição salivar mais mucosa. Nesse caso, a glândula parótida é a mais frequentemente afetada. Ambas são caracterizadas por episódios recorrentes de dor e edema, podendo também haver febre e drenagem de secreção purulenta.[42,43]

O quadro pode ser progressivo, resultando em destruição da glândula salivar acometida.

As causas não infecciosas de inflamação das glândulas salivares incluem síndrome de Sjögren, sarcoidose, radioterapia e alérgenos.[21]

O tratamento da sialadenite aguda bacteriana é baseado em antibioticoterapia e estimulação do fluxo salivar, com hidratação e utilização de sialagogos (p. ex., bala sem açúcar de sabor limão) C/D.[21] Além disso, é indicada aplicação de calor no local e dieta líquida por 2 a 3 dias C/D. A administração de penicilinas de amplo espectro associadas a inibidores de betalactamases (como amoxicilina com ácido clavulânico),[41] concomitante à terapia de suporte para dor com analgésicos, tem-se mostrado uma boa alternativa C/D. Em caso de abscesso, está indicada drenagem cirúrgica C/D.[21] Nos casos de suspeita ou identificação de sialólitos, o paciente deve ser encaminhado ao cirurgião-dentista ou ao otorrinolaringologista para que seja realizada a remoção do cálculo.

Já o tratamento para sialadenite viral é de natureza paliativa e inclui administração de analgésicos e antipiréticos. Recomenda-se que o paciente evite alimentos ácidos para minimizar o desconforto na glândula afetada.

O tratamento para sialadenite crônica depende da gravidade da condição.[21] A conduta inicial geralmente é conservadora e inclui estimulação do fluxo salivar com o uso de sialogogos, massagem na glândula afetada, hidratação e prescrição de anti-inflamatórios.[44] A sialadenoscopia é um técnica minimamente invasiva que tem apresentado resultados favoráveis.[43,45] Caso haja dano significativo na glândula ou se os métodos conservadores não forem efetivos para o controle da sialadenite crônica, a remoção cirúrgica da glândula afetada pode ser necessária C/D.[21]

Ulceração aftosa recorrente

Doença inflamatória crônica,[46] a ulceração aftosa recorrente é a alteração mais comum da mucosa oral.[47] Apresenta-se como uma lesão circular ou oval, claramente definida, dolorosa, com centro necrótico, coberta por uma pseudomembrana branco-acinzentada, superfície rasa, bordas elevadas e halo eritematoso,[48] que ocorre sobretudo em áreas não ceratinizadas na mucosa bucal.[49] Possui três classificações clínicas: ulceração aftosa recorrente menor, ulceração aftosa recorrente maior e ulceração aftosa herpetiforme.[50]

A ulceração aftosa recorrente menor representa cerca de 80% dos casos dessa patologia, caracterizando-se por úlceras < 5 mm de diâmetro,[48] ainda que possam ocorrer lesões de até 1 cm.[32] Surge em mucosa não ceratinizada e cessa em 10 a 14 dias, sem deixar cicatrizes.[50]

A ulceração aftosa recorrente maior, conhecida também como afta de Sutton ou síndrome de Sutton, representa 10 a 15% dos casos dessa afecção e apresenta sintomatologia severa.[34] As lesões são maiores do que 1 cm e podem persistir por até 6 semanas. Em geral, deixam cicatriz. Surgem mais comumente em lábios e palato mole, mas podem ocorrer em qualquer região da mucosa bucal.[49]

A forma herpetiforme representa 5 a 10% dos casos. Apresenta-se como múltiplas úlceras (5-100) puntiformes, com cerca de 1 a 3 mm, que podem coalescer formando uma lesão grande e irregular.[48] Podem surgir em qualquer região da mucosa bucal e persistem por 10 a 14 dias. Apesar do nome e de suas características semelhantes às da infecção primária pelo herpesvírus simples, o vírus não foi identificado nessas lesões.[50]

A etiologia da ulceração aftosa recorrente ainda é obscura. É descrita por alguns autores como um processo multifatorial. Entre os possíveis fatores de risco associados, estão:
→ trauma oral (procedimentos odontológicos, escovação excessiva, má-oclusão e mastigação de alimentos duros ou pontiagudos);
→ ansiedade ou estresse;
→ alimentos (leite, café, chocolate, amendoim, morango, queijo e tomate);
→ cessação do tabagismo;
→ alterações hormonais relacionadas com o ciclo menstrual;
→ história familiar.

O diagnóstico da ulceração aftosa recorrente é baseado nas características clínicas. A história médica do paciente é de fundamental importância devido à sua possível associação, ainda que rara, com algumas condições sistêmicas, como as descritas na TABELA 82.1.[46,49-51]

Deve-se considerar a investigação com exames laboratoriais como hemograma, velocidade de hemossedimentação, ferritina, folato e vitamina B_{12} se houver suspeita clínica condizente. Não há necessidade de investigação complementar de rotina.

Os tratamentos atuais para ulceração aftosa recorrente têm o objetivo de reduzir os sintomas, o tamanho e a quantidade das úlceras e/ou aumentar os períodos livres da doença. São determinados pela gravidade, frequência de aparecimento, história médica e tolerância do paciente ao medicamento. Além disso, devem ser eliminados ou tratados fatores predisponentes.[50]

Há uma grande diversidade de opções de tratamento descritas na literatura. Se as úlceras são pequenas, provocam pouca dor e são infrequentes, pode-se optar por deixar a lesão involuir espontaneamente.[51]

TABELA 82.1 → Condições sistêmicas associadas à ulceração aftosa recorrente

→ Síndrome de Behçet
→ Síndrome de Sweet
→ Doença celíaca, doença de Crohn, colite ulcerativa idiopática
→ Distúrbios imunológicos, como HIV e neutropenia cíclica
→ Deficiência de ácido fólico, ferro, zinco e vitaminas B_1, B_2, B_6, B_{12} e vitamina D[86]
→ Síndrome da febre periódica, estomatite aftosa, faringite e adenopatia
→ Enteropatia
→ Anemia perniciosa

HIV, vírus da imunodeficiência humana.

A dexametasona tópica (em creme, aplicada 3 ×/dia, por 5 dias) mostrou-se eficaz em reduzir a dor e promover a cicatrização mais rápida da úlcera (NNT = 4) **A**.[52]

Outras opções de corticoides tópicos são elixir de dexametasona 0,05 mg/mL (bochecho 3 ×/dia), de triancinolona acetonido orabase ou *spray* de dipropionato de beclometasona **B**. Bochechos diários com minociclina a 0,2% (4 ×/dia) parecem aliviar a dor em pacientes com úlceras recorrentes e reduzir a recidiva das lesões.[53] O gel de lidocaína pode reduzir momentaneamente a dor. Evidências escassas sugerem que o aporte de vitamina B_{12} possa ser útil na prevenção de recorrência de lesões **C/D**.[47] Além disso, laserterapia de baixa intensidade parece promover alívio imediato da dor e acelerar a resolução das lesões.[54-56]

Não há evidência de benefício relacionado a tratamentos sistêmicos, provavelmente pela baixa qualidade metodológica dos estudos já realizados **C/D**.[57] Para os casos mais graves, pode-se optar pelo uso de corticoides tópicos mais potentes ou injeções intralesionais desses medicamentos **C/D**.[51]

Fibroma traumático

Também conhecido como fibroma irritativo, é uma lesão benigna considerada comum. É identificado como um dos diagnósticos mais frequentes em estudos retrospectivos que analisam resultados de biópsias de lesões orais. Origina-se de traumas crônicos de baixa intensidade e não demonstra potencial de malignidade.

Clinicamente, apresenta-se como um aumento de volume de base séssil, com até 2 cm de diâmetro, consistência resistente ou fibrosa, com a cor da mucosa – ou levemente mais claro, circundado por mucosa normal. Pode ter sua superfície esbranquiçada, por hiperqueratinização, ou ulcerada, por trauma secundário à lesão. É mais frequente na língua, na mucosa jugal e na mucosa do lábio inferior e costuma ser assintomático.

O tratamento de eleição é a excisão cirúrgica, seguida de biópsia para confirmação do diagnóstico, e a cessação do trauma que o originou. Recidivas são raras.[58,59]

NEOPLASIAS BUCAIS

No Brasil, em 2003, o câncer oral e da orofaringe representou cerca de 2,6% das lesões malignas de acordo com o Instituto Nacional de Câncer (Inca), sendo que mais de 90% das lesões são do tipo carcinoma espinocelular. A sobrevida média, em 5 anos, é de aproximadamente 50%, influenciada pelo diagnóstico tardio na maioria dos casos.

Fatores de risco

Os principais fatores de risco são tabagismo, uso abusivo de álcool, papilomavírus humano (HPV, do inglês *human papillomavirus*) e irritantes locais. A relação entre o tabagismo e o desenvolvimento de lesões neoplásicas bucais está bem estabelecida: indivíduos que consomem tabaco ou produtos derivados do tabaco apresentam risco 5 a 7 vezes maior de desenvolver neoplasias de cabeça e pescoço do que não fumantes.[21] Em relação ao álcool, 50% dos pacientes que possuem diagnóstico de neoplasia oral apresentam histórico de consumo abusivo de álcool. O uso concomitante de álcool e tabaco tem ação carcinogênica sinérgica, aumentando a permeabilidade da mucosa oral a agentes carcinogênicos como as nitrosaminas. Indivíduos que consomem mais de 100 g de álcool por dia apresentam risco 30 vezes maior de desenvolver tumores orais quando comparados aos que consomem 15 g de álcool por dia.[21]

A presença de certos tipos de vírus, particularmente o HPV subtipos 16, 18 e 31, favorece o aparecimento de lesões orais. Entretanto, a associação entre HPV e câncer de cavidade oral ainda não está bem estabelecida. Fatores irritantes locais, como dentaduras mal-adaptadas e bordas dentárias irregulares, bem como agentes irritantes químicos e físicos, também foram associados ao desenvolvimento de lesões malignas intraorais.[21]

Lesões malignas e pré-malignas

Leucoplasia

A leucoplasia é definida como uma lesão branca em placa na mucosa bucal que não pode ser removida por fricção, não pode ser caracterizada clinicamente e não está associada a outra doença de base. A leucoplasia é mais frequente em homens de meia-idade e idosos, apresentando aumento em sua incidência com o avanço da idade. A prevalência em homens e mulheres com idade > 70 anos é 8% e 2%, respectivamente.

Os locais mais atingidos são as mucosas jugal, alveolar e do lábio inferior. As lesões no assoalho bucal, na borda lateral da língua e no lábio inferior apresentam maior risco de desenvolver alterações displásicas ou malignas. No início, as lesões apresentam-se como placas branco-acinzentadas, ligeiramente elevadas, as quais podem estar bem definidas ou gradualmente misturadas com a mucosa normal circundante. Com a progressão da lesão, tornam-se espessas e, em alguns casos, fissuras são visíveis em sua superfície.[21] Quanto mais espessa for a leucoplasia, maior é o risco de displasia. Algumas leucoplasias ocorrem em combinação com placas vermelhas adjacentes ou eritroplasias. A frequência de alterações displásicas ou malignas em leucoplasias orais atinge 16 a 39%.

> A persistência da lesão após descontinuação de irritantes crônicos (p. ex., álcool e tabaco) por um período de 14 dias é indicativa da necessidade de encaminhamento para avaliação por cirurgião-dentista para realização de biópsia.[60]

Eritroplasia

O termo eritroplasia refere-se à placa vermelha que não pode ser caracterizada clinicamente e não está associada à doença de base. Essa definição exclui condições inflamatórias que podem resultar em lesões com aparência clínica vermelha. A eritroplasia oral é mais frequente em homens idosos e pode aparecer como uma mácula vermelha ou em formato de placa com textura aveludada. Entre os locais mais atingidos pela eritroplasia, estão o assoalho bucal, a borda lateral da língua, a região retromolar e o palato mole.

A eritroplasia costuma ser assintomática, mas alguns pacientes podem apresentar uma sensação de queimação no local da lesão. Apesar de as lesões eritroplásicas possuírem menor prevalência quando comparadas às leucoplasias, o grau de alteração displásica e/ou maligna é maior.

O manejo é semelhante ao das leucoplasias. O encaminhamento para avaliação por cirurgião-dentista para realização de biópsia deve ser feito sempre que a lesão persistir após 14 dias de descontinuação de possíveis irritantes.[21]

Carcinoma espinocelular

Nos estágios iniciais, o carcinoma espinocelular pode apresentar-se clinicamente como uma placa branca (leucoplasia), placa vermelha (eritroplasia) ou uma mistura de lesões brancas e vermelhas (eritroleucoplasia). Com o tempo, pode ocorrer ulceração superficial da mucosa, evoluindo para a formação de uma massa exofítica. Lesões de crescimento endofítico, caracterizadas pela depressão na superfície da mucosa, em geral ulcerada e apresentando bordas elevadas, também são descritas.[21]

A presença de sintomatologia dolorosa não pode ser considerada um indicador confiável para determinar se uma lesão é maligna, visto que lesões neoplásicas orais iniciais podem ser totalmente assintomáticas ou causar desconforto menor, ao passo que carcinomas avançados costumam ser dolorosos. Cerca de 40% dos carcinomas espinocelulares orais ocorrem na língua, sendo a borda lateral posterior e a superfície ventral da língua os locais mais frequentes; o assoalho bucal é o segundo local em prevalência de lesões. As metástases originadas de carcinomas espinocelulares orais desenvolvem-se, na maioria dos casos, em linfonodos cervicais ipsilaterais, porém metástases contralaterais ou bilaterais também podem ocorrer. Os linfonodos envolvidos estão frequentemente aumentados de tamanho, sendo firmes e indolores à palpação.[21]

As opções de tratamento estão relacionadas com tamanho e localização do tumor e presença de metástases, assim como tolerância do paciente. O tratamento cirúrgico e/ou a radioterapia permanecem como padrão-ouro para o tratamento do câncer oral.[21] Diante de qualquer lesão suspeita, é mandatório o encaminhamento para avaliação pelo cirurgião-dentista ou cirurgião de cabeça e pescoço.

XEROSTOMIA

Xerostomia é uma queixa subjetiva de boca seca que pode resultar de diminuição da produção de saliva. A saliva é uma secreção glandular que fica em constante contato com os tecidos bucais com a função de lubrificar a mucosa, além de proteger os tecidos bucais de irritantes térmicos, químicos e mecânicos. A prevalência da xerostomia na população é de 17 a 29%, afetando, na maioria dos casos, idosos e mulheres.[61] A xerostomia e a hipofunção glandular aumentam a suscetibilidade para candidíase oral e outras infecções fúngicas, como estomatite protética e queilite angular, além de cárie dentária.[62]

Além do efeito da idade, medicamentos (TABELA 82.2), radioterapia e algumas doenças, como síndrome de Sjögren (xerostomia, xeroftalmia e artrite), podem influenciar na produção da saliva.[62]

O tratamento da xerostomia deve envolver uma equipe multidisciplinar, pois geralmente inclui polifarmácia e doenças sistêmicas. Recomenda-se dieta com pouco açúcar, aumento de ingestão hídrica e gomas de mascar para estimular a secreção salivar. Deve-se suspender o consumo de álcool e cafeína, bem como o uso de enxaguatórios bucais com álcool na fórmula. Quando a causa for medicamentosa, a retirada do medicamento responsável pela queixa deve ser avaliada. Saliva artificial e hidratantes de mucosa são indicados para a mucosa ressecada. Os substitutos sintéticos da saliva podem ser feitos à base de carboximetilcelulose, mucina ou polímero glicerado. São comercializados na forma de *spray* e aplicados quando houver ressecamento da mucosa.[62]

Uma consulta com cirurgião-dentista é recomendada para o diagnóstico de problemas comuns associados à xerostomia, como as cáries, além da avaliação para prescrição de suplementação de flúor.[62]

ARDÊNCIA BUCAL

Ardência bucal ou síndrome da ardência bucal é caracterizada por uma sensação de queimação que afeta a mucosa bucal, sem nenhuma causa clínica ou laboratorial que justifique esses sintomas. Os pacientes descrevem sensação de queimação, formigamento ou dormência de alguma região da cavidade oral, referindo também sensação como se estivessem queimados por chá quente ou café.[63]

A prevalência da síndrome de ardência bucal varia entre 0,7 e 4,5% na população, afetando,[64] principalmente, mulheres após a menopausa.[63] A etiologia da ardência bucal não está definida, podendo envolver fatores psicológicos e biológicos.

O diagnóstico da síndrome baseia-se nos sintomas relatados, na ausência de lesões visíveis na mucosa bucal e na exclusão de doenças sistêmicas, como síndrome de Sjögren, diabetes melito, candidíase, deficiências de ferro, folato, zinco ou vitaminas do grupo B, que também podem produzir ardência bucal. A síndrome não possui lesão clínica evidente. Deve-se realizar exame intrabucal e extrabucal e descartar lesões eritematosas, erosivas, traumáticas, doenças autoimunes (líquen plano), alergias e língua despapilada.[64]

A terapia cognitivo-comportamental mostrou-se eficiente no tratamento de pacientes, resultando na redução da dor após 6 meses de acompanhamento.[65]

TABELA 82.2 → Medicamentos que podem influenciar na produção de saliva

- Anticolinérgicos
- Antidepressivos e antipsicóticos
- Diuréticos
- Anti-hipertensivos
- Sedativos e ansiolíticos
- Relaxantes musculares
- Anti-histamínicos

Os tratamentos sistêmicos são reservados para casos com sintomatologia mais intensa ou sem resposta aos demais tratamentos. O clínico deve estar ciente de que não há tratamento específico, pois não há causa evidente. As seguintes terapias podem ser benéficas C/D:[66]

- capsaicina tópica ou sistêmica (0,025% ou 0,075%, aplicando uma fina camada 3-4 ×/dia, ou 0,25%, por via oral [VO], 3 ×/dia). Dispepsia foi notada em um terço dos tratados;
- enxaguatório de benzidamina (bochechar 15 mL, 2-3 ×/dia);
- clonazepam tópico (comprimidos de 0,5 mg, aplicados no local 2-6 ×/dia);
- ácido alfalipoico (ALA) sistêmico (400-800 mg/dia, VO, 1 ×/dia).

Deve-se ressaltar que o clonazepam tem absorção sistêmica, podendo ocasionar efeitos colaterais característicos dos benzodiazepínicos, como sonolência. O tratamento com antidepressivos também se mostrou superior ao placebo na melhora dos sintomas da síndrome de ardência bucal. Entre as alternativas, estão amissulprida 50 mg/dia, paroxetina 20 mg/dia e sertralina 50 mg/dia. A avaliação do efeito do tratamento deve considerar um período de latência até a melhora dos sintomas de 1 a 3 semanas C/D.[67,68]

DISFUNÇÕES TEMPOROMANDIBULARES

Disfunção temporomandibular é uma expressão coletiva que engloba problemas envolvendo os músculos mastigatórios, a articulação temporomandibular e estruturas associadas. É a principal causa de dor orofacial de origem não dentária.[69] A etiologia da disfunção é controversa e multifatorial, podendo estar associados:[49]

- traumatismos;
- fatores anatômicos (ausências dentárias e uso de próteses);
- fatores fisiopatológicos (hábitos parafuncionais, como bruxismo e onicofagia);
- fatores psicossociais (estresse, nervosismo e ansiedade).

A maioria dos pacientes com disfunção temporomandibular apresenta-se com dor maxilar, que pode estar associada à movimentação da articulação, à otalgia e à cefaleia. Menos frequentes são cervicalgia e sintomas otológicos, como zumbido, tontura,[69] plenitude auricular e hipoacusia.[69]

O manejo dessa condição envolve encaminhamento para avaliação de cirurgião-dentista, idealmente em até 48 horas, em casos agudos. Em geral, essa condição é transitória e tem seu curso autolimitado. Por essa razão, opta-se por um tratamento conservador. O tratamento medicamentoso pode ser iniciado precocemente visando ao alívio da dor. A seguir, deve-se investigar e tratar a causa de base.[69]

Medidas não farmacológicas

No início, o paciente deve ser aconselhado quanto a hábitos parafuncionais, como roer as unhas (onicofagia), colocar objetos entre os dentes, mascar chicletes, hábitos posturais e necessidade de prática de alongamento B.[70] A fisioterapia adjuvante para alívio da dor musculoesquelética pode ser útil C/D.⁷¹ A acupuntura B e a terapia cognitivo-comportamental (TE = –0,34) A em atenção secundária mostraram-se efetivas em reduzir a dor em distúrbios temporomandibulares.⁷² O uso de dispositivos interoclusais de cobertura parcial ou total podem trazer benefício C/D.⁷⁰ Esses dispositivos são confeccionados por cirurgião-dentista.

Tratamento medicamentoso

O tratamento medicamentoso deve ser proporcional à intensidade e à persistência da dor:⁷³

- → analgésicos não opioides (paracetamol 750 mg, 4/4 horas) e anti-inflamatórios não esteroides (ibuprofeno 600 mg, 8/8 horas): para dor orofacial aguda, musculoesquelética, de leve a moderada;
- → relaxantes musculares (p. ex., cloridrato de ciclobenzaprina 5 mg, 12/12 horas): para redução da hiperatividade muscular e alívio da dor durante a mastigação;
- → analgésicos opioides (associações contendo 7,5 mg de codeína e 500 mg de paracetamol, 4/4 horas): para condições agudas, quando a dor musculoesquelética estiver mais intensa;
- → benzodiazepínicos: para sintomas miofasciais agudos relacionados com ansiedade e bruxismo. Seu uso deve ser restrito, já que a qualidade das evidências de benefício é fraca e existe o risco de dependência;
- → antidepressivos tricíclicos: para casos de dor crônica, sobretudo quando associados a bruxismo noturno. A dose inicial recomendada é menor (p. ex., 10 mg à noite inicialmente, com aumentos graduais até um máximo de 75 mg à noite) do que a preconizada rotineiramente para depressão.

LESÕES RELACIONADAS A INFECÇÕES

Frequentemente algumas doenças sistêmicas podem causar lesões bucais em algum estágio do seu desenvolvimento. As patologias aqui descritas são parte de uma infecção e não um sinal patognomônico da doença.

Sífilis

A sífilis entra no rol de infecções sexualmente transmissíveis (ISTs), e é causada por um espiroqueta, o *Treponema pallidum*. Tanto a forma adquirida quanto a forma congênita da doença possuem repercussões na cavidade bucal, e, embora seja uma doença de fácil tratamento, ainda existem casos mais graves em pacientes imunocomprometidos. (Ver Capítulo Infecções Sexualmente Transmissíveis: Abordagem Sindrômica.)

A sífilis adquirida pode estar no estágio inicial ou no estágio tardio da doença. No estágio inicial, além dos sintomas clássicos sistêmicos, como febre, linfadenopatia e lesões mucocutâneas, se a contaminação tiver ocorrido por via sexual, o local de entrada do espiroqueta pode apresentar uma lesão ulcerada, com bordas endurecidas, conhecida como cancro. O paciente pode não apresentar essa primeira fase da doença ou pode haver remissão espontânea. Na segunda fase da doença, ainda em um estágio inicial, não ocorre úlcera, mas sim placas na mucosa com exsudato mucoso, pápulas na comissura labial e fissuras profundas na borda lateral da língua.

Na fase tardia da doença, ou último estágio da sífilis, quando houver acometimento do sistema nervoso central e do sistema circulatório, o comprometimento bucal torna-se mais grave. As lesões são úlceras necróticas, conhecidas como gomas, e geralmente afetam o palato, podendo causar perfuração.

A forma congênita da sífilis é amplamente conhecida e suas características são principalmente a tríade de Hutchinson:

1. inflamação da córnea;
2. surdez pelo envolvimento do oitavo par craniano;
3. anormalidades dentárias, incluindo dentes incisivos com entalhe central em formato de chave de fenda e molares em amora.

No caso de anormalidades dentárias, o tratamento deve ser feito na fase da dentição permanente, com restaurações estéticas.

Herpes

Gengivoestomatite herpética primária

É causada pelo herpesvírus simples tipo I (HSV I, do inglês *herpes simplex virus*), ou ocasionalmente tipo II (HSV II). Em geral, a infecção primária não resulta em doença clínica.

Quando há manifestação, normalmente ocorre em crianças com idade < 5 anos, porém pode ser encontrado em adultos que não tiveram contato com o vírus anteriormente. Nesses casos, ocorre febre, artralgia, mal-estar, anorexia, cefaleia e linfadenopatia cervical. Clinicamente ocorre o aparecimento de vesículas na pele, no lábio e na mucosa oral que, ao romperem, causam úlceras. As manifestações intraorais podem ocorrer em qualquer parte da mucosa.

O tratamento é sintomático, e o aciclovir pode ser utilizado para reduzir o curso da doença.

Infecção secundária do herpes (herpes labial)

É causada pela reativação do vírus latente, geralmente precipitada por baixas temperaturas, radiação ultravioleta, estresse e imunodeficiência. Nesses casos, há sintomas prodrômicos como prurido, dor ou ardência na região afetada. Inicialmente aparecem como múltiplas vesículas que, ao romperem, formam úlceras. O local mais afetado é o lábio inferior. Intraoralmente, pode ocorrer na gengiva e no palato. Ocorre remissão das lesões em até 14 dias, sem cicatrizes.

O tratamento é sintomático, e o aciclovir pode diminuir o curso da doença. (Ver Capítulo Infecções pelo Herpesvírus e pelo Vírus Varicela-Zóster.)

Doença mão-pé-boca

A doença mão-pé-boca (DMPB) é uma doença viral causada por enterovírus humanos, principalmente os tipos enterovírus 71 (EV71) e coxsackievírus A16. Acomete sobretudo crianças com idade < 5 anos, mas pode ocorrer em crianças mais velhas, adolescentes e adultos. É caracterizada clinicamente por febre, dor de garganta e dor na boca, inapetência e pelo aparecimento de lesões vesiculares na mucosa bucal e na língua – que posteriormente se rompem e formam úlceras com halo eritematoso –, além de lesões papulovesiculares ou maculopapulares na palma das mãos e na planta dos pés. De aparecimento menos comum, são também descritas lesões nos joelhos, nos cotovelos e nos glúteos. Palato, língua e mucosa jugal são as localizações intraorais mais comuns, mas as lesões podem ocorrer em quaisquer partes da boca. É comum que a dor na boca seja o primeiro sintoma identificado.[21,74]

Em geral, a DMPB é um quadro clínico benigno e autolimitado, com duração de cerca de 1 semana; entretanto, há exceções que desenvolvem manifestações sistêmicas graves e complicações neurológicas, que podem evoluir para óbito – esses casos são associados à infecção pelo EV71.[74] Sua transmissão ocorre por gotículas respiratórias, pelo conteúdo líquido das lesões, pelas fezes dos indivíduos doentes (via orofecal) ou por contato com água, alimentos ou superfícies contaminadas. Estima-se que o período de incubação seja de 3 a 5 dias;[75] com isso, o indivíduo acometido pode transmitir a doença antes mesmo do aparecimento dos sintomas. A transmissão pelas fezes permanece por 4 a 8 semanas após o quadro sintomático.[76]

O diagnóstico costuma ser clínico e não há tratamento antiviral específico: recomenda-se a prescrição de tratamento de suporte para dor e febre e orientação para hidratação do paciente. Devem ser estimuladas medidas de higiene para conter a transmissão – lavagem das mãos, especialmente após a troca de fraldas, e desinfecção de utensílios usados pelos indivíduos doentes –, e encoraja-se a comunicação coordenada da equipe de saúde para a identificação de surtos. A hospitalização é indicada se houver desidratação ou desenvolvimento de complicações neurológicas ou cardiopulmonares.

Condiloma acuminado oral

O condiloma acuminado é uma IST bastante comum, causada pelo HPV, mais comumente os subtipos 6 e 11. É caracterizado por verrugas anogenitais e pode acometer a mucosa oral – condiloma acuminado oral –; todavia, o envolvimento oral é raro.

As lesões orais são resultantes de transmissão por sexo oral ou por autoinoculação. Atinge sobretudo adultos, principalmente entre a terceira e quarta décadas de vida, e sua presença em crianças pode estar relacionada a episódios de abuso sexual. Na cavidade oral, é caracterizado por lesões exofíticas, geralmente sésseis, com variado grau de queratinização, que conferem, à sua superfície, cores que variam do rosa ao branco; ademais, sua superfície é geralmente lobulada, apresentando um "aspecto de couve-flor" ou moruloide (superfície moruloide). Pode apresentar-se como única ou múltiplas lesões, que acabam coalescendo e formando uma de maior dimensão. A lesão se desenvolve no sítio do contato orogenital, sendo língua, palato mole e mucosa do lábio as localizações intraorais mais frequentes.

A biópsia excisional é indicada para confirmação do diagnóstico, e esse procedimento já é o tratamento definitivo. São raras as recidivas das lesões orais.

PROBLEMAS FREQUENTES ASSOCIADOS A PRÓTESES DENTÁRIAS

Próteses são recursos em perdas parciais ou totais de dentes. As próteses servem para restabelecer a fisionomia e preservar estruturas ósseas do paciente. As próteses são classificadas em dois grupos:
→ **próteses totais:** são projetadas para substituição de todos os dentes de uma ou ambas as arcadas, e na maioria das vezes são feitas de resina acrílica;
→ **próteses parciais:** são projetadas para substituição de alguns dentes e podem ser feitas de resina acrílica ou metal.

Usuários de próteses são mais suscetíveis a alterações na ecologia bucal, causadas por acúmulo de biofilme na superfície das próteses.[77]

Estomatite protética

A estomatite protética pode causar inflamação nos tecidos da mucosa bucal, principalmente sob a prótese. Alguns estudos apresentaram associação de algumas cepas de *Candida* com estomatite protética.[78]

O aspecto clínico é de mucosa com hiperemia pontilhada ou difusa ou, menos comumente, de hiperplasia papilar inflamatória.[78] É fundamental para a qualidade de vida dos pacientes erradicar a doença mediante tratamento dos tecidos bucais e das próteses.

Medidas não farmacológicas

O paciente deve ser orientado a fazer remoção diária do biofilme bucal e das próteses, que podem ser imersas em água à temperatura ambiente, sem adição de alvejantes. Recomenda-se não utilizar as próteses por 24 horas contínuas, na tentativa de minimizar a estomatite protética.

A consulta com um cirurgião-dentista para avaliação das próteses e da saúde bucal dos pacientes deve ser feita anualmente.[77]

Tratamento medicamentoso

A candidíase oral é uma infecção fúngica (ver QR code) que pode ser tratada com medicamento tópico na maioria das vezes. Alguns casos exigem tratamento sistêmico (ver Capítulo Micoses Superficiais).[78]

Queilite angular

Também conhecida como estomatite angular, trata-se de uma inflamação que ocorre na região das comissuras da boca. Na maioria das vezes, é bilateral. A causa mais comum é a perda da dimensão vertical (altura entre as arcadas mantida pelos dentes) prejudicada pelas próteses, que causa retenção de saliva nas comissuras e, com isso, provoca proliferação de microrganismos, baixa tonicidade muscular ou até mesmo trauma mecânico. Causas sistêmicas de queilite angular que também devem ser consideradas são:[78]

→ anemia;
→ deficiência de ferro;
→ hipovitaminose B;
→ síndromes de má-absorção alimentar;
→ imunodepressão.

Medidas não farmacológicas

A revisão da qualidade das próteses e do seu ajuste ao paciente é a primeira medida a ser tomada. Deve-se avaliar a presença de curvatura acentuada da boca e, com isso, acúmulo de saliva nas comissuras. A avaliação por cirurgião-dentista pode ser necessária.[78]

Tratamento farmacológico

Indicam-se pomadas ou cremes antifúngicos tópicos, aplicados em fina camada sobre as lesões (2-3 ×/dia). O miconazol é o agente mais utilizado C/D.[79]

HALITOSE

Halitose é um termo que generaliza qualquer odor desagradável emanado da cavidade oral.[80] Essa condição ocorre devido à presença de gases que são expelidos pela cavidade oral, geralmente produzidos por bactérias presentes na saliva, no fluido crevicular, na superfície da língua e em outras partes da cavidade oral. Bactérias gram-negativas são associadas ao mau hálito, que, sob condições anaeróbicas, causam putrefação, o que costuma causar mau odor.[81]

As causas da halitose são, em sua grande maioria, originárias da cavidade oral (85%), devido ao acúmulo de restos alimentares e à presença de placa bacteriana sobre os dentes e a língua, resultantes de uma higiene bucal precária, cáries, gengivite ou periodontite. Tabagismo, xerostomia e uso de próteses, associados à higiene precária, também podem contribuir para a halitose.

O mau hálito com causas sistêmicas é menos frequente e pode envolver infecções no trato respiratório superior, como sinusite crônica ou tonsilite, presença de corpo estranho na cavidade nasal ou criptas tonsilares profundas. Outros problemas que podem afetar o hálito são cetoacidose diabética e insuficiência hepática grave. O sistema digestório raramente origina halitose, não existindo evidência de sua associação com gastrite, doença do refluxo gastresofágico ou hérnia hiatal.[80]

A halitose transitória pode ocorrer fisiologicamente durante o dia, como ao acordar, quando é denominada "halitose matinal". Pode também ser desencadeada por alimentos ingeridos, como cebola, alho e alguns temperos.[81] Algumas substâncias também causam halitose transitória, como álcool, cigarro e anfetaminas.[82]

A melhor maneira de orientar os pacientes que relatam mau hálito é motivá-los a uma boa higiene bucal, utilizando

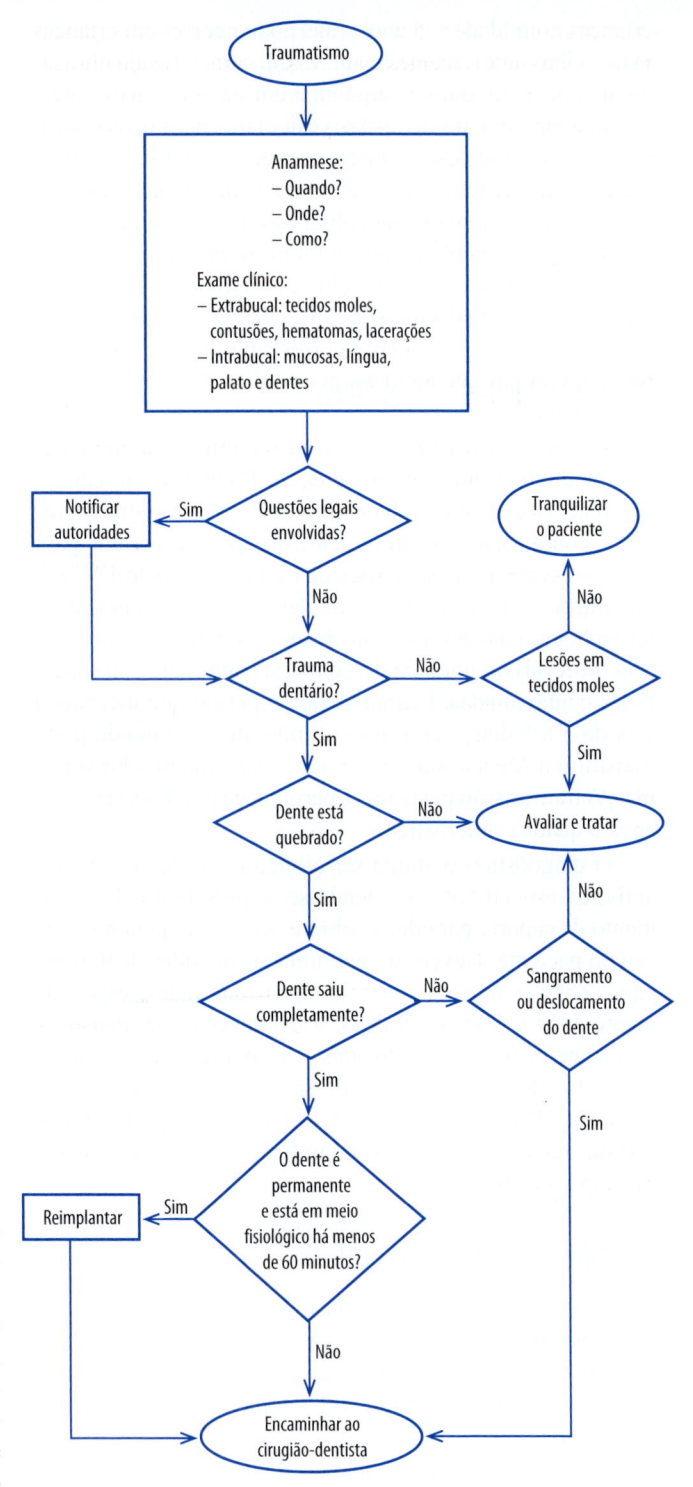

FIGURA 82.4 → Fluxograma do cuidado de traumatismo dentário.

fio dental e higienizando suavemente com um limpador de língua o dorso da língua como parte de sua rotina. A higienização do dorso da língua pode ser mais eficaz na resolução da halitose do que somente a escovação dentária C/D.[83] Ingerir água e consumir gomas de mascar pode auxiliar na redução do mau hálito durante o dia, embora as gomas devam ser mascadas por poucos minutos, para não causar problemas na articulação temporomandibular. Cessar o tabagismo e evitar alimentos e medicamentos que possam estar associados ao surgimento da halitose também fazem parte do tratamento.[82]

A avaliação por cirurgião-dentista é importante a fim de identificar e tratar possíveis doenças da cavidade oral relacionadas com o sintoma. Descartadas causas bucais ou na suspeita de causa sistêmica, deve ser feita investigação de acordo com a suspeita clínica e o tratamento direcionado para a causa-base. Caso não seja confirmado nenhum dos fatores relatados, deve-se suspeitar de halitose psicológica.

TRAUMATISMO DENTÁRIO

Os dentes são peças do aparelho mastigatório, com as funções de mastigação, proteção e sustentação de tecidos moles, e contribuem para a estética facial e a articulação das palavras.[84] Os humanos possuem duas dentições: a decídua (de leite) e a dentição permanente, iniciando a troca por volta dos 6 anos de idade.

O traumatismo dentário é um problema comum. As causas dos traumatismos bucais são múltiplas, e é importante o incentivo a medidas de prevenção de acidentes ou redução de danos, como a prevenção de acidentes automobilísticos, o uso do cinto de segurança e de equipamentos de proteção para práticas esportivas.[85]

Os traumatismos dentários são urgências que exigem atendimento rápido e minucioso por parte do profissional (FIGURA 82.4). Ainda que o atendimento inicial seja feito corretamente, na maioria dos casos é necessário acompanhamento profissional por um longo período. Falhas no serviço prestado a esse tipo de urgência podem gerar sequelas que comprometem o elemento dentário.[62]

O tratamento da avulsão tem seu melhor prognóstico se feito de forma apropriada nos primeiros 30 minutos.[85] É possível fazer o reimplante imediato do dente avulsionado, no caso de dente permanente, se o dente estiver em meio fisiológico (soro, leite, saliva) em até 60 minutos após o trauma. Dentes decíduos não são reimplantados. O reimplante mediato pode ser feito caso o trauma tenha ocorrido há mais de 60 minutos ou esteja em meio seco, porém com pior resultado.[85] Caso o profissional não se sinta apto, o paciente deve ser encaminhado a um cirurgião-dentista o mais rápido possível.

REFERÊNCIAS

1. Martins NA. Ciências Biológicas: Anatomia e fisiologia da boca [Internet]. Ciências Biológicas. Porto Alegre: Blog Ciências Biológicas; 2017 [capturado em 8 set 2020]. Disponível em: http://soranadia.blogspot.com/search?q=anatomia+boca
2. Lindhe J, Lang NP. Tratado de periodontia clínica e implantologia oral. 6. ed. Rio de Janeiro: Guanabara Koogan; 2018.
3. Munhoz W. Orofacial #3 – Estética e saúde de boca e face [Internet]. 2013 [capturado em 8 set 2020]. Disponível em: https://orofacial.com.br/orofacial_3/.
4. Munhoz W. Orofacial #57 – Técnicas de higiene bucal – parte 1: a escovação dos dentes [Internet]. 2014 [capturado em 7 set 2020]. Disponível em: https://orofacial.com.br/orofacial_57/.
5. Pitchika V, Pink C, Völzke H, Welk A, Kocher T, Holtfreter B. Long-term impact of powered toothbrush on oral health: 11-year cohort study. J Clin Periodontol. 2019;46(7):713–22.
6. Yaacob M, Worthington HV, Deacon SA, Deery C, Walmsley AD, Robinson PG, et al. Powered versus manual toothbrushing for oral health. Cochrane Database Syst Rev. 2014;(6):CD002281.
7. Fejerskov O, Nyvad B, Kidd E. Cárie dentária: fisiopatologia e tratamento. 3. ed. Santos: Santos; 2017.
8. Giacaman RA, Muñoz-Sandoval C, Neuhaus KW, Fontana M, Chałas R. Evidence-based strategies for the minimally invasive treatment of carious lesions: review of the literature. Adv Clin Exp Med Off Organ Wroclaw Med Univ. 2018;27(7):1009–16.
9. Weyant RJ, Tracy SL, Anselmo TT, Beltrán-Aguilar ED, Donly KJ, Frese WA, et al. Topical fluoride for caries prevention: executive summary of the updated clinical recommendations and supporting systematic review. J Am Dent Assoc. 2013;144(11):1279–91.
10. Riggs E, Kilpatrick N, Slack-Smith L, Chadwick B, Yelland J, Muthu MS, et al. Interventions with pregnant women, new mothers and other primary caregivers for preventing early childhood caries. Cochrane Database Syst Rev. 2019;(11):CD012155.
11. Takahashi R, Ota E, Hoshi K, Naito T, Toyoshima Y, Yuasa H, et al. Fluoride supplementation (with tablets, drops, lozenges or chewing gum) in pregnant women for preventing dental caries in the primary teeth of their children. Cochrane Database Syst Rev. 2017;10(10):CD011850.
12. Tubert-Jeannin S, Auclair C, Amsallem E, Tramini P, Gerbaud L, Ruffieux C, et al. Fluoride supplements (tablets, drops, lozenges or chewing gums) for preventing dental caries in children. Cochrane Database Syst Rev. 2011;(12):CD007592.
13. Brasil. Ministério da Saúde. Guia de recomendações para o uso de fluoretos no Brasil [Internet]. Brasília: MS; 2009 [capturado em 17 jan 2020]. Disponível em: http://189.28.128.100/dab/docs/portaldab/publicacoes/guia_fluoretos.pdf.
14. Agnihotry A, Thompson W, Fedorowicz Z, van Zuuren EJ, Sprakel J. Antibiotic use for irreversible pulpitis. Cochrane Database Syst Rev. 2019;5(5):CD004969.
15. Tampi MP, Pilcher L, Urquhart O, Kennedy E, O'Brien KK, Lockhart PB, et al. Antibiotics for the urgent management of symptomatic irreversible pulpitis, symptomatic apical periodontitis, and localized acute apical abscess: Systematic review and meta-analysis-a report of the American Dental Association. J Am Dent Assoc. 2019;150(12):e179–216.
16. Gomes-Filho IS, Passos JS, Seixas da Cruz S. Respiratory disease and the role of oral bacteria. J Oral Microbiol. 2010;2.
17. Mustapha IZ, Debrey S, Oladubu M, Ugarte R. Markers of systemic bacterial exposure in periodontal disease and cardiovascular disease risk: a systematic review and meta-analysis. J Periodontol. 2007;78(12):2289–302.
18. Sfyroeras GS, Roussas N, Saleptsis VG, Argyriou C, Giannoukas AD. Association between periodontal disease and stroke. J Vasc Surg. 2012;55(4):1178–84.
19. Taylor GW. Bidirectional interrelationships between diabetes and periodontal diseases: an epidemiologic perspective. Ann Periodontol. 2001;6(1):99–112.
20. Cordeiro MCB. Doença periodontal necrosante: gengivite ulcerativa necrosante: relato de caso. RSBO. 2004;1(1):30–5.
21. Neville B, Damm DD, Allen CM, Chi AC. Patologia oral e maxilofacial. 4. ed. Rio de Janeiro: Guanabara Koogan; 2016.
22. Reamy BV, Derby R, Bunt CW. Common tongue conditions in primary care. Am Fam Physician. 2010;81(5):627–34.
23. Feng J, Zhou Z, Shen X, Wang Y, Shi L, Wang Y, et al. Prevalence and distribution of oral mucosal lesions: a cross-sectional study in Shanghai, China. J Oral Pathol Med Off Publ Int Assoc Oral Pathol Am Acad Oral Pathol. 2015;44(7):490–4.
24. Pinna R, Cocco F, Campus G, Conti G, Milia E, Sardella A, et al. Genetic and developmental disorders of the oral mucosa: Epidemiology;

25. Feil ND, Filippi A. Frequency of fissured tongue (lingua plicata) as a function of age. Swiss Dent J. 2016;126(10):886–97.
26. Darwazeh A-M-G, Almelaih A-A. Tongue lesions in a Jordanian population. Prevalence, symptoms, subject's knowledge and treatment provided. Med Oral Patol Oral Cirugia Bucal. 2011;16(6):e745-9.
27. Cruz MCFN da, Braga VAS, Garcia JGF, Lopes FF, Maia E de CS. Condições bucais relacionadas com o estresse: uma revisão dos achados atuais. Rev Fac Odontol Porto Alegre. 2008;49(1):8–11.
28. González-Álvarez L, García-Martín JM, García-Pola MJ. Association between geographic tongue and psoriasis: a systematic review and meta-analyses. J Oral Pathol Med Off Publ Int Assoc Oral Pathol Am Acad Oral Pathol. 2019;48(5):365–72.
29. González-Álvarez L, García-Pola MJ, Garcia-Martin JM. Geographic tongue: predisposing factors, diagnosis and treatment. A systematic review. Rev Clin Esp. 2018;218(9):481–8.
30. de Campos WG, Esteves CV, Fernandes LG, Domaneschi C, Júnior CAL. Treatment of symptomatic benign migratory glossitis: a systematic review. Clin Oral Investig. 2018;22(7):2487–93.
31. Schlager E, St Claire C, Ashack K, Khachemoune A. Black hairy tongue: predisposing factors, diagnosis, and treatment. Am J Clin Dermatol. 2017;18(4):563–9.
32. Kobayashi K, Takei Y, Sawada M, Ishizaki S, Ito H, Tanaka M. Dermoscopic features of a black hairy tongue in 2 Japanese patients. Dermatol Res Pract. 2010;2010:145878.
33. Gonsalves WC, Chi AC, Neville BW. Common oral lesions: Part I. Superficial mucosal lesions. Am Fam Physician. 2007;75(4):501–7.
34. Re Cecconi D, Achilli A, Tarozzi M, Lodi G, Demarosi F, Sardella A, et al. Mucoceles of the oral cavity: a large case series (1994-2008) and a literature review. Med Oral Patol Oral Cirugia Bucal. 2010;15(4):e551-6.
35. Prosdócimo M-L, Agostini M, Romañach M-J, de Andrade B -a.-B. A retrospective analysis of oral and maxillofacial pathology in a pediatric population from Rio de Janeiro-Brazil over a 75-year period. Med Oral Patol Oral Cir Bucal. 2018;23(5):e511–7.
36. Ataíde AP, Fonseca FP, Santos Silva AR, Jorge Júnior J, Lopes MA, Vargas PA. Distribution of oral and maxillofacial lesions in pediatric patients from a Brazilian southeastern population. Int J Pediatr Otorhinolaryngol. 2016;90:241–4.
37. Pessôa CP, Alves TDB, dos Santos NCN, dos Santos HLR, Azevedo A de CS, dos Santos JN, et al. Epidemiological survey of oral lesions in children and adolescents in a Brazilian population. Int J Pediatr Otorhinolaryngol. 2015;79(11):1865–71.
38. Lee E, Cho SH, Park CJ. Clinical and immunohistochemical characteristics of mucoceles. Ann Dermatol. 2009;21(4):345–51.
39. Hayashida AM, Zerbinatti DC, Balducci I, Cabral LAG, Almeida JD. Mucus extravasation and retention phenomena: a 24-year study. BMC Oral Health. 2010;10:15.
40. Yagüe-García J, España-Tost A-J, Berini-Aytés L, Gay-Escoda C. Treatment of oral mucocele-scalpel versus CO2 laser. Med Oral Patol Oral Cir Bucal. 2009;14(9):e469-74.
41. Wilson KF, Meier JD, Ward PD. Salivary gland disorders. Am Fam Physician. 2014;89(11):882–8.
42. López Alvarenga R, Martins PCA, Seabra RC, Carneiro MA, Souza LN. Sialoadenite supurativa aguda em glândula submandibular. Rev Cir Traumatol Buco-Maxilo-fac. 2009;9(3):29–34.
43. Strychowsky JE, Sommer DD, Gupta MK, Cohen N, Nahlieli O. Sialendoscopy for the management of obstructive salivary gland disease: a systematic review and meta-analysis. Arch Otolaryngol Head Neck Surg. 2012;138(6):541–7.
44. Mandel L, Witek EL. Chronic parotitis: diagnosis and treatment. J Am Dent Assoc. 2001;132(12):1707–11; quiz 1727.
45. Jokela J, Haapaniemi A, Mäkitie A, Saarinen R. Sialendoscopy in treatment of adult chronic recurrent parotitis without sialolithiasis. Eur Arch Otorhinolaryngol. 2018;275(3):775–81.
46. Alves PM, Ramalho LS, Oliveira RS, Cavalcanti AL, Queiroz LMG. Fatores de risco da ulceração aftosa recorrente – uma revisão dos achados atuais. R Ci méd biol. 2008;7(1):76–84.
47. Volkov I, Rudoy I, Freud T, Sardal G, Naimer S, Peleg R, et al. Effectiveness of vitamin B12 in treating recurrent aphthous stomatitis: a randomized, double-blind, placebo-controlled trial. J Am Board Fam Med. 2009;22(1):9–16.
48. Curvelo JA da R, Ferreira D de C, Carvalho FCR de, Janini MER. Úlceras Aftosas Recorrentes e sua possível associação ao estresse. R Ci méd biol. 2008;7(1):67–75.
49. Porter SR, Scully C, Pedersen A. Recurrent aphthous stomatitis. Crit Rev Oral Biol Med Off Publ Am Assoc Oral Biol. 1998;9(3):306–21.
50. Scully C, Gorsky M, Lozada-Nur F. The diagnosis and management of recurrent aphthous stomatitis: a consensus approach. J Am Dent Assoc. 2003;134(2):200–7.
51. Fraiha PM, Bittencourt PG, Celestino LR. Recurrent aphthous stomatitis: Bibliographic review. R Braz J Otorhinolaryngol. 2002;68(4):571–8.
52. Liu C, Zhou Z, Liu G, Wang Q, Chen J, Wang L, et al. Efficacy and safety of dexamethasone ointment on recurrent aphthous ulceration. Am J Med. 2012;125(3):292–301.
53. Edgar NR, Saleh D, Miller RA. Recurrent aphthous stomatitis: a review. J Clin Aesthetic Dermatol. 2017;10(3):26–36.
54. Najeeb S, Khurshid Z, Zohaib S, Najeeb B, Qasim SB, Zafar MS. Management of recurrent aphthous ulcers using low-level lasers: A systematic review. Med Kaunas Lith. 2016;52(5):263–8.
55. Vale FA, Moreira MS, de Almeida FCS, Ramalho KM. Low-level laser therapy in the treatment of recurrent aphthous ulcers: a systematic review. ScientificWorldJournal. 2015;2015:150412.
56. Suter VGA, Sjölund S, Bornstein MM. Effect of laser on pain relief and wound healing of recurrent aphthous stomatitis: a systematic review. Lasers Med Sci. 2017;32(4):953–63.
57. Brocklehurst P, Tickle M, Glenny A-M, Lewis MA, Pemberton MN, Taylor J, et al. Systemic interventions for recurrent aphthous stomatitis (mouth ulcers). Cochrane Database Syst Rev. 2012;(9):CD005411.
58. Esmeili T, Lozada-Nur F, Epstein J. Common benign oral soft tissue masses. Dent Clin North Am. 2005;49(1):223–40, x.
59. Valério RA, de Queiroz AM, Romualdo PC, Brentegani LG, de Paula-Silva FWG. Mucocele and fibroma: treatment and clinical features for differential diagnosis. Braz Dent J. 2013;24(5):537–41.
60. Durazzo MD, de Araujo CEN, Brandão Neto J de S, Potenza A de S, Costa P, Takeda F, et al. Clinical and epidemiological features of oral cancer in a medical school teaching hospital from 1994 to 2002: increasing incidence in women, predominance of advanced local disease, and low incidence of neck metastases. Clinics. 2005;60(4):293–8.
61. Wiener RC, Wu B, Crout R, Wiener M, Plassman B, Kao E, et al. Hyposalivation and xerostomia in dentate older adults. J Am Dent Assoc. 2010;141(3):279–84.
62. Navazesh M, ADA Council on Scientific Affairs and Division of Science. How can oral health care providers determine if patients have dry mouth? J Am Dent Assoc. 2003;134(5):613–20; quiz 633.
63. Femiano F, Lanza A, Buonaiuto C, Gombos F, Cirillo N. Burning mouth disorder (BMD) and taste: a hypothesis. Med Oral Patol Oral Cir Bucal. 2008;13(8):e470-4.
64. López-Jornet P, Camacho-Alonso F, Andujar-Mateos P, Sánchez-Siles M, Gómez-Garcia F. Burning mouth syndrome: an update. Med Oral Patol Oral Cir Bucal. 2010;15(4):e562-8.
65. Mínguez Serra MP, Salort Llorca C, Silvestre Donat FJ. Pharmacological treatment of burning mouth syndrome: A review and update. Med Oral Patol Oral Cir Bucal. 2007;12(4):E299-304.
66. de Moraes M, do Amaral Bezerra BA, da Rocha Neto PC, de Oliveira Soares ACA, Pinto LP, de Lisboa Lopes Costa A. Randomized trials for the treatment of burning mouth syndrome: an evidence-based review of the literature. J Oral Pathol Med Off Publ Int Assoc Oral Pathol Am Acad Oral Pathol. 2012;41(4):281–7.

67. Maina G, Vitalucci A, Gandolfo S, Bogetto F. Comparative efficacy of SSRIs and amisulpride in burning mouth syndrome: a single-blind study. J Clin Psychiatry. 2002;63(1):38–43.
68. Jääskeläinen SK, Woda A. Burning mouth syndrome. Cephalalgia. 2017;37(7):627–47.
69. Okeson J. Tratamento das desordens temporomandibulares e oclusão. 7. ed. Rio de Janeiro: Guanabara Koogan; 2013.
70. Wieckiewicz M, Boening K, Wiland P, Shiau YY, Paradowska-Stolarz A. Reported concepts for the treatment modalities and pain management of temporomandibular disorders. J Headache Pain. 2015;16:106.
71. Leeuw R de. Dor Orofacial: guia de avaliação, diagnóstico e tratamento. 4. ed. Nova Odessa: Quintessence; 2009.
72. Cho S-H, Whang W-W. Acupuncture for temporomandibular disorders: a systematic review. J Orofac Pain. 2010;24(2):152–62.
73. Ouanounou A, Goldberg M, Haas DA. Pharmacotherapy in Temporomandibular Disorders: A Review. J Can Dent Assoc. 2017;83:h7.
74. World Health Organization, Regional Office for the Western Pacific, Regional Emerging Diseases Intervention Centre. A guide to clinical management and public health response for hand, foot, and mouth disease (HFMD). Manila: WHO Regional Office for the Western Pacific; 2011.
75. Esposito S, Principi N. Hand, foot and mouth disease: current knowledge on clinical manifestations, epidemiology, aetiology and prevention. Eur J Clin Microbiol Infect Dis. 2018;37(3):391–8.
76. Saguil A, Kane SF, Lauters R, Mercado MG. Hand-foot-and-mouth disease: rapid evidence review. Am Fam Physician. 2019;100(7):408–14.
77. Felton D, Cooper L, Duqum I, Minsley G, Guckes A, Haug S, et al. Evidence-based guidelines for the care and maintenance of complete dentures: a publication of the American College of Prosthodontists. J Am Dent Assoc. 2011;142 Suppl 1:S1-12.
78. Scully C. Medicina oral e maxilofacial: bases do diagnóstico e tratamento. 2. ed. Rio de Janeiro: Elsevier; 2009.
79. Laskaris G. Atlas colorido de doenças da boca. 3. ed. Porto Alegre: Artmed; 2004.
80. Bicak DA. A current approach to halitosis and oral malodor: a mini review. Open Dent J. 2018;12:322–30.
81. Silva MF, Leite FRM, Ferreira LB, Pola NM, Scannapieco FA, Demarco FF, et al. Estimated prevalence of halitosis: a systematic review and meta-regression analysis. Clin Oral Investig. 2018;22(1):47–55.
82. Porter SR, Scully C. Oral malodour (halitosis). BMJ. 2006;333(7569):632–5.
83. Outhouse TL, Al-Alawi R, Fedorowicz Z, Keenan JV. Tongue scraping for treating halitosis. Cochrane Database Syst Rev. 2006;(2):CD005519.
84. Madeira MC. Anatomia do dente. 8. ed. São Paulo: Sarvier; 2016.
85. Bastone EB, Freer TJ, McNamara JR. Epidemiology of dental trauma: a review of the literature. Aust Dent J. 2000;45(1):2–9.
86. Al-Maweri SA, Halboub E, Al-Sufyani G, Alqutaibi AY, Shamala A, Alsalhani A. Is vitamin D deficiency a risk factor for recurrent aphthous stomatitis? A systematic review and meta-analysis. Oral Dis. 2020; 26(6):1116–23.

SEÇÃO VIII

Coordenadores: *Alessandro Bersch Osvaldt*
Rodolfo Souza da Silva

Problemas e Procedimentos Cirúrgicos

83. Anestesia Regional 896
    Gerson Junqueira Júnior, Lúcia Miranda Monteiro dos Santos

84. Ferimentos Cutâneos 901
    Marcus Vinicius Martins Collares, Ciro Paz Portinho, Antônio Carlos Pinto Oliveira, Daniele Walter Duarte, Rinaldo de Angeli Pinto

85. Cirurgia da Unha 914
    Henrique Rasia Bosi, Guilherme S. Mazzini, Cleber Dario Pinto Kruel, Cleber Rosito Pinto Kruel

86. Infecções Não Traumáticas de Tecidos Moles 919
    Jeferson K. de Oliveira, Guilherme S. Mazzini, Paulo Sandler[†], Leandro Totti Cavazzola

87. Pequenos Procedimentos em Atenção Primária 923
    Roberto Nunes Umpierre

88. Queimaduras 927
    Eduardo I. Gus, Ricardo A. Arnt

89. Hérnias da Parede Abdominal 937
    Henrique Rasia Bosi, Leandro Totti Cavazzola, José Ricardo Guimarães, Alceu Migliavacca

90. Problemas Urológicos Comuns 942
    Pedro Glusman Knijnik, Guilherme Behrend Silva Ribeiro, Brasil Silva Neto

91. Problemas Orificiais 959
    Daniel C. Damin

92. Traumatismo Musculoesquelético 965
    Carlo Henning, Humberto Moreira Palma

Capítulo 83
ANESTESIA REGIONAL

Gerson Junqueira Júnior
Lúcia Miranda Monteiro dos Santos

Anestesia regional é aquela que se obtém mediante bloqueio reversível dos impulsos neurais em uma região delimitada do corpo, sem alterações sistêmicas significativas.

Por ser o método mais seguro e eficiente, permitir rápida recuperação anestésica, apresentar efeitos colaterais mínimos e ser bastante econômica, a anestesia regional é a técnica de eleição para procedimentos cirúrgicos ambulatoriais.

ANESTÉSICOS LOCAIS

Os agentes que produzem bloqueio reversível dos impulsos neurais são os anestésicos locais. Todos têm estrutura química semelhante, sendo caracterizados como bases fracas e instáveis. A apresentação farmacêutica é, em geral, sob a forma de sais ácidos, que precisam ser desdobrados para exercer sua atividade anestésica. Portanto, o pH da solução e dos tecidos onde o agente anestésico terá de agir desempenha papel importante, pois, havendo acidose local extracelular, a difusão do anestésico local ficará retardada. Com isso, na presença de inflamação ou infecção, a anestesia local é insuficiente ou não ocorre.[1-3] Nessas situações, pode-se substituir a anestesia infiltrativa por bloqueio de campo ou bloqueio de nervo.[4]

Toxicidade

Embora raros, importantes efeitos adversos decorrentes da anestesia podem ocorrer. Ao serem absorvidos do local de administração pelo sistema circulatório, os anestésicos locais determinam uma série de reações sistêmicas que podem culminar em acidentes e complicações às vezes fatais.

Os sistemas mais envolvidos são o nervoso e o cardiovascular. As manifestações clínicas dependem da concentração plasmática do agente, podendo ter início com sensação de dormência na língua e distúrbios visuais e auditivos e, então, progredir para contraturas musculares, inconsciência, convulsões, coma, hipotensão arterial, depressão respiratória, colapso cardiovascular e morte. Nos casos de injeção intravascular acidental, dependendo da dose, pode haver o aparecimento súbito de convulsões e inconsciência com colapso circulatório.

O melhor a fazer a respeito das manifestações clínicas de toxicidade dos anestésicos locais é a sua profilaxia. Esta é feita com o uso de técnica adequada de injeção (aspirações prévias, a fim de evitar introdução rápida do anestésico na circulação) e com a restrição da quantidade de anestésico a doses e concentrações mínimas eficazes para a situação.[1]

Os fatores mais importantes relacionados à absorção dos anestésicos locais são local de injeção, dose, presença de vasoconstritor e características farmacológicas do agente.[5]

Embora as doses máximas recomendadas dos anestésicos locais sirvam como guias úteis, a base científica para sua determinação é tênue, devendo ser tratadas com precaução, já que ignoram variações causadas por fatores como sítio de injeção, condição geral do paciente e uso concomitante de outros medicamentos. Adotando-se a lidocaína como anestésico local padrão, para atingir sua concentração plasmática tóxica de 5 µg/mL, são necessários 300 mg em bloqueio intercostal, 500 mg em bloqueio epidural, 600 mg em bloqueio de plexo braquial e 1 g em administração subcutânea.[4]

Lidocaína

A lidocaína é o anestésico mais utilizado em nosso meio. O cloridrato de lidocaína é muito solúvel em água e álcool. As soluções injetáveis estão disponíveis em ampolas de 10 mL, frascos de 20 mL ou tubetes odontológicos de 1,8 mL, nas concentrações de 0,5, 1, 2 e 5%. A epinefrina pode ou não estar presente como vasoconstritor, sendo encontrada em concentrações que variam de 1:50.000 a 1:200.000. Em alguns casos, o vasoconstritor disponível pode ser a fenilefrina a 1:2.500. Outras apresentações incluem geleias (2 e 5%), creme (40 mg/g), soluções especiais para uso tópico em mucosas (2 e 20%) e *spray* (10%).[4]

A duração do efeito anestésico da lidocaína varia dependendo do local da injeção, da quantidade de anestésico injetada e da associação com vasoconstritor. Na aplicação tópica na orofaringe e na árvore traqueobrônquica, são indicadas soluções aquosas a 1% e 2%, respectivamente, com início de ação de 5 minutos e duração de 15 a 30 minutos. Em caso de anestesia infiltrativa, usa-se lidocaína de 0,5 a 2% com ou sem epinefrina, com duração de cerca de 30 a 60 minutos sem vasoconstritor e de até 120 minutos com vasoconstritor. Nos bloqueios de nervos periféricos com concentrações de 1 a 5%, a lidocaína tem início de ação de 5 a 15 minutos e duração média de 60 minutos sem epinefrina e 120 minutos com epinefrina.

As doses máximas recomendadas para uso de lidocaína podem chegar até 5 e 7 mg/kg de peso corporal em adultos, quando são empregadas soluções sem ou com vasoconstritor, respectivamente, e sua concentração plasmática tóxica é de 5 µg/mL.[3-5] Admitem-se, como seguras, repetições de 50% da dose inicial a cada hora. Convém alertar que, quando a administração do anestésico é feita em pacientes portadores de doença hepática ou condição clínica que altere o funcionamento hepático, devem-se diminuir as doses, visto que podem apresentar alterações importantes na cinética da lidocaína, favorecendo o desenvolvimento de concentrações plasmáticas tóxicas em doses consideradas seguras para pacientes saudáveis C/D.[1,6]

Bupivacaína

A bupivacaína é uma amida como a lidocaína, mas que apresenta quatro vezes a sua potência e toxicidade, com ação bem mais prolongada. Entretanto, comparada à lidocaína, seu tempo de latência é duas vezes maior. Isso torna as infiltrações mais dolorosas, limitando a utilização isolada desse anestésico. Seu uso fica mais restrito aos bloqueios de nervo e de raízes. É menos convulsivante que a lidocaína, mas tem mais cardiotoxicidade C/D.[1-3,6]

Para os bloqueios de nervos periféricos, a bupivacaína costuma ser utilizada em concentrações de 0,25 a 0,5%, com duração analgésica de até 12 a 24 horas.[5]

A bupivacaína está disponível, para infiltração e bloqueio de nervo, nas concentrações 0,25, 0,5 e 0,75%, sem e com epinefrina (1:100.000-1:200.000).[4] Por consenso, a concentração de 0,75% deve ser desencorajada devido à toxicidade associada.[5]

Ropivacaína

A ropivacaína também é uma amida. O tempo de latência, a duração e a intensidade da anestesia de nervo periférico obtida com a ropivacaína são semelhantes aos da bupivacaína em concentrações similares, de 0,25 a 1%. A ropivacaína tem ação vasoconstritora, e a adição de epinefrina à solução não diminui o tempo de latência nem aumenta o tempo de anestesia, interferindo pouco na taxa de absorção vascular. Por esse motivo, a epinefrina tem seu uso dispensado quando se aplica ropivacaína.

A concentração de ropivacaína recomendada para bloqueio de plexo e de nervo periférico varia de 0,5 a 1%, e a dose máxima é de 1 a 2 mg/kg. Para infiltração, a concentração varia de 0,2 a 0,75%, e a dose máxima é de 3 a 4 mg/kg.

A neurotoxicidade da ropivacaína, quando usada em doses cumulativas por via intravenosa, é menor do que a da bupivacaína. Porém, podem ocorrer convulsões com doses semelhantes desses anestésicos quando utilizados uma única vez. A cardiotoxicidade da ropivacaína é menor do que a da bupivacaína, podendo, portanto, ser utilizada em soluções mais concentradas, como 0,75% e 1%. No entanto, essa vantagem em termos de segurança é superada pela reduzida potência, o que tem levado ao uso de maiores quantidades do fármaco e relatos de toxicidade.[2,4,6,7]

A ropivacaína está disponível, para infiltração e bloqueio de nervo, nas concentrações 0,2, 0,75 e 1%. Esse anestésico local dispensa vasoconstritor.[4]

A **TABELA 83.1** apresenta as doses máximas de lidocaína, bupivacaína e ropivacaína recomendadas para pequenos procedimentos ambulatoriais.

TABELA 83.1 → Doses máximas recomendadas de anestésicos locais sem e com vasoconstritor

AGENTE ANESTÉSICO	DOSE MÁXIMA (mg/kg)	MÁXIMO ABSOLUTO (mg)
Lidocaína	5	400
Lidocaína com epinefrina (1:200.000)	7	500
Bupivacaína	3	175
Bupivacaína com epinefrina (1:200.000)	3	225
Ropivacaína	3	200

Fonte: Carneiro e Araújo,[5] Brasil[9] e Ferreira.[4]

Vasoconstritores

A atividade vasodilatadora dos anestésicos locais aumenta a absorção vascular, diminuindo a quantidade do anestésico disponível para anestesia regional. A adição de um vasoconstritor em dose adequada diminui essa absorção, permitindo a presença de maior quantidade de anestésico, o que resulta em bloqueio mais eficaz e duradouro.[2,3] Por diminuir a absorção do anestésico local pela corrente sanguínea, o vasoconstritor também diminui as taxas plasmáticas dos anestésicos locais, bem como a velocidade com que os níveis plasmáticos são atingidos. A possibilidade de reações sistêmicas do anestésico local é, assim, diminuída.

Outra vantagem da associação de vasoconstritor com os anestésicos locais é a importante diminuição do sangramento na área operada. Porém, a adição de vasoconstritor em excesso induz isquemia e acidose tecidual, com retardos no efeito anestésico, podendo promover, nos casos mais graves, até necrose tecidual.

A utilização de soluções anestésicas contendo vasoconstritor em regiões anatômicas com circulação terminal (dedos, orelhas, nariz e pênis) deve sempre ser feita de forma judiciosa, pelo risco de necrose tecidual C/D.[2,4,6,8]

O vasoconstritor mais empregado é a epinefrina, cujo efeito máximo é obtido na concentração de 1:200.000 (1/10 de ampola contendo 1 mg de epinefrina para cada 20 mL de solução anestésica).

Reações sistêmicas causadas pelos vasoconstritores são bastante comuns e facilmente confundidas com manifestações psíquicas. Caracterizam-se por palidez e taquicardia, acompanhadas de ansiedade. Palpitações, cefaleias e náuseas são sintomas frequentes, e a hipertensão arterial é o sinal mais chamativo. Portanto, em casos de doença cardiovascular grave, o uso dos vasoconstritores deve ser restringido sempre que possível.[3]

Recomenda-se que o uso da epinefrina seja cauteloso em grávidas. Em altas doses, apresenta categoria C de risco na gravidez pela categorização da Food and Drug Administration (FDA), com teratogenicidade, constrição de vasos sanguíneos placentários, diminuição do fluxo sanguíneo uteroplacentário e taquicardia fetal.[4]

TIPOS DE ANESTESIA REGIONAL

Há várias técnicas de anestesia regional, que podem ser escolhidas de acordo com as características do procedimento cirúrgico a ser realizado.

Conforme o local em que é efetuado o bloqueio dos impulsos, tem-se as seguintes modalidades:
→ **anestesia tópica**: a analgesia é obtida pelo contato direto do agente anestésico sobre a pele ou mucosas. A aplicação se dá por gotejamento, nebulização ou instilação do anestésico;
→ **infiltração local**: o agente atua diretamente sobre as terminações nervosas, infiltrando-se no interior do tecido a ser operado;
→ **bloqueio de campo**: o anestésico é infiltrado ao redor do tecido a ser operado;

→ **anestesia de condução:** a injeção do agente anestésico é feita nas raízes nervosas, à distância do local a ser operado. Pode ser do tipo troncular (bloqueio de plexos ou de nervos), peridural ou caudal (bloqueio das raízes nervosas no espaço extradural) e raquianestesia (bloqueio das raízes nervosas no espaço subaracnóideo).

TÉCNICAS DE ANESTESIA

Todas as técnicas de anestesia regional devem ser efetuadas com os mesmos métodos de antissepsia indicados para o procedimento cirúrgico em questão. Em ferimentos traumáticos e contaminados, permite-se a infiltração inicial com antissepsia precária, a fim de que esta facilite o manuseio do ferimento e a realização de antissepsia complementar mais rigorosa.

Conforme o tipo de anestesia a ser executado, o material anestésico pode ser incluído ao material cirúrgico, como no caso de infiltrações ou bloqueios de campo, ou preparado separadamente, porém com as mesmas técnicas de antissepsia, como costuma ser feito nos bloqueios de nervo.

A Sociedade Brasileira de Anestesiologia, em normas técnicas publicadas no *Jornal Medicina* (do Conselho Federal de Medicina [CFM]), em 21 de novembro de 2008, recomenda que a anestesia local, para pequenos procedimentos cirúrgicos, nos quais a dose de anestésico local empregada não exceda 3,5 mg de lidocaína (ou dose equipotente dos outros anestésicos locais), pode ser praticada em qualquer ambiente ambulatorial sem restrição. Nos casos em que há necessidade de doses de anestésico local superiores às recém-mencionadas, é indispensável que o procedimento seja realizado em ambiente cirúrgico, com canulização venosa e monitorização do paciente e das condições de tratamento dos possíveis efeitos adversos. Se for necessário ultrapassar cinco vezes essas doses, é recomendável solicitar a assistência de um anestesiologista.[9]

Anestesia tópica

As técnicas de anestesia tópica são bastante simples e de fácil execução, tendo largo emprego em oftalmologia, na anestesia da conjuntiva ocular, e em otorrinolaringologia, na anestesia da mucosa nasal, do conduto auditivo externo e das mucosas orofaríngea e traqueobrônquica. A anestesia tópica da mucosa uretral é feita quando se pretende introduzir através dela cateteres e aparelhos endoscópicos.

Na anestesia tópica da conjuntiva ocular, é dada preferência ao gotejamento de solução a 1% de tetracaína. Na anestesia tópica da mucosa orofaríngea e nasal, utiliza-se solução de lidocaína a 2%. Na mucosa traqueobrônquica, a concentração de lidocaína deve ser reduzida para 1%. Quando, além da anestesia, é desejável a lubrificação, como no caso da anestesia tópica uretral, são empregadas geleia a 2% ou 5%.

Anestesia tópica da pele

Em geral, os anestésicos locais não têm efeito tópico sobre a pele íntegra. Entretanto, preparações especiais conseguem vencer a barreira isolante da pele, permitindo, assim, anestesia tópica, que, embora pouco eficaz para realização de incisões, pode ser muito útil para execução de punção venosa ou arterial.[3,9]

O EMLA® (do inglês, *eutectic mixture of local anesthetics*) é um creme dermatológico com 25 mg/g de lidocaína e 25 mg/g de prilocaína especialmente desenvolvido para produzir anestesia tópica da pele íntegra. Apresentado em bisnagas de 5 g, deve ser aplicado em camada espessa sobre o local que se deseja anestesiar, sob uma bandagem oclusiva, por no mínimo 1 hora antes do procedimento. Efeitos adversos raros são irritação ou prurido local e metemoglobinemia, esse último pelo efeito sistêmico da metabolização da prilocaína em ortotoluidina.[3,5,9]

Infiltração local

A anestesia infiltrativa consiste na injeção de uma solução anestésica diretamente nos tecidos onde se quer anestesiar. Convém ressaltar que, embora o impulso nociceptivo seja abolido, as sensibilidades tátil e térmica podem estar preservadas.[1,2,4] Essa anestesia pode ser superficial, incluindo apenas a pele, ou pode incluir estruturas mais profundas, como órgãos intra-abdominais.

A anestesia infiltrativa está indicada na remoção de pequenas lesões cutâneas, nas incisões de pele para drenar coleções subcutâneas (hematomas, abscessos), na exérese de pequenos tumores e corpos estranhos, na sutura de ferimentos causados por traumatismos e, em alguns casos, na complementação de bloqueios de campo ou tronculares.

Para sua realização, dá-se preferência para soluções anestésicas a 0,5%. A utilização de vasoconstritor depende do tecido a ser infiltrado. A principal desvantagem da infiltração local é a necessidade de volumes relativamente grandes de solução. Por esse motivo, quando é necessário um grande volume de anestésico, faz-se a redução da concentração de 0,5% para 0,25% (mediante diluição a 50% com soro fisiológico).

A punção inicial é feita com uma agulha curta e fina (agulha de insulina). Aplica-se um golpe rápido e seco no sentido perpendicular, para que a agulha trespasse com mais facilidade a pele, que é o tecido mais sensível. Após, faz-se um botão anestésico intradérmico. Por meio desse botão, introduz-se uma agulha maior, que penetra na pele e no tecido subcutâneo, mantendo um ângulo agudo em relação à primeira. A solução de anestésico pode ser injetada durante a progressão da agulha para os planos profundos, ou ao mesmo tempo em que se retira a agulha lentamente. Essa última alternativa é mais dolorosa, porém de mais fácil execução e com menor possibilidade de injeção intravascular acidental.

As punções subsequentes devem ser feitas a partir da extremidade da infiltração precedente, em injeções sobreponíveis, para não provocar dor. Antes de qualquer injeção de anestésico local, recomenda-se a aspiração prévia mediante retração do êmbolo da seringa para ser constatada eventual punção vascular. Em caso de aspiração positiva, a agulha deve ser avançada ou recuada até que não haja mais saída de sangue, quando, então, pode ser feita a injeção.

A injeção da solução anestésica produz uma saliência no local, e, quando feita a incisão, costuma aparecer um porejamento característico. O trajeto da infiltração pode ser linear, em angulações variadas ou em leque. Toda manobra de mudança de direção da agulha deve ser precedida pelo recuo desta até o tecido subcutâneo, a fim de evitar que ela entorte ou quebre.

A anestesia para sutura de ferimentos cutâneos, desde que não infectados, pode ser feita pela infiltração subcutânea direta das suas bordas, evitando, assim, a punção da pele, que é dolorosa. Da mesma forma, quando há diminuição do efeito da infiltração inicial durante uma cirurgia, pode-se reforçar a anestesia com nova infiltração a partir das bordas da incisão. As regiões cicatriciais necessitam de infiltrações em maior número, pois a solução tem dificuldade de difundir-se no tecido fibroso.

Bloqueio de campo

O bloqueio de campo é obtido pela infiltração dos tecidos ao redor do local onde está a lesão a ser tratada. A vantagem dessa técnica sobre a anterior é que ela exige menor quantidade de anestésico. As indicações, bem como a escolha da concentração do anestésico, são praticamente as mesmas da anestesia infiltrativa. Essa técnica pode ser aplicada com particular benefício no couro cabeludo, na região cervical (traqueostomia), na parede abdominal anterior e nas extremidades.

Para sua obtenção, fazem-se pelo menos dois botões anestésicos equidistantes da área a ser incisada, delimitando-a. A partir deles, infiltra-se a pele, desenhando-se uma figura geométrica correspondente à incisão. Completada a delimitação da área pela infiltração superficial, faz-se a infiltração dos planos mais profundos, mantendo-se a agulha paralela à figura geométrica da infiltração superficial (FIGURA 83.1). [1,4,9,10]

Bloqueio de nervo

A técnica de bloqueio de nervo consiste na injeção da solução anestésica no trajeto dos troncos nervosos ou ao longo das fibras dos nervos periféricos. Portanto, seu sucesso depende do conhecimento da anatomia topográfica das diversas regiões onde ela pode ser aplicada. A vantagem dessa técnica sobre a infiltração e o bloqueio de campo é que ela não deforma os tecidos a serem operados. Além disso, a quantidade total de anestésico necessária para sua realização é menor, apesar de a concentração ser mais elevada, além do fato de os pacientes tolerarem melhor os bloqueios nervosos do que a infiltração direta da lesão.

Esse tipo de bloqueio requer uma solução com boa capacidade de penetração, o que pode ser conseguido com o aumento da concentração do anestésico (aumento do gradiente de difusão). Quando a região é inervada por mais de um nervo ou raiz, podem ser necessárias infiltrações complementares.

Aqui, são abordadas apenas as técnicas mais comuns. As demais técnicas, tanto para extremidades superiores como inferiores, podem ser facilmente encontradas nas referências de leitura – inclusive com a utilização da ultrassonografia, recurso técnico que otimiza a eficácia e a segurança dos bloqueios de nervos periféricos.[10-12]

Bloqueio dos nervos periféricos do membro superior

No nível dos dedos

Os dedos são inervados por quatro ramos nervosos. Os nervos digitais dorsais, ramos dos nervos radial e ulnar, transitam pelas regiões dorsolaterais dos dedos. Por sua vez, os nervos digitais palmares (ventrais), ramos dos nervos mediano e ulnar, transitam pelas regiões ventrolaterais dos dedos, ao lado das bainhas dos tendões flexores.[11]

Palpa-se a articulação metacarpofalângica. Em um ponto da região lateral da base dorsal do dedo, introduz-se a agulha e injeta-se cerca de 1 mL da solução anestésica no local por onde passa o nervo digital dorsal. A seguir, em direção à palma da mão, introduz-se a agulha mais profundamente, de forma que passe verticalmente ao lado da bainha do tendão flexor até que seja sentida resistência da derme palmar. Recua-se a agulha 2 a 3 mm, e injeta-se mais 1 mL da solução anestésica para anestesiar o nervo digital palmar. O mesmo procedimento deve ser reproduzido do outro lado do dedo. A injeção superficial e profunda de anestésico na base de cada dedo costuma ser suficiente[10-12] (FIGURA 83.2 A e C).

A solução anestésica para infiltração de dedos, em função de sua circulação terminal, não deve conter vasoconstritor.[5,11] A vasoconstrição excessiva pode produzir isquemia e levar à necrose. É preciso, também, sempre ter cuidado com os volumes de solução anestésica administrados para não criar um anel circunferencial compressivo dos feixes neurovasculares. A pouca distensibilidade tecidual da área favorece a compressão vascular, interrompendo a circulação.[11-13]

Técnica semelhante à descrita pode ser empregada para bloqueio dos dedos dos pés[10] (FIGURA 83.2 B,D).

No nível do punho

O bloqueio dos nervos radial, ulnar e mediano no nível do punho pode produzir anestesia parcial ou total da mão. A FIGURA 83.3 mostra os territórios inervados por esses nervos.[14]

→ **Bloqueio do nervo mediano:** o nervo mediano, no terço distal do antebraço, passa logo abaixo dos tendões dos músculos palmar longo e flexor radial do carpo. Quando se quer anestesiar esse nervo no nível do punho, introduz-se uma agulha na borda externa do tendão do músculo palmar longo até ultrapassar a fáscia (retináculo) a aproximadamente 1 cm de profundidade,

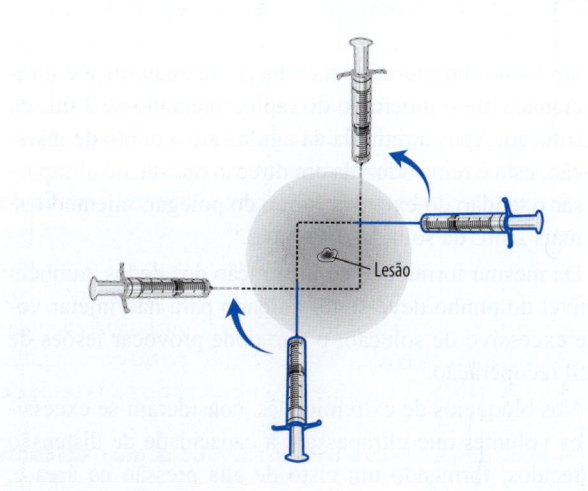

FIGURA 83.1 → Bloqueio de campo.
Fonte: Adaptada de Amundsen.[10]

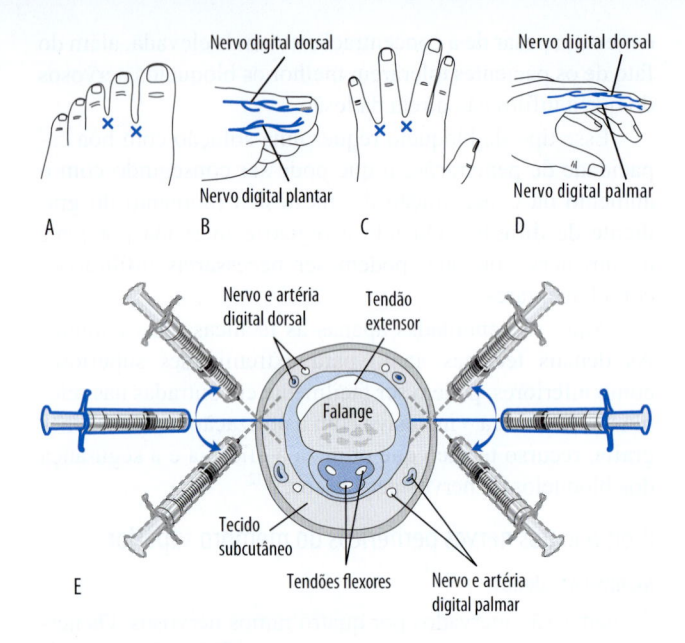

FIGURA 83.2 → Bloqueio no nível dos dedos.
Fonte: Adaptada de Amundsen.[10]

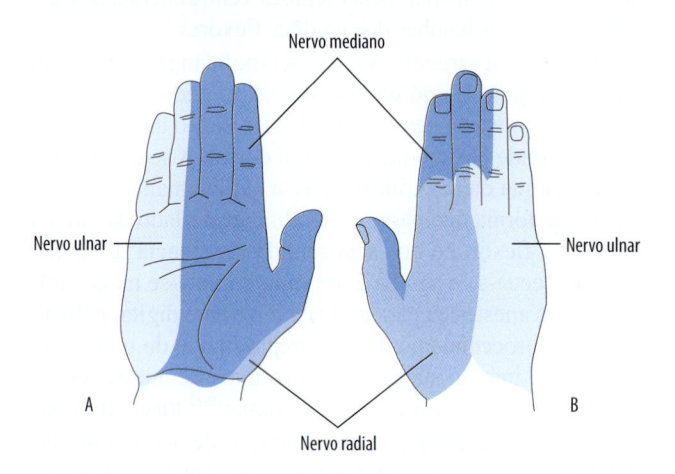

FIGURA 83.3 → Inervação sensitiva da mão: A) palma; B) dorso.
Fonte: Adaptada de Khodaee e Kelly.[14]

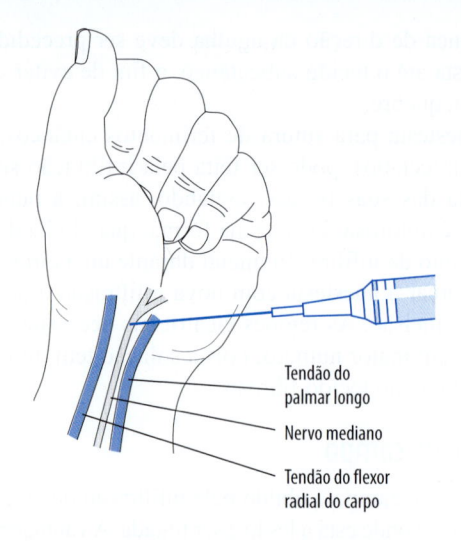

FIGURA 83.4 → Técnica de bloqueio do nervo mediano no nível do punho.
Fonte: Adaptada de Khodaee e Kelly.[14]

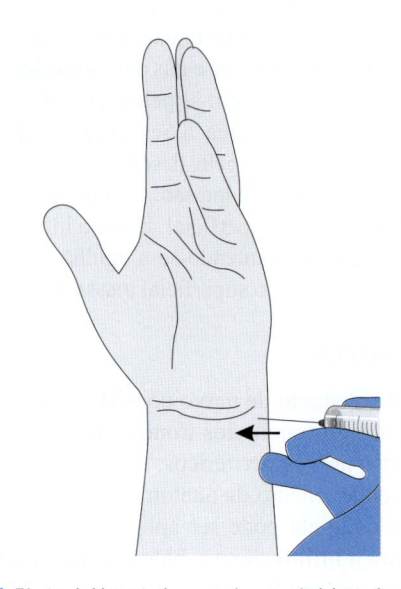

FIGURA 83.5 → Técnica de bloqueio do nervo ulnar no nível do punho.
Fonte: Adaptada de Khodaee e Kelly.[14]

quando costumam ocorrer parestesias. Nesse local, injetam-se 2 a 5 mL da solução anestésica **(FIGURA 83.4)**.[14]

→ **Bloqueio do nervo ulnar:** o nervo ulnar, no punho, passa sob o tendão do músculo flexor ulnar do carpo, entre a artéria ulnar e o osso pisiforme. Uma agulha de 2 a 3 cm pode ser introduzida externamente ao tendão entre este e a artéria ulnar, em direção medial, até produzir parestesias, quando então injetam-se 3 a 5 mL da solução **(FIGURA 83.5)**.[14]

→ **Bloqueio do nervo radial:** o nervo radial é subcutâneo e está dividido em vários ramos na região do punho. Pode-se anestesiá-lo a essa altura, fazendo uma infiltração subcutânea de solução anestésica em faixa na região dorsal do punho, desde o tubérculo do rádio, até ultrapassar o tendão do extensor curto do polegar (tabaqueira anatômica). Uma agulha fina é introduzida por um botão intradérmico na tabaqueira anatômica e direcionada até o tubérculo do rádio, injetando-se 2 mL da solução. Após a retirada da agulha até o ponto de inserção, esta é reintroduzida em direção oposta até ultrapassar o tendão do extensor longo do polegar, injetando-se mais 2 mL da solução **(FIGURA 83.6)**.[14]

Da mesma forma que na infiltração dos dedos, também no nível do punho deve-se ter cuidado para não injetar volume excessivo de solução, o que pode provocar lesões de difícil recuperação.[8,12,13]

Nos bloqueios de extremidades, consideram-se excessivos os volumes que ultrapassam a capacidade de distensão dos tecidos, formando um cisto de alta pressão na área e, dessa maneira, comprimindo os feixes neurovasculares, dificultando sua própria absorção e favorecendo a isquemia.[8,12,13]

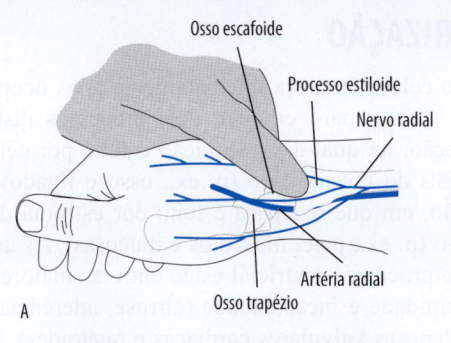

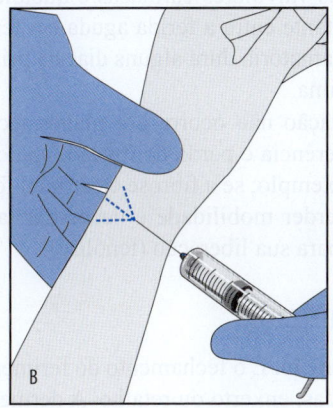

FIGURA 83.6 → Técnica de bloqueio do nervo radial no nível do punho.
Fonte: Adaptada de Khodaee e Kelly.[14]

REFERÊNCIAS

1. Hsu DC. Subcutaneous infiltration of local anesthetics [Internet]. Waltham: UpToDate; 2020 [capturado em 4 jul 2020]. Disponível em: https://www.uptodate.com/contents/subcutaneous-infiltration-of-local-anesthetics.
2. Jeng CL, Torrillo TM, Rosenblatt MA. Complications of peripheral nerve blocks. Br J Anaesth. 2010;105 Suppl 1:97-107.
3. Catterall WA, Mackie K. Anestésicos locais. In: Brunton LL, Hilal-Dandan R, Knollman B, organizadores. As bases farmacológicas da terapêutica de Goodman & Gilman. 13. ed. Porto Alegre: AMGH; 2019. p. 497-515.
4. Ferreira MBC. Anestesia local. In: Fuchs FD, Wannmacher L, organizadores. Farmacologia clínica e terapêutica. 5. ed. Rio de Janeiro: Guanabara Koogan; 2017. p. 216-35.
5. Carneiro AF, Araújo FM. Anestésicos locais. In: Manica J, organizador. Anestesiologia. 4. ed. Porto Alegre: Artmed; 2018. p. 744-59.
6. Harmatz A. Local anesthetics: uses and toxicities. Surg Clin North Am. 2009;89(3):587-98.
7. Rosenberg PH, Veering BT, Urmey WF. Maximum recommended doses of local anesthetics: a multifactorial concept. Reg Anesth Pain Med. 2004;29(6):564-75; discussion 524.
8. Perez MV, Falcão LFR, Ruzi R, Grigio T. Bloqueios de nervos periféricos guiados por ultrassonografia. In: Manica J, organizador. Anestesiologia. 4. ed. Porto Alegre: Artmed; 2018. p. 796-830.
9. Brasil. Conselho Federal de Medicina. Resolução CFM nº 1.886/2008 [Internet]. Brasília: CFM; 2008 [capturado em 4 jul 2020]. Disponível em: https://sistemas.cfm.org.br/normas/visualizar/resolucoes/BR/2008/1886.
10. Amundsen GA. Local anesthesia. In: Fowler GC. Pffeninger and Fowler's procedures for primary care. 4. ed. Philadelphia: Elsevier; 2020. p. 27-31.
11. dos Reis Júnior A, Quinto D. Digital block with or without the addition of epinephrine in the anesthetic solution. Braz J Anesthesiol. 2016;66(1):63-71.
12. DeLeon AM, Asher YG. Anestesia regional. In: Barash PG, Cullen BF, Stoelting RK, Cahalan MK, Stock MC, Ortega R, Sharar SR. Fundamentos de anestesiologia clínica. Porto Alegre: Artmed; 2017. p. 395-412.
13. Hewson DW, Bedforth NM, Hardman JG. Peripheral nerve injury arising in anaesthesia practice. Anaesthesia. 2018;73 Suppl 1:51-60.
14. Khodaee M, Kelly BF. Peripheral nerve blocks and field blocks. In: Fowler GC. Pffeninger and Fowler's procedures for primary care. 4. ed. Philadelphia: Elsevier; 2020. p. 36-42.

Capítulo 84
FERIMENTOS CUTÂNEOS

Marcus Vinicius Martins Collares
Ciro Paz Portinho
Antônio Carlos Pinto Oliveira
Daniele Walter Duarte
Rinaldo de Angeli Pinto

DEFINIÇÕES

Os termos ferimento e ferida podem ser utilizados como sinônimos. Entretanto, para fins técnicos e didáticos, definiremos **ferimento** como um processo agudo, geralmente por trauma mecânico, que leva à ruptura tecidual (em inglês, *injury*), e **ferida** como a situação resultante dessa ruptura, que pode ter várias etiologias além da traumática (em inglês, *wound*), e ser tanto aguda como crônica.

O termo **úlcera** também é muito utilizado, normalmente para determinar uma ferida crônica – úlcera por pressão, úlcera venosa (ver Capítulo Doenças Venosas dos Membros Inferiores), úlcera arterial (ver Capítulo Doenças do Sistema Arterial Periférico) ou úlcera associada ao diabetes (ver Capítulo Cuidados Longitudinais e Integrais a Pessoas com Condições Crônicas).

Um ferimento pode ser definido como uma ruptura das relações anatômicas normais dos tecidos em consequência de uma lesão. Ferimento cutâneo é toda e qualquer interrupção da continuidade da pele. A lesão pode ser intencional, como em uma incisão cirúrgica (chamada tecnicamente de ferida operatória) ou em uma agressão, ou acidental. O tratamento de ferimentos cutâneos visa reparar as estruturas lesadas com o mínimo de dano funcional e estético.

PANORAMA ATUAL

Cuidados para o profissional de saúde

A equipe que faz os procedimentos deve estar treinada com rotinas de procedimentos invasivos, ainda que pequenos, bem como precauções universais de prevenção de contaminação biológica (ver Capítulos Controle de Infecções Relacionadas à Assistência à Saúde, Infecção pelo HIV em Adultos e Hepatites Virais). Deve haver entrosamento entre os membros da equipe, desde o diálogo até a cadência de movimentos.

Proteção jurídica

A difusão de conhecimento – nem sempre correto – por meio da internet e das mídias sociais aumentou a possibilidade do conhecimento do paciente, mas nem sempre de maneira adequada, sobre um tratamento a ser feito e suas consequências. Complicações inerentes ao procedimento podem ser interpretadas como erro médico e gerar demandas judiciais de responsabilidade civil. Exceto em cirurgias estéticas, a Justiça tem como premissa que os tratamentos médicos são um meio, e não um fim.

O médico que desempenha suas atividades na atenção primária à saúde (APS), seja no sistema público ou privado, deve apresentar adequado treinamento, de preferência pela formação em residência de medicina de família e comunidade, para a execução de procedimentos cirúrgicos e ampliar ao limite máximo necessário a integralidade de suas ações. Esse grupo de habilidades cirúrgicas deve ser adequado ao seu local de atuação, visto que os profissionais atuantes em áreas rurais e com menores possibilidades de referenciamento apresentam necessidades distintas daqueles das áreas de maiores recursos para referenciamento, como regiões metropolitanas.

A Carteira de Serviços da Atenção Primária à Saúde (CaSAPS),[1] lançada pelo Ministério da Saúde em 2020, apresenta procedimentos cirúrgicos ambulatoriais mínimos que devem ser desempenhados no âmbito da APS do Sistema Único de Saúde (SUS) – biópsia de tumores superficiais de pele, cauterização química de pequenas lesões de pele, cantoplastia, exérese de cistos, lipomas e nevos, sutura de lesões superficiais de pele, entre outros.

Ainda que o Poder Judiciário considere os procedimentos médicos como um fim, o médico da APS deve atuar sem vislumbrar ganhos estéticos ao paciente, e sim tratar aquilo que lhe esteja causando algum tipo de dor ou desconforto físico, sem colocar a saúde do paciente e/ou de terceiros em risco. Destaque-se que, apesar de não haver compromisso de fim, o médico generalista deve utilizar a melhor técnica disponível para todo procedimento pelo qual seja responsável, visando sempre ao bem do paciente.

Os pacientes, seus responsáveis e familiares devem ser orientados com adequada competência cultural sobre a cirurgia, a indicação, a recuperação, seus riscos, suas sequelas potenciais, seus custos – caso se trate de pacientes privados –, a possibilidade de novas cirurgias/intervenções, etc. Isso deve ser bem documentado no prontuário médico ou em documento equivalente, sendo descrito conforme a classificação médico-legal. Um termo de consentimento deve ser aplicado e bem preenchido, embora em casos de urgência sua validade seja discutida. É importante descrever a lesão no prontuário conforme a classificação médico-legal, apresentada mais adiante.

Ressalta-se que é dever do médico conhecer o código de ética médica e a parte do Direito que lhe cabe enquanto profissional e fornecedor de serviços de saúde.

CICATRIZAÇÃO

O reparo celular começa imediatamente após ocorrer o ferimento. Esse reparo envolve dois processos distintos: a regeneração, na qual a substituição é feita por células parenquimais do mesmo tipo (p. ex., osso e fígado), e a cicatrização, em que o reparo é feito por estroma de tecido conectivo (p. ex., pele, músculos e mucosas). As anormalidades no processo cicatricial estão entre as maiores causas de deformidade e incapacidade (cirrose, aderência de tendões, estenoses valvulares cardíacas e queloides). Uma diferença importante entre a ferida aguda e a ferida crônica é que a fase inflamatória dura alguns dias na primeira e é persistente na última.

A cicatrização não ocorre por planos teciduais, o que pode gerar aderência e perda de função, como é o caso dos tendões, por exemplo; se a fibrose cicatricial for importante, eles podem perder mobilidade e necessitar tardiamente de uma cirurgia para sua liberação (tenólise).

Tipos de cicatrização

Primeira intenção. É o fechamento do ferimento por sutura direta das bordas, enxerto ou retalho. A derme deve ser meticulosamente aproximada com suturas que proveem adequada resistência à tensão enquanto o colágeno novo é produzido. A cicatriz aparece avermelhada e elevada durante o pico da síntese do colágeno. O resultado definitivo (clareamento e aplanamento) aparece somente ao final da fase de maturação ou remodelação.

Segunda intenção. Acontece quando o ferimento é deixado aberto para cicatrizar espontaneamente. Há tecido de granulação, e a fase inflamatória é mantida até o completo fechamento do ferimento, que ocorre basicamente pelos fenômenos de contração e epitelização. A contração pode determinar deformidades importantes, principalmente quando ocorre em regiões de flexão ou ao redor de cavidades naturais (boca, pálpebras, etc.).

Terceira intenção (ou fechamento primário tardio). Ocorre quando o ferimento é deixado inicialmente aberto e, após alguns dias, é fechado por sutura das bordas, retalho ou enxerto de pele. É caracterizada pela interrupção intencional (como se fosse primeira intenção) de um processo cicatricial que iniciou como o de segunda intenção.

Fatores que influenciam a cicatrização

Locais. São os mais fáceis de serem controlados. Devem ser observados cuidados com trauma tecidual, hematoma (associado ao alto índice de infecção), suprimento sanguíneo, temperatura, infecção (fator local mais importante para o retardo da cicatrização) e técnica e material de sutura.

Sistêmicos. Incluem os efeitos sistêmicos dos corticoides, deficiências nutricionais (proteína, zinco e vitamina C), distúrbios hematológicos (diáteses hemorrágicas e hipovolemia) e metabólicos, doenças crônicas (diabetes, hipotireoidismo, etc.), radiação, quimioterapia, neoplasia maligna e manejo inadequado da dor e da inflamação. Feridas isquêmicas devem ser avaliadas para a possibilidade de melhoria das condições vasculares.

CLASSIFICAÇÃO DOS FERIMENTOS

Os ferimentos podem ser classificados quanto à profundidade, à complexidade, à contaminação e à natureza do agente causador. Sem dúvida, a contaminação é o aspecto mais importante a ser considerado, mas cada uma das classificações tem sua importância terapêutica prática.[2]

Classificação quanto à profundidade

As lesões **superficiais** envolvem somente a pele, o tecido celular subcutâneo e os músculos, sem atingir estruturas profundas ou nobres.

As lesões **profundas** envolvem nervos, tendões, vasos calibrosos, ossos ou vísceras.

Classificação quanto à contaminação

As lesões **simples** ocorrem sem perda tecidual, contaminação grosseira ou presença de corpo estranho, ao passo que, nas lesões **complexas**, há perda tecidual, esmagamento, queimadura (ver Capítulo Queimaduras), avulsão, deslocamento de tecidos ou implantação de corpos estranhos.

Os ferimentos **limpos** apresentam contaminação bacteriana mínima (menos de 10^5 bactérias/grama de tecido) e têm menos de 6 horas de evolução. Os ferimentos **contaminados** (mais de 10^5 bactérias/grama de tecido) geralmente têm evolução de mais de 6 horas e apresentam maior probabilidade de infecção se o ferimento for fechado primariamente.

Classificação médico-legal

A classificação médico-legal do ferimento é importante e pode ser crucial em processos penais. Assim, deve-se conhecer a classificação técnica, tanto do ferimento quanto do instrumento (arma) que o causou, bem como o ângulo de entrada e o trajeto.

O ferimento **inciso** é linear, com bordas regulares e pouco traumatizadas. É produzido por instrumento cortante com fio muito aguçado (faca afiada, gilete, bisturi).

O ferimento **contuso** tem bordas irregulares e maceradas, sem sangramento vivo e com recessos. Tem forma estrelada. É produzido por instrumento rombo capaz de romper a integridade da pele (martelo, pedra).

O ferimento **cortocontuso** apresenta bordas irregulares e contundidas, com fundo irregular. Não tem forma estrelada. É ocasionado por instrumento cortante não muito afiado (facão, machado).

O ferimento **lacerocontuso** é qualquer ferimento contuso que criou retalhos. A avulsão é uma forma extrema desse tipo de ferimento, como no escalpamento.

O ferimento **perfurante** possui superfície circular, com bordas regulares ou não. Apresenta um orifício de entrada, um trajeto e, às vezes, um orifício de saída. É produzido por objeto pontiagudo e fino, capaz de perfurar a pele e os tecidos subjacentes. São tipos de ferimentos perfurantes: o ferimento **punctório** (prego), o ferimento **penetrante** (penetra cavidade natural do organismo) e o ferimento **transfixante** (atravessa determinado órgão ou segmento).

O ferimento **perfurocontuso**, em geral, é mais perfurante que contuso. O orifício de entrada tem formato oval ou circular, com bordas trituradas e equimóticas. Em ferimentos por tiro a curta distância, pode ter ainda uma zona de queimadura e uma zona de tatuagem. O orifício de saída, nos ferimentos transfixantes, apresenta aréola equimótica, bordas irregulares e evertidas, e é maior que o orifício de entrada.

Finalmente, o ferimento **perfurocortante** é uma lesão mista em que os tecidos são afastados por pressão da ponta e seccionados pelo gume dos instrumentos (punhal, canivete).

Úlceras de pressão

As úlceras de pressão ou por pressão são lesões crônicas preocupantes em pacientes acamados e/ou com trauma raquimedular, sejam paraplégicos ou tetraplégicos. Muitas vezes, essas úlceras são denominadas escaras pelos profissionais de saúde, mas é um termo errôneo, uma vez que escara deve ser utilizada para definir uma placa de necrose, e não uma ferida em si.

Para os casos em que não há adequada cicatrização apesar de terapêutica otimizada, pode haver necessidade de procedimento cirúrgico. Contudo, deve-se estar atento aos principais fatores de risco para a não cicatrização: osteomielite não tratada, desnutrição proteica, anemia, doenças sistêmicas descontroladas, infecção urinária de repetição, contaminação fecal e espasmos em membros inferiores. Em pacientes nos quais há contaminação fecal – principalmente nas úlceras de pressão isquiáticas –, deve-se considerar uma colostomia temporária ou a instalação de uma sonda retal. Mesmo com todos esses cuidados, o índice de recidiva é considerável, porque o paciente tende a manter uma compressão excessiva, provocando novamente isquemia e ulceração. Há cadeiras de rodas que permitem a posição em pé do paciente, reduzindo a compressão nas regiões de risco (p. ex., Freedom Stand-up®, Stand-up Jaguaribe®).

Úlceras pré-malignas e malignas

Feridas em regiões de trauma prévio ou de radioterapia, que não parecem estar cicatrizando, devem ser submetidas a biópsias. Há chance de se tratar de uma lesão pré-maligna ou mesmo um câncer de pele (ver Capítulo Cânceres da Pele).

Áreas irradiadas

As áreas submetidas à radioterapia têm problemas cicatriciais significativos. Há redução de vascularização e perda de elasticidade; em crianças e adolescentes, o crescimento também pode estar prejudicado. Assim, essas áreas sofrem mais complicações, como deiscência de sutura e infecções.

Quando a pele com radiodermite não apresentar cicatrização adequada e apresentar indicação de ser substituída por um retalho com pele saudável, o paciente deve ser encaminhado a um serviço de cirurgia plástica.

TRATAMENTO CIRÚRGICO

Princípios gerais

O objetivo é obter o fechamento do ferimento o mais precocemente possível para prevenir infecção, fibrose e deformidade secundária.

Quando é possível, parte-se para o fechamento, mas quando a ferida não está adequada, devemos diagnosticar e classificar para melhor tratá-la. Há métodos didáticos de tratamento por cor (TABELA 84.1). Fundamentalmente, devemos desbridar o preto (necrose), limpar o amarelo (fibrina) e proteger o vermelho (granulação ou cicatriz fechada).

A conduta primária diante de um paciente traumatizado é o controle dos sinais vitais (ver Capítulos Papel da Atenção Primária à Saúde em Urgências e Emergências e Ressuscitação Cardiopulmonar). O ferimento deve ser tratado em um segundo momento; mas, se for fonte de sangramento importante, providências devem ser tomadas para a interrupção desse sangramento.

Os ferimentos cutâneos podem estar associados a outras lesões traumáticas ou infecciosas. Na avaliação do ferimento, é importante ter ciência da natureza e da força do agente causador (cinética do trauma), de como ocorreu a lesão e do tempo transcorrido até o momento do exame. Verificam-se também os antecedentes médicos do paciente e se já houve algum tipo de tratamento anterior. A inspeção meticulosa com alto índice de suspeição de lesões associadas da área lesada é fundamental, determinando grau de contaminação, presença de corpos estranhos e lesões associadas.

O médico generalista deve assumir a responsabilidade do tratamento de pequenos ferimentos que envolvam pele e tecido celular subcutâneo e, eventualmente, aponeuroses e tecido muscular. Essa habilidade depende de um treinamento básico mínimo e das condições do local de trabalho. Saber diagnosticar a extensão dos ferimentos, as lesões de outras estruturas mais nobres e, portanto, quando encaminhar os pacientes, conhecendo as limitações próprias e do seu meio, é tão importante quanto tratar um ferimento.

No manejo inicial do ferimento em si, que pode ser feito ainda no local do acidente, ele pode ser lavado com água limpa em temperatura ambiente B. A lavagem com sabão e o uso de pomadas sem avaliação médica pode ser prejudicial. Após, a ferida deve ser coberta com gaze ou um pano limpo. Se houver sangramento abundante, deve-se tentar compressão, elevação do membro acometido, compressão da artéria proximal ao ferimento e, excepcionalmente, garrote. Para ser efetivo, o garrote deve ter pelo menos 5 cm de largura. A cada 2 horas, o garrote deve ser afrouxado por 15 minutos para permitir perfusão do membro acometido. O garrote deve estar visível a qualquer pessoa durante o tempo de aplicação. Ele não deve ser utilizado em acidentes por animais peçonhentos, particularmente nos acidentes causados por ofídios.

Após, o manejo de um ferimento é feito por síntese primária ou tratamento aberto. O fechamento primário imediato é preferível quando não há contraindicações. No método primário, os tecidos são aproximados pouco tempo após a ocorrência da lesão, com pequeno risco de infecção. Devem-se conhecer as linhas de força, descritas por Dupuytren (1834) e Langer (1861), normalmente transversais aos músculos subjacentes (FIGURA 84.1). As incisões paralelas às linhas de tensão (ou de força) tendem a alargar menos e provavelmente resultem em cicatrizes com melhor resultado estético do que as incisões transversais.

Na técnica aberta (segunda intenção), o ferimento é mantido não suturado, de modo a drenar espontaneamente, podendo ser limpo regularmente (1 ou mais vezes ao dia), ou utilizando algum tipo de curativo de acordo com a classificação. O ferimento será fechado pelos processos biológicos naturais da cicatrização ou por terceira intenção. Esse método é utilizado em ferimentos contaminados, quando há perda tecidual (e nenhum profissional para enxertos e retalhos) ou quando não há condições clínicas de levar o paciente a uma cirurgia para isso. A cicatrização total se dará em um período muito mais longo e resultará em uma quantidade excessiva de tecido fibroso, havendo maior probabilidade de dano funcional e estético.

Deve-se pesquisar a presença de corpos estranhos e de lesões em estruturas profundas antes da sutura, como lesões neurovasculares, tendinosas e fraturas. Em traumas faciais, os ossos mais acometidos costumam ser os próprios do nariz, a mandíbula e o zigoma.[3,4] As fraturas não diagnosticadas e não tratadas na face podem levar a dor crônica, deformidades, diplopia, aprisionamento da musculatura extrínseca do olho, problemas respiratórios e defeitos de oclusão dentária, entre outros.

TABELA 84.1 → Classificação de feridas por cores

COR	DESCRIÇÃO
Preta	Necrose de coagulação (crosta preta)
Verde	Secreção purulenta; exsudato elevado
Amarela	Necrose de liquefação; tecido necrótico úmido; pode haver cavidades e túneis
Vermelha	Fase de reparação ou epitelização; tecido de granulação; exsudato mínimo
Rosa	Bordas e ilhas epitelizadas; sem exsudato

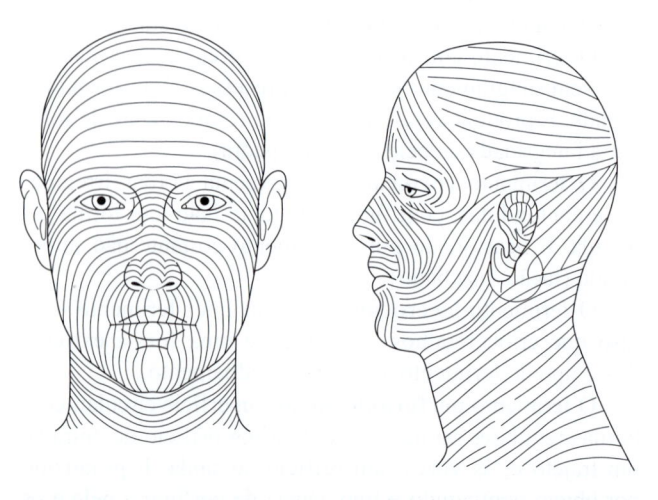

FIGURA 84.1 → Linhas de força, propostas por Dupuytren e Langer, vigentes até hoje.

Manejo de ferimentos limpos

Feridas que são limpas e que não apresentam sinais de infecção dentro de 6 a 12 horas após a lesão podem ter fechamento primário. Feridas limpas em áreas com maior suprimento vascular (p. ex., cabeça) podem ser fechadas até 24 horas após a hora da lesão C/D.[5]

A anestesia local deve, primariamente, permitir a limpeza adequada da área lesada, o desbridamento dos tecidos desvitalizados e a síntese do ferimento. O anestésico é injetado preferencialmente pela borda e não por dentro do ferimento em si, tentando reduzir a contaminação de tecidos limpos pela passagem da agulha através da área contaminada. A epinefrina deve ser utilizada como adjuvante, a menos que seja contraindicada (ver Capítulo Anestesia Regional).

A antissepsia deve incluir a limpeza cuidadosa da pele ao redor da lesão, por exemplo, com solução alcoólica de gluconato de clorexidina, ou com sabão neutro, com remoção de todas as substâncias estranhas, já que a principal fonte de contaminação é a própria pele do paciente. Não se devem usar antissépticos na própria lesão, pois provocam irritação tecidual e lise celular (ainda mais se contiverem álcool), retardando a cicatrização. Para diminuir infecções cutâneas, a solução alcoólica de clorexidina é mais efetiva do que a de iodopovidona B.[6] Não obstante, há mais risco de conjuntivite e complicações oculares com clorexidina. Assim, nas cirurgias faciais que abrangem pálpebras e olhos, prefere-se o uso de soluções de iodo.

A tricotomia é recomendada (exceto nos cílios e nos supercílios), embora seus benefícios sejam discutíveis C/D – deve-se evitar que os pelos cortados caiam dentro da ferida, o que pode gerar ou agravar a inflamação. O ferimento deve ser irrigado exclusivamente com soro fisiológico.

O desbridamento adequado talvez seja a medida isolada mais importante para preparar uma ferida de origem traumática para o fechamento.[7] Devem-se remover os coágulos, os corpos estranhos e qualquer tecido desvitalizado. A irrigação copiosa do ferimento, com solução salina fisiológica, sob pressão moderada, é um excelente adjuvante para o desbridamento cirúrgico.

A hemostasia cuidadosa reduz o risco da formação de hematoma. A simples compressão do ferimento pode ser muito efetiva no controle do sangramento difuso. Os pontos de maior sangramento devem ser pinçados e ligados com fios de sutura (absorvíveis ou não) ou coagulados (eletrocautério bipolar ou monopolar), quando disponível. O uso do eletrocautério, principalmente o monopolar, deve ser criterioso e evitar nervos, principalmente motores. Em regiões onde há grande risco de lesão, como na face – por causa do nervo facial ou do nervo trigêmeo – e na mão, por causa dos nervos mediano, radial e ulnar, deve-se utilizar preferencialmente cautério bipolar ou contar com o auxílio de um cirurgião especializado na região anatômica. Deve-se evitar pinçamento "em massa" dos tecidos, o que causa necrose tecidual, aumentando o risco de infecção. O clínico deve ter maior atenção com a hemostasia quando estiver usando vasoconstritores associados ao anestésico local, porque pode haver sangramento tardio após cessar o efeito do vasoconstritor.

Na síntese do ferimento, é importante utilizar material delicado e a técnica cirúrgica menos traumática possível. O fechamento deve ser realizado por planos anatômicos e, preferencialmente, por meio de sutura, a qual deve começar na profundidade e ir até a superfície.

Em músculos, tecido celular subcutâneo e derme, usa-se fio absorvível (categute ou derivados dos ácidos poliglicólico e láctico, como Vicryl® ou Monocryl®); na pele, o fio deve ser inabsorvível e monofilamentar (náilon e seus derivados). Nos tendões, entretanto, preferem-se fios inabsorvíveis devido às forças mecânicas intensas a que essas estruturas são submetidas.

Via de regra, em suturas cutâneas de pontos simples, utiliza-se náilon: 3-0 para membros superiores e inferiores, couro cabeludo e nuca; 3-0 ou 4-0 no tronco; 4-0 ou 5-0 na face e no pescoço; e 5-0 ou 6-0 nas pálpebras. Em crianças, pela dificuldade potencial na colaboração tanto do paciente quanto dos pais para retirar pontos posteriormente, pode-se utilizar fios absorvíveis na pele (p. ex., Vicryl Rapid® ou Monocryl®), embora haja propensão a uma cicatriz pior. Essa situação deve ser informada aos pais e/ou responsáveis, de modo a participar e dividir a responsabilidade pela escolha do tipo de material de síntese utilizado.

A síntese muscular visa à restauração funcional, à extinção do espaço morto e à depressão cicatricial. Normalmente, utilizam-se pontos em "U" horizontal (fios 3-0 ou 4-0, absorvíveis ou não). As aponeuroses musculares devem ser fechadas sempre que bem individualizadas, como nos músculos retos abdominais. A sutura dessas estruturas objetiva evitar a formação de hérnias, eventrações ou aderências aos tecidos adjacentes.

A sutura do tecido celular subcutâneo – assim como no tecido muscular – previne a formação de espaço morto sob a pele e suas possíveis consequências (hematoma, infecção e cicatrizes deprimidas). Nesse plano, são utilizados pontos simples invertidos (o nó fica para a profundidade), com fios de calibre 4-0 ou 5-0 na face e 3-0 ou 4-0 nas demais regiões (absorvíveis ou não).

A aproximação da derme é fundamental para o processo cicatricial. Nas regiões em que ela é espessa (principalmente no dorso), é imperioso fazer a sutura individualizada dessa camada, também com pontos invertidos. Já nas pálpebras, a derme é fina e a sutura da pele pode ser feita em plano único.

No fechamento da pele, busca-se alinhar as bordas da lesão em relação à altura, aproximando-os completamente, mas sem tensão (FIGURA 84.2). É necessário lembrar que o edema pós-operatório fará os pontos ficarem mais apertados, aumentando, portanto, a probabilidade de marcas indesejáveis na pele (FIGURA 84.3).

Técnicas alternativas para a síntese cutânea incluem fitas adesivas e colas biológicas. As fitas adesivas apresentam problemas técnicos importantes: a coaptação das bordas é difícil, e a permanência da fita em posição não é confiável.

As colas biológicas, como os cianoacrilatos, podem ser utilizados em feridas limpas, após hemostasia adequada, em locais de baixa tensão e não úmidos, especialmente em

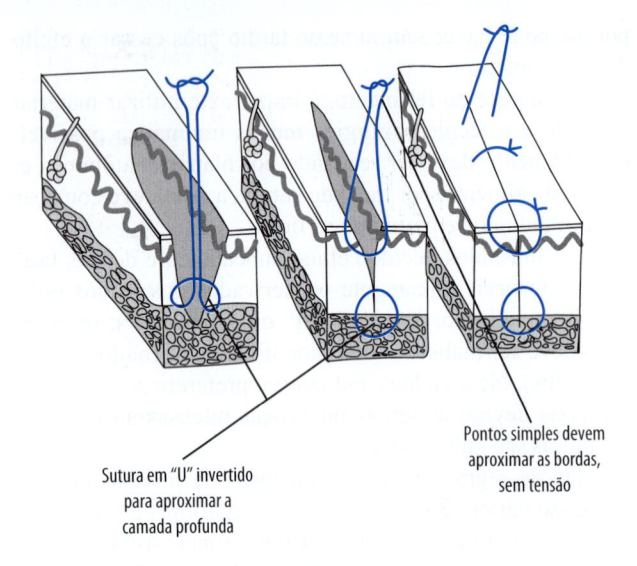

FIGURA 84.2 → Técnica correta para a síntese cutânea.

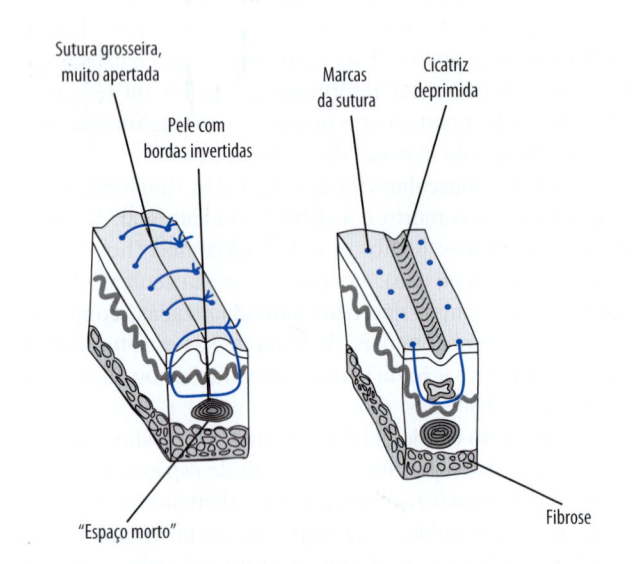

FIGURA 84.3 → Método inadequado de sutura e suas consequências.

pacientes jovens **B**.⁸ Suas vantagens são: reduzir tempo de síntese, ser de fácil aplicação, prescindir de anestesia, não precisar de remoção, ter menos risco de lesão perfurocortante, ser indolor e ter provável ação antimicrobiana, principalmente contra bactérias gram-positivas. Já as desvantagens são: ter custo elevado inicial, ter menos resistência à tensão e à umidade, gerar sensação de queimação no local da aplicação, ser neurotóxico – e não poder ser aplicado, portanto, em ferimentos com exposição de estruturas nervosas – e aderir a roupas.

O número de pontos necessários para o fechamento das lesões varia de acordo com o local, a profundidade, a espessura da pele e o fio utilizado. Nos planos profundos, os pontos devem ser suficientes para não deixar espaço morto (lacunas entre os tecidos). Na pele da face, usando fio 4-0 ou 5-0, são adequados pontos com intervalo de 2 mm; nas demais áreas do corpo e utilizando fios de maior espessura, a distância entre cada ponto deve ser de aproximadamente 5 mm.

Em certas lesões, deve ser acrescentado um tratamento diferenciado. As **lesões abrasivas** podem necessitar de escovação, ou mesmo dermoabrasão, para remover material estranho impregnado na derme, o que previne a tatuagem permanente da pele por pigmentos (piche e outros). Esse procedimento deve ser realizado nas primeiras 24 horas após o acidente. Nas **contusões**, pode haver necessidade de drenagem de hematomas. Nas **lacerações**, o desbridamento das bordas é fundamental. Nas **avulsões parciais**, a viabilidade do retalho criado pela lesão deve ser cuidadosamente avaliada; já nas **avulsões totais** ou em **ferimentos com perda de substância**, o tecido pode ser reposto somente com um enxerto de pele após a retirada do tecido adiposo. Finalmente, nas lesões **penetrantes** e nas lesões **punctórias**, é fundamental considerar a possibilidade de explorar o ferimento, buscando identificar dano a estruturas profundas e retirar corpos estranhos. Outra opção é simplesmente desbridá-lo, pois esse tipo de lesão tem maior probabilidade de desenvolver infecções como o tétano.

O descolamento das bordas ou a confecção de retalhos pode ser útil, em alguns casos, para diminuir a tensão na sutura, apenas quando se tratar de ferimentos limpos.

O uso de profilaxia antibiótica é desnecessário em pacientes com ferimentos limpos; além disso, pode selecionar cepas resistentes e favorecer superinfecções **C/D**. Assim, está contraindicado.⁹

Manejo de ferimentos contaminados

Clinicamente, é importante distinguir colonização de infecção, porque a primeira não necessita de antibióticos.¹⁰ Em maior ou menor grau, todo ferimento pode ser considerado contaminado. No entanto, a maioria dos ferimentos pode ser fechada primariamente após um desbridamento cirúrgico adequado. As exceções são lesões com inoculação bacteriana significativa (p. ex., mordedura), ferimentos com mais de 6 horas transcorridas desde o acidente (contraindicação relativa), com suprimento sanguíneo insuficiente ou criticamente reduzido por esmagamento e ferimentos em pacientes marcadamente obesos ou recebendo altas doses de corticoides. A Infectious Diseases Society of America (IDSA) classifica as infecções de pele e tecidos moles em cinco categorias: (1) superficial, (2) infecção não complicada (inclui impetigo, erisipela e celulite), (3) infecção necrosante, (4) infecções associadas com mordidas e contato animal, e (5) infecções cirúrgicas e de indivíduo imunodeprimido.

A maioria das infecções de tecidos moles é causada por *Staphylococcus aureus* e estreptococos β-hemolíticos dos grupos A, C e G de Lancefield; os do grupo B acometem geralmente diabéticos e idosos (ver Capítulo Infecções Não Traumáticas de Tecidos Moles).¹¹

O uso sistêmico de antibioticoprofilaxia por 24 a 48 horas está indicado em ferimentos muito contaminados (p. ex., queda em sistema de esgoto), em pacientes nos quais há fatores locais ou sistêmicos que diminuem a resistência à infecção (p. ex., imunossuprimidos por doença ou fármacos) ou quando o desenvolvimento de um processo infeccioso pode ser desastroso (p. ex., ferimento em região anatômica de próteses, pacientes com lesões cardíacas que necessitam de profilaxia) C/D.

Em ferimentos infectados, indica-se a antibioticoterapia pelo período mínimo de 7 dias C/D. O tratamento de escolha é o uso oral de amoxicilina + clavulanato (500 mg, de 8/8 horas, ou 875 mg, de 12/12 horas), cefalexina (500 mg a 2 g, de 6/6 horas) ou cefadroxila (500 mg, de 12/12 horas). Eritromicina (500 mg, de 6/6 horas) ou azitromicina (500 mg/dia, por 3-5 dias) são alternativas de segunda escolha, principalmente em alérgicos. Para uso intravenoso, cefalotina (1 g, de 6/6 horas) ou amoxicilina + clavulanato (500 mg, de 8/8 horas, ou 875 mg, de 12/12 horas) são opções. A penicilina G benzatina intramuscular em dose única também pode ser utilizada, na dose de 50.000 UI/kg em crianças com peso < 25 kg e na dose de 1.200.000 UI para os demais casos. A indicação de instilação local de antibióticos é controversa.

É fundamental salientar que, mesmo quando o uso de antibiótico está indicado, os cuidados cirúrgicos locais são os fatores mais importantes e efetivos para a recuperação dos ferimentos cutâneos.

Em ferimentos contaminados, o número de pontos de sutura deve ser mínimo, pois eles são corpos estranhos que aumentam o risco de infecção. Os fios devem ser monofilamentares (náilon, principalmente) para evitar nidação de bactérias. Esses pacientes necessitam de revisão em 48 horas após o fechamento da lesão, para identificação de manifestações precoces de infecção (sinais inflamatórios exacerbados) e respectivo tratamento, se for o caso. Se houver dúvida quanto à conveniência de fechar o ferimento, é mais seguro postergar a síntese, realizar outro desbridamento, aguardar que a contaminação diminua e, só então, proceder à sutura.

Uma infecção cutânea que esteja associada aos seguintes sinais e sintomas de toxicidade sistêmica deve ser considerada complicada: febre ou hipotermia, taquicardia (> 100 batimentos/minuto) e hipotensão (pressão arterial sistólica < 90 mmHg). Esses pacientes devem ser encaminhados a um serviço de urgência/emergência hospitalar. A investigação inicial deve incluir hemoculturas, hemograma, proteína C-reativa, creatinina, bicarbonato e creatinafosfoquinase. Quando possível, faz-se também coleta de material de tecidos moles para cultura. Se a infecção estiver alastrando-se rapidamente, uma avaliação imediata do cirurgião deve ser feita com vistas ao desbridamento e à drenagem.[10]

O conceito de biofilme ganhou grande importância na infectologia e no manejo de feridas, especialmente quando há implantes sintéticos associados. O biofilme é uma comunidade bacteriana com elevado grau de organização, embebida em matrizes poliméricas, produzidas pelas próprias bactérias.

Enxertos e retalhos

Enxertos e retalhos são técnicas utilizadas para reconstruções teciduais, as quais consistem em transferir um ou mais tecidos de uma região anatômica (área doadora) para a área da ferida, da perda tecidual ou da deformidade (área receptora). (Ver **FIGURAS** S84.1 e S84.2 no QR code.)

Enxertos são reconstruções desprovidas de vascularização própria e dependem do suprimento sanguíneo da área receptora para sobreviver. (Ver **FIGURAS** S84.3 e S84.4 no QR code.) Retalhos são reconstruções constituídas por um pedículo, que fornece suprimento vascular e drenagem venosa, permitindo sobreviver sem a dependência total da área receptora. Podem ser utilizados na fase aguda ou tardia do tratamento de feridas. Pacientes que necessitam dessas reconstruções devem ser encaminhados a especialistas de áreas cirúrgicas.

Manejo de ferimentos especiais

Os ferimentos penetrantes em cavidades naturais do corpo costumam precisar de atendimento em centro de referência em trauma.

Alguns desses ferimentos podem ser tratados pelo generalista, dependendo da extensão do seu treinamento básico e da disponibilidade de outro centro mais especializado; a maioria deles, após uma correta avaliação inicial, são encaminhados ao especialista. As linhas gerais para o fechamento dessas lesões são descritas a seguir, cabendo ao médico da APS julgar criteriosamente a oportunidade e a extensão da sua intervenção (avaliar e tratar ou prestar apenas cuidados iniciais e encaminhar).

Face

O excelente suprimento sanguíneo da face permite que a lesão seja fechada após um período maior que o usual, possibilitando avaliação cuidadosa do grau de comprometimento da lesão. O uso de técnica refinada é ainda mais importante, pois os tecidos da face são mais delicados e há muitas estruturas nobres. Portanto, a urgência em suturar o ferimento não deve dificultar a avaliação de lesões a essas estruturas.

O desbridamento das bordas dos retalhos deve ser menos agressivo, já que a grande rede vascular permitirá a sobrevivência de uma área maior de tecido que em outras regiões.

É obrigatório o exame das cavidades nasal e oral, assim como das conjuntivas. É importante isolar as cavidades, suturando adequadamente os seus respectivos planos (p. ex., mucosa oral e nasal).

É recomendável o uso de referências anatômicas para facilitar o correto posicionamento dos retalhos cutâneos. Assim, os alinhamentos da borda do vermelhão do lábio, da rima nasal, da sobrancelha e da hélice devem ser os procedimentos primários nas suturas da face (FIGURA 84.4).

Uma das sequelas mais dramáticas em ferimentos de face é a lesão do nervo facial. Esse é o nervo mais lesado no corpo humano. As funções dos seus cinco ramos principais (temporal, zigomático, bucal, mandibular [ou marginal

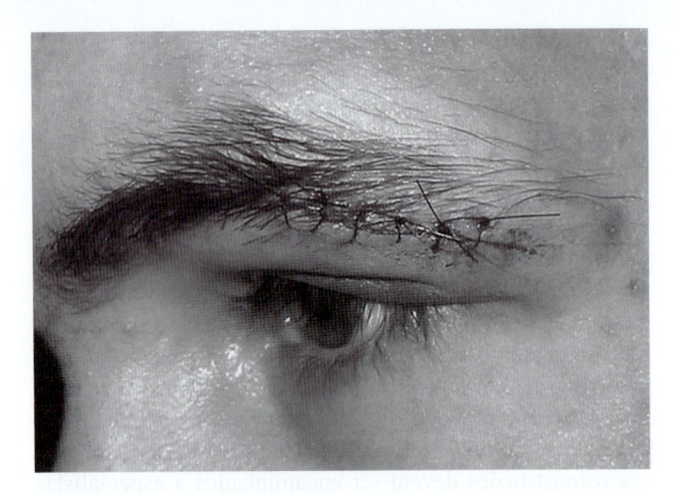

FIGURA 84.4 → Sutura simples interrompida de um ferimento no supercílio esquerdo. Deve-se ter o cuidado de não deixar pelos para dentro da ferida operatória, o que aumenta o risco de infecção pós-operatória.

da mandíbula] e cervical) devem ser cuidadosamente observadas. Ao examinar uma lesão na região massetérica, é necessário investigar também o ducto da parótida (ducto de Stenon).

Nos ferimentos envolvendo as pálpebras, a chave para um bom resultado é ajustar a linha cinzenta e suturar todas as camadas (sem haver contato dos pontos com a córnea, para evitar ulceração). Deve ser considerada a colocação de uma tarsorrafia temporária. Na impossibilidade de fazer a reconstrução por qualquer motivo, deve-se lavar o olho com colírio de lágrima artificial (ver Capítulo Outras Patologias Oculares) ou soro fisiológico, aplicar pomada oftálmica (p. ex., Regencel®), ocluir o olho acometido com gaze e encaminhar o paciente a uma instituição especializada (que tenha atendimento de cirurgia plástica ou oftalmologia). No exame dos olhos, deve-se buscar também assimetrias nos tamanhos das pupilas (anisocoria) e perda do movimento do(s) olho(s) acometido(s). Caso haja suspeita dessas alterações, encaminha-se o paciente a um centro de referência. Além disso, em traumas orbitopalpebrais, deve-se atentar para o descolamento de retina. A sua apresentação pode ser de escotomas ou anopsias, mas o início pode ser assintomático. Considerar avaliação oftalmológica, presencial ou via telemedicina, urgente (o diagnóstico é feito por fundo de olho, mas nem sempre um médico sem experiência consegue fazê-lo).

Os pavilhões auriculares são muito suscetíveis a lesões. Um hematoma nessa área leva a uma deformidade "em couve-flor" se não houver prevenção por meio de drenagem e de curativo bem moldado. Nas lacerações transfixantes, devem ser suturadas as três camadas, inclusive a cartilagem (utilizar fios inabsorvíveis).

A pesquisa de fraturas deve ser feita durante e após a sutura. Muitas vezes, as fraturas faciais podem passar despercebidas pelo médico não acostumado a procurá-las.[4] É necessário avaliar os ferimentos em profundidade.

Nas fraturas faciais, o sangramento pode ser profuso. Quando isso acontece, o risco de obstrução de via aérea e o risco de aspiração aumentam.

Cavidade oral

Os ferimentos da cavidade oral podem ser incômodos e, por vezes, causar sangramentos que necessitam de manejo imediato. A ingestão de sangue pode causar náuseas e vômitos, porque o ferro contido nas hemácias é irritante ao estômago. O sangramento moderado a grave em um paciente com consciência alterada pode causar aspiração. Sangramentos na base da língua e na faringe podem causar dificuldades respiratórias e chegar até mesmo à obstrução de via aérea superior. Esses casos devem ser encaminhados a hospitais de pronto-socorro para manejo por cirurgiões maxilofaciais, otorrinolaringologistas ou cirurgiões de trauma.

Os dentes devem ser avaliados para buscar diagnósticos de fratura, luxação ou avulsão. Elementos dentários podem ser aspirados e levar a abscessos do trato respiratório. Se houver diagnóstico ou suspeita de alterações dentárias ou alveolares, deve-se encaminhar o paciente a um odontologista especialista em cirurgia e traumatologia bucomaxilofacial. Na fase subaguda do trauma, pode haver doença periodontal e formação de abscessos, que podem estender-se e formar abscessos faríngeos e cervicais. Esses abscessos podem, por sua vez, complicar com bacteriemia, sepse e mediastinite. Quando essas infecções acometem dentes posteriores, pode haver trismo.

Suturas intraorais menores podem ser feitas com anestesia local ou bloqueio regional e fio absorvível, como Vicryl® 3-0 ou 4-0, Monocryl® 3-0 ou 4-0 ou até mesmo categute (cromado ou não) 3-0 ou 4-0. O uso de fios inabsorvíveis não é errado (p. ex., náilon), caso não haja um absorvível disponível; entretanto, deve ser retirado posteriormente, o que pode ser difícil em pacientes pediátricos, com atraso do desenvolvimento neuropsicomotor ou com outras causas de agitação. Deve-se atentar para pacientes com risco de endocardite, como aqueles com malformações e/ou defeitos cardiovasculares (ver Capítulo Febre Reumática e Prevenção de Endocardite Infecciosa), nos quais a profilaxia deve ser instituída. Após a sutura, recomenda-se uma dieta pastosa por 5 a 7 dias, preferencialmente fria nos primeiros 2 dias. Aplica-se bolsa de gelo por 2 a 3 dias, enrolado em saco plástico e em uma toalha ou pano. A higiene oral com clorexidina aquosa, 3 a 4 ×/dia, está indicada. A escovação dentária pode continuar – exceto na área de trauma dentária, caso para o qual deve haver recomendação odontológica.

Pescoço

Em geral, uma lesão abaixo do platisma deve ser explorada e possivelmente avaliada por uma arteriografia, endoscopia ou observação cuidadosa. A região cervical é dividida em três zonas para fins semiológicos: zona I, das clavículas à cartilagem cricóidea; zona II, dessa cartilagem até o ângulo mandibular; e zona III, desse ponto à base do crânio. Lesões nas zonas I e III apresentam maior dificuldade diagnóstica (FIGURA 84.5).

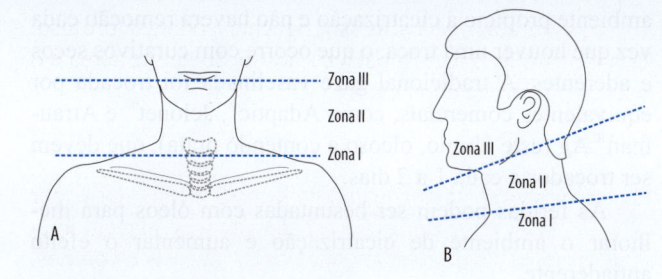

FIGURA 84.5 → Zonas anatômicas do pescoço.
Fonte: Adaptada de Moore, Feliciano e Mattox.[12]

Um ferimento penetrante de baixa velocidade pode ser manejado por observação frequente, dependendo do tempo e da facilidade de deslocamento até um centro com capacidade diagnóstica e terapêutica. Se os seguintes sinais aparecerem, a exploração está indicada: hemorragia contínua, diminuição ou ausência de pulsos, enfisema subcutâneo, dano neurológico progressivo, mudanças súbitas na voz, dificuldade para respirar ou deglutir, hematoma em expansão, hemoptise ou hematêmese.

Em lesões por explosão (alta velocidade), é necessária a exploração cirúrgica do ferimento, o qual ficará aberto temporariamente antes do fechamento definitivo por terceira intenção.

Membro superior

A primeira pessoa que prestar atendimento a um paciente com um ferimento na mão poderá estar determinando a utilidade futura desse segmento. As lesões sensitivas, motoras, vasculares e ósseas devem ser investigadas com cuidado.

Um torniquete pneumático ou até mesmo um aparelho de aferir pressão arterial podem ser usados se o sangramento for intenso. Infla-se o aparelho até 250 a 300 mmHg. Um paciente acordado pode tolerar a compressão por aproximadamente 30 minutos, tempo suficiente para a aplicação de um curativo muito compressivo (não usar pinças hemostáticas). O segmento deve ser limpo, imobilizado em posição de função (articulações metacarpofalângicas em 90°, articulações interfalângicas em extensão e polegar em abdução de 20°) e mantido elevado, encaminhando-se o paciente a um especialista. Os ferimentos cutâneos devem ser fechados se houver previsão de demora no contato com o especialista. O atendimento definitivo a esse tipo de trauma deve ser realizado por um cirurgião treinado nessa área.

Amputações

Nesses casos, o papel do clínico é garantir que o segmento amputado tenha as melhores condições de reimplante quando chegar ao centro especializado de tratamento.

O reimplante de tecidos deve ser tentado sempre que a estrutura amputada tiver sido transportada em condições favoráveis: limpa, envolta em panos limpos e resfriada externamente (não imersa **diretamente** no gelo). Outras condições para o sucesso do reimplante são o tempo transcorrido desde o acidente (quanto maior o segmento, menor o tempo disponível – isto é, quanto mais proximal a amputação, menor a tolerância à isquemia), a presença de vasos sanguíneos e as condições desses vasos e de outros tecidos.

O reimplante não se restringe somente aos membros: qualquer outro segmento, como o escalpo ou as orelhas, merece a mesma atenção.

Existe controvérsia quanto a fazer ou não reimplantes de membros e de dedos. Segmentos reimplantados que não tenham função, que se tornem rígidos e sem movimento (amputação "funcional") ou que atrapalhem a função dos segmentos remanescentes, como outros dedos da mão, talvez não devam ser reimplantados. A indicação disso fica a cargo do cirurgião especialista.

Mordeduras

As mordeduras por cães são as mais comuns – 80 a 90% dos casos. Ocorrem principalmente nos membros inferiores. Apesar disso, a infecção total provocada por cães está entre as menos frequentes entre os mamíferos, estimada em até 20% das ocorrências.

As mordidas por felinos são o segundo tipo mais comum, contando com 5 a 15% dos casos. Os ferimentos são mais penetrantes.[13]

As mordidas humanas, embora relativamente incomuns, podem levar a quadros infecciosos graves.

Os ferimentos por mordedura de animais devem ser irrigados de maneira abundante, desbridados e podem ser suturados **C/D** (ao contrário das mordeduras humanas), dependendo das outras condições locais.[14]

O uso profilático de antibióticos sistêmicos está indicado por 5 dias **C/D**. De modo geral, amoxicilina + clavulanato é o medicamento de escolha. Para mordedura de cães e gatos, a primeira escolha é amoxicilina + clavulanato, e a alternativa é ceftriaxona ou tetraciclina. No caso de mordida por rato, morcego ou gambá, a primeira escolha é ampicilina, e a segunda, tetraciclina. Para mordedura humana, a primeira escolha é amoxicilina + clavulanato, tendo como alternativa a cefoxitina. Para o manejo antiofídico, ver Capítulo Acidentes por Animais Peçonhentos. O clínico deve seguir as regras gerais para o tratamento de ferimentos contaminados. Ver Capítulo Raiva para avaliação e manejo dos casos em que há suspeita de mordedura por animal raivoso.

Pacientes com ferimentos profundos devem receber antibióticos por via intravenosa, que pode ser trocada conforme melhora clínica **C/D**. No caso de abscessos ou celulites, secundários à mordedura, trata-se por 5 a 10 dias. Se houver bacteriemia, prolonga-se por 10 a 14 dias. Pacientes com sinovite devem ser tratados por 4 semanas, e os com osteomielite, por 6 semanas.

Manejo de ferimentos crônicos

O desbridamento é tão importante nesses ferimentos quanto nas lesões agudas. Os métodos são os mesmos: limpeza; troca frequente de curativos simples ou mais espaçada com curativos especializados; lavagem com solução salina; e desbridamento cirúrgico ou enzimático (lítico; p. ex., hidrogel, papaína). Eles costumam ser mais práticos e de manejo inclusive domiciliar, mas podem ser mais onerosos. São úteis em pacientes acamados e institucionalizados, bem como naqueles com distúrbios de coagulação, nos quais o desbridamento cirúrgico possa causar sangramento importante.

A evolução dos curativos trouxe a possibilidade de reduzir o número de intervenções, mas há casos em que o tratamento tópico conservador fica estagnado e o desbridamento cirúrgico volta a ser indicado. Daí a necessidade de acompanhamento por profissional especializado em feridas.

O fechamento final de uma lesão crônica contaminada é sempre feito por segunda ou terceira intenção. O êxito depende da transformação de um ferimento crônico contaminado em uma lesão aguda limpa, por meio de limpeza e desbridamento cirúrgico. Pacientes com lesões extensas, profundas e com grandes áreas de necrose ou contaminação devem ser encaminhados.

Cuidados pós-operatórios imediatos

Analgesia

O alívio da dor é importante para um melhor manejo do ferimento e para o conforto do paciente. Devem ser prescritos medicamentos que variam em potência segundo a dor do paciente (ver Capítulo Abordagem Geral da Dor). Utiliza-se a escala visual analógica para quantificar a dor e decidir pela escolha do esquema analgésico.

Curativos

Os objetivos do curativo oclusivo são: proteger o ferimento de traumas e contaminações; imobilizar o segmento; reduzir o edema; reduzir a dor; prevenir a formação de coleções líquidas; e promover a absorção das secreções presentes.

Em ferimentos pouco complexos e não contaminados, o curativo recomendado, após a sutura, é a fita adesiva microporosa, colocada de forma perpendicular à cicatriz ou cruzada (em forma de "X"). A fita visa diminuir a tensão sobre a linha de sutura. Entretanto, o adesivo não deve ser colocado sob tensão, pois levará à formação de flictenas na pele. Em pacientes alérgicos à cola da fita Micropore®, pode-se utilizar fitas adesivas antialérgicas ou, então, fazer curativo com gazes e atadura.

Curativo com gaze e soro fisiológico

Essa é, provavelmente, a forma mais simples de fazer um curativo. Possibilita manter a umidade na ferida, favorece a formação de granulação, amolece os tecidos desvitalizados, estimula o desbridamento autolítico e absorve exsudato C/D. O problema é que esse curativo seca rápido, as trocas têm que ser frequentes e a gaze tende a aderir no tecido de granulação e ser envolvida por ele. Assim, costuma ter pouca adesão por parte do paciente e do cuidador. De qualquer forma, é uma opção básica em feridas que não serão submetidas à síntese primária e nos casos em que não há outra opção melhor.

Curativo oleoso e/ou não aderente

O curativo deve ser não aderente em feridas limpas, sem *debris* nem secreção purulenta, que apresentam predominantemente tecido de granulação. Dessa forma, formará um ambiente propício à cicatrização e não haverá remoção cada vez que houver uma troca, o que ocorre com curativos secos e aderentes. A tradicional gaze vaselinada foi trocada por equivalentes comerciais, como Adaptic®, Jelonet® e Atrauman® Ag (este último, oleoso e contendo prata), que devem ser trocados a cada 1 a 2 dias.

As feridas podem ser besuntadas com óleos para melhorar o ambiente de cicatrização e aumentar o efeito antiaderente.

Os curativos oleosos e/ou não aderentes são mais efetivos do que aqueles com gaze e soro fisiológico C/D.

Aplicação dos curativos

A limpeza da cicatriz com gaze e solução salina fisiológica, após as primeiras 48 horas, evita a formação ou manutenção de crostas hemáticas, facilita a retirada dos pontos e melhora a sua qualidade final. Teoricamente, após 48 a 72 horas, os ferimentos poderiam ficar expostos sem aumentar a incidência de infecção; no entanto, o uso de fita adesiva melhora o resultado final C/D. Questões técnicas (trauma local), psicológicas e sociais determinarão a conduta a ser seguida.

Nas abrasões e nos enxertos de pele, usa-se uma camada de gaze vaselinada ou à base de óxido de zinco, recoberta por gazes secas, para recobrir a lesão. Os enxertos de pele devem ficar imóveis por pelo menos 5 dias e ter contato total de sua superfície cruenta com o leito receptor, por meio de curativos compressivos C/D. Em áreas doadoras de enxerto, deve-se utilizar curativo úmido nos primeiros dias. A forma mais simples de fazer isso é com vaselina ou óxido de zinco. Podem-se utilizar gazes vaselinadas industrializadas (p. ex., Adaptic®, Jelonet®, Atrauman® Ag). A troca pode ser feita a cada 2 a 3 dias, conforme a sufusão, e a camada mais próxima à pele pode ser mantida por mais de uma troca para diminuir a remoção da camada de epitelização. As membranas artificiais (p. ex., Omiderm®, Membracel®, Mepitel®) são de grande valia, embora sejam mais onerosas e nem sempre estejam disponíveis. Elas podem permanecer até que haja epitelização total subjacente. Apenas o curativo mais superficial é trocado.

Nos ferimentos em que se aplica a técnica aberta, deve-se cobrir a área exposta preferencialmente com curativo oleoso não aderente (gazes vaselinadas com ou sem óleos). Esse curativo deve ser trocado 1 a 2 ×/dia. Se o curativo for feito apenas com soro fisiológico e gaze (uma segunda opção), deve ser trocado 2 a 4 ×/dia, o que pode diminuir a adesão do tratamento por parte do paciente ou dos cuidadores. Se houver necrose ou fibrina, o desbridamento mecânico ou químico da ferida é fundamental para a sua boa evolução. O próprio paciente e seus familiares podem ser instruídos a realizar a troca. Em caso de insegurança ou outras dificuldades, o paciente deve ser encaminhado a um ambulatório de feridas. Caso não haja óleos disponíveis (vaselina, TCM, etc.), gazes podem ser molhadas com soro fisiológico na troca do curativo, prevenindo lesões aos tecidos subjacentes. Porém, a preferência atual é dada a substâncias tópicas oleosas, que geram menos aderência da cobertura à ferida. Isso reduz a remoção da cicatriz, de células e de fatores de crescimento, bem como a incidência de sangramento.[15]

Os ferimentos próximos a articulações podem necessitar de uma tala gessada para garantir a imobilidade da lesão, principalmente se enxertos de pele tiverem sido colocados no ferimento. Deve-se considerar que uma articulação imobilizada pode perder amplitude de movimento com o passar das semanas, necessitando de fisioterapia com brevidade após a retirada dos curativos. Normalmente, um prazo de 5 a 7 dias é suficiente para um enxerto integrar.

A redução da atividade física pode ser importante para a cicatrização. Rotineiramente, solicita-se que o paciente evite movimentos que tracionem a área suturada. Deve-se manter uma atividade sedentária por 1 a 2 semanas, mas não de grande imobilidade, uma vez que isso aumenta o risco de outras doenças, como trombose venosa profunda (TVP) e tromboembolismo pulmonar (TEP). Em pacientes que sabidamente terão redução de atividade e ficarão (quase) acamados por causa de um procedimento cirúrgico, utilizam-se medidas preventivas contra TVP e TEP, como uso de meias compressivas e heparina profilática subcutânea C/D. A elevação da área (principalmente das extremidades) é outra orientação para reduzir edema e sintomas, melhorando a evolução pós-operatória C/D.

Retirada dos pontos

A época adequada para a retirada dos pontos cirúrgicos varia segundo a região (espessura da pele), a idade do paciente, o tipo de ponto utilizado e, o mais importante, a evolução clínica do ferimento (reação inflamatória e outros fatores locais e sistêmicos). A cicatrização nas crianças é mais intensa e rápida que nos idosos.

Como regra, as suturas são retiradas ao fim dos seguintes períodos: nas pálpebras, com 4 a 5 dias; nas outras regiões da face, com 5 a 7 dias; no pescoço, com 7 a 10 dias; no tronco e nos membros superiores, com 7 a 14 dias; e nos membros inferiores, com 10 a 21 dias.

Um fator a ser observado clinicamente é a reação do organismo ao fio de sutura, uma reação inflamatória de corpo estranho que pode ocasionar danos à cicatriz. Nesse caso, os pontos devem ser retirados precocemente desde que não haja risco de deiscência da sutura.

A retirada dos pontos deve ser realizada de preferência com uma pinça de preensão sensível e uma tesoura de ponta fina e afiada (p. ex., tesoura de Íris reta ou curva) ou bisturi de lâmina nº 11 ou 15. O uso de lupas ou outras lentes que aumentem a visão em 2,5 a 3,5 vezes pode facilitar a retirada, principalmente em regiões delicadas, como pálpebras. O ferimento deve estar limpo. O fio é pinçado por uma das extremidades e tracionado, sendo a outra extremidade seccionada bem junto à superfície cutânea. O ideal é que a parte externa do fio não passe por dentro da pele durante a retirada do ponto. O uso de lupas pode facilitar a retirada dos pontos, assim como uma boa iluminação.

Tétano

O tétano é uma doença infecciosa aguda não contagiosa, causada pelas exotoxinas (tetanospasminas) do *Clostridium tetani*. Clinicamente, a doença manifesta-se por febre baixa ou ausente, hipertonia muscular mantida, hiper-reflexia e espasmos ou contraturas paroxísticas espontâneas ou ocasionados por vários estímulos, como sons, luminosidade, injeções, toque ou manuseio. Em geral, o paciente mantém-se lúcido.

O clostrídio é comumente encontrado na natureza, sob a forma de esporo, nos seguintes meios: pele, trato gastrintestinal de animais (especialmente cavalo e homem), fezes, terra, plantas aquáticas em estado de putrefação, instrumentos perfurocortantes enferrujados, poeira das ruas, etc. A infecção ocorre pela penetração direta dos esporos em uma solução de continuidade da pele ou das mucosas. Em condições favoráveis de anaerobiose, os esporos transformam-se em formas vegetativas, que produzem tetanospasminas. A presença de tecidos desvitalizados, corpos estranhos, isquemia e infecção contribuem para diminuir o potencial de oxirredução.

O período de incubação do tétano é de 10 dias, variando de 4 a 21 dias. Há uma classificação do Centers for Disease Control and Prevention (CDC), do Estados Unidos, a respeito do risco que os ferimentos têm para tétano (TABELA 84.2).

A suscetibilidade é universal. A imunidade é conferida pela vacina de 3 doses e reforço a cada 5 ou 10 anos. A doença não confere imunidade. Os filhos de mães imunes apresentam imunidade passiva e transitória por até 4 meses. Recomenda-se um reforço em caso de nova gravidez, se esta distar mais de 5 anos da última dose. A imunidade por meio do soro antitetânico dura até 14 dias (em média, 1 semana), e a imunidade conferida pela imunoglobulina humana antitetânica dura 2 a 4 semanas (em média, 14 dias).

O diagnóstico do tétano é eminentemente clínico, não dependendo de exames laboratoriais. O diagnóstico diferencial deve ser feito com: intoxicação pela estricnina; meningites; tetania por hipocalcemia; raiva; histeria; intoxicação por metoclopramida e neurolépticos; processos inflamatórios da boca e da faringe, acompanhados de trismo; e doença do soro. O paciente com tétano deve ser encaminhado para internação.

A profilaxia do tétano deve ser sempre revisada quando houver ferimentos cutâneos (ver Capítulo Imunizações). Em pacientes inconscientes e/ou cujo estado da imunização

TABELA 84.2 → Classificação das feridas quanto ao risco para tétano

CARACTERÍSTICAS CLÍNICAS	FERIMENTOS SEM POTENCIAL	FERIMENTOS COM POTENCIAL
Tempo de ocorrência	Até 6 horas	> 6 horas
Configuração	Linear ou abrasão	Estrelado ou avulsão
Profundidade	Até 1 cm	> 1 cm
Mecanismo do trauma	Superfície cortante	Projétil, esmagamento, queimadura por calor ou frio
Sinais de infecção	Ausentes	Presentes
Tecidos desvitalizados	Ausentes	Presentes
Contaminantes (sujeiras, fezes, terra, saliva, etc.)	Ausentes	Presentes
Tecidos denervados ou isquêmicos	Ausentes	Presentes

não puder ser avaliado com segurança, deve-se considerar que não houve imunização recente. Não há comprovação da eficácia de penicilina benzatina como profilático do tétano acidental nas infecções cutâneas.

TRATAMENTO NÃO CIRÚRGICO

O manejo de feridas sofreu diversas modificações na última década. Os curativos deixaram de ser apenas uma cobertura há muito tempo. A geração atual de curativos tem como objetivo promover melhorias na ferida. Há uma gama de curativos possíveis, disponíveis comercialmente. Isso não invalida opções mais antigas, que podem ser utilizadas se forem as opções disponíveis. Os curativos de terapia por pressão negativa ganharam muito espaço e têm ajudado significativamente no tratamento de feridas grandes e complexas. A oxigenoterapia hiperbárica é considerada um tratamento adjuvante com bom potencial. A terapia a *laser* de intensidade baixa está em difusão para o auxílio na analgesia e na cicatrização de feridas. É necessário conhecer o que está disponível na instituição (ou na localidade) onde se trabalha. No entanto, esta área do conhecimento – feridas e cicatrização – carece de estudos de maior potencial estatístico.

Há diversas opções para o tratamento de uma ferida. Para escolher entre elas, devemos diferenciar se uma ferida é limpa ou não. Quando o fechamento cirúrgico não está indicado, pelo menos momentaneamente, há a possibilidade de optarmos por uma ou mais modalidades de tratamento. Dessa forma, assume-se que a cicatrização será por segunda intenção ou por fechamento primário tardio. Seu uso parte de uma avaliação inicial do paciente: causa da ferida; condição da ferida; doenças sistêmicas; medicamentos em uso; e estado metabólico e nutricional. A seguir, apresentaremos várias dessas possibilidades, muitas limitadas em função de seu alto custo atual.

Além dos curativos básicos apresentados anteriormente, há outras opções. As **telas de silicone** (p. ex., Mepitel®) são um tipo de curativo (ou membrana) não aderente, que permite a saída de secreções. Não têm propriedade farmacológica direta, mas podem ser associadas a medicamentos tópicos. Elas podem ser lavadas e recolocadas sobre a ferida. Em geral, são descartadas semanalmente.

Os **curativos de alginato de cálcio** absorvem o exsudato, reduzindo o excesso de secreção. A drenagem da secreção ocorre de forma mais vertical, reduzindo o risco de maceração da pele circunjacente. Esses curativos formam uma barreira antimicrobiana sobre a superfície da ferida, reduzindo a colonização. A associação com prata iônica (p. ex., Aquacel® Ag, Curatec Silver®, Melgisorb® Ag, etc.) promove ação bactericida tópica, melhorando seu efeito em feridas contaminadas C/D. A atividade antimicrobiana por durar até 2 semanas. Em geral, as trocas podem ser feitas a cada 2 ou 3 dias. Em feridas mais secretivas, pode-se remover a parte de curativos acima do alginato (gazes, compressas, apósitos, ataduras, etc.) diariamente, mantendo-o mesmo assim por 2 ou 3 dias, como dito anteriormente.

O **hidrogel** (p. ex., Dersani® Hidrogel com Alginato e SAF-Gel®) é um fármaco para tratamento tópico à base de alginato. Ele é útil para feridas com necrose seca, em que há necessidade de hidratar e promover o desbridamento lítico (químico) da ferida. Sua posologia é 1 ×/dia (pode ser prolongada se associada a algumas coberturas). Em feridas traumáticas da pele, diminuiu o tempo até a cicatrização em 5 dias B.[16]

O **óxido de zinco** é uma substância utilizada em feridas não infectadas. A forma de apresentação é em pó, insolúvel em água, mas muito solúvel em ácidos. Tem ação antipruriginosa, anti-inflamatória e pró-cicatrizante, além de proteger de raios ultravioleta. A ação pró-cicatrizante é atribuída pela cobertura que ele faz. É muito utilizado em pacientes pediátricos, principalmente para assaduras (p. ex., Hipoglós® [óxido de zinco + palmitato de retinol + colecalciferol] e Dermodex® [óxido de zinco + nistatina]). Pode ser utilizado também na pele circunjacente à ferida, para reduzir maceração. Além disso, é utilizado nos bloqueadores solares. O óxido de zinco, quando utilizado em úlceras venosas associado a uma bandagem compressiva, é conhecido como bota de Unna ou pasta de Unna (ver Capítulo Doenças Venosas dos Membros Inferiores). O óxido de zinco está contraindicado apenas em pacientes com hipersensibilidade.

O **creme de papaína** pode ter concentração entre 4 e 20% e ser associado com ureia. Ele serve para o desbridamento enzimático de crostas de necrose, bem como para a remoção da necrose seca. Após a eliminação da necrose, esse fármaco tópico deve ser suspenso, pois aumenta o sangramento da ferida limpa. Trata-se de um tratamento tópico eficaz e barato, fácil de encontrar em farmácias de manipulação C/D. Para desbridamento, ela é mais rápida do que o hidrogel.

Na presença de feridas de difícil cicatrização, deve-se considerar encaminhamento para terapias mais sofisticadas. A **terapia por pressão negativa** (**TPN**), leigamente conhecida como curativo "a vácuo", consiste na aplicação de pressão subatmosférica no leito da ferida, por meio de um sistema fechado, ligado a um aparelho compressor ou de aspiração. Ela tem sido utilizada em diversos tipos de feridas, agudas ou crônicas, traumáticas ou não. Parece haver benefício clínico em diversas situações, além da possibilidade de desospitalização e redução do custo de tratamento do paciente. Ainda há necessidade de mais estudos sobre a TPN para definir melhor suas indicações.[17] A TPN reduz edema, permanência de líquido que permita o crescimento de microrganismos e dor, e aumenta a velocidade de granulação. Em enxertos, pode ser utilizada em substituição a curativos de Brown (um monte de gazes ou apósitos amarrados sobre o enxerto, para criar imobilidade). Atualmente, admitem-se duas situações para uso da TPN: dentro de uma ferida, para estimular a cicatrização e reduzir complicações; e sobre uma ferida operatória fechada, com o intuito de reduzir a deiscência de sutura.

Outras opções incluem **oxigenoterapia hiperbárica**,[18] *laser* **de intensidade baixa** (LIB),[19] plasma rico em plaquetas (PRP)[20] e fatores de crescimento.

Os **antibióticos sistêmicos** são de pouco valor isoladamente para a cicatrização, pois não penetram no leito fibroso do tecido de granulação C/D. Estão indicados quando há complicações associadas, como celulite, abscessos, osteomielite, etc. B. Antibióticos tópicos retardam a cicatrização, porque agem também nas células do paciente.

Cremes antibacterianos tópicos, em diversas apresentações, têm contato contínuo com a lesão e boa penetrabilidade e diminuem o número de bactérias, podendo ser úteis em casos selecionados (RRR de infecção = 39%; NNT = 50) B[21]

O **creme de fenitoína** (a 0,5%, 1 ×/dia) vem sendo utilizado no tratamento de feridas crônicas B[22]

O **açúcar** já foi muito utilizado no passado. A fundamentação científica para o uso é escassa C/D[23,24]

Há relatos de uso de **solução hidroalcoólica de própolis** em feridas C/D[25]

CUIDADOS PÓS-OPERATÓRIOS TARDIOS

Prevenção dos distúrbios fibroproliferativos: cicatriz hipertrófica e queloidiana

Os distúrbios fibroproliferativos expressam-se por cicatrizes hipertróficas e queloides (ver QR code), sendo a consequência de um processo anormal da cicatrização e caracterizando-se pela deposição em excesso de matriz extracelular.[26] Os queloides, ao contrário das cicatrizes hipertróficas, não respeitam os limites da cicatriz e não regridem espontaneamente, ou continuam a progredir após 6 meses do trauma ou da cirurgia.

As opções para o tratamento de distúrbios proliferativos são:[27] excisão, injeções intralesionais, matriz de regeneração dérmica, crioterapia, laserterapia, revestimento com gel de silicone, radioterapia, pressoterapia e adesivos teciduais (p. ex., Prineo®). Visando à prevenção de queloides, após a retirada dos pontos, pode-se manter o uso de fita adesiva (Micropore®) ou utilizar adesivos de silicone para evitar perturbações ao processo cicatricial advindas de trações e/ou movimentos prematuros. Também se pode hidratar as cicatrizes, caso estejam ressecadas ou descamativas; todavia, o uso concomitante de loções e adesivos não é factível, pela perda de aderência dos últimos. A fita ou o adesivo de silicone devem ser mantidos por 3 meses (período de aumento da força tensora da cicatriz). Esse cuidado tem influência considerável no resultado final da cicatriz C/D. Os pacientes com história de cicatrizes hipertróficas ou queloidianas devem utilizar fita adesiva e/ou adesivo de silicone e ser encaminhados para acompanhamento com um cirurgião plástico e/ou dermatologista.

Especificamente para os pacientes formadores de queloides, a betaterapia pós-operatória é a terapia combinada mais efetiva.[26] A betaterapia deve ser iniciada logo nos primeiros dias após a cirurgia. O agendamento com o cirurgião e o radioterapeuta deve ser feito previamente à operação para cadenciar o tratamento combinado.

A injeção intralesional de corticoides por médicos dermatologistas ou cirurgiões plásticos pode ser efetiva e é de fácil realização, mas sua aplicação pode ser dolorosa e tem risco de atrofia tecidual, discromia e telangiectasia.[27] No entanto, é uma prática aceitável, diante da dificuldade de oferecer betaterapia a todos esses pacientes.[28]

Em um estudo de série de casos,[26] (Figueiredo, 2008), o tamanho do queloide foi o principal fator prognóstico para recidiva.

O creme tópico de hidroquinona a 4%, 1 ×/dia, pode ser utilizado para clareamento das cicatrizes hipercrômicas em pacientes com pele clara (classificação de Fitzpatrick I a III), mas sempre há risco de discromias C/D.

Massagem

Massagens diárias sobre a lesão, com substâncias oleosas ou hidratantes, favorecem o aprimoramento do processo de maturação e diminuição da fibrose cicatricial e do edema C/D. A massagem pode ser iniciada 1 semana após a retirada dos pontos e pode prolongar-se por todo o período de remodelação cicatricial (6-12 meses).

A fisioterapia dermatofuncional é uma especialidade dessa profissão, que se dedica à reabilitação de regiões operadas. Contribui para a redução do edema, da formação de fibrose e da formação de cicatrizes inestéticas. A primeira avaliação pode ser feita nos primeiros dias após a cirurgia ou, quando houver tempo hábil, até mesmo antes do procedimento.

Malhas compressivas pós-cirúrgicas

As malhas compressivas pós-cirúrgicas são utilizadas rotineiramente em cirurgia plástica, especialmente quando o trauma tecidual é extenso. Elas reduzem o edema, auxiliam no modelamento e reduzem o desconforto pós-operatório C/D. Quando há risco de cicatrizes inestéticas, são utilizadas por diversos meses, como é o caso de queimaduras.

Hidratação das cicatrizes e da pele

O uso de loções hidratantes melhora a barreira de proteção e reduz ressecamento e rachaduras (fissuras, rágades). Cicatrizes e enxertos de pele não têm anexos cutâneos, o que reduz a lubrificação natural (ver Capítulo Fundamentos de Terapêutica Tópica). Como dito anteriormente, o tratamento pós-operatório de cicatrizes pode gerar conflito entre adesivos e loções/óleos. Uma possibilidade é usar essas duas modalidades tópicas em horários/turnos alternados do dia.

Proteção solar

A exposição solar da cicatriz nos primeiros 3 meses após o fechamento deve ser evitada, pois a deixará mais aparente e pigmentada C/D. O paciente deve utilizar, diariamente, protetor com fator de proteção solar (FPS) ≥ 30. Durante essa fase, a cicatriz deixa, gradativamente, de apresentar-se alta, vermelha, dolorosa, pruriginosa e inelástica.

Revisão cirúrgica das cicatrizes

O acompanhamento de cicatrizes deve levar em conta critérios estéticos e funcionais. Cicatrizes mal posicionadas, hipertróficas e queloidianas, e aquelas que levam a déficits funcionais (p. ex., ectrópio, estenose narinária, insuficiência oral e perda de saliva, estenose de conduto auditivo externo, contratura de articulações e perda de amplitude de movimento), devem ser revisadas cirurgicamente. Para isso, o paciente deve ser encaminhado à cirurgia plástica.

REFERÊNCIAS

1. Brasil. Ministério da Saúde. Carteira de Serviços da Atenção Primária à Saúde [Internet]. Brasília: MS; 2019 [capturado em 18 nov. 2020]. Disponível em: http://biblioteca.cofen.gov.br/wp-content/uploads/2020/01/Carteira-de-Servi%C3%A7os-da-Aten%C3%A7%C3%A3o-Prim%C3%A1ria-%C3%A0-Sa%C3%BAde.pdf.
2. Croce D, Croce Jr. D. Causalidade médico-legal do dano. In: Croce D, Croce Jr. D. organizadores. Manual de medicina legal. 8. ed. São Paulo: Saraiva; 2012. p. 173–305.
3. Silva JJ de L, Lima AAAS, Melo IFS, Maia RCL, Pinheiro Filho TR de C. Trauma facial: análise de 194 casos. Rev Bras Cir Plástica. 2011;26(1):37–41.
4. Motta M. Análise epidemiológica das fraturas faciais em um hospital secundário. Rev Bras Cir Plástica. 2009;24(2):162–9.
5. Worster B, Zawora MQ, Hsieh C. Common questions about wound care. Am Fam Physician. 2015;91(2):86–92.
6. Darouiche RO, Wall MJ, Itani KMF, Otterson MF, Webb AL, Carrick MM, et al. Chlorhexidine-Alcohol versus Povidone-Iodine for Surgical-Site Antisepsis. N Engl J Med. 2010;362(1):18–26.
7. Krizek TJ. The problematic wound. In: Weinzweig J. Plastic surgery secrets plus. 2. ed. Mosby: Elsevier; 2010. p. 29–33.
8. Farion K, Osmond MH, Hartling L, Russell K, Klassen T, Crumley E, et al. Tissue adhesives for traumatic lacerations in children and adults. Cochrane Database Syst Rev. 2002;(3):CD003326.
9. Capellan O, Hollander JE. Management of lacerations in the emergency department. Emerg Med Clin North Am. 2003;21(1):205–31.
10. Dryden MS. Complicated skin and soft tissue infection. J Antimicrob Chemother. 2010;65 Suppl 3:iii35-44.
11. Stevens DL, Bisno AL, Chambers HF, Everett ED, Dellinger P, Goldstein EJC, et al. Practice guidelines for the diagnosis and management of skin and soft-tissue infections. Clin Infect Dis Off Publ Infect Dis Soc Am. 2005;41(10):1373–406.
12. Moore EE, Feliciano DV, Mattox KL. Trauma. 4th. ed. New York: McGraw-Hill Education; 2000. p. 438.
13. Talan DA, Citron DM, Abrahamian FM, Moran GJ, Goldstein EJC. Bacteriologic Analysis of Infected Dog and Cat Bites. N Engl J Med. 1999;340(2):85–92.
14. Bhaumik S, Kirubakaran R, Chaudhuri S. Primary closure versus delayed or no closure for traumatic wounds due to mammalian bite. Cochrane Database Syst Rev. 2019;12(12):CD011822.
15. Burch J, Köpke S. Is tap water sufficient for wound cleansing? Cochrane Clin Answ. 2018;741.
16. Zhang L, Yin H, Lei X, Lau JNY, Yuan M, Wang X, et al. A Systematic Review and Meta-Analysis of Clinical Effectiveness and Safety of Hydrogel Dressings in the Management of Skin Wounds. Front Bioeng Biotechnol. 2019;7:342.
17. Iheozor-Ejiofor Z, Newton K, Dumville JC, Costa ML, Norman G, Bruce J. Negative pressure wound therapy for open traumatic wounds. Cochrane Database Syst Rev. 2018;7(7):CD012522.
18. Kranke P, Bennett MH, James MM-S, Schnabel A, Debus SE, Weibel S. Hyperbaric oxygen therapy for chronic wounds. Cochrane Database Syst Rev. 2015; 2015(6):CD004123.
19. Andrade AG, Lima CF, Albuquerque AKB. Efeitos do laser terapêutico no processo de cicatrização das queimaduras: uma revisão bibliográfica. Rev Bras Queimaduras. 2010;9(1):21–30.
20. Rezende AR da R. Comparação entre uso de cola biológica de fibrina e drenagem de aspiração pós-operatória na prevenção de hematoma e seroma em ritidoplastia: um estudo controlado, randomizado e duplo cego [tese]. Porto Alegre: Universidade Federal do Rio Grande do Sul; 2018.
21. Heal CF, Banks JL, Lepper PD, Kontopantelis E, Driel ML van. Topical antibiotics for preventing surgical site infection in wounds healing by primary intention. Cochrane Database Syst Rev. 2016;(11):CD011426.
22. Firmino F, Almeida AMP de, Silva RJG, Alves GS, Grandeiro D da S, Penna LHG. A produção científica acerca da aplicabilidade da fenitoína na cicatrização de feridas. Rev Esc Enferm USP. 2014;48(1):162–9.
23. Murandu M, Webber M a, Simms M h, dealey c. Use of granulated sugar therapy in the management of sloughy or necrotic wounds: a pilot study. J Wound Care. 2011;20(5):206–16.
24. Burch J, Köpke S. Can honey applied topically promote wound healing? Cochrane Clin Answ. 2016;1124.
25. Santos MJ dos, Vianna L do AC, Gamba MA. The effect of propolis cream in healing chronic ulcers. Acta Paul Enferm. 2007;20(2):199–204.
26. Figueiredo J, Junior F, Zampar A, Mélega J. Quelóide: fatores de influência prognóstica. Rev Bras Cir Plástica. 1DC;23(4):274–80.
27. Corrêa P, Passos C, Souza E, Batista G, Jacintho J, Oliveira L, et al. Tratamento para queloides: revisão de literatura. Rev Bras Cir Plástica. 2019;34(3):391–8.
28. Bao Y, Xu S, Pan Z, Deng J, Li X, Pan F, et al. Comparative Efficacy and Safety of Common Therapies in Keloids and Hypertrophic Scars: A Systematic Review and Meta-analysis. Aesthetic Plast Surg. 2020;44(1):207–18.

Capítulo 85
CIRURGIA DA UNHA

Henrique Rasia Bosi
Guilherme S. Mazzini
Cleber Dario Pinto Kruel
Cleber Rosito Pinto Kruel

ANATOMIA

A unha é o anexo cutâneo que se superpõe à face dorsal das falanges distais com a função de proteger as sensíveis extremidades digitais, além de auxiliar na função de pinça e atuar como garra. Seu crescimento varia de 2 a 4 mm por mês, podendo ser afetado por distúrbios hormonais e nutricionais e por doenças sistêmicas.

A FIGURA 85.1 descreve a anatomia do aparato ungueal. A unha pode ser dividida em matriz ungueal, que é a porção proximal, macia e responsável pela produção da lâmina ungueal, e corpo ou lâmina ungueal, que é a lâmina córnea, rígida e semitransparente, produto da queratinização da

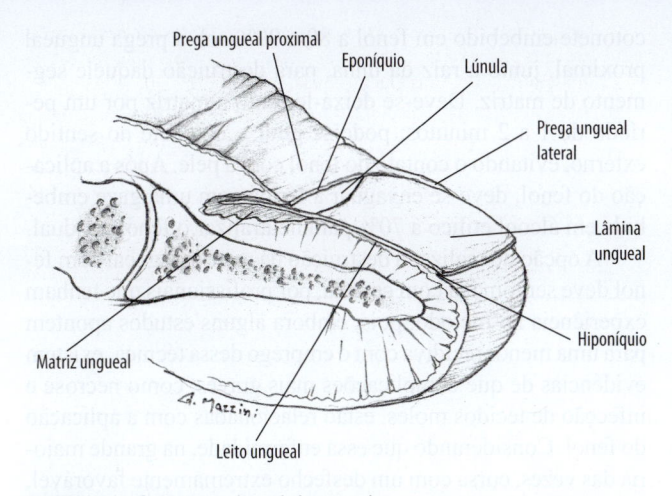

FIGURA 85.1 → Anatomia da unidade ungueal.

matriz ungueal. A unidade ungueal é composta, ainda, pelas pregas ungueais proximal e laterais (a prega distal está presente apenas na falta da porção distal da lâmina) e pelo leito ungueal, que é constituído de um epitélio finamente queratinizado, sobre o qual desliza a lâmina.

Por último, existe o sistema cuticular, englobando o eponíquio, ou cutícula visível, derivada da prega ungueal proximal, e o hiponíquio, derivado do epitélio do leito ungueal. A prega ungueal proximal e o eponíquio cobrem a porção proximal da matriz. No entanto, parte da matriz, distal à prega ungueal proximal, pode ser visível como uma zona esbranquiçada em formato de meia-lua, chamada de lúnula.

O aparato ungueal também conta com suprimento sanguíneo e inervação para o leito e para a matriz, que são derivados das artérias e dos nervos digitais, e um sistema de ancoragem, proximalmente entre a falange e a matriz e distalmente entre a falange e a polpa digital lateral e distal.[1]

UNHA ENCRAVADA

A unha encravada ocorre quando a porção lateral ou uma espícula da lâmina ungueal penetra no tecido mole das pregas laterais, causando uma lesão progressiva, à medida que a lâmina cresce distalmente, levando a uma reação inflamatória que pode compreender desde dor, hiperemia e leve edema até um quadro crônico com infecção, drenagem de secreção purulenta e hipertrofia dos tecidos adjacentes, com formação de tecido de granulação.[2] É uma patologia que afeta com mais frequência o hálux, representando uma parcela importante das queixas relacionadas com os pés na atenção primária à saúde.[3]

Os fatores etiológicos mais importantes são o corte inadequado do canto ungueal e o uso de sapatos que pressionam a região anterior do pé.[3] O corte oblíquo do canto da unha favorece a formação de espículas na parte coberta pela prega lateral, que pode penetrar nos tecidos adjacentes e desencadear a reação inflamatória. Fatores adicionais, como uso de salto alto, traumatismo repetido, deformidades congênitas, unhas muito côncavas e tumorações periungueais, também estão relacionados com o traumatismo do canto da unha. A obesidade tem sido relacionada como um fator causal concomitante, assim como doenças que cursam com edema dos membros inferiores. No entanto, um estudo morfológico de unhas encravadas não conseguiu estabelecer correlação entre fatores corporais como peso, índice de massa corporal ou altura e a ocorrência de unha encravada.[4]

As unhas encravadas causam dor, inflamação, infecção, limitações nas atividades diárias e promovem o absenteísmo na escola e no trabalho, o que afeta diretamente a qualidade de vida do paciente e onera a sociedade e o sistema de saúde.[5]

Classificação

A unha encravada pode ser classificada em três estágios, de acordo com a gravidade.

No estágio 1, ou leve, há queixa subjetiva de dor no canto da unha, leve edema ou eritema.

O estágio 2, ou moderado, é caracterizado por dor, edema, hiperemia e processo infeccioso com drenagem de secreção purulenta.

No estágio 3, ou grave, além das características citadas, observa-se hipertrofia dos tecidos moles, com formação de tecido de granulação no canto da unha.[6]

Tratamento

Como medida geral, é sempre importante demonstrar o modo correto de aparar o canto da unha, que deve ser cortada formando um ângulo de 90 graus com o eixo longitudinal do dígito, e orientar sobre a necessidade de evitar o uso de sapatos que pressionem a parte anterior do pé.[3]

Nos casos leves, deve-se optar pelo tratamento conservador,[7] evitando o tratamento cirúrgico e controlando os sintomas e a reação inflamatória local até que o canto doente alcance a extremidade distal e possa ser cortado adequadamente **C/D**. Para isso, analgésicos podem ser utilizados associados à adequada higiene local. Cerca de 70% dos pacientes respondem ao tratamento conservador. Existem, ainda, dispositivos como canaletas plásticas ou mechas de algodão que, quando inseridos sob a extremidade lateral da unha, elevam o canto, evitando o crescimento em direção aos tecidos moles. Contudo, não existe padronização técnica para a utilização desses dispositivos. Em unhas côncavas, além das medidas supracitadas, pode-se fazer um sulco longitudinal no meio da unha, gastando-se a sua parte central com a ponta da tesoura, sem ultrapassar a sua espessura **C/D**.

Nos casos moderados a graves, quando, além da espícula, há drenagem de secreção purulenta e/ou tecido de granulação cobrindo a região anterolateral da unha (estágios 2 e 3), está indicada a ressecção cirúrgica da borda lateral da unha em conjunto com a porção correspondente da matriz ungueal (cantoplastia) **C/D**. Para isso, deve-se obter o consentimento informado após a explicação dos procedimentos, riscos e benefícios. O procedimento cirúrgico é realizado sob anestesia local, utilizando-se bloqueio troncular do dedo (ver Capítulo Anestesia Regional).

Como alternativa à ressecção cirúrgica da matriz, tem ganhado importância a técnica de matricectomia química com fenol a 80 a 90%, em que a matriz ungueal do canto afetado é destruída quimicamente, após a ressecção da extremidade lateral da unha.[5] No entanto, ainda há controvérsia quanto à melhor técnica para o tratamento da unha encravada moderada a grave em função da falta de padronização de técnicas e resultados conflitantes dos estudos, mas a técnica com utilização do fenol (ver QR code) parece ser superior parece ser superior à ressecção da matriz ungueal quanto ao número de recidivas sintomáticas após 6 meses (RRR = 53%; NNT = 17) C/D [7,8]

Outra questão enfrentada pelo médico que trata da unha encravada é a necessidade ou não de administrar antibióticos sistêmicos no pré e/ou pós-operatório para os pacientes submetidos à cantoplastia, independentemente da técnica. O uso rotineiro de antibióticos não parece conferir benefício – essa prática deve ser desaconselhada C/D.

Técnica da cantoplastia

Após antissepsia, colocação de campos estéreis e bloqueio troncular (FIGURA 85.2A), introduz-se uma tenta-cânula entre o leito ungueal e a unha, até sua raiz, a mais ou menos 3 mm da margem lateral (FIGURA 85.2B). Em seguida, com bisturi de lâmina nº 11 ou 15, secciona-se a unha tendo-se a tenta-cânula como guia (FIGURA 85.2C) e retira-se toda a sua porção lateral até a sua matriz. A borda ungueal deve ser retirada junto com a matriz daquele segmento em bloco (FIGURA 85.2D). Não há necessidade de seccionar o epôniquio e a pele que cobre a matriz para retirá-la. Na presença de tecido de granulação exuberante, corta-se em elipse o tecido de granulação e faz-se curativo compressivo.

Para a realização da matricectomia química, realiza-se a ressecção apenas da borda lateral da unha, e introduz-se um cotonete embebido em fenol a 80 a 90% sob a prega ungueal proximal, junto à raiz da unha, para destruição daquele segmento de matriz. Deve-se deixá-lo junto à matriz por um período de 1 a 2 minutos; pode-se girar o cotonete no sentido externo, evitando o contato do fenol com a pele. Após a aplicação do fenol, deve-se enxaguar a ferida com uma gaze embebida em álcool etílico a 70% para neutralizar o fenol residual.

A opção de realizar a destruição da matriz ungueal com fenol deve ser tomada com cautela, por profissionais que tenham experiência no método, pois, embora alguns estudos apontem para uma menor recidiva com o emprego dessa técnica, existem evidências de que complicações mais graves, como necrose e infecção de tecidos moles, estão relacionadas com a aplicação do fenol. Considerando que essa enfermidade, na grande maioria das vezes, cursa com um desfecho extremamente favorável, e as evidências ainda não são totalmente definitivas em relação à redução das recidivas, sugere-se o emprego da técnica de cantoplastia tradicional, com a ressecção cirúrgica da matriz ungueal, como primeira escolha terapêutica.

No pós-operatório imediato, deve-se orientar a utilização de calçados abertos e a elevação do membro. O controle da dor pode ser feito com analgésicos ou anti-inflamatórios não esteroides, e deve ser orientada a troca diária dos curativos. Geralmente, os pacientes apresentam pouca dor no pós-operatório, podendo retornar às suas atividades normalmente no dia seguinte.[3]

PARONÍQUIA

A paroníquia é uma patologia inflamatória que envolve as pregas ungueais, podendo apresentar-se de forma aguda (< 6 semanas) ou crônica. Com isso, variam os fatores etiológicos e o tratamento. No membro superior, ela pode dar origem a infecções graves da mão.

Paroníquia aguda

A causa mais comum da paroníquia aguda é o traumatismo do epôniquio ou das pregas ungueais, levando à penetração de agentes infecciosos. O trauma, em geral, decorre de atividades manuais, onicofagia, adereços como unhas artificiais, unha

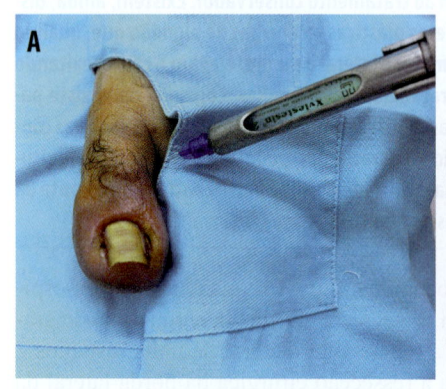

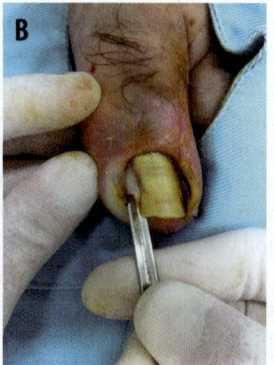

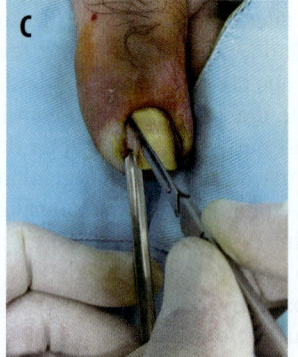

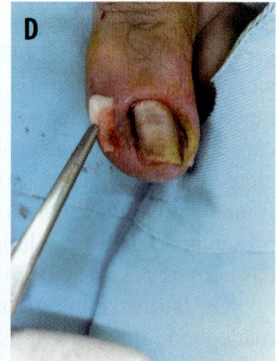

FIGURA 85.2 →Técnica da cantoplastia. **(A)** Realização de bloqueio troncular após antissepsia e colocação de campos estéreis. **(B)** Introdução da tenta-cânula sob o canto afetado, separando a lâmina ungueal do seu leito, até a matriz ungueal. **(C)** Incisão na lâmina ungueal tendo a tenta-cânula como guia. A incisão deve estender-se até a matriz ungueal. **(D)** Fragmento de unha ressecado. A borda lateral da unha foi ressecada em conjunto com a porção de matriz correspondente.

encravada e, muito comumente, cuidados de higiene e embelezamento das unhas (manicures). Os agentes etiológicos mais comuns na paroníquia aguda são *Staphylococcus aureus* e *Streptococcus pyogenes*, ou uma associação de agentes aeróbios e anaeróbios, relacionados com a atividade que desencadeou o traumatismo. Também pode ser um efeito colateral de vários medicamentos, como os inibidores do receptor do fator de crescimento epidérmico (cetuximabe), agentes quimioterápicos, retinoides sistêmicos e agentes antirretrovirais.[9,10]

O processo infeccioso inicial é localizado, com instalação rápida de edema, hiperemia e dor. Na fase inicial, pode-se lançar mão do tratamento conservador, com calor local e antibióticos e/ou corticoides tópicos C/D. Com a evolução do quadro, há formação de coleção purulenta, que causa abaulamento do eponíquio e progride pelas margens ungueais. Nessa fase, é necessária a descompressão com bisel de agulha ou a drenagem cirúrgica, realizada com lâmina de bisturi nº 11 ou 15, mediante incisão puntiforme, entre o eponíquio e a raiz da unha (ver QR code), o que provoca a saída do pus e o alívio imediato da dor C/D.[11] Para a realização da drenagem, primeiramente realiza-se a antissepsia e o bloqueio local (ver Capítulo Anestesia Regional).

Após o procedimento, limpa-se com soro fisiológico ou solução antisséptica, procurando manter o membro em posição anatômica com o auxílio de uma tipoia (com o antebraço flexionado sobre o braço formando um ângulo de 90 graus e tendo a região palmar junto ao corpo voltada para o ventre) para evitar edema e dor acentuados, além de impedir a contaminação da lesão pelos afazeres diários. A drenagem é suficiente no tratamento da maioria dos casos, e o uso de antibióticos deve ser guiado pela extensão do processo infeccioso e comorbidades do paciente, não sendo necessário como rotina C/D. O retorno às atividades pode ser realizado no dia seguinte ao procedimento, mantendo-se cuidados de higiene local e analgesia conforme a necessidade.

Em situações mais complexas, o clínico pode necessitar encaminhar o paciente a um cirurgião com mais experiência no manejo desses casos. Se não tratada, a paroníquia pode evoluir para formação de abscesso subungueal, havendo necessidade de drenagem cirúrgica, com encaminhamento do material para exame bacteriológico, quando possível. O procedimento deve obedecer à técnica asséptica e ser realizado com bloqueio troncular do dedo. Afastando-se o eponíquio da unha, junto ao terço proximal, seccionam-se dois triângulos na base lateral (FIGURA 85.3) utilizando-se bisturi de lâmina nº 11 ou 15. Em seguida, passa-se de lado a lado transversalmente, por baixo da unha, uma pinça tipo Halstead (mosquito), separando a unha do leito ungueal e drenando a coleção purulenta. Por fim, deixam-se dois pequenos pedaços de dreno de Penrose, com cerca de 20 mm, transversalmente sob a unha em seu terço proximal. Os curativos devem ser trocados todos os dias, e os drenos, retirados de modo gradual. Outra técnica, reservada para situações em que não se pode empregar a primeira, consiste na extirpação de todo o terço proximal da unha.

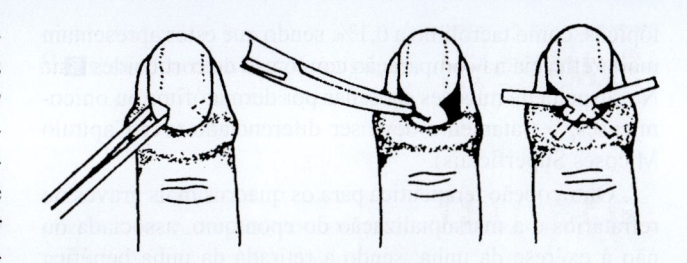

FIGURA 85.3 → Tratamento do abscesso subungueal.
Fonte: Adaptada de Fonseca e Fernandes.[1]

Recomenda-se que, em lesões da mão, o paciente permaneça com tipoia alta em posição anatômica, minimizando, assim, a dor e o edema C/D.

Paroníquia crônica

A paroníquia crônica compreende uma reação inflamatória multifatorial, localizada na prega ungueal proximal, secundária a agentes irritantes e/ou infecciosos com duração ≥ 6 semanas. Está associada mais comumente a trabalhos domésticos repetidos, como lavar roupas e louças, contato frequente com produtos químicos ou o ato de chupar o dedo, entre outros. Nesses casos, o eponíquio (cutícula) é descolado da lâmina ungueal, permitindo a penetração dos agentes entre a prega proximal e a matriz ungueal.

A apresentação clínica é de uma dermatite crônica, em que o eponíquio apresenta-se arroxeado, edemaciado e deslocado cerca de 1 mm da lâmina ungueal. Pela compressão das bordas, costuma drenar um líquido seropurulento que pode formar crostas. O processo inflamatório resulta em lesão da matriz, levando ao surgimento de sulcos transversais conhecidos como estrias de Beau. Apesar de haver colonização frequente por estafilococos e *Candida albicans*, o quadro não caracteriza uma onicomicose, e esses patógenos costumam desaparecer com o tratamento e a reestruturação da barreira fisiológica composta pela cutícula.

O uso de retinoides e inibidores nucleosídeos da transcriptase reversa (como a lamivudina) pode desencadear um quadro de paroníquia crônica. O indinavir é a principal causa de paroníquia crônica ou recidivante em pacientes com vírus da imunodeficiência humana. Portanto, recomenda-se que o clínico, ao administrar esse medicamento, tenha o cuidado de realizar exame minucioso dos dedos dos pés, para que o paciente possa receber terapia adequada o mais breve possível em caso de paroníquia ou unha encravada.

O tratamento da paroníquia crônica é demorado e compreende fundamentalmente a proteção contra o contato com as substâncias irritantes. O uso de luvas de borracha, de preferência forradas com algodão, deve ser encorajado entre os trabalhadores braçais. O tratamento medicamentoso é feito com corticoides tópicos, sendo estes superiores aos antifúngicos sistêmicos; este deve ser o tratamento preferencial B. Podem ser associados também a antifúngicos, preferencialmente tópicos, por 3 semanas, e seu uso pode ser estendido por até 9 semanas em casos mais severos C/D. Outra opção consiste no uso de imunossupressores

tópicos, como tacrolimo a 0,1%, sendo que estes apresentam maior eficácia na comparação com o uso de corticoides B.¹²
Na suspeita de micoses causadas por dermatófitos ou onicomicoses, o tratamento deve ser diferenciado (ver Capítulo Micoses Superficiais).

Outra opção terapêutica para os quadros mais graves ou refratários é a marsupialização do eponíquio, associada ou não à exérese da unha, sendo a retirada da unha benéfica nos casos em que esta apresentar irregularidades na sua superfície B.¹³ Em casos com apresentação não típica ou com má resposta ao tratamento, deve-se pesquisar patologias que possam levar a alterações periungueais, como eczema, psoríase, neoplasias (carcinoma epidermoide da unha, melanoma), e deve ser realizada biópsia quando necessário.

TRAUMA UNGUEAL

Hematoma subungueal

Os traumatismos da extremidade distal dos dígitos podem provocar a formação de um hematoma subungueal. O sangue extravasado comprime o tecido situado entre duas estruturas rígidas – a unha e a falange distal –, provocando dor intensa.

O tratamento é sempre a descompressão do espaço subungueal, que provoca rápido alívio da dor. Uma técnica simples consiste na perfuração da unha, no local do hematoma, com agulha fina incandescida em chama. A perfuração é conseguida com uma leve pressão e sem dor. Progressivamente a agulha perfura a unha, permitindo a saída do sangue retido. Quando essa técnica é aplicada com a ponta da lâmina de um bisturi ou agulha calibrosa (18 G), o procedimento pode tornar-se doloroso. Recomenda-se realizar curativos compressivos e colocar o membro em posição anatômica após o procedimento.

As radiografias (anteroposterior, lateral e oblíqua) da falange distal acometida devem ser realizadas na maioria dos pacientes com hematoma subungueal. Quando o hematoma acomete > 50% da superfície do leito ungueal, o quadro de fratura torna-se mais provável. Quando há uma fratura da falange distal associada a um hematoma subungueal, ela é considerada uma fratura exposta. O dígito deve ser esticado para maior conforto do paciente. Para manejo da fratura, ver Capítulo Traumatismo Musculoesquelético.

Avulsão parcial traumática

Nos casos em que há avulsão parcial, o clínico deve sempre tentar preservar os fragmentos da unha aderentes ao leito. Após bloqueio troncular e limpeza, faz-se a sutura da unha no leito ungueal, com a utilização de três pontos em U com fio mononáilon 5-0. O curativo compressivo e a manutenção do membro em posição anatômica devem ser realizados sempre que possível C/D.

PANARÍCIO

Embora não acometa a unidade ungueal, a infecção da polpa digital (panarício) é abordada aqui, pois deve ser lembrada no diagnóstico diferencial das afecções antes descritas. Causada, em geral, por traumatismos locais, o panarício tem, na maioria das vezes, origem estafilocócica.

A polpa digital possui características anatômicas especiais, o que explica o quadro clínico. Há septos fibrosos que vão da pele à bainha do tendão, dividindo a polpa em compartimentos, os quais, por sua vez, limitam o edema e provocam pressão e dor nos espaços da polpa. É importante distinguir a infecção bacteriana da infecção herpética (ver QR code, Figuras 4 e 6),¹⁴ pois este resolve sozinho, não necessitando de intervenção cirúrgica. Na infecção herpética, a polpa do dedo deve ser macia, em vez de tensa e abaulada.

O quadro clínico caracteriza-se por edema, eritema e dor intensa no local. A dor é, em geral, desproporcional aos sinais inflamatórios presentes. Se não tratado precocemente, o panarício evolui para isquemia profunda e infecção grave com risco de abscesso, osteomielite e necrose da polpa digital.

O tratamento consiste na incisão da polpa, abrangendo todos os septos, e na drenagem ampla. Deve-se incisar logo abaixo do leito ungueal, com profundidade de 1 a 2 mm, na borda lateral da polpa digital, em torno de toda a extremidade do dedo. A antibioticoterapia B¹⁵ e a manutenção de drenos não são necessárias.

REFERÊNCIAS

1. Haneke E. Surgical anatomy of the nail apparatus. Dermatol Clin. 2006;24(3):291–6.
2. Heidelbaugh JJ, Lee H. Management of the ingrown toenail. Am Fam Physician. 2009;79(4):303–8.
3. Park DH, Singh D. The management of ingrowing toenails. BMJ. 2012;344:e2089.
4. Kosaka M, Kusuhara H, Mochizuki Y, Mori H, Isogai N. Morphologic study of normal, ingrown, and pincer nails. Dermatol Surg. 2010;36(1):31–8.
5. Borges A de PP, Pelafsky VPC, Miot LDB, Miot HA. Quality of Life With Ingrown Toenails: A Cross-Sectional Study. Dermatol Surg. 2017;43(5):751–3.
6. Vaccari S, Dika E, Balestri R, Rech G, Piraccini BM, Fanti PA. Partial excision of matrix and phenolic ablation for the treatment of ingrowing toenail: a 36-month follow-up of 197 treated patients. Dermatol Surg. 2010;36(8):1288–93.
7. Bos AMC, van Tilburg MWA, van Sorge AA, Klinkenbijl JHG. Randomized clinical trial of surgical technique and local antibiotics for ingrowing toenail. Br J Surg. 2007;94(3):292–6.
8. Rounding C, Hulm S. Surgical treatments for ingrowing toenails. Cochrane Database Syst Rev. 2000;(2):CD001541.
9. Robert C, Sibaud V, Mateus C, Verschoore M, Charles C, Lanoy E, et al. Nail toxicities induced by systemic anticancer treatments. Lancet Oncol. 2015;16(4):e181-189.
10. García García MJ, Morano Amado LE, Allegue Rodríguez F, Miralles Alvarez C, Ocampo Hermida A. [Paronychia in patients infected with HIV treated with indinavir]. Rev Clin Esp. 2001;201(8):455–8.
11. Ogunlusi JD, Oginni LM, Ogunlusi OO. DAREJD simple technique of draining acute paronychia. Tech Hand Up Extrem Surg. 2005;9(2):120–1.

12. Rigopoulos D, Gregoriou S, Belyayeva E, Larios G, Kontochristopoulos G, Katsambas A. Efficacy and safety of tacrolimus ointment 0.1% vs. betamethasone 17-valerate 0.1% in the treatment of chronic paronychia: an unblinded randomized study. Br J Dermatol. 2009;160(4):858–60.
13. Grover C, Bansal S, Nanda S, Reddy BSN, Kumar V. En bloc excision of proximal nail fold for treatment of chronic paronychia. Dermatol Surg. 2006;32(3):393–8; discussion 398-399.
14. Rerucha CM, Ewing JT, Oppenlander KE, Cowan WC. Acute Hand Infections. Am Fam Physician. 2019;99(4):228–36.
15. Manoli T, Rahmanian-Schwarz A, Konheiser K, Gonser P, Schaller H-E. The role of antibiotics after surgical treatment of simple hand infections: a prospective pilot study. J Investig Surg Off J Acad Surg Res. 2013;26(5):229–34.
16. Fonseca FP, Fernandes AD. Cirurgia da unha. In: Fonseca FP, Rocha PRS. Cirurgia ambulatorial. 3. ed. Rio de Janeiro: Guanabara Koogan;1999.

LEITURAS RECOMENDADAS

Richert B, Rich P. Nail Surgery. In: Bolognia JL, Schaffer JV, Cerroni L, organizadores. Dermatology E-Book. Elsevier Health Sciences; 2017. p. 2531–41.
Textos detalhados sobre cirurgia da unha.

Mayeaux Jr. EJ. Guia ilustrado de procedimentos médicos. Porto Alegre: Artmed; 2012.
Livro com ilustrações de diversas técnicas para procedimentos úteis em atenção primária à saúde, incluindo o manejo de problemas da unha.

Roberts JR, Hedges JR. Clinical procedures in emergency medicine and acute care. 7th ed. Philadelphia: Elsevier; 2018.
Livro com ilustrações de diversas técnicas para procedimentos úteis em atenção primária à saúde, incluindo o manejo de problemas da unha.

Vaccari S, Dika E, Balestri R, Rech G, Piraccini BM, Fanti PA. Partial excision of matrix and phenolic ablation for the treatment of ingrowing toenail: a 36-month follow-up of 197 treated patients. Dermatol Surg. 2010;36(8):1288-93.
Artigo que descreve e ilustra a técnica da matricectomia com fenol.

Mayeaux EJ Jr, Carter C, Murphy TE. Ingrown Toenail Management. Am Fam Physician. 2019 Aug 1;100(3):158–64.
Artigo de revisão sobre o tratamento de unha encravada.

Capítulo 86
INFECÇÕES NÃO TRAUMÁTICAS DE TECIDOS MOLES

Jeferson K. de Oliveira
Guilherme S. Mazzini
Paulo Sandler[†]
Leandro Totti Cavazzola

As infecções de tecidos moles são queixas frequentes na atenção primária à saúde (APS) e nas emergências (ver Capítulo Piodermites) e, neste capítulo, são abordadas especificamente as infecções de tecidos moles que demandam tratamento cirúrgico. Estas, na maioria das vezes, representam um estágio mais avançado das piodermites que acabaram por evoluir, seja por atraso no diagnóstico, manejo inadequado, má resposta ao tratamento ou suscetibilidade alterada do paciente. É necessário que o clínico fique atento a diagnósticos diferenciais, como úlceras venosas, úlceras isquêmicas (principalmente em membros), bem como erisipela e pé diabético, pois essas patologias incluem, necessariamente, o manejo local e a correção da patologia de base.

A indicação cirúrgica, portanto, não necessariamente surge no momento do diagnóstico de uma infecção de tecidos moles. Deve-se sempre direcionar o tratamento para a patologia de base e lançar mão dos princípios gerais de tratamento, individualizando a intervenção cirúrgica de acordo com o estágio evolutivo da infecção.[1]

PRINCÍPIOS GERAIS DO TRATAMENTO

Os cuidados locais nas infecções não traumáticas de tecidos moles envolvem:[1,2]
→ aplicação de calor local, que gera vasodilatação e aumento do fluxo sanguíneo, resultando em aumento da pressão capilar associado à elevação na taxa de transferência de fluido do sangue para os tecidos, acelerando a atividade metabólica e ocasionando um aumento do processo de fagocitose, aliviando a dor e o espasmo e favorecendo a drenagem;
→ elevação, que deve ser realizada quando a infecção está localizada em uma das extremidades, pois ajuda a evitar o edema, já que facilita a drenagem venosa e linfática. Para melhor eficácia, a área infectada deve estar acima do nível do coração;
→ imobilização, com o intuito de promover repouso fisiológico e proteger a área de traumas externos.

A drenagem cirúrgica é indicada quando a infecção está localizada e a flutuação é evidente, em situações nas quais o risco de extensão da infecção como resultado do trauma cirúrgico é mínimo. Esse procedimento reduz a tensão na área, evita lesão adicional do tecido afetado e facilita a penetração dos antibióticos. O uso de antibioticoterapia sistêmica é recomendado quando critérios clínicos específicos são encontrados, e incluem sinais de toxicidade sistêmica (febre, hipotensão e taquicardia), rápida progressão do eritema, progressão dos sinais e sintomas apesar da antibioticoterapia por via oral (VO), intolerância à antibioticoterapia VO e proximidade de próteses.[1,2]

Outras medidas que facilitam os mecanismos de defesa do organismo e diminuem a proliferação bacteriana local incluem retirada de corpos estranhos e ressecção de tecidos desvitalizados. Também é importante salientar que a reação inflamatória associada ao processo infeccioso diminui o pH tecidual, neutralizando a ação dos anestésicos locais. Por esse motivo, deve-se evitar sua infiltração local em zonas infectadas; além disso, há o perigo de disseminação da infecção. Portanto, prefere-se, sempre que possível, o uso de bloqueio troncular ou de campo como método preferencial de anestesia local (ver Capítulo Anestesia Regional).[1,2]

ABSCESSO CUTÂNEO

É uma coleção de pus localizada na derme ou no tecido subcutâneo, formando uma cavidade. Apresenta-se geralmente como uma fase avançada de outras infecções, como a celulite e o furúnculo, ou resulta da contaminação secundária à quebra da integridade cutânea (como em traumatismos, injeções, lesões cutâneas) ou, ainda, disseminação hematogênica. O agente etiológico mais comum é o *Staphylococcus aureus*, seguido do estreptococo β-hemolítico do grupo A.[1,2] Porém, dependendo da localização, outros microrganismos podem estar envolvidos.

Na vigência dessa afecção, ocorre migração de polimorfonucleares para a zona acometida. Destes, grande parte é destruída, formando o pus. Os demais dispõem-se em torno do local e, junto com uma proliferação fibroblástica, formam uma barreira defensiva – a membrana piogênica – que bloqueia a propagação do processo.

O abscesso caracteriza-se, inicialmente, por uma área de induração com eritema, dor e calor. Na evolução, aumenta de tamanho, formando um tumor, com flutuação (local mais depressível e amolecido), em geral circundada por uma área de celulite (FIGURA 86.1A). Pode apresentar manifestações gerais como febre, mal-estar e calafrios, bem como linfadenomegalia-satélite.

Na fase inicial, antes de ocorrer área com flutuação, o tratamento deve ser dirigido para a condição predisponente, associado às medidas locais como repouso e elevação do segmento atingido, proteção do local contra trauma e calor local. O tratamento sintomático com analgésicos também está indicado.

Na fase em que existe área de flutuação bem evidente, o tratamento adequado consiste em incisão e drenagem C/D.[1,2]

Incisão e drenagem

A sequência ideal da técnica de drenagem de abscessos é descrita a seguir:[1,2]

1. **antissepsia e colocação de campos estéreis:** embora pareça paradoxal, previne a contaminação da lesão por outros microrganismos;
2. **anestesia (FIGURA 86.1B):** na maioria dos casos, utiliza-se anestesia regional, do tipo troncular ou bloqueio de campo. Caso contrário, é feita por infiltração intradérmica, com lidocaína restrita ao local da incisão, tomando-se o cuidado para não propagar a infecção;
3. **incisão (FIGURA 86.1C):** a incisão é realizada no ponto de maior flutuação e, preferencialmente, na direção das linhas de força da pele. Após, evacua-se o conteúdo purulento, colhendo material para exame bacteriológico e antibiograma quando há abscesso recidivante ou internação hospitalar recente, ou em paciente usuário de drogas injetáveis ou imunodeprimido. A cavidade deve ser explorada com uma pinça hemostática a fim de desfazer possíveis septações dentro do abscesso. O abscesso nunca deve ser espremido. A seguir, deve-se lavar a loja, injetando soro fisiológico com baixa pressão, utilizando uma seringa;
4. **drenagem:** após o esvaziamento, coloca-se um dreno de látex (dreno de Penrose), que pode ser usado inteiro ou cortado em tiras de tamanho apropriado, o qual deve ser tracionado diariamente e retirado após cessar a drenagem. Como alternativa para abscessos com cavidades menores, é possível utilizar como dreno uma gaze com a ponta inserida na cavidade (FIGURA 86.1D);
5. **curativo:** ao final do procedimento, faz-se um curativo, que deve ser trocado todos os dias.

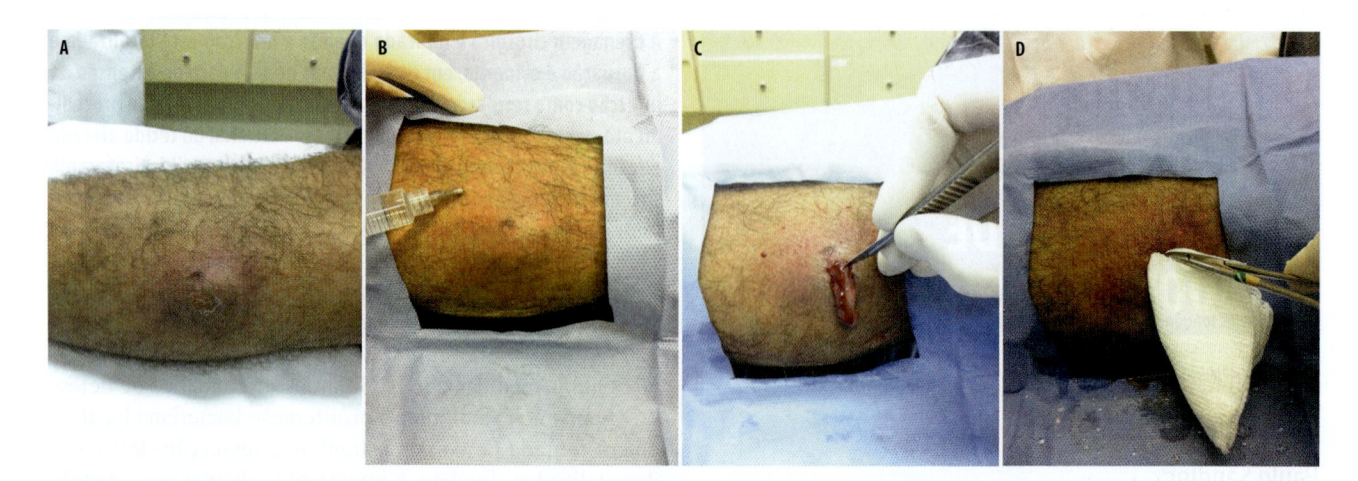

FIGURA 86.1 → Incisão para drenagem de abscesso. Em **A**, abscesso cutâneo na perna de um paciente imunocompetente, demonstrando a área central de flutuação e a região de edema (tumor) ao redor, circundadas pela área de celulite. Em **B**, após antissepsia e colocação de campos estéreis, procede-se à anestesia local, dando preferência ao bloqueio de campo (demonstrado na figura), ou bloqueio troncular. Em **C**, incisão sobre o local de flutuação com evacuação do abscesso e lavagem com soro fisiológico. Em **D**, colocação de ponta de gaze como dreno, que deve ser substituída nas trocas de curativos.

Sabe-se que a membrana piogênica impede a ação dos antibióticos sobre os abscessos, uma vez que não atingem a concentração inibitória mínima na cavidade dessas lesões. Portanto, em pacientes imunocompetentes com abscessos não complicados, a drenagem cirúrgica é o tratamento definitivo.[2]

O risco de complicações é maior do que o possível benefício obtido com a utilização de antimicrobianos de rotina após a drenagem cirúrgica **B**.[3,4] Contudo, empiricamente há algumas indicações para o uso de antibióticos nos abscessos: febre e/ou outras manifestações sistêmicas, área de celulite e infiltração local importante, localização na face, presença de abscessos múltiplos e em pacientes com doença de base que predispõe a complicações. Os antibióticos devem ser direcionados para os germes mais comuns em infecções cutâneas, não sendo necessária a coleta de material para estudo bacteriológico em casos de abscesso drenado, não complicado, em paciente imunocompetente. A duração do tratamento depende da evolução clínica, sendo necessária a reavaliação do paciente dentro das primeiras 72 horas. É preciso estar atento para os pacientes potencialmente colonizados por *Staphylococcus aureus* resistentes à meticilina (MRSA [do inglês, *methicillin-resistant Staphylococcus aureus*]), pois esses necessitam de antibioticoterapia específica, como oxacilina, 2 g, IV, 6/6 horas, por 7 a 10 dias,[1] ou cefazolina, 1 a 2 g, IV, 8/8 horas, por 5 a 14 dias,[1] e maior atenção por parte do clínico **C/D**. Condições que indicam a possibilidade de infecção por MRSA incluem história sabida de infecção por MRSA, hospitalização recente, hemodiálise e infecção pelo vírus da imunodeficiência humana (HIV [do inglês, *human immunodeficiency virus*]).

Quanto à prevenção de endocardite bacteriana, o consenso da American Heart Association recomenda a profilaxia antibiótica contra estafilococo ou estreptococo β-hemolítico, antes de procedimentos que envolvam pele e tecidos moles infectados, apenas para o grupo de pacientes de alto risco para endocardite **C/D** (TABELA 86.1).[5] Caso o patógeno seja conhecido, indica-se a profilaxia específica. Caso o patógeno não seja conhecido, a terapêutica deve ser voltada a *Staphylococcus aureus* (MRSA) e estreptococo β-hemolítico. Algumas sugestões de antibioticoprofilaxia VO seriam sulfametoxazol + trimetoprima (800 + 160 mg), VO, ou clindamicina 600 mg, VO.[6]

TABELA 86.1 → Condições cardíacas com indicação para profilaxia de endocardite infecciosa segundo a American Heart Association

Pacientes com prótese valvar (mecânica ou biológica) ou material protético usado para plastia valvar
Cardiopatias congênitas*
→ Cardiopatias cianóticas não corrigidas ou corrigidas com condutos ou *shunts*
→ Cardiopatias congênitas corrigidas com material protético ou dispositivo implantados por cirurgia ou cateterismo, durante os 6 primeiros meses após o procedimento[†]
→ Cardiopatias congênitas corrigidas com defeitos residuais locais, ou adjacentes ao local de material protético ou dispositivos protéticos (que inibem a endotelização)
Receptores de transplante cardíaco que tenham desenvolvido doença valvar

* À exceção das cardiopatias listadas, as outras não têm mais indicação de profilaxia.
[†] A profilaxia é recomendada porque a endotelização do material protético acontece nos primeiros 6 meses após o procedimento.
Fonte: Wilson e colaboradores.[5]

TERAPÊUTICA ESPECÍFICA

Carbúnculo ou antraz

Sua fisiopatologia é semelhante à do furúnculo, mas com o acometimento de diversos folículos pilossebáceos contíguos, apresentando mais de um ponto de drenagem. Sua etiologia geralmente é estafilocócica, embora outros microrganismos possam ser encontrados.[1,5] Possui uma particularidade anatômica, que é o fato de ocorrer em locais onde existem septos fibrosos intercalados com tecido gorduroso que se estendem até a pele, como na nuca. Esse detalhe faz a pele ser pouco distensível, facilitando a propagação da infecção, tanto em profundidade como em sentido lateral, acometendo diversos folículos pilossebáceos e desenvolvendo múltiplas áreas de necrose, que se rompem dando saída a pequenas quantidades de pus, com aspecto de favo de mel. A associação com doenças sistêmicas, como diabetes e desnutrição, é comum.[1]

O antraz requer uma terapêutica cirúrgica para aliviar a dor, promover uma drenagem adequada e acelerar a cura. Ademais, é preciso usar medidas locais como calor, analgésicos e antibióticos (os mesmos empregados no tratamento dos abscessos) **C/D**.[1,2]

A cirurgia consiste em excisão radical e drenagem ampla, que podem ser obtidas por meio dos seguintes métodos:
→ incisão em cruz;
→ incisões paralelas (*gridiron*);
→ incisão circular, fazendo a excisão completa da lesão;
→ incisão estrelar com ressecção dos retalhos.

A técnica mais utilizada é a incisão em cruz, que deve atingir toda a extensão da lesão em cada direção e também as camadas mais profundas. Cada um dos retalhos obtidos com a incisão é reparado e ressecado. São feitos curativos diários até que ocorram a remissão da infecção e o fechamento por segunda intenção. Em alguns casos, são necessários desbridamentos complementares, em geral feitos por cirurgião.[1,2]

Flegmão

É uma inflamação difusa que apresenta necrose e supuração do tecido conectivo. Representa um grau evolutivo da celulite e do abscesso, tendo uma invasão tecidual mais importante, uma vez que não ocorre a formação de uma membrana piogênica. Na maioria das vezes, tem etiologia estreptocócica, embora o estafilococo ou uma flora mista possam estar envolvidos.

Pode ser supra-aponeurótico, subaponeurótico ou profundo, quando atinge massas musculares. As alterações locais e o comprometimento do estado geral do paciente são muito mais intensos do que nos abscessos e nas celulites, podendo evoluir até gangrena. Esses pacientes devem ser encaminhados para tratamento cirúrgico e antibioticoterapia parenteral hospitalar.[1]

Hidrosadenite

É uma infecção das glândulas sudoríparas, do tipo apócrinas, que acomete, em especial, as de localização axilar e, em alguns casos, as situadas nas regiões perineal, inguino-crural e na aréola mamária. Decorre da obstrução dos ductos glandulares e destruição da glândula com infecção secundária; vários microrganismos podem ser responsabilizados. O hábito de raspar os pelos axilares e o uso de desodorantes parece não contribuir para a formação do processo e para a maior incidência no sexo feminino. Fatores associados incluem excesso de peso, diabetes, tabagismo e uso de androgênicos. O processo pode ficar crônico, com surgimento de novas lesões, fistulização e fibrose regional. Uma escala de estadiamento da progressão da doença, chamada escala de Hurley, pode auxiliar na definição da terapêutica conforme o caso específico. Os objetivos principais do tratamento são reduzir a incidência de novas lesões, prevenir a progressão das lesões existentes e remover a fibrose decorrente de infecção crônica prévia.[7,8]

A escala de Hurley varia de um até três e se divide da seguinte forma:
→ **Hurley I:** formação de abscesso único ou múltiplo, porém sem formação de fibrose ou sínus;
→ **Hurley II:** abscesso recorrente com sínus e fibrose, porém com as lesões amplamente espaçadas;
→ **Hurley III:** envolvimento difuso de uma área com intercomunicações entre os abscessos.

O tratamento consiste no uso dos mesmos antibióticos empregados no tratamento dos abscessos, de analgésicos e de medidas locais. Antibioticoterapias tópica e/ou sistêmica são benéficas no controle da doença C/D. Antiandrógenos, como acetato de ciproterona (100 mg/dia), espironolactona (100 mg/dia) e finasterida (5 mg/dia), mais utilizados no passado, encontram baixo nível de evidência na literatura e sua utilização não é estimulada, devendo estar dentro de contexto clínico específico C/D.[8] Deve-se notar que a hidrosadenite é uma afecção com acentuada tendência à recidiva e ao aparecimento em outras áreas. Os abscessos, quando formados, devem ser drenados cirurgicamente.

Nos casos em que a doença é leve (Hurley I), podem ser empregados antibioticoterapia tópica e banho com antissépticos locais, como a clorexidina. Nesses casos, a cirurgia fica reservada à ressecção de pequenos nódulos ou sínus que porventura se desenvolvam.

À medida que a doença progride (Hurley II), podem ser empregados antibioticoterapia VO e retinoides VO.[7] O retinoide pode ser utilizado para doença mínima em pequenas áreas (p. ex., ácido azelaico 15%, tópico, 2 ×/dia).[9] Para os casos não responsivos à terapêutica tópica, pode-se utilizar tetraciclina 500 mg, 2 ×/dia B, ou doxiciclina 100 mg, 2 ×/dia C/D, sempre observando os possíveis paraefeitos e complicações associados ao uso do medicamento.[6]

Nos casos crônicos (Hurley III), são necessários o reconhecimento de fatores predisponentes e o seu correto manejo, bem como o exame bacteriológico e o antibiograma para o emprego do antibiótico adequado. O acompanhamento de um dermatologista é aconselhável nessas situações.

Há casos em que o tratamento é ineficaz e ocorre destruição de diversas glândulas, com fístulas e cicatrizes, além da formação de intensa fibrose secundária ao processo inflamatório. Esses casos graves e incapacitantes devem ser encaminhados para avaliação de tratamento cirúrgico com cirurgião ou dermatologista, de acordo com a realidade de cada rede de atenção à saúde, sendo a cirurgia efetiva e a taxa de recorrência baixa C/D, não havendo necessidade de profilaxia com antibióticos para evitar recidivas C/D.[7]

ENCAMINHAMENTO

Nas situações a seguir, recomenda-se a avaliação por parte de um cirurgião geral, ou da área específica, para optar pela melhor decisão terapêutica:
→ abscessos profundos (que demandem exames de imagem para determinar a extensão do processo e planejar o tratamento);
→ abscessos perirretais;
→ abscessos nas mãos (com exceção de paroníquias e abscessos subungueais);
→ abscessos nas regiões cervical lateral e anterior (que podem originar-se de cistos congênitos);
→ abscessos localizados na área central da face (em razão do risco de disseminação intracraniana por meio da comunicação com o seio cavernoso, devem ter o acompanhamento de um otorrinolaringologista);
→ abscessos localizados junto a grandes vasos ou nervos;
→ abscessos nas mamas (especialmente na região areolar ou do mamilo);
→ abscessos múltiplos (devem ser avaliados pelo cirurgião em função da possibilidade de intercomunicação e fístulas subjacentes);
→ carbúnculo ou antraz com mais de 5 cm de diâmetro.

REFERÊNCIAS

1. Stevens DL, Bisno AL, Chambers HF, Dellinger EP, Goldstein EJC, Gorbach SL, et al. Practice guidelines for the diagnosis and management of skin and soft tissue infections: 2014 update by the Infectious Diseases Society of America. Clin Infect Dis. 2014;59(2):e10-52.

2. Breyre A, Frazee BW. Skin and soft tissue infections in the Emergency Department. Emerg Med Clin North Am. 2018;36(4):723–50.

3. Gottlieb M, DeMott JM, Hallock M, Peksa GD. Systemic antibiotics for the treatment of skin and soft tissue abscesses: a systematic review and meta-analysis. Ann Emerg Med. 2019;73(1):8–16.

4. Rajendran PM, Young D, Maurer T, Chambers H, Perdreau-Remington F, Ro P, et al. Randomized, double-blind, placebo-controlled trial of cephalexin for treatment of uncomplicated skin abscesses in a population at risk for community-acquired methicillin-resistant Staphylococcus aureus infection. Antimicrob Agents Chemother. 2007;51(11):4044–8.

5. Wilson W, Taubert Ka, Gewitz M, Lockhart Pb, Baddour Lm, M L, et al. Prevention of infective endocarditis: guidelines from the American Heart Association: a guideline from the American Heart Association Rheumatic Fever, Endocarditis, and Kawasaki Disease Committee, Council on Cardiovascular Disease in the Young, and the Council on Clinical Cardiology, Council on Cardiovascular Surgery and Anesthesia, and the Quality of Care and Outcomes Research Interdisciplinary Working Group. Circulation. 2007;116(15):1736-54.

6. Liu C, Bayer A, Cosgrove SE, Daum RS, Fridkin SK, Gorwitz RJ, et al. Clinical practice guidelines by the infectious diseases society of america for the treatment of methicillin-resistant Staphylococcus

aureus infections in adults and children. Clin Infect Dis Off Publ Infect Dis Soc Am. 2011;52(3):e18-55.
7. Saunte Dml, Jemec Gbe. Hidradenitis suppurativa: advances in diagnosis and treatment. JAMA. 2017;318(20):2019-32.
8. Lee Ey, Alhusayen R, Lansang P, Shear N, Yeung J. What is hidradenitis suppurativa? Can Fam Physician Med Fam Can. 2017;63(2):114-20.
9. Boer J, Jemec GBE. Resorcinol peels as a possible self-treatment of painful nodules in hidradenitis suppurativa. Clin Exp Dermatol. 2010;35(1):36-40.

Capítulo 87
PEQUENOS PROCEDIMENTOS EM ATENÇÃO PRIMÁRIA

Roberto Nunes Umpierre

O médico de atenção primária à saúde (APS) precisa realizar uma gama variável de procedimentos conforme o local onde está atuando.

CORPO ESTRANHO NO SUBCUTÂNEO

O corpo estranho no subcutâneo em geral localiza-se no tecido adiposo, o que torna sua extração difícil devido à grande mobilidade dentro desse tecido.[1] A fim de retirá-lo, é necessário realizar anestesia local e inserir uma pinça de apreensão de ponta fina ou tenta-cânula (evitando o uso de agulhas) para localizá-lo de maneira precisa. No caso de objetos pequenos, em alguns casos, pode-se fazer a remoção com a própria pinça. Não se deve procurar o corpo estranho por mais de 15 a 20 minutos. Feita a localização, deve-se proceder a uma incisão lateral ao orifício de entrada, mantendo a sonda em contato com o corpo estranho C/D.[1-3]

Caso o corpo estranho não seja localizado, pode-se realizar uma ultrassonografia – técnica capaz de identificar corpos estranhos dos mais diversos materiais.[4] Se houver certeza de que o corpo estranho é de metal, pode-se fazer uma radiografia, utilizando como marcador um clipe de papel (FIGURA 87.1).[2,5] Em casos excepcionais, pode-se usar tomografia computadorizada ou ressonância magnética, mas essa última não deve ser usada em suspeita de fragmentos metálicos que poderiam ser deslocados pelo efeito magnético C/D.

Quando o corpo estranho é localizado e encontra-se no tecido adiposo, realiza-se uma incisão elíptica com o orifício de entrada do corpo estranho no centro (FIGURA 87.2). Então, o bloco central de tecido contaminado que contém a lasca é excisado com uma incisão elíptica profunda ao redor da entrada da ferida. Após a remoção do corpo estranho, o seu leito deve ser irrigado com soro fisiológico ou, na ausência disso, água potável B,[6] e a pele deve ser fechada com sutura simples. Em regiões com grande espessura de tecido adiposo, pode ser necessária a realização de ponto em U

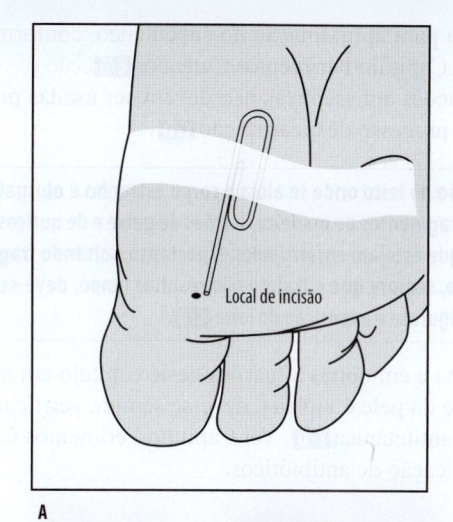

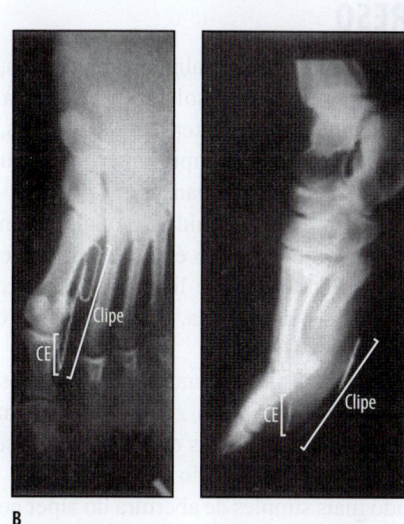

FIGURA 87.1 → Utilização de clipe de papel para localização do corpo estranho (CE).
Fonte: Adaptada de Butaravolli e Leffler.[2]

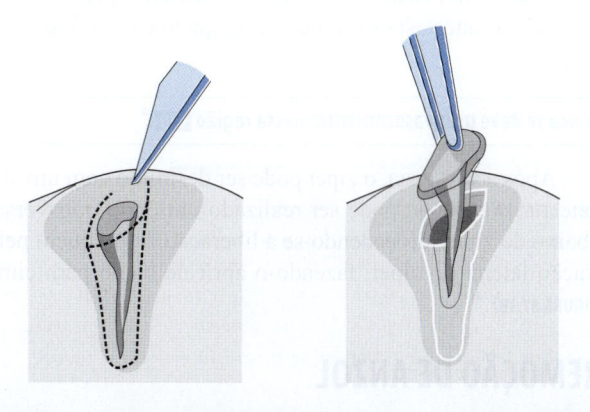

FIGURA 87.2 → Técnica de retirada de corpo estranho. Uma incisão superficial é feita em torno do orifício de entrada, seguida de incisões mais profundas dos dois lados da ferida. O bloco central de tecido contaminado que contém a lasca é, então, excisado com uma incisão elíptica profunda ao redor da entrada da ferida.
Fonte: Chan e Salam.[7]

invertido para aproximação do subcutâneo, conforme mostrado no Capítulo Ferimentos Cutâneos C/D.[7]

Soluções antissépticas não devem ser usadas por retardarem o processo de cicatrização C/D.[5]

> A exposição do leito onde se aloja o corpo estranho é obrigatória nos casos de fragmentos de madeira, ferrões de peixe e de ouriços-do-mar e metais que estejam enferrujados e, portanto, soltando fragmentos. Além disso, sempre que o trajeto não resultar limpo, deve-se realizar assepsia rigorosa e exposição do leito C/D.[8]

Nesta e em outras situações deste capítulo em que a integridade da pele é violada, deve-se sempre verificar a imunização antitetânica C/D. Ver Capítulo Ferimentos Cutâneos para indicação de antibióticos.

ZÍPER PRESO

Quando o zíper prende acidentalmente o prepúcio, na maioria dos casos, os pacientes resolvem o problema sozinhos sem maiores sequelas. A dor intensa ou, por vezes, um zíper mais difícil de liberar podem apresentar uma situação dramática, bastante comum em crianças.[4]

A primeira regra a ser seguida em qualquer um dos métodos de liberação do prepúcio é não tentar preservar o zíper. Dependendo da técnica de liberação empregada, a sua integridade pode ser preservada, mas esse não é o objetivo principal.[4]

Logo na chegada do paciente à unidade de saúde, deve-se embeber o prepúcio e o zíper com óleo mineral ou vaselina líquida C/D. Em alguns casos, apenas esse procedimento já promove a liberação do prepúcio.[9]

O método mais simples de abertura do zíper consiste em segurar com firmeza as duas laterais da parte superior onde o zíper ainda está aberto e abri-lo de forma rápida e com bastante força lateralmente e para baixo. Isso faz o zíper se abrir e liberar o prepúcio C/D.[4]

Quando o paciente apresenta dor intensa, pode-se fazer uma infiltração anestésica que deve ser precedida pela separação do zíper, utilizando uma tesoura, para liberá-lo da calça, com a finalidade de expor a base do pênis. Pode-se realizar anestesia local ou um bloqueio em anel na base do pênis.

> Nunca se deve usar vasoconstritor nessa região C/D.[4]

Após a anestesia, o zíper pode ser destruído com um alicate (FIGURA 87.3A) ou pode ser realizado um corte transversal abaixo do zíper, procedendo-se à liberação do prepúcio pela tração lateral do zíper, fazendo-o abrir de baixo para cima (FIGURA 87.3B).[4]

REMOÇÃO DE ANZOL

Existem várias técnicas diferentes para remoção de anzol preso no subcutâneo. O que torna complexa sua extração é o formato curvo com a barbela em sua ponta. Além disso,

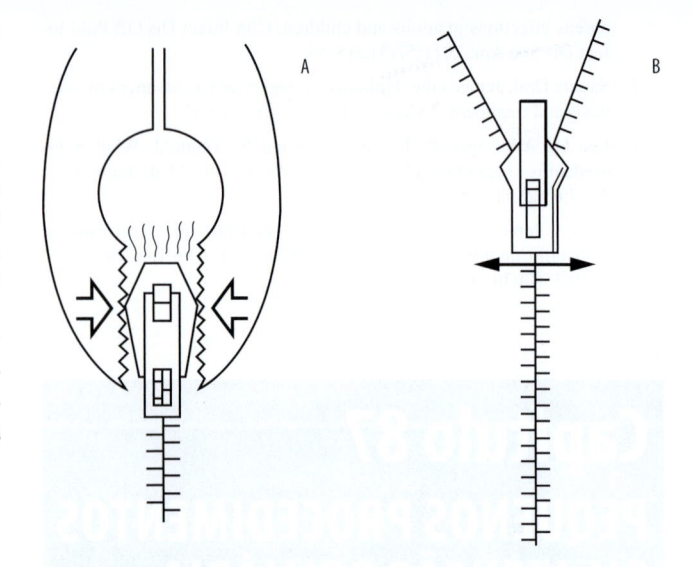

FIGURA 87.3 → Destruição do zíper para liberação do prepúcio. **(A)** Rompimento do obturador. **(B)** Corte transversal do zíper.
Fonte: Adaptada de Murtagh.[4]

há vários tipos de anzol, alguns até com a haste farpada.[2,4]

As duas técnicas mais usadas são aquelas em que se corta uma das extremidades do anzol, fazendo-o sair (ver QR code para exemplo). Deve-se optar por uma delas de acordo com a profundidade em que está o anzol, seu formato e a proporção do anzol que já está inserida C/D.[2,4]

Em qualquer uma das técnicas, deve-se realizar a adequada anestesia do local.

Na primeira técnica, a mais simples, corta-se a argola do anzol, fazendo este sair seguindo seu trajeto de inserção.[2,4]

Na segunda técnica, faz-se o anzol seguir seu trajeto até a saída da ponta; na sequência, corta-se logo abaixo da barbela e, então, é possível retirar o anzol pelo orifício de entrada.[2,4]

> Quando o anzol estiver enferrujado e, portanto, soltando fragmentos, deve-se introduzir uma pinça ou tenta-cânula no leito do anzol e, através de uma incisão, expor o ferimento para adequada assepsia C/D.[8]

Uma técnica que pode ser empregada quando a farpa do anzol é superficial, sem a necessidade de qualquer equipamento – e, por vezes, sem anestesia –, está descrita na **FIGURA 87.4**.[10]

LAVAGEM OTOLÓGICA

O tampão de cerume é uma causa comum de hipoacusia que pode ser tratada de forma simples (ver QR code). Sua única contraindicação se

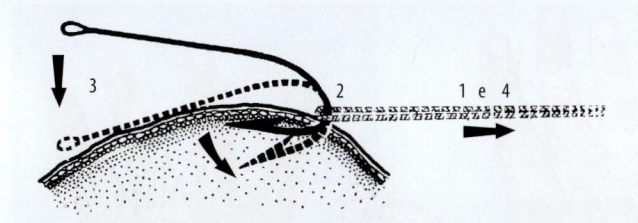

FIGURA 87.4 → Técnica alternativa para retirada de anzol. **(1)** Usar um fio para formar uma alça. **(2)** Passar o fio em torno do anzol o mais próximo possível da pele. **(3)** Com a outra mão, fazer pressão no final do anzol para desenganchar a barbela do anzol e garantir que, durante a remoção, a parte do anzol que está para fora fique em contato com a pele. **(4)** Por fim, puxar firmemente o fio e remover o anzol.
Fonte: Adaptada de Jones.[10]

dá em casos de história ou suspeita de perfuração timpânica C/D.[8]

Com uma seringa ≥ 20 mL, conectada a uma sonda urinária de alívio cortada para ficar com cerca de 3 cm de comprimento, irriga-se o conduto auditivo, direcionando o jato para cima, para que a água crie um efeito de turbilhonamento C/D. A água que sai do conduto auditivo e o tampão devem ser coletados com uma cuba-rim colocada junto ao pescoço do paciente, logo abaixo da linha mandibular.[8]

A irrigação pode ser realizada com água da torneira aquecida próximo à temperatura corporal para evitar nistagmo, náuseas e vertigem (RRR = 80%; NNT = 5) B.[8,11]

A lavagem otológica tem mais chance de sucesso quando precedida pelo uso de ceruminolítico por 5 a 7 dias (5 gotas, 5 ×/dia) C/D. Entretanto, na maioria dos casos, a lavagem otológica é bem-sucedida sem uso prévio de qualquer substância, motivo pelo qual não se recomenda postergar a lavagem, reservando o uso de tratamento adicional para casos em que não se obteve sucesso após 10 irrigações. O único ceruminolítico disponível atualmente no mercado é o Cerumin® (hidroxiquinolina 0,4 mg/mL + trolamina 140 mg/mL). No entanto, também podem ser usados, para esse fim, o peróxido de hidrogênio a 3% e o bicarbonato de sódio a 10%. Pode-se aplicar 3 mL no conduto auditivo e realizar nova lavagem com água após 15 a 30 minutos.

CORPO ESTRANHO NA ORELHA EXTERNA

A maioria dos corpos estranhos pode ser removida por irrigação, como na lavagem otológica. No caso de sementes e/ou fragmentos de algodão, estes podem ficar aderidos e exigem a retirada com um pinça delicada.[4,12]

Quando o corpo estranho for um inseto, como mosquitos, besouros e baratas, ele deve ser imobilizado mediante instilação de substância oleosa, éter ou lidocaína, para depois proceder à sua remoção C/D. Quando larvas estiverem presentes no conduto auditivo, deve-se observar atentamente se não há invasão do ouvido médio através de perfuração do tímpano, situação que indica avaliação urgente por otorrinolaringologista.[4,12]

CORPO ESTRANHO NA OROFARINGE

Espinhas de peixe são o corpo estranho mais comum a ficar impactado na orofaringe. As localizações comuns são a tonsila palatina e a base da língua.[4,12]

Deve-se inicialmente anestesiar a orofaringe com um *spray* de anestésico. Com a ajuda de um espelho dentário e de um espelho frontal, deve-se localizar o corpo estranho e removê-lo com cuidado. Na falta dos espelhos, isso pode ser feito com laringoscópio, estando o paciente de preferência sentado. Em caso de não se localizar o corpo estranho ou não ser possível removê-lo, deve-se encaminhar o paciente imediatamente a um serviço de otorrinolaringologia.[4,12]

CORPO ESTRANHO NASAL

Corpos estranhos visualizados com um espéculo nasal podem ser pinçados ou puxados com um gancho feito com um clipe de papel ou com um grampo de cabelo C/D. Caso não seja possível visualizar o corpo estranho, pode-se usar um cateter tipo sonda vesical acoplado a uma bomba de sucção ou uma pera de sucção, ou realizar a exploração cuidadosa com pinça anatômica C/D.[4,12]

RETIRADA DE ANEL PRESO NO DEDO

No caso de comprometimento vascular com dor e cianose, o método a ser utilizado é o corte do anel com alicate apropriado C/D.[2]

Quando há somente edema sem sinais de comprometimento vascular, pode-se aplicar a técnica do torniquete, usando-se fio dental e uma agulha de costura ou clipe de papel. Utiliza-se a agulha ou o clipe para passar o fio dental por baixo do anel, enrola-se o dedo distalmente ao anel e, por fim, usando a ponta que foi passada para o lado proximal ao anel, procede-se ao desenrolamento do fio, fazendo o anel correr sobre ele para permitir sua saída, conforme mostra a **FIGURA 87.5** C/D.[4] (Para técnica alternativa, ver QR code.)

EXCISÕES ELÍPTICAS

A maioria das pequenas lesões de pele, incluindo cistos sebáceos e lesões suspeitas de carcinoma basocelular e epidermoide, pode ser removida com uma excisão em elipse (ver QR code).

Como regra, o maior eixo da elipse deve seguir a orientação das linhas de tensão da pele. O tamanho da elipse vai depender do tipo e do tamanho da lesão. Para lesões benignas, usam-se margens de 1 a 2 mm; para carcinomas basocelulares, 3 a 4 mm; e para carcinoma epidermoide, 4 a 10 mm C/D.[1,13]

Antes da incisão, deve-se desenhar a elipse na pele (FIGURA 87.6). O eixo maior da elipse deve ser três vezes maior do que o eixo menor. O comprimento do eixo maior precisa ser aumentado para quatro vezes o menor eixo em regiões com pouco tecido subcutâneo, como dorso das mãos, e regiões com pele sob tensão maior, como a parte superior das costas.[1,13]

Inicia-se o procedimento com adequada antissepsia com o uso de solução de clorexidina metilada a 0,5% **B**.[14] Depois, realiza-se a anestesia infiltrativa que não deve ultrapassar a dose de 1 mg de lidocaína por kg de peso, nem a dose total de 70 mg (equivalente a 3,5 mL de lidocaína a 2%). Deve-se dar atenção especial a essa dose máxima em crianças, optando-se por diluições maiores, como 0,5 e 1% de lidocaína **C/D**.[15]

Cistos sebáceos precisam, após a remoção da elipse, ter sua base liberada do fundo da lesão e, então, podem ser removidos com alguma compressão lateral da pele. Às vezes, a lesão se fragmenta, sendo necessária especial atenção para a retirada das paredes do cisto **C/D**.[4]

Após a exérese da elipse de pele e tecido subcutâneo, procede-se ao fechamento da pele, o qual, nesses pequenos procedimentos, é feito com sutura simples na maioria dos casos. Em alguns casos, lesões um pouco maiores do que 3 cm e mais profundas necessitarão de um ponto central do tipo Donatti para garantir melhor aproximação dos planos profundos. A escolha do tipo de fio deve levar em conta a disponibilidade, os melhores resultados estéticos e a menor chance de infecção. Assim, os fios inabsorvíveis que reúnem o melhor equilíbrio entre essas características são os de náilon monofilamentar, apesar de ainda serem usados fios de seda ou algodão pelo custo menor. Fios absorvíveis raramente são usados na APS e são reservados para camadas mais profundas, como músculos e subcutâneo. Por fim, a espessura do fio deve ser suficiente para resistir à tensão da pele. Em áreas de altas tensões, como nuca, couro cabeludo e membros, usa-se fio 3-0; nas de médias tensões, como tronco, usa-se fio 4-0; na face, usa-se fio 5-0; e, em áreas de menor tensão, usa-se fio 5-0 **C/D**.[13]

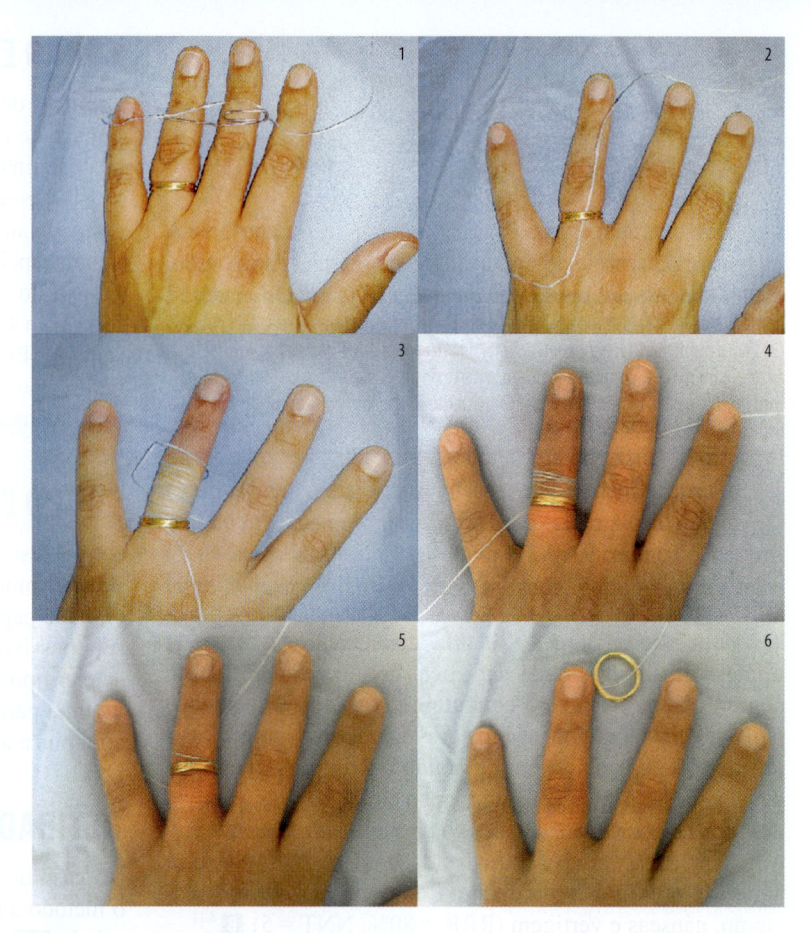

FIGURA 87.5 → Técnica de remoção de anel.

BIÓPSIA EM *SHAVING*

As biópsias em *shaving* podem ser apropriadas em circunstâncias clínicas cuidadosamente selecionadas (p. ex., lesões predominantemente epidérmicas, sem extensão para a derme, como verrugas, papilomas, marcas de pele, carcinomas superficiais de células basais ou escamosas e queratoses seborreicas ou actínicas, quando a suspeita de melanoma é baixa), pois é uma técnica simples, rápida e com um bom resultado estético **C/D**.[1,4,16]

Realiza-se uma incisão com o bisturi em posição horizontal em relação à pele, procedendo-se à remoção da lesão sem ultrapassar a derme (FIGURA 87.7).[1,4]

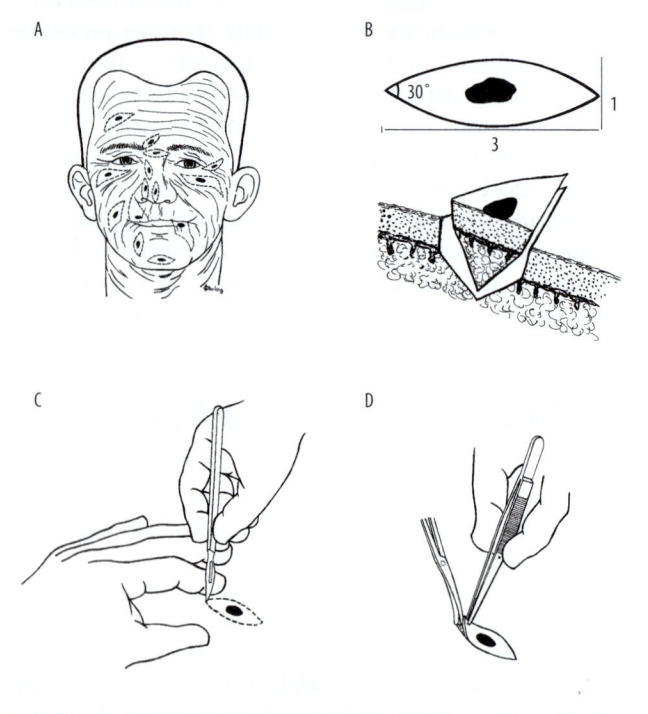

FIGURA 87.6 → Excisão elíptica. **(A)** Linhas de tensão na face e orientação das incisões elípticas. **(B)** Desenho da elipse e profundidade da cunha a ser removida até o subcutâneo. **(C)** Realização da incisão. **(D)** Remoção da elipse.
Fonte: Adaptada de Fonseca e Savassi-Rocha[1] e Murtagh.[4]

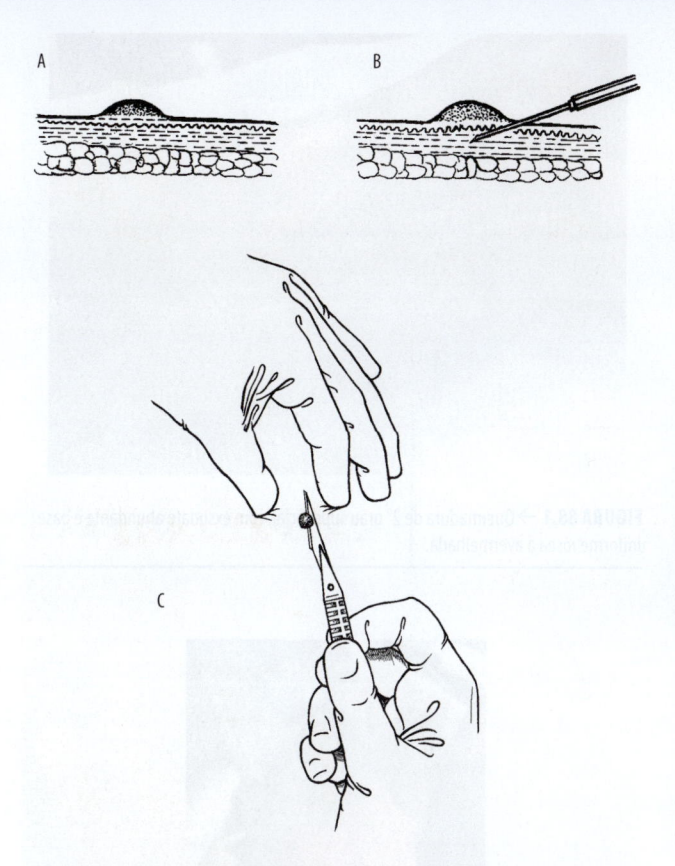

FIGURA 87.7 → Biópsia em *shaving*. **(A)** Corte transversal mostrando a lesão sendo removida e as camadas da pele. **(B)** Infiltração anestésica subcutânea que, além de proporcionar analgesia, produz discreta elevação da lesão, facilitando a realização do procedimento. **(C)** Realização da biópsia em *shaving* com discreto estiramento da pele realizado pela outra mão do médico.
Fonte: Adaptada de Fonseca e Savassi-Rocha.[1]

REFERÊNCIAS

1. Fonseca FP, Savassi-Rocha, PR. Cirurgia ambulatorial. 3. ed. Rio de Janeiro: Guanabara Koogan; 1999.
2. Buttaravoli P, Leffler SM, editors. Minor emergencies: expert consult. 3rd ed. Mosby: Elsevier; 2012.
3. Faguy K. Imaging foreign bodies. Radiol Technol. 2014;85(6):655–78.
4. Murtagh J. Murtagh's practice tips. 8th ed. Austrália: McGraw-Hill; 2019.
5. Halaas GW. Management of foreign bodies in the skin. Am Fam Physician. 2007;76(5):683–8.
6. Fernandez R, Griffiths R. Water for wound cleansing. Cochrane Database Syst Rev. 2012;(2):CD003861.
7. Chan C, Salam GA. Splinter removal. Am Fam Physician. 2003;67(12):2557–62.
8. Michaudet C, Malaty J. Cerumen impaction: diagnosis and management. Am Fam Physician. 2018;98(8):525–9.
9. Kanegaye JT, Schonfeld N. Penile zipper entrapment: a simple and less threatening approach using mineral oil. Pediatr Emerg Care. 1993;9(2):90–1.
10. Jones PA. Removal of fish-hooks. Br Med J. 1974;3(5922):41.
11. Ernst AA, Takakuwa KM, Letner C, Weiss SJ. Warmed versus room temperature saline solution for ear irrigation: a randomized clinical trial. Ann Emerg Med. 1999;34(3):347–50.
12. Heim SW, Maughan KL. Foreign bodies in the ear, nose, and throat. Am Fam Physician. 2007;76(8):1185–9.
13. Hall BJ. Sauer's manual of skin diseases. 11th ed. Philadelphia: LWW; 2017.
14. Dumville JC, McFarlane E, Edwards P, Lipp A, Holmes A, Liu Z. Preoperative skin antiseptics for preventing surgical wound infections after clean surgery. Cochrane Database Syst Rev. 2015;(4):CD003949.
15. Umpierre R, Conzatti M. Procedimentos em APS: anestesia locorregional, suturas, inserção de DIU, cantoplastia, lavagem otológica e drenagem de abcesso. In: Gusso G, Lopes JMC, Dias LC, organizadores. Tratado de medicina de família e comunidade: princípios, formação e prática. 2. ed. Porto Alegre: Artmed; 2019.
16. Pickett H. Shave and punch biopsy for skin lesions. Am Fam Physician. 2011;84(9):995–1002.

LEITURAS RECOMENDADAS

Mayeaux EJ Jr. Guia ilustrado de procedimentos médicos. Porto Alegre: Artmed; 2011.
Livro com ilustrações de diversas técnicas para procedimentos úteis em atenção primária à saúde, incluindo algumas para remoção de anel, corpos estranhos e anzol.

Roberts JR, Hedges JR, editors. Clinical procedures in emergency medicine. 6th ed. Philadelphia: Saunders; 2013.
Livro específico de procedimentos em emergência.

Venters WB. Ring removal from a swollen finger: a refined technique. J Surg Orthop Adv. 2006;15(3):181-3.
Artigo que descreve o uso de técnica alternativa para remoção de anel, com princípio semelhante ao apresentado neste capítulo.

Fowler GC. Pfenninger and Fowler's Procedures for Primary Care. 4th ed. Philadelphia: Elsevier;2020.
Ampla lista de procedimentos com figuras para atenção primária.

Capítulo 88
QUEIMADURAS

Eduardo I. Gus

Ricardo A. Arnt

Queimadura é um ferimento da pele ou do tecido profundo, causado primariamente por calor, radiação, radioatividade, eletricidade, fricção ou contato com substâncias químicas ácidas ou básicas. Segundo a Organização Mundial da Saúde, as queimaduras estão entre as causas mais frequentes de anos de vida perdidos ajustados por incapacidade. Estima-se que aproximadamente 180 mil mortes anuais ocorram no mundo por queimaduras graves, e que pelo menos 10 milhões de pessoas sofram queimaduras não letais por ano, especialmente em países de baixa e média renda *per capita*. Homens se queimam mais frequentemente, mas mulheres e idosos apresentam maior risco de morte, se acometidas por uma queimadura de gravidade comparável. Crianças são particularmente vulneráveis a queimaduras por escaldamento, sendo esse tipo de ferimento o quinto trauma não letal mais frequente para a faixa etária. O principal fator de risco para a queimadura na população pediátrica é a supervisão adulta inadequada ou inexistente.[1]

A imensa maioria dos pacientes queimados não requer hospitalização. No primeiro atendimento a um paciente queimado, este deve ser cuidadosamente avaliado no intuito de definir se há necessidade de encaminhamento a uma unidade especializada em queimados, ou se o manejo ambulatorial é adequado.[2]

AVALIAÇÃO INICIAL DO PACIENTE

A avaliação inicial do paciente queimado deve seguir a rotina de atendimento usual do paciente traumatizado (ver Capítulo Ressuscitação Cardiopulmonar). Deve-se iniciar com as vias respiratórias, já que a lesão térmica direta das vias aéreas superiores pode produzir obstrução progressiva. Contudo, mesmo não havendo sinais de lesão térmica na face, a inalação de gases tóxicos, principalmente em vítimas de incêndio, pode levar à disfunção respiratória.[3]

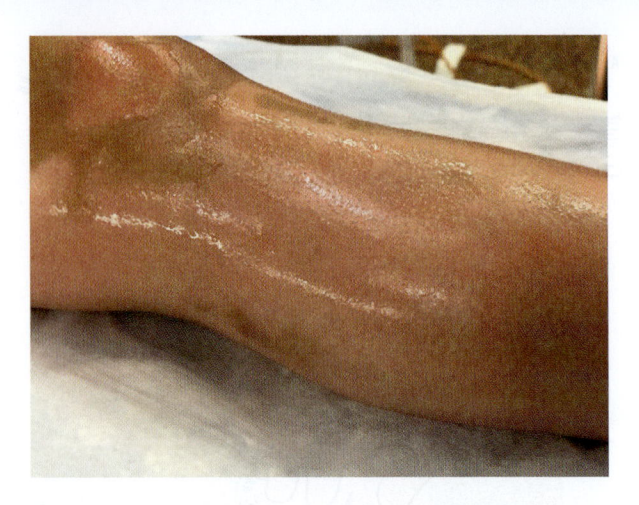

FIGURA 88.1 → Queimadura de 2° grau superficial, com exsudato abundante e base uniforme rósea a avermelhada.

Após a avaliação dos demais itens, segue-se com história clínica e exame físico dirigidos. São importantes as circunstâncias da queimadura (ambiente fechado ou aberto), sua etiologia e mecanismo (líquido inflamável, explosão, contato, outros), seu tempo de evolução, a avaliação da profundidade e extensão das lesões, a localização e a presença ou ausência de lesões associadas, fatores de risco, doenças preexistentes, bem como os primeiros socorros já instituídos.[3]

Determinação da profundidade da queimadura

A profundidade da queimadura costuma ser de difícil determinação, sobretudo no momento agudo. Mesmo para o examinador experiente, nem sempre é possível distinguir facilmente a queimadura de espessura parcial superficial, que epiteliza de forma espontânea, das queimaduras mais profundas, que exigem tratamento cirúrgico.[4]

→ **Queimaduras superficiais (primeiro grau):** apresentam apenas eritema e são dolorosas. Não são computadas para fins de cálculo de superfície queimada, nem para avaliação de critérios de internação. O exemplo mais comum são as queimaduras solares.

→ **Queimaduras de espessura parcial superficial (segundo grau superficial, FIGURA 88.1):** envolvem epiderme e derme papilar (correspondem, de modo aproximado, ao comprometimento do terço mais superficial da pele). São clinicamente reconhecidas pela presença de vesículas ou flictenas que, se rompidas, apresentam fundo rosado, uniforme e brilhante. São bastante dolorosas e apresentam exsudato moderado a abundante.

→ **Queimaduras de espessura parcial profunda (segundo grau profundo, FIGURA 88.2):** envolvem epiderme, derme papilar e derme reticular, o que representa a destruição de aproximadamente dois terços da pele. Apresentam fundo esbranquiçado com infiltrado hemorrágico, apresentando exsudato escasso a inexistente. Também são muito dolorosas e têm edema associado.

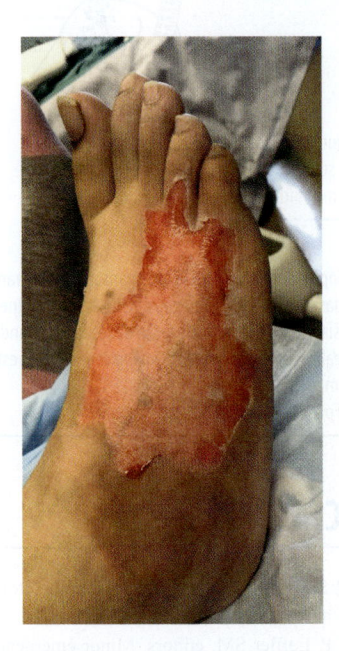

FIGURA 88.2 → Queimadura de 2° grau profunda, com base seca e esbranquiçada, e infiltrado hemorrágico.

→ **Queimaduras de espessura total (terceiro grau, FIGURA 88.3):** envolvem a destruição de todas as camadas da pele. Clinicamente são áreas indolores (por destruição das terminações nervosas), inelásticas, foscas, coriáceas ou, às vezes, com eritema fixo (por fixação de hemoglobina) ou mesmo enegrecimento por carbonização (caso tenha ocorrido exposição prolongada à chama).[3] A visualização por transparência de vasos dérmicos trombóticos (como linhas escuras na intimidade do tecido) também sugere tratar-se de lesão de espessura total.

→ **Queimaduras profundas (quarto grau, FIGURA 88.4):** envolvem tecidos profundos à pele, como tecido subcutâneo, músculos, ossos, etc. Exemplos mais comuns são as lesões elétricas por alta tensão ou queimaduras por fogo intenso.

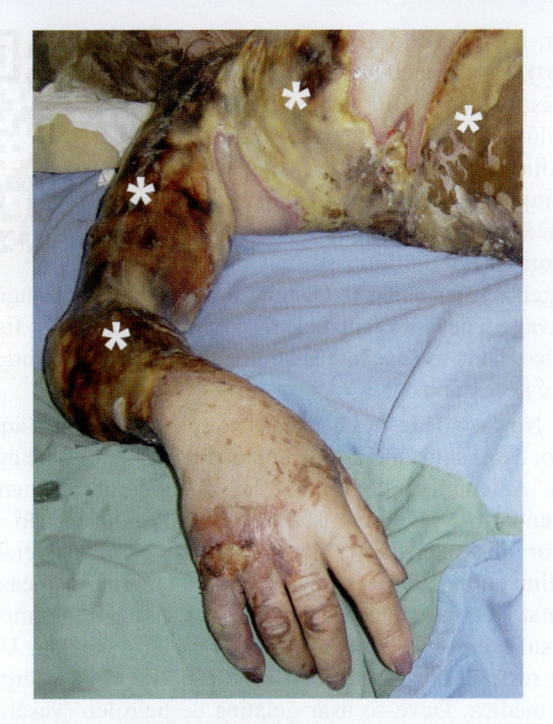

FIGURA 88.3 → Queimadura de espessura total ou 3º grau (áreas indicadas por asteriscos). Destacam-se, no membro superior, escaras com superfície coriácea nas quais trajetos de vasos trombosados se encontram visíveis.

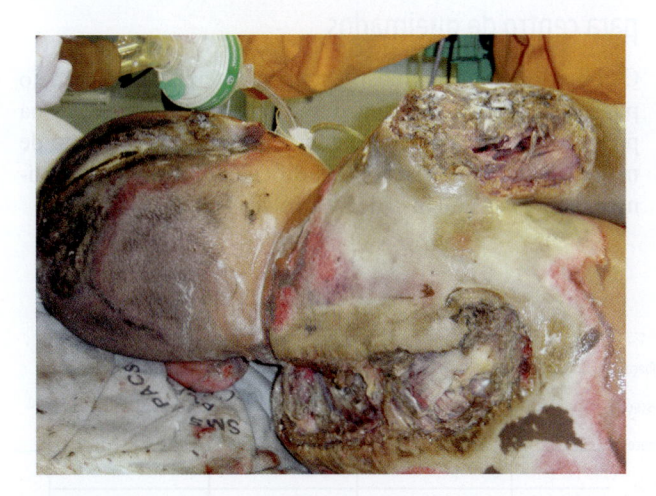

FIGURA 88.4 → Paciente com queimadura por alta tensão (4º grau), com ruptura da pele e visualização de estruturas profundas. É importante lembrar que, devido à fisiopatologia desse tipo de queimadura, pode haver dano muscular, ósseo e nervoso mascarados sob pele íntegra.

O método mais comumente utilizado para o diagnóstico da profundidade da queimadura é o exame físico (inspeção). Entretanto, não é considerado suficientemente preciso, apresentando acurácia de 60 a 70% quando realizado por cirurgião de queimados experiente. Uma miríade de métodos tecnológicos foi proposta no intuito de alcançar uma acurácia superior, sendo o diagnóstico por *Laser* Doppler o mais usado, por sua sensibilidade e especificidade (89% e 93%, respectivamente).[5,6]

Determinação da superfície queimada

Contabilizam-se apenas as áreas com queimaduras de espessura parcial ou total, ficando excluídas as queimaduras superficiais (de primeiro grau). Existem diferentes métodos para determinação da extensão da superfície queimada.

Um dos métodos mais populares é o método de Wallace, mais conhecido como a "regra dos nove" (FIGURA 88.5). Nesse método, as regiões anatômicas são divididas em partes com porcentagens equivalentes a múltiplos de 9. Um erro muito comum, que deve ser evitado, é o de atribuir a uma parcela de determinada região anatômica o valor de sua área total. Por exemplo, a cabeça inteira equivale a 9% da superfície corporal. Se uma explosão ocorrer atrás de uma pessoa e queimar apenas a parte posterior de sua cabeça, o valor a ser computado é 4,5% (e não 9%, que seria queimadura circunferencial da cabeça, tanto anterior, como posterior). Esse método pode ser usado para pacientes a partir de 10 anos de idade, uma vez que possuem superfície corporal com porcentagens similares à de um adulto.

Para pacientes pediátricos, o método de eleição para queimaduras mais extensas é a tabela de Lund e Browder, que leva em consideração a variação relativa do tamanho da cabeça, das coxas e das pernas do paciente em função de sua faixa etária, permanecendo constantes as proporções do

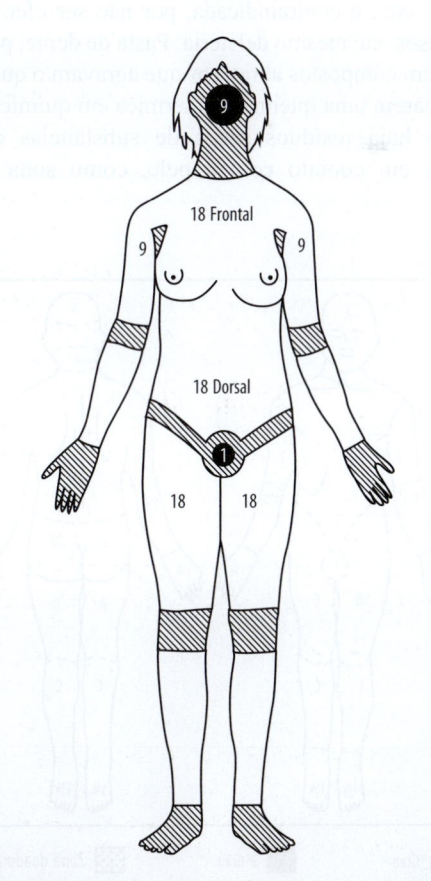

FIGURA 88.5 → Método de Wallace, também conhecido como "regra dos nove". Fonte: Jaskille e colaboradores.[6]

pescoço, do tronco, dos órgãos genitais e dos membros superiores (FIGURA 88.6).

Outro método prático de mensuração em especial nos casos de queimaduras menores ou em áreas dispersas é o método palmar. Nesse método, a área da mão do paciente (incluindo a palma e os dedos), independentemente de sua idade, corresponde a 1% da superfície corporal. Esse método também aumenta a precisão da mensuração quando utilizado em conjunto com os métodos supradescritos. Por exemplo, quando quase todo o tronco anterior (18% da superfície corporal, de acordo com a regra dos nove) está queimado, pode-se comparar as áreas poupadas com a mão do paciente. O número de áreas da mão é subtraído do total do tronco, resultando em uma determinação mais precisa da superfície queimada.

MANEJO INICIAL DO PACIENTE

Cuidados imediatos do ferimento

Para ser efetivo e minimizar o aprofundamento da lesão, o resfriamento deve ser providenciado em até 2 minutos após o acidente, se possível com água corrente entre 8 e 15 °C por pelo menos 20 minutos C/D.[3] Não existe, até o momento, comprovação científica de que o resfriamento por mais de 30 minutos seja útil para impedir o agravamento das lesões. Não se deve colocar gelo em contato direto com a pele queimada, pois o frio excessivo gera vasoconstrição, agravando a queimadura. A aplicação de outras substâncias, como açúcar, manteiga, etc., é contraindicada, por não ser efetiva e, em alguns casos, até mesmo deletéria. Pasta de dente, por exemplo, contém compostos abrasivos que agravam o quadro, por transformarem uma queimadura térmica em química.

Caso haja resíduos secos de substâncias químicas perigosas em contato com a pele, como soda cáustica (ver, no QR code, as FIGURA S88.1 a S88.11), as roupas devem ser removidas, e o corpo do paciente, meticulosamente higienizado com auxílio de compressas secas antes de iniciar uma lavagem exaustiva com água corrente (por pelo menos 1 hora), visando diluir ao máximo o agente agressor C/D.[3] Quando o globo ocular é atingido, a lavagem deve ser realizada de preferência com soro fisiológico. Uma avaliação oftalmológica em caráter de urgência é necessária.

No caso de lesões causadas por piche ou asfalto aquecido, essas substâncias costumam aderir à superfície cutânea. A tentativa de removê-las pode gerar ferimentos secundários. Os compostos dessas substâncias não são absorvidos, nem são tóxicos. Estas não são consideradas queimaduras químicas, mas sim queimaduras térmicas de contato. O tratamento de eleição consiste em resfriamento da substância, mesmo aderida à pele do paciente. Uma vez resfriado, a retirada do asfalto não é uma emergência médica. Deve-se usar gelatina de petróleo (vaselina) em curativo oclusivo, que promove a emulsificação do composto.

Critérios de internação/encaminhamento para centro de queimados

Os critérios de encaminhamento para internação ou manejo por especialista em queimaduras (TABELA 88.1) baseiam-se na previsão da necessidade de intervenções cirúrgicas e/ou de maior potencial de risco e nas dificuldades de manejo clínico diante das circunstâncias arroladas.

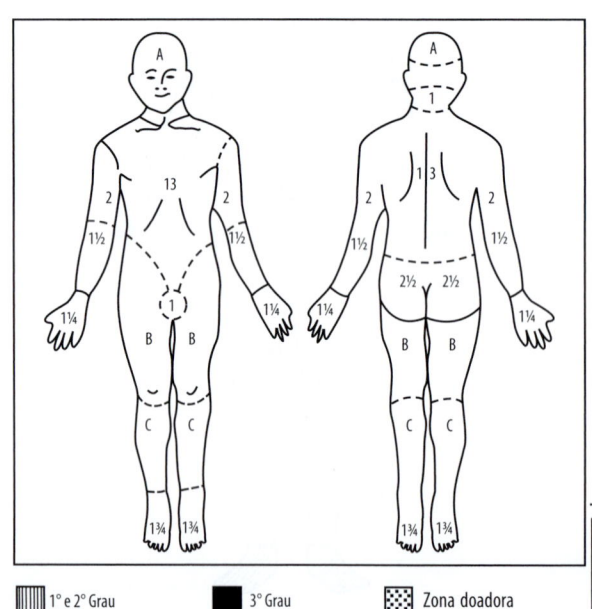

FIGURA 88.6 → Tabela de Lund e Browder.

TABELA 88.1 → Critérios de triagem das queimaduras, conforme a Associação Médica Brasileira e o Conselho Federal de Medicina

QUEIMADURAS QUE DEVEM SER ENCAMINHADAS A UM CENTRO ESPECIALIZADO DE QUEIMADOS

- → Queimaduras de segundo grau (espessura parcial) com área corporal atingida superior a 10% da superfície corporal, em qualquer idade
- → Queimaduras que envolvam face, ou mão, ou pé, ou genitália, ou períneo, ou pescoço, ou grande articulação (axila, ou cotovelo, ou punho, ou coxofemoral, ou joelho, ou tornozelo), em qualquer idade
- → Queimaduras de terceiro grau, em qualquer idade
- → Queimaduras causadas por eletricidade, inclusive aquelas causadas por raio, em qualquer idade
- → Queimaduras químicas, em qualquer idade
- → Lesão por inalação, em qualquer idade
- → Queimadura em pacientes, em qualquer idade, com problemas médicos preexistentes ou não, que poderiam complicar os cuidados, prolongar a recuperação ou influenciar a mortalidade
- → Qualquer paciente com queimaduras e trauma concomitante (p. ex., fraturas) no qual a queimadura apresenta maior risco de morbidade ou mortalidade; nos casos em que o trauma apresenta o risco imediato maior, o paciente pode ser inicialmente estabilizado em um centro traumatológico antes de ser transferido para um centro de queimados; a decisão do médico do primeiro atendimento será necessária nessas situações e deve estar de acordo com o plano regional e os protocolos de triagem
- → Crianças queimadas sendo tratadas em hospital sem pessoal qualificado ou equipamentos para o cuidado do caso

A INTERNAÇÃO ESTÁ INDICADA NOS SEGUINTES TIPOS DE QUEIMADURAS

- → Lesão de terceiro grau atingindo > 2% da superfície corporal em pacientes < 12 anos e > 5% da superfície corporal em > 12 anos
- → Lesão de segundo grau atingindo área > 10% em < 12 anos e > 15% em > 12 anos
- → Queimaduras de face, ou pé, ou mão, ou pescoço
- → Queimaduras de região perineal ou genitália
- → Queimadura circunferencial de extremidade ou do tórax
- → Queimaduras por descarga elétrica
- → Inalação de fumaça ou lesões das vias aéreas
- → Queimaduras menores concomitantes a outros importantes traumas ou a doenças preexistentes que possam vir a agravar o quadro

Obs.: Também devem ser encaminhados a um centro de tratamento de queimados pacientes com necrólise epidérmica tóxica.

Fonte: Sociedade Brasileira de Cirurgia Plástica.[3]

Cuidados imediatos em caso de encaminhamento

Visando minimizar a ocorrência de complicações graves, o ideal é que as medidas descritas a seguir sejam instituídas já no local do primeiro atendimento, antes e/ou durante a transferência do paciente para um centro especializado. São também obrigatórias nos eventuais casos em que temporariamente não existam vagas disponíveis nas unidades de referência de queimados mais próximas.

Ressuscitação volêmica

Os pacientes que preenchem os critérios de encaminhamento à unidade de queimados e que possuem > 20% da superfície corporal queimada em caso de adultos e 15% em casos pediátricos apresentam risco iminente de choque e devem ter priorizada a ressuscitação volêmica, a qual deve ser imediatamente instituída por via intravenosa. Como o principal desfecho da ressuscitação é a manutenção de débito urinário, é necessária a cateterização urinária imediata, com o intuito de medir a cada hora o volume de urina produzido. Outro detalhe importante, que geralmente é esquecido, é manter registro do volume total administrado desde o acidente, uma vez que a unidade de queimados que receberá o paciente necessitará dessa informação.

Existem diversas fórmulas de ressuscitação volêmica, as quais tentam prever o volume de cristaloide que os pacientes vão necessitar nas primeiras 24 horas de internação. Todas as fórmulas levam em consideração o peso do paciente, em quilogramas, e a superfície corporal acometida por queimaduras de segundo ou terceiro grau (áreas de primeiro grau não devem ser computadas nas fórmulas de reposição volêmica). As fórmulas também sugerem que 50% do volume sejam administrados nas primeiras 8 horas, e o restante, nas 16 horas seguintes. Do volume a ser infundido nas primeiras 8 horas, deve-se subtrair o que já foi administrado no período pré-hospitalar – por isso a importância de manter o volume infundido registrado **C/D**.

No entanto, é importante enfatizar que essas fórmulas são apenas um ponto de partida. Elas sugerem o volume inicial que deve ser administrado por hora em bomba de infusão, e devem ser ajustadas de acordo com a resposta clínica e laboratorial.

O critério mais importante para aumentar ou diminuir o volume de cristaloide infundido por hora inicialmente calculado é o débito urinário, cujo alvo é 0,5 mL/kg/h em pacientes > 30 kg, e 1 mL/kg/h, em pacientes < 30 kg, junto com outros critérios clínicos (pressão arterial, frequência cardíaca) e laboratoriais (lactato, déficit de base e pH em gasometria arterial). Esses ajustes devem ser feitos a cada hora, na unidade de terapia intensiva (UTI), pelo intensivista especializado em queimados, no intuito de diminuir os riscos de sub ou super-ressuscitação (basicamente insuficiência renal na sub-ressuscitação, e edema agudo de pulmão e síndrome compartimental de abdome e membros no caso de super-ressuscitação).[7]

Com o objetivo de simplificar o manejo inicial de fluidos no grande queimado, o último manual do *Advanced Burn Life Support*, da American Burn Association,[8] sugere a divisão do manejo dos fluidos em um "manejo inicial", a ser realizado em caráter pré-hospitalar, por médico não especializado ou profissional da enfermagem, e o "manejo ajustado", a ser administrado já na UTI.

Manejo inicial

Em âmbito pré-hospitalar, ou logo que o paciente chegar ao hospital (mas ainda não estiver na UTI especializada), antes de calcular a superfície corporal queimada (SCQ), as seguintes diretrizes devem ser seguidas, em termos de volume/hora de cristaloide intravenoso a ser infundido:

- → **0 a 5 anos de idade:** 125 mL/h de Ringer com lactato (RL);
- → **6 a 13 anos de idade:** 250 mL/h de RL;
- → **acima de 14 anos de idade:** 500 mL/h de RL.

Manejo ajustado

Uma vez que o peso do paciente (em kg) e a SCQ tenham sido estabelecidos, os seguintes cálculos devem ser realizados no intuito de definir o volume-hora de cristaloide intravenoso a ser inicialmente infundido **C/D**:

- → **queimaduras térmicas e químicas em pacientes adultos (> 14 anos):** 2 mL RL × peso (kg) × SCQ (%), sendo metade do volume calculado infundido nas primeiras 8 horas (calculadas a partir do acidente);

→ **queimaduras térmicas e químicas em pacientes pediátricos (até 13 anos):** 3 mL RL × peso (kg) × SCQ (%), sendo metade do volume calculado infundido nas primeiras 8 horas (calculadas a partir do acidente). Pacientes com < 30 kg devem receber, além do volume de RL calculado de acordo com a fórmula supradescrita, solução glicosada a 5%. A hipoglicemia ocorre mais facilmente em crianças, à medida que as reservas de glicogênio terminam mais rapidamente;

→ **queimaduras elétricas de alta tensão, com evidência de mioglobinúria (adultos):** 4 mL RL × peso (kg) × SCQ (%), sendo metade do volume calculado infundido nas primeiras 8 horas (calculadas a partir do acidente);

→ **queimaduras elétricas de alta tensão, com evidência de mioglobinúria (paciente pediátrico):** consultar uma unidade de queimados imediatamente.[8]

Lembrando que, do volume de RL a ser infundido nas primeiras 8 horas, deve-se subtrair o volume recebido no atendimento pré-hospitalar, no intuito de evitar as complicações da super-ressuscitação.

Analgesia

Pacientes queimados experenciam altos níveis de dor, desde o momento agudo da queimadura, até meses após a alta hospitalar. Apesar dessa noção, a dor é frequentemente subtratada, o que é fator de risco para o desenvolvimento de síndromes de dor crônica, transtorno de estresse pós-traumático e outras síndromes de ansiedade e depressão, assim como aumento do risco de suicídio.[9]

Deve-se ter em mente que existem dois tipos de dor em pacientes queimados. Existe a **dor de base**, que é a dor que está presente em todos os momentos, a qual pode ser acrescida da **dor de procedimentos**, que é o aumento, em caráter de pico, de dor associada a trocas de curativos, mudanças de decúbito, sessões de fisioterapia, etc. Dessa forma, a analgesia deve conter medicações fixas, ajustadas de acordo com a dor de base, assim como medicações "se necessário", as quais devem ser administradas cerca de 30 minutos antes de procedimentos agendados, ou como medicação de resgate, no caso de picos de dor não esperados.

Os opioides são a pedra fundamental do tratamento da dor do paciente queimado C/D. No primeiro atendimento, e na internação hospitalar, recomenda-se o uso de morfina em doses crescentes, até que se consiga uma analgesia efetiva, iniciando-se com bólus de 0,1 mg/kg e doses adicionais de 0,05 mg/kg, se necessário. Não existe dose máxima preconizada; pode-se escalar a doses maiores, intervalos menores, e até mesmo usar uma infusão contínua, desde que sejam adotadas as medidas de monitorização clínica, para evitar sedação excessiva e efeitos adversos, e a monitorização dos sinais vitais, no intuito de evitar depressão respiratória, o que é rotina em uma UTI.

No intuito de evitar os efeitos deletérios dos opioides, os quais podem ser necessários em doses muito altas e por longos períodos de tempo, a estratégia de analgesia multimodal foi criada. A estratégia consiste em adicionar outras classes de medicações com propriedades analgésicas, sempre buscando uma combinação de agentes com mecanismos de ação diferentes, porém sinérgicos. No caso de queimaduras menores, em caráter ambulatorial, sugere-se a combinação de analgésicos, como paracetamol ou dipirona, anti-inflamatórios não esteroides (AINEs) e opioides via oral, como a codeína. Não há evidências sustentando o emprego de anestésicos locais, sejam de uso tópico ou injetável; assim, devem ser priorizadas as opções aqui descritas para o controle da dor C/D.[1,10]

O médico de atenção primária, no entanto, pode deparar-se com pacientes vítimas de queimaduras extensas, no período após a alta hospitalar. É importante ressaltar que, durante uma internação em unidade de queimados, outras classes de medicamentos são comumente utilizadas como tratamento adjuvante da dor, como anticonvulsivantes (gabapentina, pregabalina) e também benzodiazepínicos, para hipnose ou ansiólise. Na medida do possível, esses medicamentos devem ter suas doses reduzidas progressivamente até o desmame completo. Caso haja dificuldades nesse manejo, um médico especialista em dor crônica deve ser consultado.

Escarotomia

Queimaduras de espessura total e distribuição circunferencial nas extremidades, no pescoço ou no tronco podem causar comprometimento da circulação periférica ou dificuldade respiratória. Isso se dá pelo aumento da pressão em um dado compartimento (seja ele pescoço, tórax ou extremidade), secundário ao edema dos tecidos adjacentes às áreas queimadas, e pela inelasticidade da pele com queimadura de terceiro grau. Constatado o problema e na impossibilidade de transferência imediata do paciente, fica caracterizada a urgência de uma escarotomia para descompressão (ver **FIGURA S88.2** no QR code da p. 930) C/D.[3] Esse procedimento consiste em incisões na pele queimada, impedindo que o tecido profundo edemaciado comprima vasos sanguíneos e estruturas nervosas.

Fasciotomia

Consiste na incisão linear e longitudinal da fáscia profunda que envolve determinado grupo muscular. Está indicada nos casos de queimaduras elétricas graves, com grande edema muscular (ver **FIGURA S88.3** no QR code da p. 930) C/D.[3] Devido à falta de elasticidade da fáscia, o edema muscular dentro do compartimento por ela delimitado poderá acarretar necrose muscular e/ou nervosa adicional.

As fasciotomias devem ser executadas nas áreas neutras de flexão/extensão, evitando-se, ainda, os ramos nervosos que transitam pelo subcutâneo. Por esse motivo, o ideal é que sejam realizadas por especialista no assunto (cirurgião plástico, cirurgião vascular), excetuando-se, é claro, as raras situações em que o diagnóstico de síndrome compartimental seja óbvio (dor maior do que o esperado e piorada com a contração passiva da musculatura, parestesias, palidez, paralisia e pulso ausente) e não exista possibilidade de transferência imediata do paciente para um centro de tratamento de queimados. Nessa situação, a incisão deve ser realizada mesmo que por não especialista, uma vez que a evolução natural dessa condição leva à amputação da extremidade, dano nervoso irreversível, rabdomiólise e insuficiência renal aguda por depósito de mioglobina.

Lesão inalatória

Caso se constate lesão térmica *direta* das vias aéreas superiores, com consequente edema progressivo de mucosa e possibilidade de obstrução glótica, a intubação precoce e preventiva é necessária. Raramente há lesão térmica das vias aéreas inferiores ou do parênquima pulmonar. Nesses locais, as alterações ocorrem por inalação de produtos tóxicos da combustão (lesões químicas) e podem evoluir para traqueobronquite inflamatória, broncopneumonia e/ou síndrome da angústia respiratória do adulto.

A presença de lesão inalatória é sugerida pelos achados de queimaduras de face, com ou sem produtos carbonizados, associados ou não a broncospasmo e tiragem. Os principais fatores de risco para lesão inalatória são queimaduras profundas da face e pescoço, presença de chamas em recinto fechado e paciente encontrado inconsciente na cena. Caso não exista a possibilidade de fibrobroncoscopia na sala de emergência para exclusão do diagnóstico, está indicada a intubação profilática antes da transferência ao serviço especializado.[11]

Cobertura inicial

Em caso de necessidade de encaminhamento, e considerando-se que, ao chegar na unidade de queimados, o paciente deve ter o corpo exposto para determinação da extensão e da profundidade da queimadura, sugere-se que o serviço de atendimento inicial utilize um curativo simples, com gaze não aderente. Na impossibilidade da realização de um curativo como esse, a cobertura provisória mais indicada é um filme de PVC, como utilizado na cozinha, sobre a queimadura C/D. O filme de PVC pode aliviar a dor, é transparente para a inspeção e fácil de ser removido. A aplicação não deve ser de forma circunferencial em torno do membro, e sim em lâminas de filme. Como cobertura inicial, não se deve usar nenhum tipo de creme, pois isso ocultará as lesões para o especialista, que se verá obrigado a removê-lo para executar adequadamente o mapeamento da queimadura.

MANEJO AMBULATORIAL DO PACIENTE COM PEQUENA QUEIMADURA

A grande maioria dos pacientes queimados pode ser tratada em ambiente de atenção primária. A pequena queimadura não implica risco de vida ou função de membros, e evolui com reepitelização espontânea, independentemente da terapia empregada. Deve-se ter em mente que as feridas de queimadura inevitavelmente *progridem* nas primeiras 48 a 72 horas, portanto vão parecer mais profundas ao redor do terceiro dia após o acidente. Somente após as primeiras 72 horas as feridas passam a apresentar aspectos de melhora progressiva à inspeção. Este é o conceito de *progressão* – a evolução natural de uma ferida de queimadura, que tende a ficar mais profunda nas primeiras 48 a 72 horas. Diferentemente da progressão, existe a *conversão* da ferida, que é quando uma queimadura se torna mais profunda devido a um insulto secundário, como infecção ou desidratação, por exemplo. A conversão da ferida pode ocorrer em qualquer tempo.

O objetivo dos cuidados locais a serem explorados a seguir é propiciar à ferida um ambiente favorável para que o corpo possa cicatrizar espontaneamente, o mais rápido possível. A cicatrização espontânea e em tempo curto gera o melhor resultado em longo prazo, tanto do ponto de vista funcional como estético. A princípio, qualquer lesão que reepiteliza em até 2 semanas tem bom prognóstico funcional e estético. Lesões que cicatrizam entre 2 e 3 semanas resultam em discromias e/ou retrações leves. Lesões que ainda não cicatrizaram após 3 semanas certamente requerem tratamento cirúrgico, devendo ser encaminhadas ao cirurgião plástico.[12]

A cada troca de curativo, deve-se ter em mente, portanto, o número de dias decorridos desde o acidente. Esse conceito do tempo de cicatrização das feridas é extremamente importante no processo decisório da indicação cirúrgica, e é recomendável que seja explicado ao paciente e à família desde sua apresentação inicial no serviço de saúde.

Cuidados com as lesões

Limpeza

A limpeza mecânica direta com esponja ou compressas de gaze sob água corrente é o melhor método de remover bactérias e partículas (p. ex., restos de tecido, graxa, secreções) da ferida, no atendimento inicial. Em atendimentos subsequentes, recomenda-se o uso de água e sabão para limpeza das feridas. Esse é um método simples, barato e amplamente disponível, sendo igualmente efetivo na manutenção da limpeza da ferida C/D.[3]

Bolhas e vesículas

Bolhas e vesículas formam-se a partir do descolamento entre derme e epiderme, gerando acúmulo de exsudato proteico. Não há evidência definitiva na literatura no que tange ao rompimento e ao desbridamento das bolhas. Há autores que postularam que funcionam como um curativo biológico, enquanto outros demonstraram que o exsudato tem efeito deletério, inibindo a resposta imunológica e a fibrinólise, o que aumentaria as chances de uma infecção local. O desbridamento das bolhas, no entanto, pode ser extremamente doloroso, assim como as trocas de curativos subsequentes.

Assim sendo, e na ausência de evidência inequívoca que justifique uma ou outra conduta, a recomendação dos autores deste capítulo para casos de queimaduras pouco extensas (até 2% da superfície corporal) é aspirar o exsudato das flictenas antes que ele se gelifique, de forma a manter o teto das bolhas como curativo biológico. Estatisticamente, essas feridas são, em sua maioria, de espessura parcial superficial e, portanto, sem indicação de tratamento cirúrgico ou de internação hospitalar. Essa abordagem permite que esses pacientes se beneficiem das vantagens de ambas as vertentes de conduta mencionadas: contorna-se o risco de infecção da manutenção do exsudato, sem o aumento da dor e a dificuldade de troca de curativos causados pela decorticação das bolhas. É necessário o acompanhamento ambulatorial desses pacientes até a completa reepitelização da base da ferida, sinalizada pelo descolamento espontâneo da epiderme rota C/D.²

Nos casos de queimaduras com extensão > 2% da superfície corporal, preferem-se o rompimento e o desbridamento da epiderme rota e necrótica, o que viabiliza a inspeção da base da ferida, e aumenta a acurácia do exame físico como método diagnóstico da profundidade da queimadura. No que tange à atenção primária, a importância dessa diferenciação se dá no fato de que as feridas parciais superficiais tendem a cicatrizar espontaneamente, podendo ser acompanhadas pelo médico generalista, enquanto as parciais profundas, além de infectarem com mais frequência, geralmente requerem tratamento cirúrgico, devendo o paciente ser referenciado à unidade de queimados para acompanhamento especializado e tratamento definitivo C/D.²

Nos casos em que as bolhas foram removidas, deve-se planejar uma estratégia para o controle da dor durante as trocas de curativos. Queimaduras menores, em áreas menos dolorosas e/ou em pacientes com maior tolerância à dor, permitirão trocas de curativo com uso de pré-medicação via oral. Pode-se usar a combinação de analgésicos (paracetamol ou dipirona), anti-inflamatórios (diclofenaco, naproxeno ou outros) e/ou codeína, a serem administrados 30 minutos antes do procedimento. Em casos em que o regime via oral provou-se insuficiente, ou em queimaduras maiores, em áreas especialmente dolorosas (como palma da mão, dedos, genitais, etc.), e/ou pacientes sabidamente pouco tolerantes à dor (p. ex., crianças), são necessárias trocas de curativo sob sedação ou anestesia geral. Nesses casos, o paciente deve ser encaminhado à unidade especializada, para tratamento em caráter hospitalar.

Curativos e antimicrobianos tópicos

Os curativos devem mimetizar a função de barreira do epitélio, protegendo o paciente da flora externa e minimizando a dor, perda de calor e água do corpo. O curativo ideal, além das características mencionadas, deve ainda ser fácil de aplicar e remover, não impedir a movimentação, ser economicamente acessível, e não exigir trocas frequentes. Deve-se ter em mente também as situações nas quais o uso de curativos está contraindicado: a área central da face e o períneo devem ser mantidos abertos, com limpeza do exsudato e da fibrina, assim como aplicação de vaselina, pelo menos 3 vezes ao dia.

Existem inúmeras estratégias diferentes em termos de curativos. A mais simples e barata de todas é o uso de uma gaze não aderente, como gaze vaselinada, Adaptic®, Bactigras®, Jelonet®, etc. – são basicamente malhas impregnadas em vaselina ou parafina. Há, ainda, uma série de produtos à base de ácidos graxos essenciais (AGEs), amplamente usados no Brasil e em outros países, apesar de embasados apenas em relatos de caso C/D.¹³ Por cima da camada interna de gaze não aderente, aplica-se uma camada externa, composta por gaze ou apósito, e ataduras. Essa estratégia, no entanto, apresenta como desvantagem a necessidade de troca diária de curativo, a ausência de cobertura antimicrobiana e o risco de os curativos aderirem ao epitélio recém-formado, retardando a cicatrização.

A sulfadiazina de prata já foi um dos antimicrobianos tópicos mais usados em queimaduras de espessura parcial e total. Mesmo em pacientes com queimaduras maiores, sua indicação original, não há evidência de benefício com seu uso em relação aos alternativos B.¹⁴ No entanto, a sulfadiazina de prata segue sendo erroneamente empregada em casos de pequenas queimaduras. Além disso, está associada à dermatite e à necrólise epidérmica tóxica. Não há indicação para seu uso.

Outros antimicrobianos tópicos, como a associação de bacitracina e neomicina, ou a gentamicina, não mostraram benefício em relação à vaselina, em termos de prevenção de infecções locais e sepse C/D. O emprego de antibióticos sistêmicos fica reservado aos casos de sepse ou outras infecções associadas, estando contraindicado o seu uso profilático, uma vez que o antibiótico não penetra na escara (por esta ser avascular) e facilita as infecções oportunistas, além de contribuir para a resistência microbiana C/D.¹⁵⁻¹⁷

Colocação de mel reduziu tempo de cicatrização e infecções B.¹⁴

Curativos industrializados de prata nanocristalina são o carro-chefe dos curativos em queimados na América do Norte, e vêm sendo crescentemente utilizados no Brasil por suas vantagens de diminuir a dor e o tempo de reepitelização B.² Um detalhe importante no seu uso é que os curativos devem ser molhados para que a prata seja liberada em sua forma iônica (ativa). Isso se dá por meio do próprio exsudato da ferida, ou por meio da irrigação intermitente do curativo com água destilada. Um erro comum é adicionar solução fisiológica nesses produtos, o que acarreta a formação de sais de prata, inativando permanentemente o produto. As apresentações mais comuns são o Aquacel Ag®, o Mepitel Ag® e o Acticoat®.¹⁸

→ O Aquacel Ag® (ConvaTec, divisão do Bristol-Myers Squibb) mostrou-se eficaz no tratamento tópico de queimaduras de espessura parcial em termos de tempo de epitelização.²³ Está indicado nas feridas de espessura parcial com presença de exsudato, uma vez que a prata nanocristalina é ativada por ele. Outra vantagem é o fato de poder ser mantido até 14 dias sobre a lesão. Todavia, pode aderir à queimadura e dificultar o acompanhamento de sua evolução, sendo, portanto, indicado apenas em lesões de espessura parcial que não irão necessitar de desbridamento cirúrgico (ver FIGURA S88.5, no QR code da p. 930).¹⁹

→ O Mepilex Ag® (Mölnlicke Health Care, Gotemburgo, Suécia) é um curativo sintético muito utilizado para queimaduras de espessura parcial, com exsudato. Assim como o Aquacel Ag, a prata é ativada pelo exsudato da própria ferida. É composto por três camadas, uma de silicone, que adere à ferida, uma camada de poliuretano, que absorve o exsudato, e um filme impermeável, que isola o ambiente úmido da ferida do curativo secundário, externo. Pode ficar sobre a ferida por até 7 dias.²⁰

→ O Acticoat® (Smith & Nephew, Londres, Inglaterra) é constituído de uma tela de polietileno impregnado com prata elementar.²⁰ Já foi usado com sucesso nos curativos de queimaduras de espessura parcial e total.

Deve ser trocado a cada 3 (camada única) ou 7 dias (camada dupla), o que facilita o manejo da queimadura. Tem maior conteúdo de prata, portanto sugere-se seu uso para queimaduras mais profundas, nas quais demonstrou incidência reduzida de celulite, diminuição do uso de antibióticos e do custo, gerando menos dor do que os curativos com sulfadiazina. Convém lembrar que as queimaduras profundas não apresentam exsudato suficiente para ativá-lo, e, para que fique ativo por até 7 dias, sugere-se a inclusão de cateteres ou sondas, para irrigação com água destilada 3 vezes ao dia.[13,21,22]

Por último, existem ainda os curativos biológicos, como o xenoenxerto (pele porcina, geralmente) e o aloenxerto (pele humana, de cadáver). Estes, no entanto, devem ser utilizados apenas no tratamento cirúrgico dos queimados.

Outros cuidados

A profilaxia do tétano deve ser executada, conforme orientações do Capítulo Ferimentos Cutâneos, em todos os pacientes apresentando queimaduras de espessura intermediária ou total e que não estejam com sua cobertura vacinal atualizada. Nos pacientes queimados, emprega-se apenas a imunização ativa com vacina.

Deve-se estar atento para a possibilidade de lesões não acidentais (TABELA 88.2). Em caso de suspeita de queimaduras não acidentais, é importante avaliar outros sinais de negligência e/ou abuso, fotografar as lesões e notificar os órgãos públicos pertinentes (Ver Capítulo Atenção à Saúde da Criança e do Adolescente em Situação de Violência).

SEGUIMENTO

Na revisão posterior da queimadura, deve-se estar especialmente atento para sinais e sintomas de infecção (TABELA 88.3). Estando presentes, deve-se limpar o ferimento e considerar tratamento tópico com curativo industrializado de prata C/D. Antibióticos sistêmicos devem ser reservados para pacientes febris, com halo de hiperemia nas feridas, sugestivos de celulite secundária à queimadura. O patógeno mais frequente é o *Staphylococcus aureus*; portanto, os antibióticos a serem administrados inicialmente devem cobrir a flora da pele. No ambiente de atenção primária, sugere-se a administração de cefalexina via oral, ou cefazolina via intravenosa, devendo o paciente ser encaminhado com brevidade à unidade de queimados, para avaliação de indicação cirúrgica e seguimento com equipe especializada. Pacientes com suspeita de sepse devem ser encaminhados em caráter de urgência à emergência mais próxima, para estabilização inicial e posterior transferência para unidade especializada.

As queimaduras, em muitos casos, desencadeiam respostas psicológicas indesejadas, e o médico de atenção primária precisa estar atento a algumas recomendações:

→ monitorar pessoas com queimaduras para sinais de transtornos de estresse ou depressão;
→ reconhecer e tratar doenças e comorbidades preexistentes (inclusive dependência química), pois estão relacionadas com transtorno de estresse pós-traumático;
→ tratar (ver Capítulo Transtornos de Ansiedade) pessoas com transtorno de estresse pós-traumático agudo ou crônico;
→ realizar abordagem familiar e conhecer serviços e recursos que sejam capazes de dar suporte a familiares afetados pelo impacto psicológico das queimaduras;
→ estar atento ao aumento do risco para alterações de sono em pessoas após queimaduras, frequentemente devido aos anti-histamínicos utilizados no tratamento para o prurido C/D;
→ com relação aos cuidados tópicos após cura da queimadura, pode-se utilizar hidratantes e sabonetes não perfumados e não ressecantes para proteger a pele e evitar prurido. É importante manter proteção solar permanente com fator de proteção solar (FPS) ≥ 30.

CUIDADOS TARDIOS

As cicatrizes hipertróficas (ver FIGURA S88.7 no QR code da p. 930) e as discromias cutâneas costumam ser as complicações tardias mais comuns quando não são tomados os cuidados necessários para sua prevenção. Enquanto a cicatriz estiver ativa, ela pode ser influenciada pela pressoterapia C/D, que consiste no uso de modeladores capazes de exercer uma pressão entre 24 e 30 mmHg sobre a cicatriz, até que a cicatriz apresente sinais de maturidade: ausência de hiperemia, maciez e mobilidade (ver FIGURA S88.8 no QR code da p. 930).[23]

Nem toda queimadura, contudo, vai exigir compressão: pacientes que têm sua queimadura cicatrizada entre 7 e 14 dias não apresentam indicação. Os que apresentam cicatrização entre 14 e 21 dias devem ser observados periodicamente e são candidatos à pressoterapia profilática. Já as queimaduras que demoram > 21 dias para cicatrizar, ou aqueles pacientes que necessitaram de enxerto de pele, apresentam indicação de compressão[23,24] C/D. Da mesma forma, a exposição solar deve ser evitada enquanto as cicatrizes ainda

TABELA 88.2 → Indicadores de possível queimadura não acidental

→ Demora em procurar atendimento
→ Relatos sobre a forma como ocorreu a lesão que vão mudando ao longo do tempo
→ História inconsistente com a lesão apresentada ou com a fase de desenvolvimento da criança
→ História prévia de violência familiar ou abuso
→ Queimaduras por escaldamento em formato de luvas ou meias
→ Queimaduras por escaldamento com linhas de imersão bem delimitadas
→ Queimaduras simétricas de profundidade uniforme
→ Sinais de abuso ou negligência
→ Comportamento ou interação inapropriada entre a criança e os cuidadores
→ Queimaduras restritas aos membros superiores

TABELA 88.3 → Sinais e sintomas de infecção em queimaduras

→ Calor e/ou eritema em torno da queimadura
→ Aumento da dor
→ Aumento do exsudato, odor ou pus na lesão
→ Aumento do edema ou sensibilidade
→ Febre ou aumento de temperatura no local da lesão
→ Linfangite
→ Aumento da irritabilidade em crianças

estiverem hiperemiadas, uma vez que a cicatriz hipervascularizada (imatura), quando exposta ao raio ultravioleta, hiperpigmenta de modo definitivo, e não há tratamento capaz de reverter essa alteração.

O prurido é também uma queixa muito comum dos pacientes que já se encontram em processo tardio de cicatrização, e pode ocorrer em áreas que reepitelizaram espontaneamente, nas áreas enxertadas, e também nas zonas doadoras de pele. Muitas dessas áreas vão ser recobertas por malhas compressivas, o que dificulta a transpiração e contribui para a sensação de prurido, que pode ser verdadeiramente debilitante. Os fármacos comumente prescritos para alívio desse sintoma são os anti-histamínicos, como a difenidramina e a hidroxizina, associadas à intensa hidratação das áreas. Cicatrizes imaturas, assim como pele recentemente reepitelizada, apresenta forte tendência ao ressecamento, estando indicada hidratação com vaselina, aplicada com leve pressão, a ponto de clarear a hiperemia local, por 7 dias. Após a primeira semana, sugere-se a transição ao creme hidratante, de preferência à base de água, a ser aplicado 3 vezes ao dia, por pelo menos 1 ano.

Os pacientes que sofreram queimaduras sobre zonas articulares devem ser alertados quanto ao risco de surgimento, a partir do momento da reepitelização das lesões e até 2 anos depois, de contraturas cicatriciais (ver **FIGURA S88.9** no QR code da p. 930). Essas contraturas costumam apresentar intensidade e poder debilitante proporcionais à profundidade da queimadura e ao tempo de reepitelização. Como contraturas negligenciadas podem comprometer de modo definitivo o movimento articular, principalmente em zonas de motricidade mais fina, como as mãos, o encaminhamento para avaliação especializada e programa de fisioterapia motora, em especial durante esse período de maior risco, é impositivo.

As crianças, sobretudo aquelas em fases de crescimento mais acelerado, estão mais sujeitas a apresentarem retrações e/ou contraturas cicatriciais, mesmo após 2 anos, porque as cicatrizes não apresentam as mesmas características elásticas da pele normal e, portanto, não acompanham o crescimento das áreas não afetadas. As contraturas não se manifestam em seu grau máximo e imobilizante de maneira abrupta, mas instalam-se, ao contrário, de modo insidioso e progressivo. O médico deve revisar esses pacientes mensalmente e permanecer alerta aos sinais precoces e muitas vezes sutis que indicam necessidade de encaminhamento para o cirurgião plástico, como um posicionamento em ângulo levemente diverso da articulação atingida quando em repouso (comparada com o lado normal) e o surgimento esporádico ou persistente de fissuras epidérmicas na cicatriz de queimadura sobre determinada articulação.

Na face, os sinais precoces mais comuns de retração são o aplanamento das projeções do zigoma, a esclera aparente ao piscar, as conjuntivas hiperemiadas, com ou sem epífora (lacrimejamento excessivo), a exposição progressiva da mucosa interna dos lábios, a incontinência salivar, a eversão do lábio inferior ao estender o pescoço e o ectrópio ao abrir a boca (ver **FIGURA S88.10** no QR code da p. 930).

O mais importante avanço dos últimos anos na área de queimados foi a introdução dos *lasers* para o manejo das cicatrizes hipertróficas. Existem dois tipos de *lasers* que tratam os sintomas das cicatrizes hipertróficas: o *laser* de corante e os *lasers* ablativos fracionados, sendo o *laser* de CO_2 o mais utilizado.

O *laser* de corante (*pulsed dye laser*) é o *laser* mais estudado para o manejo das cicatrizes. Essa tecnologia já vinha sendo utilizada para o tratamento de manchas vinho do porto, malformações capilares e hemangiomas, uma vez que se trata de uma energia que utiliza a hemoglobina como alvo, sendo capaz de coagular os capilares da derme reticular e papilar, até uma profundidade de 1,2 mm. O mecanismo de ação não é completamente compreendido; a teoria mais aceita é de que a proliferação microvascular tem ação proliferativa na cicatriz. Esse tipo de *laser* é altamente eficaz como tratamento do prurido das cicatrizes, assim como do eritema característico das cicatrizes imaturas e das cicatrizes sob tensão. Postula-se que a luz pulsada tenha propriedades semelhantes ao *laser* de corante, por meio de mecanismos de ação similares, mas a literatura não é tão abundante quanto.

O *resurfacing* ablativo fracionado gera a destruição controlada de colunas microscópicas de tecido cicatricial, sem dano colateral significativo. Esse tipo de energia usa a água como alvo, e é capaz de quebrar a fibras de colágeno espessas e desorganizadas, responsáveis pela firmeza e volume cicatriciais. Postula-se que essas regiões voltam a cicatrizar de forma mais organizada, sem, no entanto, causar maiores feridas à epiderme, o que facilita e acelera a cicatrização. Clinicamente, observa-se que as cicatrizes tendem a remodelar mais rapidamente, tornando-se menos firmes e volumosas, mais móveis, e com menor tensão. As duas tecnologias mais estudadas são o *laser* de CO_2 fracionado e o Erbium-YAG *laser*.[25,26]

REFERÊNCIAS

1. World Health Organization. Burns [Internet]. 2018 [capturado em 14 jan. 2020]. Disponível em: https://www.who.int/news-room/fact-sheets/detail/burns.

2. Voigt CD, Celis M, Voigt DW. Care of outpatient burns. In: Total burn care. 5º ed Edinburgh: Elsevier; 2017.

3. Piccolo NS, Serra MCVF, Leonardi DF, Lima EM, Novaes FN, Correa MD, et al. Queimaduras: diagnóstico e tratamento inicial [Internet]. AMB/CFM; 2008 [capturado em 25 mar. 2020]. Disponível em: https://diretrizes.amb.org.br/_BibliotecaAntiga/queimaduras-diagnostico-e-tratamento-inicial.pdf.

4. Atiyeh BS, Gunn SW, Hayek SN. State of the art in burn treatment. World J Surg. 2005;29(2):131–48.

5. Shin JY, Yi HS. Diagnostic accuracy of laser doppler imaging in burn depth assessment: systematic review and meta-analysis. Burns. 2016;42(7):1369–76.

6. Jaskille AD, Shupp JW, Jordan MH, Jeng JC. Critical review of burn depth assessment techniques: Part I. Historical review. J Burn Care Res. 2009;30(6):937–47.

7. Cancio LC, Bohanon FJ, Kramer GC. Burn resuscitation. In: Herndon DN, organizador. Total burn care. 5º ed Philadelphia: Elsevier; 2018. p. 77-86.e2.

8. American Burn Association. 2018 ABLS Provider Manual. Chapter 4: Shock and Fluid Ressuscitation [Internet]. [capturado em 14 jan. 2020]. Disponível em: http://ameriburn.org/wp-content/uploads/2019/08/2018-abls-providermanual.pdf.
9. Retrouvey H, Shahrokhi S. Pain and the thermally injured patient-a review of current therapies. J Burn Care Res. 2015;36(2):315–23.
10. Wasiak J, Cleland H. Lidocaine for pain relief in burn injured patients. Cochrane Database Syst Rev. 2007;(3):CD005622.
11. Woodson LC, Branski LK, Enkhbaatar P, Talon M. Diagnosis and treatment of inhalation injury. In: Herdon D. N., editor. Total burn care. 5th ed Philadelphia: Elsevier; 2018. p. 184–94.
12. Brownson EG, Gibran NS. Evaluation of the burn wound: management decisions. In: Herndon DN, organizador. Total burn care. 5º ed Philadelphia: Elsevier; 2018. p. 87-92.e2.
13. Varas RP, O'Keeffe T, Namias N, Pizano LR, Quintana OD, Herrero Tellachea M, et al. A prospective, randomized trial of acticoat versus silver sulfadiazine in the treatment of partial-thickness burns: which method is less painful? J Burn Care Rehabil. 2005;26(4):344–7.
14. Norman G, Christie J, Liu Z, Westby MJ, Jefferies JM, Hudson T, et al. Antiseptics for burns. Cochrane Database Syst Rev. 2017;7:CD011821.
15. Barajas-Nava LA, López-Alcalde J, Roqué i Figuls M, Solà I, Bonfill Cosp X. Antibiotic prophylaxis for preventing burn wound infection. Cochrane Database Syst Rev. 2013;(6):CD008738.
16. Avni T, Levcovich A, Ad-El DD, Leibovici L, Paul M. Prophylactic antibiotics for burns patients: systematic review and meta-analysis. BMJ. 2010;340:c241.
17. Wise R, Hart T, Cars O, Streulens M, Helmuth R, Huovinen P, et al. Antimicrobial resistance. Is a major threat to public health. BMJ. 1998;317(7159):609–10.
18. Benjamin DA, Jaco M. Burn nursing. In: Herndon DN, organizador. Total burn care. 5º ed Philadelphia: Elsevier; 2018. p. 355-363.e1.
19. Caruso DM, Foster KN, Hermans MHE, Rick C. Aquacel Ag in the management of partial-thickness burns: results of a clinical trial. J Burn Care Rehabil. 2004;25(1):89–97.
20. Mölnlycke Health Care AB. Mepilex Ag: antimicrobial foam dressing [Internet]. Gothenburg; 2019 [capturado em 16 jan. 2020]. Disponível em: http://www.molnlycke.us/products-solutions/mepilex-ag/.
21. Dunn K, Edwards-Jones V. The role of acticoat with nanocrystalline silver in the management of burns. Burns. 2004;30(Suppl 1):S1-9.
22. Fong J, Wood F, Fowler B. A silver coated dressing reduces the incidence of early burn wound cellulitis and associated costs of inpatient treatment: comparative patient care audits. Burns. 2005;31(5):562–7.
23. Mustoe TA, Cooter RD, Gold MH, Hobbs FDR, Ramelet A-A, Shakespeare PG, et al. International clinical recommendations on scar management. Plast Reconstr Surg. 2002;110(2):560–71.
24. Serghiou MA, Ott S, Cowan A, Kemp-Offengberg J, Suman OE. Rehabilitation along the continuum of care. In: Herndon DN, organizador. Total burn care. 5º ed Philadelphia: Elsevier; 2018. p. 476-508.e4.
25. Zuccaro J, Ziolkowski N, Fish J. A systematic review of the effectiveness of laser therapy for hypertrophic burn scars. Clin Plast Surg. 2017;44(4):767–79.
26. McLaughlin J, Branski LK, Norbury WB, Bache SE, Chilton L, El-Muttardi N, et al. Laser for burn scar treatment. In: Herndon DN, organizador. Total burn care. 5º ed Philadelphia: Elsevier; 2018. p. 648-654.e1.

LEITURAS RECOMENDADAS

Bloemen MC, van der Veer WM, Ulrich MM, van Zuijlen PP, Niessen FB, Middelkoop E. Prevention and curative management of hypertrophic scar formation. Burns. van der Wal MB, van Zuijlen PP, van de Ven P, Middelkoop E. Topical silicone gel versus placebo in promoting the maturation of burn scars: a randomized controlled trial. Plast Reconstr Surg. 2010;126(2):524-31.

Discussões sobre terapia compressiva e silicone na prevenção de cicatrizes hipertróficas.

Lima Junior EM, Novaes FN, Piccolo NS. Tratado de queimaduras no paciente agudo. 2. ed. São Paulo: Atheneu; 2008.

Livro que aborda múltiplos aspectos – epidemiológicos, fisiopatológicos, clínicos, analgésicos, cirúrgicos – do paciente queimado. Seus autores são membros fundadores da Sociedade Brasileira de Queimaduras (SBQ).

Projeto Diretrizes da Associação Médica Brasileira e do Conselho Federal de Medicina. Disponível em: https://diretrizes.amb.org.br/_BibliotecaAntiga/queimaduras-diagnostico-e-tratamento-inicial.pdf.

Diretrizes da Sociedade Brasileira de Cirurgia Plástica sobre diagnóstico e tratamento inicial de queimaduras.

American Burn Association. Advanced Burn Life Support Course. Provider Manual 2018 Update [Internet]. Chicago:American Burn Association; 2018 [capturado em 22 jan. 2020]. Disponível em: http://ameriburn.org/wp-content/uploads/2019/08/2018-abls-providermanual.pdf.

Curso avançado da American Burn Association para atendimento inicial e pré-hospitalar.

Capítulo 89
HÉRNIAS DA PAREDE ABDOMINAL

Henrique Rasia Bosi

Leandro Totti Cavazzola

José Ricardo Guimarães

Alceu Migliavacca

Hérnia é a passagem de um órgão ou estrutura a partir de sua localização original, através de uma abertura congênita ou adquirida, para um local diferente do habitual. No abdome, essa abertura fica em algum ponto da parede musculoaponeurótica, permitindo a passagem de órgãos intra-abdominais ou gordura pré-peritoneal.

As hérnias são bastante frequentes; por isso, é fundamental reconhecer seus tipos e particularidades para que seja feito o encaminhamento adequado, pois muitos portadores de hérnia receberão algum tipo de tratamento cirúrgico, desde que não tenham comorbidades clínicas que o contraindiquem.

As hérnias podem ser classificadas de acordo com:
→ **localização do defeito na parede abdominal:** inguinais, crurais ou femorais, umbilicais, epigástricas, lombares, obturadoras, ciáticas;
→ **etiologia:** congênitas (mais comuns em crianças e adolescentes), adquiridas, causadas pelo esforço físico excessivo, associado ou não a condições clínicas relacionadas com aumento da pressão intra-abdominal (uropatia obstrutiva, constipação crônica, ascite,

gestação, doença pulmonar obstrutiva crônica), ou pós-cirúrgicas (hérnias incisionais);
→ **redutibilidade (i.e., possibilidade de retorno do conteúdo herniário à sua topografia normal):** redutíveis, encarceradas ou estranguladas.

Uma hérnia encarcerada é aquela na qual não é possível reposicionar o conteúdo ao seu local de origem com manobras simples, como as que seguem:
→ colocar o paciente em posição de Trendelenburg, isto é, pernas elevadas e cefalodeclive de 30 graus em relação ao solo;
→ administrar analgesia com morfina 3 mg e/ou sedação com benzodiazepínico (diazepam 5 mg ou midazolam 0,5 a 1 mg, intravenosos [IV]);
→ aplicar pressão continuada e de leve intensidade na porção superior da hérnia com a mão direita. O conteúdo herniário junto ao colo (orifício na parede abdominal) deve ser apreendido pela mão esquerda, direcionando-o para a entrada na cavidade abdominal C/D.

Algumas vezes, somente a posição antigravitacional do paciente e o relaxamento muscular recém-descritos já são suficientes para o desencarceramento da hérnia.

Quando uma hérnia encarcerada apresenta sofrimento vascular (isquemia) do seu conteúdo, tem-se uma hérnia estrangulada. Esta geralmente vem acompanhada de sintomas de obstrução intestinal (ver Capítulo Avaliação Inicial da Dor Abdominal Aguda) ou dor persistente há mais de 24 horas, febre, leucograma infeccioso e espessamento e eritema na pele local.

A hérnia encarcerada dolorosa não redutível ou a suspeita de estrangulamento são situações que exigem encaminhamento imediato para avaliação por cirurgião geral em caráter de urgência.[1,2]

TIPOS DE HÉRNIAS

Conforme a localização anatômica **(FIGURA 89.1)**,[3] as hérnias apresentam peculiaridades clínicas e manejos diferentes.

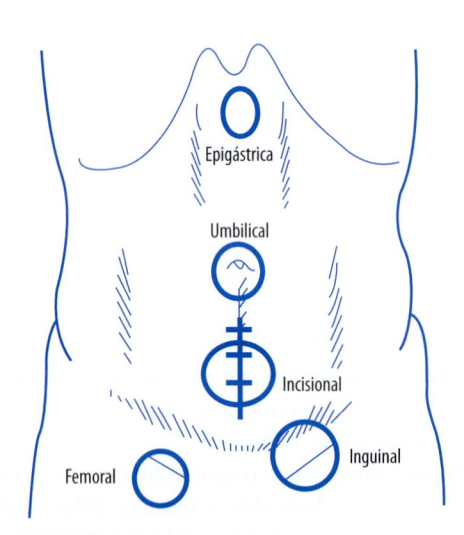

FIGURA 89.1 → Localização das hérnias comuns da parede abdominal.
Fonte: Adaptada de Grupo Surgical.[3]

Hérnias inguinais e femorais

As hérnias inguinais **(FIGURAS 89.2A** e **C)** são o tipo mais frequente de hérnia abdominal, constituindo cerca de três quartos dos casos, predominando no sexo masculino em uma

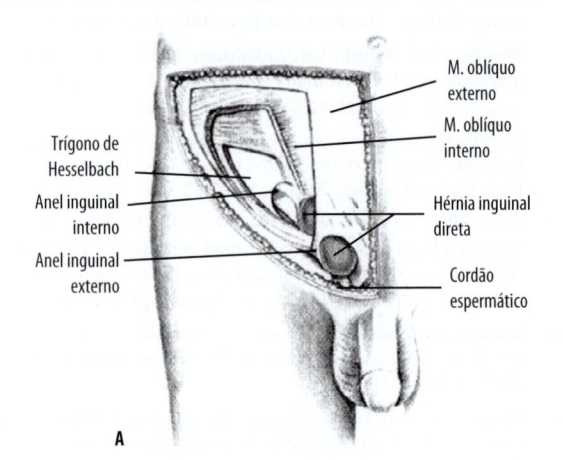

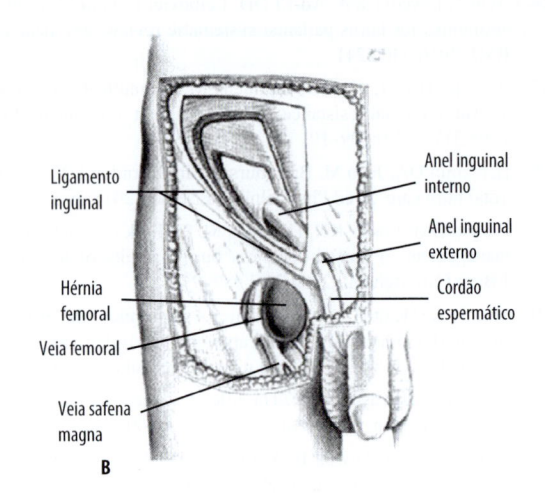

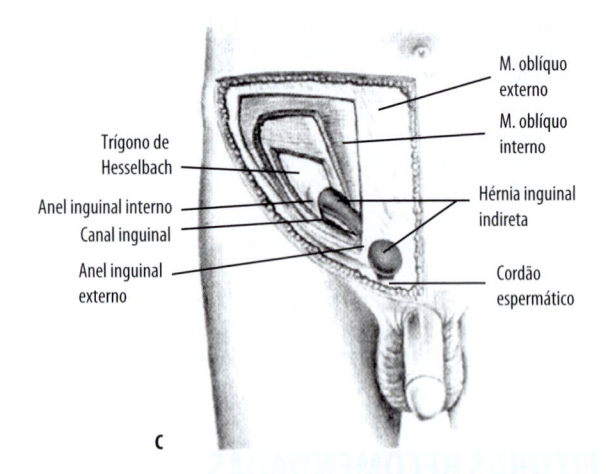

FIGURA 89.2 → Três casos de hérnia. **(A)** Hérnia inguinal direta, sem relação com os elementos do cordão e o canal inguinal. **(B)** Hérnia femoral junto aos vasos femorais. **(C)** Hérnia inguinal indireta, com conteúdo herniário deslizando pelo canal inguinal, onde passam os elementos do cordão espermático.
Fonte: Adaptada de Ferri.[4]

proporção de 9:1. Subdividem-se em três tipos: indiretas, quando se localizam junto ao cordão espermático, com o defeito na parede abdominal situado lateralmente aos vasos epigástricos; diretas, quando o defeito se situa no trígono de Hasselbach (formado pelo ligamento inguinal, pelos vasos epigástricos inferiores e pela borda lateral do músculo reto abdominal), portanto medialmente aos vasos epigástricos; e mistas, quando os componentes direto e indireto estão presentes.

Quando a hérnia ocorre abaixo do ligamento inguinal, é chamada de hérnia femoral (FIGURA 89.2B). Ela é 4 a 5 vezes mais comum em mulheres e corresponde a 8% das hérnias inguinocrurais.

Diagnóstico e manejo

As hérnias inguinais frequentemente são assintomáticas; nesse caso, elas podem ser um achado casual de exame físico, ou o paciente pode notar um aumento de volume local. Hérnias de muito pequeno volume, sobretudo quando surgem em pacientes do sexo feminino e obesas, podem fazer parte do diagnóstico diferencial de dor pélvica. A dor característica das hérnias inguinais, quando ocorre, é de pequena intensidade, em peso e associada à posição ortostática ou aos esforços físicos. Dor intensa, contínua e associada a náuseas sugere presença de encarceramento ou estrangulamento. O aumento de volume na região inguinal que aumenta às manobras de Valsalva e desaparece ao deitar-se é característico de hérnia inguinal.

O exame físico é fundamental para o diagnóstico da hérnia inguinal, sendo, na maioria das vezes, suficiente para o diagnóstico (sensibilidade de 74% e especificidade de 96%).[2] O paciente deve ser colocado em posição ortostática e orientado a realizar manobra de Valsalva. Nos pacientes do sexo masculino, o examinador introduz o dedo indicador ou mínimo no canal inguinal através da bolsa escrotal e procura palpar o conteúdo herniário protruso (FIGURA 89.3). Nas hérnias diretas, essa protrusão será sentida na polpa digital do examinador; nas indiretas, na ponta do dedo. Muitas vezes, não é possível diferenciar esses dois tipos de hérnia ao exame. Nas pacientes do sexo feminino, observa-se e palpa-se a região inguinal durante a manobra de Valsalva. Nos casos de hérnias muito pequenas, o seu diagnóstico pelo exame físico pode ser bastante difícil.

Palpa-se a hérnia femoral logo abaixo do ligamento inguinal, medialmente ao pulso da artéria femoral. Assim como nas demais hérnias, o exame deve ser realizado de preferência com o paciente em posição ortostática e durante uma manobra de Valsalva. O diagnóstico diferencial pode ser difícil, com lipoma e adenopatia inguinal.

Se houver dúvida diagnóstica ao exame físico, pode-se utilizar a ultrassonografia (US) da parede abdominal como exame complementar, a qual apresenta acurácia diagnóstica (sensibilidade de 86% e especificidade de 77%).[2]

> A Sociedade Brasileira de Hérnia e Parede Abdominal (SBH), em uma diretriz recentemente publicada, indica o tratamento cirúrgico para homens sintomáticos e mulheres – sejam elas sintomáticas ou assintomáticas. A observação em pacientes do sexo masculino, com comorbidades que aumentem o risco cirúrgico, pode ser uma alternativa. Nos pacientes assintomáticos, há chance de 70% de esse grupo desenvolver sintomas e necessitar de tratamento cirúrgico. No entanto, alguns estudos de custo-efetividade têm demonstrado que a observação pode ser uma alternativa custo-efetiva em pacientes do sexo masculino assintomáticos ou com poucos sintomas.[6]

O uso de cintas não previne o crescimento nem diminui o risco de encarceramento, embora possa proporcionar alívio sintomático e melhor resultado estético C/D.[1]

Encaminhamento

A cirurgia é o tratamento de escolha e o paciente deve ser referenciado para uma avaliação com cirurgião.

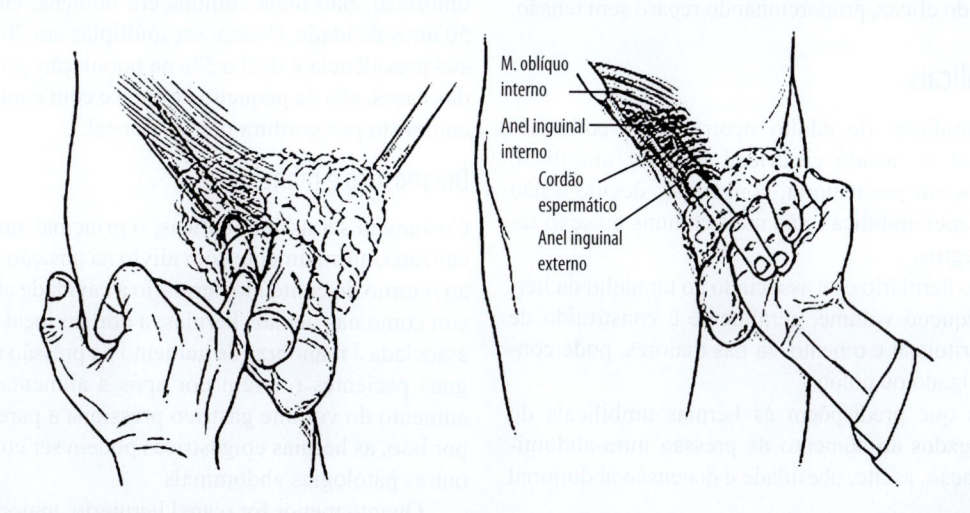

FIGURA 89.3 → Exame da região inguinal em homens. O escroto deve ser evertido, introduzindo-se o dedo indicador ou o mínimo em direção ao anel inguinal externo que está dilatado, e o paciente pode apresentar dor. À manobra de Valsalva, na hérnia inguinal indireta, o saco herniário e seu conteúdo vêm de encontro à ponta do dedo do examinador, ao passo que, na hérnia direta, a protrusão se faz contra a polpa digital.
Fonte: Adaptada de Brown.[5]

Existem mais de 80 técnicas cirúrgicas descritas para correção de hérnia inguinal. Não há consenso na literatura cirúrgica a respeito da técnica preferencial, variando de acordo com a experiência de cada serviço.

Os reparos primários (sem utilização de prótese) são acompanhados de taxas de recorrência de até 10 a 15% para hérnias primárias e até mesmo maiores para as recidivadas (até 30%), ao passo que, para os reparos com tela, independentemente do local e da maneira de colocação da prótese, a recorrência fica próximo de 1%.

As hérnias indiretas em crianças e jovens podem em alguns casos ser tratadas apenas com ligadura alta do saco ou com ligadura alta do saco associada ao fechamento medial do anel inguinal profundo com um ou dois pontos (técnica de Marcy).

O reparo dos defeitos herniários também pode ser realizado por videolaparoscopia. As vantagens de cada técnica são muito discutidas. As técnicas laparoscópicas tendem a oferecer um retorno mais precoce à atividade laborativa por estarem associadas a menos dor no pós-operatório.[7] Essa vantagem é mais evidente no tratamento de hérnias bilaterais, que podem ser abordadas com os mesmos portais sem aumento da morbidade. Além disso, há uma vantagem nos casos de hérnias recidivadas, quando é possível abordar a região por uma via ainda virgem de tratamento. Contudo, as técnicas laparoscópicas apresentam maiores custos, tornando obrigatório o uso de anestesia geral e exigindo um treinamento maior do cirurgião, fundamental para que os resultados possam ser comparáveis aos das técnicas abertas.[1,8] Estudos recentes têm ampliado a utilização das técnicas minimamente invasivas para hérnias primárias unilaterais, desde que o cirurgião seja proficiente nessa técnica. A cirurgia robótica é uma alternativa para casos mais complexos, com grandes defeitos e hérnia inguinoescrotal.[9]

A hérnia femoral deve ser operada o quanto antes devido ao maior risco de estrangulamento quando comparada com as hérnias da região inguinal.[1,2] O reparo laparoscópico também é um método eficaz, proporcionando reparo sem tensão.

Hérnias umbilicais

As hérnias umbilicais do adulto ocorrem por enfraquecimento gradual do tecido cicatricial do anel umbilical. Na criança, são, em sua maioria, congênitas, devido à não obliteração do anel umbilical. São mais comuns no sexo feminino e em negros.

O conteúdo herniário está associado ao tamanho da hérnia. Nas de pequeno volume, geralmente é constituído de gordura pré-peritoneal e omento. Já nas maiores, pode conter intestino delgado ou cólon.

Os fatores que predispõem às hérnias umbilicais do adulto estão ligados ao aumento da pressão intra-abdominal, como gestação, ascite, obesidade e distensão abdominal por tumor.

Diagnóstico e manejo

Os achados clínicos dependem do tamanho do defeito aponeurótico, sendo assintomáticas na maioria dos casos. Quando o defeito aponeurótico é pequeno, a dor, localizada, está mais presente em função do encarceramento intermitente de gordura pré-peritoneal. Hérnias de maior volume em geral não são dolorosas. A dor está associada a manobras de aumento da pressão abdominal, como tosse e Valsalva. A intensidade da dor, quando não há estrangulamento, é pequena. Um aumento repentino da dor, principalmente se associado a náuseas e vômitos e a sinais inflamatórios sobre o local da hérnia, alerta para a possibilidade de estrangulamento. As hérnias umbilicais apresentam risco aumentado de encarceramento e estrangulamento devido à relativa rigidez de seu anel herniário.

O diagnóstico é feito pela inspeção e palpação do abdome. Raramente são necessários exames de imagem, restritos somente a pacientes muito obesos com hérnias de pequeno volume.

Encaminhamento

A hérnia umbilical pode ter manejo expectante em crianças assintomáticas até a idade de 5 anos, independentemente do tamanho do defeito herniário.[10] Os casos em que há surgimento de encarceramento ou estrangulamento devem ser prontamente corrigidos.

Nos pacientes adultos e sintomáticos, sempre está indicada a correção cirúrgica, sendo realizada em caráter ambulatorial na maioria das vezes. Nos pacientes assintomáticos, a observação (*watchful waiting*) é uma medida segura.[11]

As complicações pós-operatórias mais comuns são infecção, seroma e hematoma de ferida operatória.

A recorrência é comum em pacientes obesos e naqueles portadores de doença intra-abdominal (p. ex., cirrose com ascite), idade avançada, defeitos herniários grandes e pacientes criticamente doentes.

Hérnias epigástricas

São hérnias que ocorrem na linha alba, acima da cicatriz umbilical. São mais comuns em homens, entre os 20 e os 50 anos de idade. Podem ser múltiplas em 20% dos casos, e sua prevalência é de 3 a 5% na população geral. Na maioria dos casos, são de pequeno volume e com conteúdo herniário composto por gordura pré-peritoneal.

Diagnóstico e manejo

Costumam ser assintomáticas; o principal sintoma é dor localizada, normalmente com alívio na posição supina (devido ao retorno do conteúdo herniário à cavidade abdominal). Assim como nas demais hérnias, a dor, no local da hérnia, está associada a manobras de aumento da pressão abdominal. Alguns pacientes referem dor após a alimentação, quando o aumento do volume gástrico pressiona a parede abdominal; por isso, as hérnias epigástricas podem ser confundidas com outras patologias abdominais.

Quanto menor for o anel herniário, maior será o risco de encarceramento ou estrangulamento, o que pode ser a primeira manifestação das hérnias epigástricas. Já nas hérnias maiores, a sintomatologia pode variar de dor abdominal localizada a sintomas gastrintestinais.

Devido ao pequeno volume do conteúdo herniário, o diagnóstico costuma ser difícil, sobremaneira em pacientes obesos. O exame da região deve ser minucioso para que se chegue ao diagnóstico. O paciente deve ser estimulado exaustivamente a realizar manobras de Valsalva, palpando-se ao mesmo tempo o local da dor. Em alguns casos, são necessários exames de imagem para estabelecer o diagnóstico.

A hérnia epigástrica não deve ser confundida com diástase do músculo reto abdominal. Em ambas, encontra-se aumento de volume da região epigástrica. Entretanto, na diástase, esse abaulamento apresenta um formato caracteristicamente alongado, acompanhando as bordas mediais dos músculos retos, não havendo solução de continuidade da camada aponeurótica. Assim, não existe conteúdo herniário, sendo consequentemente impossível a ocorrência de encarceramento. Além disso, é muito raro que a diástase seja acompanhada de dor.

As hérnias epigástricas devem ser incluídas no diagnóstico diferencial dos tumores subcutâneos localizados na região epigástrica. Em alguns casos, somente no momento da cirurgia é possível fazer a diferenciação.

Encaminhamento

Pacientes com hérnias epigástricas sintomáticas devem ser encaminhados para avaliação cirúrgica. Como habitualmente as hérnias epigástricas apresentam defeitos aponeuróticos pequenos, a sutura simples do anel herniário é, em geral, suficiente para a sua correção. Na maioria dos casos, o tratamento cirúrgico pode ser realizado em nível ambulatorial e com anestesia local. O uso de próteses tem-se tornado mais frequente nos últimos anos. A recorrência pode chegar a 20% e está associada ao não reconhecimento de múltiplas hérnias epigástricas ou à obesidade. As complicações pós-operatórias mais comuns são infecção, seroma e hematoma de ferida operatória.

Hérnia incisional

A hérnia incisional caracteriza-se pela presença de uma protrusão do peritônio parietal através de um hiato na musculatura da parede abdominal secundário a uma intervenção cirúrgica prévia. Representa cerca de 10% de todas as hérnias da parede abdominal, embora essa incidência seja provavelmente subestimada.

De ocorrência relativamente comum, as hérnias incisionais representam uma das mais frequentes complicações pós-operatórias da cirurgia abdominal. Estudos prospectivos estimam que 2 a 15% das laparotomias medianas resultem em hérnia incisional, e que 40% delas ocorram no primeiro ano após a cirurgia.[8,12] A hérnia incisional também pode ocorrer no local dos trocartes de cirurgia laparoscópica, sendo o mais comum na cicatriz umbilical.[13]

Diagnóstico e manejo

O diagnóstico de uma hérnia incisional completamente desenvolvida não apresenta nenhuma dificuldade. Entretanto, hérnias pequenas ou incipientes podem ser de difícil percepção em um tecido cicatricial, o que é especialmente verdadeiro em paciente obeso.

O primeiro sinal costuma ser o abaulamento assintomático mais evidente em posição ortostática. A dor não é um sintoma precoce, mas pode preceder o surgimento do abaulamento abdominal sentido durante um esforço físico vigoroso. A hérnia incisional tende a tornar-se sintomática à medida que aumenta de tamanho.

Embora a identificação de uma massa redutível sob uma cicatriz abdominal seja suficiente para a confirmação, o diagnóstico diferencial inclui lipoma, seroma, linfadenomegalia e tumor. Em hérnias grandes, é aconselhável realizar tomografia computadorizada (TC) de abdome para avaliar o volume do conteúdo herniário.

Encaminhamento

A avaliação cirúrgica está indicada. Fatores como obesidade, controle glicêmico, tabagismo e nutrição devem ser otimizados previamente ao reparo eletivo por corresponderem a contraindicações relativas.[14,15] A recorrência após reparo da hérnia incisional atinge índices entre 4 e 50%, sendo mais comum após o reparo simples do que no reparo com prótese.

Outros tipos

Hérnias abdominais de outras localizações são incomuns.

A hérnia de Spiegel ocorre através da linha semilunar, na borda lateral do músculo reto abdominal, em geral na quinta década de vida. O diagnóstico, muitas vezes, pode ser difícil por tratar-se de uma localização intermuscular, sendo que ainda pode haver uma aponeurose íntegra do músculo oblíquo externo. Dor localizada é o principal sintoma. A US ou a TC do abdome auxiliam no diagnóstico, sendo que a hérnia de Spiegel pode ser um achado ocasional desses exames. Essas hérnias têm alto índice de encarceramento, devendo ser tratadas cirurgicamente logo após o diagnóstico.

A hérnia do forame obturado é uma hérnia do canal obturatório. Essa hérnia é de difícil diagnóstico, e ocorre com mais frequência em mulheres idosas. Costuma apresentar-se com sintomas obstrutivos de intestino delgado. Encarceramento ou estrangulamento é comum. Pode haver compressão do nervo obturatório com dor na face medial da coxa (sinal de Howship-Romberg), sobretudo durante abdução, extensão ou rotação interna do joelho. É raramente palpável no exame abdominal, podendo ser sentida no exame perineal ou toque retal.

As hérnias lombares ocorrem principalmente em dois pontos: triângulo de Grynfeltt-Lesshaft (inferior ao último arco costal) e triângulo de Petit (acima da crista ilíaca).

A hérnia do forame ciático, como o próprio nome diz, é uma hérnia que ocorre através do orifício por onde passa o nervo ciático. É extremamente rara e pode ser assintomática até que ocorram sintomas intestinais por obstrução ou comprometimento vascular. A compressão do nervo é rara.

REFERÊNCIAS

1. McIntosh A, Hutchinson A, Roberts A, Withers H. Evidence-based management of groin hernia in primary care--a systematic review. Fam Pract. 2000;17(5):442–7.
2. Simons MP, Smietanski M, Bonjer HJ, Bittner R, Miserez M, Aufenacker ThJ, et al. International guidelines for groin hernia management. Hernia. 2018;22(1):1–165.
3. Ruano RM, Pereira BM. Conheça sobre: hérnias de parede abdominal [Internet]. Campinas: Grupo Surgical; 2011 [capturado em 21 jul. 2020]. Disponível em: https://gruposurgical.com.br/especialidades/cirurgia-geral/hernias-de-parede-abdominal/.
4. Ferri FF. Ferri's clinical advisor 2021. 23rd. ed. Philadelphia: Elsevier; 2021.
5. Brown W. A physical exam accurately diagnoses a sports hernia [Internet]. Fremont: Sportshernia; 2011 [capturado em 21 jul. 2020]. Disponível em: https://www.sportshernia.com/sports-hernia-approach/sports-hernia-examination/.
6. Claus CMP, Oliveira FMM de, Furtado ML, Azevedo MA, Roll S, Soares G, et al. Orientações da Sociedade Brasileira de Hérnia (SBH) para o manejo das hérnias inguinocrurais em adultos. Rev Colégio Bras Cir. 2019;46(4):e20192226.
7. Horne CM, Prabhu AS. Minimally Invasive Approaches to Inguinal Hernias. Surg Clin North Am. 2018;98(3):637–49.
8. Forbes SS, Eskicioglu C, McLeod RS, Okrainec A. Meta-analysis of randomized controlled trials comparing open and laparoscopic ventral and incisional hernia repair with mesh. Br J Surg. 2009;96(8):851–8.
9. Bosi HR, Guimarães JR, Cavazzola LT. Robotic assisted single site for bilaterla inguinal hernia repair. Arq Bras Cir Dig ABCD Braz Arch Dig Surg. 2016;29(2):109–11.
10. Zens T, Nichol PF, Cartmill R, Kohler JE. Management of asymptomatic pediatric umbilical hernias: a systematic review. J Pediatr Surg. 2017;52(11):1723–31.
11. Henriksen NA, Montgomery A, Kaufmann R, Berrevoet F, East B, Fischer J, et al. Guidelines for treatment of umbilical and epigastric hernias from the European Hernia Society and Americas Hernia Society. BJS Br J Surg. 2020;107(3):171–90.
12. Sanders DL, Kingsnorth AN. From ancient to contemporary times: a concise history of incisional hernia repair. Hernia. 2012;16(1):1–7.
13. Rodríguez de Guzmán CA, Morandeira Rivas AJ, Herrero Bogajo ML, Moreno Sanz C. Hernia del orificio del trocar, ¿un problema más frecuente de lo que creemos? Cir Esp. 2019;97(7):410–1.
14. Liang MK, Holihan JL, Itani K, Alawadi ZM, Gonzalez JRF, Askenasy EP, et al. Ventral Hernia Management: Expert Consensus Guided by Systematic Review. Ann Surg. 2017;265(1):80–9.
15. Tastaldi L, Alkhatib H. Incisional hernia repair: open retromuscular approaches. Surg Clin North Am. 2018;98(3):511–35.

LEITURAS RECOMENDADAS

Matthews RD, Neumayer L. Inguinal hernia in the 21st century: an evidence-based review. Curr Probl Surg. 2008;45(4):261-312.
Extensa revisão de medicina baseada em evidências no tratamento da hérnia inguinal.

van Veenendaal N, Simons MP, Bonjer HJ. Summary for patients: International guidelines for groin hernia management. Hernia. 2018 Feb;22(1):167–8.
Diretrizes para melhorar resultados de pacientes com hérnia inguinal.

Claus CMP, Oliveira FMM, Furtado ML, Azevedo MA, Roll S, Soares G, et al. Orientações da Sociedade Brasileira de Hérnia (SBH) para o manejo das hérnias inguinocrurais em adultos. Rev Col Bras Cir. 2019 Sep 30;46(4):e20192226.
Orientações da Sociedade Brasileira de Hérnia (SBH) para o manejo das hérnias inguinocrurais em adultos.

Cavazzola LT, Rosen M. L Laparoscopic versus open inguinal hernia repair. Surg Clin North Am. 2013;93(5):1269-79.
Avaliação da técnica laparoscópica na correção de hérnias inguinais.

Capítulo 90
PROBLEMAS UROLÓGICOS COMUNS

Pedro Glusman Knijnik
Guilherme Behrend Silva Ribeiro
Brasil Silva Neto

PROBLEMAS UROGENITAIS EM ATENÇÃO PRIMÁRIA À SAÚDE

Os problemas urológicos representam uma causa frequente de consulta na atenção primária à saúde (APS), principalmente na população adulta masculina. Assim, embora seja de fundamental importância a interação do médico generalista com o especialista focal (nesse caso, o médico urologista), o primeiro nível de atenção à saúde deve ser capaz de resolver pelo menos 80% dos problemas apresentados pelos pacientes.

Neste capítulo, os assuntos são organizados em dois grandes grupos, os quais sintetizam a forma de abordar os problemas urológicos: os sinais e sintomas mais comuns, e as doenças que acometem os órgãos urogenitais.

SINAIS E SINTOMAS MAIS COMUNS

Dor

A dor como manifestação de doença urogenital surge, geralmente, como resposta à distensão do órgão secundária à obstrução (p. ex., cólica renal por obstrução ureteral por cálculo ou coágulos) ou como inflamação (p. ex., dor na região escrotal por orquiepididimite) dos órgãos do trato urogenital. Essa dor pode ser localizada (pielonefrite) ou referida (cólica renal).

Muitas vezes, observam-se manifestações gastrintestinais associadas à doença urogenital, associada à dor ou não, especialmente quando ocorre nos órgãos retroperitoneais (rim e ureter).

Hematúria

Hematúria é um sinal importante e não deve ser ignorado, visto que a primeira manifestação clínica de tumores malignos do trato urogenital pode ser a presença de sangue micro ou macroscópico na urina. A presença de sintomas associados à hematúria, a existência de coágulos e sua forma, e o momento em que a hematúria ocorre durante a micção (inicial, terminal ou total) são outros elementos semiológicos importantes na investigação. Hematúria macroscópica com coágulos é sempre de origem urológica. Infecção urinária é uma das causas de hematúria transitória. Exercício físico vigoroso pode causar hematúria micro ou macroscópica transitoriamente.

Diretrizes orientam a melhor maneira de investigar a hematúria macroscópica ou microscópica (definida como 3 ou mais hemácias por campo de grande aumento) sem outros sintomas associados e o estabelecimento de diagnóstico diferencial entre hematúria de etiologia nefrológica ou urológica.[1] Ainda que a maioria dos pacientes com hematúria microscópica seja de etiologia benigna, até 5% podem estar associadas a neoplasias malignas do trato urinário. Pacientes com insuficiência renal ou achados na urina sugestivos de doença glomerular (proteinúria, cilindros hemáticos, hemácias dismórficas) devem realizar avaliação nefrológica.[2]

De maneira geral, pacientes com hematúria macroscópica ou hematúria microscópica com fatores de risco (presença de outros sinais ou sintomas, idade > 35 anos, tabagismo, exposição ocupacional) devem ser investigados com cistoscopia e imagem do trato urinário superior – preferencialmente, tomografia computadorizada (TC) sem e com contraste.[1,2]

A **FIGURA 90.1** apresenta um fluxograma para o diagnóstico de hematúria.

Sintomas do trato urinário inferior

Sintomas do trato urinário inferior (STUIs) é um termo utilizado para queixas relacionadas ao hábito miccional. Substituiu o termo "prostatismo", visto que essas queixas não são exclusividade de doenças prostáticas.

Estão subdivididos em sintomas de armazenamento e esvaziamento. Polaciúria, noctúria e urgência (associada ou não à incontinência urinária) são exemplos de sintomas de armazenamento. Jato fraco, gotejamento, sensação de esvaziamento incompleto, esforço e intermitência na micção são exemplos de sintomas de esvaziamento. Para avaliar a presença e quantificar a intensidade desses sintomas, bem como identificar mudança no estado da doença, após intervenção farmacológica ou cirúrgica (ver QR code), pode-se utilizar o escore internacional de sintomas prostáticos (IPSS [do inglês, *international prostate symptom score*]).[4]

Hematospermia

A presença de sangue no ejaculado é, na imensa maioria das vezes, resultado de processos inflamatórios e/ou infecciosos da próstata ou das vesículas seminais. Em geral, tem curso autolimitado. Não há consenso sobre como investigar, mas a avaliação básica inclui anamnese, exame físico e análise da urina com microscopia e cultura. Exames sorológicos, como hemograma, provas de função hepática e testes de coagulação, análise do esperma com cultura e pesquisa de infecções sexualmente transmissíveis (ISTs) (p. ex., clamídia), também podem ser solicitados para excluir outras causas sistêmicas ou infecciosas. O antígeno prostático específico (PSA [do inglês, *prostate-specific antigen*]) deve ser solicitado em pacientes com idade > 40 anos ou com algum sinal de alerta (hematospermia persistente ou recorrente, perda ponderal inexplicada, perda do apetite, dor óssea ou fatores de risco para câncer de próstata).[5]

Na maioria dos casos, não é necessário qualquer tratamento para a hematospermia. Portanto, a orientação quanto à benignidade e ao curso autolimitado é a principal intervenção terapêutica para esses pacientes que estão geralmente preocupados com a possibilidade de câncer. Se o PSA estiver elevado ou houver sinais de alerta, deve-se solicitar avaliação do urologista para realizar investigação complementar.

DOENÇAS QUE ACOMETEM OS ÓRGÃOS UROGENITAIS

Problemas das glândulas suprarrenais

Incidentaloma de suprarrenal

Incidentaloma de suprarrenal é uma lesão com tamanho ≥ 1 cm identificada em exame de imagem de forma incidental, ocorrendo em até 4,4% das TCs de abdome. A avaliação dos incidentalomas de suprarrenal é focada na determinação do seu estado funcional e do seu risco de malignidade. Cerca de 80% dos pacientes com incidentalomas de suprarrenal têm adenomas não funcionantes, 5% têm síndrome de Cushing subclínica, 5% têm feocromocitoma, 1% tem aldosteronoma, menos de 5% têm carcinoma de suprarrenal e 2,5% têm lesão metastática. As lesões remanescentes são ganglioneuromas, mielolipomas e cistos benignos.

A avaliação inclui:
→ anamnese e exame físico para avaliar sinais e sintomas compatíveis com adenomas funcionantes, como hipertensão e diabetes (Cushing subclínico – anormalidade hormonal mais frequente), obesidade central, equimoses frequentes, estrias, hipertensão grave e virilização (hipercortisolismo), palpitações e sudorese (feocromocitoma), cãibras e hipertensão (hiperaldosteronismo);
→ exames hormonais:[6]
  → teste de supressão noturna do cortisol com 1 mg de dexametasona: cortisol sérico às 8 horas da manhã após supressão noturna com dexametasona 1 mg administrada à noite. Considera-se alterado se cortisol sérico pós-teste de supressão > 5 μg/dL (> 138 nmol/L);
  → metanefrinas plasmáticas ou metanefrinas e catecolaminas em urina de 24 horas;
  → em pacientes hipertensos ou normotensos com hipocalemia, também devem ser avaliadas a renina e a aldosterona séricas (para excluir hiperaldosteronismo);

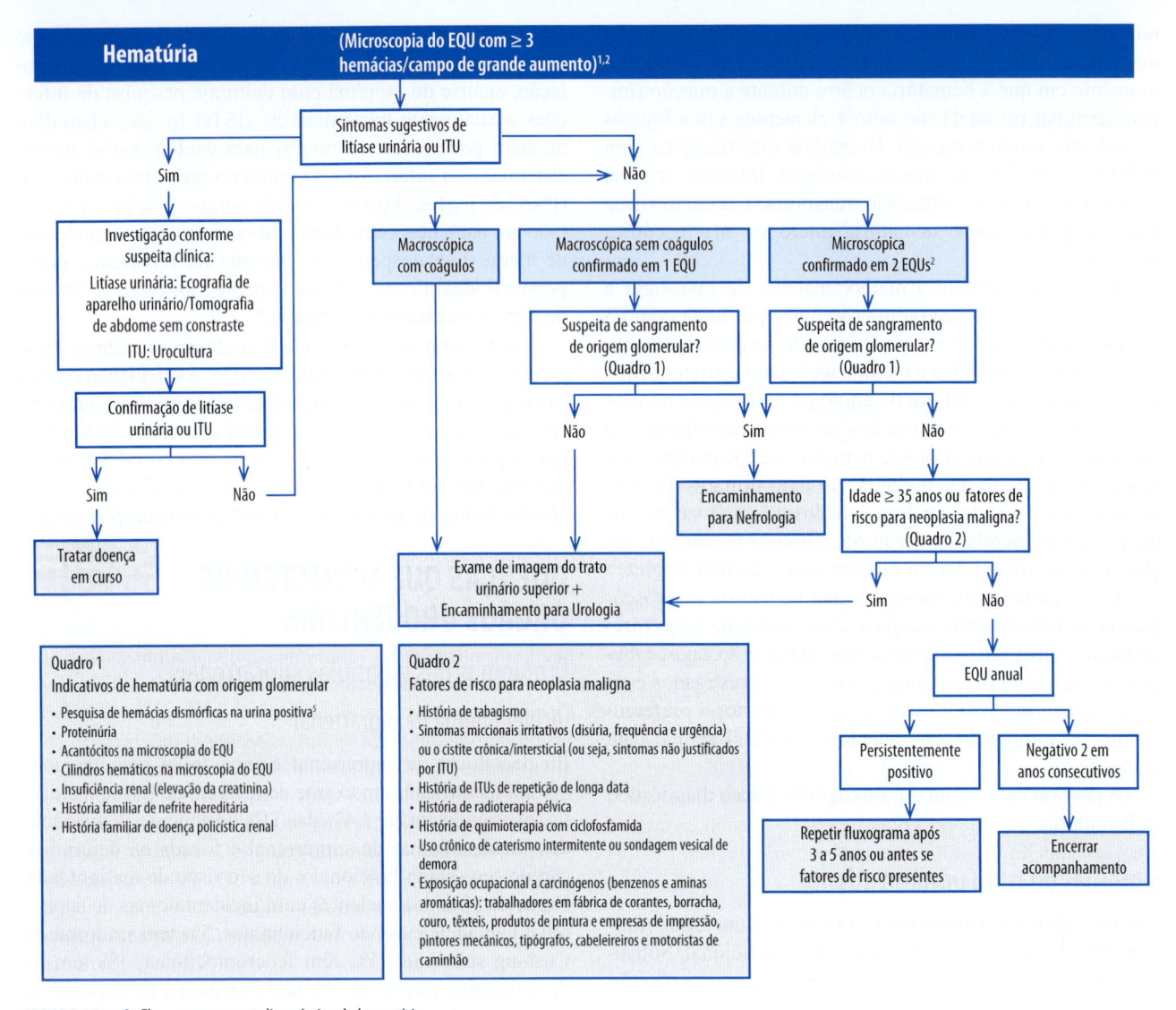

FIGURA 90.1 → Fluxograma para o diagnóstico de hematúria.
[1] Positividade para a porção heme da emoglobina na tira reagente não define diagnóstico de hematúria
[2] Alguns laboratórios utilizam métodos quantitativos automatizados, como citometria de fluxo. Nesse caso, basear-se na referência do laboratório.
[3] Coleta em condições adequadas: fora de período de menstruação e sem exercício vigoroso ou trauma recente.
[4] Ecografia do aparelho urinário ou urotomografia (tomografia de abdome com contraste com aquisição também na fase excretora). Se o paciente gestante, não realizar tomografia.
[5] Alguns laboratórios descrevem a porcentagem de dismorfismo: > 70% é tipicamente glomerular, < 30% é tipicamente não glomerular, 30 a 70% é de origem indeterminada (indicando avaliação urológica e nefrológica).
EQU, exame qualitativo de urina; ITU, infecção do trato urinário.
Fonte: Adaptada de TelessaúdeRS.[3]

→ exame de imagem adequado: TC ou ressonância magnética (RM) com contraste. Lesões arredondadas e homogêneas, unilaterais, tamanho < 4 cm, ≤ 10 UH (unidades Hounsfield) na fase sem contraste e *washout* rápido do contraste (> 50% após 10 minutos da administração do contraste) são geralmente benignas.

Em suma, lesões unilaterais de 1 a 4 cm com características de malignidade ao exame de imagem (raro) ou funcionantes (10-15%) devem ser encaminhadas para urologia ou endocrinologia, assim como lesões bilaterais de qualquer tamanho (devido à maior probabilidade de doenças potencialmente graves). Qualquer lesão > 4 cm deve ser encaminhada para urologia, exceto se o exame de imagem for diagnóstico de mielolipoma, cistos ou hemorragia (lesões benignas não funcionantes sem indicação de acompanhamento).

Quando há indicação de tratamento, a adrenalectomia total é geralmente realizada por laparoscopia ou cirurgia aberta.

Incidentalomas de suprarrenal com aparência benigna devem ser reavaliados com TC ou RM com contraste em 12 meses. Avaliações posteriores com exame de imagem dependerão das circunstâncias clínicas e do fenótipo imaginológico (p. ex., em lesões uniformes e hipodensas com tamanho < 2 cm, é razoável fazer apenas 1 exame de acompanhamento). Recomenda-se também teste de supressão noturna do cortisol anualmente por mais 4 anos. Lesões com crescimento ≥ 1 cm/ano ou identificação de atividade hormonal devem ser encaminhadas para ressecção.[6]

Problemas do rim e do ureter

Massas renais sólidas e císticas

As massas renais são um grupo de tumores biologicamente heterogêneo que pode ser benigno, maligno (podendo ser indolente ou agressivo) ou indeterminado. Elas são identificadas incidentalmente em 10 a 27% dos exames de imagem abdominal (ultrassonografia [US], TC ou RM). A maioria das massas renais pode ser determinada como benigna ou maligna por meio dos exames de imagem supracitados, mas as lesões indeterminadas necessitam de avaliação complementar.

Lesões incidentais < 1 cm são dificilmente caracterizadas com exames complementares ou biópsia. Além de serem benignas na maioria dos casos, mesmo quando malignas costumam ter comportamento indolente. Portanto, sugere-se que as lesões < 1 cm sejam acompanhadas com US até que tenham > 1 cm para avaliação complementar.[7]

A US abdominal consegue diferenciá-las entre massas sólidas e císticas.[8,9] Massas renais sólidas podem ser essencialmente divididas entre lesões suspeitas de carcinoma de células renais e de angiomiolipoma (tumor benigno). Para as lesões sólidas, mesmo quando a suspeita é de angiomiolipoma (lesão caracteristicamente hiperecogênica), recomenda-se a realização de pelo menos uma TC ou RM de abdome com contraste para estabelecer o diagnóstico com maior confiabilidade, já que até um terço dos carcinomas de células renais são hiperecogênicos. Todos os pacientes com lesão suspeita de carcinoma de células renais devem ser encaminhados para urologia.

Atualmente, mais de 60% dos casos de carcinomas de células renais são diagnosticados incidentalmente. A tríade clássica de sintomas (dor em flanco, hematúria macroscópica e massa abdominal palpável) ocorre raramente, mas, quando presente, sugere doença localmente avançada. Síndromes paraneoplásicas ocorrem em 10 a 20% dos pacientes e podem estar associadas à anemia, à caquexia/perda ponderal, à febre, à disfunção hepática e à hipercalcemia.[10]

Angiomiolipomas (AMLs) de até 4 cm são geralmente acompanhados com US, a qual pode ser realizada a cada 3 a 4 anos se o tumor for menor de 2 cm ou anualmente se tiver 2 a 4 cm. Mulheres com AML < 4 cm que estão em idade fértil e planejam ter filhos devem ser encaminhadas para urologia para que, em decisão conjunta, definam se o AML deve ser tratado antes da gestação. Essa conduta diferenciada deve-se ao risco aumentado de crescimento e ruptura espontânea do AML durante a gestação. Mulheres com AML < 4 cm que pretendem iniciar terapia de reposição hormonal (TRH) devem realizar exame de imagem 6 meses após o início da TRH e, em caso de tumor estável, repeti-lo anualmente. AMLs > 4 cm têm maior risco de ruptura espontânea e hemorragia retroperitoneal, sendo indicado encaminhamento para urologia. Pacientes com múltiplos AMLs, angiofibromas cutâneos na face e tumores benignos em múltiplos órgãos provavelmente têm esclerose tuberosa e devem ser encaminhados.

As massas renais císticas identificadas à US são essencialmente divididas em cistos simples e complexos, os quais podem estar em situação cortical, medular ou parapélvica. A prevalência dos cistos é maior na população com idade > 50 anos e mais comum em homens que mulheres. Em geral, os cistos renais não causam qualquer sinal ou sintoma. Raramente estão associados à ruptura, à hematúria, à dor (mais comum em lesões > 10 cm), à percepção de massa abdominal ao exame físico, à infecção e à hipertensão. A ruptura pode causar hematúria e dor em flanco. Infecção é uma causa rara de abscesso renal. Os cistos renais geralmente não causam perda de função renal, exceto quando obstruem o sistema coletor urinário (raro) e nos casos de doença policística renal. Cistos grandes podem estar associados à hipertensão arterial, porém a grande maioria dos pacientes com cistos tem hipertensão secundária a outras causas (como hipertensão essencial).

Os cistos renais simples (formato arredondado, paredes lisas e anecoicos) assintomáticos identificados em US não precisam de nenhuma avaliação complementar, independentemente do tamanho, nem mesmo acompanhamento. Entretanto, pacientes com cistos renais complexos (com contornos irregulares, paredes espessas, septos e/ou calcificações) ou múltiplos cistos agrupados (que dificultam a caracterização dos cistos) devem realizar TC ou RM de abdome com contraste.[11] Cistos renais classificados como Bosniak I e II são benignos e não precisam de acompanhamento. Cistos renais classificados como Bosniak III e IV têm alta probabilidade de malignidade (50% para Bosniak III e 75-90% para Bosniak IV) e são tratados cirurgicamente. Os cistos Bosniak IIF são lesões indeterminadas, com risco de malignidade de 3 a 10%, necessitando de acompanhamento (por isso o "F", de *follow* [acompanhar]).[11] Sugere-se, portanto, que os cistos renais Bosniak IIF, III e IV sejam encaminhados para tomada de conduta pelo especialista.

O tratamento especializado das massas renais depende da natureza prevista nos exames de imagem, do tamanho da lesão, da localização e das características do paciente. Em linhas gerais, pacientes com massas renais sólidas provavelmente relacionadas a carcinomas de células renais geralmente são tratados com nefrectomia parcial (aberta ou por cirurgia minimamente invasiva), em caso de lesões < 7 cm e em localização que permite ressecção parcial, ou nefrectomia radical (aberta ou por laparoscopia), para lesões maiores ou em posições mais centrais no rim. Vigilância ativa pode ser considerada em pacientes com lesão < 4 cm, especialmente se estiverem em idade mais avançada e se tiverem comorbidades C/D. Técnicas de ablação térmica (p. ex., radiofrequência, criocirurgia) são opções terapêuticas para lesões < 3 cm.[12] Os cistos renais simples com indicação de tratamento devido a sintomas como dor são tratados com aspiração percutânea associada à escleroterapia ou, mais comumente, decorticação laparoscópica do cisto.

Litíase

Cálculos renais (litíase renal) são depósitos minerais cristalinos que se formam nos rins e podem ocorrer em 1 a 20% da população durante sua vida, sendo mais comuns em homens que em mulheres (2:1). O risco de recorrência depende da doença ou da alteração metabólica que está causando a formação dos cálculos, mas sabe-se que pacientes que tiveram a passagem de um primeiro cálculo têm, em média, 50% de chance de formar um segundo cálculo em até 10 anos. Os cálculos de cálcio (oxalato ou fosfato) são os mais frequentes (80%), seguidos pelos cálculos de ácido úrico e estruvita (associados à infecção).

Em geral, os pacientes são assintomáticos até que o cálculo cause obstrução parcial, intermitente ou completa do sistema coletor, resultando em cólica renal. Esse é o mecanismo causador de dor dos cálculos que estão na pelve renal, no ureter e, menos comumente, no infundíbulo de um cálice (causando obstrução apenas do cálice afetado). Cálculos infracentimétricos situados em cálices renais geralmente são assintomáticos, mas alguns pacientes sentem dor a despeito da inexistência de qualquer sinal de obstrução. A maioria (70-90%) dos pacientes com litíase urinária tem hematúria micro ou macroscópica, principalmente durante os episódios de dor. Entretanto, a ausência de hematúria não exclui a presença de litíase urinária.

Cálculos na pelve renal frequentemente causam cólicas renais episódicas devido à obstrução intermitente da junção ureteropélvica, mas quando impactam nessa região causam cólicas renais mais frequentes e intensas, assim como os cálculos ureterais. A dor típica de cólica renal cresce e diminui de intensidade e evolui em ondas (paroxismos). Esses paroxismos geralmente duram 20 a 60 minutos. A dor ocorre primariamente por obstrução ao fluxo urinário, causando distensão da cápsula renal. As características da dor são influenciadas pelo sítio da obstrução: cálculos em pelve renal ou ureter proximal causam dor em flanco, enquanto cálculos em ureter distal causam dor que irradia para testículo ou grande lábio ipsilateral, além de sintomas miccionais como disúria, aumento da frequência e urgência. A cólica renal é frequentemente acompanhada por náusea e vômitos.

Durante o episódio de cólica renal (suspeita de cálculo ureteral), devem ser solicitados exames laboratoriais e algum exame de imagem. Entre os exames laboratoriais, sugere-se realizar hemograma, proteína C-reativa, creatinina, cálcio (ionizado ou total + albumina), ácido úrico, sódio, potássio, exame comum de urina (EAS, urina tipo 1, EQU) e urocultura.[13,14]

Há debate sobre qual seria o exame inicial de imagem – TC ou US. A TC de abdome total sem contraste (de preferência com baixa dose de radiação, em caso de índice de massa corporal [IMC] ≤ 30 kg/m^2) tem sensibilidade e especificidade > 90% para litíase.[13] A US do aparelho urinário[14] é um exame livre de radiação, seguro e barato, possui alta sensibilidade para identificação da dilatação do sistema coletor. Entretanto, a sensibilidade para identificação de cálculos ureterais e renais é bem menor (45%). Durante a gestação, a US abdominal é a modalidade de imagem indicada. Caso não identifique cálculo, o exame deve ser complementado com US transvaginal para tentar identificar cálculos em ureter distal. Radiografia de abdome e urografia excretora são exames menos utilizados atualmente na avaliação inicial de nefrolitíase.

Para manejo da cólica renal, recomenda-se inicialmente um anti-inflamatório não esteroide (AINE) ou dipirona, pois aliviam a dor de modo semelhante aos opioides, com menos efeitos adversos **B**. Como segunda linha, recomendam-se os opioides, como morfina e tramadol. A associação de opioide e AINE é mais efetiva que qualquer monoterapia **A**.[15]

Quando a cólica renal for causada por cálculo ureteral, está indicado o uso de alfabloqueador (p. ex., doxazosina 2-8 mg, iniciando com doses baixas, ou tansulosina 0,4-0,8 mg) para facilitar a passagem do cálculo (NNT = 3-5) **B**.[16] O benefício parece ser maior para cálculos de 5 a 10 mm.[14] Hidratação forçada (por via oral [VO] ou intravenosa [IV]) e diuréticos parecem não diminuir a dor nem aumentar a chance de passagem do cálculo **B**.[17]

Pacientes com sepse urinária, insuficiência renal (piora significativa da função renal, hidronefrose bilateral ou obstrução de rim único) ou anúria são emergências médicas e devem ser encaminhados para tratamento hospitalar.[18] Pacientes com controle insuficiente da dor a despeito de analgesia adequada ou com náuseas e vômitos incoercíveis também devem ser encaminhados para pronto atendimento.[19]

O encaminhamento para avaliação ambulatorial urológica deve ser realizado para:

→ pacientes com cálculos renais sintomáticos (dor, hematúria ou infecções do trato urinário [ITUs] de repetição), independentemente do tamanho;
→ cálculos renais > 1 cm (devido ao maior risco de complicações ao longo do tempo);
→ cálculos coraliformes (devido ao elevado risco de deterioração da função renal);
→ cálculos ureterais ≤ 1 cm sem resolução após 4 a 6 semanas de tratamento conservador;
→ cálculos ureterais > 1 cm desde o diagnóstico (devido à baixa probabilidade de eliminação espontânea).

A abordagem especializada para pacientes sépticos com cálculo obstrutivo consiste em realizar descompressão urgente do sistema coletor urinário com drenagem percutânea ou colocação de *stent* ureteral (cateter duplo J). Pacientes com cálculos ureterais com indicação de remoção ativa podem ser submetidos à litotripsia extracorpórea (especialmente em caso de cálculo < 1 cm) ou à ureteroscopia rígida ou flexível. Os tratamentos indicados para pacientes com cálculos renais com indicação de remoção ativa dependem de múltiplos fatores, como composição do cálculo, localização, tamanho, equipamento disponível e preferência do paciente. As possibilidades incluem litotripsia extracorpórea (especialmente em caso de cálculos < 2 cm), ureteroscopia flexível ou nefrolitotripsia percutânea (especialmente em caso de cálculos > 1 cm).

Após a eliminação dos cálculos obstrutivos, o paciente pode ser submetido à investigação metabólica para determinar a causa da nefrolitíase e planejar o tratamento preventivo. Não há consenso sobre se a avaliação metabólica completa deve ser realizada após o aparecimento do primeiro cálculo. Além disso, a análise do cálculo deveria ser realizada em todos os pacientes com primeira eliminação de cálculo ou naqueles que nunca fizeram a análise previamente.[14]

A avaliação metabólica completa, em adição aos testes laboratoriais básicos, está indicada em todos os pacientes com múltiplos cálculos na primeira apresentação, em pacientes com história familiar fortemente positiva para litíase renal e em indivíduos com doença ativa, que é definida como formação recorrente de cálculos, aumento de cálculo preexistente ou com passagem recorrente de cristais. A avaliação também está indicada em nefrolitíase em crianças ou adolescentes.[14]

Consiste em coleta de sangue e urina, incluindo pelo menos 2 coletas de urina de 24 horas, exame comum de urina e urocultura. Deve ser realizada avaliação sérica de cálcio, fósforo, albumina, creatinina, bicarbonato e ácido úrico. As coletas de urina de 24 horas não devem ser realizadas na vigência de obstrução renal/ureteral ou infecção urinária. Deve ser avaliado o volume de urina em 24 horas, pH, concentrações urinárias de cálcio, ácido úrico, oxalato, fósforo, citrato, sódio, potássio e creatinina (para avaliar se a coleta foi bem feita). Nos pacientes com valores de cálcio sérico acima do normal ou próximos ao limite superior, recomenda-se a solicitação de paratormônio (PTH) para investigar hiperparatireoidismo.

Todos os pacientes com história de nefrolitíase devem seguir algumas recomendações preventivas genéricas, independentemente do risco individual. O foco é normalizar os hábitos dietéticos e diminuir os riscos relacionados ao estilo de vida. Pacientes com alto risco de formação de cálculos geralmente necessitarão de medidas adicionais, como tratamento farmacológico, baseado na análise do cálculo, e avaliação metabólica.

As medidas genéricas para prevenção de recorrência são:
→ ingesta hídrica de 2,5 a 3 L/dia (para produção de diurese de 2-2,5 L/dia) (RRR = 60%) B;[20]
→ dieta balanceada com todos os grupos alimentares C/D;[21]
  → evitar ingestão excessiva de suplementos vitamínicos;
  → ingesta normal de cálcio alimentar (1-1,2 g/dia);
  → evitar ingesta excessiva de sal (máximo de 4-5 g/dia);
  → ingesta limitada de proteína animal (0,8-1 g/kg/dia);
  → ingesta rica em legumes, verduras e frutas;
→ controlar peso (IMC normal) C/D;[22,23]
→ fazer atividades físicas regulares C/D[24]

Medidas específicas para prevenção de recorrência nas anormalidades mais comuns baseiam-se na causa específica, quando conhecida:
→ hipercalciúria (idiopática, afastada hipercalcemia):
  → dieta com ingesta normal de cálcio (1-1,2 g/dia), hipossódica e com restrição de proteínas animais C/D;[25]
  → tratamento medicamentoso: diuréticos tiazídicos (hidroclorotiazida 25 mg/dia ou clortalidona) (NNT = 2-9) B,[26] podendo associar citrato de potássio (10-20 mEq, 3 ×/dia, máximo de 100 mEq/dia) (NNT = 3-7) B;[27]
→ hiperuricosúria:
  → limitar ingesta de proteína animal não relacionada a laticínios C/D;

→ tratamento medicamentoso: alopurinol 100 mg/dia + citrato de potássio (para alcalinizar a urina) 10 a 20 mEq, 3 ×/dia, máximo de 100 mEq/dia B. Caso haja hiperuricemia associada, podem ser prescritos até 300 mg de alopurinol;[14]
→ hipocitratúria:
  → estimular ingesta de legumes e frutas e limitar ingesta de proteína animal não relacionada a laticínios C/D;[13]
  → tratamento medicamentoso: citrato de potássio 10 a 20 mEq, 3 ×/dia, máximo de 100 mEq/dia B;[13]
→ hiperoxalúria:
  → dieta com ingesta normal de cálcio (1-1,2 g/dia) e restrição de alimentos ricos em oxalato C/D;
  → encaminhar para nefrologista em caso de hiperoxalúria > 90 mg/dia.

Os pacientes que iniciaram tratamento farmacológico devem realizar nova avaliação metabólica em 2 a 6 meses. Após ajuste das alterações urinárias da avaliação metabólica, podem ser realizadas avaliações metabólicas anuais. Os pacientes com cálculos renais assintomáticos com tamanho < 1 cm devem ser acompanhados com algum exame de imagem inicialmente em 6 meses e, se estáveis, manter acompanhamento anual.

Problemas da bexiga

Câncer de bexiga

Mais frequente em homens e pacientes com idade > 55 anos, o câncer de bexiga comumente se apresenta com hematúria macro ou microscópica (80% das vezes sem dor). Sintomas de irritação vesical também podem ocorrer, especialmente quando o câncer é invasivo ou de alto grau, incluindo sintomas de urgência, frequência e disúria. Quando existe dor associada ao câncer de bexiga, a doença é localmente avançada na maioria dos casos. A dor pode ser suprapúbica (invasão direta para parede abdominal), lombar/em flancos (obstrução ureteral), óssea (metástase) entre outras localizações associadas à invasão de nervos da pelve.[28]

Todos os pacientes com exame de imagem (US, TC ou RM de abdome) evidenciando massa vesical devem ser encaminhados para o urologista, sem necessidade de avaliações complementares na APS, assim como todos os pacientes com hematúria macroscópica com coágulos, de origem não glomerular, não relacionada à ITU ou à litíase.

Infecção do trato urinário/bacteriúria assintomática

Ver Capítulo Infecção do Trato Urinário.

Cistite intersticial-síndrome da bexiga dolorosa

Cistite intersticial-síndrome da bexiga dolorosa (CI-SBD) é doença crônica pouco compreendida que geralmente afeta mulheres de meia-idade. A CI-SBD é definida como a presença de sensações desagradáveis (desconforto, dor, pressão, espasmos) atribuíveis à bexiga por período > 6 semanas sem infecção urinária ou outras causas identificáveis. Os sintomas geralmente pioram com o enchimento vesical e aliviam com o esvaziamento. Urgência, aumento da frequência urinária diurna e noctúria são sintomas miccionais frequentemente associados. Os sintomas costumam ter períodos de melhora e piora e podem variar de intensidade de um dia para o outro. Alguns localizam a dor em região suprapúbica, outros na uretra/períneo. Disforia e sintomas de depressão são muito frequentes em pacientes com CI-SBD.

Achados comuns ao exame físico incluem dor à palpação suprapúbica e, à palpação vaginal, dor nos músculos elevadores do ânus e no colo vesical.

Não há necessidade de cistoscopia para fazer o diagnóstico, mas o procedimento deve ser realizado quando há hematúria ou suspeita de outras patologias intravesicais.

O manejo[29] consiste em orientar o paciente sobre seu diagnóstico, a variabilidade dos sintomas e a cronicidade da condição. O tratamento inclui diminuir ou suspender alimentos/líquidos com cafeína, álcool e alimentos/líquidos ácidos C/D; restringir ingesta hídrica em pacientes que referem dor durante a distensão vesical C/D; calor ou gelo na região suprapúbica e/ou perineal, se isso trouxer alívio C/D; e analgesia com fenazopiridina 200 mg, 3 ×/dia, por poucos dias (2-3 dias) nas situações em que piorarem os sintomas C/D. Recomenda-se amitriptilina 25 a 75 mg/noite caso os sintomas não melhorem com as medidas supracitadas B.

Pacientes com ausência de resposta satisfatória ao manejo na APS, hematúria, sintomas complexos (p. ex., dor associada à incontinência urinária), esvaziamento vesical incompleto, doenças neurológicas que afetam a função vesical, cirurgia ou radiação pélvica prévias devem ser encaminhados ao urologista.

Incontinência urinária

Antes de tentar tratamento conservador (ver Capítulo O Cuidado do Paciente Idoso), encaminhamento ao urologista é indicado nas seguintes situações:

→ mulheres com incontinência urinária (IU) associada à dor vesical ou uretral, sintomas miccionais de esvaziamento (p. ex., jato fraco), bexiga palpável após micção/resíduo pós-miccional > 150 mL, presença de massas pélvicas, incontinência fecal, suspeita de doença neurológica, suspeita de fístula urogenital, cirurgia anti-incontinência prévia e cirurgia pélvica para câncer ou radioterapia pélvica prévias;
→ homens com IU grave ou IU associada a sintomas obstrutivos e/ou irritativos graves do trato urinário inferior, infecções urinárias recorrentes, bexiga palpável após micção/resíduo pós-miccional elevado, dor pélvica, doença neurológica ou história de cirurgias pélvicas, prostáticas ou radioterapia pélvica.

Vesicolitíase

Estase da urina, relacionada à obstrução infravesical (como hiperplasia prostática benigna [HPB]) ou à bexiga neurogênica, é a principal causa de cálculos vesicais. A maioria desses cálculos é formada na bexiga, apesar de alguns se originarem nos rins. A maioria dos cálculos que conseguem descer pelos ureteres é eliminada facilmente pela uretra, exceto quando há importante disfunção vesical ou obstrução infravesical. Os cálculos que continuam na bexiga crescem devido à agregação de camadas adicionais de cristais.

Os sintomas mais comuns são frequência urinária, hematúria (geralmente terminal) e disúria ou dor suprapúbica que piora no final da micção. Entretanto, infecção urinária recorrente pode ser o único sintoma. O diagnóstico é feito com exame de imagem. Todos os pacientes com cálculo vesical devem ser encaminhados para tratamento do cálculo e investigação da condição subjacente.[30]

Bexiga neurogênica

A disfunção neurogênica da bexiga, provocada por doenças neurológicas ou trauma medular, é causa de retenção urinária aguda ou crônica e de obstrução funcional baixa. Pode causar hiperpressão intravesical e, possivelmente, uretero-hidronefrose.

O melhor tratamento imediato para pacientes que não conseguem esvaziar a bexiga é o cateterismo intermitente, 4 a 6 ×/por dia, com sonda 12 a 16 Fr. (Ver QR code.) O volume de cada cateterismo não deve exceder 400 a 500 mL.[31] Todos os pacientes com bexiga neurogênica necessitam de acompanhamento urológico.

Problemas da próstata

Câncer de próstata

O câncer de próstata (CaP) é a neoplasia maligna mais comum em homens no Brasil (sem considerar os tumores de pele não melanoma) e o segundo com maior mortalidade. Os principais fatores de risco são idade avançada, etnia negra, familiar de primeiro grau com diagnóstico com idade < 65 anos, e mutação do gene *BRCA*. Não há, no momento, qualquer medida dietética ou preventiva específica recomendada para reduzir o risco de desenvolvimento de CaP.

Raramente causa sintomas em estágio inicial, e não há como identificar esses casos com base na história clínica. Pacientes com PSA elevado e STUI têm menos probabilidade de ter câncer do que pacientes com PSA elevado e ausência de STUIs, sendo essa associação frequentemente resultado da HPB. Manifestações de doença localmente avançada incluem obstrução infravesical causando STUI, obstrução ureteral causando hidronefrose e insuficiência renal, hematúria, hematospermia e disfunção erétil. Manifestações de doença metastática incluem dor óssea, fraturas patológicas, anemia (causando fadiga), edema e paralisia dos membros inferiores.

Para questões de rastreamento, ver Capítulo Rastreamento de Adultos para Tratamento Preventivo.

PSA elevado ou exame de toque retal (TR) alterado (p. ex., com nodulação, induração ou assimetria) são os principais achados que geram a suspeita de câncer. Na prática da APS, deve haver alguns norteadores de conduta quanto à necessidade de encaminhamento de pacientes para investigação do CaP. Pacientes assintomáticos devem ser encaminhados para o urologista em caso de PSA > 3 ng/mL (confirmado em segundo exame com algumas semanas de intervalo) ou se o exame de TR resultar alterado.[32] Não está recomendado o uso de antibiótico empírico em pacientes assintomáticos na tentativa de baixar o PSA. Quanto ao TR, ainda que seja prática comum no contexto de rastreamento, não há evidências de benefícios de sua realização como teste de rastreamento, mas sua realização para pacientes com PSA elevado aumenta muito o valor preditivo positivo de CaP (22% para apenas PSA > 3 ng/mL vs. 49% para PSA > 3 ng/mL e TR alterado).[33,34] Em homens com idade > 70 anos, aumentar o limite do PSA para valor > 10 ng/mL para indicação de biópsia pode diminuir o risco de sobrediagnóstico.[35]

A biópsia de próstata, geralmente pela via transretal, é o método pelo qual pode ser confirmado o diagnóstico de CaP. Para os pacientes com CaP localizado e expectativa de vida > 10 anos, os tratamentos geralmente realizados são vigilância ativa (em geral, indicada para os casos de CaP de baixo risco ou médio risco favorável, ou seja, nos estadiamentos urológicos escores de Gleason 3+3 ou 3+4 = ISUP [International Society of Urological Pathology] grupos 1 ou 2), prostatectomia radical ou radioterapia. Para pacientes com CaP localizado e expectativa de vida < 10 anos, o mais indicado é observar a evolução do paciente (*watchful waiting*) e tratar apenas se o paciente desenvolver sintomas da doença. Para os casos de CaP metastático, existem diversas opções de tratamento sistêmico, mas o manejo inicial envolve o bloqueio hormonal com tratamento medicamentoso sistêmico ou cirurgia (orquiectomia bilateral).

Após a prostatectomia radical, geralmente o PSA fica indetectável. Entretanto, a definição clássica de recorrência bioquímica é o PSA ≥ 0,2 ng/mL confirmado em um segundo exame. Após a radioterapia, em geral, o PSA é detectável e a definição clássica de recorrência bioquímica é o PSA ≥ 2 ng/mL acima do nadir confirmado em um segundo exame. Nessas situações, está indicada encaminhamento ao urologista.

PSA elevado

O PSA é uma glicoproteína produzida pelas células epiteliais que revestem os ácinos e os ductos da glândula prostática. A função dessa protease dependente de androgênios é liquefazer o sêmen após a ejaculação. A concentração intraprostática do PSA é muito elevada, enquanto os níveis séricos são geralmente baixos. A ruptura da arquitetura celular da próstata permite o "vazamento" de maiores quantidades de PSA na circulação sanguínea. Esse aumento do PSA pode ocorrer devido à HPB, ao CaP, à inflamação (p. ex., prostatite), à manipulação (p. ex., massagem prostática, biópsia de próstata, cistoscopia) e à retenção urinária. TR, ejaculação recente e prática de ciclismo de longa distância também podem causar pequenas elevações transitórias do PSA. Portanto, apesar de específico para a próstata, o PSA não é específico para câncer.

Na prática clínica da APS e no contexto do rastreamento para CaP, os principais fatores de confusão para a interpretação do PSA elevado são a HPB e a prostatite, doenças comuns que possuem grande sobreposição de valores do PSA em relação ao CaP. Além disso, podem ocorrer variações aleatórias, motivo pelo qual pacientes com valores pouco elevados (até 10 ng/mL) devem repetir o exame após algumas semanas. A causa mais comum para o PSA elevado é a HPB devido à alta prevalência dessa condição em homens com idade > 50 anos. Entre os valores de 2 a 9 ng/mL, há uma forte correlação com HPB.

Prostatite bacteriana é outra causa importante de PSA elevado e, nesses casos, podem ser identificados valores tão altos quanto 75 ng/mL. Pacientes com prostatite geralmente terão sintomatologia mais aguda e urocultura positiva. Nesses casos, o paciente deve ser tratado com antibióticos por 4 a 6 semanas e repetir o PSA após o tratamento. Não é recomendado usar antibióticos para baixar o PSA em pacientes sem evidência de infecção.

O PSA é frequentemente solicitado para identificar homens com CaP. Como ferramenta de rastreamento, o PSA é mais sensível que o TR, mas tem baixa especificidade. Considerando o valor de PSA > 3 ng/mL para indicação de biópsia, o teste é falso-positivo em 76% dos homens. Além disso, não existe valor de PSA abaixo do qual não há CaP. O PSA é uma variável contínua de risco: quanto mais elevado, maior o risco de qualquer CaP e de CaP clinicamente significativo (TABELA 90.1). Em pacientes com PSA > 10 ng/mL, o valor preditivo positivo é de 42 a 64%, mas menos de 50% dos CaPs estão confinados à próstata. Portanto, a necessidade de biópsia deve levar em consideração diversos fatores, como volume da próstata, idade, inflamação e uso de inibidores da 5α-redutase (p. ex., finasterida e dutasterida reduzem o PSA em 50% ou mais após 6 meses de uso), e não o valor do PSA isoladamente.

Hiperplasia prostática benigna

A HPB é um crescimento benigno da glândula prostática que ocorre devido à hiperplasia das células estromais e epiteliais. Frequentemente causa STUIs. A HPB afeta principalmente homens com idade > 45 anos e sua prevalência e gravidade estão associadas ao envelhecimento. Os STUIs atribuíveis à HPB podem ser classificados como:

→ **sintomas de armazenamento (irritativos):** polaciúria, aumento da frequência, urgência miccional, noctúria;
→ **sintomas de esvaziamento (obstrutivos):** jato urinário fraco, fluxo urinário intermitente, esforço miccional (sob prensa abdominal), hesitação, sensação de esvaziamento incompleto, gotejamento pós-miccional.

TABELA 90.1 → Risco de câncer de próstata (CaP) indicado por diferentes níveis de antígeno prostático específico (PSA)

NÍVEL DO PSA (ng/mL)	RISCO DE CaP (%)	RISCO DE CaP CLINICAMENTE SIGNIFICATIVO (%)
0,0-0,5	6,6	0,8
0,6-1	10,1	1
1,1-2	17	2
2,1-3	23,9	4,6
3,1-4	26,9	6,7

Fonte: Adaptada de Thompson e colaboradores.[36]

A avaliação inicial e o acompanhamento dos sintomas para verificar a eficácia do tratamento podem ser feitos por meio do IPSS.[4]

Os STUIs em homens são geralmente atribuídos ao crescimento da próstata, nesse caso sendo predominantemente de esvaziamento, com início e progressão graduais, podendo evoluir com sintomas de armazenamento e retenção urinária. A HPB se refere a um diagnóstico histológico específico, mas frequentemente esse termo é usado para crescimento da próstata a despeito da confirmação com biópsia.

Devemos estar atentos às outras etiologias para os STUIs, como estenose de uretra (geralmente há história de uretrite infecciosa ou instrumentação da uretra), prostatite aguda ou crônica, CaP, cálculo ureteral, tumor vesical e hipocontratilidade vesical.

Para o diagnóstico correto e auxílio à definição do manejo, a história clínica, o exame físico (avaliação do meato uretral, TR e avaliação do abdome), o EQU e o PSA costumam ser suficientes. Qualquer sinal de alteração neurológica indica necessidade de avaliação complementar com urologista. O TR não é um exame preciso para avaliar o tamanho da próstata, mas avaliações seriadas são úteis para acompanhar o crescimento e podem detectar alterações sugestivas de câncer. O PSA, por outro lado, é um bom preditor do tamanho da próstata e auxilia na definição do manejo clínico: PSA < 1,4 ng/mL é indicativo de próstata com peso < 40 g, enquanto PSA > 1,4 ng/mL é indicativo de próstata com peso > 40 g. A US de próstata não é necessária para o diagnóstico, mas auxilia na decisão terapêutica (por definir o tamanho da próstata) e avalia o resíduo pós-miccional, informações úteis para predizer o risco de retenção urinária aguda. É importante lembrar que o tamanho da próstata não tem boa correlação com o grau de obstrução nem com a presença de STUIs. A US do aparelho urinário deve ser realizada em casos com sintomas miccionais graves, dor, resíduo pós-miccional elevado, creatinina elevada, hematúria ou litíase.

Os pacientes com HPB assintomática ou com STUI leves a moderados sem prejuízo à qualidade de vida podem ser apenas observados (*watchful waiting*), já que a maioria não terá complicações futuras.[37]

Os pacientes que não se incomodam com os sintomas não necessitam de abordagem farmacológica ou cirúrgica, a despeito do tamanho da próstata, desde que não tenham complicações atribuíveis à HPB, como obstrução infravesical grave (causando resíduo pós-miccional elevado, retenção urinária refratária ou insuficiência renal), litíase vesical, hematúria ou ITUs recorrentes.

O manejo comportamental **B** consiste em:[38,39]
→ limitação de líquidos após o jantar;
→ redução do uso de álcool, café e cigarros (efeito diurético e irritativo vesical);
→ treinamento da bexiga focado em micção cronometrada (horário definido para ir ao banheiro) ou dupla micção (urinar, esperar alguns minutos e tentar novamente);
→ compressão perineal (compressão/elevação manual do períneo após a micção para esvaziar uretra bulbar) para homens com gotejamento pós-miccional;
→ micção sentado (pode diminuir os sintomas de esvaziamento incompleto);
→ tratamento da constipação.

Para manejo farmacológico,[38] existem várias opções medicamentosas, indicadas conforme os sintomas miccionais (de esvaziamento ou armazenamento), o tamanho da próstata (indicada pelo volume à US, pelo TR ou estimado pelo PSA) e os efeitos adversos tolerados (TABELA 90.2).

Devem ser encaminhados para avaliação urológica os pacientes com STUIs refratários ao tratamento farmacológico (ou que não toleram o tratamento), incontinência urinária associada a STUIs graves, PSA elevado, insuficiência renal secundária à HPB (geralmente associada a resíduo pós-miccional elevado, retenção urinária ou hidronefrose), infecções urinárias de repetição, litíase vesical, hematúria macroscópica ou com suspeita de doença neurológica que possa acometer a função vesical.[38]

Existem várias opções de tratamento cirúrgico para o paciente com HPB, mas os tratamentos mais comuns são a ressecção endoscópica da próstata e a prostatectomia simples.

Prostatites

A prostatite tem várias apresentações, desde doença clinicamente óbvia quando aguda até doença complexa e debilitante quando crônica, situação em que frequentemente é fonte de frustração para o médico e o paciente. Sintomas de prostatite são muito comuns na população masculina, tendo prevalência de 8% e ocorrendo em 35 a 50% dos homens em algum momento de suas vidas.

Existem quatro classificações de prostatite: bacteriana aguda, bacteriana crônica, prostatite crônica/síndrome da dor pélvica crônica e assintomática. O diagnóstico das prostatites bacterianas aguda e crônica é essencialmente baseado na história, no exame físico, na urocultura e no exame de urina pré e pós-massagem prostática. Os diagnósticos diferenciais incluem cistite, HPB, urolitíase, câncer de bexiga, abscesso prostático e fístula enterovesical. A antibioticoterapia é a base do tratamento das prostatites bacterianas.

Prostatite crônica/síndrome da dor pélvica crônica é uma entidade clínica mais desafiadora, em parte porque a fisiopatologia é menos compreendida, mas corresponde a mais de 90% dos casos de prostatite sintomática. O diagnóstico é frequentemente baseado na história clínica e na exclusão de outras condições urológicas. Os tratamentos utilizados nessa situação são diversos e com efetividade pouco comprovada em ensaios clínicos randomizados, incluindo antibioticoterapia, alfabloqueadores, medicamentos para dor neuropática e modalidades não farmacológicas.

Prostatite bacteriana aguda

É uma infecção bacteriana aguda da próstata frequentemente causada por uropatógenos como *Escherichia coli* (mais comum), mas também por bactérias como *Neisseria gonorrhoeae* e *Chlamydia trachomatis*, germes que devem ser considerados em homens sexualmente ativos com idade < 35 anos ou mais velhos com comportamento sexual de alto risco. O diagnóstico clínico é baseado no início agudo

TABELA 90.2 → Tratamentos farmacológicos para sintomas do trato urinário inferior (STUI) atribuíveis à hiperplasia prostática benigna (HPB)
→ **Alfabloqueador: doxazosina (2-8 mg/dia) ou tansulosina (0,4-0,8 mg/dia)**
→ *É o tratamento de primeira linha para a maioria dos pacientes* **B**
→ No caso da doxazosina, iniciar com doses baixas (1-2 mg à noite) e progredir, a cada 1-2 semanas, conforme tolerância e resposta ao tratamento
→ O efeito começa a ser notado após alguns dias de tratamento
→ Efeitos adversos: costumam ser bem tolerados, mas incluem aumento do risco de tontura, hipotensão postural e síncope, aumentando, consequentemente, o risco de quedas e fratura (atentar especialmente para os idosos); a disfunção ejaculatória pode ser observada em pacientes que tomam tansulosina
→ **Inibidor da 5α-redutase: finasterida (5 mg, 1 ×/dia) ou dutasterida (0,5 mg, 1 ×/dia)**
→ Indicado em caso de próstata com peso > 40 g ou PSA > 1,4 ng/mL
→ A melhora dos sintomas começa entre 3 e 6 meses de uso, podendo demorar até 12 meses para atingir o máximo de melhora clínica (por meio da diminuição do volume da próstata) **B**
→ É a única classe de medicamentos para tratamento de STUI atribuível à HPB que altera a história natural da doença, diminuindo o risco de retenção urinária aguda e a necessidade de cirurgia[40] **B**
→ Efeitos adversos: a disfunção sexual é observada em 5-15% dos pacientes e inclui diminuição da libido/ejaculação, disfunção erétil e ginecomastia; *há redução do valor do PSA*; portanto, os valores de PSA dos pacientes que estão em uso desse medicamento há um período > 6 meses devem ser multiplicados por 2; além disso, qualquer aumento do PSA na vigência de tratamento contínuo por período > 6 meses está associado a maior risco de câncer de próstata clinicamente significativo
→ **Inibidor da 5-fosfodiesterase: sildenafila (25-100 mg, 1 ×/dia) ou tadalafila (5 mg, 1 ×/dia)**
→ Opção para pacientes com HPB e disfunção erétil **B**
→ O efeito começa a ser notado após alguns dias de tratamento
→ Contraindicado para pacientes em uso de nitratos e alfabloqueador não seletivo (doxazosina); pacientes em uso de tansulosina devem separar a tomada de medicamentos (> 4-6 horas); seu uso também é contraindicado em paciente com angina instável, que teve infarto agudo do miocárdio há menos de 3 meses, acidente vascular cerebral há menos de 6 meses, insuficiência cardíaca com classe funcional ≥ 2, hipotensão, hipertensão arterial não controlada; insuficiências renal ou hepática significativas necessitam de ajuste de dose
→ Efeitos adversos: pode haver rubor facial, refluxo gastresofágico, cefaleia, dor lombar e congestão nasal
→ **Tratamento combinado com alfabloqueador e inibidor da 5α-redutase**
→ Indicado para pacientes com próstata com peso > 40 g ou PSA > 1,4 ng/mL com STUIs moderados-graves ou com STUI persistentes na vigência de monoterapia
→ Além de o efeito nos STUIs ser superior, *diminui a progressão da doença* (diminuindo o risco de retenção urinária aguda e a necessidade de cirurgia) **B**
→ **Tratamento combinado com alfabloqueador e anticolinérgico**
→ Indicado para pacientes com STUIs de armazenamento persistentes na vigência de monoterapia com qualquer um dos fármacos **B**
→ Contraindicado em caso de resíduo pós-miccional > 150 mL
→ Efeitos adversos: pode ocorrer associação dos efeitos adversos dos fármacos, sendo a boca seca um dos sintomas mais significativos
→ **Antimuscarínico (anticolinérgico) (p. ex., oxibutinina 5 mg, 1-3 ×/dia [máximo de 4 ×/dia])**
→ Monoterapia alternativa de tratamento em pacientes com STUIs predominantemente de armazenamento (polaciúria, urgeincontinência, noctúria) sem resíduo pós-miccional elevado **B**
→ O efeito começa a ser notado após alguns dias de tratamento
→ Contraindicado em caso de resíduo pós-miccional > 150 mL
→ Efeitos adversos: pode haver boca seca, constipação, tontura, nasofaringite
→ **Agonista β₃ (p. ex., mirabegrona 25-50 mg, 1 ×/dia)[41]**
→ Monoterapia alternativa de tratamento em pacientes com STUIs predominantemente de armazenamento (polaciúria, urgeincontinência, noctúria) sem resíduo pós-miccional elevado **B**
→ O efeito começa a ser notado após alguns dias de tratamento
→ Contraindicado em pacientes com hipertensão grave não controlada
→ Efeitos adversos: hipertensão, ITU, cefaleia e nasofaringite; é mais bem tolerado que antimuscarínicos e não aumenta significativamente o risco de retenção urinária

ITU, infecção do trato urinário; PSA, antígeno prostático específico.

de sintomas de armazenamento (p. ex., disúria, frequência, urgência) e de esvaziamento (jato fraco, esforço miccional, sensação de esvaziamento incompleto) do trato urinário inferior associados à dor (suprapúbica, perineal, retal ou genital), sintomas sistêmicos como febre, calafrios, mal-estar e, eventualmente, até sinais de sepse (taquicardia e hipotensão). O TR evidencia próstata dolorosa e edematosa. O TR deve ser gentil, pois a massagem prostática vigorosa, além de desconfortável, aumenta o risco de bacteriemia. Ao exame abdominal, pode ser identificada bexiga distendida, indicando retenção urinária. Urocultura de jato médio deve ser coletada. Exame comum de urina evidenciando piúria sugere o diagnóstico. Hemograma e hemocultura podem ser considerados quando há sintomas sistêmicos e bacteriemia. O PSA pode estar bastante elevado (níveis de até 75 ng/mL já foram descritos), mas é um achado inespecífico e o exame não é recomendado para o diagnóstico de prostatite. Exame de imagem é indicado quando há suspeita de abscesso prostático (febre persistente após 36 horas de antibiótico) ou retenção urinária.

Seu tratamento deve ser iniciado no momento da suspeita clínica com antibióticos capazes de penetrar no tecido prostático e com espectro adequado. Após resultado da urocultura, a antibioticoterapia pode ser ajustada. As opções iniciais são a associação sulfametoxazol + trimetoprima, 800 mg + 160 mg, 2 ×/dia, ou ciprofloxacino 500 mg, 2 ×/dia **C/D**.[42] Deve-se considerar, no entanto, que as fluoroquinolonas têm efeitos adversos potencialmente incapacitantes e permanentes nos sistemas musculoesquelético e nervoso, motivo pelo qual seu uso deve ser criterioso. Para infecções leves, 14 dias de tratamento costumam ser suficientes, mas infecções mais graves e pacientes que persistem sintomáticos devem estender o tratamento por 4 a 6 semanas.[42]

Para pacientes com risco de infecção por *N. gonorrhoeae* e *C. trachomatis*, o tratamento deve ser feito com ceftriaxona 500 mg, intramuscular (IM), em dose única + doxiciclina 100 mg, 2 ×/dia, por 7 a 10 dias, ou azitromicina 1 g, em dose única.[42,43] (ver Capítulo Infecções Sexualmente Transmissíveis: Abordagem Sindrômica.) Medidas auxiliares incluem uso de antipiréticos, controle da dor e hidratação. Retenção urinária aguda ocorre em até 10% dos pacientes e, nesse caso, alguma forma de drenagem vesical deve ser realizada. A cistostomia é mais segura e recomendada, mas a sondagem uretral (intermitente ou de demora) é uma opção mais fácil (ver QR code).[44] Pacientes sem melhora com o tratamento ambulatorial, sépticos, com retenção urinária ou manipulação recente da próstata via transretal (biópsia) ou transuretral (p. ex., ressecção endoscópica) devem ser encaminhados para tratamento hospitalar.

Prostatite bacteriana crônica

É uma infecção bacteriana persistente ou recorrente que dura mais de 3 meses. As uroculturas coletadas durante a presença dos sintomas são sempre positivas. Os pacientes não estão agudamente doentes. Os sintomas incluem disúria, esforço miccional, aumento da frequência urinária, dor (prostática/perineal, testicular, peniana distal, suprapúbica, lombar) e episódios recorrentes de infecção urinária, uretrite ou epididimite com crescimento do mesmo germe em diferentes uroculturas. Ao exame físico, os pacientes estão afebris e a próstata pode estar normal, edematosa ou dolorida.

O diagnóstico é frequentemente presuntivo, baseado em clínica compatível como sintomas urinários irritativos e infecções urinárias de repetição (comprovadas por urocultura), mas deve ser idealmente complementado com a coleta de urina antes e após massagem prostática (em frascos separados) para exame comum de urina e urocultura. Pacientes com fatores de risco para ISTs devem fazer testes para *N. gonorrhoeae* e *C. trachomatis*, preferencialmente com exame de urina amplificador de ácidos nucleicos (reação em cadeia da polimerase). O PSA não é recomendado para o diagnóstico, mas pode estar elevado em 25% dos pacientes.

Seu tratamento deve ser realizado por 4 a 6 semanas com antibiótico com boa penetração no tecido prostático e ajustado ao germe identificado. As fluoroquinolonas são a classe de escolha para a maioria das infecções iniciais ou recorrentes C/D.[45] Sulfametoxazol + trimetoprima é uma alternativa adequada, mas com penetração inferior e índices de resistência mais elevados aos uropatógenos C/D. Não é incomum que a infecção recorra e pode ser necessária antibioticoterapia por 6 a 12 semanas para erradicar o germe e prevenir a recorrência. Prostatite bacteriana crônica associada a *C. trachomatis* deve ser tratada com doxiciclina 100 mg, 2 ×/dia, por 10 dias, ou azitromicina 500 mg, 1 ×/dia, por 21 dias C/D.[45]

Para os pacientes que continuam sintomáticos a despeito do tratamento, deve-se repetir a urocultura e considerar retratamento (em caso de urocultura positiva), exame de imagem (para excluir abscesso) e encaminhamento ao urologista.

Prostatite crônica/síndrome da dor pélvica crônica é definida essencialmente pela presença de dor pélvica crônica não causada por patologias identificáveis. Apesar do termo "prostatite", uma parcela significativa dos casos não tem sinal de inflamação da próstata. Tampouco se sabe em que extensão a próstata é responsável pelos sintomas. O diagnóstico é baseado na história de dor ou desconforto na região pélvica persistentes ou recorrentes em pelo menos 3 dos últimos 6 meses, associados ou não a sintomas urinários e sexuais, geralmente atribuídos à próstata (mas também ao períneo, ao reto, ao pênis, aos testículos e ao abdome) e sem evidência de patologias como infecção. A avaliação diagnóstica deve ser direcionada para excluir causas identificáveis dos sintomas relatados pelo paciente, podendo ser necessário excluir a possibilidade de prostatite crônica bacteriana, uretrite, estenose de uretra, neoplasias urológicas e doenças neurológicas. Anamnese, exame físico (incluindo TR), exame comum de urina e urocultura são obrigatórios e frequentemente suficientes para avaliar a síndrome e excluir a maioria das doenças supracitadas. O índice de sintomas da prostatite crônica (NIH-CPSI [do inglês, *National Institutes of Health-Chronic Prostatitis Symptom Index*]) (ver p. 15 do QR code) é uma ferramenta validada para avaliar a dor, os sintomas miccionais e o impacto na qualidade de vida. Também pode ser utilizada para avaliar a efetividade do tratamento; uma diminuição ≥ 6 pontos indica resposta ao tratamento.[46] Ao exame físico, podem ser identificados pontos-gatilho de dor na pelve, no períneo e no reto. Ao TR, a próstata geralmente não é dolorosa, mas pode haver desconforto/dor relacionado a espasmos musculares ou dor miofascial à palpação do períneo e do assoalho pélvico. O PSA não é recomendado e, se for medido e estiver elevado, não deve ser atribuído à síndrome. Os exames de urina devem excluir infecção urinária.[47]

Devido à fisiopatologia complexa (e ainda pouco entendida) e à à heterogeneidade de apresentação da síndrome, o estabelecimento de tratamentos eficientes e com bom nível de evidência é difícil. Pacientes com sintomas há um período < 12 meses e que não fizeram nenhum curso de antibioticoterapia prévio devem usar sulfametoxazol + trimetoprima, ou eventualmente fluoroquinolona (avaliar os riscos), ou por 4-6 semanas C/D. Alfabloqueador pode ser associado se houver sintomas miccionais obstrutivos C/D.[48] Pacientes sintomáticos há mais tempo e refratários à antibioticoterapia prévia são mais complexos para tratar. Deve ser considerada terapia multimodal, combinando medidas farmacológicas (p. ex., amitriptilina 10-75 mg) e não farmacológicas (p. ex., calor local, suporte psicossocial) C/D.[49] Os pacientes que não responderem ao manejo inicial ou que tiverem diagnóstico incerto ou suspeita de outras doenças devem ser encaminhados.[50]

Problemas do pênis

Fimose e freio curto

Fimose corresponde a uma constrição do prepúcio que pode impedir a exposição da glande ou, em situações mais discretas, apenas apertar o corpo do pênis durante a ereção. Eventualmente pode ser causa de parafimose – situação de emergência em que o anel fimótico fica abaixo da glande e não consegue retornar à posição inicial. A fimose pode ser causada por líquen escleroso ou balanopostite crônica ou pode ser idiopática. Em adultos, existe associação com diabetes, podendo ser o primeiro sinal da doença. A fimose é a principal indicação de postectomia no adulto. Para manejo em crianças, ver Capítulo Problemas Comuns nos Primeiros Meses de Vida.

O **freio curto** ocorre quando a banda elástica ventral que conecta o prepúcio à glande é muito curto e restringe a retração do prepúcio durante a ereção. O tratamento é cirúrgico, podendo ser realizada frenuloplastia apenas ou a postectomia.[51]

Balanopostite

Balanopostite é a inflamação da glande (balanite) e do prepúcio (postite). Os principais fatores de risco são má higiene, fimose e prepúcio íntegro (não circuncisado). Entre as causas identificáveis, a infecção por cândida é a mais comum, mas vários outros agentes etiológicos podem ser responsáveis, como infecções bacterianas, condições dermatológicas (como dermatite de contato e eczema) e lesões pré-malignas. Clinicamente, o paciente costuma apresentar leve ardência, prurido ou sensibilidade e lesões eritematosas, eventualmente exsudativas. A apresentação clínica é frequentemente pior em pacientes com diabetes ou imunocomprometidos, com edema importante e úlceras.

O tratamento da balanopostite sem causas identificáveis é focado inicialmente na melhora da higiene e em banhos com solução salina 2 ×/dia e, especialmente no caso das dermatites de contato, evitação de sabões que possam piorar a inflamação local.[52,53]

Deve ser estabelecido um equilíbrio entre má higiene e limpeza obsessiva. O uso excessivo de detergentes, sabões e outras substâncias químicas como espermicidas podem causar balanopostite da mesma forma que a falta de higiene. Quando não há resposta às medidas anteriores ou quando há indicativos de infecção fúngica (p. ex., exsudato esbranquiçado), deve-se utilizar clotrimazol a 1% **A** ou miconazol a 2% **B** tópicos, 2 ×/dia, para casos mais leves, ou fluconazol VO para os casos mais graves **B**. Para os pacientes que não melhoram com antifúngico ou que têm suspeita de dermatite de contato/alérgica, deve-se utilizar hidrocortisona a 1% tópica, 2 ×/dia **C/D**.[52]

Infecções bacterianas por anaeróbios são incomuns, mas quando ocorrem causam cheiro ruim, edema e inflamação importantes, úlceras e adenopatias inguinais. O tratamento deve ser realizado com metronidazol a 0,75% tópico, 2 ×/dia, por 7 dias, para os casos mais leves, ou metronidazol 400 a 500 mg, VO, 2 ×/dia, por 7 dias para os casos mais graves. Alternativamente, pode-se utilizar amoxicilina + clavulanato 375 mg, VO, 3 ×/dia, por 7 dias, ou clindamicina tópica, 2 ×/dia, para os casos mais leves **C/D**.[52]

Pacientes com balanopostites de repetição, suspeita de lesões pré-malignas ou fimose devem ser encaminhados ao urologista.

Doença de Peyronie

A doença de Peyronie (DP) é uma doença adquirida caracterizada pela formação de um tecido cicatricial fibrótico e inelástico na túnica albugínea, causando graus variáveis de dor, deformidade do pênis (curvatura e encurtamento) e disfunção erétil. A etiologia da DP não está bem definida, mas a hipótese mais aceita é a lesão repetitiva da túnica albugínea durante as relações sexuais e predisposição genética. Em geral, a história e o exame físico evidenciando placa peniana palpável e deformidade do pênis (frequentemente percebida apenas durante a ereção) são suficientes para definir o diagnóstico de DP.

Pacientes com curvatura leve (≤ 30 graus) e estável que mantêm relações sexuais satisfatórias podem ser apenas observados. Nos casos em que há prejuízo à função sexual ou em que ocorre progressão da curvatura, há indicação de encaminhamento para o urologista. Existem diversos medicamentos orais e intralesionais testados para DP, todos com níveis de evidência muito baixos para recomendação de uso.[54]

Problemas da uretra

Estenose de uretra

Estenose de uretra é relativamente comum em homens. A etiologia varia bastante, sendo mais frequentemente iatrogênica (relacionada à instrumentação da uretra, como cateterismo uretral e ressecção endoscópica da próstata), idiopática ou traumática (mais comumente fratura da pelve), mas também pode ser causada por líquen escleroso, uretrite infecciosa e correção prévia de hipospadia. A uretra masculina é dividida em segmentos anterior e posterior. A uretra anterior começa no meato uretral do pênis e inclui a fossa navicular, a uretra pendular e a uretra bulbar. A uretra posterior inclui a uretra membranosa (região do esfíncter), a uretra prostática e o colo vesical. Em mulheres, a uretra é curta (cerca de 4 cm) e raramente afetada por estenose. As etiologias mais comuns são idiopática, instrumentação prévia da uretra e parto vaginal traumático.

Os pacientes com estenose uretral apresentam sintomas miccionais obstrutivos crônicos, como jato fraco e sensação de esvaziamento incompleto, além de aumento da frequência miccional, espalhamento do jato e disúria. Alguns pacientes têm infecções urinárias de repetição. Em casos mais graves, pode haver retenção urinária aguda. Estenose uretral deve ser suspeitada quando há sintomas miccionais obstrutivos crônicos, especialmente se associados a aumento do resíduo pós-miccional. História prévia de instrumentação da uretra, fratura da pelve, uretrite infecciosa e parto vaginal traumático podem aumentar a suspeição de estenose de uretra, assim como sinais como o achado de líquen escleroso. O diagnóstico é realizado com uretrocistografia retrógrada e miccional (exame radiológico), uretrocistoscopia (exame endoscópico) ou US da uretra.[55]

Todos os pacientes com estenose de uretra devem ser encaminhados para o urologista, pois todos os tratamentos são invasivos (p. ex., dilatação uretral, uretroplastia terminoterminal, uretroplastia com mucosa oral).

Problemas da bolsa escrotal

Os problemas da bolsa escrotal variam desde doenças benignas e indolentes até neoplasias malignas e situações que requerem cirurgia em caráter de emergência. Massas escrotais dolorosas exigem avaliação imediata devido ao risco de torção testicular, situação geralmente associada a sintomas de início abrupto, incluindo dor, náusea e vômitos, elevação do testículo na bolsa escrotal e reflexo cremastérico alterado. O tratamento cirúrgico deve ocorrer em até 6 horas após o início dos sintomas para que seja possível salvar o testículo. A dor relacionada à epididimite/orquite evolui de forma mais gradual. Massas escrotais indolores são mais suspeitas de neoplasia maligna quando duras e irregulares, enquanto as massas lisas e macias são mais sugestivas de lesões benignas como varicocele, hidrocele, cisto de epidídimo e hérnia inguinal.

Câncer de testículo

Apesar de ser responsável por apenas 1% das neoplasias malignas do homem, o câncer de testículo é a neoplasia maligna sólida mais comum em homens com idades entre 15 e 35 anos. Os principais fatores de risco para os tumores de células germinativas (95% das neoplasias malignas testiculares) são história familiar ou pessoal de câncer de testículo, criptorquidismo (testículo não descido), subfertilidade/infertilidade, síndrome de Down e síndrome de Klinefelter.

Em geral, apresenta-se como uma massa escrotal indolor percebida pelo paciente ou pelo médico, mas nos casos de crescimento rápido pode causar desconforto e edema. Ao exame físico, pode ser palpado nódulo ou massa firme, indolor e unilateral que não transilumina. A US da bolsa escrotal é o exame diagnóstico de escolha, evidenciando lesão sólida hipoecoica intratesticular. Os pacientes com suspeita de câncer de testículo também devem coletar os marcadores tumorais alfafetoproteína, fração β da gonadotrofina coriônica humana (β-hCG [do inglês, human chorionic gonadotropin]) e lactato-desidrogenase (LDH) séricos. Entretanto, marcadores tumorais negativos não excluem câncer.

Recomenda-se o encaminhamento de todos os pacientes com massas intratesticulares, a despeito das lesões < 5 mm e com marcadores tumorais negativos por serem mais provavelmente benignas. Com o tratamento (cirurgia, quimioterapia, radioterapia ou uma combinação delas), o câncer de testículo é curável em 95% dos pacientes, incluindo aqueles com metástases regionais ou a distância (mas a taxa de cura nesse grupo de pacientes diminui para cerca de 80%).[56]

Hidrocele (e cisto de cordão espermático)

A **hidrocele** (ver QR code) é uma coleção de líquido seroso entre as túnicas vaginais parietais e viscerais em volta do testículo e cordão espermático. Quando esse acúmulo de líquido ocorre exclusivamente entre as túnicas vaginais do cordão espermático, denominamos **cisto de cordão espermático**. Em adultos, a hidrocele é incidentalmente identificada pela US em 65 a 86% dos homens saudáveis, enquanto apenas 1% dos homens é sintomático. Mais comumente, a causa é idiopática, mas pode ser reativa, relacionada a condições inflamatórias prévias (p. ex., epididimite, torção) ou correção de varicocele. Em recém-nascidos, a maioria das hidroceles resulta do fechamento incompleto do processo vaginal (hidrocele comunicante), o que causa aumento fixo ou flutuante do volume da bolsa escrotal e canal inguinal.

A hidrocele pode ser uni ou bilateral e é geralmente indolor, mas pode estar associada a uma sensação de peso ou incômodo relacionado ao volume excessivo. Ao exame físico, a bolsa escrotal pode ter discreto aumento de volume associada a uma coleção macia que permite a palpação das estruturas escrotais. Em outros casos, o aumento volumoso associado à coleção tensa impede a palpação das estruturas escrotais. Em qualquer uma dessas situações, a transiluminação costuma resolver o diagnóstico (ver QR code). No caso de incerteza, deve-se solicitar US de bolsa escrotal.[57]

A maioria das hidroceles não precisa de tratamento. O tratamento é indicado apenas para pacientes sintomáticos ou quando a integridade da pele está comprometida. O tratamento mais utilizado é a hidrocelectomia, mas a aspiração e a escleroterapia (p. ex., álcool) são alternativas aceitáveis.

Cisto de epidídimo (espermatocele)

Essas lesões são benignas e comumente identificadas incidentalmente em US de bolsa escrotal, ocorrendo em 30% dos homens (ver QR code). São estruturas císticas que se originam no epidídimo, na rede testicular ou nos dúctulos eferentes. Esses cistos contêm espermatozoides, linfócitos e debris em líquido que pode ser leitoso. A etiologia é idiopática, mas acredita-se que resulte da obstrução dos ductos epididimários por células germinativas imaturas.

Os cistos de epidídimo costumam ser identificados incidentalmente pelo próprio paciente, durante o exame físico ou em US de bolsa escrotal. Assim como a hidrocele, essas lesões transiluminam facilmente quando volumosas.

Na maioria dos casos, o manejo envolve apenas orientar o paciente quanto à natureza benigna da lesão, pois esse achado pode ocasionar ansiedade e medo de doenças mais graves. Não há necessidade de acompanhamento. O tratamento cirúrgico é raramente indicado, sendo reservado para pacientes com cistos volumosos ou que têm dor à palpação (ponto doloroso) que não resolve com tratamento conservador.[58] O tratamento cirúrgico pode não resolver (e até mesmo piorar a dor) e prejudicar a fertilidade. Punção e aspiração das lesões também não são indicadas em homens que desejam preservar a fertilidade.

Microlitíase testicular

A microlitíase testicular (calcificações nos túbulos seminíferos) consiste em achados incidentais em US de bolsa escrotal caracterizados por múltiplos pequenos focos ecogênicos no parênquima testicular. Estão presentes em 5% dos homens com idades entre 18 e 35 anos. A importância da microlitíase se deve à controvérsia que existe no que se refere à associação com câncer de testículo (especificamente, tumores de células germinativas).

Em pacientes com microlitíase testicular isolada, ou seja, sem associação à síndrome disgenética testicular (espermatogênese prejudicada causando subfertilidade ou infertilidade, criptorquidia e hipospadia) e sem história prévia de tumor de células germinativas no testículo contralateral, a associação com câncer de testículo é muito baixa. A existência de síndrome disgenética testicular aumenta muito a probabilidade do paciente de desenvolver neoplasia intratubular de células germinativas e tumor de células germinativas testiculares (aliás, aumenta o risco de neoplasia mesmo quando não há microlitíase).

Portanto, o paciente com microlitíase testicular deve ser avaliado quanto aos fatores de risco previamente informados para determinar a necessidade de maior ou menor vigilância. Sugere-se que pacientes sem fatores de risco realizem apenas o autoexame testicular regular e consultem se perceber alterações. Pacientes com microlitíase e fatores de risco (síndrome da disgenesia testicular ou história pessoal de tumor de células germinativas testiculares) devem ter vigilância mais intensa, com US de bolsa escrotal realizada anualmente.[59] Pacientes com a síndrome da disgenesia testicular são frequentemente encaminhados ao urologista para investigação e manejo das alterações identificadas (espermograma alterado, testículo não descido, etc.).

Varicocele

Varicocele corresponde à dilatação das veias do plexo pampiniforme do cordão espermático (ver QR code). A prevalência é de 15% na população masculina geral, mas é identificada em até 40% dos homens que consultam em clínicas de infertilidade. Costuma aparecer inicialmente na puberdade e pode aumentar de tamanho ao longo do tempo. A varicocele pode aumentar a temperatura escrotal, o que prejudica a espermatogênese.

A maioria das varicoceles é assintomática. Quando sintomática, causa desconforto em peso, geralmente sentido quando o paciente está em pé, e alivia quando o paciente se deita. Ao exame físico com o paciente em posição ortostática, pode ser percebida massa escrotal macia ("saco de minhocas"). Ocorre do lado esquerdo em 90% dos casos, com percepção facilitada pela manobra de Valsalva. Quando o paciente se deita, a varicocele geralmente desaparece. A US pode confirmar o diagnóstico nos casos duvidosos. Pacientes com varicocele que pretendem ter filhos devem realizar espermograma.

Devem ser encaminhados ao urologista os pacientes sintomáticos e os assintomáticos com pelo menos um dos seguintes achados: testículo ipsilateral diminuído, varicocele bilateral ou espermograma alterado. A correção da varicocele clínica (perceptível ao exame físico) parece melhorar as taxas de gestação em casais sem outras causas para infertilidade (NNT = 17) **B**.[60,61] Pacientes com varicocele exclusivamente à direita devem realizar exame de imagem do abdome, pois pode ser secundário à obstrução da veia cava inferior por massas abdominais (p. ex., câncer de rim).

URGÊNCIAS UROLÓGICAS

Escroto agudo

É definido por dor escrotal de moderada a grave intensidade e de início recente. Condições com esses critérios variam quanto à gravidade, e o diagnóstico rápido é essencial para que o tratamento seja instituído com brevidade. As principais condições de maior gravidade no contexto do escroto agudo são torção testicular, orquiepididimite e gangrena de Fournier.

Torção testicular

A torção testicular ocorre quando há rotação do cordão espermático com obstrução do fluxo sanguíneo para o testículo e consequente isquemia. Apresenta dois picos de incidência: em neonatos e em adolescentes. Neonatos podem apresentar aumento de volume de hemibolsa escrotal, com hiperemia e dor à manipulação. Demais pacientes podem descrever início súbito de dor escrotal unilateral contínua, associada a náusea e vômitos. A suspeita diagnóstica é baseada exclusivamente na história e no exame físico. A US com Doppler da bolsa escrotal demonstrando ausência de fluxo arterial confirma a suspeita clínica, mas sua realização não deve retardar a solicitação de consulta com urologista, nem a exploração cirúrgica.[62]

A torção testicular é uma urgência urológica. A intervenção cirúrgica deve ocorrer, preferencialmente, em até 4 a 8 horas de evolução para evitar dano definitivo ao parênquima testicular, porém todos os casos com até 24 horas do início dos sintomas devem ser explorados cirurgicamente **C/D**.[62] Deve-se tentar a destorção manual se a cirurgia não for uma opção imediata ou enquanto estão sendo realizados preparativos para a exploração cirúrgica, mas essa manobra não deve substituir ou atrasar a intervenção cirúrgica **C/D**.[63] A destorção deve ser realizada de medial para lateral, virando as mãos do médico como se "abrisse um livro".

Orquiepididimite

A orquiepididimite é uma inflamação aguda do epidídimo, muitas vezes associada à inflamação contígua do testículo. Em geral, ocorre pela ascensão retrógrada de patógenos do trato urinário ou transmitidos sexualmente. A etiologia da infecção é presumida pela idade do paciente e pelo histórico de exposição sexual. Os microrganismos *N. gonorrhoeae* e *C. trachomatis* são os mais comuns em pacientes com idade < 35 anos. Em pacientes em idade mais avançada, com hiperplasia de próstata obstrutiva, *Escherichia coli* ou *Pseudomonas* são os patógenos mais frequentes. Homens de qualquer idade com histórico de relação insertiva anal estão sob maior risco de desenvolver orquiepididimite por exposição a bactérias coliformes provenientes do reto. O quadro clínico caracteriza-se por dor e aumento de volume testicular. Hiperemia da bolsa escrotal e hidrocele reativa podem estar associadas ao quadro. EQU, urocultura e pesquisa de gonococo e clamídia na urina podem auxiliar no diagnóstico. A US com Doppler da bolsa escrotal pode auxiliar no diagnóstico diferencial com torção testicular.[64]

Anti-inflamatórios, elevação do escroto e aplicação de gelo no local são medidas para controle da dor. A antibioticoterapia também é orientada pela idade do paciente e histórico de exposição sexual. Se a suspeita é de IST (ou pacientes com idade < 35 anos), sugere-se tratamento com ceftriaxona 250 mg, IM, dose única, e doxiciclina 100 mg, VO, 2 ×/dia, por 10 dias. (Ver Capítulo Infecções Sexualmente Transmissíveis: Abordagem Sindrômica.) Na impossibilidade de usar doxiciclina, administrar azitromicina 1 g, VO, dose única. Em pacientes com idade ≥ 35 anos, o tratamento proposto é levofloxacino 500 mg, VO, 1 ×/dia, por 10 dias, ou sulfametoxazol + trimetoprima, 800 mg + 160 mg, VO, de 12/12 horas, pelo mesmo período. Se há sugestão de infecção causada por relação sexual anal, deve-se associar ceftriaxona com fluoroquinolona ou sulfametoxazol + trimetoprima.[65]

Se não houver melhora clínica nas primeiras 72 horas de tratamento, deve-se realizar US da bolsa escrotal para confirmar o diagnóstico e/ou descartar abscesso escrotal.

Gangrena de Fournier

É uma infecção mista (aeróbio/anaeróbio), com fascite necrosante do períneo, que envolve o escroto. É uma condição extremamente grave e que requer intervenção cirúrgica rápida e diligente. É geralmente vista em pacientes diabéticos, imunossuprimidos ou com sondagem vesical crônica. Apresenta-se com dor abdominal e pélvica, hiperemia, edema e crepitação na região, associada a sinais sistêmicos de sepse. TC ou RM podem demonstrar a extensão da infecção e auxiliar no planejamento cirúrgico. Terapia antibiótica IV de amplo espectro, manejo hemodinâmico e desbridamento cirúrgico devem ser realizados rapidamente para controle precoce da infecção.[66]

Outras causas de escroto agudo

Outras causas de escroto agudo que incluem o diagnóstico diferencial às situações anteriormente descritas são:
→ torção de apêndice testicular;
→ orquite viral por caxumba;
→ hidrocele/hérnia inguinal;
→ câncer testicular;
→ trauma;
→ ureterolitíase causando dor referida (geralmente associada à cólica renal).

Priapismo

Priapismo é uma emergência urológica, definido por uma ereção prolongada, com duração > 4 horas. Pode ser de três tipos: isquêmico ou de baixo fluxo, não isquêmico ou de alto fluxo e recorrente (*stuttering*).

O priapismo de baixo fluxo é o tipo mais comum e caracteriza-se por uma ereção persistente e dolorosa, causada pela ausência de influxo arterial ao corpo cavernoso, resultando em isquemia do tecido cavernoso e consequente hipoxia, hipercarbia e acidose no interior do pênis. Vários fatores estão relacionados ao priapismo isquêmico, porém 30 a 50% são idiopáticos. Medicamentos vasoativos intracavernosos, psicotrópicos, anti-hipertensivos, anticoagulantes e drogas de uso recreacional podem desencadear priapismo. É raro em homens utilizando inibidores da 5-fosfodiesterase. Doenças hematológicas (anemia falciforme, leucemias, mieloma múltiplo, etc.), neoplasias urogenitais com invasão local, doenças neurológicas (medulares ou centrais) e doenças mediadas por toxina (picada de aranha ou de escorpião) também estão envolvidas na etiologia do priapismo de baixo fluxo.

A avaliação do paciente deve incluir história médica, exame físico e gasometria dos corpos cavernosos. A US com Doppler de pênis pode auxiliar no diagnóstico diferencial entre priapismo de baixo fluxo e de alto fluxo.

Uma vez determinado que o priapismo é de baixo fluxo, a consultoria urológica emergencial se faz necessária.[67]

Em geral, o priapismo de alto fluxo está relacionado a um trauma fechado da região perineal, ocasionando uma fístula entre a artéria cavernosa e o corpo cavernoso. Não se apresenta com dor. Ao contrário do priapismo isquêmico, o sangue que mantém a ereção persistente no priapismo de alto fluxo é arterial com alta concentração de oxigênio. Uma vez definida a etiologia não isquêmica, o manejo não é urgente, e muitos casos podem ter resolução espontânea. Na persistência do priapismo, a embolização arterial seletiva é o tratamento proposto.[67]

Retenção urinária

Retenção urinária é a incapacidade severa aguda ou crônica de voluntariamente esvaziar a bexiga, resultando em retenção completa ou resíduo pós-miccional elevado. Ocorre com mais frequência em homens e é causada, na maioria das vezes, por doenças obstrutivas (como HPB). Entretanto, pode ser causada por doenças infecciosas, inflamatórias, iatrogênicas e neurológicas.

Retenção urinária aguda é uma emergência em que o paciente subitamente não consegue urinar e apresenta distensão vesical dolorosa (percebida como dor suprapúbica), agitação e, eventualmente, discreta incontinência. Em geral, a retenção urinária crônica não está associada à dor, mas os pacientes podem queixar-se de incontinência diurna e noturna, aumento da frequência miccional, jato fraco e hesitação. Um resíduo pós-miccional > 300 mL comprovado em segundo exame e persistindo por período > 6 meses é diagnóstico de retenção crônica.

O manejo inicial da retenção urinária diagnosticada pelo exame físico e/ou US envolve cateterismo vesical com sonda 14 a 18 Fr para avaliar se a uretra está patente, aliviar o desconforto (nos casos de retenção aguda) e esvaziar a bexiga.[68] (Ver QR code.) O cateterismo é contraindicado em pacientes submetidos a alguma cirurgia urológica recente, como prostatectomia radical e uretroplastia. O esvaziamento vesical pode ser completo, pois não há diminuição da ocorrência de hematúria, hipotensão e diurese pós-obstrutiva com o esvaziamento gradual. A urina drenada deve ser enviada para análise. Considerar exames sorológicos para avaliar função renal, sinais de infecção e hipovolemia.[68]

Pacientes com retenção aguda relacionada a algum fator precipitante que pode ser resolvido, como ITU, têm mais probabilidade de conseguir urinar após retirada da sonda. (Ver QR code para instruções para o paciente que sairá com cateter.) Sugere-se que a sonda seja retirada em 3 a 7 dias. Pacientes com idade > 70 anos e retenção > 1 L de urina no momento da sondagem têm menos chance de conseguir urinar espontaneamente.[69] Em pacientes homens, o uso de alfabloqueador (p. ex., doxazosina 2-4 mg/dia) desde a inserção da sonda aumenta a chance de micção espontânea no momento de sua retirada B.[70] A associação de inibidores da 5α-redutase (p. ex., finasterida 5 mg/dia) reduz a chance de recorrência da retenção e necessidade de cirurgia para tratamento de HPB em médio e longo prazo B.[70] Pacientes que falham em urinar espontaneamente, que têm resíduo pós-miccional > 300 mL ou sintomas miccionais significativos antes da retenção devem ser encaminhados ao urologista.[68]

Pacientes com retenção crônica geralmente necessitam de avaliação urológica para realizar exames complementares e determinar o manejo mais adequado. Pacientes com bexiga neurogênica (p. ex., trauma raquimedular, esclerose múltipla, doença de Parkinson, etc.), hidronefrose, doença renal crônica estágio 3, ITUs de repetição ou sepse urinária têm alto risco de complicações e necessitam de encaminhamento ao urologista com brevidade na vigência de sondagem vesical (preferencialmente cateterismo intermitente limpo).

REFERÊNCIAS

1. Linder BJ, Bass EJ, Mostafid H, Boorjian SA. Guideline of guidelines: asymptomatic microscopic haematuria. BJU Int. 2018;121(2):176–83.
2. Sharp VJ, Barnes KT, Erickson BA. Assessment of asymptomatic microscopic hematuria in adults. Am Fam Physician. 2013;88(11):747–54.
3. Ribeiro GBS. Como avaliar hematúria em adultos na Atenção Primária à Saúde? [Internet]. TelessaúdeRS-UFRGS. Porto Alegre; 2018 [capturado em 11 maio. 2021]. Disponível em: https://www.ufrgs.br/telessauders/perguntas/hematuria/.
4. Berger M, Luz Junior PN da, Silva Neto B, Koff WJ. Validação estatística do escore internacional de sintomas prostáticos (I-PSS) na língua portuguesa. J Bras Urol. 1999;25(2):225–34.
5. Dantanarayana N. Haematospermia. Aust Fam Physician. 2015;44(12):907–10.
6. Fassnacht M, Arlt W, Bancos I, Dralle H, Newell-Price J, Sahdev A, et al. Management of adrenal incidentalomas: European Society of Endocrinology clinical practice guideline in collaboration with the European Network for the Study of Adrenal Tumors. Eur J Endocrinol. 2016;175(2):G1–34.
7. Campbell S, Uzzo RG, Allaf ME, Bass EB, Cadeddu JA, Chang A, et al. Renal mass and localized tenal vancer: AUA guideline. J Urol. 2017;198(3):520–9.
8. Hélénon O, Delavaud C, Dbjay J, Gregory J, Rasouli N, Correas J-M. A practical approach to indeterminate and cystic renal masses. Semin Ultrasound CT MR. 2017;38(1):10–27.
9. Ljungberg B, Albiges L, Bedke J, Bex A, Capitanio U, Giles RH, et al. EAU guidelines on renal cell carcinoma. Arnhem: European Association of Urology; 2021.
10. Escudier B, Porta C, Schmidinger M, Rioux-Leclercq N, Bex A, Khoo V, et al. Renal cell carcinoma: ESMO clinical practice guidelines for diagnosis, treatment and follow-up. Ann Oncol Off J Eur Soc Med Oncol. 2019;30(5):706–20.
11. Israel GM, Bosniak MA. An update of the Bosniak renal cyst classification system. Urology. 2005;66(3):484–8.
12. Motzer RJ, Jonasch E, Michaelson MD, Nandagopal L, Gore JL, George S, et al. NCCN guidelines insights: kidney cancer, version 2.2020. J Natl Compr Cancer Netw JNCCN. 2019;17(11):1278–85.
13. Pearle MS, Goldfarb DS, Assimos DG, Curhan G, Denu-Ciocca CJ, Matlaga BR, et al. Medical management of kidney stones: AUA guideline. J Urol. 2014;192(2):316–24.
14. Türk C, Neisius A, Petřík A, Seitz C, Skolarikos A, Somani B, et al. EAU guidelines on urolithiasis. Arnhem: European Association of Urology; 2021.
15. Pathan SA, Mitra B, Cameron PA. A systematic review and meta-analysis comparing the efficacy of nonsteroidal anti-inflammatory drugs, opioids, and paracetamol in the treatment of acute renal colic. Eur Urol. 2018;73(4):583–95.
16. Hollingsworth JM, Canales BK, Rogers MAM, Sukumar S, Yan P, Kuntz GM, et al. Alpha blockers for treatment of ureteric stones: systematic review and meta-analysis. BMJ. 2016;355:i6112.
17. Worster AS, Bhanich Supapol W. Fluids and diuretics for acute ureteric colic. Cochrane Database Syst Rev. 2012;(2):CD004926.
18. Miller NL, Lingeman JE. Management of kidney stones. BMJ. 2007;334(7591):468–72.
19. Assimos D, Krambeck A, Miller NL, Monga M, Murad MH, Nelson CP, et al. Surgical management of stones: American Urological Association/Endourological Society guideline, part I. J Urol. 2016;196(4):1153–60.
20. Cheungpasitporn W, Rossetti S, Friend K, Erickson SB, Lieske JC. Treatment effect, adherence, and safety of high fluid intake for the prevention of incident and recurrent kidney stones: a systematic review and meta-analysis. J Nephrol. 2016;29(2):211–9.
21. Grases F, Costa-Bauza A, Prieto RM. Renal lithiasis and nutrition. Nutr J. 2006;5:23.
22. Yoshimura E, Sawada SS, Lee I-M, Gando Y, Kamada M, Matsushita M, et al. Body mass index and kidney stones: a cohort study of Japanese men. J Epidemiol. 2016;26(3):131–6.
23. Boyd C, Wood K, Whitaker D, Assimos DG. The influence of metabolic syndrome and its components on the development of nephrolithiasis. Asian J Urol. 2018;5(4):215–22.
24. Ferraro PM, Curhan GC, Sorensen MD, Gambaro G, Taylor EN. Physical activity, energy intake, and the risk of incident kidney stones. J Urol. 2015;193(3):864–8.
25. Borghi L, Schianchi T, Meschi T, Guerra A, Allegri F, Maggiore U, et al. Comparison of two diets for the prevention of recurrent stones in idiopathic hypercalciuria. N Engl J Med. 2002;346(2):77–84.
26. Escribano J, Balaguer A, Pagone F, Feliu A, Roqué I Figuls M. Pharmacological interventions for preventing complications in idiopathic hypercalciuria. Cochrane Database Syst Rev. 2009;(1):CD004754.
27. Phillips R, Hanchanale VS, Myatt A, Somani B, Nabi G, Biyani CS. Citrate salts for preventing and treating calcium containing kidney stones in adults. Cochrane Database Syst Rev. 2015;(10):CD010057.
28. Bellmunt J, Orsola A, Leow JJ, Wiegel T, De Santis M, Horwich A, et al. Bladder cancer: ESMO Practice Guidelines for diagnosis, treatment and follow-up. Ann Oncol Off J Eur Soc Med Oncol. 2014;25(Suppl 3):iii40-48.
29. Hanno PM, Erickson D, Moldwin R, Faraday MM, American Urological Association. Diagnosis and treatment of interstitial cystitis/bladder pain syndrome: AUA guideline amendment. J Urol. 2015;193(5):1545–53.
30. Abergel S, Peyronnet B, Seguin P, Bensalah K, Traxer O, Freund Y. Management of urinary stone disease in general practice: a French Delphi study. Eur J Gen Pract. 2016;22(2):103–10.
31. Abrams P, Andersson K-E, Apostolidis A, Birder L, Bliss D, Brubaker L, et al. 6th International Consultation on Incontinence. Recommendations of the International Scientific Committee: evaluation and treatment of urinary incontinence, pelvic organ prolapse and faecal incontinence. Neurourol Urodyn. 2018;37(7):2271–2.
32. Carroll PR, Parsons JK, Andriole G, Bahnson RR, Castle EP, Catalona WJ, et al. NCCN guidelines insights: prostate cancer early detection, version 2.2016. J Natl Compr Cancer Netw JNCCN. 2016;14(5):509–19.
33. Schröder FH, Roobol-Bouts M, Vis AN, van der Kwast T, Kranse R. Prostate-specific antigen-based early detection of prostate

cancer--validation of screening without rectal examination. Urology. 2001;57(1):83–90.
34. Naji L, Randhawa H, Sohani Z, Dennis B, Lautenbach D, Kavanagh O, et al. Digital rectal examination for prostate cancer screening in primary care: a systematic review and meta-analysis. Ann Fam Med. 2018;16(2):149–54.
35. Albertsen PC, Moore DF, Shih W, Lin Y, Li H, Lu-Yao GL. Impact of comorbidity on survival among men with localized prostate cancer. J Clin Oncol Off J Am Soc Clin Oncol. 2011;29(10):1335–41.
36. Thompson IM, Pauler DK, Goodman PJ, Tangen CM, Lucia MS, Parnes HL, et al. Prevalence of prostate cancer among men with a prostate-specific antigen level < or =4.0 ng per milliliter. N Engl J Med. 2004;350(22):2239–46.
37. Pearson R, Williams PM. Common questions about the diagnosis and management of benign prostatic hyperplasia. Am Fam Physician. 2014;90(11):769–74.
38. Gravas S, Cornu JN, Gacci M, Gratzke C, Herrmann TRW, Mamoulakis C, et al. EAU guidelines on management of non-neurogenic male Lower Urinary Tract Symptoms (LUTS), incl. Benign Prostatic Obstruction (BPO). Arnhem: European Association of Urology; 2021.
39. Brown CT, Yap T, Cromwell DA, Rixon L, Steed L, Mulligan K, et al. Self management for men with lower urinary tract symptoms: randomised controlled trial. BMJ. 2007;334(7583):25.
40. Tacklind J, Fink HA, Macdonald R, Rutks I, Wilt TJ. Finasteride for benign prostatic hyperplasia. Cochrane Database Syst Rev. 2010;(10):CD006015.
41. Sebastianelli A, Russo GI, Kaplan SA, McVary KT, Moncada I, Gravas S, et al. Systematic review and meta-analysis on the efficacy and tolerability of mirabegron for the treatment of storage lower urinary tract symptoms/overactive bladder: Comparison with placebo and tolterodine. Int J Urol Off J Jpn Urol Assoc. 2018;25(3):196–205.
42. Coker TJ, Dierfeldt DM. Acute bacterial prostatitis: diagnosis and management. Am Fam Physician. 2016;93(2):114–20.
43. Brasil. Ministério da Saúde. Secretaria de Vigilância em Saúde. Departamento de Doenças de Condições Crônicas e Infecções Sexualmente Transmissíveis. Protocolo clínico e diretrizes terapêuticas para atenção integral às pessoas com infecções sexualmente transmissíveis (IST). Brasília: MS; 2020.
44. Wagenlehner FME, Pilatz A, Bschleipfer T, Diemer T, Linn T, Meinhardt A, et al. Bacterial prostatitis. World J Urol. 2013;31(4):711–6.
45. Bonkat G, Bartoletti R, Bruyère F, Cai T, Geerlings SE, Köves B, et al. EAU guidelines on urological infections. Arnhem: European Association of Urology; 2021.
46. Novotny C, Deves E, Novotny R, Rodrigues IK, Neves FS. Cultural Adaptation of the National Institutes of Health Chronic Prostatitis Symptom Index (NIH-CPSI) – to Brazilian Spoken Portuguese: NIH-CPSI (Braz). Int Braz J Urol. 2013;39(5):683–91.
47. Rees J, Abrahams M, Doble A, Cooper A, Prostatitis Expert Reference Group (PERG). Diagnosis and treatment of chronic bacterial prostatitis and chronic prostatitis/chronic pelvic pain syndrome: a consensus guideline. BJU Int. 2015;116(4):509–25.
48. Anothaisintawee T, Attia J, Nickel JC, Thammakraisorn S, Numthavaj P, McEvoy M, et al. Management of chronic prostatitis/chronic pelvic pain syndrome: a systematic review and network meta-analysis. JAMA. 2011;305(1):78–86.
49. Franco JV, Turk T, Jung JH, Xiao Y-T, Iakhno S, Tirapegui FI, et al. Pharmacological interventions for treating chronic prostatitis/chronic pelvic pain syndrome. Cochrane Database Syst Rev. 2019;10:CD012552.
50. Sharp VJ, Takacs EB, Powell CR. Prostatitis: diagnosis and treatment. Am Fam Physician. 2010;82(4):397–406.
51. McGregor TB, Pike JG, Leonard MP. Pathologic and physiologic phimosis: approach to the phimotic foreskin. Can Fam Physician Med Fam Can. 2007;53(3):445–8.
52. Edwards SK, Bunker CB, Ziller F, van der Meijden WI. 2013 European guideline for the management of balanoposthitis. Int J STD AIDS. 2014;25(9):615–26.
53. Birley HD, Walker MM, Luzzi GA, Bell R, Taylor-Robinson D, Byrne M, et al. Clinical features and management of recurrent balanitis; association with atopy and genital washing. Genitourin Med. 1993;69(5):400–3.
54. Ralph D, Gonzalez-Cadavid N, Mirone V, Perovic S, Sohn M, Usta M, et al. The management of Peyronie's disease: evidence-based 2010 guidelines. J Sex Med. 2010;7(7):2359–74.
55. Wessells H, Angermeier KW, Elliott S, Gonzalez CM, Kodama R, Peterson AC, et al. Male urethral stricture: American Urological Association guideline. J Urol. 2017;197(1):182–90.
56. Hanna NH, Einhorn LH. Testicular cancer--discoveries and updates. N Engl J Med. 2014;371(21):2005–16.
57. Crawford P, Crop JA. Evaluation of scrotal masses. Am Fam Physician. 2014;89(9):723–7.
58. Wampler SM, Llanes M. Common scrotal and testicular problems. Prim Care. 2010;37(3):613–26, x.
59. Richenberg J, Belfield J, Ramchandani P, Rocher L, Freeman S, Tsili AC, et al. Testicular microlithiasis imaging and follow-up: guidelines of the ESUR scrotal imaging subcommittee. Eur Radiol. 2015;25(2):323–30.
60. Kroese ACJ, de Lange NM, Collins J, Evers JLH. Surgery or embolization for varicoceles in subfertile men. Cochrane Database Syst Rev. 2012;10:CD000479.
61. Ding H, Tian J, Du W, Zhang L, Wang H, Wang Z. Open non-microsurgical, laparoscopic or open microsurgical varicocelectomy for male infertility: a meta-analysis of randomized controlled trials. BJU Int. 2012;110(10):1536–42.
62. Radmayr C, Bogaert G, Dogan HS, Nijman JM, Rawashdeh YFH, Silay MS, et al. EAU guidelines on paediatric urology. Arnhem: European Association of Urology; 2021.
63. Sharp VJ, Kieran K, Arlen AM. Testicular torsion: diagnosis, evaluation, and management. Am Fam Physician. 2013;88(12):835–40.
64. McConaghy JR, Panchal B. Epididymitis: an overview. Am Fam Physician. 2016;94(9):723–6.
65. U.S. Department of Health & Human Services. Epididymitis – 2015 [Internet]. STD Treatment Guidelines. Atlanta; 2015 [capturado em 11 maio. 2021]. Disponível em: https://www.cdc.gov/std/tg2015/epididymitis.htm.
66. Sugihara T, Yasunaga H, Horiguchi H, Fujimura T, Ohe K, Matsuda S, et al. Impact of surgical intervention timing on the case fatality rate for Fournier's gangrene: an analysis of 379 cases. BJU Int. 2012;110(11 Pt C):E1096-1100.
67. Muneer A, Ralph D. Guideline of guidelines: priapism. BJU Int. 2017;119(2):204–8.
68. Serlin DC, Heidelbaugh JJ, Stoffel JT. Urinary retention in adults: evaluation and initial management. Am Fam Physician. 2018;98(8):496–503.
69. Park K, Kim SH, Ahn SG, Lee S-J, Ha U-S, Koh JS, et al. Analysis of the treatment of two types of acute urinary retention. Korean J Urol. 2012;53(12):843–7.
70. Fisher E, Subramonian K, Omar MI. The role of alpha blockers prior to removal of urethral catheter for acute urinary retention in men. Cochrane Database Syst Rev. 2014;(6):CD006744.

LEITURAS RECOMENDADAS

European Association of Urology. Individual guidelines [Internet]. Arnhem; 2020 [capturado em 17 out. 2020]. Disponível em: https://uroweb.org/guidelines/.

Diversas diretrizes de acesso livre revisadas anualmente e incluindo a ampla variedade de doenças urológicas.

Wein A, Kavoussi L, Partin A, Peters C. Campbell-Walsh Urology. 11th ed. Philadelphia: Elsevier; 2015.

Livro-texto tipo "Bíblia" da urologia.

Telessaúde. TeleCondutas: prostatite crônica/síndrome da dor pélvica crônica. Porto Alegre: TelessaúdeRS-UFRGS; 2018.

Um resumo muito útil para entender como identificar e manejar essa condição que é altamente prevalente, pouco diagnosticada e muito mal tratada.

Shan CJ, Lucon AM, Pagani R, Srougi M. Sclerotherapy of hydroceles and spermatoceles with alcohol: results and effects on the semen analysis. Int Braz J Urol. 2011;37(3):307-12; discussion 312-13.

Discussão sobre o tratamento de hidroceles.

Capítulo 91
PROBLEMAS ORIFICIAIS

Daniel C. Damin

Neste capítulo, são abordadas cinco condições comuns – hemorroidas, fissura anal, abscesso anal, doença pilonidal e prurido anal. Os assuntos constipação, flatulência, sangramento retal e doença diverticular são discutidos no Capítulo Problemas Digestivos Baixos.

HEMORROIDAS

Os plexos hemorroidários são coxins de tecido vascular localizados na submucosa do canal anal. Contêm uma rede de arteríolas, vênulas e tecido conectivo elástico, sendo sustentados pela musculatura anal submucosa. Os termos "hemorroidas" e "doença hemorroidária" devem ser utilizados para designar os plexos anormais que provocam sintomas.

Sua causa ainda é desconhecida; a teoria mais aceita é de que sejam ocasionadas por esforço evacuatório repetitivo que determina o estiramento do tecido de sustentação dos plexos. Com isso, ocorre ingurgitamento dos plexos vasculares e seu subsequente deslizamento e prolapso.[1] Vários fatores de risco já foram implicados no desenvolvimento das hemorroidas, como constipação, esforço evacuatório prolongado e gestação.

As hemorroidas são classificadas conforme sua localização anatômica **(FIGURA 91.1)**: as externas localizam-se na extremidade inferior do canal anal, abaixo da linha pectínea, e as internas, acima da linha pectínea. Hemorroidas mistas apresentam tanto o componente externo quanto o interno.[1,2]

Em relação às hemorroidas internas, a classificação clínica de gravidade orienta o tratamento **(TABELA 91.1)**.[3]

Diagnóstico

Diferentes doenças anais são interpretadas pelos pacientes como hemorroidas. Os pacientes costumam queixar-se principalmente de sangramento anal indolor, mas também de protrusão de mamilos, dor, dificuldade de higiene, sensação de evacuação incompleta e descarga mucosa. A anamnese deve incluir a obtenção de informações sobre ingestão de fibras na dieta, uso de medicamentos e hábito intestinal.

Na maioria dos casos, os sintomas das hemorroidas externas são secundários à trombose hemorroidária aguda, que costuma provocar dor anal intensa associada à presença de nódulo perianal doloroso de coloração geralmente azulada.

As hemorroidas internas não costumam ser dolorosas. Seu principal sintoma é o sangramento anal "vivo", descrito como em gotejamento ou até mesmo em jato, ocorrendo ao final da evacuação ou percebido no papel higiênico. Também pode haver queixa de prolapso de mamilo e prurido anal.

À inspeção, podem ser identificados trombos e plicomas – espessamentos ou hipertrofias da pele perianal em resposta a um processo inflamatório crônico. A manobra de Valsalva é útil para verificar o prolapso de mamilos. O toque retal **deve** ser realizado na busca de massas, flutuação, dor ao toque e caracterização do tônus do esfíncter anal, auxiliando no diagnóstico diferencial de câncer anal e colorretal. O toque retal, feito com lidocaína gel ou outro gel lubrificante, serve para averiguar a existência de outras doenças (p. ex., tumores e abscessos anorretais).

Se houver disponibilidade, em seguida realiza-se a anoscopia (ver QR code), preferencialmente com o paciente em decúbito lateral esquerdo, tendo os membros inferiores fletidos sobre o abdome. Após a introdução do anoscópio lubrificado, examina-se o canal anal e o reto inferior sob visão direta e iluminação com luz focada (fotóforo) (ver Leituras

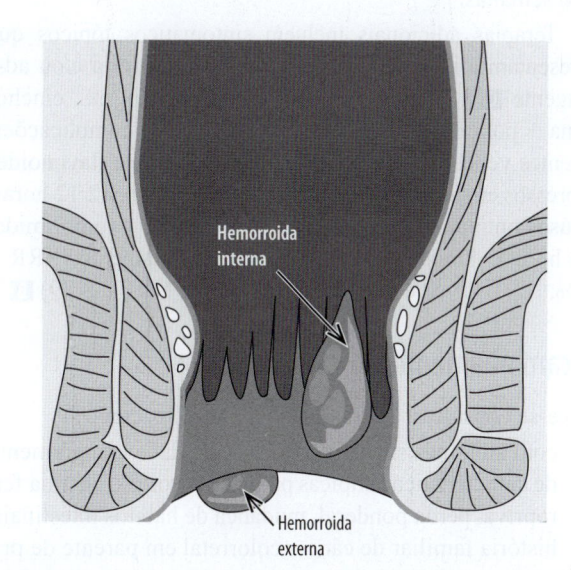

FIGURA 91.1 → Anatomia do canal anal, mostrando a localização de diferentes tipos de hemorroidas.

TABELA 91.1 → Classificação das hemorroidas internas

GRAU	APRESENTAÇÃO CLÍNICA
I	Sangramento, sem prolapso durante a evacuação
II	Prolapso à evacuação, com redução espontânea para o canal anal
III	Prolapso à evacuação, com necessidade de redução manual para o canal anal
IV	Sempre prolapsadas, redução manual inefetiva

Recomendadas). Pode-se observar a presença de mamilos hemorroidários internos (protuberância localizada proximalmente à linha pectínea), determinando seu tamanho, número, localização no canal anal e presença de sangramento.

Tratamento

O tratamento de hemorroidas de grau I e grau II deve ser feito inicialmente por meio de modificação da dieta com aumento de fibras e de água (1,5-2 L/dia), para diminuição do esforço evacuatório **B**[3] (ver Capítulo Alimentação Saudável do Adulto e Problemas Digestivos Baixos).

Para isso, pode-se recorrer à suplementação de fibras com agentes como o muciloide psílio (*psyllium*) e o farelo de trigo. Um problema frequentemente observado é a baixa adesão dos pacientes aos compostos à base de fibras, que são pouco palatáveis e provocam maior formação de gases. Isso pode ser evitado iniciando-se com quantidades pequenas de fibras (3 g/dia), aumentadas de modo gradativo até 20 a 35 g/dia. Deve-se recomendar banhos de assento (durante 10-15 minutos com água morna, 2-3 ×/dia e após as evacuações) e desestimular o uso de papel higiênico **C/D**. Com essas medidas, espera-se o alívio dos sintomas em um período de 6 semanas.[4]

Terapias adicionais incluem sintomáticos tópicos que apresentam atividade anestésica, anti-inflamatória e/ou adstringente **C/D**. Preparações sem corticoides (p. ex., cinchocaína + policresuleno) minimizam o risco de complicações. Agentes venoativos (p. ex., diosmina 450 mg + flavonoides expressos em hesperidina 50 mg, 1 comprimido, 12/12 horas, de uso contínuo, podendo ser aumentado para 1 comprimido, 6/6 horas), durante a crise, diminuem sangramento (RRR = 88%; NNT = 5-8) e prurido (RRR = 77%; NNT = 8-39) **B**.[5]

Encaminhamento

Deve-se considerar o encaminhamento de pacientes:

→ com sintomas sugestivos de malignidade (sangramento de características atípicas para hemorroidas, anemia ferropriva, perda ponderal, mudança de hábitos intestinais, história familiar de câncer colorretal em parente de primeiro grau): a avaliação colorretal inicial deve ser feita por colonoscopia;[3]
→ com hemorroidas internas refratárias ao manejo conservador (por pelo menos 2 meses): nesse caso, o tratamento mediante procedimento ambulatorial ou cirúrgico pode ser indicado.[3] O método mais utilizado é a ligadura elástica, que pode ser aplicada a hemorroidas de graus I, II ou III. Não é dolorosa e costuma ser efetiva em 65 a 85% dos pacientes. Porém, é comum que mais de uma ligadura seja necessária para o controle dos sintomas, não sendo habitual a realização do procedimento por médico não especialista;[3]
→ com hemorroidas externas volumosas, mistas, com componente externo exuberante, ou internas com necessidade de redução manual ou com redução manual inefetiva associadas à presença de outras doenças concomitantes (p. ex., fissura anal): deve-se encaminhar o paciente para avaliação cirúrgica;[1,4,6]
→ com sangramento, na dependência da idade do paciente (> 45 anos), história familiar de câncer colorretal em parente de primeiro grau, presença de anemia ferropriva e sangramento de características atípicas para hemorroidas: a avaliação colorretal pode ser feita por colonoscopia, ou por enema opaco quando não há possibilidade de realização da colonoscopia.[3]

Emergências

Trombose hemorroidária

A história natural da trombose hemorroidária é de início abrupto com surgimento de nódulo perianal e dor que aumenta nas primeiras 48 horas. Após esse período, a dor tende a diminuir gradualmente (dor mínima no 4º dia), sendo o trombo reabsorvido em 14 a 21 dias. Dessa forma, a maioria dos casos pode ser tratada de forma expectante, com analgesia e seguindo as terapias conservadoras descritas anteriormente **C/D**. Nos poucos casos de trombo volumoso e muito doloroso, estão indicadas a incisão da pele sobre a lesão e a retirada completa do trombo sob anestesia local (NNT = 2), que pode ser realizada em nível primário de atenção quando condições e experiência permitem **B**.[3,7]

Crise hemorroidária

Corresponde ao prolapso de hemorroidas de graus III ou IV que se tornaram encarceradas e irredutíveis devido a edema prolongado. O tratamento pode ser conservador, com analgesia, anti-inflamatórios (se não houver contraindicação), banhos de assento e aplicação de compressas com solução de acetato de chumbo (acetato de chumbo 15 mL, glicerina 30 mL e água de rosas q.s.p. 300 mL) **C/D**, especialmente se o paciente se apresenta em uma fase na qual os sintomas estão diminuindo. O encaminhamento para hemorroidectomia está indicado nos casos em que não houver melhora com o manejo conservador e na presença de complicações, como necrose e infecção local.[3,4]

FISSURA ANAL

Fissura anal é uma úlcera linear longitudinal situada no canal distalmente à linha pectínea. É uma doença comum. Pode ocorrer em qualquer idade, porém é mais frequente em adultos jovens ou em indivíduos de meia-idade.[8] Acomete a linha média posterior do canal anal em mais de 90% dos casos.[6]

Etiologicamente, as fissuras anais podem ser classificadas em primárias ou secundárias. Fissuras anais secundárias, mais raras, desenvolvem-se secundárias a uma doença crônica subjacente (p. ex., doença inflamatória intestinal crônica, leucemia ou carcinoma, psoríase e infecções, como sífilis, tuberculose, vírus da imunodeficiência humana [HIV – do inglês, *human immunodeficiency virus*], herpes, citomegalovírus e clamídia). Fissuras anais primárias têm, como fatores precipitantes, trauma causado pela passagem de fezes endurecidas, diarreia e hipertonia esfincteriana. História de constipação é frequente.[1,2] Após o trauma inicial, a persistência ou cronificação da fissura pode ocorrer como resultado de uma elevação da atividade tônica do músculo esfincter anal interno, levando à isquemia local que impede a cicatrização da lesão.[6]

A fissura é classificada como aguda quando os sintomas duram entre 4 e 8 semanas e como crônica quando o quadro persiste além desse período.

Diagnóstico

O principal sintoma da fissura anal é a dor durante e após a evacuação, descrita como intensa e em ardência, podendo durar de poucos minutos a várias horas. Os pacientes passam a antecipar a sensação de dor, o que os leva a adiar as evacuações, provocando piora da constipação e endurecimento das fezes. Sangramento evacuatório escasso é uma queixa frequente. Também pode haver descarga mucosa percebida nas roupas íntimas ou sangue na fralda de crianças.

À inspeção, é importante "abrir" o canal anal, afastando as nádegas. A observação da presença da fissura estabelece o diagnóstico (FIGURA 91.2). Na fissura crônica, geralmente ocorre plicoma-sentinela, papila hipertrófica (extremidade proximal da fissura), enduração das bordas da fissura e visualização do esfincter anal interno no fundo da úlcera.[2]

O toque pode ser doloroso, revelando a presença de hipertonia anal. Pode-se, ainda, palpar uma fissura anal que não é visível à inspeção. Por vezes, no entanto, a intensidade da dor pode impedir a realização do toque retal, que deve ser feito posteriormente após melhora da sintomatologia.

O diagnóstico diferencial deve ser feito com outras afecções anais que causam dor. A diferenciação com trombose hemorroidária é simples e feita pela inspeção anal.

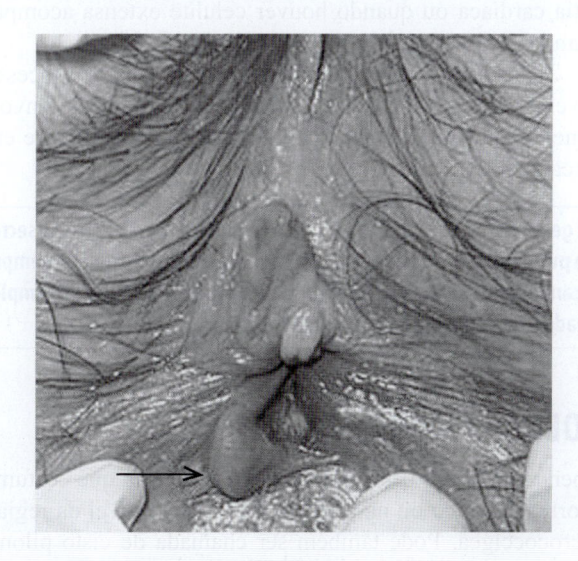

FIGURA 91.2 → Fissura anal crônica (*centro inferior*) com plicoma-sentinela (*seta*).

Abscessos interesfincterianos ou submucosos podem ser identificados por abaulamento, dor localizada e flutuação no canal anal no ponto correspondente ao processo infeccioso.

O carcinoma de canal anal se manifesta como maior ulceração, presença de massa e enduração no canal anal. Fissuras múltiplas e localizadas fora da linha média (em geral, não dolorosas) sugerem a possibilidade de doença inflamatória. Particularmente na doença de Crohn, as fissuras são mais extensas, podendo haver ou não inflamação retal associada. A biópsia das lesões costuma definir o diagnóstico.

Doenças infecciosas como sífilis (sugerida por lesão em espelho, caracterizada por fissuras simétricas contralaterais no canal anal) e tuberculose apresentam aspecto mais exuberante do que a fissura anal típica, além de história e exame físico sugestivos. Exames laboratoriais (p. ex., pesquisa de campo escuro na suspeita de sífilis primária) e biópsia podem ser necessários para o diagnóstico definitivo.[1,2,6,8]

Tratamento

O tratamento inicial da fissura deve ser clínico B.[9] Mais de 50% dos pacientes com fissura aguda têm cicatrização da lesão com medidas conservadoras, as quais implicam correção do hábito intestinal e medidas de higiene. Deve-se implementar uma dieta rica em fibras, suplementação com psílio e aumento da ingestão de líquidos, podendo, em alguns casos, ser utilizados laxantes suaves.

Banhos de assento com água morna (durante 10-15 minutos, após evacuação e 2-3 ×/dia) diminuem o desconforto do paciente, mas não a dor ou o tempo até a cicatrização B. Pomadas anestésicas, como a lidocaína tópica, aplicadas no canal anal após as evacuações, embora sejam menos efetivas que banhos de assento, podem ser úteis B.[9-11]

Em pacientes com hipertonia esfincteriana marcada, devem ser associados medicamentos tópicos com o propósito de relaxamento da musculatura anal e aumento da perfusão sanguínea no local da fissura (esfincterotomia química). Nesse sentido, relaxantes tópicos, a exemplo da pomada de isossorbida a 1% aplicada 3 ×/dia dentro do canal anal, ou pomadas de nifedipino ou diltiazém, por 2 meses, promovem a diminuição da pressão anal de repouso mediante liberação de óxido nítrico B.[9,11,12] Esses tratamentos são efetivos em cerca de 50% dos casos. O principal efeito colateral da isossorbida é a cefaleia, que ocorre em até 20% dos pacientes, porém pode ser controlado com a redução da concentração do medicamento na pomada utilizada.[9,11,13]

O encaminhamento pode ser considerado para avaliação de tratamento cirúrgico em casos de fissuras que não responderam ao tratamento conservador ou que apresentaram recidivas após períodos de controle clínico.

ABSCESSO ANAL

Aproximadamente 90% dos abscessos anais têm origem na obstrução de um ducto das glândulas anais ao nível da linha pectínea. Diarreia ou traumatismo local pela passagem de fezes endurecidas são fatores predisponentes.[1,2]

Em cerca de 10% dos casos, o abscesso é secundário a outras causas específicas, incluindo doença de Crohn, retocolite ulcerativa, tuberculose, linfogranuloma venéreo, episiotomia, traumatismo perineal, tumores e cirurgias orificiais. É importante distinguir o abscesso perianal que teve origem em uma simples infecção cutânea sem comunicação com o canal anal, a exemplo de uma foliculite perianal, do abscesso de origem primária criptoglandular. Os abscessos cutâneos costumam ser pouco volumosos e superficiais, sem origem em cripta anal (irregularidade ao nível da linha pectínea), geralmente localizados em pontos distantes do canal anal.[1,2]

Os abscessos são classificados de acordo com sua localização anatômica nos espaços anorretais[14] (FIGURA 91.3)[15] em: perianais (40-50% dos casos), isquiorretais (25-30%), interesfincterianos (5-15%) e supraelevadores (2%). Pode haver também a disseminação do pus de forma circunferencial nos espaços interesfincteriano, supraelevador ou isquiorretal, resultando no chamado abscesso em ferradura.[1]

Diagnóstico

Os pacientes se apresentam com dor local que piora durante as evacuações ou na posição sentada. Geralmente há febre, podendo ocorrer sintomas urinários associados, como disúria e retenção urinária. Nos abscessos supraelevadores, pode haver dor na região glútea.

Ao exame físico, localiza-se área de eritema, aumento do volume e dor, podendo ou não haver flutuação. Essas manifestações são menos óbvias nos abscessos interesfincterianos e supraelevadores. Nesses casos, a dor pode impedir a realização do toque retal. Porém, se o toque for possível, pode ser identificada a área em que se localiza o abscesso. Nos casos de sintomatologia sugestiva em que o diagnóstico não é definido pelo exame clínico, deve-se considerar encaminhamento para realização de exame proctológico sob anestesia.[1,2,14]

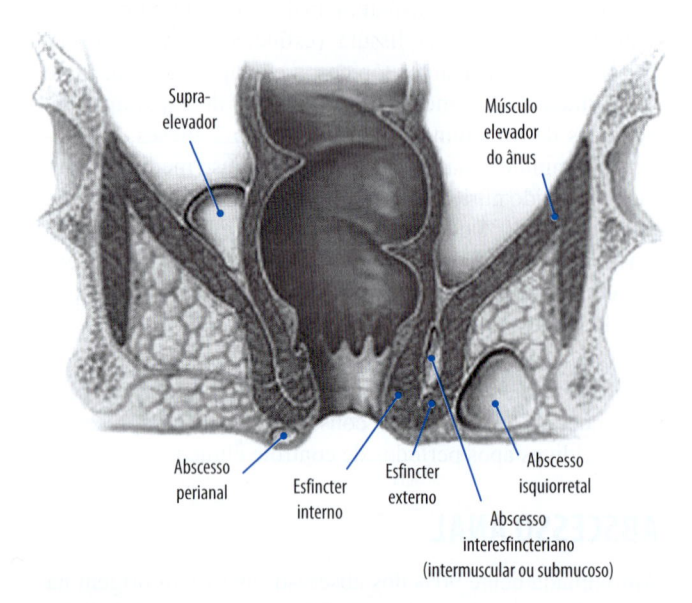

FIGURA 91.3 → Localização anatômica de abscessos nos espaços anorretais.
Fonte: Adaptada de Papageorge CM e Kennedy GD.[24]

Tratamento

Abscessos anais devem ser prontamente drenados C/D (ver Capítulo Ferimentos Cutâneos). A falta de flutuação não é razão para que a drenagem seja postergada.[14] Basicamente, o procedimento consiste em abertura do abscesso, drenagem e desbridamento do material purulento e ressecção de um círculo de pele sobrejacente para garantir que a secreção não volte a se acumular (ver QR code). O tipo de anestesia a ser empregado depende do tamanho e da localização do abscesso, assim como de fatores como idade do paciente, ansiedade e comorbidades. De modo geral, a maioria dos abscessos perianais pode ser drenada sob anestesia local e sedação. Já os abscessos isquiorretais volumosos e os abscessos em ferradura necessitam de anestesia geral ou bloqueio regional, devendo sempre ser encaminhados para avaliação de um coloproctologista.[14] Abscessos supraelevadores e em ferradura não devem ser manejados em nível primário de atendimento.

A localização do abscesso determina o local ideal de drenagem. Abscessos perianais devem ser drenados no ponto de maior flutuação. Abscessos isquiorretais devem ser drenados no seu ponto mais próximo ao ânus, com o objetivo de diminuir a complexidade de uma potencial fístula subsequente. Para a drenagem de abscessos interesfincterianos, é necessária a divisão do esfíncter anal interno sobrejacente, fazendo o destelhamento do abscesso desde a margem anal até sua extremidade proximal. Embora este seja um procedimento simples, em geral não pode ser realizado sob anestesia local, demandando o encaminhamento para especialista.

A solicitação de rotina de exame bacteriológico do material purulento não é indicada. Da mesma forma, o uso de antibiótico não é necessário na maioria dos casos C/D. No entanto, ambas as medidas devem ser empregadas para pacientes imunodeprimidos, com diabetes, com valvulopatia cardíaca ou quando houver celulite extensa acompanhando o abscesso.[14]

Todos os pacientes submetidos à drenagem de abscesso devem ser informados sobre a possibilidade de desenvolvimento subsequente de uma fístula anal, o que ocorre em cerca de 40% dos casos.[16]

> Em geral, fístulas se apresentam como drenagem persistente de secreção purulenta através de orifício na região perianal. Devem ser sempre encaminhadas para avaliação especializada para definição da complexidade e do manejo cirúrgico do caso.

DOENÇA PILONIDAL

Doença pilonidal designa a lesão inflamatória que costuma ocorrer no sulco ou na prega interglútea ao nível da região sacrococcígea. Pode também ser chamada de cisto pilonidal em função da presença frequente de pelos no interior da lesão. Esses pelos por vezes tornam-se inflamados (efeito de corpo estranho) e secundariamente infectados, formando um abscesso. A drenagem ou extensão do abscesso pode dar origem a trajetos fistulosos subcutâneos que se epitelizam, formando tratos com correspondentes orifícios de drenagem na região sacrococcígea.[17,18]

Diagnóstico

O cisto pilonidal costuma ocorrer na adolescência ou no início da vida adulta. Acomete, em geral, homens hirsutos, moderadamente obesos, logo após a puberdade. Inicialmente, manifesta-se por um abscesso sacrococcígeo. Uma vez resolvido o quadro agudo, pode haver persistência de orifício no local de drenagem do abscesso, com descarga esporádica de secreção purulenta. A maior parte dos cistos pilonidais apresenta trajeto com extensão cefálica em relação à abertura principal; 7%, no entanto, têm trajeto estendendo-se na direção caudal, o que pode simular fístula anal.[19] Também pode haver extensão profunda dos trajetos revestidos por epitélio escamoso até a fáscia pré-sacral. Com a progressão da doença, costumam surgir trajetos ou sinus laterais à linha média, que dão origem a abscessos de repetição e aberturas cutâneas secundárias.

Os pacientes relatam história de drenagem, espontânea ou cirúrgica, de abscesso na região sacrococcígea e persistente eliminação de secreção por orifícios cutâneos. O exame físico confirma o diagnóstico. À inspeção, identificam-se orifícios no sulco interglúteo, frequentemente com pelos visíveis em seu interior e sinais de inflamação na pele. O toque retal deve fazer parte da avaliação desses pacientes para excluir a possibilidade de fístula anal.

Tratamento

O abscesso pilonidal (fase aguda) deve ser drenado cirurgicamente, sem necessidade de encaminhamento na maioria dos casos (ver QR code). Deve-se evitar a incisão na linha média, uma vez que feridas nessa localização tendem a cicatrizar de forma mais lenta, com maior risco de deiscência (ARR = 63%) e infecção (ARR = 175%) B.[20] A cavidade do abscesso deve ser curetada, e qualquer pelo em seu interior, removido. O procedimento pode ser realizado com anestesia local em nível primário de tratamento. Em abscessos muito extensos, no entanto, pode ser necessário o emprego de bloqueio anestésico espinal, estando indicado o encaminhamento ao cirurgião. Não é necessário o uso sistemático de antibióticos, exceto quando há extensa celulite ou o paciente apresenta outras comorbidades como diabetes ou imunossupressão C/D.

Pacientes com cistos na fase crônica devem ser encaminhados. O tratamento é preferencialmente cirúrgico. O acompanhamento pós-operatório é fundamental para que o tratamento tenha resultado satisfatório. São necessárias consultas ambulatoriais periódicas.[1,2] A ferida operatória deve ser sempre limpa e, se necessário, desbridada para retirada de acúmulo de fibrina. A pele ao redor da ferida deve ser mantida seca e sem pelos (depilação periódica semanal). Essas medidas evitam a inserção de novos pelos na ferida em cicatrização, diminuindo a chance de recidiva do cisto.

PRURIDO ANAL

Prurido anal é um sintoma comum, com prevalência estimada entre 1 e 5% da população. Os indivíduos acometidos apresentam forte necessidade de coçar a região anal, o que leva à maceração, à infecção secundária e à eventual liquenificação da pele perianal.

A etiologia é complexa e pode estar relacionada com doenças anorretais ou sistêmicas (TABELA 91.2). Em 50% dos casos, contudo, não se identifica causa específica (prurido idiopático). A história detalhada e o exame físico minucioso podem identificar a causa e guiar o tratamento. A coleta de material para cultura em caso de suspeita de infecção fúngica pode ser útil. A aplicação de fita adesiva transparente na região perianal durante a noite pode confirmar o diagnóstico de enterobíase, etiologia frequente nas crianças em idade escolar.[21] Lesões suspeitas de malignidade, como ulcerações perianais, devem ser biopsiadas.

Tratamento

O manejo não é cirúrgico, devendo abordar a causa do prurido. Raramente há necessidade de encaminhamento para especialista. Quando houver uma etiologia primária (doenças inflamatórias, infecciosas, sistêmicas, neoplásicas e anorretais), é importante tratar a etiologia subjacente. Nos casos idiopáticos, é fundamental a orientação quanto às medidas de higiene local.

TABELA 91.2 → Causas de prurido anal

Doenças anorretais	Fissura anal, fístula, hemorroidas, prolapso retal, incontinência anal, neoplasias anais e perianais
Doenças sistêmicas	Diabetes melito, obesidade, insuficiência renal, leucemia, aplasia medular, icterícia, leucemia, linfoma, doenças da tireoide
Doenças dermatológicas	Psoríase, dermatite seborreica, atópica e de contato; intertrigo; alterações pós-radioterapia; líquen plano e escleroso; hidradenite supurativa
Infecções	Infecções virais, bacterianas (infecções sexualmente transmissíveis) e fúngicas; infestações parasitárias (Enterobius vermicularis, especialmente em crianças; escabiose)
Doenças ginecológicas	Cervicites, vaginites, neoplasias genitais
Higiene	Limpeza deficiente ou excessiva da região
Dieta	Café, chocolate, cítricos, tomate, refrigerantes com cafeína, cerveja, laticínios
Irritantes locais	Roupas íntimas apertadas ou feitas de náilon, cremes e pomadas anais, papel higiênico perfumado, antissépticos
Estados diarreicos	Doença inflamatória intestinal, síndrome do cólon irritável
Causas psicogênicas	Ansiedade, neuroses, psicoses
Medicamentos	Quinidina, colchicina, neomicina, tetraciclina, quimioterápicos
Outros	Idiopático, radiculopatia lombossacra

Deve-se receitar um dermoprotetor (p. ex., óxido de zinco) para pele perianal escoriada. A pele perianal deve ser mantida limpa e seca. A pomada de hidrocortisona (0,5 ou 1%, 2 ×/dia) pode oferecer alívio do sintoma **B**, embora deva ser evitada por períodos > 2 semanas para evitar atrofia da pele.[22] Sedação noturna com anti-histamínicos (p. ex., hidroxizina 80 mg) ou antidepressivos tricíclicos pode ser empregada **C/D**. Ainda como possibilidade de tratamento tópico de sintomas refratários, podemos utilizar cremes com capsaicina, que proporciona alívio para cerca de 70% dos pacientes (NNT = 2) **A**.[23] Tratamentos locais alternativos como injeção intradérmica de azul de metileno **C/D**, radioterapia e desbridamento cirúrgico foram propostos, porém atualmente não há dados suficientes para justificar sua indicação. Na TABELA 91.3, são apresentadas as principais medidas para o manejo do prurido anal.

TABELA 91.3 → Instruções para os pacientes com prurido anal

- → Não coçar ou esfregar a região anal; manter as unhas curtas.
- → Lavar a região apenas com água, evitando o uso de sabão.
- → Secar a área com tecido ou papel macio.
- → Limpar bem a região após cada evacuação e evitar abrasão com papel higiênico.
- → Evitar talco, pomadas, produtos perfumados, sabonetes ou desodorantes na área perianal.
- → Manter a região sempre seca; se necessário, usar compressa.
- → Evitar roupas apertadas; utilizar roupas íntimas de algodão.
- → Fazer banhos de assento com água morna 2-3 ×/dia por 10-15 minutos.
- → Evitar alguns alimentos, como refrigerantes, café, cítricos, cerveja, tomates, nozes, laticínios e comidas condimentadas.
- → Manter dieta rica em fibras (20-30 g/dia).
- → Aumentar a ingestão de água (8-10 copos por dia).

REFERÊNCIAS

1. Corman ML. Hemorroids. In: Colon and Rectal Surgery. 6th. ed. Philadelphia: Lippincott Williams & Wilkins; 2013. p. 272–344.
2. Nivatvongs S. Hemorroids. In: Principles and Practice of Surgery for the Colon, Rectum, and Anus. 3rd. ed. New York: CRC; 2007. p. 143–64.
3. Davis BR, Lee-Kong SA, Migaly J, Feingold DL, Steele SR. The American Society of Colon and Rectal Surgeons clinical practice guidelines for the management of hemorrhoids. Dis Colon Rectum. 2018;61(3):284–92.
4. Singer MA. Hemorrhoids. In: Steele SR, Hull TL, Read TE, Saclarides TJ, Senagore AJ, Whitlow CB. The ASCRS Manual of Colon and Rectal Surgery. 3rd. ed. New York: Springer-Verlag; 2016. p. 183–203.
5. Perera N, Liolitsa D, Iype S, Croxford A, Yassin M, Lang P, et al. Phlebotonics for haemorrhoids. Cochrane Database Syst Rev. 2012;(8):CD004322.
6. Schubert MC, Sridhar S, Schade RR, Wexner SD. What every gastroenterologist needs to know about common anorectal disorders. World J Gastroenterol. 2009;15(26):3201–9.
7. Cavčić J, Turčić J, Martinac P, Mestrović T, Mladina R, Pezerović-Panijan R. Comparison of topically applied 0.2% glyceryl trinitrate ointment, incision and excision in the treatment of perianal thrombosis. Dig Liver Dis. 2001;33(4):335–40.
8. Ricciardi R, Dykes SL, Madoff RD. Anal fissure. In: Steele SR, Hull TL, Read TE, Saclarides TJ, Senagore AJ, Whitlow CB. The ASCRS Manual of Colon and Rectal Surgery. 3rd. ed New York: Springer-Verlag; 2016. p. 205–14.
9. Stewart DB, Gaertner W, Glasgow S, Migaly J, Feingold D, Steele SR. Clinical practice guideline for the management of anal fissures. Dis Colon Rectum. 2017;60(1):7–14.
10. Gupta P. Randomized, controlled study comparing sitz-bath and no--sitz-bath treatments in patients with acute anal fissures. ANZ J Surg. 2006;76(8):718–21.
11. Nelson RL, Thomas K, Morgan J, Jones A. Non surgical therapy for anal fissure. Cochrane Database Syst Rev. 2012;(2):CD003431.
12. Lysy J, Israelit-Yatzkan Y, Sestiere-Ittah M, Keret D, Goldin E. Treatment of chronic anal fissure with isosorbide dinitrate: long-term results and dose determination. Dis Colon Rectum. 1998;41(11):1406–10.
13. Shrivastava UK, Jain BK, Kumar P, Saifee Y. A comparison of the effects of diltiazem and glyceryl trinitrate ointment in the treatment of chronic anal fissure: a randomized clinical trial. Surg Today. 2007;37(6):482–5.
14. Vogel JD, Johnson EK, Morris AM, Paquette IM, Saclarides TJ, Feingold DL, et al. Clinical practice guideline for the management of anorectal abscess, fistula-in-ano, and rectovaginal fistula. Dis Colon Rectum. 2016;59(12):1117–33.
15. Escola de Medicina. Introdução à proctologia [Internet]. Blog Cirurgia Geral; 2008 [capturado em 18 jan. 2020]. Disponível em: http://medicinacirurgiageral.blogspot.com/2008/12/introduo-proctologia.html.
16. Abcarian H. Anorectal infection: abscess-fistula. Clin Colon Rectal Surg. 2011;24(1):14–21.
17. Johnson EK, Vogel JD, Cowan ML, Feingold DL, Steele SR, Clinical Practice Guidelines Committee of the American Society of Colon and Rectal Surgeons. The American Society of Colon and Rectal Surgeons' clinical practice guidelines for the management of pilonidal disease. Dis Colon Rectum. 2019;62(2):146–57.
18. Ommer A, Herold A, Berg E, Fürst A, Post S, Ruppert R, et al. German S3 guidelines: anal abscess and fistula (second revised version). Langenbecks Arch Surg. 2017;402(2):191–201.
19. Søndenaa K, Andersen E, Nesvik I, Søreide JA. Patient characteristics and symptoms in chronic pilonidal sinus disease. Int J Colorectal Dis. 1995;10(1):39–42.
20. Enriquez-Navascues JM, Emparanza JI, Alkorta M, Placer C. Meta--analysis of randomized controlled trials comparing different techniques with primary closure for chronic pilonidal sinus. Tech Coloproctology. 2014;18(10):863–72.
21. Wendt S, Trawinski H, Schubert S, Rodloff AC, Mössner J, Lübbert C. The diagnosis and treatment of pinworm infection. Dtsch Ärztebl Int. 2019;116(13):213–9.
22. Al-Ghnaniem R, Short K, Pullen A, Fuller LC, Rennie JA, Leather AJM. 1% hydrocortisone ointment is an effective treatment of pruritus ani: a pilot randomized controlled crossover trial. Int J Colorectal Dis. 2007;22(12):1463.
23. Lysy J, Sistiery-Ittah M, Israelit Y, Shmueli A, Strauss-Liviatan N, Mindrul V, et al. Topical capsaicin – a novel and effective treatment for idiopathic intractable pruritus ani: a randomised, placebo controlled, crossover study. Gut. 2003;52(9):1323–6.
24. Papageorge CM, Kennedy GD. Cryptoglandular Disease. In: Chen H, organizador. Illustrative Handbook of General Surgery. 2nd. ed. Cham: Springer; 2016. p. 463–82.

LEITURAS RECOMENDADAS

Al-Khamis A, McCallum I, King PM, Bruce J. Healing by primary versus secondary intention after surgical treatment for pilonidal sinus. Cochrane Database Syst Rev. 2010;(1):CD006213.
Revisão sistemática das principais modalidades terapêuticas para cisto pilonidal.

Davis BR, Lee-Kong SA, Migaly J, Feingold DL, Steele SR. The American Society of Colon and Rectal Surgeons Clinical Practice Guidelines for the Management of hemorrhoids.

https://journals.lww.com/dcrjournal/fulltext/2018/03000/The_American_Society_of_Colon_and_Rectal_Surgeons.7.aspx

Fornece detalhes sobre indicações, técnicas e complicações de procedimentos para o manejo de problemas orificiais.

Martins ACM, Contin BGM, Rados DRV, Oliveira EB, Oliveira JC, Agostinho MR, et al. TeleConsultas Hemorroidas [Internet]. Porto Alegre: TelessaúdeRS-UFRGS; 2018[capturado em 19 out. 2020]. Disponível em https://www.ufrgs.br/telessauders/documentos/telecondutas/tc_hemorroidas.pdf.

Revisão sucinta sobre hemorroidas.

Perry WB, Dykes SL, Buie WD, Rafferty JR. Practice parameters for the management of anal fissures (3rd Revision). Dis Colon Rectum. 2010;53(8):1110-5.

Revisão sistemática da abordagem da fissura anal.

Rosito MA, Tarta C, Damin DC, Contu PC. Manual de coloproctologia. Porto Alegre: Livre; 2005.

Livro de caráter eminentemente prático que aborda de forma objetiva as principais doenças coloproctológicas.

Capítulo 92
TRAUMATISMO MUSCULOESQUELÉTICO

Carlo Henning
Humberto Moreira Palma

O traumatismo é um dos danos à saúde mais frequentes na vida de qualquer pessoa, incidindo em todas as idades, do nascimento à velhice. Casos de pouca gravidade, de diagnóstico e tratamento simples, são muitas vezes encaminhados desnecessariamente e lotam os ambulatórios de traumatologia, aumentam as filas de espera e diminuem a satisfação dos pacientes. Muitas dessas ocorrências podem ser atendidas, de maneira confiável, sem a atuação de um especialista, sobretudo em serviços mais isolados ou onde o acesso ao traumatologista é mais difícil.

> Exames de imagem são obrigatoriamente necessários nas suspeitas de fratura (quedas em idosos, lesões fisárias em crianças, traumas de moderada a alta energia em jovens, claudicação após traumatismo, suspeita de tumores). Por outro lado, fraturas não articulares, não expostas, com pouco desvio após redução, e alinhamento clínico adequado quando comparado ao lado contralateral podem ser tratadas pelo médico de atenção primária à saúde (APS) sem necessidade de encaminhamento ao ortopedista.

FRATURAS

São lesões que rompem a integridade óssea (solução de continuidade periosteal), podendo ser classificadas de acordo com diversos fatores (TABELA 92.1). (Ver QR code para maiores detalhes). Há também fraturas específicas com termos aplicados de acordo com a deformidade do fragmento: fratura impactada (no sentido do comprimento do osso); compressão (comum em osso esponjoso); fratura patológica (secundária a comorbidades); e fratura por estresse.

Avaliações de desfechos de fraturas tratadas por médicos de família nos Estados Unidos mostraram resultados excelentes. Em um programa de residência em zona rural, somente 2% dos pacientes apresentaram diminuição da amplitude de movimento e apenas 6% tiveram sintomas significativos ao final do período de acompanhamento; destes, a maioria tinha fraturas deslocadas ou do escafoide,[1] demonstrando que, com seleção adequada, fraturas tratadas na APS consolidaram bem. Em outro ambiente acadêmico – um serviço de ortopedia em medicina de família –, mais de 80% dos casos, a maioria sendo fraturas, foram resolvidos sem necessidade de consulta ortopédica.[2] Essas experiências demonstram que médicos de APS, adequadamente treinados, com apoio técnico e logístico suficiente, podem manejar muitas das fraturas que se apresentam.

Exame clínico

Distinguir lesões ósseas de lesões de tecidos moles é fundamental para a tomada de decisão no manejo inicial desses traumas. O diagnóstico simples de fratura pode ser feito, com grande probabilidade de acerto, apenas pela história de trauma e por um exame clínico mais acurado. São pesquisados alguns sinais evidentes, cuja presença dá certeza de fratura: deformidade óssea visível ou palpável, mobilidade anormal em segmento de membro e percepção tátil ou audível de crepitação óssea. Esses sinais estão presentes somente em fraturas completas e desviadas ou deslocadas (FIGURA 92.1). Assim, mesmo na sua ausência, é possível haver fraturas incompletas, impactadas ou pouco deslocadas, que podem ser

TABELA 92.1 → Caracterização de tipos de fraturas

CATEGORIA	TIPOS
Rompimento da integridade óssea	Completa (total) ou incompleta (parcial)
Localização	Intra-articular, metafisária, diafisária, ou na fase de crescimento (crianças)
Direção	Transversa, oblíqua ou espiral
Número dos fragmentos ósseos	Traço simples (até 2 fragmentos) ou multifragmentar (> 2 fragmentos)
Energia da causa	Baixa (p. ex., queda da própria altura) ou alta (p. ex., acidente motociclístico)
Deslocamento	
Translação	Anteroposterior ou mediolateral (no punho e na mão são chamados de volar e dorsal [anteroposterior] e ulnar e radial [mediolateral])
Angulação	Nos planos frontal ou sagital ou em ambos, medida com o uso de goniômetro utilizando graus; vértice define a direção (p. ex., volar)
Encurtamento	Com (nos mecanismos de impactação ou com fragmentos em baioneta) ou sem
Rotação	Causada pelas forças musculares deformantes, pela gravidade e pelo mecanismo do trauma, visível no exame físico

Fonte: AO Foundation.[16]

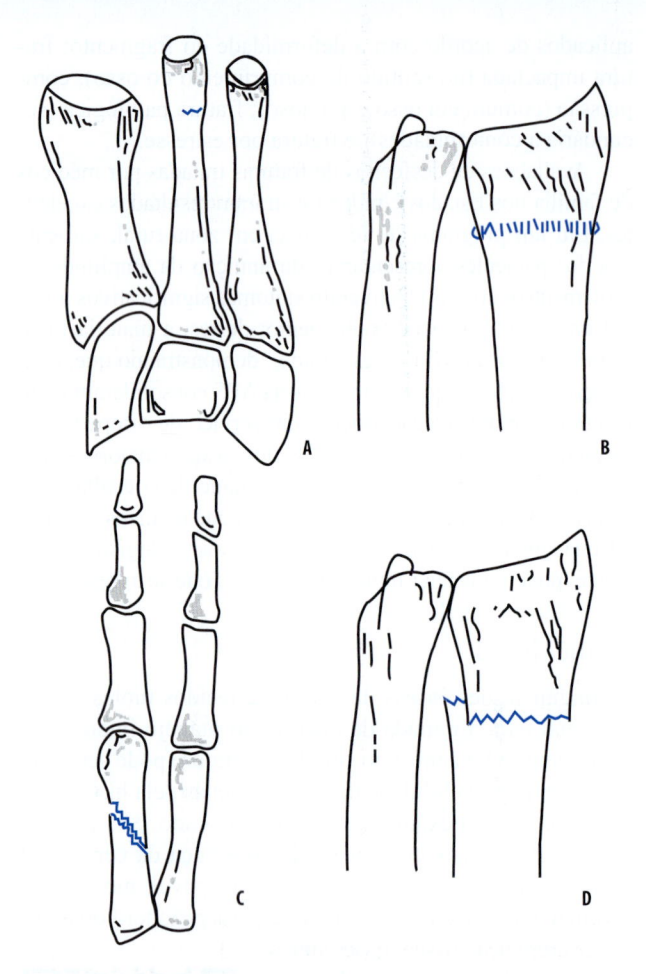

FIGURA 92.1 → Tipos de fraturas: em **A**, fratura incompleta (de estresse); em **B**, fratura impactada (compressão axial); em **C**, fratura completa sem deslocamento; em **D**, fratura completa deslocada.

(hematoma, edema e infiltrado inflamatório) pode mascarar as pequenas deformidades e tornar a dor menos localizada, dificultando o diagnóstico.

> Na ausência de pelo menos 2 dos sinais de probabilidade, a existência de fratura é altamente improvável, sendo possível omitir o exame radiográfico e tratar o paciente com uma imobilização simples, ou mesmo sem imobilização rígida.

Na rara eventualidade de existir uma lesão óssea, esta é provavelmente muito pequena e capaz de resolver-se sem sequelas, mesmo que não tenha sido identificada, recomendando-se, no entanto, levar em consideração demandas do paciente, que pode ficar inseguro sem um exame de imagem (ver Capítulo Método Clínico Centrado na Pessoa). É sempre aconselhado o acompanhamento periódico da evolução do caso, com retorno programado ou acesso facilitado diante de sinais de alerta e adequado registro, podendo-se recorrer ao exame de imagem ou à avaliação de um traumatologista em caso de dúvida na evolução do caso.

Regras específicas foram desenvolvidas e validadas para identificar situações de maior risco de fratura na presença de lesões do tornozelo e do pé (sensibilidade de 99% quando aplicadas nas primeiras 48 horas) e do joelho (quase 100% de sensibilidade), indicando a necessidade de uma radiografia para afastar fraturas (FIGURAS 92.2 e 92.3).[3-5]

Exame radiográfico

Feito o diagnóstico clínico de fratura pelos sinais de presunção ou certeza, deve-se realizar o exame radiográfico para confirmação diagnóstica, documentação, correta classificação e planejamento da forma de tratamento da fratura. São importantes a identificação do osso fraturado, a localização da fratura e a determinação do tipo de fratura e do grau de deslocamento. Na impossibilidade da realização do exame de imagem quando há suspeita de fratura ou seu diagnóstico clínico, deve-se alinhar o membro clinicamente (comparar com o lado contralateral) e encaminhar o paciente.

Como regra, duas incidências radiográficas, de boa qualidade, devem ser obtidas, em planos ortogonais (frente e perfil), para que se possa formar uma imagem tridimensional da fratura. Algumas fraturas são visíveis em apenas uma das incidências; outras exigem incidências especiais para sua visualização, as quais são difíceis de ser utilizadas na APS por questões logísticas.

Também é muito importante que as articulações proximal e distal ao osso acometido apareçam na mesma imagem radiográfica, pois em algumas circunstâncias pode haver associação de luxações ou subluxações da articulação adjacente ao osso fraturado. Devem-se considerar projeções especiais e oblíquas em casos específicos ou em caso de dúvida diagnóstica em fraturas articulares, bem como realizar radiografias comparativas com o lado contralateral.

Manejo

Para a consolidação de uma fratura e o controle da dor, a imobilidade do foco é essencial **C/D**. Embora certas fraturas

detectadas pelos chamados sinais de probabilidade, descritos a seguir:
→ dor localizada, espontânea ou provocada pela palpação digital do osso suspeito ou pela tentativa de mobilizá-lo, e que é referida em trajeto semicircular ou circular em torno desse osso;
→ presença de aumento localizado de volume (hematoma e/ou edema), com ou sem equimose, no mesmo local da dor;
→ limitação de função ou incapacidade funcional do segmento atingido, geralmente determinada por dor intensa a tentativas de movimento ativo no membro superior, ou por tentativa de apoio no membro inferior;
→ teste positivo (que provoca dor) de compressão axial ou tentativa de angulação sobre um osso (ou de compressão torácica ou pélvica, anteroposterior e laterolateral), feitos pelo examinador, com as mãos colocadas a uma certa distância do local da dor (devem ser realizados com cautela para evitar deslocamento);
→ proeminência de um processo espinhoso na coluna vertebral, com dor à pressão digital.

Quando já decorridas muitas horas do traumatismo, o aumento de volume determinado pelo complexo secundário

Vista lateral

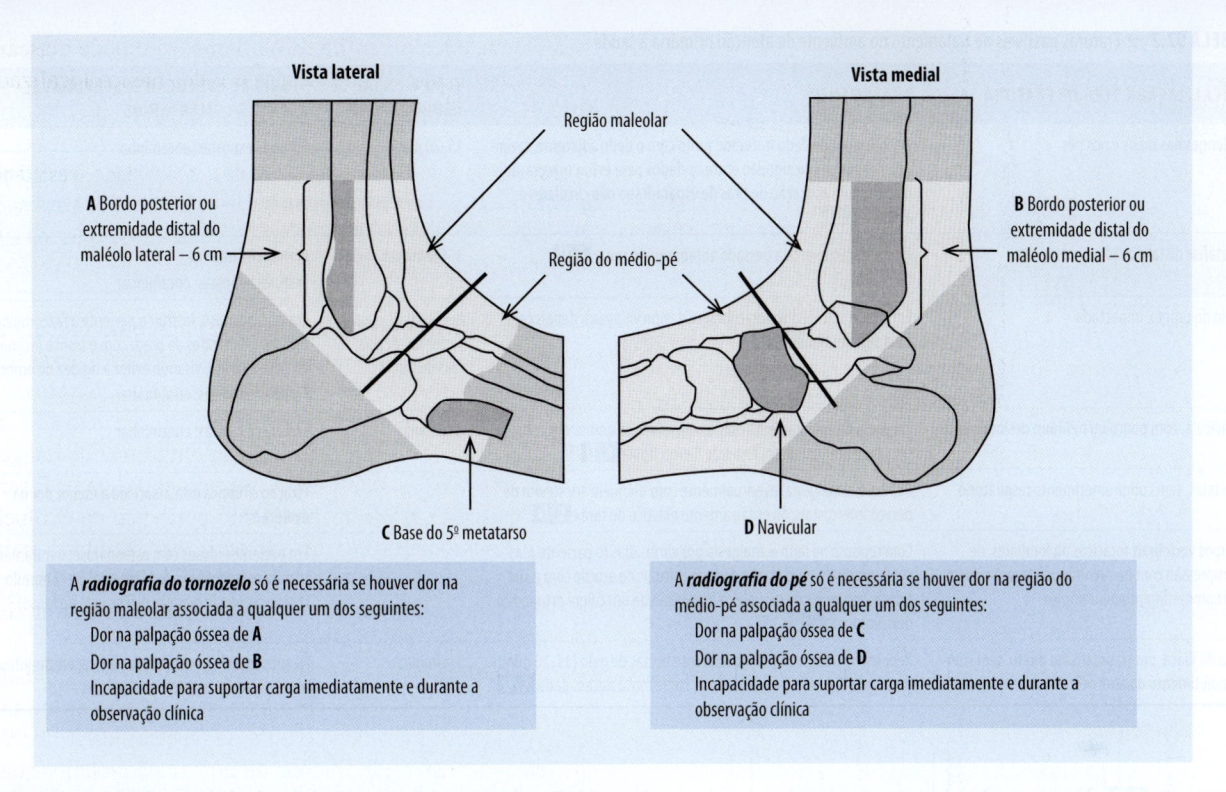

A Bordo posterior ou extremidade distal do maléolo lateral – 6 cm

Região maleolar

Região do médio-pé

C Base do 5º metatarso

A *radiografia do tornozelo* só é necessária se houver dor na região maleolar associada a qualquer um dos seguintes:
- Dor na palpação óssea de **A**
- Dor na palpação óssea de **B**
- Incapacidade para suportar carga imediatamente e durante a observação clínica

Vista medial

B Bordo posterior ou extremidade distal do maléolo medial – 6 cm

D Navicular

A *radiografia do pé* só é necessária se houver dor na região do médio-pé associada a qualquer um dos seguintes:
- Dor na palpação óssea de **C**
- Dor na palpação óssea de **D**
- Incapacidade para suportar carga imediatamente e durante a observação clínica

FIGURA 92.2 → Regras de predição clínica de Ottawa para o tornozelo (Ottawa Ankle Rules).
Fonte: Matos[3] e Stiell.[4]

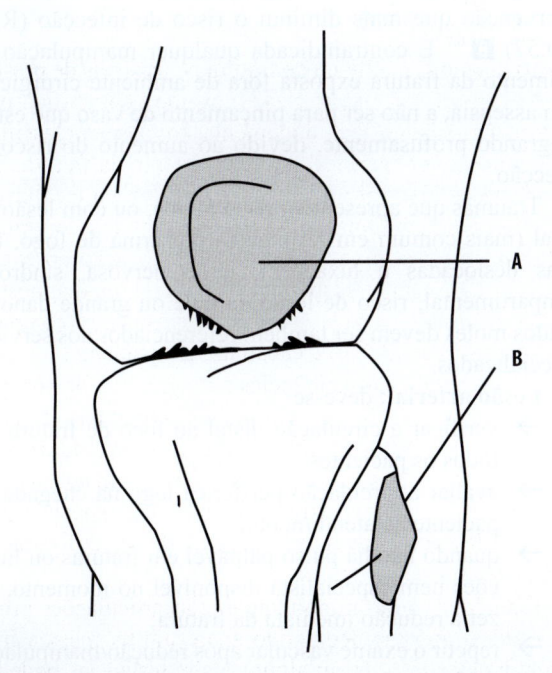

FIGURA 92.3 → Regras de predição clínica de Ottawa para o joelho (Ottawa Knee Rules). Obter radiografia do joelho após traumatismo agudo na presença de pelo menos uma das seguintes condições:
– Idade ≥ 55 anos
– Dor no joelho apenas na rótula (**A**)
– Dor localizada na cabeça do perônio (**B**)
– Incapacidade de flexionar o joelho a 90 graus
– Incapacidade de apoiar o corpo dando 4 passos logo após o trauma e no serviço de urgência (inabilidade para transferir o peso 2 vezes para cada um dos membros inferiores; não apenas mancando)
Fonte: Stiell.[5]

possam consolidar-se mesmo que haja pequenos movimentos entre os fragmentos, como no caso das costelas, da clavícula e de ossos chatos, a maioria necessita de imobilização (estabilidade) contínua até a consolidação óssea (alguns micromovimentos podem ser aceitos, dependendo do tipo de tratamento empregado). Movimentos pequenos, mas que excedam a capacidade de formação de pontes ósseas no foco de fratura, podem retardar – e, até mesmo, impedir – a união óssea, pelo fato de conduzirem à formação de tecido fibrocartilaginoso entre os fragmentos, dando lugar a uma pseudoartrose.

O médico de APS pode manejar os casos de fraturas menos complexos, como fraturas incompletas (fissuras), fraturas impactadas em posição anatômica e fraturas completas sem deslocamento ou com deslocamento mínimo, desde que não haja comprometimento da superfície articular, ou seja fraturas não articulares (ver **FIGURA 92.1**). A **TABELA 92.2** apresenta os tipos de fraturas que podem ser manejadas na APS quando se apresentam sem deformidade óssea apreciável, e indica seu tratamento. Em se tratando de fraturas completas sem deslocamento, ou deslocamento mínimo, ou mesmo impactadas, convém obter controles radiográficos na 1ª e na 3ª semanas para certificar-se de que não houve deslocamento secundário e de que a consolidação está ocorrendo em boa posição **C/D**.

Outras medidas na fase aguda são manter o membro fraturado elevado e aplicar gelo (15-20 minutos a cada 4-6 horas). A elevação do membro diminui o edema e a dor. Em geral, analgésicos e anti-inflamatórios não esteroides (AINEs) são necessários pelos primeiros 2 a 5 dias após

TABELA 92.2 → Fraturas passíveis de tratamento no ambiente de atenção primária à saúde

LOCALIZAÇÃO E TIPO DE FRATURA	TRATAMENTO	TEMPO USUAL DE IMOBILIZAÇÃO	SINAIS DE EVOLUÇÃO DESFAVORÁVEL/ ALERTAS/COMENTÁRIOS
Falanges nas mãos e nos pés	Imobilização do dedo fraturado junto com o dedo adjacente, fazendo interposição de algodão entre os dedos para evitar maceração da pele, com aplicação de tiras de esparadrapo não circulares e atadura C/D[17]	15-20 dias	Fraturas expostas: encaminhar
Metáfise distal do rádio, incompleta	Imobilização com tala gessada antebraquiopalmar C/D	3-4 semanas	Comum na infância. Fraturas expostas: encaminhar
Colo do úmero, impactada	Enfaixamento elástico toracobraquial (tipo Velpeau), depois com uma simples tipoia C/D[18]	8-15 dias de enfaixamento; depois, 15 dias de tipoia	Comum no idoso; instruir o paciente a fazer movimentos pendulares do braço com o tronco inclinado para a frente, visando evitar a rigidez do ombro. Fraturas expostas: encaminhar
Clavícula, com pouco ou nenhum deslocamento	Por meio de enfaixamento elástico envolvendo ambos os ombros e cruzando nas costas, em feitio de 8 e/ou tipoia C/D[19,20]	6 semanas	Fraturas expostas: encaminhar
Costelas, sem comprometimento respiratório	Repouso e analgesia, eventualmente com bloqueio anestésico de nervos intercostais, ou enfaixamento elástico do tórax C/D[21,22]		Fixação cirúrgica está associada a menor dor na evolução[23]
Corpos vertebrais torácicos ou lombares, de compressão com pequeno acunhamento e sem comprometimento neurológico	Com repouso no leito e analgesia por vários dias (o paciente reassume gradualmente as atividades habituais de acordo com a sua tolerância, podendo requerer a prescrição de um colete ortopédico dorsolombar) C/D[24]		Em pacientes idosos com osteoporose; o tratamento para osteoporose é fundamental (ver Capítulo Osteoporose e Prevenção de Fraturas no Idoso)[25]
Asa do ilíaco, por traumatismo direto, sem comprometimento do anel pélvico propriamente dito	Repouso no leito, usando inicialmente bolsas de gelo (15-20 minutos a cada 4-6 horas) e analgésicos, conforme a necessidade C/D[26]	2 semanas	Na presença de instabilidade pélvica, encaminhar para centro de urgência/emergência

o trauma C/D. Em ocasiões em que a dor é considerável, é possível usar opioides C/D (para a escolha de fármacos e sua posologia, ver TABELA 117.6 do Capítulo Abordagem da Dor na APS). Esses pacientes precisam ser reavaliados em 3 a 5 dias.

Em qualquer das situações recém-descritas, prestado o primeiro atendimento e dependendo da experiência prévia, é recomendável valer-se do auxílio de um ortopedista devido à possibilidade de surgirem complicações durante sua evolução. Também é necessário orientar o paciente, desde o início, sobre a recuperação funcional, conforme descrito adiante.

Urgências e emergências

Pacientes com fraturas completas (ruptura das duas corticais ósseas) com deslocamento ou com comprometimento da superfície articular, ferimentos abertos de tecidos moles próximos à fratura ou fraturas articulares devem ser encaminhados ao traumatologista para diagnóstico adequado da lesão e desenvolvimento de um plano terapêutico, que pode variar de uma conduta conservadora até procedimentos cirúrgicos de urgência.

Casos de fraturas com ferimentos abertos de tecidos moles próximos ao local da fratura, ou exposição franca desta (fratura exposta), exigem encaminhamento imediato ao traumatologista para tratamento cirúrgico de urgência. O atendimento inicial deve incluir a limpeza do ferimento para remoção de detritos mais grosseiros e antissepsia da área cruenta (ver Capítulo Ferimentos Cutâneos), a realização de um curativo estéril – levemente compressivo, se for o caso – e a aplicação de uma imobilização provisória, utilizando talas de gesso ou de arame ou manguitos infláveis com a finalidade de aliviar a dor, melhorar as condições circulatórias periféricas e prevenir o agravamento das lesões durante o transporte. A administração de antibioticoprofilaxia intravenosa deve ser iniciada o mais breve possível (preferencialmente até 3 horas do trauma), pois é a intervenção que mais diminui o risco de infecção (RRR = 0,57) B.[6,7] É contraindicada qualquer manipulação no ferimento da fratura exposta fora de ambiente cirúrgico e sem assepsia, a não ser para pinçamento de vaso que esteja sangrando profusamente, devido ao aumento do risco de infecção.

Traumas que apresentem risco à vida, ou com lesão arterial (mais comum em ferimentos por arma de fogo, fraturas deslocadas e luxações), lesão nervosa, síndrome compartimental, risco de lesão da pele ou grande dano de tecidos moles devem ser também referenciados aos serviços especializados.

→ **Lesão arterial:** deve-se
  → verificar a circulação distal ao foco de fratura em todos os pacientes;
  → avaliar a circulação periférica logo na chegada do paciente ao atendimento;
  → quando não há pulso palpável em fraturas ou luxações nem especialista disponível no momento, fazer a redução imediata da fratura;
  → repetir o exame vascular após redução/manipulação da fratura;
  → documentar todo o exame vascular.
→ **Lesão nervosa:** a maioria das lesões de nervos causadas por fraturas são autolimitantes e de autorresolução – são neuropraxias secundárias ao trauma. Aquelas causadas por ferimentos por arma de fogo e as fraturas expostas ou com perda de função devem ser referenciadas ao especialista.
→ **Síndrome compartimental:** é causada pelo aumento de pressão dentro de um compartimento muscular.

Apresenta-se com edema importante do segmento e os principais sintomas são dor (desproporcional ao trauma, aguda, "tipo infarto"), palidez, parestesia, paralisia e ausência de pulso. Como resultado da síndrome compartimental, ocorre necrose muscular, isquemia nervosa e oclusão arterial. Caso não seja tratada adequadamente com fasciotomia para liberação do compartimento (ver Capítulo Queimaduras), pode ocorrer isquemia permanente com deformidades rígidas por contratura muscular ou até mesmo a perda do membro.

No atendimento inicial, antes do encaminhamento desses casos de maior gravidade, talas gessadas, enfaixamentos simples (tipo Velpeau ou tipoia), imobilizações tipo Zimmer (tala imobilizadora metálica de alumínio com espuma) para quirodáctilos ou *spica* para os pododáctilos são as técnicas de imobilização preferíveis a gessos circulares em razão do risco aumentado de síndrome compartimental. Fraturas que necessitem de redução, que envolvam ossos adjacentes (p. ex., tíbia e fíbula), segmentares, espirais, com desvio por ação muscular (p. ex., diáfise do úmero) ou fraturas associadas à luxação articular precisam de imobilização adequada.

Na avaliação de pacientes que sofreram trauma de grande energia (queda de altura, acidente de trânsito), é preciso pesquisar sempre as condições circulatórias e neurológicas gerais e locais e estar atento à possibilidade de lesão de órgãos internos (ver Capítulos Papel da Atenção Primária à Saúde em Urgências e Emergências e Ressuscitação Cardiopulmonar).

Imobilizações gessadas

O uso apropriado do gesso exige acolchoamento adequado das proeminências ósseas do membro, mas não de maneira exagerada que impeça a adequada modelagem do gesso. É importante evitar pressão pontual no gesso que gere afundamentos ou endentações que possam causar lesões de pressão nos tecidos moles. Se há lesão de pele, deve-se realizar uma janela na tala gessada para que curativos possam ser realizados.

Ao imobilizar uma fratura, é necessário imobilizar uma articulação abaixo e outra acima, como no caso da fratura de tíbia, em que se imobilizam o joelho e o tornozelo por meio de uma tala longa posterior da coxa até o pé (tala cruropodálica posterior). A extremidade é mantida em posição funcional. Após redução e imobilização, deve-se reavaliar alinhamento com radiografia de controle.

Exemplos de imobilizações são apresentados nos QR codes ao lado. (No QR code mais acima, ver FIGURAS S92.1 a S92.10.)

Acompanhamento

O primeiro retorno para reavaliar a imobilização deve ocorrer dentro de 3 a 5 dias. Se for necessário mais tempo de imobilização, marca-se o retorno para 15 dias para trocar a tala gessada pelo gesso circular com novo retorno em 15 dias e avaliação da manutenção da imobilização e troca por imobilização mais curta (dependendo da fratura).

A partir dessas 4 semanas iniciais, realizam-se reavaliações clínicas e controle radiológico para acompanhamento do processo de consolidação da fratura. Em média, as fraturas já apresentam sinais clínicos e radiográficos evidentes de consolidação em cerca de 6 a 8 semanas. Outras fraturas, como a de tíbia, demoram aproximadamente 16 semanas até que consolidem.

TRAUMATISMOS ARTICULARES

Os traumatismos articulares são classificados em diretos e indiretos, conforme o ponto de aplicação da força determinante. Os diretos são as contusões, os ferimentos, as fraturas condrais e subcondrais e as fraturas intra ou justarticulares. Os indiretos caracterizam-se por desvios angulares ou torções das articulações, bem como compressões e distensões, causando contusões indiretas, entorses, rupturas ligamentares, rupturas de fibrocartilagens articulares (meniscos), lesões osteocondrais, subluxações e luxações.

Contusões articulares

As contusões caracterizam-se por dor, geralmente mais intensa em uma das faces da articulação, quando a contusão é direta, e difusa por toda a articulação, quando indireta. Quando a cápsula e a membrana sinovial são afetadas, produz-se uma reação inflamatória (sinovite traumática) com derrame seroso (hidrartrose) ou serossanguinolento (hemo-hidrartrose). Por isso, na contusão mais grave, o derrame articular provoca distensão da cápsula, com aumento de volume da articulação e flutuação ou resiliência à palpação. Há limitação de mobilidade, mas não impotência funcional.

Nas contusões leves, o tratamento consiste em repouso, aplicação de gelo e contenção elástica, com acolchoamento de algodão, para reduzir os movimentos e a dor C/D. Recomenda-se a elevação do membro para diminuir a formação de edema, e são administrados AINEs C/D. A cura leva, em geral, de 1 a 2 semanas.

Nas contusões mais graves, sobretudo naquelas em que ocorrem derrames articulares de grande volume, é necessária a realização de artrocentese (punção articular para drenagem do derrame) para aliviar a pressão intra-articular e a dor, apressando, assim, a recuperação. A artrocentese é um procedimento invasivo e deve ser realizada, em casos selecionados, com rigor técnico em função do risco de causar uma artrite séptica. Passada a fase aguda, são prescritos aplicação de calor local (termoterapia)[8] e exercícios para recuperação integral da mobilidade articular e da musculatura C/D. A evolução irregular, com derrame ou piora ao reassumir a função, após período adequado de repouso (2-3 semanas), é indicativa de desarranjos internos da articulação, o que requer encaminhamento ao especialista.

Ferimentos articulares

O diagnóstico de ferimento articular com exposição da articulação é bastante óbvio quando o ferimento é grande; no caso de ferimento pequeno, a presença de ar ou sangue na articulação, constatada por palpação ou punção, confirma a lesão articular. Esses pacientes devem ser encaminhados ao ortopedista, para atendimento de urgência, visto que necessitam de tratamento cirúrgico de urgência.

Entorses

Quando uma articulação é forçada a um movimento além do normal ou em um plano em que não tem mobilidade, ocorre uma resistência ativa e outra passiva a esse movimento. A resistência ativa é exercida pelos músculos que se opõem ao movimento em questão, e sua contração é determinada por um reflexo cujo estímulo centrípeto parte das terminações nervosas proprioceptivas existentes nos ligamentos. A pronta contração dos músculos protege os ligamentos, aliviando-os do estiramento. Esse mecanismo ativo de defesa é muito importante em articulações de carga, sobretudo tornozelo e joelho. Se já houve lesão ligamentar prévia, o ligamento fica laxo por já ter sido rompido e alongado, e o estímulo proprioceptivo falha ou ocorre tarde demais, fazendo toda a força de estiramento incidir sobre o ligamento, ocasionando nova lesão (entorse crônica ou de repetição).

Os elementos passivos de contenção são a cápsula e os ligamentos. A distensibilidade dos ligamentos é muito pequena e varia de um ligamento para outro, e também conforme idade, sexo, inatividade e presença de problemas endócrinos e metabólicos. A intensidade, a velocidade e a direção em que atua a força de tensão determinam o local e o grau da lesão. Velocidades menores tendem a produzir avulsões ósseas das inserções ligamentares. Velocidades maiores produzem estiramentos maiores, e, dependendo da intensidade da força, pode haver:

→ ruptura apenas de feixes esparsos de fibras do ligamento (distensão ligamentar ou lesão de primeiro grau);
→ ruptura da parte mais esticada do ligamento, na ocasião do trauma, pela posição em que se encontrava a articulação (ruptura parcial ou lesão de segundo grau);
→ ruptura completa dos ligamentos de um lado da articulação (lesão de terceiro grau).

A entorse ou distorção de primeiro grau de uma articulação (distensão ligamentar) é acompanhada de lesão de poucos e pequeníssimos vasos, e apenas poucas terminações nervosas são atingidas. Por isso, produz dor inicial de curta duração, não acompanhada de aumento de volume nem perda funcional. Apenas algumas horas mais tarde, a dor retorna, e já há um discreto aumento de volume e dor localizada à palpação sobre o ligamento ou ao forçar o movimento que produziu a lesão.

> **O tratamento da entorse leve de tornozelo, como na contusão articular, baseia-se na proteção da articulação para evitar novos traumas, no repouso relativo, na aplicação de gelo, na contenção compressiva elástica que restrinja os movimentos e na elevação do membro afetado (PRICE [do inglês, *protection, rest, ice, compression, elevation*]) C/D.**

Como não há solução de continuidade do ligamento, essas medidas são suficientes para levar à cura sem sequelas, no prazo de 2 a 4 semanas. Não há necessidade de imobilização, sendo o tratamento funcional (imobilização que permite função do membro com parte do tratamento [*braces*]) superior em relação à melhora clínica C/D.[9] A elevação do membro e a aplicação de gelo, 15 a 20 minutos, 3 a 4 ×/dia, no 1º e no 2º dias, diminuem a dor e o edema C/D.[10]

AINEs, administrados por via oral ou tópica, reduzem a dor e o inchaço e melhoram a função de curto prazo após entorse de tornozelo B.[11] Se por via oral, recomenda-se o uso de ibuprofeno 750 mg ou naproxeno 550 mg, de 12/12 horas. Em relação aos demais, eles apresentam melhor custo-benefício com menos risco cardiovascular, renal e gástrico A.[12] Por outro lado, o paracetamol é tão eficaz quanto os AINEs ou a combinação de ambos no tratamento da dor aguda em pacientes adultos com lesões musculoesqueléticas menores B.[13]

Na entorse de segundo grau (ruptura parcial de ligamento), ocorre rompimento de vasos maiores e de ramos nervosos, provocando dor imediata, duradoura e ininterrupta. Há aumento rápido de volume local e acentuada limitação funcional e, muitas vezes, surge derrame articular sanguinolento. A pesquisa clínica da firmeza do ligamento é bastante dolorosa, porém permite verificar a mobilidade anormal para o lado contrário do ligamento, em pequeno grau. Isso pode ser avaliado após o quadro doloroso ter diminuído. Se o teste for feito com radiografia (radiografia da articulação em estresse varo-valgo e/ou anterior-posterior), será verificada maior abertura da fenda articular no lado da lesão (de poucos milímetros). É o sinal do "bocejo articular", que deve ser comparado com a articulação contralateral.

Na entorse de terceiro grau (ruptura completa de ligamento), todos os feixes do ligamento estão rompidos de forma mais ou menos irregular, e as pontas podem estar dobradas sobre si mesmas, criando uma diástase na fenda articular que não se desfaz mesmo na posição de relaxamento do ligamento. Ocorre dor intensa no momento da lesão e, com frequência, o paciente percebe um ruído de rasgamento. A ruptura de vasos maiores, que sempre acompanha a lesão, leva à formação imediata de hematoma e, posteriormente, de sufusões extensas a jusante. Visto que a cápsula está aberta de um lado da articulação, não há derrame articular, como é comum na entorse de segundo grau. Excetua-se o caso do ligamento cruzado anterior do joelho, que, por ser intra-articular, provoca hemartrose importante.

O teste de estabilidade do ligamento é francamente positivo, obtendo-se abertura maior da fenda articular ("bocejo grande") e um desvio importante no alinhamento entre os ossos para o lado contrário ao ligamento. Radiograficamente, o teste se traduz por grande abertura articular e/ou certo grau de desalinhamento entre os ossos. Esses casos também devem ser tratados por especialista.

Nos casos de entorse de segundo e terceiro graus, o tratamento inicial também é realizado utilizando-se as mesmas medidas que no tratamento da entorse de primeiro grau, mas é recomendável que a imobilização seja feita com uma tala gessada em vez de uma contenção elástica C/D. Posteriormente, esses casos devem ser encaminhados a um especialista.

Na fase de reabilitação, para que o ligamento lesado mantenha sua função da maneira mais normal possível, diminuindo os riscos de reincidência da lesão por trauma mínimo, é necessário que:

→ seja respeitado o tempo de cicatrização do ligamento;
→ restabeleça-se a amplitude do movimento articular e, posteriormente, o trofismo muscular;
→ realize-se uma reeducação proprioceptiva;
→ oriente-se o paciente quanto ao uso correto de materiais desportivos e proteções articulares (se necessário), e corrijam-se vícios na prática do esporte.

Subluxações

São rupturas capsuloligamentares mais extensas, acompanhadas de um escorregamento entre as superfícies articulares, o que resulta em perda parcial de contato entre elas, ou seja, em uma deformidade articular. Caracterizam-se clinicamente por dor, impotência funcional e bloqueio do movimento. A deformidade, por ser pequena, nem sempre é notada no exame físico. As radiografias de frente e perfil normalmente permitem o diagnóstico; porém, às vezes, são necessárias incidências especiais.

O tratamento é sempre a redução urgente do deslocamento C/D. Na imensa maioria dos casos, essa redução é bastante fácil de ser obtida manualmente, por vezes sem anestesia, outras vezes com anestesia intra-articular, bastando que o paciente consiga relaxar a tensão muscular. O clínico sempre deve fazer moderada tração e, em seguida, empurrar o osso deslocado no sentido inverso ao do deslocamento, com a outra mão. Assim são reduzidas as subluxações em dedos, carpo, cotovelo, tarso, tornozelo e joelho.

Após a redução, é necessário imobilizar a articulação por um período de 2 semanas no caso dos dedos das mãos (exceto no polegar) e de 3 a 4 semanas para as demais articulações de membro superior; no membro inferior, tratando-se de articulações de carga como joelho, tornozelo, mediotarsal ou tarsometatarsal, a imobilização tem de ser mais prolongada (6-8 semanas) para permitir que a fibrose cicatricial dos ligamentos adquira a resistência necessária. Como a cicatrização do ligamento que resulta do tratamento conservador nas articulações de carga com certa frequência não restaura a tensão original, pode permanecer alguma instabilidade articular, predispondo a novas subluxações ou restrições funcionais, principalmente em pacientes muito ativos ou esportistas. Por essa razão, os ligamentos são atualmente tratados com reparação cirúrgica na maioria das vezes.

Luxações

É necessário distinguir as subluxações das luxações, pois, nessas últimas, ocorre uma ruptura praticamente completa da cápsula e dos ligamentos, com perda de contato das superfícies articulares. Além de dor cruciante, a luxação produz sempre uma deformidade bastante evidente no nível da articulação, com uma postura fixa muito característica do membro ou do segmento de membro, e bloqueio da sua mobilidade. Esse bloqueio, quando se tenta a mobilização passiva da articulação, é sentido como elástico ou molejante. Esses sinais clínicos são tão evidentes que dificilmente dão margem a falhas no diagnóstico. Entretanto, muitas luxações, como a escapuloumeral posterior, podem passar despercebidas pelo clínico menos experiente, por falta de um exame mais atento.

A redução de uma luxação é sempre um procedimento de emergência, pois as complicações aumentam rapidamente com o passar das horas, com piora do prognóstico, ao contrário de muitas fraturas que, ao sofrerem um retardamento de horas ou alguns dias na redução, não apresentam maiores consequências. Quando o atendimento é prestado logo após a ocorrência da luxação, a simples tração manual longitudinal do membro, na própria posição em que se encontra, pode eventualmente reduzir com facilidade o deslocamento articular, porque a musculatura ainda se encontra laxa nesse momento. Porém, quando se passa algum tempo, sobrevém a contratura muscular, e a manobra de redução só pode ser realizada sob anestesia e relaxamento muscular.

Sempre que o atendimento for realizado em ambulatório ou hospital, devem-se solicitar imagens radiográficas para certificar-se de que não há fratura associada. Nesse caso, uma manobra de redução incruenta pode estar prejudicada ou ser contraindicada, havendo necessidade de encaminhamento para tratamento cirúrgico pelo traumatologista. De qualquer forma, a redução de uma luxação é sempre uma emergência, já que a permanência prolongada do deslocamento articular pode acarretar graves complicações, como compressões vasculares ou nervosas, necrose de tecidos, dano irreversível à cartilagem, artrose e rigidez articular subsequente.

TRAUMA DE TECIDOS MOLES

Dependendo da direção e da intensidade da força causadora, da natureza e da área de contato do instrumento transmissor dessa força, há vários tipos de lesões nos tecidos moles, geralmente classificadas em:

→ **superficiais**, compreendendo escoriações, esfolamentos e descolamentos, contusões leves e ferimentos;
→ **profundas**, constituídas por contusões graves ou rupturas de fáscia, músculo, tendão, ligamento, vasos, nervo ou órgãos internos.

Para o manejo de lesões superficiais, ver Capítulo Ferimentos Cutâneos.

Ruptura de músculo, tendão, nervo ou ligamento

Se a força determinante do traumatismo tiver direção longitudinal, verificam-se lesões de tecidos moles, mais comumente no sentido da distensão do que da compressão. Ocorrem, então, estiramentos dos tecidos moles, dando origem a distensões e rupturas musculares, tendíneas e ligamentares.

Podem ocorrer também danos aos nervos, com alterações motoras e/ou sensitivas reversíveis (neuropraxia) que são de tratamento conservador ou irreversíveis (axonotmese e neurotmese), que exigem tratamento cirúrgico para reparação do nervo. Lesões nervosas devem ser acompanhadas; neuropraxias costumam levar até 6 meses para recuperar, mas vale lembrar que o tempo de espera pode ser muito superior. Na presença de recuperação insatisfatória aos 6 meses, deve-se encaminhar o paciente para avaliação, de preferência a centro capacitado para procedimentos de microcirurgia. Os vasos sanguíneos também são danificados, causando lesão da íntima, que pode levar à formação de trombos ou aneurismas, ou rupturas vasculares com grande sangramento.

Nas rupturas musculares parciais (estiramento), a função da unidade miotendínea ainda está preservada, porém com limitação: o paciente consegue realizar o movimento ativo, mas tem dificuldade de realizá-lo contra a resistência.

O tratamento é conservador com uso de repouso, gelo e paracetamol/AINEs C/D.[8,14,15] Após as primeiras 24 a 48 horas, a crioterapia é substituída por calor local C/D. Exercícios isométricos (contratura muscular sem mobilização articular) e isotônicos (movimentação articular sem mudança da força) são iniciados conforme tolerância do paciente até recuperação completa.

A mobilização ativa pode ser iniciada alguns dias após o trauma se o paciente estiver livre de dor com movimentos básicos e conseguir alongar o músculo lesionado tanto quanto o músculo contralateral saudável. Exercícios de alongamento devem ser desencorajados pelo risco de aumento da lesão. A orientação pelo fisioterapeuta auxilia o paciente no entendimento e na realização adequada dos exercícios.

A mobilidade ativa das articulações deve ser sempre pesquisada após traumas, principalmente nas articulações da mão e do pé. A perda da mobilidade ativa pode significar uma lesão tendínea. Esta pode ser uma ruptura do tendão ou um arrancamento ósseo na região de inserção do tendão. A imobilização da articulação em posição funcional, associada às outras medidas locais e prescrição de analgesia, é o tratamento inicial. Fogem a esse tipo de imobilização, por exemplo, a ruptura completa do tendão calcâneo, a qual é imobilizada inicialmente com o tornozelo em flexão plantar máxima, ou a ruptura do tendão extensor dos dedos, a qual leva a uma deformidade em flexo da articulação interfalangiana distal, que é imobilizada em extensão dessa articulação.

Nas rupturas completas, há perda total da ação muscular, mas o movimento articular ainda pode ser realizado ativamente na presença de outros músculos agonistas. A suspeita clínica deve ser confirmada com exames complementares, como ultrassonografia ou ressonância magnética.

Nos casos de ruptura completa do tendão, após tratamento inicial adequado, recomenda-se encaminhar o paciente para acompanhamento ortopédico, pois muitas vezes o tratamento cirúrgico é indicado. Embora a idade seja um fator importante para a determinação do risco cirúrgico e custo-benefício para a realização do procedimento, a indicação baseia-se no nível de funcionalidade do paciente para as atividades do cotidiano e/ou atividades laborais.

As forças de torção costumam atuar como trauma indireto, transmitindo-se pelo esqueleto, levando a lesões osteoarticulares. Só depois que estas se produzem, rompendo a continuidade do esqueleto, é que a força se transmite aos tecidos moles, torcendo-os e podendo resultar em lesões miotendíneas e neurovasculares. Devido à complexidade de seu manejo, esses pacientes devem ser encaminhados ao especialista.

RECUPERAÇÃO FUNCIONAL DO TRAUMA

A recuperação funcional do trauma inicia-se junto com o tratamento da lesão. Deve-se instruir o paciente a movimentar ativamente, em toda a amplitude e desde o primeiro dia, todas as articulações que não estejam imobilizadas por contenções ou gessos.

A omissão dessa mobilização traz como consequência a estase circulatória e o edema, que dificultam os movimentos a cada dia que passa. O paciente portador de um gesso axilopalmar, por exemplo, deve ser orientado a fazer exercícios ativos de flexão-extensão e adução-abdução dos dedos, e flexão, abdução e rotações do ombro. Caso contrário, ao ser liberado do gesso, terá rigidez, apenas por desuso, dos dedos e do ombro, que não foram atingidos pelo trauma nem estiveram imobilizados pelo gesso.

Além disso, é necessário que o paciente faça exercícios de contração isométrica dos músculos que estão incluídos no gesso. Assim, o portador de um gesso cruropodálico por fratura da tíbia e fíbula precisa fazer exercícios isométricos do quadríceps, dos isquiotibiais, do tibial anterior e do tríceps sural, além de exercícios passivos para os dedos do pé e o quadril. Somente assim, ao ser retirada a imobilização, não haverá uma perda tão grande do trofismo nos tecidos moles. A própria circulação óssea terá sido beneficiada, acelerando a consolidação. Pode-se, então, iniciar a mobilização ativa gradual das articulações que estiveram no gesso. Se o paciente fez exercícios durante o período de gesso, terá, ao retirá-lo, menos dificuldade em recuperar as outras articulações, pois não haverá tanta hipotrofia muscular nem tantas aderências periarticulares dos tecidos moles.

O calor com o uso de bolsas de água morna e outras formas de termoterapia, bem como massagens, podem ter efeito adjuvante na fase de recuperação funcional, mas devem ser evitados nos primeiros dias C/D.[8] O mais importante, porém, é a cinesioterapia – exercícios ativos ou assistidos, inicialmente, e exercícios contra a resistência, em um segundo momento C/D.

REFERÊNCIAS

1. Hatch RL, Rosenbaum CI. Fracture care by family physicians. A review of 295 cases. J Fam Pract. 1994;38(3):238–44.
2. Alcoff J, Iben G. A family practice orthopedic trauma clinic. J Fam Pract. 1982;14(1):93–6.
3. Matos DP. Regras de Ottawa para o tornozelo (Ottawa ankle rules). Rev Med Desport In Forma. 2010;1(6):6-7.
4. Stiell I. Ottawa ankle rules – emergency medicine research [Internet]. Ottawa: Ottawa Hospital Research Institute; 1995 [capturado em 28 ago. 2020]. Disponível em: http://www.ohri.ca/emerg/cdr/ankle.html.
5. Stiell I. Ottawa knee rule – emergency medicine research [Internet]. Ottawa: Ottawa Hospital Research Institute; 1997 [capturado em 28 ago. 2020]. Disponível em: http://www.ohri.ca/emerg/cdr/knee.html.
6. Gosselin RA, Roberts I, Gillespie WJ. Antibiotics for preventing infection in open limb fractures. Cochrane Database Syst Rev. 2004;(1):CD003764.
7. Zalavras CG. Prevention of infection in open fractures. Infect Dis Clin North Am. 2017;31(2):339–52.
8. Malanga GA, Yan N, Stark J. Mechanisms and efficacy of heat and cold therapies for musculoskeletal injury. Postgrad Med. 2015;127(1):57–65.
9. Weerasekara I, Osmotherly P, Snodgrass S, Marquez J, Zoete R de, Rivett DA. Clinical benefits of joint mobilization on ankle sprains: a systematic review and meta-analysis. archives of physical medicine and rehabilitation. Arch Phys Med Rehabil. 2018;99(7):1395-1412.e5.
10. Vuurberg G, Hoorntje A, Wink LM, van der Doelen BFW, van den Bekerom MP, Dekker R, et al. Diagnosis, treatment and prevention of ankle sprains: update of an evidence-based clinical guideline. Br J Sports Med. 2018;52(15):956.
11. Kaminski TW, Hertel J, Amendola N, Docherty CL, Dolan MG, Hopkins JT, et al. National Athletic Trainers' Association position statement: conservative management and prevention of ankle sprains in athletes. J Athl Train. 2013;48(4):528–45.
12. Towards better patient care: drugs to avoid in 2020. Prescrire Int. 2013;22(137):108-1.
13. Ridderikhof ML, Saanen J, Goddijn H, Van Dieren S, Van Etten-Jamaludin F, Lirk P, et al. Paracetamol versus other analgesia in adult patients with minor musculoskeletal injuries: a systematic review. Emerg Med J. 2019;36(8):493–500.
14. Jones P, Dalziel SR, Lamdin R, Miles-Chan JL, Frampton C. Oral non-steroidal anti-inflammatory drugs versus other oral analgesic agents for acute soft tissue injury. Cochrane Database Syst Rev. 2015;(7):CD007789.
15. Derry S, Wiffen PJ, Kalso EA, Bell RF, Aldington D, Phillips T, et al. Topical analgesics for acute and chronic pain in adults – an overview of Cochrane Reviews. Cochrane Database Syst Rev. 2017;5(5):CD008609.
16. AO Foundation. AO/OTA Classification 2018 [Internet]. Davos: AO Foundation; 2018 [capturado em 25 jan. 2021]. Disponível em: https://aotrauma.aofoundation.org/about/news/news-2018/news_classification_compendium_12072018.
17. Poolman RW, Goslings JC, Lee JB, Statius Muller M, Steller EP, Struijs PAA. Conservative treatment for closed fifth (small finger) metacarpal neck fractures. Cochrane Database Syst Rev. 2005;(3):CD003210.
18. Handoll HHG, Brorson S. Interventions for treating proximal humeral fractures in adults. Cochrane Database Syst Rev. 2015;(11):CD000434.
19. Lenza M, Faloppa F. Conservative interventions for treating middle third clavicle fractures in adolescents and adults. Cochrane Database Syst Rev. 2016;(12):CD007121.
20. Oh JH, Kim SH, Lee JH, Shin SH, Gong HS. Treatment of distal clavicle fracture: a systematic review of treatment modalities in 425 fractures. Arch Orthop Trauma Surg. 2011;131(4):525–33.
21. Quick G. A randomized clinical trial of rib belts for simple fractures. Am J Emerg Med. 1990;8(4):277–81.
22. Middleton C, Edwards M, Lang N, Elkins J. Management and treatment of patients with fractured ribs. Nurs Times. 2003;99(5):30–2.
23. Khandelwal CM, Kistler CE. Diagnosis of urinary incontinence. Am Fam Physician. 2013;87(8):543–50.
24. Kendler DL, Bauer DC, Davison KS, Dian L, Hanley DA, Harris ST, et al. Vertebral fractures: clinical importance and management. Am J Med. 2016; 129(2):221.e1-10.
25. Agulnek AN, O'Leary KJ, Edwards BJ. Acute vertebral fracture. J Hosp Med. 2009;4(7):e20-4.
26. Vanderschot P. Treatment options of pelvic and acetabular fractures in patients with osteoporotic bone. Injury. 2007;38(4):497–508.

LEITURAS RECOMENDADAS

Court-Brown CM, Heckman JD, McQueen MM, Ricci WM, Tornetta III P, McKee MD, editores. Fratura em adultos de Rockwood e Green. 8. ed. São Paulo: Manole; 2016. 2 v.
Um dos mais completos e atualizados tratados de traumatologia.

Hebert S, Barros Filho TEP, Xavier R, Pardini Jr AG, editores. Ortopedia e traumatologia: princípios e prática. 5. ed. Porto Alegre: Artmed; 2017.
Livro-texto brasileiro destinado a estudantes, estagiários e residentes de ortopedia, bem como para consulta de médicos generalistas.

Apêndice 1
ELETROCARDIOGRAMA: INTERPRETAÇÃO, PRINCIPAIS ALTERAÇÕES E USO NA PRÁTICA AMBULATORIAL

Fábio Morato de Castilho

Luisa Campos Caldeira Brant

Antonio Luiz Pinho Ribeiro

Introduzido há mais de 100 anos pelo médico holandês Willem Einthoven, o eletrocardiograma (ECG) é um método de investigação clínica de fácil utilização e de grande utilidade no diagnóstico e no tratamento das doenças que acometem o coração, de modo direto ou indireto. Embora novos métodos de diagnóstico cardiovascular tenham sido introduzidos nas últimas décadas, o papel da eletrocardiografia continuou a ganhar espaço na prática clínica. Na verdade, a confrontação do ECG com métodos mais modernos, muitas vezes procedimentos invasivos, tem permitido definir com acuidade o valor dos sinais eletrocardiográficos, apontando também para as limitações do método.

Simples e reprodutível, o ECG pode ser feito de forma seriada, possibilitando o acompanhamento evolutivo de condições cardiológicas graves, como o infarto agudo do miocárdio (IAM). O significado prognóstico das alterações eletrocardiográficas tem sido objeto de estudos clínico-epidemiológicos, conferindo ao método importante papel na estratificação de risco das cardiopatias. Assim, a eletrocardiografia é uma ferramenta básica na avaliação diagnóstica, prognóstica e terapêutica das doenças cardíacas.

O ECG consiste no registro não invasivo da atividade elétrica do coração, obtido por eletrodos colocados sobre a superfície do corpo. O coração é constituído predominantemente de células musculares – as fibras cardíacas –, responsáveis pela função primordial de bombeamento de sangue para os tecidos. A atividade muscular da fibra cardíaca depende de processo ordenado e específico que envolve o fluxo de íons e cargas elétricas através da membrana celular – a atividade elétrica cardíaca. O ECG não registra diretamente a atividade elétrica de uma fibra cardíaca, mas sim as mudanças de potencial no campo elétrico gerado pela atividade elétrica sincronizada do conjunto das fibras cardíacas. No caso de anormalidades estruturais ou funcionais cardíacas, como arritmias ou infarto do miocárdio, a ativação elétrica se dá de forma diferente da habitual, alterando a frequência e a morfologia dos eventos registrados ao ECG.

Em geral, os eletrodos são colocados nas extremidades (membros superiores esquerdo e direito e membro inferior esquerdo) e sobre o precórdio (6 eletrodos), fornecendo um sistema de 12 derivações que permite avaliar os fenômenos elétricos cardíacos de forma tridimensional. As derivações obtidas pelos eletrodos de extremidades (I, II e III e aVR, aVL e aVF) fornecem informações dos fenômenos registrados no plano frontal (FIGURA A1.1), enquanto as derivações precordiais (V1 a V6) referem-se ao plano horizontal (FIGURA A1.2). Outras derivações possíveis são as precordiais direitas (V3R e V4R), usadas para o diagnóstico de infarto do ventrículo direito (VD), e as derivações posteriores (V7 e V8), utilizadas no diagnóstico do infarto da parede posterior.

A metodologia de interpretação do ECG foi desenvolvida nas últimas décadas e está descrita nos livros-texto sobre eletrocardiografia, alguns deles citados ao final deste apêndice.[1] De modo geral, os princípios da interpretação do ECG são simples, de fácil aprendizado e suficientes para reconhecer os padrões mais comuns na prática clínica, possibilitando a resolução da grande maioria dos casos. Na prática ambulatorial, a maioria dos traçados é normal, o que está associado, em geral, a um bom prognóstico. O traçado de ECG normal não exclui muitas das anormalidades cardíacas importantes, como arritmias paroxísticas, que podem não estar presentes no momento do registro, ou mesmo alterações como a hipertrofia de ventrículo esquerdo (HVE), já que a sensibilidade do método para sua detecção é limitada. A frequência de ECGs normais diminui com o envelhecimento e com a existência de doenças cardíacas crônicas. Um pequeno número de traçados pode ser de interpretação difícil e exigir a troca de ideias com um especialista.

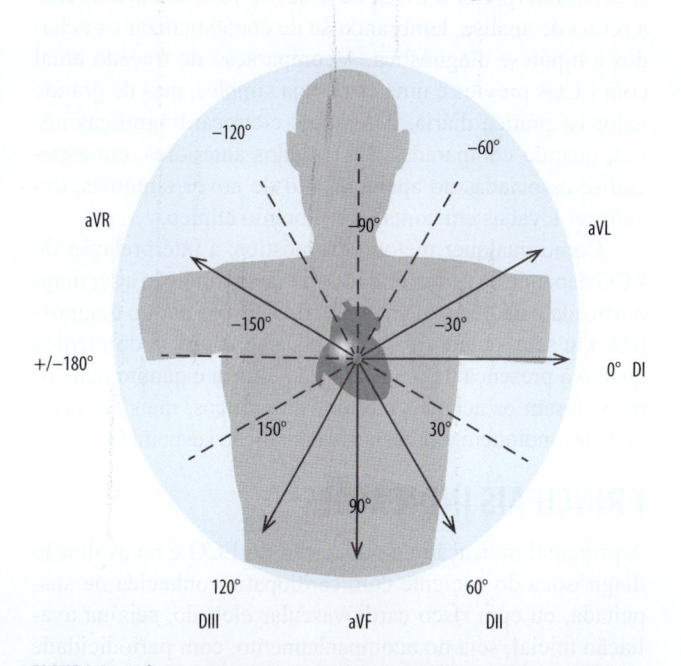

FIGURA A1.1 → Derivações obtidas pelos eletrodos periféricos, que fornecem informações sobre os fenômenos elétricos no plano frontal. As derivações ditas bipolares registram a diferença de potencial entre dois pontos: derivação I (DI), entre o membro superior esquerdo e o membro superior direito; DII, entre o membro inferior esquerdo e o membro superior direito; e DIII, entre o membro inferior esquerdo e o membro superior esquerdo. As derivações ditas unipolares registram a diferença de potencial de um ponto do corpo em relação a uma referência central, e são denominadas aVR (membro superior direito), aVL (membro superior esquerdo) e aVF (membro inferior esquerdo). As seis derivações podem ser integradas em um sistema de seis eixos que permite localizar os fenômenos elétricos cardíacos com precisão.

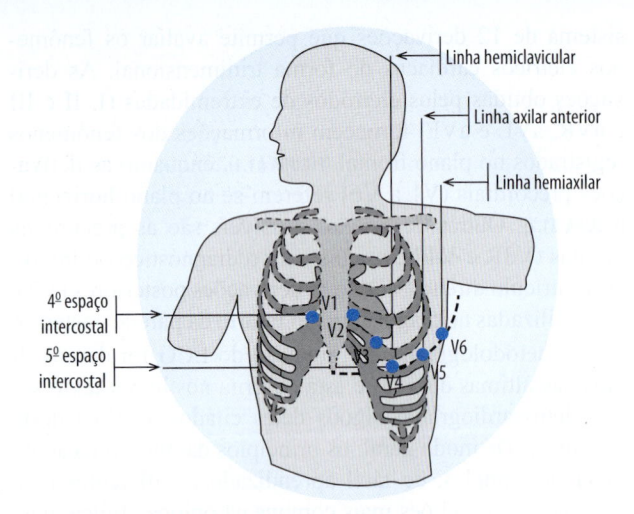

FIGURA A1.2 → Localização dos eletrodos precordiais, que permite o registro eletrocardiográfico em derivações unipolares do plano horizontal. V1 se localiza no quarto espaço intercostal, logo à direita do esterno. V2 está na mesma direção, porém à esquerda do esterno. V4 deve ser posicionado no quinto espaço, na linha hemiclavicular. V3 é intermediário entre V2 e V4. V5 e V6 estão na mesma altura de V4, mas por onde passam as linhas axilar anterior e hemiaxilar, respectivamente.

Como em outras áreas da medicina, a prática rotineira da interpretação sistemática de traçados eletrocardiográficos é essencial para que o médico adquira a experiência e a segurança necessárias ao bom uso dessa ferramenta diagnóstica. Ao interpretar o ECG, deve-se seguir sistematicamente a rotina de análise, lembrando-se de contextualizar os achados à hipótese diagnóstica. A comparação do traçado atual com ECGs prévios é uma estratégia simples, mas de grande valor na prática diária. Alterações eletrocardiográficas novas, quando comparadas aos traçados anteriores, em especial se associadas ao aparecimento de novos sintomas, devem ser levadas em conta no raciocínio clínico.

Como qualquer método diagnóstico, a interpretação do ECG depende da probabilidade prévia da condição a ser diagnosticada e da acuidade dos critérios usados para o diagnóstico. Ou seja, quanto maior for a suspeita prévia do médico quanto à presença de uma condição clínica e quanto mais típicos forem os achados eletrocardiográficos, mais provável que eles indiquem a presença da condição suspeitada.

PRINCIPAIS INDICAÇÕES

A principal indicação da realização do ECG é na avaliação diagnóstica do paciente com cardiopatia conhecida ou suspeitada, ou com risco cardiovascular elevado, seja na avaliação inicial, seja no acompanhamento, com periodicidade variável, dependente da cardiopatia de base. Nesse caso, o ECG é particularmente indicado quando aparecem novos sintomas, sinais ou manifestações laboratoriais que sugiram o agravamento da doença ou o aparecimento de complicações. Em algumas situações, quando a condição é intermitente (p. ex., arritmias) ou de evolução aguda (p. ex., dor torácica), a realização de apenas um ECG pode não ser suficiente para o diagnóstico, e a repetição do exame pode ser necessária.

O método também pode ser utilizado na avaliação da resposta terapêutica, quando a terapia prescrita produz alterações eletrocardiográficas que se correlacionam com a resposta terapêutica ou a progressão da doença, ou quando existem efeitos adversos que podem ser preditos ou detectados pelo ECG. Nos indivíduos saudáveis, sem cardiopatia diagnosticada ou suspeitada, existem menos motivos para a realização do ECG, aumentando a possibilidade de encontrar achados sem significado clínico, inespecíficos ou de curso benigno. A possível indicação do ECG nos exames periódicos de saúde e na avaliação prévia à realização de exercícios físicos é abordada em capítulos deste livro.

Este apêndice não tem o objetivo de descrever, de forma aprofundada, a metodologia de interpretação do ECG nem discutir a fisiopatologia dos critérios diagnósticos. Para esse fim, recomenda-se a leitura de textos básicos de eletrocardiografia, referenciados nas Leituras Recomendadas. Após uma breve revisão da sistematização da interpretação do ECG e das principais alterações eletrocardiográficas, o capítulo aborda o uso da eletrocardiografia em algumas condições clínicas comuns e os princípios de utilização de dois métodos derivados do ECG: o teste de esforço e a eletrocardiografia ambulatorial (Holter).

SISTEMATIZAÇÃO DA INTERPRETAÇÃO DO ELETROCARDIOGRAMA

O registro eletrocardiográfico é feito em papel milimetrado, com linhas mais espessas a cada 5 milímetros (mm), no qual o tempo está representado no eixo horizontal, e a magnitude (voltagem) das ondas e deflexões, no eixo vertical (FIGURA A1.3). A velocidade de registro padrão é de 25 mm/s, de modo que cada 25 mm representam 1 segundo (s), ou 1.000 milissegundos (ms). Assim, cada milímetro representa 1/25 de segundo, 0,04 s ou 40 ms. A magnitude das deflexões é medida em milivolt (mV). O padrão normal (N) é de 1 mV equivalendo a 10 mm, de modo que cada milímetro é igual a 0,1 mV. Sempre no início de cada traçado, registra-se uma onda de pulso quadrada como a amplitude de 1 mV, para que o leitor do ECG possa ter certeza de que o registro foi feito em padrão normal. Ocasionalmente, o traçado pode ser registrado em padrão 2N (onda de pulso de 1 mV = 20 mm), quando as deflexões são de muito baixa amplitude, ou N/2 (onda de pulso de 1 mV = 5 mm), quando a amplitude das ondas R e S é muito grande; assim, para que as deflexões possam ser registradas, é preciso diminuir o seu tamanho.

As principais ondas e deflexões avaliadas no ECG (FIGURA A1.4) se relacionam com a ativação (ou despolarização) dos átrios (onda P) e dos ventrículos (complexo QRS) e com a recuperação (ou repolarização) dos ventrículos (onda T). No complexo QRS, a onda q é a deflexão negativa que precede a deflexão positiva (onda R), enquanto a onda s é deflexão negativa registrada após a onda R. A onda positiva costuma ser única e é denominada onda R; se existe uma segunda onda R, ela é denominada onda R'. Quando não há onda R, o complexo é denominado qS. Há, ainda, a onda U, cuja origem é incerta, em geral de pequena

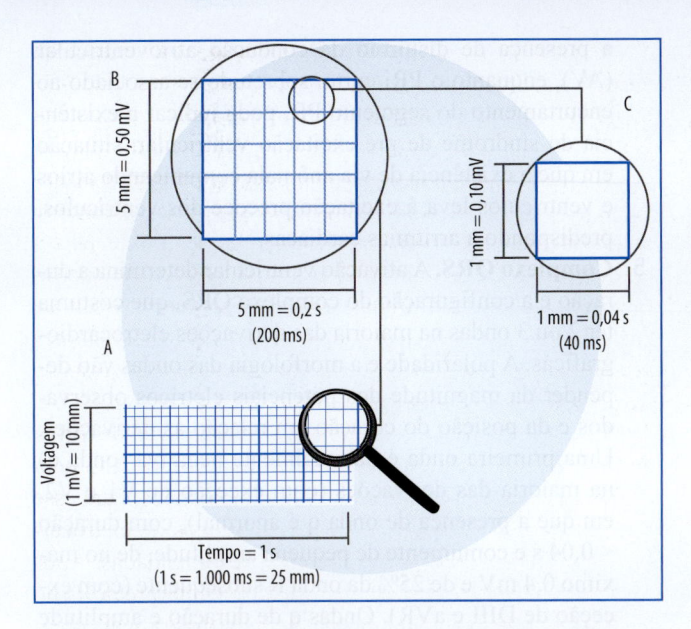

FIGURA A1.3 → O papel eletrocardiográfico e as mensurações típicas do eletrocardiograma (ECG). No eixo horizontal, representa-se o tempo. A velocidade do papel é de 25 milímetros por segundo (mm/s), de forma que 25 mm = 1 s (**A**), 5 mm = 0,2 s (**B**) e 1 mm = 0,04 s (**C**). A amplitude é registrada no eixo vertical e de maneira que, no modo normal (N), 10 mm = 1 mV (mV) (**A**), 5 mm = 0,5 mV (**B**) e 1 mm = 0,1 mV (**C**).

amplitude, situada após a onda T e visível sobretudo nas derivações precordiais. No complexo QRS, geralmente se usam letras maiúsculas para ondas de grande amplitude e letras minúsculas para ondas de baixa amplitude. Entre as ondas, existem os segmentos PR (ou PQ), que são a linha plana que une a onda P ao complexo QRS, e o segmento ST, que vai desde o final do complexo QRS ao início da onda T.

Na interpretação do ECG, analisam-se sistematicamente os seguintes aspectos (TABELA A1.1):[1]

1. **Qualidade técnica do registro.** O registro deve conter as 12 derivações, e a linha de base deve ser estável, com pouca ou nenhuma interferência. A onda de pulso quadrada é registrada nos eletrocardiógrafos automáticos e permite avaliar se o padrão utilizado é o N.
2. **Cálculo da frequência cardíaca.** A frequência cardíaca (FC) é a medida do número de batimentos que ocorre em 1 minuto. Pode ser obtida a partir do número de intervalos entre 2 batimentos cardíacos sucessivos, medido pelo intervalo entre o pico das ondas R (intervalo RR ou RRi), contidos em 1 segundo, ou pela fórmula:

$$FC = \frac{1 \text{ minuto}}{RRi \text{ (em minutos)}} = \frac{60 \text{ segundos}}{RRi \text{ (em segundos)}} = \frac{60.000 \text{ ms}}{RRi \text{ (em milissegundos)}}$$

O PAPEL ELETROCARDIOGRÁFICO E AS MEDIÇÕES

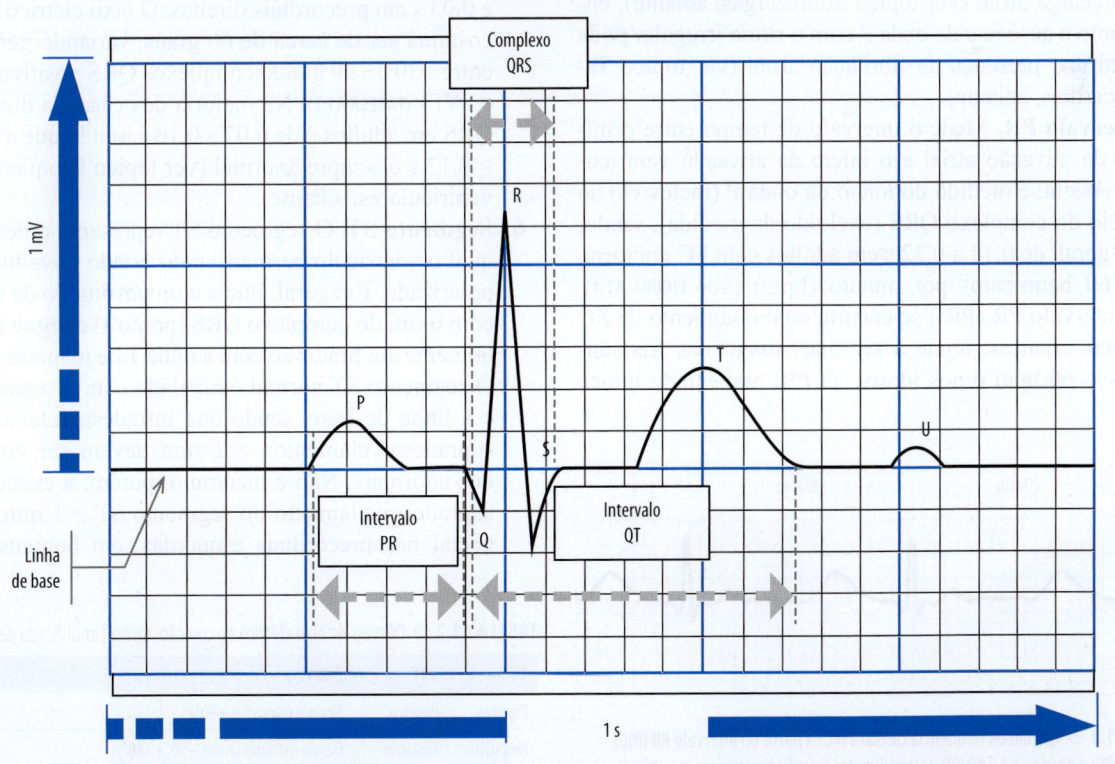

FIGURA A1.4 → Principais ondas e intervalos ao eletrocardiograma (ECG). A onda P registra a despolarização atrial, enquanto o complexo QRS representa a despolarização ventricular, e a onda T, a repolarização ventricular. A onda U, de gênese controversa, pode estar presente especialmente nas derivações precordiais. O intervalo PR indica o tempo entre o início da ativação atrial e o início da ativação ventricular, enquanto o intervalo QT é uma medida do tempo entre o início da ativação ventricular e o fim de sua repolarização.

TABELA A1.1 → Roteiro para análise sistemática do eletrocardiograma

1. Qualidade técnica do registro
2. Cálculo da frequência cardíaca
3. Onda P
4. Intervalo PR
5. Complexo QRS
6. Segmento ST
7. Onda T
8. Intervalo QT
9. Ritmo cardíaco
10. Conclusão

Como é mais fácil medir o intervalo RR em mm e cada mm representa 40 ms, a FC pode ser facilmente calculada dividindo **1.500/RRi (em mm)** (FIGURA A1.5). Uma fórmula aproximada, porém de mais fácil execução, para o cálculo da FC consiste em dividir 300 pelo número de quadrados grandes entre as ondas R (cada quadrado corresponde a 5 mm). Em caso de arritmia irregular, como na fibrilação atrial, o ideal é que sejam medidos vários intervalos RR, obtendo o RRi médio.

3. **Onda P.** A ativação atrial é avaliada pela análise da onda P, que é a deflexão habitualmente arredondada, de baixa amplitude e positiva em quase todas as derivações. Em V1, a onda P tende a ser difásica, com uma porção inicial positiva e outra porção final negativa, e, em aVR, a onda P normal é sempre negativa. A onda P dura até 0,10 s e tem a magnitude de 0,25 mV, o que equivale a 2,5 mm de largura e de altura. As alterações de amplitude ou duração da onda P sugerem sobrecarga atrial (ver tópico Sobrecargas, adiante), enquanto a ausência de onda P com o ritmo irregular pode significar presença de fibrilação atrial (ver tópico Taquicardias, adiante).

4. **Intervalo PR.** Mede o intervalo de tempo entre o início da ativação atrial e o início da ativação ventricular. Assim, é medido do início da onda P (inclusive) ao início do complexo QRS (excluído da medida), sendo, em geral, de 0,12 a 0,22 s em adultos com FC em torno de 60 batimentos por minuto (bpm) (ver FIGURA A1.4). O intervalo PR (PRi) se encurta com o aumento da FC e, nas crianças, tende a ser mais longo nas frequências < 60 bpm e nos idosos. O PRi aumentado indica a presença de distúrbio da condução atrioventricular (AV), enquanto o PRi curto, sobretudo se associado ao encurtamento do segmento PR, pode indicar a existência de síndrome de pré-excitação ventricular, situação em que a existência de via anômala comunicando átrios e ventrículos leva à excitação precoce dos ventrículos, predispondo a arritmias cardíacas.

5. **Complexo QRS.** A ativação ventricular determina a duração e a configuração do complexo QRS, que costuma ter 2 ou 3 ondas na maioria das derivações eletrocardiográficas. A polaridade e a morfologia das ondas vão depender da magnitude dos potenciais elétricos observados e da posição do coração em relação às derivações. Uma primeira onda é habitualmente negativa (onda q) na maioria das derivações (com exceção de V1 e V2, em que a presença de onda q é anormal), com duração < 0,04 s e comumente de pequena amplitude, de no máximo 0,4 mV e de 25% da onda R subsequente (com exceção de DIII e aVR). Ondas q de duração e amplitude maiores do que esse limite são marcadores eletrocardiográficos da inatividade elétrica, como no infarto antigo do miocárdio. A seguir, costuma-se observar uma onda positiva ampla (onda R), seguida em algumas derivações por uma pequena deflexão negativa (onda S). A deflexão registrada entre o pico da onda R e o vértice da onda S é chamada de deflexão intrinsecoide, e o tempo de aparecimento desta após o início do QRS é chamado de tempo de ativação ventricular (que equivale ao intervalo entre o início do QRS e o pico da onda R), que deve ser, no máximo, 0,045 s em precordiais esquerdas e 0,03 s em precordiais direitas. O eixo elétrico do QRS costuma ser de cerca de 60 graus, variando geralmente entre −30 e +90 graus (complexos QRS positivos em DI e aVF) (TABELA A1.2). Na maioria dos casos, a duração do QRS em adultos é de 0,07 a 0,10 s, sendo que a duração ≥ 0,12 s é sempre anormal (ver tópico Bloqueios intraventriculares, adiante).

6. **Segmento ST.** O segmento ST representa o período no qual o ventrículo permanece no estado ativado ou despolarizado. Em geral, inicia com um ângulo de 90 graus com o fim do complexo QRS (ponto J) e segue horizontalmente até fundir-se com a onda T de maneira gradual. O segmento ST normal é nivelado com o segmento PR e a linha de base, sendo que infradesnivelamentos ou supradesnivelamentos > 1 mm devem ser considerados anormais. Não é incomum, porém, a existência de supradesnivelamento do segmento ST > 1 mm, em especial nas precordiais esquerdas, em homens jovens

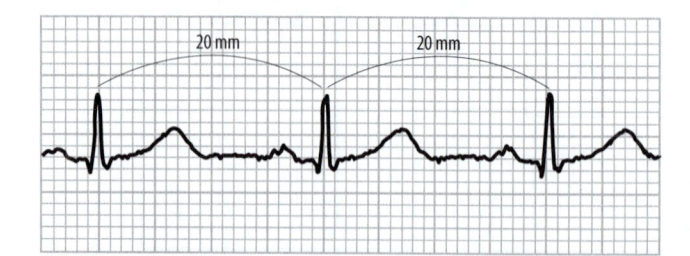

FIGURA A1.5 → Cálculo da frequência cardíaca (FC) a partir do intervalo RR (RRi). Mede-se o RRi e divide-se 1.500/RRi (em milímetro [mm]). No caso em questão, 1.500/20 = 75 batimentos por minuto (bpm). Nesse mesmo caso, dividindo 300 pelo número de quadrados grandes no intervalo (5), obtém-se o mesmo valor (300/4 = 75 bpm).

TABELA A1.2 → Desvios do eixo elétrico do coração: forma simplificada de avaliação

DI	aVF	EIXO
Positivo	Positivo	Normal (entre 0 e +90°)
Negativo	Negativo	Desvio extremo (entre −90° e 180°)
Negativo	Positivo	Desvio para a direita (entre +90° e 180°)
Positivo	Negativo	Se DII positivo: normal (entre 0 e −30°)
		Se DII negativo: desvio para a esquerda (entre −30° e −90°)

saudáveis, caracterizando uma variante da normalidade que se denomina "repolarização precoce" (ver tópico Síndromes isquêmicas, adiante). O caráter benigno da repolarização precoce foi questionado recentemente por estudos que mostraram a associação de alguns tipos de repolarização precoce com o risco aumentado de morte súbita, embora permaneça o conceito de que se trata de uma condição primariamente benigna.

7. **Onda T.** A onda T representa o fenômeno da repolarização ventricular e tem, em geral, a mesma polaridade que o complexo QRS, ou seja, em derivações nas quais o QRS é predominantemente positivo, a onda T também tende a ser positiva. Caracteristicamente, a onda T é positiva em DI e DII e negativa em aVR, com polaridade variável nas outras derivações; nas precordiais, a onda T é positiva de V2 a V6, podendo ser invertida ou aplanada em V1, sobretudo em mulheres. Na maioria dos casos, a onda T é assimétrica, com início mais gradual do que a porção terminal. Após a onda T, pode-se observar uma deflexão de baixa frequência, de gênese controversa, em geral positiva, denominada onda U, com pequena importância clínica.

8. **Intervalo QT.** O intervalo QT (QTi) representa a duração da sístole elétrica ventricular e é medido do início do complexo QRS ao fim da onda T, representando a soma da duração do complexo QRS, do segmento ST e da onda T. O valor de referência para o QTi na FC de 60 bpm está entre 0,34 e 0,44 s. O QTi diminui com o aumento da FC, e, quando medido em frequências muito diferentes desta, deve-se utilizar uma fórmula de correção. A fórmula de correção usada com mais frequência é a Bazett:

$$QT_{corrigido} = \frac{QT_{medido}}{\sqrt{RR \text{ (em segundos)}}}$$

A mensuração do intervalo QT deve ser feita de rotina na análise do ECG, mas é particularmente útil em pacientes em uso de medicamentos com potencial arritmogênico, como os antimoniais pentavalentes (meglumina) e os antidepressivos tricíclicos; nesses casos, o aumento significativo do QTc, em especial se superior a 0,50 s, pode prenunciar o aparecimento de arritmias potencialmente fatais.

9. **Ritmo cardíaco.** O ritmo cardíaco pode ser sinusal, ou seja, originado no nó sinusal, estrutura do sistema excitocondutor localizada no átrio direito (AD) que tem células especializadas com atividade elétrica espontânea que costumam comandar o ritmo cardíaco, ou não sinusal (ou ectópico), quando comandado por outros focos, geralmente anormais (ver tópicos Taquicardias e Bradicardias, adiante). O ritmo normal do coração é o sinusal, embora possam ocorrer arritmias (extrassístoles, pausas, etc.) na ausência de cardiopatia estrutural. Diz-se que há ritmo sinusal regular quando se registra ritmo com intervalos PP e RR regulares, FC entre 60 e 100 bpm, ondas P positivas em DI, DII e de V2 a V6, seguidas sempre de complexo QRS, com PRi > 0,12 s. Uma arritmia normal frequentemente observada em crianças e adultos jovens é a arritmia sinusal respiratória, na qual se observa aumento da FC (redução do RRi) durante a inspiração, com redução da FC (aumento do RRi) na expiração.

10. **Conclusão.** A análise do ECG termina com uma conclusão, que resume o diagnóstico eletrocardiográfico, seja ele de ECG normal **(FIGURA A1.6)**, seja pela existência dos padrões de ECG típicos descritos a seguir. Os padrões descritos foram definidos para adultos e podem sofrer algumas modificações em crianças, especialmente para os padrões morfológicos.

A interpretação básica do ECG pode ser sumarizada por meio da **FIGURA A1.7**.

PRINCIPAIS ALTERAÇÕES ELETROCARDIOGRÁFICAS

Sobrecargas

O reconhecimento eletrocardiográfico das sobrecargas atriais e ventriculares auxilia no diagnóstico das doenças valvares, permite avaliar repercussões cardíacas de doenças pulmonares e auxilia no reconhecimento da HVE na hipertensão arterial, que tem valor prognóstico. Por serem encontradas frequentemente na prática clínica, seu reconhecimento correto propicia, em alguns casos, a extensão de propedêutica diagnóstica e, no caso da hipertensão, o correto acompanhamento terapêutico. Os critérios diagnósticos das sobrecargas atriais e ventriculares, assim como o

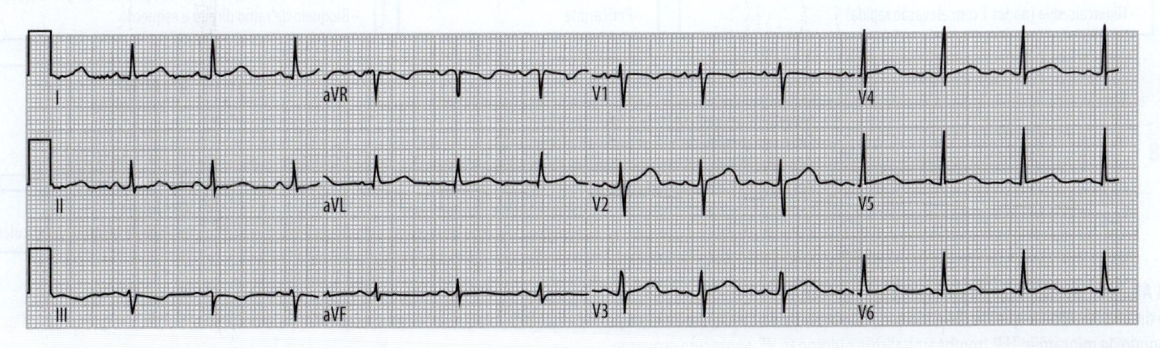

FIGURA A1.6 → Exemplo de eletrocardiograma (ECG) normal.

1. Qualidade técnica
- Contém 12 derivações?
- Linha de base estável?
- Padrão N (10 mm, 1 mV)?

Não → Obter novo traçado

2. Frequência cardíaca
$$\frac{1500}{RRi} \text{ ou } \frac{300}{\text{quadrados entre ondas R}}$$

- < 60 bpm: bradicardia
- 60-100 bpm: normal
- > 100 bpm: taquicardia

3. Onda P (ativação atrial)
- Duração: até 0,10 s (2,5 mm de largura, ou 2 quadrados e meio)
- Magnitude: até 0,25 mV (2,5 mm de altura, ou 2 quadrados e meio)
- Antecede cada QRS

- **Duração > 0,10 s:** sobrecarga AE
- **Onda P > 2,5 mm de altura:** sobrecarga AD
- **Ausência de P:** Sugere FA ou outra arritmia

4. Intervalo PR (PRi)
- Entre início da onda P e início do complexo QRS
- Normal: 0,12 a 0,20 s (3 a 5 quadrados)

- **PRi aumentado (> 200 ms):** BAV 1 grau?
- **PRi curto (< 120 ms):** pré-excitação ventricular?

5. Complexo QRS (despolarização ventricular)
- qRS, RS, qS, RSR'
- Duração: até 0,99 s ou 2 quadrados e meio (anormal se > 0,12 s, ou 3 quadrados)
- Eixo normal: entre −30 e 90°
- Progressão da amplitude da onda R entre V1 e V6
- Amplitude: até 20 mm nas frontais e 30 mm nas precordiais

Onda q – sinais de inatividade elétrica:
- Duração > 0,04 s
- Magnitude > 4 mV ou 25% da onda R subsequente
- Sugere infarto prévio

Duração > 0,12 s – causas:
- Bloqueios de ramo completos
- Ritmos ventriculares
- Pré-excitação
- Hiperpotassemia, hipercalcemia grave
- Marca-passo

Não progressão da onda R:
- Infarto prévio, bloqueio de ramo esquerdo, bloqueio divisional, hipertrofia ventricular

Amplitude aumentada:
- Hipertrofia ventricular
- Extrassístole ventricular
- Bloqueio de ramo esquerdo
- Wolff-Parkinson-White
- Cor pulmonale, TEP

Morfologia alterada:
- Extrassístoles
- Bloqueios de ramo
- Taquicardias ventriculares
- Ritmos ectópicos
- Pré-excitação

6. Segmento ST
- Inicia no ponto J (ângulo de 90° com o fim do complexo QRS) e termina no início da onda T
- O segmento ST normal é nivelado com o segmento PR e com a linha de base

Supradesenvolvimento de ST:
- Isquemia
- Repolarização precoce
- Outros (BRE, sobrecarga VE)

Infradesenvolvimento de ST:
- Isquemia
- Outros (alterações secundárias de repolarização ventricular)

7. Onda T
- Concordante com QRS (ambos positivos ou negativos)
- Positiva na maioria das derivações
- Negativa em aVR (e possivelmente em III e V1; em mulheres jovens, às vezes em V1-V3 também)

Onda T alta:
- Isquemia subendocárdica (angina de Prinzmetal, fase inicial do IAM)
- Hiperpotassemia (ondas T altas, apiculadas e simétricas nas derivações precordiais)
- Hipercalcemia (ondas T com elevação rápida)

Onda T plana:
- Hipopotassemia
- Digoxina
- Hipertireoidismo, hipotireoidismo
- Pericardite

Onda T invertida:
- Isquemia subepicárdica
- Variante da normalidade (crianças, raça negra, mulheres [V1-V3], hiperventilação, atletas, pós-taquicardia)
- Bloqueio de ramo direito e esquerdo

8. Intervalo QT
- Medido do início do QRS até o final da onda T
- Deve ser corrigido pela FC, usando-se a fórmula $QTc = QT/\sqrt{RR}$
- QTc entre 390 ms e 450 ms em homens e entre 390 ms e 460 ms em mulheres é considerado normal

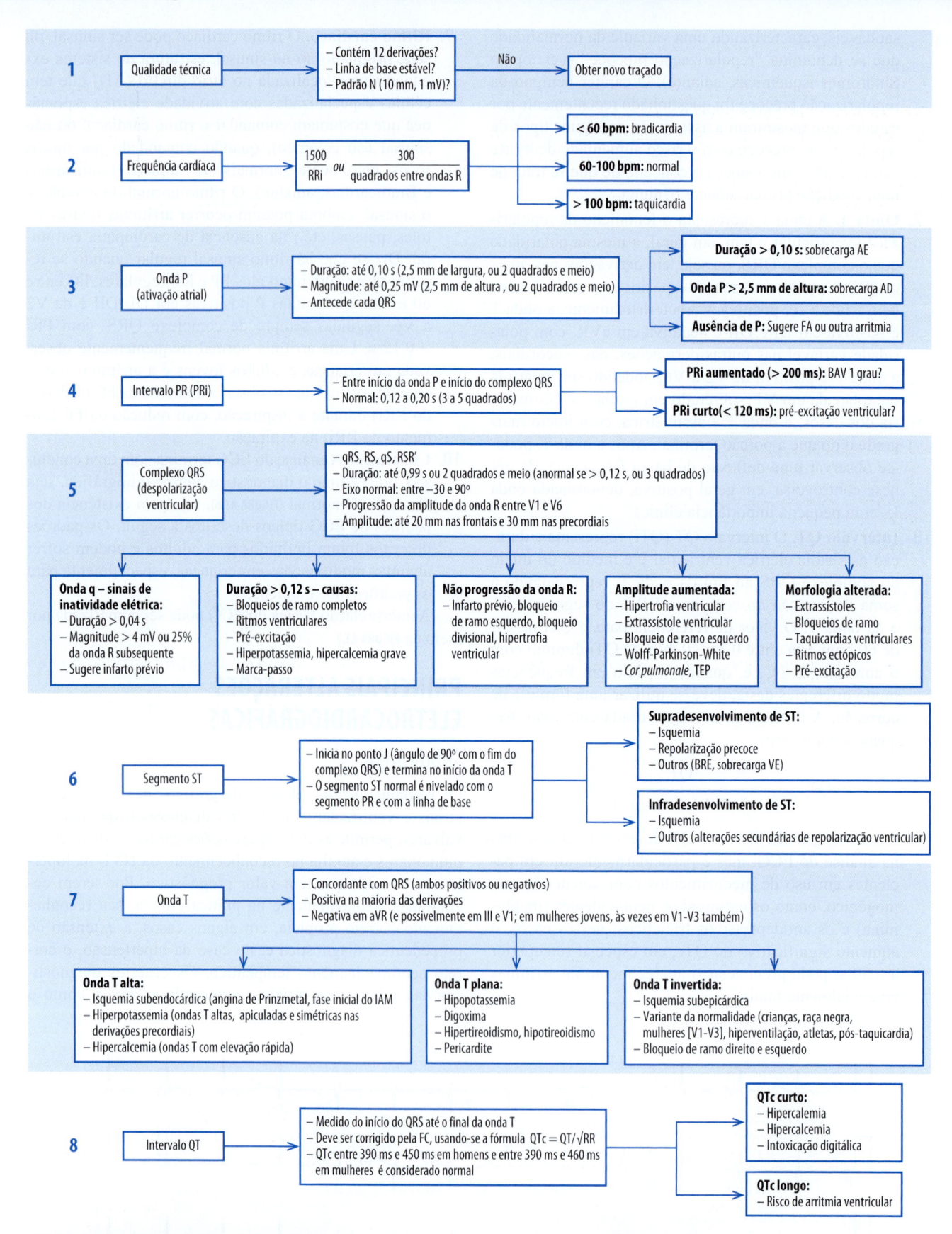

QTc curto:
- Hipercalemia
- Hipercalcemia
- Intoxicação digitálica

QTc longo:
- Risco de arritmia ventricular

FIGURA A1.7 → Interpretação de eletrocardiograma (ECG).
AD, átrio direito; AE, átrio esquerdo; BAV, bloqueio atrioventricular; bpm, batimentos por minuto; BRE, bloqueio de ramo esquerdo; FA, fibrilação atrial; FC, frequência cardíaca; IAM, infarto agudo do miocárdio; TEP, tromboembolismo pulmonar; VE, ventrículo esquerdo.
Fonte: Adaptada de materiais de Michael Duncan.

significado clínico de cada alteração, estão explicitados nas **TABELAS A1.3** e **A1.4**.[2,3]

De forma geral, a sobrecarga do ventrículo esquerdo (VE) aumenta a magnitude dos potenciais elétricos dirigidos para a esquerda e para trás, enquanto a sobrecarga do VD reverte essa tendência normal, dirigindo as forças para a frente e para a direita. Enquanto a sobrecarga (ou crescimento) do átrio esquerdo (AE) afeta predominantemente a duração da onda P, a sobrecarga do AD aumenta sua amplitude. Apesar da importância clínica das sobrecargas, deve-se ressaltar que os critérios eletrocardiográficos costumam ter baixa sensibilidade e elevada especificidade para o reconhecimento da hipertrofia e para o aumento das câmaras cardíacas correspondentes.

Bloqueios intraventriculares

Os distúrbios de condução intraventricular ocorrem por atraso ou bloqueio no sistema de condução elétrica de His-Purkinje, gerando alterações na duração e na morfologia do complexo QRS. Esses distúrbios podem ocorrer por alterações diversas do ventrículo, como presença de fibrose ou isquemia, adaptação a alterações valvares ou doenças congênitas. Enquanto os bloqueios completos de ramo se caracterizam pela duração do QRS ≥ 0,12 s, os bloqueios incompletos têm duração entre 0,11 (inclusive) e 0,12 s; já os hemibloqueios alteram primariamente o eixo elétrico no plano frontal, desviando para a esquerda (hemibloqueio anterior esquerdo) ou para a direita (hemibloqueio anterior direito).[2] Os bloqueios de ramo também podem ocorrer de forma intermitente, relacionados, em geral, com o aumento da frequência ventricular e com a propagação do estímulo durante a fase de refratariedade de algum componente do sistema de condução.[2]

Os critérios diagnósticos desses bloqueios, assim como o significado clínico de cada alteração, estão explicitados na **TABELA A1.5**.

Extrassístoles

As extrassístoles são batimentos cardíacos prematuros, gerados por atividade elétrica anormal em átrios, no sistema de condução ou nos ventrículos **(FIGURA A1.8)**. As extrassístoles costumam ser classificadas em **supraventriculares**, quando originadas nos átrios ou na junção AV, e **ventriculares**, quando originadas nos ventrículos. Extrassístoles supraventriculares geralmente se apresentam com o complexo QRS que é similar ao QRS prévio, em geral estreito (< 0,12 s). Uma onda P prematura e anormal (denominada P') pode aparecer, sobretudo se a origem for atrial. As extrassístoles ventriculares comumente se apresentam com QRS largo, > 0,12 s, e não são precedidas por ondas P'.

Quando, após cada batimento normal, segue-se uma extrassístole, o termo bigeminismo é usado; se a extrassístole ocorre sempre após 2 batimentos normais, usa-se trigeminismo. Duas extrassístoles sucessivas constituem um **par**; já a concatenação de 3 ou mais batimentos extrassistólicos ventriculares com frequência ≥ 100 bpm configura **taquicardia ventricular**: **não sustentada** se dura até 30 segundos

TABELA A1.3 → Sobrecargas atriais e ventriculares: critérios diagnósticos e significado clínico

ALTERAÇÃO	CRITÉRIOS DIAGNÓSTICOS	SIGNIFICADO CLÍNICO
Hipertrofia de ventrículo esquerdo (HVE)	Índice de Sokolow-Lyon: onda S de V1 + onda R de V5 ou V6 > 35 mm Índice de Cornell: onda R de aVL + onda S de V3 > 28 mm em homens e > 20 mm em mulheres Critérios de Romhilt-Estes (ver **TABELA A1.4**)	Os critérios de Romhilt-Estes consideram tanto o aumento da voltagem como outras alterações ao ECG e devem ser preferidos A HVE está relacionada com hipertensão arterial e, menos comumente, com doenças valvares (sobretudo estenose aórtica)
Hipertrofia de ventrículo direito (HVD)	Presença de qualquer dos critérios a seguir: 1. Onda R em V1 > 6 mm 2. R/S em V1 > 1 3. S em V5 > 10 mm 4. S em V6 > 3 mm 5. R em aVR > 4 mm 6. S pequena em V1 < 2 mm 7. S pequena em V5 e V6 < 3 mm 8. R/S em V5 < 0,75 9. R/S em V6 < 0,4 10. R/S em V5 dividido por R/S em V1 < 0,04 11. (R1 + SIII) − (SI + RIII) < 15 mm	A HVD pode ser encontrada na doença pulmonar obstrutiva crônica, no cor pulmonale crônico, na estenose mitral com hipertensão pulmonar e nas cardiopatias congênitas
Hipertrofia biventricular	1. Presença de critérios de HVE e HVD 2. Sinais de HVE nas derivações precordiais com eixo do QRS > +90 graus 3. R > Q em aVR, S > R em V5, onda T invertida em V1 associados a sinais de HVE	Pode ser encontrada em pacientes com defeitos do septo ventricular ou ducto arterial patente com presença de hipertensão pulmonar (síndrome de Eisenmenger)
Anormalidade do átrio esquerdo	1. Duração da onda P > 120 ms 2. Presença de notch na onda P > 40 ms 3. Componente negativo na onda P em V1 ≥ 40 ms ou 1 mm	Pode ser encontrada em cardiopatia hipertensiva e doenças valvares (especialmente estenose mitral), pericardite constritiva, etc.
Anormalidade do átrio direito	1. Onda P > 2,5 mm em DII 2. Onda P com componente positivo > 1,5 mm em V1 ou V2	Pode estar presente em pacientes com cardiopatia congênita e cor pulmonale crônico

ECG, eletrocardiograma; mm, milímetro; ms, milissegundo.
Fonte: Surawicz e colaboradores[2] e Hancock e colaboradores.[3]

TABELA A1.4 → Critérios de Romhilt-Estes para diagnóstico de hipertrofia de ventrículo esquerdo (HVE)

CRITÉRIOS	INTERPRETAÇÃO
1. Presença de um dos critérios de amplitude a seguir – 3 pontos: presença de onda R ou S ≥ 20 mm em uma derivação periférica; onda S em V1 ou V2 ≥ 30 mm ou onda R em V5 ou V6 ≥ 30 mm 2. Padrão Strain (infradesnivelamento de ST com inversão de T em V5, V6, aVL e DI) – 3 pontos sem uso de digital ou 1 ponto em caso de uso de digital 3. Sobrecarga de átrio esquerdo (índice de Morris) – 3 pontos 4. Desvio do eixo para a esquerda ≥ −30° – 2 pontos 5. Duração do QRS ≥ 90 ms – 1 ponto 6. Tempo de ativação ventricular em V5 e V6 > 50 ms – 1 ponto	> 5 pontos: HVE presente 4 pontos: HVE provável Significado: a HVE envolve alterações secundárias, como alteração de átrio esquerdo, desvio do eixo do QRS para a esquerda e alterações de repolarização ventricular; os critérios de Romhilt-Estes contemplam essas alterações, além das alterações de amplitude

mm, milímetro; ms, milissegundo.
Fonte: Surawicz e colaboradores[2] e Hancock e colaboradores.[3]

TABELA A1.5 → Bloqueios intraventriculares: critérios diagnósticos e significado clínico

ALTERAÇÃO	CRITÉRIOS DIAGNÓSTICOS	SIGNIFICADO CLÍNICO
Bloqueio completo de ramo direito	Presença dos 3 primeiros critérios; quando há R puro em V1, o critério 4 deve ser contemplado: 1. QRS > 120 ms 2. rsr' ou rsR' ou rSR' em V1 ou V2; na minoria dos pacientes, há um R puro em V1 ou V2 3. S com duração > 40 ms ou maior que a duração do R em V6 e D1 4. Tempo de ativação ventricular > 50 ms em V1	1. Indivíduos sem evidência de cardiopatia; mais frequente em idosos, podendo representar alteração degenerativa 2. Cardiopatia chagásica 3. Sobrecarga crônica (cor pulmonale) ou aguda (TEP) do VD 4. IAM (conferindo elevada mortalidade e sugerindo lesão de artéria descendente anterior) 5. Outros: pericardite, doenças congênitas, hipertensão, etc.
Bloqueio incompleto de ramo direito	1. QRS entre 110 e 119 ms 2. Outros critérios idênticos aos do BRD	Pode ocorrer na ausência de cardiopatia e durante taquicardias supraventriculares, TEP, SCA (infarto anterior ou infarto de VD), pacientes com HVD, cardiopatias congênitas, miocardite
Bloqueio completo de ramo esquerdo	1. QRS > 120 ms 2. Onda R empastada ou com notch em V5, V6, DI e aVL 3. Ausência de onda q em DI, V5 e V6 4. Tempo de ativação ventricular > 60 ms em V5 e V6 5. ST e T opostos ao QRS	Alteração encontrada geralmente em pacientes com cardiopatia estrutural (isquêmica, hipertensiva, congênita, valvar, etc.); raras vezes é vista em indivíduos sem doença cardíaca, em geral mais idosos A presença de BRE é indicação para propedêutica cardiológica complementar; em pacientes portadores de cardiopatia estrutural, o BRE é marcador de gravidade e pior prognóstico da doença de base
Bloqueio incompleto de ramo esquerdo	1. QRS entre 110 e 119 ms 2. Ausência de onda q em DI, V5 e V6 3. Tempo de ativação ventricular > 60 ms em V5 e V6	Considerada uma variante da HVE, indica atraso na condução pelo ramo esquerdo; pode ocorrer em todas as condições que produzem BRE ou HVE
Bloqueio do fascículo anterossuperior esquerdo	1. QRS < 120 ms 2. Eixo do QRS entre −45° e −90° 3. qR em aVL 4. Tempo de ativação ventricular ≥ 45 ms em aVL	Pode ocorrer em indivíduos sem evidência de cardiopatia estrutural As doenças mais comumente associadas são hipertensão, doença de Chagas (comumente com BRD), doença isquêmica (relacionada com lesão de descendente anterior), cardiopatias congênitas ou valvares (especialmente aórtica) Como achado isolado, não confere maior mortalidade a cardiopatias estruturais
Bloqueio do fascículo posteroinferior (BFPI) esquerdo	1. QRS < 120 ms 2. Eixo do QRS entre 90 e 180 3. rS em aVL 4. qR em DIII e aVF	Por ser um fascículo mais largo e estar exposto a menores pressões e turbulências em seu trajeto, a presença isolada de BFPI é rara Pode estar associada à doença isquêmica, à doença de Chagas, à miocardite, à hipercalemia e ao cor pulmonale agudo
Pré-excitação tipo WPW	1. PR < 120 ms 2. Presença de onda delta 3. QRS > 120 ms 4. Alterações secundárias de ST e T	Indica a existência de ativação ventricular por via anômala que conecta átrios e ventrículos diretamente, sem o retardo da condução pelo nó atrioventricular Está associada a arritmias supraventriculares, como taquicardia supraventricular regular e fibrilação atrial Pacientes com pré-excitação tipo WPW persistente ao ECG, mesmo assintomáticos, devem ser referenciados a um cardiologista, para a melhor estratificação de risco arritmogênico

BRD, bloqueio de ramo direito; BRE, bloqueio de ramo esquerdo; ECG, eletrocardiograma; HVD, hipertrofia de ventrículo direito; HVE, hipertrofia de ventrículo esquerdo; IAM, infarto agudo do miocárdio; ms, milissegundo; SCA, síndrome coronariana aguda; TEP, tromboembolismo pulmonar; VD, ventrículo direito; WPW, Síndrome de Wolff-Parkinson-White.

e **sustentada** se dura mais que 30 segundos ou necessita ser interrompida.[1]

As extrassístoles são muito frequentes e, em geral, benignas. A frequência das extrassístoles atriais aumenta com a idade e em pacientes com cardiopatia, podendo, nestes últimos, ser secundária à dilatação atrial e preceder o aparecimento da fibrilação atrial. O significado das extrassístoles ventriculares depende da presença ou não de cardiopatia e de sua complexidade. As extrassístoles ventriculares isoladas não têm significado prognóstico na ausência de cardiopatia, mas a presença de ectopia ventricular é marcadora de risco aumentado de morte em doenças cardiovasculares, como após o infarto e na cardiopatia chagásica, em especial se frequente e na presença de formas repetitivas, como pares e taquicardia ventricular não sustentada.

Taquicardias

Encontrar pacientes com FC > 100 bpm não é raro na prática médica, inclusive em nível ambulatorial. O aspecto inicial mais importante da avaliação desse tipo de paciente é a busca por critérios de instabilidade clínica: hipotensão, dor torácica, dispneia intensa, rebaixamento do nível de consciência. A presença desses marcadores indica a transferência imediata do paciente para centro de urgência e a avaliação imediata de cardioversão elétrica, caso o ECG confirme taquicardia não sinusal.

A maioria dos pacientes, entretanto, apresentará clínica mais insidiosa, com queixas como dispneia aos esforços, palpitações e tontura. Alguns pacientes estarão assintomáticos, apesar da taquicardia. A avaliação eletrocardiográfica das taquicardias começa pela mensuração do QRS, dividindo-as em dois grupos: taquicardias com QRS estreito (< 120 ms – **TABELA A1.6**)[2,4] e taquicardias com QRS largo (≥ 120 ms – **TABELA A1.7**).

Bradicardias

Indivíduos normais podem apresentar FC ≤ 50 bpm. Esse achado é mais frequente durante o sono e pode estar presente durante a vigília de maneira contínua em idosos e atletas. Esses pacientes estarão, na maioria das vezes, assintomáticos. Pacientes com bloqueios atrioventriculares (BAVs) avançados e/ou FC muito baixa (especialmente ≤ 40 bpm) podem apresentar sintomas, como dispneia, pré-síncope ou síncope.[2] Quando esses sintomas surgem de maneira abrupta

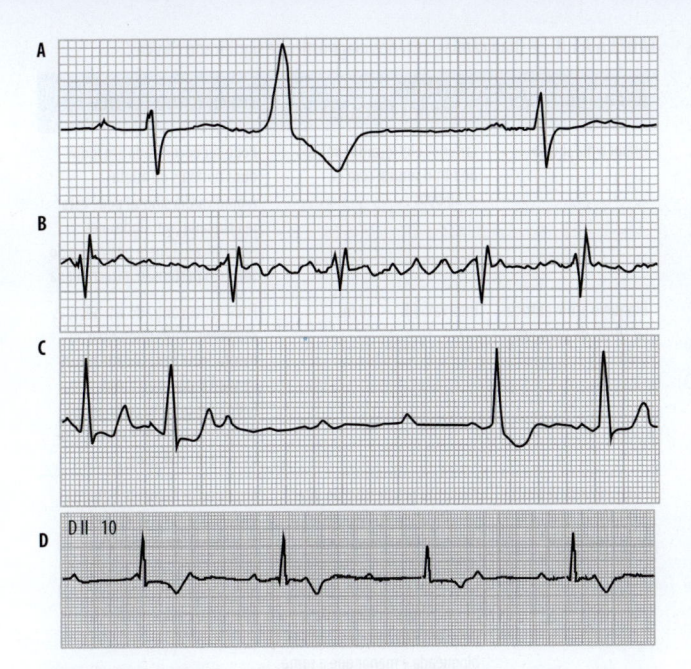

FIGURA A1.8 → Arritmias ao eletrocardiograma (ECG). Em **A**, extrassístole ventricular isolada interpolada entre 2 batimentos sinusais, conduzidos com intervalo PR prolongado (0,24 segundo [s]). Em **B**, fibrilação atrial, com ondas f irregulares com alta frequência e intervalo RR variável. Em **C**, bloqueio atrioventricular avançado, com 3 ondas P bloqueadas, seguidas por escape ventricular e retorno ao ritmo sinusal. Em **D**, bloqueio atrioventricular total, com dissociação completa entre ritmos atrial e ventricular.

e o ECG confirma bradicardia, deve-se afastar síndromes isquêmicas (sobretudo infarto inferior) ou ação medicamentosa (intoxicação digitálica, uso de betabloqueador, amiodarona, etc.). Pacientes com bradicardia sintomática devem ser encaminhados para serviço de urgência e avaliados quanto à indicação de implante de marca-passo.

A descrição das principais formas de bradicardia, bem como o seu significado clínico, é apresentada na **TABELA A1.8**.

O ELETROCARDIOGRAMA EM CONDIÇÕES CLÍNICAS COMUNS

Hipertensão arterial sistêmica

A realização de um ECG de 12 derivações é recomendada como parte da avaliação inicial de todo paciente hipertenso e tem como objetivo a pesquisa de alterações cardíacas associadas à hipertensão (especialmente HVE), arritmia (sobretudo fibrilação atrial, que não é incomum em hipertensos idosos), sinais de doença isquêmica, além da obtenção de um ECG basal, que pode ser útil para futuras comparações.[5]

A HVE é a alteração eletrocardiográfica de maior importância clínica no paciente hipertenso. Sua presença está relacionada, de forma independente, com o aumento do risco de um grande número de desfechos: insuficiência cardíaca, arritmia ventricular, dilatação da raiz da aorta, isquemia

TABELA A1.6 → Taquicardias com QRS estreito: critérios diagnósticos e significado clínico

TAQUICARDIAS	DIAGNÓSTICO	SIGNIFICADO CLÍNICO
Taquicardia sinusal	FC > 100 bpm e onda P com critérios de ritmo sinusal (positiva em DI, DII, aVF, V3 a V6 e negativa em aVR)	A taquicardia sinusal apresenta múltiplas causas, que podem ser tanto psíquicas (ansiedade) quanto orgânicas (hipovolemia, infecção, anemia, embolia pulmonar, uso de drogas, etc.) O tratamento baseia-se no diagnóstico da causa básica com instituição de medidas específicas para esta
Taquicardia paroxística supraventricular (TPSV)	Taquicardia regular de FC entre 100 e 250 bpm Pode haver ou não onda P visível; caso haja, sua morfologia é diferente da sinusal, podendo ser retrógrada	A denominação TPSV engloba taquicardias diferentes na origem eletrofisiológica, nos critérios eletrocardiográficos e nas condições clínicas associadas De modo geral, o paciente deve ser encaminhado a serviço de urgência para avaliação Quando estável, a manobra vagal ou uso de adenosina serve para cardioverter alguns tipos de arritmia e alentecer outras (por aumento do BAV), facilitando o diagnóstico
Taquicardia juncional	Taquicardia de QRS estreito, geralmente com dissociação atrioventricular; em alguns casos, há condução retrógrada para o átrio (P retrógrado)	Sua forma paroxística é muito rara e geralmente associada à alteração congênita, apresentando FC entre 110 e 250 bpm; sua forma não paroxística apresenta FC entre 70 e 120 bpm e é considerada uma arritmia benigna; entretanto, pode estar associada a condições clínicas potencialmente graves, como intoxicação digitálica, hipocalemia e isquemia miocárdica; nesses casos, o tratamento é dirigido à doença de base
Taquicardia atrial multifocal	Taquicardia irregular com a presença de pelo menos 3 morfologias diferentes de onda P	Ocorre, geralmente, como manifestação secundária de doença pulmonar, alteração eletrolítica ou intoxicação digitálica O tratamento é dirigido à doença de base
Flutter atrial	Taquicardia com frequência atrial entre 250 e 350 bpm; o ritmo costuma ser regular e não há linha isoelétrica, com presença de ondas bifásicas regulares entre os QRS (ondas F) Há BAV, em geral 2:1 (gerando FC em torno de 150 bpm); o BAV pode ser, ainda, 3:1, 4:1, 3:2, etc.; raramente há condução 1:1, gerando taquicardia de alta resposta ventricular e risco de degeneração para arritmias ventriculares O ritmo cardíaco será irregular quando o BAV for variável	O *flutter* atrial ocorre na grande maioria das vezes em paciente com doença cardíaca estrutural ou pulmonar O hipertireoidismo é outra causa que deve ser lembrada A adenosina pode ser usada para aumentar o grau de BAV, facilitando o diagnóstico (reduz a resposta ventricular e facilita a visualização das ondas atriais) A cardioversão química (sendo a amiodarona o fármaco mais usado), quando indicada, apresenta baixa taxa de sucesso O controle da resposta ventricular pode ser feito com betabloqueador, bloqueador de canal de cálcio ou digitálico O *flutter* atrial confere risco de eventos tromboembólicos, motivo pelo qual se deve avaliar a anticoagulação do paciente
Fibrilação atrial (ver **FIGURA A1.7**)	Ritmo cardíaco irregular, com ausência de onda P e presença de pequenas oscilações irregulares na linha de base (ondas f)	Pacientes portadores de fibrilação atrial geralmente possuem doença cardíaca estrutural com alteração atrial A prevalência dessa arritmia aumenta com a idade Os sintomas – dispneia, palpitação, tontura – geralmente são causados pela resposta ventricular elevada (que pode passar de 150 bpm, quando não tratada) A fibrilação atrial confere risco de eventos tromboembólicos, motivo pelo qual se deve avaliar a anticoagulação do paciente

BAV, bloqueio atrioventricular; bpm, batimentos por minuto; FC, frequência cardíaca.
Fonte: Surawicz e colaboradores[2] e Blomström-Lundqvist e colaboradores.[4]

TABELA A1.7 → Taquicardias com QRS largo: critérios diagnósticos e significado clínico

TAQUICARDIAS	CRITÉRIOS ELETROCARDIOGRÁFICOS	SIGNIFICADO CLÍNICO
Taquicardia ventricular (TV)	Taquicardia regular com FC, em geral, entre 140 e 200 bpm Vários critérios já foram descritos para diferenciá-la da taquicardia supraventricular com aberrância, baseando-se, sobretudo, no fato de, na TV, o início do QRS ser lento, a morfologia do QRS não ser típica de BRE ou BRD, a duração do QRS ser geralmente maior e pela possibilidade da ocorrência de dissociação AV, batimentos de fusão (batimento híbrido entre a morfologia basal do paciente e a morfologia da TV) e captura (batimento em que o QRS é estreito, idêntico ao basal do paciente, com condução AV)	A TV representa a maioria das taquicardias com QRS largo e sua forma mais grave; dessa forma, em caso de dúvida diagnóstica, todo paciente com taquicardia com QRS largo deve ser tratado como apresentando TV A presença de doença cardíaca estrutural aumenta ainda mais a probabilidade de a arritmia tratar-se de TV O paciente pode apresentar estabilidade hemodinâmica, hipotensão ou mesmo ausência de pulso central Em caso de instabilidade clínica, o paciente com essa arritmia deve ser prontamente cardiovertido eletricamente, e sempre encaminhado a serviço de urgência
Fibrilação ventricular	Taquicardia caracterizada por ritmo ventricular caótico, com deflexões irregulares ao ECG de amplitude e contornos variados A FC está entre 150 e 500 bpm	O paciente sempre apresenta parada cardiorrespiratória, pelo fato de as contrações ventriculares serem fracas, desordenadas e ineficientes O paciente deve ser prontamente submetido à desfibrilação elétrica e encaminhado ao serviço de urgência
Taquicardia supraventricular com aberrância	Uma taquicardia supraventricular pode apresentar QRS largo, pela presença de bloqueio de ramo preexistente ou relacionado com aumento da FC	O diagnóstico diferencial com TV pode ser difícil e baseia-se nos critérios descritos; em caso de dúvida, a arritmia deve ser tratada como TV
Taquicardia pré-excitada	Ocorre pela condução do impulso supraventricular por via anômala para o ventrículo Como a propagação do impulso ocorre por via acessória diretamente para a porção muscular do ventrículo, o QRS é largo A FC pode ser muito elevada	O paciente costuma apresentar critérios de pré-excitação no ECG de base O ritmo pode ser regular (taquicardia antidrômica – o impulso desce para o ventrículo pela via anômala e sobe para o átrio pelo nó AV – ou *flutter* pré-excitado) ou irregular (fibrilação atrial pré-excitada) O paciente apresenta FC muito elevada, com risco de degeneração para arritmia ventricular

AV, atrioventricular; BRD, bloqueio de ramo direito; BRE, bloqueio de ramo esquerdo; ECG, eletrocardiograma; FC, frequência cardíaca.

TABELA A1.8 → Bradicardias: critérios diagnósticos e significado clínico

BRADIARRITMIAS	CRITÉRIOS ELETROCARDIOGRÁFICOS	SIGNIFICADO CLÍNICO
Bradicardia sinusal	Critérios eletrocardiográficos de ritmo sinusal com FC < 50 bpm	Pode ser encontrada em indivíduos normais ou atletas A bradicardia sinusal pode estar relacionada com síndromes isquêmicas, apneia obstrutiva do sono e hipertensão intracraniana
Bloqueio atrioventricular (BAV) de primeiro grau	Intervalo PR > 120 ms	Pode ser encontrado em pessoas saudáveis, conferindo risco aumentado de necessidade futura de marca-passo artificial Em pacientes com coronariopatia, parece conferir risco aumentado de mortalidade
Bloqueio atrioventricular (BAV) de segundo grau Mobitz tipo I	Aumento progressivo do intervalo PR, até o aparecimento de uma onda P bloqueada; diminuição progressiva do intervalo RR até o aparecimento de uma onda P bloqueada; o intervalo RR contendo a onda P bloqueada é menor que a soma de 2 intervalos PP	Alteração geralmente benigna, podendo ser encontrada em pessoas saudáveis e atletas; pode ocorrer, ainda, em síndromes isquêmicas (sobretudo IAM inferior) e na doença de Chagas
Bloqueio atrioventricular (BAV) de segundo grau Mobitz tipo II	BAV intermitente, com intervalo PR constante até o aparecimento da onda P bloqueada	Bloqueio geralmente permanente, com grande chance de degeneração para BAVT Pode estar associado à doença degenerativa do sistema de condução, a síndromes isquêmicas e à doença de Chagas
Bloqueio atrioventricular total (BAVT) (ver **FIGURA A1.7**)	Independência entre ritmo atrial e ritmo de escape, com intervalo PP e RR regulares, mas sem relação entre a onda P e o complexo QRS	Apesar de, em alguns casos, o paciente poder estar assintomático e com FC > 40 bpm, todo paciente com BAVT deve ser encaminhado para avaliação em serviço de urgência, pelo risco de bradicardia extrema ou assistolia

IAM, infarto agudo do miocárdio; ms, milissegundo.
Fonte: Surawicz e colaboradores.[2]

cerebral, IAM não fatal e morte cardiovascular. Os mecanismos propostos para explicar o papel prognóstico da HVE são a isquemia induzida pelo aumento da massa do VE e a alteração da função diastólica.

Por outro lado, o uso de anti-hipertensivos está associado à redução da massa do VE, com melhora dos critérios eco e eletrocardiográficos de HVE. A regressão da HVE, por sua vez, mostrou-se associada à redução do risco cardiovascular, incluindo morte cardiovascular, IAM e acidente vascular cerebral (AVC).

Outras alterações eletrocardiográficas em pacientes hipertensos cujas associações com aumento de mortalidade cardiovascular já foram estudadas são o prolongamento do QTc e o aumento da duração do QRS. O aumento do QTc (≥ 450 ms em mulheres e ≥ 440 ms em homens) mostrou-se fator preditor de mortalidade cardiovascular, independentemente da HVE.[6] Já o aumento da duração do QRS confere maior risco cardiovascular aos pacientes portadores de HVE. Além das alterações já citadas, anormalidades de AE e bloqueio do fascículo anterossuperior esquerdo são achados comuns em pacientes hipertensos.

Dessa forma, o ECG é parte indispensável no acompanhamento do paciente hipertenso, estando ligado à avaliação de lesão cardíaca associada e risco cardiovascular. A melhora dos critérios de HVE, mediante o uso de anti-hipertensivos, deve ser valorizada como redução do risco cardiovascular.

Síndromes isquêmicas

O ECG é exame fundamental na avaliação de paciente com suspeita clínica de síndrome coronariana aguda (SCA) e deve ser realizado o mais breve possível. Alterações eletrocardiográficas compatíveis com isquemia miocárdica aguda são supra de ST, infra de ST, inversão da onda T, pseudonormalização da onda T, novos bloqueios de ramo, etc.[7] As alterações do segmento ST apresentam maior especificidade para isquemia aguda e necessitam de correta e rápida avaliação. Servem, ainda, para dividir as SCAs em com ou sem supra de ST, implicando tratamentos distintos.[8,9] O critério diagnóstico para IAM com supra de ST é a presença de supra de ST novo > 1 mm em duas derivações contíguas (FIGURA A1.9), com as seguintes exceções:

→ V2 e V3, em que o supra deve ser maior que 2,5 mm em homens com idade < 40 anos; maior que 2 mm em homens com idade ≥ 40 anos; e maior que 1,5 mm em mulheres;
→ V3R e V4R, em que o supra de ST deve ser maior que 1 mm em homens com idade < 30 anos e maior que 0,5 mm em mulheres de qualquer idade ou homens com idade ≥ 30 anos;
→ V7 e V8, em que o supra de ST deve ser maior que 0,5 mm.[7]

No IAM com supra de ST, o ECG serve para localizar a parede e, em muitos casos, a artéria coronária envolvida (TABELA A1.9).[7] Contudo, é preciso lembrar que há várias outras condições capazes de gerar supradesnivelamento do segmento ST e que, portanto, fazem parte do diagnóstico diferencial (TABELA A1.10).[10]

Outras alterações eletrocardiográficas que podem estar presentes no IAM sem supra de ST são o infradesnivelamento do segmento ST e a inversão da onda T. O infra de ST considerado compatível com isquemia miocárdica deve ser maior ou igual a 0,5 mm em duas derivações contíguas. Já a inversão de T em duas derivações contíguas em que haja onda R proeminente ou razão R/S > 1.[7,11] Os pacientes com queixa de dor torácica ou outros sintomas ou sinais compatíveis com isquemia miocárdica devem ser submetidos à realização de ECGs seriados, já que traçados inicialmente

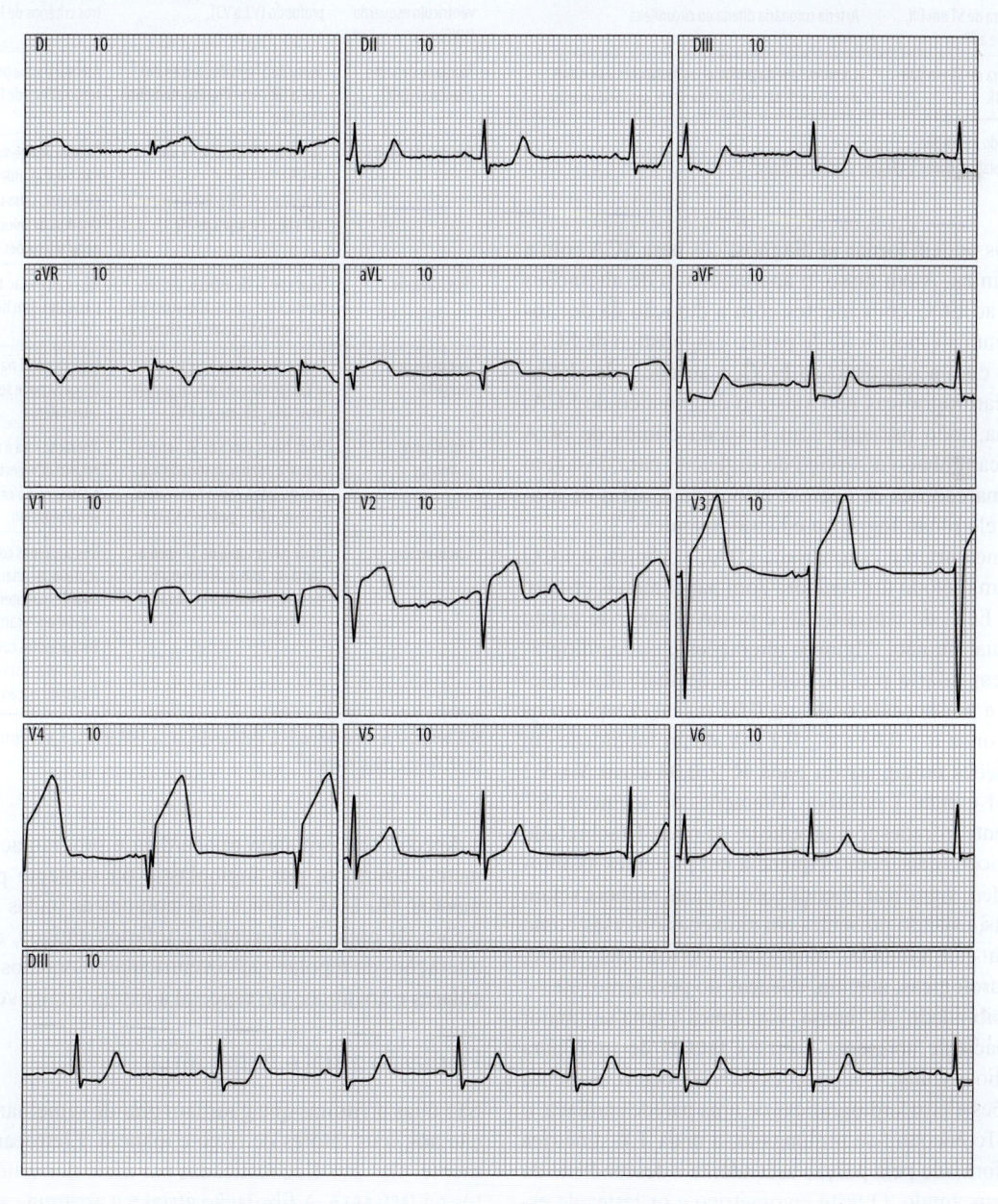

FIGURA A1.9 → Eletrocardiograma (ECG) de infarto agudo do miocárdio com supra de ST em parede anterior.

TABELA A1.9 → Relação entre a parede miocárdica isquêmica, as derivações eletrocardiográficas com supra do segmento ST e a artéria relacionada com o infarto

PAREDE	DERIVAÇÕES	COMENTÁRIOS
Anterior	V1 a V6	Artéria descendente anterior (DA): dependendo da localização da oclusão arterial, um número diferente das derivações citadas será acometido (p. ex., DA proximal: V1 a V6; DA distal: V3 a V6)
Anterior extenso	V1 a V6, DI e aVL	Artéria descendente anterior
Septal	Supra de ST em V1 e V2	Ramo septal da DA
Lateral	Supra de ST em V5, V6 e/ou DI e aVL	Ramo diagonal da DA, *diagonalis*, circunflexa ou coronária direita
Posterior	Supra de ST em V7 a V9, com ou sem infra de ST em V1 a V3	Artéria coronária direita ou circunflexa; pode estar associado a infarto inferior ou lateral. As derivações V7 a V9 devem ser sempre realizadas em pacientes com IAM inferior ou lateral, além de pacientes com suspeita clínica de IAM, apesar da ausência de supra de ST nas 12 derivações habituais
Inferior	Supra de ST em DII, DIII e aVF	Artéria coronária direita ou circunflexa
Ventrículo direito	Supra de ST em V3R e V4R	Coronária direita proximal; as derivações V3R e V4R devem ser feitas em todo paciente com IAM inferior

IAM, infarto agudo do miocárdio.
Fonte: Surawicz e colaboradores[2] e Wagner e colaboradores.[7]

TABELA A1.10 → Outras causas de supradesnivelamento do segmento ST

OUTRAS CAUSAS DE SUPRA DE ST	ELETROCARDIOGRAMA	COMENTÁRIOS
Supra de ST normal	Supra de ST, côncavo, principalmente, em V2 a V3, sem atingir critérios para diagnóstico de IAM	Mais comum em homens jovens
Repolarização precoce	Supra de ST, côncavo, principalmente em V4, com presença de *notch* no ponto J. A onda T é positiva e, em geral, proeminente. Quando há supra de ST em derivações periféricas, o supra é maior em DIII do que em DII e há infra em aVR e não em aVL	Mais comum em homens jovens; tem sido considerada uma variante da normalidade. Mais recentemente, alguns trabalhos mostram associação com morte súbita, mas a questão ainda é controversa. Deve ser considerada primariamente uma condição benigna
Variante do normal	Supra de ST, côncavo, de V3 a V5, com onda T invertida; QT reduzido	Mais comum em jovens negros
Hipertrofia de ventrículo esquerdo (HVE)	Supra de ST nas derivações com S profundo (V1 a V3)	Atentar para a presença de outros critérios de HVE
Bloqueio de ramo esquerdo (BRE)	Supra de ST em derivações em que o QRS é predominantemente negativo	Atentar para a presença de outros critérios de BRE
Pericardite aguda	Supra de ST difuso, com infra de PR. A derivação aVR pode apresentar infra de ST e supra de PR	O supra atinge várias paredes, não correspondendo ao território de apenas uma coronária. Quadros de miocardites podem gerar alterações semelhantes
Hipercalemia	Supra de ST de aspecto descendente, com outras alterações eletrocardiográficas de hipercalemia	Não é alteração frequente em pacientes com hipercalemia
Síndrome de Brugada	Supra de ST descendente em V1 e V2, terminando em uma onda T invertida; rSR' em V1 e V2	O supra de ST na síndrome de Brugada pode ser contínuo ou intermitente
Embolismo pulmonar	Pode haver supra de ST anterosseptal e inferior, associado a outros achados, como taquicardia sinusal, BRD e padrão S1Q3T3	Alteração rara e de difícil diagnóstico diferencial do IAM, sendo o cateterismo cardíaco muitas vezes indicado
Cardioversão	Pode haver supra de ST imediatamente após a cardioversão, de caráter transitório (duração < 3 minutos)	Nos pacientes com taquicardia supraventricular, confere menor taxa de manutenção de ritmo sinusal após cardioversão. Em pacientes com taquicardia ventricular, está associado a pior fração de ejeção

BRD, bloqueio de ramo direito; ECG, eletrocardiograma; IAM, infarto agudo do miocárdio.
Fonte: Wang e colaboradores.[10]

inespecíficos podem tornar-se diagnósticos para SCA com a evolução clínica. Além disso, o aparecimento de alterações transitórias ao ECG coincidentes com a duração da dor torácica aumenta a especificidade para o diagnóstico de SCA.

Mesmo com a repetição do ECG, a ausência de alterações eletrocardiográficas não afasta o diagnóstico de SCA. Dessa forma, todo paciente com suspeita clínica de SCA deve ser encaminhado a serviço de urgência, para dosagem seriada de marcadores de necrose miocárdica, além de monitorização eletrocardiográfica e hemodinâmica.[8,9]

Na doença arterial coronariana (DAC) crônica, o ECG também é um método útil, embora com papel menos crítico, já que pelo ECG de repouso não é possível saber se existe isquemia atual ou não. Algumas alterações eletrocardiográficas sugerem infarto prévio, com área de inatividade elétrica, como a presença de onda q ≥ 0,02 ms ou complexo qs em V2-V3, onda q ≥ 0,03 s e ≥ 0,1 mV de profundidade em duas derivações contíguas ou onda R ≥ 0,04 s em V1-V2 com R/S ≥ 1 e onda T positiva. Alterações do segmento ST (especialmente infradesnivelamento) e da onda T (sobretudo inversão) encontradas com frequência em pacientes assintomáticos podem significar doença coronariana, embora sejam inespecíficas, estando presentes em situações diversas como variação da normalidade, alterações eletrolíticas, febre, doenças neurológicas, anemia, doenças do pericárdio, etc.

A possibilidade de causa isquêmica torna-se maior quando o paciente apresenta diversos fatores de risco para doença cardiovascular, as alterações de ST/T ocorrem apenas em derivações eletrocardiográficas de uma parede cardíaca, o intervalo QTc encontra-se prolongado, a onda T é simétrica e o ângulo formado pela porção ascendente e descendente da onda T é mais agudo. O teste ergométrico e os testes de estresse associados à imagem são os métodos de escolha para a detecção de isquemia miocárdica e programação de tratamento cirúrgico, por angioplastia ou somente por medicamentos. Na DAC crônica, são comuns as ondas q ou amputações de onda R referentes a infartos antigos, assim como alterações da repolarização ventricular, bloqueios intraventriculares e arritmias, em especial a extrassistolia ventricular.

Fibrilação atrial e *flutter* atrial

São duas arritmias que guardam grande semelhança em relação aos seus fatores de risco e manejo. Eletrocardiograficamente, elas são diagnosticadas por meio dos critérios descritos na **TABELA A1.6**. A fibrilação atrial é a arritmia cardíaca mais comum e diversos estudos demonstram que sua presença é fator de risco independente para mortalidade.¹²,¹³ A fibrilação atrial pode ser classificada como paroxística (quando os episódios duram menos de 7 dias), persistente (quando os episódios duram entre 7 dias e 12 meses), persistente de longa duração (duração maior que 12 meses) ou permanente (quando não há mais a intenção de tentar retomar o ritmo sinusal). Frequentemente, a fibrilação atrial evolui da forma paroxística para formas de maior duração.¹⁴ (Ver Capítulo Arritmias Cardíacas.)

Doença de Chagas

O ECG é o método complementar mais importante na avaliação do paciente com doença de Chagas crônica, sendo que as diretrizes correntes definem a presença da forma cardíaca primariamente pela existência de alterações ao ECG típicas, ou pela presença de alterações inespecíficas ao ECG associadas a outros achados clínico-laboratoriais característicos da doença⁶,¹⁵ (ver Capítulo Doença de Chagas). Assim, a presença de um traçado eletrocardiográfico normal em paciente com doença de Chagas tem importante implicação clínica e prognóstica. Do ponto de vista clínico, a presença do ECG normal aumenta a possibilidade de que o paciente se encontre na forma indeterminada da doença, na qual não existem manifestações clínicas, eletrocardiográficas ou radiológicas de acometimento cardíaco ou digestivo. Nesse caso, não existem restrições laborativas e o paciente costuma ter vida normal. Do ponto de vista prognóstico, muitos estudos demonstraram que o paciente chagásico com ECG normal tem o risco de morte igual ao da população saudável, em um prazo de 5 a 10 anos de acompanhamento.

A ausência de alterações eletrocardiográficas, porém, não é indicador fidedigno da ausência de acometimento cardíaco. Quando estudados por métodos propedêuticos mais sofisticados, uma proporção variável dos pacientes com ECG normal mostra alterações estruturais ou funcionais do coração. Além disso, 2 a 5% dos chagásicos com ECG normal apresentam novas alterações no ECG a cada ano. O aparecimento de nova alteração no ECG em um paciente chagásico com ECG previamente normal está associado a maior risco de deterioração da função do VE e define mudança de forma clínica para cardiopatia chagásica, com aumento do risco de morte, em médio prazo.¹⁶

Embora existam algumas alterações eletrocardiográficas mais sugestivas de que o acometimento cardíaco seja, em determinado caso, secundário à etiologia chagásica, quase todas as anormalidades eletrocardiográficas existentes podem ser encontradas na doença de Chagas, com predominância das anormalidades da formação e da condução do ritmo cardíaco descritas adiante. A combinação de alterações eletrocardiográficas diferentes em um mesmo traçado pode ocorrer, sendo mais frequente naqueles com cardiopatia mais avançada e de pior prognóstico. Na vigência de cardiopatia hipertensiva ou de outra etiologia, alterações eletrocardiográficas características dessas condições podem sobrepor-se àquelas típicas da cardiopatia chagásica.⁶,¹⁵

O bloqueio de ramo direito (BRD) do feixe de His, completo ou incompleto, é o distúrbio de condução mais frequente na cardiopatia chagásica, sendo encontrado em 10 a 50% dos pacientes infectados, dependendo da amostra estudada. Frequentemente está associado ao bloqueio do fascículo anterossuperior do ramo esquerdo do feixe de His (hemibloqueio anterior esquerdo), combinação característica do chagásico cardiopata (FIGURA A1.10). Outras vezes, associa-se ao bloqueio inferoposterior esquerdo (hemibloqueio posterior esquerdo), a BAVs incompletos, a extrassístoles ventriculares ou a outras alterações menos frequentes. O bloqueio de ramo esquerdo (BRE) é pelo menos 10 vezes menos frequente do que o BRD na doença de Chagas. A presença de BRD e BRE está associada à disfunção do VE e marcadores independentes de risco de morte na doença de Chagas. Entretanto, o hemibloqueio anterior esquerdo não tem significado prognóstico na doença de Chagas e, se encontrado de forma isolada, não é definidor de cardiopatia chagásica.

A extrassistolia ventricular também é um achado muito frequente na cardiopatia chagásica, acometendo 6 a 55% dos indivíduos sorologicamente positivos. Caracteristicamente, as extrassístoles são frequentes e polimorfas, sendo que, às vezes, formas repetidas (pares) ou sustentadas (taquicardia ventricular) de arritmia ventricular são registradas em curtos traçados de rotina. As arritmias ventriculares são mais frequentes e repetitivas nos pacientes com pior função do VE. A presença de extrassístoles ao ECG e de taquicardia ventricular ao Holter de 24 horas ou ao teste ergométrico se relaciona com risco aumentado de evolução fatal.

A disfunção sinusal é observada em 1 a 16% dos pacientes chagásicos cardiopatas. As principais manifestações eletrocardiográficas da disfunção do nó sinusal são a bradicardia sinusal – especialmente se a frequência sinusal for menor que 40 bpm –, a parada sinusal, o bloqueio sinoatrial

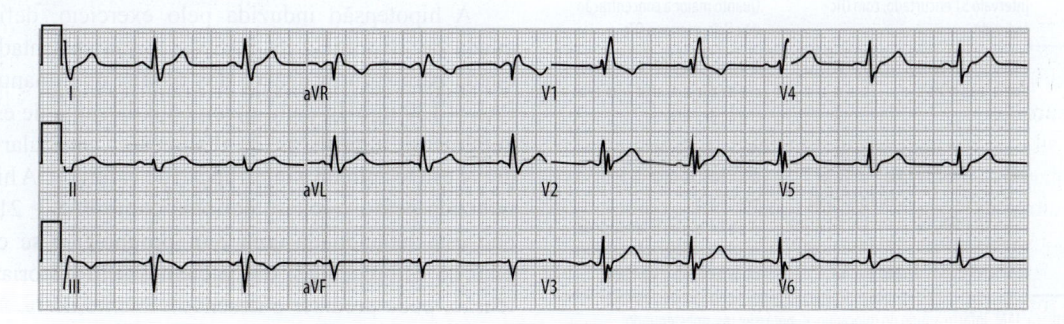

FIGURA A1.10 → Eletrocardiograma (ECG) de paciente com cardiopatia chagásica, mostrando bloqueio completo de ramo direito associado a hemibloqueio anterior esquerdo.

e a existência de ritmos de suplência que denotem a inibição do marca-passo sinusal normal: os ritmos juncionais e idioventricular acelerado. O acometimento do sistema de condução se estende ao nó AV, ao feixe de His e a seus ramos. Podem ocorrer BAVs de primeiro grau, segundo grau (tipos I, II, 2:1 ou avançado) e terceiro grau ou completo, em geral associados a outras alterações eletrocardiográficas.

A fibrilação atrial é a arritmia supraventricular mais frequente entre os chagásicos, sendo encontrada em 4 a 12% dos traçados eletrocardiográficos. Na maioria das vezes, a fibrilação atrial se apresenta sob a forma crônica, associada a dano miocárdico, acometimento difuso do sistema de condução, arritmias ventriculares e, como consequência, a um prognóstico sombrio, sendo negativamente relacionada com a sobrevida. As extrassístoles supraventriculares são menos frequentes e importantes do que as ventriculares, ocorrendo entre 1,5 e 12% dos chagásicos.

Outras alterações significativas encontradas na cardiopatia chagásica incluem as zonas eletricamente inativas (simulando IAM), a baixa voltagem periférica e as alterações primárias da onda T.

OUTRAS ALTERAÇÕES ELETROCARDIOGRÁFICAS

Outras alterações eletrocardiográficas secundárias a condições clínicas específicas são apresentadas na **TABELA A1.11**.[17]

TABELA A1.11 → Outras alterações eletrocardiográficas secundárias a condições clínicas específicas

ALTERAÇÃO	CRITÉRIOS DIAGNÓSTICOS	COMENTÁRIOS
Hiperpotassemia	K sérico > 5,5 > onda T alta e apiculada K sérico > 6,5 > QRS alargado em suas porções inicial e final K sérico > 7 > onda P com amplitude reduzida e duração aumentada K sérico > 8 > desaparecimento da onda P K sérico > 10 > ritmo irregular, simulando fibrilação atrial K sérico entre 12-14 > TV ou assistolia	Pode ocorrer, ainda, presença de supra de ST, simulando IAM
Hipopotassemia	Redução da amplitude da onda T, aumento da amplitude da onda U, infradesnivelamento de ST	Mais evidentes com K < 2,7; em casos de hipopotassemia grave, pode haver taquicardias supraventriculares ou ventriculares
Hipercalcemia	Intervalo ST encurtado, com QTc reduzido	Quanto maior a concentração de cálcio, menor o QTc
Hipocalcemia	Aumento da duração do intervalo ST e aumento do QTc	O aumento do QTc é inversamente proporcional à concentração de cálcio
QT longo	O valor do QT medido (início do QRS até o final da onda T) deve ser corrigido pela FC, usando a fórmula $QTc = QT/\sqrt{RR}$; QTc entre 390 e 450 ms em homens e entre 390 e 460 ms em mulheres é considerado normal	O aumento do QTc está associado ao risco de arritmia ventricular A síndrome do QT longo pode ocorrer por alteração genética ou secundária a fármacos

FC, frequência cardíaca; IAM, infarto agudo do miocárdio; K, potássio; ms, milissegundo; TV, taquicardia ventricular.
Fonte: Surawicz e colaboradores[2] e Rautaharju e colaboradores.[17]

TESTE DE ESFORÇO

Aspectos gerais

O teste de esforço (TE) é um exame não invasivo, simples e de baixo custo utilizado para avaliar pacientes com doença cardiovascular suspeita ou estabelecida, mediante resposta destes ao esforço físico progressivo. O TE pode detectar sinais eletrocardiográficos e hemodinâmicos de isquemia miocárdica, além de avaliar a capacidade funcional do indivíduo e sua resposta hemodinâmica ao exercício, ambas preditoras de eventos cardiovasculares independentes da presença de isquemia.[18–20] O TE pode ser associado a outras modalidades como a análise de gases expiratórios (ergoespirometria) ou métodos de imagem, como a cintilografia miocárdica e o ecocardiograma, aumentando, assim, a informação obtida por meio desse exame.[19]

O TE pode ser realizado em bicicleta ou esteira ergométrica – a última é mais utilizada em nosso meio. Os protocolos para esteira são baseados no esforço físico incremental mediante aumento da velocidade e inclinação da esteira, que varia conforme o protocolo empregado. O exame termina quando o paciente atinge a exaustão ou quando ocorre o aparecimento de sinais ou sintomas que contraindicam a continuação do exercício.

Existem vários protocolos para esteira, e o mais validado é o de Bruce, em que os estágios têm duração de 3 minutos. Se esse protocolo for muito extenuante para o paciente, outros protocolos podem ser utilizados, como Bruce modificado e Naughton. No protocolo Rampa, pressupõe-se a avaliação ou estimativa prévia da capacidade funcional do paciente.[19]

Interpretação

Alterações clínicas e hemodinâmicas

Durante o esforço físico, algumas respostas hemodinâmicas são esperadas: o aumento da FC, o aumento da pressão arterial sistólica (PAS) e a manutenção da pressão arterial diastólica (PAD).[19] A incapacidade de atingir, no pico do esforço, 85% da FC máxima prevista para a idade, em pacientes que não estejam fazendo uso de fármacos cronotrópicos negativos, é denominada incompetência cronotrópica. Ela pode estar relacionada com DAC ou com cardiopatia chagásica e pode predizer mortalidade por qualquer causa.[18]

A hipotensão induzida pelo exercício, definida pela queda de 10 mmHg da PAS de forma sustentada ou pela queda para valores abaixo dos basais, ou a manutenção da PAS < 120 mmHg com incremento da carga de esforço são geralmente indicativas de disfunção ventricular ou DAC grave e determinam a interrupção do esforço.[19] A hipertensão induzida pelo exercício, definida como PAS ≥ 210 mmHg, não está relacionada com pior prognóstico se ocorrer no pico do esforço, mas, em pacientes sem história de hipertensão, pode predizer o desenvolvimento desta. A presença de dor precordial ou dispneia desproporcional ao esforço durante o exame é importante e deve ser relacionada com outros parâmetros hemodinâmicos e eletrocardiográficos para maior valor no diagnóstico de isquemia.[19]

Na fase de recuperação, pode ocorrer hipotensão em indivíduos sadios devido ao represamento do sangue no território venoso após o exercício, mas isso também pode ser sinal de isquemia em pacientes cardiopatas.[21] Uma queda lenta da PAS também pode ser um achado de pior prognóstico cardiovascular, assim como a queda lenta da FC no 1º minuto (≤ 12-18 bpm), que reflete disfunção do sistema nervoso parassimpático.[18]

Alterações eletrocardiográficas

Os desvios do segmento ST devem ser medidos a partir da linha de base PQ, localizada no final do segmento PR e início do complexo QRS. A partir dessa linha, deve-se detectar o ponto J, localizado no final do complexo QRS e início do segmento ST, e o ponto Y, este localizado 2 mm após o ponto J.[19] O TE é considerado positivo para isquemia na presença das seguintes alterações eletrocardiográficas:

→ **infradesnível do segmento ST:** é a alteração mais comum e pode ser mais facilmente detectado nas derivações V4, V5 e V6 no esforço ou na recuperação. Na presença dessa alteração, não é possível identificar a artéria coronária acometida. O infra de ST pode apresentar três morfologias: ascendente, horizontal e descendente (FIGURA A1.11).[19] O infra de ST ascendente rápido é uma resposta fisiológica ao exercício, e o lento, apesar de poder relacionar-se com isquemia miocárdica, tem menor especificidade e não é um marcador de pior prognóstico. Assim, para ser considerado secundário à isquemia, o infra de ST deve ser igual ou maior que 1 mm medido no ponto J, se descendente, e no ponto Y, se horizontal, em 3 batimentos consecutivos.[19] A magnitude, a duração, o número de derivações e a carga de esforço em que ele aparece estão relacionados com o prognóstico;

→ **supradesnível do segmento ST:** pouco comum, exceto em derivações com onda q preexistente, sugerindo IAM transmural prévio. Nesses casos, ele deve-se à mobilidade anormal da parede acometida e não é secundário à isquemia. Em derivações sem onda q prévia, o supradesnível de ST > 2 mm em V3 e V4 e > 1 mm nas demais derivações sugere isquemia transmural ou espasmo coronariano e localiza a parede cardíaca acometida.[19]

Outras alterações que podem ser indicativas de DAC são bloqueio de ramo novo e arritmias induzidas pelo esforço.[19] As extrassístoles ventriculares ocorrem em 7 a 20% dos pacientes no esforço, e, apesar de existir associação entre arritmia ventricular induzida pelo esforço e piora do prognóstico do paciente, isso nem sempre é verdadeiro e é mais importante quando a arritmia ventricular aparece ou torna-se mais frequente na fase de recuperação.

Avaliação da capacidade funcional

O TE é uma forma objetiva de avaliar a capacidade funcional do indivíduo, sendo, portanto, útil na elaboração de prescrição de atividade física. A capacidade funcional de um indivíduo pode ser quantificada pela medida do consumo máximo de oxigênio (VO_2 máx).

O VO_2 máx é considerado a medida que melhor reflete as condições cardiovasculares do indivíduo e pode ser aferido pela ergoespirometria ou estimado pelo TE. Ele é definido como a maior quantidade de oxigênio que uma pessoa pode consumir enquanto realiza exercícios dinâmicos que envolvem grande parte da massa muscular total e representa a quantidade de oxigênio transportado e utilizado pelo metabolismo celular.

O VO_2 máx é influenciado por idade, sexo, hereditariedade, grau de atividade física habitual e condição clínica cardiovascular. O termo "equivalente metabólico" (MET) expressa a quantidade de oxigênio consumido na posição sentada, sendo 1 MET definido como 3,5 mL de O_2/kg/min. A carga de esforço das atividades físicas habituais, de lazer ou trabalho pode ser expressa em METs, tornando essa medida útil na prescrição de atividade física e na avaliação de incapacidade funcional, além de padronizar a avaliação da carga de esforço realizada nos TEs que utilizam diferentes protocolos. Indivíduos com capacidade funcional ≤ 6 METs detectada no TE requerem supervisão durante a realização de atividade física, devido ao maior risco de complicações cardiovasculares.[22]

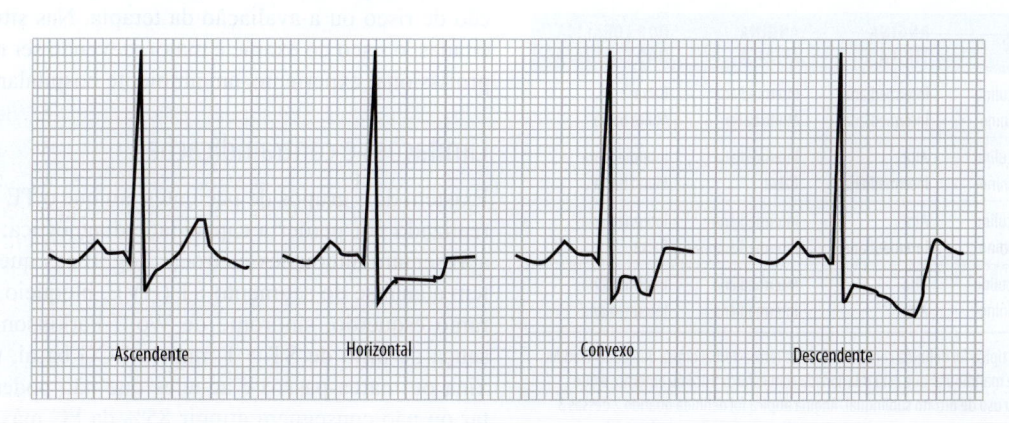

FIGURA A1.11 → Morfologias do infradesnivelamento de ST.

Indicações

As principais indicações para o TE na atenção primária à saúde, seguidas dos graus de recomendação das diretrizes norte-americanas (American College of Cardiology/American Heart Association [ACC/AHA]), estão descritas a seguir.

Diagnóstico de doença arterial coronariana

Teste de esforço para rastreamento de doença arterial coronariana

Existe pouca evidência de que o rastreamento rotineiro de doença coronariana por meio de TE seja eficaz, visto que o exame é capaz de detectar apenas obstruções coronarianas graves que podem causar restrição ao fluxo sanguíneo.[18] Para os pacientes de baixo risco, o rastreamento de DAC não é necessário, mas, para alguns grupos de pacientes assintomáticos, o exame é recomendado em pacientes diabéticos que pretendem iniciar programa de exercícios físicos (recomendação da AHA classe IIa – evidência de benefício conflitante, mas, em geral, favorável); pacientes com risco intermediário para DAC avaliados por escores de risco cardiovascular como o de Framingham, com o objetivo de guiar a terapia para fatores de risco (recomendação da AHA classe IIb – utilidade menos comprovada); e em homens com idade > 45 anos e mulheres com idade > 55 anos que pretendem iniciar um programa de exercícios físicos intensos, trabalham em profissões de risco para o público ou apresentam alto risco para DAC devido à presença de outras doenças, como doença vascular periférica e doença renal crônica (recomendação da AHA classe IIb – utilidade menos comprovada).[18,23]

Teste de esforço para esclarecimento de dor torácica

No caso de pacientes sintomáticos, para diagnóstico diferencial de dor torácica, o TE tem maior valor diagnóstico quando a probabilidade pré-teste de DAC for intermediária, com base em idade, sexo e presença de sintomas, conforme a **TABELA A1.12** (recomendação da AHA classe I – procedimento útil e efetivo).[19] Nesse caso, o resultado do TE será útil, porque influenciará de maneira significativa a conduta médica.

TABELA A1.12 → Probabilidade pré-teste de doença arterial coronariana por idade, sexo e sintomas

IDADE (ANOS)	SEXO	ANGINA TÍPICA	ANGINA ATÍPICA	DOR TORÁCICA NÃO CARDÍACA
30-39	Masculino	Intermediária	Intermediária	Baixa
	Feminino	Intermediária	Muito baixa	Muito baixa
40-49	Masculino	Alta	Intermediária	Intermediária
	Feminino	Intermediária	Baixa	Muito baixa
50-59	Masculino	Alta	Intermediária	Intermediária
	Feminino	Intermediária	Intermediária	Baixa
60-69	Masculino	Alta	Intermediária	Intermediária
	Feminino	Alta	Intermediária	Intermediária

Observação: angina típica foi definida como dor torácica retroesternal difusa que pode irradiar para ombros, braços e mandíbula; que está relacionada com esforço físico ou emoção; e que alivia após repouso ou uso de nitrato sublingual. Angina atípica foi definida quando 2 dessas 3 características estavam presentes, e dor torácica não cardíaca quando 1 ou nenhuma dessas características estavam presentes.

Situação diferente é a do paciente de baixo risco, no qual a taxa de exames falso-positivos é alta e o resultado do exame pode induzir a uma investigação invasiva desnecessária e potencialmente deletéria. No paciente de alto risco, a taxa de exames falso-negativos é alta, o que pode atrasar o diagnóstico da DAC.[19,23]

O valor diagnóstico do TE em mulheres é menor devido à prevalência mais baixa de DAC e mais alta de dor torácica atípica, maior frequência de doença coronariana não obstrutiva e microvascular, capacidade funcional inadequada para causar alterações isquêmicas no ECG e maior incidência de achados falso-positivos do segmento ST.

Prognóstico e manejo de paciente portador de doença arterial coronariana

Os pacientes com angina estável em tratamento ou aqueles com história pregressa de IAM podem ser submetidos ao TE com objetivo de avaliação prognóstica e da resposta terapêutica (recomendação da AHA classe I – procedimento útil e efetivo).[19] Nesses casos, a capacidade funcional do indivíduo parece ter associação mais importante com desfechos cardiovasculares do que as alterações do segmento ST.[18,20] Os seguintes achados são considerados marcadores de pior prognóstico: capacidade funcional < 5 METs; aparecimento de angina em baixa carga; PAS máxima < 130 mmHg ou queda da PAS durante o esforço e incompetência cronotrópica.[19,20]

Pode-se fazer uso de escores como o de Duke, explicitado a seguir, que se correlaciona com a gravidade da DAC, com o risco de eventos cardiovasculares e com a mortalidade, classificando o paciente em baixo ($\geq +5$), médio (-10 a $+4$) e alto risco (≤ -11).[19]

> **Escore de Duke = tempo de exercício (em min do protocolo de Bruce) − (5 × maior desvio do ST em mm) − (4 × índice de angina [0 = ausente, 1 = não limitante, e 2 = limitante])**

Outras indicações ambulatoriais

O TE também pode ser utilizado para avaliar a capacidade funcional e a presença de sintomas em pacientes portadores de insuficiência cardíaca, valvulopatias e miocardiopatia hipertrófica. Em pacientes selecionados portadores de arritmias, o TE pode contribuir para o diagnóstico, a estratificação de risco ou a avaliação da terapia. Nas situações antes citadas, o risco do exame é maior, devendo ser realizado por profissional experiente, em ambiente hospitalar.[19]

Limitações e contraindicações

Existem dois grupos de pacientes em que o TE não deve ser realizado por perder a capacidade diagnóstica: aqueles que apresentam alterações eletrocardiográficas que comprometem a análise do segmento ST (HVE, bloqueio completo de ramo esquerdo, síndrome de Wolff-Parkinson-White, presença de infra de ST > 1 mm no ECG basal, uso de digoxina ou marca-passo) e aqueles que não podem se exercitar ou não conseguem atingir 85% da FC máxima prevista para a idade (FC máx = 220 − idade), o que torna o teste inadequado para descartar isquemia miocárdica. O bloqueio completo de ramo direito não constitui uma limitação para a análise do segmento ST. Além disso, existem contraindicações absolutas e relativas ao exame em situações clínicas em que a realização de esforço físico pode ser arriscada para o paciente (TABELA A1.13).[19]

Orientações ao paciente

Os pacientes que serão submetidos ao TE devem ser instruídos a não ingerir refeições copiosas nem fumar pelo menos 3 horas antes do exame. Eles devem usar roupas confortáveis e calçados apropriados para a realização de exercício e devem ser informados sobre os riscos e os benefícios do exame.

Os medicamentos devem ser mantidos, exceto em casos de exames solicitados para diagnóstico de DAC, nos quais os medicamentos anti-isquêmicos e cronotrópicos negativos devem ser suspensos ou substituídos, de preferência gradualmente. Os principais medicamentos e o tempo pelo qual estes devem ser suspensos antes do exame são: betabloqueadores por 7 dias, bloqueadores de canal de cálcio por 4 dias, nitratos por 1 dia, digoxina por 7 dias e amiodarona por 60 dias.[19]

ELETROCARDIOGRAFIA AMBULATORIAL (HOLTER)

Aspectos gerais

A eletrocardiografia ambulatorial (Holter) é um método não invasivo utilizado principalmente para detectar distúrbios do ritmo cardíaco. A utilidade clínica desse método baseia-se na capacidade de monitorar o indivíduo durante as suas atividades diárias comuns, permitindo associar uma alteração eletrocardiográfica a determinado sintoma relatado pelo paciente em seu diário de atividades, preenchido por ele durante o período da monitorização eletrocardiográfica.[21]

A eletrocardiografia ambulatorial é realizada de maneira contínua (Holter) ou intermitente (monitor de eventos). No Holter, a gravação pode durar de 24 a 48 horas, e os dados são analisados após a devolução do equipamento. Os monitores de eventos possibilitam a monitorização eletrocardiográfica por mais tempo que o Holter e permitem que o paciente os acione durante determinado sintoma. Nesse momento, o aparelho inicia a gravação ou, se possuir memória circular (*loop*), retém os últimos minutos do ECG. A escolha entre as modalidades citadas deve basear-se na frequência dos sintomas, na disponibilidade do método e na capacidade de adaptação do paciente.[21,24]

Indicações e interpretação

A principal indicação da eletrocardiografia ambulatorial é relacionar sintomas transitórios não explicados – como síncope, pré-síncope, tontura ou palpitação – com a presença de arritmia cardíaca (recomendação da AHA classe I – procedimento útil e efetivo).[21] Outros sintomas, como dispneia, dor torácica ou fadiga, também podem estar relacionados com arritmias (recomendação da AHA classe IIb – utilidade menos comprovada).[21] Se o paciente apresentar sintomas durante o período de registro com arritmia concomitante, será possível definir uma relação causal entre esta e os sintomas. Se não for detectada arritmia, os sintomas provavelmente se devem a outra causa. Entretanto, se o paciente permanecer assintomático, o teste pode não acrescentar informação diagnóstica. É importante lembrar que a frequência das arritmias é variável e, portanto, pode acometer transitoriamente o paciente. A presença de sintomas graves, como síncope que se suspeita ser de origem cardiogênica, indica a investigação dos sintomas em regime de internação hospitalar.

Em pacientes portadores de fibrilação atrial, o Holter permite avaliar a resposta ventricular após introdução de determinado medicamento ou detectar paroxismos (recomendação da AHA classe IIb – utilidade menos comprovada).[21] Além disso, em outras arritmias, o Holter pode ser usado para avaliação de terapia antiarrítmica ao identificar a redução da frequência delas e a presença de efeito pró-arrítmico. No entanto, esse uso é limitado pela variabilidade espontânea das arritmias e pelo fato de a supressão de arritmias não ter se correlacionado com a redução da mortalidade. O funcionamento de marca-passos e desfibriladores também pode ser estudado por esse método (recomendação da AHA classe I – procedimento útil e efetivo).[21]

Bradicardia sinusal, pausas sinusais e arritmias supraventriculares e ventriculares podem ocorrer devido a alterações fisiológicas e, portanto, devem ser interpretadas dentro do contexto clínico do paciente. A presença de ectopia ventricular em indivíduos sadios não está relacionada com um pior prognóstico em longo prazo.[25] Entretanto, em determinados grupos de pacientes como os portadores de miocardiopatia hipertrófica e insuficiência cardíaca e aqueles com história prévia de IAM, a presença de arritmias detectadas

TABELA A1.13 → Contraindicações absolutas e relativas para realização do teste de esforço

ABSOLUTAS
→ IAM (nos primeiros 2 dias)
→ Angina instável de alto risco
→ Arritmias cardíacas não controladas causando sintomas ou comprometimento hemodinâmico
→ Estenose aórtica grave sintomática
→ Insuficiência cardíaca sintomática não controlada
→ Embolia pulmonar aguda ou infarto pulmonar
→ Pericardite ou miocardite aguda
→ Dissecção aórtica aguda

RELATIVAS
→ Estenose de tronco de coronária esquerda
→ Estenose valvar moderada
→ Distúrbios eletrolíticos
→ Hipertensão arterial severa (PAS > 200 mmHg e/ou PAD > 110 mmHg)
→ Taquiarritmias ou bradiarritmias
→ Cardiomiopatia hipertrófica e outras formas de obstrução da via de saída ventricular
→ Distúrbios físicos ou mentais que impossibilitam a realização adequada do teste de esforço
→ Bloqueio atrioventricular de alto grau

IAM, infarto agudo do miocárdio; PAD, pressão arterial diastólica; PAS, pressão arterial sistólica.

ao Holter, em especial a taquicardia ventricular não sustentada, pode estar relacionada com um pior prognóstico (recomendação da AHA classe IIb – utilidade menos comprovada).[21] Com relação à investigação de isquemia, o método não deve ser utilizado com fins diagnósticos. Todavia, se forem detectadas alterações ao ECG sugestivas de isquemia em pacientes com história prévia de doença coronariana, esses achados podem ter implicações prognósticas.[21]

REFERÊNCIAS

1. Pastore C, Pinho J, Pinho C, Samesima N, Pereira-Filho H, Kruse J, et al. III Diretrizes da Sociedade Brasileira de Cardiologia sobre análise e emissão de laudos eletrocardiográficos. Arq Bras Cardiol. 2016;106(4):1–23.

2. Surawicz B, Childers R, Deal BJ, Gettes LS. AHA/ACCF/HRS recommendations for the standardization and interpretation of the electrocardiogram: part III: intraventricular conduction disturbances: a scientific statement from the American Heart Association Electrocardiography and Arrhythmias Committee, Council on Clinical Cardiology; the American College of Cardiology Foundation; and the Heart Rhythm Society: *endorsed by the International Society for Computerized Electrocardiology*. Circulation. 2009;119(10):e235-240.

3. Hancock EW, Deal BJ, Mirvis DM, Okin P, Kligfield P, Gettes LS. AHA/ACCF/HRS recommendations for the standardization and interpretation of the electrocardiogram: part V: electrocardiogram changes associated with cardiac chamber hypertrophy: a scientific statement from the American Heart Association Electrocardiography and Arrhythmias Committee, Council on Clinical Cardiology; the American College of Cardiology Foundation; and the Heart Rhythm Society: *endorsed by the International Society for Computerized Electrocardiology*. Circulation. 2009;119(10):e251–61.

4. Blomström-Lundqvist C, Scheinman MM, Aliot EM, Alpert JS, Calkins H, Camm AJ, et al. ACC/AHA/ESC guidelines for the management of patients with supraventricular arrhythmias--executive summary: a report of the American College of Cardiology/American Heart Association Task Force on Practice Guidelines and the European Society of Cardiology Committee for Practice Guidelines (Writing Committee to Develop Guidelines for the Management of Patients With Supraventricular Arrhythmias). Circulation. 2003;108(15):1871–909.

5. Aronow WS, Fleg JL, Pepine CJ, Artinian NT, Bakris G, Brown AS, et al. ACCF/AHA 2011 expert consensus document on hypertension in the elderly. Circulation. 2011;123(21):2434–506.

6. Nunes MCP, Beaton A, Acquatella H, Bern C, Bolger AF, Echeverría LE, et al. Chagas cardiomyopathy: an update of current clinical knowledge and management: a scientific statement from the American Heart Association. Circulation. 2018;138(12):e169–209.

7. Wagner GS, Macfarlane P, Wellens H, Josephson M, Gorgels A, Mirvis DM, et al. AHA/ACCF/HRS recommendations for the standardization and interpretation of the electrocardiogram. Circulation. 2009;119(10):e262–70.

8. O'Gara PT, Kushner FG, Ascheim DD, Casey DE, Chung MK, de Lemos JA, et al. 2013 ACCF/AHA guideline for the management of ST-elevation myocardial infarction: a report of the American College of Cardiology Foundation/American Heart Association Task Force on Practice Guidelines. Circulation. 2013;127(4):e362-425.

9. 2012 Writing Committee Members, Jneid H, Anderson JL, Wright RS, Adams CD, Bridges CR, et al. 2012 ACCF/AHA focused update of the guideline for the management of patients with unstable angina/Non-ST-elevation myocardial infarction (updating the 2007 guideline and replacing the 2011 focused update): a report of the American College of Cardiology Foundation/American Heart Association Task Force on practice guidelines. Circulation. 2012;126(7):875–910.

10. Wang K, Asinger RW, Marriott HJL. ST-segment elevation in conditions other than acute myocardial infarction. N Engl J Med. 2003;349(22):2128–35.

11. Thygesen K, Alpert JS, Jaffe AS, Chaitman BR, Bax JJ, Morrow DA, et al. Fourth universal definition of myocardial infarction (2018). Circulation. 2018;138(20):e618–51.

12. Marcolino MS, Palhares DMF, Benjamin EJ, Ribeiro AL. Atrial fibrillation: prevalence in a large database of primary care patients in Brazil. Europace. 2015;17(12):1787–90.

13. Freedman B, Camm J, Calkins H, Healey JS, Rosenqvist M, Wang J, et al. Screening for atrial fibrillation: a report of the AF-SCREEN international collaboration. Circulation. 2017;135(19):1851–67.

14. January CT, Wann LS, Calkins H, Chen LY, Cigarroa JE, Cleveland JC, et al. 2019 AHA/ACC/HRS focused update of the 2014 AHA/ACC/HRS guideline for the management of patients with atrial fibrillation: a report of the American College of Cardiology/American Heart Association Task Force on clinical practice guidelines and the Heart Rhythm Society in collaboration with the Society of Thoracic Surgeons. Circulation. 2019;140(2):e125–51.

15. Brito BO de F, Ribeiro ALP. Electrocardiogram in Chagas disease. Rev Soc Bras Med Trop. 2018;51(5):570–7.

16. Nascimento BR, Araújo CG, Rocha MOC, Domingues JDP, Rodrigues AB, Barros MVL, et al. The prognostic significance of electrocardiographic changes in Chagas disease. J Electrocardiol. 2012;45(1):43–8.

17. Rautaharju PM, Surawicz B, Gettes LS. AHA/ACCF/HRS recommendations for the standardization and interpretation of the electrocardiogram. Circulation. 2009;119(10):e241–50.

18. Lauer M, Froelicher ES, Williams M, Kligfield P, American Heart Association Council on Clinical Cardiology, Subcommittee on Exercise, Cardiac Rehabilitation, and Prevention. Exercise testing in asymptomatic adults: a statement for professionals from the American Heart Association Council on Clinical Cardiology, Subcommittee on Exercise, Cardiac Rehabilitation, and Prevention. Circulation. 2005;112(5):771–6.

19. Meneghelo R, Araújo CGS, Stein R, Eduardo M, Albuquerque PF, Serra S. III Diretrizes da Sociedade Brasileira de Cardiologia sobre teste ergométrico. Arq Bras Cardiol. 2009;95:1–26.

20. Myers J, Prakash M, Froelicher V, Do D, Partington S, Atwood JE. Exercise capacity and mortality among men referred for exercise testing. N Engl J Med. 2002;346(11):793–801.

21. Crawford MH, Bernstein SJ, Deedwania PC, DiMarco JP, Ferrick KJ, Garson A, et al. ACC/AHA guidelines for ambulatory electrocardiography: executive summary and recommendations. A report of the American College of Cardiology/American Heart Association task force on practice guidelines (committee to revise the guidelines for ambulatory electrocardiography). Circulation. 1999;100(8):886–93.

22. Fletcher GF, Balady GJ, Amsterdam EA, Chaitman B, Eckel R, Fleg J, et al. Exercise standards for testing and training: a statement for healthcare professionals from the American Heart Association. Circulation. 2001;104(14):1694–740.

23. Greenland P, Smith SC, Grundy SM. Improving coronary heart disease risk assessment in asymptomatic people: role of traditional risk factors and noninvasive cardiovascular tests. Circulation. 2001;104(15):1863–7.

24. Kadish AH, Buxton AE, Kennedy HL, Knight BP, Mason JW, Schuger CD, et al. ACC/AHA clinical competence statement on electrocardiography and ambulatory electrocardiography: A report of the ACC/AHA/ACP-ASIM task force on clinical competence (ACC/AHA Committee to develop a clinical competence statement on electrocardiography and ambulatory electrocardiography) endorsed by the International Society for Holter and noninvasive electrocardiology. Circulation. 2001;104(25):3169–78.

25. Kennedy HL, Whitlock JA, Sprague MK, Kennedy LJ, Buckingham TA, Goldberg RJ. Long-term follow-up of asymptomatic healthy subjects with frequent and complex ventricular ectopy. N Engl J Med. 1985;312(4):193–7.

LEITURAS RECOMENDADAS

Dr. Smith's ECG Blog http://hqmeded-ecg.blogspot.com/
Blog do Dr. Smith, da University of Minnesota, com casos discutidos.

Froelicher VF, Myers JN. Manual of exercise testing. 3rd ed. Philadelphia: Mosby; 2006.
Manual de referência em ergometria, prático e completo.

Instagram ecgdocury https://www.instagram.com/ecgdocury/
Instagram com casos de eletrocardiografia.

International Society of Electrocardiology Young Community https://twitter.com/ISE_YCommunity
Twitter da comunidade jovem da Sociedade Internacional de Eletrocardiologia, com casos e informações em eletrocardiografia.

Khan MG. Rapid ECG interpretation. 4th ed. London: Jaypee Brothers Medical Publishers; 2019.
Livro introdutório em eletrocardiografia, de fácil compreensão.

Life in the Fastlane ECG Library. https://litfl.com/ecg-library/
Site excelente em portal de medicina de urgência, com exemplos, casos e muita informação clínica.

Ribeiro AL. Eletrocardiografia dinâmica (Holter): revisão atualizada. Rev Med Minas Gerais. 2006;16(2):96-102.
Revisão sobre a eletrocardiografia dinâmica, publicada em periódico nacional.

Surawicz B, Knilans T. Chou's electrocardiography in clinical practice: adult and pediatric. 6th ed. Philadelphia: Saunders; 2008.
Livro de referência sobre eletrocardiografia.

Wagner GS. Marriot's eletrocardiografia prática. 11. ed. Rio de Janeiro: Guanabara Koogan; 2009.
Livro bastante didático e prático em eletrocardiografia.

Índice

A

Abordagem familiar, 180
  anatomia da família, 181
    ecomapa ou mapa de rede, 183
    genograma, 181
    otimização genograma e ecomapa no ambulatório, 185
  consulta individual, lente familiar, 191
  crises acidentais, 188
    não previsíveis do desenvolvimento, 188
  desenvolvimento familiar, 185
    ciclo vital e crises previsíveis, 185
      fases do ciclo vital, 185
        adulto jovem independente, 185
        casamento, 185
        família com filhos adolescentes, 186
        família com filhos pequenos, 186
        nascimento primeiro filho, 186
        ninho vazio, 187
        particularidades das famílias de classe popular, 187
  diversidade das estruturas familiares, 188
    estendidas, 189
    LGBT, 189
    monoparentais, 189
    processo de separação, 188
    reconstituídas, 190
  entrevista familiar, 191
  funcionamento familiar, 190
    aparecimento e manutenção de sintomas, 191
    capacidade de autonomia e intimidade, 191
    capacidade de lidar com perdas e mudanças, 190
    divisão do poder, 190
    expressão e manejo dos sentimentos, 190
    flexibilidade, 190
    natureza das relações, 190
    padrão de comunicação, 190
  o que é família, 181
  mobilização da família, recurso terapêutico, 191
    doença aguda frequente, 192
    doença crônica, 192
    gestação e amamentação, 192
    outras situações, 193
    psicossomáticos, 193
    sugestões às famílias, 193
    transtorno psiquiátrico, 193
    violência familiar, 193
  modelo para equipes de atenção primária, 181
  relevância para a atenção primária, 181
Abordagem integral da sexualidade, 195
  cuidados específicos da população LGBTI+, 195
    acolhimento e abordagem, 197
      habilidades de comunicação, 197
        atendimento integral e não excludente, 197
        redes de cuidados, 198
    conceitos e atributos, 195
      características do corpo e "sexo", 196
      desejo reprodutivo, 197
      estrutura de relacionamento(s), 197
      expressão de gênero, 196
      gênero, 195
      gênero designado ao nascimento, 196
      identidade de gênero, 196
      orientação sexual, afetiva e romântica, 196
      papéis sociais de gênero, 196
      práticas sexuais, 197
    cuidados preventivos população LGBTI+, 205
      HIV/Aids, 205
      imunização, 206
      prevenção/rastreamento de infecções sexualmente transmissíveis, 205
      rastreamentos, 206
        câncer colo uterino, 207
        câncer de mama, 207
        uso tabaco, álcool e outras drogas, 207
  diretos em saúde sexual e reprodutiva, 202
  identidades LGBTI+, algumas, 198
    assexualidade, 201
    homens *gays*, 198
    mulheres lésbicas, 198
    pessoas bissexuais, 199
    pessoas intersexo, 201
    pessoas trans, 199
      homens transexuais, 199
      mulheres transexuais, 199
      pessoas com variações de gênero, 199
      pessoas não binárias, 199
      travestis, 199
  violência, sofrimento mental e marginalização, 202
    ciclos de vida de pessoas LGBTI+, 204
    estigma social, 203
    estresse de minorias sexuais e de gênero, 203
    interseccionalidade, 203
    risco de suicídio, 204
    transtornos ansiosos e depressivos, 204
    violência familiar, 204
Abordagem morte e luto, 210
Abortamento, 1304
  definições, 1304
  mortalidade materna, 1307
  prática, 1308
    acompanhamento, 1310
    medicamentoso, 1309
      fator Rh, 1310
      sangramento, 1309
      tratamento da dor, 1310
    métodos cirúrgicos, 1309
  princípios da bioética, 1307
    autonomia, 1308
    não maleficiência, beneficência e justiça, 1308
  riscos de abortamento inseguro na APS, 1311
    abortamento legal na APS, 1312
    prevenção, 1311
    prevenção primária, evitando a gravidez não desejada, 1311
    prevenção secundária, abortamento que não se pode evitar seja seguro, 1311
    prevenção terciária, tratamento das complicações e anticoncepção pós-abortamento, 1311
  saúde pública, 1307
  tipos, 1304
    ameaça de abortamento, 1304
    completo, 1305
    habitual ou recorrente, 1305
    incompleto, 1305
    infectado, 1305
    retido, 1305
    seguro e inseguro, 1305
      menos seguros, 1305
      totalmente seguros, 1305
Ação climática, 52
  saúde planetária, 52
Acompanhamento de saúde da gestante e da puérpera, 1223
Acompanhamento de saúde da mulher na atenção primária, 1190
Acompanhamento de saúde do adolescente, 1139
Acompanhamento do crescimento da criança, 1032
Adesão aos tratamentos, 129, 133
  diagnóstico da não adesão, 134
  prevenção da não adesão, 134
    aplicativos, 134
  tratamento da não adesão, 134
  retornos e encaminhamentos, 136
Adolescente, 1139
  acompanhamento de saúde, 1139
    abordagem do adolescente na era digital, 1142
    conversando com o adolescente, 1140
    entrevista do adolescente e acompanhante, 1143
    exame físico, 1144
    exames complementares, 1145

identificação de situação de risco e vulnerabilidade, 1141
prevenção em saúde, 1145
  álcool, tabaco e outras drogas, 1146
  alimentação saudável, 1146
  atividade física, 1146
  bullying, 1146
  infecções sexualmente transmissíveis, 1146
  planejamento reprodutivo, 1146
  racismo, 1146
  segurança no trânsito, 1147
  utilização de televisão, computadores e *videogames*, 1146
  vacinas, 1145
problemas comuns de saúde, 1148
  acne, 1152
  alterações desenvolvimento puberal, 1149
    atraso puberal, 1150
      alteração da função hipotálamo-hipofisária, 1150
      conduta, 1150
      constitucional, 1150
    puberdade precoce, 1151
      conduta, 1152
  dismenorreia, 1155
    avaliação, 1155
    tratamento, 1156
  dor escrotal, 1152
    epididimite, 1153
    testículo retido, 1152
    torção testicular, 1153
    tumores testiculares, 1154
    varicocele, 1154
  ginecomastia puberal, 1154
    avaliação, 1155
    tratamento, 1155
  obesidade e síndrome metabólica, 1156
    diagnóstico, 1157
    manejo, 1158
      atividade física, 1159
      mudanças hábitos alimentares, 1158
      prognóstico adesão plano terapêutico, 1159
  problemas musculoesqueléticos, 1156
Adolescentes e adultos jovens, problemas de saúde mental, 1990
  abertura para abordagem, 1992
  avaliação de problemas, 1992
  cuidados saúde mental, 1993
  epidemiologia população jovem, 19905
  força de trabalho, 1995
  níveis de cuidado, 1995
  particularidades do desenvolvimento cognitivo, 1991
  uso de tecnologia, 199
Adulto, 242, 346
  alimentação saudável, 242
  anemias, 800
  febre, 776
  infecção do trato respiratório, 1597
  infecção pelo HIV, 1705
  promoção de saúde do adulto, 223
  rastreamento para tratamento preventivo, 346
  tosse, 691
Agentes comunitários de saúde, 112
  carreira em construção, 115
    mediador, 119
  cotidiano das equipes, 125
  desafios atuais, 125
    pilares para política, 125
      consolidação, 126
      formação profissional e continuada, 126
      integração com equipe, 127
      plano de carreira, 127
      remuneração, 127
      supervisão, 126
  evidências, 122
    impacto do agente, 122
    políticas de saúde pública, 122
      contexto internacional, 123
  formação, 121
    curso introdutório, 121
    curso técnico, 121
    educação permanente, 121
    fundamentos e métodos, 121
  perfil e atribuições, 116
  no Brasil, 114
    definição, 114
    histórico, 114
      bases para o surgimento, 114
      Programa de Agentes Comunitários de Saúde, início, 114
      legislação, 115
  no mundo, 113
    definição, 113
    histórico, 113
  novas tecnologias, 127
  seleção, 119
Álcool, problemas relacionados ao consumo, 276
  conceitos, 276
  conduta, 281
    consumo de risco e transtorno uso leve, 281
    transtorno uso moderado a grave, 282
    tratamento, 283
  diagnóstico, 278
    anamnese, 279
    instrumentos de rastreamento, 279
    investigação adicional, 281
    marcadores biológicos, 280
  etiologia e fatores de risco, 278
  metabolismo do etanol, 277
  intoxicação aguda, 278
  prevenção comunitária, 286
  prevenção em jovens, 286
    escola, 286
    família, 286
  síndrome de abstinência, 283
    manejo, 285
    manejo das complicações, 285
    prognóstico, 284
Aleitamento materno, 1054, 1075
  aspectos gerais, 1054
    aconselhamento em amamentação, 1062
      fase inicial da amamentação, 1063
        choro do bebê, 1064
        frequência e duração das mamadas, 1063
        suplementação do leite materno, 1064
        técnica da amamentação, 1064
        uso de mamadeira ou chupeta, 1064
      manutenção da amamentação, 1064
        alimentação da mulher durante amamentação, 1065
        retorno mãe ao trabalho, 1066
          extração manual, armazenamento e utilização, 1067
      pré-natal, 1062
    bases anatômicas e fisiológicas da amamentação, 1058
    estágios da lactação, 1059
    composição e aspecto do leite materno, 1060
    contraindicações e restrições à amamentação, 1069
      mulheres fumantes, 1069
      usuárias de álcool, 1069
      usuárias de drogas ilícitas, 1071
    definições, 1054
    duração, recomendações, 1055
    importância da amamentação, 1056
      impacto econômico, 1058
      impacto saúde da criança, 1056
        promoção do desenvolvimento cognitivo, 1057
        promoção do desenvolvimento orofacial, 1057
        redução de diabetes tipo 1, 1057
        redução de diabetes tipo 2, 1057
        redução de leucemia, 1057
        redução de sobrepeso ou obesidade, 1057
        redução morbidade por asma ou sibilância, 1057
        redução morbidade por diarreia, 1056
        redução morbidade por infecção respiratória, 1056
        redução morbidade por otite média aguda, 1057
        redução morbidade por rinite alérgica, 1057
        redução mortalidade, 1056
      impacto saúde da mulher, 1057
        amenorreia lactacional, 1057
        câncer de mama, 1057
        câncer de ovário, 1057
        câncer de útero, 1057
        depressão pós-parto, 1058
        diabetes tipo 2, 1058
      impacto saúde do planeta, 1058
    prática no mundo e no Brasil, 1055
      continuado até dois anos, 1055
      exclusivo até seis meses, 1055
      início precoce, 1055
      misto até seis meses, 1055
    proteção legal no Brasil, 1068
      creche, 1068
      garantia do emprego, 1068
      Lei 11.264, 1068
      licença-maternidade, 1068
      licença-paternidade, 1068
      pausas para amamentar, 1068
      sala de apoio à amamentação, 1068
    redes de apoio na amamentação, 1067
    término da amamentação, 1072
  dificuldades e manejo, 1075
    abscesso mamário, 1079
      manejo, 1079
    aleitamento situações especiais, 1083
      amamentação duas crianças idades diferentes, 1086

Índice

criança com freio de língua curto, 1083
   manejo, 1084
crianças recusam um dos peitos, 1083
gemelaridade, 1085
   manejo, 1085
mulheres cirurgia redução mama, 1084
   manejo, 1085
mulheres implante de mama, 1085
   manejo, 1085
nova gravidez, 1086
relactação, 1087
bloqueio de ductos lactíferos, 1077
   manejo, 1077
candidíase, 1080
   manejo, 1080
excesso de leite, 1081
   criança, 1081
   manejo, 1081
   mulher, 1081
fenômeno de Raynaud, 1081
   manejo, 1081
galactocele, 1079
ingurgitamento mamário, 1076
   manejo, 1077
   prevenção, 1080
mamilos doloridos/trauma mamilar, 1079
   manejo, 1080
mamilos planos ou invertidos, 1076
   manejo, 1076
      auxiliar a moldar a mama, 1076
      auxiliar a pega, 1076
      ensinar manobras protrair mamilo antes das mamadas, 1076
      orientar extração manual ou com bomba, 1076
      promover confiança e empoderar a mulher, 1076
mastite, 1077
   manejo, 1078
      antibioticoterapia, 1078
      eritromicina, 1078
      esvaziamento adequado e frequente da mama, 1078
      identificação e tratamento da causa estagnação leite, 1078
      outras medidas de suporte, 1078
      probióticos, 1078
      suporte emocional, 1078
produção insuficiente de leite, 1082
   manejo, 1082

Alimentação saudável do adulto, 242
   alimentos ultraprocessados, 243
      riscos associados ao consumo, 243
   apoio do profissional da atenção primária, 248
      habilidades culinárias e tempo, 248
      informação e publicidade, 248
      oferta e custo, 248
   recomendações e estratégias na atenção primária à saúde, 243
      avaliação práticas alimentares, 244
      Guia Alimentar para a População Brasileira, 244
         alimentos *in natura* ou minimamente processados, 244
         alimentos processados, limitar, 246
         alimentos ultraprocessados, evitar, 246
         comer com regularidade e atenção, 247
         óleo, sal e açúcar, pequenas quantidades, 246
      orientações, cuidados, 244
Amenorreia, 1322
   consequências, 1328
   definições, 1323
   encaminhamento, 1328
   investigação, 1323
      amenorreia primária, 1323
      amenorreia secundária, 1326
   manejo, 1328
      identificação de fatores de risco cardiovascular, 1329
      prevenção da perda da massa óssea e baixa estatura, 1329
      restabelecimento da menstruação, 1329
      tratamento da infertilidade, 1329
Anemias no adulto, 800
   abordagem da anemia no idoso, 814
      anemia da doença crônica, 814
      anemia inexplicada, 814
      anemia por deficiência nutricional, 814
   anemias macrocíticas, 810
      álcool e hepatopatias, 810
      anemias megaloblásticas, 811
         deficiência de ácido fólico, 813
         deficiência de vitamina B_{12} (anemia perniciosa), 812
      síndrome mielodisplásica, 813

      toxicidade por fármacos, 811
   anemias microcíticas, 803
      por deficiência de ferro, 804
         diagnóstico clínico, 805
         diagnóstico laboratorial, 805
         investigação etiológica, 805
         quadro clínico, 805
      talassemias, 807
   anemias normocíticas, 807
      hiperproliferativas, 807
         anemias hemolíticas, 808
         perdas sanguíneas agudas, 807
      hipoproliferativas, 809
         carência de ferro, 810
         efeito inadequado da eritropoetina, 810
            anemia de inflamação, 810
            doença renal crônica, 810
            endocrinopatias, 810
         patologias intrínsecas da medula óssea, 809
            anemia aplásica, 809
            leucemias, 809
            linfomas, 809
            mielodisplasia, 810
         neoplasias sólidas com invasão da medula óssea, 809
   definição, 800
      anemia relativa, 800
      anemia verdadeira, 800
      diminuição da produção de hemácias, 801
      diminuição da sobrevida das hemácias, 801
      perda excessiva de sangue, 801
   diagnóstico, 801
      exames complementares, 802
         capacidade ferropéxica, 803
         eletroforese da hemaglobina, 803
         ferritina e ferro sérico, 802
         hemograma, 802
         índice de saturação da transferrina, 803
         mielograma, 803
         reticulócitos, 802
         teste de falcização, 803
      sinais e sintomas, 801
   probabilidades pré-teste diferentes causas, 803
      mulheres na pós-menopausa e homens, 803
      mulheres na pré-menopausa, 803
      pacientes com idade > 70 anos, 803

Anestesia regional, 896
   anestésicos locais, 896
      bupivacaína, 896
      lidocaína, 896
      rapivacaína, 897
      toxicidade, 896
      vasoconstritores, 897
   técnicas de realização, 898
      anestesia tópica, 898
         anestesia tópica da pele, 898
      bloqueio de campo, 899
      bloqueio de nervo, 899
         nervos periféricos do membro superior, 899
         nível do punho, 899
         nível dos dedos, 899
      infiltração local, 898
   tipos de anestesia regional, 897
Animais peçonhentos, acidentes, 2214
   animais de menor interesse toxicológico, 2222
      acidentes com coleópteros (besouros)
      acidentes por escoloprndra (lacraia), 2223
      ataques de himenópteros (abelhas ou vespas), 2223
      cuidados imediatos, 2223
   aracnídeos, 2220
      acidentes por aranhas, 2220
      acidentes por escorpiões, 2220
      cuidados imediatos, 2221
   celenterados, 2222
   lepidópteros, 2221
      cuidados imediatos, 2222
   ofídios, 2214
      cuidados imediatos ao acidentado, 2218
      cuidados imediatos de ambulatório, 2218
         acidente botrópico, 2219
         acidente crotálico, 2219
         acidente elapídico, 2219
         acidente laquético, 2219
         acidente por colubrídeo, 2219
      diagnóstico e manejo, 2215
      infecções secundárias acidentes por ofídios, 2220
      outras complicações locais e sistêmicas, 2220
   peixes, 2222
      cuidados imediatos, 2222
   prevenção de acidentes, 2225
      abelhas, 2225
      aranhas, 2225
      cnidários, 2226
      escorpiões, 2225
      lacraias, 2225
      serpentes, 2225
      taturana (lagarta), 2225
   soroterapia, 2224
      reações, 2225

Ansiedade, transtornos relacionados, 1858
  abordagem por transtorno, 1868
    acompanhamento do tratamento, 1876
    ansiedade em crianças e adolescentes, 1868
    encaminhamento, 1876
    manejo imediato ataque de pânico, 1873
    transtornos ajustamento humor ansioso, 1868
  abordagens terapêuticas, 1862
    alternativas manejo casos refratários tratamento, 1867
      adição e combinação antidepressivos, 1868
      otimização da dose e duração, 1867
      outros tratamentos, 1868
      terapia cognitivo-comportamental casos refratários, 1868
      troca antidepressivos mesma classe ou diferentes, 1868
    manejo comorbidades frequentes, 1867
      dependência benzodiazepínicos, síndrome abstinência, 1867
      disfunção sexual associada ao uso de ISRS, 1867
    monitoramento da resposta clínica, 1867
    principais psicoterapias utilizadas, 1865
    psicoeducação e intervenções psicossociais em APS, 1862
    psicofármacos utilizados, 1862
      antidepressivos tricíclicos, 1864
      benzodiazepínicos, 1864
      betabloqueadores, 1864
      inibidores seletivos recaptação serotonina, 1862
      inibidores seletivos recaptação serotonina e noradrenalina, 1862
    tratamento combinado, 1867
  avaliação clínica, 1859
    classificação dos transtornos de ansiedade, 1860
    diagnóstico diferencial, 1860
    identificação comorbidades e riscos, 1860
    rastreamento e detecção de casos, 1859
  etiopatogenia, 1859
  prevalência e impacto, 1859
  prognóstico, 1859
Antropologia, 162
  atenção primária à saúde, 162
  crenças e práticas, 163
  corpo, 163
  doença, 163
  saúde, 163
  competência cultural, 166
  família e comunidade, 165
  pessoa, 165
    método clínico, 165
Arritmias cardíacas, 435
  manejo no nível primário, 436
    arritmia sinusal, 436
    bloqueios cardíacos, 443
    bradiarritmias, 436
    extrassístoles, 442
    intoxicação digitálica, 443
    taquiarritmias, 437
      fibrilação atrial, 437
        antiagregantes plaquetários, 440
        novos anticoagulantes, 440
        prevenção de eventos tromboembólicos, 439
        seleção de terapia antitrombótica, 440
        qual terapia antitrombótica escolher?, 440
        tratamento, 437
        varfarina, 440
      Flutter atrial, 442
      taquicardias supraventriculares, 441
Asma, 491
  cuidados compartilhados, 514
  diagnóstico, 494
    anamnese, 494
    exames complementares, 495
      exames de imagem, 496
      outros testes, 496
      testes de função pulmonar, 495
  diagnóstico diferencial, 496
    adultos, 497
      doenças cardiovasculares, 498
      doenças das vias aéreas inferiores, 497
      doenças das vias aéreas superiores, 498
    crianças, 498
      aspiração de corpo estranho, 500
      cardiopatias, 500
      doença respiratória crônica neonatal, 500
      fibrose cística, 499
      infecções respiratórias virais, 498
      malformações congênitas na via aérea, 500
      refluxo gastresofágico, 499
      síndromes aspirativas devido a distúrbios da deglutição, 499
      tuberculose, 500
  fatores de risco e desencadeantes, 492
  manejo da asma aguda, 501
    avaliação da exacerbação, 501
    emergências, 504
    tratamento, 502
  manejo da asma em longo prazo, 504
    adesão ao tratamento, 513
    controle ambiental, 513
    controle de outros fatores desencadeantes, 514
    definição de controle da asma, 504
    educação do paciente, 512
    objetivos, 504
    revisando a resposta ao tratamento, 511
    situações especiais, 512
    tratamento, 505
      medicamentoso, 506
      não farmacológico, 505
  padrão de gravidade, 500
Atenção à saúde da criança e do adolescente, 975
  acompanhamento de saúde da criança, 976
  acompanhamento de saúde do adolescente, 1139
  adolescência, problemas comuns de saúde, 1148
  aleitamento materno, 1054
    aspectos gerais, 1054
    principais dificuldades e seu manejo, 1075
  atendimento ginecológico na infância e adolescência, 1161
  crescimento da criança, acompanhamento, 1032
  deficiência de ferro e anemia em crianças, 1097
  déficit de crescimento, 1088
  excesso de peso em crianças, 1123
  febre em crianças, 1129
  primeiros meses de vida, problemas comuns, 1107
  desenvolvimento da criança, promoção, 994
  saúde mental na primeira infância, promoção, 1008
  segurança da criança e do adolescente, promoção, 1022
  situação de violência, atenção à saúde da criança e do adolescente, 1173
Atenção à saúde da mulher, 1189
  abortamento, 1304
  acompanhamento de saúde da mulher na APS, 1190
  amenorreia, 1323
  câncer genital feminino e lesões precursoras, 1353
  climatério, 1367
  diabetes na gestação, 1267
  doenças da mama, 1315
  dor pélvica, 1346
  gestante com problema crônico de saúde, atenção, 1246
  gestante e puérpera, acompanhamento de saúde, 1223
  hipertensão arterial na gestação, 1260
  infecções na gestação, 1277
  infecções pelo HIV em gestantes, 1291
  infertilidade, 1219
  medicamentos e outras exposições na gestação e lactação, 1297
  planejamento reprodutivo, 1202
  sangramento uterino anormal, 1330
  secreção vaginal e prurido vulvar, 1339
  situação de violência, 1378
Atenção à saúde do idoso, 579
  avaliação multidimensional, 591
  comprometimento cognitivo leve, 617
  cuidado do paciente, 580
  doença de Parkinson, 609
  doenças cerebrovasculares, 639
  osteoporose, 600
  síndromes demenciais, 617
Atenção primária à saúde, intervenções psicossociais, 1997
  bases conceituais para intervenções, 1998
    cognitivo-comportamentais, 1998
    psicodinâmicas, 1998
  intervenções coletivas familiares, 2002
    grupos de exercícios, 2002
    grupos de mulheres, 2002
    grupos de terceira idade, 2002
  intervenções psicossociais, 1999
    ação terapêutica do vínculo, 1999
      acolhimento, 1999
      esclarecimento, 1999
      escuta, 1999
      suporte, 1999
    mindfulness, 2001
    terapia de solução de problemas, 2000
      avaliar e repetir o ciclo, 2001
      colocar solução em prática, 2001
      eleger uma solução, 2001
      explicar o tratamento, 2000
      gerar soluções, 2001
      identificar necessidade e aplicabilidade, 2000
      listar e eleger problemas, 2000

pensar metas alcançáveis, 2000
terapia focada em solução, 2001
terapia interpessoal, 1999
déficit interpessoal, 2000
disputas interpessoais, 1999
luto, 1999
transição de papéis, 2000
terapia PM+, 2001
terapia comunitária integrativa, 2003
Atenção primária à saúde em urgências e emergências, papel, 2200
atendimento de emergências, organização do serviço, 2201
emergências médicas, 2202
afogamento, 2204
atendimento às vítimas, 2205
fatores de risco, 2204
história e exame físico, 2204
medidas preventivas, 2206
prognóstico, 2206
reações alérgicas graves, 2206
quadros específicos, 2206
anafilaxia, 2206
dessensibilização, 2207
tratamento, 2207
treinamento para uso precoce de adrenalina, 2208
manifestações cutâneas, 2206
trauma craniencefálico, 2202
exames complementares, 2203
hematoma extradural, 2203
hematoma subdural, 2203
tratamento, 2203
urgências psiquiátricas, 2208
ansiedade, 2211
agitação psicomotora, 2208
comportamento suicida, 2209
comportamento violento, 2208
psicose, 2208
Atenção primária à saúde no Brasil, 1
ferramentas, prática clínica, 57
informação, 147
medicina rural, 44
organização de serviços, 21
análise da situação, 28
dados primários, 28
dados secundários, 28

atenção do sistema de saúde, 24
atributos, 25
coordenação, 26
integralidade, 26
longitudinalidade, 25
primeiro contato, 25
redes, 27
atenção primária, o que é?, 24
consequência, 33
fundamentos, 22
encaminhamentos, 23
estimativas, 23
problemas frequentes, 23
local, 27
adequação, 28
território, 27
modelo, 24
atributos, 24
princípios, 24
valores, 24
necessidades, 22
planejamento local, 30
avaliação, 30
contrato, 32
etapas, 30
sistemas de informação, 30
prontuário eletrônico, 147
saúde da família, 34
saúde da população, condições, 2
carga geral de doenças, 3
causas externas, 8
crônicas não transmissíveis, 4
deficiências nutricionais, 5, 7
desnutrição infantil, 7
mortalidade, 7
fatores de risco, 10
maternas, 5, 7
mortalidade, 8
neonatais, 5, 7
transmissíveis, 5
crônicas, 7
doenças emergentes, 6
doenças reemergentes, 6
infecções sexualmente transmissíveis, 7
desafios e perspectivas, 11
saúde planetária, 52
telemedicina, 147
Atendimento ginecológico na infância e adolescência, 1161
ciclo menstrual na adolescência, 1170
ciclo menstrual com distúrbio, 1171
avaliação, 1171
tratamento, 1171
ciclo menstrual típico, 1170
exame ginecológico, 1161
das 8 semanas aos 7 anos, 1162
dos 7 aos 10 anos, 1162
dos 10 aos 13 anos, 1162
primeiras 8 semanas, 1162

motivos da consulta, 1163
puberdade típica e patológica, 1165
puberdade precoce, 1166
avaliação, 1167
anamnese, 1168
avaliação laboratorial, 1168
avaliação radiológica, 1168
exame físico, 1168
central ou verdadeira, 1166
formas incompletas, 1166
periférica, 1166
tratamento, 1168
puberdade tardia, 1169
avaliação, 1169
exames gerais, 1169
testes genéticos, 1170
testes hormonais, 117
classificação, 1169
hipogonadismo hipergonadotrófico, 1169
hipogonadismo hipogonodotrófico, 1169
tratamento, 1170
puberdade típica, 1165
vulvovaginites na infância, 1163
crianças pré-púberes, 1163
abordagem diagnóstica, 1164
classificação, 1163
vulvovaginite específica, 1163
vulvovaginite inespecífica, 1163
fatores de risco, 1163
anatômico/hormonais, 1163
doenças subjacentes/medicações, 1163
hábitos/costumes, 1163
quadro clínico, 1163
tratamento, 1164
exames complementares, 1165
vulvovaginite específica, 1164
vulvovaginite inespecífica, 1164
Atendimento ao trabalhador, 167
Atestados, 138
aspectos legais, 142
doença, 139
informações que devem constar, 141
médico administrativo, 139
médico judicial, 140
modelo, 141
óbito, 140
causa morte, 140
saúde, 139
avaliação saúde mental, 139
outros tipos, 139
realização atividade física, 139
vacina, 139

Atividade física, promoção da, 250
atenção primária à saúde, 252
barreiras individuais, 254
atividades comunitárias, 262
médico de atenção primária à saúde, 262
avaliação clínica pré-participação em programas, 255
aptidão física, 256
flexibilidade e força, 256
periódica, 256
resistência, condicionamento, 256
nível de atividade física, 256
educador físico, papel do, 256
fisiologia do exercício, princípios básicos, 251
aptidão física, 252
metabolismo energético, 251
nível de esforço, 252
testes de condicionamento físico, 251
tipos de exercícios, 252
lesões musculoesqueléticas menores, 262
prescrição de exercícios, 256
recomendações específicas, 258
atividades e protocolos, 258
crianças e adolescentes, 259
gestantes, 260
idosos, 260
pacientes com obesidade, 261
recomendações gerais, 257

C

Câncer, 531
epidemiologia, 532
diagnóstico em atenção primária à saúde, 533
detecção precoce pacientes assintomáticos, 533
investigação paciente com suspeita e/ou sintomático, 534
comunicado ao paciente, 536
planejamento do cuidado, 536
sinais de alerta, 534
fatores de risco para desenvolvimento, 532
sobrevivente do câncer, 541
acompanhamento recorrência, 541
acompanhamento segunda neoplasia primária, 541
avaliação efeitos tardios médicos e psicossociais, 542
coordenação de cuidado, 541

intervenções específicas, 542
   consequências e tratamento, 542
   prevenção de recorrência e novas neoplasias, 542
      atividade física, 542
      cessação do uso de tabaco, 552
      dieta adequada, 552
tratamento, 536
   avanços no tratamento, 538
   emergências oncológicas, 540
   estadiamento, 536
   eventos adversos agudos, 538
      toxidades mais relevantes, 539
   objetivos tratamento oncológico, 537
      adjuvante, 537
      curativo ou definitivo, 538
      neoadjuvante, 538
      paliativo, 538
   síndromes paraneoplásicas, 541
Câncer genital feminino e lesões precursoras, 1353
   colo do útero, 1354
      acompanhamento e detecção de recidivas, 1359
      epidemiologia, 1354
      gravidez, 1359
      prevenção e orientação terapêutica, 1357
      rastreamento e diagnóstico, 1355
         captura híbrida, 1356
         citologia oncótica, 1355
         colposcopia, 1355
         exame especular, 1355
         histologia, 1356
   corpo do útero, 1359
      acompanhamento e detecção de recidivas, 1361
      epidemiologia, 1359
      prevenção e orientação terapêutica, 1361
      rastreamento e diagnóstico, 1360
   ovário, 1361
      acompanhamento e detecção de recidivas, 1362
      epidemiologia, 1361
      prevenção e orientação terapêutica, 1362
      rastreamento e diagnóstico, 1362
   tumores genitais mais raros, 1365
      câncer de tubas uterinas, 1365
      neoplasia trofoblástica gestacional, 1365
      sarcomas do aparelho genital feminino, 1365
   vulva, 1363
      acompanhamento e detecção de recidivas, 1364
      epidemiologia, 1363
      prevenção e orientação terapêutica, 1364
      rastreamento e diagnóstico, 1363
         histologia, 1363
         inspeção e vulvoscopia, 1363
         teste com azul de toluidina, 1363
Cânceres da pele, 1477
   carcinoma basocelular, 1477
      avaliação clínica, 1478
      encaminhamento, 1478
      seguimento, 1479
   carcinoma epidermoide, 1479
      clínica e diagnóstico, 1479
      encaminhamento, 1480
      seguimento, 1480
   melanomas, 1481
      clínica e diagnóstico, 1481
      encaminhamento, 1482
      seguimento, 1483
Cansaço ou fadiga, 790
   abordagem, 792
      acompanhamento, 793
      anamnese, 792
      exame físico, 793
      exames complementares, 793
   fadiga crônica idiopática, 791
      síndrome da fadiga crônica, 791
         encefalomielite miálgica, 791
   processos fisiopatológicos, 790
   prognóstico, 795
   quando encaminhar, 795
   tratamento, 793
      fadiga crônica, 794
Cardiopatia isquêmica, 408
   acompanhamento ambulatorial, 416
   avaliação diagnóstica, 408
      exames complementares, 409
   encaminhamento, 417
   fatores exacerbantes e descompensação, 417
   fatores prognósticos, 411
   manejo, 411
      atividade física, 412
      dieta, 412
      escolha do regime terapêutico, 415
      fármacos, 412
         antiagregantes plaquetários, 412
         betabloqueadores, 413
         bloqueadores de cálcio, 413
         nitratos, 413
         outros agentes antianginosos, 414
      fatores de risco, 411
      indicações de procedimentos de revascularização, 415
      manejo pós-infarto do miocárdio, 416
   manejo de comorbidades frequentes, 417
Cavidade oral, problemas, 879
   ardência bucal, 887
   cárie dentária, 880
   disfunções temporomandibulares, 887
      medidas não farmacológicas, 887
      tratamento medicamentoso, 888
   doença periodontal, 881
      doença periodontal necrosante, 882
      gengivite, 881
      pericoronarite, 882
      periodontite, 882
   exame clínico, 879
   halitose, 890
   higiene bucal, 880
   lesões estomatológicas, 882
      eritema migratório, 882
      fibroma traumático, 885
      língua fissurada, 882
      língua pilosa, 883
      mucocele, 883
      sialadenite, 883
      ulceração aftosa recorrente, 884
   lesões relacionadas a infecções, 888
      condiloma acuminado oral, 889
      doença mão-pé-boca, 888
      herpes, 888
         gengivoestomatite herpética primária, 888
         infecção secundária do herpes, 888
      sífilis, 888
   neoplasias bucais, 885
      fatores de risco, 885
      lesões malignas e pré-malignas, 886
         carcinoma espinocelular, 886
         eritroplasia, 886
         leucoplasia, 886
   próteses dentárias, problemas associados, 889
      estomatite protética, 889
         medidas não farmacológicas, 889
         tratamento medicamentoso, 889
      quelite angular, 889
         medidas não farmacológicas, 890
   pulpite, 881
   traumatismo dentário, 891
   xerostomia, 886
Cefaleia, 2073
   abordagem em situações específicas, 2088
      cefaleia menstrual, 2088
      cefaleia na gestante e na lactação, 2089
      cefaleia na infância e na adolescência, 2089
         tratamento da migrânea, 2090
   acompanhamento do paciente, 2076
   avaliação clínica do paciente, 2073
      avaliação impacto cefaleia qualidade de vida, 2076
      exame físico, 2075
         ausculta, 2075
         exame do estado mental sumário, 2075
         exame neurológico sumário, 2075
         fundo de olho, 2075
         inspeção cervical e crânio, 2075
         oroscopia, 2075
         palpação cervical e crânio, 2075
         pressão arterial, 2075
      história, 2073
         episódios prévios, 2074
         história familiar, 2074
         localização da dor, 2074
         sintomas associados, 2074
         situação de saúde, 2074
         tempo da cefaleia, 2074
      sinais e sintomas de alerta, exames complementares, 2075
   cefaleias primárias, 2077
      abordagem multidisciplinar no tratamento, 2084
      cefaleia crônica diária, 2083
      cefaleia do tipo tensão, 2081
         tensão crônica, 2081
            tratamento, 2081
         tensão episódica infrequente e frequente, 2081
      cefaleias trigeminoautonômicas, 2082
         tratamento, 2083
      migrânea, ou enxaqueca, 2077
         tratamento, 2077
            terapia abortiva, 2078
            terapia profilática, 2079
   quando encaminhar para outro nível de atenção, 2084
   cefaleia secundária, 2084
      cefaleia atribuída à doença vascular craniana ou cervical, 2084
         acidente vascular cerebral isquêmico, 2085

artrite de células gigantes, ou arterite temporal, 2085
hemorragia intracraniana não traumática, 2085
malformação vascular não rota, 2085
cefaleia atribuída à infecção sistêmica ou intracraniana, 2087
cefaleia atribuída a substâncias, 2086
efeito adverso atribuído uso crônico medicamentos ou retirada, 2087
uso ou exposição aguda a uma substância, 2086
uso excessivo de medicamento, 2086
cefaleia atribuída a transtorno intracraniano não vascular, 2085
crise epiléptica, 2086
mudanças da pressão, 2085
neoplasias intracranianas, 2086
cefaleia atribuída a trauma cefálico e/ou cervical, 2084
cefaleia ou dor facial atribuída a estruturas da face ou cranianas, 2087
cefaleias atribuídas a transtornos da homeostase, 2087
classificação, 2076
neuralgia do trigêmeo, 2088
Cervicalgia, 2092
abordagem diagnóstica para queixa dor cervical, 2096
dor inespecífica e qualificação componente miofacial, 2097
caracterização ritmo e exclusão sinais alerta, 2097
exame físico, 2098
exames complementares, 2100
eletroneuromiografia, 2100
exames de imagem, 2100
exames laboratoriais, 2100
história clínica, 2097
identificação sinais de neuropatia, 2097
quantificação e avaliação de fatores e prognóstico da dor inespecífica, 2098
anatomia, 2093
componentes sensitivos da dor cervical, 2094
dor neuropática, 2095
dor cervical com radiculopatia, 2095
mielopatia cervical degenerativa, 2095

dor nociceptiva musculoesquelética, 2094
componente degeneração/osteoartrite, 2095
componente inflamatório, 2095
componente miofascial, 2094
dor nociceptiva visceral, 2095
sensibilização e dor nociplástica, 2095
fatores de risco e proteção, 2093
prevenção, 2102
situações especiais, 2102
síndrome do chicote cervical, 2102
tratamento, 2100
medidas farmacológicas, 2101
métodos intervencionistas, 2101
não farmacológico conservador, 2100
desativação de pontos-gatilho, 2101
exercícios físicos, 2101
orientações ergonômicas, 2100
orientações gerais, 2100
técnicas manipulação e mobilização coluna cervical, 2101
terapia térmica, 2100
Cirurgia da unha, 914
anatomia, 914
panarício, 918
paroníquia, 916
aguda, 916
crônica, 917
trauma ungueal, 918
avulsão parcial traumática, 918
hematoma subungueal, 918
unha encravada, 915
classificação, 915
tratamento, 915
técnica da cantoplastia, 916
Climatério, 1367
aspectos clínicos, 1368
irregularidade menstrual, 1368
osteoporose, 1369
pele, 1369
síndrome geniturinária da menopausa, 1369
sintomas vasomotores e psicológicos, 1369
atendimento da mulher, 1370
orientações gerais, 1370
definições, 1367
climatério, 1367
menopausa, 1367
modificações hormonais, 1367
perimenopausa, 1367

tratamento, 1371
doença cardiovascular, 1374
irregularidade menstrual, 1371
osteoporose, 1374
problemas relacionados com a sexualidade, 1373
riscos da terapia de reposição hormonal, 1374
câncer de mama, 1375
câncer de ovário, 1375
ganho de peso e diabetes, 1375
hiperplasia endometrial e carcinoma de endométrio, 1374
risco de tromboembolismo, 1375
síndrome geniturinária da menopausa, 1373
sintomas vasomotores e de humor, 1371
inibidores seletivos da recaptação seratonina, 1373
inibidores seletivos da recaptação seratonina e noradrenalina, 1373
outros medicamentos, 1373
Condições crônicas, atenção, 156
conceito, 156
crise do modelo, 157
sistema único de saúde, 157
desafio, 157
modelo, 158
atuação clínica, 160
pirâmide de riscos, 159
Sistema Único de Saúde, 160
redes de atenção à saúde, 157
resposta social, 157
situação da saúde no Brasil, 157
Condições crônicas, cuidados longitudinais e integrais a pessoas, 358
agudas e crônicas, 358
autocuidado, 366
estratégias de educação em saúde, 367
facilitadores e barreiras, 366
aspectos cognitivos, 367
aspectos psicológicos, 367
barreiras econômicas e sociais, 367
barreiras físicas, 367
letramento em saúde, 367
mudanças de estilo de vida, 368
plano de ação, 369
comorbidades, 359
episódios de cuidado e de doença, 358
impacto psicossocial, 360
multimorbidades, 359
perspectiva sistêmica, 360

qualificação atendimento na atenção primária à saúde, 361
abordagem familiar, 364
acionamento da rede de apoio social, 364
consultas coletivas, 363
coordenação do cuidado, 365
definição dos serviços, 361
divisão de tarefas, 361
gestão população em risco, 362
gestão populacional, 362
intervenções específicas, 365
populações com elevada morbidade, 365
organização do acesso, 362
registro orientado por problema, 361
Controle infecções relacionadas à assistência à saúde, 1525
definições, 1525
precauções de isolamento, 1532
principais síndromes, 1536
clostridioides difficile e outras gastrintestinais, 1531
corrente sanguínea associada a cateteres vasculares, 1528
outras infecções, 1532
pneumonias associadas à assistência, 1526
associadas à ventilação mecânica, 1527
não associadas à ventilação mecânica, 1526
sítio cirúrgico, 1530
trato urinário, 1530
vigilância das infecções, 1532
controle na atenção básica, 1533
Covid-19, doença pelo coronavírus 2019, 1632
definição de caso, 1633
diagnóstico, 1634
diagnóstico clínico, 1634
diagnóstico laboratorial, 1635
biologia molecular, 1635
RT-LAMP, 1635
RT-PCR em tempo real, 1635
teste imunológico, 1635
teste rápido pesquisa antígeno viral, 1635
diagnósticos diferenciais, 1638
exames complementares, 1636
exames laboratoriais, 1638
exames radiológicos, 1636
interpretação dos testes, 1636
etiopatogenia, 1632
imunidade e risco de reinfecção, 1652

lições para o futuro, 1656
manejo clínico, 1639
   anticoagulantes, 1641
   casos moderados ou graves, 1640
   classificação clínica, 1639
   corticoides, 1641
   identificação de grupos de risco, 1639
   manejo de casos leves, 1639
   outros medicamentos, 1642
     anti-inflamatórios não esteroides, 1642
     bloqueadores de receptores da angiotensina, 1642
     inibidores da enzima conversora da angiotensina, 1642
     nebulização, 1642
     plasma convalescente, 1642
     rendesivir, 1642
     tocilizumabe, 1641
     tratamentos farmacológicos, 1641
medidas de isolamento, 1647
   afastamento laboral pessoas fatores de risco, 1648
   identificação e quarentena contatos próximos/domiciliares, 1648
   orientações isolamento domiciliar, 1647
medidas prevenção e controle populacionais, 1649
   cessação do tabagismo, 1650
   etiqueta respiratória, 1649
   lavagem de mãos, 1649
   limpezas de superfícies, 1649
   medidas distanciamento social, 1649
   uso de máscara pela população, 1649
medidas prevenção e controle profissionais da saúde, 1645
   agentes comunitários saúde, 1646
   profissionais saúde, 1645
   unidades saúde, 1645
notificação, 1634
óbito, 1643
   codificação da Covid-19, 1643
   investigação após óbito, 1643
organização dos serviços de saúde em APS, 1653
   organização demanda e acesso, 1653
   outros atributos da APS, trabalho em equipe e proximidade território, 1653
quadro clínico, 1633
recomendações grupos específicos, 1643
   crianças e adolescentes, 1643
   gestantes, 1643
   lactentes, 1644
   portadores de doenças crônicas, 1645
   povos indígenas, 1645
sintomas persistentes e síndrome pós-covid-19, 1652
telemedicina, uso da, 1655
transmissão, 1632
vacinação, 1650
   coadministração com outras vacinas, 1651
   grupos prioritários, 1650
   vacinação e infecção, 1652
   vacinas heterólogas, 1651
Criança, 994, 1032, 1097, 1123, 1129, 1569, 1581
acompanhamento do crescimento, 1032
   índices, pontos de corte e população de referência na APS, 1036
   índices para monitoramento, 1033
     comprimento ou altura/idade, 1034
     índice de massa corporal, 1035
     perímetro cefálico, 1034
     peso ao nascer, 1033
     peso/idade, 1034
   ponte de corte para índices, 1035
   população de referência, 1035
   primeiros anos de vida, 1039
deficiência de ferro e anemia, 1097
   determinantes da anemia, 1098
     ambiente imediato, 1098
     consumo alimentar de ferro, 1098
     outros fatores, 1099
     estruturais, 1098
     individuais, 1099
   diagnóstico, 1100
     amplitude de distribuição das hemácias, 1101
     concentração de hemoglobina no reticulócito, 1101
     ferritina sérica, 1101
     receptor 1 transferrina sérica, 1101
     saturação da transferrina, 1100
     volume corpuscular médio, 1101
   epidemiologia, 1097
   etiologia/fisiopatologia, 1097
   prevenção deficiência de ferro, 1102
     educação nutricional, 1102
     fortificação das farinhas de trigo e milho, 1103
     fortificação alimentos preparados crianças micronutrientes em pó, 1103
     suplementação com ferro, 1104
   rastreamento da anemia, 1105
   repercussões clínicas, 1100
   tratamento da anemia, 1102
diarreia aguda, 1569
   abordagem e manejo, 1571
   classificação, 1570
     aquosa, 1570
     com sangue (disenteria), 1570
   cólera, 1578
     manifestações clínicas, tratamento e prevenção, 1578
     orientações viajantes áreas afetadas, 1579
     vacina contra cólera, 1579
   definição, 1569
   epidemiologia, 1570
   etiologia e manifestações clínicas, 1570
   prevenção, 1577
     orientação coletiva, 1578
     vacina contra rotavírus, 1578
   transmissibilidade da doença, 1570
     direta, 1571
     indireta, 1570
   tratamento, 1572
     manejo nutricional, 1575
     reidratação oral, 1575
     tratamento ativo, 1576
       antibióticos, 1576
       antidiarreicos, 1577
       antieméticos, 1576
       probióticos e prebióticos, 1576
       vitamina A, 1577
       zinco, 1577
excesso de peso, 1123
   avaliação e diagnóstico, 1124
   conceito, 1123
   epidemiologia, 1123
   etiologia, 1123
   fisiopatologia, 1123
   manejo e prevenção, 1125
febre, 1129
   avaliação da criança com febre, 1131
     protocolos de investigação por faixa etária, 1134
       idade entre 3 e 36 meses, 1134
       primeiro 90 dias de vida, 1134
       sem sinais de localização, 1133
         doença bacteriana grave, 1134
         lactentes febris de baixo risco, 1134
         sem localização, 1134
         sinais de localização, 1132
     sinais de toxemia, 1131
   como medir temperatura, 1130
     avaliação subjetiva pelo toque de pele, 1131
     axilar, 1130
     oral, 1130
     retal, 1130
     timpânica, 1130
   temperatura habitual e suas variações, 1129
   tratamento sintomático da febre, 1135
     como tratar a febre, 1135
infecção respiratória aguda, 1581
   avaliar e classificar, 1582
   bronquilite, 1586
     diagnóstico, 1587
     fatores de risco piores desfechos, 1587
     manifestações clínicas, 1587
     prevenção, 1587
     tratamento, 1587
   coqueluche, 1588
     diagnóstico, 1589
       leucograma, 1590
       radiologia de tórax, 1590
     etiologia, fisiopatologia e formas de contágio, 1589
     prevenção, 1591
       controle dos comunicantes e profilaxia, 1591
       imunização, 1591
     quadro clínico, 1589
       fase catarral, 1589
       fase de convalescença, 1589
       fase paroxística, 1589
     tratamento, 1590
   influenza, 1583
     complicações, 1584
     prevenção, 1585
     tratamento, 1584
   laringite, laringotraqueíte viral e epiglote aguda, 1585
     tratamento, 1586
       epiglote aguda, 1585
   manifestações clínicas, 1581
   pneumonia adquirida na comunidade, 1592
     complicaões, 1594
     diagnóstico, 1593
     etiologia, 1592
     fisiopatologia, 1592
     manifestações clínicas, 1593
     tratamento, 1594
     prevenção, 1595

resfriado comum, 1582
  complicações, 1582
    doença do trato respiratório inferior, 1583
    exacerbação da asma, 1583
    otite média, 1583
    tratamento, 1583
promoção do desenvolvimento, 994
  avaliação diagnóstica, 1004
  caderneta de saúde da criança, instrumento de vigilância, 998
  intervenções efetivas, 1004
  papel da APS, 996
  primeira infância, prioridade, 995
  teste de triagem, 1000
  vigilância, triagem e avaliação desenvolvimento infantil, 996
Criança e adolescente, 1022, 1173, 2170
  atenção à saúde em situação de violência, 1173
    abordagem, 1183
    definições, 1175
    formas de violência, 1175
      negligência/abandono, 1180
      violência física, 1176
        traumas torácicos e abdominais, 1178
      violência psicológica, 1181
        síndrome de Münchausen por procuração, 1181
      violência sexual, 1178
    prevenção, 1185
  problemas musculoesqueléticos, 2170
    diagnóstico diferencial e manejo da dor, 2170
      avaliação inicial da dor, 2170
        anamnese, 2170
        exame físico, 2170
        investigação laboratorial, 2172
        manejo, 2172
    problemas ortopédicos comuns, 2175
      artrite séptica, 2180
        diagnóstico, 2181
        encaminhamento, 2181
        exames de imagem, 2181
      desvios rotacionais e angulares dos membros inferiores, 2175
        anamnese e exame físico, 2175
          ângulo de progressão da marcha, 2176
          ângulo rotacional do fêmur, 2176
          avaliação do genuvaro e do genuvalgo, 2177
          eixo pé-coxa, 2177
          exame dos pés, 2177
        diagnóstico diferencial, 2177
        encaminhamento, 2177
        exames complementares, 2177
        tratamento, 2177
      escoliose e outras alterações posturais, 2180
        diagnóstico, 2180
          cifose idiopática juvenil, 2180
          escoliose, 2180
          espondilolistese, 2180
      pé plano, 2178
        encaminhamento, 2178
      quadril doloroso, 2178
        condições específicas, 2179
          doença de Legg-Calvé-Perthes, 2179
          epifisiólise proximal do fêmur, 2180
          sinovite transitória do quadril, 2179
        exames, 2179
      síndrome da amplificação da dor, 2173
        dor em membros, 2173
        síndrome da dor idiopática difusa, 2173
        síndrome da hipermobilidade articular, 2173
  promoção da segurança, 1022
    fatores de risco e resiliência, 1023
      injúrias por causas externas, 1023, 1024
        álcool, 1024
        condições socioambientais, 1023
        controle injúrias, 1025
          princípios fundamentais, 1025
        controle injúrias físicas, 1026
          atendimento primário e serviço de emergência, 1028
          comunidade segura, conceito, 1026
          educação para segurança, 1026
          aconselhamento em segurança, 1027
          normas e legislação, 1026
        idade, 1023
        medidas específicas no controle, 1028
        sexo, 1024
        supervisão, 1024
      saúde pública, 1022
Cuidados paliativos, 2182
  aspectos legais e previdenciários, 2195
  aspectos psicológicos, 2193
    ansiedade e depressão, 2193
    ansiedade, 2193
  equipe de atenção primária à saúde, 2183
  estágios possíveis diante da morte, 2183
    primeiro estágio: negação e isolamento, 2183
    segundo estágio: raiva, 2183
    terceiro estágio: barganha, 2184
    quarto estágio: depressão, 2184
    quinto estágio: aceitação, 2184
  por que e quando iniciar, 2182
  principais sintomas clínicos e seu manejo, 2184
    problemas com nutrição e hidratação, 2184
      constipação, 2187
      disfagia, 2186
      dispneia, 2192
        fisiopatologia, 2192
          causas cardiovasculares, 2192
          causas pulmonares, 2192
          causas sistêmicas, 2192
        tratamento, 2192
      dor, 2188
        avaliação da dor, 2188
          outras considerações, 2191
          tipos de dor, 2188
            dor mista, 2189
            dor neuropática, 2189
            dor óssea, 2188
            dor visceral, 2189
            dores musculares e articulares, 2188
          tratamento da dor, 2189
            analgésicos não opioides, 2190
            analgésicos opioides, 2190
            fármacos adjuvantes, 2191
            pela boca, 2189
            pela escada, 2189
            pelo indivíduo, 2189
            pelo relógio, 2189
      indicações gerais de suporte nutricional, 2185
      náuseas e vômitos, 2187
      orientações gerais, 2184
      síndrome da caquexia/anorexia, 2186
        manejo farmacológico, 2186
        vias de administração, 2185
          gastrostomia ou jejunostomia, 2185
          sonda nasoentérica de calibre fino, 2185
          via intravenosa, 2185
          via oral, 2185
          via subcutânea, 2185
  princípios, 2182
  profissional da saúde, 2183
  quando o paciente morre em casa, o que fazer, 2195
  últimos dias e horas de vida, 2195

D

Decisões clínicas, 67
  epidemiologia clínica, 67
    avaliação de tecnologias em saúde, 77
    decisões diagnósticas, 72
      raciocínio causal, 72
      raciocínio determinístico, 75
      raciocínio probabilístico, 72
        métricas, acurácia, 73
        teste ou estratégia, 73
          probabilidade de doença, 74
    decisões preventivas, 69
      análises econômicas, 71
        estudos de custo-efetividade, 71
        estudos de custo-minimização, 72
        estudos de custo-utilidade, 71
      efetividade, 69
      eficácia, 69
      eficiência, 69
      medidas de impacto, 70
      medidas relativas, 70
    decisões terapêuticas, 76
      comparações do tipo "não inferioridade", 77
      medidas de benefício, 76
        baseada em variáveis contínuas, 76
        relativas e absolutas, 76
      medidas para expressar dano, 76
    fator de risco, avaliação, 68
      medidas de associação, 68
        absolutas, 69
        relativas, 68
      por que e como avaliar, 68
Deficiência de ferro e anemia em crianças, 1097
Déficit de crescimento, 1088
  diagnóstico, 1090
  efeitos no longo prazo, 1093

epidemiologia, 1089
fatores etiológicos e fisiopatologia, 1089
prevenção, 1094
    intervenções à criança, 1094
    intervenções à mulher/mãe, 1094
tratamento, 1092
Dengue, Chikungunya e Zika, 1776
    diagnóstico, 1779
        Chikungunya, 1780
            métodos diretos, 1780
            métodos indiretos, 1780
        dengue, 1779
            bioquímica, 1780
            cultura viral, 1780
            detecção antígeno NS1, 1780
            hemograma, 1780
            imuno-histoquímica, 1780
            radiografia de tórax, 1780
            relação IgM/IgG, 1780
            teste sorológico anticorpo, 1779
            testes moleculares, 1780
            testes rápidos anticorpos, 1780
            ultrassonografia de abdome, 1780
        Zika, 1780
            métodos diretos, 1781
            métodos indiretos, 1781
    epidemiologia, 1777
    etiopatogenia, 1778
        dengue, 1779
            hipótese de análise integral, 1779
            imunidade mediada por células T, 1770
            imunoamplificação, 1778
    prevenção e controle, 1782
        combate ao vetor, 1783
            controle biológico, 1783
            controle químico, 1783
            manejo ambiental, 1783
            método Wolbachin, 1783
        educação em saúde e participação comunitária, 1783
        notificação, 1782
    quadro clínico, 1777
        Chikungunya, 1778
        dengue, 1777
        dengue com sinais de alerta, 1778
        dengue grave, 1778
        Zika, 1778
    tratamento, 1781
        Chikungunya, 1781
            fase aguda, 1781
            fase subaguda, 1781
        dengue, 1781
        Zika, 1782
Depressão, 1881
    diagnóstico, 1882
        questões centrais após diagnóstico, 1883
            avaliação história prévia episódio maníaco, 1883

            efeitos colaterais fármacos, sintomas depressivos, 1883
            sintomas depressivos, outra condição médica, 1883
            risco de suicídio, 1883
    encaminhamento, 1891
    etiopatogenia, 1881
    impacto, 1881
    manejo comorbidades frequentes, 1891
        abuso álcool e outras substâncias, 1891
        ansiedade, 1891
    população especiais, 1889
        crianças e adolescentes, 1890
        gestantes e puérperas, 1889
            tratamento depressão gestação e lactação, 1890
                escolha do fármaco antidepressivo gestação, 1890
                escolha do fármaco antidepressivo lactação, 1890
        idosos, 1889
    prognóstico, 1881
    situação de emergência, 1890
        risco de suicídio, 1890
            avaliação e intervenção, 1891
    tratamento, 1883
        atividade física, 1887
        descontinuidade do medicamento, 1889
        duração, 1888
        monitoramento ativo, 1888
        paciente não responde, 1888
            associação de antidepressivos, 1888
            aumento de dose, 1888
            potencialização, 1889
            troca antidepressivo, 1889
        psicoeducação, 1887
        psicoterapia, 1884
            psicoterapia resolução problemas, 1887
            terapia cognitivo-comportamental, 1887
            terapia interpessoal, 1884
        tratamento baseado em medida, 1888
        tratamento do transtorno depressivo persistente, 1888
        tratamento farmacológico, 1884
            escolha do fármaco, 1884
Dermatoses eritematoescamosas, 1410
    dermatite seborreica, 1410
        encaminhamento, 1413
        manifestações clínicas, 1412
        tratamento, 1413
    eritrodermia, 1418
        encaminhamento, 1419
        manifestações clínicas, 1418

    pitiríase rósea de Gilbert, 1417
        manifestações clínicas, 1417
        tratamento, 1417
    pitiríase rubra pilar, 1417
    psoríase, 1414
        manifestações clínicas, 1414
        tratamento, 1414
            abordagem nutricional e estilo de vida, 1415
            encaminhamento, 1416
            fototerapia e laserterapia, 1416
            tratamento sistêmico, 1416
            tratamentos específicos, 1415
            tópico, 1415
Diabetes melito, 371
    avaliação inicial, 371, 374
        paciente recém-diagnosticado, 374
    avaliação multidimensional, 374
        aspectos relacionados, 374
            grau de hiperglicemia, 375
            idade de início do tipo 2 e duração, 375
            presença de complicações crônicas, 375
            risco de hipoglicemia, 375
            tipo de diabetes, 374
        comprometimento psicológico, 376
        excesso de peso, 375
        risco cardiovascular, 376
        vulnerabilidade biopsicossocial, 376
    classificação, 371, 373
        formas híbridas, 373
        hiperglicemia na gestação, 374
        não classificados, 374
        outros tipos, 374
        tipo 1, 373
        tipo 2, 373
    coordenação do cuidado na rede, 378
    cuidado longitudinal, 379
        complicações agudas, prevenção e manejo, 391
            descompensação hiperglicêmica aguda, 391
                prevenção de cetoacidose, 391
                prevenção de síndrome hiperosmolar hiperglicêmica não cetótica, 391
            hipoglicemia, 391
        complicações crônicas, prevenção, 392
            doença cardiovascular aterosclerótica, 393
                ácido acetilsalicílico, 394
                controle glicêmico, 393

                controle hipertensão arterial sistêmica, 393
                estatinas, 394
            doença renal, 395
                acompanhamento e manejo, 396
                    controle metabólico e anti-hipertensivo, 396
                    encaminhamento, 396
                    outras intervenções, 396
                prognóstico, 396
                rastreamento e diagnóstico, 395
            insuficiência cardíaca, 394
            neuropatia diabética, diagnóstico e manejo 396
                formas focais ou multifocais assimétricas, 397
                localização em membros inferiores, mãos e punhos, 397
                neuropatia autonômica, 397
                neuropatia associada ao tratamento, 397
                neuropatia do plexo radicular, 397
                rastreamento e diagnóstico, 398
                    exame físico, 398
                tratamento, 398
                    neuropatias sensitivas, 398
                    sistema cardiovascular, 399
                    trato gastrintestinal, 399
                    trato urogenital, 400
            outras alterações oculares, 405
            pé diabético, 400
                avaliação de risco, 401
                diagnóstico, 400
                manejo de pacientes com úlcera, 402
                    cuidados imediatos, 402
                    prognóstico, 403
                manejo de pacientes em risco, 401
                    alto risco, 402
                    risco baixo ou moderado, 401
                    risco muito baixo, 401
            retinopatia diabética, 403
                consulta oftalmológica, 405
                rastreamento, 403
                tratamento, 404
    detecção e suporte problemas psicossociais, 383

Índice

educação e suporte para autocuidado, 380
educação e suporte para mudanças estilo de vida, 380
   alimentação saudável, 380
   atividade física, 381
      orientações doença cardiovascular, 382
      orientações para outra complicação do diabetes, 382
      risco de hiperglicemia, 382
      risco de hipoglicemia, 382
   cessação do tabagismo, 383
   suporte nutricional, 381
      tipo 1, 381
      tipo 2, 381
educação e suporte para perda de peso, 383
hiperglicemia diabetes tipo 2, tratamento, 384
   avaliação multidimensional, 384
      características do fármaco, 385
      características do tipo 2, 384
         doença renal, 385
         duração da doença, 384
         grau de hiperglicemia, 384
         idade início, 384
         outras complicações, 385
         presença de DCV, 385
         risco cardiovascular, 385
         risco de hipoglicemia, 385
         sobrepeso ou obesidade, 385
         vulnerabilidade biopsicossocial, 385
      preferências pessoais, 385
   escalonamento, 385
   intensificação e "desintensificação", 390
   primeira etapa: mudança estilo de vida e metformina, 385
   segunda etapa: mudança estilo de vida e acréscimo outro fármaco, 387
   terceira etapa e etapas subsequentes, 389
      combinação com insulina, 390
      esquemas intensivos, 390
      insulina basal, 389
monitoramento riscos cardiovasculares, 384
diagnóstico, 371
   como diagnosticar, 372
      critérios diagnósticos, 372
      exames de glicemia, 372
   como suspeitar de diabetes, 371
      elementos críticos, 371
      recomendações de rastreamento, 372
monitoramento, 376
   detecção de complicações crônicas, 377
   glicemia, 376
      metas de controle glicêmico, 376
      metas de serviço, 377
   risco cardiovascular, 377
Diabetes na gestação, 1267
   gestacional e detectada na gravidez, 1268
      acompanhamento, 1272
      assistência ao parto, 1273
      encaminhamento, 1272
      período após a gestação, 1273
      rastreamento diagnóstico, 1268
      tratamento, 1269
         dieta e atividade física, 1269
         medicamentos, 1270
            acarbose, 1272
            glibenclamida, 1272
            insulina, 1270
            metformina, 1271
         monitoração metabólica, 1270
Diabetes tipo 2, prevenção, 309
   detecção do diabetes desconhecido, 314
   estratégias clínicas, 309
      detecção de alto risco, 309
      intervenções farmacológicas, 313
      intervenções intensivas, prevenção, 310
         estilos de vida, 310
      intervenções menos intensivas, prevenção, 311
      monitoramento da efetividade das intervenções, 313
      outros fármacos que reduzem ou aumentam conversão bioquímica, 313
      programas nacionais, prevenção, 311
      recomendações, 313
      suporte para mudança estilo de vida, 313
         espaços para prevenção, 313
         grupos especiais, 313
         parceiro, 313
         tecnologias, 313
   estratégias populacionais, 309
Diagnóstico clínico, 84
   estratégia e táticas, 84
      achado casual, 89
      demora permitida, 87
      exames complementares, 91
         ansiedade, 92
         atraso no diagnóstico, 92
         custo, 91
         diagnóstico equivocado, 92
         engarrafamento, 92
         menosprezo pelo exame clínico, 92
      exemplo final, 93
Diarreia aguda na criança, 1569
   abordagem e manejo, 1571
   classificação, 1570
      aquosa, 1570
      com sangue (disenteria), 1570
      cólera, 1578
         manifestações clínicas, tratamento e prevenção, 1578
         orientações viajantes áreas afetadas, 1579
         vacina contra cólera, 1579
   definição, 1569
   epidemiologia, 1570
   etiologia e manifestações clínicas, 1570
   prevenção, 1577
      orientação coletiva, 1578
      vacina contra rotavírus, 1578
   transmissibilidade da doença, 1570
      direta, 1571
      indireta, 1570
   tratamento, 1572
      manejo nutricional, 1575
      reidratação oral, 1575
      tratamento ativo, 1576
         antibióticos, 1576
         antidiarreicos, 1577
         antieméticos, 1576
         probióticos e prebióticos, 1576
         vitamina A, 1577
         zinco, 1577
Dificuldade de aprendizagem e agressividade, transtornos relacionados, 1977
   agressividade, 1985
      intervenções psicossociais, 1986
         terapia cognitivo-comportamental, 1986
         treinamento habilidades parentais, 1986
      transtorno de conduta, 1986
      transtorno de oposição desafiante, 1985
      tratamento farmacológico, 1986
   autolesão, 1987
   deficiência intelectual, 1984
   estresse parental, 1987
   transtorno de déficit de atenção e hiperatividade, 1978
      abordagens terapêuticas, 1980
         abordagem comportamental, 1980
         psicoeducação, 1980
         tratamento farmacológico, 1980
      comorbidades, 1979
         perturbações do sono, 1980
         transtornos disruptivos, 1979
         transtornos do neurodesenvolvimento, 1979
      diretriz cuidado escolares com TDAH, 1982
         TDAH em pré-escolares, 1982
      epidemiologia, 1978
      impacto, 1978
      intersetorialidade, integração com escola, 1981
      quadro clínico, 1979
   transtorno do espectro autista, 1982
   transtornos específicos da aprendizagem, 1984
Dispepsia e refluxo, 729
   dispepsia, 729
      associada ao *Helicobacter pylori*, 732
      cirurgia antirrefluxo, 740
      doença do refluxo gastresofágico, 734
      doença do refluxo gastresofágico refratária ao tratamento, 740
      exames complementares, 735
         endoscopia digestiva alta, 735
         exames radiológicos, 735
         pHmetria de 24 horas e manometria esofágica, 737
      funcional, 732
      não investigada, 729
         manejo inicial sem sinais de alerta, 731
      secundária, 733
         tratamento, 734
      tratamento, 738
         educação do paciente, 738
         tratamento farmacológico, 738
            inibidores da bomba de prótons, 739
Dispneia, 696
   abordagem clínica integrada, 701
      situações específicas, 702
   avaliação diagnóstica, 697
      causas típicas, 698
      entrevista clínica, 698
      exame físico, 698

exames complementares, 700
encaminhamento, 702
tratamento, 702
Doença de Chagas, 1770
  complicações, 1773
  diagnóstico, 1773
    diagnóstico diferencial, 1774
    método parasitológico, 1773
    métodos sorológicos, 1773
  quadro clínico, 1771
  situação epidemiológica, 1770
  transmissão, 1771
    acidental, 1771
    oral, 1771
    transfusional/transplante, 1771
    vertical, 1771
    vetorial, 1771
  tratamento, 1774
  vigilância epidemiológica e medidas de controle, 1775
Doença de Parkinson, idoso, 609
  abordagem sintomas não motores, 614
    ansiedade, 614
    constipação, 615
    demência, 615
    depressão, 614
    disfunção sexual, 615
    disfunção urinária, 615
    distúrbios do sono, 615
      distúrbio comportamental do sono REM, 615
      síndrome das pernas inquietas, 615
    dor, 616
    hiperidrose, 615
    hipotensão postural, 615
    olfação, 616
    psicose e alucinações visuais, 614
    sialorreia, 615
  abordagem terapêutica sintomas motores, 614
    manejo complicações motoras, 614
    tratamentos modificadores de doença, 614
    tratamentos sintomáticos, 614
  diagnóstico, 610
    diagnóstico diferencial, 611
      formas de parkinsonismo, 611
      medicamentos manifestações clínicas semelhantes, 611
      principais achados, 611
    exames complementares, 612
  encaminhamento, 616
  etiopatogenia, 610
  modalidades terapêuticas, 612
    medidas não farmacológicas, 612
    tratamento cirúrgico, 613

    tratamento farmacológico, 612
      atividade profissional exercida, 613
      custo, 613
      diagnóstico correto, 612
      estado cognitivo, 613
      fármacos disponíveis, 613
      gravidade, 613
      idade do paciente, 612
  prognóstico, 610
  seguimento, 616
  tremor essencial, 612
Doença febril exantemática, 1553
  enterovírus, 1565
    diagnóstico laboratorial, 1566
    epidemiologia, 1565
    quadro clínico e complicações, 1566
    tratamento, 1566
  eritema infeccioso, 1563
    epidemiologia, quadro clínico e complicações, 1563
    diagnóstico, 1563
    diagnóstico diferencial, 1563
    prevenção e controle, 1563
    tratamento, 1563
  escarlatina, 1562
    complicações, 1562
    diagnóstico, 1562
    diagnóstico diferencial, 1562
    epidemiologia, 1562
    prevenção e controle, 1563
    quadro clínico, 1562
    tratamento, 1562
  exantema maculopapular, 1553
    escarlatiforme, 1553
    morbiliforme, 1553
    papulovesicular, 1553
    petequial ou purpúrico, 1553
    rubeoliforme, 1553
    urticariforme, 1553
  exantema súbito, 1563
    diagnóstico, 1563
    diagnóstico diferencial, 1563
    epidemiologia, 1563
    quadro clínico e complicações, 1563
    tratamento, 1563
  febre tifoide, 1566
    diagnóstico laboratorial, 1566
    epidemiologia, 1566
    prevenção e controle, 1566
    quadro clínico e complicações, 1566
    tratamento, 1566
  monocleose infecciosa, 1565
    diagnóstico, 1565
    epidemiologia, 1565
    quadro clínico e complicações, 1565

    tratamento e prevenção, 1565
  outras doenças a serem consideradas, 1566
    adenovírus, 1567
    Chikungunya, 1567
    dengue, 1567
    doença de Kawasaki, 1568
    febre maculosa brasileira, 1566
    micoplasma, 1567
    reações medicamentosas, 1568
    toxoplasmose, 1567
    vírus Zika, 1567
  rubéola, 1559
    complicações, 1560
    diagnóstico, 1560
    diagnóstico diferencial, 1560
    epidemiologia, 1559
    prevenção e controle, 1560
    quadro clínico, 1561
    tratamento, 1561
  sarampo, 1553
    complicações, 1555
    diagnóstico, 1555
    diagnóstico diferencial, 1556
    epidemiologia, 1554
    prevenção e controle, 1557
    quadro clínico, 1554
    tratamento, 1556
  varicela, 1564
    diagnóstico, 1564
    diagnóstico diferencial, 1565
    epidemiologia, 1564
    prevenção e controle, 1565
    quadro clínico e complicações, 1564
    tratamento, 1565
Doença pelo coronavírus 2019, Covid-19, 1632
  definição de caso, 1633
  diagnóstico, 1634
    diagnóstico clínico, 1634
    diagnóstico laboratorial, 1635
      biologia molecular, 1635
      RT-LAMP, 1635
      RT-PCR em tempo real, 1635
      teste imunológico, 1635
      teste rápido pesquisa antígeno viral, 1635
    diagnósticos diferenciais, 1638
    exames complementares, 1636
    exames laboratoriais, 1638
    exames radiológicos, 1636
    interpretação dos testes, 1636
  etiopatogenia, 1632
  imunidade e risco de reinfecção, 1652

  lições para o futuro, 1656
  manejo clínico, 1639
    anticoagulantes, 1641
    casos moderados ou graves, 1640
    classificação clínica, 1639
    corticoides, 1641
    identificação de grupos de risco, 1639
    manejo de casos leves, 1639
    outros medicamentos, 1642
      anti-inflamatórios não esteroides, 1642
      bloqueadores de receptores da angiotensina, 1642
      inibidores da enzima conversora da angiotensina, 1642
      nebulização, 1642
      plasma convalescente, 1642
      rendesivir, 1642
      tocilizumabe, 1641
    tratamentos farmacológicos, 1641
  medidas de isolamento, 1647
    afastamento laborar pessoas fatores de risco, 1648
    identificação e quarentena contatos próximos/domiciliares, 1648
    orientações isolamento domiciliar, 1647
  medidas prevenção e controle populacionais, 1649
    cessação do tabagismo, 1650
    etiqueta respiratória, 1649
    lavagem de mãos, 1649
    limpezas de superfícies, 1649
    medidas distanciamento social, 1649
    uso de máscara pela população, 1649
  medidas prevenção e controle profissionais da saúde, 1645
    agentes comunitários saúde, 1646
    profissionais saúde, 1645
    unidades saúde, 1645
  notificação, 1634
  óbito, 1643
    codificação da Covid-19, 1643
    investigação após óbito, 1643
  organização dos serviços de saúde em APS, 1653
    organização demanda e acesso, 1653
    outros atributos da APS, trabalho em equipe e proximidade território, 1653
  quadro clínico, 1633
  recomendações grupos específicos, 1643
    crianças e adolescentes, 1643

gestantes, 1643
lactentes, 1644
portadores de doenças crônicas, 1645
povos indígenas, 1645
sintomas persistentes e síndrome pós-covid-19, 1652
telemedicina, uso da, 1655
transmissão, 1632
vacinação, 1650
   coadministração com outras vacinas, 1651
   grupos prioritários, 1650
   vacinação e infecção, 1652
   vacinas heterológicas, 1651
Doença pulmonar obstrutiva crônica, 516
   comorbidades, 528
      prevalência, 529
   diagnóstico, 518
      anamnese, 518
      classificação, 520
      exame físico, 518
      função pulmonar, 519
      outros exames, 520
      radiologia, 519
   diagnóstico diferencial, 521
   encaminhamento para especialista, 529
   fatores de risco, 517
   história natural, 517
   prevalência e impacto, 516
   tratamento, 521
      avaliação e monitorização da doença, 522
      manejo da doença estável, 522
         tratamento farmacológico, 522
            broncodilatadores, 522
            corticoides, 523
            oxigenoterapia, 525
         reabilitação pulmonar, 525
         tratamento cirúrgico, 526
         ventilação não invasiva, 526
      manejo das exacerbações da DPOC, 526
         exames, 526
            eletrocardiograma, 527
            gasometria arterial, 527
            outros testes laboratoriais, 527
            radiografias de tórax, 526
         hospitalização, 527
         tratamento ambulatorial, 527
            antibióticos, 527
            broncodilatadores, 527
      redução dos fatores de risco, 522
Doença renal crônica, 480
   acompanhamento clínico, 484
      classificação prognóstico para orientar intervenções, 485
      intervenções para casos em estágio 1 a 3, 484
      intervenções para situações de potencial insulto renal, 485
      manejo de alguns problemas específicos estágios 1 a 3 na APS, 485
         acidose metabólica, 486
         anemia, 486
         doença mineral óssea, 486
         diabetes, 485
         estado nutricional, 486
         hipertensão e/ou albuminúria, 485
         risco cardiovascular, 486
         vacinação, 486
   avaliação da função renal, 481
      taxa de filtração glomerular, 481
   definição e estágios prognósticos, 480
   detecção da doença, 482
   diagnóstico clínico, 483
   encaminhamentos, 487
   etiologia, 480
   marcadores de lesão renal, 482
   terapia renal substitutiva, 488
      diálise, 488
      transplante renal, 489
Doenças cardiovasculares, prevenção clínica, 315
   classificação de risco, 316
      critérios indicativos, 316
      desfechos coronarianos duros, 319
      fatores agravantes, 318
      fluxograma para estratificação, 317
      intensidade preventiva, 316
   escolha de intervenções, 327
      ações de intensidade alta, 328
      ações de intensidade baixa, 327
      ações de intensidade moderada, 327
   intervenções, 321
      ácido acetilsalicílico, 323
      álcool, 322
      alimentação saudável, 321
         alimentos cardioprotetores, 321
         dietas hipocolesterolêmicas e anti-hipertensivas, 321
      anti-hipertensivos, 323
      anti-inflamatórios não esteroides, 326
      atividade física, 322
         padrão típico de atividades diárias, 322
      estatinas, 324
      fármacos hipolipemiantes, 324
      outras intervenções, 326
         agentes antioxidantes, 326
         suplementação de cálcio, 326
         terapia de reposição hormonal, 326
         vitaminas, 326
      perda e manutenção do peso, 322
      tabagismo, 322
      tratamento farmacológico combinado, 325
   risco global, conceito, 315
   tomada de decisão, 326
Doenças cerebrovasculares, idoso, 639
   abordagens complicações crônicas AVC, 649
      AVC e condução de veículos, 651
      demência, 651
      depressão, 651
      desnutrição, 650
      disfagia, 650
      dor/subluxação no ombro, 651
      dor crônica, 650
      epilepsia pós-AVC, 652
      incontinência urinária, 650
      insatisfação sexual, 652
      limitação funcional, 649
      reabilitação de marcha, 650
      reabilitação motora, 649
      transtorno cognitivo leve de origem vascular, 651
      tromboembolismo pulmonar, 652
   anatomia cerebrovascular, 640
   classificação etiológica AVCE e AIT, 642
      AVC hemorrágico, 644
         hemorragia intraparenquimatosa, 644
         hemorragia subaracnóidea, 645
      AVC isquêmico, 642
         AVC aterotrombótico, 642
         AVC cardioembólico, 643
         AVC lacunar ou aterotrombótico de pequenos vasos, 643
         outras etiologias e causa indeterminada, 644
   cuidados imediatos AVC agudo, 645
   diagnóstico AVC e AIT, 640
      avaliação clínica, 640
         exame neurológico, 641
      exames complementares, 642
         exames de imagem, 642
      manifestações clínicas, 640
   diagnóstico diferencial do AVC, 645
   encaminhamento, 652
   epidemiologia, 639
   fatores de risco, 640
   médico de APT, papel, 639
   prevenção primária e secundária, 647
      aneurisma de septo interatrial, 649
      antiagregantes plaquetários, 647
      anticoagulação oral, 648
      dislipidemia, 647
      doença carotídea, 648
      fibrilação atrial, 648
      forame oval patente, 649
      indicação de endarterectomia/angioplastia, 648
      outras cardiopatias, 648
      transição cuidado hospital-domicílio, 649
Doenças crônicas não transmissíveis, 224, 357
   arritmias cardíacas, 435
   asma, 491
   câncer, 531
   cardiopatia isquêmica, 408
   cuidados longitudinais e integrais, 358
   diabetes melito, 371, 379
      avaliação manejo clínico, 371
      classificação, 371
      cuidado longitudinal, 379
   doença pulmonar obstrutiva crônica, 516
   doença renal crônica, 480
   doenças da tireoide, 554
   doenças do sistema arterial periférico, 445
   doenças venosas dos membros inferiores, 453
   epilepsia, 566
   estratégias preventivas, 224
      ações clínicas complementares, 231
      ações populacionais, 225
         determinantes sociais e DCNTs, 226
         intervenções e estrutura causal, 225
      alimentação saudável e sustentável, 228
      bebidas alcoólicas, redução do uso danoso, 226
      enfrentamento global e nacional, 224
      envelhecimento saudável, 230
      hábitos ativos de vida, 227
      obesidade, epidemia, 230
         enfrentamento, 230
      políticas antipoluição, 229
         sinergia para controle de DCNTs, 229
      saúde mental, promoção de, 229
      sedentarismo, redução, 227
      tabagismo, controle do, 226
   insuficiência cardíaca, 420
   paciente anticoagulado, manejo ambulatorial, 460

Doenças da mama, 1314
　alterações fisiológicas, 1315
　métodos diagnósticos, 1316
　principais doenças e tratamento, 1318
　　alterações funcionais benignas da mama, 1318
　　câncer de mama, 1319
　　　diagnóstico e tratamento, 1320
　　　hereditariedade, 1321
　　　prevenção e diagnóstico precoce, 1321
　　　sinais e sintomas, 1320
　　processos inflamatórios mais frequentes, 1318
　　　abscesso subareolar crônico recidivante, 1318
　　　ectasia ductal, 1318
　　　eczema areolar, 1318
　　　galactocele, 1318
　　　mastite aguda, 1318
　　tumores benignos, 1318
　　　fibroadenoma, 1318
　　　papiloma intraductal único, 1319
　sinais e sintomas, 1315
　　aumento da sensibilidade, 1315
　　descamação e erosão do mamilo e aréola, 1316
　　descarga papilar espontânea, 1316
　　dor em uma ou ambas as mamas, com ou sem queixa de nódulos, 1315
　　nódulos palpáveis, 1316
　　retração da pele, 1316
　　retração do mamilo, 1316
　　sinais de inflamatórios da mama, 1316
Doenças da tireoide, 554
　exame físico, 555
　exames laboratoriais e de imagem, 555
　　anticorpo antiperoxidase (anti-TPO), 555
　　anticorpo antirreceptor do TSH (TRAb), 555
　　anticorpo antitireoglobulina, 555
　　captação de iodo, 556
　　cintilografia, 556
　　hormônios estimulantes da tireoide (TSH), 555
　　tireoglobulina, 555
　　tiroxina livre (T_4L), 555
　　tiroxina total (T_4T), 555
　　tri-iodotironina total (T_3T), 555
　　ultrassonografia, 556
　hipertireoidismo, 559
　　cirurgia, 562
　　diagnóstico, 560
　　　anamnese, 560
　　　exame físico, 560
　　　exames complementares, 560
　　fármacos antitireoidianos, 561
　　iodo radiativo, 562
　　tratamento e acompanhamento, 561
　doença multinodular atóxica, 564
　　diagnóstico, 564
　　　anamnese, 564
　　　exame físico, 564
　　　exames complementares, 565
　　encaminhamento, 565
　　tratamento e acompanhamento, 565
　doença nodular tireoidiana, 563
　　diagnóstico, 563
　　　anamnese, 563
　　　exame físico, 563
　　　exames complementares, 563
　　encaminhamento, 564
　　tratamento e acompanhamento, 564
　etiologias, 559
　　adenoma tóxico, 559
　　bócio multinodular tóxico, 559
　　doença de Graves, 559
　　　condições associadas, 559
　　　sinais e sintomas, 559
　　ingestão de hormônios tireoidianos, 559
　hipertireoidismo subclínico, 562
　　encaminhamento, 562
　hipotireoidismo, 556
　　diagnóstico, 556
　　　anamnese e exame físico, 556
　　　exames complementares, 556
　　tratamento e acompanhamento, 557
　　　medicamentos que interferem na função tireoidiana, 558
　hipotireoidismo subclínico, 558
　　encaminhamento, 558
　　rastreamento das disfunções, 556
　tireoidites, 562
Doenças do sistema arterial periférico, 445
　aneurismas arteriais, 450
　　aorta abdominal, 450
　　　avaliação, 450
　　　manifestações clínicas, 450
　　　tratamento, 450
　　artéria poplítea, 450
　doença arterial periférica, 446
　　oclusão arterial aguda, 449
　　　manifestações clínicas, 449
　　　tratamento emergencial e encaminhamento, 449
　　oclusão arterial crônica, 446
　　　avaliação clínica, 447
　　　diagnóstico por imagem, 447
　　　manifestações clínicas, 447
　　　prognóstico, 448
　　　tratamento, 448
　　doenças vasoespásticas, 451
　　　acrocianose, 451
　　　doença de Raynaud, 451
　　　eritromelalgia, 451
　　　livedo reticular, 451
Doenças transmissíveis, condutas preventivas na comunidade, 1508
　abordagem das doenças, medidas preventivas, 1513
　　estratégias de prevenção e controle, 1513
　　　lavagem de mãos, 1513
　　　lençóis e tecidos, 1513
　　　limpeza e desinfecção, 1513
　　　　desinfecção, 1513
　　　　desinfecção concorrente, 1513
　　　　desinfecção terminal, 1513
　　　　limpeza, 1513
　　　louça, copos, talheres, utensílios de cozinha, 1513
　　　precauções padronizadas, 1513
　　　　isolamento, 1514
　definições, 1508
　　ação, 1508
　　agente etiológico, 1508
　　fonte de infecção, 1508
　　período de incubação, 1509
　　período de transmissibilidade, 1509
　　porta de entrada, 1509
　　portador, 1508
　　reservatório, 1508
　　transmissão aérea, 1509
　　transmissão indireta, 1509
　　veículo, 1509
　　vetor, 1509
　medidas preventivas específicas, 1514
　　doenças transmissão fecal-oral, 1515
　　doenças transmissão sexual ou sanguínea, 1515
　　doenças transmitidas contato direto, 1515
　　doenças transmitidas por vetor, 1515
　　doenças transmitidas via respiratória, 1514
　vigilância em saúde, 1509
Doenças venosas dos membros inferiores, 453
　insuficiência venosa crônica, 457
　　manifestações clínicas, 457
　　tratamento, 458
　tromboflebite superficial, 454
　　tratamento, 454
　trombose venosa profunda, 455
　　exames diagnósticos, 455
　　sinais e sintomas, 455
　　tratamento, 456
　varizes, 453
　　diagnóstico, 453
　　sinais e sintomas, 453
　　tratamento, 454
Dor, abordagem geral, 2006
　abordagem, 2015
　　abordagens específicas, 2015
　　abordagens inespecíficas da dor aguda, 2015
　　　acupuntura tradicional, 2018
　　　medicamentos, 2015
　avaliação clínica, 2010
　　explorando a história, 2010
　　　prognóstico, 2013
　　　　excluindo sinais de alerta, 2014
　　　　fatores perpetuantes, 2013
　　　qualificação (PQR), do paciente à hipótese, 2010
　　　　circunstâncias (e ritmo), 2010
　　　　qualidade, 2012
　　　　região (e distribuição), 2012
　　　qualificação (ST), avaliando impacto, 2013
　　　　questionários multidimensionais e outros, 2013
　　　　severidade, 2013
　　　　tempo, 2013
　　explorando exame físico, 2014
　componentes da dor, 2007
　　motores, nerovegetativos e psicossociais, 2008
　　sensitivos, 2007
　　　dor neuropática, 2007
　　　dor nociceptiva, 2007
　　　sensibilização e dor nociplástica, 2007
　dor como experiência, 2006
　dor crônica como doença crônica, 2008
　dor em populações especiais, 2009
　　crianças e adolescentes, 2009
　　gestantes, 2009
　　idosos e pacientes com alto limiar para dor, 2009

no fim da vida, 2010
epidemiologia, 2006
Dor abdominal aguda, avaliação inicial, 721
   acompanhamento, 728
   condições clínicas menos graves, 722
   correlação clínica e fisiopatológica, 721
   diagnóstico diferencial com afecções clínicas, 728
   quadro clínico, 725
     afecções ginecológicas, 728
     afecções urológicas, 727
     dor abdominal central, 725
       e hipotensão, 725
       isquemia mesentérica aguda, 725
     dor abdominal em cólica com distensão abdominal progressiva, 725
       obstrução colônica, 725
       obstrução gastrojejunal proximal, 725
       obstrução ileojejunal, 725
     dor em fossa ilíaca direita, 727
       apendicite aguda, 727
       diverticulite de Meckel, 727
     dor em fossa ilíaca esquerda, 727
       diverticulite aguda, 727
     dor em hipocôndrio direito, 726
       colecistite aguda, 726
     dor em hipocôndrio esquerdo, 726
     dor epigástrica, 726
       pancreatite aguda, 726
       úlcera péptica perfurada, 726
   referência imediata ao cirurgião, 728
   sequência diagnóstica, 722
     exame físico, 722
     exames complementares, 724
     história clínica, 722
Dor crônica e sensibilização central, 2020
   abordagem terapêutica, 2026
     tratamento farmacológico, 2028
       anticonvulsivantes, 2028
       antidepressivos, 2028
       opioides, 2029
     tratamento não farmacológico, 2026
       exercícios físicos, 2027
       intervenções psicológicas, 2026
       neuroestimulação visando neuromodulação, 2028
   diagnóstico ampliado, 2024
     avaliação e acompanhamento, 2026
     classificação da dor, 2025
     classificação da fibromialgia, 2025
     critérios diagnósticos do APPT, 2025
     critérios diagnósticos do American College of Rheumatology, 2025
     sensibilização central, 2021
     mecanismos ascendentes e descendentes, 2021
     modelo da carga alostática, 2023
     principais sintomas de dor crônica, 2024
     questões emocionais, 2022
     questões sociais, 2023
Dor de garganta, 872
   alergia à penicilina, 876
   diagnóstico, 873
     clínico, 873
     laboratorial, 873
     quando tratar com antibióticos, 874
   diagnóstico diferencial, 877
     difteria, 877
     faringites pelo vírus Coxsackie, 878
     infecção retroviral aguda, 878
     mononucleose infecciosa, 877
     uvulite aguda, 977
   etiologia, 872
   manifestações clínicas, 873
     faringite estreptocócica, 873
     faringite viral, 873
   tratamento, 875
     antibiótico, 875
Dor em membros inferiores, 2146
   dor em joelho e terço médio do membro inferior, 2153
     abordagem diagnóstica geral, 2154
       exame físico, 2154
       história, 2154
     aspectos anatômicos, 2153
     principais condições dolorosas, 2154
       doença de Osgood Schiatter, 2159
       dor mecânica miofascial, 2159
       lesões ligamentares e meniscais agudas, 2154
       lesões ligamentares e meniscais insidiosas, 2157
       osteoartrite de joelhos, 2157
       síndrome patelofemoral, 2157
   dor em pé e perna inferior, 2160
     abordagem diagnóstica geral, 2161
       exame físico, 2161
       história, 2161
     aspectos anatômicos, 2160
     principais condições dolorosas, 2161
       cãibras, 2162
       dor mecânica miofascial, 2164
       entorse de tornozelo, 2163
       fascite plantar, 2162
       hálux valgo, 2163
       neuropatia compressiva de fibular comum, 2165
       neuropatia compressiva do tibial posterior, 2165
       outros, 2165
       pé de Morton e neuroma de Morton, 2164
       tendinopatia aquileana, 2162
       tendinopatia tibial posterior, 2163
   princípios gerais do raciocínio diagnóstico, 2147
   quadril e coxa superior, 2147
     abordagem diagnóstica geral, 2148
       exame físico, 2148
       história, 2148
     principais condições dolorosas, 2150
       dor em quadril em atletas, 2152
       dor miofascial, 2152
       meralgia parestésica, 2153
       osteoartrite de quadril, 2150
       osteonecrose de quadril, 2151
       síndrome dolorosa do grande trocânter, 2152
     aspectos anatômicos, 2148
Dor em ombro e membro superior, 2123
   dor em ombro e terço proximal do membro superior, 2124
     abordagem diagnóstica, 2125
       exame físico, 2127
         exame miofascial, 2127
         exame neurológico, 2127
         manobras síndrome do impacto e síndrome do manguito rotador, 2128
         princípios gerais, 2127
       história clínica, 2125
         avaliação e qualificação dos demais padrões de dor, 2125
         caracterização do ritmo e exclusão de sinais de alerta, 2125
         identificação de sinais de neuropatia, 2125
     aspectos anatômicos, 2124
     principais causas de dor, 2129
       dor bem-localizada em torno do ombro, 2130
         artrites de articulações do complexo do ombro, 2133
         bursites, 2132
         capsulite adesiva, 2133
         lesões labrais do ombro, 2133
         ombro doloroso relacionado à hemiplegia, 2134
         síndrome do impacto, 2130
         síndrome do manguito rotador, 2132
         tendinite bicipital, 2132
         tendinite calcária, 2134
         traumas, 2134
       dores origem miofascial da cintura escapular, 2130
       dores origem miofascial de outras regiões do membro superior, 2130
       dores neuropáticas, 2129
         neuropatia do nervo supraescapular, 2129
         radiculopatia cervical, 2129
         síndrome do desfiladeiro torácico, 2129
           arterial, 2129
           mista, 2129
           neurogênica, 2129
           venosa, 2129
   dor nos terços médios e distal do membro superior, 2135
     diferenciação ritmos mecânicos com e sem dor neuropática, 2135
     mão, 2140
     região lateral do cotovelo e antebraço, 2135
     região medial do cotovelo e antebraço, 2138
     região posterior do cotovelo, 2138
     região radial do punho e polegar, 2139
     região ulnar do punho, 2140
   princípios gerais do raciocínio diagnóstico, 2123
   questões laborais, 2142
Dor miofascial e outras dores mecânicas, 2032
   avaliação clínica, 2035
     diagnóstico diferencial, 2036
       bursopatias, 2037
       cãibras, 2036
       dores ósseas, 2037
       entesopatias, 2037
       outras dores musculares, 2036

tendinopatias, 2036
exame físico, 2035
   exame da sensibilização medular/segmentar, 2036
   exame miofascial, 2035
história, 2035
epidemiologia, 2032
ponto-gatilho à síndrome dolorosa miofascial, 2033
   pontos-gatilho, 2033
     modelo fisiopatológico, 2033
     padrões de irradiação de pontos-gatilho, 2034
   sensibilização central, 2034
   síndrome dolorosa miofascial, 2034
tratamento, 2037
   medicamentos, 2042
   meios físicos, 2041
   orientações, 2040
     base cognitivo-comportamental, 2040
     base motora, 2040
       exercícios, 2040
       miofascial, abordagem após consulta, 2040
       proteção, prevenção e manejo agudização, 2040
   procedimentos diagnóstico-terapêuticos, 2037
     agulhamento de músculos paravertebrais, 2038
     agulhamento de pontos-gatilho, 2037
     bloqueio paespinhoso, 2038
     técnicas manuais inativação pontos-gatilho, 2037
Dor pélvica, 1346
   aguda, 1346
     cistos ovarianos, 1349
     doença inflamatória pélvica, 1347
     gestação ectópica, 1347
     mittelschmerz ou dor da ovulação, 1348
   crônica, 1349
     adenomiose, 1351
     aderências e congestão pélvica, 1351
     dismenorreia primária, 1351
     doença inflamatória pélvica crônica, 1351
     endometriose, 1350
       tratamento, 1350
         análogos do GnRH, 1350
         cirurgia, 1351
         contraceptivos hormonais orais combinados, 1350
         danazol e gestrinona, 1350
         progestogênios por via oral, subcutânea, intramuscular, 1350
     massas pélvicas, 1351

Dor torácica, 703
   causas, 704
     condições musculoesqueléticas, 709
     dissecção de aorta e aneurisma de aorta, 707
     doenças gastresofágicas, 708
     embolia pulmonar, 708
     herpes-zóster, 709
     origem cardíaca, 704
       pericardite, 707
       por isquemia e lesão miocárdica, 704
         angina de peito, 704
         angina instável e infarto agudo do miocárdio, 706
       outras causas cardíacas, 707
     pneumonia e pleurisia, 708
     pneumotórax, 708
     transtornos emocionais e psiquiátricos, 709
   estratégias diagnósticas, 710
Drogas: uso, uso nocivo e dependência, 1948
   abordagem do paciente, 1952
     centro de atenção psicossocial – álcool e drogas, 1956
     comunidade terapêutica, 1957
     família e adicções, 1956
     grupos de autoajuda, 1956
     inicial, 1952
     intervenção breve, 1954
     instrumento de avaliação, 1953
     prevenção de recaída, 1954
     quando encaminhar, 1955
     redução de danos, 1956
   classificação das substâncias de abuso, 1949
     alucinógenas, 1949
     depressoras, 1949
     estimulantes, 1949
   comorbidades, 1951
   conceitos, padrões de uso e diagnóstico dos transtornos por uso de substância, 1949
   efeitos das substâncias, 1949
   rede de atenção à saúde para pessoas com transtorno por uso de substância, 1948
   sistema recompensa cerebral e mecanismos da dependência, 1949
   tratamento farmacológico, 1957
     benzodiazepínicos, 1957
       intoxicação, 1957
       síndrome de abstinência, 1957
     cocaína e *crack*, 1957
       intoxicação e síndrome de abstinência, 1957
       manutenção, 1957
     intoxicação, 1957

     maconha, 1958
     manutenção da abstinência, 1957
     opioides, 1958
     outras substâncias, 1958
     síndrome de abstinência, 1957

E

Eczemas e reações cutâneas medicamentosas, 1420
   dermatite atópica, 1421
     classificação gravidade, 1423
     diagnóstico clínico, 1421
     diagnóstico diferencial, 1423
     encaminhamento, 1425
     epidemiologia, 1421
     etiologia, 1421
     quadro clínico, 1421
       fase do adolescente e do adulto, 1422
       fase infantil ou do lactente, 1422
       fase juvenil, 1422
       quadros não clássicos, 1423
         ceratose pilar, 1423
         eczema de mamilo, 1423
         eczema de pés e mãos, 1423
         eczema numular ou discoide, 1423
         eczema palpebral, 1423
         eczema vulvar, 1423
         eritrodermia, 1423
         fissura, 1423
         hiperlinearidade palmoplantar, 1423
         palidez facial, 1423
         pigmentação priorbital, 1423
         pitiríase alba, 1423
         queilite, 1423
     seguimento, 1425
     terapêutica, 1423
       cuidados gerais, 1424
       manejo de infecção, 1424
       tratamento sistêmico, 1424
       tratamento tópico, 1424
   dermatite de contato, 1426
     diagnóstico diferencial, 1427
     encaminhamento, 1427
     quadro clínico, 1426
     tratamento, 1427
       tratamento sistêmico, 1427
       tratamento tópico, 1427
   eczema asteatótico, 1429
     tratamento, 1430
   eczema de estase, 1429
     quadro clínico, 1429
     tratamento, 1429

   eczema disidrótico, 1428
     encaminhamento, 1428
     quadro clínico, 1428
     tratamento, 1428
       tratamento sistêmico, 1428
       tratamento tópico, 1428
   reações cutâneas medicamentosas, 1430
     encaminhamento, 1432
     situações de emergência, 1431
     tratamento, 1431
Edema em membros inferiores, avaliação, 772
   apresentação clínica, 773
   edema bilateral, 773
     apneia obstrutiva do sono e hipertensão pulmonar, 774
     edema idiopático, 775
       edema induzido por uso de diuréticos, 776
       realimentação, 775
       vazamento capilar, 775
     edemas em gestantes, 774
     endocrinopatias, mixedema, 775
     fármacos, 775
     glomerulopatias, 774
     hipoproteinemia, 774
     insuficiência cardíaca e hipertensão pulmonar, 773
     insuficiência venosa crônica, 774
     linfedema, 775
     reações alérgicas, 774
   edema pré-menstrual, 776
   edema unilateral, 776
   mecanismos associados, 772
Eletrocardiograma, A1-1
   interpretação, principais alterações e uso na prática ambulatorial, A1-1
     condições clínicas comuns, A1-9
       doença de Chagas, A1-13
       fibrilação atrial e *flutter* atrial, A1-12
       hipertensão arterial sistêmica, A1-9
       síndromes insquêmicas, A1-10
     eletrocardiografia ambulatorial, A1-17
       aspectos gerais, A1-17
       indicações e interpretação, A1-17
     outras alterações eletrocardiográficas, A1-14
     principais alterações eletrocardiográficas, A1-5
       bloqueios intraventriculares, A1-7
       bradicardias, A1-8
       extrassíntoles, A1-7
       sobrecargas, A1-5
       taquicardias, A1-8
     principais indicações, A1-2

sistematização da interpretação, A1-2
teste de esforço, A1-14
  aspectos gerais, A1-14
  indicações, A1-16
    diagnóstico de doença arterial coronariana, A1-16
    outras indicações ambulatoriais, A1-16
    prognóstico e manejo paciente portador DAC, A1-16
  interpretação, A1-14
    alterações clínicas e hemodinâmicas, A1-14
    alterações eletrocardiográficas, A1-15
    avaliação da capacidade funcional, A1-15
    limitações e contraindicações, A1-16
    orientações ao paciente, A1-17
Endocardite infecciosa, prevenção, 1670
  critérios diagnósticos, 1671
Envenenamentos agudos, 2228
  assistência toxicológica da APS, 2228
  envenenamentos de maior frequência ou gravidade, 2233
    drogas de abuso, 2237
    medicamentos, 2235
    outros venenos específicos, 2237
      pesticidas, 2237
      plantas tóxicas, 2237
      tóxicos inalados, 2239
    produtos de uso domiciliar, 2233
  manejo clínico de pacientes, 2229
    anamnese, 2230
    síndromes tóxicas, 2230
  medidas gerais, 2231
    descontaminação cutânea, 2231
    descontaminação inalatória, 2231
    descontaminação ocular, 2231
    encaminhamento, 2233
    remoção de tóxicos ingeridos, 2231
      carvão ativado, 2232
      catárticos, 2233
      diluição e demulcentes, 2231
      esvaziamento gástrico, 2232
      indução de vômitos, 2232
      lavagem gástrica, 2232
Epilepsia, 566
  atenção primária à saúde, problemas, 574
    amamentação, 577
  anticoncepção, 577
  crises febris, 575
  epilepsia no alcoolista, 576
  gravidez e puerpério, 576
  tratamento emergencial das crises e de mal epilético, 574
classificação dos distúrbios, 566
diagnóstico, 570
  diagnóstico diferencial, 570
  exames complementares, 570
encaminhamento, 574
  cirurgia, 574
epidemiologia, 569
etiologia, 568
  crises sintomáticas agudas, 569
tratamento, 570
  efeitos cognitivos e comportamentais, 572
  esclarecimentos ao paciente, 573
  escolha do medicamento, 571
  início, indicação, 570
  manejo de casos refratários, 571
  modo de administração, 572
  retirada do tratamento, 574
  tempo de tratamento, 574
  verificação concentração plasmática, 572
Epistaxe, 830
  abordagem diagnóstica, 831
    anamnese, 832
    exame físico, 832
    exames complementares, 832
  anatomia, 830
  condutas gerais, 832
    cauterização, 834
      elétrica, 834
      química, 834
    fármacos, 836
    tamponamento nasal, 834
      anterior, 835
      complicações, 835
      posterior, 835
  encaminhamento, 836
  etiologia, 831
Estilo de vida, abordagem para mudança, 234
  ambivalência, 236
  autorização para dar informações, 235
  conversa para manter como está, 237
  conversa sobre mudança, 237
    usar DARN-CAT, 240
    usar OARS, 238
  entrevista motivacional, 236
    envolver, 236
    evocar, 236
    orientar, 236
    planejar, 236
  escuta do paciente sobre si, 236
  exercícios baseados em técnicas cognitivas e comportamentais, 240
    mudar comportamento não saudável, 241
    preparar para lidar com sentimentos que dificultem e/ou afastem, 241
    recaída ao estilo não saudável, 241
    reforço na reconsulta, 241
    trabalhar planejamento e tomada de decisão, 240
  profissional de saúde, "consertar as coisas", 236
  relação paciente/profissional da saúde, 234
  vivência do paciente sem sentir vergonha ou culpa, 235
Excesso de peso em criança, 1123

F

Febre amarela, 1798
  diagnóstico, 1802
    diagnóstico diferencial, 1802
    diagnóstico laboratorial, 1802
  epidemiologia, 1798
    ciclos de transmissão, 1799
    hospedeiros, 1798
    sazonalidade, 1800
    suscetibilidade, 1799
    vetores reservados, 1798
  quadro clínico, 1801
  patogenia e patologia, 1800
  prevenção e controle, 1804
    controle de vetores, 1808
    notificação, 1805
    vacina antiamarílica, 1806
    vigilância epidemiológica, 1804
  tratamento, 1803
Febre em adultos, 776
  acompanhamento na APS, 780
  avaliação, 778
  etiologia, 777
  febre de origem indeterminada, 778
  tratamento, 779
    antibioticoterapia paciente febre de origem indeterminada, 780
Febre reumática e prevenção de endocardite infecciosa, 1662
  febre reumática, 1662
    alergia à penicilina, 1670
    acompanhamento, 1670
    conceito e etiopatogenia, 1662
    diagnóstico, 1662
      comprovação de infecção estreptocócica prévia, 1666
    critérios maiores, 1663
      artrite, 1663
      cardite, 1664
      coreia de Sydenham, 1664
      eritema marginado, 1664
      nódulos subutâneos, 1665
    critérios menores, 1665
    diagnóstico de recorrência, 1666
    epidemiologia, 1662
    prevenção, 1668
      profilaxia primária, 1668
      profilaxia secundária, prevenção de recorrências, 1669
    tratamento, 1667
  prevenção de endocardite infecciosa, 1670
    critérios diagnósticos, 1671
Ferimentos cutâneos, 901
  cicatrização, 902
    fatores que influenciam, 902
      locais, 902
      sistêmicos, 902
    tipos, 902
  classificação dos ferimentos, 903
    áreas irradiadas, 903
    médico-legal, 903
    quanto à contaminação, 903
    quanto à profundidade, 903
    úlceras de pressão, 903
    úlceras pré-malignas e malignas, 903
  cuidados pós-operatórios tardios, 913
    hidratação cicatrizes e pele, 913
    malhas compressivas pós-cirúrgicas, 913
    massagem, 913
    prevenção dos distúrbios fibroproliferativos, 913
      cicatriz hipertrófica e queloidiana, 913
    proteção solar, 913
    revisão cirúrgica das cicatrizes, 914
  definições, 901
  panorama atual, 902
    cuidados para o profissional da saúde, 901
    proteção jurídica, 902
  tratamento cirúrgico, 904
    cuidados pós-operatórios imediatos, 910
      analgesia, 910
      curativos, 910
        aplicação, 910
        gaze e soro fisiológico, 910
        oleoso e/ou não aderente, 910
        retirada dos pontos, 911
    enxertos, 907

manejo de ferimentos contaminados, 906
manejo de ferimentos crônicos, 909
manejo de ferimentos especiais, 907
    amputações, 909
    cavidade oral, 908
    face, 907
    membro superior, 909
    mordeduras, 909
    pescoço, 908
manejo de ferimentos limpos, 905
princípios gerais, 904
tétano, 911
tratamento não cirúrgico, 912
Ferramentas para a prática clínica, 57
  atenção primária à saúde, 57
    abordagem da morte e do luto, 210
    abordagem familiar, 180
    abordagem integral da sexualidade, 197
    adesão aos tratamentos, 129
    agentes comunitários de saúde, 112
    antropologia, 162
    atenção às condições crônicas, 156
    atendimento ao trabalhador, 167
    atestados, 138
    certificados, 138
    cuidados específicos da população LGBTI+, 195
    decisões clínicas, 67
    diagnóstico clínico, 84
    habilidades de comunicação, 102
    informação, 147
    método clínico centrado na pessoa, 94
    modelo de consulta, 102
    prática da medicina ambulatorial, 58
    prescrição de medicamentos, 129
    prontuário eletrônico, 147
    registros médicos, 138
    saúde pública, 78
    telemedicina em APS, 147
Ferro e anemia em crianças, deficiência, 1097

G

Gestação, 1260, 1267, 1277
  diabetes, 1267
    gestacional e detectada na gravidez, 1268
      acompanhamento, 1272
      assistência ao parto, 1273
      encaminhamento, 1272
      período após a gestação, 1273
      rastreamento diagnóstico, 1268
      tratamento, 1269
        dieta e atividade física, 1269
        medicamentos, 1270
          acarbose, 1272
          glibenclamida, 1272
          insulina, 1270
          metformina, 1271
        monitoração metabólica, 1270
    pré-gestacional, 1273
      acompanhamento durante a gestação, 1274
      após gestação, 1274
      planejamento da gravidez, 1274
  hipertensão arterial, 1260
    aconselhamento e prognóstico pós-parto, 1266
    complicações, 1265
    definições, 1260
      hipertensão arterial, 1260
      hipertensão arterial crônica, 1261
      hipertensão do avental branco, 1261
      hipertensão gestacional, 1261
      pré-eclâmpsia, 1261
        grave e eclampsia, 1261
      proteinúria gestacional, 1260
    diagnóstico, 1262
      diagnóstico diferencial pré-eclâmpsia e hipertensão arterial sistêmica crônica, 1263
      hipertensão arterial na gestação, 1262
      pré-eclâmpsia, 1262
    encaminhamento ao serviço especializado, 1263
    epidemiologia, 1250
    etiologia e fatores de risco, 1261
    prevenção, 1266
    tratamento, 1264
      hipertensão crônica, 1264
      hipertensão persistente pós-parto, 1265
      pré-eclâmpsia, 1264
  infecções, 1277
    citomegalovirose, 1286
      diagnóstico, 1286
      quadro clínico, 1286
      repercussões no feto, 1286
      tratamento e prevenção, 1287
    estreptococo do grupo B, 1280
    hepatites, 1279
    herpética, 1284
      diagnóstico, 1285
      quadro clínico, 1285
      repercussões no feto, 1285
      tratamento, 1285
    rubéola, 1278
      diagnóstico, 1279
      infecção fetal, 1278
      prevenção, 1279
      tratamento, 1279
    sexualmente transmissíveis, 1282
      sífilis, 1283
        acompanhamento, 1284
        diagnóstico, 1283
        quadro clínico, 1283
        tratamento, 1284
    toxoplasmose, 1277
      diagnóstico, 1277
      quadro clínico, 1277
      tratamento, 1278
    urinária, 1288
      bacteriúria assintomática, 1288
      cistite, 1289
      pielonefrite aguda, 1289
    vaginites, 1287
      candidíase, 1287
      tricomoníase, 1287
      vaginose bacteriana, 1287
    varicela, 1281
      acometimento fetal, 1281
      diagnóstico, 1281
      quadro clínico, 1281
      tratamento, 1281
    vírus Zika, 1282
      infecção congênita no Brasil, 1282
      prevenção em gestantes, 1282
Gestação e lactação, medicamentos e outras exposições, 1297
  amamentação, 1299
    adoçantes, 1303
    álcool, 1302
    biodisponibilidade, 1300
    cafeína, 1303
    compostos herbais, 1303
    dose administrada, 1300
    duração do tratamento, 1300
    frequência das mamadas, 1300
    grau de ionização, 1300
    idade da criança, 1300
    intervalo entre doses, 1300
    ligação a proteínas, 1300
    maconha e cocaína, 1302
    medicamentos de uso tópico, 1301
    medicamentos que podem alterar gosto do leite, 1301
    meia-vida do fármaco, 1300
    onde encontrar mais informações, 1303
    peso molecular, 1300
    pH do meio, 1300
    questões importantes ao prescrever um medicamento, 1300
    solubilidade, 1300
    substâncias que interferem na produção e ejeção do leite, 1301
    tabagismo, 1302
    tempo entre a tomada do medicamento e a mamada, 1300
    vacinas, 1301
    via de administração, 1300
  gestação e agentes teratogênicos, 1297
    adoçantes, 1299
    álcool, 1298
    cafeína, 1299
    infecções congênitas, 1298
    maconha e cocaína, 1298
    medicamentos ou cosméticos de uso tópico, 1299
    onde encontrar mais informações, 1299
    radiação, 1298
    tabagismo, 1299
    vacinas, 1298
Gestante com problema crônico de saúde, atenção, 1246
  asma na gestação, 1246
    acompanhamento, 1247
    diagnóstico, 1247
    encaminhamento, 1248
    tratamento, 1247
      avaliação e monitorização, 1247
      controle desencadeadores da asma, 1247
      educação gestante, 1247
      exacerbação aguda da asma, 1247
      terapia farmacológica, 1247
  cardiopatias, 1254
    comunicação interatrial, 1256
      acompanhamento, 1256
      diagnóstico, 1256
      tratamento, 1256
    comunicação interventricular, 1257
      acompanhamento, 1257
      diagnóstico, 1257
      tratamento, 1257
    doença arterial coronariana, 1257
      acompanhamento, 1258
      diagnóstico, 1257
      tratamento, 1258
    estenose aórtica, 1255
      acompanhamento, 1256
      diagnóstico, 1255
      tratamento, 1256
    estenose mitral, 1255
      acompanhamento, 1255
      diagnóstico, 1255
      tratamento, 1255
  doença renal crônica, 1249
    acompanhamento, 1250
    diagnóstico, 1250
    encaminhamento, 1250

prognóstico, 1250
tratamento, 1250
doenças da tireoide, 1251
hipertireoidismo, 1251
acompanhamento, 1251
diagnóstico, 1251
encaminhamento, 1252
tratamento, 1251
hipotireoidismo, 1252
acompanhamento, 1252
diagnóstico, 1252
encaminhamento, 1252
tratamento, 1252
epilepsia na gestação, 1248
acompanhamento, 1249
diagnóstico, 1248
encaminhamento, 1249
tratamento, 1248
obesidade, 1252
acompanhamento, recomendações, 1254
cirurgia bariátrica em obesas e gravidez, 1254
complicações perinatais, 1253
encaminhamento, 1254
obesidade materna e riscos obstétricos, final da gestação, 1253
obesidade maternal e riscos obstétricos, início da gestação, 1253
obesidade pré-gravidez e ganho de peso na gravidez, 1253
Gestante e puérpera, acompanhamento de saúde, 1223
acompanhamento pré-natal, 1226
acolhimento e orientação da gestante, 1227
amamentação, 1243
avaliação de risco gestacional, 1228
avaliação ginecológica, 1230
avaliação laboratorial, 1231
eletroforese de hemoglobina, 1231
exame comum de urina e urocultura, 1232
glicemia de jejum, 1233
hematócrito/hemoglobina, 1231
outros exames, 1234
citomegalovírus, 1234
covid-19, 1235
estreptococo do grupo B, 1234
função da tireoide, 1236
hepatite C, 1234
malária, 1234
rubéola, 1234
testes rastreamento alterações fetais cromossômicas, 1236
tuberculose, 1235
Zika vírus, 1235

sorologia anti-HIV, 1233
sorologia para hepatite B, 1234
sorologia para sífilis, 1231
sorologia para toxoplasmose, 1233
avaliação obstétrica, 1230
cálculo idade gestacional e data provável do parto, 1230
cinto de segurança, 1239
componentes básicos de assistência, 1227
dieta, suplementação com ferro e vitaminas, 1238
direitos assistenciais, sociais e trabalhistas, 1239
exercícios físicos, 1239
ganho de peso na gestação, 1229
imunizações, 1237
medicamentos, 1239
medida da pressão arterial, 1230
orientações sobre trabalho de parto e parto, 1239
cesariana a pedido, 1242
indicações de cesariana, 1241
problemas comuns na gravidez, 1237
cãibras, 1238
cefaleia, 1238
cloasma, 1238
mudanças corporais, 1238
pirose, náuseas e vômitos, 1237
sangramento vaginal e dor em cólica, 1238
varizes e dor nas pernas, 1237
saúde bucal, 1238
ultrassonografia, 1236
viagens aéreas, 1239
diagnóstico de gestação, 1226
pré-concepção, 1225
puerpério, 1243
abordagem atividade sexual e contracepção, 1244
abordagem condições médicas prévias, sinais de alerta e prevenção, 1243
abordagem estado saúde mental e intervenções apoio psicossocial, 1243
alimentação bebê e apoio aleitamento materno, 1244
Gestantes, infecção pelo HIV, 1291
diagnóstico, 1292
manejo, 1292
antirretrovirais na gestação, 1293
esquema preferencial, 1293
cuidados com o recém-nascido, 1295

cuidados pós-parto, 1295
esquema vacinal para gestantes com HIV, 1296
exames laboratoriais, 1293
princípios gerais, 1292
profilaxia antirretroviral intraparto, 1294
via de parto, 1294
vigilância epidemiológica, 1292
Gota e outras monoartrites, 2064
doença por deposição de cristais de pirofosfato de cálcio, 2071
gota, 2064
acompanhamento, 2070
diagnóstico, 2065
encaminhamento, 2071
situação de emergência, 2070
tratamento, 2066
manejo de comorbidades, 2070
prevenção de recorrências, 2068
tratamento da crise aguda, 2066
anti-inflamatórios, 2067
colchicina, 2066
glicocorticoides, 2068
outras abordagens, 2068

H

Habilidade de comunicação, 102
comunicação clínica, 102
descrição, 103
habilidades específicas, 103
contexto de aplicação, 103
exemplos, 104
paciente, 104
profissional da saúde, 104
Hanseníase, 1809
diagnóstico, 1811
baciloscopia, 1812
classificação, 1813
histopatologia, 1812
sorologia, 1813
teste de sensibilidade, 1811
diagnóstico diferencial, 1815
dermatológico, 1815
neurológico, 1815
educação em saúde, 1821
formas clínicas, 1813
dismorfa, 1813
episódios reacionais, 1814
indeterminada, 1813
tuberculoide, 1813
virchowiana, 1814
prevenção e controle, 1818
prevenção e tratamento incapacidades, 1819
autocuidado apoiado, 1820
reabilitação, 1820
transmissão, 1810

tratamento, 1815
cirúrgico das neurites, 1818
condutas efeitos adversos, 1817
efeitos adversos medicamentos e condutas, 1816
clofazimina, 1816
dapsona, 1816
rifampicina, 1816
específico dos episódios reacionais, 1817
reação crônica ou subintrante, 1818
reação tipo 1 ou reação reversa, 1817
reação tipo 2, 1817
Hepatites virais, 1718
agentes virais, 1719
aspectos gerais, 1718
considerações epidemiológicas, 1720
hepatite A, 1720
hepatite B, 1721
hepatite C, 1722
hepatite D, 1722
hepatite E, 1723
prevenção, 1730
hepatite A, 1732
imunização ativa, vacinação, 1733
imunização passiva, 1732
hepatites B e D, 1733
hepatite C, 1734
hepatite E, 1734
quadro clínico e diagnóstico, 1723
hepatite A, 1724
hepatite B, 1725
hepatite C, 1726
hepatite D, 1727
hepatite E, 1727
tratamento, 1728
hepatites agudas, 1728
hepatites crônicas, 1730
hepatite B crônica, 1730
hepatite C crônica, 1731
Hérnias da parede abdominal, 937
tipos de hérnias, 938
epigástricas, 940
diagnóstico e manejo, 940
encaminhamento, 941
incisional, 941
diagnóstico e manejo, 941
encaminhamento, 941
inguinais e femorais, 938
diagnóstico e manejo, 939
encaminhamento, 939
outros tipos, 941
umbilicais, 940
diagnóstico e manejo, 940
encaminhamento, 940
Hipertensão arterial na gestação, 1260
aconselhamento e prognóstico pós-parto, 1266
complicações, 1265

definições, 1260
   hipertensão arterial, 1260
   hipertensão arterial crônica, 1261
   hipertensão do avental branco, 1261
   hipertensão gestacional, 1261
   pré-eclâmpsia, 1261
     grave e eclampsia, 1261
   proteinúria gestacional, 1260
  diagnóstico, 1262
   diagnóstico diferencial pré-eclâmpsia e hipertensão arterial sistêmica crônica, 1263
   hipertensão arterial na gestação, 1262
   pré-eclâmpsia, 1262
  encaminhamento ao serviço especializado, 1263
  epidemiologia, 1250
  etiologia e fatores de risco, 1261
  prevenção, 1266
  tratamento, 1264
   hipertensão crônica, 1264
   hipertensão persistente pós-parto, 1265
   pré-eclâmpsia, 1264
Hipertensão arterial sistêmica, 331
  aferição da pressão arterial, 333
   caracterização da pressão normal, 334
   interpretação conjunta de PA aferida, 334
    consultório, 334
    fora consultório, 334
   métodos auscultatório e oscilométrico, 333
  avaliação do paciente hipertenso, 335
   hipertensão secundária, 336
    achados clínicos, 336
    métodos complementares para avaliar, 336
    rotina complementar mínima, 335
  diagnóstico e classificação, 332
  encaminhamento, 343
  medidas não medicamentosas, 336
  prevenção primária e tratamento, 336
  prescrição de anti-hipertensivos, 341
  seguimento, 342
   efeitos adversos, 342
   efeitos terapêuticos, 342
   interações medicamentosas, 343
  situações especiais, 340
   crianças e adolescentes, 341

diabetes, 341
doença cardiovascular prévia, 341
gestação, 341
idosos, 340
insuficiência renal, 341
tratamento medicamentoso, 337
  agentes anti-hipertensivos, 338
   representantes, doses, intervalos, 338
  estratégias para aumento da adesão, 340
  hipertensão resistente, 339
  manejo PA muito elevada, 340
   em emergências, 340
   em pronto-atendimento, 340
   risco redução excessiva, 340
   fenômeno da curva J, 340
Humor bipolar, transtorno, 1895
  comorbidades, 1905
   comorbidades clínicas, 1906
   transtornos alimentares, 1906
   transtornos de ansiedade, 1905
   transtornos por uso de substâncias, 1906
  diagnóstico, 1896
   abordagem multidimensional, 1898
   avaliação diagnóstica inicial, 1898
    como investigar?, 1898
    diagnósticos alternativos, 1899
    quem deve ser investigado?, 1898
   quadro clínico, 1896
    estados mistos, ciclagem rápida e espectro bipolar, 1897
    humor, afeto e pensamento, 1897
    sintomas comportamentais, 1897
  diagnóstico diferencial, 1899
   depressão unipolar, 1899
   outros diagnósticos, 1900
   transtorno de personalidade *borderline*, 1899
  encaminhamento, 1906
  epidemiologia, 1896
  evolução e curso, 1906
  manejo inicial, 1900
  tratamento medicamentoso, 1901
   episódio depressivo, 1901
   episódio maníaco, 1903
   episódios com características mistas, 1904
   outros tratamentos, 1905
   tratamento de manutenção, 1904

I

Icterícia, transaminase, problemas hepáticos, 750
  biópsia hepática, 756
  fígado nas doenças sistêmicas, 761
   manejo de comorbidade em pacientes com hepatopatia, 761
  gravidade doenças hepáticas, avaliação, 761
  outras doenças hepáticas, 759
   colangite biliar primária, 760
   colangite esclerosante primária, 760
   doença de Wilson, 760
   hemocromatose, 760
   hepatite autoimune, 760
   síndrome de Gilbert, 759
  paciente assintomático, abordagem, 751
   albumina, 752
   aminotransferases, 751
    alteração de transaminases, 751
   bilirrubinas, 752
   fosfatase alcalina, 752
   gamaglutamiltransferase, 752
   tempo de protrombina, 752
   ultrassonografia com alteração hepática, 752
  paciente sintomático, abordagem, 753
   ascite, 754
   dor abdominal, 754
   encefalopatia hepática, 755
   hepatopatia crônica, 756
    sinais, sintomas e alterações laboratoriais, 756
   icterícia, 753
  problemas hepáticos comuns, 756
   cirrose hepática, 757
   doença hepática gordurosa não alcoólica, 756
   hepatite medicamentosa, 757
   hepatites virais, 757
   lesões hepáticas focais, 759
    adenoma hepático, 759
    carcinoma hepatocelular, 759
    cistos, 759
    hemangiomas, 759
    hiperplasia nodular focal, 759
    metástases hepáticas, 759
Idoso, atenção à saúde, 579
  avaliação multidimensional, 591
   atividades diárias, 592
   audição, 597
   avaliação do humor, 596
   continência urinária, 596
   estado mental, 596
   função membros inferiores, 594
   função membros superiores, 594
   nutrição, 597
   promoção da saúde, 598
    atividade sexual, 599
    exercícios físicos, 598
    imunização, 598
   risco de queda, 595
   suporte social, 598
   visão, 597
  cuidado do paciente, 580
   cuidado domiciliar e cuidador, 582
    apoio ao cuidador, 583
    capacitação do cuidador, 583
   exame clínico, peculiaridades, 581
    anamnese, 581
    avaliação capacidade funcional, 581
    exame físico, 581
   situações especiais, 584
    delirium, 584
    incontinência urinária, 585
     classificação, 585
     diagnóstico, 587
     interconsulta, 587
     tratamento, 587
      atividade insuficiente do músculo detrusor, 588
      incontinência de estresse, 588
      incontinência de sobrefluxo por obstrução vesical, 588
      incontinência de urgência, 587
    violência contra idoso, 589
     autonegligência, 589
     financeira, 589
     física, 589
     manejo, 590
     negligência psicológica, 589
     sexual, 589
     situações de risco, 590
doença de Parkinson, 609
  abordagem sintomas não motores, 614
   ansiedade, 614
   constipação, 615
   demência, 615
   depressão, 614
   disfunção sexual, 615
   disfunção urinária, 615
   distúrbios do sono, 615
    distúrbio comportamental do sono REM, 615
    síndrome das pernas inquietas, 615
   dor, 616

hiperidrose, 615
hipotensão postural, 615
olfação, 616
psicose e alucinações visuais, 614
sialorreia, 615
abordagem terapêutica sintomas motores, 614
    manejo complicações motoras, 614
    tratamentos modificadores de doença, 614
    tratamentos sintomáticos, 614
diagnóstico, 610
    diagnóstico diferencial, 611
        formas de parkinsonismo, 611
        medicamentos manifestações clínicas semelhantes, 611
        principais achados, 611
    exames complementares, 612
encaminhamento, 616
etiopatogenia, 610
modalidades terapêuticas, 612
    medidas não farmacológicas, 612
    tratamento cirúrgico, 613
    tratamento farmacológico, 612
        atividade profissional exercida, 613
        custo, 613
        diagnóstico correto, 612
        estado cognitivo, 613
        fármacos disponíveis, 613
        gravidade, 613
        idade do paciente, 612
prognóstico, 610
seguimento, 616
tremor essencial, 612
doenças cerebrovasculares, 639
    abordagens complicações crônicas AVC, 649
        AVC e condução de veículos, 651
        demência, 651
        depressão, 651
        desnutrição, 650
        disfagia, 650
        dor/subluxação no ombro, 651
        dor crônica, 650
        epilepsia pós-AVC, 652
        incontinência urinária, 650
        insatisfação sexual, 652
        limitação funcional, 649
        reabilitação de marcha, 650
        reabilitação motora, 649
        transtorno cognitivo leve de origem vascular, 651
        tromboembolismo pulmonar, 652
    anatomia cerebrovascular, 640
    classificação etiológica AVCE e AIT, 642
        AVC hemorrágico, 644
            hemorragia intraparenquimatosa, 644
            hemorragia subaracnóidea, 645
        AVC isquêmico, 642
            AVC aterotrombótico, 642
            AVC cardioembólico, 643
            AVC lacunar ou aterotrombótico de pequenos vasos, 643
            outras etiologias e causa indeterminada, 644
    cuidados imediatos AVC agudo, 645
    diagnóstico AVC e AIT, 640
        avaliação clínica, 640
            exame neurológico, 641
        exames complementares, 642
            exames de imagem, 642
        manifestações clínicas, 640
    diagnóstico diferencial do AVC, 645
    encaminhamento, 652
    epidemiologia, 639
    fatores de risco, 640
    médico de APT, papel, 639
    prevenção primária e secundária, 647
        aneurisma de septo interatrial, 649
        antiagregantes plaquetários, 647
        anticoagulação oral, 648
        dislipidemia, 647
        doença carotídea, 648
        fibrilação atrial, 648
        forame oval patente, 649
        indicação de endarterectomia/angioplastia, 648
        outras cardiopatias, 648
    transição cuidado hospital-domicílio, 649
osteoporose, 600
    avaliação, 602
        anamnese, 602
        diagnóstico, 603
        exames complementares, 603
        exame físico, 602
        FRAX, 603
    classificação, 601
    fatores de risco, 602
    fisiopatologia, 601
    tratamento, 605
        farmacológico, 606
            agentes anabólicos, 607
            bisfosfonatos, 607
            denosumabe, 608
            raloxifeno, 608
            terapia de reposição hormonal, 608
        não farmacológico, 605
            dieta, 605
            cálcio, 605
            vitamina D, 606
            exercício, 606
síndromes demenciais e comprometimento cognitivo leve, 617
    abordagem ao paciente com suspeita de demência, 620
        exame clínico, 620
            anamnese, 620
            avaliação cognitiva breve, 623
                miniexame estado mental, 623
                teste desenho relógio, 623
                teste lista de palavras, 624
            exame neurológico dirigido, 621
        exames complementares, 623
    classificação das demências, 627
        causa, 627
            estática, 627
            evolutiva, 627
            potencialmente reversíveis, 627
        demência com corpúsculo de Lewy, 631
        demência frontotemporal, 632
            variante comportamental, 632
            variante da linguagem, 633
                critérios diagnósticos, 633
        demência mista, 631
            doença de Alzheimer com demência vascular, 631
        demência parkinsoniana, 631
        demência vascular: prevenível e negligenciada, 629
            etipatogenia, 629
            manifestações clínicas, 630
                apraxia de marcha do tipo pequenos passos, 630
                exame de imagem, 630
                história de AVC, 630
                sinal de lesão cortical focal, 630
            profilaxia e tratamento, 631
        demências potencialmente reversíveis, 624
        doença de Alzheimer, 627
            manifestações clínicas, 628
            tratamento, 628
        etiologia, 627
            alcoólica, 627
            degenerativa, 627
            infecciosa, 627
            neoplásica, 627
            reversível, 627
            traumática, 627
            vascular, 627
        hidrocefalia de pressão normal, 633
        outras causas de demência, 634
    classificação evolutiva do declínio cognitivo, 634
        avaliação clínica da demência, 634
    comprometimento cognitivo leve, 625
    demência extrema, cuidados paliativos paciente acamado, 636
        integridade da pele, 636
        nutrição, 636
        prevenção de escaras, 636
        sugestões de encaminhamento, 637
            emergência clínica, 637
            emergência psiquiátrica, 637
            geriatra, 637
            neurologista, 637
            psiquiatra, 637
    diagnóstico diferencial de demência, 624
        delirium, 624
        depressão com comprometimento cognitivo, 624
        pseudodemência depressiva, 624
    epidemiologia das demências, 618
    domínios e síndromes neurocognitivas, 618
        principais domínios, 619
    fatores de risco, 619
    manejo dos sintomas neuropsiquiátricos, 635
        medidas comportamentais, 635
        tratamento farmacológico, 635
            antipsicóticos, 635
            neurolépticos, 635
            psicotrópicos não neurolépticos, 636

Imunizações, 1535
  calendários de imunizações, 1539
  conceitos, 1536
    cadeia ou rede de frio, 1536
    imunização, 1536
    toxoide, 1536
    vacina atenuada, 1536
    vacina inativada, 1536
    vacina polissacarídica, 1537
    vacina posissacarídica conjugada, 1537
    vacina recombinante, 1537
    vacinas combinadas, 1537
    vacinologia reversa, 1537
  considerações gerais, 1537
    atraso, esquecimento ou antecipação de doses, 1537
    contraindicações e precauções, 1538
    estado imunológico desconhecido ou duvidoso, 1538
    eventos adversos, 1538
    intercâmbio vacinas diferentes fabricantes, 1537
    intervalos administração diferentes vacinas e prova tuberculínica, 1538
    vias administração e alívio da dor, 1539
  particularidades das vacinas, 1543
    outras vacinas de interesse, 1550
      contra febre tifoide, 1550
        indicações, 1550
        via, doses e esquema vacinal, 1550
      contra raiva, 1550
        indicações, 1550
    vacina BCG, 1543
      indicações, 1543
      via, doses e esquema vacinal, 1544
    vacina contra dengue, 1550
      indicações, 1550
      via, doses e esquema vacinal, 1550
    vacina contra febre amarela, 1548
      indicações, 1548
      via, doses e esquema vacinal, 1548
    vacina contra hepatite A, 1549
      indicações, 1549
      via, doses e esquema vacinal, 1549
    vacina contra hepatite B, 1544
      via, doses e esquema vacinal, 1544
    vacina contra herpes-zóster, 1550
      indicações, 1550
      via, doses e esquema vacinal, 1550
    vacinas contra difteria, tétano, coqueluche a partir 7 anos, inclusive adultos, 1545
      indicações, 1545
      via, doses e esquema vacinal, 1545
    vacinas contra difteria, tétano, coqueluche em crianças menores 7 anos, 1545
      indicações, 1545
      via, doses e esquema vacinal, 1545
    vacinas contra *Haemophilus influenzae* tipo b, 1546
      indicações, 1546
      via, doses e esquema vacinal, 1546
    vacinas contra *influenza* (gripe), 1548
      indicações, 1548
      via, doses e esquema vacinal, 1548
    vacinas contra papilomavírus humano, 1549
      indicações, 1549
      via, doses e esquema vacinal, 1550
    vacinas contra poliomielite, 1544
      indicações, 1544
      via, doses e esquema vacinal, 1545
    vacinas contra rotavírus, 1546
      indicações, 1546
      via, doses e esquema vacinal, 1546
    vacinas contra sarampo, caxumba e rubéola (tríplice viral), 1548
      indicações, 1549
      via, doses e esquema vacinal, 1549
    vacinas contra sarampo, caxumba, rubéola e varicela (tetraviral), 1548
      indicações, 1549
      via, doses e esquema vacinal, 1549
    vacinas contra varicela, 1549
      indicações, 1549
      via, doses e esquema vacinal, 1549
    vacinas meningocócicas, 1547
      indicações, 1547
      vias, doses e esquema vacinal, 1547
    vacinas pneumocócicas, 1546
      apresentações, 1546
      indicações, 1547
      via, doses e esquema vacinal, 1547
  situações especiais, 1539
    amamentação, 1540
    crianças nascidas pré-termo, 1539
    gestação, 1540
    imunobiológicos pós-exposição a doenças, 1541
    pessoas alteração imunidade e seus contatos, 1542
    uso corticoides e outros fármacos imunossupressores, 1543
    uso recente de imunoglobulinas ou sangue e derivados, 1541
    vacina ocupacional, 1543
    viajantes, 1543
Infância, abordagem da saúde mental, 1960
  avaliação queixas específicas com apoio de escalas, 1976
  caracterização da queixa, 1965
    antecedentes desenvolvimentais e psicopatológicos, 1966
    antecedentes familiares, 1966
    contexto familiar e social, 1966
    determinação temporalidade dos sintomas, 1965
    formulação narrativa da queixa, 1965
    problema interpretado criança, familiares, escola, 1965
    repercussão funcional, 1965
    surgimento, agravamento ou melhora dos sintomas, 1965
  como problemas se manifestam nas consultas, 1964
    ajudar pais identificar como a criança demonstra sofrimento, 1967
    apoiar sem superproteger, 1966
    identificados em consultas por outros motivos, 1964
    manter e intensificar rotinas, 1967
    queixa emocional ou comportamental, 1965
    pais devem verificar como a criança está, 1967
    pais precisam enfrentar o problema, 1966
    solicitação da escola, 1964
    triagem consultas de puericultura, 1964
  eventos estressantes e transições difíceis, 1966
    estágio desenvolvimental, 1966
    história prévia criança e família, 1966
    temperamento, 1966
  intersetoriais para promoção da saúde mental, 1961
    atividades culturais e esportivas, 1961
    intervenções pré-escola ou escola, 1961
    programas de transferência de renda, 1961
  modelo transacional e desenvolvimento da criança, 1960
  problemas comportamentais comuns, 1970
    alterações do sono, 1970
      despertar confusional, 1971
      terror noturno, 1971
    birras, 1973
    bullying, 1974
    encoprese, 1973
    enurese, 1972
    seletividade alimentar, 1971
    sucção do polegar, 1971
  temperamento e autorregulação, 1962
    desenvolvimento da autorregulação, 1962
    temperamento e suas variações, 1962
  transdiagnóstica para todas as queixas, 1967
    educação parental positiva, 1968
    educação sobre emoções e regulação emocional, 1968
      autorregulação emocional, 1969
      educação sobre emoções, 1968
    estratégias comportamentais simples, 1969
    mudança estilo de vida, 1967
      atividades física e extracurricular, 1968
      rotinas de sono, 1967
      rotinas e rituais, 1967
  treinamento parental estruturado, 1970
Infância, práticas alimentares saudáveis, 1041
  alimentação complementar criança amamentada, 1042
    apresentação e consistência dos alimentos, 1045
    escolha dos alimentos, 1042
      alimentos orgânicos, 1044
      comida da família, 1043
      dieta variada, 1043
      in natura ou minimamente processados, 1042
      não oferecer açúcar até dois anos de idade, 1043
      não oferecer ultraprocessados, 1042
      não recomendados até dois anos de idade, 1044
        adoçante, 1044
        alimentos que podem engasgar, 1044
        café, 1044
        frituras, 1044
        mel, 1044

Índice

papinhas industrializadas, 1044
esquema alimentar, 1046
frequência das refeições, 1046
   sal na quantidade mínima, 1043
   vitamina D, exposição ao sol, 1044
   quando iniciar, 1042
   quantidade de alimentos, 1045
alimentação criança não amamentada, 1046
alimentação em situações especiais, 1048
   criança doente, 1050
   criança que não quer comer, 1050
   fora de casa, 1049
   vegetarianismo, 1048
doze passos para alimentação saudável, 1051
formas de cuidar e oferecer as refeições, 1048
higiene e manipulação dos alimentos, 1048
proteção à publicidade de alimentos, 1050
Infância e adolescência, atendimento ginecológico, 1161
ciclo menstrual na adolescência, 1170
   ciclo menstrual com distúrbio, 1171
      avaliação, 1171
      tratamento, 1171
   ciclo menstrual típico, 1170
exame ginecológico, 1161
   das 8 semanas aos 7 anos, 1162
   dos 7 aos 10 anos, 1162
   dos 10 aos 13 anos, 1162
   primeiras 8 semanas, 1162
motivos da consulta, 1163
puberdade típica e patológica, 1165
   puberdade precoce, 1166
      avaliação, 1167
         anamnese, 1168
         avaliação laboratorial, 1168
         avaliação radiológica, 1168
         exame físico, 1168
      central ou verdadeira, 1166
      formas incompletas, 1166
      periférica, 1166
      tratamento, 1168
   puberdade tardia, 1169
      avaliação, 1169
         exames gerais, 1169
         testes genéticos, 1170
         testes hormonais, 117
      classificação, 1169
         hipogonadismo hipergonadotrófico, 1169
         hipogonadismo hipogonodotrófico, 1169
      tratamento, 1170
   puberdade típica, 1165
vulvovaginites na infância, 1163
crianças pré-púberes, 1163
   abordagem diagnóstica, 1164
   classificação, 1163
      vulvovaginite específica, 1163
      vulvovaginite inespecífica, 1163
   fatores de risco, 1163
      anatômico/hormonais, 1163
      doenças subjacentes/medicações, 1163
      hábitos/costumes, 1163
   quadro clínico, 1163
   tratamento, 1164
   exames complementares, 1165
      vulvovaginite específica, 1164
      vulvovaginite inespecífica, 1164
Infecção do trato urinário, 1674
infecção em adultos, 1674
   classificação, 1675
      anatômica, 1675
      complicada, 1675
      presença de alterações estruturais ou funcionais, 1675
      recorrência da infecção, 1674
      sintomas, 1675
   diagnóstico, 1676
      avaliação clínica, 1676
         exame físico completo, 1676
         história clínica, 1676
      infecção complicada, 1677
         associada a cateter, 1677
         bacteriúria na gravidez, 1678
         cálculo urinário, 1677
         uropatia obstrutiva e nefropatia do refluxo, 1678
      infecção não complicada, 1677
         cistite, 1677
         infecção urinária recorrente em mulheres, 1677
         pielonefrite, 1677
         prostatite, 1677
         síndrome uretral, 1677
         uretrite, 1677
      avaliação laboratorial, 1678
         exame qualitativo de urina e urocultura, 1678
      exames de imagem, 1678
         cintilografia renal com DMSA, 1678
         radiografia simples de abdome, 1678
         tomografia computadorizada, 1678
         ultrassonografia de vias urinárias, 1678
         uretrocistografia retrógrada e miccional, 1678
         urografia venosa, 1678
   etiopatogenia, 1675
      antígeno de grupo sanguíneo, 1676
      colonização da uretra distal e região periuretral, 1676
      eliminação de bactérias, 1676
      fatores do hospedeiro, 1676
      osmolaridade e pH, 1676
      resposta imune, 1676
      uroepitélio, 1676
      virulência agente infeccioso, 1676
   fatores de risco, 1675
   profilaxia, 1682
   prognóstico, 1682
   tratamento, 1679
      bacteriúria assintomática, 1680
      cistite, 1679
      infecção em homens, 1681
      infecção na gestação, 1681
      infecção urinária associada a cateter, 1681
      infecção urinária complicada, 1680
      infecção urinária recorrente não complicada em mulheres, 1682
      pielonefrite, 1680
infecção em crianças, 1683
   diagnóstico, 1683
      exames complementares, 1683
         exame de urina, 1683
         exames de imagem, 1684
            cintilografia com DMSA, 1684
            ultrassonografia do aparelho urinário, 1684
            uretrocistografia miccional, 1684
         outros exames laboratoriais, 1684
      quadro clínico, 1683
   disfunção miccional, 1686
   fisiopatogenia, 1683
   profilaxia, 1686
   tratamento, 1685
      cistite, 1685
      pielonefrite, 1685
Infecção pelo HIV, 1291, 1705
em adultos, 1705
   avaliação clínico-laboratorial, tratamento e acompanhamento, 1708
   comorbidades, 1712
      alterações metabólicas e doenças cardiovasculares, 1712
      doenças neurocognitivas, 1714
         alterações de memória, 1714
         falhas na atenção, 1714
         lentificação psicomotora, 1714
      outras comorbidades, 1714
   imunizações, 1712
      vacina anual da *influenza*, 1712
      vacina da hepatite B, 1712
      vacina do papilomavírus humano, 1712
      vacina meningocócica, 1712
      vacina pneumocócica, 1712
   princípios do tratamento, 1708
   profilaxias, 1708
      primária, 1711
         complexo *Mycobacterium avium*, 1711
         Mycobacterium tuberculosi, 1711
         Pneumocystis jiroved, 1711
         Toxoplasma gandii, 1711
      secundária, 1711
   terapia antirretroviral, 1708
considerações epidemiológicas e modelo de cuidado, 1705
diagnóstico, 1707
prevenção, 1714
em gestantes, 1291
   diagnóstico, 1292
   manejo, 1292
      antirretrovirais na gestação, 1293
         esquema preferencial, 1293
      cuidados com o recém-nascido, 1295
      cuidados pós-parto, 1295
      esquema vacinal para gestantes com HIV, 1296
      exames laboratoriais, 1293

princípios gerais, 1292
profilaxia antirretroviral intraparto, 1294
via de parto, 1294
vigilância epidemiológica, 1292
Infecção respiratória aguda na criança, 1581
avaliar e classificar, 1582
bronquilite, 1586
diagnóstico, 1587
fatores de risco piores desfechos, 1587
manifestações clínicas, 1587
prevenção, 1587
tratamento, 1587
coqueluche, 1588
diagnóstico, 1589
leucograma, 1590
radiologia de tórax, 1590
etiologia, fisiopatologia e formas de contágio, 1589
prevenção, 1591
controle dos comunicantes e profilaxia, 1591
imunização, 1591
quadro clínico, 1589
fase catarral, 1589
fase de convalescença, 1589
fase paroxística, 1589
tratamento, 1590
influenza, 1583
complicações, 1584
prevenção, 1585
tratamento, 1584
laringite, laringotraqueíte viral e epiglote aguda, 1585
tratamento, 1586
epiglote aguda, 1585
manifestações clínicas, 1581
pneumonia adquirida na comunidade, 1592
complicaões, 1594
diagnóstico, 1593
etiologia, 1592
fisiopatologia, 1592
manifestações clínicas, 1593
tratamento, 1594
prevenção, 1595
resfriado comum, 1582
complicações, 1582
doença do trato respiratório inferior, 1583
exacerbação da asma, 1583
otite média, 1583
tratamento, 1583
Infecções, controle, 1525
Infecções de trato respiratório em adultos, 1597
bronquite aguda, 1600
tratamento, 1601
exacerbações agudas doença pulmonar obstrutiva crônica, 1601
tratamento, 1601

infecções virais, 1597
gripe, 1598
manejo, 1599
prevenção, 1600
quadro clínico e diagnóstico, 1598
alterações laboratoriais, 1599
outras amostras clínicas, 1599
radiografia de tórax, 1599
sangue, 1599
secreção nasofaríngea, 1599
quimioprofilaxia, 1600
resfriado comum, 1597
pneumonia, 1602
diagnóstico, 1603
avaliação da gravidade, 1603
diagnóstico etiológico, 1604
diagnóstico laboratorial, 1605
diagnóstico radiológico, 1604
epidemiologia, 1602
etiologia, 1602
manejo terapêutico, 1605
medidas gerais, 1605
tratamento antimicrobiano, 1605
prevenção, 1606
Infecções na gestação, 1277
citomegalovirose, 1286
diagnóstico, 1286
quadro clínico, 1286
repercussões no feto, 1286
tratamento e prevenção, 1287
estreptococo do grupo B, 1280
hepatites, 1279
herpética, 1284
diagnóstico, 1285
quadro clínico, 1285
repercussões no feto, 1285
tratamento, 1285
rubéola, 1278
diagnóstico, 1279
infecção fetal, 1278
prevenção, 1279
tratamento, 1279
sexualmente transmissíveis, 1282
sífilis, 1283
acompanhamento, 1284
diagnóstico, 1283
quadro clínico, 1283
tratamento, 1284
toxoplasmose, 1277
diagnóstico, 1277
quadro clínico, 1277
tratamento, 1278
urinária, 1288
bacteriúria assintomática, 1288

cistite, 1289
pielonefrite aguda, 1289
vaginites, 1287
candidíase, 1287
tricomoníase, 1287
vaginose bacteriana, 1287
varicela, 1281
acometimento fetal, 1281
diagnóstico, 1281
quadro clínico, 1281
tratamento, 1281
vírus Zika, 1282
infecção congênita no Brasil, 1282
prevenção em gestantes, 1282
Infecções pelo herpesvírus e vírus varicela-zóster, 1489
herpes simples, 1489
diagnóstico, 1490
manifestações clínicas, 1488
complicações, 1490
infecção primária, 1488
infecção recorrente, 1490
tratamento, 1490
sistêmico, 1490
tópico, 1490
herpes-zóster, 1492
diagnóstico, 1493
manifestações clínicas, 1492
prevenção, 1493
tratamento, 1493
Infecções sexualmente transmissíveis, abordagem sindrômica, 1689
abordagem sindrômica, 1691
cancro mole, cancroide, 1694
diagnóstico, 1694
manejo, 1695
corrimento uretral masculino, 1697
diagnóstico para clamídia e gonorreia, 1698
manejo, 1698
uretrite gonocócica e clamídia não complicada, 1698
uretrite por clamídia, 1698
uretrite por *Mycoplasma genitalium*, 1699
donovanose, granuloma inguinal, 1695
diagnóstico, 1695
manejo, 1695
dor pélvica/corrimento vaginal, 1699
edema ou dor escrotal, 1699
manejo, 1699
herpes genital simples, 1696
diagnóstico, 1696
manejo, 1697
linfogranuloma venéreo, 1696
diagnóstico, 1696
manejo, 1696

outras infecções, 1702
hepatites virais, 1702
HTLV, 1702
sífilis, 1693
diagnóstico, 1693
manejo e acompanhamento, 1693
úlcera genital, 1692
verrugas genitais, 1700
imunoterapia, 1702
imiquimode 5%, 1702
interferon, 1702
outras modalidades terapêuticas, 1702
cirurgia, 1702
crioterapia, 1702
eletrocauterização, 1702
laser, 1702
tratamento com métodos citodestrutivos, 1701
ácido tricloroacético, 1701
5-fluoruracila 5%, 1701
podofilotoxina, 1701
anamnese, 1689
exame físico, 1690
prevenção das infecções, 1702
rastreamento das infecções, 1703
serviços de saúde, 1689
vigilância epidemiológica, 1702
Infertilidade, 1219
etiologia, 1220
investigação diagnóstica, 1220
investigação na mulher, 1220
anamnese, 1220
exame físico, 1220
exames complementares, 1220
investigação no homem, 1221
anamnese, 1221
exame físico, 1221
prevenção, 1222
consumo de álcool, 1222
idade da mulher, 1222
infeções sexualmente transmissíveis, 1222
obesidade, 1222
tabagismo, 122
tratamento, 1221
Informação em saúde, 147
futuro dos sistemas, 152
dispositivos móveis, 153
inteligência artificial, 153
Insuficiência cardíaca, 419
acompanhamento, 430
autocuidado, 430
ecocardiograma, 430
frequência cardíaca, 430
intervalo entre as consultas, 430
monitoramento de eletrólitos e da função renal, 430
pressão arterial, 430

diagnóstico, 421
　avaliação clínica, 421
　　anamnese, 421
　　exame físico, 422
　　estratégia para avaliação diagnóstica, 424
　　exames complementares, 423
　　　ecocardiografia, 423
　　　eletrocardiograma, 423
　　　exames diagnósticos adicionais, 424
　　　exames laboratoriais, 424
　　　radiografia de tórax, 423
etiopatogenia, 420
insuficiência aguda e avançada, 431
manejo de comorbidades frequentes, 432
　anemia e ferropenia, 432
　apneia do sono, 432
　depressão maior, 432
　dificuldades sexuais, 432
　doença pulmonar obstrutiva crônica, 432
　doença renal crônica, 432
　gota, 432
　hipotensão postural, 433
　incontinência urinária, 432
prevenção, 430
prognóstico, 420
tratamento, 425
　medidas não farmacológicas, 426
　tratamento medicamentoso, 427
Intoxicações exógenas, antídotos e antagonistas, 2246
　agentes comuns de intoxicação com seus antídotos, 2247

L

Leishmaniose, 1762
　apresentação clínica, 1763
　　leishmaniose tegumentar, 1765
　　leishmaniose visceral, 1763
　　　pessoas com HIV, 1764
　epidemiologia, 1762
　patogenia, 1762
　prevalência, 1768
　tratamento, 1766
　　leishmaniose tegumentar, 1766
　　leishmaniose visceral, 1766
　vigilância epidemiológica, 1768
Leptospirose, 1822
　diagnóstico, 1825
　　diagnóstico clínico, 1826
　　diagnóstico diferencial, 1827
　　diagnóstico laboratorial, 1826
　etiologia e ciclo de vida, 1823
　notificação, 1829
　patogenia, 1823
　prevenção, 1829
　prognóstico, 1829
　quadro clínico, 1824
　　formas autolimitadas, anictéricas, 1824
　　formas graves, 1825
　tratamento, 1828
　　antimicrobiano, 1828
　　medidas de suporte, 1828
Lesões de pele, abordagem diagnóstica, 1398
　algoritmo diagnóstico, 1398
　distribuição das doenças dermatológicas, 1401
　　corpo, 1401
　　segmento cefálico, 1401
Linfadenopatias, avaliação, 781
　abordagem diagnóstica, 782
　　biópsia, 785
　　exame físico, 782
　　exames complementares, 784
　　história clínica, 782
　　raciocínio diagnóstico, 782
　　　algoritmos diagnósticos, 784
　　　considerações sobre idade, 782
　　　é realmente linfadenopatia?, 782
　　　localizada versus generalizada, 783
　　　sinais de alerta neoplasia geral, 783
　　　sinais de alerta neoplasias hematológicas, 783
　anatomia do sistema linfático, 781
　fisiopatologia do sistema linfático, 781
　quadro clínico de causas selecionadas, 785
　　doença da arranhadura do gato, 786
　　doença de Kawasaki, 788
　　escrófulo (linfadenite tuberculosa), 788
　　infecção aguda pelo vírus da imunodeficiência humana, 786
　　leishmaniose, 787
　　leucemias, 789
　　linfadenite estafilocócica ou estreptocócica, 786
　　linfadenopatia no paciente HIV-positivo, 789
　　linfadenopatia reativa, 785
　　linfomas, 788
　　micoses, 788
　　mononucleose infecciosa, 787
　　neoplasia metastática, 789
　　outras causas, 789
　　toxoplasmose, 787
Lombalgia, 2103
　abordagem terapêutica geral, 2114
　　tratamento farmacológico, 2119
　　tratamento multidisciplinar, 2120
　　tratamento não farmacológico conservador, 2114
　　　abordagem psicossocial, 2114
　　　acupuntura e estimulação neural elétrica transcutânea, 2119
　　　adaptações motoras gerais, 2117
　　　　decúbito, 2117
　　　　levantamento de carga do chão, 2119
　　　　levantar-se a partir da posição sentada ou sentar-se a partir da ortostase, 2118
　　　　ortostase, 2118
　　　　posição sentada, 2118
　　　　troca de decúbito/sentar-se a partir do decúbito, 2118
　　　aplicação de calor e/ou frio, 2119
　　　exercícios, 2119
　　　inativação de pontos-gatilho miofasciais, 2115
　　　orientações gerais, 2114
　anatomia, 2103
　avaliação diagnóstico geral, 2109
　　exame físico, 2112
　　exames complementares, 2113
　　história clínica, 2109
　　　bandeiras vermelhas, 2110
　　　lombalgia inespecífica e componente miofascial, 2110
　　　neuropatia, 2109
　componentes sensitivos, 2105
　componentes neuropáticos, 2108
　　estenose de canal, 2108
　　radiculopatia distal, 2108
　　síndrome da cauda equina, 2109
　componentes nociplásticos, 2109
　musculoesqueléticos, 2106
　　causa estrutural, 2107
　　　alteração estrutural aguda, 2107
　　　alterações estruturais inespecíficas, 2107
　　　miofascial, 2108
　　　osteoartrite, 2107
　　　osteoporose, 2107
　　　sacroilíacas, 2108
　　　zigapófise, 2107
　　causa inflamatória, 2106
　　　autoimune, 2106
　　　infecciosa, 2106
　　　neoplásica, 2106
　　nociceptivos, 2105
　　viscerais, 2105
　　　causa vascular, 2105
　　　cólica nefrética, 2105
　fatores de risco e proteção, 2105
　quantificação e prognóstico, 2113

M

Malária, 1784
　ciclo evolutivo do plasmódio, 1784
　　hospedeiro invertebrado, mosquito, 1785
　　hospedeiro vertebrado, homem, 1784
　diagnóstico diferencial, 1791
　diagnóstico laboratorial, 1790
　epidemiologia, 1786
　etiologia, 1784
　medidas preventivas, 1796
　　ações nacionais prevenção e controle, 1796
　　quimioprofilaxia, 1796
　patogenia, 1787
　　lesão celular induzida por imunocomplexos, 1788
　　multiplicação dos parasitos e destruição das hemácias, 1787
　　resposta inflamatória aguda com disfunção endotelial, 1787
　　sequestro hemácias parasitadas e obstrução microvascular, 1787
　quadro clínico, 1788
　　malária grave e complicada por *Plasmodium falciparum*, 1789
　　　acidose láctica, 1789
　　　anemia, 1790
　　　coagulação intravascular disseminada, sangramento espontâneo, 1790
　　　edema pulmonar agudo, 1789
　　　febre hemoglobinúrica, 1789
　　　hipertermia contínua, hiperpirexia, 1790
　　　hipoglicemia, 1789
　　　icterícia e disfunção hepática, 1789
　　　insuficiência renal aguda, 1789
　　　malária cerebral, 1789
　　malária por *Plasmodium malariae*, 1790
　　malária por *Plasmodium vivax*, 1788
　transmissão dos parasitos, 1786
　tratamento, 1791
　　acompanhamento pacientes, 1796

efeitos colaterais, 1795
infecções mistas, 1794
malária grave e complicada, 1794
malária na gravidez, 1794
malária por *P. falciparum*, 1793
malária por *P. vivax, P. ovale, P. malariae*, 1793
notificação, 1796
Mama, doenças, 1314
alterações fisiológicas, 1315
métodos diagnósticos, 1316
principais doenças e tratamento, 1318
alterações funcionais benignas da mama, 1318
câncer de mama, 1319
diagnóstico e tratamento, 1320
hereditariedade, 1321
prevenção e diagnóstico precoce, 1321
sinais e sintomas, 1320
processos inflamatórios mais frequentes, 1318
abscesso subareolar crônico recidivante, 1318
ectasia ductal, 1318
eczema areolar, 1318
galactocele, 1318
mastite aguda, 1318
tumores benignos, 1318
fibroadenoma, 1318
papiloma intraductal único, 1319
sinais e sintomas, 1315
aumento da sensibilidade, 1315
descamação e erosão do mamilo e aréola, 1316
descarga papilar espontânea, 1316
dor em uma ou ambas as mamas, com ou sem queixa de nódulos, 1315
nódulos palpáveis, 1316
retração da pele, 1316
retração do mamilo, 1316
sinais de inflamatórios da mama, 1316
Manchas, 1459
eritrasma, 1463
hiperpigmentação pós-inflamatória, 1462
encaminhamento, 1463
malformações vasculares, 1464
mancha salmão, 1464
mancha "vinho do Porto", 1464
mancha mongólica, 1463
manchas café com leite, 1463
melasma, 1461
diagnóstico, 1462
tratamento, 1462
nevo hipocrômico, 1460
hipomelanose macular progressiva, 1461
leucodermia *gutata*, 1461
pitiríase versicolor, 1461
quadro clínico, 1461
tratamento, 1461
púrpuras, 1463
diagnóstico e tratamento, 1464
quadro clínico, 1464
vitiligo, 1459
diagnóstico diferencial, 1460
encaminhamento, 1460
quadro clínico, 1459
padrão focal, 1459
padrão generalizado, 1459
padrão segmentar, 1459
tratamento, 1460
Manejo ambulatorial do paciente anticoagulado, 460
Medicina ambulatorial, prática, 58
baseada em evidências, 58
níveis e graus de recomendações, 58
clínico-epidemiológica, 58
hierarquizando, 58
sistema GRADE, 59
grau de recomendação, 60
nível de evidência, 59
qualidade de evidência, 61
prática, 62
analisar criticamente, 64
aplicar as evidências, 64
localizar as evidências, 62
fontes de diretrizes, 63
fontes de sumários eletrônicos, 63
fontes para buscas integradas, 63
questões clínicas, 62
decisões clínicas, publicações, 61
artigos originais, 61
diretrizes, 61
revisões sistemáticas, 61
sinopses, 61
sistemas eletrônicos, 62
sumários de informação, 61
prática institucional, 65
Medicina rural, 44
características da atenção primária, 47
acesso, 47
centralização na comunidade, 48
centralização na família, 48
competência cultural, 48
coordenação, 48
integralidade, 48
longitudinalidade, 47
porta de entrada, 47
defasagem, 45
distribuição, 45
rural-urbana, 49
como melhorar, 49
fatores relacionados, 49
o que é rural, 44
prática, 46
Membros inferiores, doenças venosas dos, 453
Método clínico, 94
centrado na pessoa, 94
evidências, 95
como ser centrado, 97
componente 1, 97
aspectos subjetivos, 97
aspirações com relação à saúde, 97
conceitos, 97
objetivos do problema, 97
componente 2, 98
contexto individual e ambiental, 98
componente 3, 98
lugar-comum, 98
componente 4, 98
relação profissional e pessoa, 98
o que é ser centrado?, 96
dimensões, 96
objetivos de abordagem, 97
pessoas em situações especiais, 99
lidando com incerteza, 99
más notícias, 100
diagnóstico e prognóstico, 100
entendimento, 100
quadro do paciente, 100
mudanças no estilo de vida, 101
riscos e benefícios, 99
Micoses superficiais, 1495
candidíase, 1498
manifestações clínicas, 1499
tratamento, 1499
dermatofitoses, 1496
etiopatogenia, 1496
manifestações clínicas, 1496
tinha crural, 1497
tinha da mão e do pé, 1497
tinha de couro cabeludo, 1496
tinha do corpo, 1496
medidas preventivas, 1497
tratamento, 1497
onicomicose, 1498
tratamento, 1498
Modelo de consulta, 102, 106
consultas reais, 110
etapas e tarefas, 106
apresentação da demanda, 108
checagem de sinais de alerta, 109
complementação da narrativa, 108
encerramento, 110
exame físico, 109
impacto PSO, 109
IPE – ideias, preocupações e expectativas, 108
pactuação do tema da consulta, 108
plano, 110
problema, 109
transição para segunda etapa da consulta, 109
Morte e luto, 210
cuidados às pessoas e famílias enlutadas, 215
abordagem com crianças, 217
luto dos profissionais da saúde, 218
luto em pandemias, 218
mortes perinatais, 217
mortes por suicídio, 217
mortes súbitas, 218
tragédias e catástrofes, 218
evolução processo de luto, 212
impacto sobre a dinâmica familiar, 211
impacto sobre a saúde individual, 211
luto complicado, como identificar, 214
luto na consulta, 212
tarefas luto normal, 213
aceitar a realidade da morte, 213
ajustar-se ao mundo sem a pessoa que morreu, 214
processar a dor da perda, 213
reinvestir em outras relações e projetos de vida, 214
Mulher, acompanhamento saúde na atenção primária, 1190
anamnese, 1190
exame físico, 1191
exames prevenção cânceres colo útero e mama, 1198
autoexame de mamas, 1199
citologia oncótica, 1198
colposcopia, 1198
outros exames colo do útero, 1198
prevenção de infecções sexualmente transmissíveis, 1197
clamídia, 1197
promoção da saúde e prevenção de doenças, 1194
anticoncepção, 1195
cálcio, importância da ingestão 1195
orientações pré-concepcionais, 1195
vacinação, 1196
contra HPV, 1196

Índice

Mulher em situação de violência, atenção à saúde, 1378
  avaliação e manejo psicológico e psiquiátrico na APS, 1385
    aspectos que podem ser avaliados, 1386
      culpa, 1387
      deve-se falar sobre o que ocorreu?, 1386
      melhor conduta do profissional da saúde?, 1386
      prescrição sedativos, 1387
      psicoeducação, 1387
      tratamento farmacológico do transtorno de estresse agudo, 1388
      tratamento farmacológico do transtorno de estresse pós-traumático, 1388
      tratamento medicamentoso quadros psiquiátricos agudos desencadeados pela violência, 1387
  violência, 1378
    aspectos éticos e acolhimento solidário/empático, 1380
    sinais de alerta no atendimento médico, 1380
  doméstica, 1378
  familiar, 1378
  Lei Maria da Penha, 1379
  violência sexual, 1381
    atendimento médico, 1382
      aborto previsto em lei, 1384
        parecer técnico, 1384
        termo aprovação procedimento interrupção da gestação, 1385
        termo consentimento livre e esclarecido, 1384
        termo relato circunstanciado, 1384
        termo responsabilidade, 1384
      acompanhamento, 1385
      consequências, 1383
      primeiro atendimento, 1383
    lei, 1382

N

Náuseas e vômitos, 741
  anamnese, 743
    conteúdo e odor do material eliminado, 743
    duração dos sintomas, 743
    horário, 743
    outros sintomas associados, 743
    relação com alimentação, 743
  avaliação clínica, 742
  diagnóstico diferencial, 744
  emergências em APS, 747
  exame físico, 743
  exames complementares, 743
    patologias agudas, 743
      enema opaco, 744
      exames laboratoriais, 743
      radiografia de abdome agudo, 744
      tomografia computadorizada de crânio, 744
      tomografia computadorizada de abdome, 744
      ultrassonografia abdominal, 744
    patologias crônicas, 744
      endoscopia digestiva alta, 744
      estudos da motilidade esofágica, 744
      exame parasitológico de fezes de *Giardia lamblia*, 744
      exames laboratoriais, 744
      tomografia computadorizada de crânio, 744
      ultrassonografia abdominal, 744
  fisiopatologia, 742
    neurológico, 742
    periférico, 742
  indicações de referência e internação hospitalar, 748
  situações específicas, 748
    crianças, 748
    gestantes, 749
  tratamento, 745
    farmacológico, 746
      antieméticos, 746
      efeitos adversos. 747
      orientações posológicas, 746
    não farmacológico, 745
      aromaterapia, 745
      acupuntura, 745
      dieta, 745
      modificação de hábitos, 745

O

Obesidade, prevenção e tratamento, 288
  abordagem terapêutica, 293
    alteração do balanço energético e perda de peso, 298
    intervenções alimentares, 299
    intervenções alimentares mais intensivas, 300
    manutenção peso perdido, 301
    orientações com déficit calórico aproximado, 299
    orientações com dietas hipocalóricas específicas, 300
    planos para aumento de atividade física, 301
  avaliação clínica inicial, 294
    exames complementares, 295
    lista de problemas, 296
  comportamento alimentar, ganho de peso, 302
  contexto social e familiar, 304
  metas e plano individualizado, 297
  motivacional, 296
  multidimensional e cuidado longitudinal, 294
  transtornos alimentares, 302
    bulimia nervosa, 303
      tratamento, 303
    compulsão alimentar, 303
      tratamento, 303
    transtornos mentais comuns, 303
      ansiedade, 303
      depressão, 303
  classificação clínica do sobrepeso e obesidade, 291
  complicações e comorbidades, 290
  manejo cirúrgico, 305
  manejo farmacológico, 304
  organização dos serviços de saúde, 293
  patogenia, 289
    adiposidade, 289
    balanço energético, 289
    comportamento alimentar, 290
    compreensão sistêmica e planetária, 290
    interocepção, 290
    padrões emocionais de alimentação, 290
    regulação do peso corporal, 289
  prevenção populacional e clínica, 292
    alimentação saudável, 292
    atividade física regular, 293
    monitoramento de peso, 293
Olho vermelho, 818
  abordagem diagnóstica, 818
  conjuntivite, 818
  corpo estranho, 820
  erosão de córnea, 821
  glaucoma agudo, 820
  hemorragia subconjuntival, 821
  iridociclite, 820
  quadro clínico e manejo, 819
  queimaduras físicas, 821
  queimaduras químicas, 821
  síndrome do olho seco, 822
Oligoartrites e poliartrites, 2044
  artralgia clinicamente suspeita, 2045
  artrite reumatoide, 2048
  condições clínicas comuns, 2044
  espondiloartrites, 2050
    artrite enteropática, 2051
    artrite psoriásica, 2052
    artrite reativa, 2052
    espondilite anquilosante, 2051
  poliartrite indiferenciada, 2045
  poliartrites pós-infecciosas, 2045
    Chikungunya, 2046
    gonococo, 2048
    hepatites B e C, 2047
    HIV, 2048
    Mayaro, 2047
  questões específicas, 2044
Organização de serviços, 21
  análise da situação, 28
    dados primários, 28
    dados secundários, 28
  atenção do sistema de saúde, 24
    atributos, 25
      coordenação, 26
      integralidade, 26
      longitudinalidade, 25
      primeiro contato, 25
    redes, 27
  atenção primária, o que é?, 24
  consequência, 33
  fundamentos, 22
    encaminhamentos, 23
    estimativas, 23
    problemas frequentes, 23
  local, 27
    adequação, 28
    território, 27
  modelo, 24
    atributos, 24
    princípios, 24
    valores, 24
  necessidades, 22
  planejamento local, 30
    avaliação, 30
    contrato, 32
    etapas, 30
  sistemas de informação, 30
Osteoartrite, 2054
  classificação, 2055
  epidemiologia, 2054
  exames diagnósticos, 2057
  fatores de risco, 2054
    articulares, 2055
    sistêmicos, 2054
  fisiopatologia, 2055
  mecanismos da dor, 2055
  plano de ação, 2057
    níveis de prevenção na osteoartrite, 2057
    plano terapêutico, 2057
  quadro clínico, 2056
    sítios articulares, 2056
      joelhos, 2056
      mãos, 2056
      pés, 2057
      quadris, 2056
  tratamento, 2058
    farmacológico, 2060
      agentes de ação central, 2061

analgésicos, 2060
  dipirona, 2060
  opioides, 2060
  paracetamol, 2060
anti-inflamatórios, 2060
  capsaicina tópica, 2061
  esteroides intra-articulares, 2060
  esteroides orais, 2060
  não esteroides orais, 2060
  não esteroides tópicos, 2060
fármacos antirreumáticos modificadores de atividade de doença, 2061
fármacos sintomáticos de ação lenta na osteoartrite, 2061
outros medicamentos, 2062
não farmacológico, 2058
  educação e autogestão da dor, 2059
  exercícios físicos, 2059
  fisioterapia, 2059
  órteses e próteses, 2059
  perda de peso, 2059
  terapia corpo-mente, 2059
  tratamentos integrativos e complementares, 2060
quando referenciar, 2062
terapia de substituição articular, 2062
Osteoporose, idoso, 600
avaliação, 602
  anamnese, 602
  diagnóstico, 603
  exames complementares, 603
  exame físico, 602
  FRAX, 603
classificação, 601
fatores de risco, 602
fisiopatologia, 601
tratamento, 605
  farmacológico, 606
    agentes anabólicos, 607
    bisfosfonatos, 607
    denosumabe, 608
    raloxifeno, 608
    terapia de reposição hormonal, 608
  não farmacológico, 605
    dieta, 605
      cálcio, 605
      vitamina D, 606
    exercício, 606
Otite externa, 865
  bolhosa, 869
  circunscrita aguda, 865
  crônica, 868
  diagnóstico diferencial, 870
  difusa aguda, 866
    encaminhamento, 867
    prevenção, 867
    tratamento, 866
  eczematosa, 869

fúngica, 868
maligna, 870
  encaminhamento, 870
orelha externa na AIDS, 871
Otite média, 855
definições, 855
diagnóstico, 858
exames complementares, 859
fisiopatologia e patogênese, 855
  fator de proteção, 857
  fatores de risco ambientais e sociais, 856
    água contaminada, 857
    baixa higiene, 857
    baixo nível socioeconômico, 857
    chupetas, 857
    creches e berçários, 856
    desnutrição, 857
    dificuldade de acesso a sistemas de saúde, 857
    estação do ano, 857
    fumante passivo, 856
    irmãos mais velhos, 856
    malária, 857
    moradias pequenas e superlotadas, 857
    poluição ambiental, 857
    tuberculose, 857
    vírus da imonodeficiência humana, 857
  fatores de risco do hospedeiro, 856
    anomalias craniofaciais, 856
    fatores emocionais, 856
    genética, 858
    hipertrofia e infecções das adenoides, 856
    história familiar de otite média recorrente, 856
    imunodeficiência, 856
    obesidade, 856
    raça e etnia, 856
    reflexo laringofaríngeo, 856
  infecção das vias aéreas superiores, 856
incidência/prevalência, 855
manifestações clínicas, 858
microbiologia, 857
  biofilmes, 858
prevenção da otite média aguda recorrente, 862
  fatores de risco para dificuldades de desenvolvimento, 862
  imunoprofilaxia, 862
  prevenção cirúrgica, 862
tratamento da otite média aguda, 860
  antibióticos, 861
    tempo de tratamento e acompanhamento, 861
  expectante com prescrição antecipada, 860

tratamento da otite média com efusão, 862
  adenoidectomia, 863
  timpanotomia para colocação de tubo de ventilação, 863
tratamento da otite média aguda recorrente, 861

P

Paciente anticoagulado, manejo ambulatorial, 460
anticoagulantes, uso de, 460
anticoagulantes orais, 462
  antagonistas da vitamina K, 462
    administração e acompanhamento, 463
    alvo terapêutico, 463
    complicações, 466
      manejo do sangramento associado aos AVKs, 466
      necrose cutânea, 467
    monitoração do uso, 463
    outros efeitos adversos, 467
  anticoagulantes orais diretos, 467
    inibidores diretos da trombina, 468
    inibidores diretos do fator Xa, 468
    manejo do sangramento associado aos ACODs, 469
anticoagulantes parentais, 469
contraindicações, 462
encaminhamento, 475
indicações, 461
orientação aos pacientes, 475
qualidade da anticoagulação, estratégias, 470
situações especiais, 471
  eventos tromboembólicos na Covid-19, 474
  gestação e lactação, 471
  manejo perioperatório, 471
  procedimentos dentários, 473
  reinício de anticoagulante após sangramento, 474
  troca de anticoagulante durante o sono, 473
Parasitoses, 1736
intestinais, 1736
  diagnóstico, 1737
    colorações Ziehl-Neelsen modificada, 1738
    método Baermann-Moraes, 1738
    método Faust ou centrífugo-flutuação, 1738
    método Graham, 1738
    método Hoffman, Pons e Janer ou sedimentação espontânea, 1738

método Kato-Katz, 1738
método tamisação fezes, 1738
pesquisa trofozoitas fezes frescas, 1738
etiologia, 1737
parasitoses, 1739
  amebíase, 1746
    diagnóstico laboratorial, 1747
    quadro clínico, 1746
      extraintestinal, 1746
      intestinal assintomática, 1746
      intestinal sintomática, 1746
    tratamento, 1747
    transmissão e ciclo de vida, 1746
  ancilostomíase, 1741
    diagnóstico, 1742
    quadro clínico, 1742
    transmissão e ciclo de vida, 1741
    tratamento, 1742
  ascaridíase, 1739
    diagnóstico, 1740
    quadro clínico, 1739
    transmissão e ciclo de vida, 1739
    tratamento, 1740
  enterobíase, oxiuríase, 1741
    diagnóstico, 1741
    quadro clínico, 1741
    transmissão e ciclo de vida, 1741
    tratamento, 1741
  estrongiloidíase, 1742
    diagnóstico, 1743
    quadro clínico, 1742
    transmissão e ciclo de vida, 1742
    tratamento, 1743
  giardíase, 1744
    diagnóstico, 1745
      exames complementares, 1745
    quadro clínico, 1744
    transmissão e ciclo de vida, 1744
    tratamento, 1745
  teníase, 1743
    diagnóstico, 1744
    quadro clínico, 1744
    transmissão e ciclo de vida, 1743
    tratamento, 1744
  tricuríase, 1740
    diagnóstico, 1741
    quadro clínico, 1741
    transmissão e ciclo de vida, 1741
    tratamento, 1741
prevenção e controle, 1738
  tratamento empírico regular, 1738
quadro clínico, 1737

teciduais, 1749
  angiostrongiloidíase abdominal, 1758
  cisticercose, 1749
    ciclo de vida e transmissão, 1749
    diagnóstico, 1750
    prevenção e controle, 1752
    quadro clínico, 1750
    tratamento, 1751
  esquistossomose mansônica, 1752
    ciclo de vida e transmissão, 1753
    diagnóstico, 1755
    diagnóstico laboratorial, 1755
    prevenção e controle, 1756
    quadro clínico, 1754
      doença aguda, 1754
      doença crônica, 1754
    tratamento, 1756
  hidatidose, 1758
    diagnóstico, 1759
    prevenção e controle, 1760
    quadro clínico, 1759
      cerebral, 1759
      hepática, 1759
      óssea, 1759
      pulmonar, 1759
    tratamento, 1760
      cirúrgico, 1760
      medicamentoso, 1760
      PAIR (punção, aspiração, injeção e reaspiração do cisto), 1760
    transmissão e ciclo de vida, 1758
  larva *Migrans* viceral, 1756
    diagnóstico, 1757
    quadro clínico, 1757
    transmissão e ciclo de vida, 1756
    tratamento, 1757
Partes moles, infecções não traumáticas, 919
  abscesso cutâneo, 920
    incisão e drenagem, 920
      anestesia, 920
      antissepsia e colocação de campos estéreis, 920
      curativo, 920
      drenagem, 920
      incisão, 920
    encaminhamento, 922
    princípios gerais do tratamento, 919
    terapêutica específica, 921
      carbúnculo ou antraz, 921
      flegmão, 921
      hidrosadenite, 921
Patologias oculares, 826
  blefarite, 829
    encaminhamento, 829
    tratamento, 829

hordéolo e calázio, 828
  encaminhamento, 829
  tratamento, 828
olho seco, 826
  encaminhamento, 828
  tratamento, 827
    lubrificantes disponíveis, 827
pterígio, 828
  encaminhamento, 828
  tratamento, 828
Pele, cânceres, 1477
  carcinoma basocelular, 1477
    avaliação clínica, 1478
    encaminhamento, 1478
    seguimento, 1479
  carcinoma epidermoide, 1479
    clínica e diagnóstico, 1479
    encaminhamento, 1480
    seguimento, 1480
  melanomas, 1481
    clínica e diagnóstico, 1481
    encaminhamento, 1482
    seguimento, 1483
Pele, exame, 1392
  definições, 1393
    cabelos e pelos, 1396
      alopecia, 1396
      canície, 1396
      eflúvio, 1396
      hipertricose, 1396
      hirsutismo, 1396
      madarose, 1396
      poliose, 1396
    exame dermatológico e etnias, 1397
    formato, 1387
      distribuição, 1397
        hipetiforme, 1397
        linear, 1397
        zosteriforme, 1397
      gerais, 1393
      lesões cutâneas especiais, 1396
        comedões, 1396
        milium, 1396
        poiquiloderma, 1396
        túnel, 1396
      lesões elementares, 1393
        alterações com conteúdo líquido, 1395
          bolha, 1395
          pústula, 1395
          seropápula, 1395
          vesícula, 1395
        alterações da coloração, 1393
          manchas de origem pigmentar, 1394
          manchas de origem vascular, 1393
            anêmica, 1394
            cianótica, 1393
            enantema, 1393
            eritematosa, 1393
            exantema, 1393
            lívida, 1393
            púrpura, 1394

telangiectasia, 1394
vascular, 1394
alterações de continuidade, 1395
  erosão ou exulceração, 1395
  escoriações, 1395
  fissura, 1395
  úlceras/ulceração, 1395
alterações sólidas, 1394
  atrofia, 1394
  ceratose, 1395
  cicatriz, 1394
  cistos, 1394
  edema, 1395
  esclerose, 1394
  goma, 1395
  infiltração, 1394
  liquenificação, 1394
  nódulos, 1395
  pápulas e placas, 1394
  tubérculos, 1395
  tumorações, 1395
  urtica, 1395
perdas teciduais, 1395
  escamas, 1395
  escaras, 1396
sinais cutâneos específicos, 1396
  Auspitz, 1396
  Crowe, 1397
  Darier, 1397
  Köebner ou isomorfismo, 1397
  Léser-Trelat, 1397
  Nikolski, 1397
  patergia, 1397
  Sampaio, 1397
  Zireli, 1397
unhas, 1396
  anoníquia, 1396
  coiloníquia, 1396
  leuconiquia, 1396
  linhas Beau, 1396
  melanoníquia, 1396
  microníquia, 1396
  onicólise, 1396
  onicomadase, 1396
  onicomalácia, 1396
  onicorrexe, 1396
  paroníquia, 1396
  traquioníquia, 1396
exame clínico, 1392
  distribuição das lesões, 1393
  estudos de laboratório, 1393
  exames instrumentais, 1393
    curetagem metódica de Brocq, 1393
    digitopressão, 1393
    estudos de laboratório, 1393
    testes de sensibilidade, 1393
  história clínica, 1392

morfologia das lesões, 1392
Pele, ressecamento, 1453
  xerodermia, 1453
    principais causas, 1454
    tratamento, 1454
    hidratantes, 1454
Pequenos procedimentos em atenção primária, 923
  anel preso no dedo, 925
  biópsia em *shaving*, 926
  corpo estranho na orelha externa, 925
  corpo estranho na orofaringe, 925
  corpo estranho nasal, 925
  corpo estranho no subcutâneo, 923
  excisões elípticas, 925
  lavagem otológica, 924
  remoção de anzol, 924
  zíper preso, 924
Perda de peso involuntária, 796
  avaliação diagnóstica, 798
    anamnese, 798
    exame físico, 798
    exames subsidiários, 798
  definições, 797
  etiologia, 797
  tratamento, 799
Piodermites, 1484
  celulite e erisipela, 1486
  ectima, 1485
  foliculite, 1486
    profunda, 1486
      furúnculo, 1486
      hordéolo ou terçol, 1486
      sicose da barba, 1486
    superficial, impetigo de Bockhart, 1486
  impetigo, 1484
    bolhoso, 1485
    cistoso, 1484
    tratamento, 1485
Planejamento reprodutivo, 1201
  anticoncepção em períodos especiais, 1215
    adolescência, 1215
    climatério, 1215
    mulheres amamentando, 1216
    pessoas com deficiências, 1215
  contracepção masculina reversível, 1214
  dispositivo intrauterino, 1211
    contraindições de uso, 1213
    de cobre, 1212
    populações especiais e uso de DIU, 1212
      mulheres com HIV, 1212
      mulheres nulíparas, 1212
      puérperas, 1213
    sistema intrauterino de levonorgestrel, 1212
    técnica de inserção, 1213
      gestação com DIU intraútero, 1214

esterilização, 1214
  ligadura tubária, 1214
  vasectomia, 1215
métodos contraceptivos de barreira, 1205
  diafragma (com ou sem espermicida), 1205
  espermicida, 1205
  preservativo feminino, 1205
  preservativo masculino, 1205
métodos contraceptivos hormonais, 1206
  contraceptivo de emergência, 1211
  contraceptivos de progestogênio isolado, 1210
    implantes subdérmicos, 1210
    pílula de progestogênio isolado, 1210
    progestogênio injetável, 1210
  contraceptivos hormonais combinados, 1206
    adesivo transdérmico (*patch*), 1209
    anel vaginal, 1209
    injetável combinado, 1209
    oral combinado, 1206
      escolha, 1206
      instruções para uso, 1209
      riscos associados, 1207
métodos contraceptivos naturais, 1201
  aplicativos para computadores e celulares, 1204
  coito interrompido, 1201
  ritmo ou abstinência periódica, 1203
    método sintotérmico, 1204
    muco cervical (Billings), 1204
    Ogino-Knaus (tabelinha), 1204
    temperatura basal corporal, 1204
Prática clínica, ferramentas, 57
  atenção primária à saúde, 57
  medicina ambulatorial, 58
  baseada em evidências, 58
Práticas alimentares saudáveis na infância, 1041
Prescrição de medicamentos, 129
  conflitos de interesse, 133
  farmácia popular, 131
  normas gerais, 132
  polifarmácia e desprescrição, 133
  práticas inadequadas, 130
  recomendações específicas, 130
  recomendações gerais, 130
  substâncias controladas, 132
  tipos de receitas, 132

Primeira infância, promoção da saúde mental, 1008
  amamentação, 1017
    conduta diante problemas emocionais, 1018
    para a criança, 1017
    para a mãe, 1017
    transtornos, 1018
  criança de zero a três anos, 1019
  fatores de risco desenvolvimento criança, 1013
  gravidez, 1008
    bebê, 1010
    gestante, 1009
    homem, 1010
  parto, 1011
  pós-parto imediato, 1012
  puerpério, 1012
  transtornos psiquiátricos pós-parto, 1014
    ansiedade pós-parto, 1016
    depressão pós-parto, 1015
    disforia puerperal, 1015
    psicose pós-parto, 1016
Primeiros meses de vida, problemas comuns, 1107
  cólicas do lactante, 1109
    tratamento, 1109
  constipação intestinal, 1108
    tratamento, 1108
  displasia do desenvolvimento do quadril, 1118
  fimose e parafimose, 1121
  hábitos intestinais, 1107
  hérnia inguinal e hidrocele, 1118
    hérnia inguinal, 1119
    hidrocele, 1119
  identificação doença grave até dois meses idade, 1107
  moníliase oral, 1112
    prevenção, 1113
    tratamento, 1112
  pele, problemas, 1113
    dermatite das fraldas, 1113
      prevenção e tratamento, 1114
      controle de infecções, 1114
      higiene diária, 1114
      troca frequente de fraldas, 1114
      uso fraldas descartáveis superabsorventes, 1114
      uso fraldas de pano, 1114
      uso preparações tópicas, 1115
    dermatite seborreica, 1116
    icterícia, 1116
    impetigo, 1115
    miliária, 1113
  regurgitação e vômitos, 1110
    infecções, 1110
    intolerância alimentar, 1110
    mecânicas, 1110

metabólicas, 1110
refluxo gastresofágico, 1110
  avaliação e manejo, 1110
    história e exame físico, 1110
    lactentes apneia crises sufocação, 1111
    lactentes asma, 1111
    lactentes idade > 18 meses regurgitação crônica vômito, 1111
    lactentes vômitos recorrentes e irritabilidade, 1111
    lactentes vômitos recorrentes ganho peso insuficiente, 1111
    lactentes vômitos recorrentes sem complicação, 1110
  manejo, 1111
    cirurgia, 1112
    estilo de vida, 1111
      alimentação, 1111
      manejo dietético, 1111
      posição da criança, 1112
    tratamento farmacológico, 1112
      antagonistas receptores histamina 2, 1112
      inibidores bomba prótons, 1112
  métodos diagnósticos, 1111
    endoscopia e biópsia esofágica, 1111
    pHmetria esofágica, 1111
    radiografia esôfago, estômago e duodeno com bário, 1111
    tratamento empírico, 1111
testículo retido, 1119
  tratamento, 1120
umbigo do recém-nascido, 1117
  tratamento, 1120
Problemas comuns de saúde na adolescência, 1148
Problemas de olho, ouvido, nariz, boca e garganta, 817
  alteração da visão, 822
  dor de garganta, 872
  epistaxe, 830
  olho vermelho, 818
  otite externa, 865
  otite média, 855
  outras patologias oculares, 825
  problemas cavidade oral, 879
  rinite, 837
  rinossinusite, 847
Problemas de pele, 1391
  cânceres da pele, 1477

dermatoses eritematoescamosas, 1411
eczemas e reações cutâneas medicamentosas, 1420
exame de pele, 1392
infecções pelo herpesvírus e pelo vírus varicela-zóster, 1489
lesões de pele, abordagem diagnóstica, 1398
manchas, 1459
micoses superficiais, 1495
piodermites, 1484
prurido e lesões papulosas e nodulares, 1434
reações actínicas, 1467
ressecamento da pele e sudorese excessiva, 1453
terapêutica tópica, fundamentos, 1402
tumores benignos e cistos cutâneos, 1472
zoodermatoses, 1500
Problemas digestivos baixos, 763
  constipação, 763
    avaliação clínica, 764
      anamnese, 764
      diagnóstico diferencial, 764
      exame físico, 764
      exames complementares, 764
    primária (idiopática, funcional), 763
      disfunção do assoalho pélvico, 763
      trânsito lento, 763
      trânsito normal, 763
    secundária, 763
      anormalidades estruturais, 763
      condições gastrintestinais, 763
      condições neurológicas, 763
      condições psicogênicas, 763
      distúrbios endócrinos, 763
      estilo de vida, 763
      medicamentos, 763
    tratamento, 765
      medidas farmacológicas, 766
      medidas não farmacológicas, 765
        atividade física, 765
        biofeedback, 765
        ingesta de fibras, líquidos e alimentos ricos em sorbitol, 765
        reeducação intestinal, 766
  doença diverticular, 769
    avaliação clínica, 769
    fatores de risco, 769
    tratamento, 769

flatulência, 766
pólipos de cólon, 769
  prevenção, 770
sangramento gastrintestinal baixo, 768
  avaliação clínica, 768
    exames complementares, 768
  encaminhamento/hospitalização, 768
Problemas e procedimentos cirúrgicos, 895
  anestesia regional, 896
  cirurgia da unha, 914
  ferimentos cutâneos, 901
  hérnias da parede abdominal, 937
  infecções não traumáticas de partes moles, 919
  problemas orificiais, 959
  queimaduras, 927
  traumatismo musculoesquelético, 865
Problemas infecciosos, 1507
  doenças transmissíveis, 1508
    condutas preventivas na comunidade, 1508
    controle de infecções relacionadas à assistência à saúde, 1525
    dengue, Chikungunya e Zika, 1776
    diarreia aguda na criança, 1569
    doença de chagas, 1770
    doença febril exantemática, 1553
    doenças pelo coronavírus 2019 (Covid-19), 1632
    febre amarela, 1798
    febre reumática e prevenção de endocardite infecciosa, 1662
    hanseníase, 1809
    hepatites virais, 1718
    infecção do trato urinário, 1674
    infecção respiratória aguda na criança, 1581
    infecções de trato respiratório em adultos, 1597
    infecções pelo HIV em adultos, 1705
    infecções sexualmente transmissíveis, 1689
      abordagem sindrômica, 1689
    imunizações, 1535
    leishmaniose, 1762
    leptospirose, 1822
    malária, 1784
    parasitoses intestinais, 1736
    parasitoses teciduais, 1749
    raiva, 1831
    saúde do viajante, 1837
    tuberculose, 1608

Problemas musculoesqueléticos em crianças e adolescentes, 2170
  diagnóstico diferencial e manejo da dor, 2170
    avaliação inicial da dor, 2170
      anamnese, 2170
      exame físico, 2170
      investigação laboratorial, 2172
      manejo, 2172
  problemas ortopédicos comuns, 2175
    artrite séptica, 2180
      diagnóstico, 2181
      encaminhamento, 2181
      exames de imagem, 2181
    desvios rotacionais e angulares dos membros inferiores, 2175
      anamnese e exame físico, 2175
        ângulo de progressão da marcha, 2176
        ângulo rotacional do fêmur, 2176
        avaliação do genuvaro e do genuvalgo, 2177
        eixo pé-coxa, 2177
        exame dos pés, 2177
      diagnóstico diferencial, 2177
      encaminhamento, 2177
      exames complementares, 2177
      tratamento, 2177
    escoliose e outras alterações posturais, 2180
      diagnóstico, 2180
        cifose idiopática juvenil, 2180
        escoliose, 2180
        espondilolistese, 2180
    pé plano, 2178
      encaminhamento, 2178
    quadril doloroso, 2178
      condições específicas, 2179
        doença de Legg-Calvé_Perthes, 2179
        epifisiólise proximal do fêmur, 2180
        sinovite transitória do quadril, 2179
      exames, 2179
  síndrome da amplificação da dor, 2173
    dor em membros, 2173
    síndrome da dor idiopática difusa, 2173
    síndrome da hipermobilidade articular, 2173
Problemas orificiais, 959
  abscesso anal, 961
    diagnóstico, 962
    tratamento, 962

doença pilonidal, 962
  diagnóstico, 963
  tratamento, 963
fissura anal, 960
  diagnóstico, 961
  tratamento, 961
hemorroidas, 959
  diagnóstico, 959
  emergências, 960
    crise hemorroidária, 960
    trombose hemorroidária, 960
  encaminhamento, 960
  tratamento, 960
prurido anal, 963
  tratamento, 963
Problemas urológicos comuns, 942
  doenças órgãos geniturinários, 943
    bexiga, 947
      bexiga neurogênica, 948
      câncer de bexiga, 947
      cistite intestinal/síndrome da bexiga dolorosa, 947
      incontinência urinária, 948
      infecção do trato urinário/bacteriúria assintomática, 947
      vesicolitíase, 948
    bolsa escrotal, 953
      câncer de testículo, 953
      cisto de epidídimo, espermatocele, 954
      hidrocele, cisto de cordão espermático, 954
      microlitíase testicular, 954
      varicocele, 955
    glândulas suprarrenais, 943
      incidentaloma de suprarrenal, 943
    pênis, 952
      balanopostite, 952
      doença de Peyronie, 953
      fimose e freio curto, 952
    próstata, 948
      câncer de próstata, 948
      hiperplasia prostática benigna, 949
        sintomas de armazenamento, 949
        sintomas de esvaziamento, 949
      prostatites, 950
        prostatite bacteriana aguda, 950
        prostatite bacteriana crônica, 951
      PSA elevado, 949
    rim e ureter, 945
      litíase, 945
      massas renais sólidas e císticas, 945
    uretra, 953
      estenose de uretra, 953

problemas geniturinários em APS, 942
sinais e sintomas agudos, 942
  dor, 942
  hematospermia, 943
  hematúria, 942
  sintomas do trato urinário inferior, 943
urgências urológicas, 955
  escroto agudo, 955
    gangrena de Fournier, 956
    orquiepididimite, 955
    outras causas de escroto agudo, 956
    torção testicular, 955
  priapismo, 956
  retenção urinária, 956
Promoção da saúde do adulto e prevenção de doenças crônicas, 223
  abordagem para mudança de estilo de vida, 234
  álcool, problemas relacionados ao consumo, 276
  alimentação saudável do adulto, 242
  diabetes tipo 2, prevenção, 309
  doenças cardiovasculares, prevenção clínica, 315
  estratégias preventivas para doenças crônicas não transmissíveis, 224
  hipertensão arterial sistêmica, 331
  obesidade, prevenção e tratamento, 288
  promoção da atividade física, 250
  tabagismo, 265
  tratamento preventivo, rastreamento de adultos, 346
Promoção da saúde mental na primeira infância, 1008
Promoção da segurança da criança e do adolescente, 1022
Prontuário eletrônico, 148
  na APS, 149
    características, 149
    implantação, 152
    requisitos de segurança, 152
  registro eletrônico, 148
Prurido e lesões papulosas e nodulares, 1433
  acne vulgar, 1449
    diagnóstico, 1449
      acne comedônica ou grau I, 1449
      acne nodular severa, conglobata ou grau IV, 1450
      acne papulopustulosa ou grau II, 1450
      acne papulopustulosa moderada ou grau III, 1450
    seguimento, 1452
    tratamento, 1450
      antibioticoterapia sistêmica, 1451

terapia antiandrogênica, 1451
    tratamento tópico, 1450
ceratose seborreica, 1449
    diagnóstico, 1449
    tratamento, 1449
eritema nodoso, 1443
    diagnóstico, 1443
    tratamento, 1444
escrofuloderma, 1445
    diagnóstico, 1446
    sugestões quando referenciar, 1446
    tratamento, 1446
esporotricose, 1446
    diagnóstico, 1446
    tratamento, 1447
lesões papulosas e nodulares, 1438
líquen plano cutâneo, 1444
    diagnóstico, 1444
    tratamento, 1445
molusco contagioso, 1442
    diagnóstico, 1442
    prognóstico, 1442
    tratamento, 1442
prurido, 1433
    condições clínicas, 1434
        pele doente, dermatose pruriginosa primária, 1434
        prurido com doença sistêmica, 1434
            colestático, 1435
            doenças endócrinas, 1436
            infecção pelo HIV e na Aids, 1436
            neoplasias, 1436
            renal, 1435
        prurido crônico *sine materia*, 1434
        prurido doenças neurológicas, 1437
        prurido induzido por medicações, 1437
        prurido no idoso, 1435
        prurido psicogênico, 1437
    encaminhamento, 1438
    investigação clínica, 1434
prurigo, 1440
    classificação, 1440
        agudo, 1440
        crônico, 1440
            fatores associados, 1440
    diagnóstico, 1440
    tratamento, 1441
        medicamentoso, 1441
urticária, 1438
    causas, 1438
    classificação, 1439
    diagnóstico, 1438
        urticária aguda, 1438
        urticária crônica induzida, 1438
    seguimento, 1439

situações de emergência, 1439
sugestões quando referenciar, 1439
tratamento, 1439
verrugas cutâneas, 1447
    diagnóstico, 1447
    tratamento, 1448
Prurido vulvar, 1339, 1344
    causas, 1343
        alérgicas, 1343
        alterações hormonais, 1343
        doenças dermatológicas, 1343
        infecciosas, 1343
        neoplasias, 1343
        neurológicas, 1343
        traumáticas, 1343
    dermatite vulvar, 1344
    herpes genital, 1344
    líquen escleroso vulvar, 1344
    neoplasia intraepitelial vulvar, 1344
Psicoses, 1908
    abordagens terapêuticas, 1912
        idosos, 1915
        gestação e amamentação, 1915
        manutenção, 1916
        medicamento de depósito, 1914
        psicoeducação, 1912
        psicoterapia, 1913
        tratamento farmacológico, 1913
            efeitos adversos, 1914
    agitação psicomotora, 1917
    avaliação, 1910
    categorias diagnósticas, 1910
    comorbidades, 1909
    cuidados comunitários, 1912
    desafio da adesão, 1916
    prevalência e impacto, 1909
    primeiros episódios e intervenção precoce, 1911
Puericultura, do nascimento à adolescência, 976
    diagnóstico de saúde acurado e flexibilidade, 978
    fundamentos, 976
        continuidade e seus fatores, 977
        domicílio "médico", cuidados coordenados, 977
        evidências científicas, ações preventivas, 976
        olhar ecológico e equidade, 976
        saúde colaborativa, 978
    procedimentos clínicos, 979
        anemia por deficiência de ferro, 985
        comportamento e autismo, 985
        conjuntivite gonocócica, 985
        consulta pré-natal, 980
        desenvolvimento, 984

exame físico, 980
frequência das consultas de puericultura, 980
história, 980
imunização contra doenças infectocontagiosas, 985
monitorização do crescimento e obesidade, 984
orientação antecipatória, 982
prevenção de cárie dentária, 985
procedimentos de triagem não prioritários, 987
    câncer de colo do útero, 988
    câncer de pele, 988
    dislipidemia, 988
    exames de fezes, urina e sangue, 987
    intoxicação por chumbo, 988
procedimentos de triagem prioritários, 986
    audição, 986
    depressão, 987
    dispositivos segurança passageiros veículos automotores, 987
    infecções sexualmente transmissíveis, 986
    tabaco, álcool e outras drogas, 987
    triagem neonatal, 986
    visão, 986
puericultura, saúde colaborativa, 976

Q

Queimaduras, 927
    avaliação inicial do paciente, 928
        determinação da superfície queimada, 929
        profundidade da queimadura, 928
            espessura parcial profunda, 928
            espessura parcial superficial, 928
            espessura total, 928
            profunda, 928
            superficial, 928
    cuidados tardios, 935
    manejo ambulatorial paciente pequena queimadura, 933
        cuidados com as lesões, 933
            bolhas e vesículas, 933
            curativos e antimicrobianos tópicos, 934
            limpeza, 933
            outros cuidados, 933
    manejo inicial do paciente, 930
        critérios de internação, 930
        cuidados imediatos em caso encaminhamento, 930
            analgesia, 932

cobertura inicial, 933
escarotomia, 932
fasciotomia, 932
lesão inalatória, 933
ressuscitação volêmica, 931
    manejo ajustado, 931
    manejo inicial, 931
cuidados imediatos do ferimento, 930
encaminhamento centro de queimados, 930
seguimento, 935

R

Raciocínio clínico na APS, 656
    definições da consulta, estratégias, 662
        demora permitida, 663
        prova terapêutica, 663
    início da consulta, 658
        exploração indutiva, 658
        questionamento elucidativo, 658
        refinamento das hipóteses, 659
            diagnósticos diferenciais por categorias, 659
                condições mascaradas, 659
                pistas anatomopatológicas, 659
                raciocínio hipotético-dedutivo ou pensamento probabilístico, 660
                    abordagem prática, 660
                    limiares de decisão, 660
                    características-chave, 662
                    razões de verossimilhança, 661
            regras de predição clínica, 662
            rotinas de avaliação, 659
    metacognição, 664
    problemas clínicos, 656
        organização da rede de saúde, 656
        prevalência de problemas, 656
        queixas indiferenciadas, 656
    tomada de decisão, 657
        teoria dupla e sua aplicação, 657
    vieses no raciocínio clínico, 663
        ancoragem, 663
        artefato de especialistas, 664
        consulta de exame, 664
        diagnóstico de exclusão, 664
        disponibilidade, 663
        encerramento prematuro, 663
        erro de atribuição, 663
        falácia do jogador, 664

guarda-chuva de problemas, 664
incidentalomas, 664
inércia diagnóstica, 664
negligência da taxa-base, 663
sobrediagnóstico, 664
viés da retrospectiva, 664
viés de comprometimento, 663
viés de determinação, 663
vieses decorrentes de preconceitos, 664
Raiva, 1831
ciclos de transmissão, 1831
epidemiologia, 1831
medidas de prevenção e controle, 1835
patogenia e quadro clínico, 1832
profilaxia da raiva humana, 1832
pós-exposição, 1832
pré-exposição, 1835
testes diagnósticos, 1832
tratamento, 1832
vigilância epidemiológica, 1836
Reações actínicas, 1467
dermatoses pré-malignas, 1470
cicatrizes de radiação, 1471
classificação, 1470
ceratose actínica, 1470
corno cutâneo, 1471
quelite actínica ou solar, 1471
tratamento, 1470
5-fluoruracila creme 5%, 1471
crioterapia, 1471
imiquimode creme 5%, 1471
mebutato de ingenol, 1471
terapia fotodinâmica, 1471
fotodermatoses, 1467
dermatite crônica actínica, 1469
encaminhamento, 1470
fotoenvelhecimento cutâneo, 1469
fototoxicidade e fotoalergia, 1468
fitodermatose, 1468
queimadura solar e bronzeamento, 1467
Reações cutâneas medicamentosas, 1430
encaminhamento, 1432
Registros médicos, 138
atestados, 138
aspectos legais, 142
doença, 139
informações que devem constar, 141
médico administrativo, 139
médico judicial, 140

modelo, 141
óbito, 140
causa morte, 140
saúde, 139
avaliação saúde mental, 139
outros tipos, 139
realização atividade física, 139
vacina, 139
certificados, 138
laudo médico, 143
prontuário médico, 144
aspectos legais, 145
definição, 144
documentos, 145
o que não deve ser feito, 146
Ressecamento da pele, 1453
xerodermia, 1453
principais causas, 1454
tratamento, 1454
hidratantes, 1454
Ressuscitação cardiopulmonar, 2241
cuidados pós-parada cardiorrespiratória, 2245
suporte avançado de vida em cardiologia, 2243
controle invasivo da via aérea e ventilação, 2243
manejo da parada cardíaca, 2244
atividade elétrica sem pulso, 2245
fibrilação ventricular, 2244
taquicardia ventricular, 2244
suporte básico de vida, 2242
Rinite, 837
aspectos diagnósticos, 837
encaminhamento, 846
rinite alérgica, 837
diagnóstico, 838
avaliação complementar, 838
avaliação por imagem, 838
manifestações clínicas, 838
rinoscopia, 838
diagnóstico diferencial, 839
miscelânea, 841
rinite atrófica e síndrome do nariz vazio, 840
rinite autoimune, granulomatosa ou vasculítica, 840
rinite do idoso ou rinite senil, 840
rinite eosinofílica não alérgica, 840
rinite gustatória, 840
rinite hormonal e rinite da gestação, 840
rinite induzida por fármacos, 839

rinite infecciosa, 839
rinite medicamentosa, 839
rinite ocupacional, 839
rinite vasomotora, 840
fatores desencadeantes, 838
manejo, 841
cirurgia, 846
controle ambiental, 841
farmacoterapia, 841
imunoterapia, 845
Rinossinusite, 847
diagnóstico, 847
diagnóstico diferencial, 849
diagnóstico laboratorial, 848
diagnóstico por imagem, 849
radiografia simples, 849
ressonância magnética, 849
tomografia computadorizada, 849
exame clínico, 848
manifestações clínicas, 847
encaminhamento, 853
fatores predisponentes, 847
microbiologia, 847
tratamento, 849
abordagem terapêutica de rinossinusite aguda, 852
rinossinusite aguda viral, 852
abordagem terapêutica de rinossinusite crônica, 853
opções terapêuticas, 849
antibióticos, 850
corticosteroides, 849
medidas adjuvantes, 852
solução salina, 849
rinossinusite aguda pós-viral, 853
aguda bacteriana, 853

S

Sangramento uterino anormal, 1330
causas, 1333
adenomiose, 1335
causas iatrogências, 1335
causas não classificadas, 1335
disfunções do ovário e do endométrio, 1335
leiomioma, 1335
malignidades e hiperplasia endometrial, 1335
pólipo endometrial, 1333
encaminhamento, 1338
escolha melhor investigação, evidências, 1332
investigação, 1331
exame clínico-ginecológico, 1331
exames complementares, 1332
biópsia de endométrio, 1332

citologia endometrial, 1332
dilatação e curetagem, 1332
endoscopia associada à histologia, 1332
exames de imagem, 1332
história clínica, 1331
terminologia, 1330
tratamento, 1336
clínico, 1336
clínico *versus* cirúrgico, 1337
Saúde da família, estratégia, 34
definição, 34
estrutura, 36
equipes, 36
unidades, 37
evolução e resultados, 41
cobertura, 43
financiamento, 40
históricos desafios, 40
modelo, 41
objetivos, 34
organização do trabalho, 37
equipes de atenção primária, 37
acesso, 37
coordenação do cuidado, 39
integralidade, 38
longitudinalidade, 38
rede de atenção, 39
Sistema Único de Saúde, 35
atributos, 35
Saúde do viajante, 1837
aconselhamento pós-viagem, 1841
aconselhamento pré-viagem, 1838
condições de saúde, 1838
indicação vacinas necessárias, 1841
itinerário, 1838
recomendações gerais e específicas, 1838
água, alimentos, diarreia, 1838
kit básico de saúde, 1840
outros cuidados, 1841
prevenção doenças por animais peçonhentos, 1840
prevenção doenças por picadas insetos, 1839
prevenção infecções respiratórias virais, 1840
Saúde mental, 1845
avaliação de problemas de saúde mental na atenção primária, 1846
apresentação das demandas na APS, 1851
crise, 1852
infância e adolescência, 1852
sintomas físicos, 1852

Índice

uso problemático de álcool, 1852
avaliação na APS, 1853
cuidados na APS, 1853
   atuação sobre determinantes sociais, 1855
   cuidados colaborativos, matriciamento, 1854
   cuidados comunitários, 1854
   psicoeducação, 1855
por que saúde mental na APS?, 1847
sofrimento mental, papel do diagnóstico, 1846
vulnerabilidade e adoecimento mental, 1848
   personalidade, 1849
   pobreza, causa ou consequência?, 1849
   situações de opressão, 1849
      mulheres, 1851
      população LGBTI+, 1849
      população negra, 1850
depressão, 1881
drogas, 1948
   uso, uso nocivo e dependência, 1948
infância, abordagem da saúde mental, 1960
   avaliação queixas específicas com apoio de escalas, 1976
   caracterização da queixa, 1965
      antecedentes desenvolvimentais e psicopatológicos, 1966
      antecedentes familiares, 1966
      contexto familiar e social, 1966
      determinação temporalidade dos sintomas, 1965
      formulação narrativa da queixa, 1965
      problema interpretado criança, familiares, escola, 1965
      repercussão funcional, 1965
      surgimento, agravamento ou melhora dos sintomas, 1965
   como problemas se manifestam nas consultas, 1964
      ajudar pais identificar como a criança demonstra sofrimento, 1967
      apoiar sem superproteger, 1966
      identificados em consultas por outros motivos, 1964
      manter e intensificar rotinas, 1967
      queixa emocional ou comportamental, 1965
      pais devem verificar como a criança está, 1967
      pais precisam enfrentar o problema, 1966
      solicitação da escola, 1964
      triagem consultas de puericultura, 1964
   eventos estressantes e transições difíceis, 1966
      estágio desenvolvimental, 1966
      história prévia criança e família, 1966
      temperamento, 1966
   intersetoriais para promoção da saúde mental, 1961
      atividades culturais e esportivas, 1961
      intervenções pré-escola ou escola, 1961
      programas de transferência de renda, 1961
   modelo transacional e desenvolvimento da criança, 1960
   problemas comportamentais comuns, 1970
      alterações do sono, 1970
         despertar confusional, 1971
         terror noturno, 1971
      birras, 1973
      bullying, 1974
      encoprese, 1973
      enurese, 1972
      seletividade alimentar, 1971
      sucção do polegar, 1971
   temperamento e autorregulação, 1962
      desenvolvimento da autorregulação, 1962
      temperamento e suas variações, 1962
   transdiagnóstica para todas as queixas, 1967
      educação parental positiva, 1968
      educação sobre emoções e regulação emocional, 1968
         autorregulação emocional, 1969
         educação sobre emoções, 1968
      estratégias comportamentais simples, 1969
      mudança estilo de vida, 1967
         atividades física e extracurricular, 1968
         rotinas de sono, 1967
         rotinas e rituais, 1967
      treinamento parental estruturado, 1970
   problemas em adolescentes e adultos jovens, 1990
   psicoses, 1908
   sexualidade e suas alterações, abordagem, 1931
   sintomas físicos de difícil caracterização, abordagem, 1919
   transtorno de humor bipolar, 1895
   transtornos relacionados à ansiedade, 1858
   transtornos relacionados a dificuldades de aprendizagem, 1977
      problemas associados à agressividade, 1977
Saúde no Brasil, Atenção primária, 1
   organização de serviços, 21
   sistema de saúde, 13
Saúde planetária, 52
   ação climática, 52
   educação em saúde, 53
   mudanças climáticas, 53
      cobenefícios, 53
   profissionais da atenção primária, 54
   recomendações, 55
Saúde pública, 78
   baseada em evidências, 78
      abordagens para intervenções, 81
         quadro EtD, 82
         quadro RE-AIM, 81
            adoção, 82
            eficácia, 82
            implementação, 82
            manutenção, sustentabilidade, 82
            reach, alcance, 82
      ações, 80
      conceitos, 79
      fontes de evidências, 82
      tipos de evidências, 80
Secreção vaginal, 1339
   cervicites, 1340
   mucorreia, 1339
   vulvovaginites, 1340
Sexualidade e suas alterações, abordagem, 1931
   ciclo de resposta sexual, 1931
      desejo, 1932
      excitação, 1932
      orgasmo, 1932
      resolução, 1932
   classificação dos transtornos da sexualidade, 1932
      disfunções sexuais, 1932
      transtornos parafílicos, 1933
   disfunções sexuais, 1936
      avaliação e diagnóstico, 1936
         roteiro para investigação, 1937
            avaliação estilo de vida, 1938
            avaliação saúde mental, 1938
            exame físico, 1938
            fatores ambientais, 1939
            história pregressa, 1937
            história psicossexual, 1939
            investigação laboratorial, 1938
            queixa, 1937
               causa, 1937
               descrição, 1937
               desenvolvimento, 1937
               expectativa parceiro, 1937
         questionário para diagnóstico disfunção sexual na clínica, 1939
      encaminhamento, 1944
         ausência de resposta à intervenção inicial, 1945
         condições complexas, 1944
         condições emocionais/mentais, 1944
         condições físicas, 1944
      intervenções terapêuticas, 1939
         orientação e aconselhamento, 1939
         técnicas comportamentais, 1939
            disfunção erétil, 1940
            ejaculação precoce, 1939
            manejo depressão e uso antidepressivos, 1943
               aguardar tolerância, 1943
               interromper uso antidepressivo finais de semana, 1943
               reduzir dose, 1943
               substituir antidepressivo por outro menor prejuízo função sexual, 1943
               utilizar outro antidepressivo associado, 1943
         psicoterapia, 1943
         tratamento medicamentoso, 1941
         transtornos da excitação e do desejo sexual, 1940
         transtornos do orgasmo, 1940
         vaginismo e dispareunia, 1940
   investigação atividade sexual em APS, 1933
      abordagem paciente homossexual e bissexual, 1935
      anamnese sexual, 1934
      como conduzir a entrevista, 1935
   transtornos parafílicos, 1943
      avaliação e diagnóstico, 1943

intervenções terapêuticas, 1944
Sinais, sintomas e alterações laboratoriais comuns, 655
　alterações do sono, 665
　anemias no adulto, 800
　cansaço ou fadiga, 790
　dispepsia e refluxo, 729
　dispneia, 696
　dor abdominal aguda, avaliação inicial, 721
　dor torácica, 703
　edema em membros inferiores, avaliação, 772
　febre em adultos, 776
　icterícia, alteração de transaminase e problemas hepáticos comuns, 750
　linfadenopatias, avaliação, 781
　náusea e vômitos, 741
　perda de peso involuntária, 796
　problemas digestivos baixos, 763
　raciocínio clínico na APS, 656
　sopros cardíacos, 713
　tosse subaguda e crônica, avaliação, 690
　vertigens e tonturas, 680
Síndromes demenciais e comprometimento cognitivo leve, idoso, 617
　abordagem ao paciente com suspeita de demência, 620
　　exame clínico, 620
　　　anamnese, 620
　　　avaliação cognitiva breve, 623
　　　　miniexame estado mental, 623
　　　　teste desenho relógio, 623
　　　　teste lista de palavras, 624
　　　exame neurológico dirigido, 621
　　　exames complementares, 623
　classificação das demências, 627
　　causa, 627
　　　estática, 627
　　　evolutiva, 627
　　　potencialmente reversíveis, 627
　　demência com corpúsculo de Lewy, 631
　　demência frontotemporal, 632
　　　variante comportamental, 632
　　　variante da linguagem, 633
　　　　critérios diagnósticos, 633
　　demência mista, 631
　　doença de Alzheimer com demência vascular, 631
　　demência parkinsoniana, 631
　　demência vascular: prevenível e negligenciada, 629
　　　etipatogenia, 629
　　　manifestações clínicas, 630
　　　　apraxia de marcha do tipo pequenos passos, 630
　　　　exame de imagem, 630
　　　　história de AVC, 630
　　　　sinal de lesão cortical focal, 630
　　　profilaxia e tratamento, 631
　　demências potencialmente reversíveis, 624
　　doença de Alzheimer, 627
　　　manifestações clínicas, 628
　　　tratamento, 628
　　　etiologia, 627
　　　　alcoólica, 627
　　　　degenerativa, 627
　　　　infecciosa, 627
　　　　neoplásica, 627
　　　　reversível, 627
　　　　traumática, 627
　　　　vascular, 627
　　hidrocefalia de pressão normal, 633
　　outras causas de demência, 634
　classificação evolutiva do declínio cognitivo, 634
　　avaliação clínica da demência, 634
　comprometimento cognitivo leve, 625
　demência extrema, cuidados paliativos paciente acamado, 636
　　integridade da pele, 636
　　nutrição, 636
　　prevenção de escaras, 636
　　sugestões de encaminhamento, 637
　　　emergência clínica, 637
　　　emergência psiquiátrica, 637
　　　geriatra, 637
　　　neurologista, 637
　　　psiquiatra, 637
　diagnóstico diferencial de demência, 624
　　delirium, 624
　　depressão com comprometimento cognitivo, 624
　　pseudodemência depressiva, 624
　epidemiologia das demências, 618
　domínios e síndromes neurocognitivas, 618
　　principais domínios, 619
　fatores de risco, 619
　manejo dos sintomas neuropsiquiátricos, 635
　　medidas comportamentais, 635
　　tratamento farmacológico, 635
　　　antipsicóticos, 635
　　　neurolépticos, 635
　　　psicotrópicos não neurolépticos, 636
Sintomas físicos de difícil caracterização, abordando, 1919
　apresentação clínica, 1921
　　grupo 1: associados a sofrimento mental inespecífico, 1922
　　grupo 2: associados a transtornos mentais comuns, 1922
　　grupo 3: associados a síndromes específicas, 1922
　　　conversão e dissociação, 1923
　　　hipocondria e ansiedade com a saúde, 1923
　　　síndromes funcionais, 1922
　avaliação multidimensional, 1924
　　curso e grau de incapacitação dos sintomas, 1925
　　eventos desencadeantes, 1924
　　fatores de risco, história de vida e doenças do paciente, 1924
　　padrão de atribuição etiológica, 1924
　　transtornos de ansiedade ou depressivos, 1924
　desafios classificação nosológica, 1923
　　classificação internacional de atenção primária, 1924
　　DSM e CID, 1923
　grupos Balint qualificar atendimento médico dos paciente, 1929
　processo etiológico, 1919
　　agregação diferentes sintomas, 1920
　　　síndrome corporal do estresse, 1920
　　　transtorno do desconforto corporal, 1920
　　desencadeantes sensações corporais anormais, 1920
　　fatores de risco associados e cronificação, 1920
　　modelo fisiopatológico, 1920
　　padrões explicativos sobre sensações corporais, 1920
　　sensações corporais normais e anormais, 1919
　tratamento, 1925
　　princípios, 1926
　　　cuidado paciente em acompanhamento especializado, 1929
　　　　tratamento especializado somatização crônica, 1929
　　　evitar somatizar consulta médica, 1926
　　　　abordagem familiar, 1928
　　　　espaços de apoio psicossocial, 1927
　　　　grupos terapêuticos, 1928
　　　　mindfulness, 1928
　　　retribuindo e recodificando o sintoma, 1927
　　　　ampliando a agenda, 1927
　　　　negociando o tratamento, 1927
　　　　sentindo-se compreendido, 1927
　　　　vínculo e modelo explicativo, 1927
　　　técnicas de relaxamento/exercício físico, 1928
　　　superar modelo doença-lesão, 1926
　　　tratamento medicamentoso, 1928
Sistema arterial periférico, doenças, 445
Sistema de saúde no Brasil, aspectos histórico-conceituais, 13
　projetos em disputa, 16
　mundo e Brasil, 16
　Sistema Único de Saúde, 14
　　diretrizes, 15, 17
　　　controle social, 19
　　　descentralização, 19
　　　equidade, 17
　　　hierarquização e regionalização, 18
　　　integralidade, 18
　　　universalidade, 17
　　estrutura, 16
　　princípios, 15
　　recursos humanos, 20
　　setor privado, 20
Situações de emergência, 2199
　acidentes por animais peçonhentos, 2214
　antídotos e antagonistas em intoxicações exógenas, 2246
　envenenamentos agudos, 2228
　ressuscitação cardiopulmonar, 2241
　urgências e emergências, papel da APS, 2200

Sono, alterações, 665
　avaliação diagnóstica, 668
　　insônia, 669
　　narcolepsia, 671
　　síndrome da apneia obstrutiva do sono, 670
　　síndrome das pernas inquietas, 671
　　transtornos do ritmo circadiano, 671
　　transtornos do sono, 668
　classificação dos transtornos do sono, 666
　　estágios do sono, 666
　　insônia, 666
　　síndrome da apneia obstrutiva do sono, 667
　　síndrome das pernas inquietas, 668
　　transtornos do ritmo circadiano, 667
　comorbidades e planejamento terapêutico, 672
　　comorbidades clínicas e condições fisiológicas, 672
　　comorbidades psiquiátricas, 672
　exames complementares, 671
　　actimetria, 672
　　polissonografia, 671
　tratamento integral, abordagens, 673
　　manejo da insônia, 673
　　　manejo farmacológico, 674
　　　　hipnóticos benzodiazepínicos, 675
　　　　hipnóticos não benzodiazepínicos, 675
　　　tratamento não farmacológico, 673
　　　　intervenções cognitivas, 674
　　　　intervenções educacionais e comportamentais, 673
　　　　　higiene do sono, 673
　　　　　técnicas de relaxamento, 674
　　　　　terapia de controle de estímulos, 673
　　　　　terapia de restrição de sono, 673
　　manejo da síndrome da apneia obstrutiva do sono, 676
　　manejo da síndrome das pernas inquietas, 677
　　manejo dos transtornos do ritmo circadiano, 677
Sopros cardíacos, 713
　ecocardiografia, 720
　exame clínico, 714
　　foco aórtico, 715
　　foco mitral, 714
　　foco pulmonar, 715
　　foco tricúspide, 714
　fisiopatologia, 714

　sopros contínuos, 720
　sopros em crianças, 719
　sopros em idosos, 719
　sopros inocentes, 715
　sopros na gravidez, 718
　sopros patológicos, 716
Sudorese excessiva, 1453, 1455
　hiperidrose, 1455
　　encaminhamento, 1457
　　etiologias, 1456
　　focal idiopática ou primária, 2455
　　　critérios diagnósticos, 1456
　　　pacientes a serem encaminhados, 1457
　　　　glicopirrolato 0,5 a 2%, 1457
　　　　iontoforese, 1458
　　　　medicações sistêmicas, 1458
　　　　procedimentos cirúrgicos, 1458
　　　　procedimentos emergentes, 1458
　　　　toxina botulínica, 1458
　　　seguimento, 1457
　　　tratamento, 1457
　　　　fatores desencadeantes, 1457
　　　　produtos de limpeza, 1457
　　　　roupas, 1457
　hiperidrose secundária, 1458
　　encaminhamento, 1458

T

Tabagismo, 265
　abordagem e tratamento do fumante, 269
　　abordagem clínica, 269
　　abordagem cognitivo-comportamental, 271
　　aconselhamento, 271
　　avaliação da motivação, 270
　　modalidades de intervenção, 271
　　programa, 269
　comportamento do profissional da saúde, 268
　custos econômicos, 267
　dependência da nicotina, 267
　epidemia tabágica, 265
　　grupos de alto risco, 266
　　tabagismo passivo, 267
　iniciação e prevalência entre jovens, 267
　impacto na saúde, 265
　intervenção em grupo, 272
　　abordagens para minimizar ganho de peso, 273
　　farmacoterapia, 273
　　prevenção de recaída, 274
　síndrome de abstinência, 267
Tabelas de valores de pressão arterial em crianças e adolescentes, A2-1

Telemedicina, 153
Telessaúde, 153
Terapêutica tópica, fundamentos, 1402
　antibioticoterapia tópica, 1409
　　ácido fusídico, 1409
　　associação neomicina e bacitracina, 1410
　　mupirocina, 1409
　barreira cutânea e absorção de fármacos, 1403
　corticoterapia tópica, 1407
　　crianças, 1408
　　efeitos adversos, 1407
　　　acne, 1407
　　　atrofia, 1407
　　　estria, 1407
　　　hipopigmentação, 1407
　　　outros, 1408
　　　sinais da síndrome de Cushings, 1408
　　　supressão do eixo hipotálamo-hipófise-suprarrenal, 1408
　　　telangiectasia, 1407
　　gestantes, 1408
　　orientação de uso, 1408
　fatores alteram absorção percutânea, 1403
　　características físico-químicas do fármaco, 1403
　　condições da pele, 1403
　　　hidratação, 1403
　　　idade, 1403
　　　local da aplicação, 1403
　　　outros aspectos, 1403
　　　pele lesada ou intacta, 1403
　　　temperatura e umidade, 1403
　　　tipo de lesão, 1403
　　efeito do veículo, 1403
　formulações na prática clínica, 1410
　parâmetros da terapêutica dermatológica, 1402
　　base ou veículo fármaco, 1402
　　conhecimento capacidade cedência dos fármacos, 1402
　　diagnóstico correto, 1402
　　escolha adequada do veículo, 1402
　　necessidades e preferências, 1402
　　possíveis intercorrências, 1402
　tipos de veículos, 1404
　　apropriado de acordo condição dermatológica, 1406
　　efeito curativo com oclusão plástica, 1406
　　líquidos, 1404
　　　loções, 1404
　　　soluções, 1404
　　　solventes orgânicos, 1404
　　　tinturas, 1404

　　　xampus, sabonetes líquidos e espumas, 14-4
　　semissólidos, 1404
　　　emulsões, cremes e loções cremosas, 1404
　　　　acnegenicidade, 1405
　　　　comedogenicidade, 1405
　　　　extensibilidade, 1405
　　　　oclusividade, 1405
　　　　sensação ao tato, 1405
　　　　suavidade ou eliminação da sensação de aspereza, 1405
　　　géis, 1405
　　　　hidrogéis, 1405
　　　　lipogéis, 1405
　　　pastas, 1405
　　　pomadas/unguentos, 1405
　　　　pomadas não oleosas, 1405
　　　　pomadas oleosas, 1405
　　sólidos, 1405
　　　aerossóis, 1405
　　　inertes, 1405
　　　medicamentosos, 1405
　toxicidade, 1406
Tosse subaguda e crônica, avaliação, 690
　avaliação da tosse, 691
　complicações, 695
　etiopatogenia, 690
　tosse na criança, 693
　　agentes ambientais, 694
　　asma, 694
　　avaliação, 694
　　doença do refluxo gastroesofágico, 694
　　infecções, 694
　　síndrome de tosse das vias aéreas superiores, 694
　　tosse pós-infecciosa, 694
　　tosse psicogênica, 695
　　tratamento sintomático, 695
　tosse no adulto, 691
　　encaminhamento, 693
　　exames complementares, 693
　　　espirometria, 693
　　　exame de escarro, 693
　　　radiografia de tórax, 693
　　tosse crônica, 691
　　　asma induzindo tosse crônica, 693
　　　bronquite eosinofílica não asmática, 693
　　　doença do refluxo gastresofágico induzindo tosse, 693
　　　sinais e sintomas, 692
　　　síndrome de tosse das vias aéreas superiores, 692
　　　tratamento inicial, 692
　　tosse subaguda, 691
　　tratamento, considerações importantes, 693

Trabalhador, atendimento, 167
  atenção primária, 168
    adoecimento relacionado ao trabalho, 170
      coerência, 171
      doença do trabalho, 171
      doença profissional, 171
      especificidade, 171
      estudos de intervenção, 171
      gradiente biológico, 171
      intensidade da associação, 171
      plausibilidade biológica, 171
      relação ou sequência temporal, 171
    anamnese ocupacional, 169
      história doença atual, 170
      história médica pregressa, 170
      história ocupacional, 169
      história psicossocial, 170
    comunicação do acidente de trabalho, 171
    legislação trabalhista, 173
      atestado ao médico do trabalho, 177
      atestado de aptidão laborativa, 177
      atestado médico a seguradoras, 177
        laudo médico para pessoas com deficiência, 178
        para trabalhadoras gestantes, 178
      atestado médico ao perito do INSS, 177
      atestado médico na APS, 176
        informações que devem constar, 176
      benefícios previdenciários, 174
        curto prazo, 175
          auxílio-acidente, 175
          auxílio-doença, 175
          auxílio-reclusão urbano, 175
          pensão por morte rural, 175
          pensão por morte urbana, 175
          salário maternidade rural, 175
          salário maternidade, 175
          salário-família, 175
        longo prazo, aposentadoria, 174
          especial por tempo de contribuição, 174
          idade rural, 174
          idade urbana, 174
          invalidez, 174
          pessoa com deficiência por idade, 174
          tempo de contribuição, 174
      nexo técnico doença/trabalho, 175
        profissional ou do trabalho, 175
        doença equiparada acidente de trabalho, 175
        técnico individual, 175
        epidemiológico previdenciário, 175
      previdência social no Brasil, 173
    notificação de agravos, 172
      acidentes de trabalho grave, 172
      acidentes exposição material biológico, 172
      câncer de origem ocupacional, 172
      dermatoses ocupacionais, 172
      distúrbio osteomuscular, 173
      intoxicações exógenas, 172
      lesão por esforço repetitivo, 173
      perda auditiva induzida por níveis de pressão sonora elevados, 173
      pneumoconioses, 173
      transtornos mentais e do comportamento, 173
    queixas ocupacionais, 168
    números do trabalho no Brasil, 168
    quem são trabalhadores?, 168
Transtorno do humor bipolar, 1895
Tratamento preventivo, rastreamento de adultos, 346
  avaliação da evidência, 347
    vieses estudos de rastreamento, 347
  critérios, 347
  prevenção quaternária, 348
  recomendações, 349
    alto risco de diabetes, 350
    avaliação geral anual, 349
    câncer, 351
      de cólon, 353
      de mama, 351
      outros cânceres, 353
    fatores de risco, 349
    hipertensão, 350
    outras doenças, 353
      depressão, 353
      osteoporose, 353
    risco global cardiovascular, 350
Trato urinário, infecção, 1674
  infecção em adultos, 1674
    classificação, 1675
      anatômica, 1675
      complicada, 1675
      presença de alterações estruturais ou funcionais, 1675
      recorrência da infecção, 1674
      sintomas, 1675
    diagnóstico, 1676
      avaliação clínica, 1676
        exame físico completo, 1676
        história clínica, 1676
        infecção complicada, 1677
          associada a cateter, 1677
          bacteriúria na gravidez, 1678
          cálculo urinário, 1677
          uropatia obstrutiva e nefropatia do refluxo, 1678
        infecção não complicada, 1677
          cistite, 1677
          infecção urinária recorrente em mulheres, 1677
          pielonefrite, 1677
          prostatite, 1677
          síndrome uretral, 1677
          uretrite, 1677
      avaliação laboratorial, 1678
        exame qualitativo de urina e urocultura, 1678
        exames de imagem, 1678
          cintilografia renal com DMSA, 1678
          radiografia simples de abdome, 1678
          tomografia computadorizada, 1678
          ultrassonografia de vias urinárias, 1678
          uretrocistografia retrógrada e miccional, 1678
          urografia venosa, 1678
    etiopatogenia, 1675
      antígeno de grupo sanguíneo, 1676
      colonização da uretra distal e região periuretral, 1676
      eliminação de bactérias, 1676
      fatores do hospedeiro, 1676
      osmolaridade e pH, 1676
      resposta imune, 1676
      uroepitélio, 1676
      virulência agente infeccioso, 1676
    fatores de risco, 1675
    profilaxia, 1682
    prognóstico, 1682
    tratamento, 1679
      bacteriúria assintomática, 1680
      cistite, 1679
      infecção em homens, 1681
      infecção na gestação, 1681
      infecção urinária associada a cateter, 1681
      infecção urinária complicada, 1680
      infecção urinária recorrente não complicada em mulheres, 1682
      pielonefrite, 1680
  infecção em crianças, 1683
    diagnóstico, 1683
      exames complementares, 1683
        exame de urina, 1683
        exames de imagem, 1684
          cintilografia com DMSA, 1684
          ultrassonografia do aparelho urinário, 1684
          uretrocistografia miccional, 1684
        outros exames laboratoriais, 1684
      quadro clínico, 1683
    disfunção miccional, 1686
    fisiopatogenia, 1683
    profilaxia, 1686
    tratamento, 1685
      cistite, 1685
      pielonefrite, 1685
Traumatismo musculoesquelético, 965
  fraturas, 965
    exame clínico, 965
    exame radiográfico, 966
    manejo, 966
      acompanhamento, 969
      imobilizações gessadas, 969
      urgências e emergências, 968
        lesão arterial, 968
        lesão nervosa, 968
        síndrome compartimental, 968
    recuperação funcional do trauma, 972
  traumas de partes moles, 971
    profundos, 971
    ruptura de músculo, tendão, nervo ou ligamento, 972
    superficiais, 971
  traumatismos articulares, 969
    contusões articulares, 969

entorses, 970
ferimentos articulares, 970
luxações, 971
subluxações, 971
Tuberculose, 1608
  diagnóstico, 1612
    diagnóstico tuberculose extrapulmonar, 1618
    diagnóstico laboratorial específico, 1612
    diagnóstico presumido tuberculose pulmonar, 1618
    diagnóstico radiológico/diagnóstico imagem, 1615
    ensaio liberação interferon-gama, 1615
    exames complementares, 1612
    prova tuberculínica, 1613
  exame físico, 1610
  prevenção e controle, 1626
    exames de contatos, 1628
    informações adicionais, 1629
    tratamento infecção latente, 1627
      prevenção ou quimioprofilaxia primária, 1627
      tratamento ou quimioprofilaxia secundária, 1628
    vacinação BCG, 1626
  quadro clínico, 1608
    tuberculose extrapulmonar, 1609
    tuberculose pulmonar, 1609
  situações especiais, 1623
    coinfecção HIV/Aids, 1623
    crianças, tuberculose na infância, 1623
    diabetes melito, 1626
    doença hepática, 1625
    doença renal, 1625
    gestação, 1624
    idosos, 1626
  tratamento, 1619
    bases bacteriológicas e farmacológicas, 1619
    efeitos adversos, 1621
    esquemas recomendados, 1620
    princípios gerais, 1619
    resiste múltiplos fármacos e extensivamente resistente, 1622
Tumores benignos e cistos cutâneos, 1472
  cistos cutâneos, 1476
    cisto epidérmico, 1476
      diagnóstico, 1476

prognóstico, 1476
tratamento, 1476
tumores cutâneos benignos, 1472
  dermatofibroma, 1475
    diagnóstico, 1475
    tratamento, 1475
  lipoma, 1475
    diagnóstico, 1475
    prognóstico, 1476
    tratamento, 1476
  nevos melanocíticos, 1472
    aconselhamento e encaminhamento, 1474
    classificação, 1472
      adquiridos, 1473
      congênitos, 1472
      displásicos, 1473
    prognóstico e tratamento, 1473
      adquiridos, 1474
      congênitos, 1473
      displásicos, 1474
  pólipos fibroepiteliais, 1475
    diagnóstico, 1475
    tratamento, 1475

U

Unha, cirurgia, 914
  anatomia, 914
  panarício, 918
  paroníquia, 916
    aguda, 916
    crônica, 917
  trauma ungueal, 918
    avulsão parcial traumática, 918
    hematoma subungueal, 918
  unha encravada, 915
    classificação, 915
    tratamento, 915
      técnica da cantoplastia, 916
Uso de medicamentos na gestação e na lactação, A3-1

V

Vertigens e tonturas, 680
  pré-síncope e síncope, 685
    abordagem diagnóstica, 685
    encaminhamento, 688
    quadros clínicos, principais, 687
      causas cardíacas, 688
      hipotensão ortostática, 687
        idade, 687

medicamentos, 687
outras, 687
pós-repouso prolongado, 687
vasovagal, 687
tonturas, outras, 688
desequilíbrio, 688
tontura inespecífica, 688
tontura na infância, 689
tontura no idoso, 688
vertigem, 680
  abordagem diagnóstica, 680
  exame físico, 681
    avaliação neurológica, 681
    HINTS, 682
      teste de impulso de cabeça, 682
      teste de *skew*, 683
      teste do nistagmo, 683
    otoscopia, 682
    pesquisa de nistagmo, 682
    teste de Dix-Hallpike, 682
    teste de equilíbrio, 682
      de Babinski-Weil, 682
      de Romberg, 682
  exames complementares, 683
    audiometria total e vocal, 683
    eletronistagmografia ou videonistagmografia, 683
    ressonância magnética de crânio, 683
  história clínica, 681
  principais quadros clínicos, 683
    vestibulopatias centrais, 685
      insuficiência vertebrobasilar, 685
      migrânea vestibular, 685
      outras causas raras, 685
    vestibulopatias periféricas, 683
      cinetose, 685
      fístula labiríntica, 685
      labirintopatias hormonais e metabólicas, 685
      neuronite vestibular e labirintites, 684

síndrome de Ménière, 685
vertigem posicional paroxística benigna, 683
Visão, alteração, 822
  classificação, 823
    defeitos ópticos, 823
    doença do globo ocular, 823
    doenças associadas à limitação da visão, 824
  detecção, 825
  diagnóstico, 824
    principais causas de perda visual, 825
  manejo, 826

Z

Zoodermatoses, 1500
  escabiose, 1500
    diagnóstico, 1500
      epidemiologia, 1501
      lesões cutâneas, 1501
      sintomatologia, 1501
      topografia das lesões, 1501
    etiopatogenia, 1500
    terapêutica, 1502
      medidas gerais, 1502
      tratamento adjuvante, 1502
      tratamento específico, 1502
        benzoato de benzila 5%, 1502
        deltametrina, 1502
        enxofre 5 a 10% creme Lanette, 1502
        ivermectina, 1502
        permetrina 5%, 1502
  larva migrans, 1505
    diagnóstico, 1505
    etiopatogenia, 1505
    terapêutica, 1505
  miíases, 1504
    etiopatogenia e diagnóstico, 1504
    terapêutica, 1504
  pediculoses, 1502
    diagnóstico, 1503
    etiopatogenia, 1502
    terapêutica, 1503
      medidas gerais pediculose do couro cabeludo, 1503
  tungíase, 1504
    diagnóstico, 1504
    etiopatogenia, 1504
    terapêutica, 1504